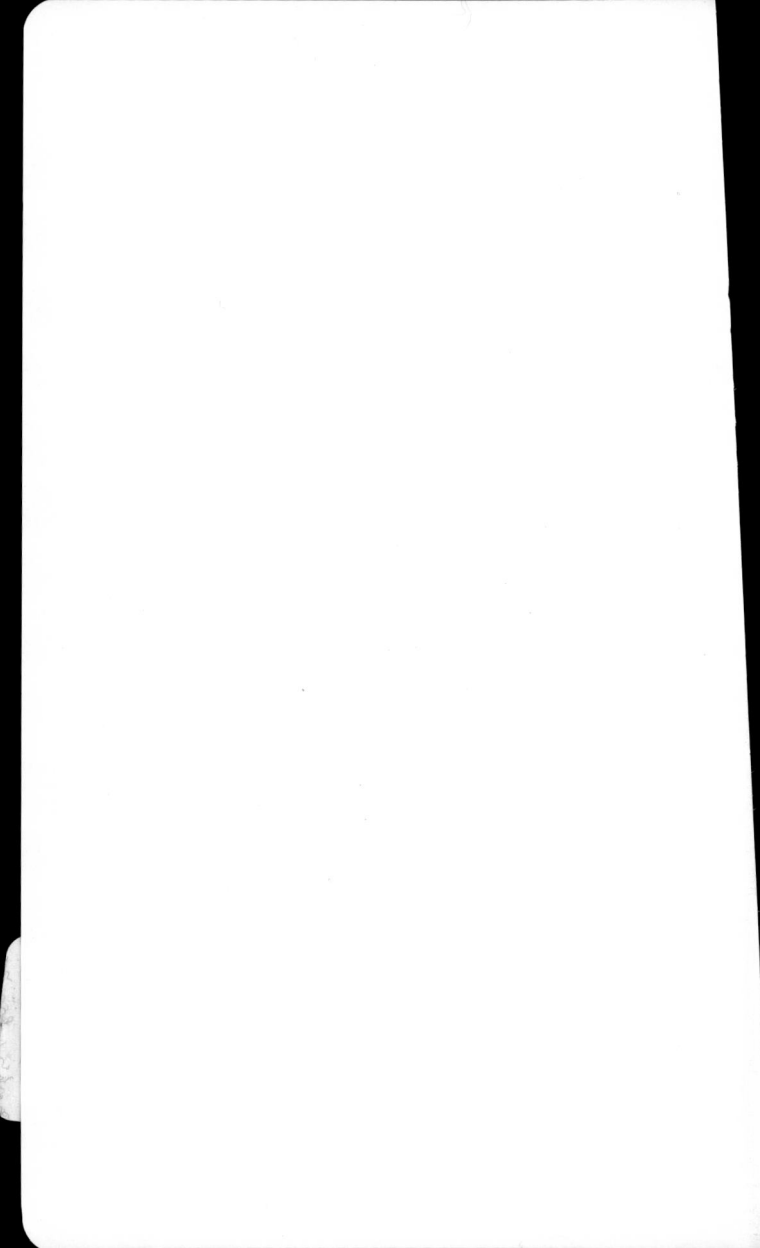

民衆

엣센스

新韓日小辭典

民衆書林 編輯局 編

民衆書林

머 리 말

우리 민중서림은 그동안 휴대에 편리하도록 '최소한의 지면에 최대한의 내용'을 담은 소사전 시리즈를 간행하여 다대한 호평을 얻은 바 있다. 이번에 소사전이 활자가 작아 찾아보기에 불편한 점이 있는 것을 감안하여, 조금이라도 그러한 불편을 덜어드려야겠다는 충정으로 휴대에 무리 없는 '포켓판'으로 판형을 키워 다시금 간행하게 되었다.

이 '신한일소사전(新韓日小辭典)'은 근자에 이르러 일본과의 경제·기술·문화 등 각 분야의 교류가 활발해졌으며, 양국간의 왕래도 현저해진 실정에 맞추어 간편하게 휴대하고 어디에서나 손쉽게 이용할 수 있도록 배려하여 최근에 편집한 것이다. 특히 아래와 같은 점에 각별히 유의하였으므로 사전 이용에 참고해 주기 바란다.

1. 일반 언어 생활에 충분한 어휘……우리의 일상 생활에서 흔히 쓰이고 있는 어휘들을 두루 섭렵하여 간결하게 처리함으로써 실용에 편리하도록 하였다. 특히 적절한 대응어를 보이도록 힘썼으며, 가급적 설명투의 대역은 피하였다.
2. 용례의 적절한 대역……우리가 일상 생활에서 흔히 쓰는 용례를 일본어로 옮기다 보면 자칫 우리식 일어가 되어버리는 폐단이 있어 이를 없애기 위하여 각별히 노력하였으며, 또한 가급적 일본인들의 언어 감각과 생활 감정에 맞는 표현을 찾기 위하여 애썼다.
3. 차별어의 철폐……요즈음 일본에서는 차별어 철폐 운동이 사회화되어 가고 있어, 우리로서는 별로 거부감 없이 쓰는 말도 일본인들의 출판물이나 언론에서는 규제하고 있는 점을 감안하여, 완곡한 표현으로 대역하였다.
4. 시사어의 수록……현대 우리 언론 매체에서 다루고 있는 시사어들도 지면이 허용하는 한도 내에서 수록하도록 노력하였다.

특히, 이 소사전을 펴내면서 처음부터 깊이 간여하여 도와 준 전 민중서관 편집담당 부사장 南元祐씨에게 깊은 감사를 드리며, 아울러 지금까지 민중서림 사전을 아껴 주신 독자 제위의 더 많은 성원과 지도 편달을 바라고자 한다.

1996년 4월 일

민중서림 편집국

일 러 두 기

Ⅰ 어휘의 수록

일상 사회에 쓰이는 표준어를 중심으로, 학습·실무에 필요한 학술어·전문어·외래어·신어 및 속담·속어·관용구 등을 망라하여 수록하였다.

Ⅱ 표 제 어

1. 어떤 말에 '-하다, -거리다, -스럽다, -롭다, -치다' 등의 접미사(接尾辭)가 붙어서 된 말 및 의성어(擬聲語)·의태어(擬態語) 등의 첩어(疊語)와 '-하다, -롭다, -없다' 등의 꼴로 된 표제에 '-히, -로이, -없이'가 붙어 부사(副詞)가 된 말은 원칙적으로 따로 표제로 내지 않고, 그 기본되는 말의 주석 끝에 이어 대어 나열하였다.

   보기 : **대답**【對答】명 ……. ——**하다** 자 ….
   달그락 부하자 …. ——**거리다** 자 …. ———— 부하자 ….
   가살 명 …. ——**-스럽다** 형 ….
   가소【可笑】명 …. ——**-롭다** 형 …. ——**-로이** 부 ….
   삼엄【森嚴】명 …. ——**-하다** 형 …. ——**-히** 부 ….
   상관【相關】명하자타 …. ——**-없다** 형 …. ——**-없이** 부 ….

2. 복합된 말들은 그 기본 표제어가 2 음절(音節) 이상이면, 기본 표제어 다음에 부속시켜 가나다순으로 추록(追錄)하였다.

   보기 : **가족**【家族】명 ….
   ‖—— **계획** 명 …. ——**법** 명 …. —— **수당** 명 ….

단, 1음절의 말인 **배** 명 …항에서 연결되는 **배-고프다** 형 …, **배-내밀다** 자 …, **배-밀이** 명 … 따위는 따로 표제어로 실었다.

Ⅲ 어휘의 배열

1. **초성(初聲)의 차례**

   ㄱ ㄲ ㄴ ㄷ ㄸ ㄹ ㅁ ㅂ ㅃ ㅅ ㅆ ㅇ ㅈ ㅉ ㅊ ㅋ ㅌ ㅍ ㅎ

2. **중성(中聲)의 차례**

   ㅏ ㅐ ㅑ ㅒ ㅓ ㅔ ㅕ ㅖ ㅗ ㅘ ㅙ ㅚ ㅛ ㅜ ㅝ ㅞ ㅟ ㅠ ㅡ ㅢ ㅣ

3. **종성(終聲)의 차례**

   ㄱ ㄲ ㄳ ㄴ ㄵ ㄶ ㄷ ㄹ ㄺ ㄻ ㄼ ㄽ ㄾ ㄿ ㅀ ㅁ ㅁ ㅂ ㅄ ㅅ ㅆ ㅇ ㅈ ㅊ ㅋ ㅌ ㅍ ㅎ

4. 같은 자모의 말은 우선 어법(語法)의 차례로, 어법이 같은 것은 우리 말·한자어·외래어의 순으로 좇았고, 한자어는 자획수(字劃數)의 적고 많은 차례로 각각 실었으며, 음과 글자가 같고 뜻이 다른 말에는 어깨 번호를 붙였다.

   보기 : **가량**【假量】[1] 명하타 ….
   가량【假量】[2] 의명 ….
   우리[1] 명 ….
   우리[2] 대 ….

Ⅳ 어법과 맞춤법

1. 문법 체계와 용어는 1985년부터 시행하게 된 '통일 학교 문법'에 따랐다.
2. 모든 어휘의 품사는 별도 표시의 부호로써 나타내었다.
3. 순 우리말이나 한자어의 맞춤법은 문교부(文敎部)에서 고시(告示)한 '한글 맞춤법(1988. 1.4)'을 좇았다.

Ⅴ 주석의 방식

1. 표제어와 용례의 주석은 현대 일본어의 표준어로써 함을 원칙으로 하되, 필요한 경우에는 방언·속어(俗語)·아어(雅語)·노인어(老人語)·소아어(小兒語)·여성어(女性語)·학생어(學生語)·경멸어(輕蔑語)·관서 방언(關西方言) 등도 보였으며, 그 때에는 그 해당 일본말 주석 뒤에 〈方〉·〈俗〉·〈雅〉·〈老〉·〈児〉·〈女〉·〈学〉·〈蔑〉·〈関西方〉 등의 약호로써 밝혔다. 또, 한자(漢字)로 표기된 일본말에는 일일이 작은 ひらがな로 읽는 법을 표시하였다. 다만, 앞에서 보여준 振ふり仮名がな는 뒤에서는 따로 보여주지 않고 생략한 것도 있다.

보기 : **합의** 【合議】 명 申もうし合あわせ ; 合議ごうぎ.
극성-맞다 【極盛—】 형 … ; がめつい〈俗〉.
성공 【成功】 명하자 成功せいこう ; …. ¶ 실패는 ～의 어머니 失敗しっぱいは成功の母はは…

2. '-하다, -히'의 처리

어떤 말에 '-하다, -히'가 붙어 동사·형용사·부사를 이룰 경우, 그 기본어의 일본어 역어(譯語)에 단순히 'する'·'だ' 또는 'に'만 붙어서 동사화·형용사화 또는 부사화하거나 대응(對應)하는 일본어 역어 없이 설명으로 풀이된 경우에는 기본어 표제어 다음에 하자 하형 히부 등의 어법 표시 약호만 보였고, 일본어 역어가 다양하게 풀이될 때에는 ——-하다 또는 ——-히를 별도로 내세워 일본어 역어를 따로 보였다.

보기 : **가감** 【加減】 명하타 加減かげん.
감수 【減壽】 명하자 寿命じゅみょうが縮ちぢむこと.
감시 【監視】 명 監視かんし ; 見張みはり.
간략 【簡略】 명하형히부 簡略かんりゃく ; 手短てみじか.

3. 일본어 표기는 일본 내각이 고시한 '常用漢字表(1981)'·'送り仮名の付け方(1981)'·'現代仮名遣い(1986)'·'外来語の表記(1991)'를 따랐으나 경우에 따라 관용(慣用)에 의한 표기를 한 것도 있다.

다만, 일본어화한 우리 말의 표기는 종전 방식을 따르지 않고, 보다 우리 음에 가깝게 발음되도록 반침에 해당하는 カナ는 작게 표기하였다.

보기 : **김치** 명 キムチ ; ….
한글 명 ハングル ; ….
이씨 조선 【李氏朝鮮】 명 朝鮮朝チョソンちょう….

4. 한 어휘로서 품사를 달리할 때에는 ㊀㊁㊂ …으로 나누어 풀이하였다. 뜻이 여러 갈래로 나뉠 때는 ①②③…으로, 또 그것을 다시 세분할 필요가 있을 때에는 ㉠㉡㉢…으로 나타냈다.

보기 : **달리다** ㊀자 ① ぶら下さがる. ㉠ つ(吊)り下さがる ; 垂たれる…. ㉡ (身みなどに)付つけ(られ)ている…. ㊁피동 ① つるされる. ② (はかりなどで)計はかられる….

5. 용례 중 표제어에 해당되는 부분은 '～'로 생략하여 나타내었다. 단, 활용어에서 어형 전체가 바뀐 경우엔 생략하지 않고 글자대로 표시했다.

보기 : **고르다**[1] ㊀형 …. ¶ 알알이 모두 고른 공… / 성적이 ～….
자다 자 …. ¶ 자나 깨나 … / 한잠 ～ ….

6. 표제어에 준하는 추록 복합어에 딸린 용례에서 '～'는 그 복합어 전체를 받는다.

보기 : **계절** 【季節】 명 ….
‖——-풍 명 季節風ふう. ¶ ～ 기후 季節風気候きこう ; ….

7. 설명의 중복을 피하기 위해 보다 표준적인 동의어(同義語)로 주석을 미룰 경우에는 ☞ 표를 붙여 그 항목을 지시하였다.

보기 : **고토** 【古土】 명 ☞ 고향.

8. 준말의 처리

표제어가 어떤 말의 준말일 경우, 그 자리에서 일본말 주석을 달지 않고 본디말에 가서 주석을 보였을 때, 그 자리에는 ↗표로 본디말을 지시하는 데 그쳤다.

보기 : **합승** 【合乘】 … ② ↗합승 택시.

‖— 택시 명 相乗りのタクシー.

표제어가 준말일 때 그 자리에서 일본말 주석을 보였고 주석 앞 [↗] 안에 우리 말의 본디말을 보였다.

보기 : **항모** 【航母】 명 [↗항공 모함] 空母くうぼ.

Ⅳ 기호의 용법

1. 【 】

표제어에서 그에 대응하는 한자 또는 영자(英字)를 보여 줄 때

보기 : **함상** 【艦上】

와이 엠 시 에이 【Y.M.C.A.←Young Men's Christian Association】

2. 〔 〕

외래어 표제어에서 대응되는 외래어를 보일 때

보기 : **차밍** 〔charming〕….

또, 그 부분이 대체(對替)될 수 있음을 가리킬 때

보기 : **가공** 【架空】 명 …. ¶ ~의〔~적인〕 계획 = 가공의 계획, 가공적 인 계획

자비 【慈悲】 명 …. ¶ ~를 베풀다 慈悲を施ほどす〔垂たれる〕….

3. ~

용례에서 표제어의 대용

보기 : **자아** 【自我】 …. ¶ ~에 눈뜨다….

4. ¶

용례의 시작

보기 : **고수** 【固守】 …. ¶ 진지를 ~하다.

5. 〖 〗

표제어의 전문 영역(專門領域) 표시

보기 : **곱돌** 명 〖鑛〗 ….

간암 【肝癌】 명 〖醫〗 ….

6. 《 》

㉠주석 뒤에서 표제어에 대한 보충 설명

보기 : **안-사람** 명 《俗》 女房にょうぼう ; …《人ひとの妻つまを呼よんで言いう》.

㉡주석 뒤에서 그 일본말이 준말임을 보일 때

보기 : **고등** 【高等】 명 ….

‖— 학교 명 高等学校こうとうがっこう ; 高校こうこう《준말》.

7. 《 》

표제어의 쓰임과 위상(位相)을 나타낼 때 및 속담 주석의 앞에서

보기 : **아가리** 명 《俗》 口くち ; くちばし.

긁다 타 …. ¶ 긁어 부스럼 《俚》 やぶへび.

8. —

표제어에 준하는 추록 복합어에서 표제어에 해당하는 말 대신에

보기 : **자연** 【自然】 명 ….

‖——계 명 ….

9. ↗

그 다음 말이 준말임을 나타낼 때

보기 : **자지레-하다** 형 ↗자질구레하다.

10. [↗]

표제어가 준말일 때 본디말을 보일 경우

보기 : **자전** 【自傳】 명 [↗자서전(自敍傳)] 自伝じでん.

기총 【機銃】 명 [↗기관총] 機銃きじゅう.

11. ☞

그 표제어에 대한 주석은 그 다음에 보이는 표제어에 가서 찾아보도록 지시할 때

보기 : **소낙비** 명 ☞ 소나기.

12. =

동의어(同義語)를 참고로 보여줄 때

보기 : **성음 【聲音】** 명 声音せいおん. =목소리.

13. /

둘 이상의 용례가 있을 때, 다른 용례가 계속됨을 표시할 때

보기 : **자리** 명 …. ¶ ~를 양보하다…/ ~를 뜨다….

14. (=)

주석 속에서 그 앞 말에 대한 대응어(對應語)를 보일 때

보기 : **그러면서** 부 "그러하면서(=それなのに ; そのくせ)"の意い.

15. *

어떤 표제어에 대한 참고어를 보여줄 때

보기 : **밀-뜨리다** 타 …. * 밀치다.

16. ㊣

주석 끝에서 그 표제어가 준말임을 보여 줄 때

보기 : **그러하고 말고** 감 そうだとも.…. ㊣그렇고 말고.

17. ‖

추록 복합어가 시작됨을 가리킬 때

보기 : **자각 【自覺】** 명 自覚じかく….

‖── **증상** 명 ….

18. ( )

㉠ 복합어나 주석에서 대응하는 우리 말의 한자나 일본어의 '常用漢字表' 이외의 한자를 보여 줄 때

보기 : **자개** 명 ….

‖──-**농**(籠) 명 ….

문갑 【文匣】 명 ふばこ(文箱) ; ….

㉡ 주석의 이해에 도움을 주기 위해 보충적인 설명을 할 때

보기 : **그늘** 명 …. ② (親おやまたは人ひとの)もと(下) ; ….

㉢ 표제어나 주석의 뒤와 중간에서 그 부분이 생략될 수 있음을 보일 때

보기 : **자고 이래(로) 【自古以來(—)】** 부 昔むかしから(今いままでずっと).

19. <, >

그 표제어의 큰말·작은말 관계를 보일 때

보기 : **할짝-거리다** 타 …. <할쭉거리다.

껄떡 부하자 …. >깔딱.

20. ㅗ, ㅛ, ㅛㅛ

어감(語感)의 세고 여린 정도를 보일 때

보기 : **가뿟-하다** 형 …. ㅗ가붓하다.

감감 소식 【—消息】 명 …. ㅛ깜깜 소식.

껌껌-하다 형 …. ㅛㅛ컴컴하다.

약어 및 기호

1. 어 법

[명] 명사
[의명] 의존 명사
[명] 대명사
[수] 수사
[자] 자동사
[불자] 불완전 자동사
[타] 타동사
[불타] 불완전 타동사
[사동] 사역 동사
[피동] 피동사
[형] 형용사

[관] 관형사
[보동] 보조 동사
[보형] 보조 형용사
[감] 감탄사
[부] 부사
[준] 준말
[조] 조사
[미] 접미어
[두] 접두어
[구] 성구・관용구
[어미] 어미

[하자] ——-하다 [자]
[하타] ——-하다 [타]
[하자타] ——-하다 [자][타]
[하자형] ——-하다 [자][형]
[하타형] ——-하다 [타][형]
[하보동] ——-하다 [보동]
[하형] ——-하다 [형]
[형자타] ——-하다 [형][자][타]
[하보형] ——-하다 [보형]
[스형] ——-스럽다 [형]
[히부] ——-히 [부]

2. 전문어

〖建〗 건축
〖經〗 경제
〖工〗 공업・공학
〖鑛〗 광물・광업
〖軍〗 군사
〖氣〗 기상
〖基〗 기독교
〖機〗 기계
〖劇〗 연극
〖論〗 논리
〖農〗 농업
〖動〗 동물
〖文〗 문학
〖物〗 물리
〖美〗 미술
〖民〗 민속

〖法〗 법률
〖佛〗 불교
〖史〗 역사
〖社〗 사회
〖寫〗 사진
〖商〗 상업
〖生〗 생물・생리
〖數〗 수학
〖植〗 식물
〖心〗 심리
〖樂〗 음악
〖野〗 야구
〖藥〗 약학
〖魚〗 어류
〖言〗 언어학
〖醫〗 의학

〖印〗 인쇄
〖電〗 전기
〖政〗 정치
〖鳥〗 조류
〖宗〗 종교
〖證〗 증권
〖地〗 지리・지학
〖天〗 천문
〖哲〗 철학
〖蟲〗 곤충
〖컴〗 컴퓨터
〖貝〗 조개
〖土〗 토목
〖韓醫〗 한의학
〖海〗 해사・항해
〖化〗 화학

3. 용 법

○ 주석 앞에서 표제어의 위상 표시

《宮》 궁중어
《方》 방언
《卑》 비어

《俗》 속어
《詩》 시어
《兒》 소아어

《俚》 속담
《學》 학생어

○ 주석 뒤에서 그 일본어의 위상 표시

〈口〉 구어
〈蔑〉 경멸어
〈老〉 노인어
〈文〉 문어
〈方〉 방언

〈卑〉 비어
〈俗〉 속어
〈児〉 소아어
〈雅〉 아어
〈女〉 여성어

〈婉〉 완곡어
〈学〉 학생어
〈関西方〉 "関西(かんさい)" 방언

4. 외래어

그…그리스어
네…네덜란드어
노…노르웨이어
도…독일어
라…라틴어
러…러시아어
프…프랑스어

미…미국어
범…범어
벨…벨기에어
스…스페인어
아랍…아라비아어
이…이탈리아어
핀…핀란드어

인…인도어
일…일본어
중…중국어
페…페르시아어
포…포르투갈어
폴…폴란드어
히…히브리어

ㄱ

ㄱ ハングル子音の第一番目の文字.

ㄱ자-자【一字一】명 ㄱ字形の定規; かね尺.

가 명 ① 縁; へり; 際; 端; へ(辺)〈雅〉. ¶ 책상~ 机のへり / 물~ 水際; 水の辺 / 창~ 窓際 / 못~ 池の端 / 강~ 川べ; 岸べ. ② そば; あたり; 傍ら; ほとり.

가【可】명 可. ① よいこと; よしとして許すこと. ¶ ~도 아니고 불가도 아니다 可でもなく不可でもない. ② 成績評価基準の一つ. ¶ 우량~ 優良可.

가【加】명 加. ①〖數〗[↗가법] 加法. ② [↗가산] 加算. ¶ 원금에 이자를 ~하다 元金に利子を加算する.

가 조 ① …が. ¶ 해~ 뜬다 日が昇る / 네~ 좋다 君が好きだ. ② …に. ¶ 작가~ 되다 作家になる. ③ …では《後に否定の語が来る》. ¶ 바다~ 아니다 海ではない.

가 준 [↗가아] 行って. ¶ ~보아라 行って見なさい / ~보다 行って見る.

가-【假】두 ① 仮・か; 仮の; 臨時の. ¶ ~처분 仮処分. ② 偽の. ¶ ~기자 偽物の記者.

-가【家】미 家・け. ① その道の人. ¶ 평론~ 評論家 / 전문~ 専門家 / 정열~ 情熱家. ② 록펠러~ ロックフェラー家.

-가【歌】미 歌・うた; 歌の名や種類を表わす語. ¶ 애국~를 부르다 愛国歌を歌う.

가가【家家】명 家ごと.
‖── 문전(門前) 명 家家の門前. ── 호호(戶戶) 명부 毎戸; 家ごと(に); 戸ごとに. ¶ ~이 家ごとに; 戸ごとに / ~ 찾아다니다 一軒一軒訪ねまわる.

가감【加減】명하타 加減.
‖──-례 명〖法〗加減例. ── 부득(不得) 명 [↗가부득 감부득] 加減のできないこと. ── 승제 명〖數〗加減乗除.

가-건물【假建物】명 仮に建てた建物; 仮小屋.

가게 명 [←가가(假家)] 店; たな; 店舗. ¶ 구멍 ~ 軒店 / 생선 ~ 魚屋 / ~를 차리다〔내다〕 店を張る〔出す〕 / 가겟문을 닫다 大戸をおろす / ~를 드리다〔닫다〕 店仕舞いする.
‖──-채 명 店に使う建物. また, その部分. 가겟-방(房) 명 店に使う間取り. 가겟-집 명 ① 店を張って商いをする家; 商家. ② 店に使う家.

가격【價格】명 価格. ① 値; 値段; プライス. ¶ 적정 ~ 適正価格 / 도매 ~ おろし値段 / 구입 ~ 元値 / ~ 인하 値下げ / ~폭 値ざや / ~폭 제한 値幅制限. ② 値打ち; 価値.
‖── 경기 명 価格景気. ── 정책 명〖經〗価格政策. ── 지수 명 価格指数. ── 차익 명 価格差益. ── 표(票) 명 下げびら.

가결【可決】명하타 可決. ¶ 만장 일치로 ~하다 満場一致で可決する / 의안을 ~하다 議案を通す.

가경【佳景】명 佳景; いい景色.

가경【佳境】명 佳境. ¶ 점입(漸入) ~ いよいよ佳境に入る / 이야기가 ~에 들다 話が佳境に入る.

가계【家系】명 家系; 家筋; 血筋. ¶ ~도 家系図.

가계【家計】명 家計; 暮らし. ¶ ~를 줄이다 暮らしを詰める.
‖── 경제 명〖經〗家政経済. ── 미가(米價) 명 ある年に調べた生活費にもとづいて割り出した米価. ── 보험(保險) 명 個人生活の安定を図って契約する保険. ──-부 명 家計簿. ──-비(費) 명 生活費; 生計費.

가-계약【假契約】명하타 仮契約.

가-계정【假計定】명 仮勘定.

가곡【歌曲】명 歌曲. ① ☞ 노래. ②〖樂〗リート. ¶ 슈베르트의 ~ シューベルトのリート. ③ 韓国の在来音楽の一つ.

가공【加工】명하타 加工. ¶ 원료를 ~하다 原料を加工する.
‖── 무역 명 加工貿易. ──-비 명 加工費. ── 수입 명 加工輸入. ──-품 명 加工品.

가공【架空】명하타 架空. ¶ ~ 인물 架空(の)人物 / ~의〔~적인〕 계획 架空の計画.
‖── 삭도 명 架空索道. ──-선 명 架空線. ── 철도 명 高架鉄道. ── 케이블 명 架空ケーブル.

가공 의치【架工義齒】명 架工義歯; 架工歯; ブリッジ.

가공-할【可恐一】恐るべき. ¶ ~ 인물 恐るべき人物.

가과【假果】명〖植〗仮果; 偽果. = 부과(副果).

가관【可觀】명 ① 見物; 見る値打ちのあること. ¶ 경치가 ~이다 景色が見物だ. ② 見苦しいさま; 不様なようす.

가교【架橋】명하자 架橋. ¶ ~ 공사 架橋工事.

가교【假橋】명 仮橋; 臨時に架けた橋.

가구【家口】명 ① 一家の家族. ② 所帯; 世帯. ¶ ~수 所帯の数.
‖──-주 명 世帯主.

가구【家具】명 家具. ¶ ~점(店) 家具屋 / ~ 집물 家具調度.

가극【歌劇】명 歌劇; オペラ.

가급【加給】명하타 加給; 増給.

¶ ～률 加給率.
‖── 임금(賃金) 명 加給賃金.
가급-적【可及的】 명 관 可及的；なるべく；できるだけ. ¶ ～이면 できるだけ/～이면 속히 できるだけすみやかに；なるべく速く.
가까스로 부 やっと；辛うじて；ようやく. ¶ ～ 기차를 탔다 やっと汽車に乗れた/～ 이기다 辛うじて勝つ/～ 구조되었다 危うく助かった/～ 살아가다 やっと暮らして行く.
가까-이 부 近く；親しく. ──-하다 타 近づける；寄り付ける；親しむ. ¶ ～ 가다 近づく/어린이는 아무래도 위험에 ～ 가는 수가 많다 子供はどうしても危険に近よることが多い.
가깝다 형 近い. ① 遠くない. ¶ 학교에 가까운 곳 学校に近いところ/가까운 장래 近い将来/가장 가까운 역 最寄りの駅. ② 似ている. ¶ 천재에 가까운 사람 天才に近い人. ③ 親しい. ¶ 아주 가까운 사이 ごく近い〔親しい〕間柄. ④ (血縁が)密接だ. ¶ 가까운 친척 近い親類.
가꾸다 타 ① 培う；作〔造〕る；栽培する；よく育てる. ¶ 채소를 ～ 菜を作る. ② 装う；飾る；手入れをする. ¶ 몸을 ～ 身を装う；身ごしらえをする/잘 가꾼 정원 手入れの行き届いた庭.
가끔 부 ① ときたま；たまに；時折；時時. ¶ ～ 만나는 사람 たまに出会う人. ② しばしば；ちょいちょい. ¶ 그러한 일이 ～ 있다 そういうことがちょいちょい〔間間〕ある. ──── 부 時時；時折；ちょいちょい. ──-가다(가) 부 時たまに；時として. ¶ ～ 부수입도 있다 たまには副収入もある. * 가다가.
가나다-순【─順】 명 イロハ順.
가나-오나 부 どこへ行くにしても；いつも. ¶ ～ 말썽이다 どこへ行こうと〔いつも〕問題を引き起こす.
가난 명하형 貧乏；貧しいこと. ¶ 집이 ～하다 家がまずしい/～한 살림 貧しい暮らし/～한 집 貧乏な家.
가난-들다 자 求めがたくなる；不足する；欠乏する. ¶ 인재(人材)가 가난들었다 人材を求めがたい.
가내【家内】 명 家内；一家の内；家族. ¶ ～ 번창을 빌다 家内繁盛を祈る.
‖── 공업 명 家内工業. ── 노동(勞動) 명 家内労働. ──-사(事) 명 家事.
가냘프다 형 か弱い；か細い；ひ弱い. ¶ 가냘픈 몸 か細いからだ/가냘픈 체격 きゃしゃな体格.
가누다 타 支える；保つ. ¶ 간신히 몸을 가누었다 辛うじて立ち直った.
가느-다랗다 형 極めて細い；ほっそりとしている；心持ち細い. ¶ 가느다란 실 ごく細い糸.
가느스름-하다 형 やや細い；少し細めである.
가는귀-먹다 자 耳が少し遠い.
가는-눈 명 細目. ¶ ～을 뜨고 미소지었다 細目でほほえんだ.
가늘다 형 細い. ① 太くない. ¶ 실이 ～ 糸が細い. ② (幅が)狭い. ¶ 눈을 가늘게 뜨다 目を細くする. ③ (声が)低い. ¶ 가는 목소리 低い声. ④ 細かい. ¶ 가늘게 짜다 細かく編む.
가늘디-가늘다 형 極めて細い.
가늠 명 ① ねらい；照準. ──-하다 타 ねらう；ねらいをつける. ¶ 잘 ～하다 よくねらいをつける. ② 見当；予想；見積もり；見計らい. ──-하다 타 見積もる；見計らう；予想する. ¶ ～할 수가 없다 見当ができない. * 가늠보다.
‖── 구멍 명 照門. ──-쇠 명 照準器；照星. ──-자 명 照尺. ¶ ～를 들여다 보고 조준을 하다 照尺をのぞ(覗)いて照準をつける.
가늠-보다 타 ① ねらう；ねらいをつける. ② 見当をする；予想する；見計らう.
가능【可能】 명 可能. ──-하다 형 可能だ；出来る. ¶ 실행 ～한 일 実行可能なこと/세탁이 ～하다 洗濯が利く.
‖──-성 명 可能性. ¶ ～이 없다 可能性がない.
가다 一 자 ① 行く(《'ゆく'라고도 하지만 약간 예스러운 말임》. ㉠ 今いる所から離れる；向かう；参る；いらっしゃる. ¶ 바다로 ～ 海へ行く/절에 ～ 寺に参る/시집을 ～ 嫁に行く；嫁ぐ/문병을 ～ 病気見舞に行く/서울로 ～ ソウルへ向かう/한발 앞서 ～ 一足先に行く. ㉡ (年月が)たつ. ¶ 가는 봄을 아쉬워하다 行く春を惜しむ. ㉢ 死ぬ. ¶ 저승으로 ～ あの世へ逝く. ㉣ (ある所に)通ずる. ¶ 시장으로 가는 길 市場へ行く道. ㉤ (身を寄せるべき所へ)移る. ¶ 군대에 ～ 兵隊に出る. ㉥ 立ち去る. ¶ 가는 이를 어찌 말리리 行く人をいかに(して)引き止めよう. ㉦ 心がある状態になる. ¶ 호감이 ～ 好感がもてる/납득이 ～ 合点〔得心〕が行く. ② (味が)変わる；悪くなる. ③ (火が)消える. ¶ 전깃불이 ～ 電灯が消える. ④ (ひびが)入る；(しわが)寄る. ¶ 접시에 금이 ～ 皿にひびが入る. ⑤ 続く；保つ；持つ. ¶ 손이 많이 가는 일 手の込むしごと. ⑥ (値段が)掛かる；(いくら)する. ¶ 양복 한 벌에 30만 원 간다 洋服一着に30万ウォンする.
二 타 ① (目的地などに向かって)歩く. ¶ 밤길을 ～ 夜道を歩く. ② ある状態が続く. ¶ 사흘도 못 ～ 三日も続かない.
三 보동 …しつつある；行く. ¶ 병이 나아 ～ 病気がなおりつつある/밤이 깊어 ～ 夜がふけて行く.
가다가 부 たまには；たまたま；時には；時折；時たま. ¶ ～ 그런 일도 있다 たまにはそういう事もある.
가다듬다 타 ① (気を)取り直す；(心・興奮を)引き締める；落ち着ける；静める. ② (声を)つくろう；整える；澄ます. ③ (身なりなどを)整える.

가다랑-어【—魚】명〔魚〕かつお(鰹).

가닥 명 (糸などの)より; 糸筋; 筋; ¶한 ~의 희망도 없다 一るの望みもない / 다섯 ~의 실을 잇다 五本の糸をつなぐ.

가닥-가닥[1] 부 (ひもなどが)幾筋にも分かれているさま: 筋ごとに.

가닥-가닥[2] 부하형 水気が少し乾いたさま.

가단-성【可鍛性】명〔物〕可鍛性.

가단 주철【可鍛鑄鐵】명〔物〕可鍛鋳鉄.

가단-철【可鍛鐵】명 ☞ 가단 주철.

가담【加擔】명 加担. ——-하다 자 加担する; くみ(与)する; 加わる. ¶나쁜 일에 ~하다 悪事に加担する〔くみする〕.

‖——-범 명 加担犯. =방조범.

가당 연유【加糖煉乳】명 加糖練乳; コンデンスミルク.

가당-찮다【可當—】형 ① 当たっていない; 不当だ; とんでもない. ¶가당찮은 값을 매기다 法外な値をつける. ② なみたいていでない.

가당-한【可當—】① 適切な; 当然な; もっともな; 正当な; 妥当な. ¶~ 말 もっともな話. ② (任務などに)当たり得る; 堪えられる.

가댁-질 명하자 鬼ごっこ. ——-하다 자 鬼ごっこをする.

가도【家道】명 家道. ① 家で守るべき道徳. ② 一家の暮らし; 家計.

가도【假渡】명하타 仮渡し.

가도【街道】명 ① 街道. ¶경인 ~ 京仁街道. ② 街路.

가돌리늄〔도 Gadolinium〕명〔化〕ガドリニウム《記号: Gd》.

가동【可動】명하형 可動; 動かし得ること. ¶~ 장치 可動装置.

‖—— 관절 명〔生〕可動関節. ——-교 명 可動橋. ——-성 명 可動性. —— 코일형 명 可動コイル型.

가동【稼動】명하자 稼働〔稼動〕. ¶~ 일수 稼働日数 / ~ 인구 稼働人口 / ~률 稼働率.

가동-거리다 자타 (幼児の両わきを抱えて上下さすとき幼児が)足をばたつかせる; ばたばたさせる.

가두【街頭】명 街頭; まちかど. ¶~ 풍경 街頭風景 / ~ 모금을 하다 街頭募金をする.

‖—— 녹음 명 街頭録音; 街録《준말》. —— 선전 명 街頭宣伝; つじ宣伝. —— 시위(示威) 명 街頭デモ. —— 연설 명 街頭演説. —— 진출 명 街頭進出. —— 판매 명 街頭販売; 立ち売り. 준 가판(街販). ¶신문의 ~ 新聞の立ち売り.

가두다 타 ① 閉じ込める; 封じ込める; 囲う ¶감옥에 ~ ろうやに閉じ込める〔つなぐ〕/ 돼지를 우리에 ~ 豚を小屋に囲う. ② (水流を)溜める; せき止める ¶논물을 ~ 田の水を溜める.

가-두리 명 物の縁; へり.

가드〔guard〕명 ガード.

‖—— 레일 명 ガードレール. ——-맨 명 ガードマン. —— 펜스 명 ガードフェンス.

가드락-거리다 자 尊大にふるまう; お高くとまる.

가득 부 いっぱい; ぎっしり; たっぷり; なみなみ. ¶장내에 ~ 찬 사람 場内いっぱいの人 / 가방을 책으로 ~ 채우다 カバンを本でいっぱいにする / 장내는 청중으로 ~ 차 있었다 聴衆は堂に満ちていた.

가득【稼得】명하타 稼動させて結果を得ること.

가득-가득 부하형 ぎっしり; なみなみ; たっぷり. ¶~ 담아라 ぎっしり入れろ.

가득-하다 형 いっぱいだ; みなぎっている; 満ちている. ¶그녀의 눈은 눈물로 가득했다 彼女の眼は涙でいっぱいだった. 가득-히 부 いっぱいに; ぎっしりと; なみなみと; たっぷりと. ¶잔에 ~ 붓다 杯になみなみと注ぐ.

가든〔garden〕명 ガーデン.

‖—— 골프 명 ガーデンゴルフ. —— 트랙터 명 ガーデントラクター. —— 파티 명 ガーデンパーティー.

가든-그(뜨)리다 타 (簡単に)とりまとめる. ¶짐을 ~ 荷物をとりまとめる.

가들막-하다 형 ほとんど満ちている; ほとんどいっぱいだ.

가등【街燈】명 [↗가로등] 街灯.

가-등기【假登記】명 仮登記.

가뜩 부 ① いっぱい; ぎっしり; たっぷり; なみなみ(と). ② ☞ 가뜩이나.

가뜩-가뜩 부하형 いっぱい; ぎっしり; なみなみ; たっぷり.

가뜩-에 부 なおまた; その上; おまけに. ¶굶주리는데 ~ 병까지 생겼다 飢えに加えて病気まで生じた.

가뜩-이 부 ① いっぱい; たっぷりと; なみなみと; ぎっしりと. ② ☞ 가뜩이나.

가뜩-이나 부 そうでなくても; その上(に); 加えて. ¶~ 지쳤는데 それでなくても疲れているのに.

가뜩-하다 형 いっぱいだ; みなぎっている; 満ちている.

가뜬-하다 형 身軽だ; 気軽だ; 手軽だ. ¶가뜬한 복장을 하다 身軽な服装になる. 가뜬-히 부 軽く; やすやすと. ¶~ 들어 올리다 軽く持ち上げる.

가라사대 불자 のたまわく; いわく. ¶공자 ~ 孔子いわく.

가라-앉다 자 ① 沈む; 没する ¶낚시찌가 가라앉았다 浮きが沈んだ ② 静〔鎮〕まる; おさまる; なぐ. ¶마음이〔소동이〕 ~ 心が〔騒ぎが〕静まる / 폭풍우가 ~ あらし(嵐)が静まる / 바람이 ~ 風がおさまる; 風がなぐ / 아픔이 ~ 痛みがおさまる. ③ (はれが)ひく; 散る. ¶부기가 ~ はれが散る.

가라-앉히다 사동 ① 沈める. ¶배를 ~ 船を沈める. ② 静〔鎮〕める; 落ち着ける; 治める. ¶마음을 ~ 心を静める. ③ (はれものなどを)散らす. ¶맹장을 냉찜질하여 ~ 盲腸を冷やして散らす.

가락[1] ㊀명 ①(糸車の)管; つむ(錘). ②細長い棒状または筒状のものの一個. ③手足の末端の分かれた部分. ¶ 손~ 指. ㊁의명 棒状の物を数える単位. ¶ 엿 다섯 ~ あめん棒五本.
‖――국수 명 うどん類.
가락[2] 명 調子. ①曲; 節; 拍子; 調べ. ¶ 음악의 ~ 音楽の調べ / ~을 붙이다 節をつける / ~을 맞추다 調子を合わせる. ②能率. ¶ ~이 나다[붙다] 調子づく; 脂が乗る.
가락가락-이 부 節ごとに; 毎曲.
가락-떼다 자 ①楽器を鳴らす. ②興を起こすような動作を始める; 音頭をとる.
가락지 명 (二つ一組の)指輪. ¶ ~를 낀 손 指輪をはめた手.
가랑-눈 명 粉雪; 泡雪.
가랑-머리 명 ふたまたに編んだお下げ髪.
가랑-무 명 ふたまた大根.
가랑-비 명 小雨·; ぬか雨; 細雨; お湿り〈女〉. ¶ ~에 촉촉히 젖다 霧雨にそぼぬれる / ~가 뿌리다 小雨がぱらつく.
가랑이 명 また(叉·股). ①一つの本から二つ以上分かれている部分. ¶ 바짓~ ズボンのまた. ②またぐら(股座). ¶ ~를 크게 벌리다 大またを開く / ~가 찢어지게 가난하다 赤貧洗うが如し.
가랑이-지다 자 先がまたになる〔分かれる〕.
가랑-잎 명 ①(闊葉樹の)枯れ葉; 落ち葉. ②柏の枯れ葉. ㊟ 갈잎.
가래[1] 명 すき(鋤).
‖――꾼 명 すきを使う人. ――질 명하자 すきで土をすき起こすこと.
가래[2] 명〖生〗たん(痰). ＝담.
‖――침 명 たんつば(痰唾). ¶ ~을 뱉다 たんつばを吐く.
가래[3] 명 (もち·あめん棒などを棒状に延ばして切った)一切れ. ¶ 떡~ もちの一切れ.
‖――떡 명 細長い棒状につくったもち. ――엿 명 細長い棒状につくったあめ; あめん棒.
가래-나무 명〖植〗まんしゅうぐるみ; あずさ(梓). ＝추목(楸木).
가래-톳 명〖醫〗横根. ¶ ~이 서다 横根が生じる.
가량【假量】[1] 명하타 およその見積もり; 当て推量.
가량【假量】[2] 의명 …ばかり; …程; …くらい. ¶ 두 말 ~ 二斗ばかり / 사십 ~의 사나이 四十がらみの男.
가량-없다【假量―】 형 ①とんでもない. ¶ 가량없는 실수 とんでもない手落ち. ②推し量れない; 見当がつかない. ¶ 가량없는 소리 見当のつかない話; 筋の通らない話. 가량-없이 부 見当のつかない程に; 推し量れない程(に); 非常に; 果てしなく.
가려-내다 타 えり分ける; より分ける; はねる; 吹き分ける. ¶ 썩은 사과를 가려내 버리다 痛んでいるりんごをはね除ける〔えり分ける〕/ 광석에서 쇠를 ~ 鉱石から鉄を吹き分ける.
가려워-하다 자 かゆがる.
가려-잡다 타 より取る.
가려-지다 자 ↗가리어지다.
가련-하다【可憐―】 형 かれん(可憐)だ; 哀れだ; かわいそうだ. ¶ 가련한 생각이 들다 哀れを催す. 가련-히 부 かれんに; 哀れに; かわいそうに.
가렵다 형 かゆい. ¶ 등이 ~ 背中がかゆい / 가려운 데를 긁다 かゆいところをかく.
가령【假令】 부 たとえ; たとい; 例えば. ¶ ~ 그렇다 하더라도 たとえそうだとしても.
가로 명부 横(に). ¶ ~ 쓰다 横に書く / 머리[고개]를 ~ 젓다 首を横に振る / ~ 지나 세로 지나 どうあろうと; どうなろうが.
‖―― 글씨 명 横文字. ―― 나비 명 (反物などの)横幅. ―― 닫이 명 引き戸; やり戸. ―― 무늬 명 横文様. ＝횡문(横紋). ―― 세로 ㊀명 縦と横. ¶ 바둑판의 ~의 줄 碁盤の縦横·よこの線. ㊁부 縦横に. ――-쓰기 명 横書き. ＝횡서. ――-줄 명 横線; 横筋. ――-획(畫) 명 文字の横に引いた字画.
가로【街路】 명 街路; 通り. ¶ 넓은 ~ 広い通り.
‖――-등 명 街灯. ㊟ 가등. ――-수 명 並木. ¶ 가로수길 並木道.
가로-놓이다 자 横たわる. ¶ 전도에는 많은 어려움이 가로놓여 있다 前途には多くの困難が横たわっている.
가로-누이다 타 横たえる.
가로되 불자 いわく; 言いけらく. ¶ 공자 ~ 孔子いわく / 옛 사람이 ~ 古人言いけらく.
가로-막다 타 ①ふさぐ; 隔てる. ¶ 길을 가로막고 버티다 道をふさいでがんばる. ②遮る. ¶ 발언을 ~ 発言を遮る.
가로-막히다 피동 立ちふさがれる; 隔てられる; 遮られる. ¶ 담에 가로막혀 보이지 않다 塀に隔てられて見えない.
가로-맡다 타 ①(人の事を途中で)引き受ける. ¶ 싸움을 ~ (人の)けんかを引き受ける; けんかを買って出る. ②(人の事に)干渉する; 横やりを入れる.
가로-지르다 타 ①(横に)渡す. ¶ 빗장을 ~ かんぬき(閂)を掛ける. ②横切る; 貫く; 突っ切る.
가로-질리다 피동 横切られる.
가로-채다 ㊀타 横取りする; ふんだくる〈俗〉; 取る; 奪う. ¶ 가방을 홱 ~ かばん(鞄)をふんだくる / 유산을 ~ 遺産を横取りする. ㊁피동 ☞ 가로채이다.
가로-채이다 피동 横取られる; ひったくられる; 奪われる.
가로-타다 타 山などを横切って登る.
가로-퍼지다 자 ①横に広がる. ②ずんぐりする.

가료【加療】 명하자 加療. ¶ 일주일간의 입원 ~를 요하다 一週間の入院加療を要する.

가루 명 粉·こ; 粉末; プードル. ¶ 석탄 ~ 石炭の粉末 / ~차 抹茶 / ~를 뿌리다 粉をふりかける.

‖——-눈 명 粉雪. ——-분(粉) 명 粉おしろい; パウダー. ——-붙이 명 穀類の粉で作った食べ物. —— 비누 명 粉せっけん(石鹼); 洗い粉. —— 약 명 粉薬; 粉薬〈老〉; 散薬; 散剤.

가르다 타 ①割る; 裂〔割〕く; かっ切る. ¶ 생선의 배를 ~ 魚を裂く / 대를 ~ 竹を割る / 사과를 둘로 ~ りんご(林檎)を二つに割る. ②分ける. ㉠区分する; 仕分ける; 取り分ける. ¶ 크기에 따라서 ~ 大きさによって分ける ㉡分かつ; 髪を振り分ける. ¶ 돈을 둘이서 ~ 金を二人で分ける / 머리를 한가운데서 ~ 髪を真中から振り分ける.

가르랑-거리다 자 (たんがのどにつまって)しきりにぜいぜいいう; ごろごろ鳴らす. 준 가랑거리다. 가르랑-가르랑 부하자 ぜいぜい; ごろごろ.

가르마 명 (髪の)分け目. ——-타다 자 髪を分ける〔振り分ける〕.

‖——-꼬챙이 명 髪を振り分けるときに使う細長いかなぐし(金串). 가르맛-자리 명 髪の分け目のあと.

가르치다 타 ①教える; 仕込む. ¶ 영어를 ~ 英語を教える. ②教え導く; 指導する. ¶ 아이들을 ~ 子供を導く.

가르침 명 ①教え; 仕込み. ¶ 스승의 ~ 師の教え / ~을 받다 教えを受ける. ②教える内容·事項; 教訓. ¶ 공맹의 ~ 孔孟の教え.

가름 명 ①(仕事を)分けること. ——하다 타 分ける. ②区別; 識別; 判断. ——-하다 타 区別する; 識別する; 判断する.

‖——-대 명 算盤のはり(梁).

가리 명 竹を円筒形に編んだ魚を捕る漁具.

‖——-질 명하형 "가리"で魚を捕ること. 「訳」》.

가리【加里】 명〘化〙カリ《"칼리"의 音

가리-개 명 二枚だてのびょうぶ(屛風). =곡병(曲屛).

가리-나무 명 松の落ち葉をかき集めた, たき物.

가리다[1] 자타 遮える; 覆う; 隠す; ふさ(塞)ぐ. ¶ 손수건으로 얼굴을 ~ ハンカチで顔を覆う.

가리다[2] 타 ①選ぶ; よ(選)る; より分ける. ¶ 수단을 가리지 않다 手段を選ばない ②人見知りをする; 人おじする; なつかない. ¶ 낯을 ~ 人見知りをする. ③(勘定を)済ます; 清算する; 支払う; 弁済する. ¶ 빚을 ~ 借金を済ます〔返す〕. ④わきまえる; 分かつ; 見分ける. ¶ 선악을 ~ 善悪をわきまえる / 시비(是非)를 ~ 是非を弁じる; 理非を分かつ / 밤낮을 가리지 않고 昼夜を分かたず / 장소를 가리지 않고 場所柄もわきまえずに. ⑤(食べ物の)えり好みをする. ¶ 음식을 가린다 食べ物にやかましい / 나는 음식을 가리지 않는다 わたしは食べ物に好き嫌いがない. ⑥(髪を)大ざっぱにすく.

가리다[3] 타 (穀物·薪などを)積み上げる; 積み重ねる.

가리다[4] 타 (幼子が)大小便をわきまえる.

가리어-지다 자 遮られる; 隠される; ふさがる; 覆われる; 包まれる. ¶ 안개 속에 ~ 霧に包まれる. 준 가려지다.

가리우다 사동 遮える; 覆う. ¶ 커튼으로 ~ カーテンで遮る.

가리이다 피동 遮えられる; 覆われる. ¶ 산에 가리이어 보이지 않다 山に遮られて見えない.

가리키다 타 ①指す; 指し示す; 示す. ¶ 방향을 ~ 方向を指し示す. ②知らせてやる; 教える; 示す. ¶ 길을 ~ 道を示す〔教える〕. ③特に指定する. ¶ 이순신 장군을 가리켜 성웅이라 한다 李舜臣将軍のことを聖雄と言う.

가마[1] 명 ↗가마솥.

‖——-솥 명 かま(釜). ¶ ~에 든 고기 そじょう(俎上)の魚. 준 가마.

가마[2] 명 (炭·陶器·かわら(瓦)·れんが(煉瓦)などを焼く)かま(窯).

가마[3] 명 旋毛; つむじ; ぎりぎり〈俗〉.

가마[4] 명 かご(駕籠); こし(輿). =승교(乗轎). ¶ ~를 메다 かごをかつぐ.

‖——-꾼 명 かごか(舁)き. ——-채 명 かごの長柄.

가마[5] 의명 かます(叺)を数える単位: かます; 俵. ¶ 한 달에 쌀 두 ~ 먹는다 一月に米二かますを食べる.

‖——-때기 명 ☞ 가마니때기. ——-통 명 ①かますに入る分量《五斗入りを言う》. ②空きかます.

가마노르께-하다 형 黒みがかって黄色い.

가마니 명 [←일 かます] かます(叺).

‖——-때기 명《俗》使い古したかますの一枚. また, その切れはし. 준 가마때기.

가마득-하다 형 ☞ 가마아득하다. 가마득-히 부 はるか(に).

가마리 의명 ちょうしょう(嘲笑)の的. ¶ 조롱 ~ 嘲笑の的 / 남의 웃음 ~가 되다 人の笑いぐさになる.

가마무트름-하다 형 顔が黒ずんでふっくらとしている.

가마반지르르-하다 형 黒ずんでつやつやしている.

가마아득-하다 형 ①(距離が)はる(遥)かに遠い; りょうえん(遼遠)だ; ようえん(遥遠)だ. ②(時間的に)遠い; 記憶がかすかである. ¶ 가마아득한 옛날 久しい〔遠い〕昔. 준 가마득하다. 가마아득-히 부 はるか(かなた)に; 久しく; 遠く.

가마우지 명〘鳥〙う(鵜).

가만 ㊀부 そっと(そのまま). ¶ 그대로 ~ 자거라 そっとそのまま寝なさい. ㊁감 ちょっと; しばらく. ¶ ~, 그리

서두르지 마라 ちょっと，そう急ぐな.
가만-가만(히) 早 静静と；こそこそと；ひそ(密)かに. ¶ 가만가만 걷다 静静と歩く / 가만가만히 소곤거리다 こそこそとささやく.
가만-두다 타 そっとしておく；そのままにしておく；ほうっておく. ¶ 가만 두어라 そっとしておきなさい.
가만-있다 자 黙っている.
가만-있자 감 (考えが)ぱっと浮かばないときに使う語：さて；おや；はて. ¶ ～, 누구더라 さて，だれだったけ.
가만-하다 형 静かだ；穏やかだ；表立たない；ひそ(密)かだ. **가만-히** 早 じっと；静かに；黙って；ひそかに. ¶ ～ 있어요 じっとしていなさい.
가망【可望】 명 見込み；望み. ¶ ～이 없다 見込みがない / 아직 ～은 있다 まだ望みはある.
가매【假寐】 명 ① 空寝；たぬき寝入り；うたた寝. ② 布団も敷かずにそのまま寝ること. ③《宮》昼寝.
가-매장【假埋葬】 명하타 仮葬；仮埋め.
가매-지다 자 黒くなる；黒ずむ. 쓰 까매지다.
가맹【加盟】 명하자 加盟. ¶ ～국 加盟国 / ～ 단체 加盟団体.
가면【假面】 명 ① 仮面；面；マスク. ¶ ～을 쓰다〔벗다〕仮面をかぶる〔脱ぐ〕/ ～이 벗겨지다 化けの皮がはがれる. ② 装った〔偽りの〕態度や姿. ＝탈.
‖——극 명 仮面劇. ——무(舞) 명 仮面をかぶって踊る舞. —— 무도회 명 仮面舞踏会. ——희(戲) 명 ① 仮面をかぶってする遊戯. ② ☞ 가면극.
가-면허【假免許】 명하타 仮免許.
가멸다 형 (財産などが)豊かだ；満ちたりる；富んでいる.
가명【家名】 명 家名. ¶ ～을 더럽히다 家名を汚す.
가명【假名】 명 仮名；仮の名；偽名. ¶ 신문에 ～으로 싣다 新聞に仮名で載せる / ～을 쓰다 偽名を使う.
가묘【家廟】 명 一家の祖先を祭るみたまや.
가무【歌舞】 명하자 歌舞.
‖——연(宴) 명 歌と踊りで興ずる宴会. —— 음곡 명 歌舞音曲.
가무대대-하다 형 みすぼらしく黒ずんでいる.
가무댕댕-하다 형 不釣り合いに黒ずんでいる.
가무라기 명〔貝〕おきしじみがい.
가무러-지다 자 失神〔失心〕する；気を失う. ¶ 놀란 나머지 가무러졌다 驚きのあまり気を失った.
가무스름-하다 형 やや黒い；浅黒い. 준 가뭇하다.
가무잡잡-하다 형 (平たい顔が)やや黒くてぱっとしない.
가무족족-하다 형 浅黒くて澄んでいない.
가무퇴퇴-하다 형 うす黒くどんよりしている. <거무튀튀하다.

가문【家門】 명 家門. ① 一家；一門. ¶ ～의 명예 家門の名誉. ② 家柄；門閥；門地. ¶ ～의 수치다 家の面汚しである / ～을 흐리다 家門を汚す.
가문-비, 가문비-나무 명〔植〕えぞまつ(蝦夷松).
가물 명［↗가물음］ かんばつ(旱魃)；日照り. ¶ ～이 계속되다 日照りが続く / ～에 단비 干天の慈雨 / ～을 타다 旱魃の影響をたやすく受ける.
가물-가물 早하자 ちらちら；ゆらゆら；ぼうっと；ぼんやり.
가물-거리다 자 ① (火・あかりなどが)ちらちら〔ゆらゆら〕する；揺らぐ. ¶ 가물거리는 불빛 揺らぐともしび(灯火) / 촛불이 산들 바람에 가물거렸다 ろうそく(蠟燭)の火がそよ風に揺らめいた. ② (遠くの物が)ぼんやり〔かすんで〕見える；ちらちら見える；ちらつく；かすむ；しょぼつく. ¶ 눈이 ～ 目がちらつく；目がちらちらする〔しょぼつく〕. ③ (気が)ぼうっとする；もうろう(朦朧)となる；めまい(眩暈)がする. ¶ 가물거리는 기억을 더듬다 かすかな記憶をたど(辿)る.
가물-들다 자 ① 照り込む；日照りが続く. ② かんばつ(旱魃)が悪い影響を与える.
가물치 명〔魚〕カムルチィ；らいぎょ(雷魚)《통칭》.
가뭄 명［↗가물음］ ☞ 가물.
가뭇-가뭇 早하형 点点と黒いさま.
가뭇-하다 형 ↗가무스름하다.
가미【加味】 명 ① 加味. ㉠ 味をつけ加えること. ㉡ あるものに他の要素をつけ加えること. ¶ 법에 인정을 ～하다 法に人情を加味する. ②〔韓醫〕加薬；(韓方で)主処方薬に補助薬材を加えること.
가발【假髮】 명 かつら；ウイッグ. ¶ ～을 쓰다 かつらをつける.
가방 명 かばん(鞄). ¶ ～에 쟁여 넣다 かばんに詰める
가-방면【假放免】 명〔法〕仮放免；仮免.
가법【加法】 명 加法；加え算；たし算. 준 가(加).
가벼-이 早 軽く；軽軽と. ¶ 아주 ～ 들어 올리다 軽軽と持ち上げる.
가변【可變】 명 可変；変え〔変わり〕得ること.
‖—— 비용 명 可変費用. —— 자본 명 可変資本. —— 축전기 명 可変蓄電器；バリコン.
가변【家變】 명 一家の災い；家の事故.
가볍다 형 軽い. ① (めかたが)重くない. ¶ 종이는 돌보다 ～ 紙は石より軽い. ② 重大〔大切〕でない；軽微だ. ¶ 가벼운 손해 軽い損害 / 가벼운 상처 浅い傷 / 책임이 ～ 責任が軽い. ③ (言動が)軽はずみだ；軽率だ. ¶ 입이 ～ 口が軽い. ④ 重荷にならない；気軽だ；手軽だ；軽快だ. ¶ 가벼운 일 軽い仕事 / 가벼운 옷차림 軽いみなり / 가벼운 읽을거리 軽い読み物.

가볍디-가볍다 [형] 非常に軽い.
가보 [명] [←일 かぶ] とばく(賭博)で九の数を指す語: かぶ.
‖——-잡기 [명] 最高点の九を競うとばく.
가보【家譜】 [명] 家譜; 家系図. =족보(族譜).
가보【家寶】 [명] 家宝.
가보트 〔프 gavotte〕 [명]〔樂〕ガボット.
가봉【加俸】 [명][하타] 加俸. ¶금년부터 ~이 붙는다 今年から加俸がつく.
가봉【假縫】 [명][하타] 仮縫い; 下縫い. =시침바느질. ¶양복의 ~을 하다 洋服の仮縫いをする.
가-부【可否】 [명] 可否. ①よしあし. ②賛成と反対. ¶~를 결정하다 可否を決める
가부【家父】 [명] 家父. ①自分の父. =가친(家親). ② ☞ 가부장.
‖——-장(長) [명] 家父長; 家長. ¶~제 국가 家父長制国家.
가분【可分】 [명] 可分; わかち得ること. ↔불가분(不可分).
‖—— 급부 [명]〔法〕可分給付. ——-물 [명]〔法〕可分物. ——-성 [명] 可分性.
가분-가분 [부][하형] ①ほどよく軽いさま. <거분거분. ②言行が軽やかなさま.
가-분수【假分數】 [명] 仮分数.
가분-하다 [형] ほどよく軽い. <거분하다. ㅆ가뿐하다. 가분-히 [부] やや軽く; 軽やかに.
가불【假拂】 [명][하타] 前借り; 先借り; 前借; 内借り; 仮渡し. ¶급료를 ~받다 給料を前借りする.
‖——-금 [명] 前借り金; 先借り金; 内借金.
가-불가【可不可】 [명] 可なることと不可なること; 善しあし; 可もしくは不可.
가붓-가붓 [부][하형] 何れもほどよく軽いさま.
가붓-이 [부] ほどよく軽く; 軽軽と; 軽やかに.
가붓-하다 [형] ほどよく軽い.
가비의 이【加比一理】 [명]〔數〕加比の理.
가빈【家貧】 [명][하형] 家〔暮らし〕が貧しいこと. ¶~에 사양처(思良妻)라《俚》家貧しければ良妻を思う.
가빠 〔스 capa〕 [명] カッパ; 雨よけの上っ張り.
가빠-지다 [자] 息苦しくなる; (息が)せ(急)く. ¶숨이 ~ 息がせく.
가뿐-가뿐 [부][하형] ほどよく軽いさま; すべて軽やかなさま: 軽軽.
가뿐-하다 [형] (ほどよく)軽い. 가뿐-히 [부] 程よく軽く; 軽やかに.
가뿟-가뿟 [부][하형] いずれも軽い〔軽やかな〕さま.
가뿟-이 [부] 軽やかに; 軽軽と.
가뿟-하다 [형] (持ち上げるのに)ほどよく軽い; 軽やかだ. <거뿟하다. ㅗ가붓하다.
가쁘다 [형] ①手に余って苦しい. ②息苦しい. ¶가쁜 숨을 쉬다 息を切らす.
가사【家事】 [명] 家事; 奥向きのこと. ¶~를 (보고) 배우다 家事を見習う / ~에 쫓기다 家事に追われる / ~를 돕다 家事の手伝いをする.
‖—— 경제 [명] 家事経済. ——-과 [명] 家政科.
가사【假死】 [명]〔醫〕仮死. ¶~ 상태 仮死の状態.
가사【袈裟】 [명]〔佛〕けさ(袈裟); 僧のほうえ(法衣).
가사【歌詞】 [명] ①古雅な長編の歌の一つ. ②歌詞. ¶~를 짓다 作詞する.
가사【歌辭】 [명]〔文〕朝鮮朝の詩の一形式.
‖——-체(體) [명] 四四調に基づいた散文に近い韻文.
가산【加算】 [명][하타] 加算. ①加えて数えること. ¶~세 加算税. ②加え算; 足し算. =가법(加法).
가산【家産】 [명] 家産; 身代; 屋台骨. ¶~이 기울다 家産が傾く; 屋台骨がゆるむ / ~을 기울이다 家産を傾ける.
가산【假山】 [명] ↗석가산(石假山).
가살 [명] 言行がこうかつ(狡猾)で小憎らしい程ませた態度. ——-스럽다 [형] (言行が)小憎らしい程ませてこうかつだ.
‖——-쟁이 [명] 小憎らしい程ませてこうかつな人. ㊟ 가살이.
가살-떨다 [자] (おもねったりして)小憎らしく, こうかつにふるまう.
가살-부리다 [자] 小憎らしく, こうかつな振る舞いをする.
가살-빼다 [자] 小憎らしく, こうかつな態度を見せる.
가살-이 [명] ↗가살쟁이.
가살-피우다 [자] 小憎らしく, こうかつな振る舞いをする.
가상【假象】 [명]〔哲〕仮象.
‖—— 감정 [명] 仮象感情. —— 운동 [명] 仮象運動.
가상【假想】 [명][하타] 仮想.
‖——-극 [명] 仮想劇. —— 적국 [명] 仮想敵国.
가상【假像】 [명] ①偽の物象. ②〔鑛〕仮像.
가상【嘉尙】 [명] かしょう(嘉尚); 良いとしてたっとぶこと. また, 褒めること. ——-하다 [타] めでたたえる. ——-히 [부] めでたたえて. ¶뜻을 ~ 여기다 志をほめる.
가상-계【可想界】 [명]〔哲〕可想界; えいちかい(叡知界).
가새-지르다 [타] すじかいにする; 交差させる; くい違わす; 十字形に掛け渡す.
가서-는 [부] ↗가설랑은.
가-석방【假釋放】 [명] 仮釈放; 仮出獄.
가석-하다【可惜一】 [형] 惜しむべきだ; 惜しい; 残念だ.
가-선 [명] ①ささべり(笹縁); へり縫い. ¶돗자리의 ~천 ござのへり布. ②二重まぶたのすじ. ——-두르다 [자] ささべりをあてる; へり縫いをする.
가선【架線】 [명] 架線. ¶~ 공사 架線工事.

ㄱ

가설【架設】명하타 架設. ¶ 전화〔철교〕의 ～ 電話〔鉄橋〕の架設.

가설【假設】명하타 仮設. ¶ ～ 천막 仮設テント.
‖── 공사 명 仮設工事.

가설【假說】명 仮説. ¶ ～적 仮説的 / ～을 세우다 仮説を立てる.

가설랑(-은) 부 さて…となると；…では；それに…；まあ…. 준 가서는. ¶ 오늘은 파씨를 뿌리고, ～ 닭장도 치워야겠다 今日はねぎをまき，それにけいしゃ(鶏舎)もそうじしよう.

가성【苛性】명〔化〕かせい(苛性).
‖── 석회 명〔化〕消石灰；水酸化カルシウム. ── 소다 명 苛性ソーダ《水酸化ナトリウムの慣用名》. ── 칼리 명 苛性カリ《水酸化カリウムの慣用名》.

가성【假性】명〔醫〕仮性.
‖── 근시 명 仮性近視. ── 포경 명 仮性包茎.

가성【假聲】명 仮声；作り声.

가성【歌聲】명 歌声.

가-성대【假聲帶】명 仮声帯.

가성-성【加成性】명〔化〕加成性.

가세【加勢】명 加勢；助勢. ──-하다 자 加勢する；味方する.

가세【家勢】명 家勢；家運. ＝터수. ¶ ～가 기울다 家運が傾く.

가소【可笑】명 おかしいこと；ばかげていること. ──-롭다 형 (ちゃんちゃら)おかしい；ばかげている；笑わせる；片腹痛い. ¶ 가소롭기 짝이 없는 사람 笑止千万な人. ──-로이 부 おかしく；ばかばかしく.

가소-성【可塑性】명〔物〕かそせい(可塑性).

가속【加速】명하자타 加速. ¶ ～성 加速性 / ～기 加速器.
‖── 운동 명〔物〕加速運動. 준 가속동(加速動). ── 입자 명〔物〕加速粒子. ── 장치 명〔物〕加速装置. ── 펌프 명 加速ポンプ.

가-속도【加速度】명〔物〕加速度. ¶ ～적 加速度的 / 중력 ～ 重力加速度.

가솔【家率】명 家族；家のけんぞく(眷属).

가솔린〔gasoline〕명 ガソリン.
‖── 기관 명 ガソリン機関；ガソリンエンジン. ── 스탠드 명 ガソリンスタンド. ──-카 명 ガソリンカー. ── 탱크 명 ガソリンタンク.

가솔-송 명〔植〕つがざくら(栂桜).

가수【加數】명하타 加数.

가수【假數】명〔數〕仮数.

가수【歌手】명 歌手. ¶ 오페라 ～ オペラ歌手 / 유행 ～ 流行歌手.

가수 분해【加水分解】명하자타〔化〕加水分解.
‖── 효소 명〔化〕加水分解酵素.

가스〔gas〕명 ガス. ¶ 수소 ～ 水素ガス / 도시 ～ 都市ガス / ～가 새다 ガスが漏れる.
‖── 계량기(計量器) 명 ガス量計；ガスメーター. ──-관 명 ガス管；ガスパイプ. ── 난로(煖爐) 명 ガスストーブ. ── 기관 명 ガス機関；ガスエンジン. ──-등 명 ガス灯；ガスランプ. ── 라이터 명 ガスライター. ── 램프 명 ☞ 가스등(燈). ── 레인지 명 ガスレンジ. ── 버너 명 ガスバーナー. ──상 성운 명〔天〕ガス状星雲. ── 연료 명 ガス燃料. ── 중독 명〔醫〕ガス中毒. ── 탱크 명 ガスタンク. ── 터빈 명 ガスタービン.

가스러-지다 자 ①(性格が)すさむ；手に負えなくなる；逆らう. ②(毛が)毛羽立つ；逆立つ. <거스러지다.

가슬-가슬 부하형 ①がさつなさま；性格が荒っぽくて手に負えないさま. ②物や肌などがざらざらしているさま；荒れているさま：がさがさ. ¶ ～한 손 荒れた手.

가슴 명 胸. ①胸部. ¶ ～을 펴다 胸を張る / ～을 앓다 胸を患う / ～이 답답하다 胸が苦しい / ～이 뛰다〔두근두근하다〕胸がどきどきする ②心. ¶ ～이 설레다 胸がさわぐ / ～속에 숨기다 胸に秘める / ～이 찔리다 胸をつかれる. ③(衣服の)胸部. ＝옷가슴.
‖──-앓이 명 胸焼・むなやけ. ──-지느러미 명〔魚〕胸びれ ──-통 명 ①胸の前面；胸板. ②胸囲. ──-패기 명《俗》胸元；胸先.

가슴츠레-하다 형 (目が)どろんとしている；眠気がある；生気がない. <거슴츠레하다.

가시¹ 명 ①とげ(刺). ㉠草木のくきや葉にある針のようなもの. ¶ 장미의 ～ バラのとげ. ㉡(魚の)骨；小骨；のぎ(鯁). ¶ 목에 ～가 걸리다 のどに骨を立てる. ㉢肌にささった木切れ・竹などの細片. ¶ 손가락에 ～가 박히다. 指にとげがささる. ㉣人の心を刺すような感じのもの. ¶ ～가 돋치다 とげが立つ / ～ 돋친 말 とげのある〔針を含んだ〕言葉. ②憎い人のたとえ. ¶ 눈엣～ 目の上のこぶ. 가시(가) 세다 구 強情だ；鼻っぱしらが強くてすなおでない.
‖──-고기 명〔魚〕とげうお. ──-나무¹ 명〔植〕いばら. ── 덤불 명 いばらのやぶ(藪). ── 면류관(冕旒冠) 명〔基〕(キリストの)いばらの冠. ──-밭 명 いばらのやぶばら(藪原). ¶ ～길 いばらの道. ── 철사(鐵絲) 명 茨線；有刺鉄線.

가시² 명 さし(蠁子)；(食物につく)うじ(蛆).

가시³ 명 かし(樫)の実.
‖──-나무² 명〔植〕しらかし(白樫).

가시【可視】명 可視；肉眼で見えること.
‖── 거리 명 可視距離. ── 광선 명 可視光線. ── 스펙트럼 명〔物〕可視スペクトル. ── 신호 명 可視信号《旗・灯火など》.

가시다 ㊀자 去る；失せる；なくなる. ¶ 아픔이 ～ 痛みが取れる；苦痛が去る. ㊁타 すすぐ；ゆすぐ；そそぐ. ¶ 입을 ～ 口すすぐ.

가식【假飾】명하타 ①虚飾；飾り気. ¶ ～이 없는 사람 飾り(気)のない人 ②仮に飾ること.

가신【家臣】명 家臣；宰相に仕える人；郎等〔郎党〕.
가심 명 ①すすぎ；ゆすぎ. ——-하다 타 すすぐ；口をすすぐ. ②後味〔後口〕を清めること. ——-하다 타 後口を清める. ¶맥주로 입~하다 ビールで酒の後口を清める.
가압【加壓】명하자타 加圧. ¶~기 加圧機.
가-압류【假押留】명하타〔法〕仮差押え.
가액【加額】명하자타 ①金額を増すこと. ②待ちこがれること.
가액【價額】명 価額. ＝값.
가야-금【伽倻琴】명〔樂〕伽倻琴(韓国固有のはつげん(撥弦)楽器). ＝가얏고.
가약【可約】명하타〔數〕可約.
가약【佳約】명 ①めでたい約束. ②恋人と会う約束. ③夫婦の契り. ¶백년(百年) ~을 맺다 夫婦の契りを結ぶ.
가얏-고【伽倻—】명〔樂〕カヤッコ. ＝가야금.
가양【家釀】명하타 家で酒を醸すこと.
‖——-주 명 家醸；家で醸した酒；手作りの酒.
가언【假言】명〔哲〕仮言.
‖—— 명제 명 仮言命題. ——적 삼단논법 명 仮言的三段論法. ——적 추론 명 仮言的推論. ——적 판단 명 仮言的判断.
가업【家業】명 家業. ¶~을 잇다 家業を継ぐ.
가-없다 형 果てしない；限りない. 가-없이 부 果てしなく；限りなく.
가역【可逆】명〔物〕可逆.
‖—— 반응 명〔物〕可逆反応. —— 변화 명〔物〕可逆変化.
가연【可燃】명 可燃.
‖——-물 명 可燃物. ——-성 명 可燃性. ¶~ 가스 可燃性ガス. ——-체(體) 명 火によく燃える物体.
가열【加熱】명 加勢. ——-하다 타 加熱する；熱する.
‖——-기 명 加熱器. —— 살균 명 加熱殺菌.
가엾다 형 かわいそうだ；哀れだ；ふびん(不憫·不愍)だ；気の毒だ；痛ましい；いたわしい. ¶가엾은 처지 かわいそうな境遇. 가엾이 부 かわいそうに；哀れに；ふびんに；気の毒に.
가-영업소【假營業所】명 仮の〔臨時〕営業所.
가-예산【假豫算】명〔法〕暫定予算.
가오리 명〔魚〕えい. ＝요어(鰩魚).
‖——-연(鳶) 명 えいの形のたこ(凧). ＝꼬빡연.
가옥【家屋】명 家屋；家.
‖——-세 명 家屋税.
가옥【假玉】명 人工の玉.
가외【加外】명 一定のものの外にもっと加えること：余分；余計. ¶~ 수입 よろく(余禄)/~ 지출 余分の支出.
‖가욋-사람 명 余計な人；余分の人.
가욋-일 명 余分の仕事.
가요【歌謠】명 歌謡. ¶~계 歌謡界/~곡 歌謡曲.
가용【家用】명하타 ①一家の生活費. ②家で用いる〔使う〕もの.
가우스〔gauss〕의명〔物〕単位系の一つ：ガウス(記号：G).
가운【家運】명 家運. ¶~이 기울다 家運が傾く.
가운〔gown〕명 ガウン. ¶나이트 ~ ナイトガウン.
가운데 명 中. ①中間；内部；間；(物の)内側；内. ¶~로 들어가 주십시오 どうぞ中へお願いします/바쁘신 ~(에) 와주셔서 감사합니다 忙しい中を来ていただいて恐縮であります. ②(多くの)中；内. ¶그 ~서도 その中でも. ③二番目；仲. ¶~형 仲の兄/가운뎃방 中の間. ④[↗한가운데] 真中.
‖——-톨 명 三栗の真中の実. 가운뎃-발가락 명 真中の足指. 가운뎃-손가락 명 中指. 가운뎃-집 명 ①三人兄弟の二番目の人の家. ②三軒家の真中の家.
가웃 의명 ます(枡)や尺などで計る際, その単位の半分にあたる残りの量. ¶한 되 ~ 一升半/두 자 ~ 二尺半.
가위¹ 명 はさみ(鋏). ¶~ 한 자루 はさみいっちょう(一梃).
‖——-다리 명 はさみの把っ手. ¶~치다 "×"状に筋交いに置く；十字状に置く. ——-바위-보 명 じゃんけん；いしけん(石拳)；ちょき〈児〉. ——-질 명하자 はさみ仕事. ——-표(標) 명 かけじるし(×).
가위² 명〔民〕陰暦八月十五日の祝祭. ＝한가위·추석(秋夕).
‖가윗-날 명 陰暦の八月十五日.
가위³ 명 夢魔；悪夢. ¶~ 눌리다 うなされる；夢魔に襲われる.
가위【可謂】부 ①いわゆる；いわば. ¶그녀는 ~ 누님같은 존재이다 彼女はいわば姉のような存在である. ②はたして；ほんとうに；実に. ¶~ 신사다 いわば紳士である/~ 놀랄 만한 일이로다 ほんとうに驚くべきことである.
가융 합금【可融合金】명〔化〕可融合金. ＝이융 합금(易融合金).
가으-내 명 [←가을내] 秋中ずっと.
가을 명 秋. ¶~ 하늘 秋の空. 준 갈.
‖——-갈이 명하타 秋耕. ——-걷이 명하자타 秋の取り入れ. ＝추수. ¶~로 바쁘다 秋の取り入れで忙しい. ——-보리 명 秋ま(蒔)きの麦. ＝추맥(秋麥). ——-봄 명 秋と春. ——-일 명하자 取り入れのしごと. ——-장마 명 秋の日に降り続く長雨. ——-철 명 秋；秋の季節. ——-카리 명하타 ☞ 가을갈이.
가이거 계수관【—計數管】〔Geiger〕명〔物〕ガイガー計数管.
가이던스〔guidance〕명 ガイダンス.
가이드〔guide〕명 ガイド.
‖—— 라인 명 ガイドライン. ——-북 명 ガイドブック.
가이디드 미사일〔guided missile〕명 誘

導ミサイル. =무선 유도탄.
가이슬러-관【一管】〔Geissler〕 명〔物〕ガイスラー管.
가이-없다 형 果てし(が)ない; 限りがない. ¶가이없는 부모의 사랑 果てしなき親の愛情. 가이-없이 부 果てしなく; 限りなく.
가인【佳人】명 佳人. ¶절세의 ~ 絶世の佳人.
‖── 박명 명 佳人薄命. ── 재자 명 佳人才子; 美人と才知のすぐれた男.
가-일층【加一層】㊀부 なお一層; なおさら. ¶~ 노력하다 なお一層努力する. ㊁명하타 なお一層加えること. ¶~의 노력 なお一層の努力.
가입【加入】명 ① 加入. ──-하다 자 加入する. ¶~금 加入金/~ 신청 加入申し込み/조합에 ~하다 組合に加入する. ② さらに付け加えること. ──-하다 타 付け加える.
‖──-자 명 加入者. ── 전신 명 加入電信. ── 전화 명 加入電話.
가자【家資】명 家資; 身代.
가자미 명〔魚〕かれい(鰈).
가작【佳作】명 佳作. ¶선외 ~ 選外佳作.
가장【家長】명 家長. ① 一家のあるじ; 世帯主. =가구주. ② 夫. =남편.
‖──-권 명〔法〕家長権. ── 제도 명 家長制度.
가장【假葬】명하타 仮葬. ¶조난 현장에 ~하다 遭難現場に仮葬する.
가장【假裝】명 仮装. ① いつわり装うこと. ──-하다 자타 装う; 見せかける; やつ(窶)す. ¶무관심을 ~하다 無関心を装う. ② 仮のふんそう(扮装). ──-하다 자 仮装する.
‖── 무도 명 ① 仮装舞踏. ② ☞ 탈춤. ── 자본 명 ☞ 의제 자본(擬制資本). ── 행렬 명 仮装行列. ── 행위 명 仮装行為.
가장 부 最も; 一番; 何により. ¶~ 뛰어난 인물 最もすぐれた人物/세계에서 ~ 높은 산 世界で一番高い山.
가장귀 명 木の枝のまた(叉); 枝分かれ. ¶~지다 (木の枝が分かれて)またになる; またに分かれる.
가장이 명 枝(の身).
가장자리 명 縁; へり; 端; まわり. ¶아래쪽 ~ 下縁.
가장 집물【家藏什物】명 家具調度; 世帯道具.
가재 명〔動〕ざりがに; えびがに(海老蟹). ¶~도 게 편이라《俚》ざりがにもかに(蟹)に味方する《似ていてとかく縁故のある方に味方することのたとえ》.
‖──-걸음 명 ① ざりがにの後じさりのような歩き方; 後ろ歩み. ② 事がはかど(捗)らず滞ること; 進歩のないこと. ¶~ 치다 (ざりがにのように)後じさりをする; 退歩する.
가재【家財】명 家財. ¶~ 도구 家財道具/~를 끌어내어 팔아치우다 家財を持ち出して売りとばす.
가전【家傳】명하자 家伝. ¶~의 비약 家伝の秘薬.
가전【家電】명〔工〕家電. ¶~ 제품 家電製品.
가전-성【可展性】명〔物〕☞ 전성(展性).
가전체 소설【假傳體小說】명 物を擬人化して書いた小説.
가절【佳節】명 佳節; 佳季.
가정【家政】명 家政.
‖──-과 명 家政科. =가사과(家事科). ──-부 명 家政婦; お手伝い. ¶~를 두어야겠는데 家政婦を雇いたいのだが. ──-학 명 家政学.
가정【家庭】명 家庭. ¶좋은 ~ 立派な家庭/~의 날 家庭の日/~을 지키다 家庭を守る/결혼해서 ~을 갖다 結婚して家を持つ.
‖── 경제 명 家庭経済. ── 교사 명 家庭教師. ¶~를 두다 家庭教師を付ける. ── 교육 명 家庭教育; 仕付け. ── 교훈 명 家庭教訓; 庭訓; 家訓. 준 가훈(家訓). ──-극 명 家庭劇; ホームドラマ. ──-란 명 家庭欄. ── 방문 명 家庭訪問. ── 법원(法院) 명〔法〕家庭裁判所; 家裁《준말》. ¶~ 이관(移管) 家裁送り. ── 부인(婦人) 명 家庭夫人; 主婦. ── 소설 명 家庭小説. ──-적 명관 家庭的. ── 전화 명 家庭電化.
가정【假定】명하자타 仮定. ¶…라고 ~하자 …と仮定しよう/…라고 ~하고 …と仮定して/이것은 ~의 이야기인데 これは仮定の話であるが.
가-정관【假定款】명 仮定款.
가-정부【假政府】명 仮政府; 臨時政府.
가제【加除】명하타 ① 加除; 加えることと取り除くこと. ¶명부의 ~ 名簿の加除. ②〔數〕加法と除法. ③ 添削.
‖──-식 명 加除式. ¶~식 노트 加除式ノート.
가제〔도 Gaze〕명 ガーゼ.
가-조약【假條約】명 仮条約.
가-조인【假調印】명하타 仮調印.
가족【家族】명 家族. ¶핵~ 核家族/~을 부양하다 家族を養う.
‖── 계획 명 家族計画. ──-법 명 家族法. ──-석 명 家族席. ── 수당 명 家族手当. ──-적 명관 家族的. ── 제도 명 家族制度. ──-탕(湯) 명 家族風呂. ── 회의 명 家族会議.
가족【假足】명〔生〕偽足.
가-주소【假住所】명 仮住所.
가죽 명 皮. ① 動物の表皮. ② なめした皮; 皮革; 革. ¶~끈 革緒; 革ひも/~이 질기다 革がじょうぶである.
‖── 숫돌 명 革砥. ──-신 명 革製の履き物. ──-옷 명 かわごろも(裘).
가중【加重】명하자타 加重; さらに重くする〔重くなる〕こと. ¶부담이 ~되다 負担が加重される.
‖── 평균 명〔數〕加重平均. ──-형

명 加重刑.
가증【加增】명하자타 加増.
‖——률 명〔經〕加増率.
가증【可憎】명 憎むべきこと；卑劣なこと. ——하다 형 憎らしい；卑劣だ. ——스럽다 형 ☞ 가증하다. ¶ ~스러운 행위 憎むべき〔卑劣な〕行為.
가지¹ 명 枝；枝〈雅〉. ¶ 매화 ~ 梅の枝 / ~치기 枝打ち.
가지² 명〔植〕なす(茄·茄子)；なすび〈方〉.
가지³ 의명 種類；種. ¶ 여러 ~ いろいろ；もろもろ.
‖——각색(各色) 명 様様；まちまち；とりどり. ¶ ~의 복장 様様の服装. 가짓-수(數) 명 種類. ¶ ~가 많다 種類が多い.
가지-가지¹ 부 枝ごとに. ¶ 밤이 ~ 열리다 くり(栗)が枝ごとになっている.
가지-가지² 一 명 種種；色色；様様. ¶ 취미도 ~다 趣味も様様である. 二 관 種種の；いろいろな〔の〕；様様な〔の〕. ¶ ~ 생각이 난다 いろいろの想念が浮かぶ.
가지가지-로 부 様様に；いろいろと；種種に. ㊟ 갖가지로.
가지고 보동 語尾 "-아"·"-어"の下に付く語：動作·状態を保っていることを表わす. ¶ 책을 넣어 ~ 왔다 本を入れて持って来た / 돈을 받아 ~ 왔다 お金を貰って来た.
가지다 타 持つ. ① 手に取る. ¶ 손에 성경을 ~ 手にバイブルを持つ. ② 携える. ¶ 가지고 다니다 携えて歩く / 가지고 들어가〔오〕다 持ち込む. ③ 所有する；有する. ¶ 집을 ~ 家を持つ / 권리를 ~ 権利を有する. ④ いだく. ¶ 반감을 ~ 反感を持つ / 야심을 ~ 野心をいだく. ⑤ 保つ. ¶ 여자와 관계를 ~ 女と関係を持つ. ⑥ 行なう. ¶ 졸업식을 ~ 卒業式を行なう. ⑦ はらむ；身ごもる. ¶ 아이를 ~ 身ごもる.
가지런-하다 형 整然としている；(高さや先が)そろっている. ¶ 벤 자리가 ~ 切り跡がそろっている. 가지런-히 부 整然と；一様に；きちんと. ¶ 직물(織物)의 변폭을 ~ 하다 織物の耳をそろ(揃)える / ~ 서다 整然と並ぶ.
가지-치다 一 자 枝が張る〔伸びる〕. 二 타 枝打ちをする；枝を下ろす；はさみ(鋏)を入れる.
가-집행【假執行】명하타〔法〕仮執行.
가짓-말 명 うそ(嘘)；虚言. <거짓말. ¶ ~을 하다 うそをつく；偽る / 어제의 소동이 ~ 같다 昨日の騒ぎがうそのようだ.
‖——쟁이 명 うそつき.
가짜【假—】명 偽物；がんぶつ(贋物)；替え玉；まがい物. ¶ ~ 물건 偽物 / ~ 시계 てんぷら〔いんちき〕時計 / ~를 속아 샀다 いかものをつかまされた / ~ 경찰관 偽者の警官.
가차【假借】명하타 ① 仮借；臨時に借りること. ② 許すこと；見逃すこと. ③ かしゃ(仮借)；適当な漢字のない際, 同音の他の漢字を借りて当てた字.
가차-없다【假借—】형 容赦ない. 가차-없이 부 容赦なく；ぴしぴし(と). ¶ ~ 다루다 容赦なく扱う
가창【歌唱】명하자 歌唱；歌を歌うこと. また, その歌. ¶ ~ 지도 歌唱指導.
가책【呵責】명하타 かしゃく(呵責)；しかり責めること. ¶ 양심의 ~ 良心の呵責 / 양심의 ~을 느낄 일은 없다 やま(疚)しいことはない.
가-처분【假處分】명하타 ① 仮に処分すること. ②〔法〕仮処分. ¶ 법원에 ~ 신청을 하다 裁判所に仮処分の申請をする.
가청【可聽】명 ① 可聴；耳で聞くことのできること. ② 聞きがいのあること.
‖——음 명〔物〕可聴音.
가축【家畜】명 家畜；畜類. ¶ ~을 기르다 家畜を飼う.
‖——농 명 家畜農. —— 병원 명 家畜病院. ——상 명 家畜商. —— 전염병 명 家畜伝染病.
가출【家出】명하자 家出. ¶ ~ 소녀 家出少女.
가-출옥【假出獄】명 仮出獄《"가석방(=仮釈放)"の旧称》.
가치【價値】명 価値；値打ち. ¶ 아무 ~도 없다 何の価値もない / 그 책은 읽을 ~가 없다 その本は読む価値がない.
‖——관 명 価値観. ——론 명 価値論. —— 법칙 명 価値法則. ——설 명〔↗가치 학설〕価値説. —— 철학 명 価値哲学. —— 판단 명 価値判断. —— 학설 명 価値学説.
가친【家親】명 自分の父を他人に対して言う語：父；家君. = 가엄(家嚴).
가칭【假稱】명하타 仮称.
가타-부타【可—否—】부하자 可とか否とか；正しいとか間違ったとか. ¶ ~ 소리 없다 かひ(可否)の反応がない.
가탁【假託】명 仮託；かこつけ. = 칭탁. ——하다 자 かこつける.
가탈 명 邪魔；障害；妨げ. 〃 까탈. ——스럽다 형 めんどうだ；やっかいだ. ——스레 부 めんどうに；ややこしく. ——부리다 자 邪魔立てをする. ——지다 자 邪魔が入る.
가택【家宅】명 家宅；住まい；家；居宅.
‖—— 수색 명〔法〕家宅捜索. ¶ ~ 영장 家宅捜索令状 / ~을 하다 家宅捜索をする；がさを入れる —— 침입죄 명〔法〕家宅侵入罪.
가터〔garter〕명 ガーター.
가톨릭〔Catholic〕명〔宗〕カトリック.
‖——교 명 カトリック教. —— 교회 명 カトリック教会.
가통【家統】명 一家の系統. または血筋.
가통-할【可痛—】嘆かわしい. ¶ ~ 일이다 嘆かわしいことだ.
가트【GATT← General Agreement on

ㄱ

ㄱ

Tariffs and Trade】 명 〖經〗 ガット.
가파르다 형 (山や道の)こうばい(勾配)が急だ. ¶가파른 비탈 急な坂.
가판【街販】명하타 [↗가두 판매] 立ち売り.
가표 【加標】 명 足し算を表わす"+"の名. =덧셈표. 가호(加號).
가표【可票】명 賛成票.
가풍【家風】명 家風. =가품(家品). ¶~에 맞지 않다 家風に合わない.
가필【加筆】명하자 加筆; 助筆; 入れ筆. ¶구고에 ~하여 출판하다 旧稿に加筆して出版する.
가-하다【可—】형 よろしい. **가-히** 부 まさに. ¶~ 절경이다 まさに絶景である.
가-하다 【加—】 타 加える; かける. ¶타격을 ~ 打撃を加える/속력을 ~ 速力を加える/박차를 ~ 拍車をかける.
가학【加虐】명하타 加虐. ¶~성 색욕 이상 加虐性色欲異状.
가해 【加害】 명 加害. ——-하다 자 危害を与える.
‖——-자 명 加害者. —— 행위 명 加害行為.
가호 【加護】 명하자타 加護. ¶신의 ~로 神に見守られて/신의 ~가 있다 神の加護がある.
가호【家戶】㊀명 戸籍上の家. ㊁의명 戸数を数える語.
가혹 【苛酷】 명 かこく(苛酷); 厳酷. ——-하다 형 苛酷だ; ひどい; 手ひどい; むごい. ¶~한 처분 厳酷な処分/~한 시련 きびしい試練/~한 처사 ひどいしうち/~하게 굴다 つらく当たる. ——-히 부 手ひどく; つらく.
가화【佳話】명 佳話. ¶인정 ~ 人情佳話.
가화 만사성【家和萬事成】명 家和して万事成る.
가-환부【假還付】명하타 〖法〗 仮還付.
가황【加黃】명하타 加硫.
‖—— 고무 명 加硫ゴム.
가희【歌姬】명 歌姫.
각【角】명 角. ① ☞ 뿔. ② 角だった所. ③ ↗사각(四角). ④〖數〗二直線, または面の成す図形. ⑤ ↗각도(角度). ⑥〖樂〗 五音の一つ.
각【刻】명하타 刻. ① 彫刻; 刻むこと. ② 十五分間. ¶일~이 여삼추(如三秋) 一刻が三秋のように長い.
각【脚】명 ① 脚. ② 屠殺された動物の体を裂いていくつかに分けた一部分の称. * 각뜨다.
각【殼】명 殻; 甲殻. =껍데기.
각【各】관 各; それぞれ. ¶~ 사가 이에 반대하였다 各社がこれに反対した/~ 문제를 풀었다 各問を解いた.
각-가지【各—】명 いろいろ. =각종(各種). ¶~ 물건 いろとりどりの品物.
각각【各各】부 各各; 各自; 別別に. ¶~ 다른 일 別別の仕事/대금은 ~ 치른다 勘定はめいめい払う.
각각-으로【刻刻—】부 刻刻と; 一刻ごとに; 刻一刻. ¶시시 ~ 변하다 一刻ごとに変わる.
각개【各個】명 各個; それぞれ; 一つ一つ.
‖—— 격파 명 各個撃破. —— 점호 명 各個点呼.
각-거리【角距離】명〖物〗角距離.
각계【各界】명 各界. ¶~의 명사 各界の名士/~ 각층 各界各層.
각고【刻苦】명하자 刻苦.
‖—— 정려 명하자 刻苦精励.
각골【刻骨】명하자 刻骨; 恩や恨みを肝に銘ずること.
‖—— 난망 명하타 恩を深く心にきざみつけて忘れないこと. —— 통한 명 刻骨の恨み.
각과【殼果】명〖植〗☞ 견과(堅果).
각광【脚光】명 脚光. ① フットライト. ② 社会の注目を引くこと. ¶~을 받다 脚光を浴びる.
각-국【各國】명 各国; 国国.
각기【脚氣】명〖醫〗かっけ(脚気). =각기병(病).
각기【各其】명부 各各; それぞれ. ¶~의 일은 각자가 하여야 한다 それぞれの仕事は各自がなすべきである.
각-기둥【角—】명 角柱.
각도【角度】명 角度. ①〖數〗角の大きさ. ¶~를 재다 角度を測る. 준 각(角). ② 観点; 方面. ¶여러 ~로 검토하다 あらゆる角度から検討する.
‖——-계 명 角度計. =측각기(測角器). ——-기 명 分度器.
각등【角燈】명 角灯; ランタン.
각-뜨다 【脚—】 타 獣の体をいくつかの部分に分けて切り取る.
각로【脚爐】명 こたつ(火燵·炬燵).
각론【各論】명 各論. ¶상세한 것은 ~에서 논술한다 詳細は各論で述べる.
각료【閣僚】명 閣僚. ¶~ 회의 閣僚会議.
각막【角膜】명〖生〗角膜.
‖——-염 명 角膜炎. —— 이식 명 角膜移植.
각모【角帽】명 [↗사각 모자] 角帽.
각목【刻木】명하자 木を削るか, またはそれになにかを刻みつけること.
‖—— 문자(文字) 명 原始時代に使われた文字の一つ.
각박 【刻薄】 명하형히부 ① 世知辛いこと; きびしいこと. ¶~한 세상 きびしい世の中. ② 非常にけちくさいこと.
각반【脚絆】명 脚半; ゲートル.
각방【各房】명 おのおのの部屋; 多くの部屋. ¶~을 쓰다 おのおの別の部屋を使う.
각-방면 【各方面】 명 各方面; 四方八方.
각-배 【各—】 명 ① 産んだ時期の異なる子; 一腹でないこと. ②〖俗〗腹違い.
각별【各別】명 ① 格別; 格段; 特別. ——-하다 형 格別だ; 特別だ.

¶～한 대우를 받다 格別の待遇を受ける. ——히 부 格別に; 特に; ことに; 世にも; 取り分け. ¶～친한 사이 別懇の間柄. ② 礼儀正しいこと; ていねいであること. ——하다 형 礼儀正しい.

각본【脚本】명 ① 脚本. ＝극본(劇本). ② [↗영화 각본] シナリオ.
‖——가(家) 명 脚本作家; シナリオライター. ——화 명하타 脚本化.

각부【各部】명 各部. ¶행정 ～ 장관 行政各部の長官.

각-뿔【角—】명〔數〕角すい. ¶～대(臺) 角すい台.

각-사탕【角砂糖】명 角砂糖. ＝모사탕.

각-살림【各—】명 親子, または兄弟が別別に暮らしを立てること. ——하다 자 別世帯を営む.

각-상【各床】명하자 ① 各自のおぜん(膳). ¶～으로 차리다 各自のおぜん立てをする. ② 別別のおぜん.

각-색【各色】명 ① いろいろな色. ② 各様. ＝각종. ¶각인 ～ 各人各様; 三者三様.

각색【脚色】명하타 脚色. ¶소설을 영화로 ～하다 小説を映画に脚色する.
‖——가(家) 명 脚色者.

각서【覺書】명 覚え書き. ① 意見·希望を相手に伝えるための文書. ② ある事の履行を約束する意味で相手方に渡す文書.

각선-미【脚線美】명 脚線美.

각설【却說】㊀명 話題を替えること. ㊁부 さて; ところで.

각설-이【却說—】명 門付け; 盛り場や人家の門口で芸能を演じ, 金品をもらう人.

각섬-석【角閃石】명〔鑛〕かくせんせき(角閃石).

각성【覺醒】명 かくせい(覚醒). ——하다 자 かくせいする; 目覚める. ¶당국자의 ～을 촉구하다 当局者のかくせいを促す.
‖——제 명〔藥〕覚醒剤; 気付け薬.

각소【各所】명 各所; ここかしこ; あちらこちら. ＝각처(各處).

각시 명 小さな女人形. ¶풀～ 草作りの女人形.
‖——놀음 명하자 人形遊び. ——방(房) 명 新妻部屋.

각양【各樣】명 各様.
‖—— 각색(各色) 명 色とりどり. ¶～의 몸차림 色とりどりのいでたち.

각오【覺悟】명 覚悟; 観念. ——하다 타 覚悟する; 肝っ玉を据える; 観念する. ¶～가 서다 覚悟が据わる.

각운【脚韻】명 脚韻.

각-운동【角運動】명〔物〕角運動. ¶～량 角運動量.

각위【各位】명 ① 各位; 皆様がた; おのおの方. ¶회원 ～ 会員各位. ② おのおのの神位.

각의【閣議】명 閣議. ¶정례 ～ 定例閣議 / ～를 열다 閣議を開く.

각인【各人】명 各人. ¶～ 각양 各人各様 / 신은 ～의 마음 속에 내재한다 神は各人の心に内在する.
‖—— 각색(各色) 명 十人十色; 三者三様.

각-일각【刻一刻】부 刻一刻. ¶출발 시간이 ～ 다가오다 出発の時間が刻一刻迫って来る.

각자【各自】各自. ㊀명 各員; おのおの. ㊁부 銘銘; てんでに; 各各. ¶점심은 ～ 지참한다 昼食は各自持参する.

각재【角材】명 角材.

각적【角笛】명 角笛.

각종【各種】명 各種. ¶～의 광고 各種の広告.

각주【角柱】명 ☞ 각기둥.

각주【脚註·脚注】명 脚注; フットノート.

각지【各地】명 各地. ＝각처(各處). ¶전국 ～ 全国各地.

각-지방【各地方】명 各地方. ＝각지(各地).

각질【角質】명 角質; ケラチン.
‖——층 명 角質層. —— 해면 명〔動〕角質海綿.

각처【各處】명 各所. ¶시내 ～ 市内各所.

각추【角錐】명〔數〕☞ 각뿔.

각-추렴 명하타 [←각출렴(各出斂)] 各人から金や物品を集めること; 各自が費用を持つこと; 割り勘.

각축【角逐】명하자 角逐. ¶우승을 노리고 ～을 벌이다 優勝をめざして角逐する.
‖——전 명 角逐戦.

각출【各出】명하자타 ① おのおの出ること. ② おのおの出すこと.

각층【各層】명 ① 各層. ¶각계 ～ 各界各層. ② 各階.

각-파【各派】명 各派.

각판【刻板】명 ① 書画を彫刻するのに用いる板. ② 板刻; 書画を版木にほること. ——하다 타 板刻する.

각피【角皮】명〔生〕角皮; クチクラ.
‖——소 명 角皮素; クチン.

각필【擱筆】명 かくひつ(擱筆). ——하다 자 擱筆する; 筆をおく.

각하【却下】명하타 却下; 下げ戻し. ¶상고를 ～하다 上告を却下する.

각하【刻下】명 刻下; ただいま; 目下.

각하【閣下】명 閣下. ¶사령관 ～ 司令官閣下.

각혈【咯血】명하자 ☞ 객혈(喀血).

각-호【各戶】명 各戸. ① 毎戸. ② 各世帯. ③ 戸籍上の各家. ¶～에 배포하다 各戸に配布する.

각화【角化】명하자〔動·植〕角化; 角質化.
‖——증 명〔醫〕角化症.

간 명하자 ① 塩辛い調味料. ② 塩加減; あんばい(塩梅·按配); 塩気. ¶이 요리는 ～이 잘 맞았다 この料理は塩加減がよい / ～을 보다 あんばいを見る; 味を見る.

간【刊】명 刊; 刊行すること. ¶민

ㄱ

중 서림 ～ 한일 사전 民衆書林 刊韓日辞典.

간【肝】명 [↗간장(肝臟)] ① 肝; 肝っ玉; 胆力. ¶ ～디스토마 肝臓ジストマ/～ 떨어지다 肝をつぶす/～이 큰 사람 肝っ玉の太い人. ② (食物としての)けだものの肝臓.

간【間】一명 ☞칸. 二의명 ① 間《家の間数をかぞえる語; 次の例文など以外は"칸"》. ¶초가 삼～ 建坪三間の草屋/육～ 대청 六間もある板敷きの広間. ② 間《長さの単位, 1間＝1.82m》. ¶도리 4 ～에 대들보 3 ～ けたゆ(桁行)き四間はり(梁)間三間.

간- 두 昨…. ¶～밤에 비가 왔다 昨夜雨が降った.

-간【間】미 間. ① 間; 二つの間; 間柄. ¶그와 나는 친척～입니다 彼とわたしとは親戚の間柄です. ② 二つの中のどれか; …の中. ¶있고 없고～에 有ろうが無かろうがともかく.

간간【間間】, **간간-이**【間間—】부 ① ときどき; たまに; ときたま; 間間. ¶말소리가 간간이 들린다 話声が絶え絶えに聞こえる. ② まばらに. ¶집이 간간이 있다 家がまばらにある.

간간짭짤-하다 형 少し塩味が利いている. <건건찝찔하다.

간간-하다 형 ① かなり面白い. ② ぞくぞくする程危なっかしい. ③ 塩気がやや利いて舌触りがいい.

간-거르다【間—】타 間をおく.

간격【間隔】명 間隔; 隔たり; 間; ギャップ. ¶일정한 ～을 두다 一定の間隔をおく.

간결【簡潔】명하형히부 簡潔. ¶～한 문장 簡潔な文章/～히 정리하다 簡潔に整理する.

간경【刊經】명하타 仏経を刊行すること.

간-경변증【肝硬變症】명〘醫〙 肝硬変症.

간계【奸計】명 かんけい(奸計·姦計); 悪巧み. ¶～에 걸리다 姦計にはかられる; 悪巧みにかかる.

간고【艱苦】명하형히부 かんく(艱苦). ① 貧しいこと; 苦労すること. ② 難儀. ¶～를 견뎌내어 성공하다 艱苦に耐えて成功する.

간곡【懇曲】명하형히부 懇懇; 懇切; ねんごろ. ¶～히 타이르다 懇懇とさとす.

간과【看過】명 看過; 見過ごし〔見逃し〕すること. ——-하다 타 看過する; 見過ごす; 見逃す; 見落とす. ¶～할 수 없는 중대한 과실 看過できない〔見逃せない〕重大な過失.

간교【奸巧】명하형 悪賢いこと. ¶～한 늙은이 悪賢い老人.

간-국 명 塩気のつよい汁. ＝간물.

간균【桿菌】명 かん(桿)菌.

간극【間隙】명 かんげき(間隙); すきま. ¶～을 메우다 間隙を埋める.

간난【艱難】명하형 ① かんなん(艱難); 辛いこと; 難儀.
‖—— 신고 명하자 艱難辛苦.

간능【幹能】명 才能.

간단【間斷】명하자 間断; 切れ間; 絶え間.

간단【簡單】명 簡単; 手短か. ——-하다 형 簡単だ; ぞうさない; たやすい; 安直だ. ——-히 부 簡単に; ぞうさなく; たやすく; 手短に. ¶～ 말하면 早い話が; つづめて言えば/～ 요점만 말하다 手短に要点だけ述べる.
‖—— 명료 명하형 簡単明瞭. (준) 간명(簡明).

간단-없다【間斷—】형 絶え間がない; ひっきりなしだ. 간단-없이 부 間断なく; のべつ; 絶え間なく; ひっきりなしに. ¶～ 지껄이다 のべつ〔ひっきりなしに〕しゃべる.

간담【肝膽】명 肝胆. ① 肝と胆. ② 心の奥底; 心胆; 度胆. ¶～을 서늘케 하다 肝胆〔心胆〕を寒からしめる; 荒肝をひしぐ.

간담【懇談】명하자 懇談; 懇話. ¶～회 懇談会; 懇話会.

간대로 부 そんなにたやすくは; そんなに容易には; なかなか《부정어를 수반함》. ¶삶이란 ～ 되는 것이 아니다 生とはなかなか容易に行くものではない.

간댕-거리다 자 細くつるされているものが横にしきりにゆれる; 軽く揺れ動く. 간댕-간댕 부하자 細くつるされているものが危うくしきりにゆれるさま.

간데-족족 부 行く先ごとに; どこへ行こうと; 至る所. ¶～ 대환영이다 行く先ごとに大歓迎である.

간동-그리다 타 かい繕う; 取りまとめて簡単にする; かい摘まむ. <건둥그리다. 간동-간동 부 かい繕うさま; 物事をまとめるさま.

간드랑-거리다 자 細くつるされているものがひっきりなく横に軽く揺れ動く; ゆらゆらする. <근드렁거리다. 간드랑-간드랑 부하자 細くつるされているものがひっきりなしに軽く横に揺れ動くさま: ゆらゆら.

간드러-지다 형 見目よくなまめかしい; しなやかだ; びらしゃらする. ¶기생의 간드러진 웃음 소리 妓生のなまめかしい笑い声.

간들-거리다 자 ① しなやかになまめかしく動く. ② 風がそよそよ吹く. ③ 軽く揺れ動く. ¶풍경(風磬)이 바람에 ～ 風鈴が風に軽く揺れる. 간들-간들 부하자 ① しなやかになまめかしく続けて動くさま: しゃなりしゃなり〈俗〉. ¶그녀는 ～ 걷고 있다 彼女はしゃなりしゃなりと歩いている. ② 風がそよ吹くさま. ③ 軽く揺れ動くさま.

간-디스토마【肝—】〔distoma〕명 肝臓ジストマ.

간디이즘〔Gandhiism〕명 ガンディー主義.

간략【簡略】명하형히부 簡略; 手短か. ¶～한 기사 簡略な記事/요점만 ～히 말하다 要点だけを手短に述べる.

간-만【干滿】명 干満; 満ち干. ¶～의 차 干満の差/조수의 ～이 심하다 潮の干満が激しい.

간망【懇望】명하타 懇望.
간-맞다 형 塩加減がほどよい.
간-맞추다 타 塩加減をする.
간명【肝銘】명하타 肝銘; 心に刻みつけて忘れぬこと.
간명【簡明】명하형히부 [↗간단 명료] 簡明. ¶ ～한 문체 簡明(簡潔)な文体.
간-물 명 ①塩分の混じった水; しょうゆ(醬油)を入れた汁. ②塩味の強い汁.
간물【奸物·姦物】명 かんぶつ(奸物); 悪知恵がはたらく者.
간물【乾物】명 →건물.
간-밤 명 昨夜; 先夜; ゆうべ. ¶ ～의 비 昨夜の雨.
간벌【間伐】명하타 間伐; 透かしぎり.
간병【看病】명하타 看病; 介抱. ＝병구완.
간-보다 자 塩加減を見る; あんばい(塩梅)を見る.
간본【刊本】명 ↗간행본(刊行本).
간부【奸婦】명 かんぷ(奸婦); 毒婦.
간부【姦夫】명 かんぷ(姦夫); 間男.
간부【幹部】명 幹部. ¶ ～회 幹部会 / ～ 사원 幹部社員 / 회사의 ～급 사람들 会社の頭株の人人 / ～ 후보생 幹部候補生.
간사【奸邪】명하형히부 ずるくて不正直なこと; よこしまなこと. ¶ 그는 아주 ～한 사람이다 彼はなかなかのかんぶつ(奸物)だ. ——-스럽다 형 よこしまだ.
간사【奸詐】명 いつわり; わるだくみ. ——-하다 형 ずるい; 悪賢い. ¶ ～한 인간 ねいじん(佞人); ねいかん(佞奸). ——-히 부 ずるく; 悪賢く. ——-스럽다 형 ずるい; 悪賢い.
간사【幹事】명하자 幹事. ¶ 동창회 ～ 同窓会の幹事.
간살 명스형 お世辞; おべっか; おあいそ; へつらいこびること.
‖——-쟁이 명 お世辞者; おべっかづかい. ＝간살꾼.
간살-부리다 자 お世辞を言う; おべっかを使う. ¶ 간살 부리는 웃음 おべっか笑い / 상사에게 ～ 上役におべんちゃらを言う.
간상【奸商】명 かんしょう(奸商·姦商). ¶ ～배 奸商輩.
간색【間色】명 間色.
간서【刊書】명 ☞ 간행본(刊行本).
간석-지【干潟地】명 干潟; 海水の出入りする浜.
간선【間選】명하타 ↗간접 선거.
간선【幹線】명 幹線. ＝본선. ¶ ～도로 幹線道路.
간섭【干渉】명하타 干渉; 立ち入ること. ¶ 내정 ～ 内政干渉 / 관계없는 일에 ～하다 横やりを入れる / 쓸데없는 ～이다 大きなお世話だ.
‖——-계 명〔物〕干渉計. —— 굴절계 명〔物〕干渉屈折計. —— 분광기 명〔物〕干渉分光器. ——-색 명〔物〕干渉色.
간성【干城】명 干城. ¶ ～지재 干城の材 / 국가의 ～을 이루다 国家の干城をなす.
간성【間性】명〔生〕①間性; 雄でも雌でもない性現象. ②種の異なる動物と交配させて得た雑種《らば(騾馬)など》.
간세【間税】명 ↗간접세(間接税).
간-세포【間細胞】명〔生〕間細胞.
간소【簡素】명하형 簡素. ¶ ～한 생활 簡素な生活 / ～화 簡素化.
간수 명 保管; 仕末. ——-하다 타 保管する; 仕末する; しまう; 蔵する. ¶ 옷을 옷장에 ～하다 着物をたんす(簞笥)に仕末する.
간수【—水】명 苦塩; にがり(苦汁). ＝고염(苦塩)·노수(滷水).
간수【看守】명 見守ること. また, その人. ——-하다 타 見守る.
간식【間食】명하자 間食; おやつ. ¶ ～을 먹다 間食いをする / ～을 자꾸만 달라다 おやつをきりなしにほしがる.
간신【奸臣·姦臣】명 かんしん(奸臣); ねいしん(佞臣). ¶ 임금 곁의 ～ 君側の奸.
‖—— 적자 명 奸臣賊子.
간신【艱辛】명하형 かんしん(艱辛); かんく(艱苦). ——-히 부 辛うじて; やっと; 辛くも; いのち(命)からがら; ようやく. ¶ ～ 도망치다 辛うじて逃れる; 命からがら逃げ出す / ～ 살아났다 ようやくのことで助かった.
간악【奸悪】명하형스형 かんあく(奸悪). ¶ ～한 사람 奸悪な人.
간암【肝癌】명〔醫〕肝臓がん.
간약【簡約】명하형히부 簡約.
간언【間言】명 仲たがいをさせる言葉. ¶ ～을 놓다 けな(貶)して仲たがいさせる / ～이 들다 良いことにじゃまが入る.
간언【諫言】명 かんげん(諫言); いさめ. ¶ ～은 귀에 거슬린다 諫言耳に逆らう.
간염【肝炎】명 肝炎; 肝臓炎.
간엽【間葉】명〔生〕☞ 간충직.
간요【肝要】명하형 肝要.
간원【懇願】명하타 こんがん(懇願). ¶ 조력을 ～하다 助力を懇願する.
간-위축증【肝萎縮症】명〔醫〕肝臓萎縮症.
간유【肝油】명 肝油. ¶ ～를 먹다 肝油を飲む. ＝어간유(魚肝油).
간음【姦淫】명하자타 かんいん(姦淫). ＊간통(姦通).
간음【幹音】명〔樂〕幹音; ピアノやオルガンの白いけんばん(鍵盤)の各音.
간이【簡易】명 簡易. ——-하다 형 簡易だ; 手軽だ. ¶ ～ 숙박소 簡易宿所; どや〈俗〉.
‖—— 보험 명 簡易保険. —— 식당 명 簡易食堂. ——-역 명 簡易駅.
간일【間日】명하자 ①隔日; 一日おき. ②数日おき.
간자【間者】명 間者; 回し者. ＝간첩(間諜).
간작【間作】명하자타 間作; 相作. ¶ 뽕나무 밭에 감자를 ～하다 くわ

畑にじゃがいもを間作する.
‖——-림 명 間作林.
간-장【—醬】명 しょうゆ(醬油); お下地〈女〉. ㊜ 장. ¶ 겨자〔생강·초〕~ からし〔しょうが·酢〕じょうゆ.
간장【肝腸】명 ①〔生〕肝臓と腸. ②いらだって焦がれるような気持. ¶ ~이 녹을 듯한 슬픔 はらわた(腸)がちぎれそうな悲しみ.
간장【肝臟】명〔生〕肝臓; 肝. = 간(肝).
‖—— 엑스 명 肝臓エキス. ——-염 명 ☞ 간염.
간재【奸才】명 かんさい(奸才·姦才); 悪知恵.
간절【懇切】명 하형 懇切; 手厚く親切なこと. ¶ ~한 소원 切な願い / 갖고 싶은 마음은 ~하지만 ほしいのは山山だが. ——-히 부 切に; ひとえに; ひたすら.
간접【間接】명 間接. ¶ ~으로 よそながら / ~적인 부탁 又頼み / ~적으로 들은 것이라서 확실치 않다 又聞きだからはっきりしない.
‖—— 무역 명 間接貿易. —— 민주정치 명 間接民主政治. ——-범 명〔法〕間接犯. —— 보상 명 間接補償. —— 분열 명〔生〕間接分裂. ——-비 명 間接費. —— 선거 명 間接選挙. ——-세 명 間接税. —— 조명 명 間接照明. —— 침략 명 間接侵略.
간조【干潮】명 干潮; 潮干; 引き潮. ¶ ~에 개펄에서 조개잡이를 하다 潮干狩りをする.
‖——-선 명 干潮線.
간주【看做】명 みなすこと. ——-하다 자 みなす; 見立てる. ¶ 대답이 없는 자는 찬성으로 ~한다 返事のない者は賛成とみなす.
간주-곡【間奏曲】명〔樂〕間奏曲.
간지【干支】명 干支; えと.
간지【奸智·姦智】명 かんち(奸知); 悪知恵. ¶ ~가 많다 奸知にたけている.
간지【間紙】명 ①本の紙が薄くて張りがないのを支えるため各折りの中に入れる別の紙. ② ☞ 속장.
간지럼 명 くすぐったいこと. ¶ ~타다 くすぐったがる.
간지럽다 형 くすぐったい; こそばゆい; 面はゆい; てれくさい. <근지럽다. ¶ 발이 ~ 足がくすぐったい / (낯)간지러운 소리를 하다 くすぐったいことをいう.
간직-하다 타 よくしまっておく; 保管する; 納める; しまう. ¶ 마음속에 ~ 腹に収める / 옛모습을 ~ おもかげをとどめる.
간질【癲疾】명 てんかん(癲癇). ¶ ~을 일으키다 てんかんを起こす.
간질-간질 부 하자형 ①言葉や行動で人の心をくすぐりじらすさま. ②しきりにくすぐったいさま: むずむず; もぞもぞ.
간질-거리다 ㊀자 くすぐったい; むずむずする. <근질거리다. ㊁타 しきりにくすぐる.
간질이다 타 くすぐる; こそぐる. ¶ 겨드랑을 ~ わきの下をくすぐる / 남의 마음을 ~ 人の気持ちをくすぐる.
간-처녑【肝—】명 牛の肝臓とはち巣胃.
간척【干拓】명 하타 干拓. ¶ ~ 공사 干拓工事 / ~지 干拓地.
간첩【間諜】명 かんちょう(間諜); 回し者; 間者; 第五列; スパイ; いぬ〈俗〉. ¶ 적의 ~이 침입했다 敵の間者が入り込む.
‖——-죄 명 間諜罪.
간청【懇請】명 하타 懇請. ¶ 교장의 ~을 저버릴 수 없어 축사를 했다 校長の懇請を退け難く祝辞を述べた.
간-추리다 타 選り分けて簡単にまとめる; 簡潔に取りまとめる. ¶ 대충 ~ 大づかみにまとめる / 요점을 ~ 要点を取りまとめる.
간충-직【間充織】명〔生〕間充織.
간친【懇親】명 하자 懇親; 親しみ合うこと. ¶ ~회 懇親会.
간택【揀擇】명 하타 ①〔史〕王·王子·王女の配偶者を選ぶこと. ②より〔えり〕抜くこと.
간통【姦通】명 하자 かんつう(姦通).
‖—— 쌍벌주의 명 姦通双罰主義. ——-죄 명〔法〕姦通罪.
간투-사【間投詞】명 間投詞. = 감탄사.
간특【奸慝·姦慝】명 邪悪; よこしまであくらつ(悪辣)なこと.
간파【看破】명 看破. ——-하다 타 看破する; 見破る; 見抜く; 見透かす. ¶ 음모를 ~하다 陰謀を見破る / 마음 속을 ~했다 心底を見届けた.
간판【看板】명 看板. ¶ 입~ 立て看板 / 들에 세운 ~ 野立ち看板 / ~을 세우다 看板を立てる / 야구를 ~으로 하고 있는 학교 野球を看板にしている学校.
‖——-장(匠)이 명 看板屋.
간편【簡便】명 하형 히부 簡便; 軽便; 安直; ハンディー. ¶ ~한 방법 簡便な方法 / ~한 절차 安直な手続き / ~한 휴대용 사전 ハンディーな辞典.
간-하다 자 (食べ物に)塩加減をする; あんばい(塩梅)をする.
간-하다【諫—】타 いさめる; かんげん(諫言)する. ¶ 얕은 생각을 ~ 短慮をいさめる.
간행【刊行】명 하타 刊行; 印行; エディション. ¶ 첫~ 初刊.
‖——-물 명 刊行物. ——-본(本) 명 刊行本.
간헐【間歇】명 하자 かんけつ(間歇).
‖——-열 명 間歇熱. —— 온천 명 間歇泉. —— 유전 명 間歇遺伝; 隔世遺伝.
간호【看護】명 看護; 看病; 介抱; みと(看取)り. ——-하다 타 看護する; みとる. ¶ 병자를 ~하다 病人を看病する.
‖——-사(師) 명 看護婦; 看護士. ——-인 명 看護人. —— 장교 명 看護将校. ——-학 명 看護学.

간혹【間或】부 時折; ときたま; たまに; 間間. ¶～ 그런 일도 있지 たまにはそんなこともあるさ.

간힘 명 ふりしぼる力. ¶～을 쓰다 みもがく; 力をふりしぼる; 食いしばる / ～을 주었다 下腹に力をこめた.

갇히다 피동 監禁される; かこまれる; 閉じこめられる. ¶감옥에 ～ ろうや(牢屋)に監禁される / 산에서 비에 갇혔다 山で雨に降りこめられた.

갈-가리 부 [↗가리가리] ずたずたに; 八つ裂きに. ¶～ 찢다 八つ裂きにする / 옷이 ～ 찢기다 衣服を八つ裂きにされる.

갈-가마귀 명 〖鳥〗 こくまるからす(黒丸鳥).

갈갈 부하자 小利をむさぼるさま: がつがつ; がりがり. <걸걸. ——-거리다 자 がつがつする.

갈개 명 (たまり水を流すか, または境目を区切るために掘った)浅い溝.

갈개-꾼 명 ①こうぞ(楮)の皮をむく人. ②邪魔立てをする人.

갈겨-먹다 타 ①横取りする; (あざむき, またはむりに)巻き上げる; 取り上げる. ②(借金などを)踏みたおす.

갈겨-쓰다 타 走り書きする; 殴り書き(に)する.

갈고랑-막대기 명 かぎ(鉤)状の棒.

갈고랑-쇠 명 ①かぎ(鉤)型の金物. ②性格のひね(捻)くれた人.

갈고랑이 명 ①かぎ(鉤); 手かぎ. ②とび口.

갈고리 명 ↗갈고랑이.

갈고쟁이 명 かぎ(鉤)型の枝でつくった手かぎ. 준 갈고지.

갈구【渴求】명하타 渴望すること.

갈그랑-거리다 자 (荒荒しく)のどをならす; ぜいぜいする; ごろごろする. 준 갈강거리다. 갈그랑-갈그랑 부하자 ぜいぜい; ごろごろ.

갈근-거리다 자 ①がりがりする; 食べ物や財物を意地汚くむさぼる. <걸근거리다. ②たん(痰)がつかえてのどをしきりにごろごろ鳴らす. 갈근-갈근 부 ①がつがつ. ②ぜいぜい; ごろごろ.

갈기 명 たてがみ(鬣). ¶～를 쓰다듬다 たてがみを撫でる.

갈기-갈기 부 ずたずた; ちぎれちぎれ; きれぎれ; 八つ裂きに. ¶깃발이 ～ 찢어졌다 旗がちぎれちぎれになった.

갈기다 타 ぶんなぐる; 張る. ¶뺨을 ～ ほっぺたを張り飛ばす.

갈다[1] 타 替〔換〕える; 取り替える; 切り替える; 張りかえる. ¶침목을 ～ まくら木を取り替える / 갈아 입다 着替える.

갈다[2] 타 ①磨く; 研ぐ; す(擦)る; 下ろす《すり板で》. ¶칼을 ～ 刀を研ぎ澄ます; ねたばを合わせる / 먹을 ～ 墨をする / 고추냉이를 ～ わさびを下ろす. ②(ひきうすで)ひく. ¶콩을 ～ 豆をひく. ③歯ぎしりする. ¶원통해서 이를 ～ 無念のあまり歯ぎしりをする / 이를 부드득 ～ ぎりぎりと歯ぎしりをする

갈다[3] 타 耕す; すき起こす. ¶밭을 ～ 畑を耕す / 논을 ～ 田を返す.

갈-대 명 〖植〗 あし(葦・蘆). ¶～가 싹트기 시작했다 葦が角ぐんで〔芽ぐんで〕来た.
‖——-발 명 よしず(葦簾). ——-청 명 あしの薄い膜.

갈등【葛藤】명 かっとう(葛藤); もつれ; もんちゃく(悶着); あらそい; いざこざ. ¶감정의 ～으로 사이가 나빠지다 感情のもつれで仲たがいになる / ～이 생기다 葛藤が起こる; もつれが生じる.

갈라 내다 타 取り分ける; より分ける.

갈라-놓다 타 引き離す. ¶사랑하는 둘 사이를 억지로 ～ 生木を裂く.

갈라 붙이다 타 二つに分けてそれぞれに付け加える; 両方に分ける. ¶머리를 ～ 髪を両方に分ける / 남은 인원을 양편에 ～ 残りの人員を両方に分ける.

갈라-서다 자 ①関係を断つ; 別別する. ②離婚する; 別れる. ¶깨끗이 ～ 未練なく別れる.

갈라-지다 자 割れる; 裂ける; 分岐する; 分かれる. ¶얼음이 ～ 氷が割れる / 지진으로 땅이 ～ 地震で地面が裂ける / 길이 사방으로 갈라져 있다 道が四方に分岐している.

갈래 명 また(叉); 分岐点. ¶두 갈랫길 二また道; 枝道.

갈래-갈래 부 分岐して.

갈래 뻗다 자 いく筋にも分かれて伸びる.

갈륨〔gallium〕명 〖化〗 ガリウム《記号: Ga》.

갈리다[1] 一 피동 分かれる; 分けられる. ¶길이 두 갈래로 ～ 道が二またに分かれる / 야당의 표가 ～ 野党の票が割れる. 二 자 分かれる. ¶의론이 구구하게 ～ 議論がまちまちに分れる.

갈리다[2] 一 사동 ①磨かせる. ②ろくろかんな(轆轤鉋)で削らせる. 二 피동 ①磨かれる; す(擦)れる. ¶분해서 이가 ～ くやしくて歯ぎしりがする. ②ろくろかんなで削られる.

갈리다[3] 一 사동 取り換えさせる. 二 피동 取り換えられる. ¶교장이 ～ 校長が変わる.

갈리다[4] 一 사동 耕せる. 二 피동 耕される.

갈릭〔garlic〕명 ガーリック. =마늘.

갈림-길 명 別れ道; 岐路. ¶생사의 ～ 生死の別れ目 / 운명의 ～에 서다 運命の岐路に立つ / 인생의 ～에 서다 人生の角番に立つ.

갈림-목 명 追分; 分岐点.

갈마-들다 자 入れ替わる; 交替する. ¶내우 외환이 갈마들며〔차례로〕닥치다 内憂外患こもごも至る.

갈망 명하타 事を成し遂げること. ¶뒷～도 못하면서 나서다 後始末もできないくせに出しゃばる.

갈망【渴望】명하타 渴望; 切望. =열망. ¶귀국을 ～하다 帰国を切望する / ～하여 마지않다 切望してや

まない.

갈매기 명 〔鳥〕かもめ(鷗).

갈무리 명하타 ① 蓄えておくこと. ② 物をよく始末しておくこと. ＝마무리.

갈-묻이 명하타 田畑をよく耕し, 古い切り株などが埋ずまるようにすること.

갈-밭 명 あしはら(葦原).

갈보 명 淫売婦; 売笑婦; 遊女.

갈분【葛粉】 명 くず(葛)粉.

갈-붙이다 타 仲たがいさせる; 中傷する.

갈비¹ 명 ① あばら骨. ＝늑골. ② カルビ; 牛のばら肉《焼き肉・煮込みなどに用いる》.

‖──구이 명 カルビ焼き; あばらの焼き肉. ──뼈 명 あばら骨. ──새김 명 牛・豚のあばらから取った肉. ──찜 명 あばら肉の煮物. ──탕(湯) 명 牛のあばら肉をぶつ切りにして煮込んだ汁を飯にかけた食べ物. 갈빗-대 명 ろっ骨; あばら. ¶ ~가 휘다 荷が重過ぎてほねがおれる.

갈-산【—酸】 명 〔化〕没食子酸.

갈색【褐色】 명 褐色; 茶色; かばいろ(蒲色). ¶ 짙은 ~ 焦げ茶色.

‖── 인종 명 褐色人種. ── 조류(藻類) 명 〔植〕褐色藻類.

갈-서다 자 並んで立つ.

갈수【渴水】 명 渇水.

‖──기 명 渇水期. ──량 명 渇水量. ──위 명 渇水位.

갈-수록 부 ますます; より一層; 行けば行くほど; 日増しに. ¶ 끝판에 ~ 능률이 오르다 しり(尻)上がりに調子が出る / 경기는 ~ 좋아지다 景気は日増しによくなって来る / 전투는 ~ 치열해졌다 戦闘は日増しにしれつ(熾烈)になった.

갈씬-거리다 자 軽く触れる; すれる. ¶ 치맛자락이 땅에 ~ チマのすそ(裾)が地面に軽くすれる. 갈씬-갈씬 부하자 すれすれちがいに.

갈씬-하다 자 かする; すれすれになる. <걸씬하다.

갈아-내다 타 (新しいものと)入れ換える; 取り換える.

갈아-대다 타 (新しいものと)取り換える. ¶ 대팻날을 ~ かんな(鉋)の刃を取り換える.

갈아-들다 자 入れ代わる. ¶ 사람이 ~ 人が入れ代わる.

갈아-들이다 타 入れ代わらせる.

갈아-붙이다¹ 타 は(貼)り替える.

갈아-붙이다² 타 歯がみをする; 歯をくいしばる. ¶ 이를 갈아붙이고 뛰었다 歯をくいしばって走った.

갈아-서다 자 立ち代わる.

갈아-세우다 타 立ち代わらせる.

갈아-엎다 타 耕し返す. ¶ 논을 ~ 田をすき返す.

갈아-입다 타 着替える. ¶ 새옷으로 ~ 新しい服に着替える.

갈아-주다 타 ① (売り手に利が残るように)買ってやる. ② 新しいものに取り替えてやる.

갈아-치우다 타 すげ替える; 取り替える. ¶ 인형의 머리를 ~ 人形の首をすげ替える.

갈아-타다 타 乗り換える. ¶ 비행기를 갈아타고 가다 飛行機を乗り継ぐ.

갈음-질 명하자 磨く〔研ぐ〕こと.

갈이¹ 명 〔工〕ろくろ(轆轤)で木器を作ること.

갈이² 명 一 田畑を耕すこと. ¶ 물~ 水田を耕すこと / 밭~하다 畑を耕す. 二 의명 一匹の牛が一日に耕し得る田畑の面積.

‖──질 명하자타 田畑を耕すこと.

갈이³ 의명 取り替え. ¶ 구두의 창 ~ 靴底の取り替え.

갈조-류【褐藻類】 명 〔植〕 [↗갈색 조류] 褐藻類.

갈조-소【褐藻素】 명 〔植〕褐藻素; フコキサンチン.

갈증【渴症】 명 渇; のど(喉)のかわき. ¶ ~을 풀다 喉のかわきをいやす / ~(이) 나다 渇する; かわきを覚える.

갈-지개【褐—】 명 〔鳥〕 ふか(孵化)して一年たったたか(鷹).

갈지자 걸음【—之字—】 명 千鳥足; ひょろひょろ歩き. ¶ 취해서 ~으로 걷다 酔ってひょろひょろと歩く.

갈지자-형【—之字形】 명 ジグザグ型.

갈진【竭盡】 명하자 尽きて無くなること.

갈채【喝采】 명하자 かっさい(喝采). ¶ 박수 ~ 拍手喝采 / ~를 받다 喝采を博する.

갈철【褐鐵】 명 かってつ(褐鉄); 黄褐色・黒褐色の鉄.

‖──광 명 褐鉄鉱.

갈치 명 〔魚〕たちうお(太刀魚).

갈퀴 명 くま手; さらい.

‖──질 명하자 くま手でか(掻)くこと.

갈탄【褐炭】 명 褐炭.

갈팡-질팡 부하자 当惑するさま; とまどうさま; うろうろ; まごまご; どぎまぎ; へどもど. ¶ 갑자기 어쩔 줄을 몰라서 ~했다 急にどうしていいのか分からなくてどぎまぎした / ~하여 대답하지 못했다 とまどって答えられなかった.

갈포【葛布】 명 くずふ〔かっぷ〕(葛布).

갈피 명 ① 要領; 分別; 筋道; 物事のみわけ. ¶ ~를 못잡다 筋道がつかめない / 그의 말은 ~를 잡을 수 없다 彼の言うことは見当がつかない. ② ページ間. ¶ 책~ 本のページ間.

갈피-갈피 부 ページごとに; 一衣ごとに.

갉다 타 ①かじる. ¶ 쥐가 벽을 ~ ねずみ(鼠)が壁をかじる. ② (くま手などで)かき集める. ③ そしる; けなす. ④ 人の物をちょっぴりちょっぴりかすめ取る.

갉아-먹기 명 銭打ち; 穴一.

갉아-먹다 타 ① かじって食う; かじる. ¶ 쥐가 호박을 ~ ねずみがかぼちゃをかじって食う. ② (人のものを)しぼり〔かすめ〕取る.

갉이 명 研磨機.

갉작-거리다 타 しきりにかく〔かじる〕; かじり続ける. <긁적거리다. 갉작-갉작 부하자 しきりにかく〔かじる〕さ

ま：がりがり；ぼりぼり.

갉죽-거리다 타 ①やたらにかき〔かじり〕続ける. ②(人の痛い所などを)こづいてかき立てる. **갉죽-갉죽** 부하자 やたらにかき〔かじり〕続けるさま：がりがり：ぼりぼり.

감¹ 명 かき(柿). ¶떫은〔날〕감 渋がき／～이 열리다 かきが実る.

감² 명 がね；物事の材料・種・元となるもの. ¶신랑～ むこがね／양복～ 洋服生地.

감【減】명하자타 減. ①↗감법(減法). ②↗감산(減算). ③減ずること. ¶일할 ～ 一割減.

감【感】명 感. ①感じ；思い；気持ち. ¶때늦은 ～이 있다 時期外れの感がある／이상한 ～이 든다 変な感じがする. ②[↗감도(感度)] 感度. ¶～이 좋은 라디오 感度の良いラジオ.

감가【減價】명하타 減価；値引き；値下げ.
‖── 상각 명〔經〕減価償却.

감각【感覺】명 感覚. ──-하다 타 感覚する；感ずる. ¶미적 ～ 美的感覚／～이 낡았다 感覚が古い／신선한 ～ 新鮮な感覚.
‖── 감정 명 感覚感情. ── 기관 명 感覚器官. ── 기능 명 感覚機能. ── 마비 명 感覚まひ(痲痺). ── 묘사 명 感覚描写. ── 세포 명 感覚細胞. ── 신경 명 感覚神経. ──-점 명 感覚点. ── 중추 명 感覚中枢.

감감 무소식【─無消息】명 ☞ 감감 소식.

감감 소식【─消息】명 消息がとだえること；なしのつぶて. ㅍ깜깜 소식.

감감-하다 형 ①消息がない. ②探すすべがなく途方に暮れている. ¶그녀는 반지를 아직도 못찾고 감감해하고 있다 彼女は失くした指輪をまだ見付け得ず途方にくれている.

감개【感慨】명하자 感慨. ¶～에 잠기다 感慨にふける／～를 노래로 읊다 感慨を歌に詠ずる.
‖── 무량 명하형 感慨無量.

감격【感激】명하자 感激. ¶사람을 ～시키는 연설이었다 人を感激させる演説であった. ──-스럽다 형 感激的だ.

감경【減輕】명하타 減軽. ①へらして軽くすること. ②〔史〕本刑より軽い刑罰に処すること.

감고【甘苦】명하타 甘苦. ¶～를 다 겪었다 甘苦を共にした.

감관【感官】명 感官；感覚器官とその作用.
‖──-미 명 感官美. ── 표상 명 感官表象. ＝지각 표상(知覺表象).

감광【減光】명하자타〔天〕減光；地球の大気により星や太陽の光が吸収される現象.

감광【感光】명하자〔化〕感光.
‖──-계 명 感光計. ──-도 명 感光度. ──-막 명 感光膜. ──-약 명 感光薬. ── 유리(瑠璃) 명 感光ガラス. ── 유제 명 感光乳剤. ── 재료 명 感光材料. ──-제 명 感光剤. ──-지 명 感光紙.

감구【感球】명〔生〕生物の皮膚にある，感覚細胞の集団.

감군【減軍】명하자 減軍；軍事力を減らすこと.

감금【監禁】명 監禁. ──-하다 타 監禁する；取りこめる. ¶불법 ～ 不法監禁
‖──-죄 명 監禁罪.

감기【感氣】명 風邪；感冒. ＝고뿔・감모(感冒). ¶～ 기운 風邪気／유행성 ～ 流行風邪；流行性感冒／～들다 風邪をひく／～로 콜록거리다 風邪でせ(咳)き込む.

감기다¹ ㊀피동 目が閉じられる. ㊁사동 目を閉じさせる. ¶죽은 이의 눈을 ～ 死者の目を閉じさせる. ㊂자 眠気がさす；眠くてまぶたがたるむ. ¶졸려서 눈이 ～ ねむくて目がふさ(塞)がる.

감기다² ㊀피동 巻かれる. ㊁사동 巻かせる.

감기다³ ㊀사동 洗わせる. ㊁타 (体や髪を)洗ってやる.

감나무 명〔植〕かき(柿)の木.

감내【堪耐】명 忍耐；堪忍. ──-하다 타 忍耐する；耐え忍ぶ.

감다¹ 타 (目を)閉じる.

감다² 타 (体や髪を)洗う. ¶멱을 ～ 川で水浴びをする.

감다³ 타 巻く；繰る. ¶시계 태엽을 ～ とけいのぜんまいを巻く／실을 ～ 糸を繰る.

감당【堪當】명하타 十分になしおえること；事に当たり得ること. ¶이 역할은 그 남자로는 ～해 낼 수 없다 この役をあの男はなしおえない.

감도【感度】명 感度. ＝감. ¶～ 좋은 라디오 感度のいいラジオ.

감독【監督】명하타 監督；マネージャー. ¶야구 ～ 野球の監督／무대 ～ ステージマネージャー／이번 수송의 ～은 자네에게 부탁하네 今度の輸送の宰領は君に頼む.
‖──-관 명 監督官. ── 교회 명〔宗〕監督教会. ──-권 명 監督権. ── 기관 명 監督機関. ──-원 명 監督員. ──-자 명 監督者.

감-돌다 ㊀자 漂う；垂れこめる. ¶전운이 ～ 戦雲が垂れこめる ㊁타 (河流などが)曲がって流れる.

감돌아-들다 자 漂い戻る；(流れが)うねって曲がりかえる.

감동【感動】명하자 感動. ¶깊은 ～을 받다 深い感動を受ける.
‖──-문 명 感動文. ──-사 명〔言〕感動詞.

감득【感得】명하타 感得. ¶진리를 ～하다 真理を感得する.

감등【減等】명하타 減等.

감때-사납다 형 (人が)荒っぽくて押さえがきかない；手に負えない.

감람【橄欖】명〔植〕かんらん(橄欖).
‖──-나무 명〔植〕かんらんの木. ── 녹색(綠色) 명 かんらん色. ──-석 명〔鑛〕かんらん石. ──-유 명 かんらん油.

감량【減量】명하자타 減量.

ㄱ

ㄱ

감로【甘露】명 甘露.
‖——-수 명 甘露水. ——-주 명 甘露酒.
감루【感涙】명 感涙；感激の涙；ありがた涙.
감류【柑類】명〔植〕みかん(蜜柑)·だいたい(橙)類の実.
감리【監理】명하타 監理. ¶공사 ～ 工事監理.
‖——-교 명〔基〕メソジスト教会.
감마【ㄷ Γ, γ】명 ガンマ.
‖—— 글로블린 명〔生〕ガンマグロブリン. ——-선 명〔物〕ガンマ線. ——-성 명〔天〕ガンマ星.
감면【減免】명하타 減免. ¶세금의 ～ 税金の減免／형을 ～하다 刑を減免する.
‖—— 소득 명 減免所得.
감명【感銘】명하자 感銘〔肝銘〕. ¶～을 받다 感銘を受ける／스승의 은혜에 깊이 ～하다 師の恩に肝銘する.
감-물 명 かき渋. ¶～을 칠한 부채 渋うちわ／～을 들임 渋塗り；渋染め／～을 먹인 종이 渋紙.
감미【甘味】명하형 甘味·あまみ. ¶～와 산미 甘味と酸味／～가 돌다 甘味が感じられる. ——-롭다 형 甘い；甘い感じがする. ¶감미로운 과실 甘い果物. ——-로이 부 甘く.
‖——-료 명 甘味料.
감미【甘美】명하형 甘美. ——-롭다 형 甘美な感じがする. ¶감미로운 음악 甘美な音楽.
감방【監房】명 監房；おり(檻). ¶～에 갇히다 監房に閉じこめられる.
감-법【減法】명〔數〕減法；引き算.
감별【鑑別】명하타 鑑別；めきき. ¶～법 鑑別法／병아리의 암수를 ～하다 ひよこの雌雄を鑑別する.
감복【感服】명하자 感服.
감봉【減俸】명 減俸；減給. ¶～ 처분 減俸〔減給〕処分.
감-빛 명 かき色.
감-빨다 타 ①うまそうに食〔吸〕う. ②よくばる.
감-빨리다 자 ①食欲をそそられる. ②どんよく(貪欲)が生じる.
감사【感謝】명 感謝. ——-하다 ㊀형 有難い. ㊁자타 感謝する. ——-히 부 有難く.
‖——-일(日) 명〔基〕神の恵みに感謝する日. ——-장(狀) 명 感謝状；謝状.
감사【監事】명 監事.
감사【監査】명 監査. ¶국정 ～ 国政監査／회계 ～ 会計監査.
‖—— 기관 명 監査機関.
감-사납다 형 ①手ごわくて御しにくい；強情だ；なら(馴)しにくい. ②(生地などの)質が悪くて仕事がしにくい.
감산【減産】명하자타 減産.
감산【減算】명하자타〔數〕減算；引き算. ㊀감(減).
감상【感想】명 感想；所感. ¶～문 感想文／～록 感想録.
감상【感傷】명하자 感傷. ¶～에 잠기다 感傷にふける.
‖——-벽 명 感傷癖. ——-주의 명〔文〕感傷主義；センチメンタリズム.
감상【鑑賞】명 鑑賞. ——-하다 타 鑑賞する；味わう. ¶그림을 ～하다 絵を鑑賞する／명문을 ～하다 名文を味わう.
‖—— 비평 명 鑑賞批評. ——-안 명 鑑賞眼.
감색【紺色】명 紺色.
감색【減色】명하자 色があせること；変色すること. ¶～된 양복 色あせた洋服.
감성【感性】명 感性.
‖——-론 명〔哲〕感性論.
감성-돔 명〔魚〕くろだい(黒鯛)；ちぬだい.
감세【減税】명하자 減税. =감조(減租). —— 국채 명〔經〕減税国債.
감소【減少】명하자타 減少. ¶불경기로 수입이 ～하다 不景気で収入が減少する.
감속【減速】명하자타 減速.
‖——-동(動), —— 운동 명〔物〕減速運動. —— 장치 명〔機〕減速装置. ——-재 명〔物·化〕減速材. —— 톱니바퀴 명〔機〕減速歯車.
감손【減損】명하자타 減損.
감쇄【減殺】명하자타 減殺. ¶흥미를 ～하다 興味を減殺する.
감쇠【減衰】명하자타 減衰.
‖—— 전도 명〔生〕減衰伝導. —— 진동 명〔物〕減衰振動.
감수【甘受】명하자타 甘受. ¶비난을 ～하다 非難を甘受する.
감수【減水】명하자 減水. ¶가뭄으로 인한 ～ 현상 かんばつ(旱魃)による減水現象.
감수【減收】명하자 減収；減作.
감수【酣睡】명하자 熟睡.
감수【減數】명하타 減数.
‖—— 분열 명〔生〕減数分裂.
감수【減壽】명하자 寿命が縮むこと.
감수【感受】명하타 感受.
‖——-성 명 感受性.
감수【監修】명하타 監修. ¶사전을 ～하다 辞典を監修する.
감숭-하다 형 まばらに生えた毛が黒ばんでいる. ＜검숭하다. 감숭-감숭 부하형 まばらに生えた毛が黒ばんでいるさま.
감시【監視】명 監視；見張り. ——-하다 타 監視する；張る；見張る. ¶～의 눈을 속이다 監視の目をくらます.
‖——-대(臺) 명 見張り台. —— 레이더 명 監視レーダー. ——-망 명 監視網. ——-초 명 監視哨；見張り所.
감식【減食】명하자타 減食.
‖—— 요법 명 減食療法. ——-주의 명 減食主義.
감식【鑑識】명하타 鑑識：目利き. ¶미술품의 ～에 능하다 美術品の鑑識に長じている.
‖——-력 명 鑑識力；鑑定し見分ける能力.
감실-거리다 자 ちらつく；ちらちらする；遠くでかすかに動く. ＜검실거리다. 감실-감실 부하자 ちらちら.
감싸고 돌다 타 かばう；かばい立てす

る；ひご(庇護)する．

감-싸다 타 ① 覆いかぶせる；包みかくす；くるむ．¶갓난 아기를 타월에 ～ 赤ん坊をタオルにくるむ．② かばう；ひご(庇護)する．¶허물〔잘못〕을 ～ あやまちをかばう．

감싸 주다 타 取り繕ってやる；かばい立てる；ひいきする．¶그 사람만 ～ 彼ばかりかばい立てる．

감아-들다 자 巻きつく；まつ(纏)わりつく．

감안【勘案】명하타 勘案．¶사정을 ～하지 못했다 事情を勘案の上決定し得なかった．

감압【減壓】명하자 減圧．
‖―― 반사 명〔生〕減圧反射．――지 명 減圧紙；発色剤を利用した複写紙．

감액【減額】명하타 減額．

감언【甘言】명 甘言；甘口；美言．¶～에 유혹되다 甘言に釣られる／남의 ～에 넘어가다 人の甘口に乗る．
‖―― 이설(利說) 명 口車．¶～에 넘어가다 口車に乗る．

감연-하다【敢然―】형 敢然としている；果断性があって勇敢である．감연-히 부 敢然と；決然と．¶～ 일어나다 敢然と立ち上がる．

감염【感染】명하자 感染．
‖―― 면역 명〔醫〕感染免疫．――증 명 感染症．

감염식 요법【減塩食療法】명〔醫〕無塩食療法．

감옥【監獄】명 監獄；刑務所；ろうごく(牢獄)；ろうや(牢屋)；れいご(囹圄)；鉄窓．
‖――-살이 명하자 監獄暮らし．――-소(所) 명《俗》監獄．

감우【甘雨】명 甘雨；慈雨．

감원【減員】명하타 減員．

감은【感恩】명하자 感恩・かんのん．¶～숙배 感恩肅拝．

감-음정【減音程】명〔樂〕減音程．

감읍【感泣】명하자 感泣．

감응【感應】명하자 感応・かんおう．‖―― 유전 명〔生〕感応遺伝．―― 정신병 명〔醫〕感応精神病．

감자 명〔植〕[←감저(甘藷)] いも(芋薯)；じゃがいも《'じゃが芋・馬鈴薯'로도 쓰며 '馬鈴薯'는 'ばれいしょ'라고도 함》；ポテト．

감자【甘蔗】명〔식〕かんしょ(甘蔗)；さとうきび．＝사탕수수．

감자【減資】명하자타 減資．¶주식의 ～ 株式の減資．

감작【減作】명하자 減作．

감작【感作】명하자타〔醫〕感作．
‖―― 백신 명〔藥〕感作ワクチン．

감-잡이 명 へり縫い；へり縫いした部分．

감-잡히다 자 弱点をつかまれる；弱味につけこまれる．

감장 명 ☞ 검정．
‖――-이 명 色が黒いもの．＜검정이．ㅆ깜장이．

감저【甘藷】명〔植〕① ☞ 감자．② かんしょ(甘薯・甘藷)；さつまいも．＝고구마．

감적【監的】명하자 監的〔看的〕；的の傍にいて，命中したかどうかを見分けること．
‖――-호(壕) 명〔軍〕監的のために掘ったざんごう(塹壕)．

감전【感電】명하자 感電．

감점【減點】명하타 減点．

감정【感情】명 感情．
‖――-가 명 感情家．―― 감각 명〔心〕感情感覚．―― 교육 명 感情教育．―― 도착 명〔心〕感情倒錯．――-론 명 感情論．―― 미학 명〔哲〕感情美学．―― 이입 명〔哲〕感情移入．

감정【憾情】명 不満からの恨みや怒り．¶～이 나다 不満足で腹が立つ／～을 내다 ㉠ 不満足で腹を立てる．㉡ 憤慨させる；腹を立たせる．

감정【鑑定】명 鑑定；めきき．――하다 타 鑑定する；見立てる．¶필적을 ～하다 筆跡を鑑定する．
‖――-가 명 鑑定家．―― 가격 명 鑑定価格．――-료 명 鑑定料．――-서 명 鑑定書．――-인 명 鑑定人．

감주【甘酒】명 甘酒．＝단술．

감지【感知】명하타 感知．

감지-덕지【感之德之】부하타 この上なくありがたがるさま．

감진-기【感震器】명 感震器．

감질【疳疾】명 物の欲しさにもどかしがる心．¶～나다 じれったい；歯がゆい；まだるっこい／～나는 이야기 じれったい話．

감쪽-같다 형 全くそっくりだ；少しもたがわない；寸分たがわない；つくろったり直したりした跡がない．감쪽-같이 부 まんまと；うまうまと．¶～ 속았다 まんまとだまされた／～ 해 놓았다 そっくりもとの通りにやってのけた．

감찰【監察】명하타 監察．
‖――-관 명 監察官；目付け役．

감찰【鑑札】명 鑑札．
‖――-료 명 鑑札料．

감-참외 명〔植〕まくわうり(真桑瓜)の一種．

감채【減債】명하자 減債．
‖―― 기금 명 減債基金．―― 적립금 명 減債積立金．

감천【感天】명하자 真心が天に通じること．

감청【紺青】명 紺青．

감초【甘草】명〔植〕かんぞう；あまくさ(甘草)；あまき．

감촉【感觸】명하자타 感触．¶～이 부드럽다 手触りがよい；感触が柔らかい／촉촉한 ～ しっとりした感触．

감추다 타 隠す．① くらます．¶종적을 ～ そうせき(踪跡)をくらます；姿を消す．② 秘する；秘める；潜める．¶초조의 빛을 감출 수 없다 焦燥の色が隠せない／자기의 실패나 과실을 ～ しり隠しをする．

감축【減縮】명하자타 減縮．¶예산을 ～하다 予算を減縮する．

감치다¹ 자 こびりつく；しじゅう心に付きまとう．

감치다² 타 ① まつる；刺し縫いする. ¶ 옷단을 ～ すそ(裾)をまつる. ② ひだ縫いする；かがる.

감칠-맛 명 ① 食欲をそそる味. ¶ ～ 나는 술 口当たりのいい酒；こくのある酒. ② 物事が人の心を引きつける力. ¶ ～이 나는 이야기 小味の利いた話.

감침-질 명하타 まつり縫いをすること.

감탄【感歎】 명하타 感嘆.
‖—— 기원설 명〔言〕感嘆起源説. —— 부호 명〔言〕感嘆符；エクスクラメーションマーク. ——-사 명〔言〕感嘆詞. ＝감동사(感動詞)·간투사(間投詞). ——-형 명〔言〕感嘆形.

감퇴【減退】 명하자 減退. ¶ 정력 ～ 精力減退 / 식욕이 ～하다 食欲がおちる.

감투 명 ① 冠の下にかぶるえい(纓)の一種. ＝탕건(宕巾). ②《俗》役職；官位；官職. ¶ ～ 싸움 役職争い / ～를 쓰다 役職に就く.
‖——-밥 명 うず高く盛りあげた飯.

감투【敢鬪】 명하자 敢闘. ＝감전(敢戰). ¶ ～상 敢闘賞.

감-파르다 형 青黒い；黒味がかった青色を帯びている. ＜검푸르다.

감파르잡잡-하다 형 青色を帯びてやや黒い. ＜검푸르접접하다.

감파르족족-하다 형 青みがかった黒色で澄んでいない. ＜검푸르죽죽하다.

감-하다【減—】 ㊀자 減ずる；へる. ㊁타 ① 減らす. ¶ 3할을 ～ 三割を減らす. ②〔數〕↗감산(減算)하다.

감-하다【鑑—】 타 "見る"の敬語.

감항 능력【勘航能力】 명 安全航海能力《人的·物的な備え》.

감행【敢行】 명하타 敢行.

감형【減刑】 명하자타 減刑. ¶ ～의 은전을 입다 減刑の恩典に浴する.

감호【監護】 명하타 監護. ¶ ～자 監護者.

감홍-로【甘紅露】 명 ① 平壤産の赤いしょうちゅう(焼酎). ② 焼酎にこうじ(麴)と薬材を入れて醸した酒.

감홍-주【甘紅酒】 명 ☞ 감홍로(甘紅露).

감화【感化】 명하타 感化.
‖—— 교육 명 感化教育. ——-력 명 感化力. ——-원 명 感化院.

감화문-기【嵌花文器】 명 絵を刻みいれた陶磁器.

감회【感懷】 명 感懐.

감획【減畫】 명하타 字画を減らすこと.

감흥【感興】 명 感興. ¶ ～을 자아내다 感興を催す.

감-히【敢—】 부 ① おそれ多くも. ② あえて；しいて；おしきって. ¶ ～ 상사의 부탁을 거절하다 あえて上役の頼みを拒む.

갑【甲】 명 甲. ① 順序の始め. ② きのえ(甲)；十干の初め；等級の第一位. ③ 二つ以上の事物のうち，その一つの名前の代わりに使う語. ¶ 이하 원고를 ～, 피고를 을이라고 칭한다 以下原告を甲，被告を乙と称する.

갑【匣】 명 箱；小さい箱；ケース. ¶ 담뱃～ タバコの箱.

갑【岬】 명〔地〕岬. ¶ ～의 등대 岬の灯台.

갑각【甲殼】 명〔動〕甲殼；甲羅.
‖——-류 명〔動〕甲殼類. ——-소 명 甲殼素；キチン.

갑갑궁금-하다 형 非常にもどかしく気にかかる；ひどく案じられる.

갑갑-증【—症】 명 うっとうしさ；いらだち；もどかしさ. ¶ ～이 나서 못 견디다 うっとうしくて耐えられない.

갑갑-하다 형 ① 息づまる；窮屈だ. ¶ 꼭 끼어 갑갑한 옷 窮屈な服. ② たいくつ(退屈)だ；うっとうしい. **갑갑-히** 부 ① 息づまるように；窮屈に. ② たいくつに.

갑골 문자【甲骨文字】 명 甲骨文；甲骨文字.

갑골-학【甲骨學】 명 甲骨学.

갑남 을녀【甲男乙女】 명 甲という男と乙という女の意で，ごく平凡な人をさす語：熊公八公.

갑년【甲年】 명 還暦の年.

갑론 을박【甲論乙駁】 명하자 甲論おつばく(乙駁).

갑문【閘門】 명 こうもん(閘門).
‖——-비 명 閘門扉. —— 운하 명 閘門運河.

갑변【甲邊】 명 倍にしてもらう利子. ＝갑리(甲利).

갑부【甲富】 명 第一番の金持ち. ¶ 장안의 ～ 都随一の物持ち.

갑사【甲紗】 명 薄い良質のしゃ(紗).

갑상-선【甲狀腺】 명〔生〕甲状せん(腺). ‖——-염 명〔醫〕甲状腺炎. ——-종 명〔醫〕甲状腺しゅ(腫).

갑상 연골【甲狀軟骨】 명〔生〕甲状軟骨.

갑시다 자 むせる；息詰まる.

갑옷【甲—】 명 よろい(鎧)；物の具〈雅〉. ＝갑의(甲衣).
‖—— 미늘 명 さね(札). —— 투구 명 かっちゅう(甲冑).

갑을【甲乙】 명 甲乙. ① 十干の甲と乙. ② 順序·優劣を表わす語：第一と第二. ③ 名前不明の人や事物につける語：この人とあの人；これあれ.

갑자기 부 急に；いきなり；にわかに；突然；とみ(頓)に；やにわに；差し付けに；ひょいと；ついと；つと；だしぬけに. ＜급자기. ¶ ～ 비가 내리기 시작했다 急に雨が降り出した / ～ 형세가 역전되었다 がぜん形勢が逆転した / ～ 일어서서 가다 ついと立って行く.

갑작-스럽다 형 にわかだ；不意だ；突然だ；急だ. ＜급작스럽다. ¶ 갑작스런 이야기 急な話 / 갑작스런 손님 不意の来客.

갑-장지문【甲障—門】 명 裏表を不規則に紙をはりつけた二重張りの障子.

갑저-창【甲疽瘡】명〔韓醫〕爪の根元が傷ついて膿むはれもの. ＝감갑창(嵌甲瘡).
갑절 ㊀명하타 倍. ¶크기가 꼭 ~이다 大きさがちょうど倍である. ㊁부 倍に；一倍. ¶남보다 ~ 노력하다 人と一倍努力する.
갑종【甲種】명 甲種. ¶~ 합격 甲種合格 / ~ 소득세 甲種所得税.
갑철【甲鐵】명 兵甲.
‖——-판 명 甲鉄板. ——-함 명 甲鉄艦.
갑충【甲蟲】명〔蟲〕甲虫；かぶとむし(甲虫)；しょうしるい(鞘翅類)の昆虫の総称.
갑판【甲板】명 甲板.
‖——-실 명 甲板室. ——-장 명 甲板長；ボースン.
갑피【甲皮】명 甲皮.
값 명 ①価値；値打ち；値. ¶~이 있는 値打ちのある / ~으로 칠 수 없는 보배 無価の宝. ②代金；料金；料；代. ¶물~ 水道料 / 방~ 部屋代 / 몸~ 身の代金. ③価格；値段；値. ¶도맷~ おろし値段 / ~이 비싸다 値が高い〔張る〕/ ~이 싸다 値段〔値〕が安い / ~이 오르〔내리〕다 値が上がる〔下がる〕/ ~을 매기다 値をつける〔踏む〕. ④代価；対価．犠牲. ¶깨뜨린 유리 ~을 물다 割ったガラスの代金をつぐなう. ⑤ ☞ 금. ⑥〔數〕値. ¶x의 ~을 구하라 xの値を求めよ.
값-가다 자 ↗값나가다.
값-나가다 자 ①値段〔値〕が…もする. ②値打ちがある；高価である；めぼしい. ¶값나가는 물건은 없다 めぼしいものはない. 준 값가다·값나다.
값-나다 자 ①↗값나가다. ②値段が決まる. ¶겨우 ~ やっと値がつく.
값-높다 형 高価だ；値段が高い.
값-놓다 자 (買い手が)値を付ける；値を言う. ¶값놓기만 하고 사지는 않는다 値だけ付けて買わない.
값-닿다 자 予定の値段になる.
값-매다 자 値段を付ける.
값-보다 자타 値踏みをする；値積もりをする.
값-부르다 자타 値段を言う；値を呼ぶ.
값-싸다 형 安い；安っぽい；ちゃちだ〈俗〉. ¶값싼 양복 安っぽい洋服 / 값싼 물건 ちゃちな品 / 값싼 동정 安価な同情.
값-어치 명 値打ち；価値. ¶~가 있다 値打ちがある / ~가 오르다〔떨어지다〕 値打ちが上がる〔下がる〕.
값-없다 형 ①値がつけられない；(値の知れないほど)たいへん貴重だ. ②値打ちがない； 無価値だ.
값-없이 부 ①たいへん貴重に. ②値打ちがなく；無価値に.
값-지다 형 めぼしい；高価だ；貴い；貴重だ. ¶값진 물건 高価な〔めぼしい〕物 / 값진 체험 貴い体験.
값-치다 타 値段をきめる；値踏みをする；評価する.
값-치르다 타 代金を支払う.
값-하다 자 値に相当することをする.
갓¹ 명 ①馬のたてがみや尾の毛で作った成人用の冠. ②冠の形をしたもの. ③〔植〕菌傘；きのこ(茸)の笠.
갓² 명〔植〕からしな(芥子菜)；たかな(高菜). ＝개채(芥菜).
갓³ 의명 束；条：干した食料品などの十つかみを一条に編んだ単位. ¶고사리 한 ~ わらび(蕨)一条.
갓⁴ 부 ただいま(只今)，いますぐ；今しがた；ちょうど今；…たばかり；…立て. ¶~ 구운 생선 焼き立ての魚 / ~ 낳은 달걀이라 신선하다 生み立ての卵で鮮度がいい.
갓- 두 二十歳以上で十の倍数になる数をあらわす数詞の前につけて，"ちょうど"·"きっちり"の意味に用いる語. ¶~마흔 ちょうど四十歳.
갓-길 명 路肩.
갓-끈 명 えい(纓)；冠のひも.
갓-나다 자 たった今生まれた.
갓난-것 명《俗》赤ん坊；生まれたばかりの動物のこ(仔).
갓난 아기 명 赤ちゃんの愛称.
갓난 아이 명 えいじ(嬰児)；みどりご；あかご；赤ん坊.
갓-돌 명 城壁や石垣の上に小屋根状にかぶせた石.
갓-두루마기 명하자 ①冠とツルマギ(周衣). ②衣冠を整えた人.
갓-망건 【—網巾】명 冠と"망건". ——-하다 자 冠と"망건"をかぶる.
갓-무 명〔植〕大根の一種《葉はからしな(芥子菜)に，根は白菜に似ている》. 「집.
갓-상자【—箱子】명 冠入れ. ＝갓
갓-집 명 冠をしまっておく入れ物. ＝갓상자.
강【江】명 江；川〔河〕；大河. ¶~줄기 河の流れ / ~ 건너 불구경 高見の見物.
강【腔】명〔生〕こう(腔)；体の中の空いている部分. ¶복~ 腹こう(腔).
강【綱】명 綱. ¶포유~ ほ乳綱.
강【講】명하자 講. ①学習した文章を先生の前で暗唱すること. ②↗강의(講義).
강- 두 ひどい…；こわい…；厳しい…. ¶~추위 厳しい寒さ.
-강【強】미 強；ある数量の余りがある際つける語. ¶3킬로~ 三キロ強.
강-가【江—】명 川岸；河岸；川のほとり；河畔；岸辺.
강간【強姦】명 ごうかん(強姦)；手込め. ——-하다 타 強姦する；手込めにする.
강강-술래 명〔民〕婦女子らが手に手を取って踊る民俗円舞. また，その踊りに合わせて歌う歌. ＝강강 수월래.
강개【慷慨】명하타 こうがい(慷慨). ¶비분 ~하다 悲憤慷慨する.
‖—— 무량 명하형 慷慨無量.
강건【剛健】명하형히부 剛健. ¶

ㄱ

~한 기풍을 기르다 剛健な気風を養う.
‖——-체 명 剛健体; 力強い文体.
강건【強健】명 하형 히부 強健; 壮健. ¶ ~한 신체 強健な身体.
강경【強勁·強硬】명 하형 히부 強硬; 強腰. ¶ ~하게 나오다 強腰に出る / ~히 주장하다 強硬に言いはる. ‖——-파 명 強硬派; たか派.
강고【強固】명 하형 히부 強固.
강공【強攻】명 하타 強攻. ¶ ~책을 쓰다 強攻策をとる.
강관【鋼管】명 鋼管.
강괴【鋼塊】명 溶鋼を鋳型に流しこんで冷やした鋼鉄の塊.
강구【江口】명 川口〔河口〕; 川じり. =강어귀.
강구【講究】명 講究. ——-하다 타 講究する; 講ずる; 練る. ¶ 수단을 ~하다 手段を講ずる / 비책을 ~하다 秘策を練る.
강국【強國】명 強国.
강군【強軍】명 強い軍隊〔チーム〕.
강-굴 명 殻から取りたてのかき(牡蠣); 水にひたしてないかき.
강권【強勸】명 하타 無理強いに勧めること.
강권【強權】명 強権. ① 強い権力. ② 国家の強制的な権力.
‖—— 발동 명 強権発動.
강기【剛氣】명 剛気.
강기【綱紀】명 綱紀.
‖—— 숙정 명 綱紀粛正.
강-기슭【江—】명 川辺. =강안(江岸).
강남【江南】명 江南. ① 中国の揚子江以南の土地. ② 中国の別称. ③ ソウルの漢江以南の地方.
강낭-콩 명〔植〕いんげん(隠元); いんげんささげ; さんどまめ(三度豆).
강님 도령 명〔民〕みこ(巫女)があがめまつる神.
강다리 ㊀ 명 ① つっぱり; 物の支えに交差させて立てた木. ② けた(桁)に突き出た軒がたるまないようにうちのき(内檐)の上端に軸くさびを入れる固い木. ㊁ 의명 割りまき(薪)百本を数える単位.
강-다짐 명 하타 ① ご飯をお汁やお湯に漬けずにそのまま食べること. ② 何の理由もなく叱り飛ばすこと. ③ ただで人をこき使うこと.
강단【剛斷】명 ① 決断力. ② 困難に耐える力.
강단【講壇】명 講壇. ¶ 대학 ~에 서다 大学の講壇に立つ.
강단-지다【剛斷—】형 果断性がある.
강당【講堂】명 講堂. ¶ ~에 집합하다 講堂に集合する.
강대【強大】명 하형 히부 強大. ¶ ~국 強大国 / ~한 해군력 強大な海軍力.
강도【剛度】명 剛度.
강도【強度】명 強度. ¶ ~를 측정하다 強度を測定する.
강도【強盜】명 強盗. ¶ 승객이 ~로 돌변하다 乗客が強盗に開き直る. ‖——-질 명 하자 強盗をはたらくこと.
강-도래【江—】명〔蟲〕かわげら.
강독【講讀】명 하타 講読. ¶ 영어 ~ 英語講読.
강동-하다 형 つんつるてんだ. >겅둥하다. ㅆ깡똥하다. ¶ 강동한 미니 스커트 つんつるてんのミニスカート.
강등【降等】명 하자타 降等; 降任. ¶ 2계급 ~ 二階級降等.
강력【強力】명 하형 히부 ① 強力; 強い力; 力の強いこと. ¶ ~한 모터 強力なモーター. ② 暴力.
‖——-범 명 強力犯. ——-분(粉) 명 強力メリケン粉. =강력 밀가루. —— 인견 명 強力人絹.
강렬【強烈】명 하형 히부 強烈. ¶ ~한 펀치 強烈なパンチ / 한여름의 ~한 태양 真夏の強烈な太陽.
강령【降靈】명 하자〔宗〕神霊が身に乗り移ること.
강령【綱領】명 綱領.
강론【講論】명 하타 講論.
강림【降臨】명 (神の)降臨; 天下り. ——-하다 자 降臨する; 天下る.
‖——-절 명〔基〕降臨節.
강-마르다 형 ① すっかり乾く; 干からびる. ¶ 강마른 논바닥 干からびた田. ② ひどくやせている.
강매【強買】명 하타 (売らない物を)無理じいに買うこと.
강매【強賣】명 하타 強売; 押し売り.
강모【剛毛】명 剛毛. ¶ ~가 밀생해 있다 剛毛が密生している.
강목 명 有用な鉱石が出ない無駄掘り.
강목【綱目】명 綱目. ¶ 표본을 ~ 별로 세분하다 標本を綱目別に細分する.
강목-치다 자 (有用な鉱石を得ないままに)むだぼねを折る.
강-물【江—】명 川水.
강-바닥【江—】명 川底.
강-바람 명 空っ風; からかぜ.
강-바람【江—】명 川風.
강박【強迫】명 하타 強迫.
‖—— 관념 명 強迫観念. —— 상태 명〔心〕強迫状態. —— 신경증 명〔心〕強迫神経症.
강변【江邊】명 川岸; 河辺〔川辺〕.
강변【強辯】명 하타 強弁.
강병【強兵】명 強兵. ¶ 부국 ~ 富国強兵.
강보【襁褓】명 おくるみ. =포대기.
‖—— 유아(幼兒) 명 おくるみの赤ん坊.
강북【江北】명 江北. ① 川の北側. ② 中国の揚子江北側の土地. ③ ソウルの漢江の北側.
강사【講士】명 弁士. =연사(演士).
강사【講師】명 講師. ¶ 대학 ~ 大学講師 / 시간 ~ 非常勤講師.
강삭【鋼索】명 鋼索; ワイヤロープ.
‖—— 철도 명 鋼索鉄道.
강산【江山】명 川と山; 国土.

‖— 풍월(風月) [명] 自然の美しい風景.
강산【強酸】[명]〖化〗☞ 강한 산.
강상【江上】[명] 江上.
강-샘 [명][하자] しっと(嫉妬). =투기. ¶ ~부리다 やきもちを焼く.
강생【降生】[명][하자] 降生; 降誕.
‖— 구속(救贖) [명]〖天主教〗キリストが人間社会に生まれて人類を罪悪から救ったこと.
강서【講書】[명][하자] 講書.
강석【講席】[명] 講席.
강선【鋼船】[명] 鋼船.
강선【鋼線】[명] 鋼線.
‖—-포 [명] 鋼線砲.
강설【降雪】[명][하자] 降雪.
‖—-량 [명] 降雪量.
강설【講說】[명][하타] 講説. ¶ 논어를 ~하다 論語を説く.
강성【剛性】[명]〖物〗剛性.
‖—-률 [명] 剛性率. — 헌법(憲法) [명] ☞ 경성 헌법.
강성【強性】[명] 強性.
강성【強盛】[명] 強盛. —-하다 [형] 強盛だ.
강세【強勢】[명][하형] 強勢. ① 勢力が強いこと. ②〖經〗強気; 相場が上がりぎみであること. ¶ ~를 유지하다 強気を保つ. ③ 力を入れること. ¶ ~ 대명사 強勢代名詞. ④ アクセント.
강쇠-바람 [명] 初秋のこち(東風).
강수【江水】[명] =강물.
강수【降水】[명] 降水.
‖—-량 [명] 降水量.
강-술 [명] さかな(肴)ぬきで飲む酒.
강술【講述】[명][하타] 講述.
강습【強襲】[명][하타] 強襲. ¶ 적진을 ~하다 敵陣を強襲する.
강습【講習】[명][하타] 講習. ¶ ~회 講習会.
강시【僵屍·殭屍】[명] 凍死者の死体. —-나다 [자] 凍死者が生じる.
강심【江心】[명] 河心.
‖—-수(水) [명] 河心を流れる水.
강-심장【強心臟】[명] 心臓が強い人. また, そのような性格; あつかましくて物おじしない性格. また, そのような人.
강심-제【強心劑】[명] 強心剤. ¶ ~를 놓다〔먹다〕 強心剤を打つ〔飲む〕.
강아지 [명] こいぬ(仔犬).
강-알칼리【強—】〔alkali〕[명]〖化〗強アルカリ. =강한 염기.
강압【強壓】[명][하타] 強圧. ¶ ~적으로 나오다 かさにかかる.
강약【強弱】[명] 強弱.
‖— 부호 [명]〖樂〗強弱記号.
강연【講演】[명][하타] 講演.
강-염기【強塩基】[명]〖化〗☞ 강한 염기.
강요【強要】[명][하타] 強要. ¶ ~된 사직 強要された辞職 / ~하듯 하다 押し付けがましくする.
강요【綱要】[명] 綱要.
강우【降雨】[명][하자] 降雨. ¶ 인공 ~ 人工降雨.
‖—-기 [명] 降雨期. —-량 [명] 降雨量.
강음【強音】[명] 強音.
강음【強飮】[명][하타] いやな酒を無理に飲むこと.
강의【剛毅】[명] ごうき(剛毅).
강의【講義】[명][하타] 講義. ¶ 문학을 ~하다 文学を講ずる.
‖—-록 [명] 講義録.
강인【強靭】[명] きょうじん(強靱). —-하다 [형] 強靱だ; しぶとい; きつい. ¶ ~한 태도 強靱な態度 / ~한 인간이다 しぶとい人間だ. —-히 [부] 強靱に; しぶとく; きつく.
강자【強者】[명] 強者; つわもの.
강-자성【強磁性】[명]〖物〗強磁性.
‖—-체 [명]〖物〗強磁性体.
강장【強壯】[명][하형] 強壮.
‖— 음료 [명] 強壮飲料. —-제 [명] 強壮剤. —지-년(之年) [명] 元気旺盛なる年.
강장【腔腸】[명]〖動〗こうちょう(腔腸). — 동물 [명] 腔腸動物.
강장-거리다 [자] 短い脚で急ぎ足をする. <겅정거리다. **강장-강장** [부][하자] 短い脚で跳ね歩くさま.
강재【鋼材】[명] 鋼材.
‖— 반성품 [명]〖工〗鋼材半成品. — 이차 제품 [명] 鋼材二次製品.
강적【強敵】[명] 強敵; 大敵. ¶ ~을 물리치다 強敵をほふ(屠)る.
강-전해질【強電解質】[명]〖化〗強電解質.
강-절도【強竊盜】[명] 強窃盗.
강점【強占】[명][하타] 強占.
강점【強點】[명] 強み. ¶ 어학을 할 수 있는 것이 ~이다 語学の出来るのが強みだ.
강정 [명] ① もち米の粉に酒をまぜこ(捏)ねて適当に切り油に揚げた後, 蜜にひたしたうえにごま(胡麻)·黄粉·松のこ(粉)をまぶした韓国のお菓子. ② ごま(胡麻)·豆·松の実などを水あめで固めたお菓子.
강정-제【強精劑】[명] 強壮剤.
강제【強制】[명] 強制. —-하다 [타] 強制する; 強いる. ¶ ~ 보험 強制保険 / ~로 強制的に; 強引に; 無理やりに / ~로 일을 시키다 無理無体に働かせる / ~로 마시게 하다 無理やりにのませる.
‖—-권 [명] 強制権. — 노동 [명] 強制労働. — 대류 [명]〖物〗強制対流. —-력 [명] 強制力. — 송환 [명] 強制送還. — 수단 [명] 強制手段. — 수사 [명] 強制捜査. — 이행 [명] 強制履行. —-적 [명][관] 強制的. ¶ ~인 強制的な / ~이다 強制的である. — 집행 [명] 強制執行. — 징수 [명] 強制徴収. — 처분 [명] 強制処分.
강제【鋼製】[명] 鋼製.
강조【強調】[명][하타] 強調. ¶ 국방의 중대성을 ~하다 国防の重大性を強調する.
‖— 주간 [명] 強調週間.
강-조밥 [명] あわめし(粟飯).
강좌【講座】[명] 講座. ¶ 형법 ~ 刑法

講座.

강주【強酒】[명] きつい酒.

강-주정【—酒酊】[명][하자] わざと酔ったふりをして乱暴をはたらくこと.

강즙【薑汁】[명] しょうが(生薑)汁.

강직【剛直】[명][하형] 剛直. ¶ ～한 사람 剛直な人; 堅人; 堅物 / ～한 성질 生一本な性格.

강직【強直】[명][하형] 強直. ¶ 사후 ～ 死後強直 / ～한 사람 強直な人.
‖——성 경련 [명]〔醫〕強直性けいれん(痙攣).

강진【強陣】[명] 強陣.

강진【強震】[명]〔地〕強震.
‖——계 [명] 強震計.

강진-계【強振計】[명] 強振計.

강짜 [명]《俗》☞ 강샘. ——하다 [자] しっとする; ねたむ. ¶ ～를 부리다 やきもちを焼く.

강철【鋼鐵】[명] 鋼鉄; スチール; 鋼. ¶ 낯가죽이 ～ 같다 つらの皮が千枚張りである.

강청【強請】[명] 強請・強請; ゆすり. ——하다 [타] 強請する; ゆする. ¶ 기부의 ～ 寄付の強請.

강체【剛體】[명]〔物〕剛体.
‖—— 역학 [명] 剛体力学. —— 진자 [명]〔物〕☞ 복진자(複振子).

강촌【江村】[명] 江村. ¶ ～의 어화 江村の漁火.

강-추위 [명] (雪のない)酷寒.

강치 [명]〔動〕あしか(海驢).

강타【強打】[명][하타] 強打. ¶ ～자 強打者.

강탈【強奪】[명][하타] 強奪. ¶ 돈을 ～ 당했다 金を強奪された.

강-태공【姜太公】[명] ① 太公望. ②《俗》釣り師.

강토【疆土】[명] きょうど(疆土).

강파르다 [형] やせみ(瘦身)で気難しく強情だ.

강파리-하다 [형] 見た目に神経質のようだ.

강판【鋼版】[명]〔印〕鋼版.

강판【鋼板】[명] 鋼板.

강판【薑板】[명] 下ろし金(“卸金”로도 씀). ¶ ～에 갈다 下ろし金におろす〔卸す〕/ ～으로 무즙을 내다 下ろし金で大根おろしをつくる.

강평【講評】[명][하타] 講評. ¶ 실습에 대한 ～을 하다 実習の講評をする.

강포【強暴】[명] 強暴. ——하다 [형] 強暴だ.

강-풀 [명] こわ(強)いのり(糊). ——하다 [타] のり付けの上に更にこわいのり付けをする.

강풍【江風】[명] 川風. ＝강바람.

강풍【強風】[명] 強風. ¶ ～ 주의보 強風注意報.

강하【降下】[명][하타] 降下. ¶ 낙하산 ～ 落下傘降下.

강-하다【講—】[타] 講じる; 講ずる.

강-하다【剛—】[형] 堅い; 強い.

강-하다【強—】[형] 強い; 手強い. ¶ 의지가 ～ 意志が強い / 강하게 하다 強める.

강한 산【強—酸】[명]〔化〕強酸.

강한 염기【強—塩基】[명]〔化〕強塩基; 強アルカリ.

강행【強行】[명][하타] 強行. ¶ 농지 개혁을 ～하다 農地改革を強行する / 반대를 무릅쓰고 ～하다 反対を押し切る.
‖——법 [명] 強行法. ——적 규정 [명] 強行的規定.

강-행군【強行軍】[명][하자] 強行軍.

강호【江湖】[명] 江湖. ¶ ～의 호평을 받다 江湖の好評を博する.

강호【強豪】[명] 強豪. ¶ ～와 맞붙다 強豪にぶつかる.

강화【強化】[명] 強化. ——하다 [타] 強化する; 強める.
‖——목 [명] 強化木. —— 식품 [명] 強化食品. —— 유리(琉璃) [명] 強化ガラス.

강화【講和】[명] 講和. ——하다 [자] 講和する; 和を講ずる. ¶ 단독 ～ 単独講和.
‖—— 담판 [명] 講和談判; 講和交渉. —— 조건 [명] 講和条件. —— 회의 [명] 講和会議.

갖- [두] 材料が皮であることをあらわす語. ¶ ～신 革ぐつ.

갖-가지 [명][관] [↗가지가지] もろもろ(諸諸); 種種; いろいろ; さまざま; とりどり. ¶ ～ 꽃 いろいろの花 / ～ 복장으로 とりどりの服装で.

갖가지-로 [부] [↗가지가지로] さまざまに〔と〕; いろいろと. ¶ 상품을 ～ 진열했다 商品を色とりどりに並べた.

갖다[1] [一][타] ↗가지다. ¶ 자신을 ～ 自信を持つ / 공포심을 ～ 恐怖心をいだく. [二][준] 持って行って〔来て〕. ¶ 책을 ～ 다오 本を持って来てくれ.

갖다[2] [형] 取りそろ(揃)えている.

갖은 [관] いろいろな; さまざまな. ¶ ～ 고생 さまざまな苦労 / ～ 악행을 다 하다 悪行の限りを尽くす.
‖——것 [명] すべてのもの; あらゆるもの. —— 소리 [명] ①あらゆる言葉. ②ものに不自由しないふりの言葉. ——자(字) [명] 本字よりも画数の多い漢字《一の代わりに使う壹など》.

갖추 [부] もれなく備わっているさま: いろいろ: 取りそろ(揃)えて; みな; すっかり.
‖———— [부] 必要なものがもれなく取りそろっているさま: ことごとく; のこらず.

갖추다 [타] 整える; 取りそろえる; 備える. ¶ 태세를 ～ 態勢を整える / 참고 자료를 모두 ～ 参考資料を取りそろえる.

갖추 쓰다 [구] ① 漢字を画を省かずにまともに書く. ② いろいろ用いる; 一通り使う.

갖-풀 [명] にかわ(膠). ＝아교(阿膠).

같다 [형] ①同じだ; 等しい. ¶ 같은 날 同じ日. ②…らしい; …ようだ; …しそうだ; …に見える. ¶ 비가 내릴 것 ～ 雨が降りそうだ / 죽은 것 ～ 死んだようだ / 속이 뒤틀리는 것 ～ 腹が煮え返るようだ. ③…だったら; …なら. ¶ 나 같으면 わたしだった

ら；わたしなら／옛날 같으면 昔だったら；昔なら. ④似ている；…らしい；…ようだ. ¶꽃잎과 같은 입술 花びらのようなくちびる.
같아-지다 자 同じくなる；等しくなる；似てくる；…らしくなる. ¶자랄수록 아버지와 같아진다 成長につれて父に似て来る.
같으니 조 ↗같으니라고. ¶나쁜놈 ～ 悪党め(奴)が.
같으니라고 조 ひとりごとで人の悪口を言う際に使う語. ¶괘씸한 놈 ～ おうちゃく(横着)なやつめ(奴)；けしからんやつめ.
같은-값에 부 (ああしようがこうしようが)同じことなのに.
같은-값이면 부 同じことなら；どうせ同じならば.
같은 또래 명 同輩；同類.
같이 一부 ①同じく；同一に；同様に；等しく. ¶이것과 ～ 만들었다 これと同じく作った. ②いっしょに；共に；もろとも(諸共)(に). ¶자네와 ～ 간다 君といっしょに行く. 二조 …ように；…と同じく；…ごとく. ¶눈～ 희다 雪のように白い.
같이-하다 타 共にする；同じくする；いっしょにする. ¶운명을 ～ 運命を共にする.
같-잖다 형 ①同じでない；同一でない. ②なってない；くだらない；つまらない. ¶같잖은 녀석 つまらない〔けしからん〕やつ(奴).
갚다 타 ①返す；戻す；返済する. ¶꾼 돈을 ～ 借りた金を戻す. ②報いる. ¶원수를 ～ あだ(仇)を取る；あだを討つ／은혜를 ～ 恩に報いる／은혜를 원수로 ～ 恩をあだで返す.
개¹ 명 潟；干潟.
개² 명 ①〔動〕犬. ¶잡종～ 駄犬；雑犬／～죽음 犬死. ②いぬ；そうく(走狗). ¶경찰의 ～ 警察のいぬ.
개【介·個·箇】의명 個. ¶여섯～ 六つ；六個／사과 세 ～ りんご三個.
개- 두 本物·質のよいものでない意を表わす語. ¶～꿈 つまらない夢／～떡 むぎ(麦)などで作ったまずいもち(餅).
개가【改嫁】명 改嫁；女性の再婚. ——-하다 자 改めて嫁ぐ.
개가【凱歌】명 [↗개선가] がいか(凱歌). ¶～를 올리다 凱歌をあげる.
개-가죽 명 ①犬の皮. ②《俗》つらの皮；面皮.
개각【介殼】명 介殼；貝殼.
‖——-충 명 かいがらむし(介殼虫).
개간【改刊】명하타 改刊.
개간【開墾】명 開墾. ——-하다 타 開墾する；切り開く. ¶황무지를 ～하다 荒れ地を切り開く.
‖——-지 명 開墾地.
개감-스럽다 형 食いしん坊で見苦しい；がむしゃらにむさぼり食って無様だ. ＜게검스럽다.
개강【開講】명하타 開講. ¶오늘 ～이다 今日開講である.
개개【箇箇】명 個個；おのおの；それぞれ.
개개다 一자 ①うるさく付きまとわれて損をする. ②(流れに)洗われてほとりがさらわれる；(服などが)擦れて減る；擦り切れる. 二타 ①うるさく付きまとって損をさせる. ②流れに洗われてほとりをさらう；擦り減らす.
개개-빌다 자 重ね重ねて過ちをわびる.
개개-풀어지다 자 ①粘り気がなくなる. ②(酒に酔って，または眠たくて)まぶた(瞼)がたるむ；とろんとする. ¶개개풀린 눈 とろんとした目／피로하여 눈이 ～ 疲れて目がしょぼしょぼする.
개경【開京】명〘史〙開城の高麗時代の都の名.
개-고기 명 ①犬の肉. ②ならずもの；悪たれっ子.
개-골 명《俗》人の怒りをさげすんで言う語.
개골-개골 부하자 かえる(蛙)の鳴くさま. また，その鳴き声：けろけろ. ＜개굴개굴.
개골-산【皆骨山】명 冬の金剛山の称.
개-골창 명 どぶ(溝)；どぶ川.
개과【改過】명 改過；かいしゅん(改悛). ——-하다 자 改過する；悔い改める.
‖—— 천선(遷善) 명하자 過ちを悔い改めてよくなること.
개관【開館】명하타 開館.
개관【概觀】명하타 ①概観；大観. ②(絵画で)輪郭·明暗·色彩·構図などの大体の模様.
개괄【概括】명하타 概括. ¶이상의 의견을 ～하면 以上の意見を概括すると.
개교【改教】명하자 ☞ 개종(改宗).
개교【開校】명하자 開校. ¶～ 기념일 開校記念日.
개구【開口】명하자 開口.
‖——-도(度) 명 ①声を出すときの口を開く程度. ②話す回数.
개구리 명 かえる(蛙)；かわず. ¶우물 안의 ～《俚》井の中の蛙.
‖——-밥 명〘植〙うきくさ(萍). ——헤엄 명 平泳ぎ；かえる泳ぎ.
개-구멍 명 犬くぐり.
개구쟁이 명 腕白；餓鬼.
개국【開國】명하자 開国；建国.
‖—— 공신 명 開国の功臣.
개굴-개굴 부하자 ☞ 개골개골.
개그〔gag〕명 ギャグ.
‖——-맨 명 ギャグマン.
개근【皆勤】명하자 皆勤.
개기【皆既】명 ↗개기식(皆既蝕).
‖——-식 명 皆既食. —— 월식 명 皆既月食. —— 일식 명 皆既日食.
개-기름 명 顔に染しみ出でた脂.
개-꿈 명 気にかける程のこともないつまらない夢.
개나리 명〘植〙れんぎょう(連翹).
개념【概念】명 概念.
‖—— 실재론 명 概念実在論. ——적 명관 概念的.
개다¹ 자 晴れる；上がる；照る. ¶

맑게 갠 날씨 晴れ上がった天気 / 비가 ~ 雨が晴れる.

개다[2] 타 練る; 溶く. ¶ 개어서 굳히다 練り固める / 밀가루를 물에 ~ 小麦粉を溶く / 그림 물감을 기름으로 ~ 絵具を油で溶く.

개다[3] 타 畳む; 折り畳む. ¶ 침구를 ~ 夜具を畳む.

개다리-질 명하자 《俗》 軽率で憎らしい振る舞い.

개당【個當】명부 一個あたり; 一つで. ¶ ~ 100원 一個あたり百ウォン.

개도-국【開途國】명 ↗개발 도상국.

개-돼지 명 犬と豚; 畜生.

개-떡 명 ① 小麦のあら粉・そばのこぬか(粉糠)または砕け麦などをこねのばして蒸したそまつなもち(餅). ② 取るに足らないこと.

개떡-같다 형 つまらない; 取るに足らない; くだらない. ¶ ~ 같은 자식 くだらないやつ(奴).

개-똥 명 ① 犬のくそ(糞). ② くだらないもの. ¶ ~ 같이 여기다 (…を)何とも思わない; 物ともしない.

개똥-벌레 명 〔蟲〕 ほたる(螢). =반딧불이.

개략【槪略】명하타 概略; あらまし. ¶ ~적인 계획 粗い計画.

개량【改良】명하타 改良. ¶ 품종 ~ 品種改良.

‖——-주의 명 改良主義. ——-책 명 改良策.

개런티 〔guarantee〕 명 ギャランティー.

개력-하다 자 山河が変わって昔のおもかげをとどめていない.

개론【槪論】명하타 概論. ¶ 법학 ~ 法学概論.

개르다 형 ↗개으르다.

개름 명 ↗개으름.

‖——-뱅이 명 ↗개으름뱅이. ——-쟁이 명 ↗개으름쟁이.

개립【開立】명하자 〔數〕 ↗개입방(開立方).

개막【開幕】명하자 開幕. ¶ 우주 시대의 ~ 宇宙時代の開幕 / ~ 시간 開幕時間.

개-망신 【—亡身】 명 ひどい恥さらし.

개-머리 명 銃床.

‖——-판(板) 명 台じり.

개명【改名】명하자 改名. ¶ ~ 신고 改名届け.

개명【開明】명하자 開明.

개미 명 〔蟲〕 あり(蟻). ¶ 개밋둑 あり塚 / ~의 행렬 ありのと渡り.

‖——-귀신(鬼神) 명 〔蟲〕 ありじごく(蟻地獄). ——-산 명 〔化〕 ぎ酸. =포름산(酸). —— 지옥(地獄) 명 縁側の下や日当たりに掘った皿やじょうご状のありのかくれが. ——-집 명 ありの巣. ——-핥기 명 〔動〕 おおありくい(大蟻喰). ——-허리 명 細腰; 柳腰.

개-발 명 犬の足.

‖——-코 명 犬の足のように平べったくずんぐりした鼻.

개발【開發】명하타 開発. ¶ 사회 ~ 社会開発 / 경제 ~ 経済開発 / 전원 ~ 電源開発 / 신제품의 ~ 新製品の開発.

‖—— 교육 명 開発教育. —— 도상국 명 開発途上国. 준 개도국(開途國). —— 은행 명 開発銀行. ——주의 명 開発主義.

개-밥 명 犬のえ(餌)〔飯〕.

‖——-바라기 명 《俗》 宵の明星; 金星; 太白.

개방【開方】명하자 〔數〕 開方.

개방【開放】명하타 開放. ¶ 문호 ~ 門戸開放 / 시설을 시민에게 ~하다 施設を市民に開放する.

‖—— 도시 명 開放都市. —— 요법 명 開放療法. ——-적 명관 開放的. ¶ ~인 성격 開放的な性格. —— 정책 명 開放政策. ——-주의 명 開放主義.

개버딘 〔gabardine〕 명 ガバージン; ギャバジン.

개법【開法】명 〔數〕 開法.

개-벼룩 명 〔蟲〕 いぬのみ(犬蚤).

개벽 【開闢】 명하자 かいびゃく(開闢). ¶ 천지의 ~ 天地の開闢.

‖—— 이래 명부 開闢以来. ¶ ~의 대사건 開闢以来の大事件.

개변 【改變】 명하타 改変; 変更. ¶ 제도의 ~ 制度の改変.

개별【個別】명하타 個別. ¶ ~ 심사를 마치다 個別審査を終える.

‖——-적 명관 個別的. —— 지도 명 個別指導.

개병【皆兵】명 皆兵. ¶ 국민 ~ 제도 国民皆兵制度.

개복【開腹】명하자 開腹.

‖—— 수술 명 〔醫〕 開腹手術.

개봉 【開封】 명하타 開封; 口切り; 封切り. ¶ 편지를 ~하다 手紙を開封する.

‖——-관 명 封切り館.

개-불상놈【—常—】명 《卑》 人でなし; 犬畜生.

개비[1] ㊀명 細く割った木の切れっぱし. ㊁의명 割木を数える単位: 本. ¶ 석냥 한 ~ マッチ一本 / 장작 한 ~ 薪一本.

개비[2] 명 陶器を焼く際, かま(窯)の入り口の前に置く器の覆い.

개비 【改備】 명하타 取り換えて新たに備えること.

개사【開社】명하타 会社を設立してオープンすること.

개-사망 명하자 人の思いがけない好運をねたんでする陰口.

개산【槪算】명하타 概算. =어림셈. ¶ ~불 概算払い.

개-살구 명 まんしゅうあんず(満州杏)の実.

개-새끼 명 ① こいぬ(仔犬); 犬の子. ②《卑》 犬畜生〈俗〉. ¶ 이 ~ こん畜生 / 저놈은 ~만도 못하다 あれは犬畜生にも劣るやつ(奴)だ.

개서【改書】명 書き替え; 書き改めること. ——-하다 타 書き直す; 書き改める; 書き替える. ¶ 명의를 ~하다 名儀を書き替える.

개석【開析】명 〔地〕 開析.

‖—— 대지 명 開析台地. —— 분지 명 開析盆地.

개선【改善】명 改善. ―-하다 타 改善する；改める. ¶ 대우〔체질〕을 ~하다 待遇〔体質〕を改善する.
‖――-책 명 改善策.
개선【改選】명하타 改選. ¶ 임원을 ~하다 役員を改選する.
개선【凱旋】명하자 がいせん(凱旋). ¶ 승리를 거두고 ~하였다 勝利をおさめて凱旋した.
‖――-가 명 凱旋歌. ――-문 명 凱旋門. ―― 장군 명 凱旋将軍.
개설【開設】명하타 開設.
개설【概説】명하타 概説. ¶ 서양사 ~ 西洋史概説.
개성【個性】명 個性. ¶ 그녀는 ~이 강하다 彼女は個性が強い / ~이 없는 작품 個性の欠けた作品.
‖―― 교육 명 個性教育. ―― 분석 명 個性分析. ――-적 명관 個性的. ¶ ~인 미모 個性的なびぼう(美貌).
개성【開城】명하자 開城.
개소【開所】명하자 開所. ¶ ~식 開所式.
개소【個所·箇所】의명 箇所. ¶ 사오 ~ 四五箇所 / 파손 ~ 破損箇所.
개소리 괴소리 명 でまかせにしゃべりたてる言葉.
개수【―水】명 ↗개숫물.
‖――-통(桶) 명 食後のあとかたづけ用の水おけ(桶). 개숫-물 명 食器洗いの水.
개수【改修】명하타 改修. ¶ ~ 공사 改修工事 / 다리의 ~ 橋の改修.
개수【箇數】명 個数. ¶ 짐의 ~를 세다 荷物の個数を数える.
개수【概數】명 概数；大数. ＝어림수.
개-수작【―酬酌】명하자 理屈に合わない言動. ¶ ~하지 마라 ふざけたまね(真似)をするな.
개술【概述】명하타 概述.
개시【開市】명하자 ① 開市；市を開いて物を売り始めること. ② (商売を始めてから，またはその日に)始めて物を売ること. ＝마수걸이.
개시【開始】명 開始；ふた(蓋)明け；皮切り. ――-하다 타 開始する；口火を切る. ¶ 공격을 ~하다 攻撃を開始する / 수업 ~가 늦어지다 授業の開始が遅れる.
개신【改新】명하타 改新.
개신【開申】명하타 開申. ¶ 잘못의 경위를 ~하였다 あやまちのいきさつを申し述べた.
개신-거리다 자 (病弱のため)力なくかろうじて身を動かす；えっちらおっちらする. <기신거리다.
개심【改心】명하자 改心. ¶ 악인이 ~하다 悪人が心を改める.
개-싸움 명 ① 犬どうしのけんか. ② 欲望のための醜悪な争い.
개악【改惡】명하타 改悪. ¶ 제도를 ~하다 制度を改悪する.
개안【開眼】명하자 開眼. ① 開眼供養. ② 真理を悟ること. ③ 眼を開くこと. ¶ ~ 수술 開眼手術.
개암-들다 자 産後に雑病が生ずる.
개-양귀비【―楊貴妃】명〔植〕ひなげし(雛罌粟)；ぐびじんそう(虞美人草).
개-어귀 명 川口；河口.
개업【開業】명하타 開業. ¶ ~ 축하 開業祝い / ~ 중 開業中 / 무면허로 ~하다 潜りで開業する.
‖――-의 명 開業医；町医者.
개연【蓋然】명하형 がいぜん(蓋然).
‖――-론 명〔哲〕蓋然論. ――-성 명 蓋然性；プロバビリティー. ――-율 명 蓋然率. ＝확률(確率).
개열【開裂】명하자타 開裂.
‖――-과 명〔植〕開裂果. ＝개과(開果).
개염 명스형 物うらみ；物ねたみ. <게염. ¶ ~이 나다 物ねたみの心が起こる / ~을 내다 物うらみする.
개오【開悟】명 開悟. ――-하다 자 開悟する；悟る.
개와【蓋瓦】명하타 かわら(瓦)で屋根をふくこと. ＊기와.
개요【概要】명 概要；あらまし. ¶ 계획의 ~ 計画の粗筋 / 사건의 ~를 보고하다 事件の概要を報告する.
‖――-도 명 概要図.
개운-하다 형 ① 気分がさっぱりする；晴ればれする. ¶ 개운한 마음 すきっとした気持ち / 속이 ~ 心が晴ればれする / 몸도 가볍고 마음도 ~ 身も軽く心もさっぱりする. ② (食べ物の)口当たりがあっさりしている. 개운-히 부 ① さっぱりと；晴ればれと；すきっと. ② 口当たりがあっさりと.
개울 명 谷川；小川.
개원【改元】명하자 ① 改元. ¶ 연호가 ~되었다 年号が改元された. ② 王朝・王が変わること.
개원【開院】명하자 開院. ¶ ~식 開院式 / ~ 시각 開院時刻.
개으르다 형 なまけている. <게으르다. ㊟ 개르다.
개으름 명 怠惰. <게으름.
‖――-뱅이 명《俗》☞ 게으름쟁이. ――-쟁이 명 怠けもの. <게으름쟁이.
개으름-부리다 자 怠ける；のらくらする. <게으름부리다.
개으름 피우다 자 怠ける；のらくらする. <게으름피우다.
개을러 빠지다 형 非常になまける. <게을러 빠지다. ㊟ 갤러 빠지다.
개의【介意】명 介意；とんじゃく(頓着). ――-하다 타 介意する；とんじゃくする.
개인【改印】명하자 改印.
‖―― 신고(申告) 명 改印届け.
개인【個人】명 個人. ¶ ~의 주관 個人の主観.
‖―― 경기 명 個人競技. ―― 교수 명하타 個人教授. ――-기 명 個人技. ―― 기업 명 個人企業. ――-상 명 個人賞. ――-성 명 個人性. ―― 소득 명 個人所得. ―― 어음 명 個人手形. ―― 위생 명 個人衛生. ――-적 명관 個人的. ――-전 명 個人展覧会；個展. ――-전 명 個人戦. ――-주의 명 個人主義. ――-차 명 個人差. ―― 회사 명 個人

ㄱ

会社.

개입【介入】[명] 介入. ——-하다 [자] 介入する；割り込む；立ち入る. ¶분쟁에 ~하다 紛争に介入する/사적 감정을 ~시키다 私情をさしはさむ.

개-입방【開立方】[명][하자]〔數〕開立・開立. =세제곱근풀이. [준] 개립(開立).

개자【芥子】[명] からし(芥子).

‖——-유 [명] からし油.

개작【改作】[명][하타] 改作. ¶소설을 ~하다 小説を改作する.

개-잠 [명] (犬のように)体をかがめて寝ること.

개-잠【改—】[명] 目ざめてからまた寝入ること. ¶~이 들다 目ざめて再び寝入る.

개-잡놈【—雜—】[명] 不品行でいやしい〔下劣な〕男；げす(下種).

개-장【—醬】, **개-장국**【—醬—】[명] 犬肉のあつもの(羹).

개장【改葬】[명][하타] 改葬.

개장【改裝】[명][하타] ① 改装. ¶점포를 ~하다 店を改装する. ② 軍艦などの装備を改めること.

개장【開場】[명][하타] 開場. ¶풀 ~ プール開き.

개재【介在】[명][하자] 介在. ¶곤란이 ~하다 困難が介在する.

개전【改悛】[명][하자] かいしゅん(改悛). ¶~의 정이 현저하다 改悛の情が著しい.

개전【開戰】[명][하자] 開戦. ¶~을 선포하다 開戦を宣する.

개점【開店】[명][하자] 開店；店開き. ¶~ 시간 開店時間/~을 피로하다 開店を披露する.

‖—— 휴업 [명] 開店休業.

개정【改正】[명][하타] 改正. ¶법률을 ~하다 法律を改正する.

‖——-안 [명] 改正案. ¶법률 ~을 제출하다 法律の改正案を提出する.

개정【改定】[명][하타] 改定. ¶~ 법령을 시행하다 改定法令を施行する/요금의 ~ 料金の改定.

개정【改訂】[명][하타] 改訂. ¶교과서의 ~ 教科書の改訂.

‖——-판 [명] 改訂版.

개조【改造】[명][하타] 改造. ¶정신~를 꾀하다 精神の改造を図る.

개조【改組】[명][하타] 改組. ¶내각의 일부 ~ 内閣の一部改組.

개조【開祖】[명] 開祖. ¶그는 이집트 왕통의 ~였다 彼はエジプト王統の開祖であった.

개종【改宗】[명][하자]〔宗〕改宗. ¶기독교로 ~하다 キリスト教に改宗する.

개-죽음 [명][하자] 犬死に；むだ死に.

개중【個中·箇中】[명] 個中.

개진【開陳】[명][하타] 開陳. ¶자기의 신념을 ~하다 自分の信念を開陳する.

개짐 [명] 月経帯.

개-집 [명] 犬小屋.

개-차반 [명]《卑》くそ(糞)の意で，じだらく(自堕落)な人をそしって言う悪口.

개착【開鑿】[명][하타] 開削. ¶운하를 ~하다 運河を開削する.

개찬【改竄】[명][하타] かいざん(改竄). ¶증서〔수표〕의 ~을 꾀하다 証書〔小切手〕の改竄を図る.

개찰【改札】[명][하타] ☞ 개표(改票).

개찰【開札】[명] 開札. ¶~ 결과를 발표하다 開札の結果を発表する.

개척【開拓】[명] 開拓. ——-하다 [타] 開拓する；開く；切り開く. ¶운명을 ~하다 運命を開く/판로를 ~하다 販路を開拓する/새 분야를 ~하다 新分野を切り開く.

‖——-민 [명] 開拓民. ——-자 [명] 開拓者. —— 정신 [명] 開拓精神. ——-지 [명] 開拓地.

개천【開川】[명] ① 下水；どぶ；溝. ② ☞ 내³. ¶~에서 용 나다《俚》とび(鳶)がたか(鷹)を生む.

‖——-가 [명] 小川辺.

개천-절【開天節】[명] 韓国の建国記念日《十月三日》.

개청【開廳】[명][하타] 開庁.

개체【個體】[명] 個体.

‖—— 개념 [명] 個体概念. —— 명사 [명] 個体名詞. —— 발생 [명] 個体発生. —— 변이 [명] 個体変異. ——-주의 [명] 個体主義.

개최【開催】[명] 開催. ——-하다 [타] 開催する；催す. ¶동창회를 ~하다 同窓会を催す.

개축【改築】[명] 改築；再築. ——하다 [타] 改築する；再築する；建て直す. ¶~한 건물 改築した建物.

개칠【改漆】[명][하타] 色を塗り直すこと.

개칭【改稱】[명][하타] 改称.

개코-망신【—亡身】[명][하타] おおいに恥をかくこと.

개키다 [타] 畳む；折り畳む. ¶옷을 ~ 衣服を折り畳む/이불을 ~ ふとんを畳む.

개탄【慨嘆】[명][하자] 慨嘆. ¶세상을 ~하다 世を嘆く/정계의 부패를 ~하다 政界の腐敗を嘆く/도덕의 퇴폐를 ~하다 道徳の退廃を慨嘆する.

개통【開通】[명] 開通. ——-하다 [자] 開通する；通る. ¶지하철의 ~식 地下鉄の開通式.

개-판 [명]《俗》乱雑ででたらめな状態. ¶세상은 ~이다 でたらめな世の中だ；世はおしまいだ.

개판【改版】[명][하자] 改版.

개펄 [명] 沼地；浜；潟〈雅〉. [준] 펄.

개편【改編】[명][하타] 改編. ¶교과서를 ~하다 教科書を改編する.

개평 [명] 人の分け前からただ(只)で少し分けてもらうもの. ¶~을 떼다 人の分け前から少し分けてもらう.

‖——-꾼 [명] 人の分け前からただもらいをする人.

개평【概評】[명][하타] 概評. ¶성적의 ~을 말하다 成績の概評をのべる.

개폐【改廢】[명] 改廃. ¶법률을 ~하다 法律を改廃する.

개폐【開閉】[명] 開閉；開け閉め. ——-하다 [타] 開閉する；開け閉める. ¶자동 ~ 장치 自動開閉装置.

‖──-교 명 開閉橋. ＝가동교(可動橋). ──-기 명 開閉器. ＝스위치.

개표【改票】 명하타 改札. ¶ ～구 改札口／발차 20분 전에 ～를 시작한다 発車二十分前に改札を始める.

개표【開票】 명하자 開票. ¶ 당일 ～ 即日開票／투표 결과를 ～하다 投票結果を開票する.

‖──-구 명 開票区. ── 참관인 명 開票参観人.

개피-떡 명 こねた米粉を薄くのばして小豆・豆などのあん(餡)を入れ半月形に作りあげたもち.

개학【開學】 명하자 (学校の) 始業. ¶ ～식 始業式.

개항【開港】 명하자 ① 開港. ¶ ～ 백년을 맞이하다 開港百年を迎える. ② ↗개항장. ③ こうもん(閘門)がなくても潮水の干満の差がほとんどないので船が自由にていはく(碇泊)できる港. ＝개구항(開口港).

‖──-장 명 開港場.

개헌【改憲】 명하자 改憲；憲法改正.

‖──-안 명 改憲案.

개-헤엄 명 犬かき；犬泳ぎ.

개혁【改革】 명하자 改革. ¶ 단호한 ～ 思い切った改革／기구를 ～하다 機構を改革する.

개화【改化】 명하자 悪を改めて善に従うこと.

개화【開化】 명하자 開化. ¶ ～된 나라 開化した国／세상이 ～되다 世が開ける.

‖── 사조 명 開化思潮. ── 운동 명 開化運動.

개화【開花】 명하자 開花. ¶ ～기 開花期.

개활【開豁】 명하형 かいかつ(開豁). ¶ ～한 고원 開豁な高原.

개황【概況】 명 概況. ¶ 사업의 ～ 事業の概況／일기 ～ 天気概況.

개회【開會】 명하자 開会. ¶ ～식 開会式.

‖──-사 명 開会の辞.

개-흙 명 川辺などにある黒い泥土.

객【客】[1] 명 客. ¶ 불청～ 招かれざる客／문병～ 見舞い客.

객【客】[2] 관 つまらない；無駄な. ¶ ～ 소리 無駄な言葉／～ 식구 居候.

객고【客苦】 명하자 旅やつれ；旅先の苦労.

객관【客觀】 명 客観；客体.

‖── 묘사 명 客観描写. ──-성 명 客観性. ──-적 명관 客観的. ──-적 고사법 명 客観的考査法. ──-적 관념론 명〔哲〕 客観的観念論. ──-적 타당성 명 客観的妥当性. ──-주의 명 客観主義. ──-화 명하타 客観化.

객기【客氣】 명 客気；空元気. ¶ ～를 부리다 客気にはやる／～에 이끌리다 客気にかられる.

객년【客年】 명 客年；昨年.

객-님【客─】 명〔佛〕 (寺で)客僧の尊称.

객담【喀痰】 명하자 かくたん(喀痰). ＝각담(咯痰).

‖── 검사 명〔醫〕 喀痰検査.

객사【客死】 명하자 客死；のたれ死に. ¶ 굶어서 ～하다 飢えてのたれ死にをする.

객석【客席】 명 客席. ¶ ～이 적은 극장 客席の少ない劇場.

객선【客船】 명 ① 客船. ② よそから来た船.

객-소리【客─】 명하자 むだ口；つまらないおしゃべり； 駄弁. ¶ ～ 마라 むだ口をたたくな. ＊ 객(客)[2].

객-스럽다【客─】 형 つまらない.

객승【客僧】 명 客僧；旅僧.

객-식구【客食口】 명 食客；居候. ＝군식구.

객실【客室】 명 客室；客間. ¶ ～로 안내하다 客間に案内する／이 서재는 ～ 겸용입니다 この書斎は客間兼用です.

객심-스럽다【客甚─】 형 非常につまらない；全くくだらない.

객어【客語】 명 ①〔言〕 客語；目的語. ②〔論〕 ☞ 빈사(賓辭).

객원【客員】 명 客員. ¶ 모임의 ～이 되다 会の客員となる.

‖── 교수 명 客員教授.

객주【客主】 명 昔, 品物の売買を仲介したり, または商人を宿泊させたりした営業.

‖객줏-집 명 昔, 品物の売買を仲介したり, または商人を泊まらせたりした家.

객지【客地】 명 客地；旅先；他郷. ¶ ～에서 앓다 旅の空に病む／～ 생활을 거듭하다 旅まくら(枕)を重ねる.

객-쩍다【客─】 형 つまらない；緊要でない.

객차【客車】 명 ①[↗여객차] 客車. ②[↗여객 열차] 旅客列車.

객체【客體】 명 ① 他郷の身《手紙で使う》. ②〔法〕客体；意志または行為の目的となるもの. ＝물격(物格). ③〔哲〕客体；作用の対象になる方；客観.

객토【客土】 명 ① よそから運んで来た土. ②〔農〕 客土；置き土；いれ土.

객혈【喀血·咯血】 명하자 かっけつ(喀血). ¶ 어제 ～하였다 昨日喀血した.

갤러리 〔gallery〕 명 ギャラリー.

갤러 빠지다 형 ↗개을러 빠지다.

갤럽 〔gallop〕 명 ギャロップ.

갤럽 〔galop〕 명 ギャロップ；ガロップ.

갤르다 형 ↗개으르다. ＜겔르다.

갬블 〔gamble〕 명 ギャンブル.

갭 〔gap〕 명 ギャップ.

갭직-하다 형 やや軽い.

갯-가 명 ① 浦辺；浜辺；潟〈雅〉. ② 水際.

갯-값 명《卑》ひどい安値；二束三文. ¶ ～에 팔다 二束三文でたたき売る.

갯-고랑 명 潮水の出入りする浜辺の溝.

갯-돌 명 ① 在来種のはち(蜂)の巣箱の下に据える石. ② 川辺の丸い石.

갯-마을 명 (潮水の出入りする)浦辺の村. =포촌(浦村).
갯-바람 명 浜風; 潮風.
갯-벌 명 砂州; 干潟.
갯-지네, 갯-지렁이 명 〔動〕ごかい(沙蚕).
갱【坑】 명 坑. ① ☞ 구덩이. ② ↗갱도(坑道). ③ 砂金鉱で, くみ出し水の排水溝.
갱【羹】 명 大根や昆布などを入れた, さいし(祭祀)に使う汁物; あつもの(羹).
갱〔gang〕 명 ギャング.
갱구【坑口】 명〔鑛〕坑口.
갱-까먹기 명 物をすぐ失くすことのたとえ.
갱내【坑內】 명〔鑛〕坑内. ¶ ~ 작업 坑内作業.
‖── 가스 명 坑内ガス. ──-부 명 坑内夫. ── 화재 명 坑内火災.
갱년-기【更年期】 명 更年期.
‖── 장애(障礙) 명 更年期障害.
갱-달다【坑─】 자〔鑛〕① 坑道を開く. ② (砂金鉱で)溝を設ける.
갱도【坑道】 명〔鑛〕坑道. =갱로(坑路). 준 갱(坑).
갱문【坑門】 명 坑道の入り口に設けた門.
갱부【坑夫】 명 坑夫; 鉱員. =광부(鑛夫).
갱사【坑舍】 명〔鑛〕鉱員の休み小屋. =굿막.
갱생【更生】 명하자타 更生. ¶ 자력 ~ 自力更生.
‖── 사위 명 死境をまぬがれて更生する機会. ── 시설 명 更生施設. ── 지도 명 更生指導.
갱스터〔gangster〕 명 ギャングスター.
갱 스토리〔gang story〕 명 ギャングストーリー.
갱신【更新】 명하자타 更新; 改めること; 改まること. ¶ 계약을 ~하다 契約を更新する.
갱신-못하다 자 精根が尽き果てて身動きがままにならない.
갱지【更紙】 명 ざら; ざら紙; わら半紙.
갱충-쩍다 형 つつしみがなく薄のろである; だらしがない. =갱충맞다. ¶ 갱충쩍은 사람 だらしのない人.
갸륵-하다 형 殊勝だ; 奇特だ; 健気だ. ¶ 갸륵한 마음씨 殊勝〔けなげ〕な心掛け.
갸름갸름-하다 형 一つひとつが皆な長めである. <기름기름하다.
갸름-하다 형 やや細くて長めである. <기름하다. ¶ 갸름한 얼굴의 미인 面長の美人.
갸우듬-하다 형 少し傾いている; やや斜めだ. <기우듬하다. ㅆ꺄우듬하다. 갸우듬-히 부 やや斜めに.
갸우뚱-거리다 자타 体·物があちこちに傾きながら揺れる. また, 傾けながら揺り動かす. <기우뚱거리다. ㅆ꺄우뚱거리다. 갸우뚱-갸우뚱 부하자타 体·物があちこちに傾きながら揺れるさま. また, 傾けながら揺り動かすさま.
갸울다 자형 やや傾いている; やや傾ける. <기울다. ㅆ꺄울다.
갸울어-뜨리다 타 ☞ 기울어뜨리다.
갸울어-지다 자 ☞ 기울어지다.
갸울-이다 타 ☞ 기울이다.
갸웃-거리다 자타 ☞ 기웃거리다. 갸웃-갸웃 부하자타 ☞ 기웃기웃.
갸웃-하다 一 형 やや傾いている. 二 타 やや傾ける; かしげる. ¶ 고개를 ~ 首をかしげる. <기웃하다. ㅆ꺄웃하다. 갸웃-이 부 ややかしげて; いくぶん傾けて.
갹출【醵出】 명하자 拠出. ¶ 의연금을 ~하다 義捐金を拠出する.
걀쭉스름-하다 형 やや長い; 心持ち長めである.
걀쭉-하다 형 ☞ 길쭉하다. 걀쭉-이 부 ☞ 길쭉이. 걀쭉-걀쭉 부하타 ☞ 길쭉길쭉.
걀쯔막-하다 형 かなり長い. <길쯔막하다.
걀쯤-하다 형 かなり長めである. <길쯤하다. 걀쯤-이 부 かなり長めに. 걀쯤-걀쯤 부하형 みながかなり長めであるさま.
걀찍-하다 형 ☞ 길찍하다. 걀찍-이 부 ☞ 길찍이. 걀찍-걀찍 부하형 ☞ 길찍길찍.
걔 준 [↗그 애] その子. ¶ ~가 온다 その子が来る.
걘 준 [↗그 애는] その子は. ¶ ~ 예쁘다 その子は可愛い.
걜 준 [↗그 애를] その子を. ¶ ~ 잡아라 その子をつかまえなさい.
거 一 의명 ↗것. 二 대 それ. 三 감 そりゃ; そら. ¶ ~ 좋다 そりゃいいね/ ~ 봐라 そら見ろ.
거간【居間】 명하타 ① 仲買; 利権屋; 仲立ち; 橋渡し. ¶ 주(株)의 ~을 해서 생활하다 株の仲買をして暮らす. ② ↗거간꾼.
‖──-꾼 명 周旋屋; 才取り; ブローカー. ¶ 마소의 ~ ばくろう.
거개【擧皆】 명부 ほとんど全部; おおむね. ¶ 참석한 사람은 ~가 대학생이었다 参加した人はほとんど大学生だった.
거골【距骨】 명〔生〕距骨; くるぶし(踝). =복사뼈.
거구【巨軀】 명 きょく(巨軀); 巨体. ¶ 40관의 ~ 四十貫の巨軀.
거국【擧國】 명 挙国; 一国全体. =전국(全國). ¶ ~적인 행사 挙国的な行事 / ~적으로 기뻐하다 国を挙げて喜ぶ.
‖── 일치 명하자 挙国一致. ¶ ~하여 국난에 대처하다 挙国一致して国難に当たる.
거근【擧筋】 명〔生〕物を持ち上げる作用をする筋肉.
거금【巨金】 명 巨金; 大金; 多額の金. ¶ ~을 희사하였다 大金を喜捨した.
거금【距今】 부 今を去る; 今から; 今をへだたる. ¶ ~ 백년 전에 今を去る百年前に.
거기 一 대 そこ(其処). ¶ ~서 막이 내렸다 そこで幕がおりた / ~가 중요하다 そこが大切だ. 二 부 そこに. ¶ 지금 자네가 ~ 있지 않은가 現に君がそこに居るんじゃないか.
거꾸러-뜨리다 타 ① 前の方へ〔うつ

むけに〕倒れさせる；ばったりと倒れさせる；つんのめさせる；のめす. ②(打ち)倒す；(打ち)負かす；覆す. ¶ 씨름에서 상대를 ～ すもうで相手を打ち負かす. ③ 殺す. >가꾸러뜨리다. ㅆ꺼꾸러 뜨리다.

거꾸러-지다 [자] ① 前の方へ〔うつむけに〕倒れる；ばったりと倒れる；つんのめる〈俗〉. ② 打ち倒される；(打ち)負かされる. ③ 死ぬ；くたばる. >가꾸러지다. ㅆ꺼꾸러지다.

거꾸로 [부] さかさまに；逆に；あべこべに〈俗〉. ¶ ～ 오르기 逆上がり / ～ 되다 逆さまになる / 우표를 ～ 붙이다 切手を逆さまにはる / ～ 뒤집히다 どんでん返しになる. >가꾸로. ㅆ꺼꾸로.

거꾸로 박히다 [구] 逆さまに落ちる. ¶ 비행기가 논바닥에 ～ 飛行機が田に逆さまに落ち込む.

거꿀-가랑이표【—標】[명]〔印〕不等号《>》.

거꿀-삼발점【—三—點】[명]〔印〕理由符《∵》.

-거나 [어미] 用言の語幹に付いて選り好みをしない意を表わす語：…ようと；…ろうが. (준)-건. ¶ 보～ 말～ 見ようが見まいが / 좋～ 나쁘～ 好かろうが悪かろうが / 춥～ 덥～ 寒かろうが暑かろうが / 가～ 말～ 마음대로다 行こうが行くまいが勝手だ.

거나-하다 [형] ほろ酔いきげんである；かなり酔っている. ¶ 거나한 기분 ほろ酔いきげん.

거년【去年】[명] 去年；昨年；こぞ〈雅〉.

거년-스럽다 [형] みすぼらしい；貧乏くさい. >가년스럽다. ¶ 거년스러운 집 みすぼらしい家.

거느리다 [타] 率いる；従える；抱える. ¶ 수행자를 ～ お供を引き連れる / 일족을 거느리고 이주하다 一族を従えて移住する / 대군을 ～ 大軍を率いる.

거느림-채 [명]〔建〕別棟；離れ.

거늑-하다 [형] 満ち足りて満足だ.

-거늘 [어미] 用言の言幹に付いて, ① …であるからには；…であるので. ¶ 그는 선배이～ 존경해야지 彼は先輩であるからには尊敬しなくてはならない. ② …にもかかわらず：…だのに. ¶ 그리 일렀～ 이 무슨 실책이냐 そう言ったにもかかわらずこれはまた何という失策だ / 부자이～ 인색하기 짝이 없다 金持ちにもかかわらずみみっちいこと甚だしい.

-거니 [어미] 用言の語幹に付いて, ① …ものを；…だから；…だもの. ¶ 나는 젊었～ 돌인들 무거우랴 わたしは若いものをなんの石なんぞ重かろう / 그는 승자～ 뻐긴들 어떠하리 彼は勝者だもの, 威張ったっていいじゃないか. ② …であろうと. ¶ 지금도 살아 있～ 싶다 今もなお生きているだろうと思う / 그들은 자매～ 생각된다 彼女等は姉妹であろうと思う. ③ …たり；…だの. ¶ 권커니 잣～ 勧めたり勧められたり / 나가라～ 죽으라～ 하고 심히 굴다 出て行けだの死ねだのとつらくあたる.

-거니와 [어미] 用言の語幹に付いて, ① …であるが；…だが. ¶ 나는 그러하～ 너는 왜 그러냐 わたしはそうだがお前はまたどうしてそうなのか. ② …であるが；…だが. ¶ 산도 있～ 강도 있다 山もあるが川もある / 얼굴도 곱～ 마음씨는 더욱 곱다 顔も美しいが心根はなおさらやさしい.

거닐다 [자] ぶらつく；はいかい(徘徊)する；散歩する. ¶ 공원을 슬슬 ～ 公園をぶらつく.

거담【祛痰】[명][하자] きょたん(祛痰).
‖——약 [명] 祛痰薬. ——제 [명] 祛痰剤.

거당【擧黨】[명] 挙党. ¶ ～ 체제 挙党体制 / ～적으로 반대하다 党を挙げて反対する.

거대【巨大】[명][하형] 巨大. ¶ ～한 조직망 巨大な組織網.
‖—— 과학 [명] 巨大科学；ビッグサイエンス. —— 도시 [명] 巨大都市；マンモス都市. —— 분자 [명]〔化〕巨大分子. ——증 [명]〔醫〕巨大症.

거더 〔girder〕[명] ガード；架道橋.

거덕-거덕 [부][하형] 水気のあるものの表面が生乾きになっているさま. ¶ 젖은 옷이 ～ 마르다 ぬれ衣が半ば乾く. >가닥가닥. ㅆ꺼덕꺼덕.

거덕-치다 [형] 下品で不格好だ；姿・形がいやらしい. ㅆ꺼덕치다.

거덜거덜-하다 [형] 暮らしむきや物事がぐらついて危なっかしい.

거덜 나다 [자] 倒れる；つぶれる；倒産する. ¶ 가게가 ～ 店がつぶれる / 은행이 ～ 銀行が破産する.

거동【擧動】[명][하자] 挙動；振る舞い；そぶり. ¶ ～이 수상한 자를 신문하다 挙動の不審な者を尋問する.

거두【巨頭】[명] 巨頭. ¶ ～ 회담 巨頭会談 / 정계의 ～ 政界の巨頭.

거두다 [타] ①(散らばったものを)集め収める；取り入れる. ¶ 벼를 거두어들이다 稲を取り入れる / 빨래를 거두어들이다 洗濯物を取り込む. ②(結果・成果などを)得る；収める. ¶ 승리를 ～ 勝利を収める / 소기의 성과를 ～ 所期の成果を収める / 성공을 ～ 成功を得る. ③(金などを)取り立てる. ¶ 세금을 ～ 税金を取り立てる. ④ 世話をする；引き取る. ¶ 아이를 ～ 子供を引き取る；子供の世話をする. ⑤ けりをつける；引き取る. ¶ 숨을 ～ 息を引き取る.

거두 절미【去頭截尾】[명][하타] ① 頭と尾を断ち切ること. ② 単刀直入. ¶ ～하고 요점만 말하겠소 単刀直入に要点だけを話しましょう.

거둠-질 [명][하자타] 取り入れ作業.

거둥 [명][하자] [←거동(擧動)] 臨幸；行幸.

거드럭-거리다 [자] もったいぶる；ごうまん(傲慢)ぶる. =거들거리다. >가드락거리다. ㅆ꺼드럭거리다. ¶ 거드럭거리며 말하다 もったいぶって話す. 거드럭-거드럭 [부][하자] もったいぶるさ

ま；ごうまんぶるさま.

거드름 명스형 ごうまん(傲慢)な態度；尊大；もったい(勿体). ── 부리다 구 ごうまん(傲慢)な態度を取る；尊大ぶる；もったいぶる；気取る. ── 피우다 구 もったいぶる；体裁ぶる；威張る. ¶거드름 피우는 데가 조금도 없다 気取りが少しもない.

-거든 어미 ①…たら；…れば；…であるなら；…なら. 준 -건. ¶좋～ 가져라 よかったら取りなさい/나쁘～ 바꾸러 오너라 悪ければ取り換えに来なさい. ②"まして；いわんや"の意を表わす：…のに. ¶개도 은혜를 알～, 하물며 사람이라 犬も恩を知るのに(いわんや)人においておや. ③…のに, …だもの. ¶그 떠버리가 왔～, 조용할 리가 있나 そのほら吹きが来たからには, 静かなわけがないよ. ④珍しいとか妙だとの意を表わす：…だな；…だね. ¶도무지 까닭을 모르겠～ どうもわけのわからないことだね.

거들 (girdle) 명 ガードル.

거들-거리다 자 ↗거드럭거리다. **거들-거들** 부하자 もったいぶるさま；ごうまん(傲慢)ぶるさま.

거들다 타 手伝う；力添えをする；添える；助ける；肩を入れる. ¶말을 ～ 口添えをする/어머니를 거들어 빨래를 하다 母を手伝って洗濯をする.

거들떠-보다 타 尊大な目を向ける；ちょっと目をくれる. ¶거들떠 보지도 않다 目もくれない；見向きもしない.

거들-뜨다 자 目を上の方に向ける；上目をつかう.

-거들랑 어미 …ならば；…たら. ¶시험에 붙～ 한턱내게 試験に合格したらおごれよ.

거들먹-거리다 자 (思い上がって)偉〔高〕ぶる；のさばる. ¶입선이 되었다고 ～ 入選したからとて偉ぶる. >가들막거리다. ㄲ꺼들먹거리다. **거들먹-거들먹** 부하자 (思い上がって)偉ぶるさま；のさばるさま.

거듭 부하타 重ねて；更に；繰り返し. ¶～ 간청하다 更に懇請する/～ 사과 드립니다 重ねておわび致します/사투를 ～하다 死闘を繰り返す/실패를 ～하다 失敗を重ねる. ──── 부 ①重ね重ね；返す返す；幾重にも. ¶～ 부탁하다 返す返す頼む. ②くれぐれも；ひとえに. ¶～ 사죄하다 重重〔幾重に〕おわ(詫)びする.

‖── 제곱 명하타 累乗.

거듭-나다 자 (精神的に)新しい人間になる；生まれ変わる.

거듭-되다 자 度重なる. ¶거듭되는 실패 度重なる失敗/부부 생활의 햇수가 거듭됨에 따라 連れそう年月の重なるに従い.

거뜬-하다 형 見かけより軽い；身軽い感じだ. >가뜬하다. ㅅ거든하다. **거뜬-히** 부 軽く；身軽く. **거뜬-거뜬** 부하형 軽軽と.

-거라 어미 "-어라""-아라"が変化してできた終結語尾：…なさい. ¶가～ 行きなさい/일찍 자～ 早く寝なさい.

거란【契丹】 명〔史〕キタイ；きったん(契丹).

거래【去来】 명하타 取り引き. ¶정당한 ～ 正当な取り引き/실물〔선물〕 ～ 実物〔先物〕取引/～ 조건의 사전 문의를 하다 引き合いを出す/저 회사와는 ～가 없다 あの会社とは取り引きがない.

‖──-법(法) 명 取引法. ──-소(所) 명 取引所.

거령-스럽다 형 不格好だ；似合わない. >가량스럽다.

거론【擧論】 명하타 とりあげて論ずること.

거룩-하다 형 神神しい；神聖である；偉大だ. ¶거룩하신 하나님 聖なる神/거룩한 마음 聖なる心.

거룻-배 명 伝馬船；荷足船；はしけ船；サンパン. ¶～를 타다 伝馬船に乗る/～로 건너다 はしけ船で渡る. 준 거루.

거류【居留】 명하자 居留.

‖──-민 명 居留民. ──민-단 명 居留民団. 준 민단(民團). ──-지 명 居留地.

거르다[1] 타 こす. ¶팥소를 ～ あん(餡)をこす/술을 ～ 酒をこす.

거르다[2] 타 (順序を)飛ばす；抜かす；欠かす；置く. ¶한 줄 걸러 一行置いて/하루 걸러 隔日に；一日置きに/점심 식사를 ～ 昼飯を抜かす.

거름 명 肥；肥料；肥やし. =비료(肥料). ──-하다 자 (田畑に)肥料〔肥やし〕をやる. ¶밑～ 元肥/～구덩이에 빠지다 肥やしだめに落ちる/～을 주다 肥やしをやる；施肥する.

‖──-기(氣) 명 肥やし気. ¶～ 있는 땅 肥やし気のある土地. ── 더미 명 肥塚. ──-발 명 肥やし気；肥やしとしての成分. ¶～ 나다 肥料のききめが現われる. ──-통(桶) 명 肥たご；こえおけ(肥桶)；ためおけ.

거름-종이 명 ろかし(濾過紙)；ろし(濾紙)；こし紙.

거리[1] 명 ①材料；料. ¶국～ お汁・つゆの材料. ②物種；種；…ぐさ. ¶이야깃～ 話の種；語りぐさ/이야깃～가 떨어지다 話が種切れになる；話の種が切れる/핑계～ 言い種/웃음～ お笑いぐさ/웃음～가 되다 物笑いの種になる.

거리[2] 명 [↗길거리] 町〔街〕；市街；通り；市井；ちまた(巷)；タウン. ¶～의 신사 町の紳士/환락의 ～ 歓楽のちまた/～를 정화하다 街を浄化する.

거리[3] 명 ①みこ(巫女)の厄払いの儀式の一場面. ②演劇の一幕. また, その脚本.

거리【距離】 명 距離；へだたり. ¶자동차로 두 시간 걸리는 ～이다 自動車で二時間の道のりである/～가 좁혀지다 距離が迫る〔せばまる〕/～를 넓히다 距離を開く/～를

보측하다 距離を歩測する.
‖——-계 명 距離計; 測距儀.
——-표(標) 명 ① 距離標《鉄道の起点からの距離を表わす標識》. ② 里程表.
거리-거리 명부 街街; 市街至る所. ¶~ 사람의 물결이다 市街至るところ人波である.
거리끼다 자 気にかかる; はばかる. ¶거리낌없이 말하다 はばかりなく言う; 辺り構わず言いまくる.
-거리다 어미 同じ動作を繰りかえすことを表わす終結語尾. = -대다. ¶가슴이 두근~ 胸がどきどきする/번들~ ぴかぴかする/흔들~ ゆらゆらする.
거마【車馬】 명 車馬.
‖——-비(費) 명 車代; 足代; 交通費.
거만【倨慢】 명하형스형히부 きょまん(倨慢); 高慢; おうへい(横柄). ¶~한 태도 倨慢な態度; 大風な態度/~한 콧대를 꺾어 놓다 高慢の鼻をへし折る/~스럽게 말하다 横柄な口をきく; かさ高に物を言う.
거머누르께-하다 형 黒色を帯びて黄色い. >가마노르께하다.
거머리 명 ①〖動〗ひる(蛭). ② 人につきまとって苦しめる人. ③ 小児の両まゆの間にある青い筋.
거머멀쑥-하다 형 (人が)浅黒くすっきりしている. >가마말쑥하다.
거머무트름-하다 형 顔が黒みがかって太り気味だ. >가마무트름하다. ㅆ꺼머무트름하다.
거머번지르-하다 형 黒くてつやつやしている. >가마반지르하다.
거머-삼키다 타 ごくりと飲み込む.
거머-안다 타 しっかと抱きしめる.
거머-잡다 타 ひっ捕らえる; むんずとひっつかむ. 준 검잡다.
거머-쥐다 타 ひっつかむ; わしづかみにする; ぎゅっと握る. ¶소매를 ~ そで(袖)をひっつかむ.
거멀 명하자타 ↗거멀장.
‖——-못 명 かすがい(鎹). ——-쇠 명 かすがい. ——-장 명하자타 ① かすがいの形をしたくぎ(釘)《木製器具の角に打ちつける》. ② 物と物の間をつなぐこと.
거멓다 형 非常に黒い. >가맣다. ㅆ꺼멓다.
거메-지다 자 黒くなる. ¶얼굴이 ~ 顔が黒くなる. >가매지다. ㅆ꺼메지다.
거목【巨木】 명 巨木. ¶~이 쓰러지다 巨木が倒れる.
거무끄름-하다 형 うす黒い; 少し黒っぽい. >가무끄름하다. ㅆ꺼무끄름하다.
거무데데-하다 형 下品に黒ずんでいる. >가무대대하다. ㅆ꺼무데데하다.
거무뎅뎅-하다 형 (不似合いに)黒みを帯びている. >가무댕댕하다. ㅆ꺼무뎅뎅하다.
거무레-하다 형 薄黒い. >가무레하다.
거무숙숙-하다 형 じみ(地味)に黒い. >가무숙숙하다.
거무스름-하다 형 やや黒い; 浅黒い. =거뭇하다. >가무스름하다. ㅆ꺼무스름하다. ¶거무스름한 얼굴 浅黒い顔.
거무접접-하다 형 (平たい顔が)やや黒くてぱっとしない. >가무잡잡하다. ㅆ꺼무접접하다.
거무죽죽-하다 형 黒くて澄んでいない; どす黒い; くすんだ黒である. >가무족족하다. ㅆ꺼무죽죽하다.
거무충충-하다 형 黒くてくすんでいる; どす黒い. ㅆ꺼무충충하다. ¶거무충충한 피 どす黒い血.
거무칙칙-하다 형 どす黒い. >가무칙칙하다.
거무튀튀-하다 형 薄黒くどんよりしている. >가무퇴퇴하다. ㅆ꺼무튀튀하다.
거문고 명〖樂〗琴. =현학금(玄鶴琴). ¶~의 줄 琴の緒/~ 소리 琴の音/~를 켜다 琴を弾く.
거물【巨物】 명 ① 大きい物. ② 大物; 大立て物. ¶정계의 ~ 政界の大立て物.
거물-거리다 자 ☞ 가물거리다.
거뭇-거뭇 부하형 点点と黒いさま. >가뭇가뭇. ㅆ꺼뭇꺼뭇.
거뭇-하다 형 ↗거무스름하다.
거미 명〖動〗くも(蜘蛛). ¶~가 집을 짓다 くもが巣をかける; くもが巣を張る
‖——-발 명 (指輪などに)宝石をはめこむための台座. ——-집 명 くもの巣.
거미-줄 명 ① くも(蜘蛛)の糸; くもの巣. ② 犯人を捕らえるための非常線. ¶전국에 수사망을 ~처럼 치다 全国に捜査網をくもの巣のように張る/~을 늘이다 犯人を捕らえるために非常線を張る. ——-치다 자 ① くもが巣を張る. ② 犯人を捕えるため非常線を張る.
거미-치밀다 자 欲が起こる.
거반【居半】 부 [↗거지반] ほとんど. ¶~ 다 됐다 ほとんど終わった.
거베라 〔gerbera〕 명〖植〗ガーベラ.
거벽【巨擘】 명 学識のすぐれた人. ——-스럽다 형 どっしりしていて負けん気である.
거볍다 형 ☞ 가볍다.
거볍디-거볍다 형 ☞ 가볍디가볍다.
거보【巨步】 명 巨歩. ¶~를 내딛다 巨歩を踏み出す.
거-봐, 거-봐라 감 それみろ; それごらん; それ見たことか. ¶~, 내말이 맞지 それごらん, わたしの言った通りでしょ.
거부【巨富】 명 巨富.
거부【拒否】 명 拒否. ——-하다 타 拒否する; 拒む. ¶승차 ~ 乗車拒否/요구를 ~하다 要求を拒む.
‖——-권 명 拒否権. ¶~을 행사하다 拒否権を行使する. —— 반응 명〖醫〗拒絶〔拒否〕反応.
거북 명〖動〗かめ(亀). =해귀(海龜).
‖—— 딱지 명 かめの甲. ——-선(船) 명〖史〗亀甲船; 朝鮮朝宣祖のとき, 李舜臣将軍が造っ

た亀形の鉄甲船．　＝귀선(龜船)．
거북살-스럽다 형 非常に窮屈だ；たいへん気まずい．
거북-하다 형 気まずい；窮屈だ；決まりが悪い．¶저 사람 앞에 나가면 ～ あの人の前では窮屈だ/거북한 생각이 들다 気まずい思いをする/속이 ～ 胃がもたれる．거북-스럽다 형 ☞ 거북하다．
거뿐-하다 형 かなり軽い．＞가뿐하다．ㅅ거분하다．거뿐-히 부 軽く；軽やかに．거뿐-거뿐 부하형 かなり軽いさま：軽軽と．
거뿟-하다 형 軽い感じだ；思ったより軽い．＞가뿟하다．ㅅ거붓하다．거뿟-이 부 軽く；軽軽と．거뿟-거뿟 부하형 いずれのものも軽い〔軽やかな〕さま．
거사【擧事】 명하자 大事を起こすこと；旗揚げ．
거상【巨商】 명 巨商；豪商．
거상【居喪】 명 ①喪中；忌服．¶망부의 ～중 亡父の喪中．②《俗》喪服．¶～을 입다 喪服を着る．
거석【巨石】 명 巨石．¶～ 신앙 巨石信仰．
‖── 문화 명 巨石文化．──-열 명〔史〕巨石列．
거성【去聲】 명 去声．①漢字の四声の一つ；最も高い音調．②漢字音の四声の一つ《これに属する漢字はすべてそくじ(仄字)》．
거세【去勢】 명하타 去勢．¶～한 말 金切り馬〈俗〉/소를 ～하다 牛を去勢する/반대 세력을 ～하다 反対勢力を取り除く．
거세다 형 (あらっぽく)強い；激しい；たけだけ(猛猛)しい．¶거센 파도 荒波/거센 파도를 헤치고 나아가다 どとう(怒濤)をしのいで進む．
거센-말 명 語感を強めるために使う語《"캄캄하다(＝真っ暗い)"·"차란차란(＝なみなみと)"などで符号は"ㅅ"》．
거센 소리 명 'ㅊ·ㅋ·ㅌ·ㅍ'などの破裂音．＝격음(激音)．＊된소리．
거소【居所】 명 居所；居場所．
‖── 지정권 명 居所指定権．
거수【擧手】 명하타 挙手．¶일～ 일투족 一挙手一投足/～로 채결하다 挙手で採決する．
‖── 가결 명하타 挙手可決．──경례 명하자 挙手敬礼．㊂거수례(禮)．──-기 명 挙手機；主観がなく人のさせるがままに賛成する人．
거스러미 명 ささくれ；さかむけ．
거스러-지다 자 ①性格が荒っぽくなる．②産毛などがけばだつ．＞가스러지다．
거스르다 타 ①逆らう．¶왕명을 ～ 王命に逆らう．②反対の方向を取る；逆らう．¶바람을 거슬러 올라가다 風に逆らって進む/시대의 조류를 ～ 時代の潮流に逆らう．③反する；外れる．¶도리를 ～ 道理に反する．④おつりを返す．¶잔액을 거슬러 받다 おつりをもらう．

거스름 명 ↗거스름돈．
‖──-돈 명 釣り銭；お釣り．
거슬-거슬 부하형 かさかさ；ざらざら．＞가슬가슬．¶～한 사람 かさかさした人/～한 종이 ざらざらした紙．
거슬러 올라가다 자타 さかのぼる；そこう(遡行·溯行)する．¶옛날로 거슬러 올라가면 古くさかのぼれば/배를 저어 강을 ～ 船をこいで川をさかのぼる．
거슬리다 一 피동 釣り銭をもらう．二 형 逆らった状態にある；障る；触れる．¶눈에 거슬리는 간판 目障りな看板/귀에 거슬리는 이야기 耳障りな話/귀에 ～ 聞きづらい/비위에 ～ (人の)気に触れる．
거슴츠레-하다 형 (ねむ気などのため)目に精気がない；目がどんよりしている．＞가슴츠레하다．¶거슴츠레한 눈 どろんとした目．
거시 경제학【巨視經濟學】 명 巨視的経済学；マクロ経済学．
거시기 一 대 人や物の名などがすぐに思い出せないとき使う語：なんとかいう人；あの；それ．¶～가 어디 사는지 모르겠다 なんかいう人がどこに住んでいるのか知らん．二 감 話がつまったときに用いる語：ええと；あのう；なんだったっけ．¶～，지금 무어라고 했던가 あのう，いま何と言ったっけな．
거시시-하다 형 目がかすんでいる．
거시-적【巨視的】 명관 巨視的；マクロ．¶～ 세계 巨視的世界/～적인 생각 マクロな考え方．
거액【巨額】 명 巨額；多額．¶～의 예산 巨額の予算/～의 기부 大口の寄付/～ 사기 사건 巨額詐欺事件/～을 횡령하다 巨額を横領する．
거역【拒逆】 명 命令に逆らうこと．──-하다 타 背く；逆らう．¶신의 섭리에 ～하다 神の摂理に逆らう/부모의 가르침에 ～하다 親の教えに背く．
거우르다 타 傾けて注ぐ；こぼれるように傾ける．
거울 명 ①鏡．¶～에 비친 영상 鏡に映った映像/～을 보다 鏡をのぞく．②きかん(亀鑑)；かがみ(鑑)．¶남의 실패를 자신의 ～로 삼다 人の失敗を我が身のかがみとする．
거웃 명 恥毛；陰毛．
거위[1] 명〔鳥〕がちょう(鵞鳥)．＝가안(家雁)·백아(白鵝)．
거위[2] 명〔動〕回虫．
‖──-배 명 虫腹．¶～가 아프다 虫腹が痛む．──-침 명 胸がむかむかしながら出るなまつば(生唾)．
거의 부 ほとんど；大方；大部分；あらかた；おおよそ．¶～ 죽을 지경에 이르다 ほとんど死にひんする/～ 틀림없다 九分九厘まちがいない/～ 오지 않는다 めったに来ない/～ 완성되었다 ほとんどでき上がった．──── 부 もうほとんど．
거인【巨人】 명 巨人；巨漢；大男．¶철학계의 ～ 칸트 哲学界の

巨人カント.
거장【巨匠】명 巨匠; 大家. ¶화단의 ～ 画壇の巨匠.
거저 부 ただ(只)で; 無料で. ¶～타고 왔다 ただ乗りして来た / ～나 마찬가지인 값 ただ同様の値段 / ～ 얻었다 ただでもらった.
‖——-먹기 명 朝飯前. ¶이런 일은 ～다 こんなことは朝飯前だ.
거적 명 むしろ(筵・蓆); こも(薦・菰). ¶～으로 싸다 こも包みをする / ～을 깔다 むしろを敷く / ～을 쓰다〔걸치다〕 こもをかける.
거절【拒絶】명 拒絶; 断わり. ——하다 타 拒絶する; 断わる; 拒む; 退ける; 謝する. ¶면회 ～ 面会拒絶 / 부탁을 완곡히 ～하다 依頼をえんきょく(婉曲)に断わる / 청을 ～하다 申し出を謝する.
거점【據點】명 拠点; 足がかり. ¶군사 ～ 軍事拠点 / 적의 ～을 분쇄하다 敵の拠点を粉砕する.
거족【擧族】명 挙族; 民族全体. ¶～적인 환영 朝野をあげての歓迎.
거주【居住】명하자 居住.
‖——-민 명 居住民. ——-소 명 居所; 住所. —— 이전의 자유 명 居住移転の自由. —— 제한 명 居住制限. ——-지 명 居住地.
거죽 명 表; 表面; 外面. ¶옷의 ～ 衣服の表.
거중【居中】명하자 居中.
‖—— 조정 명 居中調停. ¶～의 수고를 하다 居中調停の労を取る.
거지 명 こじき(乞食); おもらい; そでごい. ¶하룻밤 사이에 ～가 되다 一夜にしてこじきになる.
거지-반【居之半】부 ほとんど; ほぼ; おおよそ; 大半; あらかた. =거의.
거짓 ㊀명 うそ; 偽り; 虚偽; 虚仮. ¶～잠 空寝 / ～ 증언 虚偽の証言 / ～없는 고백 ありのままの告白 / ～을 간파하다 うそを見抜く. ㊁부 偽って; だまして; まことしやかに. ¶～ 맹세하다 偽って誓う.
‖——-부렁 명《俗》거짓말. ——-부리 명 ☞ 거짓말.
거짓-말 명 うそ; そらごと(空言); 虚言; 偽言; 虚辞. >가짓말. ¶～을 하다 うそをつく / ～을 늘어 놓다 うそ八百を並べ(立て)る / 임시방편으로 ～을 하다 その場逃れにうそを言う.
‖——-쟁이 명 うそつき; ほらふき; 千三つ. ¶저 사람은 ～다 彼はうそつきである. —— 탐지기(探知機) 명 うそ発見機.
거찰【巨刹】명 きょさつ(巨刹). =대찰(大刹).
거-참 감 [←그거 참] それはそれは; それこそ本当に; いやはや; はてさて. ¶～ 곤란한 녀석이다 はてさて, 困ったやつ(奴)だわい / ～ 정말 놀랐는걸 いやはや全く驚き入った.
거처【居處】명 居所; 居場所; 居所; すみか; 所在. ——하다 자 住む. ¶～가 없다 居場所がない / ～를 정하다 居所を定める / ～를 알 수 없다 所在が不明だ.
거쳐-가다 타 (ある所を)経て行く; 経る; 経由する.
거쳐-오다 타 (ある所に)寄って来る; 経る.
거추-없다 형 (することが)間が抜けて似合わない. 거추-없이 부 (することが)間が抜けて似合わなく.
거추장-스럽다 형 めんどう(面倒)だ; 厄介だ; 手にあまる; 足手まといだ; わずらわしい. ¶거추장스러운 짐 厄介な荷物.
거취【去就】명 去就; 進退. ¶～를 망설이다 去就〔進退〕に迷う / ～를 결정하다 進退を決する.
거치【据置】명하타 据え置き. ¶～ 예금 据え置き預金 / 5년 ～ 10년 분할 상환의 차관 五年据え置き十年分割償還の借款.
거치다 ㊀자 (何かにさわって)ふれる; すれる. ¶가로 ～ 邪魔になる. ㊁타 ① 立ち寄る. ② 経る; 経由する. ¶동경을 거쳐 미국에 돌아가다 東京を経てアメリカに帰る.
거치적-거리다 자 しきりにひっ掛かる; 邪魔になる; 足手まといになる. >가치작거리다. ㅆ꺼치적거리다. ¶거치적거리는 나뭇가지를 잘라 버리다 邪魔な枝を切り払う. 거치적-거치적 부 しきりにひっかかるさま; 邪魔になるさま; 足手まといになるさま.
거칠-거칠 부하형 かさかさ; がさがさ. >가칠가칠. ㅆ꺼칠꺼칠. ¶피부가 ～해지다 皮膚がかさかさになる.
거칠다 형 ①(布などの目が)粗い; (木目などが)細かくない. ¶거친 천 粗布 / 손이 거칠어지다 手が荒れる / 살결이 ～ 肌が粗い. ② 激烈だ; 荒い. ¶숨결이 ～ 息づかいが荒い / 물결이 거칠어지다 波が荒立つ. ③ 手くせが悪い; 手長だ. ¶손이 ～ 手くせがよくない. ④ 粗雑だ; ぞんざいだ; いいかげんだ. ¶일이 ～ 仕事が雑だ; 仕事がぞんざいだ. ⑤(性格が)乱暴だ; ごつい; 荒い; がさつだ. ¶마음이 거칠어지다 心がすさむ.
거칠-하다 형 (やせて皮膚や毛が)つやけがない; かさかさだ. >가칠하다. ㅆ꺼칠하다.
거침-없다 형 ① 差し支えがない; 障りがない. ② はばかりがない; 気遣うことがない. 거침-없이 부 ① 差し支えなく; 障りなく; すらすら. ¶일이 ～ 진행되었다 事が滞りなく運んだ. ② はばかることなく; 気遣うことなく. ¶～ 거짓말을 하다 平気でうそをつく.
거칫-거리다 자 しきりにひっかかる; ざらざらする. >가칫거리다. 거칫-거칫 부 しきりにひっかかるさま; ざらざらするさま.
거칫-하다 형 やつれて青白い; しょうすい(憔悴)している. >가칫하다. ㅆ꺼칫하다.
거탈 명 見せかけ; うわべ; 外観. ¶～만 보고 사람을 평가하다 うわべだけを見て人を評価する.
거트〔gut〕명 ガット; 腸線.

거포【巨砲】명 巨砲.

거푸 부 重ねて; 続けて; 立て続けに. ¶물을 ～ 마시다 続けて水を飲む. ———— 부 重ね重ね; 続けざまに.

‖——-뛰기 명 (舞踊で)片足で飛ぶ動作.

거푸-집 명 鋳型.

거풀-거리다 자 (物の一部が風に)ゆっくり揺れ動く; なびく. 거풀-거풀 부 物の一部が風でしきりに鈍く揺れ動くさま.

거품 명 泡; あぶく(泡). ¶흰 ～ 白泡/비누 ～ せっけんの泡/맥주 ～ ビールの泡/～이 일다 泡が立つ/～을 일게 하다 泡だてる/～같이 사라지다 泡と消える.

‖—— 경기 명 泡景気; バブル景気. —— 유리 명 ほうまつ(泡沫)ガラス. ——-제 명 ほうまつ剤.

거품-치다 자 冷たい空気などに当てて泡を消す.

거-하다 형 ① 山が大きく雄壮である. ② 木または草が生いしげっている.

거한【巨漢】명 巨漢; 大男.

거함【巨艦】명 巨艦.

거행【擧行】명 挙行. ——-하다 타 挙行する; 執り行なう; 挙げる; 行なう. ¶성대히 ～하다 盛大に行なう/졸업식을 ～하다 卒業式を挙げる/법회를 ～하다 法会を修する.

걱정 명 ① 心配; 気がかり; 気遣い; 懸念; 不安; 憂い; 心痛. ——-하다 자타 心配する; 気遣う; 気にする〔かける〕; 案じる; 憂える. ¶안부를 ～하다 安否を気遣う/나라의 전도를 ～하다 国の前途を憂える/시험 결과를 ～하다 試験の結果を懸念する/…에게 ～을 끼치다 …に心配をかける/～하실 것 없습니다 心配御無用です. ② (目下を気遣って)しかる言葉; 小言. ¶～을 듣다 しかられる; 小言を食う/～도 팔자《俚》; 隣のせんき(疝気)を頭痛に病む. ——-스럽다 형 気遣わしい; 気がかりだ; 憂わしい: ¶걱정스러운 듯이 気づかわしげに.

‖——-거리 명 心配事. ¶～가 많다 心配事が多い. ——-꾸러기 명 ① 絶えず心配事の多い人; 心配屋. ② しょっちゅう心配をかける人. ——-덩어리 명 非常に大きな心配事.

건【巾】명 ① 布などで作った頭にかぶる物の総称. ② ずきん(頭巾).

건【件】件. 一명 事がら. ¶말씀하신 ～ お申し越しの件/표기의 ～에 관하여 表記の件につき. 二의명 ことがらを数える語. ¶화재가 하루에 다섯 ～ 있었다 火事が日に五件あった.

건【腱】명〖生〗けん(腱). =힘줄. ¶아킬레스～ アキレス腱.

건【鍵】명 [↗건반] けん(鍵).

건〔gun〕명 ガン.

건 준 ① [↗것은] …のは, …ことは. ¶내～ 좋다 わたしのは良い/싸우는 ～ 좋지 않다 争うことはよくない. ② [↗그것은] それは. ¶～ 크네 それは大きいね.

건-【乾】두 乾いた…; 乾かした…. ¶～대구 干したら(鱈).

-건 어미 ① [↗-거든] …ならば; …ければ. ¶좋～ 사라 良ければ買いなさい/싫～ 오너라 嫌ならば来なさい. ② [↗-거나] …ても; …(し)ようが. ¶오～ 말～ 来ようが来まいが/좋～ 나쁘～ 良かろうが悪かろうが.

건각【健脚】명 健脚. ¶～을 자랑하다 健脚を誇る.

건-갈이【乾—】명하타 乾いた田を耕すこと. =마른갈이.

건강【健康】명 健康; 達者; 丈夫. ——-하다 형 健康だ; 健やかだ; 達者だ; 丈夫だ. ¶～한 몸 達者なからだ/～을 위해서 健康のために/더욱더 ～하시길 ますますご健康のほどを/～에 좋다〔나쁘다〕 健康に良い〔悪い〕/～을 해치다 健康をそこなう/～하시어 다행입니다 お元気で何よりです/～은 재물보다 낫다 健康は富に勝る. ——-히 부 健康に; 丈夫に.

‖——-미 명 健康美. —— 상담 명 健康相談. ——-식 명 健康食. —— 증명서 명 健康証明書. —— 진단 명 健康診断. ——-체 명 健康体.

건건찝질-하다 형 ① 風味がなくやや塩辛い. ② 互いに知り合いではあるがあまり親しくないことをあざけって言う語.

건건-하다 형 やや塩からい. >간간하다. 건건-히 부 やや塩からく.

건곤【乾坤】명 けんこん(乾坤).

‖—— 일척 명하자 けんこんいってき(乾坤一擲).

건과【乾果】명〖植〗乾果. =건조과(乾燥果).

건국【建國】명하자 建国; 立国. ¶～ 신화 建国神話.

‖—— 포장 명 建国褒章. —— 훈장 명 建国勲章.

건군【建軍】명하자 建軍. ¶～ 정신 建軍の精神.

건기【乾期】명 [↗건조기] 乾期.

건-깡깡이 명 仕事をするとき, 技術や器具なしにやること. また, その人. ¶～로 장사를 시작하다 素手で商売をはじめる.

건너 명 向こう(側). ¶강 ～ 川向こう/～편 물가 向こう岸/강 ～로 소리치다 川の向こうに叫ぶ.

‖——-편(便) 명 向かい側; 向こう. 건넛-마을 명 向こうの村. 건넛-방(房) 명 向かい側の部屋. 건넛-집 명 向こうの家.

건너-가다 타 渡って行く; 渡る; 横切る. ¶강을 ～ 川を渡る/타국으로 ～ 他国に渡る.

건너-긋다 타 (線を)横に引く.

건너다 자타 渡る; 越える; 横切る. ¶강을 ～ 川を渡る〔越える〕/문지방을 ～ 敷居を越える.

건너다-보다 타 ① 見渡す. ¶저편을 ～ 向こう(側)を見渡す. ② (人の利

益を)ねたみ欲しがる. ¶ 남의 재산을 ~ 人の財産を欲しがる. ㊟ 건너보다.

건너-뛰다 타 ① 飛び越える; 飛び渡る. ¶ 내를 ~ 小川を飛び渡る. ② 飛ばす; 抜かす. ＝거르다. ¶ 순서를 ~ 順序を飛ばす.

건너-보다 타 [↗건너다 보다] 見渡す.

건너-오다 타 渡って来る. ¶ 불교가 건너왔다 仏教が渡って来た.

건너-지르다 자타 (長いものを) 両側に渡す; 横渡しにする; 横切る.

건너-지피다 자 川が両岸まで凍りつく.

건너-질리다 ㊀피동 横わたしにされる. ㊁자 ☞ 건너지피다.

건너-짚다 타 ① 手をのばし, 向こうへ手をつく. ② 当て推量をする.

건넌-방 【—房】 명 韓国式の家で, 居間と(板の間を間にして)向かいあっている部屋. ㊟ 거넌방・건너방.

건널-목 명 踏切. ¶ ~ 안내원〔지기〕 踏切番; 踏切警手 / ~을 건너다 踏切を渡る.

건네다 ㊀타 ①(話を)かける. ¶ 남에게 말을 ~ 人に言葉をかける. ②(人に金品などを)渡す; 手渡しする. ¶ 처에게 돈을 ~ 家内にお金を渡す. ㊁사동 渡らせる. ¶ 배로 사람을 ~ 舟で人を渡す.

건네 주다 타 渡してやる. ¶ 배로 사람을 ~ 舟で人を渡す.

건달 명 遊び人; やくざ者; ごろつき. ¶ ~ 자식 のらくら息子.
‖——-꾼 명 ごろつきをさげすんで言う語. ——-패 명 よた者たち; どさ回り連中; 地回り連中.

건답 【乾畓】 명 水の乾きやすい田.

-건대 어미 …れば; …るに. ¶ 생각하~ 思うに; 考えれば / 보~ 見る(から)に; 見れば / 살펴보~ 이렇다 할 인물이 없다 見渡した所これという人物がない.

건-대구 【乾大口】 명 ひだら(干鱈).

건더기 명 ① お汁・つゆの実〔具〕; 浮かし. ② 液体にまじっている沈殿物. ③《俗》物事の中身. ¶ 말할 ~가 못 된다 言うだけの値打ちもない.

건데 부 [↗그런데] だが; ところが; ところで. ¶ ~ 말이야 ところがね.

건-독 【乾—】〔dock〕 명 乾ドック. ＝건선거(乾船渠).

건둥-그리다 타 取りまとめてかんたんにする. ＞간동그리다. ㅆ껀둥그리다. 건둥-건둥 부 おおざっぱに取りまとめるさま.

건둥-하다 형 取りまとめられていて簡単だ. ＞간동하다. ㅆ껀둥하다. 건둥-히 부 きちんと; さっぱりと; かんたんに.

건드러-지다 형 いき(粋)で見目麗しくなよやかだ; あだっぽい. ＞간드러지다.

건드렁-타령 【—打鈴】 명 酔っぱらってふらふらするしぐさ(仕種).

건드레-하다 형 ほどよく酔いが回っている; ほろ酔いきげんだ.

건드리다 타 触れる. ① 触る. ¶ 이것을 건드리지 마라 これに触るな. ② 刺激する. ¶ 남의 비위를 ~ 人の気に触れる; 人の不興を買う / 남의 기분을 ~ 人のきげんを損なう. ③(女に)手出す; 手を付ける. ¶ 여자를 ~ 女に手を付ける.

건들-거리다 자 ① なよなよとゆれ動く. ②(風が)涼しくそよ吹く. ③(仕事に熱中しないで)のらりくらりする. ＞간들거리다. 건들-건들 부 ① ゆらゆら. ② そよそよ. ③ のらりくらり.

건들 바람 명 ① 初秋に吹くさわやかな風. ②〘氣〙和風.

건류 【乾溜】 명하타 〘化〙 乾留.

건립 【建立】 명 建立; 造立. ——-하다 타 建立〔造立〕する; 建てる. ¶ 불탄 절을 새로 ~하다 焼けた寺を新たに建立する.

-건마는, -건만 어미 …だが; …ものの; …であるにもかかわらず. ¶ 나이는 먹었~ 아직도 철이 없다 年とは取ったもののまだ分別がない / 형제이~ 사이가 나쁘다 兄弟であるにもかかわらず仲が悪い.

건망 【健忘】 명 健忘; 物忘れ.
‖——-증(症) 명 健忘症. ¶ ~이 심해지다 健忘症がひどくなる.

건-명태 【乾明太】 명 ☞ 북어(北魚).

건목 명 粗造り; 粗削り; 粗製. ¶ ~만 얼추 지은 건물 粗造りの建物. ——-치다 타 ① 粗造りにする; 粗削りする. ② ざっと見積もる.
‖——-재(材) 명 粗削りの材木.

건목 【乾木】 명 かんからに乾いた材木.

건몸-달다 자 いたずら(徒)に独りで気をもむ; もどかしがる.

건물 【建物】 명 建物. ¶ ~을 수축하다 建物を修築する.

건물 【乾物】 명 [←간물] 乾物; 干した食品の総称.

건반 【鍵盤】 명 けんばん(鍵盤); キー. ¶ 피아노의 ~ ピアノの鍵盤.
‖—— 악기 명 鍵盤楽器.

건밤 명 一睡もせず明かした夜. ¶ ~을 새다 一睡もせず夜を明かす.

건방-지다 형 生意気だ; 横柄だ; 尊大だ. ¶ 건방진 태도 生意気な〔尊大な〕態度 / 건방지게 굴다 横柄にふるまう.

건-빵 【乾—】〔포 pão〕 명 乾パン; 堅パン.

건사-하다 타 ① 仕事をさせるに当たって, 段取りをつけてやる. ② 自分のことをうまく処理していく. ③ 保つ; 保存する. ¶ 썩지 않게 잘 ~ 腐らないようによく保管する.

건삼 【乾蔘】 명 根毛を除き皮をむいて干したこうらいにんじん(高麗人参).

건생 식물 【乾生植物】 명 〘植〙 乾生植物.

건-선거 【乾船渠】 명 かんせんきょ(乾船渠). ＝건독(乾 dock).

건설 【建設】 명하타 建設. ¶ 민주주의 국가를 ~하다 民主主義国家

ㄱ

こっかを建設する.

‖── 공사 [명] 建設工事. ── 공채 [명] 建設公債. ── 기계 [명] 建設機械. ──-부 [명] 建設部《建設省に当たる》. ──-업 [명] 建設業. ──-적 [명][관] 建設的.

건성 [명][부] 上の空. ¶～ 대답 生返事 / ～으로 듣다 空聞きする / 남의 말을 ～으로 듣다 人の話を上の空で聞く.

‖──-꾼 [명] 何事にも上の空で当たるそそっかしい人.

건성【乾性】 [명] 乾性. ¶～ 피부 乾性皮膚; 荒れ肌.

‖── 늑막염 [명]〖醫〗乾性ろく(肋)膜炎; 乾性胸膜炎. ──-유 [명] 乾性油.

건성-건성 [부] 上の空でするさま.

건수【件數】 [명] 件数. ¶겨울에는 여름보다 화재 ～가 는다 冬には夏よりも火事の件数が増す.

건습【乾濕】 [명] 乾湿.

‖──구 습도계 [명] 乾湿球の湿度計.

건시【乾柿】 [명] 干しがき. =곶감.

건식【乾式】 [명] 乾式.

‖── 구조 [명] 乾式構造.

건식【健食】 [명] 健啖.

건실【健實】 [명] 堅実. ──-하다 [형] 堅実だ; 堅かたい. ¶～한 장사 堅い商売. ──-히 [부] 堅実に.

건아【健兒】 [명] 健児; 若者.

건어【乾魚】 [명] ↗건어물(乾魚物).

건-어물【乾魚物】 [명] 干魚; 干し魚.

건옥【建玉】 [명]〖經〗(取引所で)建玉.

건-울음 [명] 空泣き.

건위【健胃】 [명][하형] 健胃.

‖──-제 [명] 健胃剤.

건-으로【乾―】 [부] ①理由〔いわれ〕なく; 途方もなく; そぞろに. ②素手で; てぶらで. ¶～ 사업을 일으키다 素手で事業をおこす.

건의【建議】 [명][하타] 建議.

‖──-서 [명] 建議書. ──-안 [명] 建議案.

건장【健壯】 [명][하형] 壮健.

건재【建材】 [명] 建材.

‖──-상 [명] 建材商.

건재【健在】 [명][하형] 健在. ¶아버지는 아흔이지만 아직 ～하십니다 父は九十ですがまだ健在です / 회사는 아직 ～하다 会社はまだ健在である.

건재【乾材】 [명] 韓方の薬材.

‖── 약국(藥局) [명] 韓方の薬材屋.

건전【健全】 [명] 健全. ──-하다 [형] 健全だ; 健やかだ. ¶～ 재정 健全財政 / ～한 오락 健全な娯楽 / ～한 정신은 ～한 신체에 깃들인다 健全なる精神は健全なる身体に宿る. ──-히 [부] 健全に; 健やかに.

건-전지【乾電池】 [명] 乾電池; バッテリー.

건져-내다 [타] (水の中から)取り出す; (おぼれた者を)救う; 救い出す; (沈んだものを)引き上げる. ¶물에 빠져 죽으려는 것을 ～ おぼれようとするところを救う.

건조【建造】 [명][하타] 建造. ¶～물 建造物 / ～ 계획 建造計画 / 군함을 ～하다 軍艦を建造する.

건조【乾燥】 [명] 乾燥. ──-하다 [자][형] 乾燥する; 乾燥している. ¶공기가 대단히 ～하다 空気が大変乾燥している / ～가 빠르다 乾きが早い.

‖──-기 [명] 乾燥期; 乾季〔乾期〕. ── 기후 [명] 乾燥気候. ──-제 [명]〖化〗乾燥剤; 乾剤. ── 지형 [명] 乾燥地形.

건-주정【乾酒酊】 [명][하자] わざと酔ったふりをすること.

건중-그리다 [타] ざっとまとめる; かい摘まんでまとめる. >간종그리다. 건중-건중 [부] ざっとまとめるさま; かいつまむさま.

건지 [명] 水深を測るため石を結びつけたひも; 測鉛線.

건지다 [타] ①(水の中から)取り〔すくい〕上げる; つまみ出す; (沈んだものを)引き上げる. ②(おぼれた者を)救う; (命を)拾う. ¶목숨을 ～ 命を拾う〔とり留める〕. ③(困難・罪から)救う; 救い出す. ¶나라를 전화에서 ～ 国を戦禍より救う.

건초【乾草】 [명] 乾草・干し草.

건축【建築】 [명] 建築; 普請. ¶집의 ～을 도급 맡고 있다 家の建築を請け負っている.

‖──-가 [명] 建築家. ── 공학 [명] 建築工学. ──-과 [명] 建築科. ── 구조 [명] 建築構造. ¶～ 역학 建築構造力学. ── 금융 [명] 建築金融. ── 면적 [명] 建築面積. ──-물 [명] 建築物; 建造物. ──-사(士) [명] ①建築士. ②建築技師. ── 설비 [명] 建築設備. ── 양식 [명] 建築様式. ──-업 [명] 建築業. ──-용-재 [명] 建築用材. ──-재 [명] 建築材; 建材《준말》. ── 주체 [명] 建築主体.

건투【健鬪】 [명][하자] 健闘. ¶～를 빌다 健闘を祈る.

건평【建坪】 [명] 建坪. ¶～ 30평 建坪三十坪.

건폐-율【建蔽率】 [명] けんぺいりつ(建蔽率).

건포【乾布】 [명] 乾布. ¶～ 마찰 乾布摩擦.

건-포도【乾葡萄】 [명] 干しぶどう; プラム. ¶～ 케이크 プラムケーキ.

건필【健筆】 [명] 健筆. ¶～가 健筆家 / ～을 휘두르다 健筆をふるう.

건-하다 [형] ①非常に豊かだ; 十分だ. ②↗흥건하다. ③↗거나하다.

건-혼나다【―魂―】 [자] わけもなく驚いてびくつく; わけもなくびっくりする.

걷다[1] [자] (雲・霧などが)晴れる.

걷다[2] [자][타] 歩く. ¶아장아장 ～ よちよち歩く / 산길을 ～ 山路をたどる.

걷다[3] [타] ①(覆いを)取りのける; 取り去る. ¶상보(床褓)를 ～ おぜんの覆いを取りのける. ②まくる; 巻き上げる; まくし〔まくり〕上げる; たくる. ¶소매를 걷어올리다 そで(袖)をたくり上げる; そでをまくし上げる. ③[↗거두다] (会費などを)取り立

てる；集める．¶회원으로부터 의연금을 ～ 会員から義援金を集める．

걷-몰다 타 (散らばっている家畜を)一群ずつ駆り立てる．

걷어-들다 타 (垂れているものを)取り上げる；からげる．

걷어-붙이다 타 (そで(袖)·ズボンなどを)たくし上げる；まくり上げる；まくる．¶팔을 ～ 腕をまくる/와이셔츠의 소매를 ～ ワイシャツのそでをたくしあげる．

걷어-쥐다 타 取り上げてつかむ；引っつかむ．＝걷어잡다．

걷어-지르다 타 (衣服のすそ(裾)·カーテンなどを)まくり上げて垂れ下がらないように結ぶか，または差し込む．

걷어-질리다 자 (病気·疲れで)目がくぼむ〔落ち込む〕．

걷어-차다 타 (足で)ける；けとばす．¶정강이를 ～ 向こうずねをける/옆구리를 ～ 弱腰をけとばす．

걷어-채다 피동 けられる；けとばされる．

걷어-치우다 타 ① (散らばっているものを)かたづける；取り除く；取り払う．¶도로의 장애물을 ～ 道路の邪魔物を取り払う．② (していたことを)やめる；畳む；引き払う．¶가게를 걷어치우고 시골로 가다 店を畳んで田舎へ行く．

-걷이 미 …取入れ．¶가을～ 秋の取入れ/밭～ 畑の取入れ．

걷-잡다 타 とり留める；食い止める；収拾する．¶일이 걷잡을 수 없이 되다 事がとり留めようもなくなる．

걷히다 피동 ① (雲霧などが)晴れる．¶안개가 ～ 霧が晴れる．② (金·穀物などが)集まる．¶세금이 잘 걷히지 않는다 税がよく集まらない/외상돈이 걷히지 않는다 掛け金が取れない．

걸 〔girl〕 명 ガール．
‖── **스카우트** 명 ガールスカウト．── **프렌드** 명 ガールフレンド．

걸걸 부하자 世間体に構わず食い物などをむさぼるさま：がつがつ．＝걸근걸근．＞갈갈．¶주려서 ～하다 飢えてがつがつしている．──**-거리다** 자 がつがつする．

걸걸-하다 형 声が濁り気味で大きい．

걸근-거리다 자 ① (食べ物·財物などを)世間体に構わずむさぼる：がっつく．¶볼썽 사납게 ～ みっともなくがっつく．② (たん(痰)のためのどが)むずがゆくなる．＞갈근거리다．**걸근-걸근** 부하자 ① がつがつ．② (たんのためのどが)むずがゆいさま．

걸-기대【乞期待】 명 期待せられよ；ご期待を請う．

걸기-질 명하자 田をならすこと．

걸다¹ 타 掛ける．① 釣り下げる；掛け渡す．¶간판을 ～ 看板をかける/다시〔고쳐〕 ～ かけ替える/빗장을 ～ かんぬきを掛ける/문을 닫아 ～ 戸閉まりをする．② (けんかを)吹っ掛ける〔仕掛ける〕．¶시비를 ～ 文句をつける．③ ある作用をさせる．¶엔진의 발동을 ～ エンジンを掛ける/브레이크를 ～ ブレーキをかける/전화를 ～ 電話を掛ける．④ (望み·期待など)をかける；かけ事をする．¶희망을 ～ 望みをかける/국운〔상금〕을 ～ 国運〔賞金〕をかける/십만원을 ～ 十万ウォンを張る/목숨을 건 사랑 命をかけた恋．⑤ (旗·スローガンなどを)掲げる．¶국기를 ～ 国旗を掲げる．

걸다² 형 ① (土地が)肥えている；ひよく(肥沃)だ．¶건 땅 肥えている土地．② (液体が)濃い；こってりしている．¶풀을 걸게 쑤다 のり(糊)を濃いめに炊く．③ (手をつけるごとに)首尾よく〔うまく〕いく；手さばきが上手だ．¶손이 ～ 手首尾がうまくいく．④ 豪勢だ；はでだ．⑤ 食い意地が張っている．⑥ 口ぎたない；口さがない．¶입이 건 친구들 口さがない連中．

걸-뜨다 자 水面に浮かばず水の中間に浮いている．

걸러 부 置き．¶하루 ～ 一日置き．

걸러-내기 명 〖生〗はいせつ(排泄)．

걸러-뛰다 타 (順序を)とばす；抜かす．

걸레 명 ぞうきん(雑巾)．¶마른〔진〕～로 닦다 乾いた〔ぬれた〕ぞうきんでふく/～ 같은 자식 汚らわしい奴．
‖──**-질** 명하타 ぞうきん掛け；ふきそうじ．¶～치다 ぞうきんをかける；ぞうきんでふく．

걸로 준 "것으로"の略語：…で．¶그～ 하자 それでやろう/그～ 화내다니 そ(れしき)のことで怒るとは．

걸리다¹ 자 ① かかる；ひっ〔つっ〕かかる；つかえる；つっかえる〈俗〉；いる；費やされる；冒される．¶목에 가시가 ～ のどに骨が立つ〔つっかえる〕/문지방에 걸려서 넘어지다 敷居につっかかって〔ひっかかって〕ころぶ/유행성 감기에 ～ はやりかぜにかかる/죽을 병에 ～ 死病に取り付かれる/시간이 ～ 暇がかかる；暇どる．② ひっかかる；陥ちる．¶물고기가 그물에 ～ 魚が網にかかる/그의 책략에 걸렸다 彼の策略にひっかかった/사기에 ～ 詐欺にかかる．③ かかわる．¶그건 목이 걸린 문제다 そりゃ首にかかわる問題だ．④ 気になる；こだわる．¶임을 보내고 마음에 ～ 恋人を帰して気にかかる．

걸리다² 사동 歩かせる．

걸리다³ 피동 歩かされる．

걸-맞다 형 似合っている；釣り合っている；ふさわしい；相応だ．¶걸맞는 부부 似合いの夫婦/신분에 걸맞지 않는 身分不相応の．

걸머-잡다 타 わしづかみにする；ひっつかむ．

걸머-지다 타 ① 背負う．¶빚을 ～ 借金を背負う/짐을 ～ 荷物を背負う．② (責任などを)引き受ける；担う．

걸-메다 타 荷物を荷綱にかけて片方の肩にかつぐ．

ㄱ

걸-메이다 사동 荷物を荷綱に掛けて片方の肩にかつがせる.
걸물【傑物】명 傑物; 傑人; 偉物.
걸상【—床】명 ①長いす; ベンチ. ②腰掛け; いす.
걸쇠 명 掛けがね; かすがい(鎹).
걸식【乞食】명하자타 食べ物を請うこと; こじき; こつじき(乞食).
걸신【乞神】명 食い意地. ¶～들리다 食い意地が張る; がっつく / 걸신 들린 듯이 먹다 がつがつ〔むさぼり〕食う.
‖——쟁이 명 食いしん坊.
걸-앉다 자 ↗걸어앉다.
걸어-가다 자 歩いて行く; 徒歩で行く. ¶함께 ～ 連れだって行く.
걸어-앉다 자 腰かける. ㊟ 걸앉다.
걸어-앉히다 사동 腰をかけさせる.
걸어-오다 자 歩いて来る; 徒歩で来る.
걸어-총【—銃】명감하자 さ銃; また, その号令.
걸음 명 歩み; 歩行. ¶～을 옮기다 歩を進める / 기운찬〔가벼운〕～으로 걷다 元気な〔軽い〕足取りで歩く / 빠른 ～ 速足 / ～이 빠르다 足が速い / 한 ～ 양보하다 一歩を譲る / ～아 날 살려라《俚》 三十六計逃げるにし(如)かず.
‖——걸이 명 歩きぶり; 足取り. ——마 ㊀명 あんよ; 幼児の歩き. ㊁감 あんよは上手. =걸음마 찍찍. ——마-찍찍 감 ☞ 걸음마. ——새 명 歩きぶり. ——쇠 명 コンパス. ——짐작 명 歩測.
걸음발-타다 자 幼児が初めてよちよちと歩き出す.
걸음-걸음, 걸음걸음-이 부 一足ごとに; 歩ごとに.
걸이 명 (相撲で)足がらみ; 内掛け.
-걸이 미 物をかけるもの: …掛け. ¶양복～ 洋服掛け.
걸인【乞人】명 こじき(乞食); 物もらい.
걸인【傑人】명 傑人; 傑物.
걸작【傑作】명 傑作. ¶일대의 ～ 一代の傑作 / 저 놈은 ～이다 あいつは傑作なやつだ.
걸짜 명 [←걸자(傑字)] 《俗》 傑作(にふるまう人).
걸쩍-거리다 자 性格がかったつ(闊達)で活動的にふるまう. 걸쩍-걸쩍 부하자 性格が闊達で活動的であるさま.
걸쩍지근-하다 형 (食べ方や言い方が)口汚ない.
걸쭉-하다 형 (液体が) こってりしている; どろどろだ; どろりとしている. <갈쭉하다. ¶걸쭉한 액체 どろりとした液体 / 걸쭉한 국물 どろどろ汁. 걸쭉-히 부 どろどろに; どろりと.
걸-차다 형 土地が大変肥えている.
걸쳐 두다 타 物事に手を付けたまま終えないでおく; 掛けておく.
걸출【傑出】명하자 傑出; 出来物. ¶～한 인물 傑出した人物.

걸치다 ㊀자 またがる. ①かかる. ¶큰 강에 걸쳐 있는 다리 大川にまたがる橋 / 빨래가 나무에 걸쳐 있다 干し物が木にかかっている. ②わたる; 及ぶ. ¶5년 동안에 걸친 대공사 五年間にわたる〔またがる〕大工事. ㊁타 かける. ①渡す; 及ばせる; またげる. ¶두 다리를 ～ 二またをかける. ②まとう; 着ける; ひっかける. ¶나들이 옷을 ～ 晴着をまとう.
걸터-앉다 자 腰かける. ¶책상에 ～ 机に腰かける.
걸터-타다 타 (馬などに)横乗りする.
걸핏-하면 부 ともすれば; ややもすれば; えてして. =툭하면. ¶～ 넘어진다 ともすればころぶ / ～ 쉰다 えてして休みがちだ.
검【劍】명 剣·つるぎ; 刀. ¶～을 휘두르다 剣を振り回す.
검거【檢擧】명하타 検挙. ¶～ 선풍 検挙旋風 / 일제 ～에 걸리다 狩込みに会ってつかまる.
검극【劍劇】명 剣劇; ちゃんばら(劇).
검뇨【檢尿】명하자〔醫〕検尿. ¶～기 検尿器.
검-누렇다 형 多少黒みがかって黄色い. >감노랗다.
검-누르다 형 黒ずんで黄色い. >감노르다.
검다 형 ①(色が) 黒い; か黒い. >감다. ㅆ껌다. ¶검은 물건 黒い物. ②腹黒い. ¶뱃속이 검은 사람 腹の黒い〔腹黒い〕人.
검댕 명 すす(煤); 油煙.
검덕 귀신【—鬼神】명《俗》顔や衣服がよごれた人.
검도【劍道】명 剣道. ¶～장 剣道場.
검둥-개 명 黒犬.
검둥-오리 명〔鳥〕くろがも(黒鴨).
검둥-이 명 ①黒犬の愛称: くろ. ②肌色の黒い人. ③黒人.
검디-검다 형 非常に黒い.
검량【檢量】명하타 (積荷などの)検量.
‖——선 명〔化〕検量線. ——인(人) 명 検量をする人.
검류【檢流】명하타〔物〕 (電流または潮流などの)検流.
‖——계 명〔電〕 検流計; ガルバノメータ. ——의 명 検流儀.
검무【劍舞】명 剣舞. =칼춤.
검문【檢問】명하타 検問.
‖——소 명 検問所.
검-버섯 명 (老人の)しみ.
검법【劍法】명 剣法; 剣術.
검변【檢便】명하타 検便.
검부러기 명 干し草のくず(屑); わらくず(藁屑).
검불 명 干し草や落葉; わらくず.
검불-덤불 부 こんがらがって; ごちゃついて.
검-붉다 형 赤黒い. ¶검붉게 타다 赤茶けている.
검사【檢事】명 検事. ¶수석 ～ 上席の検事.
‖——장 명 検事長. —— 항소(抗訴)

명 検事控訴.
검사【檢査】명 検査；検見；テスト. ——하다 타 検査する；とり調べる；テストする. ¶ 회계 ~관 会計検査官 / 예비 ~ 下検分 / 신체 ~ 身体検査.
‖——소 명 検査所. ——원 명 検査員. ——인(人) 명 検査役；検見.
검산【檢算】명하타 験算〔検算〕；試し算. ¶ 답안을 내기 전에 ~하다 答案を出す前に験算する.
검색【檢索】명하타 ① 検索. ¶ 색인으로 ~하다 索引を引いて検索する. ② 家宅捜索をすること.
검소【儉素】명 倹素；質素. ——하다 형 倹素だ 質素だ；つつましやかだ；つましい. ¶ ~하게 살다 つつましく〔つつましやかに〕暮らす. ——히 부 質素に；つつましやかに；つましく.
검속【檢束】명하타 検束. ¶ 용의자를 ~하다 容疑者を検束する.
검수【檢水】명하자 検水；水質検査. ¶ ~기 検水器.
검술【劍術】명 剣術. ¶ ~을 배우다 剣術を学ぶ.
‖——사(師) 명 剣術使い.
검숭-하다 형 (まばらに生えた毛が)黒みがかっている. >감숭하다. **검숭-검숭** 부하형 (まばらに生えた毛が)黒みがかっているさま.
검시【檢屍】명하타 検死；検視.
‖——관 명 検死官.
검실-거리다 자 (ある物が遠くで)おぼろに動く；ちらちらする；ちらつく. >감실거리다. **검실-검실**[1] 부하자 ちらちら.
검실-검실[2] 부하형 黒い毛が生えかけて点点と黒いさま. >감실감실.
검-쓰다 형 ① 非常に苦い. ②(気に触る程)苦苦しい.
검안【檢眼】명하자 検眼.
‖——경 명 検眼鏡. ——기 명 検眼器.
검약【儉約】명하타 倹約；節約；締まり. ¶ ~가 倹約家；締まり屋.
검역【檢疫】명하타 検疫.
‖——관 명 検疫官. ——선 명 検疫船. ——소 명 検疫所. ——원 명 検疫員. ——의 명 検疫医. ——항 명 検疫港.
검열【檢閱】명 検閲. ——하다 타 検閲する；閲する；けみする.
‖——관 명 検閲官.
검온【檢溫】명하타 検温.
‖——기 명 検温器；体温計.
검은-깨 명 くろごま(黒胡麻). =흑임자(黑荏子).
검은-약【—藥】명 ①"あへん(阿片)"の隠語. ② ☞ 고약.
검은-엿 명 黒あめ.
검은-자 명〔生〕↗검은자위.
검은-자위 명〔生〕黒目；黒目玉.
검은-콩 명 黒豆. =흑태(黑太)·검정콩.
검은-팥 명 黒小豆. =흑두(黑豆).
검인【檢印】명 検印.
‖——증 명 検印証.

검-인정【檢認定】명하타 ① 検認. ② 検定と認定.
‖—— 교과서 명 検定教科書と認定教科書. ——필(畢) 명 検定〔認定〕済み.
검-잡다 타 ↗거머잡다.
검적-검적 부하형 黒い斑点が点点とはめこまれているさま. >감작감작. ㅆ껌적껌적.
검전-기【檢電器】명 検〔験〕電器.
검접-하다 자 執念深くつかまえて離さない；へばりつく；しがみつく.
검정 명 黒または黒色の染料；ブラック. >감장. ㅆ껌정.
‖——말[1] 명〔動〕くろげ(黒毛). ——말[2] 명〔植〕くろも(黒藻). ——보라색(色) 명 黒紫色. ——빛 명 黒色. ——이 명 黒い物；黒. >감장이. ㅆ껌정이. ——콩 명 黒豆. =검은콩. —— 콩알 명《俗》"銃弾"をひねくった語.
검정【檢定】명하타 検定.
‖—— 고시(考試), —— 시험 명 検定試験；検定(준말). —— 교과서 명 検定教科書. ——증 명 検定証. ——필(畢) 명 検定済み.
검-쥐다 타 ↗거머쥐다.
검증【檢證】명하타 検証.
‖——물 명 検証物. —— 조서 명 検証調書.
검진【檢診】명하타 検診. ¶ 집단 ~ 集団検診.
검진-기【檢震器】명 検震器；地震計.
검-질기다 형 性格がねばり強い；執念深い.
검찰【檢察】명하자타 検察.
‖——관 명 ① 検察官. ② 軍法会議で検察の職務を行なう法務将校. ——청 명 検察庁. —— 총장 명 検事総長.
검출【檢出】명하타 検出. ¶ 철분을 ~하다 鉄分を検出する.
검측측-하다 형 ① どす黒い. ② 腹黒い；陰険で欲深い.
검측-하다 형 陰険で欲深い；腹黒い. **검측-스럽다** 형 陰険で欲深いところがある.
검치다 타 角を中心にして左右に掛け渡し折り合わせる.
검침【檢針】명하자 検針.
‖——기 명 検針器. ——일 명 検針日.
검침-하다【黔沈—】형 腹黒くて陰険だ.
검토【檢討】명 検討. ——하다 타 検討する；調べる. ¶ 자세히 ~하다 詳しく検討する.
검특-하다【黔慝—】형 腹黒くてずるい.
검파【檢波】명하타 検波.
‖——기 명〔物〕検波器.
검-퍼렇다 형 やや黒味がかって青い.
검표【檢票】명하자 検札；車内改札.
검-푸르다 형 黒味がかって青い；青黒い. >감파르다. ¶ 검푸른 바다

こんぺき(紺碧)の海.

겁【劫】 명 〖佛〗 こう(劫).

겁【怯】 명 おじけ; 恐怖心; 憶病風. ¶ ～없는 얼굴 不敵な面構え / ～내지 않는 아이 物おじしない子供.

겁간【怯姦】 명하타 ごうかん(強姦).

겁-결【怯—】 명 おじけづいたはずみ. ¶ ～에 악 소리를 질렀다 おじけづいてあっと声を張り上げた.

겁기【劫氣】 명 窮した人のおじおじした〔困り切った〕気色.

겁-꾸러기【怯—】 명 憶病者; こわがり屋.

겁-나다【怯—】 자 怖い思いをする; おじける; 怖い; 恐ろしい. ¶ …이 겁나서 …が怖くて / 겁나게 하다 怖がらせる; 怖がらせを言う / 겁나서 달아나다 怖く〔恐ろしく〕て逃げる / 선생님에게 들킬까 봐 겁났다 先生に見つかれはしないものかと心配した.

겁-내다【怯—】 타 恐れる; 怖がる; おじる; おく(臆)する; びくつく; 気遣う. ¶ 죽음을 ～ 死を恐れる / 겁내는 기색도 없이 ひるむ色もなく / 요만한 일로 겁내지 마라 これくらいの事でびくつくな.

겁-먹다 자 おじける; おじけづく; びくつく; 怖がる; 恐れる.

겁-쟁이【怯—】 명 憶病者; 意気地なし; 弱虫.

겁탈【劫奪】 명하타 ① 強奪; 脅かし奪うこと. ② ごうかん(強姦). ＝겁간(劫姦).

것 의명 ① もの; こと. ㉠ 前の語の代わりに用いる語. ¶ 아무 ～도 없다 何もない / 새～과 헌～ 新しい物と古い物 / 이 ～과 저 ～ これとあれ / 어린 ～ 幼子 / 그 ～은 볼 만하다 それは見物だ. ㉡ だれかの所有物を表わす語. ¶ 내 ～ わたしの物 / 이것은 네 ～이다 これは君の物だ. ② (後に"이다"が付いて)…だろう. ¶ 좋을 ～이다 よかろう / 눈이 올～이다 雪が降るだろう. ③ …こと《命令を表わす語》. ¶ 빨리 갈 ～ 速く行くこと / 빨리 가야 할 ～이다 速く行くべきだ / 담배를 피우지 말 ～ たばこを吸わないこと.

-것다 어미 ① …ね. ¶ 네가 이걸 다 먹었～ 君がこれを全部平らげたとね / 내일은 일요일이～ 明日は日曜だね. ② …し. ¶ 돈 있～ 학력 좋～, 또 무엇이 부족하나 金はあるし学歴はいいしそれになにが不足かね. ③ …だろう. ¶ 이맘때면 민속촌은 사람으로 메여지～ 今ごろは民俗村は人だかりでさぞ混むことだろう.

겅그레 명 せいろう(蒸籠)などの底に敷く棒切れ; すのこ. ¶ ～를 놓다 すのこなどをせいろうなどの底に敷く.

겉 명 表; 上べ; 表面. ¶ ～을 꾸미다 上べを飾る / ～만 보고서는 모른다 上面だけではわからない / ～ 다르고 속 다르다《俚》表裏が同じくないことのたとえ.

겉-가량【—假量】 명하타 大体見積もること: 目分量; 見掛け推量.

겉-감 명 物の外に当てる材料; 表地.

겉-겨 명 もみ殻; もみぬか(籾糠); すりぬか; 粗ぬか.

겉-곡【—穀】, **겉-곡식**【—穀—】 명 殻をむかない穀物. ＝피곡(皮穀).

겉-껍풀 명 外皮.

겉-껍데기 명 外殻; 外皮.

겉-껍질 명 外皮; 粗皮.

겉-꾸리다 자 上べを飾る; 外装する.

겉-꾸림 명하자 外面を飾り立てること; 外装.

겉-꾸미다 자 上べを飾る; 外装する; 表構えをする; 見せかける.

겉-날리다 타 (仕事を)ぞんざいにする. ¶ 글씨를 겉날려 쓰다 字をぞんざいに書く; 書きなぐる.

겉-놀다 자 ① (交わりが)しっくりしない. ② (くぎやねじなどが)ぴったり合わない.

겉눈-감다 자 目を半開きにして閉じたように見せかける.

겉-눈썹 명 まゆ毛; まゆ.

겉-늙다 자 年の割りに老けている.

겉-대중 명 おおよその見積もり; 概算.

겉-돌다 자 ① 外の物などとうまく調和・混合せず, 離れ離れに動く. ¶ 바퀴가 ～ 輪が空回りする / 기름에는 물이 겉돈다 油は水をはじく. ② 仲間にならない. ¶ 혼자 ～ 仲間外れになる.

겉-마르다 자 生乾きになる.

겉-말 명 口先だけのことば; 空世辞. ¶ 친절한 척 ～만 그럴싸하게 늘어놓다 親切ごかしの言葉を麗麗しく並べ立てる.

겉-맞추다 타 上べだけをうまく調子を取る.

겉-면【—面】 명 表面; 外面.

겉-모양【—模樣·—貌樣】 명 がいぼう(外貌); 外見; 外観. ¶ ～을 꾸미다 見えを張る; 体裁を繕う / ～만 좋고 실속은 나쁘다 見た目にはいいが底が悪い.

겉-물 명 上澄み; 上水.

겉-보기 명 外観; 外見; 上べ; 見掛け. ¶ ～에는 좋다 見た目には〔見付きは〕いい.

겉-보리 명 ① 殻麦. ＝피맥(皮麥). ② 大麦.

겉-봉【—封】 명 ① 封皮. ② 封筒の表. ③ 封筒.

겉씨 식물【—植物】 명 〖植〗 裸子植物. ＝나자 식물.

겉-약다 형 うわべばかり小利口である; 利口ばかだ.

겉-옷 명 外衣; 上着.

겉-잠 명 ① たぬき寝入り; 空寝. ② うたたね; 仮り寝. ＝선잠. ——들다 자 うとうとと寝入る.

겉-장 명 ① 表の紙. ② 表紙.

겉-절이 명 二十日大根·白菜などを生漬けにし, 薬味をあえた当座漬け.

겉-절이다 타 当座漬けにする.

겉-짐작 명 当て推量; おおよその

見当〔見積もり〕.
걸-치레 명하자타 上べ飾り; 見せ掛け; 虚飾. ¶～꾼 見えっぱり; 見え坊/～ 인사를 하다 通り一遍のあいさつをする.
걸-치장【—治粧】명하자 外飾り; 上べばかりの装い. ¶～만 하다 上べばかり繕う.
게¹ 명〘動〙かに(蟹).
게² 一부 [↗거기] そこ. ¶～ 앉아라 そこに座りなさい. 二대 相手をさげすんで言う語: お前; そち; そなた. ¶～ 누군고 お前はだれだ.
게³ 조 [↗에게] (終声のない語に付いて)…に. ¶내～ 맡기시오 わたしに任せなさい.
게⁴ 준 [↗것이] …ものが. ¶그～ 뉘～냐 それはだれのものかね/너 같은～ 대학에 간다고 おまえごときが大学へ行くんだとね.
-게¹ 미 住家を表わす語. ¶우리～ 사람들 わたしの所の人たち.
-게² 어미 ①…せよ; …なさい. ¶먹～ 食べなさい/쌀을 사 두～ 米を買って置きたまえ. ②…く; …まく; …しく; …ように. ¶아름답～ 꾸미다 きれいに飾る/길～ 늘이다 長く伸ばす. ③"もしそうすればこうなるのではないか"の意. ¶안 가면 큰일나～ 行かないと大変なことになるじゃないか/그럼 좋～ そうならどんなにかよかろう.
게-거품 명 ①かに(蟹)の吹き出す泡. ②(人または動物が口から吹く)泡; あぶく. ¶～을 뿜다〔튀기다〕泡を吹く; 泡を飛ばす.
게걸 명 食い意地. ——스럽다 형 がつがつしている; 食い意地が張っている. ¶게걸스럽게 먹다 むさぼり〔がつがつ〕食う.
게걸-거리다 자 しきりに不平を鳴らす; 盛んに愚痴をこぼす. 게걸-게걸 부하자 不平たらたら; ぶつぶつ.
게걸-들다 자 食い意地が張っている; 意地汚ない.
게걸-들리다 자 食い意地が張る; がつがつする.
게걸-떼다 자 食い飽きる.
게-걸음 명 (かに(蟹)のように)横に歩くこと; かにまた歩き.
게걸음-치다 자 ①かにまたに歩く. ②たじろぐ; しり込みする; (事業が)芳しく〔思わしく〕ない.
게꽁지만-하다 형 (知識·才能が)極めて乏しい; 取るに足らない.
-게끔 어미 "게"を強める語: …ように. ¶탈이 없～ 잘 처리하여라 差し障りのないようによく処理しなさい.
-게나 어미 "-게"よりも親密感がある語: …よな; …なよ. ¶늦지 말고 오～ 遅れないで帰れよな/많이 사 두～ たくさん買って置きなよ.
게나-예나 부 そこもここも. ¶돈 벌기 힘들기는 ～ 마찬가지 金もうけが難しいのはそこもここも同じである.
게네 대 相手方をやや見下げていう語: 彼ら; あれら. ¶～가 책임을 져야지 彼らが責任を負わにゃ.
게-눈 명 かに(蟹)の目. ¶～ 감추듯 한다《俚》瞬く間に平らげるさま.
게다¹ 타 ↗게우다.
게다², 게다가 부 ①"거기에다가(=そこに)"の意. ¶～ 놓아라 そこに置きなさい. ②それに; その上に; なおかつ; さらに. ¶머리도 아프고 ～ 감기기도 있다 頭も痛いしそれに風邪気味だ/영어도 하고 ～ 독일어도 하지 英語も話せるしおまけにドイツ語もできる.
게-딱지 명 かに(蟹)の甲羅.
게딱지만-하다 형 (家が)非常に小さい; ちっぽけだ.
게르다 형 ↗게으르다. >개르다.
게름 명 ↗게으름. >개름.
‖——뱅이 명 ↗게으름뱅이. ——쟁이 명 ↗게으름쟁이.
게릴라 〔ス guerilla〕명 ゲリラ.
‖——전 명 ゲリラ戦. —— 전술 명 ゲリラ戦術; 遊撃戦法.
게서¹ 조 "에게서"の略語: …から《終声の無い語に使う》. ¶내～ 가지고 간 책 わたし(の所)から持って行った本.
게서² 준 [↗거기에서] そこで. ¶～ 놀아라 そこで遊びなさい.
게시【揭示】명 掲示. ——하다 타 掲示する; 掲げる. ¶～판 掲示板/성적을 ～하다 成績を張り出す.
-게시리 어미 ☞-게끔.
게양【揭揚】명 掲揚. ——하다 타 掲揚する; 掲げる. ¶국기를 ～하다 国旗を揚げる.
게염 명스형 ひどいねたみ. >개염. ¶～이 나다 ねた(妬)みが生ずる/～을 내다 しっと〔ねたみ〕をおこす; しっとする; やきもちをやく/～을 부리다 しっとをする; ねたむ.
게우다 타 吐き出す. ①(食べたものを)吐く; 返す; 戻す; へど(反吐)を吐く. ¶게울 것 같다 戻し〔吐き〕そうになる. ②(不正な所得などを)吐き出す. ¶횡령한 돈을 게워내게 하다 横領した金を吐き出させる.
게으르다 형 怠惰だ; ぶしょう(無精)だ. ¶게으른 사람 なまけもの; ものぐさな人/게으른 놈 짐 탐한다 なまくらの大荷物. >개으르다. 준 게르다·겔르다.
게으름 명 怠惰; ぶしょう(無精); ものぐさ. 준 게름. >개으름. ¶～을 부리다〔피우다〕怠ける; 怠る; ずるける; サボる〈俗〉/～을 피우는 버릇이 들었다 怠け癖がついた.
‖——뱅이 명《俗》怠け者; のらくら者; ものぐさ太郎. 준 게름뱅이. ——쟁이 명 怠け者; 不精者. 준 게름쟁이.
게을러 빠지다 형 極めて怠惰だ. >개을러 빠지다. 준 겔러빠지다.
게을리 부 怠って; おろそかに. >개을리. 준 겔리. ——하다 타 怠る; おろそかにする. ¶주의를 ～하다 用心を怠る/학업을 ～하다 学業をおろそかにする.
게임 〔game〕명 ゲーム.
‖—— 세트 명 ゲームセット. ——스 올

명 ゲームズオール. ── 카운트 명 ゲームカウント. ── 포인트 명 ゲームポイント.

게-장【─醬】명 ①しょうゆ(醬油)に漬けこんだかに(蟹). ②かにを漬けたしょうゆ.

게재【揭載】명 掲載; 登載. ──-하다 타 掲載する; 載せる. =싣다. ¶논문을 잡지에 ~하다 論文を雑誌に載せる.

게-젓 명 かに(蟹)のしょうゆ漬け.

게-트림 명하자 おおぎょうなおくび〔げっぷ〕.

겐 준 [↗게는] …には. ¶네~ 없다 君にはない.

-겐 준 [↗-게는] ①…のところは. ¶우리~ 풍년이다 うちらの所は豊年だよ. ②…程(に)は. ¶눈이 부시~ 밝지 않다 まぶしいほど(に)は明るくない.

겔러 빠지다 형 ↗게을러 빠지다. >갤러 빠지다.

겔르다 자 ↗게으르다. >갤르다.

겔리 부 ↗게을리. >갤리.

-겠- 선어미 ①語幹について未来を表わす語. ¶내일 떠나~다 明日出発する(よ)/내일 가~다 明日いくつもりだ. ②推測の意を表わす語. ¶여보게, 자네도 그렇게 생각하~지 な, 君もそう思うだろう/아마 틀리~지 多分違うだろうな.

겨 명 ぬか(糠); こぬか.

겨냥 명 ①ねらい. ──-하다 타 ねらう; ねらいをつける. ¶~이 빗나가다 ねらいが外れる/참새를 ~하다 すずめをねらう. ②見取りの寸法と様式; 見本.

‖──-도(圖) 명 見取り図.

겨냥-내다 타 実物と照らし合わせて寸法と様式を決める; 見取る.

겨냥-대다 타 ①目的物を見計らう. ②ねらいを定める.

겨냥-보다 타 当たり〔ねらい〕をつけてみる; (標準に)比べ合わせて見る.

겨누다 타 ①ねらう; ねらいをつける. ¶적을 겨누고 쏘다 敵をねらって射つ. ②(長さなどを)比べ合わせて見る.

겨눠 보다 타 ①(まっすぐに)ねらって見る. ②(ある物を標準に)比べ合わせて〔引き当てて〕見る; あてをつけて見る.

겨드랑 명 ↗겨드랑이.

‖──-이 명 ①わき(脇·腋)(の下); えきか(腋窩). ¶~ 털 わき毛/~ 밑 わき下/~를 간질이다 わきをくすぐる/살짝 ~에 끼다 小わきにかかえる. ②着物のわき.

겨레 명 同族; 同胞; はらから.

‖──-붙이 명 同族(の人).

겨루다 타 競う; 争う; 張り合う. ¶무예를 ~ 武芸を競う/성적을 ~ 成績を張り合う/겨룰만 한 자가 없다 立ち並ぶものがない.

겨룸 명 競うこと. ──-하다 타 競う; 競争する; 張り合う.

겨를 명 いとま(暇); 間; 余暇; 暇. ¶눈붙일 ~도 없다 一睡の暇もない/자리에 붙어 있을 ~이 없다 席暖まるいとまもない.

겨우 부 やっと; ようやく; 辛うじて; わずか. ¶~ 십만원이다 わずか十万ウォンである/살림을 ~ 꾸려 나가다 辛うじて暮らしを立てて行く/~ 몸만 빠져 도망쳐 왔다 わずかに身をもって逃げて来た.

겨우-내 부 [←겨울내] 冬の間ずっと; 冬すがら. ¶~ 서울에 있었다 冬をソウルで過ごした.

겨우-살이 명 ①冬着; 冬物. ②冬越し. =과동(過冬).

겨울 명 冬. ¶쓸쓸한 ~ 풍경 寂しい冬景色/~이 되다 冬になる.

‖──-날 명 冬の日和. ──-내 부 ☞ 겨우내. ── 방학(放學) 명 冬休み. ──-새 명 冬鳥. ──-잠 명 ☞ 동면(冬眠). ──-철 명 冬季. =동절(冬節).

겨워-하다 타 …にとって及ばないと〔…し過ぎると; 手に負えないと〕思う; 持て余す. ¶자식이 많아서 힘에 ~ 子供を持て余している.

겨자 명 ①〘植〙からしな(芥子菜). ②からし(芥子).

‖──-씨 명 ①からし(芥子)の種; けし(罌粟); けし粒. ②非常に小さいもののたとえ.

격【格】명 格. ①品位; 柄. ¶~이 떨어지다 格が下がる/~이 다르다 格が違う. ②身分; 分際; 分; 柄. ¶…~으로 …の格で/~에 맞지 않는 직책 柄にない役目/~이 높다 格が高い. ③文章での関係; 格. ¶주~ 主格/목적~ 目的格. ④三段論法の形式; 格.

격감【激減】명하자타 激減. ¶매상이 ~하다 売り上げが激減する.

격검【擊劍】명하자 ①擊劍; 剣術. ②☞ 검도.

격-나다【隔─】자 (仲が)疎くなる; 仲たがいする.

격납-고【格納庫】명 格納庫.

격년【隔年】명하자 隔年. ¶대회를 ~으로 개최하다 大会を隔年に催す.

격노【激怒】명하자 激怒. ¶동지의 배반에 ~하다 味方の裏切りに激怒する.

격돌【激突】명하자 激突.

격동【激動】명하자타 ①激動. ¶~기 激動期/~하는 세계 激動する世界. ②大いに感動すること.

격려【激勵】명 激励. ──-하다 타 激励する; 励ます. ¶~사 激励の辞/질타 ~ 叱咤激励/서로서로 ~하다 共共励まし合う.

격렬【激烈】명 激烈. ──-하다 형 激烈だ; 激しい. ¶~하게 논쟁하다 激烈に論争する. ──-히 부 激烈に; 激しく.

격론【激論】명하자 激論. ¶회의에서 ~하다 会議でもみ合う/의안의 찬부를 둘러싸고 ~하다 議案の賛否を巡って激論する.

격류【激流】명 激流; 奔流. ¶~가 소용돌이치다 激流が渦巻く/~가 제방을 파괴하였다 奔流が堤防

〔土手〕を破壊した.

격리【隔離】명하자 隔離. ¶ 환자를 ~하다 患者を隔離する.

‖── 병사 명 隔離病舍. ── 병원 명 隔離病院; 避病院. ──-실 명 隔離室.

격멸【擊滅】명하자 擊滅. ¶ 적을 ~하였다 敵を擊滅した.

격무【激務】명 激務〔劇務〕; 激職〔劇職〕. ¶ ~에 견뎌냈다 激務に耐え抜いた.

격문【檄文】명 げきぶん(檄文); げき(檄); マニフェスト. ¶ 급한 ~ うげき(羽檄) / ~을 돌리다〔띄우다〕げきを飛ばす.

격발【擊發】명하자타 擊発.

‖── 장치 명 擊発装置.

격벽【隔壁】명하자 ① 壁で隔てること. ② 仕切り.

격변【激變】명하자 激変〔劇変〕.

격-변화【格變化】명 〔語〕格変化.

격분【激憤】명하자 激憤; 憤激.

격분【激奮】명하자 いきり立つこと; 激高·げっこう. ¶ 모욕을 당하고 ~하였다 侮辱を受けていきり立った.

격상【格上】명하타 格上げ.

격세【隔世】명하자 隔世.

‖── 유전 명하자 隔世遺伝; 先祖返り; 帰先遺伝. ──지-감(之感) 명 隔世の感.

격식【格式】명 格式; 様式. ¶ ~을 차리다 様式張る; 格式張る; 改まる / ~을 존중하다 格式を重んずる.

격실【隔室】명 隔て部屋.

격심【激甚】명 激甚〔劇甚〕. ──-하다 형 激甚だ; 甚だしい. ¶ 변화가 ~하다 変化が激しい / 적에게 ~한 손해를 입히다 敵に甚大な損害を与える. ──-히 부 激甚に; 甚だしく.

격언【格言】명 格言.

격월【隔月】명하자 隔月; 一月置き. ¶ 전집을 ~로 배본하다 全集を隔月に配本する.

‖──-간(刊) 명 隔月刊行.

격의【隔意】명 隔意; へだてのある心; 隔心. =격심. ¶ ~없이 이야기하다 隔意なく話す; 心置きなく話す.

격일【隔日】명하자 隔日; 一日置き.

격자【格子】명 ① 格子. ¶ ~ 모양의 그물 格子状の網. ② 結晶格子. ③ 回折格子. =회절발. ④〔電〕グリット.

‖──-문 명 格子門; 格子戸. ── 무늬 명 格子じま(縞). ──-창 명 格子窓.

격전【激戰】명하자 激戦. ¶ ~지 激戦地.

격정【激情】명 激情. ¶ 한때의 ~에 이끌리다 一時の激情に駆られる.

격조【格調】명 格調. ¶ ~ 높은 시 格調高い詩.

격조【隔阻】명하자 ① 遠く離れて相通じないこと. ② 御無音; ごぶさた(御無沙汰); そいん(疎音). ¶ 속사에 쫓기다 보니 오랫동안 ~했습니다 俗用に追われてすっかりごぶさた致しました.

격-조사【格助詞】명 〔言〕格助詞.

격주【隔週】명하자 隔週; 一週置き.

격증【激增】명하자 激増. ¶ 주문이 ~하다 注文が激増する.

격-지다【隔—】자 仲たがいする.

격진【激震】명 激震. ¶ ~으로 많은 집이 무너졌다 激震で多くの家がつぶれた.

격차【格差】명 格差. ¶ 임금 ~ 賃金の格差.

격차【隔差】명 隔たり; 懸隔. ¶ ~가 생기다 隔たりができる; 開く.

격찬【激讚】명 激賞. ──-하다 타 激賞する; 誉めちぎる. ¶ ~을 받다 激賞を浴びる / 입을 모아 ~하다 口をそろえて誉めちぎる.

격추【擊墜】명하타 擊墜. ──-하다 타 擊墜する; 擊ち落とす. ¶ 적기를 ~시키다 敵機を擊墜さす.

격침【擊沈】명하타 擊沈. ¶ 잠수함에 ~당하다 潜水艦に擊沈される.

격통【激痛】명 激痛. ¶ ~을 느끼다 激痛を覚える.

격퇴【擊退】명하타 擊退. =격양(擊攘). ¶ 적의 대군을 ~하다 敵の大軍を擊退する.

격투【格鬪】명 格闘; 取っ組み合い. ──-하다 자 格闘する; ねじ合う. ¶ 강도와 ~하여 잡았다 強盗と格闘してとっつかまった.

격투【激鬪】명하자 激闘. ¶ 적군을 ~ 끝에 물리쳤다 敵軍を激闘の末退けた.

격파【擊破】명 擊破. ──-하다 타 擊破する; 打ち破る. ¶ 적의 주력을 ~하다 敵の主力を擊破する.

격하【格下】명하자 格下げ. ¶ 부장에서 과장으로 ~시키다 部長から課長に格下げする.

격-하다【隔—】타 隔てる. ¶ 여기에서 3킬로 격한 곳에 강이 있다 ここから三キロほど隔たった所に川がある.

격-하다【激—】자 激する; 激越する. ¶ 격한 어조 激越な口調 / 격한 마음을 가라앉혔다 激した心を静めた.

격화【激化】명 激化·げっか. ──-하다 자 激化する; 募る. ¶ 전투가 ~하다 戦闘が激化する.

격화 소양【隔靴搔痒】명 かっかそうよう(隔靴搔痒).

겪다 타 ① 経験する; 経る. ¶ 온갖 고초를 ~ あらゆる難儀をなめる; 辛酸をなめる / 허다한 곤란을 겪고나서 성공을 거두었다 幾多の困難を経て成功を収めた. ② (客を) もてなす. ¶ 손님을 ~ 客をもてなす.

견강 부회【牽强附會】명하자 牽強付会; こじつけ. ¶ 그의 설에는 ~한 데가 많다 彼の説には牽強付会な所が多い.

견고【堅固】명 堅固. ──-하다 형 堅固だ; 堅い. ¶ ~한 건물 堅固な建

物. ——-히 [부] 堅固に; 堅く. ¶ 여러 나라와 유대를 ~ 하다 諸国とのちゅうたい(紐帯)を堅くする.

견과【堅果】[명]〔植〕堅果.

견디다 ㊀[자] ① たいして窮することなく暮らして行く. ¶ 그럭저럭 견뎌 가다 まあまあ無難に暮らして行く. ② 長持ちする; 持ち堪える; 保つ. ¶ 오래 ~ 長く保つ / 오랜 사용에 ~ 長く使用にたえる. ㊁[타] 我慢する; 堪える. ¶ 더위를 참고 ~ 暑さを耐え忍ぶ / 아픔을 ~ 痛みを堪える / 더워서 못 견디겠다 暑くてかなわない.

견뢰【堅牢】[명] けんろう(堅牢). ——-하다 [형] 堅牢だ; 頑丈だ.

견마【犬馬】[명] 犬馬.

‖——-지-로(之勞) [명] 犬馬の労. ¶ ~를 아끼지 아니하다 犬馬の労を惜しまない / ~를 다하다 犬馬の労を尽くす.

견문【見聞】[명][하타] 見聞; 見聞き. ¶ ~을 넓히다 見聞を広める.

‖——-록 [명] 見聞録; メモワール. ——일치 [명] 見聞が一致すること.

견물 생심【見物生心】[명] 物を見ると欲が生じることの意.

견본【見本】[명] 見本; サンプル. ¶ 상품의 ~ 商品の見本.

‖——-쇄 [명] 見本刷. ——-시(市), ——시장 [명] 見本市.

견비【肩臂】[명] 肩ひじ(肘).

‖——-통(痛) [명]〔韓醫〕肩または肩からひじまでの部分の神経痛.

견사【絹絲】[명] 絹糸. ¶ 인조 ~ 人造絹糸.

‖—— 방적 [명] 絹糸紡績.

견습【見習】[명] 見習い. ——-하다 [타] 見習う. ¶ ~공 見習工. =수습공(修習工).

견식【見識】[명] 見識; 識見. ¶ ~이 넓다 見識が広い.

견실【堅實】[명] 堅実. ——-하다 [형] 堅実だ; 手堅い. ¶ ~한 투자이다 堅実な投資である / ~한 장사 堅い商売. ——-히 [부] 堅実に; 手堅く.

견우【牽牛】[명] ① ↗견우성(牽牛星). ②〔植〕☞ 나팔꽃.

‖——-성 [명] けんぎゅう(牽牛)星; ひこ星; アルタイル. —— 직녀(織女) [명] 牽牛星と織女星; めおと星.

견원【犬猿】[명] 犬猿. ¶ ~지간 犬猿の仲 / ~지간 이상으로 아주 나쁜 사이 犬猿もただならぬ仲.

견인【牽引】[명] けんいん(牽引). ——-하다 [타] 牽引する; ひっぱる.

‖——-력 [명] 牽引力. —— 자동차 [명] 牽引(自動)車; トラクター.

견장【肩章】[명] 肩章. ¶ ~을 달다 肩章を付ける.

견적【見積】[명] 見積もり. ——-하다 [타] 見積もる. ¶ ~서 見積書 / ~ 가격 見積価格 / 예산을 ~하다 予算を見積る.

견제【牽制】[명][하타] けんせい(牽制). ¶ ~구 牽制球 / 적의 공격을 ~하다 敵の攻撃を牽制する.

견주다 [타] ① 比較する; なぞらえる. ¶ 키를 견주어 보다 背を比べて見る / 여비와 견주어서 여정을 정하다 費用とにらみ合わせて旅程をきめる. ② 競う; 張り合う. ¶ 실력을 ~ 実力を競う.

견지 [명] 釣糸を巻いたり緩めたりするのに用いる舞い羽.

‖——-질 [명][하자] "견지"でする釣り.

견지【見地】[명] 見地. ¶ 사적인 ~ 私的な見地 / 대국적인 ~에서 보다 大局的な見地から見る.

견지【堅持】[명] 堅持. ——-하다 [타] 堅持する; 立て通す. ¶ 전통을 ~하다 伝統を守る.

견직【絹織】[명] ↗견직물.

견-직물【絹織物】[명] 絹織物; 絹布. ㊟ 견직.

견진【堅振】, **견진 성사**【堅振聖事】[명]〔天主教〕堅信式; 堅信礼.

견책【譴責】[명][하타] けんせき(譴責). ¶ ~ 처분 譴責処分 / 실정을 ~하다 失政を譴責する.

견치【犬齒】[명] 犬歯. =송곳니.

견학【見學】[명][하타] 見学. ¶ 공장 ~ 工場見学 / ~ 가다 見学に行く.

견해【見解】[명][하타] ① 見て悟ること. ② 見解; 意見. ¶ 피상적 ~ 皮相の見 / 양자의 ~에 차이가 있다 両者の見解にずれがある.

결다[1] ㊀[자] ① (油気が)しみこむ; しみ入る. ¶ 땀에 결은 옷 汗に汚れた服. ② 手慣れる. ¶ 손에 결은 솜씨 手慣れた腕前. ㊁[타] しみこます. ¶ 장판지를 기름에 ~ オンドル紙に油をしみこます.

결다[2] [타] ① 編む. ¶ 대바구니를 ~ 竹かごを編む. ② (多くの長いものが倒れないように)筋交いに支え立てる.

결-지르다 [타] ① 筋交いになるようにかけ合う. ② 筋交いに差し込む.

결-질리다 ㊀[피동] 筋交いにされる. ㊁[자] ① 筋交いになる. ② (事が食い違って)都合悪くなる. ③ (仕事がきつくて)懲りる.

결 ㊀[명] ① 木目. ¶ ~이 곱다 木目がこまかい. ② 息づかい·波などのような高低の変化. ¶ 물~ 波 / 숨~ 息づかい. ③ ↗성결. ④ ↗결기. ¶ ~이 삭다 憤りが静まる. ㊁[의명] ついで; 折; 際; すがら; "…の間に"などの意. ¶ 어느 ~에 いつの間にか / 꿈~에 夢の間に / 지나는 ~에 들르다 道すがら立ち寄る.

결-가부좌【結跏趺坐】[명][하자]〔佛〕けっかふざ(結跏趺坐); れんげ坐.

결강【缺講】[명][하자] 欠講.

결격【缺格】[명][하자] 欠格. ¶ ~자 欠格者 / ~ 조건 欠格条件.

결결-이 [부] ① その度ごとに. ② ときどき.

결과【結果】[명] 結果.

‖——-기 [명]〔植〕結果期. ——-론 [명] 結果論. ——-범 [명]〔法〕結果犯. =실질범.

결구【結句】[명] 結句.

결국【結局】 結局. ㊀[명] くっきょう(究竟). ¶ ~은 같은 것이다 結局は同じ事だ. ㊁[부] 到頭. ¶ ~ 네가 나쁘다 結局君が悪い.

결근【缺勤】명 欠勤. ——-하다 자 欠勤する; 休む. ¶~ 신고(申告) 欠勤届け.
결기【一氣】명 ①急な性格. ②怒って果敢にふるまう剛気.
결-나다 자 腹がたつ.
결-내다 자 腹をたてる.
결단【決斷】명 決断; 踏ん切り. ——-하다 타 決断する; 踏ん切る. ¶~력 決断力/~이 빠르다 決断が早い/도무지 ~이 내려지지 않는다 なかなか踏ん切りがつかない. ——-코 부 決して; 断じて. ¶~ 그런 일은 없다 断じてそんな事はない/~ 은혜를 잊어서는 안 된다 仮にも恩を忘れてはならない.
결단【結團】명하자타 結団. ¶~식 結団式.
결당【結黨】명하타 結党. ¶~ 대회 結党大会/새로 보수 정당을 ~하다 新たに保守政党を結党する.
결딴 명 全くだめになること; 台無しになること. ¶~난 집안 没落した家; 落ちぶれた家/시계를 ~내다 時計をこわす.
결렬【決裂】명하자 決裂; 物別れ. ¶교섭이 ~되다 交渉が決裂する/교섭은 ~되고 말았다 交渉は物別れとなった.
결례【缺禮】명 欠礼. ¶상중이라 연하 인사를 ~합니다 喪中につき年賀を欠礼致します.
결론【結論】명하타 結論. ¶대화가 ~에 도달하다 話し合いが結論に達する. ——-짓다 타 結論づける; 結びをつける. ¶이렇게 결론지어도 좋겠지 こう結論してよかろう.
결리다 자 ①(筋肉が)凝る; 張る. ¶어깨가 ~ 肩が凝る; 肩凝りがする. ②ひるむ; すくむ.
결막【結膜】명〔生〕結膜.
‖——-염 명〔醫〕結膜炎. —— 충혈 명〔醫〕結膜充血.
결말【結末】명 結末; けり. ¶~이 나지 않다 らち(埒)があかない/이야기의 ~이 나다 話の決まりがつく/~이 좋지 않게 끝나다 結末が不結果に終わる. ——-나다 자 片が付く; 決まりがつく; けりがつく; 結末がつく. ——-내다 타 結末をつける; けりをつける. ——-짓다 타 けりをつける; メドをつける; まとめる. ¶이야기를 ~ 話を締めくくる.
결명【決明】명〔植〕☞ 결명차(茶).
‖——-자(子) 명 えびすぐさの種. ——-차(茶) 명〔植〕えびすぐさ.
결문【結文】명 結文. =말문(末文).
결박【結縛】명하타 両手を縛ること. ——-짓다 타 両手を縛り上げる.
결발【結髮】명 結髪. ——-하다 자 結髪する; 髪を結い上げる.
결백【潔白】명 潔白; 白〈俗〉. ——-하다 형 潔白だ; 清い. ¶청렴 ~ 清廉潔白/나는 절대로 ~하다 僕は絶対に潔白である.
결번【缺番】명 欠番. ¶병원에서는 4호실은 ~인 수가 많다 病院では第四号室は欠番のことが多い.
결벽【潔癖】명하형 潔癖. ¶더러움을 참지 못하는 ~한 성격 汚されをがまんできない潔癖な性格.
결별【訣別】명하자 決別; 別れ. ¶~사 決別の辞; けつじ(訣辞).
결본【缺本】명 欠本; 端本.
결부【結付】명하타 結びつけること. ¶원인과 결과를 ~시키다 原因と結果を結び付ける.
결빙【結氷】명하자 結氷.
‖——-기 명 結氷期. ——-점 명 氷点. =어는점.
결사【決死】명 決死. ——-하다 자 死を決する. ¶~대 決死隊/~의 각오 決死の覚悟/~적인 모험을 하다 命懸けの冒険をする.
결사【結社】명하자 結社. ¶비밀 ~ 秘密結社.
‖——의 자유 명 結社の自由.
결-삭다 자 勢いが和らぐ. ¶김치가 ~ キムチが熟される.
결산【決算】명 決算; 帳締め. ——-하다 타 決算する; 仕切る. ¶~장부 仕切り帳/상반기의 사업을 ~하다 上半期の事業を決算する.
‖——-기 명 決算期. —— 보고 명 決算報告. ——-서 명 決算書. ——-일 명 決算日. ——-표 명 決算表.
결석【缺席】명하자 欠席; 休み. =궐석(闕席). ¶무단 ~ 無断欠席/신병을 빙자하여 ~하다 病気にかこつけて休む.
‖—— 신고(申告) 명 欠席届け. —— 재판 명하타 欠席裁判. =궐석 재판. —— 판결 명하타 欠席判決. =궐석 판결.
결석【結石】명〔醫〕結石. ¶신장 ~ じん臓結石.
결선【決選】명하타 決選; 最後の当選者や入選者を決めること.
‖—— 투표 명하자타 決選投票.
결성【結成】명하타 結成. ¶~식 結成式/클럽을 ~하다 クラブを結成する.
결속【結束】명하타 結束. ¶재야의 여러 정당이 ~하다 在野の諸党が結束する.
결손【缺損】명 欠損; 赤字; 差損; マイナス. ¶~금 差損金/~을 메우다 欠損を補う/~이 나다 欠損が生じる; 穴があく.
‖—— 가정 명 欠損家庭. ——-금 명 欠損金.
결승【決勝】명하자 決勝. ¶준~ 準決勝/~에서 아깝게도 졌다 決勝で惜しくも負けた.
‖——-선 명 決勝線. ——-점(點) 명 決勝点.
결승【結繩】명 結縄.
‖—— 문자 명 結縄文字.
결식【缺食】명하자 欠食.
‖—— 아동 명 欠食児童. ¶기근 때문에 ~이 늘었다 ききん(飢饉)で欠食児童がふえた.
결실【結實】명하자 結実; 実り; 実入り. ¶~의 가을 実りの秋/사과의 ~기 リンゴの結実期/벼의 ~이 나쁘다 稲の実入りが悪い.

ㄱ

‖——-력 명〔植〕結実力.

결심【決心】명 決心. ——-하다 자타 決心する；思い切る. ¶ 일단 ～한 이상에는 一度決心したからには / 좀처럼 ～이 안 선다 なかなか決心がつかない.

결심【結審】명하타〔法〕結審.

결여【缺如】명하자 欠如. ¶ 자주성의 ～ 自主性の欠如 / 모랄이 ～되어 있다 モラルに欠ける.

결연【結緣】명하자 ① 縁結び；縁組み. ¶ 자매 ～ 姉妹縁組み / 양자 ～을 하다 養子縁組みをする. ②〔佛〕結縁；仏道に縁を結ぶこと.

결연-하다【決然—】형 決然としている. 결연-히 부 決然と. ¶ 폭풍우도 아랑곳하지 않고 ～ 출발하였다 あらしも物ともせず決然と出発した.

결연-하다【缺然—】형 名残惜しい；物足りない.

결원【缺員】명하자 欠員；空席. ¶ ～을 보충하다 欠員を補充する.

결의【決議】명하타 決議；議決. ¶ 불신임안을 ～하다 不信任案を決議する.

‖—— 기관 명 議決機関. ——-문 명 決議文. ——-안 명 決議案.

결의【結義】명하자 結義.

‖—— 형제(兄弟) 명 義兄弟になること. また, その兄弟.

결인【結印】명〔佛〕結印.

결장【結腸】명〔生〕結腸.

‖——-염 명〔醫〕結腸炎.

결재【決裁】명하타 決裁；裁決. ¶ ～필 決裁済み / 장관의 ～를 바라다 長官の決裁を仰ぐ / 부장의 ～를 받다 部長の決裁をもらう.

결전【決戰】명하자 決戦. ¶ 최후의 ～에 대비(對備)하다 最後の決戦に備える.

결점【缺點】명 欠点；短所. ¶ 큰 일을 도모하는 자는 사소한 ～을 탓하지 않는다 大行はさいきん(細瑾)を顧みず.

결정【決定】명하타 決定. ¶ 날짜를 ～하다 日取りを取り決める / ～을 짓다 決定する；定まりをつける.

‖——-권 명 決定権. ¶ ～을 쥐다 決定権を握る. ——-력 명 決定力. ——-적 명관 決定的. ¶ ～인 수 切り札. ——-판 명 決定版. ¶ ～으로서 발간하다 決定版として刊行する.

결정【結晶】명하자 結晶. ¶ 노력의 ～ 努力の結晶 / 사랑의 ～ 愛の結晶.

‖——-도 명〔鑛〕結晶度. ——-면 명 結晶面. ——-질 명 結晶質. ——-체 명 結晶体. ——-형 명 結晶形.

결제【決濟】명하타 ① 決定してけりをつけること. ② 決済. ¶ 수입 대금의 ～ 輸入代金の決済 / 어음을 ～하다 手形を決済する.

‖——-금 명 決済金.

결집【結集】명하자타 結集. ¶ 총력을 ～하다 総力を結集する.

결착【決着·結着】명하자 ☞ 결말.

결초 보은【結草報恩】명하자 結草報恩；死後でも恩に報いること.

결-코【決—】부 [↗결단코] 決して；絶対に. ¶ ～ 용납 않는다 絶対に承知しない / ～ 부자연스럽지 않다 決して不自然ではない.

결탁【結託】명하자 結託. ¶ 정치가와 ～한 상인 政治家とぐるになった商人.

결투【決鬪】명하자 決闘. ¶ ～를 신청하다 決闘を申し込む.

‖——-장(狀) 명 果たし状.

결판【決判】명하자 事の是非を判定すること. ¶ ～이 나다 是非の決定がつく；是非が決まる / ～을 내다 是非の決定をつける；是非を決める；勝負をつける.

결핍【缺乏】명하자 欠乏. ¶ 가솔린 ～ ガソリン欠/ 식량이 ～하다 食糧が欠乏する.

‖——-증(症) 명 欠乏症.

결-하다【決—】타 決する. ① 決定する. ② 勝負を決める.

결-하다【缺—】형자타 不足する；欠ける；欠けている.

결함【缺陷】명 欠陥；欠点. ¶ 성격에 ～이 있다 性格に欠陥がある.

결합【結合】명하자타 結合；むすびあうこと.

‖——-력 명 結合力. —— 조직 명 結合組織；結合織；結締組織. ——-체 명 結合体.

결항【缺航】명하자 欠航. ¶ 폭풍우로 연락선이 ～하다 暴風雨で連絡船が欠航する.

결핵【結核】명〔醫〕結核. ¶ 폐～ 肺結核 / 장～ 腸結核.

‖——-균 명 結核菌. ——-병 명 結核病. ——-성 명 結核性. —— 요양소 명 結核療養所.

결행【決行】명하타 決行. ¶ 우천이라도 ～한다 雨天にかかわらず決行する.

결혼【結婚】명하자 結婚. ¶ ～ 첫날밤을 지내다 結婚初夜を過ごす / ～시키다 結婚させる / 딸을 ～시키다 娘を嫁がせる.

‖——-관 명 結婚観. —— 기념식 명 結婚記念式. —— 반지(斑指) 명 結婚指輪. —— 사진 명 結婚写真. —— 상담소 명 結婚相談所. —— 연령 명 結婚年齢. —— 적령기 명 結婚適齢期. —— 행진곡 명 結婚行進曲；ウェディングマーチ.

겸【兼】의명 二つのことを兼ねることをあらわす語：兼；かたがた. ¶ 수상 ～ 외상 首相兼外相 / 인사드릴 ～ 찾아 뵙겠습니다 お礼かたがた, おうかがいします.

겸무【兼務】명하타 兼務. ¶ 회계를 ～하다 会計係を兼務する.

겸비【兼備】명하타 兼備；兼有. ¶ 재덕을 ～한 여성 才徳兼備の女性.

겸사【謙辭】명하자 ① 謙辞. ② 丁寧に辞退すること.

‖——-말 명 謙譲語.

겸사-겸사 부 事を兼ねて行なうさま：かたがた；かねがね. ¶ 일도 보고 구경도 할 겸 ～ 서울에 왔다 仕事がてら見物も兼ねてソウルにやって

来た.
겸상【兼床】명 하자타 二人が一つの食ぜんをはさんで食事をすること. また, その食ぜん.
겸손【謙遜】명 하형 히부 けんそん(謙遜). ¶ ~한 태도 けんそんな態度.
‖——-법 명〔語〕けんそん法.
겸애【兼愛】명 하자 兼愛.
겸양【謙讓】명 하자타 謙譲. ¶ ~의 미덕 謙譲の美徳.
겸업【兼業】명 하자타 兼業. ¶ 요릿집과 여관을 ~하고 있다 料理屋と旅館を兼業している.
‖—— 농가 명 兼業農家.
겸연-쩍다【慊然—】형 照れ臭い; くすぐったい; 気まずい. ¶ 여러 사람 앞에서 칭찬을 들으니 어쩐지 ~ 皆の前でほめられてなんだかくすぐったい. →계면쩍다.
겸용【兼用】명 하타 兼用.
겸임【兼任】명 하타 兼任; 掛け持ち. ¶ 몇 회사의 중역을 ~하다 幾つかの会社の重役を兼任する.
‖——-지 명 兼任地.
겸자【鉗子】명〔醫〕かんし(鉗子); コッヘル. ¶ 지혈 ~ 止血鉗子.
‖—— 분만 명〔醫〕鉗子ぶんべん(分娩).
겸직【兼職】명 하타 兼職.
겸-치다【兼—】타 兼ね合わせる.
겸-하다【兼—】타 兼ねる. ¶ 꽃구경을 겸하여 花見がてらに / 수상이 외상을 ~ 首相が外相を兼ねる.
겸행【兼行】명 하타 兼行. ¶ 주야 ~으로 일하다 昼夜兼行で働く.
겸허【謙虛】명 하형 謙虚. ¶ ~한 태도 謙虚な態度.
겹 ㊀명 ①(層をなした)重なり. ②(物事が)重なること. ㊁의명 重なった層を数える語: 重. ¶ 한 ~ 一重 / 여러 ~ 多重.
겹-것 명 ①二重になっているものの総称. ②あわせ(袷). =겹옷.
겹겹 명 幾重; 十重二十重. ¶ 층층 ~ 層層累累.
겹겹-이 부 幾重にも; 重なり合って. ¶ ~ 에워싸다 十重二十重に取り囲む / ~ 쌓인 시체 累累たる死体.
겹-글자【—字】명 同じ文字が重なってできた文字(姦·磊など).
겹-꽃 명〔植〕重弁花.
겹낫-표【—標】명 引用符“『 』”の名.
겹-눈 명〔動〕複眼.
겹다 형 ①能力の限度を越している; 余る; 持てあます. ¶ 힘에 ~ 手に余る. ②(感情があふれて)抑えられない. ¶ 눈물~ 涙ぐましい / 흥에 겨워 춤을 추다 興じて舞う.
겹-말 명 重ねことば〔重ね詞〕(완두콩(=豌豆まめ)など).
겹-문자【—文字】명 重ね句(보름밤 십오야(十五夜)(=十五日の夜)(=十五夜)など).
겹-벚꽃 명 八重桜.
겹-사돈【—査頓】명 二重姻戚の間柄.
겹-손톱묶음표【—標】명 二重括弧“《 》”の名.
겹-실 명 合わせ糸.
겹-옷 명 あわせ(袷). =겹것.
겹-이불 명 綿を入れてない裏だけつけた掛け布団.
겹-저고리 명 あわせ(袷)のチョゴリ.
겹-질리다 자 (関節などが)くじ(挫)ける; ねんざ(捻挫)する.
겹-집다 타 多くのものをいちどにつかむ.
겹-창【—窓】명 二重窓.
겹쳐-지다 자 重なる; 畳まる.
겹-치다 자타 ①(物の上に)重ねる. ¶ 상자를 겹쳐 쌓다 箱を積み重ねる / 이불을 겹쳐 깔다 布団を重ね敷く. ②(事が)重なる; かちあう. ¶ 불행이 ~ 不幸が重なる.
겻-불 명 ぬか(糠)をもやす火.
겻-섬 명 ぬか(糠)を入れた俵.
경 명 ひどい苦痛; ひどい目. ¶ ~을 치다 ひどい目に会わせる.
경【景】명 ①↗경치(景致). ②↗경황(景況).
경【經】명 ①[↗경서(經書)] 経. ②[↗불경(佛經)] 経. ③〔基〕☞기도문. ④経; 織物の経糸. ⑤〔地〕[↗경도(經度)] 経. ¶ 동 ~ 30도 東経三十度. ⑥〔地〕[↗경선(經線)] 経.
경【境】명 境. ①地境. ②一定の場所·地域. ¶ 무인지~ 無人の境. ③ある水準に達した心の状態; 境地. ¶ 무아지~ 無我の境地.
경-【輕】두 軽(質量·程度などの軽さを表わす語). ¶ ~금속 軽金属 / ~음악 軽音楽.
-경【頃】미 ころ(頃). ¶ 내달~ 来月当たり / 오후 다섯 시~ 午後五時ごろ.
경-가극【輕歌劇】명 軽歌劇.
경각【頃刻】, **경각-간**【頃刻間】명 寸刻; 寸時. =삽시. ¶ 목숨이 경각에 달려 있다 命たんせき(旦夕)に迫る.
경각【傾角】명 傾角; 方向角.
경감【輕減】명 하타 軽減. ¶ 과세를 ~하다 課税を軽減する.
경감【警監】명 警察公務員の階級の一つ(警視にあたる).
경거【輕擧】명 하자 軽挙. ¶ ~함을 경계하다 軽挙を戒める.
‖—— 망동 명 하자 軽挙妄動.
경건【敬虔】명 하형 히부 けいけん(敬虔). ¶ ~한 태도로 신에게 빌다 敬虔な態度で神に祈る.
경계【境界】명 ①境界; 境. ¶ ~선 境界線 / 토지의 ~에 나무를 심다 地境に木を植える. ②〔佛〕境界.
‖——-석 명 境界石. ——-표 명 境界標.
경계【警戒】명 警戒; 戒め; 諭し. ——-하다 자타 警戒する; 戒める. ¶ 물샐틈 없는 ~ 水ももらさぬ警戒 / ~해야 할 인물 警戒すべき人物.
‖—— 경보 명 警戒警報. ——-망 명 警戒網. ——-색 명 警戒色. ——-선

ㄱ

명 警戒線. ── 수위 명 警戒水位. ── 신호 명 警戒信号. ──-심 명 警戒心.
경고【警告】명하타 警告.
‖── 반응 명〔生〕警告反応. ── 표지(標識) 명 警標.
경골【脛骨】명〔生〕けいこつ(脛骨).
경골【硬骨】명 硬骨.
‖──-지-사(之士) 명 硬骨の士. ──-한 명 硬骨漢.
경골【頸骨】명 けいこつ(頸骨).
경-공업【輕工業】명 軽工業. ¶ ~ 지대 軽工業地帯.
경과【經過】명하자타 経過. ¶ 병의 ~ 病気の経過 / 사건의 ~ 事件のあらまし.
‖── 규정 명 経過規定. ──-법 명 経過法. ── 이자 명 経過利子.
경-과실【輕過失】명 軽過失.
경관【景觀】명 景観. ¶ 웅대한 ~ 雄大な景観.
‖── 지리학 명 景観地理学.
경관【警官】명 [↗경찰관] 警官. ¶ 데모대와 ~이 밀치락달치락하다 デモ隊と警官がもみ合う.
경구【敬具】명 敬具.
경구【警句】명 警句; エピグラム.
‖──-법 명〔文〕警句法.
경구【經口】명 経口. ¶ ~ 투약 経口投薬.
‖── 감염 명 経口感染. ── 면역 명 経口免疫. ── 백신 명 経口ワクチン. ── 피임약 명 経口避妊薬.
경국【傾國】명하자 傾国; 傾城.
‖──-지-색(之色) 명 傾国の美人.
경국【經國】명하자 経国. ¶ ~ 제민 経国済民.
‖── 제세 명 経国済世. ──-지-사(之士) 명 経国の士. ──-지-재(之才) 명 経国の才能.
경-금속【輕金屬】명 軽金属.
‖── 공업 명 軽金属工業.
경기【京畿】명 京畿. ① ソウルを中心とする付近の土地. ② ↗경기도.
‖──-도(道) 명〔地〕京畿道.
경기【景氣】명 景気. ¶ 호~ 好景気 / 불~ 不景気.
‖── 대책 명 景気対策. ── 동향 지수 명 景気動向指数. ── 변동 명 景気変動. ── 지표 명 景気指標. ── 회복 명 景気回復. ── 후퇴 명 景気後退.
경기【競技】명하자 競技. ¶ 육상 ~ 陸上競技 / 멋진 ~ 鮮やかな競技〔プレー〕/ 일방적 ~ ワンサイドゲーム.
‖──-자 명 競技者; プレーヤー. ──-장 명 競技場. ── 종목 명 競技種目.
경기【驚氣】명〔韓醫〕☞ 경풍(驚風).
경-기관총【輕機關銃】명〔軍〕軽機関銃; 軽機. (준) 경기(輕機).
경-기구【輕氣球】명 軽気球.
경내【境內】명 境内. ¶ 절의 ~ 寺内; 山内.
경-노동【輕勞動】명 軽労働.
경단【瓊團】명 団子.
경대【鏡臺】명 鏡台.
경도【京都】명 ☞ 서울.
경도【硬度】명 硬度.
‖──-계 명 硬度計.
경도【經度】명 ①〔地〕経度. ¶ ~와 위도 経度と緯度. ② 月経; メンス.
경도【輕度】명 軽度. ¶ ~의 화상 軽度の火傷.
경독【經讀】명하자〔佛〕読経.
경동【傾動】명〔地〕傾動.
‖──-성 명 傾動性. ── 지괴 명〔地〕傾動地塊.
경동【輕動】명 軽挙. ──-하다 자 軽軽しくふるまう.
경락【經絡】명〔韓醫〕経絡.
경락【競落】명 競落. ──-하다 타 競落する; 競り落とす. ¶ ~ 기일 競落期日.
‖──-물 명 競落物. ──-인 명 競落人.
경략【經略】명하타 経略. ¶ 천하를 ~하다 天下を経略する.
‖──-사 명 経略史.
경량【輕量】명 軽量. ¶ ~급 선수 軽量級の選手.
‖── 콘크리트 명 軽量コンクリート.
경력【經歷】명하타 経歴; 履歴. ¶ ~을 조사하다 経歴をしらべる.
‖──-담 명 経歴談.
경련【痙攣】명 けいれん(痙攣); ひきつり; ひきつけ. ¶ 허벅지에 ~을 일으키다 もも(股)にけいれんを起こす.
‖──-증 명 けいれん症.
경례【敬禮】명하자 敬礼. =예(禮). ¶ 거수 ~를 하다 挙手敬礼をする.
경로【敬老】명하자 敬老. ¶ ~회 敬老会.
‖──-당(堂) 명 敬老を宗として建てた, 老人たちのいこいの家.
경로【經路】명 経路〔径路〕. ¶ 변천의 ~ 変遷の経路 / 같은 ~를 밟다 同じ径路をたどる.
경륜【經綸】명하타 けいりん(経綸). ¶ ~지사 経綸の士 / 국가 ~의 인재 国家経綸の材.
‖──-가 명 経綸家.
경륜【競輪】명하자 競輪. ¶ ~ 대회 競輪大会.
경리【經理】명하타 経理. ¶ ~과 経理課 / ~ 사무 経理事務.
‖── 부정 명 経理不正.
경마 명 差し縄; 差し綱.
경마【競馬】명하자 競馬. ¶ ~말 かけうま(賭馬) / ~를 하다 競馬をする / ~로 재산을 날리다 競馬で身代をつぶす.
‖──-장 명 競馬場: 馬場.
경마 잡다 자 差し縄を取って馬を駆る.
경마 잡히다 사동 差し縄を取らす. ¶ 말 타면 경마 잡히고 싶다《俚》ろう(隴)を得てしょく(蜀)を望む.
경망【輕妄】명스형 言動の軽はずみでそそっかしいこと. ──-하다 형 軽はずみだ; そこつ(粗忽)だ. ¶ ~한 사람 脳天気 / 그는 ~한 놈이야 あれは脳天気な奴だよ. ──-히 부 軽はずみに; そこつ〔うかつ〕に.
경매【競賣】명하타 競売; 競り売

うり. ¶우표 ~ 切手のオークション.
‖── 기간 명 競売期間. ── 기일 명 競売期日. ── 시장(市場) 명 競り市. ──-인 명 競売人.
경-매매【競賣買】명하자〔經〕競売買.
경멸【輕蔑】명하타 軽蔑; 軽侮. ¶~의 눈초리 軽蔑のまなざし / ~하는 눈으로 보다 軽侮の目で見る.
경모【敬慕】명하타 敬慕. ¶~하는 은사 敬慕する恩師.
경모【輕侮】명하타 軽侮; 軽蔑.
경묘【輕妙】명하형히부 軽妙. ¶~한 필치 軽妙な筆致.
경무【警務】명 警務.
‖──-관(官) 명 警察公務員の階級の一つ《治安監の下》.
경문【經文】명 経文. ¶~을 읽다 経を読む.
경물【景物】명 景物.
경미【輕微】명 軽微. ──-하다 형 軽微だ; 軽い. ¶~한 손해 軽微な損害 / ~한 상처 ちょっとした傷.
경박【輕薄】명하형히부 軽薄. ¶~한 사람 軽薄な人; 調子者 / ~한 식견 近目.
‖── 부허(浮虛) 명하형 軽兆浮薄. =경조 부박. ── 소년(少年) 명 軽薄な若者.
경배【敬拜】명하자 敬拝.
경백【敬白】명 敬白. =경구(敬具).
경벌【輕罰】명 軽罰.
경범【輕犯】명 ↗경범죄.
경-범죄【輕犯罪】명 軽犯罪.
경변【硬變】명하자 硬変.
‖──-증 명〔醫〕硬変症. ¶간~ 肝硬変症.
경보【競步】명 競歩; ウォーキングレース. ¶1만 미터 ~ 一万メートル競歩.
경보【警報】명 警報. ¶경계 ~ 警戒警報.
‖──-기 명 警報器.
경복【敬服】명하자 敬服. ¶마음으로 ~하다 心から敬服する.
경부【頸部】명 けいぶ(頸部). ¶자궁 ~ 子宮頸部.
경비【經費】명 経費. ¶~ 절감 経費節減 / ~가 들다 経費がかかる.
경비【警備】명하타 警備. ¶국경을 ~하다 国境を警備する / ~가 엄하다 警備が厳重である.
‖── 계엄 명 警備戒厳. ──-대 명 警備隊. ──-병 명 警備兵. ──-선 명 警備船. ──-원 명 警備員. ──-함 명 警備艦.
경-비행기【輕飛行機】명 軽飛行機.
경사【傾斜】명 傾斜; 傾き. ¶~도 傾斜度; 斜度 / 배의 ~가 심하다 船の傾きがひどい. ──-지다 자 傾斜する; 一方に傾く; 傾斜になる.
‖──-계 명 傾斜計. ──-면 명 傾斜面. ── 생산 명 傾斜生産. ── 습곡 명 傾斜しゅうきょく(褶曲). ──-의 명 傾斜儀. =클리노미터. ──-지 명 傾斜地. ──-지 농업 명 傾斜地農業.
경사【慶事】명 慶事; 喜び(こと); めでたいこと; 吉事. ¶나라의 ~ 国の慶事 / 이웃집에 ~가 있다 隣にお喜びがある. ──-롭다, ──-스럽다 형 喜ばしい; めでたい. ──-로이, ──-스레 부 喜ばしく.
경사【警査】명 警察公務員の階級の一つ《巡査部長に当たる》.
경산-부【經産婦】명 経産婦.
경상【經常】명 経常.
‖── 거래(去來) 명 経常取引. ── 계정(計定) 명 経常勘定. ──-비 명 経常費. ──-세 명 経常税. ── 수입 명 経常収入. ──-적 명관 経常的. ¶이것은 ~인 지출에 불과하다 これは経常的支出に過ぎない.
경상【輕傷】명하자 軽傷. ¶~을 입다 軽傷を受ける; 浅手を負う.
경색【梗塞】명하자 こうそく(梗塞). ¶금융 ~ 金融梗塞 / 심근 ~ 心筋梗塞.
경서【經書】명 経書.
경석【輕石】명 軽石; 浮き石. =속돌.
경선【經線】명〔地〕経線.
경선【鯨船】명 捕鯨船.
경성【京城】명 京城. ① 都. ② 京城《ソウルの旧称》.
경성【硬性】명 硬性.
‖── 하감 명 硬性げかん(下疳). ── 헌법 명 硬性憲法.
경세【經世】명하자 経世.
‖──-가 명 経世家. ── 제민 명 経世済民. ──-지-재 명 経世の才. ──-지-책(之策) 명 経世の策.
경소【輕小】명하형 軽少.
경-소리【經─】명 読経の声.
경솔【輕率】명 軽率. ──-하다 형 軽率だ; 軽はずみだ. ¶~한 생각을 뉘우치다 軽率な考えを悔いる. ──-히 부 軽率に.
경수【硬水】명〔化〕硬水. =센물.
경수-로【輕水爐】명〔物〕軽水炉.
경-순양함【輕巡洋艦】명〔軍〕軽巡洋艦.
경승【景勝】명 景勝.
‖──-지 명 景勝の地.
경시【輕視】명 軽視. ──-하다 타 軽視する; 侮る. ¶남을 ~하다 人を軽く見る.
경식【硬式】명 硬式.
‖── 비행선 명 硬式飛行船. ── 야구 명 硬式野球. ── 정구 명 硬式庭球; テニス.
경식【輕食】명 軽食.
경신【更新】명하타 更新. ¶기록을 ~하다 記録を更新する. ＊갱신(更新).
경신【敬神】명하자 敬神.
‖── 숭조(崇祖) 명 神を敬い, 祖先を崇めること.
경신【輕信】명하타 軽信.
경악【驚愕】명하자 驚愕. ¶~을 금치 못하다 驚愕に耐えない.
경애【敬愛】명하타 敬愛. ¶~하는 벗 敬愛する友.
경애【境涯】명 境涯.

ㄱ

ㄱ

경야【經夜】[명][하타] ① 徹夜; 夜明かし; 夜を過ごすこと. ② 通夜.
경어【敬語】[명] 敬語. ¶～법 敬語法/～체 敬体.
경-없이【景―】[부] [↗경황없이] あまりにもせわしかったり, ごたついていて心のゆとりのないさま.
경역【境域】[명] 境域.
경연【慶宴】[명] 慶祝の宴.
경연【競演】[명][하타] 競演. ¶～ 대회 コンテスト/음악 ～ 대회 音楽コンテスト.
경-연극【輕演劇】[명] 軽演劇.
경염【競艶】[명][하자] 競艶. ¶～ 대회 競艶大会/백화가 ～하다 百花けん(妍)を競う.
경영【經營】[명] 経営. ――-하다 [타] 経営する; 営む. ¶～난 経営難/천하를 ～하다 天下を経営する.
‖―― 경제학 [명] 経営経済学. ＝경영학. ―― 관리 [명] 経営管理. ――-권(權) [명] 経営権. ―― 분석 [명] 経営分析. ―― 비교 [명] 経営比較. ――-자 [명] 経営者. ―― 자금 [명] 経営資金. ―― 자본 [명] 経営資本. ―― 조직 経営組織. ―― 참가 [명] 経営参加. ―― 통계 [명] 経営統計. ――-학 [명] 経営学. ―― 합리화 [명] 経営合理化.
경영【競泳】[명][하자] 競泳. ¶～ 종목 競泳種目.
경오 [명] ←경위(涇渭).
경옥【硬玉】[명] 硬玉.
경옥-고【瓊玉膏】[명]〖韓醫〗 補血に用いる強壮剤の一つ.
경외【敬畏】[명][하타] けいい(敬畏); 敬い恐れること.
경우【境遇】[명] その時のなりゆきや事情; 場合. ¶만일의 ～ 万一の場合/때와 ～에 따르다 時と場合に依る.
경운【耕耘】[명][하타] 耕耘. ‖――-기 [명] 耕耘機. ――-선 [명] 耕耘船.
경원【經援】[명] [↗경제 원조] 経援.
경원【敬遠】[명][하타] 敬遠. ¶사장을 ～하다 社長を敬遠する.
경위【涇渭】[명] 道理上の善し悪しと是非の区別. ¶～ 밝은 사람 道理に違わない人. →경오.
경위【經緯】[명] 経緯. ① たて糸とよこ糸. ② いきさつ. ¶사건의 ～를 설명하다 事件のいきさつを説明する. ③ 経線と緯線.
‖――-도 [명] 経緯度. ――-선 [명] 経緯線. ――-의 [명] 経緯儀.
경위【警衛】[명] 警衛. ① 警戒し護衛すること. ② 警察公務員階級の一つ《警監の下, 警査の上》. ③ 国会の警護にあたる公務員.
경유【經由】[명][하타] 経由. ¶미국을 ～하여 귀국하다 アメリカを経由して帰国する.
경유【輕油】[명] 軽油. ¶～ 발동기 軽油発動機.
‖―― 기관 [명] 軽油機関.
경유【鯨油】[명] 鯨油.
경음【鯨飮】[명][하자] 鯨飲. ¶～ 마식 鯨飲馬食.
경-음악【輕音樂】[명] 軽音楽.
경의【敬意】[명] 敬意. ¶～를 표하다 敬意を払う.
경이【輕易】[명] 軽易. ――-하다 [형] 軽易だ; たやすい.
경이【驚異】[명][하형] 驚異. ¶자연계의 ～ 自然界の驚異.
‖――-감 [명] 驚異感. ――-적 [명][관] 驚異的. ¶～인 숫자 驚異的な数字.
경-이원지【敬而遠之】[명][하타] 敬遠すること.
경인【京仁】[명] 京仁; ソウルと仁川. ¶～선 京仁線.
경자【耕者】[명] 農耕者.
경작【耕作】[명][하타] 耕作; 作付け. ¶～ 면적 作付け面積/논을 ～하다 田を耕す/～의 적지이다 農耕の適地である.
‖――-권 [명] 耕作権. ―― 농민 [명] 耕作農民. ――-물 [명] 耕作物. ――-지 [명] 耕作地. ―― 한계지 [명] 耕作限界地.
경장【更張】[명][하타] 更張. ① ゆるんでいた事を改めてひきしめること. ② 社会的·政治的に腐敗した制度を改革すること; 革新. ¶갑오 ～ 甲午更張.
경장【輕裝】[명][하자] 軽装. ¶～으로 산에 오르다 軽装で山に登る.
경장【警長】[명] 警察公務員階級の一つ(“경사(警査)”の下, “순경(巡警)”の上).
경쟁【競爭】[명] 競争; 張り合い. ――-하다 [자] 競争する; 競う; 張り合う. ¶～이 심하다 競争が激しい.
‖―― 가격 [명] 競争価格. ――-국 [명] 競争国. ――-률 [명] 競争率. ―― 매매 [명] 競争売買. ―― 시험 [명] 競争試験. ――-심 [명] 競争心. ¶～이 강한 사람 負けん気の強い人/～을 부채질하다 競争心をあおる. ―― 입찰 [명] 競争入札.
경적【警笛】[명] 警笛. ¶～을 울리다 警笛をならす.
경전【經典】[명] 経典. ¶유교의 ～ 儒教の経典.
경절【慶節】[명] 国中こぞって祝うめでたい日《帝王の誕生日など》.
경정【更正】[명][하타] 更正. ‖―― 예산 [명] 更正予算.
경정【更訂】[명][하타] 更訂; 改訂.
경정【警正】[명] 警察公務員階級の一つ《警視正に当たる》.
경제【經濟】[명][하타] 経済. ¶자족 ～ 自足経済.
‖―― 개발 오개년 계획 [명] 経済開発五箇年計画. ――-계 [명] 経済界. ¶～의 거물 経済界の大立て物. ―― 계획 [명] 経済計画. ―― 공황 [명] 経済恐慌; パニック. ――-과 [명] 経済科. ―― 관계 장관 [명] 経済関係長官. ――-권 [명] 経済権. ―― 기획원 [명] 経済企画院. ――-란 [명] 経済欄. ――-력 [명] 経済力; 財力. ¶풍부한 ～ 豊かな経済力. ――-면 [명] 経済面. ―― 백서 [명] 経済白書. ―― 법칙 [명] 経済法則. ―― 봉쇄 [명] 経済封鎖. ―― 블록 [명] 経

済ブロック. ――-사 [명] 経済史. ―― 사범 [명] 〔法〕経済事犯. ¶～을 단속하다 経済事犯を取り締まる. ―― 사절 [명] 経済使節. ―― 사회 이사회 [명] 経済社会理事会. ――-성 [명] 経済性. ¶～이 풍부하다 経済性に富む. ―― 성장 [명] 経済成長. ¶～률 経済成長率. ―― 수역 [명] 経済水域. ―― 원조 [명] 経済援助. ―― 원칙 [명] 経済原則. ――-인 [명] 経済人. ¶～ 연합회 経済人連合会. ――-적 [명][관] 経済的; エコノミカル. ¶～인 물건 経済的な品/인간은 ～ 동물이다 人間は経済的動物である/～ 자유 経済的自由. ―― 정책 [명] 経済政策. ―― 제재 [명] 経済制裁. ―― 침투 [명] 経済浸透. ―― 통계 [명] 経済統計. ―― 통제 [명] 経済統制. ――-학 [명] 経済学. ――-학과 [명] 経済学科. ―― 행위 [명] 経済行為. ―― 협력 [명] 経済協力. ―― 협력 개발 기구 [명] 経済協力開発機構《약칭：OECD》.

경조【敬弔】[명][하타] 敬弔; つつしんでとむらうこと.

경조【輕佻】[명][하형] けいちょう(軽佻); 軽率; 軽はずみ.
‖―― 부박 [명][하형] 軽佻浮薄; 軽浮《준말》. ¶～한 도시 청년 軽佻浮薄な都市青年.

경조【慶弔】[명] 慶弔. ¶～비 慶弔費/～ 규정 慶弔規程.

경조【競漕】[명] 競漕; ボートレース. ¶～용 보트 競漕用ボート.

경종【經宗】[명]〔佛〕経典をもって宗旨をたてた宗派《華厳宗・天台宗・法華宗など》.

경종【警鐘】[명] 警鐘. ¶이것은 현대 사회에 대한 ～이다 これは現代社会への警鐘である/～을 울리다 警鐘をならす/～을 치다 半鐘を打つ.

경죄【輕罪】[명] 軽罪.

경주【傾注】[명][하자타] 傾注. ¶전력을 ～하다 全力を傾注する.

경주【競走】[명] 競走; 駆けっこ〈児〉; 走り競べ; かけくらべ. ――-하다 [자] 競走する. ¶～에서 꼴찌가 되다 競走でビリになる.

경중【輕重】[명] 軽重. ¶일의 ～을 묻지 않다 事の軽重を問わない.

경중【鏡中】[명] 鏡中.
‖―― 미인 [명] 鏡中美人.

경증【輕症】[명] 軽症. ¶～ 환자 軽症患者.

경지【耕地】[명] 耕地; 耕作地. ¶～ 면적 耕地面積.
‖―― 반환 [명] 耕地返還. ―― 정리 [명] 耕地整理.

경지【境地】[명] 境地. ①境界になる土地. ②ある地域の風致. ③環境と境遇. ④努力の結果達した段階. ¶성인의 ～에 이르다 聖人の境地に至る. ⑤独自的の世界観・学問観などに立った方式. ¶독자적인 ～를 개척하다 独自の境地を開く.

경직【硬直】[명][하자] 硬直; 強直. ¶사후 ～ 死後硬直.

경진【輕震】[명] 軽震.

경진【競進】[명][하자] 競進.
‖――-회(會) [명] ☞ 공진회(共進會).

경질【更迭】[명][하타] 更迭. ¶장관을 ～하다 長官を更迭する.

경질【硬質】[명] 硬質.
‖―― 도기 [명] 硬質陶器. ―― 비닐 [명] 硬質ビニール. ―― 유리 [명] 硬質ガラス. ―― 자기 [명] 硬質磁器. ―― 화합물 [명] 硬質化合物.

경찰【警察】[명] 警察; さつ〈俗〉. ¶～력 警察力/지방 ～청 地方警察庁/비밀 ～ 秘密警察/수상 ～ 水上警察/지방 ～ 地方警察; 地警《준말》/범인을 ～에 끌고 가다 犯人を警察に突き出す.
‖――-견 [명] 警察犬. ――-관 [명] 警察官. ㊐警官. ¶사복 ～ 私服警察官/여자 ～ 婦警. ―― 관청 [명] 警察官庁. ―― 국가 [명] 警察国家. ――-권 [명] 警察権. ―― 대학 [명] 警察大学. ―― 병원 [명] 警察病院. ――-봉 [명] 警察棒. ――-서 [명] 警察署. ――-서-장 [명] 警察署長. ――-의(醫) [명] 警察医. ―― 행정 [명] 警察行政.

경채-류【莖菜類】[명] 茎菜類; おもに茎を食べる野菜類の総称.

경척【鯨尺】[명] 鯨尺.

경천【敬天】[명][하자] 敬天.
‖―― 근민 [명] 敬天勤民. ―― 애인 [명][하자] 敬天愛人.

경천 동지【驚天動地】[명] 驚天動地. ¶～의 큰 사건 驚天動地の大事件.

경첩 [명] [←겹첩] ちょうつがい(蝶番).

경첩【輕捷】[명] けいしょう(軽捷).

경청【傾聽】[명][하타] 傾聴. ¶～할 만한 의견 傾聴に値する意見.

경청【敬聽】[명][하타] 敬聴.

경청-하다【輕淸―】[형] (色などが)あっさりしてあくどくない.

경축【慶祝】[명][하타] 慶祝. ¶～ 행사 慶祝行事.
‖――-일 [명] 慶祝日; 祝日.

경치【景致】[명] 景色; ながめ; 風景; 風光. ¶말할 수 없이 아름다운 ～ えもいわれぬ景色.

경-치다 [자] ①酷刑を受ける. ②ひどい苦痛を受ける; ひどい目に会う. ¶호되게 ～ さんざんな目に会う.

경칠-놈 [명]《俗》おうちゃく(横着)なやつ. ¶이 ～아 このおうちゃくめ.

경칠-수【―數】[명] ひどく悪い運勢.

경칩【驚蟄】[명] けいちつ(啓蟄).

경칭【敬稱】[명][하타] 敬称; 尊称. ¶～은 생략합니다 敬称は略します/～을 쓰다 敬称を用いる.

경쾌【輕快】[명][하형][히부] 軽快. ¶～한 동작 軽快な動作/～한 복장 身軽な服装/～히 뛰어다니다 軽快にとびまわる.

경탄【驚歎】[명] 驚嘆. ――-하다 [타] 驚嘆する; 舌を巻く. ¶～할 만하다 驚嘆に値する/～한 나머지 말도 안 나온다 驚嘆の余り言葉も出ない.

ㄱ

경판【經板】명 経書の版木.

경편【輕便】명 하형 히부 軽便.

‖── 위주(爲主) 명 하자 軽便であることを主とすること. ── 철도 명 軽便鉄道; 軽鉄《준말》.

경폐-기【經閉期】명 経閉期; 月経のやむ時期.

경-폭격기【輕爆擊機】명〘軍〙軽爆撃機; 軽爆《준말》.

경품【景品】명 景品; おまけ. ¶ ~부 대매출 景品付き大売り出し / ~부 판매 サービスセール / ~으로 책을 드립니다 おまけに本を差し上げます.

‖───-권 명 景品券.

경풍【驚風】명 驚風; ひきつけ. = 경기(驚氣). ¶ ~을 일으키다 驚風をおこす.

경하【慶賀】명 하타 스형 慶賀; 慶祝. ¶ ~하여 마지않습니다 慶賀に堪えません / 일동을 대신하여 ~의 말씀을 올리겠습니다 一同に代わってお喜びを申し上げます.

경-하다【輕─】형 軽い. ① 重くない. ② 重大でない. ③ 軽率だ. ④ 病気が大したものでない. ¶ 병세가 ~ 病気が軽い.

경합【競合】명 하자 競合. ¶ 서로 ~하다 互いに競い合う.

‖───-범 명 競合犯.

경-합금【輕合金】명〘化〙軽合金.

경향【京鄕】명 都と地方. ¶ ~ 각지 都と各地方.

경향【傾向】명 傾向. ¶ 일반적인 ~ 一般的な傾向 / 물가는 내려가는 ~에 있다 物価は下がり気味だ / 독재적 ~이 있다 独裁の嫌いがある / 이에 찬성하는 ~도 많다 これに賛成の向きも多い.

‖── 문학 명 傾向文学. ── 소설 명 傾向小説. ───-적(的) 명 관 傾向的.

경-헌법【硬憲法】명 ☞ 경성 헌법(硬性憲法).

경험【經驗】명 하타 経験. ¶ ~담 経験談 / 괴로운 ~ 苦い経験 / 아직껏 ~해 본 적이 없는 어려운 사건 かつて接したことのない難事件 / ~을 쌓다 場数を踏む / 좋은 ~이 되었다 いい勉強になった / ~한 일이 있다 身に覚えがある.

‖───-가 명 経験家. ───과학 명 経験科学. ───-론 명 経験論. ───-방 명 経験方《実際に多く使って経験した処方》. ───-자 명 経験者. ───적 법칙 명 経験的法則. ───-주의 명 経験主義. ── 철학 명 経験哲学.

경혈【經穴】명 経穴; きゅう(灸)を点じ, はり(鍼)を打つ箇所.

경호【警護】명 하타 警護. ¶ ~ 경관 警護警官 / ~인 警護人.

경화【硬化】명 하자 硬化. ¶ 동맥 ~ 動脈硬化 / 야당의 태도가 ~하다 野党の態度が硬化する.

‖── 고무 명 硬化ゴム; エボナイト. ───-유 명 硬化油.

경황【景況】명 興味のそそぐ状況. ¶ 그런 데 신경을 쓸 ~이 없다 そういうことに興味を持つ状況でない. ───-없다 형 忙しいか, または憂いのため興味がわかない. ¶ ~없는 중에 他に心を使うゆとりのない中で / ~없으신 가운데 실례입니다만… おとりこみ中失礼ですが…. 준 경없다. ───-없이 부 忙しいか, または憂いのため外に心を使うひまのない状況で. 준 경없이.

곁 명 横; 側; わき(脇); はた(傍); 傍ら. ¶ 부모 ~ 親のもと(許) / ~에서 말참견하다 横〔横合い〕から口を出す; 横やりをいれる / ~에서 보는 것처럼 수월하지는 않다 わきで見るほどに楽ではない.

곁- 두 横についているか, またはそこから分かれて出たことを意味する語. ¶ ~길 横道.

곁-가닥 명 横に分かれ出た筋.

곁-가지 명 枝; 横からのびた小枝. ¶ ~를 치다 せんてい(剪定)をする.

곁-길 명 わき道; 横道; 枝道; 抜け道. ¶ 젊었을 때는 꽤 ~을 걸었다 若い時にはずいぶんわき道をしたものだ.

곁-눈 명 横目; わき目. ¶ ~을 팔지 마라 わき目をするな.

‖───-질 명 하자 よそ見; わきみ; 横見; 流し目; しり目.

곁눈-주다 자 ① 目くばせして知らせる. ② 秋波を送る.

곁-두리 명 小昼; 農夫や作業員などの間食.

곁-들다 타 ① 側から助けて持つ. ② 側で助ける.

곁-들이다 타 ① 添える; あしらう. ¶ 꽃을 ~ 花を添える / 고기 요리에 야채를 ~ 肉料理に野菜をあしらう / 비스킷을 곁들여 차를 마시다 ビスケットの茶請けでお茶を飲む. ② かねる; 併せ持つ.

곁-땀 명 ① わきから出る汗. ② わきから汗がひどく出る病気.

‖───-내 명 わきが(腋臭).

곁-마름 명 小作管理人の補助者.

곁-말 명 地口; 皮肉って言うことば.

곁-방【─房】명 ① 奥の部屋に付いている小部屋. ② 間借り部屋.

‖───-살이 명 하자 間借りの暮らし.

곁-부축 명 ① わきを抱えて助け歩くこと. ② 側から仕事を助けたり助言したりすること. 준 부축. ───하다 타 ① わきを抱えて助けながら歩く. ② そばで助けてやる.

곁-상【─床】명 わきぜん(脇膳); 本ぜんにそえて出すこぜん(小膳).

곁-쇠 명 合いかぎ.

‖───-질 명 하타 合いかぎでじょう(錠)をあけること.

곁-순【─筍】명 側生の若葉.

곁-잠 명 添い寝; そいぶし. ¶ 젖을 빨리며 ~을 자다 乳を飲ませながら添い寝をする.

곁-채 명 わき棟; 別棟; はなれ.

곁-콩팥 명〘生〙副腎.

계【系】명〘數〙系; ある定理から

たやすく推定し得る命題.

계【戒】 명 戒. ①いましめ；さとし. ②〔佛〕戒律；禁戒. ③漢文の一体《訓戒を目的とする文》.

계【計】 명 計. ①合計；総計. ¶～ 십만원 合計十万ウォン. ②はかりごと；計画. ¶국가 백년지～ 国家百年の計.

계【係】 명 係《앞의 말에 조사(助詞)가 붙지 않으면 "がかり"로 읽음》. ¶그는 총무～이다 彼は総務係である / 진행～ 進行係.

계【契】 명 ①韓国の講の一つ. ②たのもし(頼母子).

계【階】 명 ①官職の等級. ②↗품계(品階).

-계【系】 미 系. ¶문과～ 文科系 / 기독교～의 학교 ミッション系の学校.

-계【界】 미 界. ¶정치～ 政治界 / 학～ 学界.

-계【計】 미 計. ¶우량～ 雨量計 / 온도～ 温度計.

계간【季刊】 명 季刊.
‖——-지 명 季刊誌；クォータリー.

계간【鷄姦】 명하자 けいかん(鶏姦).

계고【戒告】 명하타〔法〕戒告. ¶～장 戒告状.

계곡【溪谷】 명 渓谷；谷間.

계관【桂冠】 명 [↗월계관(月桂冠)] けいかん(桂冠).
‖—— 시인 명〔文〕桂冠詩人.

계관【鷄冠】 명 ①けいかん(鶏冠)；鶏のとさか. ②〔植〕けいとう(鶏頭). =맨드라미.

계교【計巧】 명 計略. ¶～를 꾸미다 計略をめぐらす / ～를 부리다 計略を働かす / 그런 ～에는 넘어가지 않는다 その手には乗らぬ.

계급【階級】 명 階級. ¶유한 ～ 有閑階級 / ～ 사회 階級社会.
‖—— 국가 명 階級国家. —— 독재 명 階級独裁. —— 의식 명 階級意識. ——-장 명 階級章. —— 제도 명 階級制度. —— 투쟁 명하자 階級闘争.

계기【計器】 명 計器. =미터.
‖——-반 명〔機〕計器盤. —— 비행 명 計器飛行.

계기【契機】 명 契機；きっかけ；転機；モーメント. ¶처음 친해진 ～는 하이킹이었다 そもそものな(馴)れそめはハイキングであった / 주가의 폭락을 ～로 해서 공황이 일어났다 株価の暴落を契機として恐慌が起こった / 이야기할 ～를 만들다 話のきっかけを作る.

계-단【戒壇】 명〔佛〕戒壇.

계단【階段】 명 階段；段段. ¶나선 ～ らせん(螺旋)階段.
‖—— 경작 명 階段耕作. —— 교실 명 階段教室. —— 농업 명 階段農業. ——-석 명 階段席. ——-식 명 階段式. ¶～ 밭 段段畠. —— 채굴 명 階段採掘.

계도【系圖】 명 系図.
‖—— 소설 명 系図小説.

계도【啓導】 명하타 啓導；啓発し導くこと.

계란【鷄卵】 명 鶏卵；卵. ¶～을 풀어서 섞다 卵を溶きほぐす.
‖—— 덮밥 명 卵どんぶり(丼). ——-밥 명 炊きたての飯に卵を割り入れたご飯. ——-장(醬) 명 鶏卵またはあひるの卵を入れて発酵させたしょうゆ(醤油). ——-주(酒) 명 溶かした卵と砂糖を酒に加えかん(燗)をした酒.

계략【計略】 명 計略；もくろみ；策略；計策；はかりごと(謀). ¶맘 속에 ～을 품은 사람 胸に一物ある人 / ～에 말려 들다 計略にまきこまれる / 그 ～에는 넘어가지 않는다 その手には乗らぬ / ～에 빠지다 わな(罠)にかかる / ～을 꾸미다 はかりごとをめぐらす / 온갖 ～을 다 써 보다 百計をめぐらして見る / ～에 걸려다 トリックにかかる.

계량【計量】 명하타 計量. ¶체중을 ～하다 体重を計る.
‖—— 경제학 명 計量経済学；エコノメトリックス. ——-기 명 計量器. —— 스푼 명 計量スプーン. ——-컵 명 計量カップ.

계루【繫累·係累】 명하자 係累.

계류【溪流】 명 渓流.

계류【繫留】 명하자타 係留.
‖—— 기구 명 係留気球. —— 기뢰 명 係留機雷. —— 부표 명 係留浮標. ——-선 명 係留船. ——-장 명 係留場. ——-탑 명 係留塔.

계륵【鷄肋】 명 鶏肋.

계리【計理】 명하타 計理.

계림【桂林】 명 けいりん(桂林).

계면【界面】 명 ①〔樂〕↗계면조(界面調). ②〔物〕界面；二つの物質の境の面.
‖—— 반응 명〔化〕界面反応. ——-조(調) 명〔樂〕雅楽などの哀調をおびている曲調.

계면 돌다 자〔民〕みこ(巫)がお米やお金を乞いながら家家を訪ね廻る.

계면-쩍다 형 ←겸연(慊然)쩍다.

계명【戒名】 명〔佛〕戒名；法名. ¶～을 붙이다 戒名をつける.

계명【啓明】 명 ①〔天〕↗계명성(啓明星). ②啓蒙.
‖——-성(星) 명〔天〕啓明；金星；明けの明星. =샛별.

계명【階名】 명 ①階級·位階の名称. ②階名；音階の名.
‖—— 창법(唱法) 명〔樂〕階名によって音の高低·旋律を表わす唱法.

계명【誡命】 명〔宗〕宗教·道徳上かならず守るべき条件；戒；戒律. ¶십～ 十戒.

계명워리 명 不身持ちな女.

계모【繼母】 명 継母. ¶～ 밑에서 자란 아이 継母育ちの子.

계몽【啓蒙】 명하타 啓蒙. ¶농촌 여성을 ～하다 農村の女性を啓蒙する.
‖——-대 명 啓蒙隊. —— 문학 명 啓蒙文学. —— 사상 명 啓蒙思想. —— 운동 명 啓蒙運動. ——-주의 명 啓蒙主義.

계문【戒文】명〔佛〕戒文；戒律の条文.
계발【啓發】명하타 啓発. ¶국민을 ～하다 国民を啓発する.
계백【啓白】명 啓白.
계법【戒法】명〔佛〕戒法；戒律の法.
계보【系譜】명 系譜. ¶자연주의 문학의 ～ 自然主義文学の系譜.
계보【季報】명 季節ごとに刊行する会報など.
계보-기【計步器】명 計歩器.
계부【季父】명 季父；末の叔父.
계부【繼父】명 継父.
계-부모【繼父母】명 継父母；まま親.
계분【鷄糞】명 鶏ふん.
계사【鷄舍】명 鶏舎；鳥小屋. ＝닭장.
계산【計算】명하타 計算；勘定. ¶～표 計算票 / 일당 ～ 日割り計算 / ～은 얼마입니까 お勘定はいくらですか / ～이 맞지 않다 そろばんが合わない / ～에 넣다 計算に入れる.
‖——-기 명 計算器〔機〕. ¶전자 ～ 電子計算機；コンピューター. ——-서 명 計算書；付け；書き付け. ¶～를 회사로 돌리다 計算書〔付け〕を会社にまわす. ——-자 명〔數〕計算尺.
계삼-탕【鷄蔘湯】명〔韓醫〕若鶏の内臓を取り出してこうらいにんじん(高麗人参)·もちごめ·なつめ·くりなどをつめ，とろ火でせん(煎)じた強壮剤.
계상【計上】명하타 計上. ¶～금 計上金 / 예산에 여비를 ～하다 予算に旅費を計上する.
계선【繫船】명하타 係船.
‖——-거 명 係船きょ(渠). —— 부표 명 係船浮標. ——-주 명 係船柱.
계속【繼續】명 継続；続き. ——-하다 자타 継続する；続く. ¶비가 ～ 오는 날씨 雨つづきの天気 / 길이 저쪽까지 ～돼 있다 道が向こうまでつづいている / ～ 서게 하다 立ちづめにする / ～ 지다 立て続けに負ける / 하루종일 ～해서 일을 하였다 一日中ぶっつづけで仕事をした.
‖—— 비행 명하자 継続飛行. ——-적 명관 継続的.
계수【季嫂】명 義妹；弟嫁.
계수【係數】명 係数. ¶팽창 ～ 膨張係数 / 마찰 ～ 摩擦係数.
계수【計數】명하타 計数. ¶～에 밝다 計数に明るい.
‖——-관 명 計数管. ——-기 명 計数器；数取り器.
계수【桂樹】명 ☞ 계수나무.
‖——-나무 명 ①〔植〕トンキンにっけい(肉桂). ② 昔，月の中にあると想像した木；月のかつら(桂).
계수【溪水】명 渓水. ＝시냇물.
계수【繼受】명하타 継受.
계승【階乘】명〔數〕階乗.
계승【繼承】명 継承. ——-하다 타 継承する；受け継ぐ；引き継ぐ. ¶～자 継承者 / 왕위를 ～하다 王位を継承する / 유지를 ～하다 遺志を受け継ぐ.
계시【計時】명 計時. ¶～계 計時係 / 정식 ～ 正式計時.
계시【啓示】명 啓示；霊示；お告げ. ¶신의 ～를 받다 神の啓示を受ける.
‖——-록 명〔基〕啓示録；黙示録. —— 문학 명 啓示文学.
계시다 자형 おられる；いらっしゃる；まします〈雅〉. ¶신께서 계시는 곳 神のおわします所 / 하늘에 계신 하나님 天にまします神 / 선생님 계십니까 先生いらっしゃいますか.
계씨【季氏】명 貴弟；弟御；成年した人の弟への敬称.
계약【契約】명 契約. ——-하다 타 契約する；取り決める. ¶～ 위반 契約違反 / ～을 맺다 契約を結ぶ / 거래를 ～하다 取引を取り決める.
‖——-금, —— 보증금 명〔法〕契約金；契約保証金；手付け；前渡し；頭金. ——-서 명 契約書. ¶～에 서명하다 契約書に署名する.
계엄【戒嚴】명 戒厳.
‖——-령 명 戒厳令. —— 사령관 명 戒厳司令官. —— 지구 명 戒厳地区.
계열【系列】명하타 系列. ¶낭만주의 ～에 속하는 작품 ローマン主義の系列に属する作品.
‖—— 금융 명 系列金融. —— 융자 명 系列融資. —— 회사 명 系列会社.
계영【繼泳】명 継泳. ——-하다 자 継泳する；メドレーリレーをする.
계원【係員】명 係員. ¶상세한 것은 ～에게 물으십시오 詳細は係員にお尋ね下さい.
계육【鷄肉】명 鶏肉.
계율【戒律】명〔佛〕戒律；律法. ¶～을 지키다 戒律を守る / ～을 범하다 戒律を犯す.
계인【契印】명하타 契印；割り印；割り判. ¶～을 대조하여 조사하다 契印を照合して調べる.
계자【繼子】명 ① 養子. ② 継子.
계장【係長】명 係長.
계쟁【係爭】명하자〔法〕係争.
‖——-물 명 係争物.
계전【契錢】명 ☞ 곗돈.
계전-기【繼電器】명〔電〕継電器；リレー. ¶～ 회로 リレー回路.
계절【季節】명 季節；時節；時；時季；シーズン. ¶～ 감각 季節感 / 새싹이 움트는 ～ 新芽の季節 / 신록의 ～ 若葉の時 / 결실의 ～ 実りの季節.
‖—— 노동 명 季節労動. ——-병 명 季節病. ——-적 실업 명 季節的失業. ——-품 명 季節品；際物. ¶～ 장사를 하다 際物を商う. ——-풍 명 季節風. ＝몬순. ¶～ 기후 季節風気候；モンスーン気候.
계정【計定】명 勘定. ¶자산 ～ 資産勘定 / 손익 ～ 損益勘定 / …의 ～에 넣다 …の勘定に組みいれる.
‖—— 계좌(計座) 명 勘定口座. ——

과목 명 勘定科目.
계제【階梯】명 ①かいてい(階梯)；きざはし；だんばしご. ②事が次第に進行する順序. ③事がうまく運ぶか, または起こるようになった機会. ¶～좋게 折よく / 이 ～에 この際に / ～를 보아 말을 꺼내다 間を見計らって切り出す / 무언가 ～가 있을 때에 방문하다 事のついでに訪問する.
계좌【計座】명〔經〕口座. ¶～를 개설하다 口座をひらく.
계주【契主】명 たのもし(頼母子)講を組織·主管する人；講元；講親.
계주【繼走】명하자 [↗계주 경기] 継走；リレー；リレーレース.
‖── 경기 명 継走競技；継走《준말》；リレーレース. ──자 명 継走者. ＝릴레이 선수.
계집 명《俗》①女；女子. ¶～에 미치다 女に狂う. ②妻；女房. ③卑しい人の妻.
‖──녀-변(女邊) 명 女偏《妖·好·如などの'女'》. ──년 명《卑》女；尼っ子〈卑〉；尼っちょ. ──아이 명 女の子；女児；娘；こびっちょ〈俗〉. ──애 명 ↗계집아이. ¶～한테는 약하다 女の子には弱い. ── 자식(子息) 명 ①妻子. ②娘. ＝딸자식. ──질 명하자 男の浮気.
계책【計策】명 計策；策略；策；計. ¶어리석은 ～을 쓰다 愚策をろう(弄)する / 온갖 ～이 다하다 万策尽きる.
계천【溪川】명 小川と川.
계추【季秋】명 季秋.
계추리 명 慶尚北道産の麻地の一種. ＝황저포(黃紵布).
계축-자【癸丑字】명 朝鮮朝の成宗24年(1493)に中国から入った字体を模倣して造った活字.
계측【計測】명하타 計測.
계층【階層】명 階層. ¶지식 ～ 知識階層 / ～적 분류 階層的分類.
계-타다【契─】자 たのもし(頼母子)講がくじに当たって積み金を受け取る.
계탕【鷄湯】명 鶏の煮汁.
계통【系統】명 系統；システム. ¶사무 ～ 事務系統 / 그 ～ その筋 / ～을 세워서 조사하다 系統を立てて調査する.
‖──도 명 系統図. ──수 명 系統樹. ── 재배 명 系統栽培.
계투【繼投】명하자〔野〕継投.
계파【系派】명 政党·団体などで, 出身·縁故·特別な関係などで結ばれた派閥.
계표【界標】명 界標.
계피【桂皮】명〔藥〕桂皮；シナモン.
‖──산 명〔化〕桂皮酸. ＝신남산(酸). ──수 명〔藥〕桂皮水. ──유 명 桂皮油.
계행【戒行】명〔佛〕戒行. ¶무언의 ～ 無言の行.
계획【計劃】명 計画；もくろみ；企て；たくらみ；仕組み；プラン.
──하다 타 計画する；企む；企てる；もくろむ. ¶원대한 ～ 遠大な計画 / 사업을 ～하다 事業を企てる.
‖── 경제 명 計画経済. ──안 명 計画案. ── 인구 명 計画人口. ──적 명관 計画的.
계후【季候】명 季候.
겝시다 자형 "계시다"のより高い尊敬語.
곗-날【契─】명 たのもし(頼母子)講中の定期会合の日.
곗-돈【契─】명 ①たのもし(頼母子)講の掛け金. ②頼母子講が当たって受け取る積み金. ③頼母子講の金.
곗-술【契─】명 たのもし講の集まりで飲む酒. ¶～에 낯내기《俚》たのもし講での振る舞い酒で自分の顔を立てること.
고¹ 명 わな；ひもなどを結ぶとき一方を環状にして結んだもの. ¶～에 꿰어매다 わなに通して結ぶ.
고【苦】명 苦.
고【庫】명 庫；倉. ＝곳간(間).
고【鼓】명〔樂〕鼓；つづみ. ＝북.
고〔go〕명감 ゴー.
‖──고 명 ゴーゴー. ¶～춤 ゴーゴーダンス. ── 스톱 명 (交通信号の)ゴーストップ.
고【孤】대 王侯の自称.
고² 관 それ；その. <그. ¶～ 녀석 そやつ；そいつ.
고【故】관 故. ¶～안중근 의사 故安重根義士.
고³ 조 ①…と；…とて. ¶졌다～ 해서 敗れたからとて / 좋다～ 생각하다 いいと思う / 부자라～ 해서 으스대지 마라 金持ちだからとていばるなよ. ②…で. ¶저것은 학교이～ 이것은 우체국이다 あれは学校でこちらは郵便局である / 그는 학자～ 시인이다 彼は学者にして詩人である. ③…も；…でも. ¶소～ 돼지～ 모두 가축이다 牛も豚もみな家畜である.
고-【古】두 古. ¶～전장 古戦場 / ～문서 古文書.
고-【高】두 高. ¶～속도 高速度 / ～물가 高物価.
-고【高】미 高. ¶매상～ 売り上げ高 / 생산～ 生産高.
-고 어미 ①二つ以上の動作·性質·状態などを続けて表わす連結語尾：…て；…し；…に；…つ. ¶생각하～ 생각한 끝에 考えに考えぬいた末 / 쫓～ 쫓기며 追いつ追われつ / 싸～ 맛있다 安くておいしい / 머리도 좋～ 성격도 좋다 頭もいいし気だてもいい. ②二つの動作を対等にする連結語尾：…て；…で；…に. ¶창을 열～ 보자 窓を明けて見よう / 너를 믿～ 왔다 君を頼りに来た / 낭비하지 말～ 저금하시오 むだづかいをしないで貯金しなさい. ③動詞の語幹に付いて"있다"の前では動作の進行, "나다"の前では動作の終わり, "싶다"の前では動作の希望を表わす連結語尾：…て；…で. ¶글을 쓰～ 있다 文を書いている / 울～ 나니 마음이 후련하다 泣いてし

ㄱ

まったら心がすっきりした / 떡이 먹～ 싶다 もちが食べたい.
고가【古家】명 古家.
고가【古歌】명 古歌.
고가【故家】명 故家; 旧家.
고가【高架】명 高架. ¶～ 사다다리 高架はしご(梯子).
‖――-교 명 高架橋. ―― 철도 명 高架鉄道.
고가【高價】명 高価.
고갈【枯渇】명 枯渇. ――-하다 자 枯渇する; 枯れる. ¶자금이 ～하다 資金が枯渇する / 자원을 ～시키다 資源をからす.
고개 명 ① 首; うなじ(頸); こうべ(首)〈老〉. ¶～를 숙이다 うなじを垂れる / 반항심이 ～를 쳐들다 反抗心が頭をもたげる. ② 峠; 坂. ¶～ 중턱 坂の中頃 / (나이가) 사십 ～를 바라보다 四十の坂にさしかかる.
‖―― 너머 명 峠の向こう. ―― 마루 명 山や峠などの頂. ――-턱 명 峠を越える急な坂道. 고갯-길 명 坂道; 峠道. 고갯 장단(長短) 명 頭を動かして取る拍子. 고갯-짓 명하자 頭を振ったり回したりする動作.
고객【顧客】명 顧客. ¶고급 요정의 ～ 高級料亭の顧客 / ～을 소중히 하다 常客を大切にする.
고갱이 명 草木の茎の中心部の柔かい部分〔芯〕; 髄. ¶배추 ～ 白菜のしん(芯).
고-거 대 ↗고것. <그거.
고거리 명 牛の前足の肉.
고-건 준 [↗고것은] それは; そいつは. <그건. ¶～ 못 쓰겠다 それは〔そいつは〕役に立たない.
고-걸 준 [↗고것을] それを; そいつを. <그걸. ¶～ 그냥 둘 수 는 없다 それ〔そいつ〕をそのままにはおけない.
고걸-로 준 [↗고것으로] それで. <그걸로. ¶～는 생활비도 안된다 それっぽちでは生活費にも足りない.
고검【高檢】명 [↗고등 검찰청] 高検.
고-것 대 [↗그것] それ; そいつ. ¶～ 참 예쁘군 そいつはほんとにきれいだね.
고-게 준 [↗고것이] それが; そいつが. <그게. ¶～ 뭘 안다고 そいつがなにを知っているって / ～ 뭐야 なあんだ, それ〔それっぽち〕.
고견【高見】명 高見; 貴意. ¶～을 듣고자 합니다 ご高見を伺いたく存じます.
고결【高潔】명하형 高潔. ¶～한 인격 高潔な人格.
고경【古經】명 古経.
고경【苦境】명 苦境. ¶～에 처하다 苦境に立つ.
고고【考古】명하타 考古.
‖――-학 명 考古学. ¶～자 考古学者.
고고【呱呱】명 ここ(呱呱). ¶～지성 (之聲) 呱呱の声.
고곡【古曲】명 古曲.
고공【高空】명 高空.
‖――-병 명 高空病. ―― 비행 명 高空飛行. ―― 심리 명 高空心理.
고공【雇工】명 ① 日雇い労働者, =품팔이. ② 雇い職工.
고공-품【藁工品】명 わら(藁)工品.
고과【考課】명하타 考課.
‖――-장 명 考課状. ――-표 명 考課表.
고관【高官】명 高官; 顕官. ¶고위 ～ 高位高官.
‖―― 대작(大爵) 명 高官顕職.
고-관절【股關節】명〔生〕こかんせつ(股関節). ¶～ 탈구 股関節だっきゅう(脱臼); こだつ(股脱)《준말》.
고굉【股肱】명 ここう(股肱). ① 脚と腕. ② ↗고굉지신.
‖――지-신 명 股肱之臣.
고교【高校】명 [↗고등 학교] 高校. ¶～생 高校生.
고교【高敎】명 高教; 立派な教え; 他人の教えの敬語.
고구마 명〔植〕さつまいも; いも; かんしょ(甘藷). ‖―― 덩굴 명〔植〕さつまいものつる(蔓).
고국【古國】명 古国; 古い国.
고국【故國】명 故国. ¶～ 산천 故国の山川.
고군【孤軍】명 孤軍.
‖―― 분투 명하자 孤軍奮闘.
고궁【古宮·故宮】명 故宮; 昔の宮殿.
고귀【高貴】명 高貴. ――-하다 형 高貴だ; 尊い. ¶～한 분 尊いお方.
고금【古今】명 古今. ¶동서 ～ 東西古今 / ～에 통(通)하다 古今に通ずる.
‖―― 독보 명 古今独歩. ―― 동서 명 古今東西.
고-금리【高金利】명 高利.
고급【高級】명 高級; 上等; デラックス. ¶～ 관리 高級役人 / ～품 高級品.
‖―― 장교 명〔軍〕高級将校.
고급【高給】명 高給.
고기[1] 명 ①(動物の)肉. ② [↗물고기] 魚.
‖―― 구이 명 牛肉などの焼き; 焼き肉. ――-밥 명 ① 魚にあたえるえさ. ¶～을 주다 えさを与える. ② ☞ 미끼. ――-소 명 肉を多く入れて作ったまんじゅうのあん. ――-잡이 명하자 ① 漁猟. ② 漁夫. ――-잡이-배 명 漁船. 고깃-간(間) 명 肉屋. 고깃-국 명 肉汁. 고깃-덩어리, 고깃-덩이 명 (動物の)肉の塊り. 고깃-배 명 漁船. 고깃-점(點) 명 肉切れ.
고기[2] ㊀대 そこ. <거기. ¶～가 나쁘다 そこが悪い. ㊁부 そこに. <거기. ¶～ 있다 そこにある.
고기다 자타 ☞ 구기다[2].
고-기압【高氣壓】명 高気圧. ¶이동성 ～ 移動性高気圧.
고기어-변【一魚邊】명 魚偏(鮎·鮭·鯛などの'魚').
고기작-거리다 타 しわが寄るほどにいじくる; くしゃくしゃにする. ㄲ꼬기작거리다. ¶종이를 ～ 紙をもみくちゃにしてしわを寄せる. 고기작-고

기작 [부][하타] しわが寄るほどにいじくりまわすさま：くしゃくしゃ.

고김-살 [명] しわ；もみくちゃにしてできた筋. <구김살.

고깃-거리다 [타] もみくちゃにする；しわくちゃにする. 고깃-고깃 [부][하타] しわくちゃにするさま：くちゃくちゃ.

고-까짓 [관] それしきの. <그까짓. ¶～ 것 가지고 뭘 그러느냐 それしきのことでなんたるざまだ.

고깔 [명] そうりょ(僧侶)や尼僧の山形のかぶりもの.

고깝다 [형] 薄情な感がある；うらめしい；つれない. ¶고깝게 생각지 마시오 つれないと思わないで下さい.

고꾸라-뜨리다 [타] 前に〔うつむけに〕倒れさせる；のめす；つんのめさせる. ¶앞으로 떼밀어 ～ 突きのめす. ㅆ꼬꾸라뜨리다.

고꾸라-지다 [자] ① 前の方へ〔うつむけに〕倒れる；(つん)のめる；ぱったり倒れる. ¶발을 헛디뎌 앞으로 ～ 足を踏み外して前にのめる. ② 死ぬ；くたばる. ㅆ꼬꾸라지다.

고난【苦難】[명] 苦難. ¶～의 역사 苦難の歴史.

고냥 [부] ① そのまま. ② そのまま続けて；ぶっとおしで. <그냥.

고녀【鼓女】[명] 生殖器の不完全な女性.

고년【高年】[명] 高年. ＝고령(高齢). ¶～층 高年層.

고념【顧念】[명][하타] 顧念.

고뇌【苦悩】[명][하타] 苦悩；悩み；苦渋. ＝고민. ¶～에 찬 표정 苦悩に満ちた表情.

고누 [명] 遊戯の一つ《地面または紙にこま盤を描いて相手方のこまを多く取る方が勝つ》；十六むさし. ¶～판(板) "고누"遊びのこま盤.

-고는 [어미] "-고"の強調語. ㊌「-곤².

고니 [명]〔鳥〕白鳥；スワン.

고다 [타] ① 固いものをぐにゃぐにゃになるまで煮込む. ¶고기를 ～ 肉が溶けるまで煮る. ② エキスになるまで煮詰める. ③ しょうちゅう(焼酎)を造る.

고-다지 [부] ☞ 그다지.

고단【高段】[명] 高段. ¶～자 高段者.

고단-하다 [형] 疲れてだるい.

고달 [명] ① 刀·やり(槍)·きりなどの柄に差しこまれた部分. ② 管の筒先〔筒口〕.

고-달이 [명] 物を持ち上げたり, または掛けるためひもやなわなどを結んで環状にしたもの.

고달프다 [형] ひどく疲れてだるい.

고담【古談】[명] 昔語り；昔話.

고담【高談】[명][하자] 高談.
‖── 준론 [명][하자] 高談峻論.

고답【高踏】[명][하형] 高踏.
‖──-적 [명][관] 高踏的. ¶～인 태도 高踏的態度. ──-주의 [명] 高踏主義. ──-파 [명]〔文〕高踏派；パルナシアン.

고당【高堂】[명] 高堂.

고대【古代】[명] 古代. ¶～사 古代史/ ～ 사회 古代社会.
‖── 국가 [명] 古代国家. ── 소설 [명] 古代小説.

고대【苦待】[명][하타] 待ちこがれること. ¶학수(鶴首) ～ 首を長くして待ちこがれること. ──-히 [부] 待ちこがれるさま.

고대 [부] 今(すぐ)；今まで；つい先. ¶～ 있던 것이 없다 つい先まであったものが見当たらない.

고대 광실【高臺廣室】[명] 大変広く立派な屋敷.

고-대로 [부] 変わらずそのまま(に). ¶고향집이 옛날 ～ 남아 있다 くに(故郷)の家があい変わらずそのまま残っている.

고도【古都】[명] 古都. ¶～의 모습 古都の姿.

고도【孤島】[명] 孤島. ¶절해의 ～ 絶海の孤島.

고도【高度】[명] 高度. ¶～ 일만 미터 高度一万メートル/ ～의 기술 高度の技術.
‖──-계 [명]〔氣〕高度計. ── 성장 [명] 高度成長. ¶～ 정책 高度成長政策. ──-화 [명][하자타] 高度化.

고독【孤獨】[명] 孤独. ──-하다 [형] 孤独だ；さびしい. ¶～감 孤独感/ ～한 노인 孤独な老人. ──-히 [부] 孤独に；さびしく.
‖──-경(境) [명] 孤独な境地.

고동 [명] ① (機械を動かす)栓；ねじ；スイッチ. ¶～을 틀다 ねじをまわす/ 가스〔수도〕의 ～을 틀다〔잠그다〕ガス〔水道〕の栓をあける〔締める〕. ② 汽笛. ¶배가 ～을 울리다 船が汽笛を鳴らす. ③ (物事の)かなめ(要)；要点. ¶～만 말해다고 要点だけ話してくれ.

고동【古銅】[명] 古銅.
‖──-색 [명] ① やや黒みを帯びた黄色；枯れ葉色. ② 赤褐色.

고동【鼓動】[명][하자타] 鼓動. ¶심장의 ～ 소리 心臓の鼓動音.

고되다 [형] つらい；手に余る；荷がかちすぎる.

고두【叩頭】[명][하자] こうとう(叩頭)；こうしゅ(叩首).
‖── 사죄(謝罪) [명][하자] 頭を下げて謝ること.

고두-밥 [명] こわ飯.

고둥 [명]〔貝〕さざえ·たにしなどの巻き貝の総称.

고드러-지다 [자] (水分が抜けて)こわごわになる. <구드러지다.

고드름 [명] つらら；氷柱.
‖──-똥 [명] ① つららのような便. ② 部屋がひどく寒いことのたとえ.

고들-고들 [부][하형] ごはんが水気がなくこわごわしているさま.

고들-빼기 [명]〔植〕いぬやくしそう.

고등【高等】[명][하형] 高等.
‖── 검찰청 [명] 高等検察庁. ── 교육 [명] 高等教育. ── 법원(法院) [명] 高等裁判所. ── 수학 [명] 高等数学. ── 재배 [명]〔農〕高等栽培. ── 판무관 [명] 高等弁務官. ── 학교 [명] 高等学校；高校《준말》.

고등어 [명]〔魚〕さば(鯖).

ㄱ

고딕〔Gothic〕 명 ゴシック；ゴチック. ① ↗고딕식(式). ② 活字字体の一つ. ¶ ~ 활자 ゴシック活字.
‖── 건축 명 ゴシック建築. ──-식 명 ゴシック式. (준) 고딕.
고라니 명〔動〕あかしか(赤鹿)；おおじか(大鹿). ＝만주사슴.
고락【苦樂】명 苦楽. ¶ ~을 같이 하다 苦楽を共にする.
고락간-에【苦樂間—】부 楽しかろうが苦しかろうが.
고란-초【皐蘭草】명〔植〕うらぼし.
고람【高覽】명 하타 高覧；賢覧；尊覧；御覧；貴覧. ¶ ~하여 주시기를 청하다 ご高覧を請う.
고랑¹ 명 畝(間). ¶ 밭~에 거름을 주다 畝に肥をやる. (준) 골.
‖──-배미 명 畝間・田のくぎりを数える単位. ──-창 명 小さく深い畝間. (준) 골창.
고랑 명 ↗쇠고랑.
‖──-쇠 명 ☞ 쇠고랑.
고래¹ 명 ①〔動〕鯨. ②《俗》大酒飲み.
‖── 기름 명 鯨油. ──-수염(鬚髯) 명 鯨ひげ. ＝경수(鯨鬚). ──-자리 명〔天〕鯨座. ── 작살 명 鯨もり. ──-잡이 명 하자 捕鯨. ──-잡이-배 명 捕鯨船.
고래² 명 ↗방고래.
고래【古來】명 古来；昔から今まで.
고래-고래 부 大声でわめき立てるさま. ¶ ~ 고함을 지르다 大声でわめき立てる.
고래등 같다 형 建物が大変広壮である.
고래-로【古來—】부 ↗자고 이래(自古以來)로.
고래서 부 "고리하여서(＝そうして；そして；それで)"・"고러하여서(＝そうなので；そういうわけで)"の意を表わす語. <그래서. ¶ ~ 되겠느냐 それでいいのかね；それでつとまるかね.
고랭지 농업【高冷地農業】명 高冷地農業.
고량【高粱】명 コーリャン(高粱)；もろこし(蜀黍). ＝수수.
‖── 소주(燒酒), ──-주(酒) 명 コーリャン酒. ──-토 명 ☞ 고령토.
고량【膏粱】명 [↗고량 진미] こうりょう(膏粱).
‖── 진미 명 膏粱珍味.
고러다 부 "고렇게 하다가(＝そうすれば；そんなことでは；そんなでは)"の意の接続副詞. <그러다. ¶ ~ 큰일 나지 そんなことしてはたいへんなことになろうが.
고러-하다 형 そうだ；そのようだ. <그러하다. (준) 고렇다.
고렇다 형 ↗고러하다. <그렇다. ¶ ~니까 そうだとも / ~면 そうであるならば.
고려【考慮】명 考慮；考量. ──하다 타 考慮する；頭に置く. ¶ ~의 여지가 있다 考慮の余地がある / 날씨에 대해서는 ~하지 않았다 天候のことは勘定に入れなかった.
고려【高麗】명〔史〕こうらい〔コリョ〕(高麗).
‖── 가사(歌詞) 명〔文〕高麗時代の俗謡. ── 인삼(人蔘) 명 開城産のこうらいにんじん(高麗人参)の商品名. ── 자기 명 高麗磁器. ──-장(葬) 명 ① 高句麗の時, 老衰者を墓室に移して死後そのまま葬った故事. ② 生きたままの人を葬ること. ── 청자 명 高麗青磁.
고령【高齡】명 高齢. ──화 사회 명 高齢化社会.
‖──-자 명 高齢者. (준) 고령.
고령-토【高嶺土】명〔鑛〕陶磁器の原料になる土；陶土；カオリン.
고례【古例】명 古例.
고로【古老】명 古老；老成の人.
고로【高爐】명 高炉. ¶ ~ 슬래그 高炉スラグ.
고-로【故—】부 "그러므로(＝故に；ために)"の意の接続副詞. ¶ 그런 ~ それ故に.
고록【高祿】명 高禄；大禄.
고론【高論】명 高論. ¶ ~ 탁설 高論卓説.
고료【稿料】명 [↗원고료] 稿料.
고루【固陋】명 하형 ころう(固陋). ¶ ~한 가정 固陋〔旧弊〕な家庭.
고루【高樓】명 高楼；高閣. ¶ 대하 ~ たいか(大廈)高楼.
고루 부 おしなべて；等しく；一様に；平均して.
고루-고루 부 すべて等しく. ¶ 각자에게 ~ 나누다 めいめいに等しく分ける / ~ 칠하다 まんべん(満遍)なくぬる. (준) 골고루.
고르다¹ 타 ① 選ぶ；選択する；よ〔え〕り抜く；よ〔え〕り分ける. ¶ 잘 ~ 上手に選ぶ / 모여든 아이들에게 책을 골라서 보게 하다 集まって来た子どもたちに本を見つくろう. ② さがす；見立てる. ¶ 며느릿감을 ~ 息子の嫁がねをさがす.
고르다² 一 형 ① 平等だ；均等だ；平均している. ¶ 알알이 모두 고른 콩 粒ぞろいのだいず(大豆) / 성적이 ~ 成績が均等である. ② 正常な状態だ. ¶ 날씨가 고르지 못하다 天気が不順だ. 二 타 均す；水平にする. ¶ 땅을 ~ 地をならす / 밟아 ~ 踏みならす.
고른-쌀 명 石・もみ(籾)などをより捨てた米. ＝석발미(石拔米).
고름¹ 명 のう〔うみ〕(膿)；のうじゅう(膿汁). ¶ ~집 うんで膿がたまった部位.
고리¹ 명 ① 輪；かん(鐶)；環状のもの. ② ↗문고리.
‖──-못 명 かぎ型のくぎ(釘)；U字くぎ.
고리² 명 ① 皮をむいた柳の枝. ② こうり(行李)；こり(梱). ＝고리짝.
‖── 백장 명 こうり作り("고리장이"の卑語). ──-장(匠)이 명 み(箕)やこうりを編んで売る人. ＝유기장(柳器匠). ──-짝 명 こうり個個のもの.
고리【高利】명 高利. ¶ 월리 5푼의

– 月利五分の高利.
── 대금(貸金) 명 ① 高利の金. ② 高利貸し. ¶ ~업 高利貸し業. ──채 명 高利債.

고리³ 부 そこに；そちらに. ¶ ~ 가시오 そこに〔そちらに〕行きなさい. <그리.

고리-로 부 そこに；そちらに《"고리"を強めていうことば》. <그리로.

고리다 형 ① 臭い；鼻持ちがならない. ② 人柄が卑劣で下品だ. 쓰 코리다. *구리다.

고리-삭다 형 (若者が)意気消沈して年寄りじみている.

고리타분-하다 형 ① 腐ったにおいで気持ちが悪い. ② 狭量で陳腐だ. 준 골타분하다.

고리탑탑-하다 형 腐ったにおいで鼻持ちならない. 준 골탑탑하다.

고린-내 명 ① 物の腐ったにおい. ② (足などの)むれる臭気. 쓰 코린내.

고릴라 〔gorilla〕 명 〖動〗 ゴリラ.

고립【孤立】 명하자 孤立. ¶ ~ 무원 孤立無援 / ~주의 孤立主義.
‖── 경제 명 孤立経済. ── 무의(無依) 명하형 孤立していて頼るところのないこと. ──어 명 孤立語. ── 정책 명 孤立政策.

고릿-적 명 [←고려(高麗) 적] 昔の時代. ¶ ~ 이야기는 집어치워라 昔話なんかはやめろ.

고마움 명 ありがたみ；ありがたさ. ¶ 부모의 ~ 親のありがたさ.

고마이 부 ありがたく. ¶ ~ 여기다 ありがたく思う.

고막 명 〖貝〗 はいがい(灰貝). =안다미조개.

고막【鼓膜】 명 〖生〗 鼓膜.
‖──염 명 〖醫〗 鼓膜炎.

고만¹ 관 [↗고만한] それ位の；それほどの；それしきの. <그만. ¶ ~ 일에 울다니 それ位のことで泣くとは.

고만² ㊀ 부 ① その程度で；それ位で. ¶ 이제 ~ 해라 もうそれ位でやめなさい. ② そのまま；これで；もう. ¶ 바쁘니 ~ 가야겠소 忙しいからこれでおいとまします. <그만. ㊁ 명 一番；最高. ¶ 뭐니뭐니해도 이것이 ~이다 なんといってもこれが一番だ.

고만고만-하다 형 似たり寄ったりだ；ほぼ同じだ；まあまあ〔そこそこ〕というところだ. <그만그만하다. ¶ 키가 모두 ~ 背丈が皆似たり寄ったりである.

고만-두다 타 ① その程度でやめる；中止する. ¶ 그 일은 이제 고만두겠습니다 そのことはもうやめます. ② やめる；よ(止)す. ¶ 학교를 ~ 学校を止める. <그만두다.

고만-하다 형 それくらいだ；まあまあだ；そこそこだ. ¶ 크기는 ~ 大きさはそれ位だ.

-고-말고 어미 …とも. ¶ 물론 가~요 もちろんいきますとも / 암, 그렇~ ああ, そうだとも.

고맘-때 명 そのころ；ちょうどその時分. <그맘때. ¶ 작년 ~ 昨年のそのころ.

고맙다 형 ありがたい；ありがとう；かたじけない. ¶ 고맙게 여기다 ありがたく思う / 이렇게까지 해 주시니 그저 고마울 따름입니다 こんなにまでしていただいてもったいないことです.

고매【高邁】 명하형 こうまい(高邁). ¶ ~한 인격 高邁な人格.

고명 명 料理の薬味をかねて, 飾りとしてあしらう具の物の総称.
‖──딸 명 息子の多い人の独り娘.

고명【高名】 명하형 高名. ¶ ~한 학자 高名な学者.

고모【姑母】 명 (父方の)おば.
‖──부(夫) 명 おじ《"고모"の夫》.

고목【古木】 명 古木；老木.

고목【枯木】 명 枯れ木；枯木.

고묘【古墓】 명 古い墓.

고무【鼓舞】 명하타 鼓舞. ¶ 사기를 ~하다 士気を鼓舞する.

고무 〔프 gomme〕 명 ゴム.
‖──공 명 ゴムまり(毬). ──나무 명 ゴムの木. ── 다리 명 ゴム義足. ── 도장(圖章) 명 ゴム印. ──마개 명 ゴム栓. ──신 명 ゴム靴. ── 장갑(掌匣) 명 ゴム手袋. ── 장화(長靴) 명 ゴム長. ──줄 명 ゴムひも(紐). ── 지우개 명 消しゴム. ──풀 명 ゴムのり(糊). ── 풍선 명 ゴム風船. ── 호스 명 ゴムホース.

고무락-거리다 자타 体をしきりにもぞもぞ動かす；もぞもぞする；もぞもぞさせる. 쓰 꼬무락거리다. ¶ 발을 ~ 足をもぞもぞする〔させる〕. 고무락-고무락 부하자 もぞもぞ.

고무래 명 えぶり(杁・柄振)；さらい(木杷・竹杷).
‖──질 명하타 えぶり(柄振り)でかき集めたりならしたりすること.

고문【古文】 명 古文. ¶ ~의 독해법 古文の読み方.

고문【拷問】 명 拷問；責め. ──하다 타 拷問する；責める；拷門にかける. ¶ 자백을 강요하여 ~하다 白状を強いて拷問する.
‖── 치사 명하자 拷問致死.

고문【顧問】 명 顧問. ¶ ~역 顧問役 / ~단 顧問団.

고-문서【古文書】 명 古文書. ¶ ~학 古文書学.

고-문헌【古文獻】 명 古文献.

고물¹ 명 もち(餅)にまぶす小豆などの粉.

고물² 명 船尾；ろ〔とも〕(艫).
‖──간(間) 명 ともの方の空間.

고물【古物】 명 古物；古品；古道具；古物. ¶ ~차 ぼろ車；ぽんこつ車.
‖──상(商) 명 古物屋；ぽんこつ屋；古道具屋；古物商.

고물-거리다 자 体をもぞもぞと動かす；もたもたする；のろのろする；ぐずぐずする. <구물거리다. 쓰 꼬물거리다. ¶ 가만히 있지 않고 ~ じっとしていないでもぞもぞする. 고물-고물 부하자 ぐずぐず；もたもた；のろのろ.

고미-다락 명 〖建〗 屋根裏(部屋).

고미-집 명 仮天井張りの家.
고미【苦味】명 苦味; 苦み.
고민【苦悶】명 くもん(苦悶); 悩み; 煩い. ——-하다 자 苦悶する; 悩む; 思い煩う. ¶ ~거리 悩みの種.
고발【告發】명하타 告発. ¶ 불법 행위를 ~하다 不法行為を告発する.
‖—— 문학 명 告発文学. ——-인 명 告発人. ——-장 명 告発状. —— 정신 명 告発精神.
고배【苦杯】명 苦杯. ¶ 낙선의 ~를 마시다 落選の苦杯をなめる.
고백【告白】명하타 告白. ¶ 사랑의 ~ 愛の告白 / ~록 告白録 / ~ 문학 告白文学.
고법【高法】명 ↗고등 법원.
고변【告變】명하자 変を告げること.
고별【告別】명 告別; いとまごい. ——-하다 자 告別する; 別れを告げる; いとまごいをする.
‖——-사 명 告別辞. ——-식 명 告別式. =송별식(送別式). ——-연 명 告別宴.
고병【古兵】명 古兵. =고참병.
고본【古本】명 古本. ¶ ~ 고가 매입 古本高価買入れ.
고봉【高峰】명 高峰; 高根〔高嶺〕. ¶ 알프스의 ~ アルプスの高峰.
‖—— 절정(絶頂) 명 高い山の頂. —— 준령 명 高峰しゅんれい(峻嶺).
고봉【高捧】명하타 山盛り; 大盛り. ¶ ~으로 담아서 2천 원 山盛りで二千ウォン.
고부【告訃】명하자 ふこく(訃告).
고부【姑婦】명 しゅうとめ(姑)と嫁.
‖——-간(間) 명 しゅうとめと嫁の間柄.
고부라-지다 자 (一方に)曲がる. <구부러지다. ㅆ꼬부라지다. ¶ 나이를 먹어서 허리가 ~ 年を取って腰が曲がる.
고부랑-하다 형 少し折れ曲がっている. ㅆ꼬부랑하다. 고부랑-고부랑 부하형 くねくね. ¶ ~한 골목길 くねくねと曲がった路地.
고부리다 타 (一方または内側に) 折り曲げる. <구부리다. ㅆ꼬부리다. ¶ 몸을 ~ 体を折り曲げる.
고부장-하다 형 ①ややたわ(撓)んでいる. ②少しひがんでいる. <구부정하다. ㅆ꼬부장하다. 고부장-고부장 부하형 ①ややたわんでいるさま. ②少しひがんでいるさま.
고분【古墳】명 古墳. ¶ ~의 발굴 古墳の発掘.
고분-고분 부 すなおに; 従順に; おとなしく. ——-하다 형 すなおだ; 従順だ; おとなしい. ¶ ~한 태도 すなおな態度. ——-히 부 すなおに; 従順に.
고-분자【高分子】명〔化〕高分子.
‖—— 반도체 명〔物〕高分子半導体. —— 화학 명 高分子化学. —— 화합물 명 高分子化合物.
고불탕-하다 형 ゆるやかに曲がっている. <구불텅하다. ㅆ꼬불탕하다. 고불탕-고불탕 부하형 ゆるやかに曲がっているさま.

고비¹ 명 やま; さかり; 峠; 瀬戸際; 絶頂; 山場. ¶ 더위도 ~ 넘겼다 暑さも峠を越した / 벚꽃 지금이 한 ~다 桜も今がさかりだ / 인생의 한 ~ 人生の節目 / 생사의 ~였다 生死の瀬戸際であった / 교섭의 ~ 交渉の山場〔瀬戸際〕.
‖——-판, 고빗-사위 명 瀬戸際; 土壇場; どん詰まり. ¶ 그는 바야흐로 당락의 ~에 있다 彼は今や当落の瀬戸際にある.
고비² 명〔植〕ぜんまい(薇).
‖—— 나물 명 ぜんまいの浸し
고비 사막【—沙漠】〔Gobi〕명〔地〕ゴビ砂漠.
고뿔 명 風邪. =감기(感氣). ¶ ~을 더치다 風邪をこじらす.
고삐 명 手綱. ¶ ~를 늦추다 手綱をゆるめる; 注意や見張りをゆるめる / ~를 죄다 手綱をしめる.
고사【古史】명 古史.
고사【古寺】명 古寺. =고찰(古刹).
고사【古事·故事】명 古事〔故事〕.
고사【考査】명하타 考査. ¶ 기말 ~ 期末考査.
고사【告祀】명하자 一身や家庭の厄運をはらい幸運を祈る祭祀. ——-지내다 자 もち(餅)·酒·めんたい(明太)などを供えて"고사(告祀)"を行う.
‖——-떡 명 "고사"に供えるもち.
고사【固辭】명하타 固辞. ¶ ~하여 받지 않는다 固辞して受けない.
고사【枯死】명하자 枯死.
고사【高射】명하타 高射.
‖—— 기관총 명 高射機関銃. ——포 명 高射砲.
고사리 명〔植〕わらび(蕨). ¶ 아기의 ~ 같은 손 赤ちゃんの紅葉のような手.
고-사이 명 その間. <그 사이. ㊀고새.
고사-하고【姑捨—】부 おろか; さしおいて. ¶ 재산은 ~ 목숨까지 잃었다 財産はおろか命まで失った / 남의 일은 ~ 네 일이나 잘 해라 人のことはさしおいて自分のことに気を配れよ.
고산【高山】명 高山.
‖—— 기후 명 高山気候. ——-대 명 高山帯. ——-병 명 高山病. —— 식물 명 高山植物.
고상【高尙】명하형 高尚. ¶ ~한 취미 高尚な趣味.
고샅 명 ①村里の路地. =고샅길. ②狭い谷間. ——— 부 ①村里の路地ごとに. ②谷間ごとに.
‖——-길 명 ☞ 고샅①.
고-새 명부 ↗고 사이. <그새. ¶ ~ 가 버렸다 その間に行ってしまった.
고색【古色】명 古色.
‖—— 창연 명하형 古色そうぜん(蒼然). ¶ ~한 기물이 많다 古色蒼然たる器物が多い.
고생【苦生】명 苦労; 困苦; 難儀. ——-하다 하자 苦労する; 苦しむ; 悩む; 骨折る. ¶ 큰 눈으로 ~했다 大雪で難儀した / ~ 끝에 낙이 온다《俚》苦は楽の種. ——-스럽

다 형 苦しい; 難儀だ; つらい.
‖——길 명 いばらの道. ——문(門) 명 苦労する運命. ¶~이 훤하다 明らかに苦労する運命にある. ——살이 명 苦しい暮らし. —— 주머니 명 ① 一生苦労をし通す人. ② やることなすことすべて苦労ばかりする人.

고생-대【古生代】 명〔地〕古生代.

고-생물【古生物】 명〔生〕古生物.
‖——학 명〔生〕古生物学.

고서【古書】 명 古書; 古本. =고서적.

-고서 어미 "고"の意味を強める連結語尾: …て. ¶돈만 쓰~ 헛되이 돌아왔다 金だけ使い果たしてむなしく帰って来た.

고-서적【古書籍】 명 ☞ 고서(古書).

고석【古石】 명 こけ(苔)むした石.

고설【古說】 명 古説.

고성【古城】 명 古城.

고성【高聲】 명 高声. ¶~ 방가 高声放歌.
‖—— 염불(念佛) 명하자〔佛〕大声で唱える念仏.

고-성능【高性能】 명 高性能. ¶~ 폭탄 高性能爆弾.
‖—— 비료 명〔化〕高性能肥料.

고소【告訴】 명하타〔法〕告訴. ¶~ 취하 告訴の取り下げ.
‖——권 명 告訴権. ——인 명 告訴人. ——장 명 告訴状.

고소【苦笑】 명하자 苦笑; 苦笑い. ¶~를 금할 수 없다 苦笑を禁じえない.

고소【高所】 명 高所.
‖—— 공포 명〔醫〕高所恐怖. ¶~증 高所恐怖症.

고-소득【高所得】 명 高所得.

고소-하다 형 ① い(炒)りごま(胡麻)またはごま油のにおいのように香ばしい. ¶콩을 볶는 고소한 냄새 豆をいる香ばしいにおい. ② 好い気味だ; 小気味がよい. ¶그거 ~ それはいい気味だ / 녀석이 실패해서 ~ やつの失敗で小気味がよい.

고속【古俗】 명 古俗; 昔の風俗.

고속【高速】 명 [↗고속도(高速度)] 高速. ¶~ 운전 高速運転.
‖—— 도로 명 高速道路. —— 버스 명 高速バス. —— 철도 명 高速鉄道.

고-속도【高速度】 명 高速度. 준 고속(高速).
‖——강 명 高速度鋼; ハイス. ——영화 명 高速度映画. —— 윤전기 명 高速度輪転機. —— 촬영 명 高速度撮影.

고수【固守】 명하타 固守. ¶진지를 ~하다 陣地を固守する.

고수【高手】 명 高段; 高段者. ¶~들의 바둑 高段者の囲碁.

고수【鼓手】 명 鼓手. ¶소년 ~ 少年鼓手.

고수레 명하자 みこ(巫)が厄払いするとき, または一般人が野外で物を食べるときに, 食べ物を少し分けて捨てながら唱える語. また, そのこと.

고-수로【高水路】 명 高水路.

고수-머리 명 縮れ毛; 縮れっ毛. =곱슬머리.

고수 부지【高水敷地】 명 河川敷.

고-수위【高水位】 명 高水位.

고스란-하다 형 変わった所がなくそのままだ. 고스란-히 부 そっくりみんな; 余すところなく; そっくりそのまま. ¶옛 모습이 ~ 남아 있다 昔の面影がそっくりそのまま残っている / ~ 벌다 丸もうけする.

고스러-지다 자 稲·麦などの刈入れ時が過ぎてしぼむ.

고스트〔ghost〕 명 ゴースト.
‖—— 라이터 명 ゴーストライター.

고스펠〔gospel〕 명〔基〕ゴスペル.

고슬-고슬 부하형 飯が程よく炊けたさま. ¶~한 밥 程よく炊けた飯.

고슴도치 명〔動〕はりねずみ(針鼠). 준 고슴돛.

고슴-돛 명〔動〕↗고슴도치.

고습【高濕】 명하형 高湿. ¶고온 ~ 高温高湿.

고승【高僧】 명〔佛〕高僧.

고시【古詩】 명 古詩. ① 古代の詩. ② ↗고체시(古體詩).

고시【考試】 명하타 ① 考試. ②〔史〕科挙の成績を採点して順位を決めること.

고시【告示】 명하타 告示; 触れ. ¶내각 ~ 内閣告示 / ~ 가격 告示価格 / 투표일을 ~하다 投票日を告示する.

고시랑-거리다 자 ぶつぶつ言う. <구시렁거리다. 고시랑-고시랑 부하자 ぶつぶつ.

고식【姑息】 명 こそく(姑息).
‖——적 명관 姑息的. ¶~ 수단 姑息的手段. ——지-계(之計), ——책(策) 명 姑息策.

고실【故實】 명 故実. =전고(典故).

고실【鼓室】 명〔生〕鼓室; 中耳の一部.

고심【苦心】 명 苦心; 腐心. ——하다 자 苦心する; 苦しむ. ¶~ 참담 苦心さんたん(惨憺) / ~한 보람이 있었다 苦心したかい(甲斐)があった.

고아【古雅】 명 古雅; 古風でみやびやかなこと. ——하다 형 古雅な趣がある. ——스럽다 형 ☞ 고아하다.

고아【孤兒】 명 孤児; みなしご. ¶~를 떠맡다 みなしごを引き取る.
‖——원 명 孤児院. * 보육원.

고아【高雅】 명하형 高雅; 上品; みやび(雅)やか.

고안【考案】 명하타 考案; 工夫. ¶새 전술을 ~해 내다 新しい戦術を編み出す.

고압【高壓】 명하타 高圧. ¶~적인 태도 高圧的な態度 / ~적인 태도로 나오다 高飛車に出る.
‖——계 명 高圧計. —— 산소 탱크 명〔醫〕高圧酸素タンク. ——선 명 [↗고압 전선(電線)]〔電〕高圧線. —— 전기 명 高圧電気.

고-압축【高壓縮】 명 高圧縮.

고액【高額】 명 高額; 多額. ¶~ 소득자 高額所得者.

‖── 지폐 명 高額紙幣.

-고야 어미 ①…ではどうして. ¶그러~ 성공할 수 있겠나 それではどうして成功する事が出来ようか / 품행이 그러하~ 남을 가르칠 수 있겠나 品行がそんなではどうして人を教えることができようか. ②(後に"말다"を付けて), …してしまう. ¶기어코 사~ 말았다 無理算段をして買った / 기어코 성공하~ 말겠다 きっと成功して見せる / 끝내 지~ 말았다 とうとう負けてしまった.

고약【膏藥】 명 こうやく(膏薬). ¶~을 처덕처덕 붙이다 こうやくをぺたぺた張りつける.

고약-하다 형 悪い. ①気むずかしい; へんくつだ; つむじまがりだ; 意地きたない; 意地悪だ. ¶고약한 일을 맡다 厄介な仕事を引き受ける. ②横着だ; 不届きだ. ¶고약한 놈 横着〔不届き〕なやつ / 고약한 짓을 하다 不届きな事をする. ③ひどい; 鼻持ちがならない; 不快だ. ¶고약한 냄새 鼻持ちがならないにおい. ④みにくい; 険しい. ¶고약한 생김새 険しい人相. ⑤不順だ. ¶고약한 날씨 不順な天気; 悪い天気.

고얀 관 ↗고약한. ¶~ 놈 不届きな〔悪い〕やつ.

고양【高揚】 명하타 高揚. ¶국위를 ~시키다 国威を高揚させる.

고양이 명〘動〙ねこ(猫). ¶얼룩 ~ 三毛猫 / 도둑 ~ 野良猫.

고어【古語】 명 古語. =고언(古言).

고언【苦言】 명 苦言. ¶~을 드리다 苦言を呈する.

고-에너지【高—】〔energy〕 명 高エネルギー.

고역【苦役】 명 苦役; ひどく苦しい労働.

고열【高熱】 명 高熱. ¶~로 신음하다 高熱で苦しむ.

‖── 반응 명〘化〙高熱反応.

고엽-제【枯葉劑】 명 枯れ葉剤. ¶~ 후유증 枯れ葉剤後遺症.

고옥【古屋】 명 古屋.

고온【高溫】 명 高温. ¶~ 다습 高温多湿.

‖── 살균 명 高温殺菌.

고요 명《詩》静けさ; 静寂. ──-하다 형 静かだ; 物静かだ; 静やかだ. ¶~를 깨뜨리는 사이렌 소리 静寂を破るサイレンの音. ──-히 부 静かに; 静やかに; しめやかに.

고욤 명〘植〙まめがき(豆柿).

‖──-나무 명 豆柿の木.

고용【雇用】 명하타 雇用; 雇うこと. ¶장기 ~ 長期雇用 / ~ 운전수 お抱えの運転手.

‖──-주(主) 명 雇い主.

고용【雇傭】 명하자 雇用; 傭われること. ¶~인 雇用人 / ~자 雇用者.

‖── 계약 명〘法〙雇用契約. ──-살이 명하자 雇われ生活; 傭人暮らし. ¶딸을 ~로 보내다 娘を奉公に出す. ── 조건 명 雇傭条件.

고용-체【固溶體】 명〘化〙固溶体.

고우【故友】 명 ①故友; 昔の友だち. ②亡き友.

고운【孤雲】 명 孤雲; ぽっかり浮かんでいるひとつの雲.

‖── 야학(野鶴) 명 隠士のたとえ.

고원【高原】 명 高原. ¶~ 지대 高原地帯.

고원【雇員】 명 雇員. ¶~에서 사원이 되다 雇員から社員になる.

고원【高遠】 명하형 高遠. ¶~한 이상 高遠な理想.

고위【高位】 명 高位. ¶~층 高位層 / ~급(級) 회담 高官会談.

고-위도【高緯度】 명 高緯度.

고유【固有】 명하형 固有. ¶민족 ~의 의상 民族固有の衣裳 / 정금 ~의 성질 正金固有の性質.

‖── 명사 명 固有名詞. ── 문화 명 固有文化. ──-성 명 固有性. ── 신앙 명 固有信仰. ──-어 명 固有語. ── 재산 명 固有財産. ── 정신 명 固有精神. ──-종 명〘生〙固有種.

고육【苦肉】 명 苦肉.

‖──지-계(之計), ──-책(策) 명 苦肉の策.

고율【高率】 명 高率. ¶~의 세금 高率の税金.

고을 명 ①郡. ②〘史〙州・府・郡・県の総称. ③郡役所のある所. 준 골.

고을-고을 ㊀명 各郡. ¶~ 돌아다니다 各郡をまわり歩く. ㊁부 郡ごとに. ¶~ 나누어 주다 郡ごとに配ってやる.

고음【高音】 명 高音. ①高い音. ②ソプラノ.

‖──-부 명〘樂〙高音部. ──부 기호 명 高音部記号. =높은음자리표.

고-음계【高音階】 명〘樂〙高音階.

고읍【古邑】 명 昔, 郡役所があった所.

고의【故意】 명 故意. ¶~냐 과실이냐 故意か過失か. ──-로 부 故意に; わざと. ¶~ 져 주다 わざと負けてやる.

‖──-범 명〘法〙故意犯.

고의【袴衣】 명 夏パジの代わりにはくひとえ(単衣)もの.

‖── 적삼 명 ひとえ(単衣)のそろ(揃)い.

고이 부 ①大事に. ㉠きれいに. ¶~ 키운 딸 大事に育てた娘. ㉡大切に; 謹しんで. ¶~ 간직하다 大事にしまっておく. ②安らかに. ¶~ 잠드소서 安らかに眠りたまえ. ──-── 부 "고이"を強調する語.

고인【古人】 명 古人.

고인【故人】 명 故人; 亡き人. ¶지금은 ~이 된 사람 今は亡き人 / ~의 명복을 빌다 故人の冥福を祈る.

고인-돌 명〘史〙ドルメン. =지석(支石).

고자【古字】 명 古字.

고자【告者】 명 告げ口をする人.

‖──-쟁이 명 よく告げ口をする人; 告げ口屋. ──-질 명하자 告げ口. ¶

~은 하지 마라 告げ口はするな/부모에게 ~하다 親に言い付ける.

고자【鼓子】 명 生殖器の不完全な男.

고자 어미 …しようと(する). ¶여행을 하~ 한다 旅に出るつもりだ.

고자누룩-하다 형 ① 一騒ぎ終わって静かだ. ¶아이들이 고자누룩해지다 子供らが静まり返る. ② 苦しかった病状がやや治まる.

고-자세【高姿勢】 명 高姿勢; 高飛車; 居丈高. ¶~로 나오다 高飛車に出る; お高くとまる/~가 되어 居丈高になって.

고작 부 精一杯; せいぜいのところ; やっとのこと; 高が. ¶자기 혼자 먹고 사는 것이 ~이다 自分ひとり食って行くのが精一杯である/~십리 걸었다 やっとのことで一里歩いた/오만 원 정도가 ~이다 五万ウォンぐらいがやまやまだ.

고장 명 ① 地方; 地元. ¶낯선 ~ 不案内の土地. ② ふるさと; 生長地. ¶내 ~ 사람 うちのくにの人. ③ 本場; 産地. ¶사과의 ~ りんごの産地.

고장【故障】 명 故障; 狂い. ¶기계의 ~ 機械の狂い/~이 난 자동차 故障をおこした自動車.

고쟁이 명 女性の下着の一種《肌着の上, "단속곳"の下にはく》.

고저【高低】 명 高低. =높낮이. ¶토지의 ~ 土地の高低.

‖── 장단 명 高低長短. ── 측량 명 高低測量.

고적【古蹟·古跡】 명 古跡; こし(古址); 旧跡. ¶~ 보존회 古跡保存会/명소 ~ 名所旧跡.

고적【孤寂】 명하형 たよりなく寂しいこと. ¶~한 나날 たよりなく寂しい日日.

고적-대【鼓笛隊】 명 鼓笛隊.

고적-운【高積雲】 명 高積雲. =높쌘구름.

고전【古典】 명 古典. ¶~ 연구 古典研究/~을 읽다 古典を読む.

‖── 경제학 명 古典経済学. ──-극 명 古典劇. ── 문학 명 古典文学. ──-미 명 古典美. ¶~가 있다 古典美がある. ── 음악 명 古典音楽. ──-적 명관 古典的. ──-주의 명 古典主義. ──-파 명 古典派.

고전【古錢】 명 古銭. ¶~ 수집 古銭の収集.

‖──-학 명 古銭学.

고전【苦戰】 명하자 苦戦. ¶~ 끝에 이기다 苦戦のすえ勝つ.

고정【固定】 명하자타 固定; 据え付けること. ¶~ 수입 固定収入/나사로 ~시키다 ネジで固定させる/못으로 ~시키다 くぎで止める/~돼 있어서 뗄 수가 없다 据え付けになっていて取りはずしがきかない.

‖── 관념 명 固定観念. ──-급 명 固定給. ── 도르래 명〖物〗定滑車. ── 독자 명 固定読者. ── 배치 명 固定配置. ── 부수 명 固定部数. ── 불변 명 固定不変. ──-식 명 固定式. ¶~ 의자 固定式いす. ── 자본 명 固定資本. ── 자산 명 固定資産.

고제【高弟】 명 [↗고족 제자(高足弟子)] 高弟; 高足.

고조【高祖】 명 [↗고조부(高祖父)] 高祖; お祖父のまたお祖父.

고조【高調】 명하타 高調. ¶의식이 ~되다 意識が高まる.

고조【高潮】 명 高潮. ¶최~에 달하다 最高潮に達する.

‖──-선 명 高潮線. ──-시 명 高潮時.

고-조모【高祖母】 명 高祖母.

고-조부【高祖父】 명 高祖父. 준 고조(高祖).

고졸【古拙】 명하형 古拙. ¶~한 서체 古拙な書体.

고졸【高卒】 명 高卒; 高等学校卒業.

고종【姑從】 명 ↗고종 사촌.

‖── 사촌(四寸) 명 父の姉妹の息子や娘; いとこ.

고주【苦酒】 명 ① 強い酒. ② 自分が持つ酒をけんそんして言うことば.

고주 망태 명 へべれけ; 酒に酔いつぶれること. ¶~가 되다 へべれけに酔う〔酔いつぶれる〕. 준 고주.

고-주파【高周波】 명〖物〗高周波.

‖── 발전기 명 高周波発電機. ── 변성기 명 高周波変成器. ── 요법 명 高周波療法. ── 전기로 명 高周波電気炉. ── 전류 명 高周波電流.

고죽【苦竹】 명〖植〗☞ 참대.

고지[1] 명 (かぼちゃ·なすびなどの)干物; かんぴょう.

고지[2] 명 こうじ(麹)などをかためる際に用いる木型.

고지[3] 명 一斗まきの田単位にいくらと決めて田植えから最終の草取りまでの前払い賃金. また, その仕事.

‖──-논 명 田植えから最終の草取りまで請負に出した田. ── 자리품 명 田を一斗まきずつに区切って請け負うこと.

고지【告知】 명하타 告知; 通知. ¶부실 ~ 不実の告知.

‖──-서 명 告知書. ── 의무 명 告知義務. ──-판 명 告知板.

고지【固持】 명하타 固持. ¶반대 의사를 ~하다 反対意志を固持する.

고지【高地】 명 高地. ¶평지와 ~ 平地と高地/~를 점거하다 高地を占拠する.

고-지기【庫―】 명〖史〗役所の倉庫番.

고-지대【高地帶】 명 高地帯.

고지랑-물 명 腐った汚水. <구지렁물.

고지-먹다 자 田植えから最終の草取りまでを請け負って賃金を先払いしてもらう.

고지식-하다 형 生まじめだ; くそ(糞)まじめだ. ¶고지식한 사람 生まじめな人.

고진 감래【苦盡甘來】 명하자 苦しみ

ㄱ

が尽きて幸せが来ること.

고질【痼疾】명 ①こしつ(痼疾). ¶～로 고생하다 痼疾に悩む. ②長い間の悪い習慣. ¶도박이 ～이 되다 ばくち(博打)が病みつきになる.

고집【固執】명 固執; 我意; 我. ——-하다 타 固執する; 我を通す; 立て通す. ¶～을 부리다 我を張る / 어디까지나 ～을 관철하려 들다 あくまで意地を通そうとする.

‖—— 불통(不通) 명 意地っぱりで融通がきかないこと. ——-쟁이 명 意地っぱり; 強情っぱり. ＝고집통이. ——-통-머리 명 "고집통이"の卑語. ——-통-이 명 ① 意地〔強情〕っぱりな性格. ② ☞ 고집쟁이.

고차【高次】명〔數〕高次.

‖—— 방정식 명〔數〕高次方程式. —— 화합물 명 高次化合物.

고-차원【高次元】명 高次元.

‖—— 세계 명 高次元世界.

고착【固着】명하자 固着.

‖—— 관념 명〔心〕固着〔固定〕観念. ——-제 명 固着剤.

고찰【古刹】명 こさつ(古刹); 古く由緒ある寺.

고찰【考察】명하타 考察. ¶세계 정세에 대하여 ～하다 世界情勢について考察する.

고찰【高察】명 高察; お察し. ¶～해 주시기를… 御高察の程を….

고참【古參】명 古参; 古株; 古顔. ¶최～ 最古参 / ～이 되다 古株になる / 수년 근무해서 ～이 되다 数年勤めて古顔になる.

‖——-병 명 古参兵. ＝고병(古兵).

고천【告天】명하타 天に告げること.

‖——-문(文) 명 こうもん(告文); (儀式のとき)天に告げる文.

고철【古鐵】명 古鉄; ふるかね(古鉄); くず鉄; スクラップ.

‖——-상(商) 명 古鉄買い.

고체【古體】명 古体.

‖——-시 명 古体詩. ㊜ 고시(古詩).

고체【固體】명 固体. ¶얼음은 ～의 물이다 氷は固体の水である.

‖—— 일렉트로닉스 명 固体エレクトロニックス. —— 연료 명 固体燃料. ——-화 명하자 固体化.

고초【枯草】명 枯れ草; 枯草.

‖——-균 명〔醫〕枯草菌. ——-열 명〔醫〕枯草熱.

고초【苦楚】명 くそ(苦楚); 苦難; 辛苦; 苦労. ¶갖은 ～를 겪다 いろいろな苦労をな(嘗)める.

고추 명 [←고초(苦草)] とうがらし(唐辛子). ＝당초(唐椒).

‖——-냉이 명〔植〕わさび. ——-씨 명 唐辛子の種. —— 자지 명 子供の陰茎の愛称: ちんちん. ——-잠자리 명〔蟲〕しょうじょうとんぼ(猩猩蜻蛉); 赤とんぼ. ——-장(醬) 명 とうがらしの粉を練り込んで作る辛味のみそ. 고춧-가루 명 唐辛子の粉.

고-출력【高出力】명 高い出力.

고충【苦衷】명 苦衷; 苦情. ¶～을 말하다 苦情をいう / 남의 ～을 헤아리다 人の苦衷を察する.

고취【鼓吹】명하타 鼓吹. ¶사기를 ～하다 士気を鼓吹する.

고층【高層】명 高層. ¶～ 건축 高層建築 / ～ 기류 高層気流.

‖—— 아파트 명 高層アパート. ——-운 명 高層雲.

고치 명 繭. ¶누에가 ～를 짓다 蚕が繭をかける.

고치다 타 直す. ①繕う; 修繕〔修理〕する. ¶구두를 ～ 靴を直す. ②正す; 矯める; 改める; 修正〔訂正〕する. ¶버릇을 ～ 癖を直す / 잘못을 ～ 誤りを正す / 문장을 ～ 文章を直す / 앉음새를 ～ 居ずまいを正す / 복장을 ～ 服装を直す. ③変える; 変更する; 改める. ¶규칙을 ～ 規則を改める / 시간표를 ～ 時間割を変える. ④治療する; 治す; いやす. ¶병을 ～ 病気を治す / 안질을 ～ 眼病をいやす. ⑤訳する; 換算する. ¶달러를 파운드로 ～ ドルをポンドに直す / 다음 글을 일어로 고쳐라 次の文を日本語に直せ. ⑥やり直す. ¶고쳐 읽다 読み直す / 옷을 고쳐 짓다 服を仕立て直す / 칼을 고쳐 쥐다 刀を取り直す.

고칭【古稱】명 古称; ふるい呼び名.

고탑지근-하다 형 ①やや腐ったようないやなにおいがする. ②(性格やしぐさが)あさはかでやや古くさい; 陳腐だ.

고태【古態·故態】명 古態; 昔ながらのさま.

‖—— 의연 명하형 古態依然. ¶～한 건물 古態依然たる建物.

고토【苦土】명 苦土; 酸化マグネシアの通称.

고토【故土】명 ☞ 고향.

고통【苦痛】명 苦痛; 苦しみ. ¶～을 견뎌 이기다 苦痛を堪え抜く. ——-스럽다 형 苦痛だ; 苦しい.

고투【苦鬪】명하자 苦闘. ¶악전 ～ 悪戦苦闘.

고패 명 ろくろ(轆轤); ベルト車; 滑車.

‖고팻-줄 명 滑車にかける綱.

고팽이 명 ①縄·ひも(紐)などの一巻. ②一往復.

고평【高評】명 高評. ¶～을 바랍니다 ご高評を請います.

고푸리다 타 かがめる. <구푸리다.

고풍【古風】명 古風. ①昔風; いにしえぶり. ¶～스런 집 古風な家. ②漢詩の一つの体.

고풍【高風】명 高風. ①高い空の風. ②気高い人がら. ¶～을 사모하다 高風を慕う. ③気高いふうさい(風采). ④人の風采に対する尊称.

고프다 형 ひもじい. ¶배가 고파서는 싸움을 할 수가 없다 腹がへっては戦が出来ない / 배가 몹시 ～ お腹がぺこぺこだ.

고하【高下】명 高下. ¶신분의 ～를 막론하고 身分の高下を問わず / 값은 ～간에 値段の高下はさておいて.

-하다【告—】타 ① 告げる; 知らせる. ¶종막을 ~ 終幕を告げる / 이별을 ~ 別れを告げる. ② 告げ口をする. ¶동료에 관한 일을 고해 바치다 仲間のことを告げ口する.
고학【苦學】명하자 苦学. ¶~생 苦学生.
고-학년【高學年】명 高学年.
고함【高喊】명 叫び; どなること. ¶~을 지르다 大声でわめ(喚)く; 叫ぶ; どな(怒鳴)る / 아무리 ~쳐도 소용없다 いくらどなってもだめだ.
‖—— 소리 명 わめく声; どなる声.
고해【苦海】명〖佛〗苦海; 苦界. ¶인생은 ~이다 人生は苦海である.
고행【苦行】명하자 ① 苦行. ¶난행 ~ 難行苦行. ②〖佛〗将来僧になるためにお寺で大衆の用を見てやる人.
고향【故鄕】명 故郷; ふるさと; くに. ¶~을 그리다 故郷をしのぶ / 마음의 ~ 心のふるさと.
고현【古賢】명 古賢.
고혈【膏血】명 こうけつ(膏血). ¶백성의 ~을 짜다 人民の膏血をしぼる.
고혈당-증【高血糖症】명〖醫〗高血糖症.
고-혈압【高血壓】명 高血圧.
‖——-증 명 高血圧症.
고형【固形】명 固形. ¶~물 固形物 / ~ 알코올 固形アルコール.
고혹【蠱惑】명하타 こわく(蠱惑). ¶그녀는 ~적인 눈을 하고 있었다 彼女は蠱惑的なまなざしをしていた.
고혼【孤魂】명 孤魂; よるべなくさまよっている魂.
고화【古畫】명 古画.
고환【睾丸】명〖生〗こうがん(睾丸); きんたま; ホーデン(Hoden). =불알.
‖——-염 명 睾丸炎. —— 호르몬 명 睾丸ホルモン.
고황【苦況】명 苦況; 苦しい状況.
고황【膏肓】명 こうこう(膏肓). ¶병이 ~에 들다 病膏肓に入る.
고희【古稀】명 古希; 年七十の称.
‖——-연(宴) 명 古希の祝い.
곡【曲】명 曲. ① ↗곡조(曲調). ¶슬픈 ~ 悲しい調べ / 씩씩〔활발〕한 ~ 勇ましい曲. ② ↗악곡(樂曲).
곡【哭】명하자 こく(哭); こっきゅう(哭泣). ① 大声で泣くこと. また, その声. ② 人の死を悲しんで声を上げて泣く礼. また, その声.
곡가【穀價】명 穀価.
곡곡【曲曲】명 ① 屈曲の多い山や川·道などの曲がり目. ② ↗방방 곡곡(坊坊曲曲).
곡-괭이 명 つるはし(鶴嘴); 唐ぐわ.
곡구【曲球】명 ① 巧みな玉突きのわざ. ②(野球で)曲球; カーブ.
곡균【穀菌】명 こうじ菌. =누룩곰팡이.
곡기【穀氣】명 穀物で作った食べ物の総称. =낟알기. ¶그는 슬픈 나머지 ~를 끊었다 彼は悲しさのあまり食を廃した.
곡두 명 ☞ 환영(幻影).
곡류【曲流】명하자 曲流; 河がまがりくねって流れること. また, その流れ.
곡류【穀類】명 穀類.
곡률【曲率】명〖數〗曲率.
‖—— 반지름 명〖數〗曲率半径.
곡마-단【曲馬團】명 曲馬団; サーカス.
곡면【曲面】명〖數〗曲面.
‖——-체 명 曲面体.
곡명【曲名】명 曲名.
곡목【曲目】명 曲目.
곡물【穀物】명 穀物. =곡식.
‖——-상 명 穀物商. ㊜곡상(穀商).
곡보【曲譜】명 曲譜. =악보.
곡분【穀粉】명 穀粉.
곡사【曲射】명하타 曲射.
‖——-포 명 曲射砲.
곡삼【曲蔘】명 干して曲がりくねったこうらいにんじん(高麗人参).
곡선【曲線】명 曲線. ¶구면 ~ 球面曲線 / 연속 ~ 連続曲線 / ~으로 이루어지다 曲線から成る / ~을 그리다 曲線を描く.
‖—— 도형 명 曲線図形. —— 운동 명〖物〗曲線運動. ——-미 명 曲線美. ¶허리의 ~ 腰の曲線美. ——-자 명 曲線定規. —— 좌표 명〖數〗曲線座標.
곡성【哭聲】명 こくせい(哭声); 人の死を悲しんで泣く声.
곡수【曲水】명 曲水; 庭園または樹林·山のふもとなどを曲がって流れる水.
곡수-놓다【曲水—】자 曲水の模様をししゅう(刺繡)する.
곡수-틀다【曲水—】자 曲水を描く.
곡식【穀—】명 穀物.
곡예【曲藝】명 曲芸; 離れわざ. ¶~를 하다 曲芸をやる.
‖—— 댄스 명 曲芸ダンス. ——-사 명 曲芸師; 軽業師; アクロバット.
곡절【曲折】명하자 曲折. ① 折れ曲がること. ② 文脈などに変化の多いこと. ③ 詳しい事情と内容. ¶우여 ~ うよ(紆余)曲折 / ~을 겪다 曲折を経る. ④ 訳; 理由. ⑤〖語〗語尾·語幹の変化·活用.
곡정【穀精】명 穀物の滋養分.
‖——-수(水) 명 ☞ 밥물.
곡조【曲調】명 曲調; 調べ; 調子; 節回し. ¶슬픈 ~ 悲しい調べ / ~가 어렵다 節回しがむずかしい. ㊜곡(曲).
곡주【穀酒】명 穀物でかもした酒.
곡직【曲直】명 曲直. ¶시비 ~을 가리다 理非曲直を明らかにする.
곡차【曲茶·穀茶·麯茶】명〖佛〗酒.
곡창【穀倉】명 穀倉. ¶~ 지대 穀倉地帯.
곡척【曲尺】명 曲尺; かね尺; 曲がり尺. =곱자.
곡필【曲筆】명하타 曲筆. ¶무문 ~하다 舞文曲筆する.
곡-하다【曲—】형 ① 道理に外れている; 理屈に合わない; ひがんで

ㄱ

いる. ¶곡한 마음 ひがんだ心. ② ☞ 고깝다.
곡해【曲解】 명하타 曲解. ¶상대방의 의도를 ~하다 相手の意図を曲解する.
곡향【穀鄕】 명 穀倉地帯.
-곤¹ 어미 …たり. ¶밤이면 울~ 한다 夜になれば泣いたりする / 봄만 되면 등산하~ 했지 春になればよく山に登ったりしたものだ.
-곤² 어미 "-고는"の略語. ①…とは. ¶너하~ 안 가겠다 君とは行かないよ. ②…しているが. ¶먹~ 있지만 시원치 않다 食べてはいるがうまくないね.
곤경【困境】 명 苦境; 苦しい羽目. ¶~에 처하다 苦境に立つ / ~에 빠지다 苦しい羽目に陥る.
곤궁【困窮】 명하형히부 困窮; 窮乏. ¶몹시 ~하다 ひどく窮乏している / ~한 속에서 자라났다 困苦の中に育った.
곤뇌【困惱】 명하형히부 困窮と煩悩になやまされること.
곤-대 명 さといも(里芋)の葉茎. =고운대.
곤댓-질, 곤댓-짓 명하자 もったいぶって頭を振る動作.
곤돌라 〔이 gondola〕 명 ゴンドラ.
곤두-곤두 감 赤ん坊を手のひらにのせて立たせながら調子を取る音吐.
곤두-박이다 자 まっさかさまに落ちる; 頭を先にして倒れる〔落ち込む〕.
곤두박이-치다 자 まっさかさまに落ちる.
곤두박-질 명하자 [←근두박질] まっさかさまに〔頭を先にして〕落ち込むこと. ¶비행기가 ~하여 추락하다 飛行機がまっさかさまに墜落する. ——-치다 자타 まっさかさまに落ちる.
곤두-서다 자 立つ. ①逆立つ. ¶머리털이 ~ 髪の毛が逆立つ. ②(神経が)鋭くなる; とが(尖)る. ¶신경이 ~ 神経がとがる; 気が立つ.
곤두-세우다 타 ①逆立てる. ¶눈썹을 ~ まゆを逆立てる / 닭이 고양이를 보고 깃털을 ~ 鶏が猫に向かって羽を逆立てる. ②(神経を)とが(尖)らせる. ¶신경을 ~ 神経をとがらす.
곤드라-지다 자 (過労・酒のため)正体なく眠りこける; へべれけになる. <군드러지다. ¶술에 ~ 酔いつぶれる.
곤드레-만드레 부하자 酒に酔って正体をなくしたさま: ぐでんぐでん(に); べろべろ(に); へべれけに. ¶~ 취하다 ぐでんぐでんに酔う; 酔いつぶれる.
곤들-매기 명 〔魚〕 いわな(岩魚).
곤란【困難】 명 [←곤난] 困難; 困却; 難儀. ——-하다 형 困難だ; 難儀だ; 困る; 難しい. ¶처치 ~하다 処置に困じる; 始末に負えない / 당장 생활에는 ~하지 않다 さしずめ生活には困らない / 생활이 ~하다 暮らしが難しい. ——-히 困難に; 難儀に.
곤룡-포【衮龍袍】 명 (王の)こんりう(衮竜)の御衣. 준 곤룡.
곤봉【棍棒】 명 こん棒.
‖—— 체조 명 こん棒体操.
곤비【困憊】 명하형 こんぱい(困憊) =곤핍. ¶피로 ~하다 疲労困憊している.
곤-색【一色】 〔일 こん〕 명 紺色.
곤약【蒟蒻】 명 こんにゃく.
‖——-판 명 こんにゃく版.
곤욕【困辱】 명 困辱; 侮辱. ¶~을 당하다 侮辱を受ける.
곤이【鯤鮞】 명 はららご(鮞).
곤장【棍杖】 명 〔史〕 昔のちけい(笞刑)具の一つ《罪人のしりを打つ平たいこん棒》.
곤쟁이 명 〔動〕 あみ(糠蝦・醬蝦)の一種. ¶~ 주고 잉어 낚는다 《俚》 えびでたい(鯛)を釣る.
곤죽【一粥】 명 ①道がひどくぬかっているさま: どろどろ; どろんこ. ¶길이 ~이 되다 道がどろどろになる. ②ひどく酔って正体がないさま: べろべろ; ぐでんぐでん; へべれけ. ¶~이 되도록 취하다 へべれけに酔う. ③非常に疲れたさま: へとへと; くたくた. ¶~이 되어 돌아왔다 くたくたになって帰って来た. ④事が度はずれて全く手のつけようのないさま: めちゃくちゃ.
곤지 명 (韓国式結婚式で)花嫁の額につける丸紅.
곤지-곤지 명감하자 赤ん坊の遊戯の一つ; 人差し指で他の手のひらをつっつくまね. また, その時の音吐.
곤충【昆蟲】 명 昆虫.
‖——-기 명 〔文〕 昆虫記. ——-류 명 昆虫類. —— 채집 명 昆虫採集. ——-학 명 昆虫学.
곤-하다【困—】 형 疲れて気だるい. =피곤하다. **곤-히** 부 ぐったり. ¶~ 자고 있다 疲れてぐったり寝こんでいる.
곤혹【困惑】 명하자스형 困惑. ¶~스러워 머리를 긁다 困惑して頭をかく.
곧 부 ①すぐ(に); 直ちに; じき(に); 早速. ¶~ 오라 直ちに来い / 일을 ~ 시작하다 仕事を早速始める / ~ 잊어버리다 すぐ(さま)忘れる. ②やがて; 間もなく; 遠からず; 近近. ¶~ 봄이 온다 間もなく〔程なく〕春が来る / ~ 소식이 있겠지요 遠からず便りがあるでしょう / ~ 알게 될 거야 今にわかるよ. ③すなわち; つまり; とりも直さず. ¶워싱턴은 ~ 미국의 수도다 ワシントンはすなわち米国の首府である / 말이 ~ 행동이니라 言すなわち行動なり.
곧다 형 まっすぐだ; 正しい. ①曲がっていない. ¶곧은 선 まっすぐな線 / 곧은 자세 正しい〔まっすぐな〕姿勢. ②正直だ; 生一本だ; 律儀だ. ¶곧은 사람 正しい人 / 곧은 성질 生一本な性格 / 세상을 곧게

살아가다 正直に世を渡る.
곧-바로 [부] まっすぐに. ①すぐに；直ちに；(寄り道をしないで)まっすぐ(に). ¶일을 끝마치고 ~ 집으로 돌아오다 仕事を終えてまっすぐ(に)家に帰る. ②(曲がらず)正しく. ¶~ 앉다 正しく座る.
곧은-결 [명]〖建〗正目.
곧은-길 [명] まっすぐな道.
곧은-뿌리 [명] 直根.
곧은-창자 [명] ①〖生〗直腸. ②生まじめ〔愚直〕な人. ③物を食べた後すぐトイレに行く人をからかう語.
곧이 [부] ①まっすぐに；直に. ②正しく. ③いつわりなく.
곧이-곧대로 [부] ①率直に；偽りなく；ありのまま. ¶~ 말하다 率直に話す. ②はばかりなく；気ままに. ¶~ 행동하다 ありのままふるまう.
곧이-듣다 [타] 真に受ける. ¶그 말을 ~ その話を本気にする / 농담을 곧이 듣고 화내다 冗談を向きになって〔真に受けて〕怒る.
곧잘 [부] ①よく；しばしば；好んで. ¶~ 잊다 よく物忘れをする / 나이 먹으면 ~ 넘어진다 年を取るとよくころぶ / ~ …하곤 했었지 よく…したものだ. ②かなり〔なかなか〕よく. ¶일을 ~ 한다 仕事をかなりよくする / ~ 팔린다 なかなかよく売れる.
곧장 [부] (寄り道などしないで)まっすぐ(に)；直ちに；直接(に). ¶~ 집으로 가다 まっすぐ(に)家に帰る / 이길로 ~ 가시오 この道をまっすぐに行きなさい / 소식을 듣자 ~ 달려왔다 消息を聞くや否やまっすぐ飛んで来た.
곧추 [부] (上下を)まっすぐに；直立させて；垂直に.
‖**——-뛰기** [명] 直立のままその場でジャンプする運動.
곧추-들다 [타] 立てて持つ. ¶병을 ~ びんを立てて持つ.
곧추-뜨다 [타] ①縦になるように〔垂直に〕浮く. ②眼をむく.
곧추-서다 [자] まっすぐに立つ. ¶말이 놀라서 ~ 馬が驚いて棒立ちになる.
곧추-세우다 [타] まっすぐに立てる；直立させる.
곧추-앉다 [자] 背をまっすぐにして座る. ¶곧추앉아서 설교를 듣다 正座をして説教を聞く.
골[1] [명] ①骨髄；脳. ¶~이 빠지다 骨が折れる. ②[↗머릿골] 脳髄；頭. ¶~이 아프다 頭が痛い.
골[2] [명] 怒り. ¶~을 내다 腹を立てる；怒る / ~이 상투 끝까지 났다 怒髪冠〔天〕を衝く；頭から湯気を出す.
골[3] [명] (靴の)型. ¶구둣~ 靴型.
골[4] [명] 切り取り線. または, 折り線.
골[5] [명] ①↗골목. ②深い穴. ¶~로 가다 死ぬ. ③谷. ¶~이 깊다 谷が深い. ④溝. =고랑. ¶~을 파다 溝を掘る.
골[6] [명] ↗고을.
골【骨】 [명] ①骨. ②〖史〗新羅時代, 王族を血統と地位によって分けた身分の等級. ＊성골(聖骨)·진골(眞骨).
골〔goal〕 [명] ゴール. ¶~ 직전에 앞지르다 ゴール寸前で追いぬく.
‖**—— 게터** [명] ゴールゲッター. **—— 라인** [명] ゴールライン. **—— 에리어** [명] ゴールエリア. **——-인** [명] ゴールイン. **——-키퍼** [명] ゴールキーパー. **—— 킥** [명] ゴールキック. **——-포스트** [명] ゴールポスト. =골문(門).
골각-기【骨角器】 [명] 骨角器. =골기(骨器).
골간【骨幹】 [명] 骨幹；骨組み. =뼈대.
골격【骨格】 [명] 骨格. ¶튼튼한 ~의 청년 たくましい骨格の青年 / 건물의 ~이 다 섰다 建物の骨組みが出来上がった.
‖**——-근** [명] 骨格筋. ㊌ 골근(骨筋).
골-결핵【骨結核】 [명] 骨結核.
골계【滑稽】 [명] ☞ 익살.
골고루 [부] ↗고루고루. ¶~ 나누다 均等に分ける / 주의가 ~ 미치다 注意が行き渡る.
골-골[1] [부][하자] ①長患いで病勢がひどくなったりよくなったりするさま. ②病気勝ちで体がいつも弱いさま. ¶~하는 마누라 病気勝ちの妻.
골-골[2] [부][하자] めんどりが卵を産もうとして出す鳴き声.
골골-거리다[1] [자] 体が弱くてよく病気になる；病気勝ちである.
골골-거리다[2] [자] めんどりが卵を産もうとして鳴く.
골-골[3] [명][부] ↗고을고을.
골-관절【骨關節】 [명] 骨関節. =뼈마디.
골근【骨筋】 [명] ①骨と筋肉. ②↗골격근.
골-김 [명] 腹立ちまぎれ. =홧김.
골-나다 [자] 腹が立つ. =성나다.
골-내다 [자] 腹を立てる；立腹する；怒る. =성내다.
골다 [타] (いびきを)かく. ¶코를 ~ いびきをかく.
골드〔gold〕 [명] ゴールド.
‖**—— 러시** [명] ゴールドラッシュ.
골든 디스크〔golden disk〕 [명] ゴールデンディスク.
골든 아워〔golden hour〕 [명] ゴールデンアワー.
골든 에이지〔golden age〕 [명] ゴールデンエイジ. =황금 시대.
골-딱지 [명]《俗》☞ 골[2].
골똘-하다 [형] [←골독(汨篤)하다] 夢中だ；一生懸命だ；熱心だ.
골똘-히 [부] 夢中に；一生懸命に；没頭して；熱心に；熱中して. ¶~ 생각하다 熱心に考える.
골라 내다 [타] え(選)り〔選び〕出す；取り去る；つまみ出す；えり抜く. ¶쌀에서 뉘를 ~ 米からもみ(籾)をえりだす.
골라-잡다 [타] よ(選)り取る；選び取る. ¶좋은 것으로 ~ いいものをより取る / 골라잡아서 한 개 천원 より取りで一つ一千ウォン / 마음대로 ~ よ

り取り見取りする.

골마지 명 酒・しょうゆ(醬油)など水気の多い食品に生えるかび(黴). =발만(醱醂).

골막【骨膜】 명 骨膜.
‖——-염 명〔醫〕骨膜炎.

골막-하다 형 器にほとんど一杯だ. **골막-골막** 부하형 器に満ちかけているさま.

골-머리 명《俗》☞ 머릿골. ¶ ~ 앓다 頭を悩ます / ~ 아프다 頭が痛い.

골목 명 横町; 路地. ¶ 셋젯번 ~ 三つめの横町 / ~ 안에 살다 路地裏に住む / 막다른 ~ 袋小路.
‖——-길 명 小道; 小路; 横町. ¶ ~로 질러가다 横町から近道をする. —— 대장(大將) 명 餓鬼大将. ——-쟁이 명 横町の奥深いところ.

골목-골목 명부 路地ごと(に). ¶ ~ 아이들로 꽉 찼다 路地ごとに子供でいっぱいだ.

골몰【汨沒】 명하형 一つのことに没頭するさま; 熱中するさま. ¶ 독서에 ~하다 読書にふける / 살림에 ~하다 家事に精を出す. ——-히 부 凝って; 熱心に; 夢中に.

골무 명 指ぬき. ¶ ~를 끼다 指ぬきをはめる.
‖——-꽃 명〔植〕たつなみそう(立浪草). ——-떡 명 小切りの白もち.

골-바람 명 谷間の風; 谷風.

골-박다 타 制限する; 統制する.

골반【骨盤】 명〔生〕骨盤.
‖—— 장기 명 骨盤臟器. —— 협착 명 骨盤きょうさく(狹窄).

골-방【—房】 명 小部屋.

골-백번【—百番】 명 "幾度も"を強調する語: 数百回. ¶ ~이나 타일러도 말을 듣지 않는다 口が酸っぱくなる程諭しても言うことを聞かない.

골병-들다【—病—】 자 ① 病がこうこう(膏肓)に入る. ¶ 남몰래 ~ 人知れず病膏肓に入る. ② 致命的な打撃を受ける. ¶ 뭐니뭐니 해도 이번만은 저도 골병들었을 거다 何のかのといったって今度こそは彼も手ひどくやられただろうよ.

골분【骨粉】 명 骨粉.
‖—— 비료 명 骨粉肥料. 준 골비(骨肥).

골비【骨肥】 명 ↗골분 비료.

골-뿌림 명하타 畝に種をまくこと.

골상【骨相】 명 骨相.
‖——-학 명 骨相学.

골-샌님 명 型にはまった〔生まじめな〕人; 朴念仁.

골-생원【—生員】 명 ① 狭量でころう(固陋)な人. ② 虚弱な人; 病気勝ちな人.

골-세포【骨細胞】 명 骨細胞.

골-소체【骨小體】 명 骨小体.

골-속 명 脳髄〔頭〕の中.

골수【骨髓】 명 骨髄. ①〔生〕骨の中の腔所にある柔軟組織. ② 心の底; 心中. ¶ 원한이 ~에 사무치다 恨みが骨髄に徹する.
‖——-염 명〔醫〕骨髄炎.

골싹-골싹 부하형 すれすれになるほど満ちかけているさま.

골싹-하다 형 (いっぱいに満ちきれず)やや欠けている. <굴썩하다.

골-안개 명 谷間にかかる朝霧.

골-암【骨癌】 명 骨がん.

골-오르다 자 怒りがこみあがる; 腹がたつ.

골육【骨肉】 명 骨肉. ① 骨と肉. ② ↗골육지친. ¶ ~의 정 骨肉の情.
‖—— 상잔(相殘) 명하자 親族どうしが殺しあうこと. —— 상쟁(相爭), —— 상전(相戰) 명하자 親族が相争うこと. ——지-친(之親) 명 親子・兄弟の血族; 骨肉《준말》.

골-육종【骨肉腫】 명〔醫〕骨にくしゅ(肉腫).

골자【骨子】 명 骨子; 大綱; 要点. ¶ 법안의 ~를 설명하다 法案の骨子を説明する / ~만 말하시오 要点だけを言いなさい.

골재【骨材】 명 骨材. ¶ 천연 ~ 天然骨材.

골절【骨折】 명하자 骨折. ¶ 택시에 치여 ~되었다 タクシーにひかれて骨折した.

골절【骨節】 명〔生〕骨節; 骨の関節.

골조【骨彫】 명 ぞうげ(象牙)・骨などにほった彫刻.

골-조직【骨組織】 명〔生〕骨組織.

골지 소체【—小體】〔Golgi〕명〔生〕ゴルジ体.

골질【骨質】 명 骨質.

골짜기, 골짝 명 谷; 谷間; 谷あい; はざま(狹間); 渓谷. ¶ ~의 백합 谷間のゆり(百合).

골-초【—草】 명 ① 質の悪いたばこ(煙草). ② 大変なたばこ好きな人〔愛煙家〕.

골치 명 "골머리"の卑語; 頭. ¶ ~를 썩이다 頭を悩ます / ~가 아프다 頭が痛い.
‖골칫-거리 명 困り者; 難物. ¶ 집안의 ~ 一家の困り者.

골-치다 타 型をすえる; (型にはめて)形を直す.

골-켜다 타 丸太を縦にひ(挽)いて溝を作る.

골-타다 타 畑などに溝を作る.

골탕-먹다【—湯—】 자《俗》ひどい損害を被る; ひどい目に合う. ¶ 골탕먹은 사람은 나다 ひどい目に合ったのはこの僕だ.

골탕-먹이다【—湯—】 타 ひどい目に合わせる; 損害を与える. ¶ 예상밖의 문제를 내어 학생을 ~ 予想外の問題を出して生徒に肩透かしをくわせる / 여럿이 짜고 한 사람을 ~ みなが申しあわせて一人を懲らしめる.

골통 명《俗》① ↗골통이. ② ☞ 골칫거리.
‖——-대 명 火皿が大きいキセル; マドロスパイプ. ——-이 명《俗》☞ 머리¹①. 준 골통.

골통【骨痛】 명〔韓醫〕(過労による)骨がずきずき痛む病気.

골-틀리다 자 しゃく(癪)にさわる; 腹

はらがたつ.

골-파 명 〖植〗 ① わけぎ(分葱). ② ねぎ(葱)の一種. 준 파.

골판【骨板】 명 骨板. ① 骨質の板. ② むらさきうに(紫海胆)の表面の石灰質外骨格.

‖——-문(門) 명 板戸; 板張りの戸.

골-판지【—板紙】 명 段ボール.

골패【骨牌】 명 こっぱい(骨牌).

골퍼〔golfer〕 명 ゴルファー.

골편【骨片】 명 骨片.

골-풀 명 〖植〗 い(藺); いぐさ(藺草); とうしんぐさ(灯心草).

골-풀무 명 たたら(蹈鞴). ¶ ~를 밟다 たたらを踏む.

골-풀이 명하자 八つ当たりすること; 当たり散らすこと. ¶ 아무 것도 모르는 사람에게까지 ~하고 있다 何も知らない人にまで八つ当たりをしている.

골품【骨品】 명 〖史〗 新羅時代王族·貴族などの血統による身分の等級.

골프〔golf〕 명 ゴルフ.

‖—— 바지 명 ゴルフパンツ. ——-장(場) 명 ゴルフリンク. —— 클럽 명 ゴルフクラブ.

골필【骨筆】 명 骨筆.

골학【骨學】 명 〖生〗 骨学.

골-함석 명 波板; なまこ板.

골회【骨灰】 명 骨灰.

곪다 자 ① うむ; かのう(化膿)する. ¶ 상처가 ~ 傷が化膿する / 곪은 데를 도려내다 う(膿)んだ部位を取り除く. ② (物事が)充分に熟する.

곬 명 ① 一方に開いている道; ひと向き; ひたむき; いちず(一途); 一筋. ¶ 외~으로만 나아가다 ひと向きに進む; 一点張りで通す / 외~으로 생각하다 一途に思い込む; 思い詰める. ② (水の)流れ下る道. ③ (物事の)元.

곯다¹ 자 ① (中身から)腐る; 傷む. ¶ 달걀 곯은 냄새 卵の腐ったにおい / 사과가 ~ りんごが傷む. ② 人知れず〔知らぬ間に〕痛手〔損〕を受ける. ¶ 나만 곯는다 わたしが痛手を受ける〔損する〕.

곯다² 자 ① 容量が足りない. <굻다. ② 食べ物が不足して〔食いはぐれて〕腹をすかす; 食べ物に事欠く. ¶ 흉년으로 배를 ~ 凶作で腹をすかす.

곯리다¹ 타 ① 容量を減らす. ② (食べ物の不足で)腹をすかせる; ひもじい思いをさせる.

곯리다² 사동 ① 中身が傷んで腐るようにする. ② 損を与える; 痛手を負わせる; 困らせる. ¶ 얄미운 놈을 곯려 주다 憎らしい奴をこらしめる.

곯아-떨어지다 자 (疲れ果てて, または酒に酔って)正体無く眠りこける. ¶ 맨 먼저 술에 ~ まっさきに飲みつぶれる.

곯아-빠지다 자 ① (中身が傷んで)腐りきる. ② 酒色やばくち(博打)におぼ(溺)れきる.

곰¹ 명 肉や魚などをよく煮込んだ汁物.

곰² 명 ① 〖動〗 くま(熊). ② 愚鈍な人をあざける語. ¶ ~ 가재 뒤듯《俚》 熊のざりがに探し《行動がひどくのろいことのたとえ》.

곰곰-이 부 じっくり; つくづく(と); よくよく; つらつら. ¶ ~ 생각하다 じっくり考える / 자신의 앞날을 ~ 생각하다 つくづくと身の行く先を考える.

곰-국 명 牛肉をじっくり煮込んだ汁物.

곰기다 자 (出来物が)う(膿)み, そのあたりがはれあがって固くなる. *곪다.

곰방-담뱃대, 곰방-대 명 管の短いキセル.

곰배 명 ↗곰배팔이.

‖——-팔 명 屈伸のできない腕. ——-팔이 명 腕が曲がっていて屈伸のできない人; 片輪腕の人.

곰보 명 あばたづらの人.

‖——-딱지 명 《俗》 ひどいあばたづらの人をあざける語.

곰-삭다 자 ① 衣服を着古して地がもろくなる. ② 塩からなどが充分に漬かる.

곰-살궂다 형 性格が穏やかで優しい.

곰상-곰상 부 こまごまと; きちょうめん(几帳面)に.

곰상-스럽다 형 せせこましい; こせこせしている; 細かくてみみっちい.

곰-솔 명 〖植〗 くろまつ(黒松). =해송(海松).

곰실-거리다 자 もぞもぞ〔もそもそ〕うごめく. <굼실거리다. ¶ 벌레가 ~ 虫がもぞもぞと動く. **곰실-곰실** 부 하자 もぞもぞ; もそもそ.

곰-취 명 〖植〗 おたからこう.

곰치 명 〖魚〗 うつぼ(鱓); なまだ.

곰-탕【—湯】 명 牛の肉·骨·内臓などをじっくり煮込んだ汁物.

곰팡 명 ↗곰팡이. ¶ ~이 나다 かびが生える; かびる / ~이 슬다 かびが広がっている.

‖——-내, —— 냄새 명 ① かび臭いにおい. ② 時代にかけはなれた行動や思想. ¶ ~ 나는 사상 時代おくれの思想.

곰팡-스럽다 형 することが変てこで古くさい.

곰팡-이 명 〖植〗 かび(黴). ¶ 장마철에는 ~가 잘 핀다 つゆどきにはよくかびる.

곱¹ 명 ① 出来物や傷などににじみ出るやに状の液. ② 腸から排出される薄白い, または血の混じった粘液.

곱² 명하타 倍. ① ↗곱쟁이. ② ↗곱절.

곱-걸다 자 ① 二重にしてくくる. ② (ばくちで)二倍をかける.

곱-걸리다 피동 二重に〔重ねて〕かけられる.

곱-꺾다 타 ① 関節を曲げたり伸ばしたりする. ② 歌の節回しで声をいったん下げてから高める.

곱-꺾이다 피동 (関節が)曲げられたり伸ばされたりする.
곱-끼다 자 ① ↗곱살끼다. ② はれものなどが出来る.
곱-놓다 타 (ばくちで)前の人のか(賭)け金の倍の金をかける.
곱다[1] 형 (寒さで手足が)かじかむ; かじける; 縮かむ; 凍える. ¶추워서 손끝이 ～ 寒くて指先がかじかむ〔かじける〕/ 곱은 손을 녹이다 かじかんだ〔凍えた〕手を暖める.
곱다[2] 형 ゆがんでいる; 曲がっている. <굽다. ¶등이 ～ 背が曲がっている.
곱다[3] 형 きれいだ. ① 美しい; 麗しい; あでやかだ. ¶고운 꽃 きれいな花 / 곱게 단장한 신부 きれい〔あでやか〕に装った花嫁. ② (声などが)美しい. ¶고운 목소리 きれいな声. ③ (気立てが)優しい. ¶마음씨가 고운 아가씨 気立てのやさしい娘. ④ (肌・粉・織り目・木目などが)細かい. ¶고운 모래 きれいな砂 / 고운 체 細かいふるい(篩) / 나뭇결이 ～ 木目・きめが細かい / 살결이 고운 피부 きめの細かい肌. ⑤ 安らかだ. ¶곱게〔고이〕 잠들다 安らかに眠る.
곱다랗게 부 きれいに; 元のままに; そこなわれずに. ¶～ 간직하다 もとの通りに保つ.
곱다랗다 형 ① とてもきれいだ. ② 変わりもせず元のままだ; 手をつけていない; そこなわれていない. 준 곱닿다.
곱다래-지다 자 きれいになる. ¶가을이 되어 하늘이 ～ 秋になって空がきれいになる.
곱-돌 명 〔鑛〕 滑石; ろう石. ¶～ 냄비〔솥〕 滑石作りのなべ(鍋)〔かま(釜)〕.
곱-되다 자 (物の数や量が)倍になる.
곱드러-지다 자 (けられるかつまずくかして)前に倒れる. ¶술취한 사람이 돌에 걸려 ～ 酔っぱらいが石につまずいてのめる.
곱-들다 자 (費用や材料などが)倍もかかる. ¶예산보다 곱들었다 予算より倍もかかった.
곱-들이다 타 (費用や材料などを)倍も使う.
곱디-곱다 형 とてもきれいだ〔美しい〕.
곱-디디다 자 足を踏み損なう; 踏み外す. ¶곱디디어 발을 삐다 ふみそこねて足をくじく.
곱-똥 명 粘液便.
곱-먹다 자타 ① 倍を食べる. ② (費用が)倍もかかる.
곱-빼기 명 ① 二度重ねること. ② (一つの器に盛った)二人前の食べ物; 大振り. ¶밥을 ～로 먹다 御飯を二人前食べる / 고기 덮밥 ～로 하나 주시오 ぎゅうどん(牛丼)大振りで一丁願います.
곱사-등 명 くる病で曲がった背.
곱사-등이 명 くる病にかかって背が曲がった人. ＝구루(佝僂).
곱살-끼다 자 (ひどく)むずかる; せがむ. ¶아기가 아파서 ～ 赤子が病気でむずかる.
곱살-스럽다 형 顔立ちや気立てが優しくきれいな感じがする.
곱살-하다 형 (顔立ちや気立てが)優しくきれいだ.
곱-삶다 타 再び煮る; 煮なおす.
곱-새기다 타 思い違いする; 曲解する.
곱-셈 명 掛け算; 乗算; 乗法. ──하다 타 掛け算をする; 掛け合わせる.
곱송-그리다 타 身を縮める; すくめる; いしゅく(畏縮)する. ¶두려움에 발을 ～ こわさに足を引っ込ます.
곱슬곱슬-하다 형 (髪などが)縮れている; 縮くれている. <굽슬굽슬하다. ¶머리털이 ～ 髪が縮くれている.
곱슬-머리 명 ☞ 고수머리.
곱실 부하자타 ☞ 굽실. ¶너무 ～거리지 마라 あまりぺこぺこするなよ.
곱실-곱실 부하자타 ☞ 굽실굽실.
곱-씹다 타 ① (くどくどしく)繰り返して言う. ② (念を押すように)聞く; だめを押す.
곱이-곱이 부 ☞ 굽이굽이.
곱-자 명 かね尺; かねざし; 曲がり金; 曲がり尺.
곱장-다리 명 がにまた(蟹股); わに足; O脚. ¶～ 여자 がにまたの女性.
곱쟁이 명 倍の数量. 준 곱.
곱절 명부하타 倍; 倍数. ¶그 두 ～ その二倍 / 물가가 ～이나 올랐다 物価が倍も上がった. 준 곱.
곱-창 명 牛の小腸.
곱-치다 타 ① 二つに折り合わせる. ② 倍にする.
곱-하기 명 ① 掛け算. ＝곱셈. ② 掛けること. ¶5 ～ 5 五掛け五.
곱-하다 타 かける; 乗ずる. ¶3에 7을 ～ 三に七をかける.
곳 명 所; 場所. ¶밝은 ～ 明るい所 / 그 ～ そこ(其処) / 땅값은 ～에 따라 다르다 土地は場所によって価が違う / 부끄러워서 눈 둘 ～이 없었다 恥ずかしくて目のやり場がなかった.
곳간【庫間】 명 蔵〔倉〕; 物置. ¶술 ～ 酒蔵 / 배의 ～ 船蔵〔船倉〕; 船倉 / 농기구를 ～에 두다 農機具を物置におく.
‖──차(車) 명 《俗》 ゆうがい(有蓋)貨車.
곳-곳 명 あち(ら)こち(ら); 所所; いたる所; 方方. ¶～에 물이 있다 いたる所に水がある / 일가가 ～으로 흩어지다 一家が方方に散らばる.
곳곳-이 부 いたる所(に); 所所(に); 方方(に).
곳-집【庫─】 명 倉庫.
공 명 ① まり(毬); 球; ボール. ¶고무 ～ ゴムまり / 야구 ～ 野球のボール / 좋은 ～ いい球 / 당구 ～ たまつきの球. ② 〔數〕 球.
공【工】 ㊀ 명 ↗공업. ㊁ 미 職工の意: 工. ¶수습～ 見習い工 / 인쇄～ 印刷工.
공【公】 公. ㊀ 명 ① 公; 表向き. ¶～과 사의 구별 公私の別. ②

↗공작(公爵). ㊁대 ① ☞ 당신. ¶ 귀~ 貴公 / ~의 편지를 받고 あなたの手紙を受け取って. ② 男子三人称の敬称. ㊂미 男子の姓·しごう(諡号)·雅号·官爵の下につけて相手を高める語. ¶ 충무~ 忠武公.

공【功】명 [↗공로] 功; 功名; てがら(手柄). ¶ ~을 세우다 功を立てる / 애쓰고도 ~이 없다 労して功なし.

공【空】명 ① 空·. ㉠ うつろ. ¶ ~방 空き部屋. ㉡ 事実でないこと: 空·から. ¶ ~치사 空世辞. ② 零; ゼロ. ¶3천 ~ 5십 1원 三千飛び五十一ウォンなり. ③ 代価のないもの; ただ. ¶ ~으로 얻다 ただで得る. ④ むだ. ¶ ~치다 得ものがない. ⑤〘佛〙 空. ¶ 색즉시~ 色即是空.

공 〔gong〕 명 ゴング. ¶ ~이 울리고 1라운드가 시작되었다 鐘が鳴って一ラウンドが始まった.

공간【公刊】명하타 公刊.

공간【空間】명 空間. ¶ 시간과 ~ 時間と空間 / ~을 이용하다 空間を利用する.
‖── 기하학 명 空間幾何学. ── 도시 명 空間都市. ── 도형 명 空間図形. ───-미 명 空間美. ── 예술(藝術) 명 空間芸術. ───-적 명관 空間的.

공갈【恐喝】명 ① 恐喝〔脅喝〕; 脅し. ───-하다 타 恐喝する; 脅す. ¶ 돈을 목적으로 ~하다 金を目当てに恐喝する / ~하여 돈을 빼앗다 脅かして金を奪う. ②《俗》うそ(嘘). ───-하다 타 うそをつく. ¶ ~ 놓지 마 うそつくな / 다 ~이다 みんなうそだ.
‖───-죄 명 恐喝罪. ── 취재(取財) 명하자 恐喝して人の財産を取ること.

공감【共感】명하자 共感. ¶ ~을 느끼다 共感する.

공개【公開】명하타 公開. ¶ ~ 석상 公開席上 / 벼를 ~ 매입하였다 もみを公開買い上げた / 계획의 성안을 ~하라 計画の成案を公開せよ.
‖── 방송 명 公開放送. ── 법인 명 公開法人. ── 선거 명 公開選挙. ── 심리주의 명 公開審理主義. ───-장 명 公開状. ── 재판 명 公開裁判. ───-주의 명 公開主義. ── 투표 公開投票.

공-것【空―】명 ただ(の物); ただで得たもの; 無料; ロハ〈俗〉.

공격【攻擊】명 攻撃. ───-하다 타 攻撃する; 攻める. ¶ ~의 대상으로 삼다 攻撃のやり玉にあげる / 공무원의 부정을 신문이 ~하다 公務員の不正を新聞がたたく.
‖───-기 명 攻撃機. ───-력(力) 명 攻撃力. ───-적 명관 攻撃的. ¶ ~인 행동 攻撃的な行動.

공경【恭敬】명 恭敬. ───-하다 타 恭敬する; 敬う; 尊ぶ. ¶ 연장자를 ~하다 年長者を敬う / 하늘을 ~하다 天を敬う.

공-경제【公經濟】명 [↗공공 경제] 公経済.

공고【工高】명 [↗공업 고등 학교] 工高.

공고【公告】명하타 公告; 触れ. ¶ ~문 公告文 / 시험 기일을 ~하다 試験期日を公告する / 금지 ~를 내다 禁止の触れを出す.

공고【鞏固】명하형히부 強固. ¶ ~한 의지 強固な意志 / 지위를〔입장을〕 ~히 하다 地歩を強固にする.

공골-말 명〘動〙黄色い毛の馬. = 황(黃)부루.

공공【公共】명 公共. ¶ ~ 요금 公共料金 / ~ 생활 公共生活 / ~의 이익을 도모하다 公共の利益を図る.
‖── 경비 명 公共経費. ── 경제 명 公共経済. ㊜ 공경제. ── 고용 명 公共雇用. ¶ ~인 公共雇用人. ── 단체 명 公共団体. ───-물 명 公共物. ── 방송 명 公共放送. ── 복지 명 公共福祉. ── 사업 명 公共事業. ¶ ~비 公共事業費. ── 시설 명 公共施設. ──용 재산 명 公共用財産. ── 자금 명 公共資金.

공공연-하다【公公然―】형 公然だ; おおっぴらだ; 表向きだ. ¶ 공공연한 비밀 公然たる秘密 / 공공연하게 쉬다 おおっぴらに休む / 공공연해지다 表向きになる. 공공연-히 부 公然に〔と〕; おおっぴらに; あらわ(露)に. ¶ ~ 반대하다 あらわに反対する.

공과【工科】명 工科.
‖── 대학 명 工科大学. ㊜ 공대(工大).

공과【公課】명 公課.
‖───-금 명 公課金.

공과【功過】명 功過.
‖── 상반(相半) 명하형 功過が相半ばすること.

공관【公館】명 公館. ¶ 재외 ~ 在外公館.
‖───-장 명 公館長. ¶ ~ 회의 公館長会議.

공교-롭다【工巧―】형 ☞ 공교하다. ¶ 공교롭게 그를 만나다니 折悪しく彼に会うとは / 공교롭게 일이 겹치다 都合悪く事がかさなる / 공교롭게도 모두 출타 중이었다 あいにく皆るす(留守)だった.

공교-로이【工巧―】부 ☞ 공교히.

공교-스럽다【工巧―】형 ☞ 공교(工巧)롭다.

공-교육【公教育】명 公教育.

공교-하다【工巧―】형 ① 巧妙だ; 精妙だ. ② 意外だ; 偶然だ; 思いがけない. ③ 折がよいか, または悪い.

공교-히【工巧―】부 ① 巧妙に. ② 意外に; 偶然に; 思いがけなく. ③ あいにく; 折よく〔あしく〕.

공구【工具】명 工具.
‖───-강 명 工具鋼.

공구【工區】명 工区. ¶ 제1 ~ 第一工区.

공국【公國】명 公国. ¶ 모나코 ~ モナコ公国.

공군【空軍】명 空軍.

ㄱ

‖── 본부 명 空軍本部. ── 사관학교 명 空軍士官学校; 空士《준말》.

공권【公權】명 公権.

‖──-력 명 公権力. ──적 해석 명 公権的解釈. =유권 해석. ── 정지 명 公権停止.

공권【空拳】명 空拳. ¶적수 ～ 赤手空拳.

공규【空閨】명 くうけい(空閨); 空房. ¶～를 지키다 空閨を守る.

공그르다 타 く(絎)ける; くけ縫いをする.

공글리다 타 ①(地面などを)固める. ②(事の始末を)きれいにする.

공금【公金】명 公金. ¶～을 가지고 달아나다 公金を持ち逃げする.

‖── 유용 명하자 公金流用. ── 횡령 명하자 公金横領. ¶～죄 公金横領罪.

공급【供給】명 供給. ──-하다 타 供給する; 給する. ¶수요와 ～의 법칙 需要と供給の法則/식량을 ～받다 食糧の供給を受ける.

‖── 계약 명〖法〗供給契約. ── 과잉 명〖經〗供給過剰. ──-원 명 供給源. ¶비타민의 ～ ビタミンの供給源.

공기 명 ①石な(ん)ご; 石などり. ②(お)手玉. ＊공기놀다·공기놀리다.

공기【公器】명 公器. ¶신문은 천하의 ～다 新聞は天下の公器だ.

공기【空氣】명 空気. ①大気. ¶초가을의 산뜻한 ～ 初秋のすがすがしい空気. ②雰囲気. ¶긴장된 ～ 緊張した空気.

‖── 망치 명 空気ハンマー; エアハンマー. ── 송곳 명 空気ドリル. ──-압, ── 압력 명 空気圧; 気圧. ── 압축기 명 空気圧縮機; エアコンプレッサー. ──-욕 명 空気浴. ── 전송관 명 空気伝送管; エアシューター. ── 전염 명하자 空気伝染. ── 제동기 명 空気制動機; エアブレーキ. ──조절 명 空気調節. ── 주머니 명 きのう(気嚢). ──-총 명 空気銃. ──-침 명 空気まくら(枕); エアクッション. =공기 베개. ── 펌프 명 空気ポンプ; エアポンプ.

공기【空器】명 ①空の器. ②わん(椀); 茶わん. ¶흠이 없는 ～ 無傷の茶わん.

공기-놀다 자 ①石なご〔石などり〕をして遊ぶ. ②お手玉をもって遊ぶ.

공기-놀리다 자타 ①お手玉〔いしなご〕遊びをする. ②人をもてあそぶ.

공-기업【公企業】명 公企業.

공납【公納】명 国庫に収入される租税.

‖──-금(金) 명 納金. ①役所に義務的に納める金. ②学生が学校に定期的に納める金.

공납【貢納】명하타 貢納; 貢ぎ物を納めること. 준 공(貢).

공노【共怒】명하자 共に怒ること. ¶천인 ～할 큰 죄 天人共に怒るべき大罪.

공다리 명 大根·白菜の種を取ったとう(薹).

공단【工團】명〔↗공업 단지〕工団.

공단【公團】명 公団. ¶도시 ～ 都市公団.

공담【公談】명 ①公平な話. ②公務に関する話.

공당【公黨】명 公党.

공대【工大】명〔↗공과 대학〕工大.

공대【恭待】명하타 ①親切丁寧にもてなすこと. ②敬語を使うこと.

‖──-말 명 敬語. ¶～을 쓰다〔하다〕敬語を使う.

공대-공【空對空】명 空対空. ¶～ 미사일 空対空ミサイル.

공대-지【空對地】명 空対地. ¶～ 미사일 空対地ミサイル.

공덕【功德】명 ①功徳. ②〖佛〗功徳; 善根. ¶부처의 ～ 仏の功徳/～을 베풀다 功徳を施す/～을 쌓다 善根〔功徳〕を積む.

공도【公道】명 公道. ¶천하의 ～를 가다 天下の公道を行く.

공-돈【空—】명 労せず入った金; ただで得た金.

공-돌다【空—】자 空回る. ¶바퀴가 ～ 車輪が空回る.

공동【共同】명하타 共同. ¶～ 경영 共同経営/～ 설립 共同設立/～으로 쓰다 共同で使う.

‖── 경작(耕作) 명 共同耕作. ¶～지(地) 共同耕作地. ── 관리 명 共同管理. ── 대표 명 共同代表. ── 모의 명 共同謀議. ── 목적 명 共同目的. ── 못자리 명 共同苗代. ── 묘지 명 共同墓地. ── 변소 명 公衆便所. ── 보조 명 共同歩調. ── 보증 명 共同保証. ── 사업 명 共同事業. ── 사회 명 共同社会; ゲマインシャフト. ── 상속 명 共同相続. ── 생활 명 共同生活. ── 선언 명 共同宣言. ── 성명 명 共同声明. ¶한미 ～ 韓米共同声明. ── 소유 명 共同所有. ── 수도 명 共同水道. ──위원회 명 共同委員会. ── 의무 명 共同義務. ── 의장 명 共同議長. ── 작업 명 共同作業. ── 작전 명 共同作戦. ── 재산 명 共同財産. ── 정범 명 共同正犯. ── 정신 명 共同精神. ── 주최 명 共同主催. ── 주택 명 共同住宅. ── 출자 명 共同出資. ── 판매 명 共同販売. ¶～소 共同販売所. 준 공판(共販). ── 피고 명 共同被告. ── 행위 명 共同行為. ── 협력 명 共同協力.

공동【空洞】명 空洞; ほらあな; うつろ. ¶종유석이 있는 ～ しょうにゅうせき(鍾乳石)のある空洞/결핵으로 폐에 ～이 생기다 肺結核で空洞が出来る.

공득【空得】명하타 労せずただ(只)で得ること.

‖──지물(之物) 명 ただで得たもの. =공것.

공든-탑【功—塔】명 ①念を入れた塔. ¶～이 무너지랴《俚》念入りに

…築き上げた塔はくずれることがない. ② 骨折って成した仕事.
…-들다【功—】㊆ 努力が入る; 念が入る; 骨が折れる.
…-들이다【功—】㊆ 念を入れる; (念を)凝らす; 骨折る. ¶ 공들인 작품 念をこらした作品 / 화장에 ～ 化粧を凝らす.
…-떡【空—】㊔ 骨折らずただ(只)で得た利益; 拾い物; 棚からのぼたもち.
공-뜨다【空—】㊆ ① 宙に浮く. ¶ 백만원이 ～ 百万ウォンが宙に浮く. ② まじらずに別になっている; たがいにとけ合わない; 浮く. ¶ 기름이 물 위에 ～ 油が水に浮く.
공란【空欄】㊔ 空欄; ブランク. ¶ ～에 써 넣다 空欄に書きこむ.
공람【供覽】㊔㊖㊉ 供覧. ¶ ～용의 물건 供覧用の品物.
공랭【空冷】㊔ [↗공기 냉각] 空冷. ——-하다 ㊉ 空気で冷やす.
‖——-식 ㊔ 空冷式. ¶ ～ 엔진〔기관총〕空冷式エンジン〔機関銃〕.
공략【攻略】㊔㊖㊉ 攻略. ¶ 적 진지를 차례차례 ～하다 敵陣地を次次と攻略する.
공력【功力】㊔ ① そそいだ努力; 骨折り. ②〘佛〙功力.
공로【公路】㊔ 公路. ¶ 천하의 ～ 天下の公路.
공로【功勞】㊔ 功労; 功; てがら(手柄); 働き. ¶ ～상 功労賞 / 창업의 ～자 創業の功労者 / ～에 보답하다 功に報いる. ㊟ 공(功).
공로【空路】㊔ 空路. ¶ ～로 파리에 도착하다 空路でパリに到着する.
공론【公論】㊔㊖㊉ 公論. ¶ 천하의 ～ 天下の公論.
공론【空論】㊔㊖㊉ 空論. ¶ 탁상 ～ 机上の空論.
‖——-가 ㊔ 空論家. —— 공담 ㊔ 空論空談.
공룡【恐龍】㊔ 恐竜. ＝디노사우르. ¶ ～ 시대 恐竜時代.
공률【工率】㊔ 工率; 仕事率.
공리【公吏】㊔ 公吏; 公務員; 役人.
공리【公利】㊔ 公利; 公益.
공리【公理】㊔ 公理. ¶ ～론 公理論 / 수학의 ～ 数学の公理.
공리【功利】㊔ 功利.
‖——-설 ㊔ 功利説. ＝공리주의. ——-성 ㊔ 功利性. ——-적 ㊔㊙ 功利的. ¶ ～인 생각 功利的な考え. ——-주의 ㊔ 功利主義. ¶ ～자 功利主義者.
공리【空理】㊔ 空理.
‖—— 공론 ㊔ 空理空論.
공립【公立】㊔ 公立. ¶ ～ 학교 公立学校 / ～ 병원 公立病院.
공막【空漠】㊔㊖㊕ 空漠. ¶ ～한 이론 空漠たる理論.
공매【公賣】㊔㊖㊉ 公売. ¶ 압류품(押留品)을 ～하다 差し押さえ品を公売する.
‖—— 처분 ㊔ 公売処分.
공맹【孔孟】㊔ こうもう(孔孟). ¶ ～의 가르침 孔孟の教え.
‖——-지-도 ㊔ 孔孟の道. ——-학 ㊔ 孔孟学. ＝유학(儒學).
공명【公明】㊔㊖㊕㊘ 公明. ¶ ～ 선거 公明選挙.
‖——-심 ㊔ 公明心. —— 정대(正大) ㊔㊖㊕㊘ 公明正大.
공명【功名】㊔㊖㊆ 功名. ¶ 뜻밖의 ～ けが(怪我)の功名 / ～을 세우다 功名を立てる.
‖——-심 ㊔ 功名心. ——-욕 ㊔ 功名欲.
공명【共鳴】㊔㊖㊆ 共鳴. ¶ 음차가 ～하다 おんさ(音叉)が共鳴する / 그의 생각에 ～하다 彼の考えに共鳴する.
‖——-관 ㊔ 共鳴管. ——-기 ㊔ 共鳴器. —— 상자(箱子) ㊔ 共鳴箱.
공모【公募】㊔㊖㊉ 公募. ¶ 지원자를 ～하다 志願者を公募する.
공모【共謀】㊔ 共謀; ぐる〈俗〉. ——-하다 ㊉ 共謀する; ぐるになる; なれあう. ¶ ～해서 탈옥하다 共謀して脱獄する / ～해서 남을 속이다 なれ合って人をだます.
‖—— 공범 ㊔ 共謀共犯. ——-자 ㊔ 共謀者.
공목【空木】㊔〘印〙込め物.
공무【工務】㊔ 工務. ¶ ～국 工務局. ‖——-소 ㊔ 工務所; 工務店.
공무【公務】㊔ 公務. ¶ ～로 출장가다 公務で出張する.
‖——-원 ㊔ 公務員; 役人. ¶ 말단 ～ 小役人. —— 집행 ㊔ 公務執行. ¶ ～방해죄 公務執行妨害罪.
공문【公文】㊔ [↗공문서] 公文.
‖——-서 ㊔ 公文書. ¶ ～ 위조죄 公文書偽造罪.
공문【孔門】㊔ 孔門; 孔子の門下. ¶ ～의 십철 孔門の十哲.
공문【空文】㊔ 空文. ¶ ～화되다 空文化する.
공물【公物】㊔ 公物.
공물【供物】㊔ 供物; 供え(物); 捧げ物; 上がり物.
공물【貢物】㊔ 貢ぎ物; 貢物; みつぎ. ¶ ～을 바치다 貢ぎ物を捧げる. ㊟ 공(貢).
공미리 ㊔〘魚〙さより(細魚).
공민【公民】㊔ 公民. ¶ ～으로서의 의무를 다하다 公民としての務めを果たす.
‖—— 교육 ㊔ 公民教育. ——-권 ㊔ 公民権. ¶ ～ 정지 公民権停止. —— 도덕 ㊔ 公民道徳. —— 학교 ㊔ 公民学校.
공-바치다【貢—】㊆ 国に貢ぎ物を納める.
공박【攻駁】㊔ 人の過ちをあげて責めること. ——-하다 ㊉ 責める; やりこめる.
공방【攻防】㊔ 攻防. ¶ ～전 攻防戦 / 필사의 ～ 必死の攻防.
공방【空房】㊔ 空房. ① 人のいない部屋; 空き部屋; 明き間. ② 空閨; 独り寝の部屋. ¶ 독수 ～하다 こけい(孤閨)を守る.
‖——-살(煞) ㊔ 夫婦の仲が不和になるよこしまな妖気.
공배【空排】㊔ (囲碁の)だめ(駄目).

ㄱ

¶ ～를 메우다 だめをおす.
공-배수【公倍數】명〔數〕公倍数. ¶ 최소 ～ 最小公倍数.
공백【空白】명 空白; ブランク; 余白. ¶ ～을 메우다 空白を埋める / 병중의 ～을 만회하다 病気中の空白を取り返す.
‖――-기 명 空白期.
공범【共犯】명하타 ① 共犯. ¶ ～죄 共犯罪. ② ↗공범자. ¶ ～은 도망쳤다 共犯は逃げた.
‖――-자 명 共犯者; 共犯. ¶ ～를 대질시키다 共犯者を対質させる.
공법【工法】명 工法. ¶ 잠함 ～ 潜函工法 / 실드식 ～ シールド式工法.
공법【公法】명 公法. ¶ 국제 ～ 国際公法.
‖――-학 명 公法学.
공-법인【公法人】명 公法人.
공변-되다 형 公平無私だ.
공병【工兵】명 工兵. ¶ ～ 학교 工兵学校. ‖――-단 명 工兵団. ――-대 명 工兵隊.
공보【公報】명 公報. ¶ 선거 ～ 選挙公報 / ～를 돌리다 公報を回す.
‖――-관 명 公報館. ――-원 명 公報院.
공복【公僕】명 公僕. ¶ 민중의 ～ 民衆の公僕.
공복【空腹】명 空腹; すき腹; すきっ腹〈古〉. ¶ 약을 ～에 먹다 薬を空腹にのむ / ～을 채우다 空腹を満たす.
공부【工夫】명 勉強. ――-하다 자타 勉強する; 学ぶ. ¶ ～ 벌레 勉強虫; がり勉 / 시험 ～ 試験勉強 / 벼락(치기) ～ にわか勉強〔仕込み〕; 一夜漬けの勉強 / 기를 쓰고 ～하다 ばりばり勉強する / ～가 소홀히 되다 勉強が留守になる / A대학에서 ～하다 A大学で学ぶ.
공부【公簿】명 公簿. ¶ ～를 비치해 두다 公簿を備えておく.
공분【公憤】명 公憤. ¶ ～을 참지 못하여 公憤押さえがたく.
공비【工費】명 工費. ¶ 100만 원의 ～가 들다 百万ウォンの工費がかかる.
공비【公比】명〔數〕公比.
‖――의 정리 명〔數〕公比の定理.
공비【共匪】명 きょうひ(共匪). ① 共産軍. ② 共産党の遊撃隊. ¶ ～ 토벌 共匪討伐.
공사【工事】명 工事. ¶ 증축 ～ 増築工事 / 날림 ～ 安普請 / 도로 ～ 道普請 / 대규모의 ～ 大掛かりな工事.
‖――-비 명 工事費. ――-장 명 工事場. ――-판 명 工事現場.
공사【公司】명 公司; コンス; 会社.
공사【公私】명 公私. ¶ ～ 다망 公私多忙 / ～의 구분을 짓다 公私のけじめをつける.
공사【公事】명 公事.
공사【公使】명 公使. ¶ 주일 ～ 駐日公使.
‖――-관 명 公使館. ――관부 무관 명 公使館付き武官.
공사【公社】명 公社. ¶ 석탄 ～ 石炭公社 / 조폐 ～ 造幣公社.
공사【空士】명 ↗공군 사관 학교.
공-사채【公社債】명 公社債.
공-사립【公私立】명 公私立.
공산【工産】명 ↗공산물.
‖――-물 명 工産物. ――-액 명 工産額. ――-품 명 工産品.
공산【公算】명 公算. ¶ 이길 ～이 크다 勝つ公算が大きい.
공산【共産】명 共産. ¶ ～화된 월남 共産化したベトナム.
‖―― 국가 명 共産国家. ――-군 명 共産軍. ――-권 명 共産圏. ――-당 명 共産党. ―― 도배 명 共産徒輩. ――-주의 명 共産主義. ¶ ～자 共産主義者.
공산【空山】명 空山; 人けのない寂しい山.
‖―― 명월(明月) 명 ① 空山の明月. ② 山に満月を画いた花札の一つ. ③《俗》はげ頭をこっけい(滑稽)に言う語.
공상【工商】명 工商. ¶ 사농 ～ 士農工商.
공상【公傷】명 公傷. ¶ ～자 公傷者.
공상【空想】명하자 空想; 夢想. ¶ ～에 잠기다 空想にふけ(耽)る.
‖――-가 명 空想家. ―― 과학 영화 명 空想科学映画. ――-적 사회주의 명 空想的社会主義.
공생【共生】명하자 共生. ¶ ～ 동물〔식물〕 共生動物〔植物〕.
공서【共棲】명하자 動物の共生.
공서 양속【公序良俗】명 公序良俗.
공석【公席】명 ① 公務上の席. ② 公務を執る席.
공석【空席】명 空席; 空いている席; 欠員.
공선【公選】명하타 公選.
‖――-제 명 公選制.
공설【公設】명 公設.
‖―― 시장 명 公設市場.
공성【攻城】명하자 攻城. ¶ ～전 攻城戦 / ～군 攻城軍.
‖――-포 명 攻城砲.
공세【攻勢】명 攻勢. ¶ 평화 ～ 平和攻勢 / ～를 취하다 攻勢を取る〔に出る〕 / 수세에서 ～로 전환하다 守勢から攻勢に転ずる.
공소【公訴】명하타〔法〕公訴. ¶ ～를 기각하다 公訴を棄却する.
‖――-권 명 公訴権. ―― 기각 명 公訴棄却. ――-장 명 公訴状. =기소장(起訴狀).
공손【恭遜】명 丁寧. ――-하다 형 丁寧だ; 恭しい. ¶ ～한 인사 丁寧なあいさつ / ～한 태도 穏やかな態度 / ～하게 굴다 下手に出る. ――-히 부 丁寧に; 恭しく.
공수 명 口寄せ; 死に口. ¶ ～ 무당 口寄せ. ―― 받다 자 口寄せ〔死に口〕を聞く; 死者の霊を寄せる. ―― 주다 자 口寄せ〔死に口〕を語る.
‖――-받이 명 口寄せ〔死に口〕を聞く

ㄱ

こと.
공수【攻守】명 攻守.
‖── 동맹 명 攻守同盟.
공수【空手】명 空手·空手; 素手; 手ぶら.
‖──래(來) 공수거 명〔佛〕裸で生まれ裸で逝く; 素手で来て素手で帰る.
공수【空輸】명하타 [↗항공 수송] 空輸. ¶구호 물자를 ~하다 救援物資を空輸する.
‖── 부대 명 空輸部隊. ── 작전 명 空輸作戦. ── 특전단 명 空輸特戦団; 特殊な作戦を行なう空挺部隊.
공수【拱手】명 きょうしゅ(拱手). ──-하다 자 拱手する; 手をこまねく. ¶~ 방관 拱手傍観.
‖── 시립 명하자 拱手侍立.
공수-병【恐水病】명 恐水病; 狂犬病.
공-수표【空手票】명 空手形. ¶~를 떼다 空手形を切る.
공순【恭順】명하형히부 恭順; 柔順. ¶~의 뜻을 표하다 恭順の意を表する.
공-술【空─】명 振る舞い酒; ただで飲む酒.
공술【供述】명하타 供述. =진술. ¶~서 供述書 / 범죄의 동기를 ~하다 犯罪の動機を供述する.
공술-인【公述人】명 公述人.
공습【空襲】명하타 空襲. ¶~에 의해 초토로 화하다 空襲によって焦土と化す.
‖── 경보 명 空襲警報. ── 관제 명 空襲管制.
공시【公示】명하타 公示. ¶~ 사항 公示事項 / 선거 기일을 ~하다 選挙期日を公示する.
‖── 송달 명 公示送達. ── 최고 명 公示催告.
공식【公式】명 ①役所の儀式. ②役所で定めた方式や形式. ③公式; おおやけに決めた方式や形式. ¶~ 회담 公式会談 / ~으로 허가된 것은 아니다 表向きに許可されたのではない. ④〔數〕公式. ¶수학의 ~ 数学の公式.
‖──-어 명 公式語. ──-적 명관 公式的. ¶~인 답변 公式的な答弁 / ~이다 公式的である. ──-주의 명 公式主義. ──-화 명하자타 公式化.
공신【公信】명 公信. ①公共の信用. ②公的に与える信用.
‖──-력 명 公信力.
공신【功臣】명 功臣. ¶일등 ~ 一等功臣.
공실【空室】명 空室; 空き間; 空き部屋.
공안【公安】명 公安. ¶~ 위원회 公安委員会 / ~ 조례 公安条例.
공안【公案】명 公案. ①公文書の下書き. ②役所の調書. ③公論によって決めた案件. ④〔佛〕禅宗で, 参禅者が求める課題.
공알 명 さね(核); クリトリス; 陰核.
공약【公約】명하타 公約. ¶선거 ~ 選挙公約.
공약【空約】명하타 空約束.
공-약수【公約數】명〔數〕公約数. ¶최대 ~ 最大公約数.
공양【供養】명하타 ①目上の人に食べ物をもてなすこと. ②供養. ¶~물 供物 / 추선 ~ 追善供養. ──-드리다 자 "공양하다"の敬語.
‖──-미(米) 명 供米. ──-주(主) 명 ①供養の施主. ②寺で飯を炊く僧. ──-탑 명 供養塔.
공언【公言】명 公言. ──-하다 타 公言する; 言い放つ. ¶거리낄 일은 하나도 없다고 ~하다 やましいことはひとつもないと公言する〔言い放つ〕.
공언【空言】명 空言; そらごと(空言). ──-하다 자 空言を吐く; そらごとを言う.
공업【工業】명 工業. ¶~ 제품 工業製品 / 경~ 軽工業.
‖──-계 명 工業界. ── 고등 학교 명 工業高等学校. 준 공고(工高). ── 교육 명 工業教育. ──-국 명 工業国. ── 규격 명 工業規格. ── 단지 명 工業団地; コンビナート. 준 공단(工團). ── 도시 명 工業都市. ── 소유권 명 工業所有権. ── 약품 명 工業薬品. ──-용 명 工業用. ── 전문 대학 명 工業専門大学; 工業短期大学. 준 공전(工專). ── 정책 명 工業政策. ── 지대 명 工業地帯. ── 표준 명 工業標準. ──-항 명 工業港. ──-화 명하자타 工業化.
공여【供與】명하타 供与. ¶뇌물을 ~하다 わいろ(賄賂)を供与する.
공역【共譯】명 共訳. ¶~의 소설 共訳の小説.
공연【公演】명하자 公演. ¶첫~ 初公演 / 지방 ~ 地方公演 / 창단 ~ 旗揚げ公演 / 지방 순회 ~에 나가다 旅興行に出る.
공연【共演】명하자 共演.
공연-하다【公然─】형 公然だ; おおっぴらだ. 공연-히 부 公然と; おおっぴらに.
공연-하다【空然─】형 空しい; いたずらだ. ¶공연한 짓을 하다 つまらないことをする / 공연한 걱정 つまらない心配. 공연-히 부 空しく; いたずらに; 何となく. ¶~ 서두르다 いたずらに急ぐ / ~ 화가 나다 無性に腹が立つ. 공연-스럽다 형 ☞ 공연하다.
공-염불【空念佛】명 空念仏; そら念仏. ──-하다 자 空念仏を唱える. ¶~로 끝나다 空念仏に終わる.
공영【公營】명하타 公営.
‖── 기업 명 公営企業. ── 선거 명 公営選挙. ── 주택 명 公営住宅.
공영【共榮】명하자 共栄. ¶공존 ~ 共存共栄.
공영【共營】명하타 共営. ¶~ 농장 共営農場.
공예【工藝】명 工芸. ¶도자기 ~ 陶磁器工芸.
‖──-가 명 工芸家. ── 미술 명 工

芸美術. ── 사진 명 工芸写真. ── 작물 명 工芸作物. ──-품 명 工芸品. ──-학 명 工芸学.

공용【公用】명 公用. ──-하다 타 公用に使う. ¶ ~문 公用文 / ~으로 출장하다 公用で出張する.
‖──-물 명 公用物. ──-어 명 公用語. ── 외출 명하자 公用外出. ¶ ~증 公用外出証. ── 재산 명 公用財産. ──-증 명 公用証. ── 징수 명 公用徴収. ＝공공용물.

공용【共用】명하타 共用. ¶ 남녀 ~ 男女共用.
‖── 급수 명 共用給水. ──-물 명 共用物.

공원【工員】명 工員; 職工.

공원【公園】명 公園. ¶ 국립 ~ 国立公園.
‖── 도로 명 公園道路.

공유【公有】명 公有.
‖──-권 명 公有権. ──-림 명 公有林. ──-물 명 公有物. ── 수면 명 公有水面. ── 재산 명 公有財産. ──-지 명 公有地.

공유【共有】명하타 共有. ¶ ~ 재산 共有財産 / ~자 共有者.
‖── 결합 명〖化〗共有結合. ──-림 명 共有林. ──-물 명 共有物. ──-지 명 共有地.

공융-점【共融點】명 共融点.

공-으로【空—】부 ただ(只)で; ロハで〈俗〉. ¶ ~ 얻다 ただでもらう〔手に入れる〕.

공의-롭다【公義—】형 公平で義理固い. 공의-로이 부 公平で義理固く.

공이 명 ① きね(杵). ② 撃針.
‖──-치기 명 打ち金; 撃鉄.

공익【公益】명 公益. ¶ ~비 公益費 / ~을 도모하다 公益を図る / ~을 지키다 公益を守る.
‖── 기업 명 公益企業. ── 단체 명 公益団体. ── 법인 명 公益法人. ── 사업 명 公益事業. ＝공익 기업. ── 신탁 명 公益信託. ── 전당포(典當舖) 명 公益質屋.

공익【共益】명 共益.
‖──-권 명 共益権. ── 비용 명 共益費用.

공인【工人】명 工人; 工員; (中国で)労働者.

공인【公人】명 公人. ¶ ~의 자격〔책임〕 公人の資格〔責任〕.

공인【公印】명 公印. ¶ ~ 위조 公印偽造.

공인【公認】명하타 公認. ¶ ~ 단체 公認団体 / 사회당 ~ 후보 社会党公認候補.
‖──-교 명 公認教. ── 자본 명 公認資本. ＝수권(授權) 자본. ── 회계사 명 公認会計士.

공-인수【公因數】명〖數〗公因数. ＝공통 인수.

공-일【空—】명 ただ働き.

공일【空日】, **공일-날**【空日—】명 日曜日; 休日.

공임【工賃】명 工賃. ¶ ~이 싸다 工賃が安い.

공자【公子】명 公子. ¶ 귀~ 貴公子 / 소~ 小公子.

공작【工作】명하타 工作. ¶ 화평 ~ 和平工作 / 지하 ~ 地下工作.
‖── 교육 명 工作教育. ── 기계 명 工作機械. ──-대 명 工作隊. ──-물 명 工作物. ──-선 명 工作船. ──-실 명 工作室. ──-원 명 工作員. ──-창 명 工作廠. ──-함 명 工作艦.

공작【孔雀】명〖鳥〗くじゃく(孔雀).
‖── 부인 명 くじゃく夫人; はでやかな洋装美人. ──-새 명 くじゃく.

공작【公爵】명 公爵; プリンス. ¶ ~ 부인 公爵夫人; プリンセス.

공장【工匠】명 工匠. ＝장색(匠色).

공장【工場】명 工場; 工場〈口〉. ¶ 제조 ~ 製造工場 / 하청 ~ 下請け工場.
‖──-가 명 工場街. ── 공해 명 工場公害. ── 관리 명 工場管理. ── 노동자 명 工場労働者. ──-도 명 工場渡し. ¶ ~ 가격 工場渡し価格. ──-장 명 工場長. ──적 수공업 명 工場的手工業. ── 폐쇄 명 工場閉鎖; ロックアウト. ── 폐수 명 工場廃水. ──-화 명하자타 工場化.

공저【共著】명하타 共著. ¶ ~자 共著者.

공적【公的】명관 公的. ¶ ~인 사업 公的な事業 / ~이다 公的である.

공적【公敵】명 公敵.

공적【功績】명 功績; てがら(手柄); いさお(功); 働き. ¶ 전쟁에서 ~을 세우다 戦争で手柄を立てる / 발군의 ~ 抜群の働き.

공전【工專】명 [↗공업 전문 대학] 工専.

공전【公轉】명하자타 公転. ¶ 지구는 태양의 주위를 ~한다 地球は太陽の周囲を公転する.
‖── 주기 명 公転周期.

공전【功田】명〖史〗功田; 賜田.

공전【空前】명 空前. ¶ ~의 대성황 空前の大盛況.
‖── 절후 명 空前絶後. ＝전무 후무(前無後無).

공전【空電】명 空電. ¶ ~이 많아 듣기 힘들다 空電が多くて聞きにくい.
‖── 방해 명하자 空電妨害. 준 공전(空電).

공전【空轉】명하자 空転; 空回り; 堂堂巡り. ¶ 수레바퀴가 ~하다 車輪が空転する / 이야기가 ~할 뿐이다 話が空転するばかりである / 의론이 ~을 거듭하다 議論が空回りを重ねる.

공정【工程】명 工程; プロセス. ¶ 제조 ~을 설명하다 製造工程を説明する.
‖── 관리 명 工程管理. ──-도 명〖工〗工程図. ──-표 명 工程表.

공정【公正】명하형히부 公正. ¶ ~ 거래 公正取引 / ~ 거래 위원회 公正取引委員会 / ~한 법집행 公正な法執行 / ~한 조처였다 公正な処置

であった.
‖── 가격 명 公正価格. ── 증서 명〔法〕公正証書. ── 증서 유언 명〔法〕公正証書遺言. ── 지가 명〔法〕公正地価.
공정【公定】명 公定. ¶ ～ 환율 公定為替相場 / ～ 이율 公定歩合.
‖── 가격 명 公定価格. ── 시세 명 公定相場.
공제【共濟】명하타 共済.
‖── 조합 명 共済組合.
공제【控除】명 ① 控除; 差し引き; 天引き. ──-하다 타 控除する; 差し引く; 天引きする. ¶ ～액 控除額 / 기초 ～ 基礎控除 / 급료에서 ～하다 給料から天引きする. ② (碁の)込み. ＝덤. ¶ 5호 반 ～ 五目半の込み.
공조【共助】명하타 共助. ¶ ～ 수사 共助捜査.
공존【共存】명하자 共存. ¶ 평화 ～ 平和共存.
‖── 공영 명 共存共栄. ── 정책 명 共存政策.
공죄【功罪】명 功罪. ＝공과. ¶ ～가 상반되다 功罪相半ばする.
‖── 상보(相補) 명 功罪が相償うこと.
공주【公主】명 公主; 王女.
공준【公準】명〔論·數〕公準.
공중【公衆】명 公衆. ¶ 일반 ～ 一般公衆.
‖── 도덕 명 公衆道徳. ── 변소 명 公衆便所. ── 위생 명 公衆衛生. ── 전화 명 公衆電話. ¶ ～ 카드 テレフォンカード.
공중【空中】명 空中. ¶ 발이 ～에 뜨다 足が宙に浮く. ──-뜨다 자 (受け取るべきものが)取り戻せなくなる; 倒れになる; ふいになる.
‖──-권 명 空中権. ── 급유 명 空中給油. ── 누각 명 空中楼閣. ── 방전 명 空中放電. ── 보급 명 空中補給. ── 분해 명 空中分解. ── 수송 명 空中輸送. 준 공수. ── 어뢰 명 空中魚雷. ──-전 명 空中戦. ── 정찰 명 空中偵察. ──-제비 명하자 宙返り; とんぼ返り. ¶ 멋지게 ～를 하다 みごとにとんぼ返りをする. ── 조명 명 空中照明. ── 촬영 명 空中撮影. ── 폭격 명하타 空中爆撃. 준 공폭. ── 협약 명〔法〕空中協約. ── 회전 명 空中回転.
공증【公證】명하타 公証.
‖── 문서 명〔法〕公証文書. ── 인 명 公証人. ¶ ～ 사무소 公証人役場.
공지【空地】명 空地. ① 空地. ② 空中と地上.
공지 사실【公知事實】명 公知の事実.
공지 사항【公知事項】명 公知事項; 一般にひろく知らせるべき事項.
공직【公職】명 公職. ¶～ 추방 公職追放 / ～에 취임하다 公職につく.
공진【共振】명하자〔物〕共振.
‖── 회로 명〔物〕共振回路. ＝동조 회로.
공진-회【共進會】명 共進会.

공-집기【空―】, **공-짚기**【空―】명하자 お金を出し合ってくじを引き, なにかを買い食いするかけの一つ.
공짜 명 ただ(只); ただで得たもの; ロハ〈俗〉. ¶ ～로는 안 준다〔안 된다〕只ではやらない〔出来ない〕.
공짜-로 부 ただで; ロハで〈俗〉. ¶ ～ 얻다 ただでもらう〔手に入れる〕/ ～ 여행하다 ロハで旅行する.
공차【公差】명 公差. ①〔數〕等差数列の相隣る各項の差. ②〔數〕近似値に対する誤差の限界や範囲. ③〔法〕貨幣の実質品位·量目と法定品位·量目との差. ④〔法〕度量衡器の法定標準と実際との差を法律で認めた範囲.
공차【空車】명 ① 空車; 空き車. ② ただ乗りの車. ¶ ～를 타다 車にただ乗りをする.
공창【工廠】명 こうしょう(工廠). ¶ 해군 ～ 海軍工廠.
공창【公娼】명 こうしょう(公娼). ¶ ～ 폐지 公娼廃止.
‖──-가 명 公娼街. ── 제도 명 公娼制度.
공-채 명 打球用の棒; (ピンポン·テニスの)ラケット; (ゴルフの)クラブ.
공-채【空―】명 人の起居しない空き家.
공채【公債】명 ① 公債. ② ☞ 공채무(公債務).
‖── 정책 명〔政〕公債政策. ── 증권 명〔經〕公債証券. ── 증서 명〔經〕公債証書.
공-채무【公債務】명 公金や公課金未納によって負った負債.
공책【空冊】명 筆記帳; ノート.
공처【恐妻】명 恐妻. ¶ ～가 恐妻家.
공천【公薦】명하타 公薦. ¶ 민주당 ～ 후보 民主党公薦候補.
공청【空廳】명 ☞ 헛간.
공청-회【公聽會】명 公聴会; 聴聞会. ¶ ～를 열다 公聴会をひらく.
공출【供出】명하타 供出.
‖──-미 명 供出米; 供米.
공-출물【空出物】명하타 ① もとでや労力なしに人事に参与すること. ② もとでや労力をやたらに出すこと.
공-치기 명하자 球戯.
공-치다【空―】자 ① (或る印として) 丸を描く. ¶ 맞는 것에 공치시오 正しいものに○をしなさい. ② 当てがはずれる. ③ 徒労をする; 無駄〔徒労〕に終わる. ¶ 오늘도 또 공쳤다 今日もまた無駄に終った.
공-치사【功致辭】명하자 人につくしたことを自慢すること; 功をてらうこと.
공칙-하다 형 あいにく都合が悪くなる. 공칙-히 부 あいにく; 折悪しく.
공칭【公稱】명하타 公称. ¶ ～ 가격 公称価格.
‖── 능력 명 公称能力. ── 자본 명 公称資本.
공쿠르-상【―賞】〔Goncourt〕명 ゴン

ㄱ

クール賞.
공탁【供託】[명][하타]〖法〗供託. ¶ 보증금을 ~하다 保証金を供託する.
‖——-금 [명] 供託金. ——-물 [명] 供託物. ——-법 [명] 供託法. ——-서 [명] 供託書. ——-소 [명] 供託所.
공-터【空—】[명] 空き地. ¶아이들이 ~에서 놀고 있다 子供たちが空き地で遊んでいる.
공통【共通】[명][하자] 共通. ¶~의 이해 共通の利害/만인에게 ~이다 万人に共通である.
‖—— 내접선 [명]〖數〗共通内接線. ——-성 [명] 共通性. ——-어 [명] 共通語. ¶영어는 세계의 ~이다 英語は世界の共通語である. —— 인수 [명]〖數〗共通因数. =공인수. ——-점 [명] 共通点.
공투【共闘】[명][하자] 共闘.
공판【公判】[명][하자] 公判. ¶~이 열리다 公判が開かれる/~에 회부하다 公判に付する.
‖——-정 [명] 公判廷; 公廷. —— 조서 [명] 公判調書.
공판【共販】[명] [↗공동 판매] 共販. ¶~ 회사 共販会社.
공평【公平】[명][하형][히부] 公平. ¶~한 견해 公平な見方/신의 심판은 ~하다 神の審判は公平である.
‖—— 무사 [명][하형][히부] 公平無私. ¶~한 태도 公平無私な態度.
공포【公布】[명][하타] 公布; 発布. ¶헌법 ~ 憲法発布/새 법률을 ~하다 新しい法律を公布する.
공포【空包】[명] 空包.
공포【空砲】[명] 空砲; 空鉄砲. ¶~ 사격 空砲射撃/~를 쏘다〔놓다〕空砲を放つ〔うつ〕.
‖——-약(藥) [명] 空砲の火薬.
공포【恐怖】[명] 恐怖. ¶~감 恐怖感/~에 떨다 恐怖におののく.
‖—— 시대 [명] 恐怖時代. ——-심 [명] 恐怖心; おじけ. ¶~을 갖다 恐怖を抱く. —— 정치 [명] 恐怖政治. ——-증 [명] 恐怖症. ¶고독 ~ 孤独恐怖症.
공폭【空爆】[명][하타] [↗공중 폭격] 空爆.
공-표【一標】[명] 丸印.
공표【公表】[명] 公表. ——-하다 [타] 公表する; 披露する. ¶~를 꺼리다 公表をはばかる/세상에 ~하다 世間に披露する.
공표【空票】[명] ① ただで手に入れた入場券または車の切符など. ② 空くじ; 白くじ.
공하【恭賀】[명] 恭賀.
‖—— 신년 [명] 恭賀新年. =근하 신년(謹賀新年).
공-하다【供—】[타] 供する. ¶열람에 ~ 閲覧に供する/다과를 ~ 茶菓を供する.
공학【工學】[명] 工学. ¶기계 ~ 機械工学/전기 ~ 電気工学/사회 ~ 社会工学/채광 ~ 採鉱工学.
‖—— 박사 [명] 工学博士; 工博《준말》. ——-부 [명] 工学部. ¶~ 출신 工学部出身.
공학【共學】[명][하자] 共学. ¶남녀 ~ 男女共学.
공한【公翰】[명][하자] 公文. ¶~을 띄우다 公文を出す.
공한-지【空閑地】[명] 空閑地; 空き地.
‖——-세 [명] 空閑地税.
공항【空港】[명] 空港; エアポート. =항공항. ¶김포 ~ 金浦空港.
공해【公海】[명] 公海.
‖—— 어업 [명] 公海漁業.
공해【公害】[명] 公害. ¶매연(煤煙) ~ スモッグ公害/~를 제거하다 公害を除去する.
공허【空虛】[명] 空虚; 空っぽ. ——-하다 [형] 空虚だ; むなしい. ¶입발림의 ~한 이야기 おざなりの空虚なお話.
‖——-감 [명] 空虚感.
공헌【貢獻】[명][하자] 貢献; 寄与. ¶사회에 ~하다 社会に貢献する/학문에 ~한 사람 学問に貢献した人/~하는 바 크다 貢献する所大である.
공화【共和】[명] 共和. ¶~당 共和党/~정치 共和政治.
‖——-국 [명] 共和国. —— 정체 [명] 共和政体. —— 제도 [명] 共和制.
공황【恐慌】[명] きょうこう(恐慌); パニック. ¶금융 ~ 金融恐慌/경제 ~이 닥쳐오다 経済恐慌がやって来る/재계는 ~을 겪고 있다 財界は恐慌に巻き込まれている.
공회【公會】[명] 公会.
‖——-당 [명] 公会堂. ¶~에서 연주회를 열다 公会堂で演奏会を開く.
공훈【功勳】[명] 功勲; 勲功; 手柄; いさお(功·勲). ¶~을 세우다 手柄を立てる.
공휴【公休】, **공휴-일**【公休日】[명] 公休; 公休日.
공-히【共—】[부] 共に. ¶명실 ~ 名実共に.
-곶【串】[미] 地名に付いて岬を表わす語. ¶장산~ 長山岬.
곶-감 [명] くしがき(串柿); ころがき; 干しがき. ¶~을 매달다 くしがきをつるす/~ 꼬지에서 ~ 빼먹듯《俚》くしがきの抜き食いのように物を使い果たすことのたとえ.
과【科】[명] 科. ① 研究分野の小区分; 部門. ¶생물~ 生物科/문~ 文科/내~ 内科. ② 生物分類上の一段階《目と属との間》. ¶고양잇~ 猫科/버드나뭇~ 柳科.
과【果】[명] ① 果; 木の実. ② ☞ 결과. ③〖佛〗因縁から生ずるすべての法. ¶인~ 因果.
과【課】[명] 課. ¶총무~ 総務課/학생~ 学生課/제1~ 第一課/앞의 ~에서 배운 대로 前の課で学んだどおり.
과 [조] 終声のある体言につく助詞: …と. ① 列挙する際に使う語. ¶봄~ 여름~ 가을~ 겨울 春と夏と秋と冬/형~ 동생 兄と弟. ② 行動を共にすることを示す語. ¶김군~ 같이 가다 金君といっしょに行く/고난~ 싸우다 苦難

と戦う. ③ 比較する際に使う語. ¶ 그것~ 같다 それと同じである / 옛날~ 다르다 昔とは違う / 보는 것~ 듣는 것~는 크게 다르다 見るのと聞くのとは大違いだ.

과-【過】[두] 過. ¶ ~부족 過不足 / ~불급 過不及 / ~산화 수소 過酸化水素.

과감【果敢】[명] 果敢. ——-하다 [형] 果敢だ. ¶ 용맹 ~한 돌진 勇猛果敢な突進. ——-스럽다 [형] ☞ 과감하다. ——-히 [부] 果敢に. ¶ ~ 반격하다 果敢に反撃する.

과감【過感】[명][하형] もったい(勿体)ないこと; 身に余ること. ¶ ~한 말씀입니다 もったいないお言葉でございます.

과객【科客】[명]〖史〗科挙を受ける儒生.

과객【過客】[명] 過客; 行ききの人; 旅人. ¶ 지나가는 ~ 行きずりの旅人.
‖——-질 [명][하자] 路銀なしに旅をすること; 無銭旅行.

과거【科擧】[명][하자]〖史〗科挙《高麗時代の初期から始まり朝鮮王朝の末に廃止された》. ¶ ~에 급제하다 科挙に及第する.

과거【過去】[명] 過去. ¶ ~가 있는 여자 いわくのある女 / ~를 청산하다 過去を清算する / 지금은 먼 ~의 일이 되었다 今は遠い昔のこととなった.
‖—— 분사 [명] 過去分詞. ——-사(事) [명] 過去の事; すぎ去った事. =과거지사. —— 완료 [명] 過去完了. ——-장 [명]〖佛〗過去帳; 鬼籍.

과격【過激】[명][하형][히부] 過激. ¶ ~한 사상 過激な思想.
‖——-파 [명] 過激派.

과공【過恭】[명][하형][히부] 度をすぎた丁寧さ. ¶ ~은 비례라 度を過ぎた丁寧は礼に非ず.

과-꽃 [명]〖植〗えぞぎく(蝦夷菊); アスター.

과내【科內】[명] 科内. ¶ ~에서 정하다 科内で決める.

과내【課內】[명] 課内. ¶ ~ 인사 課内人事.

과-냉각【過冷却】[명] 過冷却; 過冷.

과녁 [명] [←관혁(貫革)] 的. ¶ ~을 맞히다 的をあてる / 화살은 ~ 한복판에 적중하였다 矢は的の真中に的中した.
‖——-빼기 [명] 真向かい. ——빼기-집 [명] 真向かいの家.

과년【瓜年】[명] 女性の適齢. ——-차다 [자] 女性が適齢に達する.

과년【過年】[명][하형] 女性が婚期を逃がすこと. ¶ ~한 딸이 둘이나 있다 婚期を逃がした娘を二人も持っている.

과년-도【過年度】[명][하형] 過年度; 昨年度.
‖—— 수입 [명] 過年度収入. —— 지출 [명] 過年度支出.

과념【過念】[명][하타] 心配し過ぎること. ¶ 너무 ~하지 마십시오 余り心配しないで下さい.

과다【過多】[명] 過多. ——-하다 [형] 過多だ; 多過ぎる. ¶ 위산 ~ 胃酸過多 / 공급이 ~하다 供給が多過ぎる. ——-히 [부] 過多に.

과단【果斷】[명][하타] 果断.
‖——-성(性) [명] 事を思い切って早めに決める性質. ¶ ~ 있는 조치 果断な処置.

과당【果糖】[명] 果糖. =프룩토오스.

과당【過當】[명][하형] 過当. ¶ ~ 경쟁 過当競争.

과대【過大】[명][하형][히부] 過大. ¶ ~시 過大視 / ~한 손실 過大な損失 / ~한 기대 過大な期待.
‖—— 평가 [명][하타] 過大評価.

과대【誇大】[명][하타] 誇大; おおぎょう(大仰); 大げさ. ¶ ~ 선전 誇大宣伝 / ~한 광고 誇大な広告.
‖—— 망상 [명][하자] 誇大妄想. ¶ ~증 환자 誇大妄想狂.

과도【過度】[명] 過度. ——-하다 [형] 過度だ; 度をこしている. ¶ ~한 노동〔운동〕 過度な労働〔運動〕. ——-히 [부] 過度に; 度をこして.

과도【過渡】[명] 過渡.
‖——-기 [명] 過渡期. —— 시대 [명] 過渡時代. ——-적 [명][관] 過渡的. ¶ ~인 현상 過渡的な現象. —— 정부 [명] 過渡政府.

과두【寡頭】[명] 寡頭. ¶ ~ 지배제 寡頭支配制.
‖—— 정치 [명] 寡頭政治.

과-똑똑이【過—】[명] りこう(利口)すぎる人.

과락【科落】[명] 科落. =과목 낙제.

과람【過濫】[명] 過濫; 分に過ぎること; 身に余ること; 度に過ぎること. ——-하다 [형] 過濫だ. ¶ ~한 대우 分に過ぎる待遇〔もてなし〕/ ~한 말씀이십니다 身に余るお言葉です.

과량【過量】[명][하형] 過量. ¶ ~ 조사 過量照射.

과로【過勞】[명][하자] 過労. ¶ ~사 過労死 / ~ 때문에 병이 나다 過労のため病気になる / ~로 쓰러지다 過労で倒れる.

과료【科料】[명] 科料; とがりょう. ¶ 경범으로 5천 원의 ~ 처분을 받았다 軽犯で五千ウォンの科料処分を受けた.

과립【顆粒】[명] かりゅう(顆粒). ¶ ~상 顆粒状.

과망간산 칼륨【過—酸—】〔kalium〕[명]〖化〗過マンガン酸カリウム.

과명【科名】[명] 科名.

과목【科目】[명] 科目. ¶ 필수 ~ 必須科目 / 전공 ~ 専攻科目.

과묵【寡默】[명][하형] 寡黙. ¶ ~한 사람 寡黙な人.

과문【寡聞】[명][하형] 寡聞. ¶ 그 말은 ~한 탓인지 나는 초문이다 その話は寡聞なせいかわたしは初耳だ.

과민【過敏】[명][하형] 過敏. ¶ 신경 ~ 神経過敏.
‖——성 체질 [명] 過敏性体質. ——-증 [명]〖醫〗過敏症. =아나필락시.

과밀【過密】[명][하형] 過密. ¶ 인구 ~ 人口過密 / ~ 도시 過密都市.

ㄱ

과반 【過半】 명 過半；大半. ¶～을 차지하다 過半を占める.
‖──-수 명 過半数. ¶출석자 ～의 찬성 出席者過半数の賛成.
과부 【寡婦】 명 やもめ；後家；未亡人；寡婦. ¶～ 생활 やもめ暮らし／～가 수절하다 後家を立てる／～ 사정은 ～가 안다《俚》 同病相憐む.
‖──-댁(宅) 명 "과부"の尊称. ＝과수댁.
과-부족 【過不足】 명 過不足. ¶～이 없다 過不足がない.
과-부하 【過負荷】 명 過負荷；電気の規定量を超過する負荷.
과분 【過分】 명 過分. ──-하다 형 過分だ；分に過ぎる；もったいない. ¶～한 말씀 もったいないお言葉／～한 칭찬을 받다 過分なお褒めにあずかる／너에게는 ～한 마누라다 君にはもったいない女房だ. ──-히 부 過分に.
과-산화 【過酸化】 명 〘化〙 過酸化.
‖── 나트륨 명 過酸化ナトリウム. ── 망간 명 過酸化マンガン ＝이산화망간. ──-물 명 過酸化物. ── 바륨 명 過酸化バリウム. ── 수소 명 過酸化水素. ── 질소 명 過酸化窒素.
과세 【過歲】 명하자 お正月を迎えること. ¶～ 안녕하셨습니까 新年おめでとうございます.
과세 【課稅】 명하자 課稅. ¶누진 ～ 累進課稅.
‖── 가격 명 課稅価格. ──-권 명 課稅権. ── 물건 명 課稅物件. ── 소득 명 課稅所得. ──-율 명 課稅率. ── 표준 명 課稅標準. ──-품 명 課稅品.
과소 【過小】 명하형 過小.
‖── 평가 명 過小評価.
과소 【過少】 명하형 過少. ¶～ 생산 過少生産.
‖── 소비 명 過少消費. ── 인구 명 過少人口.
과소 【過疏】 명하형 過疎. ¶～ 지대 過疎地帯／인구의 ～로 고민하다 人口の過疎に悩む.
과속 【過速】 명하자 超過速度；一定の標準を超えた速度.
과수 【果樹】 명 果樹；果木.
‖──-원 명 果樹園.
과수 【寡守】 명 ☞ 과부.
‖──-댁(宅) 명 ☞ 과부댁.
과시 【誇示】 명 誇示. ──-하다 타 誇示する；見せびらかす；見せつける；ひけらかす〈俗〉. ¶권력을〔위세를〕 ～하다 権力〔威勢〕を誇示する.
과식 【過食】 명하타 過食；食い過ぎ. ¶오늘 저녁은 ～했다 今晩は食い過ぎた.
과신 【過信】 명하타 過信. ¶능력을 ～하다 能力を過信する.
과실 【果實】 명 果実；果物. ¶～ 나무 果樹／법정 ～ 法定果実.
‖── 시럽 명 果実シロップ. ── 음료 명 果実飲料. ──-주 명 果実酒. ──-즙 명 果汁.
과실 【過失】 명 過失；しくじり；あやまち〈雅〉.
‖──-범 명 過失犯. ── 살상 명 過失殺傷. ── 상해죄 명 過失傷害罪. ──-죄 명 過失罪. ── 책임 명 過失責任. ── 치사 명 過失致死. ¶～죄 過失致死罪.
과언 【過言】 명하자 過言；言い過ぎ. ¶…라 해도 ～은 아니다 …と言っても言い過ぎではない.
과업 【課業】 명 課業.
과연 【果然】 부 果然；いかにも；果して；なるほど；さすが；やっぱり. ¶운명은 ～ 어떻게 될 것인가 運命は果していかになるだろうか／～ 그는 성공했다 やっぱり彼は成功した／～ 잘 한다 なるほどうまい／～ 자네답군, 잘 했어 さすがは君だ, よくやったものだ.
과열 【過熱】 명하자타 過熱. ¶난로의 ～ 방지 ストーブの過熱防止.
‖── 증기 명 過熱蒸気.
과오 【過誤】 명 過誤；過ち〈雅〉. ¶뜻밖의 ～를 범하다 思わぬ過誤を犯す.
과외 【課外】 명 課外.
‖── 독본(讀本) 명 課外読み物. ── 수업 명 課外授業. ── 활동 명 課外活動.
과욕 【過慾】 명 過欲.
과용 【過用】 명하타 過用.
과-유불급 【過猶不及】 명 過ぎたるはなお及ばざるが如し.
과육 【果肉】 명 果肉.
과음 【過淫】 명하자 房事過多.
과음 【過飮】 명 過飲；飲み過ぎ. ──-하다 타 過飲する；飲み過ぎる.
과인산 석회 【過燐酸石灰】 명 〘化〙 過燐酸石灰. 준 과석(過石).
과일 명 果物；フルーツ.
과잉 【過剩】 명 過剰. ──-하다 자 有り余る. ¶자의식 ～이 탈이다 自意識の過剰が問題である.
‖── 방위 명 過剰防衛. ── 생산 명 過剰生産. ── 유동성 명 過剰流動性. ── 인구 명 過剰人口. ── 충성 명 過剰忠誠. ── 투자 명 過剰投資.
과자 【菓子】 명 菓子；ケーキ. ¶일본식 ～ 和菓子／양～ 洋菓子／～점(店) 菓子屋.
과장 【科場】 명 科場.
과장 【誇張】 명하타 誇張；大げさ. ¶～된 보도 誇張された報道／이야기가 ～되었다 話しにおひれ(尾鰭)がついた.
‖──-법 명 誇張法. ──-증 명 誇張症.
과장 【課長】 명 課長.
과-적재 【過積載】 명하타 過積載.
과-전압 【過電壓】 명 過電圧.
과점 【寡占】 명 寡占. ¶～ 경제 寡占経済／～ 가격 寡占価格.
과정 【過程】 명 過程；プロセス.
과정 【課程】 명 課程；教科課程. ¶교육 ～이 잘 짜여져 있다 教育課程がうまく組まれている.
과제 【課題】 명 課題；文題. ¶당면한 ～는 바로 이것이다 当面の問題はまさにこれである／～ 작문 課題作文.

‖——-장 명 課題帳.
과중【過重】명 過重. ——-하다 형 過重だ. ——-히 부 過重に.
‖—— 교육 명 過重教育. —— 부담 명 過重負担.
과즙【果汁】명 果汁.
과징【課徵】명하타 課徵. ¶ 수입〔수출〕 ~금 輸入〔輸出〕課徵金 / 수입품에 10퍼센트의 ~금을 과하다 輸入品に十パーセントの課徵金を課する.
과찬【過讚】명하타 過賛; 過賞; 褒め過ぎ.
과채【果菜】명 果菜.
‖——-류 명 果菜類.
과태【過怠】명 過怠; 過失.
‖——-료 명 過料. —— 약관 명 過怠約款.
과-하다【科—】타 科する. ¶ 벌을 ~ 罰を科する.
과-하다【課—】타 課する; 掛ける. ¶ 세금을 ~ 税金を掛ける / 부역을 ~ 賦役を課する.
과-하다【過—】형 過度だ; あんまりだ. ¶ 칭찬이 과하십니다 身に余るお褒めです / 너무 과하십니다 あんまりです. 과-히 부 あんまり; あまり.
과학【科學】명 科学; サイエンス. ¶ 사회 ~ 社会科学.
‖—— 교육 명 科学教育. —— 기술처 명 科学技術処. —— 만능주의 명 科学万能主義. —— 비판 명 科学批判. —— 소설 명 科学小説. —— 수사 명 科学捜査. ——-적 명관 科学的. ——-전 명 科学戦. ——-화 명하자타 科学化.
곽【槨】명 かく(槨); 棺を納める外箱.
곽공【郭公】명〔鳥〕かっこう(郭公). =뻐꾸기.
곽란【霍亂】명〔韓醫〕かくらん(霍乱). ¶ 토사 ~ 吐瀉霍乱.
곽쥐 명 [←곽주(郭走)] 子供が泣く際, おどしてなだめる語.
관【官】명 [↗관청] 官.
관【冠】명〔史〕冠·冠.
관【貫】명 ↗본관(本貫).
관【棺】명 棺; ひつぎ(棺).
관【款】명〔法〕款. 法律文などの条項.
관【管】명 管·管.
관【館】명 ①ソウルで牛肉屋のこと. ②高級料理屋; 料亭.
관【罐】명 缶.
관【貫】의명 貫. ①〔史〕昔の銭一千文. ②重さの単位. ¶5~ 五貫.
관[1] 부 ↗고만. ¶ ~ 둬 いやだ; もうやめてくれ.
관[2] 조 "과는(=とは)"の意. ¶ 나쁜 사람~ 안 논다 悪い人とは遊ばない.
-관【串】미 ☞ -곶.
관가【官家】명〔史〕役所.
관개【灌漑】명하자 かんがい(灌漑). ¶ ~ 공사 灌漑工事.
‖—— 용수 명 灌漑用水. ——-지 명 灌漑地.
관객【觀客】명 観客.
관건【關鍵】명 かんけん(関鍵). ① ☞ 문빗장. ②物事の最も重要なかなめ; ポイント. =핵심. ¶ ~을 쥐고 있는 사람 ポイントを握っている人.
관계【官界】명 官界. ¶ ~에 진출하다 官界に進出する.
관계【關係】명하자 関係; 掛かり合い; かかわり. ¶ ~ 기관 関係機関; 関係庁 / 가족 ~ 家族関係 / 생명〔명예〕에 ~되다 生命〔名誉〕に関係する / 남의 일에 ~하다 人のことに立ち入る / 쓸데없는 일에 ~하다 つまらぬことに掛かり合う / 신용에 ~되다 信用にかかわる. —— 없다 형 ①関係ない. ②構わない; 心配無用だ. —— 없이 부 関係なく; かかわらず.
‖——-관 명 関係官. ——-국(國) 명 関係のある国. —— 대명사 명 関係代名詞. ——-식 명 関係式. ——-자 명 関係者.
관골【顴骨】명〔生〕かんこつ(顴骨); きょうこつ(頬骨); ほお骨. =광대뼈. ¶ ~근 顴骨筋.
관공-리【官公吏】명 官公吏.
관공-립【官公立】명 官公立.
관공사-립【官公私立】명 官公私立.
관공-서【官公署】명 官公署; 役所.
관공-청【官公廳】명 官公庁.
관광【觀光】명하자 観光; 物見; 見物.
‖——-객 명 観光客. ¶ ~을 유치하다 観光客を誘致する. —— 국가 명 観光国家. ——-단 명 観光団. —— 무역 명 観光貿易. —— 버스 명 観光バス. —— 사업 명 観光事業. —— 시설 명 観光施設. —— 자원 명 観光資源.
관구【管區】명〔軍〕管区. ①↗관할 구역. ②↗군관구(軍管區). ¶ 제1 ~ 사령부 第一管区司令部.
관군【官軍】명 官軍.
관권【官權】명 官権. ¶ ~ 선거 官権選挙 / ~을 남용하다 官権を濫用する.
관극【觀劇】명하자 観劇.
관금【官金】명 官金; 公金. ¶ ~을 횡령하다 官金を横領する.
관급【官給】명하타 官給.
‖——-품 명 官給品; 官物.
관기【官妓】명〔史〕かんぎ(官妓); 妓生.
관기【官紀】명 官紀.
‖—— 숙정 명하자 官紀粛正.
관내【管內】명 管内.
관념【觀念】명 観念. ¶ 선입〔경제〕 ~ 先入〔経済〕観念.
‖—— 과학 명 観念科学. ——-론 명 観念論. —— 소설 명 観念小説. ——-시 명 観念詩. ——-적 명관 観念的. ——-주의 명 観念主義.
관노【官奴】명〔史〕官奴.
관-노비【官奴婢】명〔史〕官のどひ(奴婢).
관-놈【館—】명《卑》牛肉屋を見下げていう語.
관능【官能】명〔生〕官能. ¶ ~을 만

족시키다 官能を満足させる.
‖——-미 명 官能美. ——-적 명관 官能的. ¶ ~인 표현 官能的な表現.
——-주의 명 官能主義.
관-다발【管—】명〔植〕維管束.
관대【寬大】명하형히부 寛大. ¶ ~한 조치 寛大な処置.
관데 조 わけを問う際に使う古めかしい語：…なのに；…で. ＝기에. ¶ 네가 뭐~ 대드느냐 一体お前が何でくってかかるのか.
관-돈 명 お金十両《銭千文》.
관동【關東】명〔地〕関東；大関嶺以東の江原道地域.
‖——-삼(蔘) 명 江原道で産する高麗人参. —— 팔경 명〔地〕関東八景.
관-두다 타 [↗고만두다] やめてしまう. ¶ 싫으면 관둬요 いやならやめなさい.
관등【官等】명 官等. ¶ ~ 성명 官等姓名.
관등【觀燈】명하자〔佛〕観灯《陰暦四月八日にちょうちん(提灯)をともして釈迦の誕生日を祝うこと》.
‖—— 놀이 명 陰暦四月八日花祭りの夜行なうお祝いの行事. ——-연(宴) 명 観灯の宴. ——-절 명 観灯節. ——-회 명 観灯会.
관디 명〔史〕[←관대(冠帶)] 冠帯；官服《昔，役人の公服．今は旧式の結婚式に新郎が着る》.
관람【觀覽】명하타 観覧.
‖——-객 명 観客；見物客. ——-권 명 観覧券. ——-료 명 観覧料；見料. ——-석 명 観覧席；桟敷；(昔の劇場などの)平土間.
관련【關聯】명하자 関連；連関；引っ掛かり. ¶ ~ 사건 関連事件.
관례【冠禮】명〔史〕冠礼；元服.
——-하다 자 元服する.
‖——-옷 명 新婦が結婚式の数日後に新郎の親にまみえて冠礼を行ない，その後に着る衣装.
관례【慣例】명 慣例；仕来り；ならわし.
‖——-법 명 慣例法；慣習法.
관록【官祿】명 官禄.
관록【貫祿】명 貫禄. ¶ 당당한 왕자의 ~ 堂堂たる王者の貫禄.
관료【官僚】명 官僚. ¶ ~ 독선 官僚独善 / ~ 출신의 정치가 官僚畑〔官僚育ち〕の政治家.
‖—— 내각 명 官僚内閣. —— 자본 명 官僚資本. ——-적 명관 官僚的. —— 정치 명 官僚政治. ——-제 명 官僚制. ——-주의 명 官僚主義.
관류【貫流】명하타 貫流.
관류【灌流】명 灌流.
관리【官吏】명 官吏；役人.
관리【管理】명 管理. ——-하다 타 管理する；取り仕切る.
‖——-권 명 管理権. ——-인 명 管理人. ¶ 아파트 ~ アパートの管理人 / 재산 ~ 財産管理人. ——-직 명 管理職. —— 통화 명 管理通貨.
관립【官立】명 官立.
관망【觀望】명하타 観望. ¶ ~ 상태 模様ながめの状態 / ~세(勢) 見送り基調.
관명【官名】명 官名.
관명【官命】명 官命.
관모【冠毛】명〔植〕冠毛.
관목【灌木】명〔植〕灌木.
‖——-대 명〔植〕灌木帯.
관문【關門】명 関門；関；関所. ¶ 출세의 첫 ~ 出世の第一関門.
관물【官物】명 官物. ＝관급품.
관민【官民】명 官民. ¶ ~ 일치하여 대적하다 官民一致して対敵する.
관변【官邊】명 官辺. ¶ ~ 소식통 官辺消息筋.
‖——-측 명 官辺側；官辺筋.
관병【官兵】명 官兵；官軍.
관보【官報】명 官報. ¶ ~에 싣다 官報に載せる.
관복【官服】명 官服. ¶ ~을 지급하다 官服を支給する.
관사【官舍】명 官舎.
관사【冠詞】명 ①〔言〕→관형사(冠形詞). ②冠詞.
관상【管狀】명 管状.
‖——-화 명 管状花.
관상【觀相】명하자 観相；人相見. ¶ ~이 좋습니다 観相がいいですね.
‖——-가(家) 명 人相見；相者. ——-술 명 観相術. ——-쟁이 명《俗》☞ 관상가.
관상【觀象】명하자 観象.
‖——-대(臺) 명 気象台. ¶ 중앙 ~ 中央気象台.
관상【觀賞】명 観賞. ¶ 정원의 화초를 ~하였다 庭園の草花を観賞した.
‖—— 식물 명 観賞植物. ——-어 명 観賞魚.
관상 동맥【冠狀動脈】명〔生〕冠状動脈；冠動脈. ¶ ~ 경화증 冠状動脈硬化症.
관서【官署】명 官署.
관선【官選】명하타 官選.
‖—— 변호인 명〔法〕官選弁護人.
관설【官設】명하타 官設.
‖—— 철도 명 官設鉄道.
관성【慣性】명〔物〕慣性.
‖——의 법칙 명 慣性の法則.
관세【關稅】명 関税.
‖—— 동맹 명 関税同盟. —— 전쟁 명 関税戦争. —— 조약 명 関税条約. ——-청 명 関税庁.
관세음 보살【觀世音菩薩】명〔佛〕観世音菩薩. ㊟ 관음 보살·관음.
관속【官屬】명〔史〕官属；役所の下級官吏と下人.
관솔 명 松のほた(榾).
‖——-불 명 松火.
관수【官需】명 官需.
관습【慣習】명 慣習；仕来り；ならわし. ¶ 사회적 ~ 社会的慣習 / ~을 지키다 慣習を守る.
‖——-법 명〔法〕慣習法.
관심【關心】명하타 関心. ¶ ~이 없다 関心がない / ~이 높아지다 関心が

高まる.
——-거리 명 気になることがら; 興味を持たせることがら. ——-사 명 関心事.
관아【官衙】명〖史〗かんが(官衙); 役所. ¶ 고을의 ~ 郡の官衙〔役所〕.
관악【管樂】명 管楽.
‖——-기 명 管楽器.
관여【關與】명하자 関与. ¶ 군인은 국정에 ~해서는 안된다 軍人は国政に関与してはならない / 네가 ~할 문제가 아니다 君が関与すべき問題でない.
관엽 식물【觀葉植物】명〖植〗観葉植物.
관영【官營】명 官営; 国営.
‖—— 요금 명 官営料金. —— 통신 명 官営通信.
관외【館外】명 館外. ¶ ~ 대출은 사절합니다 館外の貸し出しはお断りいたします.
관용【官用】명 官用. ¶ ~차 官用の車.
관용【慣用】명하타 慣用. ¶ ~ 영어 慣用英語.
‖——-구 명 慣用句. —— 수단 명 慣用手段. ——-어 명 慣用語. —— 어법 명 慣用語法. ——-음 명 慣用音.
관용【寬容】명 寛容. ——-하다 타 寛大に許す; 大目に見る.
‖——-성 명 寛容性.
관운【官運】명 官職につく運. ¶ ~이 트이다 官職の運がひらける.
관원【官員】명 官員; 官吏; 役人.
관위【官位】명 官位.
관유【官有】명 官有. ¶ ~지 官有地.
관음【觀音】명〖佛〗[↗관세음 보살] 観音.
‖——-당 명 観音堂. —— 보살 명 [↗관세음 보살] 観音菩薩. ——-상 명 観音像. ——-전(殿) 명 観音菩薩を祀ってある仏殿.
관인【官人】명 官人(かんじん・かんにん); 役人. =벼슬아치.
관인【官印】명 官印.
관인【寬仁】명하형 寛仁.
‖—— 대도 명하형 寛仁大度.
관입【貫入】명하자 貫入.
‖—— 시험 명〖지〗貫入試験. ——-암 명 貫入岩.
관자-놀이【貫子—】명 こめかみ.
관작【官爵】명 官爵.
관장【館長】명 ①〖史〗成均館の長. ② 館長. ¶ 도서〔박물〕~ 図書〔博物〕館長.
관장【灌腸】명하자〖醫〗かんちょう(浣腸・灌腸).
¶ 약물〔자양〕~ 薬物〔滋養〕灌腸.
‖——-기 명 灌腸器. ——-제 명 灌腸剤.
관재【管財】명 管財. ——-하다 자 管財する; 財産を管理する.
‖——-인 명 管財人.
관전【觀戰】명하자타 観戦.
‖——-기 명 観戦記. ——-평(評) 명 観戦評.
관절【關節】명〖生〗関節.
‖——-강 명 関節腔. —— 결핵 명 関節結核. —— 류머티즘 명 関節リューマチ. ——-뼈 명 関節骨. —— 신경통 명 関節神経痛. ——-염 명 関節炎.
관점【觀點】명 観点; 見地; 見かた. ¶ 이 ~에서 본다면 성공이라고 하겠다 この観点から見れば成功といえる.
관제【官制】명 官制. ¶ ~ 개혁 官制改革.
관제【官製】명하타 官製.
‖—— 연초(煙草) 명 官製タバコ. ——-염 명 官製塩. —— 엽서 명 官製葉書. ——-품 명 官製品.
관제【管制】명하타 管制. ¶ 등화 ~ 灯火管制 / 보도 ~ 報道管制.
‖——-탑 명 管制塔; コントロールタワー.
관조【觀照】명하타 観照. ¶ 인생을 ~하다 人生を観照する.
관존 민비【官尊民卑】명 官尊民卑.
관중【觀衆】명 観衆. ¶ 회장 밖으로 넘쳐 나온 ~ 場外にあふれ出た観衆.
관직【官職】명 官職. =벼슬. ¶ ~에 앉다 官職につく / ~을 내놓다 官職から下りる.
관찰【觀察】명하타 観察. ¶ ~ 기록 観察記録 / ~력 観察力 / 자연을 ~하다 自然を観察する.
‖——-사 명〖史〗観察使《朝鮮朝の, 地方行政機関である道の長》. ——-안 명 観察眼.
관철【貫徹】명하타 貫徹. ¶ 초지를 ~하다 初志を貫徹する.
관청【官廳】명 官庁; 役所. ¶ 주무 ~ 主務役所 / ~ 방면에 아는 사람이 아주 많다 官辺に知り合いが非常に多い.
‖—— 사무 명 役所事務.
관측【觀測】명하타 観測. ¶ 천체 ~ 天体観測 / 희망적 ~ 希望的観測 / 정세의 추이를 ~하다 情勢の推移を観測する.
‖——-경 명 観測鏡. —— 기구 명 観測気球. ——-소 명 観測所. —— 장교 명 観測将校. ——-통(通) 명 観測筋.
관통【貫通】명 貫通. ——-하다 타 貫通する; 貫く; 突き抜ける. ¶ 터널이 ~되다 トンネルが貫通する.
‖——-상 명 貫通傷. —— 총창 명 貫通銃創.
관포지-교【管鮑之交】명 かんぽう(管鮑)の交わり.
관하【管下】명 管下. ¶ A경찰서 ~의 파출소 A警察署管下の派出所.
관-하다【關—】자 関する. ¶ …에 관한 건 …に関する件 / 하나하나에 관해서 一つひとつについて.
관학【官學】명 官学.
관할【管轄】명하타 管轄; 所轄. ¶ ~서 管轄署 / 이 사건은 본서의 ~이 아니다 この事件は本署の所轄でない.
‖—— 관청 명 管轄官庁. —— 구역 명 管轄区域. ——-권 명 管轄権. —— 법원(法院) 명 管轄裁判所.

——-지 명 管轄地.
관함-식【觀艦式】명 観艦式.
관해【官海】명 官海; 官界.
관행【慣行】명하타 慣行. ¶미신적 ~ 迷信的慣行/국제적 ~ 国際的慣行.
‖——-범 명〔法〕慣行犯.
관향【貫鄕】명〔民〕ある氏族の始祖が生まれた地. ＝본(本)·본관.
관허【官許】명하타 官許. ¶~를 얻다 役所の許可を得る.
‖—— 요금 명 官許料金.
관헌【官憲】명 官憲.
관현【管絃】명 管絃.
‖——-악 명 管絃楽. ——-악-단 명 管絃楽団; オーケストラ.
관형-격【冠形格】명〔言〕冠形格《体言を修飾する格》.
‖—— 조사 명 冠形格助詞《体言の下についてその体言を冠形語にする格助詞. これには"의"しかない》.
관형-사【冠形詞】명〔言〕冠形詞《体言の上に冠して体言の意を修飾する語. 活用しない》. 준 관사(冠詞).
‖——-형 명〔言〕冠形詞形《冠形詞のように体言を修飾する用言の活用形の一つ》. ＝관형형(冠形形)·매김꼴.
관형-어【冠形語】명〔言〕冠形語《体言の意を修飾するため, その前に冠せられる語》. ＝매김말.
관형-절【冠形節】명〔言〕冠形節《冠形詞のように使われる語節》. ＝매김마디.
관형-형【冠形形】명〔言〕☞ 관형사형(冠形詞形).
관-혼【冠婚】명 冠婚.
‖——-상제 명 冠婚葬祭.
관화【官話】명 官話《中国の標準語》. ¶북경 ~ 北京官話.
관후【寬厚】명하형 寬厚. ¶~한 성질 寬厚な性質.
‖—— 장자 명 寬厚の長者.
괄괄-하다 형 性格がせっかちで荒っぽい; きびきびしている. 준 괄하다.
괄다 형 ①火力が強い. ② ☞ 괄괄하다.
괄대【恝待】명하타 ☞ 괄시.
괄목【刮目】명하자 かつもく(刮目). ¶~할 만하다 刮目に価する.
괄선【括線】명 括線; 数字または文章の一部を他と区別するためその上側に引く線.
괄시【恝視】명 べっし(蔑視); さげすみ; 軽視; 冷遇; 見下げ. ＝괄대. ——-하다 타 軽視〔蔑視〕する; 見下げる; 見下す; さげすむ; 見くびる.
괄약【括約】명하타 括約.
‖——-근 명〔生〕括約筋.
괄태-충【括胎蟲】명〔動〕なめくじ(蛞蝓).
괄-하다 형 ↗괄괄하다.
괄호【括弧】명 括弧. ¶~를 풀다 括弧を開く.
광 명 物置; 納屋; 蔵〔倉〕. ¶연장을 ~에 두다 道具を物置にしまう/~에서 인심 난다《俚》倉から人情が出る《ゆとりがあれば自然と人情もゆたかになる》.
광【光】[1] 명 ①〔物〕光; 光線. ＝빛. ②(花札の)光り物.
광【光】[2] 명 光; 光沢; つや(艶). ¶마루를 닦아 ~을 내다 床をみがいてつやを出す.
광【廣】명 ①広さ. ＝넓이. ②幅. ＝나비.
광【壙】명 墓穴; 塚穴.
광【鑛】명 坑. ＝광혈(鑛穴).
-광【狂】미 狂; マニア; …きち. ¶야구~ 野球狂/우표 수집~ 切手マニア/수집~ コレクトマニア/색~ 色きち/자동차~ カーきち.
광각【廣角】명 広角. ¶~ 촬영 広角撮影.
‖—— 렌즈 명 広角レンズ.
광갱【鑛坑】명 鉱坑.
광견【狂犬】명 狂犬. ¶~에게 물리다 狂犬にか(嚙)まれる.
‖——-병 명 狂犬病.
광경【光景】명하타 光景; シーン. ¶흐뭇한 ~ ほほえましい光景.
광고【廣告】명하타 ①広告. ¶모집 ~ 募集広告/~쟁이《俗》広告屋; 広め屋; ちんどん屋/~에 끌려서 広告に釣られて/~를 내다 広告を出す. ②自家広告; 自己宣伝.
‖—— 기구 명 広告気球. ＝광고 풍선. —— 대리업 명 広告代理業. ——-란 명 広告欄. —— 매체 명 広告媒体. ——-문 명 広告文. ——-부 명 広告部. ——-술 명 広告術. ——-주 명 広告主. ——-지 명 広告紙; 散らし; 引き札; ビラ. ¶~를 뿌리다 散らしをまく. ——-탑 명 広告塔. ——-판 명 広告板. —— 효과 명 広告効果.
광공-업【鑛工業】명 鉱工業.
광관【光冠】명 光冠; コロナ.
광구【光球】명〔物〕光球.
광구【鑛區】명〔法〕鉱区.
광궤【廣軌】명 広軌.
‖—— 철도 명 広軌鉄道.
광기【狂氣】명 狂気. ¶행동이 ~에 가깝다 行いが狂気に近い/~를 부리다 狂気じみたことをする.
광-나다【光—】자 ①光が出る. ②つや(艶)が出る.
광-내다【光—】타 光を出す; つや(艶)を出す. ¶구두를 닦아 반짝반짝 ~ 靴を磨いてぴかぴか光らせる/그릇을 닦아서 광을 내다 食器を磨いてつやを出す.
광녀【狂女】명 狂女.
광년【光年】의명〔天〕光年. ¶수만 ~ 数万光年.
광대 명 ①昔, 人形劇や仮面劇などの演劇, または綱渡り·逆とんぼ·"판소리"などの演技者を指した語: 役者. ②舞台化粧をすること. ③仮面. ＝탈. ④《俗》顔; 面.
‖—— 놀음 명 旧暦の正月十五日全羅道地方で行われる民俗祭り《悪鬼をはら(祓)い福を迎え入れるという》. —— 등걸

명 ひどくやつれて骨ばかりの顔.
——-뼈 명 かんこつ(顴骨); ほお骨. ¶~가 튀어 나온 여자 ほお骨が突き出た女性.

광대【廣大】명하형히부 広大. ¶~한 영지 広大な領地.
‖—— 무변 명하형 広大無辺. ¶~한 바다 広大無辺な海.

광도【光度】명〖物〗光度.
‖——-계 명 光度計. —— 계급 명 光度階級.

광독【鑛毒】명 鉱毒. ¶~으로 농작물을 망치다 鉱毒で農作物がだめになる.

광동-어【廣東語】명 広東語.

광동 요리【廣東料理】명 広東料理.

광-디스크【光—】〔disk〕명 光ディスク.

광란【狂亂】명하자 狂乱. ¶반~ 半狂乱/~의 자태 狂乱の姿.

광량【光量】명 光量. ¶~계 光量計.

광량【鑛量】명 鉱物の埋蔵量.

광림【光臨】명하자 光臨. ¶~의 영광을 주시기 바랍니다 ご光臨の栄を賜わりたいと存じます.

광막【廣漠】명하형히부 広漠. ¶~한 초원 広漠な草原.

광망【光芒】명 こうぼう(光芒). ¶~일섬 光芒いっせん(一閃).

광맥【鑛脈】명 鉱脈. ¶새로운 ~의 발견 新しい鉱脈の発見.

광명【光明】명하형 光明. ¶~을 잃다 光明を失う/해결에 한 가닥의 ~이 비치다 解決にいちる(一縷)の光明を見いだす.
‖—— 정대 명하형 光明正大.

광목【廣木】명 カナキン; カネキン.

광물【鑛物】명 鉱物.
‖——-계 명 鉱物界. ——-성 명 鉱物性. ¶~ 색소 鉱物性色素/~ 섬유 鉱物性繊維. —— 염료 명 鉱物染料. —— 자원 명 鉱物資源. ——-질 명 鉱物質. ¶~ 비료 鉱物質肥料. ——-학 명 鉱物学.

광범【廣範】명하형히부 広範. =광범위. ¶정부는 그에게 ~한 권한을 주었다 政府は彼に広範な権限を与えた/~히 자리잡다 広範に位置を占める.

광-범위【廣範圍】명하형 広範囲. =광범. ¶~한 거래 広範囲な取り引き.

광병【狂病】명 狂病; 気の狂う病気.

광복【光復】명하자타 光復; 輝かしい回復; 特に国権の回復.
‖——-군 명 光復軍《中国に亡命した大韓民国臨時政府の抗日独立軍隊》. ——-절 명 光復節《1945年8月15日, 韓国が日本統治から国権を回復したことを記念する日》; 8月15日.

광부【鑛夫】명 鉱夫.

광분【狂奔】명하자 狂奔. ¶그는 요즈음 돈마련에 ~하고 있다 彼はこの頃金策に狂奔している.

광-분해【光分解】명 光分解.

광산【鑛山】명 鉱山; 金山; 山. ¶~왕 鉱山王/~ 소유권 鉱山所有権.
‖——-과 명 鉱山科. ——용 기계 명 鉱山用機械. ——-촌(村) 명 鉱山を中心に発達した集落. ——-학 명 鉱山学.

광산【鑛産】명 鉱産.
‖——-물 명 鉱産物. ——-세 명 鉱産税. ——-업 명 鉱産業.

광상【鑛床】명 鉱床.
‖——-학 명 鉱床学. =광상 지질학.

광상-곡【狂想曲】명 狂想曲; カプリッチオ.

광석【鑛石】명 鉱石.
‖—— 검파기 명 鉱石検波器. —— 라디오 명 鉱石ラジオ. —— 수신기 명 鉱石(式)受信器.

광선【光線】명 光線. ¶반사 ~ 反射光線/직사 ~ 直射光線/살인 ~ 殺人光線.
‖——-속 명〖物〗光線束. —— 요법 명 光線療法. ——-총 명 光線銃; ビームシューティング.

광속【光束】명〖物〗光束.

광-속도【光速度】명〖物〗光速度; 光速. 준 광속.

광수【鑛水】명 鉱水.

광시【狂詩】명 狂詩; 格式や韻にこだわらずに俗語·卑語などを交えて書いたこっけいで卑俗な詩.
‖——-곡 명〖樂〗狂詩曲; ラプソディー.

광신【狂信】명하타 狂信.
‖——-도 명 狂信徒. ——-자 명 狂信者. ——-적 명관 狂信的.

광심【光心】명〖物〗光心.

광압【光壓】명〖物〗光圧.

광야【廣野】명 広野. ¶눈에 덮인 ~ 雪に埋もれた広野.

광-양자【光量子】명 光量子.

광어【廣魚】명〖魚〗ひらめ. =넙치.

광언【狂言】명 狂言; 狂気じみたことば.
‖—— 기어 명 狂言きご(綺語).

광업【鑛業】명 鉱業.
‖——-권 명 鉱業権. ¶~자 鉱業権者. —— 금융 명 鉱業金融. ——-소 명 鉱業所. ——-인 명 鉱業人. ——-적 명관 鉱業的. —— 출원 명하자 鉱業出願. ¶~자 鉱業出願人.

광역【廣域】명 広域. ¶~에 걸치다 広域にわたる.
‖—— 경제 명 広域経済. —— 도시 명 広域都市. —— 수사 명 広域捜査.

광열【光熱】명 光熱.
‖——-비 명 光熱費.

광엽-수【廣葉樹】명 広葉樹. =활엽수.

광영【光榮】명 光栄. =영광.

광원【光源】명〖物〗光源. ¶~체 光源体.

광원【廣遠】명하형 広遠.

광원【鑛員】명 鉱員.

광유【鑛油】명 [↗광물유] 鉱油.

광음【光陰】명 光陰.
‖—— 여전(如箭) 명하형 光陰矢の如し.

광음【狂飮】명 하타 暴飮.
광의【廣義】명 広義. ¶ ~로 해석하다 広義に解する.
광이온-화【光—化】〔ion〕명〖物〗光イオン化.
광인【狂人】명 気の狂った人; 狂人. ¶ ~의 잠꼬대 狂人のたわごと.
광자【光子】명〖物〗光子; フォトン; 光量子.
‖── 로켓 명 光子ロケット.
광자기 디스크【光磁氣—】〔disk〕명 光磁気ディスク.
광작【廣作】명 하타 土地を多く耕作すること; 手広く農業を営むこと.
광장【廣場】명 広場. ¶ 역전 ~ 駅前広場 / 대화의 ~ 対話の広場 / ~에 모이다 広場に集まる.
광재【鑛滓】명 こうさい(鉱滓); スラグ; からみ; のろ.
‖──-면 명 鉱滓綿; スラグウール. ── 시멘트 명 鉱滓セメント.
광적【光跡】명〖物〗光跡. ¶ 카메라에 찍히는 별의 ~ カメラに写る星の光跡.
광적【狂的】명 관 狂的. ¶ ~인 생각 狂的な考え / 그 안을 ~으로 주장하다 その案を狂的に主張する.
광전-관【光電管】명 光電管.
광-전도【光傳導】명 光伝導.
광-전류【光電流】명 光電流.
광-전자【光電子】명〖物〗光電子.
‖── 증배관 명〖物〗光電〔光電子〕増配管.
광-전지【光電池】명〖物〗光電池.
광전 효과【光電效果】명〖物〗光電効果.
광정【匡正】명 きょうせい(匡正); 誤りをただしなおすこと. ──-하다 타 匡正する; ただす.
광주【鑛主】명 鉱山のあるじ(主).
광주리 명 竹·はぎ(萩)·柳などで編んだ丸い籠.
‖──-장수 명 日用雑貨をかごに入れ頭にのせて売り歩く女性.
광-중합【光重合】명 光重合.
광증【狂症】명 狂症.
광차【光差】명〖天〗光差.
광차【鑛車】명 鉱車; トロッコ. =광석차(鑛石車).
광채【光彩】명 光彩. ¶ ~를 내다 光彩を放つ / ~가 나다 光彩が出る; ピカピカ光る.
광천【鑛泉】명 鉱泉. ¶ 라듐 ~ ラジウム鉱泉.
‖──-염 명 鉱泉塩. ── 온천 명 鉱泉温泉.
광체【光體】명〖物〗光体. =발광체(發光體).
광축【光軸】명〖物〗光軸.
광층【鑛層】명 鉱層.
광-탄성【光彈性】명 光弾性.
광태【狂態】명 狂態. ¶ ~를 부리다 狂態を演ずる.
광택【光澤】명 光沢; つや. ¶ 금속 ~ 金属光沢 / ~을 지우다 つやを消す / ~을 내다 光沢を出す.
‖──-지 명 光沢紙.
광-통신【光通信】명 光通信.
광파【光波】명〖物〗光波.
‖── 로켓 명 光波ロケット.
광-파이버【光—】〔fiber〕명 光ファイバー. =광섬유(光纖維).
광포【狂暴】명 하형 狂暴. ¶ ~한 행동 狂暴なふるまい.
광폭【廣幅】명 広幅. ¶ ~의 옷감 広幅の生地.
광풍【狂風】명 狂風; あらし(嵐). ¶ 일진 ~ 一陣の狂風 / ~이 뜰을 휩쓸다 嵐が庭を荒らす.
광학【光學】명〖物〗光学.
‖── 거리 명 光学距離. ── 기계 명 光学器械. ── 병기 명 光学兵器. ── 유리(瑠璃) 명 光学ガラス.
광-합성【光合成】명〖生〗光合性.
광해【鑛害】명 鉱害.
광행-차【光行差】명〖物〗光行差.
광화【鑛化】명 하자타 鉱化; 鉱化作用.
광-화학【光化學】명〖物·化〗光化学. ¶ ~ 전지 光化学電池.
‖── 반응 명 光化学反応. ── 스모그 명 光化学スモッグ.
광활【廣闊】명 하형 広闊. ¶ ~한 평야 広闊な平野.
광희【狂喜】명 하자 狂喜. ¶ ~ 난무 狂喜乱舞.
괘【卦】명〖民〗① け(卦). ¶ 팔~ 八卦. ② ☞ 점괘(占卦).
괘괘-떼다, 괘괘이-떼다 타 断然と拒む; きっぱり(と)断わる〔はねつける〕.
괘념【卦念】명 懸念; 心配; とんじゃく〔とんちゃく〕(頓着). ──-하다 타 懸念する; とんじゃくする; 気にかける. ¶ 과히 ~ 마십시오 余り心配しないでください.
괘다리-적다 형 ① 無愛想だ; 粗野だ. ② 厚かましい.
괘도【掛圖】명 掛け図. ¶ 지리 ~ 地理の掛け図 / ~를 걸고 학생들에게 설명하다 掛け図を掛けて生徒に説明する.
괘사 명 おどけ; 道化. ¶ ~스럽다 おどけている; ひょうきん(剽軽)だ / ~를 떨다〔부리다〕道化る; おどける; こっけいにふるまう.
괘선【罫線】명〖印〗けい線. ¶ 가는〔굵은〕~ 表けい〔裏けい〕.
괘씸-하다 형 けしからん; ふらち(不埒)だ; 不都合だ; 不届きだ. ¶ 괘씸한 놈 けしからんやつ / 괘씸하게 굴다 ふらちに振る舞う.
괘종【掛鐘】명 掛け時計; 柱時計. ¶ ~이 울리다 掛け時計が鳴る.
괘지【罫紙】명 けい紙. =인찰지. ¶ 양면 ~ 両面けい紙.
괜찮다 형 [←괜하지 않다]よろしい; 好い. ① (別に)悪くない; 間に合う. ¶ 괜찮은 솜씨 悪くない出来ばえ / 괜찮군 悪くないね; いいね / 괜찮은 물건이지요 ちょっとしたものでしょう. ② 差し支えない; 構わない. ¶ 괜찮아 いいとも / 만약 괜찮으시다면 もしよかったら / 먹어도 괜찮습니까

食べてもいいんですか / 가도 ～ 行っても構わない / 괜찮다면 대신해도 좋아요 何だったら肩がわりしてもいいんですよ / 그렇게 무리해도 괜찮겠는가 そんなに無理しても大丈夫かね.

괜-하다 형 ↗공연하다. ¶ 괜한 걱정 無駄な心配 / 괜한 참견이다 いらぬ世話だ. 괜-히 부 ↗공연히. ¶ ～ 무섭다 わけもなく恐い.

괭이[1] 명 くわ(鍬). ¶ 밭을 ～로 일구다 畑にくわを入れる.
‖——-질 명하자 くわでの土の掘り起こし. 괭잇-날 명 くわ先.

괭이[2] 명 〔動〕 ↗고양이.

괭-하다 형 透明だ; (物が)透き通って見える; 透いて見える. ㅆ팽하다.

괴괴-하다 형 非常に物静かだ; しんと静まり返っている. ¶ 괴괴하여 소리하나 없다 寂として声なし / 큰 집이 텅 비어 ～ 大きな家ががらんどうとして物静かだ. 괴괴-히 부 しんと; 寂として; 音もなく.

괴근【塊根】 명 〔植〕 塊根.

괴금【塊金】 명 塊金; 砂金といっしょに採れる金の塊.

괴기【怪奇】 명하형 怪奇; 奇怪; ミステリー. ¶ ～ 소설 怪奇小説.
‖—— 영화 명 怪奇映画. ——-적 명관 怪奇的; ファンタスティック.

괴-까다롭다 형 変に気難しい; いやにややこしい. ¶ 괴까다로운 시험 문제 いやにややこしい試験問題. ㅆ꾀까다롭다. 괴-까다로이 부 (いやに)ややこしく; 変に気むずかしく. ¶ ～ 굴다 変に気むずかしくふるまう.

괴나리, 괴나리-봇짐 명 旅のとき背負う小さな包み.

괴다[1] 자 たまる; よどむ. ¶ 괸 물 よどんだ水 / 빗물이 ～ 雨水がたまる / 눈에 눈물이 ～ 目に涙がたまる.

괴다[2] 자 (酒・酢などが発酵して)ぶくぶく泡だつ.

괴다[3] 타 ① (物を)支える. ¶ 턱을 ～ ほおづえ(頬杖)を突く / 차 바퀴를 ～ 輪留めをする / 장롱 밑을 ～ たんす(箪笥)の下にまくらを当てる. ② (食べ物などを)盛る. ¶ 쟁반에 떡을 ～ お盆にもちを盛り上げる.

괴다[4] 타 ちょうあい(寵愛)する.

괴담【怪談】 명 怪談. ¶ ～집 怪談集 / ～ 이설(異說) 怪異な話.

괴덕-부리다 자 軽率で不真面目な行動をする.

괴덕-스럽다 형 軽率で不まじめだ.

괴도【怪盜】 명 怪盗. ¶ ～ 뤼팽 怪盗ルパン.

괴력【怪力】 명 怪力. ¶ ～의 소유자 怪力の持ち主.

괴로움, 괴롬 명 苦しみ; 苦痛; 煩い; 悩み. ¶ 실연의 ～ 失恋の悩み / 말할 수 없는 ～ 言うにいわれぬ苦痛 / ～을 당하다 苦しみに会う / 소음으로 ～을 받다 騒音に悩まされる.

괴로워-하다 자 苦しむ; あえぐ; 悩む; 煩う. ¶ 사랑 때문에 ～ 恋に悩む / 자책지념으로 ～ 自責の念に苦しむ / 이것 저것 생각하며 ～ あれこれ考えて思い煩う.

괴롭다 형 ① 苦しい; つらい. ㉠ 悩ましい. ¶ 괴로운 일 苦しい仕事 / 괴로운 듯이 신음하다 苦しげにうめく / 이별이 ～ 別れがつらい. ㉡ 困っている. ¶ 괴로운 문제 困った問題 / 아침에 일어나는 것이 ～ 朝起きるのがつらい. ② 煩わしい. ¶ 괴롭게 굴지 말게 そう煩わすなよ. 괴로-이 부 苦しく; つらく; 煩わしく; 悩ましく.

괴롭-히다 타 苦しめる; 悩ます; 煩わす; いじめる; なぶる. ¶ 내 마음을 괴롭히는 것 私の心を煩わすもの / 고문으로 ～ 拷問で苦しめる.

괴뢰【傀儡】 명 かいらい(傀儡). ¶ 우리 사장은 대주주 A씨의 ～에 지나지 않는다 うちの社長は大株主A氏のかいらいにすぎない.
‖——-군 명 かいらい軍. —— 정권 명 かいらい政権.

괴리【乖離】 명하자 かいり(乖離). ¶ 인심의 ～ 人心の乖離.
‖—— 개념 명 乖離概念.

괴망【怪妄】 명하형스형 言行が非常に怪異なこと. ¶ ～을 떨다 しきりに奇怪千万な言動をする / ～을 부리다 怪異な言動をする.

괴멸【壞滅】 명하자 壊滅. ¶ ～시키다 壊滅させる.

괴물【怪物】 명 怪物. ¶ 정계의 ～ 政界の怪物 / ～을 퇴치하다 怪物を退治する.

괴발-개발 부 字をでたらめに書きなぐったさま: みみずがのたくったように.

괴변【怪變】 명 怪変; 異変; 変事. ¶ 재계의 ～ 財界の変事.

괴변【壞變】 명 〔物〕 壊変.

괴병【怪病】 명 (原因不明の)奇怪な病気.

괴사【怪事】 명 怪事.

괴사【壞死】 명 〔醫〕 えし(壊死).

괴상【怪常】 명 奇怪; 奇異; 奇妙. ——-하다 형 不思議だ; 奇怪だ; 妙だ; 変だ; 怪しい. ¶ ～한 사건 奇怪な事件 / 날씨가 ～하다 天気が怪しい / ～한 말을 하다 妙ちきりん〔変ちくりん〕なことを言う / ～한 소리를 내다 とんきょうな声を出す / ～ 야릇한 얘기 奇妙な話 / ～ 야릇한 모습을 하고 왔다 へんちくりんな格好でやって来た.
‖—— 망측(罔測) 명 奇怪千万.

괴상【塊狀】 명 塊状. ¶ ～암 塊状岩 / ～ 광상 塊状鉱床.
‖—— 화산 명 塊状火山.

괴석【怪石】 명 怪石. ¶ 기암 ～ 奇岩怪石.
‖—— 기초(奇草) 명 奇草怪石.

괴수【怪獸】 명 怪獣.

괴실【槐實】 명 〔韓醫〕 えんじゅ(槐)の実.

괴악【怪惡】 명하형 言行が奇怪で凶悪なこと.
‖—— 망측(罔測) 명하형 言行がきわめて奇怪で凶悪なこと.

괴어 오르다 자 発酵しはじめる.

괴위【魁偉】 명하형 かいい(魁偉). ¶ ～한 용모 魁偉な容貌.

ㄱ

ㄱ

괴이【怪異】 명 怪異. ——-하다 형 怪異だ; 幻怪だ; 怪しい. ¶ ～한 이야기 怪異な物語 / ～한 행동 怪しい行動 / ～치 않다 怪しくない; 尋常である.

괴이-쩍다【怪異—】 형 怪しげだ; 怪しい(感じがする). ¶ 아무래도 그가 ～ どうしても彼が怪しい / 괴이쩍은 말을 하다 怪しげな話をする.

괴저【壞疽】 명 〔醫〕 えそ(壊疽).

괴조【怪鳥】 명 怪鳥.

괴질【怪疾】 명 原因不明の怪しい病気.

괴짜【怪—】 명 《俗》 変人; 奇人; 変わり者〔種〕; 物好き; 左巻き〈俗〉. ¶ ～지만 솜씨는 있다 変わり者だが腕は利く / ～ 취급을 받다 変人扱いをされる.

괴팍【乖—】 명 하형 性格が気むずかしくかたくななこと; 偏屈. ——-스럽다 형 (性格が)偏屈で気むずかしい. ¶ 괴팍스러운 성격 かたくなな性格.

괴팩 명 하형 스형 ←괴팍.

괴-하다【怪—】 형 性格と行動がおかしい; 変だ; 風変わりだ.

괴한【怪漢】 명 怪漢. ¶ ～이 배회하다 怪漢がうろつく / ～을 붙들다 怪漢を取り押さえる.

괴-현상【怪現象】 명 怪現象. ¶ 그것은 ～이로군 それは怪現象だね.

괴혈-병【壞血病】 명 〔醫〕 壊血病. ¶ ～에 걸리다 壊血病にかかる.

괴화【怪火】 명 怪火. ¶ 마침내 ～의 원인이 판명되었다 ついに怪火の原因が判明された.

굄[1] 명 ちょうあい(寵愛); かわいがること. ¶ ～을 받다 寵愛される; かわいがられる.

굄[2] 명 支え; 支えるもの; つっぱり; 支柱.

굄-돌 명 支え石; 滑り止め; 輪留め.

굄-목【—木】 명 支え木; 滑り止め; 輪留め.

굄-새 명 果物やもち(餅)·菓子などをお皿に積み重ねたさま. また, 積み重ねる腕前.

굄-질 명 하자 器に果物やもち·菓子などを積み重ねること.

굉굉【轟轟】 명 하형 히부 ごうごう(轟轟).

굉대【宏大】 명 하형 広大.

굉음【轟音】 명 ごうおん(轟音). ¶ 일대 ～과 함께 폭파되었다 一大轟音と共に爆破された.

굉장【宏壯】 명 広壮. ——-하다 형 広壮だ; すばらしい; すごい; すさまじい; 物すごい. ¶ ～한 저택 広壮な邸宅 / ～한 인기 すばらしい人気 / ～한 인파 物すごい人出 / ～한 미인 たいした美人 / ～한 요리 豪勢な料理 / 거 참 ～하다 そいつはすばらしい. ——-히 부 広壮と〔に〕; とても; すごく〈俗〉; 大層; 物すごく; めっぽう(滅法)に〈俗〉. ¶ 이 책은 ～ 재미있다 この本はとてもおもしろい / ～ 힘이 세다 めっぽうに力が強い / ～ 야단맞았다 すごくしかられた.

굉장【宏莊】 명 하형 히부 広く大きくか(且)つりっぱなこと; 広壮. ¶ ～한 저택 すごく立派な邸宅.

굉활【宏闊】 명 하형 히부 こうかつ(広闊). ¶ 전망이 ～하다 展望が広闊だ.

교【教】 명 [↗종교] 教. ¶ 기독～ キリスト教 / 이슬람～ イスラム教.

교【驕】 명 하형 ↗교만.

교가【校歌】 명 校歌. ¶ ～ 제정 校歌制定.

교각【交角】 명 〔數〕 交角; きょうかく(夾角).

교각【橋脚】 명 橋脚; 橋柱; 橋ぐい.

교각 살우【矯角殺牛】 명 角を矯めて牛を殺すこと.

교감【交感】 명 하자 交感.

‖—— 신경 명 交感神経.

교감【校監】 명 教頭. ¶ ～ 선생 教頭先生.

교과【教科】 명 教科.

‖—— 과정 명 教科課程; カリキュラム. ——-목 명 教科目. ——-서 명 教科書.

교관【教官】 명 教官.

교교【皎皎】 명 하형 히부 こうこう(皎皎·皓皓). ¶ ～한 달빛 皓皓たる月光 / ～ 월색 皓皓たる月色.

교구【教具】 명 教具. ¶ ～ 준비 教具準備.

교구【教區】 명 〔宗〕 教区. ¶ ～ 목사 教区牧師 / 서울 ～장 ソウル教区長.

교국【教國】 명 教国. ¶ 이슬람 ～ イスラム教国 / 힌두 ～ ヒンズー教国.

교군【轎軍】 명 하자 ① かご(駕籠). =가마. ② かご(駕籠)をか(舁)くこと. ③ ↗교군꾼.

‖——-꾼 명 かごか(舁)き; かご屋.

교권【教權】 명 教権. ¶ ～을 확립하다 教権を確立する.

‖——-자 명 教権者.

교규【校規】 명 校規. =교칙.

교기【校紀】 명 校紀.

교기【校旗】 명 校旗.

교기【驕氣】 명 きょうき(驕気); おごりたかぶる気質. ¶ ～를 부리다 驕気をふるまう; きょうまん(驕慢)な態度を取る. >갸기.

교내【校內】 명 校内. ¶ ～ 활동 校内活動 / ～ 행사 校内行事.

교단【校壇】 명 校庭に設けた壇.

교단【教團】 명 教団.

교단【教壇】 명 教壇. ¶ ～ 생활 教壇生活 / ～에 서다 教壇に立つ / ～을 떠나다 教壇を去る.

교당【教堂】 명 教会堂.

교대【交代】 명 交代〔交替〕; 入れ替わり. ——-하다 자타 交代する; 入れ代わる; 立ち代わる. ¶ ～교대로 入れ代わり立ち代わり / 당번을 ～하다 当番を交代する / 전임자와 ～하다 前任者と入れ代わる / ～로 나가 노래를 부르다 代わるがわる出て歌をうたう.

‖—— 광상 명 交代鉱床. —— 작용 명 交代作用. ——-제 명 交代制.

교대【教大】 명 [↗교육 대학] 教育大学; 教大.

교대【橋臺】 명 橋台.

교도【教徒】명 教徒; 信徒. ＝신자(信者). ¶불～ 仏教徒 / 가톨릭 ～ カトリック教徒.

교도【教導】명하타 ① 教導. ＝교유(教諭). ¶학생의 ～에 노력하다 生徒の教導に努力する. ② 生徒の生活問題を指導すること.

교도-관【矯導官】명 刑務官《旧称: "형무관(刑務官)"》.

교도-소【矯導所】명 刑務所.

교두【橋頭】명 橋頭; 橋畔; 橋のほとり.

‖──-보 명〔軍〕橋頭ほ(堡). ¶～를 구축하다 橋頭堡を築く.

교란【攪亂】명하타 こうらん〔かくらん〕(攪乱). ¶민심을 ～하다 民心を攪乱する / 기습으로 적진을 ～하다 奇襲で敵陣を攪乱する.

교량【橋梁】명 きょうりょう(橋梁); かけはし; 橋. ¶～ 공사 橋梁工事 / ～을 가설하다 橋梁を架設する.

교련【教鍊】명하자 教練. ¶～ 교관 教練教官.

교령【教領】명〔宗〕"天道教"の教主.

교료【校了】명하자타 校了. ＝완준(完準)·오 케이(O.K.). ¶책임 ～ 責任校了; 責了《준말》.

교류【交流】명하자 交流. ①〔物〕一定の時刻ごとに逆に流れる電流. ② 文化などの潮流が相通ずること. ¶동서 문화의 ～ 東西文化の交流. ③ 互いに交代すること. ¶인사 ～ 人事交流.

‖── 발전기 명 交流発電機. ── 장치 명 交流装置. ── 전동기 명 交流電動機.

교리【教理】명 教理. ¶종교의 ～ 宗教の教理.

‖── 문답 명 教理問答. ── 신학(神學) 명 ☞ 교의학(教義學).

교린【交隣】명 交隣.

‖── 정책 명 交隣政策.

교만【驕慢】명 きょうまん(驕慢); きょうごう(驕傲); おごり. ──-하다 형 驕慢だ; おごりたかぶる. ¶～ 방자 きょうまんほうし(驕慢放恣) / ～한 태도 驕慢な態度. ──-스럽다 형 ☞ 교만하다.

교명【校名】명 校名.

교목【喬木】명〔植〕高木; きょうぼく(喬木).

교묘【巧妙】명 巧妙. ──-하다 형 巧妙だ; 巧みだ; うまい. ¶～한 수단 巧妙な手段 / ～한 거짓말을 하다 巧みなうそをつく / ～한 장치가 되어 있다 うまい仕掛けがしてある. ──-히 부 巧妙に; 巧みに; うまく. ¶～ 짜여진 트릭 巧みに仕組んだトリック / 논쟁의 화살을 ～ 돌리다 議論の矛先を巧みにかわす.

교무【教務】명 教務. ¶～과 教務課 / ～실 教務室.

‖──-소 명〔宗〕教務所; 宗門の事務をとるところ. ── 주임 명 教務主任.

교문【校門】명 校門. ¶～을 나서다 校門を出る.

교미【交尾】명 交尾. ＝흘레. ──-하다 자 交尾する; つが(番)う; つるむ. ¶～기 交尾期 / 길에서 개가 ～하고 있다 往来で犬がつがっている.

교민【僑民】명 きょうみん(僑民). ¶～회 僑民会.

교반【攪拌】명하타 こうはん〔かくはん〕(攪拌).

‖──-기 명 攪拌機.

교배【交配】명하자타〔生〕交配; 交雑; かけあわせ. ¶～기 交配期 / 암말에 씨말을 ～시키다 雌馬に種付けする.

‖──-종 명 交配種; 雑種.

교번【交番】명하자 交番; 代わり合って番にあたること. ＝체번(遞番). ¶～제 交番制 / 세대 ～ 世代交番.

교복【校服】명 校服. ¶～ 착용 校服着用.

교본【教本】명 教本. ＝교과서. ¶피아노 ～ ピアノ教本.

교부【交付】명하타 交付. ¶무상 ～ 無償交付 / 증서를 ～하다 証書を交付する / ～금 交付金.

교부【教父】명〔基〕教父.

교분【交分】명 交分; 交わり; よしみ. ¶～이 두텁다 交分が厚い.

교빙【交聘】명하자 国と国の間で使臣を派遣しあうこと.

교사【巧詐】명하형스형 巧詐; ことば巧みに人をあざむくさま; いつわりあざむくさま.

교사【校舍】명 校舎. ¶낡은 ～ 古い校舎.

교사【教師】명 教師; 教員.

교사【教唆】명 教唆. ──-하다 타 教唆する; 唆す. ¶～ 선동 教唆扇動 / 살인 ～ 殺人教唆.

‖──-범 명 教唆犯. ──-자 명 教唆者; 教唆人. ──-죄 명 教唆罪.

교사【驕奢】명하형 きょうしゃ(驕奢); おごり; ぜいたく.

교살【絞殺】명 絞殺. ──-하다 타 絞殺する; くびり殺す; 締め殺す. ¶～당하다 絞殺される.

교상【咬傷】명 こうしょう(咬傷); かまれた傷.

교생【教生】명 [↗교육 실습생] 教生.

교서【校書】명하타 校書; きょうしょ; 書冊を検閲すること.

교서【教書】명 教書. ¶연두 ～ 年頭教書 / 일반 ～ 一般教書.

‖──-권 명〔政〕教書権.

교섭【交涉】명하자타 交渉. ¶단체 ～ 団体交渉 / 사이에 사람을 넣고 ～하다 人を立てて交渉する / ～을 단념하다 交渉に見切りをつける / ～을 벌이다 渡りをつける / 임금 인상을 ～하다 賃金の値上げを掛け合う / ～에 응하다 話に乗る.

‖── 단체 명 交渉団体.

교성【嬌聲】명 きょうせい(嬌声). ¶～이 왁자하다 嬌声さんざめく.

교수【教授】명 教授. ① 学芸を教え授けること. ──-하다 타 教授する. ¶개인 ～ 個人教授 / 한학의 ～를 받다 漢学の教授を受ける. ② 大学の教員. ¶우수한 ～진 優秀

ㄱ

ゆうしゅうな教授陣.

‖——-단 명 教授団. ——-법 명 教授法. ——-회 명 教授会. ¶ ~에 올리다 教授会に掛ける.

교수【絞首】명하타 絞首.

‖——-대 명 絞首台. ¶ ~의 이슬로 사라지다 絞首台の露と消える. ——-형 명 絞首刑. ¶ ~에 처해지다 絞首刑に処せられる.

교습【教習】명하타 教習. ¶ 피아노 ~소 ピアノ教習所.

교시【教示】명하타 教示. ¶ ~를 바람 教示を請う / 계측법을 ~하다 計測法を教示する.

교신【交信】명하자 交信. ¶ 구조선과 ~하다 救助船と交信する.

교실【教室】명 教室. ¶ 물리학 ~ 物理学教室 / ~에 들어가다 教室に入る.

교안【教案】명 教案. =교수안(教授案). ¶ ~을 만들다 教案をつくる.

교양【教養】명하타 教養. ¶ ~이 있다〔없다〕教養がある〔ない〕/ ~을 높이다 教養を高める / ~ 프로 教養番組 / ~ 강좌 教養講座.

‖—— 과목 명 教養科目. —— 서적 명 教養書籍. —— 소설 명 教養小説. ——-인 명 教養人. —— 학부 명 教養学部.

교언【巧言】명 巧言. ——-하다 자 巧言を用いる. ¶ ~으로 승낙시키다 巧言を用いて承諾させる.

‖—— 영색 명 巧言令色. ¶ ~의 무리 巧言令色の徒.

교역【交易】명하타 交易. ¶ 외국과의 ~ 外国との交易 / ~ 조건 交易条件 / ~선 交易船.

교역【教役】명 説教·伝道·信者訪問などをすること.

‖——-자(者) 명 宗教事業に従事する人.

교열【校閲】명하타 校閲. ¶ 원고를 ~하다 原稿を校閲する / K박사의 ~ K博士の校閲.

교외【郊外】명 郊外; 町外れ. ¶ 서울 ~ ソウルの郊外.

교외【校外】명 校外. ¶ ~ 활동 校外活動.

‖—— 교육 명 校外教育. —— 지도 명하자 校外指導.

교우【交友】명하자 交友. ¶ ~ 관계 交友関係 / ~가 많다 交友が多い.

교우【校友】명 校友.

‖——-지 명 校友誌. ——-회 명 校友会; 同窓会.

교우【教友】명 教友; 信仰を同じくする仲間.

교원【教員】명 教員; 教師.

‖—— 연수원 명 教員研修院. —— 자격 검정 명 教員資格検定.

교위【教委】명 [↗교육 위원회] 教委.

교유【交遊】명하자 交遊.

교육【教育】명하타 教育. ¶ 아동 ~ 児童教育 / 주입식 ~ 詰め込み教育 / ~ 연구소 教育研究所; 教研《준말》/ 재~ 再教育.

‖——-가 명 教育家. ——-감 명 教育監. ——-계 명 教育界. —— 공무원 명 教育公務員. ——-구-청(區廳) 명 教育区庁. —— 기관 명 教育機関. —— 대학 명 教育大学. ——-법 명 教育法. —— 보험 명 教育保険. ——-비 명 教育費. ¶ ~에 돌리다 教育費に当てる. —— 산업 명 教育産業. ——-세 명 教育税. —— 실습생 명 教育実習生. 준 교생(教生). —— 심리학 명 教育心理学. ——-열 명 教育熱. —— 위원회 명 教育委員会. 준 교위(教委). —— 인구 명 教育人口. ——-자 명 教育者. =교육가. ——-장 명 教育長. ——-적 명 관 教育的. ¶ ~ 가치 教育的価値. —— 제도 명 教育制度. —— 평가 명 教育評価. ——-학 명 教育学. —— 한자 명 教育漢字《1,800字》. —— 행정 명 教育行政.

교의【交誼】명 こうぎ(交誼). ¶ ~를 두텁게 하다 交誼を厚くする.

교의【校醫】명 校医. =학교의(醫).

교의【教義】명 ① 教義; ドグマ. ¶ 기독교의 ~ キリスト教の教義. ② 教育の本旨; 教え.

‖——-학 명 教義学; 教理学.

교인【教人】명 教徒.

교자【交子】명 台盤に取りそろえた料理.

‖——-상(床) 명 台盤.

교잡【交雜】명하자타 交雑.

‖—— 육종법 명 交雑育種法.

교장【校長】명 校長. =학교장. ¶ ~ 선생님의 훈시가 있었다 校長の訓示があった.

교장【教場】명 教場. ¶ ~이 좁다 教場が狭い.

교재【教材】명 教材.

‖——-비 명 教材費.

교전【交戰】명하자 交戦. ¶ ~ 상태에 들어갔다 交戦状態に入った.

‖——-국 명 交戦国.

교접【交接】명하자 交接; 交合. ¶ ~ 불능 交接不能.

교정【校正】명 校正; 校書. ——-하다 타 校正する; 校する. ¶ ~ 미스 校正のミス / 이 ~에는 오식을 잡지 못한 것이 있다 この校正には誤植の見落しがある.

‖—— 기호 명 校正記号. ——-쇄 명〔印〕校正刷; ゲラ. ¶ 원고와 ~를 읽어 가며 맞춰 보다 原稿と校正刷とを読み合わせる. ——-원 명 校正員. ——-지 명〔印〕校正紙; プルーフ.

교정【校訂】명하타 校訂. ¶ ~판 校訂版.

‖——-본 명 校訂本.

교정【校庭】명 校庭; 学びの庭〈雅〉; キャンパス. ¶ ~에 들어서다 校庭に立ち並ぶ.

교정【教程】명 教程; 教科書. ¶ 문법 ~ 文法教程.

교정【矯正】명 矯正. ——-하다 타 矯正する; 矯める. ¶ ~ 교육 矯正教育 / ~ 처분 矯正処分 / 말더듬이 ~ きつおん(吃音)矯正.

‖——-술 명 矯正術. —— 시력 명 矯正視力.

교제【交際】명 交際; 交わり; 近付

き; 付き合い. ——-하다 자타 交際する; 交わる; 付き合う. ¶깊은 ~를 맺다 深交を結ぶ / ~가 넓다 交際〔顔〕が広い / 이웃과의 ~ 隣付き合い / ~를 끊다 交わりを絶つ / 가깝게 ~하고 있다 親しく交わっている.
‖——-비 명 交際費. ¶~를 많이 썼다 交際費を多く使った. ——-술 명 交際術.
교조【教祖】명〔宗〕教祖; 宗祖. =교주(教主).
교조【教條】명 教条.
‖——-주의 명〔論〕教条主義.
교졸【巧拙】명 巧拙. ¶~을 묻지 않다 巧拙を問わない.
교종【教宗】명〔佛〕教宗《仏教で教理を重んじる宗派》.
‖—— 본산 명 教宗の本山.
교주【校主】명 校主. ¶그 학교 ~는 B씨였다 その学校の校主はB氏であった.
교주【教主】명〔宗〕教主;〔佛〕釈尊. =교조(教祖). ¶일대 ~ 一代教主.
교지【校地】명 校地. ¶~를 아직 확보하지 못하였다 校地はまだ確保されていない.
교지【校誌】명 校誌. ¶~ 발행은 아직 멀었다 校誌発行はまだ遠い.
교지【教旨】명 教旨.
교-지기【校—】명 学校の守衛.
교직【教職】명 教職. ¶그는 작년에 ~에 취임하였다 昨年教職に就いた.
‖—— 과목 명 教職科目. —— 과정 명 教職課程. ——-원 명 教職員.
교질【膠質】명 こうしつ(膠質). ①にかわ質. ②〔化〕コロイド. ¶~ 상태 コロイド状態.
교차【交叉】명 交差. ——-하다 자타 交差する; 交わる. ¶선로가 ~하다 線路が交差する / 나뭇가지를 ~시키다 枝を交える / 만감이 ~하다 万感こもごも至る / 직선 A가 원 B와 ~하다 直線Aが円Bを切る.
‖——-로 명 交差路. —— 승인 명 クロス承認. ——-점 명 交差点; 四つ角.
교차【較差】명 こうさ(較差); 較差; 最高と最低との差. ¶기온의 ~ 気温の較差.
교착【交錯】명하자 交錯. ¶꿈과 현실이 ~하다 夢と現実が交錯する / 애증이 ~하다 愛とにくしみが交錯する / 기대와 불안이 ~하다 期待と不安が交錯する.
교착【膠着】명하자 膠着. ¶전선이 ~ 상태에 빠지다 戦線が膠着状態に陥る.
‖——-어 명〔言〕膠着語.
교체【交替】명 交替〔交代〕; 入れ替〔換〕わり. =교대(交代). ——-하다 자타 交替〔交代〕する; 立ち代わる; 入れ替わる. ¶투수 ~ 投手リリーフ; ピッチャーチェンジ / 선수 ~ 選手交替.
교체【交遞】명하자타 ①交代〔交替〕. ②交通と逓信. ¶~ 위원회 交通逓信委員会.
교칙【校則】명 校則. ¶~을 지키다 校則を守る.
교칙【教則】명 ①教則. ¶바이에르 ~본 バイエル教則本. ②宗教上の規則.
교탁【教卓】명 教卓. ¶선생님이 ~ 앞에 서셨다 先生が教卓についた.
교탑【橋塔】명 橋塔. ¶높이 솟은 ~ 高くそびえている橋塔.
교태【嬌態】명 きょうたい(嬌態); 色気; つや. ¶~를 띤 눈매 こびを含んだ目つき / ~를 지어 보이다 しなをつくる.
교통【交通】명 交通; 行き来. ¶~이 정체되다 交通が渋滞する / ~이 아주 편리함 交通至便 / ~편 交通の便 / 역이 가까워 ~편이 좋다 駅が近くて足場がよい.
‖—— 경찰 명 交通警察. —— 광장 명 交通の能率を上げるために設けた広場. —— 기관 명 交通機関. —— 도덕 명 交通道徳. —— 마비 명 交通麻痺. ——-망 명 交通網. —— 방해죄 명 交通妨害罪. ——-부 명 交通部《運輸省に当たる》. ——-비 명 交通費; 足代. =거마비. ¶~가 들다 足代がかかる. —— 사고 명 交通事故. —— 정리 명 交通整理. —— 지옥 명 交通地獄. —— 행정 명 交通行政.
교파【教派】명 教派; 宗派. ¶신~의 교회 新教派の教会.
교편【教鞭】명 きょうべん(教鞭). ¶~을 잡다 教鞭を取る.
교포【僑胞】명 海外同胞; 外国に住んでいる同胞.
교풍【校風】명 校風. ¶~ 쇄신 校風刷新.
교합【交合】명하자 交合; (男女の)交わり. =성교.
교합【校合】명하타 校合. =교정. ¶이본과 ~하여 결정판을 편집하다 異本と校合して決定版を編集する.
교향【交響】명 交響.
‖——-곡 명〔樂〕交響曲; シンフォニー. ——-시 명 交響詩. ——-악 명 交響楽. ¶미완성 ~ 未完成交響楽. ——-악-단 명 交響楽団.
교호【交互】명하자 交互; たがいちがい.
‖—— 작용 명 交互作用.
교화【教化】명하타 教化; 訓化. ¶~ 활동 教化活動 / 불량 소년을 ~하다 不良少年を教化する.
교환【交換】명 交換; 引き替え; 取り替え; 代え. ——-하다 타 交換する; 交わす; 引き替〔換〕える. ¶옛날에는 물물 ~을 하였다 昔は物物交換をした / ~권 引き替え券 / ~ 전화 交換電話 / 계약서를 ~하다 契約書を取り交わす / 인사말을 ~하다 あいさつの言葉を交わす / 논의를 ~하다 議論を交わす.
‖—— 가치 명 交換価値. —— 경제 명 交換経済. —— 교수 명 交換教授. ——-대 명 交換台. —— 법칙 명〔數〕交換法則. ——-원 명 [↗전화

교환원] 交換手. ── 학생 명 交換学生.
교환【交歡·交驩】명하자 交歓. ¶한일 ~ 경기 韓日交歓競技.
교활【狡猾】명 こうかつ(狡猾); こうかい(狡獪). ──-하다 형 こうかつだ; こすい; ずるい; ずる賢い. ¶~한 수단 こうかつな手口/~한 놈 ずるい奴/~한 고리 대금업자에게 속았다 高利貸しの古だぬきにだまされた/~하여 허투루 볼 수 없는 놈이다 こうかつで食えないやつだ.
교황【教皇】명〔天主教〕教皇; 法王. =로마 교황.
‖──-령 명 教皇領. ── 사절 명 教皇使節. ──-청 명 教皇庁.
교회【教會】명 教会. ¶장로 ~ 長老教会.
‖──-당 명 教会堂. ──-법 명 教会法. ── 음악 명 教会音楽.
교훈【校訓】명 校訓. ¶~을 잘 지키다 校訓をよく守る.
교훈【教訓】명하형 教訓; 教え; 戒め. ¶심금을 울리는〔감명을 주는〕~ 胸にひびく教訓/부모의 ~을 잘 지키다 親の戒めをよく守る.
구【句】명 句. ¶윗~ 上の句.
구【球】명 球; 球体.
구【區】명 区. ¶선거~ 選挙区/~의 소유지 区有地.
구【具】의명 死体を数える語.
구【九】수 九; く. =아홉.
구-【舊】두 旧. ¶~사상 旧思想/~자체 旧字体.
구가【謳歌】명 おうか(謳歌). ──-하다 타 謳歌する; うたう. ¶청춘을 ~하다 青春を謳歌する/황제의 덕을 ~하다 皇帝の徳をうたう.
구가마-하다 타 穀物を入れたかますなどを方式通りに締めくくる.
구각【舊殼】명 ① 古びた殻. ② 古い慣わし·因習. ¶~을 깨다〔벗다〕古い殻を破る〔因習をうちくだく〕.
구간【區間】명 区間. ¶서행 ~ 徐行区間/전~ 차표 通し切符/한 ~ 300 원 一区間三百ウォン.
구간【舊刊】명 旧刊.
구간【軀幹】명 くかん(軀幹); からだ; 胴体. =동부(胴部).
구갈【口渴】명 渇き.
‖──-증(症) 명 かわきの病.
구강【口腔】명〔生〕口こう(腔).
‖──-염 명 口腔炎. ── 위생 명 口腔衛生.
구개【口蓋】명〔生〕口がい(蓋). =입천장.
‖──-골 명 口がい骨. ──-음 명 口がい音. ──-음-화 명 口がい音化.
구걸【求乞】명하타 物ごい; そでごい.
구겨-지다 피동 しわくちゃになる; もみくちゃになる; しわむ. ¶구겨진 종이 もみくちゃの紙/양복이 몹시 구겨졌다 洋服がしわくちゃになった.
구경 명스형 見物; 物見; 観覧. ──-하다 타 見る; 見物する; 観覧する. ¶~꾼 見物人/단풍 ~ 紅葉狩り/~하러 갔다 왔다 見物に行って来た/~하며 돌아다니다 見て回る/~할 만했다 見物だった/네가 영화를 ~시켜 준다면 가지 君が映画をおごってくれれば行くよ.
‖──-가마리 명 なぶりもの; ちょうしょう(嘲笑)の的. ──-감 명 見せ物; 見物. ¶~이 되다 見せ物になる/~이 되고 싶지 않다 見せ物になりたくない/남의 ~이 되다 さらし者になる.
구경【口徑】명 口径. ¶대포의 ~ 大砲の口径/~이 큰 렌즈 口径の大きいレンズ.
구경【究竟】究竟. 一명 結局; 畢竟. 二부 ついに.
구경【球莖】명〔植〕球茎.
구계【九界】명〔佛〕九界.
구곡【舊穀】명 旧穀; 年を経た穀物.
구곡 간장【九曲肝腸】명 深い心の奥底. ¶~을 녹이다 (人の)心をとりこにする; うっとりとさせる; 悩殺する.
구공-탄【九孔炭】명 ① 穴が九つある練炭. ② 穴のある練炭の総称. =구멍탄.
구관【舊官】명 前官; 前任者. ¶~이 명관(名官)이다《俚》本木にまさる末木なし.
구관【舊館】명 旧館.
구관-조【九官鳥】명 九官鳥.
구교【舊交】명 旧交.
‖──지-간(之間) 명 旧交の間柄.
구교【舊教】명 旧教. ¶~도 旧教徒.
구구【九九】명하타〔數〕① ↗구구법. ② 九九の掛け算公式で計算すること. ③ 心で思いはかること.
‖──-법 명 九九; 一から九までの数どうしの掛け算公式. ──-표 명 九九の表.
구구【區區】명 区区; まちまち. ──-하다 형 まちまちだ; つまらない; くだらない. ¶~한 억측 区区たる臆測/의견이 ~하다 意見がまちまちだ/~한 문제 つまらない問題. ──-히 부 まちまちに; くだくだと. ¶~ 변명하다 くだくだしく弁解する.
‖── 사정(私情) 명 ささい(些細)な私情. ── 생활(生活) 명 ほそぼそとした暮らし. ── 세절(細節) 명 雑多な品目.
구구 감 鶏を呼び集めるときの声.
구구구 감 はと(鳩)や鶏の鳴き声: くうくう. ㅆ꾸꾸꾸.
구구 절절이【句句節節─】부 句節ごとに; 一言一句すべて.
구국【救國】명하자 救国. ¶~ 운동 救国運動.
구균【球菌】명〔植〕球菌. ¶포도상 ~ 葡萄状球菌.
구극【究極】명 究極. =궁극. ¶~의 목적 究極の目的.
구근【球根】명〔植〕球根. ¶~ 재배 球根栽培.
‖──-류 명 球根類. ── 식물 명 球根植物. ──-초 명 球根草.

구금【拘禁】명 하타 拘禁. ¶용의자를 ~하다 容疑者を拘禁する.

구급【救急】명 하타 救急.
‖——-법 명 救急法. =응급 치료법.
—— 상비약 명 救急用の常備薬.
—— 상자(箱子) 명 救急箱. ——-약 명 救急薬. ——-차 명 救急車.

구기 명 (油や酒などをすくう)小さいひしゃく(柄杓)〔しゃくし(杓子)〕. =작자(杓子).

구기【枸杞】명 〘植〙くこ(枸杞). =구기자나무.
‖——-자 명 ① ☞ 구기자나무. ② くこ(枸杞)の実. ——-자-나무 명 くこ.
——-차 명 くこ茶.

구기【球技】명 球技.

구기다[1] 자 運つたなく暮らし向きが苦しくなる.

구기다[2] 一타 もむ; しわくちゃにする. ¶종이를 ~ 紙をしわくちゃにする. 二자 しわがよる; しわむ; しわぐむ. ¶옷이 ~ 服にしわがよる.

구기적-거리다 타 しわくちゃ〔くちゃくちゃ〕にする. >고기작거리다. ㅆ꾸기적거리다. 구기적-구기적 부 하타 しわくちゃにするさま.

구김-살 명 しわ. ¶~ 투성이의 옷 しわだらけの服 / ~없이 자라다 伸び伸びと育つ.

구김-새 명 しわになった様子. またその程度.

구깃-거리다 타 しわくちゃにする. >고깃거리다. ㅆ꾸깃거리다. 구깃-구깃[1] 부 하타 しわくちゃにするさま: くちゃくちゃ.

구깃-구깃[2] 부 하형 しわくちゃになっているさま: くしゃくしゃ. >고깃고깃. ㅆ꾸깃꾸깃.

-구나 어미 ①…(た)ね; …(た)な. ¶아차 속았~ さてはだまされたな〔わい〕/ 정말 맛있겠~ ほんとにおいしそうだね / 그림이 잘 됐~ 絵がよく出来たね / 진짜가 아니~ ほんものでないね. ㊟-군. ② ↗-로구나.

구난【救難】명 하타 救難.
‖—— 부표 명 ☞ 구명(救命) 부표.

구내【口內】명 口内.
‖——-염 명 〘醫〙口内炎.

구내【區內】명 区内. ¶나는 이 ~에 살고 있다 わたしはこの区内に住んでいる.

구내【構內】명 構内. ¶역 ~ 駅の構内 / 대학 ~ 大学の構内.
‖—— 매점 명 構内売店. —— 식당 명 構内食堂.

구년【舊年】명 旧年. =작년.
‖——-묵이 명 年を経て古くなった物. —— 친구(親舊) 명 ① 旧友. ② 久しく別れている友.

구단【球團】명 球団.

구-대륙【舊大陸】명 旧大陸.

구덕-구덕 부 하형 水気のある物の表面がやや乾いているさま. ㅆ꾸덕꾸덕.

구덩이 명 ① くぼ(窪)み; へこみ. ②〘鑛〙こう(坑).

구도【求道】명 하자 〘佛〙求道; ぐどう; 求法. ¶~심 求道心; 道念. ‖——-자 명 〘宗〙求道者.

구도【構圖】명 構図. ¶이 그림은 ~는 좋으나 색조가 나쁘다 この絵は構図はよいが色調が悪い.

구도【舊都】명 旧都; 古都.

구독【購讀】명 하타 購読. ¶~자 購読者.

구두 명 靴.
‖——-닦기 명 靴みがき. ——-약 명 靴クリーム; 靴墨. ——-창 명 靴底. 구둣-발 명 靴ばきの足. 구둣-발길 명 靴ばきの蹴足. 구둣-방 명 靴屋. 구둣-솔 명 靴ブラシ. 구둣-주걱 명 靴べら; くつすべり.

구두【口頭】명 口頭; 口上. ¶서면이나 ~로 신청하시오 書面または口頭で申し込み下さい.
‖—— 계약 명 口頭契約. —— 변론 명 口頭弁論. ——-선(禪) 명 ① 口頭禅. ② 口先だけの言葉. —— 시험 명 口頭試問; 口述試験. —— 약속 명 口約束. ——-주의 명 口頭主義.

구두【句讀】명 [↗구두법] 句読.
‖——-법 명 句読法. ——-점 명 句読点; 読点. ¶~을 찍다 句読を切る〔つける〕.

구두덜-거리다 자 ぐちをこぼす; ぶつぶつ言う.

구두-쇠 명 けちんぼう; しわんぼう; 握り屋〈俗〉; しみったれ. ¶저런 ~는 싫다 あんなしみったれは嫌だ / 저런 ~는 본 일이 없다 あんなけちんぼうは見たことがない.

구드러-지다 자 乾いて堅くなる. >고드라지다. ㅆ꾸드러지다.

구득【求得】명 하타 求め得ること.

구들 명 ↗방구들.
‖——-돌 명 オンドル石. —— 동티 명 これという理由なく亡くなった人をおどけて言う語. —— 바닥 명 油紙もはらず何も敷いていないオンドル部屋. ——-장 명 オンドル石.

구들-구들 부 하형 飯が程よくたけたさま. >고들고들. ㅆ꾸들꾸들.

구뜰-하다 형 そまつな食べ物ではあるが味気はまんざらでもない.

구라파【歐羅巴】명 "유럽(=ヨーロッパ)"の音訳. ¶~풍 欧風.
‖—— 인종 명 ヨーロッパ人種. =유럽 인종. —— 전쟁 명 ① 欧州戦争. =구라파 대전. ② やかましいけんか騒ぎのたとえ.

구랍【舊臘】명 きゅうろう(旧臘).

구래【舊來】명 旧来; 従来. ¶~의 누습은 고쳐야 한다 旧来のろうしゅう(陋習)は改めなければいけない.

구렁 명 (深い)穴; へこみ; ふち(淵). ¶절망의 ~ 속에 빠지다 絶望のふちに沈む.
‖——-텅이 명 どん底; 深い洞穴. ¶불행의 ~에 빠져 있다 不運のどん底に落ちている.

구렁-말 명 くり毛.

구렁이 명 ①〘動〙大蛇; あおだいしょう(青大将). ¶~ 담 넘어가듯 한다《俚》大蛇が塀をはい越すよう《はっきりせず陰で事を処理することのたとえ》. ② 腹黒い人を皮肉

ㄱ

る語. ㊟ 구리.
구레-나룻 명 ほおひげ(頬髭〔頰鬚〕).
-구려 어미 ① 感動を表わす終結語尾. ¶ 벌써 갔~ もはや行ったのですね. ② 好意的に命令の意を表わす語. ¶ 빨리 오~ 早く来きなさい.
구력【舊曆】 명 ☞ 음력.
구령【口令】 명하자 号令. ¶ ~에 맞추어 움직이다 号令に合わせて動く.
구루【佝僂】 명하자 ① くる(佝僂)(の人). =곱사등이. ② 老化, または病気によって腰が前にかがむこと. また, そのような腰.
‖——-병 명〔醫〕くる病.
구류 【拘留】 명하타 こうりゅう(拘留). ¶ ~ 기간 拘留期間 / 미결 ~ 未決拘留.
‖——-간(間), ——-장 명 拘留場.
구르다¹ 자 転がる; 転ぶ; 転ずる. ¶ 구르듯이 달리다 転ぶように走る / 굴러 떨어지다 転がり落ちる / 공이 담 안으로 굴러 들어오다 ボールが塀のなかに転がり込む / 굴러온 호박《俚》開いた口へぼたもち(牡丹餅). ㊟ 굴다.
구르다² 타 踏み鳴らす. ¶ 마루를 쿵쿵 구르며 떠들다 床を踏み鳴らして騒ぐ / 발을 동동 ~ じだんだを踏む.
구름 명 雲. ¶ ~ 한 점 없는 一点の雲もない / ~을 잡는 것 같은 이야기 雲をつかむような話 / ~에 덮이다 雲に覆われる.
‖——-결 명 ① 雲が過ぎ去るような短い間. ② 薄くきれいな雲のあや. —— 다리 명 歩道橋; 高架橋. ——-바다 명 雲海. ——-비 명 雲雨. ——-장 명 雲のかたまり.
구름-금 명 (ジャンプなどの)踏み切り前の線.
구름-판【一板】 명 (ジャンプなどの)踏み切り.
구릉【丘陵】 명 丘陵; 丘. =언덕. ¶ ~에 오르다 丘に登る.
‖——-지 명 丘陵地.
구리 명〔化〕銅; あかがね.
‖——-줄 명 銅線; 細い銅線のコード. —— 철사(鐵絲) 명 銅線. 구릿-빛 명 あかがね色. =적갈색.
구리다 형 ① 臭い. ¶ 구린 냄새 臭いにおい. ② (やり口が)汚い; いやらしい; 後ろ暗い. ¶ 무언가 뒤구린 짓을 하고 있다 何か後ろ暗いことをやっている.
구리터분-하다 형 ☞ 고리타분하다.
구린-내 명 臭いにおい; 悪臭. ¶ ~를 피우다 悪臭を放つ. ——-나다 자 臭いにおいがする. ¶ 구린내나는 입김 臭い息.
구만리 장천【九萬里長天】 명 高く果てのない空; 果てなき大空. =구공(九空).
구매【購買】 명하타 購買.
‖——-력 명 購買力. ¶ ~이 저하하다 購買力が落ちる. —— 조합 명 購買組合.
-구먼 어미 対下語, または独り言で改まった感嘆を表わす語: …ね; …な. ¶ 많~ 多いね / 꽤 크~ かなり大きいね / 빨리 왔~ 早く来たね / 울었~ 泣いたね / 착한 애가 아니~ いい子でないね. ㊟ -군.
구멍 명 穴. ¶ 단춧~ ボタン穴 / 어떤 법률에도 빠져 나갈 ~은 있다 どの法律にも抜け穴はある / 쥐~이라도 찾고 싶다《俚》穴があれば入りたい程である. ——— 부 ひっそりした〔人目につかない〕ところどころ.
‖—— 가게 명 小店; 軒店. ——탄(炭) 명 練炭.
구면【球面】 명 球面.
‖——-각 명 球面角. ——-경 명〔物〕球面鏡. ——-계 명 球面計; 球尺. —— 기하학 명 球面幾何学. —— 수차 명 球面収差.
구면【舊面】 명 旧知; 昔なじみ. ¶ 처음 만났지만 ~과 같다 初対面ではあるがまるで旧知のようだ; 一見旧知のごとし.
구명【究明】 명하타 究明. ¶ 진리를 ~하다 真理を究明する.
구명【救命】 명하타 救命; 助命. ¶ 사형수의 ~을 탄원하다 死刑囚の助命を嘆願する / ~을 빌다〔바라다〕助命を願う.
‖——-구 명 救命具. ——-기 명 救命器. —— 동의 명 救命胴衣. —— 부대(浮帶) 명 救命帯; 浮き袋. —— 부이, —— 부표(浮標) 명 救命ブイ. ——-삭 명 救命索. ——-정 명 救命艇; ライフボート.
구무럭-거리다 타 ☞ 꾸무럭거리다.
구문 【口文】 명 口銭; コミッション. ¶ ~을 먹다 口銭を取る.
구문【構文】 명 構文. ¶ ~론 構文論.
구문【舊聞】 명 旧聞. ¶ ~에 속하다 旧聞に属する.
구물-거리다 자타 ☞ 꾸물거리다.
구미 【口味】 명 ① 食欲; 口当たり. ¶ ~를 돋구다〔돋우다〕食欲をそそる. ② 興味. ¶ ~가 당기는 이야기 興味のわく話 / ~를 돋구다〔돋우다〕興味をそそる.
구미【歐美】 명 欧米. ¶ ~ 여러 나라 欧米諸国.
구미-호【九尾狐】 명 九尾のきつね(狐). ① 尾が九つあるという古ぎつね. ② こうかつ(狡猾)な人の称. ¶ ~ 같은 계집 古ぎつねのようにこうかつな女.
구민 【區民】 명 区民. * 동민(洞民).
구민【救民】 명하자 救民.
구박【驅迫】 명 虐待. ——-하다 타 虐待する; いじめる; いびる. ¶ 며느리를 ~하다 嫁いびりをする.
구배【勾配】 명 ☞ 물매².
구법 【求法】 명하자〔佛〕求法; 求道.
구변【口辯】 명 口弁; 弁舌; 弁才. ¶ ~이 좋은 사람 口達者(な人) / ~도 좋고 수단도 좋은 이 口八丁手八丁の人 / 교묘한 ~으로 설복시키다 たくみな弁舌で説き伏せる.
‖——-머리 명《俗》☞ 구변. ¶ ~가 없다 弁才がない.

구별【區別】[명] 区別; けじめ; 差別. ――-하다 [타] 区別する; けじめを付ける; 弁ずる. ¶공사를 ~하다 公私をわきまえる / ~을 못 짓다 けじめが付かない / 시비 선악을 ~하다 是非善悪を弁ずる.
구보【驅步】[명] 駆け足. ――-하다 [자] 駆ける. ¶~로 행군하다 駆け足で行軍する.
구부러-뜨리다 [타] ☞ 꾸부러뜨리다.
구부러-지다 [자] (一方に)曲がる.
구부렁-하다 [형] ☞ 꾸부렁하다.
구부리다 [타] 曲げる; 屈む; 屈める.
구부스름-하다 [형] ☞ 꾸부스름하다.
구부정-하다 [형] ☞ 꾸부정하다.
구분【區分】[명] 区分; 区割り; 区分け; 取り分け; けじめ; 仕分け. ――-하다 [타] 区分する; 分ける; 仕分ける. ¶공사 간의 ~을 짓다 公私のけじめを付ける.
구불-거리다 [자] ☞ 꾸불거리다.
구불텅-하다 [형] ☞ 꾸불텅하다.
구붓-하다 [형] やや曲がっている. >고붓하다. ㅆ꾸붓하다. 구붓-이 [부] やや曲がって; 曲がり加減で. 구붓-구붓 [부][하형] すべてがやや曲がっているさま.
구비【口碑】[명] 口碑; 伝説. ¶지방의 ~를 찾다 地方の口碑を探る.
‖―― 동화 [명] 口碑童話. ―― 문학 [명] 口碑文学.
구비【具備】[명][하타] 具備. ¶~ 서류 具備書類 / 자격을 ~하다 資格を具える.
구쁘다 [형] 食べたい; 食欲をそそられる.
구사【驅使】[명] 駆使. ――-하다 [타] 駆使する; 使いこなす. ¶영어를 마음대로 ~하다 英語を自由にこなす.
구사 일생【九死一生】[명] 九死に一生を得ること; 命拾い. ――-하다 [자] 九死に一生を得る; 命拾いをする. ¶~으로 살아나다 十死に一生を得る; 命拾いをする.
구상【求償】[명][하타] 求償.
‖――-권 [명] 求償権. ―― 무역 [명] 求償〔バーター〕貿易.
구상【具象】[명] 具象; 具体. ¶~화(化) 具体化.
‖―― 예술 [명] 具象芸術. ――-적 [명][관] 具象〔具体〕的. ――-화 [명] 具象画.
구상【球狀】[명] 球状.
‖―― 관절 [명]〔生〕球状関節. ――-균 [명] 球状菌. ―― 성단 [명]〔天〕球状星団.
구상【構想】[명][하타] 構想; プロット. ¶~을 짜다 想を練る.
구상-서【口上書】[명]〔政〕口上書き.
구색【具色】[명][하타] 品物を取りそろえること. ¶그 점포의 물건은 ~이 안 맞는다 その店は品数がそろっていない / ~을 맞추다 品物を取りそろえる.
구석 [명] 隅; 隅っこ; 隅角; アングル. ¶방~ 部屋の隅〔隅っこ〕/ 방 한~에 놓다 部屋の片隅に置く.
‖――-방(房) [명] 家の片隅にある部屋. ――-장(欌) [명] 部屋の片隅に置くたんす(箪笥).
구석-구석 [부] 隅隅; くまなく. ¶달빛이 ~을 비치고 있었다 月光がくまなく照り渡っていた / ~까지 찾다〔뒤지다〕くまなく〔隅隅まで〕捜す.
구-석기【舊石器】[명]〔史〕旧石器.
‖―― 시대 [명] 旧石器時代.
구석-지다 [형] 奥まる. ¶구석진 방 奥まった部屋.
구설【口舌】[명] 口舌; 口; 人の口に上るそしり. ¶세상의 ~이 귀찮다 世間の口がうるさい.
‖――-수(數) [명] (人から)悪口やそしりを受ける悪運.
구성【構成】[명] 構成. ――-하다 [타] 構成する; 仕組む; 作る; 形作る. ¶문장은 좋은데 줄거리의 ~이 서투르다 文章はうまいが筋の構成がまずい / 연애 사건을 극으로 ~하다 恋愛事件を劇に仕組む / 강력한 내각을 ~하다 強力な内閣を作る / 미국 의회는 양원으로 ~된다 アメリカの議会は両院より成る.
‖――-원 [명] 構成員. ――-체 [명] 構成体.
구성-지다 [형] (歌声などが)いきで哀れだ. ¶구성진 목소리 いきで哀れをおびた声.
구세【救世】[명][하자] 救世.
‖――-군 [명]〔基〕救世軍. ―― 제민 [명] 救世済民. ――-주 [명] 救世主; 救い主. ①〔基〕キリスト; メシア. ¶~ 예수 救い主イエスキリスト. ②〔佛〕"釈迦"の尊称. =석가 모니.
구속【拘束】[명] 拘束. ――-하다 [타] 拘束する; 戒める〈雅〉; 縛る. ¶~당하다 縛られる / 누구에게도〔어떤 일에도〕~받지 않는다 何もの〔何事〕にも拘束されない.
‖――-력 [명] 拘束力. ―― 영장 [명] 拘束令状; 逮捕状.
구속【球速】[명]〔野〕球速.
구수【口授】[명][하타] 口授; くじゅう. ¶비결을 ~하다 ひけつ(秘訣)〔奥義〕を口授する.
구수【鳩首】[명] きゅうしゅ(鳩首). ¶~ 협의하다 鳩首協議する.
‖―― 회의 [명][하타] 鳩首会議.
구수-하다 [형] ① (味·においが)快い; (ごま·みそ汁のような)ゆかしい味わいとにおいがする; こうばしい; 風味がよい. ¶구수한 된장국 냄새 うまそうなみそ汁のにおい. ② (話が)もっともらしい; 聞きよい; おもしろい. ¶구수한 이야기 情味があっておもしろい話. >고소하다.
구순-하다 [형] むつまじい.
구술【口述】[명][하타] 口述; 口上. ¶~ 필기 口述筆記. =구연(口演).
‖――-서(書) [명] 口上書き; 舌代; しただい. ―― 시험 [명] 口述試験. =구두 시험.
구슬 [명] 玉. ¶~을 굴리는 듯한 목소리 玉をころがすような話し声.
‖――-땀 [명] 玉の汗; 玉なす汗. ¶~을 흘리다 汗をしたたらす. ―― 사탕

명 あめ玉. =눈깔 사탕.
구슬-구슬 부하형 ☞ 고슬고슬.
구슬려 내다 타 (うまい言葉で)おびき出す.
구슬려-대다 타 (しきりに)おだてる; なだめる; そそのかす.
구슬려 삶다 타 うまい言葉で説き落とす; 丸め込む. ¶상대를 ~ 相手を丸め込む.
구슬려 세다 타 しきりにおだてあげる.
구슬리다 타 うまく説き落す; おだてあげる; 丸め込む; 言いくるめる. ¶반대파를 ~ 反対派を丸め込む/잘 구슬려서 돈을 내게 하다 うまく言いくるめて金を出させる/살살 ~ うまく言いくるめる.
구슬프다 형 物悲しい; もの寂しい; しめやかだ. ¶가을은 어딘지 모르게 구슬픈 계절이다 秋はなんとなくもの寂しい季節である/장례식은 구슬프게 거행되었다 葬儀はしめやかにとり行なわれた.
구슬피 부 物悲しく; あわれげに. ¶~ 울었다 あわれげに泣いた.
구승【口承】명하타 口承.
‖── 문학 명 口承文学.
구-시대【舊時代】명 旧時代.
구시렁-거리다 자 小言を並べたてる; くどくど小言を言う. >고시랑거리다. **구시렁-구시렁** 부하자 くどくど.
구시-월【九十月】명 九月と十月.
구식【舊式】명 旧式; 大時代. ¶~ 병기 旧式の兵器/~ 생각 旧式な考え/~ 사람 古い型の人間/~ 물건 大時代の物.
‖──-쟁이 명 旧式を守る人.
구실 명 ①〔史〕公共の職務〔職責〕. ②各租税の総称. ③役目; 役割; 用. ¶사람 ~을 하다 一人前の用をなす.
‖──-아치 명〔史〕役所の下役.
구실【口實】명 口実; 言い抜け; 理屈. ¶표면적인 ~ 表向きの口実/요리조리 ~만 내세우다 いろいろ理屈を言い立てる.
구실-삼다【口實─】타 出しに使う; 事寄せる. ¶병을 구실 삼아 결근하다 病気に事寄せて欠勤する.
구심【求心】명하자 ①〔佛〕ほんとの心性を得るため参禅すること. ②〔物〕求心. ¶~적 求心的/~성 求心性.
‖──-력 명 求心力; 向心力.
구심【球心】명 球心.
구심【球審】명〔野〕球審; 主審.
구십【九十】수 九十. =아흔.
구아【歐亞】명 欧亜; ヨーロッパとアジア.
‖──-주 명 欧亜州.
구악【舊惡】명 旧悪. ¶~이 드러나다 旧悪が露顕する.
구애【求愛】명 求愛. ──-하다 타 求愛する; 言い寄る; 口説く. ¶~의 편지 求愛の手紙/아가씨에게 ~하다 娘に言い寄る.
구애【拘礙】명 拘泥. ──-하다 타 拘泥する; こだわる; なずむ. ¶사소한 일에 ~하지 않는다 ささい(些細)なことにこだわらない; 小事に拘泥しない/승패에 ~하지 않고 경기를 하다 勝敗にこだわらず試合をする/쓸데없는 일에 ~되지 마라 つまらぬことにこだわるな/상례에 ~되다 常例にこだわる/겉치레에 ~되지 말고 속을 보라 外見にとらわれることなく中を見よ.
구약【舊約】명 旧約.
‖── 성서 명 旧約聖書. ── 시대 명 旧約時代.
구어【口語】명 口語; 口言葉; 話し言葉.
‖──-문 명 口語文. ──-체 명 口語体.
구역【區域】명 区域. ¶위험 ~ 危険区域/금지 ~ 禁止区域/담당 ~ 担当〔受け持ち〕区域.
구역【嘔逆】명 吐き気; むかつき.
‖──-증(症) 명 吐き気. ──-질 명하자 へど(反吐); おうと(嘔吐). ¶~ 나다 吐き気を催す/그 얼굴만 보아도 ~이 날 것 같다 その顔を見ただけで戻しそうだ.
구역-나다【嘔逆─】자 むかつく; 吐き気がする.
구연【口演】명하타 口演. =구술(口述). ¶~ 동화 口演童話.
구옥【舊屋】명 ①旧屋; 古屋. =고옥. ②前に住んでいた家.
구완 명하타 [←구원(救援)] (病気などの)看護; 看取り; 看病. ¶병~ 看病.
구우【舊友】명 旧友.
구우 일모【九牛一毛】명 九牛の一毛.
구운 두부【─豆腐】명 焼き豆腐. 준 군두부.
구운-밤 명 焼きぐり. 준 군밤.
구운-빵 명 あぶり焼いたパン. 준 군빵.
구운-석고【─石膏】명〔化〕焼き石膏. =소석고.
구원【救援】명 ①救援; 助け; 救い. ──-하다 타 救援する; 救う. ¶~을 청하는 소리 助けを求める声/~ 받고자 하는 자는 오라 救われんと欲する者は来たれ. ② ☞ 구완.
‖── 투수 명 救援投手.
구원【舊怨】명 きゅうえん(旧怨). ¶~을 잊지 않고 있다 彼は旧怨を忘れないでいる.
구월【九月】명 九月.
구은【舊恩】명 旧恩. ¶~에 보답하다 旧恩に報いる.
구이 명 焼き物; 焼き. ¶소금 ~ 塩焼き/생선 ~ 焼き魚/~ 꼬치 焼きぐし.
구인【求人】명하자 求人.
‖── 광고 명 求人広告. ──-난 명 求人難.
구일【九日】명 ①ここのか. ②陰暦の九月九日. =중양(重陽).
‖──-장(葬) 명 死後九日目に挙げる葬式.
구입【購入】명 購入; 仕入れ; 買い入れ. ──-하다 타 購入する; 仕入

れる；あがなう〈雅〉. ¶ ~처 仕入れ先 / 물품 ~ 物品購入 / ~ 가격 元値.

구장【球場】명 球場；球技用の運動場.

구저분-하다 형 汚らしい. 구저분-히 부 汚らしく.

구적【求積】명하타〔數〕求積.
‖——-기 명 求積器. ——-법 명 求積法.

구전【口傳】명 口伝；口伝え；口づて；言い継ぎ. ——-하다 타 言い伝える；語り継ぐ. ¶ 옛날 이야기를 ~하다 昔話を口伝えにする.
‖—— 문학 명 口伝文学. —— 민요 명 口伝民謡.

구전【口錢】명 口銭；上げ銭；上前；はね銭；コミッション. ＝구문. ¶ ~을 받다 口銭をもらう；歩を取る / ~을 떼다 はね銭を取る；頭をはねる.

구절【句節】명 ① (文章の)句と節. ② 句；文章や言葉の一区切り.

구절-판【九折坂】명 九折坂の重箱に盛る食べ物.
‖—— 찬합(饌盒) 명 九折坂を盛る重箱.

구점【句點】명 句点. ¶ ~을 정확히 찍다 句点を正確に打つ.

구접-스럽다 형 ① 汚らしい. ② 言動がだらしなく汚らしい.

구정【舊正】명 ① 陰暦の元旦. ② 旧の正月.

구정【舊情】명 旧情.

구정-물 명 汚水；下水.

구제【救濟】명 救済. ——-하다 타 救済する；救う. ¶ 빈민을 ~하다 貧民を救済する / 수해 ~에 나서다 水害救済に立ち上がる.
‖—— 사업 명 救済事業. ——-책 명 救済策. ——-품 명 救済品.

구제【舊制】명 旧制. ＝구제도. ¶ ~ 대학 旧制大学.

구제【驅除】명하타 駆除. ¶ 해충을 ~하다 害虫を駆除する.

구조【救助】명 救助；助け；救い. ——-하다 타 救助する；助ける；救う. ¶ 인명 ~ 人命救助 / ~를 청하는 소리 助けを求める声 / ~를 외치다 助けを呼ぶ / 난파선을 ~하러 가다 難船の救難に向かう.
‖——-대(袋) 명 救助袋. —— 사다리 명 救助ばしご(梯子). ——-선(船) 명 助け船；救い船. ¶ ~을 내다 助け船を出す. —— 소방차 명 救助消防自動車.

구조【構造】명하타 構造；仕組み；構え；造り；掛かり. ¶ 집~ 家の構え / 목조의 단층집 ~ 木造の平屋造り / 기계의 ~ 機械の仕組み.
‖——-물 명 構造物. ——-식 명〔化〕構造式. —— 역학 명 構造力学.

구족【九族】명 九族；祖父のまた祖父から孫のまた孫にわたる九代の親族.

구주【救主】명〔基〕救い主；救世主.

구주【歐洲】명 欧州. ＝유럽.

구주【舊株】명 旧株；親株.

구중【九重】명 九重. ① 九重. ② ↗구중 궁궐.
‖—— 궁궐(宮闕) 명 九重；宮中. 준 구중. —— 심처(深處) 명 ☞ 구중 궁궐.

구중중-하다 형 湿っぽい；じめじめとしている. ¶ 구중중한 기후 じめじめした氣候 / 장마로 구중중한 날이 계속되다 梅雨で湿っぽい日が続く.

구지레-하다 형 薄汚い；つまらなくて不潔だ.

구직【求職】명하자 求職. ¶ ~ 광고를 내다 求職広告をする.

구질-구질 부하형 湿っぽくて小汚い様；じめじめ. ¶ ~한 기후 じめじめした気候.

구차-하다【苟且—】형 ① 窮屈だ. ¶ 구차한 변명 窮屈な言いわけ〔弁解〕. ② 貧しい. ¶ 구차한 살림 貧しい暮らし. 구차-히 부 窮屈に；貧しく.

구척 장신【九尺長身】명 九尺の長身；大男.

구청【區廳】명 区役所. ¶ ~ 직원 区役所の職員 / ~장 区長.

구체【具體】명 具体. ¶ ~론 具体論 / ~적 具体的.
‖——-성 명 具体性. ——-안 명 具体案. ——-화 명하자타 具体化.

구촌【九寸】명 ① 九寸. ② 九親等の間柄.

구축【構築】명 構築. ——-하다 타 構築する；築く. ¶ 진지를 ~하다 陣地を構築する / 교두보를 ~하다 きょうとうほ(橋頭堡)を築く / 외국 시장에 지반을 ~하다 外国市場に地盤を築く.

구축【驅逐】명하타 駆逐. ¶ 악화가 양화를 ~하다 悪貨が良貨を駆逐する. ‖——-함 명 駆逐艦.

구출【救出】명하타 救出. ¶ ~ 작전 救出作戦 / 불길 속에서 아이를 ~하다 炎の中から子供を救い出す.

구충【驅蟲】명하타 駆虫. ＝제충(除蟲).
‖——-제 명 駆虫剤；虫下し. ¶ ~를 먹다 虫下しを飲む.

구취【口臭】명 口臭.

구층-탑【九層塔】명 九層〔九重・〕の塔.

구치【臼齒】명 ☞ 어금니.

구치【拘置】명하타 拘置.
‖——-소 명 拘置所.

구칭【舊稱】명 旧称.

구타【毆打】명 殴打. ——-하다 타 殴打する；殴る.

구태【舊態】명 旧態. ¶ ~를 지니다 旧態を存する.
‖—— 의연 명하형 旧態依然.

구태(여) 부 わざわざ；強いて；求めて. ＝일부러. ¶ ~ 가라고는 말 않겠다 強いて行けとは言わない.

구토【嘔吐】명 おうと(嘔吐)；へど；げろ〈俗〉. ＝토역(吐逆). ——-하다 타 嘔吐する；もどす. ¶ ~감 嘔吐感；はき気.

구파【舊派】명 旧派.
‖—— 연극 명 旧派劇. 준 구극.

구판【舊板·舊版】명 旧版. ¶ ~을 개정하다 旧版を改訂する / 신판은 ~보다 훌륭하다 新版は旧版より立派だ.

구푸리다 타 屈める. ¶ 허리를 ~ 腰を屈める.

구피 〔guppy〕 명 〖魚〗 グッピー.

구-하다【求—】타 求める; 探す. ¶ 승낙을 ~ 承諾を求める / 직업을 ~ 職を求める / 하숙을 ~ 下宿を探す / 구하면 얻을 수 있다 求めれば得られる / 야에 (묻혀) 있는 인재를 널리 ~ 人材を広く野に求める / 실정을 호소하여 동정을 ~ 実状を訴えて同情を求める.

구-하다【救—】타 救う. ¶ 구해 내다 救い出す; 救い上げる / 세상 사람을 ~ 世を救う / 청소년을 불량화로부터 ~ 青少年を不良化から救う / 하나님이시여 저를 구하소서 神よ我を救いたまえ.

구현【具現·具顯】명하타 具現.

구형【求刑】명하타 求刑. ¶ 피고에게 금고 5년을 ~하다 被告に五年の禁固を求刑する.

구형【矩形】명 ☞ 직사각형.

구형【球形】명 球形.

구형【舊形·舊型】명 古い型; 旧式な型.

구호【口號】명하타 ① ☞ 군호. ② 叫び声; 掛け声; スローガン. ¶ ~로 그치다 掛け声に終わる.

구호【救護】명하타 救護. ¶ ~금 しんじゅつきん(賑恤金) / ~반 救護班 / ~ 시설 救護施設.
‖— 기관 명 救護機関. — 사업 명 救護事業. —-소 명 救護所. — 양곡(糧穀) 명 救護用の穀物. —-책(策) 명 救護策.

구혼【求婚】명 求婚; プロポーズ. —-하다 자 求婚する; プロポーズする. ¶ ~ 광고 求婚広告.

구화【口話】명 口話.
‖—-법 명 口話法.

구황【救荒】명하타 救荒. ¶ ~ 대책 救荒対策.
‖—-방(方) 명 救荒の方法. — 식물 명 救荒植物. — 작물 명 救荒作物.

구획【區畫·區劃】명 区画; 区切り. —-하다 타 区画する; 区切る. ¶ 토지를 ~짓다 土地を区切る.
‖— 정리 명하타 区画整理.

국 명 ① 汁; 汁物; あつもの; おつゆ. ¶ 된장~ みそ汁 / ~의 간 汁のあんばい(塩梅). ② ↗국물.

국【局】명 局. ① 役所·会社の事務を分担して処理する部署. ¶ 업무~ 業務局. ② 特に, 郵便局の称. ③ 碁や将棋の勝負の一対局. ④ ↗판국.

-국【國】미 国. ¶ 민주 공화~ 民主共和国 / 영~ 英国.

국가【國家】명 国家. ¶ 위대한 ~ 大いなる国家 / 경찰 ~ 警察国家 / 약소 ~ 弱少国家 / ~의 중대사 国家の重大事 / ~ 백년지계 国家百年の計.
‖— 경제 명 国家経済. — 고시 명 国家考試. — 공무원 명 国家公務員. —-관 명 国家観. — 권력 명 国家権力. — 배상법 명 〔法〕 国家賠償法. — 보안법 명 国家保安法. — 비상 사태 명 国家非常事態. — 안전 보장 회의 명 国家安全保障会議. — 안전 기획부 명 国家安全企画部. 준 안기부. —-적 명관 国家的.

국가【國歌】명 国歌. ¶ ~의 주악 国歌の奏楽.

국-거리 명 お汁の材料; (汁の)具.

국-건더기 명 お汁の実.

국경【國境】명 国境. ¶ ~을 지키다 国境を守る / ~을 넘다 国境を越える.
‖— 무역 명 国境貿易. — 분쟁 명 国境紛争. —-선 명 国境線.

국경-일【國慶日】명 旗日; 国民の祝日; 祝祭日.

국고【國庫】명 国庫. ¶ ~ 수입 国庫収入.
‖—-금 명 国庫金. — 보조 명 国庫補助. — 지출 명 国庫支出.

국교【國交】명 国交. ¶ ~ 수립 国交樹立 / ~ 회복 国交回復.
‖— 단절 명하자 国交断絶. — 정상화 명 国交正常化. ¶ ~의 영향 国交正常化の影響.

국교【國教】명 国教. ¶ 회교를 ~로 삼고 있는 나라 回教を国教としている国.

국군【國軍】명 国軍. ① 国家の軍隊. ② 韓国軍.
‖— 병원 명 国軍病院. —-의 날 명 国軍の日《韓国軍創設記念日; 十月一日》.

국권【國權】명 国権.
‖— 상실 명 国権喪失. — 회복 명 国権回復.

국-그릇 명 お汁のわん.

국극【國劇】명 国劇.

국기【國旗】명 国旗. ¶ ~를 게양하다 国旗を掲揚する / ~를 모독하다 国旗を侮辱する.

국난【國難】명 国難. ¶ ~을 만나다 国難に際会する / ~을 당하여 순사하다 国難に殉ずる.

국내【國內】명 国内. =국중(國中). ¶ ~ 판매 国内販売 / ~ 산업 国内産業 / 이름이 ~에 들날리다 名が国内に響き渡る.
‖— 관세 명 国内関税. — 문제 명 国内問題. =국내 사항. —-법 명 国内法. —-선 명 国内線. — 시장 명 国内市場. — 우편 명 国内郵便. — 정세 명 国内情勢.

국-내외【國內外】명 国の内外.

국도【國道】명 国道. ¶ ~에 이어진 작은 길 国道につづく小道.

국력【國力】명 国力. ¶ ~의 쇠미 国力の衰微 / ~의 발전 国力の発展 / ~을 기르다 国力を養う / ~이 피폐하다 国力が疲弊する.
‖— 신장 명 国力伸張.

국련【國聯】명 [↗국제 연합] 国連.
‖—-군 명 国連軍. =유엔군.

국록【國祿】명 国の禄.

국론【國論】명 国論. ¶～을 통일하다 国論を統一する／～이 분열되다 国論が分かれる／～이 비등하다 国論が沸騰する.

국리【國利】명 国利；国益.

‖── 민복 명 国利民福.

국립【國立】명 国立.

‖── 경찰 명 国立警察. ── 공원 명 国立公園. ── 과학관 명 国立科学館. ── 국악원 명 国立国楽院. ㊟국악원(院). ── 국어 연구원 명 国立国語研究院. ── 극장 명 国立劇場. ── 대학 명 国立大学. ── 도서관 명 国立図書館. ── 박물관 명 国立博物館. ── 은행 명 国立銀行. ── 의료원 명 国立医療院.

국-말이 명 お汁をかけたご飯，またはうどん.

국면【局面】명 局面；局. ¶～을 타개하다 局面を打開する／～에 부닥치다 局に当たる.

국무【國務】명 国務. ¶～에 종사하다 国務に携わる.

‖──-부(部) 명 国務省. ── 위원 명 国務委員. ── 장관 명 国務長官. ── 총리 명 国務総理. ── 회의 명 国務会議.

국문【國文】명 ① 国文；邦文. ¶～ 타이프 邦文タイプ. ②↗국문학.

‖──-과(科) 명 ↗국어 국문학과.

국-문법【國文法】명 国文法.

국-문자【國文字】명 ① 国の文字. ② 韓国の文字.

국-문학【國文學】명 国文学.

‖──-과 명 [↗국어 국문학과] 国文学科. ㊟국문과. ──-사 명 国文学史.

국-물 명 ① おつゆ(御汁)；だ(出)し汁. ¶～이 많은 요리 汁物／아직 (덜 끓어) ～이 싱겁다 まだだしが甘い. ② 余得；役得；おこぼれ. ¶～이 생기는 자리 役得のある職位／～이 돌아오다 おこぼれにあずかる.

「고함 国民に告ぐ.

국민【國民】명 国民；民. ¶～에게

‖── 가요 명 国民歌謡. ── 감정 명 国民感情. ── 경제 명 国民経済. ── 교육 명 国民教育. ── 대회 명 国民大会. ── 도덕 명 国民道徳. ── 보건 체조 명 国民保健体操. ── 복지 연금 명 国民福祉年金. ── 생활 명 国民〔市民〕生活. ¶～의 향상 国民生活の底上げ〔向上〕. ──-성 명 国民性. ── 소득 명 国民所得. ── 운동 명 国民運動. ── 의례 명 国民儀礼. ──-장 명하타 国民葬. ── 정신 명 国民精神. ── 주권 명 国民主権. ── 총생산 명 国民総生産；ジーエヌピー(GNP). ── 투표 명 国民投票. ── 포장 명 国民褒章. ── 학교(學校) 명 小学校；小学. ¶～ 학생 小学生. ── 화합 명 国民和合. ── 훈장 명 国民勲章.

국-반절【菊半截】명 菊半切；菊半截.

국-밥 명 お汁をかけたご飯.

국방【國防】명 国防. ¶～력 国防力／～의 충실을 도모하다 国防の充実を図る.

‖── 대학원 명 国防大学院. ──-부(部) 명 国防部《防衛庁に当たる》. ──-부 장관 명 国防部長官. ──-비 명 国防費. ──-색 명 国防色；カーキ色.

국번【局番】명 [↗국번호] 局番.

국법【國法】명 国法. ¶～을 준수하다 国法を遵守する.

국보【國寶】명 国宝. ¶인간 ～ 人間国宝.

‖──적 존재 명 国宝的存在.

국부【局部】명 局部；局所. ¶～적 조치 局部的措置／～ 수술 局部手術／～를 가리다 前を隠す.

‖── 마취 명 局部麻酔.

국부【國父】명 国父. ¶중국의 ～ 손문 中国の国父孫文.

국부【國富】명 国富. ¶～를 늘리다 国の富をふやす.

‖──-론 명 国富論. ＝부국론.

국비【國費】명 国費. ¶～를 지출하다 国費を支出する.

‖──-생 명 国費生.

국빈【國賓】명 国賓. ¶～ 대우 国賓待遇.

국사【國史】명 国史.

국사【國事】명 国事. ¶～는 더욱 다난하기만 하다 国事はますます多難を極わる.

‖──-범 명 国事犯.

국산【國産】명 国産. ¶～차 国産車／～ 영화 邦画／～이 점점 좋아진다 国産品がますます良くなる.

‖──-품 명 国産品. ¶～의 해외 진출 国産品の海外進出.

국상【國喪】명 国喪；大葬.

국선【國選】명하타 国選. ＝관선(官選).

‖── 변호인 명 国選弁護人.

국세【國稅】명 国税. ¶～를 물다 国税を納める.

‖──-청 명 国税庁. ── 체납 처분 명 国税滞納処分.

국세【國勢】명 国勢.

‖── 조사 명 国勢調査.

국소【局所】명 局所；局部.

‖── 마취 명 局所麻酔. ＝국부 마취.

국-솥 명 汁がま(釜).

국수 명 めん類の総称；そば·うどん·そうめん(類). ¶～를 먹다《俚》(めんを食べるの意で)結婚式を挙げることの地口.

‖── 장(醬)국 명 澄まし汁にそうめんを入れたもの. ── 장(醬)국밥 명 澄まし汁にご飯とそうめんを入れた食べもの. ──-틀 명 せいめんき(製麵機). 국숫-집 명 ① めん類をつくる家. ② そば屋；うどん屋.

국수【國手】명 国手.

국수【國粹】명 国粋. ¶～적인 사상 国粋的な思想.

‖──-주의 명 国粋主義；ウルトラナショナリズム. ¶～자 国粋主義者；ウルトラナショナリスト.

국시【國是】명 国是. ¶민주주의를 ～로 하다 民主主義を国是とする.

국악【國樂】명 国楽.

‖——-원(院) 명 ↗국립 국악원.
국어【國語】명 国語.
‖—— 교육 명 国語教育. —— 국문학과 명 国語国文学科. ㊟국문학과. —— 문법 명 国語文法. —— 순화(醇化) 명 国語純化. ——심의회 명 国語審議会. —— 연구원 명 ↗국립 국어 연구원. ——-학 명 国語学. ¶ ~사 国語学史.
국역【國譯】명하타 国訳；邦訳. ¶이 소설은 처음으로 ~되었다 この小説は始めて国訳された.
‖——-본 명 国訳本.
국영【國營】명 国営. ¶ ~ 기업체 国営企業.
‖—— 방송 명 国営放送.
국왕【國王】명 国王；君. ¶ ~의 재가를 앙망하다 国王の裁可を仰ぐ.
국외【局外】명 局外. ¶ ~자 局外者；アウトサイダー.
‖—— 중립 명 局外中立.
국외【國外】명 国外. ¶ ~로 추방하다 国外に追放する / ~로 탈출하다 国外に脱出する.
‖—— 망명 명 国外亡命.
국운【國運】명 国運. =국보(國步)·국조(國祚). ¶ ~의 융성 国運の隆盛 / ~이 번창하다 国運が栄える / ~을 걸다 国運をかける.
국위【國威】명 国威. ¶ ~ 선양 国威宣揚.
국유【國有】명 国有.
‖——-림 명 国有林. ——-지 명 国有地. —— 철도 명 国有鉄道；国鉄《준말》. ——-화 명하타 国有化.
국-으로 부 ありのまま；生まれつきのまま；分際〔身の程〕をわきまえて. ¶ ~ 가만히 있어라 そのまま引っ込んでいろ；出すぎるなよ.
국익【國益】명 国益. ¶그것은 ~에 반하다 それは国益に反する.
국자 명 ひしゃく(柄杓)；しゃくし(杓子)；しゃく(杓)〈老〉；お玉. ¶ ~ 자루 ひしゃくの柄 / 가리비 ~ 貝じゃくし / ~로 국물을 뜨다 じゃくしで汁をすくう.
국장【局長】명 局長.
국장【國章】명 国家の権威を表わす記章.
국장【國葬】명하타 国葬.
국적【國籍】명 国籍. ¶ ~ 불명의 비행기 国籍不明の飛行機.
‖—— 상실 명 国籍喪失. —— 이탈 명 国籍の離脱. —— 증명서 명 国籍証明書. —— 취득 명 国籍取得. —— 회복 명 国籍回復.
국전【國展】명 [↗대한 민국 미술 전람회] 国展.
국정【國定】명하타 国定.
‖—— 교과서 명 国定教科書.
국정【國政】명 国政. ¶ ~에 참여하다 国政に参与する / ~을 요리하다 国政を料理する.
‖—— 감사(監査) 명 国政調査. —— 감사권(權) 명 国政調査権. ㊟국조권.
국정【國情】명 国情〔国状〕. ¶ ~ 불안 国情の不安.
국제【國際】명 国際. ¶ ~ 정세 国際情勢 / ~ 회의 国際会議 / ~ 전화 国際電話 / ~법 国際法 / ~ 결혼 国際結婚 / ~선 国際線.
‖—— 공항 명 国際空港. —— 연합 명 国際連合；国連《준말》. =유엔. ¶ ~ 총회의 개회 国際連合総会の開会. —— 원자력 기구 명 国際原子力機構；アイエーイーエー(IAEA). ——-적 명관 国際的. —— 협력 명 国際協力.
국지【局地】명 局地. ¶ ~ 전쟁 局地戦争 / 분쟁은 드디어 ~적으로 해결되었다 紛争は局地的に解決された.
국채【國債】명 国債. ¶ ~를 발행하다 国債を発行する.
국책【國策】명 国策. ¶ ~에 따르다 国策に従う.
‖—— 회사 명 国策会社.
국철【國鐵】명 [↗국유 철도] 国鉄. ¶ ~선 国鉄線.
국태 민안【國泰民安】명하형 国と国民が安泰であるさま.
국토【國土】명 国土；邦土. ¶ ~ 종합 개발 国土総合開発.
‖—— 계획 명 国土計画. —— 조사 명 国土調査.
국학【國學】명 国学. ① その国固有の学. ②〔史〕高麗の"국자감(國子監)"の改称.
‖——-자 명 国学者.
국한【局限】명하타 局限.
‖——-화 명자타 局限化.
국-한문【國漢文】명 国漢文. ① 国文と漢文. ② 国文に漢文の混じった文.
‖—— 혼용(混用) 명 国文と漢文を混ぜて書くこと.
국호【國號】명 国号.
국화【菊花】명〔植〕きく(菊)の花；隠君子；星見草；おぎなぐさ(翁草)；秋草の花.
‖—— 만두(饅頭) 명 菊模様入りのまんじゅう(饅頭). ——-빵 명 菊模様の型に焼いたパン. ——-전(展) 명 菊の展覧会. ——-주 명 菊花酒；菊酒.
국화【國花】명 国花《韓国ではむくげ(木槿)》.
국회【國會】명 国会. ¶ ~가 열리다 国会が開かれる / ~를 방청하다 国会を傍聴する.
‖—— 도서관 명 国会図書館. —— 의사당 명 国会議事堂. —— 의원 명 国会議員；代議士. —— 의장 명 国会議長.
군¹ 명 ↗길꾼.
군【君】의명 ① 君；同輩または目下の男の名，または姓の下に付ける呼称. ¶ 김~ 金君. ② いたずらに名·あだ名の下に付けて使う語.
군【軍】명 ① ↗군부(軍部). ② ↗군대(軍隊). ③ 陸軍の最高編成単位《軍団の上》. ¶ ~사령관 軍司令官. ④ ↗군사령부(軍司令部).
군【郡】명 ① 地方；郷里. ② 行政区域の一つ《"도(道)"の下，"읍(邑)·면(面)"の上》. ③ ↗군청(郡

廳). ¶ ~제 郡制; 郡庁で決めた制度.

군² 관 "よけい(余計)な"·"余分の"の意を表わす名詞の冠形詞. ¶ ~말 無駄口 / ~살 ぜい肉 / 부모에게 ~걱정을 끼치다 親に余計な心配をかける.

-군 어미 ↗-구나. ¶ 참 좋~ 本当にいいね / 그것이~ それだね / 참으로 아름답~ 本当にきれいだな / 잘 만들었~ よくできたな / 지독한 추위로~ ひどい寒さだな.

군가【軍歌】명 軍歌. ¶ ~집 軍歌集

군-것 명 無駄物; 無用のもの.

‖——-질 명하자 ① 間食; おやつ; 買食い. ＊주전부리. ¶ 아이들의 ~ 子供の買食い. ②《俗》女あさりをすること.

군-계집 명 情婦; かくし女.

군-고구마 명 焼き芋; 八里半; 十三里.

군-관구【軍管區】명 軍区. ¶ 제일 ~ 第一軍区.

군국【軍國】명 軍国.

‖——-주의 명 軍国主義; ジンゴイズム.

군기【軍紀】명 軍規; 軍律. ¶ ~가 문란해지다 軍規が乱れる.

군기【軍機】명 軍機; 軍事機密.

군-기침 명 空せき; 癖になった無駄せき.

군납【軍納】명 軍納; 軍に納める〔納品する〕こと. ——-하다 타 軍に納める.

군-내 명 (漬物などが古くなって出る)臭いにおい.

군단【軍團】명 軍団; 兵団.

‖——-장 명 軍団長.

군대【軍隊】명 軍隊; 兵隊. ¶ ~에 들어가다 軍隊に入る / ~밥을 먹다 軍隊の飯を食う.

군-더더기 명 ① 余計な〔無駄な〕もの; 蛇足. ¶ 말에 ~가 많다 言葉に無駄が多い / ~를 없애다 無駄を省く. ② やたらに人に付きまとう者.

군데 의명 箇所. ¶ 몇 ~ 幾箇所.

군데-군데 부 ところどころ; 節節.

군도【軍刀】명 軍刀. ¶ ~를 차다 軍刀を帯びる.

군도【群島】명 群島. ¶ 남양 ~ 南洋群島.

군-돈 명 無駄金.

군두목 명 当て字《"콩팥(＝腎臓)"を"두태(豆太)", "괭이(＝くわ(鍬))"を"광이(廣耳)"と書くなど》.

군락【群落】명 群落. ¶ 식물의 ~ 植物の群落.

군량【軍糧】명 軍糧; 兵糧; りょうまつ(糧秣).

‖——-미 명 軍糧米.

군령【軍令】명 ① 軍令. ¶ 엄한 ~ 厳しい軍令. ② 元首が統帥権によって軍隊に下す命令.

군림【君臨】명하자 君臨.

군마【軍馬】명 ① 軍隊と馬. ② 軍馬.

군-말 명 無駄口; 冗語; ぜいげん(贅言). ——-하다 자 むだ口をきく. ¶ ~이 필요 없다 贅言を要しない / ~을 생략하다 冗語を省く.

군-매점【軍賣店】명 酒保. ＝피엑스(P.X.).

군모【軍帽】명 軍帽.

군목【軍牧】명 軍付きの牧師.

군문【軍門】명 ① 軍門. ② 営内. ③《俗》軍隊.

군-밤 명 [↗구운 밤] 焼きぐり.

‖—— 타령(打令) 명 焼きぐり売りの掛け声, またはうた(唄).

군-밥 명 ① 居候のための余分なご飯. ② 食べ残りの飯.

군번【軍番】명 ① 認識番号. ② "認識票"の俗称.

‖——-줄 명 認識票を首につるひも(紐).

군벌【軍閥】명 軍閥. ① 軍人の派閥. ② 軍部中心の政治勢力. ¶ ~ 정치 軍閥政治.

군법【軍法】명 軍法.

‖—— 회의 명 軍法会議.

군-법무관【軍法務官】명 法務将校.

군-법정【軍法廷】명 軍法会議の法廷.

군복【軍服】명 軍服; 軍衣.

군부【軍部】명 軍部.

군-불 명 オンドル(温突)部屋を暖めるためにたく火.

‖——-솥 명 "군불"のたき口にかけるかま(釜). —— 아궁이 명 "군불"を焚くたき口.

군비【軍備】명 軍備; 武備; 兵備. ¶ ~를 갖추다 兵備を整える.

‖—— 제한 명 軍備制限. —— 축소 명 軍備縮小; 軍縮《준말》. —— 확장 명 軍備拡張; 軍拡《준말》.

군사【軍士】명 ① 軍人. ② 兵士; 兵.

군사【軍使】명 軍使.

군사【軍事】명 軍事. ¶ ~ 고문단 軍事顧問団 / ~ 기지 軍事基地 / ~ 시설 軍事施設 / ~ 전문가 軍事専門家 / ~ 직통 전화 軍事直通電話 / ~ 핫 라인 軍事ホットライン / ~ 휴전선 軍事休戦ライン.

‖—— 동맹 명 軍事同盟. —— 분계선 명 軍事分界線. —— 우편 명 軍事郵便. ㊜ 군우(軍郵). —— 원조 명 軍事援助. —— 재판 명 軍事裁判. ㊜ 군재(軍裁).

군-사령부【軍司令部】명 軍司令部. ㊜ 군(軍).

군사부 일체【君師父一體】명 君師父一体.

군-사설【—辭說】명 (くだくだしい)無駄話; (不要な)長話. ——-하다 자 無駄口をたたく.

군-살 명 ① たこ; こくみ; あまじし(余肉). ② ぜい肉. ¶ 운동 부족으로 ~이 오르다 運動不足でぜい肉がつく.

군상【群像】명 群像.

군색【窘塞】명하형히부스형 ① (暮らしが立たず)貧しいさま. ¶ ~한 생활 貧乏暮らし. ② (事が)詰まってうまく行かないさま. ③ (言い訳などが)けちっぽいさま. ¶ ~한

ㄱ

ㄱ

번명 窮屈な弁解.
군세【軍勢】 명 軍勢. ¶적군의 ~는 엄청나다 敵はおびただしい軍勢だ.
군소【群小】 명 群小. ¶~ 정당 群小政党.
군-소리 명하자 ① むだ口. ② ☞ 군말. ③ ☞ 헛소리.
군-수【—手】 명 (碁や将棋で)無駄な手.
군수【軍需】 명 軍需.
‖── 공업 명 軍需工業. ── 공장 명 軍需工場. ── 산업 명 軍需産業. ──-품 명 軍需品.
군수【郡守】 명 郡長; 郡の長.
군-식구【—食口】 명 食客; 居候.
군실-거리다 자 むずむずする. **군실-군실** 부하자 こそばゆいさま: むずむず.
군악【軍樂】 명 軍楽.
‖──-대 명 軍楽隊. ──-대-장 명 軍楽隊長. ──-수 명 軍楽手.
군왕【君王】 명 君王; 王様.
군용【軍用】 명 軍用.
‖──-견 명 軍用犬. ──-기 명 軍用機. ── 비둘기 명 軍用ばと. ── 열차 명 軍用列車. ── 지도 명 軍用地図.
군웅【群雄】 명 群雄.
‖── 할거 명 群雄割拠.
군원【軍援】 명 ↗군사 원조.
군율【軍律】 명 軍律.
군-음식【—飮食】 명 食事以外に取る食べ物; 間食; おやつ.
군의【軍醫】 명 [↗군의관] 軍医.
‖──-관 명 軍医官.
군인【軍人】 명 軍人; つわもの; 武人.
군-일 명 無駄事. ──-하다 자 むだ事をする.
군-입 명 ① 寝覚めの口. ② 間食を取った後の口.
군입-다시다 자 ① (何かを食べるように)寝覚めに舌鼓を打つ. ② 間食後物足りなさに舌鼓を打つ.
군-입정(질) 명 しきりに何かを口に入れて口をしょっちゅう動かすこと. ㊇군입질. ──-하다 자 しょっちゅう何かを口にする.
군자【君子】 명 君子. ──연(然)-하다 자 君子然とする; 君子ぶる〔を気取る〕.
‖── 대로행(大路行) 명 君子は大道を歩む《人の模範となるには正正堂堂と行動すべきである》.
군자【軍資】 명 ↗군자금.
‖──-금 명 軍資金.
군장【軍裝】 명 軍装.
군정【軍政】 명 軍政. ¶점령지에 ~을 펴다 占領地に軍政を敷く.
‖──-관 명 軍政官. ──-권 명 軍政権.
군-정부【軍政府】 명 軍隊の司令官が占領地域に軍法を施いてたてた政府.
군제【軍制】 명 軍制. ¶~학을 공부하였다 軍制学を勉強した.
군제【郡制】 명 郡制.
군졸【軍卒】 명 軍卒.
군종【軍宗】 명 軍隊内の宗教に関すること.
군주【君主】 명 君主. =임금.
‖──-국 명 君主国. ── 전제 명 君主専制. ── 정치 명〘政〙君主政治. ──-제 명 君主制. ──-주의 명 君主主義.
군중【軍中】 명 軍中. ① 兵営内. ② 出征中.
군중【群衆】 명 群衆〔群集〕.
‖── 대회 명 群衆大会. ── 심리 명 群衆心理.
군지럽다 형 (心·なすことが)いやしくてけがらわしい.
군직【軍職】 명 軍職; 各軍の職位.
군진【軍陣】 명 軍陣; 軍営.
군집【群集】 명 群集. ──-하다 자 群がる; 群れる.
군-짓 명 い(要)らぬしぐさ; むだな仕業. ──-하다 자 余計なことをする.
군청【郡廳】 명 郡庁.
군청【群靑】 명 群青.
‖──-색(色) 명 群青色; おなんどいろ; ウルトラマリーン.
군체【群體】 명〘生〙群体.
군축【軍縮】 명하자 [↗군비 축소] 軍縮.
‖── 회담 명 軍縮会談.
군취【群聚】 명〘動〙群集〔群聚〕.
군-침 명 生つば; よだれ. ¶~을 흘리다 よだれを流す / ~을 삼키다 なまつばをのみこむ.
군-턱 명 二重あご.
군-티 명 品物の小さなきず.
군표【軍票】 명 軍票.
군함【軍艦】 명 軍艦; 兵船.
‖──-기 명 軍艦旗.
군항【軍港】 명 軍港.
군현【郡縣】 명 郡県.
‖── 제도 명 郡県制度.
군호【軍號】 명하타 合い言葉; 軍隊の暗号.
군화【軍靴】 명 軍靴.
군획【—畫】 명 余計な字画. ──-지다 형 余計な字画をつけて字を誤る.
굳건-하다 형 (人·意志などが)堅い; 強い; しっかりしている; ぐらつかない. ¶굳건한 정신 しっかりした精神〔心〕/ 굳건한 의지 堅固な意志. **굳건-히** 부 しっかり; 堅固に.
굳-기름 명 脂.
굳다 ㊀형 堅〔固〕い. ① (物などが)堅い. ¶굳은 연필심 堅い鉛筆の心. ② 堅固だ; (基礎·心などが)ぐらつかない; (誘惑などに)負けない. ¶굳은 결심〔악수, 약속〕堅い決心〔握手, 約束〕/ 정조가 굳은 여자 貞操の堅い女 / 의리가 ~ 義理が堅い; 物堅い / 의지가 ~ 意志が堅い. ③ (表情などが) こわばっている. ¶굳은 표정 こわばった顔つき / 돌처럼 굳은 표정으로 石のように堅い表情で / 태도가 굳어지다 態度がきっとなる. ㊁자 ① (物が)固くなる; (やわらかいはずのものが)こわばる. ¶떡이 굳어지다 もち(餅)がかたくなる. ② (くせ·習わしが)固まる; 習慣になる. ③ こごる; 凝結す

る. ¶ 기름이 ～ 脂が固まる / 굳은 땅에 물이 괸다《俚》 地固まって水がたまる.

굳-비늘 명 硬いうろこ(鱗).

굳-뼈 명〖生〗硬骨.

굳-세다 형 強い. ①屈強だ; きわめて力が強い; 猛し〈文〉. ¶ 굳센 젊은이 屈強の若者. ②志を曲げずに進む; 不屈である. ¶ 굳세게 살아가다 雄雄しく生きる.

굳어-지다 자 固〔堅〕くなる; 固まる; こわばる. ¶ 땅이 ～ 土が固まる / 태도가 ～ 態度がきっと〔堅く〕なる / 표정이 ～ 表情がこわばる.

굳은-살 명 たこ(胼胝). ¶ 손에 ～이 박이다 手にたこができる.

굳은-힘 명 こんしん(渾身)の力.

굳이 부 たって; 強いて; 押して; むりに; あえて. ¶ ～ 바라신다면 たってお望みとあれば / 싫은 것을 ～ 하라는 것은 아니다 いやならたってというわけではない / 반대가 많은데도 ～ 실행하다 反対が多いにもかかわらず押して行なう.

굳-히다 타 固める; 固くする. ¶ 결심을 ～ 決心を固める / 기초를 ～ 基礎を固める.

굴 명 〖貝〗 ①かき(牡蠣)類の総称. ¶ ～밥 かき飯. ② ↗굴조개. ③かきの身.

굴【窟】 명 ①どうくつ(洞窟); 洞; 洞穴·洞穴; 横穴. ¶ 낭떠러지 중간에 ～이 있다 がけ(崖)の中途に洞穴がある. ②トンネル. ③獣のかくれ穴. ¶ 너구리 ～ たぬき(狸)の穴. ④ ↗소굴.

굴건【屈巾】 명 喪主の被る麻のずきん(頭巾).

‖── 제복(祭服) 명하자 "굴건(屈巾)"と喪服.

굴곡【屈曲】 명하형 屈曲; 出入り. ¶ ～이 심한 해안선 出入りの激しい海岸線.

굴광-성【屈光性】 명〖植〗屈光性.

굴근【屈筋】 명〖生〗屈筋.

굴-김치 명 生かきを入れて漬けこんだキムチ.

굴다 보동 副詞形の用言の下に付いて"そういうふうに行動すること"を表わす語: 振る舞う. ¶ 건방지게 ～ 生意気に〔おうへい(横柄)に〕振る舞う / 멋대로 ～ わがままかってに振る舞う.

굴-다리【窟—】 명 陸橋; ガード.

굴대 명 心棒; 心木; 軸.

‖───통(筒) 명 こしき(轂).

굴등 명〖動〗ふじつぼ.

굴때-장군【—將軍】 명 ①背が高くて体が太っている人. ②黒肌の人, または服が汚れてまっ黒な人.

굴뚝 명 煙突; 煙筒. ¶ (연기가) 잘 빠지는 ～ 通りのよい煙突.

‖───새 명〖鳥〗みそさざい.

굴러-가다 자 転がって行く; 転がる; 転ぶ〈雅〉.

굴러-다니다 자 ①(物があちこち)転がり回る; (物がここかしこと)散らかって〔ころがって〕いる. ¶ 그 근처에 굴러다닌다 その辺に転がっている. ②(あてどなく)さすらう; さまよう; 放浪する. ¶ 어디를 ～가 왔느냐 どこをさまよって来たのか.

굴러-먹다 자 方方を放浪しながらあれこれ辛い経験をする. ¶ 어디서 굴러먹은 놈이라도 どこの馬の骨にもせよ.

굴렁-쇠 명 (輪回しの)輪.

굴레 명 ①おもがい(面繋); ばろく(馬勒). ②きずな(絆); きはん(羈絆). ¶ 의리와 인정의 ～ 義理と人情のがんじがらめ / ～를 벗어나다 羈絆を脱する / ～ 벗은 말《俚》荒っぽく振る舞う人; 束縛されてない自由な人. ───쓰다 자 仕事にしばられる. ───씌우다 타 仕事にしばりこむ.

굴레미 명 木製の車輪.

굴리다 타 ①転がす; 転ばす. ¶ 구슬을 ～ 玉を転がす / 공을 ～ ボールを転ばす. ②金貸しをする; 回す. ¶ 일할 이자로 ～ 一割の利子で回す. ③ほったらかす. ¶ 물건을 내～ 物をほったらかして置く. ④自動車を持って営利行為につかせる. ¶ 차를 세 대 ～ 三台の車を持つ.

굴림 명하타 (木の角などを)丸くそぎ落とすこと.

‖───끌 명 円のみ. ───대 명 転ばし; ころ. ¶ ～를 넣고 움직이다 ころを入れて動かす. ── 대패 명 円がんな(鉋).

굴먹-하다 형 器にほとんど満ちている.

굴복【屈服】 명 屈服. ───하다 자 屈服する; 屈する; へこむ. ¶ 적을 ～시키다 敵を屈服させる / 무슨 말을 해도 ～하지 않는다 何を言われてもへこまない / 권력〔권문〕에 ～하다 権力〔権門〕に屈する.

굴비 명 (塩漬けの)日干しいしもち(石首魚).

굴성【屈性】 명〖植〗屈性; 向性; すうせい(趨性).

굴-속【窟—】 명 洞穴の中.

굴-신【屈伸】 명하타 屈伸; 伸び縮み.

굴신【屈身】 명 身を前にかがめること. ───하다 자 ①かがめる. ②へりくだる.

굴욕【屈辱】 명 屈辱. ¶ ～을 참지 못하다 屈辱に耐えられない.

굴-우물【窟—】 명 ひどく深い井戸.

굴절【屈折】 명하자 屈折.

‖───각 명 屈折角. ───계 명 屈折計. ───률 명 屈折率. ── 망원경 명 屈折望遠鏡. ───면 명 屈折面. ───어 명 屈折語. ── 이상 명〖醫〗屈折異常.

굴-젓 명 かき(牡蠣)の塩辛.

굴-조개 명〖貝〗かき(牡蠣); ぼれい.

굴종【屈從】 명하자 屈従.

굴지【屈指】 명하자 屈指; 指折り. ¶ ～의 인물 指折りの人物 / ～의 명작 屈指の名作.

굴진 명 オンドルの敷き石·煙突に付いたすすあぶらまたは油やに.

굴진【掘進】 명 掘進. ───하다 자 掘進する; 掘り進む.

굴착【掘鑿】 명하타 掘削. ¶ ～기 掘

削機.

굴침-스럽다 [형] 無理押しをしようとする様子だ.

굴타리-먹다 [자] カボチャ·きゅうり(胡瓜)などが地に触れて傷んだところを虫が食う.

굴퉁이 [명] ① 食わせもの; 見かけだおし; まやかしもの; 看板だおれ. ② 種の熟していないカボチャ.

굴피【一皮】 [명] ① くぬぎ(櫟)の厚い樹皮. ② から財布.
‖——나무 [명]〔植〕のぐるみ(野胡桃).

굴-하다【屈一】 [자][타] 屈する. ① かがめる. ② 屈服する; めげる. ¶ 권력에 ~ 権力に屈する / 재난에 굴하지 않고 일어서다 災難に屈することなく〔めげず〕立ち上がる.

굵다 [형] ① 太い; 粗い. ¶ 굵은 실 太い糸 / 굵은 나무줄기 太い幹 / 쳇불이 굵은 체 粗目のふるい(篩) / 알이 ~ 粒が粗い. ② (言行の幅が)太い; 大きい. ¶ 선이 굵은 사람 線の太い人.

굵-다랗다 [형] 太っぽい; 太くて大きい. ¶ 굵다란 새끼줄 太っぽい縄.

굵디-굵다 [형] 大変に太い.

굵어-지다 [자] 太くなる.

굵은-베 [명] 粗織りの麻布.

굵직-하다 [형] かなり〔大分〕太い; 太目だ. ¶ 굵직하게 쓰다 筆太に書く / 굵직하게 뜨다 太目に編む. **굵직-굵직** [부][하형] すべてが太いさま.

굶기다 [타] 飢えさせる; ひもじい思いをさせる; (食べ物などを与えず)干ぼしにする.

굶다 [자] 飢える. ¶ 기근으로 굶어 죽는 자가 생겼다 ききん(飢饉)で飢え死にする者が出た.

굶-주리다 [자] 飢える; かつえる. ¶ 농민이 ~ 農民が飢える / 애정에 굶주리고 있다 愛情にかつえて〔渇して〕いる / 새로운 지식에 ~ 新しい知識に飢える.

굶주림 [명] 飢え; ひもじさ. ¶ ~과 추위 飢えと寒さ / ~을 견디다 飢えをしのぐ.

굼닐-거리다 [자][타] しきりに屈伸する.

굼닐다 [一][타] [←굽일다] 屈伸させる. [二][자] 屈伸しながら仕事をする.

굼-뜨다 [형] のろい; 手ぬるい; まだるっこい; しり重だ. ¶ 굼뜬 사내 (手先·仕事などが)のろい男 / 굼뜬 일 솜씨 もどかしい仕事ぶり / 무엇을 시켜도 ~ 何をやらしても手ぬるい.

굼벵이 [명] ①〔蟲〕せみ(蟬)の幼虫. ②《俗》のろい人; のろま.

굼실-거리다 [자] (虫などが)うごめく; もぞもぞする. >곰실거리다. **굼실-굼실** [부][하자] もぞもぞ; もそもそ. ¶ 등에서 이가 ~한다 背中でしらみ(虱)がもぞもぞする.

굼지럭 [부] ☞ 꿈지럭.

굼튼튼-하다 [형] (人が)手堅い; 倹しい; 堅い.

굼틀 [부] ☞ 꿈틀.

굽 [명] ① (牛馬などの)ひづめ. ② かかと; きびす. ¶ ~ 높은 구두 かかとの高い靴. ③ 足; 糸底.

굽-갈다 [타] (靴の)かかとを取り替える; (木履の)歯を取り替える; ていてつ(蹄鉄)などを取り替えさせる.

굽갈리-장수 [명] かかと·ていてつ(蹄鉄)などの取り替え屋; 木履の歯直し.

굽다[1] [타] ① (食べ物などを)焼く; あぶる. ¶ 구운 떡 焼きもち(餅) / 숯불에 생선을 ~ 炭火に魚をあぶる. ② (炭·れんが·瀬戸物などを)焼く. ③ (乾ききらない木材などを)火にあてて乾かす.

굽다[2] [형] 曲がっている; かがんでいる; たわんでいる. ¶ 허리가 굽은 노인 腰のかがんだ老人.

굽-달이 [명] 糸底のついた皿.

굽도 젖도 할 수 없다 [구] 進退きわまる.

굽-뒤축 [명] (牛馬の)ひづめのかかと.

굽-바닥 [명] かかとの底.

굽슬굽슬-하다 [형] (毛が)くねくねと縮れて〔縮んで〕いる.

굽실 [부] こびへつらうさま: ぺこぺこ; へいこら. ¶ ~ 절을 하다 へいこらと頭を下げる. ——하다 [자] ぺこぺこ頭を下げる.

굽실-거리다 [자][타] ぺこぺこする; へいこらする〈俗〉. ¶ 사장에게 ~ 社長にぺこぺこする / 상사(上司)에게 예예하고 굽실거린다 上役にへいへいしている / 돈 때문에 ~ 金のために腰を折る.

굽실-굽실 [부][하자타] ぴょこぴょこ; ぺこぺこ. ¶ 그는 체면 불구하고 ~ 절을 하였다 彼は体面も構わずぴょこぴょこおじぎをした.

굽-싸다 [타] 獣の四つ足を縛りつける.

굽어-보다 [타] ① 見下ろす; ふかん(俯瞰)する. ¶ 산에서 ~ 山から見下ろす. ② おもいやる; 察する.

굽어-살피다 [타] 察する; おもいやる; 照覧する. ¶ 신이여, 굽어살피소서 神よ, 照覧あれ.

굽이 [명] 曲がり; 湾曲. —— 감다 [자][타] (流れが)曲がりでぐるぐる回りくねる; (物を)曲げてぐるぐる巻く. —— 돌다 [자] (流れが)曲がりくねる. ——지다 [자] (流れが)入り江になる; 曲がる. ——치다 [자] (流れが)曲がりくねる; うねる. ¶ 파도가 ~ 波がうねる.

굽이-굽이 [부] ① 曲がりごとに. ¶ ~ 꽃이 핀 산길 曲がりごとに花咲く山道. ② くねくね流れるさま: くねくね; まがりくねって. ¶ 강물이 ~ 흐르다 川水がくねくね流れる.

굽-잡다 [타] (人を)押さえ付ける. ¶ 사람을 ~ 頭を押さえる; 押さえをきかす.

굽-잡히다 [피동] (頭を)押さえ付けられる.

굽-정이 [명] ① 曲がったもの. ② 小さいか(搔)き農具.

굽-죄이다 [자] (とがめ·弱点などで)頭が上がらない.

굽-질리다 [자] (物事が)食い違ってうまく行かない〔はかどらない〕; も

たつく.

굽히다 타 曲げる；かがめる；折る. ¶ 안쪽으로 ～ 内側に曲げる / 다리를〔팔을〕～ 足〔腕〕を曲げる / 뜻을 ～ 志を曲げる / 허리를 ～ 腰をかがめる〔折る〕.

굿 명하자 ① みこ(巫)の祈り儀式. ② 見もの；見せもの.

굿〔good〕명 グッド. ¶ ～ 아이디어 グッドアイデア.

굿-거리 명 ①(みこ(巫子)が"굿"を行なうときに鳴らす)拍子. ② 鼓で調子を取る拍子の一つ.

굿 모닝〔Good morning〕감 グッドモーニング.

굿-바이〔Good-bye〕감 グッドバイ. ¶ ～ 홈런 さよならホーマー.

굿-보다 자 ①"굿"を見る. ②(人の事に立ち入らないで)見てばかりいる；傍観する.

굿-중 명 たくはつそう(托鉢僧).

‖──-놀이 명 ①(托鉢僧たちが)かね(鉦)を鳴らしながら騒騒しく念仏を唱えること. ②子供たちが群れをなして)騒ぎ回ることのたとえ.

굿-짓다 자 墓穴を掘る.

궁【弓】명 ☞ 활.

궁【宮】명 ①〔史〕宮；みや；宮殿. ②(将棋で) 将のこま(駒)；王将；敵玉. ¶ ～을 외통으로 몰다 王将を詰める.

궁경【窮境】명 窮境；苦境. ＝궁지. ¶ ～에 빠지다 窮境に陥る.

궁구【窮究】명 窮究；究め尽くすこと. ──-하다 타 窮〔究〕める.

궁굴다 형 (器が)見かけよりも入りが広い.

궁궐【宮闕】명 宮廷；大内. ＝대궐. ¶ ～의 문 禁門 / 구중 ～ 九重の奥；奥深い宮殿；宮中.

궁극【窮極】명 窮極；とどのつまり；窮まり. ¶ ～에 가서는 とどのつまりは.

‖── 목적 명〔哲〕究極〔窮極〕の目的. ＝구극(究極) 목적.

궁글다 형 (ぴったりとくっつくべき物が)ふくれができている；(ぴったりつかず)ふくれ上がっている. ¶ 장판이 ～ オンドル紙が浮き上がる.

궁금-증【─症】명 心配なこと；気がかり. ¶ ～을 풀어 주다 気がかりを晴らしてやる.

궁금-하다 형 気になる；気遣わしい；心配だ. ¶ 결과가 ～ 結果が気になる〔心配だ〕/ 집 소식이 ～ 家の消息が気遣わしい. 궁금-히 부 気遣わしく.

궁기【窮氣】명 貧困または困窮状態におちいった気色.

궁-끼다【窮─】자 困窮する；窮地におちいる.

궁내【宮內】명 宮内；宮中；禁中.

궁녀【宮女】명 宮女；女官；官女. ＝나인.

궁도【弓道】명 弓道. ① 弓術の練磨. ② 弓術の奥義.

궁-도련님【宮─】명 ① 高慢な若宮様. ② 世間知らずの若だんな；ぼんぼん〈関西方〉. 준 궁도령.

궁둥-배지기 명 (相撲で)しりを相手の方に回しながら体をひねり足を絡ませて倒す技.

궁둥이 명 しり(尻)；けつ(穴)〈俗〉. ¶ ～가 무겁다 しりが重い / ～가 질기다 しりが長い；長居をする / 가슴과 ～가 유난히 큰 여자 はと胸で出っ尻の女.

‖── 내외(內外) 명 男女が出会いがしらに各各しりを回して相手を避けるしぐさ. 궁둥잇-바람 명 興に乗ってしり振りをしつつ立ち回るさま；しりっかぜ. 궁둥잇-짓 명하자 しり振り.

궁둥-짝 명 左右のでんぶ(臀部).

궁-따다 자 そらとぼける.

궁리【窮理】명 ① 窮理. ② 思案〔工夫〕すること；思いをめぐらすこと. ──-하다 타 思案する；あん(按)ずる. ¶ 여러 모로 ～를 하다 色色と思案する / ～에 잠기다 思案にくれる. ──── 부하타 思案にくれるさま.

궁벽【窮僻】명 へんぴ(辺鄙)なこと；片ほとり. ──-하다 형 草深い；へんぴだ. ¶ ～한 시골에 살다 草深い田舎に住む. ──-스럽다 형 へんぴな感じだ.

궁상【弓狀】명 弓状；弓なり；弓がた.

궁상【窮狀】명 窮状；貧窮なさま；みじめな様子. ──-스럽다 형 貧乏たらしい；貧乏臭い；貧相だ. ¶ ～스러운 얼굴 貧乏たらしい顔. ──-떨다 자 いやに自分の貧乏たらしい様をあらわにする；困った振りをする. ¶ 그렇게 ～떨지 마라 そんなに泣き言をいうな. ──-맞다 형 貧乏たらしい；いやに貧乏くさい. ¶ ～맞은 얼굴 貧乏たらしい顔.

궁상【窮相】명 貧相；貧乏ったらしさ.

궁색【窮塞】명하형히부 貧窮；ひどく困窮していること. ¶ 생활이 ～하다 (暮らしが)ひどく貧しい.

궁서【窮鼠】명 きゅうそ(窮鼠). ¶ ～ 도리어 고양이를 문다 窮鼠かえって猫をかむ.

궁세【窮勢】명 困窮した形勢. ¶ ～에 몰리다 窮状に追い込まれる.

궁수【弓手】명〔史〕弓の射手.

궁술【弓術】명 弓術；弓道；射術. ¶ ～ 대회 弓術大会.

‖──-사(師) 명 弓術の師範.

궁시【弓矢】명 弓矢；弓と矢.

궁여지-책【窮餘之策】명 窮余の策；最後っぺ〈俗〉.

궁인【宮人】명〔史〕宮女；女官. ＝궁녀.

궁전【宮殿】명 宮殿.

‖──-복(服) 명 宮殿で着る衣服.

궁정【宮廷】명 宮廷. ＝대궐. ¶ ～ 시인 宮廷詩人.

‖── 문학 명 宮廷文学.

궁중【宮中】명 宮中；禁中；禁廷. ¶ ～의 일 雲の上の事.

ㄱ

‖── 문학 명 宮廷文学. ──-어 명 宮廷語. ── 정치 명 宮中の貴族や大臣らに依って行なわれる政治.

궁지【窮地】명 窮地; 窮境; 苦境. ¶ ～에 몰리다 せっぱ詰まる / ～에 빠지다 窮地に陥る / ～를 벗어나다 窮地を脱する / ～로 몰아넣다 窮地に追い込む.

궁체【宮體】명 宮女たちが書いた "ハングル"の字体《草書体の一種》.

궁-터【宮─】명 宮殿の趾.

궁핍【窮乏】명 窮乏. ──-하다 형 窮乏している. ¶ ～을 참고 견디다 窮乏に耐える.

궁-하다【窮─】형 ① 窮する; 貧しい; 貧乏だ. ¶ 궁한 살림 貧しい暮らし / 돈에 ～ 金に窮する / 물가 상승으로 생활이 궁해졌다 値上がりで暮らしが詰まって来た. ② (不充分なので) 困っている; 不如意だ. ③ なすすべがない; 行き詰まる; 困った事になる. ¶ 답변에 ～ 返答に窮する; 返事につかえる / 궁하면 통한다 窮すれば通ず.

궁합【宮合】명 (男女の)相性. ¶ ～이 맞다 相性がよい / ～을 보다 相性のよしあしをみてもらう.

궁형【弓形】명 弓形·ゆみがた.

궂다 ㊀형 ① (物事が) 悪い; よくない; 不吉だ; 忌まわしい. ② 天気が悪い; 湿っぽい. ¶ 궂은 날씨가 계속되다 雨がちの日が続く. ㊁자 目が見えなくなる.

궂은 고기 명 死肉. ＝진육(殄肉).

궂은-비 명 じめじめと降り続く雨.

궂은-살 명 出来物の中のぜい肉.

궂은-쌀 명 うまくつ(搗)かれていない米.

궂은-일 명 ① きたならしくて嫌な事; いとわしい物事. ¶ 요새는 ～만 겹쳐서 기분이 나쁘다 この頃は嫌なことばかり重なっていやだ. ② 人の死亡などの忌まわしい出来事. ¶ ～에는 일가만한 이가 없다《俚》 親しは泣き寄り.

권【勸】명하타 勧め; 勧告. ¶ 친구의 ～에 따라서 友の勧めに従って.

권【卷】의명 ① 巻《書籍などの区分を数える語》. ¶ 상～ 上巻 / 하～ 下巻. ② 冊《書物などを数える語》. ¶ 한 ～ 一冊 / 두 ～ 二冊.

-권【券】미 券. ¶ 입장～ 入場券 / 승차～ 乗車券 / 5000원～ 五千ウォン札.

-권【圈】미 圏. ¶ 대기～ 大気圏 / 당선～ 当選圏.

-권【權】미 権. ¶ 선거～ 選挙権 / 참정～ 参政権.

권고【勸告】명하타 勧告; アドバイス. ¶ 사직 ～를 당하다 辞職勧告を受ける; つめ腹を切らされる / 의사의 ～에 따라 医者の勧告に従って.

권내【圈內】명 圏内. ¶ 합격 ～에 들다 合格圏内に入る.

권농【勸農】명하타 勧農; 農事を勧め励ますこと.

‖──-일 명 勧農日.

권능【權能】명 権能. ¶ 신의 ～ 神の権能 / ～을 부여받다 権能を与えられる.

권도【權道】명 権道; 方便; 臨機応変の手段. ¶ 외교상의 ～ 外交上の権道.

권두【卷頭】명 巻頭; 巻首; 開巻. ¶ ～의 첫귀절 開巻第一句.

‖──-사(辭), ──-언(言) 명 巻頭の辞; 巻頭言.

권력【權力】명 権力. ¶ ～을 쥐다 権力を握る / ～을 휘두르다 権力をふるう / ～에 굴하다 権力に屈する / ～ 다툼을 하다 権力争いをする / ～을 남용하다 権力をほしいままにする.

‖──-가 명 権力家. ──-욕 명 権力慾. ──-자 명 権力者. ── 투쟁 명 権力闘争.

권리【權利】명 権利. ¶ 평등한 ～ 平等な権利 / ～를 포기하다 権利を放棄する / 남의 ～를 침범하다 人の権利を犯す.

‖──-금 명 権利金. ── 남용 명 権利の濫用. ──-락 명〘經〙権利落ち. ──-부 명〘經〙権利付き. ── 선언 명 権利宣言. ──-자 명 権利者. ──-증 명 権利証. ＝등기필증. ── 침해 명 権利侵害.

권말【卷末】명 巻末. ¶ ～의 부록 巻末の付録.

‖──-기(記) 명 巻末の付記.

권면【券面】명 券面; 証券の表面. ¶ ～액 券面額.

권모【權謀】명 権謀. ＝권략(權略).

‖──-가 명 権謀家. ── 술수 명 権謀術数; 権数《준말》. ¶ ～에 능(能)하다 権謀術数に長ける. ㊟ 권술(權術).

권문【權門】명 [↗권문 세가] 権門. ¶ ～에 아첨하다 権門にこびる.

‖── 귀족 명 権門と貴族. ── 세가(勢家) 명 権門. ㊟ 권문. ── 자제 명 権門の子弟.

권법【拳法】명 ① こぶし(拳)を使ってする運動. ② けんぽう(拳法).

권-불십년【權不十年】명 いかに強い権勢も十年を越さない《おごる平家久しからず》. [* 화무십일홍(花無十日紅)].

권사【勸士】명〘基〙キリスト教の教職の一つ《伝道を任務とする》.

권선【捲線】명〘物〙捲線; コイル.

권선【勸善】명 ① 勧善. ──-하다 타 善を勧める. ②〘佛〙勧進.

‖── 징악 명 勧善懲悪; 勧懲《준말》.

권세【權勢】명 権勢; 勢権; 権力と勢力. ¶ ～를 자랑하다 権勢をほこる / ～를 부리다 権勢を振るう.

권속【眷屬】명 けんぞく(眷属·眷族); 家族. ¶ 일가 ～ 一家眷属.

권솔【眷率】명 家族.

권수【卷鬚】명〘植〙巻きひげ; けんしゅ(巻鬚). ＝덩굴손.

신【權臣】[명] 權臣.
업【勸業】[명][하자] 勸業. ¶～ 박람회 勸業博覧会.
외【圈外】[명] 圏外. ¶당선 ～로 떨어지다 当選圏外に落ちる.
운【卷雲】[명]〖氣〗絹雲〔巻雲〕; 巻き雲; すじ雲. ＝새털 구름.
‖——-층 [명] 絹雲層.
위【權威】[명] 權威. ① 権勢と威力. ¶～ 있는 잡지 権威ある雑誌. ② 大家; オーソリティー. ¶사계의 ～ 斯界の権威.
‖——-자 [명] 権威者; 泰斗; 大家.
——-주의 [명] 権威主義.
권유【勸誘】[명] 勧誘; 勧め誘うこと. ——-하다 [타] 勧誘する; 誘う; 勧〔薦〕める. ¶간절한 ～ 切な勧め / ～를 받다 誘いを受ける / 출마를 ～하다 出馬を勧める.
권익【權益】[명] 権益; 権利と利益. ¶특수 ～ 特殊権益 / ～을 옹호하다 権益を擁護する.
권장【勸奬】[명][하타] 勧奨. ¶재배를 ～하다 栽培を勧奨する.
권적-운【卷積雲】[명]〖氣〗絹積雲; 高積雲; さば雲; うろこ雲; いわし雲. ＝조개구름.
권점【圈點】[명] ① 圏点. ② 漢字の四声を表わす点.
권좌【權座】[명] 権力·権勢のある地位; 権力の座.
권주【勸酒】[명][하자] 酒を勧めること.
‖——-가(歌) [명] 酒を勧めながらうたう歌.
권척【卷尺】[명] 巻き尺. ＝줄자.
권총【拳銃】[명] けんじゅう(拳銃); ピストル; 短銃. ¶～을 들이대다 ピストルを突き付ける / ～을 겨누다 短銃をかまえる.
‖—— 강도 [명] ピストル強盗.
권축【卷軸】[명] 巻軸.
권층-운【卷層雲】[명]〖氣〗絹層雲; うす雲. ＝솜털구름·털층구름.
권커니 잣거니【勸—】[구] 杯のやり取りをするさま. ¶둘이서 ～ 술을 마시다 二人で杯を差したり飲んだりする.
권태【倦怠】[명] けんたい(倦怠); アンニュイ. ¶～를 느끼다 倦怠を感ずる〔覚える〕.
‖——-감 [명] 倦怠感. ——-기 [명] 倦怠期. ¶～의 부부 倦怠期の夫婦. ——-증 [명] 倦怠症.
권토 중래【倦土重來】[명][하자] けんどちょうらい〔けんどじゅうらい〕(捲土重来). ¶～를 기하고 물러나다 捲土重来を期して退く.
권투【拳鬪】[명] ボクシング; けんとう(拳闘).
‖—— 경기(競技) [명] ボクシング試合. ——-계 [명] ボクシング界. ——선수(選手) [명] ボクサー. ——-장(場) [명] リング.
권패【卷貝】[명]〖貝〗巻き貝. ＝고둥.
권-하다【勸—】[타] 勧める; 勧告する. ¶독서를 ～ 読書を勧める / 담배〔차〕를 ～ タバコ〔お茶〕を勧める.
권한【權限】[명] 権限. ¶～의 위임 権限の委任 / 단속할 ～을 가지다 取り締まる権限を持つ / 명령할 ～은 없다 命令する権限は持ってない.
‖——-내 [명] 権限内; 権内. ——-외 [명] 権限外; 権外.
권화【權化】[명]〖佛〗権化; 権現.
궐기【蹶起】[명][하자] 決起. ¶～ 대회 決起大会.
궐-나다【闕—】[자] 欠員が出る.
궐내【闕內】[명] 宮中; 宮廷. ＝궁내(宮內).
궐련 [명] [←권연(卷煙)] 巻きタバコ; 紙タバコ; シガレット. ¶～을 피우다 巻きタバコを吸う.
‖—— 물부리 [명] 巻きタバコのパイプ; シガレットホルダー.
궐석【闕席】[명][하자] 欠席. ＝결석(缺席).
‖—— 재판 [명]〖法〗欠席裁判.
궐-하다【闕—】[타] ① 欠かす. ② 参与しない.
궤【櫃】[명] ひつ(櫃); 箱. ¶쌀～ 米びつ.
궤간【軌間】[명] ① 軌道の幅. ② (鉄道の)軌間; ゲージ.
궤도【軌道】[명] 軌道. ¶전차의 ～ 電車の軌道 / 사업이 ～에 오르다 事業が軌道に乗る〔調子付く〕/ ～에 쏘아 올리다 軌道に射ち上げる / ～를 벗어나다 軌道から離れる.
‖——-차 [명] 軌道車.
궤멸【潰滅】[명][하자] 壊滅; ついえること. ¶대군이 일시에 ～하다 大軍が一時に壊滅する / 적은 허무하게 ～했다 敵はもろくもついえた.
궤변【詭辯】[명] 奇弁〔詭弁〕. ¶～적 논리 詭弁的論理 / ～을 일삼다 詭弁を弄する.
‖——-가 [명] 詭弁家. —— 학파 [명]〖哲〗詭弁学派; ソフィスト.
궤양【潰瘍】[명]〖醫〗かいよう(潰瘍). ¶위～ 胃潰瘍.
궤적【軌跡】[명] 軌跡.
궤주【潰走】[명][하자] 壊走〔潰走〕. ¶적은 ～했다 敵は壊走した.
궤-짝【櫃—】[명]《俗》ひつ(櫃).
귀[1] [명] 耳. ①〖生〗じだ(耳朶). ¶～에 거슬리는 이야기 耳障りな話 / ～먹다 耳が遠い / ～가 밝다 耳ざとい; 耳が早い / ～를 막다 耳を覆う〔とざす; ふさぐ〕/ ～를 기울이다 耳をそばだてる / ～를 후비다 耳をほじくる / ～에 거슬리다 耳に逆らう / ～에 솜을 틀어막다 耳に綿をつめる / 아무리 충고해 봤자 한 ～로 듣고 한 ～로 흘린다 いくら忠告しても右から左へ筒抜けだ / 그런 일은 ～에 못이 박이도록 들었다 そんなことは耳にたこができるほど聞いている / ～가 번쩍 뜨이다 (うまい話などに)引き付けられてはっとする / ～가 절벽이다 (比喩的に)わからず屋だ. ② ↗귓바퀴. ¶～가 크다 耳が大きい / ～가 선 개 耳が立った犬 / ～를 쫑긋거리다 耳をそばだてる / ～밑까지 빨개지다 耳の根元まで赤くなる. ③ ↗귀때. ¶도가니의 ～ るつぼの注ぎ口. ④ (織物·紙などの)耳. ¶종이의 ～를 맞추다 紙の耳をそろえる. ⑤

(針の)耳；めど(目処). ¶바늘 ～ 針の耳. ⑥(碁盤の)隅. ¶네 ～ 四隅. ⑦(まとまった金の)はした(端). ¶100만원에 ～가 달리다 百万ウォンにはした金がつく.
귀-【貴】㊀ 貴. ①相手に用いる敬称. ¶～회사 貴会社；貴社. ②"尊〔貴〕い"·"尊貴な"の意. ¶～금속 貴金属.
귀가【歸家】명하자 帰宅；帰り；戻り. ¶～가 늦어지다 帰宅〔戻り〕が遅れる.
귀감【龜鑑】명 きかん(亀鑑). ¶군인의 ～으로서 존경받다 軍人の亀鑑として尊敬される.
귀갑【龜甲】명 亀甲；亀の甲. ¶～ 문자 亀甲文字.
귀개 명 ↗귀이개.
귀객【貴客】명 貴客.
귀거래【歸去來】명 帰去来.
‖——-사 명〖文〗帰去来の辞.
귀-거칠다 형 耳ざわりだ；聞き苦しい.
귀-걸이 명 ①耳当て；耳袋. ②↗귀걸이 안경. ③耳飾り；耳輪；イヤリング. =귀고리.
‖—— 안경(眼鏡) 명 枠脚の代わりに糸を通して掛ける，折り畳み式の眼鏡.
귀결【歸結】명하자 帰結. ¶～하는 바 帰する所／당연한 ～로서 当然の帰結として. ——-짓다 타 結末〔帰結〕をつける.
‖——-점 명 帰結点.
귀경【歸京】명하자 帰京.
귀-고리 명 耳輪；イヤリング.
귀골【貴骨】명 ①貴く見える骨格. ②貴くなれる骨相. ③貴く育った人.
귀공【貴公】인대 貴公；尊公.
귀-공자【貴公子】명 貴公子. ¶～다운 貴公子のような；貴公子然たる.
귀국【貴國】명 貴国. ¶～ 대사관 貴国の大使館.
귀국【歸國】명하자 帰国；帰朝. ¶～ 길에 오르다 帰朝の途につく／미국을 경유하여 ～하다 アメリカを経由して帰国する.
귀-금속【貴金屬】명 貴金属. ¶～상 貴金属商.
귀기【鬼氣】명 鬼気. ¶～가 감돌다 鬼気迫る.
귀-기울이다 자 耳を傾ける〔澄ます〕；聞き入る；聞き耳を立てる. ¶명곡에 귀를 기울이다 名曲に聞き入る.
귀-남자【貴男子】명 ①尊い男. ②良家の若息子；ぼんぼん〈方〉.
귀납【歸納】명하타 帰納.
‖—— 논리학 명 帰納論理学. ——법 명 帰納法. ——적 논리 명 帰納的論理. —— 학파 명 帰納学派.
귀넘어 듣다 타 上の空で聞く；聞き流す.
귀-담다 타 聞いて心に留める；心に刻み付ける.
귀담아 듣다 타 注意深く聞く；耳に掛ける；心して聞く.
귀댁【貴宅】명 貴宅；貴家；お家；お宅. ¶～의 만복을 빕니다 お宅の万福をお祈り致します.
귀-동냥 명하타 耳学問；聞き覚え. ¶～치고는 잘 알고 있군 聞き覚えにしてはよく知っているね.
귀-동자【貴童子】명 ☞ 귀(貴)둥이.
——-답다 형 かわい(可愛)らしい顔つきだ.
귀두【龜頭】명 きとう(亀頭)；かりくび；カリ〈俗〉.
귀-둥이【貴—】명 かわい(可愛)がられ一方の男の子.
귀-따갑다 형 ①(音が鋭くて)耳がちくちく〔がんがん〕する. ②(嫌になる程聞かされて)耳にたこができる；ひどく耳に障る.
귀 때 명 (土瓶などの)口；注ぎ口；のみ口. ㊗ 귀.
‖—— 그릇 명 注ぎ口のついた器.
귀-때기 명《俗》耳. ¶～를 갈기다 耳をひっぱたく.
귀-떨어지다 자 (平たい物の)縁が欠ける.
귀떨어진 돈 구 縁の欠けたお金.
귀뚜라미 명〖蟲〗こおろぎ(蟋蟀)；きりぎりす〈雅〉. ¶～가 귀뚤귀뚤 울다 こおろぎがころころと鳴く.
귀뚤-귀뚤 부하자 こおろぎの鳴き声：ころころ.
귀-뜨다 자 (生まれて初めて)聞くようになる.
귀-뜨이다 자 何かの物音にすばやく心が引かれる. ㊗ 귀띄다.
귀-띔 명 耳打ち；ほのめかし；ヒント. ——-하다 타 ほのめかす；示唆する；耳打ちする. ¶도망가도록 ～하다 逃げるようほのめかす.
귀로【歸路】명 帰路；帰途；帰り道. ¶～에 오르다 帰路に就く／～는 큰길로 가다 帰り道は大通りを行く.
귀리 명〖植〗えんばく(燕麦)；オート麦；からすむぎ(烏麦).
귀-머거리 명 耳の聞こえない人；ろうしゃ(聾者). ¶～의 지레 짐작《俚》つんぼの早耳.
귀-먹다 자 耳が遠くなる.
귀먹은-체 구 聞かない振りをよそおうこと.
귀면【鬼面】명 鬼面.
귀모【鬼謀】명 鬼謀.
귀문【鬼門】명〖民〗(陰陽道で)鬼門.
귀-밑, 귀밑-대기 명《俗》耳下のほお(頬)；耳元.
귀박 명 長方形の木をくりぬいてこしらえたたらい(盥).
귀-밝다 형 耳ざとい. ¶잠귀가 밝다 寝耳がさとい.
귀-밝이, 귀밝이-술 명 旧暦の正月十五日の朝に耳ざとくなるようにと飲むお酒.
귀본【歸本】명하자〖佛〗帰寂.
귀-부인【貴夫人】명 貴夫人. =영(令)부인.
귀-부인【貴婦人】명 貴婦人；奥方；れんちゅう(簾中).
귀빈【貴賓】명 貴賓.

‖——-관(館) 명 迎賓館. ——-석 명 貴賓席. ——-실 명 貴賓室.
귀-빠지다 자 《俗》 生まれる. ¶ 귀빠진 날 誕生日.
귀-뿌리 명 耳のつけ根.
귀사【貴社】명 貴社.
귀살머리-쩍다 형 ひどく入り乱れている. 귀살머리-스럽다 형 ひどく混乱した感がある.
귀-살이 명하자 (碁で)隅で活きること.
귀살-쩍다 형 物がいり乱れている. 귀살-스럽다 형 混乱した感がある.
귀서【貴書】명 貴書. =귀함.
귀-설다 형 聞きなれない; 耳遠い; 初耳だ. ¶ 귀선 목소리다 聞きなれない声だ / 귀선 이야기다 あまり聞いてない話である.
귀성【歸省】명하자 帰省; 帰郷; 里帰り. ¶ 여름 휴가에 ~하다 夏休みに帰省する.
‖—— 열차 명 帰省列車.
귀성-지다 형 貴人のような顔立ちだ.
귀소-성【歸巢性】명〔動〕帰巣性; 回帰性. ¶ 제비의 ~ つばめ(燕)の帰巣性.
귀속【歸屬】명하자 帰属. ¶ 수입은 국고에 ~한다 収入は国庫に帰属する.
‖—— 재산 명 ① 帰属財産. ② 韓国で1945年八月九日以前に日本人が所有していた財産.
귀순【歸順】명하자 帰順. ¶ ~해서 충성을 다하다 帰順して忠誠をつくす.
‖——-병 명 帰順兵.
귀신【鬼神】명 鬼. ① 鬼神. ㉠ 死者の霊. ㉡ 人に福と災いをもたらすという霊; おにがみ. ¶ ~이 곡할 일 不思議な事 / ~도 울리다 鬼神も泣かしめる / 돈만 있으면 ~도 부릴 수 있다 地獄の沙汰も金次第 / ~도 모르다《俚》鬼も知らない; ひた隠しにしてだれも知らない / ~도 빌면 듣는다《俚》鬼の目にも涙. ② 特別な才能のある人; 鬼才; 神様. ¶ 참으로 ~ 같다 鬼を欺く(技である) / 그는 교정의 ~이라고 한다 彼は校正の神様であると言われる. ——-들리다 자 もののけに取りつかれる; 神懸かりになる《신이 지피다》; つ(憑)かれる.
귀-싸대기 명《俗》横っ面; ほっぺた. ¶ ~를 때리다 びんたを食わす.
귀-아프다 형 (騒がしくて)耳が痛い; (小言をがみがみ言われて)聞き苦しい. ¶ 그 말은 귀아프도록 들었다 その話には耳にたこができた.
귀애-하다【貴愛—】타 かわいがる. ¶ 딸을 몹시 ~ 娘を大変かわいがる.
귀얄 명 はけ(刷毛·刷子). ¶ ~ 자국 はけ目.
귀양 명〔史〕[←귀향(歸鄕)] 流配; 島流し; 流刑. ¶ 먼 섬에 ~ 보내다 遠島に流す / ~지의 이슬로 사라졌다더라 配所の露と消えたそうである. ——-가다 자 流刑にされて行く. ——-보내다 타 たく(謫)する; 流刑に処する. ——-살다 자 たっきょ(謫居)する. ——-오다 자 流刑にされて来る. ——-풀리다 피동 謫居〔流刑〕を解かれる.
‖——-살이 명하자 謫居. ¶ 죄없이 ~하다 罪なくして配所の月を見る.
귀-어둡다 형 ① 耳が遠い. ② (時代におくれて)世事にうとい.
귀에 익다 구 耳慣れる. ¶ 귀에 익은 목소리 耳慣れた声.
귀에-지 명 ☞ 귀지.
귀엣-말 명 耳打ち; ないしょ話; 耳雑談. ¶ ~을 하다 耳こすりをする / 살짝 ~을 하다 そっと耳打ち(を)する / 무언가 ~을 주고 받다 なにやらひそひそ話をする.
귀여겨-듣다 타 聞き澄ます. ¶ 발소리를 ~ 足音を聞き澄ます.
귀-여리다 형 人の話にすぐ乗る; (人に)だまされやすい. ¶ 귀여려서 남에게 잘 속는다 耳うぶで人によくだまされる.
귀여워-하다 타 かわいがる; 慈しむ; いとおしむ; いとしがる〈雅〉. ¶ 어린애〔개〕를 ~ 子供〔犬〕をかわいがる / 외아들을 ~ 独り子をいとおしむ / 막내를 ~ 末っ子をいとしむ.
귀염 명 かわいらしさ; 愛らしさ. ¶ 누구에게나 ~을 받다 だれからもかわいがられる / 선생님의 ~을 받다 先生にかわいがられる.
‖——-성 명스형 かわいらしいところ; かわいげ. ¶ ~이 적다 かわいげが乏しい.
귀엽다 형 かわいい; かわいらしい; 愛らしい; いとしい〈雅〉. ¶ 귀여운 강아지 かわいい小犬 / 귀여운 누이동생 愛らしい妹 / 귀여운 자식은 고생을 시켜라 かわいい子には旅をさせよ.
귀영【歸營】명하자 帰営. ¶ ~ 시간 帰営時間 / ~ 나팔 帰営らっぱ.
귀-울다 자 耳鳴りがする.
귀-울음 명 耳鳴り. =이명(耳鳴).
귀의【歸依】명 帰依. ——-하다 자 帰依する; 帰する. ¶ 불도에 ~하다 仏道に帰依する.
‖——-승 명 帰依僧. ——-심 명 帰依心. ——-처 명 帰依処.
귀이개 명 耳かき.
귀인【貴人】명 貴人.
‖——-상(相) 명 貴人の相.
귀일【歸一】명하자 帰一. ¶ 여러 가지로 말했자 ~하는 곳은 같다 いろいろ言ってみても帰一するところは同じである.
귀임【歸任】명하자 帰任. ¶ 임지에 ~하다 任地に帰る.
귀-잠 명 深い眠り; 熟睡. ——-들다 자 熟睡する.
귀재【鬼才】명 鬼才. ¶ 문단의 ~ 文壇の鬼才.
귀절【句節】명 ☞ 구절(句節).
귀접-스럽다 형 汚らわしい; きたならしい. ¶ 귀접스러운 것을 보다 けがらわしいものを見る.
귀-접이 명하타 物の角を削るか折り込むこと.

귀정【歸正】명하자 帰正; 正道に帰ること. ¶ 사필(事必) ～ 物事は必ず正しきに帰する. ——-나다 자 正しく結末がつく. ——-짓다 타 正しく結末をつける.

귀족【貴族】명 貴族. ¶ ～티 貴族臭 / ～ 집안 貴族の家柄 / 몰락한 ～ 没落した貴族 / ～ 출신 貴族の生まれ.
‖—— 계급 명 貴族階級. —— 예술 명 貴族芸術. ——-적 명관 貴族的; ノーブル. ¶ ～인 취미 貴族的な趣味. —— 정치 명 貴族政治. ——-제 명 貴族制. ——-화 명 貴族化.

귀중【貴中】명 御中. ¶ 교육부 ～ 文部省御中.

귀중【貴重】명 貴重. ——-하다 형 貴重だ; 尊い; 大切だ. ¶ ～품 貴重品 / ～하게 여기다 珍重がる / ～한 연구 자료를 사장하고 있다 貴重な研究資料を死蔵する / ～한 외동이를 잃고 슬퍼하다 大切な一粒種を亡くして悲しむ. ——-히 부 尊く; 大切に.

귀중중-하다 형 むさくるしい; 汚らしい.

귀지 명 耳あか; みみくそ.

귀지【貴地】명 貴地; 御地. ¶ ～의 형편을 알려 주십시오 貴地の状況をお知らせ願います.

귀지【貴誌】명 貴誌. ¶ ～에 실린 논문 貴誌に載った論文.

귀지【貴紙】명 貴紙. ¶ ～의 보도 貴紙の報道.

귀-질기다 형 勘が鈍く口裏がのみこめない.

귀착【歸着】명 帰着. ——-하다 자 帰着する; 帰する; 行き着く. ¶ ～점은 하나 行き着く所は一つ / 토론의 ～점 討論の帰着点.

귀찮다 형 [↗귀치 않다] 厄介だ; めんどうだ; うるさい; わずらわしい. ¶ 아주 ～ めんどうくさい / 귀찮게 묻다 小うるさく聞く / 귀찮으시겠지만 ご不承でしょうが / 귀찮게 굴다 うるさがらせる / 귀찮은 일을 떠맡다 厄介な役をしょいこむ / 귀찮은 것은 피차 매한가지다 うるさいことはお互いさまである / 나이를 먹으니 만사가 ～ 年を取ると何もかもおっくう(億劫)になる / 사전 찾기를 귀찮아해서는 안된다 辞書を引くのをめんどうがってはいけない.

귀책【歸責】명〖法〗帰責.
‖—— 사유 명 帰責事由.

귀천【貴賤】명 貴いこととといやしいこと; きせん(貴賤); 尊卑. ¶ 상하 ～의 차별 上下貴賤〔尊卑〕の別 / 직업에 ～이 없다 職に貴賤なし.

귀-청 명 鼓膜. ¶ ～이 떨어지다 鼓膜が破れる / ～을 찢는 듯한 폭음 耳をつんざくばかりの爆音 / 시끄러워 ～이 터지겠다 騒がしくて鼓膜が破れそうだ.

귀체 【貴體】명 (書簡文で)御身; 尊体; お体.

귀추【歸趨】명 きすう(帰趨); 成り行き. ¶ 승패의 ～ 勝敗の帰趨 / 일의 ～에 놀라다 事の成り行きにあきれる.

귀퉁-머리, 귀퉁-배기 명《卑》☞ 귀퉁이①.

귀퉁이 명 ① 耳元. ② (物の)角や隅; そば(稜). ¶ 방안의 네 ～ 部屋の四隅 / 책상 ～에 부딪다 机の角にぶつかる.

귀하【貴下】명인대 貴下; (手紙の宛名で)様; 殿.

귀-하다【貴—】형 ① (身分·地位などが)高い; 尊い. ¶ 귀하신 몸 尊いお方. ② まれだ; 珍しい. ¶ 귀한 물건 珍しい物 / 귀한 선물을 받다 珍しい品をいただく. ③ かわいらしい. ¶ 귀한 자식 매로 키워라《俚》かわいい子には旅をさせよ. 귀-히 부 尊く; 珍しく; かわいらしく.

귀한【貴翰】명 貴翰. =귀함.

귀함【貴函】명 貴簡; 尊簡; お手紙. =귀한·귀찰(貴札). ¶ ～은 삼가 배독했습니다 尊簡慎んで拝見致しました.

귀함【歸艦】명하자 帰艦. ¶ 출격한 함재기가 무사히 ～했다 出撃した艦載機が無事帰艦した.

귀항【歸航】명하자 帰航; 復航. ¶ ～ 길에 오르다 帰航の途につく.

귀항【歸港】명하자 帰港.

귀향【歸鄕】명하자 帰郷; 帰国; 帰村. ¶ 여름 휴가〔방학〕에 ～하다 夏休みに帰郷する / 가정부가 이번에 ～했다 お手伝いさんが今度宿下がりした.

귀화【歸化】명하자 帰化. ¶ 한국에 ～한 미국인 韓国に帰化したアメリカ人 / ～를 허가하다 帰化を許す.
‖——-민 명 帰化民. —— 식물 명 帰化植物. ——-인 명 帰化人.

귀환【歸還】명 帰還. ——-하다 자 帰還する; 引き揚げる. ¶ ～병 帰還兵 / ～시키다 呼び戻す / 외국에서 ～하다 外国から引き揚げる.

귀휴【歸休】명하자 帰休.
‖——-병 명 帰休兵. ——-제, —— 제도 명 帰休制度.

귓-가 명 耳のまわり; みみもと.

귓-결 명 ふと耳にすること; 聞きばさみ. ¶ 언뜻 ～에 듣다 ちらりと耳にする.

귓-구멍 명 耳の穴.

귓-바퀴 명 耳介; 耳殻. ¶ ～로 소리를 받다 耳殻で音を受けとる.

귓-밥 명 耳の厚さ.

귓-불 명 耳たぶ.

귓-속 명 耳の内部.
‖——-말 명하자 ☞ 귀엣말. ¶ 무언가 ～을 주고받다 なにやらひそひそ話をする. ——-질 명하타 告げ口.

귓-전 명 耳もと. ¶ ～에 대고 속삭이다 耳もとでささやく.

규각【圭角】명 けいかく(圭角).

규격【規格】명 規格. ¶ ～품 規格品 / ～화하다 規格化する / ～에 맞다 規格に合う.
‖—— 통일 명 規格統一. ——-판 명 規格判.

규례【規例】명 規例; 例規.

규명【糾明】명 糾明. ——-하다 타 糾明する; ただ(糾)す; 窮める. ¶ 진

상을 ~하다 真相を窮める / 죄를 ~하다 罪をただす / 살인 동기를 ~하다 殺人動機を糾明する / 사건의 본질을 철저히 ~하다 事件の本質を窮め尽くす.

규모【規模】명 規模; 構え. ¶전국적인 ~ 全国的規模 / 대~(의) 연구 大仕掛けの研究 / 경영의 ~를 축소하다 経営の規模を収縮する / 어느쪽이나 부자지만 ~가 틀리다 どちらも金持ちではあるがけたが違う / ~가 큰 회사에 근무한다 大手会社に勤めている.

규문【糾問】명 糾問. ——-하다 타 糾問する; 聞きただす. ¶죄상을 ~하다 罪状を糾問する.
‖——-주의 명〔法〕糾問主義.

규방【閨房】명 けいぼう(閨房); けいしつ(閨室). ¶~ 문학 閨房文学.

규벌【閨閥】명 けいばつ(閨閥); 妻方の勢力を中心として結ばれたなかま. ¶~ 정치 閨閥政治.

규범【規範】명 規範. ¶사회 ~ 社会規範 / ~에 따르다 規範に従う.
‖——-적 명관 規範的.

규사【硅砂·珪素】명 けい砂; 石英砂.

규산【硅酸·珪酸】명〔化〕けい酸.
‖—— 나트륨 명〔化〕けい酸ナトリウム. —— 마그네슘 명 けい酸マグネシウム. —— 알루미늄 명 けい酸アルミニウム. ——-염 명 けい酸塩. ——염 광물 명 けい酸塩鉱物. —— 칼슘 명 けい酸カルシウム.

규석【硅石】명 けい石.
‖—— 벽(甓)돌 명 けい石れんが.

규소【硅素·珪素】명〔化〕けい素.
‖——-강 명 けい素鋼. —— 수지 명 けい素樹脂.

규수【閨秀】명 ①娘. =처녀. ②けいしゅう(閨秀); 学芸にすぐれた女性.
‖—— 문학가 명 閨秀〔女流〕文学家. —— 시인 명 閨秀詩人. —— 작가 명 閨秀作家. —— 화가 명 閨秀画家.

규약【規約】명하타 規約. ¶~의 대강 規約の大綱 / ~ 위반 規約違反 / ~을 고치다 規約を直す.

규율【規律】명 規律. ¶~ 바른 생활 規律正しい生活.

규정【規定】명 規定; きまり; おきて(掟); 定め. ——-하다 타 規定する; とりきめる; 定める. ¶사무〔경조〕 ~ 事務〔慶弔〕規定 / 특별한 ~이 없는 한 特別な定めなき限り. ——-짓다 타 規定する.
‖—— 농도 명〔化〕規定濃度. ——-액 명 規定液. =표준액.

규정【規程】명 規程〔規定〕.

규제【規制】명하타 規制. ¶데모 ~ デモの規制 / 법률로 ~하였다 法律で規制した.

규조【珪藻】명〔植〕けいそう(珪藻).
‖——-석 명 珪藻石. ——-토 명 珪藻土.

규중【閨中】명 けいちゅう(閨中); 深窓; ねや(閨)のうち.
‖—— 부인 명 閨中の婦人. —— 처녀(處女) 명 深窓の娘; 箱入り娘.

규찰【糾察】명하타 糾察.

규칙【規則】명 規則; きまり; おきて; 仕来り. ¶회사의 ~ 会社の定め / 야구 ~ 野球のルール / ~적인 변화 規則的な変化 / ~ 바르게 規則正しく; きちんきちんと / ~을 지키다 規則を守る / ~에 꼭 들어맞다 規則に当てはまる / ~에 따라 행동하다 決まりに従って行動する / ~만을 내세워 속박하다 規則一点張りで縛る.
‖—— 동사 명〔語〕規則動詞. —— 용언 명〔語〕規則用言. —— 형용사 명〔語〕規則形容詞.

규탄【糾彈】명하타 糾弾. ¶정부를 ~하다 政府を糾弾する.

규폐【珪肺】명〔醫〕けい肺; 炭肺; よろけ〈俗〉.

규합【糾合】명하타 糾合. ¶동지를 ~하다 同志を糾合する.

규화【珪化】명하자〔化〕けい化.
‖——-물 명 けい化物.

규환【叫喚】명하자 叫喚; わめき叫ぶこと. ¶아비 ~ あび(阿鼻)叫喚.

균【菌】명 菌. ①↗균류. ②↗세균. ③↗병균. ¶병원~을 찾았다 病原菌を探し出した.

균등【均等】명하형 均等. ¶기회 ~ 機会均等 / ~하게 할당하다 均等に割り当てる. ——-히 부 均等に; 等しく.

균류【菌類】명〔植〕菌類.

균배【均配】명하타 等しく分けること.

균분【均分】명하타 均分. ¶재산을 자식들에게 ~하다 財産を子供らに均分する.
‖—— 상속 명 均分相続.

균사【菌絲】명〔植〕菌糸. ¶버섯의 ~ きのこの菌糸.
‖——-체 명 菌糸体.

균열【龜裂】명하자 きれつ(亀裂); 裂け目; ひび割れ. ¶벽에 ~이 생겼다 壁に割れ目ができた / 지진으로 도로에 ~이 생겼다 地震で道路に亀裂ができた.

균일【均一】명 均一; 一様. ——-하다 형 均一だ; 一様だ. ¶~ 요금 均一料金 / 천원~ 千ウォン均一 / ~하게 하다 均一〔一様〕にする.
‖——-제 명 均一制.

균점【均霑】명하타 きんてん(均霑). ¶이익 ~ 利益の均霑.

균질【均質】명 均質.
‖——-로 명 均質炉.

균형【均衡】명 均衡; 釣り合い; 平衡; バランス. ¶수급의 ~ 需給の見合い / ~을 유지하다 つり合いを保つ / ~이 잡히다 つり合う; つり合いがとれる / ~을 잃다 平衡を失う; バランスがくずれる.
‖—— 예산 명〔經〕均衡予算. —— 재정 명 均衡財政.

귤【橘】명 みかん(蜜柑)類の総称. ¶~ 상자 みかん箱 / ~ 껍질을 벗기다 みかんの皮をむく.

귤-나무【橘—】명〔植〕たちばな(橘); みかんの木.

귤피【橘皮】 명 〔韓醫〕 きっぴ(橘皮); みかんの皮.

그 ㊀관 その; あの. ¶ ~ 일 その事 / ~ 날 あの〔その〕日 / ~처럼 そのように / ~대로 하다니 あのままにするとは / ~ 시절에 있었던 일 あの頃あった事 / ~ 일 말입니까 あの事ですか / ~ 말을 들으면 면목이 없다 それを言われると面目がない / ~ 자리를 얼버무려대어 모면했다 その場をつくろって言いのがれる / ~ 이야기는 어떻게 되었나 くだんの話はどうなったか. ㊁대 [↗그이·그사람] 彼. ¶ ~가 무슨 학자란 말인가 彼が学者なものか. ㊂대 [↗그것] それ. ¶ ~와 같은 물건 そのようなもの.

그-간【—間】 명 その間; その間. ¶ ~의 사정은 잘 모른다 その間〔辺〕の事情はよく分からない.

그-거 대 ↗그것. >고거. ¶ ~ 참 좋구나 それはほんとうにいいね / 아아, ~ 말이냐 ああ, それか.

그-건 준 "그것은"の略語: それは; そのものは. >고건. ¶ ~ 멀쩡한 속임수다 それは全くのいんちきだ.

그-걸 준 "그것을"の略語: それを; そのものを. >고걸. ¶ 난 이제껏 ~ 모르고 있었다 わたしはいまだにそれを知らずにいた. **——-로** 준 それで. >고걸로.

그-것 ㊀대 それ; そ〈雅〉. >고것. 준 그·그거. ¶ 바로 ~일세 まさしくそれだよ / ~을 집어 주게 それを取ってくれ / ~도 그렇군 それもそうだね. ㊁대 "その人"をあなどって言う語. ¶ ~의 말에도 일리가 있다 そいつの言うことにも一理はある.

그-게 준 "그것이"の略語; それが. >고게. ¶ ~ 어쨌단 말인가 それがどうしたと言うのだ.

그-글피 명 しあさって; 明明後日; やのあさって(弥の明後日). ¶ 그는 ~에 돈을 갚는답니다 彼はしあさってにお金を返すそうです.

그-까지로 부 それくらいで; それしきのことで. >고까지로. ¶ ~ 우느냐 それしきのことで泣くのか.

그-까짓 관 それしき(の); その程度の; それぐらいの. >고까짓. ¶ 겨우 ~ やっとあれしき / 뭘 ~ 걸 가지고 그러느냐 なんのそれしきの事でもたつくのかね / ~ 것은 아무 것도 아니다 そんなことはへのかっぱさ〔朝飯まえだ〕/ ~ 일로 슬퍼하느냐 それしきの事で悲しむのか. 준 그깟.

그-끄러께 명 三年前の年; 一昨昨年; さきおととし(一昨昨年). =삼작년(三昨年).

그-끄저께 명 三日前の日; 一昨昨日; さきおととい. 준 그끄제.

그-끄제 명 ↗그끄저께.

그-나마 부 それさえ(も); それまでも; それも. ¶ ~ 안 주더군요 それさえもくれませんでした / ~ 많기나 했으면 좋겠는데 それでも多くさえあればまだいいのだが.

그-날 명 その日; 当日; 即日. ¶ ~의 매출고 当日の売り高 / ~로 처리하다 即日に片付ける / ~밤으로 귀향했다 即夜帰郷した.

그날-그날 부 その日その日. ¶ ~ 벌어먹고 산다 その日その日の稼ぎでやっと食いつないで行く.

그냥 부 ① そのまま; ありのまま(に) ただ. ¶ 그 책은 ~ 두어라 その本はそのままにして置け / 거짓말을 하면 ~은 두지 않는다 うそをつこうものならただでは置かないぞ. ② そのまま〔ずっと〕続けて. ¶ ~ 울기만 한다 ずっと泣いてばかりいる / ~ 이기기만 한다 ずっと勝ち続けている. ③ ただで; 無料で. ¶ ~ 드리지요 ただで上げましょう.

그네 명 ぶらんこ; ふらここ〈雅〉; しゅうせん(鞦韆). ¶ ~를 뛰다 ぶらんこ乗りをする.
‖**——-뛰기** 명 ぶらんこ乗り. **그넷-줄** 명 ぶらんこの(二本の)綱.

그네-들 대 その人たち; 彼ら.

그느다 타 乳飲み子が大小便をわきまえる. ¶ 벌써 소변을 ~ 早おしっこをわきまえる.

그느르다 타 世話する.

그늘 명 ① 陰; 物陰. ¶ 나무 ~ 木陰 / ~을 던지다 陰を落とす. ② (親または人の)もと(下); ひご(庇護). ¶ 부모의 ~에서 지내다 親のもとで暮らしている. ③ (人目に触れない)日陰. ¶ ~의 사나이 日陰の男. **——-지다** 명자 ① 陰ができる; 陰になる. ¶ ~진 곳에서 놀다 物陰で遊ぶ. ② (陰に隠れて)表立たない. ③ (性格が)陰気である. ¶ 그녀의 얼굴은 ~져 있다 彼女の顔には陰がある.
‖**——-대** 명 日除け. **—— 말림** 명 陰干し. =음건(陰乾).

그다지 부 さして; 大して; それほど; 別に; 特別(に); 余り. =별로. >고다지. ¶ ~ 뜨겁지 않다 さして熱くない / ~ 멀진 않다 大して遠くはない / ~ 슬퍼할 것은 없다 それほど悲しむに及ばない / ~ 가고 싶지도 않다 それほど行きたくもない / ~ 잘하지는 못하다 余りうまくはない / ~ 곤란은 없다 大した困難はない / ~ 싫지 않다 まんざらいやでもない / ~ 나쁘지도 않다 まんざら悪くもない.

그대 대 ① "너(=お前)"と呼ぶにはかっこうの悪い間柄に使う文語体の語(“자네(=君)”よりやや丁寧な語): そなた; そち〈雅〉; そこもと. ¶ ~의 이름은 そちの名は / ~는 아는가 そなたは知っているのか. ② 愛人たちが"あなた"の意で使う語: 君. ¶ ~는 나의 생명 君は我がいのち / 나의 사랑하는 ~ わが愛する君〔ひと〕.

그-대로 부 そのまま(で); その通りに. >고대로. ¶ 있는 ~ ありのまま(に); ありてい(に) / 문자 ~ 文字通り / 옛날 ~의 풍속〔습관〕 昔ながらの風俗〔しきたり〕/ 소문이 ~ 귀에 들어오다 うわさが筒抜けに耳に入る / 나온 요리를 ~ 남겼다 出された料理をそっくり残した.

그득 부 ☞ 가득.

그-들 ㊀대 彼ら；あれら．¶그 곳이 바로 ~이 노리는 점이다 そこが彼らの付け目だ／~의 편견은 매우 뿌리 깊다 彼らの偏見はなかなか根強い／~이 하는 짓은 노상 그렇다 あれらのやり口はいつもそうである．㊁대 それら；あれ．

그들먹-하다 형 ほとん(殆)どいっぱいだ．>가들막하다．

그-따위 ㊀명 そんな種類(の物)．¶~는 다 팔렸습니다 そんな品物は売り切れました．㊁관 そのような種類の．¶~ 버릇 そんな癖／~ 물건은 모두 내버려라 そんな物はみんな捨ててしまえ．

그-때 명 その時〔節・際〕．¶바로 ~ ちょうどその時／~마다 その時ごと(に)／~뿐인 약속 その場限りの約束／~ 이후로 만나지 못했다 それ以来会っていない／~는 신세를 많이 졌습니다 その節は非常にお世話になりました／~ 그의 나이 열 살이었다 時に彼の年十であった．

그때-그때 명부 時時；その時その時；折折；その都度．¶~의 형편에 따라서 도와 주었다 時時の都合次第で手を貸してやった．

그뜩 부 ☞ 가득．

그라운드 〔ground〕 명 グラウンド．
‖── 매너 명 グラウンドマナー．

그라인더 〔grinder〕 명 グラインダー；研削盤．

그래¹ 부 ①［↗그러하여］ それで．¶~ 가지고선 우등생이 되긴 다 틀렸다 それで優等生になれるとは虫がよ過ぎる．②"그리하여(＝そして；そうして)"の意．¶~ 넌 어떻게 했니 そしてお前はどうしたの．>고래．

그래² 감 ①目下に答える語：うん；ええ；あ．¶~ 잘 알겠다 うん，よくわかった／~ 지금 간다 あ，今行くよ／~ 그게 좋겠다 そう，それがよかろう．②"아 글쎄(＝それで；で)"の意．¶~ 그것도 못 한단 말이냐 で，それもできないと言うのかね．

그래-그래 감 同輩以下の間柄で相手の話に相づちを打つ語：うんうん；そうそう．¶~ 알았다 알았어 そうそう，わかった，わかった(よ)．

그래서 부 "그리하여서(＝そうして；そして；それで)"・"그러하여서(＝そういうわけで)"の意．>고래서．¶~ 어떻게 했어 それでどうした／~ 성이 났느냐 そういうわけで怒ったのか／넌 ~ 병이 난 거야 お前はそれで病気になったのだよ／~ 넌 뭐라고 했느냐 それで君はなんと言ったのかね．

그래야 부 ①"그렇게 하여야(＝そうしなければ)"・"그러하여야(＝それでこそ)"の意．¶학생의 태도는 ~ 한다 学生の態度はそうでなければいけない／~ 네가 성공할 수 있다 それでこそ君は成功できる．②"그래 보았자(＝いくら…でも；それにしても；せいぜい)"の意．¶~ 5만 원밖에 못 벌었다 せいぜい五万ウォンしかもうけていない．>고래야．

그래-저래 부 そうこうするうちに；なんとかかんとか．¶~ 한 밑천 잡았다 そうこうするうちに一もうけした．

그래프 〔graph〕 명 グラフ．¶~ 용지 グラフ用紙／막대 ~ 棒グラフ．

그래픽 〔graphic〕 명 グラフィック．
‖── 디자이너 명 グラフィックデザイナー．── 디자인 명 グラフィックデザイン．

그랜 부 ［↗그렇게는］ そんなには；そ(のよ)うには．¶~ 못 판다 そんなには売れない／~ 안 될걸 そうにはなるまい〔できまい〕．

그랜드 〔grand〕 관 グランド；大規模の；大型の．
‖── 스탠드 명 グランドスタンド．── 오페라 명 グランドオペラ．── 피아노 명 グランドピアノ．

그램 〔gram〕 의명 〖數〗 グラム．
‖── 당량(當量) 명 〖化〗 グラム当量．── 분자 명 〖化〗 グラム分子．── 원자 명 〖化〗 グラム原子．── 중 명 〖物〗 グラム重．── 칼로리 의명 グラムカロリー．

그러고 부 そ(う)して；そんなにして；すると．¶~도 학생이냐 それでも学生のつもりかね／~보니 속임 작정이구나 さてはごまかす気だな．

그러-구러 부 それとはなしに；いつとはなしに；知らぬまに．¶김군과는 ~ 친하게 되었다 金君とはそれとはなしに親しくなった／~ 십년의 세월이 흘렀다 いつしか十年の年月が流れた．

그러그러-하다 형 似たり寄ったりだ；まあまあの程度だ；そこそこだ；大同小異だ．¶그러그러한 물건 似たり寄ったりの品／그의 시는 모두 ~ 彼の詩は皆まあまあの出来である．

그러기-에 부 "그러기 때문에"の略語：だから；それで．¶~ 내가 뭐라고 그랬느냐 だから言わないことじゃないか／~ 병이 난 것이다 それで病気になったのだ．

그러께 부 おととし；一昨年．¶그것은 ~ 봄의 일이었다 それはおととしの春のことだった．

그러나 부 "그렇지마는；그러하지만(＝しかし；だが；けれど)"の意．¶~ 말이야 だがね／~ 말입니다 しかしですな／겉보기에는 훌륭하지，~ 실속은 형편없어 見掛けは立派なものさ，しかし中身は全然だよ．

그러나-저러나 부 "그러하나 저러하나(＝いずれにしても)"・"어떻든 간에(＝いずれにしても；なににせよ)"の意．¶~ 이것은 네 책임이다 いずれにしてもこれはお前の責任である．

그러-내다 타 (中にあるものを)かき出す．¶아궁이의 재를 ~ かまどの灰をかき出す．

그러-넣다 타 かき込む；かき集めて入れる．¶가방에 책을 ~ カバンに本をかき込む．

그러니 부 "그러하니(＝だから)"の意．¶~ 어찌하면 좋겠느냐 だからどうすればいいかね．

그러니-저러니 명 かれこれ；とやかく；なんのかの；いろいろ．¶~ 하다 かれこれいう／지금에 와서 ~ 해 봐야 소

용없다 今になってかれこれ言っても仕様がない / ～ 말만 말고 실천해라 とやかく言わずに実行しろ / ～ 말이 많다 なんのかのと文句が多い.

그러니까 부 "그러하니까(＝だから)"の意. ¶～ 내가 말한 대로 하시오 だからわたしの言った通りにしなさい / ～ 내가 뭐라고 그랬어 だから言わないことじゃない / ～ 돈이 모인다 それなればこそ金がたまるのだ.

그러다 준 "그렇게 하다"の略語：そうする；そのようにする.

그러다가 준 [→그리다가] "그렇게 하다가"の略語：そうするうちに(もしや)；そのようにして. ¶～ 다치기나 하면 어쩌느냐 そうしてけがでもしたらどうするかね.

그러-담다 타 かき(集めて)入れる. ¶낙엽을 가마니에 ～ 落ち葉をかき集めてかますに入れる / 숯불을 화로에 ～ 炭火を火鉢にかき入れる / 흩어진 밤을 바구니에 ～ 散らばったくり(栗)をかき集めてかご(籠)に入れる.

그러-당기다 타 かき寄せて引っ張る.

그러루-하다 형 似たり寄ったりだ. ¶그러루한 사람들이 모여서 似たり寄ったりの人たちが集まって / 그저 그러루한 이야기였다 まあ変わりばえもない話だったよ.

그러매 준 [↗그러하매] それで；それだから；そういうわけで.

그러면 부 "그렇다고 하면(＝それなら；して見ると；すると)"·"그렇게 될 것 같으면(＝そのようになれば；そういうわけなら)"·"그렇게 하면(＝そうすれば)"の意. ¶～ 갔다 오겠습니다 (それ)じゃ行って来ます / 구하라 ～ 얻을 것이다 求めよ, しからば与えられん / ～ 시작합시다 では始めましょう / ～ 곧 그에게 전화를 하지요 ではさっそく彼のところへ電話をしましょう.

그러면 그렇지 감 結局思った通り, または願った通りになって喜ぶ語：やっぱり(そう)だ；思った通りだ. ¶～ 내 말이 틀릴 리 있나 やっぱりそうだ. わたしの話に間違いはない / ～ 해서 안 될 리가 있나 やっぱりそうだった, 手着けてできないはずはないよ.

그러면서 부 ①"그러하면서(＝それなのに；そのくせ)"の意. ¶～ 왜 학교를 쉬었느냐 それなのに何で学校を休んだの. ②"그렇게 하면서(＝そうしながら)"の意. ¶～ 층층대를 올라갔다 そうしながら階段をのぼって行った.

그러-모으다 타 (散らばっているものを)かき込む；かき集める；駆り集める；取り合わせる. ¶낙엽을 ～ 落ち葉をかき込む / 자금을 ～ 資金をかき集める / 희망자를 ～ 希望者を駆り集める.

그러므로 부 "그러한 까닭으로·그런 고로(＝(それ)ゆえ(に)；だから；ために〈老〉)"の意. ¶～ 해서 それだからこそ / ～ 그 건에 관해서는 손을 뗀다 だからその件に関しては手を抜くよ.

그러-안다 타 抱き込む；抱きしめる. ¶그는 사랑하는 그녀를 그러안았다 彼は愛する彼女を抱きしめた.

그러자 부 "그렇게 하자(＝そうす[ると])"·"그러하자(＝すると)"の意. ¶～ 그가 고함쳤다 すると彼が叫んだ.

그러잖아도 부 ①"그러하지 아니하여도(＝そうでなくても)"の意. ¶～ 가려던 참이다 そうでなくても行こうとしていたところだ. ②"그리하지 아니하여도(＝そうしなくとも)"の意. ¶～ 된다 そうしなくともいい.

그러-잡다 타 引き寄せてつかむ；引っつかむ. ¶손을 ～ 手を引っつかむ / 머리털을 ～ 髪を引っつかむ.

그러저러-하다 형 かくかくである；しかじかである. ¶그러저러한 사람 かくかくな人 / 그러저러한 날에 しかじかの日に.

그러-쥐다 타 引っつかむ. ¶손잡이를 ～ 取っ手を引っつかむ.

그러하고 말고 감 そうだとも. ¶암, ～ ああ, そうだとも. 준 그렇고 말고.

그러-하다 형 そのようだ；その通りだ. >고러하다. ¶그러한 사람 そのような人 / 그러한 까닭에 そのようなわけで / 그러한 경우엔 そんな場合には / 세상이란 그러한 것이다 世の中とはそんなものである.

그러한-즉 부 "그러하니(＝だから)"·"그러하니까(＝それゆえに)"の意. ¶사정이 ～ 訳がそうだから / ～ 학비를 절약하여라 だから学費を節約しなさい.

그럭-저럭 부 ①とかく；かれこれ；どうやらこうやら. ¶～ 벌써 여섯 시다 もうかれこれ六時である / ～ 일도 끝판에 들어섰다 どうやら仕事も終わりに近づいた / ～ 정오가 된다 ぼつぼつ昼になる. ②どうにかこうにか(して). ¶덕분에 ～ 지내고 있습니다 おかげ様でどうにかしています / ～ 둘러대고 있다 どうにかこうにか(して)やりくっている.

그럭저럭-하다 형 どうにかこうにかする；とやかくする. ¶그럭저럭하는 동안에 その中に；とやかくするうちに / 그럭저럭하는 동안에 점심때가 되었다 とやかくするうちに昼飯どきになった.

그런 관 "그러한"の略語：そんな. ¶～ 사람 そんな人 / ～ 사실 없다 そんな事実がない / 남자란 ～ 거야 男とはそういうものさ / ～ 말을 불쑥 꺼내면 곤란하다 そんなことをやみくも(闇雲)に言い出されては困る / ～ 짓 하는 것은 긁어 부스럼이야 そんな事するのはやぶ蛇だよ / ～ 터무니없는 말이 어디 있어 そんなべらぼう(箆棒)な話があるものか.

그런-고로 【—故—】 부 "그러므로(＝それ故に)"の意の接続副詞.

그런-대로 부 "그러한 대로(＝それなりに；せめても(の))"の意：それはそれとして認められるさま. ¶～ 노력은 했다고 생각한다 それなりに努力はしたつもりだ / ～ 재미있다 それなりにおもしろい / 수입은 적지만 ～ 살아가고 있다 収入は少ないがそれなりに暮らしている / ～ 위안이 된

다 せめてものなぐさみになる.
그런데 [부] "그러한데(=ところで; ところが; しかるに; さて)"の意の接続副詞. ¶ ~ 그 건(件)은 어떻게 되었습니까 ところであの件はどうなりましたか.
그런듯-만듯 [부] そうらしくもありああらしくもあって; どっちつかず(の). ¶ ~한 대답 どっちつかずの返事.
그런-양으로 [부] その様に; さように〈老〉. ¶ ~ 한다면 용서할 수 없다 そのようなことは許されぬ.
그런-즉 [부] "그러한 즉(=であるから; だから; それゆえに)"の意. ¶ ~ 너도 공부 잘 해라 であるからお前もよく勉強しなさい.
그럴 듯하다 [형] ① もっともらしい; 真しやかだ. ¶ 그럴 듯한 의견 もっともらしい意見. ② (似つかわしくて)粋だ; すてきだ. ¶ 그럴 듯한 양복 粋な洋服.
그럴싸-하다 [형] ☞ 그럴 듯하다. ¶ 그럴싸하게 거짓말을 하다 もっともらしく〔まことしやかに〕うそをのべる.
그럼 [부] "그러면(=(それ)では; じゃ; それならば)"の意. ¶ ~ 가자 では行こうよ / ~ 안녕 じゃさようなら / ~ 부탁하네 じゃ頼むよ. ㊁[감] (答えて)そうだよ; そうだ; そうだとも. ¶ 이게 네 것이냐? ~ これはお前のか? そうだよ / ~ 그렇고 말고 ああ, そうだとも.
그렁-거리다 [자] ↗그르렁거리다.
그렁-그렁¹ [부][하자] ↗그르렁그르렁.
그렁-그렁² [부] ① 液体が器の縁まで満ちているさま: あふれそうに; なみなみと. ——하다 [형] あふれそうだ; こぼれそうだ. ¶ 눈물이 ~하다 (目に)涙がにじんでこぼれそうだ / 독에 물이 ~ 차다 かめ(瓶)に水があふれんばかりだ. ② (汁などが)水っぽいさま. ——하다 [형] 水っぽい. (水を飲み過ぎて)おなかがだぶつくさま: だぶだぶ. ——하다 [형] だぶだぶである. ¶ 뱃속이 ~하다 腹がだぶついている. >가랑가랑. ㅆ크렁크렁.
그렁-저렁 [부] ☞ 그럭저럭.
그렇게 [부] [↗그러하게] そのように; それ程; さほど. ¶ ~ 말은 하지만 そのようには言うが; そうは言うものの / ~ 만나고 싶으냐 それ程会いたいかね / 그럼 ~ 하기로 정하세 ではそうすることに決めよう.
그렇고 말고 [감] [↗그러하고 말고] そう(だ)とも. ¶ 서울의 경기는 좋은가 — ~, 대단한 경기지 ソウルの景気は良いかね?—そうだとも, 大変な景気さ.
그렇다 [형] [↗그러하다] そうだ; そのようだ; しかり. >고렇다. ¶ ~고 해서 さればと言って / ~면 더군다나 형편이 좋다 それならなおのこと都合がいい / ~면 저도 찬성하겠습니다 それならばわたしも賛成します / ~ 치고 …として / 가령 ~ 치더라도 たとえ〔よし〕そうであろうとも / ~고는 해도 とはいえ; さりながら / ~고 해서 그만둘 수도 없다 さりとてやめるわけにも行かない / 그건 ~ しかり; それはそうだ(よ).
그렇다-저렇다 [부] ああのこうのと; かれこれ; なにか. ¶ ~ 말이 없다 口をつぐんで一切語らない.
그렇-듯 [부] ↗그렇듯이.
그렇-듯이 [부] [↗그러하듯이] そうであるように; それほど(に); そのように. ¶ 너도 ~ 나도 그렇다 君もそうであるように僕もそうだよ.
그렇-잖다 [형] [↗그러하지 아니하다] そうで(は)ない; しからず.
그렇지 [감] ① そうだとも; そうとも. ② (やっぱり)そうだ; 思った通りだ.
그렇지-마는 [부] "그러하지마는(=それはそうだが; だが; しかし; しかしながら)"の意.
그렇지-만 [부] [↗그렇지마는] そうではあるが; しかし(ながら); でも; だが; とはいえ. ¶ ~ 이상한데 しかしおかしいね / ~ 나에게만은 말해 줬으면 좋았을 것을 でもわたしにだけは話してくれたらよかったのにね.
그렇지 않다 [형] [↗그러하지 아니하다] そうで〔そうじゃ〕ない; しからず. ¶ 그렇지 않으면 そうでないと; さもないと; それとも / 그렇지 않아도 そうでなくとも; ただでさえ / 그렇지는 않아 そうではないよ.
그레 [명] 〖建〗 墨べら. ‖——질 [명][하자] 墨べらで線をかくこと.
그레샴의 법칙 【—法則】〔Gresham〕 [명] グレシャムの法則.
그레이프 〔grape〕 [명] グレープ. ¶ ~ 주스 グレープジュース.
그레이하운드 〔greyhound〕 [명] 〖動〗 グレーハウンド.
그레코-로망 〔Greco-Roman〕 [명] グレコローマン. ¶ ~ 미술 グレコローマン美術.
그려 [조] 同輩に対して同感を表わす語: ですね〔な〕; …ましょうよ. ¶ 가 봅시다~ 行って見ましょうよ / 잘 하네~ 上手だな / 자네 말 잘 하네~ 君なかなか話がうまいね / 걱정되겠습니다~ 心配でしょうね / 훌륭합니다~ 立派ですな.
그루 ㊀[명] (木・草などの)株. ㊁[의명] ① 樹木をかぞえる単位: 株; 本. ¶ 목련을 세 ~ 심다 もくれんを三株植える. ② (同じ耕地での年中の)作付けの回数. ¶ 두 ~ 농사 二毛作; 二期作. ‖——갈이 [명][하타] 二毛作; 二期作. ——밭 [명] 二毛作の畑. ——터기 [명] 切り株; 株; 刈り株.
그루-갖추다 [형] (稲などの)穂が出そろっている.
그루-되다 [자] (幼児の)育ちが遅い.
그루-뒤다 [타] 根本を掘りかえす.
그루-들이다 [타] 根本を掘り返して作付けをする.
그루-박다 [타] ① (物を)逆さに持ち上げて置く. ② (たこ(凧)を)頭を先にして降下させる. ③ (人を)押え付けて気をくじく.
그루-앉히다 [타] (これからしようとする事の)基礎を予め固めておく.
그루-치다 [타] 切り口をそろ(揃)えて束ねる.

ㄱ

그루-타다 타 いやち(忌地)をする《同じ作物を同じ地に植え続けたために生育·収穫が悪くなる》.

그룹 〔group〕 명 グループ.

‖── 학습 명 グループ学習.

그르다 형 ①正しくない; 誤って〔間違って〕いる. ¶ 네가 ~ 君が間違っている. ②(人と, 物事との)見込み〔望み〕がない; だめだ. ¶ 저놈은 이제 글렀다 あいつはもうだめだ / 아주 글렀다 まったく見込みがない / 그 일은 이제 글렀어 あの事はもう手後れた〔望みがない〕.

그르렁-거리다 자 ぜいぜいする; ごろごろいわせる. >가르랑거리다. ¶ 목이 그르렁거려 숨쉬기가 힘들다 のどがぜいぜいして息苦しい. 준 그렁거리다.

그르렁-그르렁 부하자 ぜいぜい; ごろごろ.

그르치다 타 誤って事を悪くする; 誤る; し損なう; しくじる. ¶ 본말을 ~ 本末を誤る / 몸을 ~ 身を誤る / 평생을 ~ 一生を台なしにする / 서둘러서 일을 ~ せいて事をし損じる.

그릇¹ 명 器. ① 入れ物; け(笥); 容器. ¶ 질~ 土製の器 / ~에 담다 器に入れる / 사기 ~은 깨지기 쉽다 瀬戸物はもろい / ~에 밥을 담다 器に飯を盛る ② 人物·才能の大きさ: 器量. ¶ 지도자가 될 ~ 将たる器 / 그는 ~이 크다 彼は器量が大きい / 그는 회장의 ~이 아니다 彼はとても会長の器ではない.

그릇² 부 間違って; 誤って. ¶ ~ 이 길로 들어섰다 間違ってこの道に踏み入った.

그릇-되다 자 事がまずく〔悪く〕なる; 間違う; しくじりが生ずる; 誤っている. ¶ 그릇된 민주주의 誤れる民主主義.

그리 부 ①余り; そのように; そう; さほど. ¶ ~ 하시오 そうしなさい / ~ 잘 하지는 못한다 さほどうまくはない / 값은 ~ 비싸지 않다 値段はそう高くない. ②そこに; そちらへ. ¶ ~ 갔습니다 そちらに行きました.

그리고 부 "그리하여(=そして; それから)·또(=また)·및(=及び)". ¶ 싸워라, ~ 이겨라 戦え, そして勝て / 즐겁게 ~ 또한 뜻깊게 楽しくそして有意義に / 사과도, ~ 배도 좋아한다 りんごも, それからなし(梨)も好きだ.

그리니치-시【─時】 〔Greenwich〕 명 グリニッチ時; 世界時.

그리다¹ 타 描く. ①(絵などを)描く. ¶ 마음에 ~ 心に描く / 산수를 ~ 山水を描く / 초상을 그리게 하다 肖像を描かせる / 눈썹을 ~ まゆを引く / 도면을 ~ 図面を引く. ②描写する. ¶ 그 때의 정경을 그린 문장 その時の情景を表した文章.

그리다² 타 恋しがる. ①思い焦がれる; 会いたくてじれる; しのぶ. ¶ 벌레 소리에 고향을 ~ 虫の音にふるさとをしのぶ. ②恋い慕う; 恋しく思う. ¶ 애타게 ~ 恋い焦がれる.

그리도 부 それほど; それくらい; そんなに. ¶ ~ 좋아하느냐 それほど好きかね.

그리-로 부 "그 쪽으로(=そちらへ)"の意を強める語. ¶ ~ 가라 そちらへ行け. 준 글로.

그리마 명〔動〕げじ(地蜒); げじげじ〈俗〉.

그리스 〔Greece〕 명〔地〕国の名: ギリシア.

‖── 교회 명 ギリシア正教会. ── 문자 명 ギリシア文字. ──어 명 ギリシア語. ── 정교 명〔宗〕ギリシア正教.

그리스도 〔Christ〕 명〔宗〕キリスト; クリスト.

‖──교 명 キリスト教.

그리움 명 恋しさ; 懐かしさ. ¶ ~에 못이기다 恋しさ〔懐かしさ〕に耐え切れない.

그리워-지다 자 恋しくなる; 懐かしくなる.

그리워-하다 타 恋〔懐か〕しがる; しのぶ. ¶ 모습을 ~ 面影をしのぶ / 돌아가신 어머니를 ~ 亡き母を慕う.

그리-하다 자 そうする; そのようにする. ¶ 그리하리다 そのようにしましょう / 그리하여 そのようにして; そうして.

그린 〔green〕 명 グリーン.

‖──백 명 グリーンバック. ── 벨트 명 グリーンベルト. ── 하우스 명 グリーンハウス.

그림 명 絵. ¶ ~ 글자 絵文字 / ~을 그리다 絵を描く〔画く〕/ ~에 떡《俚》高根の花.

‖── 그래프 명 絵グラフ. ── 물감 명 絵の具; 顔料. =채료(彩料). ──본(本) 명 絵の手本; 模本. ¶ ~ 위로 덧그리다 手本をなぞって書く. ── 연극(演劇) 명 紙芝居; 劇画. ── 엽서 명 絵葉書. ── 일기(日記) 명 絵入りの日記帳. ──쟁이 명《俗》絵かき. =화가. ──책(册) 명 絵本. ¶ ~을 보다 絵本を見る.

그림자 명 影. ①光が何かに遮られてできた黒ずんだ形. ¶ 산~ 山影 / ~가 비치다 影が差す. ②(鏡や水面に映った物体の)映像. ¶ 물에 비친 자기 ~를 보다 水に映った自分の影を見る. ③人影. ¶ (사람) ~도 볼 수 없다 人影すら見えない.

‖── 밟기 명 (月夜の鬼ごっこで)鬼になった子供が他の子供の影を踏む遊び.

그립다 형 恋しい; 懐かしい. ¶ 그리운 사람 恋しい人 / 고향이 ~ 故郷が懐かしい.

그만¹ 관 [↗그만한] それくらいの; その程度の. ¶ ~ 일에 화를 내나 それくらいの事で怒るのか/~ 일로 울다니 それしきの事で泣くとは.

그만² ㊀부 ①その程度だけ; それくらいにして. ¶ ~ 해 두는 게 좋겠다 それくらいにした方がよかろう / 자랑좀 ~ 해라 ご自慢もいいかげん〔ほどほど〕にしろ / ~ 돌아가지 않겠니 もう

帰らないのかい. ②すぐさま；押さえ切れずに. ¶그 말에 ～ 화를 냈다 その話にすぐ怒り出した. ③つい；うっかり；思わず. ¶～ 입을 잘못 놀렸다 うっかり口を滑らした.
㊁명 ①申し分のないこと；非の打ちどころがないこと；一番；最高. ¶～이다 申し分ない / 자네는 ～이야 君は最高だよ. ②おしまい；終わり. >고만. ¶무너지면 ～이다 崩れたら最後だ / (오늘은) 이것으로 ～ これでおしまい.

그만-두다 타 ①やめる；やめにする；中止する；差し控える. ¶회의를 ～ 会議を取りやめる / 학교를 ～ 学校を引く / 회사를 ～ 会社を辞める / 싸움은 그만두어라 けんかはよせ / 이쯤에서 그만두십시다 この辺で辞めにして置こう / 그런 일은 그만두겠소 そんなことはご免こうむりましょう / 발표하려던 것을 ～ 発表を差し控える. ②(食事を)食べない；欠かす. ¶점심은 그만두겠다 昼飯は食べないことにする. (준)간두다.

그만그만-하다 형 ☞ 고만고만하다.

그만-저만 부 それくらいで；その程度で. ——-하다 형 それくらいだ；まずまずのところだ. ¶～해 두게 (もう) それくらいにしておきなさい.

그-만큼 부 それくらい；それだけ；それ程. ¶～ 크다 それだけ大きい.

그만-하다 형 ①(病気が)どうやら快方に向かって〔小康を保って〕いる. ②まずまず〔まあまあ〕というところだ. ¶그저 그만한 정도 まずまずというところ / 그저 그만한 솜씨다 まあまあの出来だ. ③(程度·数量などが)ほぼ等しい；それくらいだ；その程度だ. ¶그만한 돈은 내게도 있다 それくらいの金はおれにもある. >고만하다.

그맘-때 명 その時分；そのころ. ¶～가 되면 その時分になると.

그물 명 網. ¶새 ～ 鳥網；じゃくら(雀羅) / ～을 당기다 網を引く / ～을 뜨다 網をす(結)く / ～을 치다 網を張る〔かける〕.
‖——-질 명 網で魚を捕ること；網打ち. ——-채 명 網の柄. ——-코 명 網目.

그물-거리다 자 ☞ 끄물거리다.

그물-그물 부하자 ☞ 끄물끄물.

그믐 명 ↗그믐날. ¶섣달 ～(날) 大晦日.
‖——-께 명 みそかごろ(晦日頃)；みそかあたり. ——-날 명 みそか；つごもり. ¶3월 ～ 三月尽日. (준)그믐. ——-밤 명 みそかの夜. ¶～에 홍두깨 내민다《俚》やぶから棒.

그-사이 명 その間. >고사이. (준)그
그-새 명 ↗그사이. >고새. ㄴ새.

그스르다 타 (火に)あぶって表だけ少しくすべる.

그슬리다 ㊀사동 あぶりくすべらす；表を軽く焼く. ¶생선을 불에 ～ 魚をあぶる. ㊁피동 あぶられる；表を軽く焼かれる. ¶수염을 ～ ひげを焼かれる.

그악-스럽다 형 ☞ 그악하다.

그악-하다 형 ①(いたずらなどの)やり口のたちが悪い；あくどい；あくらつ(悪辣)だ. ②あくどい程まめまめしい；押し強くがめつい.

그야 부감 [↗그것이야] それは；そりゃ. ¶～ 사람 나름이지 そりゃ人次第さ.

그야-말로 부 ①まこと〔本当〕に；実に. ¶～ 힘든 일이다 実に〔本当に〕難しい仕事だ / ～ 크다 実に大きい. ②[↗그것이야 말로] それこそ. ¶～ 안성맞춤이다 それこそおあつらえ向きだ / ～ 큰일이다 それこそ大変だ.

그예 부 ついに；とうとう. ¶～ 큰 일을 저질렀다 ついに大変な事をしでかした / 그녀는 ～ 미쳐 버렸다 彼女はとうとう気がふれた.

그윽-하다 형 (奥)ゆかしい. ①(場所·趣などが)奥床しい； 幽玄だ；(香りなどが)ふくいく(馥郁)としている. ¶그윽한 거처 奥床しい住まい / 그윽한 정취 ゆかしい情趣 / 그윽한 종소리 物さびた鐘の音 / 그윽한 꽃향기 ゆかしい花の香り. ②(意味·心などが)奥深い. 그윽-히 부 奥床しく.

그을다 자 ①日焼けする. ¶그은 얼굴 日焼けした顔. ②くすぶる；すすける；すすばむ. ¶천장이 그을었다 天井がくすぶっている / 천장 판자가 그을어서 까맣다 天井板がすすけて黒くなっている.

그을리다 사동 ①日焼けさす. ②くすぶらす；すすけさせる. ¶연기가 천장을 ～ 煙が天井をくすぶらす.

그을음 명 ①すす(煤). ¶～이 끼다 すすける / 천장의 ～을 털어 내다 天井のすすを払う. ②(すす·ちりなどで器物の表にできた)よごれ；墨. ¶냄비의 ～ なべの墨.

그-이 대 その人；彼；彼氏〈俗〉；ダーリン. ¶당신의 ～는 훌륭한 분이군요 あなたの彼氏はりっぱなお方ね.
‖——-들 인대 彼ら；その人たち.

그-자【—者】대 "그 사람(＝その人)"の意で相手を見くびって使う語：その者；彼.

그-자리 명 ①ある出来事のあった場所：その場. ¶살인 사건으로 ～에 같이 있었던 사람들은 조사를 받았다 殺人事件でその場に居合わせた人人は取り調べを受けた. ②即座；当座. ¶～에서 계약하다 その場で契約をする.

그저 부 ①ひたすら(に)；一筋に；ただ. ¶～ 숨기기만 하다 ひた隠しに隠す / ～ 울기만 하다 ただ泣いてばかりいる. ②何の変てつもなく；いつもの通りに；ほんの. ¶～ 그렇군 何の変てつもないね / ～ (성의의) 표시일 뿐입니다 ほんのおしるしです. ③(仕事の腕·出来など)まあまあ；まずまず. ¶～ 그만한 성적 まずまずの成績 / ～ 그만하다 まずまずのところだ / 경기가 어떻습니까. ～ 그렇지요 景気はどうですか. まあまあですな. ④ただ；無条件に. ¶～ 잘못했습니다 ただただ悪うございまし

た / ～ 빌기만 하다 ひたあやまりに謝る. ⑤ ただ; 単に; なんの事なしに. ¶～ 물어 보았을 뿐이다 単に聞いてみただけだ / ～ 명령에 따를 뿐입니다 ただ命令に従うばかりです. ⑥ どうか; なにとぞ. ¶～ 용서해 주십시오 どうかお許しください. ⑦ それ見たことか; それ見ろ. ¶내 ～ 그럴 줄 알았지 それ見ろや.

그저께 명 昨日の前日; おととい; おとつい; 一昨日. 준 그제.
‖그저껫-밤 명 おとといの夜〔晩〕.

그전【—前】명 ① 以前; 元(の). ¶～에 그런 경험도 했다 かつてそういう経験もした. ② ひと昔(前). ¶～에는 여기가 밭이었다 昔はここが畑だった. ③ ある時期の前; その前; この前. ¶～엔 그도 부자였다 その前までは彼も金持ちだった.

그제 명 ↗그저께.

그제야 부 その時になってやっと; (…して)始めて〔ようやく〕. ¶～ 말문을 열었다 やっと始めて口を割った / 선생님이 그만두시고 나자 ～ 고마움을 알았다 先生がおやめになって始めてありがたみが分かった.

그-중【—中】㊀명 その中. ¶너도 ～의 한 사람이다 お前もその中の一人だ. ㊁부 なかでも; なかんずく; とりわけ. ¶저것이 ～ 좋다 あれがとりわけて良い / 나는 이걸 ～ 좋아한다 なかでもわたしはこれを好む.

그지-없다 형 ① 限りがない; 極みない; はかり知れない; この上ない. ¶그지없는 명예 この上ない名誉 / 부모의 사랑은 ～ 親の愛は極みない. ② 言い尽くせない. ¶억울하기 ～ ふんまん(憤懣)極まりない.

그지-없이 부 ① 限りなく; この上なく. ② 言い尽くせないほど.

그치다 ㊀자 やむ; 止まる; とどまる. ¶비가 ～ 雨が止む〔上がる〕/ 소리가 ～ 音がやむ / 분쟁이 아직 그치지 않다 もんちゃく(悶着)がとどまらない〔治まらない〕/ 손님이 그칠 새 없다 来客の絶え間がない. ㊁타 止める; とどめる. ¶울음을 ～ 泣き止む / 문제점을 제기하는 데 ～ 問題点を挙げるにとどめる.

그토록 부 [↗그러하도록] それほど; あれほど; そんなに; さしも; さほど. ¶～ 사랑하고 있다 それほど愛している / ～ 주의해 두었는데도 실패했구나 あれほど注意しておいたのに(もかかわらず)結局失敗したんだね.

극【極】명 極. ① 果て; 極まり; 限界. ② 電極. ③ 地軸の両端.

극【劇】명 劇; ドラマ. ¶아동～ 児童劇.

극광【極光】명〔地〕極光; オーロラ.

극구【極口】명하자 極口; 口を極めること.
‖—— 변명(辨明) 명하타 言葉を尽くして弁解すること. —— 찬송(讚頌), —— 칭찬(稱讚) 명하타 口を極めて賞賛〔称賛〕する〔ほめたたえる〕こと.

극권【極圈】명〔地〕極圏.

극기【克己】명하자 克己.
‖——-심 명 克己心.

극단【極端】명하형히부 極端. ¶～에 흐르다 極端に走る.
‖——론-자 명 極端論者.

극단【劇團】명 劇団. ¶～의 전속 작가 座付きの作者 / 새 ～을 조직하다 新しい劇団を組織する.

극단【劇壇】명 劇壇; りえん(梨園). ＝극계(劇界).

극대【極大】명하형 極大. ¶～화 極大化.
‖극댓-값 명〔數〕極大値.

극도【極度】명 極度. ¶～의 피로 極度の疲労. ——-로 부 極度に. ¶～ 기뻐하다 極度に喜ぶ.

극독【劇毒】명하형 劇毒; 猛毒.
‖——-약 명 劇毒薬.

극동【極東】명 極東. ＝원동(遠東). ¶～ 지방 極東地方.

극락【極樂】명〔佛〕極楽; 善処〔善所〕.
‖—— 세계 명 極楽世界; 極楽浄土. 준 극락계. —— 왕생 명하자 極楽往生. ¶～을 빌다 後生を願う. ——-조 명 極楽鳥; 風鳥.

극력【極力】㊀명하자 あらん限りの力を尽くすこと; 極力. ㊁부 極力; できるだけ. ¶전쟁을 ～ 피하다 戦争を極力さける.

극렬【極烈】명하형히부 ① 極めて猛烈なこと. ② 極めて熱烈なこと.
‖—— 분자 명 激烈分子.

극렬【劇烈】명하형히부 激烈.

극명【克明】명하타형 明らかにすること; 克明. ¶인류 평등의 대의를 ～하게 설파하다 人類平等の大義を克明に説破する. ——-히 부 明らかに; はっきりと.

극복【克服】명하타 克服. ¶난국을 ～ 하다 難局を乗り切る / 위기를 ～하다 危機を乗り越える / 난관을 ～하다 難関を越す / 악조건을 ～하다 悪条件を克服する / 곤경을 ～하다 苦境を超克する.

극본【劇本】명 台帳; 正本. ＝각본(脚本). ¶～ 읽기 読み合わせ; 本読み.

극비【極祕】명 [↗극비밀] 極秘. ¶～의 정보 極秘の情報 / ～에 부치다 厳秘に付する.

극빈【極貧】명하형 極貧; 赤貧. ¶～에 허덕이다 極貧にあえぐ.

극상【極上】명 ① 最上; 一番上のこと. ② 極上; 極上等.

극-상품【極上品】명 極上品. 준 극품(極品).

극선【極線】명〔數〕極線.

극성【極性】명 極性.

극성【極盛】명하형 ① 極めておうせい(旺盛)なこと. ② 性格のはなはだしく過激なこと.

극성-맞다【極盛—】형 押しが強い; がめつい〈俗〉; 過激だ.

극성-부리다【極盛—】자 押しを利かそうとする; はなはだしいところを現わす.

극성-스럽다【極盛—】형 甚だしい

ところがある；過激だ.

극소【極小】명하형 極小〔ごくしょう〕. ¶～량 極小量.

‖극솟-값 명〘數〙極小値.

극소【極少】명 極少.

극-소량【極少量】명 極少の量.

극-소수【極少數】명 極少の数. ¶～의 이단 분자 一握りの異端分子.

극심【極甚】명 劇甚；きわめて激しいこと；はなはだひどいこと. ──하다 형 きわめてひどい；はなはだ激しい. ¶～한 타격 劇甚な打撃/～한 더위 激しい暑さ. ──-스럽다 형 ☞ 극심하다.

극악【極惡】명하형 極悪. ¶～무도한 강도 極悪非道な強盗.

극약【劇藥】명 劇薬. ¶～을 먹다 劇薬を飲む.

극언【極言】명하타 極言. ¶그 건으로 ～한다면 그는 미치광이다 その件で極言すれば彼は狂人と全く同じだ.

극열【極熱】명하형 極熱. ① 極めて激しい熱. ② 非常に熱いこと；酷熱.

극-영화【劇映畫】명 劇映画.

극우【極右】명 極右. ¶～분자의 책동이 심하다 極右分子の策動がはなはだしい.

극-음악【劇音樂】명 劇音楽.

극작【劇作】명하타 劇作.

‖──-가 명 劇作家.

극장【劇場】명 劇場.

극적【劇的】명 劇的；ドラマチック. ¶～으로 탈출하다 劇的に脱出する/～ 장면 劇的シーン.

극점【極點】명 ① 極点；どんづまり；極み. ② 南極点と北極点.

극좌【極左】명 極左. ¶～ 단체의 데모 極左団体のデモ.

극중【劇中】명 劇中. ¶A씨의 생활은 ～의 인물을 연상케 한다 A氏の生活は全く劇中の人物を思わせる/～극 劇中劇.

극지【極地】명 極地. ¶～ 유배 極地流罪/～ 탐험 極地探検.

극-지방【極地方】명〘地〙極地方；両極地方.

극진【極盡】명 手厚い〔丁重な〕こと. ──-하다 형 手厚い；丁重だ. ¶～한 간호 手厚い看護/～한 대우를 받다 丁重なもてなしを受ける/～하게 장사지냈다 手厚く葬った/그의 대접은 ～하다 彼のもてなしは至れり尽くせりだ. ──-히 부 手厚く；丁重に.

극찬【極讚】명하타 激賞. ¶입을 모아 ～하다 口をそろえて褒めちぎる.

극치【極致】명 極致. ¶그것은 정말 미의 ～였다 それは全く美の極致であった/감격의 ～ 感激の至り.

극-하다【極―】자 極める. この上ない. ¶사치를 ～ しゃし(奢侈)を極める/벼슬이 인신을 ～ 位が人身を極める. 극-히 부 極めて；この上なく；ひどく. ¶그것은 ～ 당연한 일이었다 それは極めて当然のことだった.

극한【極限】명 極限. ¶～값 極限値/～에 달하다 極限に達する.

‖── 상황 명 極限状況. ── 투쟁 명 極限闘争.

극한【極寒·劇寒】명 極寒.

‖── 기후 명 極寒気候.

극형【極刑】명 極刑；死刑. ¶～에 처하다 極刑に処する.

극화【劇畫】명 劇画.

근【根】명 ① はれものの心. ¶(부스럼의) ～이 빠졌다 はれものの心が抜けた. ②〘植〙(植物の)根. ＝뿌리. ③〘化〙根. ＝기(基). ④〘數〙根；ルート. ⑤〘數〙根；累乗根. ＝승근(乘根). ⑥〘佛〙根.

근【筋】명 筋；筋肉.

근【斤】의명 斤《重量の単位》.

근【听】의명 きん(听)；洋紙500枚の重さ《ポンドと同じ》.

근【近】관 ほぼ近いことを表わす語：ほぼ；およそ；おおかた. ¶～ 한 달 동안 一箇月近くの間/～ 백 리 길이다 おおかた十里の道のりである/～ 삼년이 될 것이다 ほぼ三年になるだろう.

근간【近刊】명하타 近刊. ¶～ 예고 近刊予告.

근간【近間】명 近い〔その〕うち；近近；いずれ〈雅〉. ¶～의 정계 동정(動靜) 近ごろの政界の動き/～에 열릴 회의 近く催される会議/결혼식은 ～에 올릴 예정입니다 結婚式は近近あげる予定であります/～ 또 찾아뵙겠습니다 いずれまた参ります.

근간【根幹】명 根幹. ¶이 점이 그 사상의 ～을 이룬다 この点がその思想の根幹を成す.

근거【根據】명하자 根拠；より所；踏まえ所. ¶～ 있는〔없는〕 소문 根拠のある〔ない〕風聞/～를 자택에 두다 本拠を自宅に置く/아무 ～도 없다 根も葉もない.

‖──-지 명 根拠地；地元；策源地；足だまり. ¶악의 ～ 悪の策源地/～를 습격하다 根城を襲う/자기의 ～에서 입후보하다 自分の地元から立候補する/부산을 ～로 강도 행각을 벌이다 釜山を足だまりとして強盗を働く.

근-거리【近距離】명 近距離. ¶～ 전화 近距離電話.

근검【勤儉】명하형 勤倹. ¶～ 저축하다 勤倹貯蓄する.

근검-하다 형 子孫が多く幸せで堂堂としている.

근경【近景】명 近景.

근계【謹啓】명 謹啓；拝啓.

근골【筋骨】명 ① 筋骨. ¶～이 늠름하다 筋骨がたくましい. ② ☞ 체력.

근교【近郊】명 近郊；近在；町はずれ. ¶～에 살다 近郊に住む.

‖── 농업 명 近郊農業.

근근【近近】부 近いうちに；そのうち；近近.

근근【僅僅】부 きんきん(僅僅)；やっと；かろうじて；わずか. ¶～한 살림

ほそぼそとした暮らし / ～이 살아가다 やっと暮らしていく; 露命をつなぐ.

근근-하다 형 やや痛いようでむずがゆい感じがする.

근기【根氣】명 根気; 性根; 根. ¶～있게 하다 根気よくやる.

근년【近年】명 近年. ¶금년은 ～에 없던 풍작이다 今年は近年にない豊作である.

근대 명〘植〙ふだんそう(不断草).

근대【近代】명 近代. ¶～사의 연구 近代史の研究.
‖── 국가 명 近代国家. ── 사상 명 近代思想. ── 산업 명 近代産業. ── 소설 명 近代小説. ── 오종 경기 명 近代五種競技. ──-화 명하자타 近代化.

근데 부 ↗그런데. ¶～말야 ところでだがね.

근동【近東】명〘地〙近東. ¶～의 산유국 近東の産油国 / ～ 지방의 분쟁 近東地方の紛争.

근드렁-거리다 자 (細くつながっているものが)ちょっとぐらつく; ぶらつく. >간드랑거리다.

근드렁-근드렁 부하자 (細くつながっているものが)ゆっくり揺れ続けるさま: ぐらぐら; ふらふら.

근드적-거리다 자 寄り掛かっているものがふらふら動くさま.

근들-거리다 자 ぐらつく. >간들거리다. ¶이가 ～ 歯がぐらつく.

근들-근들 부하자 大いにぐらつくさま: ぐらぐら; がくがく. ¶건물이 ～ 흔들리다 建物がぐらぐらとぐらつく / 이가 ～하여지다 歯ががくがくになる.

근래【近來】명 近来; 近ごろ. ¶～의 걸작 近来の傑作 / ～에 없는 추위 近年にない寒さ.

근량【斤量】명 斤量; はかり目; 量目. ¶～을 속이다 はかり目をごまかす.

근력【筋力】명 ① 筋力; 体力. ② 気力; 気根; 元気. ¶～이 좋다 元気がいい.

근로【勤勞】명하자 勤労.
‖── 감독관 명 労働基準監督官. ── 계약 명 労働契約. ──-권 명 労働権. ── 기본권 명 労働基本権. ── 소득 명 勤労所得. ¶～세 勤労所得税. ──-자 명 勤労者.

근류【根瘤】명〘植〙根粒; 根こぶ. =뿌리혹.
‖──-균 명 根粒菌. ── 박테리아 명 根粒バクテリア. =뿌리혹박테리아.

근린【近隣】명 近隣.
‖── 공원(公園) 명 近所の人人がよく出入りする小さな公園.

근면【勤勉】명하자형히부 勤勉. ¶～은 성공의 기본이다 勤勉は成功の本である.

근무【勤務】명 勤務; 勤め. ──-하다 자 勤務する; 勤める. ¶야간 ～ 夜間勤務 / 지점 ～ 중이다 支店詰め中である / 회사에 ～하고 있다 会社に勤めている.

근묵자-흑【近墨者黑】명 朱に交われば赤くなる.

근방【近方】명 近所. =근처.

근방【近傍】명 あたり; 辺; 近く; 近所; 近傍. ¶이 ～의 공장 지대 このあたりの工場地帯 / 그 ～에 있겠지 そこらにあるだろう.

근배【謹拜】명 "謹んで拝す"の意《手紙の末尾の自分の名の下に書く語》.

근본【根本】명 根本. ① 草木の根元. ② 物事が成り立つ本. =기초(基礎). ¶효는 백행의 ～ 孝は百行の本 / ～이 서야 도리가 선다 元立ちて道生ずる.
‖──-적 명관 根本的. ¶～인 문제 根本的問題 / ～으로 이념이 다르다 根っから理念が違う.

근사【近似】명 ① 近似; 類似. ──-하다 형 似る. ¶인간에 가장 ～한 동물 人間に最も類似した動物. ②《俗》似合っていて見よいさま. ──-하다 형 すてきだ; いかす〈俗〉; かっこいい〈俗〉. ¶저 사람 모자 꽤 ～한데 あの人の帽子, ちょっといかすね.
‖──-식 명〘數〙近似式. 근삿-값 명〘數〙近似値.

근성【根性】명 根性; 性根. ¶관료 ～ 役人根性 / ～이 비열한 사람이다 性根の卑しい人だ.

근세【近世】명 近世. =근대(近代). ¶～ 문학사 近世文学史.
‖──-사 명 近世史. ── 조선 명 近世朝鮮《高麗を継いだ朝鮮朝の約五百年間》. ── 철학 명 近世哲学.

근소【僅少】명 きんしょう(僅少). ──-하다 형 僅少だ; わずかだ. ¶～한 차로 이기다 わずかの差で勝つ.

근속【勤續】명하자 勤続. ¶～ 20년의 사원 勤続二十年の社員.

근-수【斤數】명 目方; 斤目; 斤量. ¶～가 나가다 目方がかかる / ～가 모자라다 目方が切れる.

근-수【根數】명〘數〙根数; 不尽数.

근시【近視】명 近視; 近眼. ¶심한 ～ 強度の近視.
‖──-경 명 近眼鏡. ──-안 명 近視眼; 近眼. ──안-적 명관 近視眼的. ¶～인 견식 近視眼的(な)見識.

근신【謹愼】명하자 謹慎. ¶～의 뜻을 나타내다 謹慎の意を表する.

근심 명 心配; 懸念; 気掛かり. =걱정. ──-하다 자타 心配〔懸念〕する; 気にする; 憂える. ¶～하는 빛이 보이다 心痛の色が見える / 마음 속으로 ～하다 内内心配する.
‖──-거리 명 心配事; 心配の種. =걱정거리.

근심-스럽다 형 心配だ; 気掛かりだ. ¶자식의 장래가 ～ 子供の将来が案じられる.

근엄【謹嚴】명하형히부 謹厳. ¶～한 스승 謹厳な師 / ～하게 보이다 謹厳に見える.

근역【槿域】명 むくげ(木槿)の多い土地《"韓国"をさす語》.

근원【根源】명 根源. ¶～지 根源地 / 제악의 ～ 諸悪の根源 / 모든 사회악의 ～을 캐다 あらゆる社会悪の根源を究める.
근위【近衛】명 このえ(近衛). ¶～병 近衛兵.
근육【筋肉】명〘生〙筋肉.
‖── 노동 명 筋肉労働. ── 류머티즘 명〘醫〙筋肉リューマチ. ── 주사 명 筋肉注射. ──-질 명 筋肉質.
근인【近因】명 近因. ¶전쟁의 ～은 바로 식량 문제였다 戦争の近因は正しく食糧問題であった.
근일【近日】명 近日. ¶～ 개점 近日開店 / ～ 중으로 近日中に.
‖──-점 명〘天〙近日点; 近点《준말》. ¶～ 거리 명 近日点距離.
근자【近者】명 近頃; このごろ.
근저【根柢】명 根底; 根基. ¶～를 이루다 根底を成す.
근-저당【根抵當】명하타〘法〙根抵当.
근절【根絶】명하타 根絶. ¶악습을 ～하다 悪習を根絶する.
근점【近點】명〘天〙① 近点. ② ↗근일점(近日點). ③ ↗근지점.
‖──-년 명 近点年. ──-월 명 近点月.
근접【近接】명 近接. ──-하다 자 近接する; 近寄る. ¶～ 엄호 사격 近接えんご(掩護)射撃 / 태풍이 ～하다 台風が近接する.
‖── 화기(火器) 명 近接戦闘に用いる火器《機関銃·迫撃砲など》. ── 항공 지원 명〘軍〙近接航空支援.
근정【謹呈】명하타 謹呈.
근제【謹製】명하타 謹製.
근조【謹弔】명하자 謹んで弔うこと.
근종【筋腫】명 きんしゅ(筋腫). ¶자궁 ～ 子宮筋腫.
근중【斤重】명 ① 目方; はかり目. ② 重いこと. ③ 物腰の重重しいこと. ──-하다 형 重い; 重重しい.
근지럽다 형 かゆい. >간지럽다. ¶잔등이가 ～ 背中がかゆい.
근-지수【根指數】명〘數〙根指数.
근지-점【近地點】명〘天〙近地点; 近点《준말》.
근직【謹直】명하형 謹直. ¶～한 사람 謹直な人 / ～하게 근무하다 謹直に勤める.
근질-거리다 자 むずがゆい; むずつく.
근질-근질 부하자 むずむず; うずうず. ¶잔등이가 ～하다 背中がむずつく / …하고 싶어서 몸이 ～하다 …したくて腕がむずむずする; しきりに…したがる.
근착【近着】명하자 近着. ¶～의 양서 近着の洋書.
근처【近處】명 近所; 付近; 辺り. ＝근방(近方). ¶그 ～에는 큰 집이 많다 その辺には大きい家が多い / 학교 ～에 살고 있다 学校の近所に住んでいる.
근청【謹聽】명하타 謹聴.
근치【根治】명하타 根治; こんじ. ¶병을 ～하다 病の根を切る.

근친【近親】명 近親. ＝근족(近族). ¶～ 간의 결혼은 금지되어 있다 近親結婚は禁止されている.
‖── 상간 명 近親そうかん(相姦). ＝상피(相避). ──-혼 명 近親婚. ＝근친 결혼.
근친【覲親】명하자 ① 里帰り. ②〘佛〙そうりょ(僧侶)が俗世の親にまみえること.
근태【勤怠】명 勤怠. ① 仕事に励むことと怠けること. ② 出勤と欠勤. ＝근만(勤慢)·근타(勤惰).
근하【謹賀】명하타 謹賀.
‖── 신년 명 謹賀新年.
근해【近海】명 近海. ¶～어가 점차 안 잡힌다 近海魚がだんだん捕れない.
‖── 어업 명 近海漁業. ── 항로 명 近海航路.
근황【近況】명 近況; 近情. ¶회사의 ～을 알리다 会社の近況を知らせる.
글 명 文; 文章; 字. ¶～의 구조 文の構造 / ～을 잘 쓰다 筆が立つ.
글경-거리다 자 ↗글그렁거리다.
글경-글경 부하자 ↗글그렁글그렁.
글-공부【一工夫】명하자 勉強. ① 学問を修めること. ② 形ばかりの勉強.
글-귀【一句】명 文句; 文言. ¶～를 다듬다 文句を練る.
글그렁-거리다 자 ぜいぜいあえぐ; のどをごろごろ言わせる. >갈그랑거리다. ㊜글경거리다. 글그렁-글그렁 부하자 ぜいぜい; ぜえぜえ; ごろごろ.
글다 자 ↗그을다.
글-동무, 글-동접【一同接】명 勉強友達.
글라스〔glass〕명 ① ガラス. ¶스테인드 ～ ステンドグラス. ② グラス. ③ めがね. ¶선 ～ サングラス / 오페라 ～ オペラグラス.
‖── 블록 명〘建〙ガラスブロック. ── 파이버 명 ガラスファイバー.
글라이더〔glider〕명 グライダー.
글래머-걸〔glamor girl〕명 グラマーガール.
글러브〔glove〕명 グローブ.
글러-지다 자 ①(物事が)順調に運ばない; まずく行く. ¶계획이 ～ 計画が食い違う. ②(病気が)こじれる.
글로 준 ①"그리로"の略語: そちらに; そこへ. ¶～ 가세요 そちらに行きなさい. ②"그걸로"の略語: それで. ¶～ 하면 안 된다 それでしたらいかんよ.
글루타민〔glutamine〕명〘化〙グルタミン.
글루탐-산【一酸】명〔glutamic acid〕〘化〙グルタミン酸.
글리다 사동 ↗그을리다.
글리세린〔glycerine〕명〘化〙グリセリン; グリセロール.
글리코겐〔도 Glykogen〕명〘化·生〙グリコーゲン.
글-말 명 書き言葉; 文章語; 文語.
글-발 명 ① 書; 書き物. ② 文字の跡形. ¶～이 뚜렷하다 文が際立

ㄱ

きわだっている.
글-방【一房】 명 漢文を教えた私塾; 寺子屋. ＝서당(書堂).
글썽 부하형 涙がたまるさま; 涙ぐむさま. ¶눈물이 ~해지다 涙ぐむ; ほろりとする. ——-거리다 자 涙ぐむ.
글썽-글썽 부하형 涙ぐむさま.
글쎄 감 ①迷ったり疑ったりして考え込む時に出す語: はて; さあ; さて. ¶~ 무엇일까 はて, なんだろう / ~ 좀 더 기다려 봅시다 さあ, もう少し待ってみましょう. ②考えを重ねて強調する際に出す語. ¶~ 그렇다니까 내가 뭐랬지 だから言わないことじゃない. ③ためらう時に出す語: さて; さあ; はて; はてさて. ¶~ 내가 할 수 있을까 さあ, わたしにできるかな / ~ 무엇부터 시작하면 좋을까 さて, 何から始めたらよいかな.
글쎄-다 감 もっともらしくはあるが決め兼ねる時, 目下に言う語: そうだね; さあね. ¶~, 어떻게 하면 좋겠니 そうだね, どうすればいいかね.
글쎄-올시다 감 "もっともではあるが判断が付きません"の意: そうですね; さあね.
글쎄-요 감 もっともではあるがはっきりした事を言う前に出す語: そうですな; そうですね.
글-쓰다 자 書き物をする; 文字や文を書く. ¶본디 글쓰기를 싫어해서 生得筆不精で / 글(을) 쓰고 있다 書き物をしている.
글씨 명 字; 文字; 書. ¶~를 배우다 書を習う / ~가 서투르다 字が下手である.
‖——-본(本) 명 手本; 模本. ¶~ 위로 덧쓰다 手本をなぞって書く. ——-체(體) 명 書体; 筆法.
글월 명 ①文; 文章. ②手紙. ＝편지.
글음 명 ↗그을음.
글-자【一字】 명 字; 文字. ＝문자. ¶~ 그대로 文字通り.
글-재주【一才一】 명 文才.
글-제【一題】 명 文題.
글-줄 명 (文の)行; くだり.
글-짓기 명 作文; つづ(綴)り方.
글피 명 あさっての次の日; 明明後日; 明後日. ＝삼명일(三明日).
긁다 타 ①かく; こそげる. ¶가려운 데를 ~ かゆい所をかく / 솥바닥의 누룽지를 ~ かま底のお焦げをこそげる / 긁어 부스럼《俚》やぶへび. ②(くま手などで)かき集める. ¶낙엽을 긁어 모으다 落ち葉をかき集める. ③(人に気障りなことをいって)じらす; 気に触れる. ④弱い者の金品を搾り取る. ＞갉아먹다.
긁어-모으다 타 かき寄せる; かき集める. ＝그러모으다. ¶낙엽을 ~ 落ち葉をかき寄せる.
긁적-거리다 타 (かゆい所を)しきりにかく. ＞갉작거리다. ¶머리를 ~ 頭をかく.
긁적-긁적 부하타 しきりにかくさま: ぼりぼり; ばりばり.
긁정이 명 まぐわ.
긁죽-거리다 타 しきりに(鈍く)かく ＞갉죽거리다.
긁죽-긁죽 부하타 鈍くしきりにかくさま.
긁히다 피동 かかれる. ¶긁힌 자리가 부르텄다 ひっかかれた跡がは(腫)れあがった.
금¹ 명 値; 値段. ＝가격. ¶~이 비싸다 値が高い.
금² 명 ①折り目; ひだ(襞). ②割れ目; 裂け目; ひび(罅). ¶벽에 ~이 가다 壁にひびがはいる. ③線. ¶~을 긋다 線を引く.
금【金】¹ 명 ①〔化〕金; 黄金. ¶~이야 옥(玉)이야 하고 키우다 ちょう(蝶)よ花よと育てる. ②金; 五行の一つ.
금【金】² 명 ↗금요일.
금【琴】 명〔樂〕琴.
금-【今】 두 "今の…"の意: 今. ¶~세기 今世紀 / ~학기 今学期.
-금 미 ある語の下に付いてその語を強める. ¶다시~ 再び; 再度 / 그로 하여~ 彼をして.
-금【金】 미 金の純度を表わす語. ¶24~ K二十四.
금-가다 자 ひび割れる; ひびが入る. ¶지면이 ~ 地面がひび割れる / 두 사람 사이에 금이 가다 二人の間にひびが入る.
금-가락지【金一】 명 金の指輪. ＝금지환.
금-가루【金一】 명 金粉.
금강【金剛】 명 ①金剛石. ②〔佛〕金剛界. ③非常に堅くてこわれないこと. また, そのような物. ④金剛山.
‖——-문 명 金剛門. ——-사 명〔鑛〕金剛砂. ¶~ 숫돌 金剛砂といし. ——-석 명〔鑛〕金剛石; ダイヤモンド.
금계-랍【金鷄蠟】 명 "塩酸キニーネ"の俗称.
금고【金庫】 명 金庫. ¶타상 ~ 手提げ金庫 / 신용 ~ 信用金庫.
금고【禁固】 명 禁固.
금과 옥조【金科玉條】 명 金科玉条. ¶근면과 검약을 ~로 삼다 勤勉と倹約を金科玉条とする.
금관【金冠】 명 ①金冠. ¶~을 쓰다 金冠をかぶる. ②〔醫〕(義歯の)金冠; 歯冠. ¶~을 씌우다 歯に金冠をかぶせる.
금관 악기【金管樂器】 명〔樂〕金管楽器; ブラス.
금광【金鑛】 명〔鑛〕金鉱.
‖——-업 명 金鉱業.
금-광석【金鑛石】 명 金鉱石.
금괴【金塊】 명 金塊.
금권【金權】 명 金権; 金力.
‖—— 만능 명 金権万能. —— 정치 명 金権政治.
금궤【金櫃】 명 きんき(金櫃); 金箱. ＝철궤(鐵櫃).
금귤【金橘】 명〔植〕きんかん(金柑).
금-긋다 자 線を引く.
금기【禁忌】 명하타 禁忌; タブー. ¶이 약에는 소금은 ~이니까 먹어서는 안 된다 この薬には塩は断ち物だ

からとってはいけない.
금-나다¹ 자 相場がきまる.
금-나다² 자 しわや折り目ができる; ひびが入る.
금남【禁男】 명하자 男の出入りや接近を禁ずること. ¶~의 집 男無用の家.
금년【今年】 명 今年; こんねん; 当年. =올해.
‖――-생(生) 명 今年生まれ.
금년-도【今年度】 명 今年度. ¶~에 등록한 학생 총수 本年度に登録した総学生数.
금-놓다 자 値踏みする; 値段をつける. ¶금을 놓아 보시죠 値踏んでみなさい.
금-니【金―】 명 金歯.
‖――-박이 명 金歯を入れた人.
금단【禁斷】 명하타 禁断; 禁制.
‖――-의 열매 명 禁断の木の実. =선악과(善惡果).
금-닿다 자 値ごろになる.
금-더미【金―】 명 小高く積み重ねた金塊.
금-덩이【金―】 명 金塊.
금-도금【金鍍金】 명하타 金めっき.
금-딱지【金―】 명 (時計などの)金側.
금력【金力】 명 金力. ¶~으로 정치를 좌우하다 金力で政治を左右する.
금렵【禁獵】 명 禁猟. ¶~기 禁猟期/~구 禁猟区.
‖――-조(鳥) 명 禁鳥; 禁止鳥.
금령【禁令】 명 禁令; 法度. ¶~을 범하다 禁令を犯す.
금리【金利】 명 金利. ¶~가 비싸다 金利が高い.
‖―― 생활자 명 金利生活者. ―― 정책 명 金利政策.
금-맞추다 타 値を合わせる.
금-메달【金―】 명 金メダル; きんぱい(金牌).
금명【今明】 명 ↗금명간.
‖――-간(間) 명 一両日の間. ¶~에 발표된다 一両日の中に発表される. ――-년 명 今明年. ――-일(日) 명 今明日; きょうあす.
금-모래【金―】 명 砂金.
금-목-수-화-토【金木水火土】 명 万物組成の元である五つの元素.
금-몰【金―】〔포 mogol〕 명 金モール.
금물【禁物】 명 禁物. ¶내게는 술이 ~이다 僕には酒は禁物である.
금박【金箔】 명 金ぱく. ¶병풍에 ~을 박다 びょうぶ(屛風)に金ぱくを施す.
금-박이 명 金色のあや(綾)または文字を入れた服の生地など.
금-반지【金斑指】 명 金の指輪.
금발【金髮】 명 金髪; ブロンド.
‖―― 미인 명 金髪美人.
금방【今方】 명 今し方; いまさき; たった今; じきに; 今すぐ. ¶~ 옵니다 じきに来ます/배우자 마자 ~ 잊었다 教わるやいなや忘れた.
금방-금방【今方今方】 부 続けざまに早く.
금배【金盃】 명 金杯〔金盃〕.
금번【今番】 명 このたび; 今度; 今般. ¶~ 좌기 장소로 이전하였습니다 今般左記へ移転致しました.
금-보다 자 物の値段を問い合わせる.
금-본위【金本位】 명〖經〗金本位.
‖―― 블록 명 金本位ブロック. =금블록. ―― 제도 명 金本位制度.
금-뵈다 타 ① 値踏ませる. ② 値を比べ合わせる. =금맞추다.
금-부처【金―】 명 黄金の仏像.
금분【金粉】 명 金粉.
금불【金佛】 명 黄金の仏像; 金のめっきを施した仏像.
금-붕어【金―】 명 金魚.
금-붙이【金―】 명 金でこしらえた装身具など.
금비【金肥】 명 金肥.
금-비녀【金―】 명 金のかんざし. =금잠(金簪)·금채(金釵).
금새 명 値段. ¶~를 알아보다 値段を問い合わせる.
금색【金色】 명 金色; こんじき.
‖―― 세계 명〖佛〗金色世界; 極楽浄土. =극락 세계(極樂世界).
금서【禁書】 명 禁書. ¶~ 목록 禁書目録.
금석【今昔】 명 今昔; こんせき.
‖――지-감 명 今昔の感. ¶~을 금할 수 없다 今昔の感に堪えない.
금석【金石】 명 金石. ① 金属と岩石. ② 非常に堅いこと. ③ ↗금석 문자. ④〖鑛〗金が含まれている石.
‖―― 맹약 명 金石の盟約. ――-문 명 金石文. ―― 문자 명 金石文字. =금석문. ――지-교 명 金石の交わり. ――지-약(之約) 명 金石の契り. ――지-전 명 金石の典. ――-학 명 金石学.
금설【金屑】 명 金粉. =금가루.
금성【金星】 명 金星; ビーナス. ¶초저녁의 ~ 宵の明星/새벽의 ~ 明けの明星.
금성【金城】 명 ① 金城; 守りの固い城. ② 王城.
‖―― 철벽 명 金城鉄壁. ―― 탕지 명 金城湯池. ¶보수당의 ~ 保守党の金城湯池.
금세 부 たちまち; ただちに. ¶~ 보이지 않게 되었다 たちまち見えなくなった/어린이란 ~ 자라는 법이다 子供は見る見る大きくなるものだ.
금-세공【金細工】 명 金細工.
금속【金屬】 명 金属. =쇠붙이. ¶귀~ 貴金属/경~ 軽金属.
‖―― 공업 명 金属工業. ―― 공예 명 金属工芸. ―― 광택 명 金属光沢. ――-선 명 金属線. ――-성 명 金属性. ¶~의 소리 金属性の音. ―― 원소 명 金属元素. ―― 화폐 명 金属貨幣. ―― 활자 명 金属活字.
금수【禁輸】 명하타 禁輸. ¶~ 품목 禁輸品目.
금수【禽獸】 명 きんじゅう(禽獸). ¶~와 같은 행위 禽獣に等しい行為.
금수【錦繡】 명 きんしゅう(錦繡).
‖―― 강산(江山) 명 ① 錦繡のよう

ㄱ

に美しい山河. ② "韓国"の別称.
금-수-어-충【禽獸魚蟲】명 鳥と獣と魚と虫《あらゆる動物》.
금슬【琴瑟】명 きんしつ(琴瑟). ① 琴とびわ(琵琶). ② →금실(琴瑟).
금시【今時】부 今時; いま; いまどき.
‖── 발복(發福) 명하자 直ちに福の到ること. ── 초견(初見) 명 今初めて見ること. ── 초문(初聞) 명 初耳. ¶그 이야기는 ~이다 その話は初耳である.
금-시계【金時計】명 金時計.
금식【禁食】명하자 断食.
금-실【金─】명 金糸.
금실【琴瑟】명 [←금슬(琴瑟)] ↗금실지락(琴瑟之樂). ¶내외간의 ~이 좋다 夫婦(の)仲がごくむつ(睦)まじい; 琴瑟相和す.
‖──지-락(之樂) 명 琴瑟の楽しみ.
금-싸라기【金─】명 黄金粒; 貴重なもの. ¶~ 같은 땅 非常に高価な土地.
금액【金額】명 金額; 金高. ¶출자 ~ 出資金額 / ~이 안 맞는다 金高が合わない.
금야【今夜】명 今夜; 今晩.
금어【禁漁】명하자 禁漁; きんりょう. ¶~구 禁漁区 / ~기 禁漁期.
금언【金言】명 ① 金言; 金句. ¶옛사람의 ~ 古人の金言. ② 金言《釈迦がおっしゃった不滅の法語》. 「場内禁煙.
금연【禁煙】명하자 禁煙. ¶장내 ~
금옥【金玉】명 ① 金玉; 黄金と玉. ② 金のえい(纓)と玉の纓. ③ 金の纓と玉の纓を付けた人.
금-요일【金曜日】명 金曜日.
금욕【禁慾】명하자 禁欲. ¶~ 생활 禁欲生活.
‖──-주의 명 禁欲主義. 「きんだか.
금원【金員】명 金員; 金額; 金高
금월【今月】명 今月; 当月. =이달. ¶~ 안에 今月中に.
금위【禁衛】명〖史〗禁門の衛兵.
‖──-군(軍) 명 禁衛軍.
금융【金融】명 金融; 金回り; かねぐり. ¶~ 조작 金融操作.
‖──-계 명 金融界. ── 공황 명〖經〗金融恐慌. ── 기관 명 金融機関. ──-단(團) 명 金融団体. ── 시장 명 金融市場. ── 실명제 명 金融実名制. ──-업 명 金融業. ── 정책 명 金融政策. ── 채권 명 金融債権; 金融債. ── 통화 위원회 명 金融通貨委員会. 준 금통위(金通委).
금-은【金銀】명 金銀.
‖──-방(房) 명 金銀に細工を施した装身具を売買する店. ── 복본위 제도 명〖經〗金銀複本位制度. ──-붙이 명 金銀作りの装身具などのもの.
금의【錦衣】명 きんい(錦衣); にしき(錦)の衣服.
‖── 환향(還鄕) 명 錦衣行. ¶~하다 錦衣を着て故郷に帰る; 故郷に錦を飾る.
금일【今日】명 今日; 今日; 本日. =오늘. ¶~ 휴업 本日休業 / 표는 ~한 유효하다 切符は本日限り有効である.
금-일봉【金一封】명 金一封; 包み金. ¶결혼 축하로 ~을 보내다 結婚祝いに金一封を贈る.
금자【金字】명 金字; 金ぱくを付けるか, または金泥で書いた文字; 金色にいろどった文字. =금문자(金文字).
‖──-탑 명 金字塔. ¶출판계의 ~ 出版界の金字塔 / 불멸의 ~을 세우다 不滅の金字塔をうち建てる.
금자둥-이【金子─】명 "大切な子供"の呼称.
금-잔디【金─】명 (手入れのゆきとどいた)美しい芝生.
금장-도【金粧刀】명 金作りの飾り小刀.
금-장식【金粧飾】명하자타 金で飾ること; 金の飾り.
금전【金錢】명 金銭; お金; ゲル〈俗〉. ¶~ 문제 金銭問題.
‖── 등록기 명 金銭登録器; レジスター. ── 신탁 명 金銭信託. ── 채무 명 金銭債務. ── 출납부 명 金銭出納簿.
금점【金店】명〖鑛〗金鉱.
‖──-꾼 명 金掘り; 坑夫.
금제【禁制】명하타 禁制; きんぜい; 法度; 差し止め. ¶여인 ~ 女人禁制.
‖──-품 명 禁制品.
금-제품【金製品】명 金製品; 黄金作り.
금조【禁鳥】명 禁鳥; 禁示鳥; 保護鳥.
금족【禁足】명 禁足; 足留め. ¶~을 명하다 禁足を命ずる / ~을 당하다 足留めを食らう.
‖──-령 명 禁足令. ¶~이 내리다 禁足令が下る.
금-종이【金─】명 金紙.
금주【今週】명 今週. ¶~ 안에 완성하다 今週内に仕上げる.
금주【禁酒】명하자 禁酒; 酒断ち. ¶~법 禁酒法 / ~금연 禁酒禁煙 / 단연 ~하다 断然禁酒する.
금-준비【金準備】명 金貨準備.
금-줄【金─】[1] 명 ① 金作りの鎖. ② 金糸でよったひも(紐); 金筋.
금-줄【金─】[2] 명 金脈.
금중【禁中】명 禁中; 宮中; 禁裏.
금지【禁止】명 禁止; 差し止め.
──-하다 타 禁止する; 差し止める. ¶통행 ~ 通行禁止; 往来止め / 출입 ~ 立入り禁止; 門留め / 외출을 ~하다 外出を差し止める / 총기 휴대는 ~되어 있다 銃器の携帯は禁じられている.
‖── 관세 명 禁止関税. ── 구역 명 禁止区域. ──-령 명 禁止令. ──-법 명 禁止法. ¶독점 ~ 独占禁止法. ──-품 명 禁止品.
금지 옥엽【金枝玉葉】명 ① 金枝玉葉; 王族. ¶~의 몸 金枝玉葉の御身. ② 大事な子孫.

금-지환【金指環】명 金の指環. =금가락지.
금체-시【今體詩】명 今体詩〔近体詩〕; 律詩と絶句《古体詩に対して言う語》.
금-치다 타 値踏みする.
금-치산【禁治産】명〔法〕禁治産. ¶～ 선고를 받다 禁治産の宣告を受ける.
‖——-자 명〔法〕禁治産者.
금침【衾枕】명 ふすま(衾)とまくら(枕); 夜具. =침구(寢具). ¶～을 펴다 寝床を敷く.
금탑【金塔】명 金でめっきした塔.
금-테【金—】명 金縁. ¶～ 안경 金縁めがね(眼鏡).
금-팔찌【金—】명 金の腕輪.
금-패【金牌】명 きんぱい(金牌); 金のしょうはい(賞牌); 金メダル.
금-패물【金佩物】명 ① 金の飾り物. ② ひも(紐)に通した玉.
금품【金品】명 金品. ¶～을 사취하다 金品をだまし取る.
금-하다 타 (駆け引きをして)値を踏む.
금-하다【禁—】타 禁ずる; 止める. ¶사용을 ～ 使用を禁ずる / 경악을 금치 못하다 きょうがく(驚愕)に耐えない.
금형【金型】명 金型; 金属製の鋳型.
금혼-식【金婚式】명 金婚式.
금화【金貨】명〔經〕金貨.
‖—— 본위 제도 명 金貨本位制度. —— 준비 명 金貨準備. =금준비.
금환【金環】명 ① 金環; 金の輪. ② 金の指環. =금반지.
‖——-식 명〔天〕金環食.
금회【今回】명 今回; 今度.
금후【今後】명부 今後; これから. ¶～의 형편 今後の成行き.
급【急】명하형히부 急. ① さし迫っていてぐずつくひまのないこと; 緊急. ¶초미의 ～ しょうび(焦眉)の急. ② だしぬけなこと; (曲がりなどが)鋭くなっていること. ¶～브레이크 急ブレーキ / ～커브 急カーブ. ③ けわしいこと. ¶～경사 急傾斜. * 급하다.
급【級】명 級. ① "階級·等級"などの称. ¶상～생 上級生 / 일～ 기사 第一級技師. ② (武道·碁などの)技術の等級《段の下》. ③ 程度などを表わす語. ¶차관～ 대우 次官級の待遇. ④ 写真植字などの字体の大きさの単位.
급【及】부 及び.
급-강하【急降下】명하자 急降下. ¶～ 비행 急降下飛行 / 온도가 ～하다 温度が急降下する.
급거【急遽】부 きゅうきょ(急遽); にわかに; あわただしく. ¶～ 상경했다 急遽上京した / ～ 현장에 달려갔다 急遽現場に駆けつけた.
급격【急激】명하형히부 急激. ¶～한 변화 急激な変化.
급-경사【急傾斜】명 急傾斜; 急こう配.
급고【急告】명하타 急告.
급구【急求】명하타 急に求めること.
급구【急救】명하타 救急; 急場の難儀や急病などを救うこと.
급급-하다【汲汲—】형 きゅうきゅうとしている; あくせくしている. ¶돈벌이에 ～ 金もうけにきゅうきゅうする / 명리에 ～ 名利に迷う.
급급-하다【急急—】형 急急だ; 非常に急だ. 급급-히 부 急ぎに急いで.
급기야【及其也】부 あげくのはてに; とうとう; 結局; ついに. ¶～ 그 여자는 버림을 받고 말았다 とうとう彼女は見捨てられてしまった.
급등【急騰】명하자 急騰. ¶물가의 ～ 物価の跳ね上がり.
‖——-세(勢) 명 物価の跳ね上がる気勢.
급락【及落】명 及落; 及第と落第. ¶～의 결정 及落の決定 / ～선상에 있다 及落の線上にいる.
급락【急落】명하자 急落; がた落ち. ¶주식이 ～하다 株が急落する.
급랭【急冷】명하자타 急冷.
급료【給料】명〔史〕① 禄; 俸禄; 扶持. =요급(料給). ② 給料; サラリー; ペイ. ¶지금의 회사는 ～가 나쁘다 今の会社は給与が悪い / ～는 오십만원이 될까말까 한다 給料は五十万ウォンすれすれである.
급류【急流】명하자 急流; 急な流れ; 早瀬. ¶～에 휩쓸려 떠내려가다 急流に押し流される.
급매【急賣】명하타 品物を急いで売ること.
급무【急務】명 急務. ¶목하의 ～ 目下の急務.
급박【急迫】명하형히부 急迫; 切迫. ¶～한 국제 정세 せっぱつまった国際情勢.
급변【急變】명하자 急変; 激〔劇〕変. ¶사태는 ～했다 事態は急変した / 병세가 ～하다 容体が急変する.
급병【急病】명 急病; 急症; とんびょう(頓病). ¶～에 걸리다 急病にかかる.
급보【急報】명하타 急報; 急の知らせ; 注進. ¶～에 접하다 急報に接する / 부친 위독이라는 ～를 받다 父危篤の飛報に接する.
급부【給付】명하타 給付. ¶반대 ～ 反対給付.
급비【給費】명하자 給費. ¶～ 제도 給費制度.
급사【急死】명하자 急死; とんし(頓死). ¶뇌일혈로 ～하다 のういっけつ(脳溢血)で急死する.
급사【急使】명 急使; 早飛脚. ¶～를 띄우다 早飛脚を飛ばす.
급사【給仕】명 給仕. =사환.
급-사면【急斜面】명 急斜面; 急傾斜面.
급살【急煞】명〔民〕星回りの上で最も忌まわしいとされる凶星. ¶～을 맞다 にわかに死ぬ; とんし(頓死)する / ～을 맞아라 くたばってし

まえ.
급-선무【急先務】명 急務. ¶실업 대책이 오늘날의 ~이다 失業対策が今日の急務である.
급-선봉【急先鋒】명 きゅうせんぽう(急先鋒).
급성【急性】명 急性.
‖——-병 명 急性疾患. —— 전염병 명〔醫〕急性伝染病. —— 폐렴 명〔醫〕急性肺炎.
급소【急所】명 急所. ①命にかかわる大事な部位; 泣き所. ¶~를 노리다 急所をねらう / ~를 맞다 急所をやられる / ~를 빗나가다 急所をそれる. ②(物事の)かなめ(要); 要点. ¶문제의 ~ 問題の急所 / ~를 찌른 질문 急所を突いた質問.
급속【急速】명하형 急速; にわか. ¶~한 진보 急速な進歩 / 양자가 ~히 접근하다 両者が急速に接近する.
급-속도【急速度】명 非常に早い速度; 急速.
급송【急送】명하타 急送. ¶식량을 ~하다 食糧を急送する.
급수【汲水】명하자 水汲み; きゅうすい(汲水). ¶~ 작업 水汲み作業.
급수【級數】명 ①〔數〕級数. ¶등비 ~ 等比級数 / 등차 ~ 等差級数. ②(技術の優劣による)等級.
급수【給水】명하자 給水. ¶~ 상태가 나쁘다 給水状態が悪い.
‖——-관 명 給水管. ——-료(料) 명 給水料; 水道料. ——-선 명 給水船; 水船. ——-전 명 給水栓. ——-지 명 給水池. ——-차 명 給水車. ——-탑 명 給水塔.
급습【急襲】명하타 急襲. ¶적이 ~해 오다 敵が急襲して来る.
급식【給食】명하자 給食. ¶~비 給食費.
급여【給與】명 給与; サラリー; 給料. ¶~의 등급 분류 給与の格付け.
‖——-금 명 給与金. —— 소득 명 給与所得.
급용【急用】명 急用.
급우【級友】명 級友; クラスメート.
급유【給油】명하자 給油. ¶공중 ~ 空中給油.
‖——-기 명 給油機. ——-선 명 給油船. ——-소 명 給油所.
급자기 부 にわかに; いきなり; 急に; だしぬけに. >갑자기. ¶~ 비가 쏟아졌다 にわかに雨が降り出した.
급작-스럽다 형 非常に急である; だしぬけだ. >갑작스럽다. ¶급작스런 일로 고향에 가다 急用で国へ帰る.
급장【級長】명 級長. =반장.
급전【急錢】명 急に入用のお金.
급전【急轉】명하자타 急転. ¶정세가 ~하다 情勢が急転する.
‖—— 직하 명하자 急転直下. ¶사건은 범인의 자백에 의해 ~로 해결됐다 事件は犯人の自供により急転直下解決された.
급-정거【急停車】명하자타 急停車; 急停止.
급제【及第】명하자 及第; 合格. ¶겨우 ~ 했다 辛うじて及第した / 그라면 ~할 것이다 彼なら及第するはずである.
급조【急造】명하타 急造; 急ごしらえ; にわか作り. ¶~한 건물 急造の建物 / ~한 무대 急ごしらえの舞台.
급증【急增】명하타 急増. ¶인구가 ~하다 人口が急増する.
급진【急進】명하자 急進. ¶~ 사상 急進思想 / ~적인 생각 急進的〔ラジカル〕な考え.
‖—— 정당 명 急進政党. ——-주의 명 急進主義. ——-파 명 急進派.
급파【急派】명하타 急派. ¶지원군을 ~하다 支援軍を急派する.
급-하다【急—】형 ①急だ. ㉠取り急いでまごまごする暇がない; 緊急だ; (ことが)差し迫っている; 急を要する《동사적》. ¶급한 걸음(으로) 急ぎ足(で) / 급한 볼 일로 急な用事で / 급한 문제〔위험〕差し迫った問題〔危険〕/ ~는 소식을 듣고 달려가다 急を聞いてはせつける. ㉡だしぬけである; 突然だ. ¶떠나시는 게 급하시군요 ご出発がいやに急ですな. ㉢けわしい; (曲がりが)鋭い. ¶급한 비탈 急な坂〔傾斜〕/ 급(한) 커브 急カーブ. ②(気が)せっかちだ; 気短である. ¶성미가 급한 사람 気短な〔せっかちな〕人. 급-히 부 急に; 速く; 急いで. ¶~ 오너라 速く来い / ~ 먹는 밥이 목이 멘다《俚》急がば回れ.
급행【急行】명하자 急行. ①急いで行くこと. ¶재해지에 ~하다 災害地に急行する. ②↗급행 열차. ¶~을 타다 急行に乗る.
‖——-권 명 急行券. —— 열차, ——-차 명 急行列車. ¶~권 急行列車券. —— 요금 명 急行料金.
급혈【給血】명하자 給血; 供血.
급환【急患】명 急患; 急病の患者.
급-회전【急回轉】명하자 急回転.
급훈【級訓】명 級訓.
긋다[1] ㊀자 雨がしばらく止む. ¶비가 ~ 雨が止む. ㊁타 雨宿り〔雨避け〕(を)する. ¶처마 밑에서 비를 ~ 軒下で雨宿りする.
긋다[2] 타 ①(線を)引く. ¶줄을 ~ 線を引く / 십자를 ~ 十字を切る. ②(マッチを)擦る. ③(掛け帳簿に)付ける. ¶긋고 마시다 掛けて飲む. ④(心に)決める.
긍긍-하다【兢兢—】자 きょうきょう(兢兢)する; びくびくする. ¶전전 ~ 戦戦兢兢する.
긍정【肯定】명하자 肯定. ¶~ 표현 肯定表現.
‖—— 명제 명 肯定命題. ——-적 명관 肯定的. ¶~인 태도 肯定的な態度. —— 판단 명 肯定判断.

긍지【矜持】명 きょうじ(矜持〔矜恃〕); ほこり; プライド. ¶대국민으로서의 ~ 大国民としての矜持 / ~를 갖다 矜持を持つ.

긍-하다【亙—】자 わたる; 及ぶ; 達する. =걸치다. ¶천 킬로미터에 긍한 철도 千キロにわたる鉄道.

긍휼【矜恤】명하타 きょうじゅつ(矜恤); 哀れむこと. ——-히 부 哀れに; かわいそうに. ¶~ 여기다 哀れに思う.

긔 대 [↗그이] 彼; その方. ¶~ 누구요 彼はどなた(何方)ですか.

기【忌】명 忌; 忌中; 喪中.

기【奇】명하형히부 奇; 奇怪なこと; めずらしいこと. ¶인연은 ~한〔묘한〕것 縁とは奇なもの.

기【氣】명 気. ①〖哲〗東洋哲学で言う万物を生成する根元のエネルギー. ②生命力; 活動の力. ③ありったけの力. ¶~를 쓰다 気負い立つ; 躍起になる. ④人間の精神活動; 精神力. ⑤(呼吸の)息. ⑥伸びる力. ¶~가 죽다 ひるむ; 気が引ける; 悪びれる; しおたれる; けおされる / ~를 꺾다 気をくじく.

기【起】명 起; 起句; 漢詩のはじめの句.

기【記】㊀명 記; 事跡·景色を記した文章. ㊁미 記録の意. ¶체험~ 体験記 / 표류~ 漂流記.

기【基】基. ㊀명〖化〗化学反応で他の化合物に変化するときあたかも一つの原子のように働く原子団. ㊁의명 据えて〔設置して〕あるものを数える単位. ¶등대 일 ~ 灯台一基.

기【期】명 期; 時節; 時期; 期限.

기【旗】명 旗·き; はたじるし.

기【騎】의명 騎. ¶일 ~ 一騎 / 십 ~ 十騎.

-기¹ 미 多く "ㄴ·ㅁ·ㅅ·ㅈ·ㅊ·ㅌ·ㄻ" などの終声をもった語幹に付いて, 他動詞を被動詞または使役動詞につくる語幹形成接尾辞. ¶안~다 抱かれる / 찢~다 裂かれる / 벗~다 脱がす; はがす / 남~다 余す; 残す / 숨~다 隠す / 웃~다 笑わせる / 맡~다 任す; 預ける / 옮~다 移す.

-기【紀】미〖地〗紀; 地質時代を区分する単位. ¶선(先)캄브리아~ 先カンブリア紀 / 백악~ 白亜紀.

-기【機】미 機; 機械や仕掛けの意. ¶발동~ 発動機.

-기【器】미 器. ①うつわ; 入れ物·器械·道具などの意. ¶각도~ 角度器. ②生物の器官を表わす語. ¶호흡~ 呼吸器 / 생식~ 生殖器.

-기² 어미 '이다'及び用言の語幹に付いて名詞形をつくる転成語尾. ¶읽~와 쓰~ 読み書き / 놀~ 遊び / 자~ 眠り / 착한 학생이 ~를 바란다 いい生徒であることを願う.

-기가 무섭게 구 "…や否や; …するが早いか"の意. ¶일어나~ 뛰어 나갔다 起きるや否や飛びだしていった.

기각【棄却】명 棄却. ——-하다 타 棄却する; 取り上げない. ¶항소를 이유 없다고 ~하다 控訴を理由なしと棄却する.

기간【基幹】명 基幹; もとい.
‖—— 단체 명 基幹団体. —— 산업 명 基幹産業; キーインダストリ. —— 요원 명 基幹要員.

기간【既刊】명 既刊. ¶~ 출판물 既刊出版物; 既刊物.

기간【期間】명 期間; 時期. ¶제출 ~ 提出期間 / 체재 ~ 滞在期間.

기갈【飢渴】명 飢渇.

기감【技監】명 技監; 技術系の第二級公務員.

기갑【機甲】명 機甲. ¶~ 부대 機甲部隊 / ~ 사단 機甲師団.

기강【紀綱】명 紀綱; 綱紀. ¶~ 확립 紀綱確立.

기개【氣概】명 気概; 気骨. =기절(氣節). ¶~ 있는 사나이 気概のある男 / ~가 없다 意気地がない.

기거【起居】명하자 起居; 立ち居ふるまい. =동정(動靜). ¶~를 같이하다 起居を共にする / ~가 부자유하다 立ち居が不自由である.
‖—— 동작(動作) 명 立ち居振る舞い; 身のこなし; 物腰. =기거 동정. ¶얌전한 ~ しとやかな立ち居振る舞い.

기겁 명하자 びっくりぎょうてんすること; 腰を抜かすこと. =기급(氣急). ¶경찰관을 본 도둑은 ~을 하여 도망쳤다 警官を見るやどろぼうは仰天して逃げ出した / 승객들은 ~을 하고 창밖으로 뛰어 나왔다 乗客はびっくり仰天して窓から飛び出した.

기결【既決】명하타 既決. ¶~ 사항 既決事項.
‖——-감 명 既決監. ——-수 명 既決囚. ——-안 명 既決案.

기계【奇計】명 奇計. ¶~를 생각해 내다 奇計を案ずる.
‖—— 종횡(縱橫) 명 奇計を縦横に回らすこと.

기계【棋界·碁界】명 棋界; 碁界.

기계【器械】명 器械. ¶의료 ~ 医療器械.
‖—— 체조 명 器械体操.

기계【機械】명 機械; マシン. ¶~를 운전하다 機械を動かす / ~를 조작하다 機械を操作する / ~에 기름을 칠하다 機械に油を引く.
‖—— 공학 명 機械工学. —— 공업 명 機械工業. —— 문명 명 機械文明. ——-실 명 機械室. ——-어 명〖컴퓨터〗機械語; 機械コード; マシン語. ——-유 명 機械油. ——-적 명관 機械的. ¶~인 사고 방식 機械的な考え方 / ~인 일 機械的な仕事. —— 적 에너지 명〖物〗機械的エネルギー. ——-적 유물론 명〖哲〗機械的唯物論. =역사적 유물론. ——-톱 명 機械のこぎり. ——-화 명하자타 機械化. ¶~ 농업 機械化農業 / ~ 부대 機械化部隊.

ㄱ

ㄱ

기고【寄稿】명하자타 寄稿; =투고(投稿)·기서(寄書).
‖——가 명 寄稿家. ——란 명 寄稿欄.
기고 만장【氣高萬丈】명하형 ① 得意の絶頂にあること. ② 激しく怒ること.
기골【氣骨】명 ① 気血と骨格. ② 気骨; 骨; 気概. ¶ ~한 気骨漢 / 늠름한 ~ りょうりょう(稜稜)たる気骨.
‖—— 장대 명하형 気骨の壮大なこと.
기공【技工】명 技工. ① 手芸. ② 手際; 腕前. ③ 熟練工.
기공【起工】명하타 起工; 着工. ¶ ~식 起工式 / ~이 늦어지다 着工が遅れる.
기공【氣孔】명 ①〔蟲〕☞ 기문(氣門). ②〔植〕気孔.
기관【汽管】명 汽管; 蒸気を通す管.
기관【汽罐】명 汽缶; ボイラー; かま(罐). ¶ 증기 ~ 蒸気汽缶.
‖——실 명 汽缶室.
기관【奇觀】명 奇観; すぐれた風景.
기관【氣管】명〔生〕気管.
기관【器官】명〔生〕器官. ¶ 호흡〔퇴화〕~ 呼吸〔退化〕器官.
기관【機關】명 機関. ¶ 증기 ~차 蒸気機関車 / 자문 ~ 諮問機関 / 보도 ~ 報道機関.
‖——고 명 機関庫. —— 단총 명 機関短銃. ——사, ——수(手) 명 機関士. ——실 명 機関室. ——(잡)지 명 機関(雑)誌. ——장 명 機関長. ——지 명 機関紙. ——차 명 機関車. ——총 명 機関銃; マシンガン. ¶ ~의 사수 機関銃の射手. ——포 명 機関砲.
기관-지【氣管支】명〔生〕気管支.
‖——염 명〔醫〕気管支炎; 気管支カタル. —— 천식 명 気管支ぜんそく(喘息). —— 폐렴 명 気管支肺炎. —— 확장증 명 気管支拡張症.
기괴【奇怪】명 奇怪. ——하다 형 奇怪だ; あやしい. ¶ ~한 행동 奇怪な行動 / 별로 ~할 것도 없다 何の奇もない.
기교【技巧】명하형 技巧; 技量; テクニック. ¶ ~를 부리다 技巧をろう(弄)する; 巧む / ~를 다하다 技巧をこらす.
‖——가 명 技巧家; 技巧のすぐれた人. ——면(面) 명 技巧の側面. ——파 명 技巧派.
기구【氣球】명 気球; 風船. ¶ 계류 ~ 係留気球.
‖—— 관측 명 気球観測. —— 위성 명 気球衛星.
기구【崎嶇】명하형스형 運の数奇なこと; きく(崎嶇). ¶ ~한 운명 数奇な運命.
‖—— 망측(罔測) 명하형스형 運の極めて数奇なこと.
기구【器具】명 器具; 道具; うつわ. ¶ 절연 ~ 絶縁器具 / 조명 ~ 照明器具 / 전기 ~ 電気器具 / 농~ 農器具.
‖——주의 명〔哲〕器具主義. —— 체조 명 器具体操.
기구【機構】명 機構; からくり; メカニズム. ¶ ~ 개혁 機構改革 / 국가 ~ 国家機構 / 유통 ~ 流通機構.
기국【碁局·棋局·棊局】명 棋局.
기국【器局】명 器局; 器量; 才略.
기권【氣圈】명 気圏; 大気圏.
기권【棄權】명하자 棄権. ¶ 경기를 ~하다 試合を棄権する / 투표를 ~하다 投票を棄権する.
기근【氣根】명〔植〕気根. ¶ 마디에서 ~이 뻗다 節から気根が伸びる.
기근【飢饉·饑饉】명 ききん(飢饉). ¶ 대~ 大飢饉 / 물 ~ 水ききん / ~으로 굶어 죽는 자가 생겼다 ききんで飢死にする者が出た.
기금【基金】명 基金. ¶ ~을 마련하다 基金を準備する.
기급【氣急】명하자 ☞ 기겁.
‖—— 절사(絶死) 명하자 非常に驚いて気絶すること.
기기【器機】명 器機; 器具·機械の総称.
기기 묘묘【奇奇妙妙】명하형 奇奇妙妙.
기꺼워-하다 자 喜ばしく思う; 喜ぶ.
기꺼-이 부 喜んで; 好んで; 快く; 進んで. ¶ ~ 승락하다 喜んで承諾する / ~ 떠맡다 喜んで引き受ける.
기-껏 부 ① 力の(及ぶ)限り; 精一杯; ありったけ; あらん限り; せっかく(の). ¶ ~ 힘을 내다 あらん限りの力を出す / ~ 모은 돈을 써버리다 せっかくためたお金を使い果たしてしまう. ② せいぜい(のところ). =고작.
기껏-해야 부 せいぜい(のところ); 高高; 高が. ¶ ~ 과장쯤으로 高が課長ぐらいで / 출석자는 ~ 백명이다 出席者は高高百人である. * 고작.
기나-긴 관 長長とつづいた. ¶ ~ 형극의 역사 長長とつづいたいばら(茨)の歴史.
기나-수【幾那樹】명〔植〕キナ; キナの木.
기낭【氣囊】명〔生〕きのう(気嚢).
기내【畿內】명 畿内.
기녀【妓女】명 妓女. =기생(妓生).
기년【紀年】명 紀年.
‖——법 명 紀年法. ——체 사기(體史記) 명 年代記. ——학 명 年代学.
기년【期年】명 ① 周年. ¶ 창립 3~ 創立三週年. ② 期限になった年.
기념【紀念·記念】명하타 記念. ¶ 결혼 ~ 結婚記念 / ~ 행사 記念行事 / ~으로 이것을 드리지오 名残にこれをあげます.
‖——물 명 記念物; モニュメント. ¶ 젊은날의 ~ 若き日の形見. ——비 명 記念碑; モニュメント. ——스탬프 명 紀念スタンプ. ——식 명 記念式. —— 우표(郵票) 명 記念切手. ——일 명 記念日. ——탑 명 記

念塔. ──-품 명 記念品. ──-호 명 記念号《雑誌などの》.

기능【技能】 명 技能; 技量; うでまえ. ¶～직 技能職/～공 技能工.

‖── 검사 명 技能検査. ── 올림픽 명 技能オリンピック.

기능【機能】 명 機能; (物の)働き; 作用. ¶위의 ～ 胃の働き/기계의 ～이 저하되었다 機械の働きがにぶった.

‖── 사회 명 機能社会. ──-주의 명 機能主義.

기니피그〔guinea pig〕명〖動〗てんじくねずみ(天竺鼠); モルモット.

기다¹ 자 はう. ¶배를 깔고 ～ 腹ばう; 腹ばいになって行く/뱀이 기어가다 蛇が地をはう/아기가 기게 되었다 赤ん坊がはうようになった/성벽에 기어오르다 城壁によじ登る/기는 놈 위에 나는 놈 있다《俚》上には上がある.

기다² 타 ↗기이다.

기다³ 준 [↗그것이다] それだ; それである. ¶이것이 아니고 ～ これでなくそれである.

기다랗다 형 [←길다랗다] 非常に長い; 思ったより長い. ¶문장이 따분하게 ～ 文章がいやに長たらしい/기다랗게 줄을 지은 사람들 長長と列を成した人びと. 준 기닿다.

기다리다 타 待つ. ¶천명을 ～ 天命を待つ/차례를 ～ 順を待つ/오래 기다리셨습니다 お待ち遠様でした/설이 기다려진다 お正月が待ち遠しい/기다리기에 지치다 待ちあぐむ; 待ちくたびれる/애타게 ～ 待ち焦がれる.

기다마-하다 형 かなり長い. ¶기다마한 막대 かなり長い棒切れ. 준 기다맣다·기닿다.

기다맣다 형 ↗기다마하다.

기단【氣團】 명 気団. ¶열대 해양성 ～ 熱帯海洋性気団.

기담【奇談·奇譚】 명 奇談; 奇話; ひとつ話. ¶～ 괴설 奇談怪説.

기닿다 형 ①↗기다랗다. ②↗기다마하다.

기대【期待】 명 期待; 積もり; 当て; 望み. ──-하다 타 期待する; 当てこむ. ¶～에 반하여 期待に反して/～가 어긋나다 当てがはずれる; 期待に添わない/～에 부응하다 期待に添う/～를 걸게 하다 気を持たせる/…에 ～를 걸다 …に期待をかける/많은 것을 ～하지 않는다 多くを望まない/내 ～가 어긋났다 僕の積もりがはずれた/～와는 다른 결과였다 予期に反した結果であった.

기-대강이【旗—】 명 旗ざおの先端の飾り付け.

기대다 타 ①もたれる; 寄り掛かる. ¶벽에 ～ 壁にもたれる/난간에 ～ 欄干に寄り掛かる. ②頼る; たのみに〔と〕する. ¶기댈 데 없는 몸이었다 頼り〔寄る辺〕ない身であった/부모에게 ～ 親に頼る.

기대 서다 자 もたれて立つ.

기대 앉다 자 (壁などに)寄って座る.

기도【企圖】 명 企図; 企て; たくらみ. ──-하다 타 企図する; 企てる; たくらむ. ¶혁명을 ～하다 革命を企図する/자살을 ～하다 自殺をはかる/적의 ～를 분쇄하다 敵のたくらみを打ち砕く.

기도【祈禱】 명 하자 きとう(祈禱); 祈り.

‖──-가 명 祈禱歌. ──-문(文) 명 祈禱書. ──-회 명 祈禱会.

기도【氣道】 명〔生〕気道.

기독【基督】 명 キリスト(基督).

‖── 가현설 명 基督仮現説. ── 강탄절(降誕節), ── 강탄제(降誕祭) 명 キリスト降誕祭; クリスマス. ──-교 명 キリスト教. ──교-국 명 キリスト教国. ──교 사회주의 명 キリスト教社会主義. ──교 신화 명 キリスト教神話. ──교-회 명 キリスト教会.

기동【起動】 명 하자 ①立ち動くこと. ¶～을 못 하는 환자 足腰の立たない病人. ②立ち居; 振る舞い; 挙動; たちいふるまい. =기거 동작. ③起動; 始動. ¶～기 起動機/～력 始動力.

‖── 장치 명 起動装置. ── 전동기 명 起動電動機; 始動モーター.

기동【機動】 명 機動. ¶～력 機動力/～성 機動性.

‖── 부대 명 機動部隊. ── 연습 명 機動演習.

기둥 명 柱. ①(建物などの)柱. ¶～을 세우다 柱を立てる/～이 말라서 갈라지다 柱が干割れる. ②(物の)支え; 支柱; 突っ張り. ¶천막의 ～ テントの柱〔突っ張り〕/～을 대어 버티다 突っ張りを支う. ③頼りとなる人; 柱石; 大黒柱. ¶나라의 ～ 国家の柱石/～ 같이 (크게) 의지하다 柱とも頼む.

‖──-감 명 ①柱の材. ②全体を支える人; 頼りとされる人. ──-머리 명 柱頭. ──-목(木) 명 柱の材になるがんじょう(頑丈)な木. ──-몸 명 柱の中間部分. ── 뿌리 명 柱の根元. ── 서방(書房) 명 女を食い物にする情夫; ひも〈俗〉. =기부(妓夫).

기득【既得】 명 하타 既得.

‖──-권 명 既得権.

기라【綺羅】 명 きら(綺羅).

‖──-성 명 きら星. ¶현관들이 ～처럼 늘어서다 顕官がきら星のごとく立ち並ぶ.

기량【技倆】 명 技量; 腕(まえ); 手なみ. =기능(技能). ¶～을 겨루다 技をきそう/～을 닦다 技量を磨く.

기량【器量】 명 器量. ¶주부로서의 ～이 부족하다 主婦としての器量に乏しい.

기러기 명〖鳥〗がん(雁); かり.

‖──-발 명〖樂〗ことじ(琴柱); こま(駒). =금휘(琴徽)·안족(雁足)·안주(雁柱).

기럭-기럭 부 がん(雁)の鳴き声.

기럭-아비 명 婚儀の際, 木製のがん(雁)を持って花婿を花嫁の家に導き行く人. =안부(雁夫).

기력【氣力】 명 気力; 元気. ¶

ㄱ

~을 북돋우다 元気づける / ~이 다했다 気力が尽きた / ~이 쇠약해지다 気力が衰える.

기로【岐路】 명 岐路；分かれ道；境. ¶생사의 ~ 生死の境 / 운명의 ~에 서다 運命の岐路に立つ.

-기로 어미 ①…だから；…(な)ので. ¶비가 오겠~ 우산을 가져왔다 雨が降りそうだから傘を持って来た. ②"いくら …だって；…とはいえ；…(だから)とて. ¶아무리 많~ 내던지다니 いかに多いとはいえ投げ捨てるとは.

-기로서, -기로서니 어미 "-기로"の強勢語.

기록【記錄】 명 記録. ①書き記すこと. ――-하다 타 記録する；書き記す〔付ける〕. ¶옛날을 말해 주는 ~ 昔を物語る記録 / 장부에 ~돼 있다 帳面に付いている / 내가 말하는 것을 ~해 두어라 わたしの言うことを控えておきなさい. ②(競技などの)スコア·結果, 特にその最高のもの. ――-하다 타 記録する；マークする. ¶세계 ~ 世界記録 / ~을 깨뜨리다 記録を破る.

‖――-계 명 記録計. ―― 계기 명 記録計器. ――-기 명 記録機. ―― 문학 명 記録文学. ―― 사진 명 記録写真. ―― 영화 명〔映〕記録映画. ――-원(員) 명 記録係員.

기뢰【機雷】 명〔軍〕機雷.

‖――-정 명 機雷艇. ―― 탐지기 명 機雷探知機.

기류【氣流】 명 ①気流. ¶상승 ~ 上昇気流 / ~를 타고 날다 気流に乗って飛ぶ. ②飛行機などが空中で起こす風.

기류【寄留】 명하자 寄留. ¶친척 집에 ~하다 親類の家に寄留する.

기르다 타 ①(子供·人材を)養う；育てる. ¶애를 ~ 子供を育てる / 모유로 ~ 母乳で育てる / 인재를 ~ 人材を養う / 낳은 정보다 기른 정 生みの親より育ての親 / 상무의 기풍을 ~ 尚武の気風を養う. ②(家畜などを)飼う；飼育する. ¶새를 ~ 小鳥を飼う. ③(精神·体力などを)養う；培う. ¶기력을 ~ 気力を養う / 공덕심을 ~ 公徳心を養う. ④(癖·病気などを)ほったらかして募らす；こじらせる. ¶병을 ~ 病気をこじらせる. ⑤(髪やひげ(髭)などを)生やす；伸ばす；たくわえる. ¶턱수염을 ~ あごひげを生やす.

기르스름-하다 형 やや長目だ.

기름 명 ①油〔脂〕；オイル. ¶물에 ~ 水に油 / ~을 짜 내다 油をしぼ(搾)る / ~에 튀긴 생선 油揚げの魚 / 옷이 ~에 찌들다 服が油染みる / ~을 먹이다 油を引く. ②↗참기름. ③↗머릿 기름. ④石油；ガソリン.

‖――-걸레 명 ①油ぞうきん. ②油をふき取るぞうきん. ――-기 명 ①脂身. ②油気〔脂気〕. ¶~가 많다 あぶらっこい / ~가 돌다 脂ぎる / ~가 없는 머리 脂気のない髪 / ~가 있으니 불을 조심하라 油気があるから火に注意しなさい. ――-때 명 脂あか. ――-병(甁) 명 油入れ. ――-불 명 ①油の燃え火. ②油火；灯火. ――-종이 명 油紙；ゆし. ――-통(筒) 명 油ぎれなどをはめて使う竹の筒.

기름-지다 형 ①あぶらっこい；(肉などに)脂気が多い. ②(土地が)肥えている. ¶기름진 땅 肥えた土地 / 땅을 기름지게 하다 土地を肥やす.

기름-콩 명 もやし用の豆.

기름-하다 형 長めである. ¶기름한 스커트 長めのスカート. 기름기름-하다 형 すべてが長めである.

기리다 타 たたえる. ¶덕을 ~ 徳をたたえる / 선인의 위업을 ~ 先人の偉業を礼賛する.

기린【麒麟】 명〔動〕①きりん(麒麟)；ジラフ. ②聖人が生まれる前兆として現われるという想像上のめでたい動物.

‖――-아 명 きりん児. ――-자리 명〔天〕きりん座.

기립【起立】 명하자 起立.

기마【騎馬】 명 騎馬.

‖―― 경찰대 명 騎馬警察隊. ―― 순경(巡警) 명 騎馬警察隊の巡査. ――-전 명 騎馬戦. ―― 행렬 명 騎馬行列.

기-막히다【氣―】 ㊀자 息が詰まる. ㊁형 あきれ(返)る. ¶기막힌 일 あきれた事 / 기가 막혀 말도 못하다 あきれて物も言えない.

기만【欺瞞】 명 ぎまん(欺瞞)；ぎへん(欺騙)；まんちゃく(瞞着). ――-하다 타 欺瞞する；瞞着する；欺く. ¶국민을 ~하다 国民を欺瞞する / 남을 ~하다 人を瞞着する.

‖―― 정책 명 欺瞞政策.

기말【期末】 명 期末. ¶~ 계정 期末勘定.

기맥【氣脈】 명 気脈. ①血が通う筋道. ②連絡；脈絡. ¶~을 통하다 気脈を通ずる.

‖―― 상통(相通) 명하자 気脈が相通ずること.

기명【記名】 명 記名.

‖―― 공채 명 記名公債. ―― 날인 명 記名なついん(捺印). ――-식 명 記名式. ¶~ 어음 記名式手形. ―― 주권 명 記名株券. ―― 채권 명 記名債券. ―― 투표 명 記名投票.

기명【器皿】 명 きべい(器皿)；器と皿.

기묘【奇妙】 명하형히부 奇妙；へんてこ〈俗〉. ¶~한 풍습 奇妙な風習.

기문【奇聞】 명 奇聞；奇談.

기문【氣門】 명〔蟲〕気門；昆虫などの体の側面にある呼吸口. =기공(氣孔).

기물【器物】 명 器物；うつわ. =기명(器皿). ¶~을 소중히 취급하다 器物を大切に扱う / ~답다 器物らしい；器物として用いる価値がある.

‖―― 손괴죄 명 器物損壊罪.

기미 명 染み；肌にできる茶色のはんもん(斑紋). ¶얼굴에 ~가 끼다 顔

かに染みができる.
기미【己未】명 己未; 十干と十二支を組み合わせたものの第五十六番目.
기미【氣味】명 ① 気味. ㉠ においと味. ㉡ (物事から感じ取られる)おもむき; 情趣. ㉢ けはい(気配); 様子. ¶ 어수선한 ~ あわただしいけわい / ~가 어떻더냐 様子はどうだったかね / 반락의 ~를 보이다 反落のけはいを示す. ② 〖韓醫〗 薬の性質と効能を判断する基準.
기미【機微】명 機微. =낌새. ¶ 인정의 ~를 찌르는 말 人情の機微をうがった言葉 / ~를 채다 (機微を)感付く; 気付く.
기민【機敏】명하형 機敏. ¶ ~한 동작 機敏な動作.
기민【饑民】명 飢民.
기밀【氣密】명하형 気密.
‖——복 명 気密服. ——실 명 気密室.
기밀【機密】명하형히부 機密. ¶ ~ 사항 機密事項 / ~을 누설하다 機密を漏らす.
‖—— 누설죄 명 機密ろうせつざい(漏泄罪). —— 문서 명 機密文書. ——비 명 機密費. ——실 명 機密室.
기박【奇薄】명하형 数奇; 不仕合わせ; 不遇. ¶ ~한 여인 不仕合わせな女 / ~한 생애 数奇な生涯.
기반【基盤】명 基盤; 土台; もとい.
기반【羈絆】명 きはん(羈絆); きずな(絆). ¶ 그 나라는 외국의 ~에서 벗어나 독립했다 その国は外国の羈絆から脱して独立した.
기발【奇拔】명하형 奇抜. ¶ ~한 착상 奇抜な思いつき / 그것은 ~한 이야기다 それはふるった話だね.
기백【氣魄】명 気迫; 気概.
기법【技法】명 技法.
기벽【奇癖】명 奇癖. ¶ 술 마시면 우는 ~이 있다 酒の後に泣く奇癖がある.
기별【奇別·寄別】명 さた(沙汰); たより; 知らせ. ¶ 무사하다는 ~을 받았다 無事だとのたよりを受け取った / ~도 없다 音さたもない.
‖——꾼 명 たよりを伝える人.
기병【騎兵】명 騎兵.
기보【旣報】명하타 既報.
기보【棋譜】명 棋譜; 局譜.
기복【起伏】명하자 起伏. ¶ 토지의 ~이 심하다 土地の起伏が甚だしい / 작품에 ~이 있다 作品に波がある.
기본【基本】명 基本; 基.
‖—— 교리 명 基本教理. ——권 명 基本権. ——급 명 基本給. —— 단위 명 基本単位. —— 대형 명 基本隊形. ——법 명 基本法. —— 어휘 명 基本ごい(語彙). ——음 명 基本音. —— 자세 명 基本姿勢. —— 자유 명 基本的自由. —— 조직 명 〖植〗 基本組織. —— 학과 명 基本学科. —— 합의서 명 基本合議書. ——형 명 基本形. =원형(原形).
기부【寄附】명하타 寄付; 寄進.
‖—— 행위 명 寄付行為.
기-부족【氣不足】명 〖韓醫〗 気力不足でおこる病気.
기분【氣分】명 ① 気分; 気持ち; 気嫌; お天気〈俗〉. ¶ 봄 ~ 春の感じ / ~을 내다 感じを出す / 차분한 ~ しっとりした気分 / ~을 돋구다 気分を盛りあげる / ~이 언짢다 虫の居所が悪い / ~을 상하다 機嫌をそこなう / ~이 매우 좋은 모양이다 なかなかご機嫌な様だ. ② 〖心〗 ある期間持続する感情の状態.
‖——파 명 気分派; 気分屋〈俗〉; お天気屋〈俗〉.
기불【旣拂】명하타 既払い.
기브-앤드-테이크 〔give-and-take〕 명 ギブアンドテーク.
기뻐-하다 자타 喜ぶ; うれしがる. ¶ 합격을 ~ 合格を喜ぶ / 어머니의 기뻐하는 얼굴을 보고 싶다 母の喜ぶ顔が見たい.
기쁘다 형 うれしい; 喜ばしい. ¶ 기쁜 소식 喜ばしいたより / 이처럼 기쁜 일은 없다 これ程うれ〔喜ば〕しい事はない / 너무 기뻐서 울다 うれし泣きになく.
기쁨 명 喜び; うれしさ. ¶ 최상의 ~ 最上の喜び / ~의 눈물 うれしい涙.
기사【技師】명 技師. ¶ 광산 ~ 鉱山技師.
기사【起死】명하자 起死. =기사 회생(起死回生).
‖—— 회생 명 起死回生.
기사【記事】명하타 記事.
‖—— 광고(廣告) 명 記事文体の広告. ——문 명 記事文. ——체 명 記事体.
기사【棋士】명 棋士.
기사【騎士】명 騎士; ナイト.
‖——도 명 騎士道.
기산【起算】명하타 起算.
‖——일 명 起算日. ——점 명 起算点.
기상【奇想】명 奇想.
‖——곡(曲) 명 〖樂〗 奇想曲; 狂想曲; カプリチオ. —— 천외 명 奇想天外. ¶ ~의 묘안을 짜냈다 奇想天外の妙案をしぼり出した.
기상【起床】명하자 起床.
‖—— 나팔 명 起床らっぱ(喇叭).
기상【氣相】명 〖物〗 気相; ある物質の気体の状態.
기상【氣象】명 気象. ① 気性; 気質. ¶ 진취의 ~ 進取の気象. ② 〖氣〗 大気の状態·現象.
‖—— 개황 명 気象概況. —— 경보 명 気象警報. —— 관측 명 気象観測. —— 기호 명 気象記号. ——대 명 気象台. ——도 명 気象図. —— 방송 명 気象放送. —— 위성 명 気象衛星. —— 재해 명 気象災害. —— 주의보 명 気象注意報. ——청 명 気象庁. —— 통보 명 気象通報. ——학 명 気象学.
기상【氣像】명 気性と品位.
기상【機上】명 機上; 飛行機のなか. ¶ ~에 오르다 飛行機に乗る.
기색【氣色】명 気色; 顔色; けぶり. ¶ ~이 좋지 않다 気色が悪い /

(상대의) ~을 살피다 (相手の)鼻息をうかがう / 당황한 ~이 뚜렷이 보였다 ろうばいの色がありありと見えた / 조금도 싫은 ~을 안 보이고 いやな顔一つせずに.

기색【基色】명 原色. =원색(原色).

기생【妓生】명 妓生; 芸者; 箱〈俗〉. =기녀(妓女)·예기(藝妓). ¶ ~노릇을 하다 左づまをとる / ~을 기적에서 빼내다 芸者を身請けする / 저 ~은 사장의 정부다 あの芸者〔妓〕は社長の色である.

‖——-방(房) 명 芸者の家. ——-집 명 ① 芸者の住家. ② 料亭. —— 퇴물(退物) 명 芸者上がり. 준 기물(妓物).

기생【寄生】명하자 寄生. ¶ 벌레가 ~하다 虫が寄生する.

‖——-근 명 寄生根. —— 동물 명 寄生動物. ——-목 명 寄生木; 宿り木. ——-물 명 寄生物. ——-벌 명〔蟲〕寄生蜂. —— 식물 명 寄生植物. ——-충 명 寄生虫. ——충-병 명 寄生虫病. —— 화산 명 寄生火山; 側火山.

기생 식물【氣生植物】명〔植〕気生植物; 着生植物.

기선【汽船】명 汽船; 蒸気船.

‖—— 회사 명 汽船会社.

기선【機先】명하자 機先. ① 事のまさに起ころうとする瞬間. ② ある言動の先を制すること.

기설【既設】명하자 既設. ¶ ~ 철도선 既設鉄道線.

기성【奇聲】명 奇声.

기성【既成】명하타 ① 既成; レディーメード; 既にできあがっていること. ¶ ~ 정당 既成の政党. ② 既製. ¶ ~품 既製品; 出来合い.

‖—— 도덕 명 既成道徳. —— 문단 명 既成文壇. ——-복 명 既成服; 出来合いの洋服. —— 세대 명 既成世代. —— 세력 명 既成勢力. —— 작가 명 既成作家. ——-화(靴) 명 既製の靴.

기성【期成】명하타 期成.

‖——-회 명 期成会.

기성【棋聖】명 棋聖; 碁や将棋などの名人.

기세【氣勢】명 ① 気勢; 勢い; 意気込み. ¶ ~가 오르다 気勢があがる / ~가 거칠다 鼻息があらい / ~가 등등하다 勢いが激しい / ~를 꺾이다 気勢をそがれる / ~에 눌리다 気をのまれる. ② 形勢; 情勢. ——-부리다 자 気張る; 気勢を上げる.

기세【棄世】명하자 棄世. ① 死ぬこと. =별세(別世). ② 浮世をはかなんで引きこもること.

‖—— 은둔(隱遁) 명하자 世を棄てていんとん(隠遁)すること.

기소【起訴】명하타 起訴.

‖—— 유예 명 起訴猶予. ¶ ~로 석방되다 起訴猶予で釈放される. ——-장 명 起訴状.

기수【奇數】명 奇数. =홀수.

기수【基數】명〔數〕基数.

기수【既遂】명하타 既遂. ¶ ~범 既遂犯.

기수【旗手】명 旗手; 旗持ち; 旗頭.

기수【機首】명 機首.

기수【騎手】명 騎手.

기숙【寄宿】명하자 寄宿; 寝泊まり.

‖——-사 명 寄宿舎; 寮. ——-생 명 寄宿生; 寮生.

기술【技術】명 技術; 技; アート. ¶ 과학 ~ 科学技術 / ~을 겨루다 技をきそう / 제자에게 ~을 전수(傳授)하다 弟子に技術を伝える.

‖——-공 명 技術工; 技工. ——-과 명 技術科. —— 교육 명 技術教育. ——-사 명 技術士. —— 원조 명 技術援助. ——-자 명 技術者; エンジニア. ¶ ~를 양성하다 技術者を養成する. —— 장비 명 技術装備. ——-적 명관 技術的. ——-진 명 技術陣. —— 학교 명 技術学校.

기술【奇術】명 奇術; 幻術; 手品.

기술【記述】명하타 記述.

‖—— 문전 명 記述文典. ——-적 과학 명 記述的科学. ——-학 명 記述学.

기술【既述】명하타 既述.

기슭 명 (斜地の)すそ. ¶ 산 ~ 山のふもと(麓)〔たもと〕; 山の足; 山の端〈俗〉/ 강~ 川岸.

기습【奇習】명 奇習.

기습【奇襲】명 奇襲; 不意打ち. ——-하다 타 奇襲する; 不意打ちをかける.

기승【奇勝】명 奇勝; 絶勝. ¶ 천하의 ~ 天下の奇勝.

기승【氣勝】명하형 스형 勝ち気; 利かん気; 負けん気; 気がさ. ¶ ~스러운 아이〔여자〕 利かん気の子〔女性〕/ ~을 부리다 意地を張る.

기-승-전-결【起承轉結】명 起承転結. =기승전락(起承轉落).

기식【寄食】명하자 寄食. ¶ 친척 집에 ~하다 親戚の家に寄食する.

기신-거리다 자 (体の弱い人などが)よろよろする. >개신거리다. **기신-기신** 부하자 だらだら; よろよろ. ¶ ~ 비탈길을 올라가다 よろよろと坂をのぼる.

기-신호【旗信號】명 旗信号.

기실【其實】一 명 その事実; その実相. 二 부 その実; 本当は. ¶ ~ 난처하다 内実困ったものだ / ~ 나쁜 짓은 안 했다 その実わるい事はしていなかった.

기실【氣室】명〔植〕気室; 葉の気孔の下にある細胞間隙; 気孔間隙.

기-쓰다【氣—】타 力む; 力をこめる; 気張る. ¶ 기쓰고 공부하다 ばりばり勉強する / 기쓰고 변명하다 躍起になって弁明する.

기아【棄兒】명 捨て子; 棄児. ——-하다 자 子を捨てる.

기아【飢餓·饑餓】명 飢餓; 飢え. ¶ ~를 면하다 飢餓を免れる / ~선상에 있다 飢餓線上にある.

기악【器樂】명 器楽. ¶ ~ 연습곡 器楽練習曲.

‖——-곡 명 器楽曲. ¶ ~으로서 작곡했다 器楽曲として作曲した.
기안【起案】명하타 起案; 起草.
기암【奇岩】명 奇岩.
‖—— 괴석 명 奇岩怪石.
기압【氣壓】명 気圧.
‖——-계 명 気圧計; バロメーター. ¶자기 ~ 自記気圧計. ——-골 명 気圧の谷. —— 배치 명 気圧配置.
기약【期約】명하타 期すること; 期待すること. ¶성공을 ~하다 成功を期する / 살아 돌아오기를 ~할 수 없다 生還を期することはできない / 훗날을 ~하다 他日を期す.
기약 분수【既約分數】명〖數〗既約分数.
기어〔gear〕명 ギア.
기어-이【期於—】, 기어-코【期於—】부 ① きっと; 必ず; ぜひ(とも); 誓って. ¶ ~ 이기겠다 きっと勝ってやる / 무엇이 어떻든 ~ 해내겠다 なにがなんでもやり通す / ~ 가겠다고 고집을 부리다 なんでも行くと言ってきかない. ② とうとう; ついに. ¶ ~ 성취하고 말았다 ついに成し遂げた.
기억【記憶】명 記憶; 覚え. ——-하다 타 記憶する; 覚える. ¶ ~ 상실 記憶喪失 / ~ 표상 記憶表象 / 들은 ~이 있는 목소리 聞き覚えのある声 / 어렸을 때의 ~ 幼時の記憶 / ~을 더듬다 記憶をたどる / 그런 말을 한 ~이 없다 そんなことを言った覚えがない.
‖——-력 명 記憶力; 物覚え. ¶ ~이 좋다 物覚えがいい. ——-술 명 記憶術. —— 장치 명 記憶装置.
기엄-기엄 부하자 そろそろはう様. ¶이제 겨우 ~ 긴다 やっとはいはいするようになった.
기업【企業】명 企業. ——-하다 타 企業を営む. ¶ ~의 번영 企業の繁栄.
‖—— 경제 명 企業経済. —— 독점권 명 企業独占権. —— 민주화 명 企業の民主化. —— 연합 명 企業連合. —— 자본 명 企業資本. ——-주 명 企業主. —— 집중 명 企業集中《カルテル·トラスト·コンツェルンなど》. ——-체 명 企業体. —— 합동 명 企業合同; トラスト. ——-화 명하자타 企業化.
기업【起業】명하자 起業.
‖——-가, ——-자 명 起業家; 起業者. —— 공채 명 起業公債.
-기에 어미 ① …ので; …であるから. ¶이쁘~ 남의 눈을 끈다 きれいなので人目を引く / 클 것 같~ 줄였다 大きそうなのでちぢめた. ② なんで. ¶무엇을 하고 놀았~ 손이 그 모양이냐 なんで手がそんなによごれたの. = -관데.
기에-망정이지 구 "幸いそれでよかったものの(さもなければ)"の意. ¶비가 오~ 너무 가물어서 큰일 날 뻔했다 (幸い)雨が降るからよかったものの日照りで大変なことになるところだった.
기여【寄與】명하타 寄与. ¶국제 친선에 ~하다 国際親善に寄与する / 국가에 ~한 바 크다 国に寄与するところ大である.
기역 명 ハングル字母"ㄱ"の称.
‖——-니은 명 ①"ㄱ"と"ㄴ". ② ハングル. ¶ ~도 모르는 사람 ハングルを全然知らない人《いろはのいの字も知らない人》. * ㄱㄴ순(順).
기역【其亦】, 기-역시【其亦是】부 それもまた; やはり. ¶ ~ 운명이었다 それもまた運命であった.
기연【奇緣】명 奇縁.
기연가-미연가【其然—未然—】부 (そうかそうでないか)はっきりしないさま. ㊟기연미연. ——-하다 형 はっきりしない. ¶ ~할 때에는 사전을 보라 はっきりしない時には辞書を引け.
기연 미연【其然未然】부하형 ↗기연가미연가.
기염【氣焰】명 気炎; 気勢. ¶ ~을 토하다 気炎を吐く; 熱を吹く; 気勢をあげる.
‖—— 만장 명 気炎万丈.
기영【機影】명 機影. ¶구름 속에 ~을 감추다 雲間に機影を没する.
기예【伎藝】명 ぎげい(伎芸); 遊芸.
기예【技藝】명 技芸; 技術上の才能と腕. ¶ ~에 능하다 技芸に長ずる.
기예【氣銳】명하형 気鋭. ¶소장 ~ 少壮気鋭 / 신진 ~의 인사 新進気鋭の士.
기온【氣溫】명 気温. ¶산지에서는 ~이 낮다 山地では気温が低い.
‖—— 체감률(遞減率) 명〖地〗気温減率. —— 편차 명 気温偏差.
기와 명 かわら(瓦). ¶ ~ 지붕 かわら屋根; いらか(甍). * 개와.
‖——-장(匠)이 명 かわら師. =와장. ——-집 명 かわら屋. =와가(瓦家). ¶ ~이 줄지어 있다 かわら屋が軒を並べる. 기왓-가마 명 かわらがま(瓦窯). 기왓 고랑 명 かわらぶき屋根の溝. ㊟기왓골. 기왓-등 명 軒から棟に至って筋をなす雄がわらの背面. 기왓-장(張) 명 一枚一枚のかわら.
기왕【既往】㊀명 既往; 以前; 過去; 過ぎ去った事. ㊁부 ☞기왕에.
‖——-증 명 既往症. ——지-사(之事) 명 既に過ぎ去った事; もう済んだ事. ¶ ~ 그렇게 된 바에야 どうせそうなった以上は.
기왕-에【既往—】부 どうせ; いずれにしても. =이왕에. ¶ ~ 탄로난 사실 どうせばれた事実 / ~ 가려면 빨리 떠나는 것이 좋다 どうせ行くなら早い方がいい.
기왕-이면【既往—】부 せっかく(する事)なら; どうせのことなら; 同じ事なら. =이왕이면. ¶ ~ 나도 끼어 주렴 どうせのことならおれ(俺)も仲間に入れてくれ.
기외【其外】명 その外; その他.
기용【起用】명하타 起用; 取り立てること. ¶신인을 ~하다 新人を起用する / 공장장으로 ~하였다 工場長として取り立てた.
기우【杞憂】명 きゆう(杞憂); 取り

越し苦労. ¶ 걱정은 ~에 지나지 않았다 心配は杞憂に過ぎなかった / 그건 ~라는 거야 それは取り越し苦労というものだ.

기우【奇遇】 명 하자 奇遇. ¶ 옛 친구와의 ~를 기뻐하다 旧友との奇遇をよろこぶ.

기우【祈雨】 명 하자 祈雨; 雨ごい. ‖——-단(壇) 명 雨ごいの祭りをする壇. ——-제(祭) 명 雨ごいの祭り.

기우【寄寓】 명 하자 きぐう(寄寓); かりずまい. ¶ 친구집에 ~하고 있다 親友の家に寄寓している.

기우듬-하다 형 やや傾いている. ㅆ끼우듬하다. ¶ 전주(電柱)가 ~ 電柱がやや傾いている / 앞으로 ~ 前のめりになっている. 기우듬-히 부 やや傾きかげんに.

기우뚱-거리다 一 자 ぐらつく; ぐらぐらする. ¶ 배가 ~ 船がぐらつく / 버스가 ~ バスがぐらぐらする. 二 타 ぐらつかせる; ぐらぐらさせる. 기우뚱-기우뚱 부 하자타 ぐらぐら.

기운 명 ① (天地間の)気; 精気. ¶ 천지 정대의 ~ 天地正大の気. ② 元気; 生気; 力. ¶ 젊은이를 능가하는 ~ 壮者をしのぐ元気 / ~이 없다 元気がない / ~없이 보이다 力なく見える / 버쩍버쩍 ~이 난다 もりもり元気が出る / 전과 같은 ~이 없다 ひところ(一頃)の元気がない. ③ 気; けはい(気配); 空気; 勢い. ¶ 불 ~ 火の気 / 매운 ~ 辛気 / 음산한 ~ 陰惨の気 / 살며시 찾아드는 봄의 ~ しのびやかに訪れる春の気配 / 감기 ~으로 쉬다 かぜ気味で休む / 술 ~으로 떠들었다 酒の勢いで騒いだ. ④ 力. ¶ ~을 다해서 달렸다 力一杯走った / ~이 세다 力が強い / ~을 다하여 버티다 力ずくでがんばる. ——-차다 형 力強い; 元気だ. ¶ 기운찬 아이들 元気な子供達.

기운【氣運】 명 気運; 時勢の成り行き. ¶ 부흥의 ~ 復興の気運 / ~이 무르익다 気運が熟する / 민주화 운동의 ~이 높아지다 民主化の気運が高まる.

기운【機運】 명 機運; 時の回り合わせ. ¶ ~이 무르익기를 기다리다 機運の熟するのを待つ / 실지 회복의 ~이 무르익다 失地回復の機運が熟する.

기울 명 ふすま(麩). ¶ 닭에 ~을 주다 鶏にふすまをやる.

기울다 자 傾く. ① 斜めになる; 曲がる. ¶ 지진으로 집이 기울(어지)다 地震で家が傾く / 기둥이 ~ 柱が曲がる / 진로가 남쪽으로 ~ 針路が南に偏る. ② (日や月が)暮れる; 陰る. ¶ 해가 ~ 日が暮れる. ③ 衰える; 滅びる. ¶ 국운이 ~ 国運が傾く / 가운이 ~ 家運が傾く. ④ 片寄〔偏〕る; ある傾向を帯びる. ¶ 좌익으로 ~ 左に傾く / 찬성으로 ~ 賛成に傾く. >갸울다. ㅆ끼울다.

기울어-뜨리다 타 勢いよく傾ける. >갸울어뜨리다. ㅆ끼울어뜨리다.

기울어-지다 자 傾く. ¶ 해가〔달이〕 ~ 日〔月〕が傾く / 집이 ~ 家が傾く / 찬성으로 ~ 賛成に傾く / 마음이 ~ 気持ちが傾く.

기울-이다 타 傾ける. ① 傾くようにする; 斜めにする. ¶ 술잔을 ~ 杯を傾ける. ② ある方向に向かわせる. ¶ 귀기울여 듣다 耳を傾けて〔そばだてて〕聞く. ③ 余さず出す. ¶ 심혈을 ~ 心血を傾ける〔注ぐ〕/ 국력을 ~ 国力を傾ける. ④ 形勢を悪くする. ¶ 가산을 ~ 身代を傾かす. >갸울이다. ㅆ끼울이다.

기움-질 명 하타 継ぎを当てること. ¶ ~한 바지 継ぎを当てたズボン / 군데군데 볼품없게 ~한 윗옷 ところどころ不格好に継ぎを当てた上着.

기웃 부 何かをのぞこう〔見よう〕と首をかしげるさま. ——-하다[1] 자 타 (のぞこうとして)首をかしげる. ——-거리다 자 타 しきりにのぞく. 기웃-기웃 부 하자타 しきりにのぞくさま. ¶ 남의 집을 ~하다 人の家をしきりにのぞく.

기웃-이 부 やや傾いて; やや傾けて.

기웃-하다[2] 一 형 やや傾いている. ¶ 기둥이 ~ 柱がやや傾いている. 二 타 いくぶん傾ける. >갸웃하다. ㅆ끼웃하다.

기원【祈願】 명 祈願. ——-하다 타 祈願する; 祈る. ¶ 신불에게 ~하다 神仏に祈る / 건강 회복을 ~하다 健康回復を祈る.

기원【紀元】 명 紀元. ¶ 서력 ~ 西暦紀元 / 하나의 신~을 긋다 一つの新紀元を画する. ‖——-전 명 紀元前; BC. ——-후 명 紀元後; AD.

기원【起源】 명 起源; 始まり; 起こり. ——-하다 자 始まる; 起こる. ¶ 종의 ~ 種の起源 / 인류의 ~ 人類の起源.

기원【棋院】 명 棋院.

기율【紀律】 명 規律〔紀律〕. =규율(規律). ¶ ~ 바른 생활 規律正しい生活 / ~이 해이하다 紀律が緩む.

기이【奇異】 명 奇異; 奇妙; 奇怪. ——-하다 형 奇妙だ. ¶ ~한 동물 奇態の動物 / ~한 느낌 奇異な感 / ~한 운명 奇しき運命 / ~한 해후 奇しき巡り合い. ——-스럽다 형 ☞ 기이하다. ——-히 부 奇妙に.

기이다 타 (事実を)隠す; (人目を)忍ぶ. 준 기다. ¶ 남의 눈을 ~ 人目を忍ぶ / 부모의 눈을 ~ 親の目をかすめる.

기인【奇人】 명 奇人; 変人; 変わりもの.

기인【起因】 명 起因; はじまり; 起こり. ——-하다 자 하타 起因する; 根ざす. ¶ 식량 부족은 인구 과잉에 ~한다 食糧不足は人口過剰に起因する.

기인【基因】 명 基因; 起こり; もと; 因由. ——-하다 자 基因する; 基づく. ¶ 오해에 ~한 싸움 誤解に基づくけんか.

기일【忌日】 명 忌日; 命日. ¶ 조부의 ~ 祖父の命日.

기일【期日】 명 期日; 日限;

日日. ——-하다 [타] 期日を決める. ¶ ~까지 납세하다 期日までに納税する / ~이 다 되다 日限が切れる〔尽きる〕.

기입【記入】[명] 記入; 書き入れ. ——-하다 [타] 記入する; 書き入れる. ¶ 출납을 가계부에 ~하다 出納を家計簿に付ける.

‖——-란 [명] 記入欄. ——-장 [명] 記入帳.

기자【記者】[명] 記者. ¶ 신문 ~ 新聞記者 / 잡지 ~ 雑誌記者.

‖——-단 [명] 記者団; 記者クラブ.

기장 [명]〔植〕きび(黍〔稷〕). =나서(糯黍). ¶ ~떡 きびもち.

‖——-쌀 [명] きびを穀物とみていう語.

기장【記章】[명] [↗기념장(記念章)] 記章; メダル. ¶ 올림픽 참가 ~ オリンピック参加記章.

‖——-증 [명] 記章証明書.

기장【記帳】[명][하타] 記帳. ¶ ~을 끝내다 記帳を済ます.

기장【機長】[명] 機長.

기재【記載】[명][하타] 記載. ¶ ~ 사항 記載事項.

기재【器材】[명] 器材. ¶ 실험용 ~ 実験用の器材.

기재【機材】[명] 機材. ¶ 건축용 ~ 建築用の機材.

기저귀 [명] おむつ(襁褓); おしめ. ¶ ~를 채우다 おむつを当てる.

기적【汽笛】[명] 汽笛. ¶ ~을 울리다 汽笛を鳴らす.

기적【奇蹟】[명] 奇蹟. ¶ ~극 奇蹟劇 / ~이라도 일어나지 않는 한 奇蹟でも起こらぬ限り / ~적으로 살아나다 奇蹟的に助かる.

기전【紀傳】[명] 紀伝.

‖——-체 [명] 紀伝体.

기전【起電】[명][하타] 起電. ¶ ~반 起電盤.

‖——-기 [명]〔電〕起電機. ——-력 [명] 起電力.

기절【氣絶】[명] 気絶. =실신(失神). ——-하다 [자] 気絶する; 目を回す. ¶ 놀란 나머지 ~하다 驚きのあまり気絶する.

기절【氣節】[명] 気節. ① 気骨. ② ☞ 기후(氣候)①.

기점【起點】[명] 起点. ¶ 철도의 ~ 鉄道の起点.

기점【基點】[명] 基点. ¶ 방위 ~ 方位基点 / 서울을 ~으로 하여 ソウルを基点として.

기정【既定】[명][하타] 既定. ¶ ~ 방침 既定方針 / ~ 사실 既定の事実.

기제【忌祭】[명] 忌祭. =기제사(忌祭祀).

기-제사【忌祭祀】[명] 忌祭; 法事.

기조【基調】[명] 基調. ¶ 빨강을 ~로 한 그림 赤を基調とした絵 / 휴머니즘을 ~로 한 문학 ヒューマニズムを基調とした文学.

‖—— 연설 [명] 基調演説.

기존【既存】[명][하자] 既存. ¶ ~ 세력 既存勢力 / ~ 시설 既存施設.

기준【基準】[명] 基準. ¶ 설치 ~ 設置基準 / 판단의 ~ 判断の基準.

‖——-선 [명] 基準線. —— 임금 [명] 基準賃金.

기중【忌中】[명] 忌中; 喪中. =상중(喪中).

기중-기【起重機】[명] 起重機; クレーン. =크레인(crane). ¶ ~선 起重機船.

기증【寄贈】[명][하타] 寄贈. =증여. ¶ ~품 寄贈品 / 피아노를 ~하다 ピアノを寄贈する.

기지【基地】[명] 基地. ¶ 군사 ~ 軍事基地 / 남극 ~ 南極基地 / 전진 ~의 설치 前進基地の設置.

기지【既知】[명][하타] 既知. ¶ ~의 사실 既知の事実.

‖——-수 [명] 既知数.

기지【機智】[명] 機知; 機転; ウイット. ¶ ~가 풍부한 사람 機知に富む人 / ~가 있다 機転がきく; ウイットがある.

기지개 [명] 伸び. ——-하다, ——-켜다 [자] 伸びをする.

기진【氣盡】[명] 気力が尽き果てること. ——-하다 [자] 気力が尽き果てる; ばてる〈俗〉.

‖—— 맥진(脈盡), —— 역진(力盡) [명][하자] 疲労こんぱい(困憊); 精根が尽きること.

기질【氣質】[명] ① 気力と体質. ② 気質; かたぎ; 気〔心〕立て. ¶ 장인 ~ 職人かたぎ / 과격한 ~ はげしい気性 / 학자 ~인 사람 学者肌の人.

기차【汽車】[명] 汽車. ¶ ~ 여행 汽車旅行 / ~ 통학 汽車通学.

‖기찻-길 [명] 鉄道; 線路.

기-차다【氣—】[자] あきれる; あきれ返〔果て〕る. ¶ 기차게 비싼 값 べらぼうな高値 / 기찬 이야기 あきれた話.

기척 [명] 気配. ¶ 인~ 人け / 사람이 오는 ~이 있었다 人の来る気配がした.

기체【氣體】[1] [명] 御機嫌《目上の安否をうかがう語》. =기후(氣候). ¶ ~ 만안(萬安) 하십니까 御機嫌いかがでございますか.

‖——-후(候) [명] "기체"の敬語.

기체【氣體】[2] [명]〔物〕気体. ¶ ~ 물리학 気体物理学.

‖—— 연료 [명] 気体燃料. ——의 부력 [명]〔物〕気体の浮力. —— 전지 [명] 気体電池. =가스 전지.

기체【機體】[명] ① 機械の主体. ② 機体. ¶ ~가 산산 조각이 났다 機体がばらばらになった.

기-체조【旗體操】[명] 手旗体操.

기초【起草】[명][하자타] 起草. (준) 초(草). ¶ 법안을 ~하다 法案を起草する.

‖—— 위원 [명] 起草委員.

기초【基礎】[명] 基礎. ¶ ~가 튼튼하다 基礎がしっかりしている / 연구의 ~는 되어 있다 研究の下地はできている.

‖—— 공사 [명] 基礎工事. —— 공제 [명] 基礎控除. —— 대사 [명] 基礎代謝. —— 산업 [명] 基礎産業. —— 운동 [명] 基礎運動. —— 훈련 [명] 基礎

ㄱ

訓練.
기총【機銃】명 [↗기관총] 機銃.
‖── 소사 명하타 機銃掃射.
기층【氣層】명 気層.
기층【基層】명 基層.
기치【旗幟】명 きし(旗幟); 旗印. ¶～ 창검 旗幟そうけん(槍剣) / 자유의 ～ 自由の旗印.
기침 명 せき(咳). ──-하다 자 せきをする; せ(咳)く; しわぶく. ¶～이 나다 せきが出る / 연달아 ～하다 しきりにせく.
기침【起枕】명하자 起床.
기타【其他】명 その他; そのほか. ¶～ 사항 その他の事項.
기타〔guitar〕명 ギター. ¶～를 치다 ギターを弾く〔つま弾く〕.
기탁【寄託】명하타 寄託. ¶～금 寄託金 / 장서를 도서관에 ～하다 蔵書を図書館に寄託する.
기탄【忌憚】명 きだん(忌憚); 遠慮. ──-하다 타 遠慮する; はばかる. ¶～ 없는 비평 忌憚のない批評. ──-없이 부 忌憚〔はばかり〕なく; 遠慮なく. ¶～ 말하게 遠慮なく話しなさい / ～ 말하자면 忌憚〔はばかり〕なく言えば.
기통【汽筒·氣筒】명 気筒; シリンダー.
기특-하다【奇特─】형 奇特だ; 殊勝だ; 神妙だ; 感心だ; けなげ(健気)だ. ¶기특한 마음씨 殊勝な心掛け / 동무를 구한 기특한 소년 友達を救ったけなげな少年 / 기특할 정도로 참을성이 강하다 感心なほど辛抱強い. 기특-히 부 殊勝に; けなげに.
기틀 명 物事の最も大事な基礎. ──-잡히다 자 (物事の)骨が出来上がる.
기-펴다【氣─】자 ① 緊張を解く; 安心する. ¶기를 못 펴다 気がくじけて小さくなる. ② 苦境から逃れる; 苦境を脱して気楽になる. ¶기펴고 살아 보자 気楽に暮らそうや.
기포【起泡】명 起泡. ──-하다 자 泡立つ. ¶～제 起泡剤.
‖──-성 명 起泡性.
기포【氣泡】명 気泡; 泡. ¶～ 유리 気泡ガラス.
기폭【起爆】명 起爆. ¶～제 起爆剤 / ～ 장치 起爆装置.
‖──-약 명 起爆薬.
기표【記票】명하자 用紙に票を記入すること.
기품【氣品】명 気品; 品格. ¶점잖은 ～ 穏やかな気品 / 어딘지 모르게 ～이 있다 どことなく気品がある.
기품【氣稟】명 きひん(気稟). ¶그에게서는 시인적 ～을 느낀다 彼は詩人的気稟を漂わせる.
기풍【氣風】명 気風. ¶상무(尙武)의 ～ 尚武の気風 / 근로의 ～을 기르다 勤労の気風を養う.
기프트〔gift〕명 ギフト.
‖── 체크(check) 명 ギフトチェック.
기피【忌避】명하타 忌避. ¶징병 ～ 徴兵忌避 / ～ 신청 忌避の申し立て.
‖──-자 명 忌避者.
기필【期必】명하타 必ず成し遂げんことを期する〔誓う〕こと. ──-코 부 間違いなく; きっと; 必ず. ¶～ 성공하겠습니다 きっと成功して見せます.
기하【幾何】명 ① いくばく(幾何); いくら(幾等). ②〖數〗[↗기하학] 幾何; 幾何学.
‖── 급수 명 幾何級数. ¶～적으로 불어나다 ねずみ算式に増〔殖〕える. ── 평균 명 幾何平均. ＝상승평균(相乘平均). ──-학 명 幾何学. ¶～적 무늬 幾何学的文様; 幾何模様.
기-하다【忌─】타 忌む; 避ける. ¶기할 풍습 忌むべき風習 / 소인은 군자를 기한다 小人は君子を忌む.
기-하다【期─】타 期する. ¶만전을 ～ 万全を期する / 생환은 기하기 어렵다 生還は期し難い / 우기를 기하여 공격으로 나오다 雨期を期して攻撃に出る.
기한【期限】명 期限. ──-하다 타 日限〔期限〕を決める. ¶빚을 ～까지 갚다 借金を期限までに返す / ～이 다되다 日限が切れる〔尽きる〕/ ～날이 다가오다 日限がせまる.
‖──-부 명 期限付き; 日切り. ¶～ 채권 期限付き債券 / ～로 돈을 꾸다 日切りの〔期限付きで〕金を借りる.
기합【氣合】명 ① 呼吸〔息〕が合うこと. ② 気合い. ¶～을 넣다 気合いを掛ける / ～이 들어가다 気合いが入る. ③《俗》罰; (特に, 軍隊などで)体罰を加えること. ¶～을 넣다 気合いを入れる.
‖──-술 명 気合術.
기항【寄港】명하자 寄港.
‖──-지 명 寄港地.
기행【奇行】명 奇行. ¶～의 주인공 奇行の持ち主.
기행【紀行】명 紀行. ¶금강산 ～ 金剛山紀行.
‖──-문 명 紀行文. ── 문학 명 紀行文学.
기-행렬【旗行列】명하자 旗行列. ¶～이 거리를 누비다 旗行列が町を練り歩く.
기-현상【奇現象】명 奇現象.
기형【畸形】명〖生〗奇形.
‖──-아 명 奇形児. ──-적 명관 奇形的.
기호【記號】명 記号. ¶음부 ～ 音部記号 / 원자 ～ 原子記号.
기호【嗜好】명 しこう(嗜好); たしなみ; 好み. ──-하다 타 嗜好する; たしなむ. ¶～에 맞다 好みに合う; 嗜好にかなう / ～가 고상하다 たしなみが上品だ.
‖── 식품(食品) 명 ☞ 기호품. ──-품 명 嗜好品.
기호【畿湖】명〖地〗京畿道·黄海道南部と忠清南道の北部地域.
기혼【既婚】명하자 既婚. ¶～자 既婚者.
기화【奇貨】명 奇貨. ① 珍しい財貨. ② (…に)付け込むこと; 好機

こう. ¶그것을 ~로 それをいいことにして / 약점을 ~로 하다 弱点に付け入る / 상대의 무지함을 ~로 삼다 相手の無知に付け込む〔乗ずる〕.

기화【氣化】 명하자타〔物〕①気化. ¶물이 ~하다 水が気化する. ② ☞ 승화(昇華).
‖——기 명 気化器; キャブレター. ——열 명 気化熱.

기황【饑荒】 명 ききん(饑饉).

기회【機會】 명 機会; 機; 折; しおどき(潮時); チャンス. ¶~를 타서 機に乗じて / ~를 엿보아 折りを見はからって / 이 ~에 분명히 해 두자 この際はっきりさせておこう.
‖—— 균등 명 機会均等. ——주의 명 機会主義; 日和見主義; ご都合主義.

기획【企劃】 명 企画; 企て; プラン. ——하다 타 企画する; 企てる. ¶~부 企画部.

기후【氣候】[1] 명 ①季候. =기절(氣節). ②〔地〕気候; 天気. ¶열대 ~ 熱帯気候 / 불순한 ~ 不順な気候.
‖——구 명 気候区. ——대 명 気候帯. —— 요법 명 気候療法. —— 요소 명 気候要素. —— 인자 명 気候因子. ——학 명 気候学.

기후【氣候】[2] 명 ☞ 기체(氣體)[1].

기휘【忌諱】 명하타 きい(忌諱). ¶~에 저촉되다 忌諱に触れる.

긴급【緊急】 명하형 緊急. ¶~한 문제 緊急な問題 / ~ 처리하다 いちはやく処理する. ——히 부 緊急に; いちはやく; すばやく.
‖—— 구속 명〔法〕緊急拘束. ——권 명〔法〕緊急権. —— 동의 명하자 緊急動議. —— 사태 명 緊急事態. —— 조치 명 緊急措置. —— 체포 명 緊急逮捕. =긴급 구속. —— 피난 명하자 緊急避難. —— 회의 명 緊急会議.

긴긴 관 [↗기나긴] ひどく長い; 長長しい. ¶~ 겨울밤 冬の夜長.
‖——날 명 長い日; 日長. ——밤 명 夜長. ¶동지 섣달 ~ 真冬の夜長. ——해 명 長い日; 日長. ¶봄의 ~ 春の日長.

긴-대답【—對答】 명 長返事. ——하다 자 長返事をする. ¶하녀가 ~을 하고 나왔다 女中が長返事をして出て来た.

긴-말 명하자 長話; くだくだしい話. ¶~이 필요없다 くだくだしい話は無用だ.

긴밀【緊密】 명하형 緊密. ¶~한 연락을 취하다 緊密な連絡を取る. ——히 부 緊密に; 密に.

긴박【緊迫】 명하형 緊迫. ¶세계 정세가 극도로 ~해지다 世界情勢が極度に緊迫する.
‖——감 명 緊迫感.

긴-반지름 명〔數〕長径; (楕円の)長軸の半径.

긴-병【—病】 명 長病み; 長患い. ¶~에 효자 없다《俚》長病みに親孝行なし.

긴-뼈 명〔生〕長骨.

긴-사설【—辭說】 명 (くだくだしい)長話.

긴-살 명 [↗볼기 긴살] (牛の)しり肉.

긴-소리 명 長音.
‖——표(標) 명〔言〕長音符.

긴요【緊要】 명 緊要; 肝要. ——하다 형 緊要だ; 肝要だ. ¶농촌 대책이 ~한 문제다 農村対策が緊要な問題である. ——히 부 緊要に; 肝要に.

긴장【緊張】 명하타 緊張. ¶잔뜩 ~하다 大いに緊張する; 気が張りつめる.
‖——리(裡) 명 緊張裏(に). ——병 명 緊張病. —— 완화 명 緊張緩和.

긴-찮다【緊—】 형 緊要〔肝要〕でない; つまらない. ¶긴찮은 물건 つまらない物.

긴찮-이 부 つまらなく. ¶~ 생각하다 つまらなく思う.

긴축【緊縮】 명 緊縮. ——하다 타 緊縮する; 引き締める. ¶재정을 ~하다 財政を引き締める〔切り詰める〕.
‖—— 예산 명 緊縮予算. —— 정책 명 緊縮政策.

긴팔-원숭이 명〔動〕てながざる(手長猿); ギボン.

긴-하다【緊—】 형 ①緊要だ; 緊切だ. ¶긴한 물건 肝要な物 / 긴한 볼일 大切な用事 / 긴한 때의 친구가 참 친구이다 まさかの時の友こそ真の友である. ②緊密だ. ¶두 사람은 긴한 사이다 二人は極く近い間柄である. 긴-히 부 折り入って; 特別に. ¶~ 부탁할 일 折り入って頼みたいこと.

긷다 타 (水を)くむ; くんで来る. ¶물긷는 사람 水くみをする人 / 물을 길어 담다 水をくみ込む.

길[1] 명 道. ①通路; 道路; 往来. ¶돌아가는 ~ 帰り道 / ~을 잃다 道に迷う / ~을 트다 道を付ける / ~이 트이다 道が付く / 천리 ~도 멀다 하지 않다 千里の道も遠しとせず. ②道徳; 道理. ¶공맹(孔孟)의 ~ 孔孟の道. ③行き掛け. ¶…하는 ~에 (…への)行き掛けに; …(する)途中〔道〕で / 가는 ~에 들르다 行き掛けに寄る. ④道のり; 道程. ¶가시밭~ いばら(茨)の道 / 성공의 ~ 成功への道 / (인생의) ~을 잘못 들다 人の道を誤る / 후진을 위해 ~을 터주다 後進のために道を開く. ⑤方法; 手段. ¶살아갈 ~이 트이다 暮らしの道が開ける / 해결의 ~을 트다 解決の道を開く / 찾을 ~이 없다 さがす当てがない. ⑥方面; 専門. ¶그 ~의 전문가 その道の達人 / 이 ~에 종사하기 한결같이 40년 この道一筋に四十年. ⑦ ☞ 거리(距離).

길[2] 명 ①(手入れなどによる)つや; 光沢. ②(動物の)飼い慣らし; 仕込み. ¶~들인 곰 飼い慣らしたくま(熊). ③手慣れ. ¶힘든 일에 ~이 들다 難しいしごとに手慣れる.

ㄱ

길[3] 명 (品質の)等差. ¶ 윗～ 上質；上等.
길[4] 명 身ごろ. ¶ 뒷～ 後ろ身ごろ.
길[5] 명 数巻の本による一そろい.
길[6] 의명 ① 人の背丈くらいの深さ：ひろ(尋). ② 長さの単位《八尺，または十尺》.
길-가 명 道端；路辺.
길-거리 명 街頭；往来；通り. ㊀거리. ¶ ～의 점쟁이 大道の易者 / ～에 난 창문 往来に接した窓 / ～를 헤매다 路頭に迷う.
길길-이 부 ① 物が高く積もったさま：ぎっしり；どっさり. ¶ 책이 ～ 쌓이다 本がぎっしり積み重なる. ② かんかん怒ってじだんだを踏むさま. ¶ 성이 나서 ～ 뛰다 かんかんになって怒る. ③ 草木が高く生い茂ったさま：ぼうぼう(茫茫)と.
길-꾼 명 ばくち(博打)などに通じている人.
길-나다 자 ① くせが付く；習慣になる. ② つやが出る.
길년【吉年】 명 結婚の適齢；年頃.
길-눈[1] 명 人の背丈程に降り積もった雪.
길-눈[2] 명 道を見分ける目. ¶ ～이 밝다〔어둡다〕 道筋のおぼえが良い〔悪い〕.
길다 형 長い. ① 短くない. ¶ 긴 여행길 長い旅路 / 너무 ～ 長過ぎる / 끈이 ～ ひも(紐)が長い / 길게 하다 長くする. ② (時間的に)長〔永〕い；久しい. ¶ 긴 세월을 함께 지낸 부부 長年連れそった夫婦 / 회의가 길어지다 会議が長びく / 인생은 짧고 예술은 ～ 人生は短く芸術は長し / 싸움이 길어지다 戦いが長びく.
길-다랗다 형 [→기다랗다] 非常に長い；長長しい.
길-닦이 명 道普請.
길-동무 명 道連れ；連れ合い；同行者. =길벗. ——-하다 자 連れ立つ.
길드〔guild〕 명 ギルド.
‖—— 제도(制度) 명 ギルド制.
길-들다 자 ① (手入れが良くできて)つや(艶)が出る. ¶ 손질을 잘해서 마루가 길이 들었다 手入れが行き届いて床につやが出ている. ② (動物などが)手なずく. ③ 手慣れる. ¶ 길든 만년필 使い慣れた万年筆.
길-들이다 타 飼い慣らす；手なずける；懐ける. ¶ 고양이를 ～ 猫を懐ける / 맹수를 ～ 猛獣を手なずける〔慣らす〕.
길디-길다 형 ひどく長い；長長しい.
길래 부 長(ら)く；長い間. ¶ ～ 기다리시게 해서 미안합니다 長らくお待たせしてすみません.
길리다 피동 育てられる；養われる；栽培される.
길마 명 荷ぐら. ——-짓다 자 荷ぐらをつける〔乗せる〕.
‖길맛-가지 명 ① (木製の)くら橋. ② 曲がった枝，または棒きれ.
길-목 명 道の要所.
길몽【吉夢】 명 吉夢. =상몽(祥夢)
길-바로 부 道を誤らずに.
길-벗 명 道連れ. =길동무.
길보【吉報】 명 吉報.
길-봇짐【——褓——】 명 旅用のふろしき(風呂敷)包み.
길-섶 명 道の側；道のわき(脇).
길-속 명 専門的な仕事の内幕. ¶ 처음하는 일이라 ～을 모른다 始めてのことで仕事の裏を知らない.
길-손 명 旅人；過客.
길쌈 명하자 機織り；手紡. ¶ ～하는 여자 機織り女.
길-앞잡이 명 道案内；道教え. ㊀길잡이.
길운【吉運】 명 幸運.
길이[1] 명 長さ. ¶ 옷 ～ 着物の丈 / ～가 너무 길다 尺が長すぎる.
길이[2] 부 長らく；永遠に. ¶ ～ 잠들다 とこしえに眠る.
길이-길이 부 とこしえに；後後まで. ¶ ～ 정답게 살아라 後後までむつまじく暮らすように.
길일【吉日】 명 吉日. ¶ ～을 택하다 吉日をぼく(卜)する.
길잃은-새 명 "迷鳥"のくだけた言い方.
길-잡이 명 ① 道しるべ；道標. ¶ 소나무를 ～로 삼고 松の木を道しるべにして / 영어의 ～ 英語の手引き / 대학 입시의 ～ 大学受験の道しるべ. ② [↗길라잡이] 道案内(をする人). ¶ 등산의 ～ 登山の道案内.
길조【吉兆】 명 吉兆；吉祥. ¶ 좋은 ～다 幸先がいい.
길-짐승 명 へび(蛇)·とかげ(蜥蜴)のようには(這)うけもの.
길쭉-이 부 やや長めに.
길쭉-하다 형 やや長い. ¶ 길쭉한 지팡이 長めのつえ(杖) / 얼굴이 ～ 顔が長い. 길쭉-길쭉 부하형 長めなさま.
길쯔막-하다 형 十分長い. >갈쯔막하다.
길쯤-이 부 かなり長めに.
길쯤-하다 형 かなり長めである. >갈쯤하다. 길쯤-길쯤 부하형 みんなかなり長いさま.
길찍-이 부 大分長く.
길찍-하다 형 大分長い. >갈찍하다. 길찍-길찍 부하형 みんなが大分長いさま.
길-차다 형 ① ひどくすっきりして長い. ② (森が)こんもり茂って奥深い.
길편-하다 형 平坦で広い；ひろびろと拡がっている.
길-품 명 駄賃で使い走りをすること.
‖——-삯 명 使い走りの駄賃. =보행(步行)삯.
길-하다【吉——】 형 縁起がいい；めでたい.
길항【拮抗】 명하자 きっこう(拮抗).
‖——-근 명 拮抗筋.
길-흉【吉凶】 명 吉凶. ¶ ～을 점치

다 吉凶を占う.

‖── 화복 명 吉凶禍福.

김¹ 명 〖植〗 のり(海苔); あまのり(甘海苔); むらさきのり(紫海苔); 干しのり.

김² 명 草取り. ¶ 논의 ～을 매다 田の草取りをする.

김³ 명 ① 湯気; 水蒸気. ¶ ～이 나다 湯気が立つ; 湯気を立てる / ～이 무럭무럭 나는 요리 (ぼつぼつと)湯気の立つ料理. ② 息. ¶ 콧～ 鼻息 / 유리창이 입～에 서려 있다 窓ガラスが息でくもっている. ③ (特有の)香りや味. ¶ ～ 빠진 맥주 気の抜けたビール.

김⁴ 의명 (事の)はずみ; 拍子; ついで. ¶ 일하는 ～에 事の序でに / 화난 ～에 腹立ちまぎれに / 웃는 ～에 틀니가 빠졌다 笑う拍子に入れ歯が抜けた / 지나가는 ～에 들렀다 通り掛かりに寄った.

김-나다 자 ① 湯気が立つ. ② (口から)熱い息が出る. ③ (特有の)香りや風味がなくなる.

김나지움 〔도 Gymnasium〕 명 ギムナジューム.

김-매기 명 草取り; 除草.

김-매다 자 草取りをする.

김-밥 명 のり巻き; のり巻きずし. ＝초밥.

김-빠지다 자 ① 湯気が抜ける. ② 気が抜ける. ㉠ (特有の) 香りや味がなくなる. ¶ 김빠진 맥주 気の抜けたビール. ㉡ 拍子抜けがする. ¶ 김빠진 이야기 間延びした話 / 김빠진 얼굴을 하고 있다 間延びした顔をしている.

김-새다 자 《俗》 興ざめる; 気が抜ける. ¶ 김새는 말은 작작 하게 興ざめ話は止せや.

김장 명하자 (越冬用の)キムチを漬けること. また, そのキムチ; キムジャン.

‖──-감 명 キムチ漬けにする野菜. ──-때 명 キムチを漬ける時期(立冬の前後).

김치 명 キムチ; 韓国特有の漬物の一種. ¶ 묵은 ～ 古漬け / ～를 담그다 キムチを漬ける.

‖── 주저리 명 菜っ葉ごと漬けた白菜·大根の葉. 김칫-거리 명 キムチを漬ける大根·白菜などの材料. 김칫-국 명 キムチの汁. ¶ ～부터 마신다 《俚》 とらぬ狸の皮算用; 飛ぶ鳥の献立. 김칫-돌 명 (漬物の)重石; 圧し.

깁 명 やや荒目の絹織物.

깁다 타 繕う. ¶ 양말 구멍을 ～ くつ下を継ぐ / 옷의 해진 곳을 ～ 服の破れをつづる / 헝겊을 대어 ～ つぎを当てる / 옷에 조각을 대어 ～ 服に接ぎ合わせをする.

깁-바탕 명 ① 絹本; 書画用の絹地. ¶ ～에 그린 그림 絹絵. ② 絹地にかいた書画.

깁스 〔도 Gips〕 명 ギプス. ① 石膏. ② ↗깁스 붕대.

‖── 베드 명 ギプスベッド. ── 붕대 명 ギプス包帯.

깃¹ 명 (家畜の)敷きわら.

깃² 명 羽毛; 鳥のはね. ＝깃털.

깃³ 명 矢羽根. ＝살깃.

깃⁴ 명 ↗옷깃. ¶ 양복 ～ 洋服の襟 / ～심 襟しん / 옷～을 여미다 襟を正す.

깃⁵ 명 分け前; 取り分.

깃구멍-막히다 자 《俗》 あきれる; あきれて物が言えない.

깃다 자 田畑に雑草が茂る.

깃-다듬다 자 (鳥が)羽毛をつついて整える.

깃-대 【旗─】 명 ① 旗ざお. ¶ ～를 세우다 旗ざおを立てる. ② 《俗》 旗.

깃-들이다 자타 ねぐら(塒)につく; 巣くう; 宿る. ¶ 새가 깃들여 살고 있다 鳥が巣くっている / 건전한 정신은 건전한 육체에 깃들인다 健全な精神は健全な肉体に宿る.

깃-발 【旗─】 명 ① 旗. ＝기면(旗面). 기폭(旗幅). ② 旗の縁の上下に付けた炎のような形の端切れ. ＝기각(旗脚).

깃-저고리 명 襟のない赤ん坊のチョゴリ; 産着.

깃-주다 자 (畜舎に)敷きわらをしいてやる.

깃-털 명 ① 羽と毛. ② 羽毛.

깃-펜 〔pen〕 명 羽ペン.

깊다 형 深い. ① 浅くない. ㉠ (底までが)深い. ¶ 깊은 바다 深い海 / 늪의 깊은 곳에 빠지다 沼の深みに落ち込む. ㉡ (交わり·関係が)深い. ¶ 깊은 사이 深い仲 / 깊은 관계를 맺다 深い関係を結ぶ / 깊은 관계에 빠지다 深間にはまり込む. ㉢ (程度が)強い. ¶ 깊은 인상 深い印象 / 깊은 애정 深い愛情 / 깊은 잠에 빠지다 深い眠りにおちいる. ② (場所が)奥まっている. ¶ 깊은 산속 深い山奥 / 산이〔골짜기가〕 ～ 山〔谷〕が深い. ③ ㉠ (考えなどが)あさはかでない; 軽率でない. ¶ 생각이 ～ 思慮が深い. ㉡ (物事の)奥底をきわめている; 深遠である. ¶ 깊은 학문 深い学問 / 깊은 뜻 深い意 / 깊은 경지에 이르다 深い境地に達する. ④ (時が)更けている; たけなわだ. ¶ 가을이 ～ 秋が深い / 밤이 깊어지다 夜が更ける.

깊-다랗다 형 ひどく深い.

깊-드리 명 底の深い田.

깊디-깊다 형 ひどく深い.

깊숙-이 부 奥深く; 深深と. ¶ 모자를 ～ 눌러 쓰다 帽子を深深とかぶる.

깊숙-하다 형 奥深い; 奥まっている. ¶ 숲속 깊숙한 곳 森の奥まった所.

깊은 사랑 【─舍廊】 명 多くの人を入れるようにこしらえた穴蔵.

깊이¹ 명 深さ; 深み. ¶ 바다의 ～ 海の深さ / ～가 없는 문장 深みのない文章.

깊이² 부 深く. ¶ ～ 생각한 끝에 熟考の末 / ～ 잠들다 ぐっすり寝込む / ～ 사랑하다 深く愛する / ～ 생각하다 深く考える / 숨을 ～ 들이쉬다 深く息を吸いこむ / 우물을 ～ 파다 井戸を深く掘る.

ㄱ

깊이-깊이 [부] 非常に深く; 奥深く.

까까-머리 [명] 丸坊主; くりくり坊主.

까까-중 [명] ① 丸坊主〔いがぐり〕のお坊さん. ② 丸坊主. =중대가리.

까뀌 [명] ちょうな; 手おの.

까끄라기 [명] (稲·麦などの)のぎ. <꺼끄러기. ㊅ 까라기·까락.

까-놓다 [타] ① (秘密などを)打ち明ける; ありのままに話す. ¶ 까놓고 말하다 ありていに〔ざっくばらんに〕話す. ② (外皮を)むいて置く.

까다¹ [一][자] (身が)細る; やせる; (身代が)減る. ¶ 몸이 ~ 身が細る. [二][타] ① (身代を)減らす. ② (勘定で)差し引く.

까다² [타] ① (中味を出すために)むく; 割る. ¶ 호두를 ~ くるみを割る. ② (卵を)かえす. ③ 《俗》 殴る; ける.

까다³ [타] 口先だけの事を言う. ¶ 입만 깐 사람 口先だけの人.

까다롭다 [형] 難しい. ① ややこしい. ¶ 까다로운 절차 ややこしい手続き / 규칙이 ~ 規則がやかましい / 까다로운 이치만 따지다 小難しい理屈ばかりこねる. ② (気)難しい; やかましい. ¶ 까다로운 노인 (気)難しい老人 / 식성이 ~ 食べ物に気難しい. 까다로-이 [부] ややこしく; (気)難しく; やかましく.

까닥-거리다¹ [자] 有頂天になってそそっかしく振る舞う. 까닥-까닥¹ [부하자] しょっちゅうそそっかしく振る舞うさま.

까닥-거리다² [타] ☞까딱거리다¹. 까닥-까닥² [부하타] しきりにうなずくさま.

까닥-까닥³ [부하형] ☞ 꺼덕꺼덕.

까닥-이다 [타] うなず(頷)く. =끄덕이다.

까닭 [一][명] 訳. ① 理由; 原因. ¶ ~도 없이 訳もなく / ~이 있어(서) 訳あって / 무슨 ~인지 모르지만 どういう訳か知らないが / ~없이 싫다 訳なくいやだ; なんとなく虫が好かない / ~도 없이 반대하다 由もなく反対する / ~없는 비난을 받다 いわれのない非難を受ける. ② (事の)いきさつ(経緯); こみ入った事情. ¶ 말하자면 이런 ~으로 まあこういった訳合いで / ~이 있다 いわくがある / 자세히 ~을 말하다 子細にわけを話す / 무언가 ~이 있음직하다 何か様子がありげである. ③ 事の根本. [二][의명] 故(に); …(の)ため. =때문.

‖——수(數) [명] 原因の数; 諸諸の原因. ¶ ~가 많다 いろいろな原因がある; こみ入ったわけがある.

까-뒤집히다 [자] (疲れや病などで)目が落ちくぼむ.

까드락-거리다 [자] そそっかしく気取った振る舞いをする. <꺼드럭거리다. ㊅ 까들거리다. 까드락-까드락 [부하자] そそっかしく気取って振る舞うさま.

까들막-거리다 [자] ☞ 꺼들먹거리다. 까들막-까들막 [부하자] 得意になっていばり散らすさま.

까딱¹ [부] うなずくさま: こっくり. <끄떡. ——-하다 [타] こっくりうなずく. ¶ ~도 하지 않는다 びくともしない / 눈썹하나 ~ 않고 듣다 まゆ(眉)ひとつ動かさず聞く. ——-거리다¹ [타] しきりにうなずく. ———— [부하타] こっくりこっくり. ——-없다 [형] びくともしない; 少しも動かない; 平気だ. ¶ 까딱없이 びくともせず(に)〔しないで〕; 平気で / 그만한 일에는 ~ そんなことではびくともしない.

까딱² [부하타] 何かのきっかけで間違うさま: ひょっと; うっかり; 危なく.

‖——수(手) [명] (碁などで)ぎょうこう(僥幸)を望む浅はかな手.

까딱-거리다² [자] ↗까뜨락거리다.

까딱-하면 [부] やや(と)もすれば; ひょっとしたら; ともすれば; すんでに; 危なく. ¶ ~ 큰 일 날지도 모른다 ひょっとすれば大変な事になるかも知れない / ~ 목숨이 없다 まかり間違えば命がない.

까땍¹ [부하타] ☞ 끄떡. * 까딱¹. ——하다 [타] 小刻みにこっくりうなずく. ——-거리다 [타] しきりにうなずく. ———— [부하타] こっくりこっくり. ——-없다 [형] びくともしない; ちょっとした変化もない; 平気だ. ——없이 [부] びくともせず(に); 平気で.

까땍² [부] 折悪しく間違うさま: ひょっと.

까뜨락-거리다 [자] ☞ 꺼뜨럭거리다.

까라기 [명] ↗까끄라기.

‖——벼 [명] 長めののぎ(芒)が付いている稲.

까라-지다 [자] ぐったりする; くたびれる. ¶ 기운이 ~ ぐったりとなる.

까락 [명] ↗까끄라기.

까르르 [부] 多くの人がどっと笑いこける声.

까르륵 [부하자] 火の付いたような赤ん坊の泣き声: ぎゃあぎゃあ.

까리 [명] 《俗》 ごろつき; ならずもの.

까마귀 [명] 〖鳥〗 からす(烏). =자오(慈烏)·한아(寒鴉). ¶ ~떼 からすの群れ / ~손 黒ずんだ手; 汚れた手 / ~발 黒ずんだ足; 汚れた足.

까마득-하다 [형] ↗까마아득하다. ㅗ가마득하다. 까마득-히 [부] ↗까마아득히.

까마아득-하다 [형] (へだたって)はるかだ; はるかに遠い; (久しくて)おぼろげ(朧気)だ. ¶ 까마아득한 옛날 이야기 はるか昔の話 / 까마아득한 옛날을 생각한다 はるかな昔を思う. ㊅ 까마득하다. 까마아득-히 [부] はるか(遠く)に; おぼろげに. ¶ ~ 섬이 보인다 はるか遠くに島が見える / 사람의 모습이 ~ 보인다 人の影がおぼろげに見える.

까막- [두] "黒い色"の意. ㅗ가막-.

‖——과부(寡婦) [명] いいなずけ(許婚)の男に死なれて嫁入りをしていないやもめ(寡婦). =망문(望門) 과부. ——눈 [명] あきめくら(盲). ——눈-이 [명] 文盲; 無学な人. ——잡기 [명하자] 目隠し. ¶ ~의 술래 目隠し鬼.

까막-거리다 ㊀[자] (衰えかけている火が)ちらちらする；ゆらめく；明滅する. ¶별이 ～ 星がちらちら(と)光る. ㊁[타] まばたきする；(目を)しばたたく. ¶눈을 까막거리면서 친구의 얼굴을 보다 目をしばたたかせながら友の顔を見る. <끄먹거리다. **까막-까막** [부][하자타] まばたき, またはちらちら光らすさま.

까막-까치 [명] うじゃく(烏鵲)；からす(烏)とかささぎ(鵲).

까맣다¹ [형] 真っ黒い. <꺼멓다. ¶까만 눈동자 黒いひとみ(瞳).

까맣다² [형] はるかかなた(彼方)だ；かすかだ. ㅗ가맣다.

까매-지다 [자] 真っ黒くなる；黒ずむ. <꺼메지다. ㅗ가매지다.

까-먹다 [타] ①皮〔殻〕をむい〔割っ〕て食べる. ¶호두를 ～ くるみ(胡桃)を割って食べる. ②使い果たす；つぶす；なくす. ¶본전까지 ～ 元手まで食いつぶす. ③度忘れする. ¶약속을 ～ 約束を忘れてしまう / 잘 ～ よく度忘れをする. ④《兒》(子供が)買い食いをする.

까무러-뜨리다 ㊀[자] ひどく失神する. ㊁[타] 失神させる.

까무러-지다 [자] 気が遠くなる；気を失う；失神する. ㅗ가무러지다.

까무러-치다 [자] 気絶する；気を失う. ㅗ가무러치다.

까무스름-하다 [형] ☞ 가무스름하다.

까무잡잡-하다 [형] ☞ 가무잡잡하다.

까무족족-하다 [형] ☞ 가무족족하다.

까무칙칙-하다 [형] どす黒い. ㅗ거무칙칙하다.

까무퇴퇴-하다 [형] ☞ 가무퇴퇴하다.

까물-거리다 [자] ☞ 가물거리다.

까-뭉개다 [타] (高い所を)切りくずす.

까-바치다 [타]《俗》告げ口する；言いつける. ¶엄마한테 까바칠테야 おかあちゃんに言いつけるよ.

까-발리다 [타] 割いて中味をむき出しにする；(…の)殻をとる；(…の)さやをはぐ. ¶밤송이를 ～ くりのいがをむく.

까부라-지다¹ [자] ①体積〔かさ(嵩)〕がだんだん減る. ②(元気が)衰えて体がかがむ. <꺼부러지다.

까부라-지다² [형] 意地(が)〔根が〕悪い.

까부르다 [타] ひ(箕)る；吹き分ける. ¶콩을 ～ 豆をひる / 키로 ～ み(箕)であおる. ㊅까불다.

까불-거리다 [자][타] しょっちゅう軽軽しく振る舞う； そそっかしくふざける. <꺼불거리다. **까불-까불** [부][하자타] しょっちゅうそそっかしく振る舞うさま.

까불다 ㊀[자] ①軽軽しくふるまう；(そそっかしく)ふざける〔たわける〕. ¶까불지 마라 ふざけるな. ②激しく上下に揺れる；(車などが)がたつく. ㊁[타] ①激しく上下に揺り動かす. ②↗까부르다. <꺼불다.

까불리다¹ [타] (身代などを)むだに使い散らす；つぶす. ¶가진 돈을 모두 ～ 有り金を使い果たす / 술로 가산을 ～ 酒で身代をつぶす.

까불리다² ㊀[피동] ひ(簸)られる. ㊁[사동] ひるようにする；吹き分けさせる.

까불-이 [명] 粗忽者；軽薄な人；ふざけ屋.

까붐-질 [명] み(箕)でひること. また, その仕事. =키질. ——-하다 [자] ひ(簸)る.

까슬-까슬 [부][하형] ①気難しいさま. ¶(성미가) ～한 사람 気難しい人. ②肌の粗いさま：かさかさ；ざらざら. ¶혀가 ～하다 舌がざらざらする. <꺼슬꺼슬. ㅗ가슬가슬.

까옥 [부] からす(烏)の鳴き声：かあかあ. ㊅깍. ——-거리다 [자] かあかあ鳴く. ——— [부][하자] かあかあ.

까지 [조] …まで. ①動作・状態が続けて及ぶことを示す語. ¶서울～ ソウルまで / 첫째부터 끝～ ピンからキリまで / 끝～ 싸우다 あくまで戦う. ②時間の限度を示す語. ¶신청은 이달말～ 申し込みは今月末限り / 모내기부터 추수～ 植え付けから刈り入れまで. ③"その上にまた"の意. ¶벌금～ 물었다 罰金まで取られた / 도둑질～ 하다 どろぼうまでする.

까-지다 [자] ①(皮が)むける. ¶무릎이 ～ ひざ(膝)が擦りむける. ②(財物などが)減る.

까-지르다 [자]《俗》(やたらに)うろつき回る.

까짓 [관] ↗그까짓. ¶아니, ～ 일도 못해내느냐 なんだ, それしきの事が出来ないのか / 세상을 ～ 것하고 업신여길 테지만 世の中をなんのへちまと思うだろうが.

-까짓 [미] 代名詞に付いて, その物の程度をさげすむ調子で"…만한 정도의(=それしきの)"の意を表わす語. ¶그～ それしき(の) / 네～ 따위에게 질까보냐 君なぞに負けるものか.

까짜 올리다 [타] 褒めそやすことばで人をなぶり物にする.

까치 [명]〔鳥〕かささぎ(鵲).

‖—— 걸음 [명] 一足飛び；両足をそろ(揃)えて飛ぶように歩くこと. ——-발 [명]〔建〕腕木. —— 설날 [명]《兒》元旦の前日；大みそか. —— 설빔 [명] 元旦の前日に着る子供の晴れ着.

까치작-거리다 [자] 足手まといになる；差し支える；しきりにじゃまになる. <꺼치적거리다. ㅗ가치작거리다. **까치작-까치작** [부][하자] しきりにじゃまになるさま.

까칠까칠-하다 [형] (肌・物の表が)ざらざらしている.

까칠-하다 [형] (やつれて)ざらざらした肌につやがない. <꺼칠하다. ¶병으로 몹시 까칠해졌군 病気でひどくやつれたね.

까칫-거리다 [자] (とげなどが)しきりに肌をさす；ざらつく；ざらざらする. **까칫-까칫** [부][하자] (とげなどがしきりに)肌をさすさま：ざらざら.

까칫-하다 [형] やせ衰えて色艶がな

い；やつれている．＜꺼칫하다．ㅗ가칫하다．¶여위어 까칫해졌다 やつれ果てている．

까탈 명 故障；障害；邪魔立て．ㅗ가탈．——-**스럽다** 형 めんどうくさい；手に負えない．——-**부리다** 자 言い掛かりをつける；邪魔立てをする．——-**지다** 자 面倒な事になる．

까투리 명 めすきじ(雌雉)．＝암꿩．

까풀 명 ☞ 꺼풀．——-**지다** 자 ☞ 꺼풀지다．

깍 부 ↗까옥．

깍-깍 부하자 [↗까옥까옥] かあかあ．——-**거리다** 자 かあかあ鳴く．

깍두기 명 カクテキ； 漬物の一種《大根が主な材料である》．

깍둑-거리다 타 乱切りにする． ＜꺽둑거리다． **깍둑-깍둑** 부하타 続けざまに乱切りにするさま．

깍듯-이 부 礼儀正しく；丁寧に．¶～ 인사하다 きちんと挨拶する．

깍듯-하다 형 礼儀正しい；丁寧だ．¶인사가 깍듯한 사람 きちんとした礼儀のある人．

깍-쟁이 명 けちで利害にかけてはあくどい程抜け目のない人；しみったれ；ちゃっかり屋．¶～같은 놈 ちゃっかり奴．

깍정이 명 ①〖植〗かくと(殻斗)．② ☞ 종지．

깍지¹ 명 ①(豆などの)さや(莢)．②殻．＝겁질．

‖**깍짓-동** 명 ①(豆などのさやの付いた)茎株の束．②ひどく太った体；でぶ〈俗〉．

깍지² 명 ゆが(弓懸)け；弓を引く際，親指にはめる角造りの指ぬき．＝각지(角指)．—— **끼다** 타 手を組む；両手の指を組み合わせる．——-**떼다** 자 弓弦を放す．

‖**깍짓-손** 명 ゆがけをはめた手．

깎다 타 ①(物を)削る；切る；そぐ．¶연필을 ～ 鉛筆を削る／손톱을 ～ つめを切る／산을 깎아 내리다 山を切り崩す．②そる；刈る．¶수염을 ～ ひげをそる／머리를 짧게 ～ 髪を短く刈る／머리를 치켜 ～ 髪を刈り上げる／잔디를 ～ 芝生を刈る．③値切る；削る；切り詰める．¶값을 ～ 値切る／예산을 ～ 予算を削る／천원 깎아서 사다 千ウォン値切って買う．④(面目·名誉を)傷つける；けなす．¶못된 자식이 아비의 낯을 깎는다 どら息子が親の面をよごす／남을 깎아내리는 말투다 人をおとしめる言い方だ．⑤免職する．¶벼슬을 ～ 職を免ずる．

깎아-지르다 타 切り立てる．

깎아지른 듯하다 형 切り立ったように険しい．¶깎아지른 듯한 벼랑 切り立ったがけ(崖)．

깎은 서방님【—書房—】 명 さっぱりした身なりの青年．

깎은 선비 명 身なりの端正な若い儒生．

깎이다 ㊀피동 ①削られる；そげる．②そられる；刈られる．③値切られる．④傷つけられる；けなされる．⑤役職を奪われる．㊁사동 ①削らせる；そがせる．②そらせる；刈らせる．¶머리를 ～ 髪を刈らせる／수염을 ～ ひげをそらせる．③(名誉などを)傷つかせる．

깐 명 [←간] (物事の事情や機会に対して)自分なりの見積もり つもり；考え．¶제 ～에는 自分の心積もりでは．

깐깐-이 명 くどい人；しつこい人．

깐깐-하다 형 ①粘っこい．②しつこくてあっさりしない．¶왜 그렇게 깐깐하냐 どうしてそうしつこいの．**깐깐-히** 부 しつこく；粘っこく．¶～ 캐어 묻다 しつこく問い質す．

깐닥-거리다 자타 (しきりに)軽く少しずつ動く．また，動かす．＜끈덕거리다．**깐닥-깐닥** 부하자타 やや強く動く〔動かす〕さま．

깐동-하다 형 きちんと取りまとめられて簡単だ．＜껀둥하다．ㅗ간동하다．

깐딱-거리다 자타 しきりに少しずつ動く．また，動かす．**깐딱-깐딱** 부하자타 しきりに少しずつ動く〔動かす〕さま．＜끈떡거리다．

깐-보다 ㊀자 見積もる；見計らう；(相手の)腹を探る；気を引いて見る．㊁타 ☞ 깔보다．

깐실-깐실 부 ひそひそとこざかしくこびへつらうさま．ㅗ간실간실．——-**하다** 자 こびへつらう．

깐족-이다 자 つまらない事をねちねちと話す；憎まれ口をたたく．

깐-지다 형 (たちが)しつこくてずぶとい；ねちねちしている．＜끈지다．

깐-질기다 형 粘り強い；しちくどい．＜끈질기다．¶깐질긴 성질 ねちねちしたたち(質)．

깐질-깐질 부하자 ねちねちした言動で人をじらすさま．ㅗ간질간질．＜끈질끈질．

깐질깐질-하다 형 ねちねちしている．＜끈질끈질하다．

깔 명 ↗깔색．¶태～ 形と色合い．

깔개 명 敷物．

깔기다 타 (所かまわず)ぶちまける．¶개가 함부로 오줌을 ～ 犬が所かまわず小便を垂らす．

깔깔 부 高らかに笑う声：からから．＜껄껄．——-**거리다** 자 からからと笑う．

깔깔-하다 형 ①(ひからびて)がさがさ〔ざらざら〕している；粗い．＜껄껄하다．¶깔깔한 손 がさがさした手／깔깔한 천 粗い布／혀가 깔깔해지다 舌がざらざらする．②(気性が)さっぱりしている．＜끌끌하다．

깔끄럽다 형 ①(のぎ(芒)などが体に付いて)ちくちくする．②ひからびて滑らかでない；がさがさ〔ざらざら〕している．＜껄끄럽다．

깔끔-거리다 자 (ひげなどが触って)ちくちくする．＜껄끔거리다．**깔끔-깔끔** 부하자 ちくちく．

깔끔-하다 형 (性格が)さっぱりしている；スマートだ．＜끌끔하다．¶깔끔한 성격 さっぱりした気性／깔끔한 옷차림 スマートな身なり；しゃだつ

(洒脱)な身ごしらえ. 깔끔-히 [부] さっぱりと；スマートに.

깔다 [타] ① 敷く. ㉠ (物を)平らにのべ広げる. ¶방석을 ~ 座布団を敷く / 요를 ~ 敷きぶとんをしく / 자리를 ~ 床を取る〔延べる〕/ 복선을 ~ 伏線を敷く / 바닥에 타일을 ~ 床にタイルを張る. ㉡ 下に押さえ付ける；組み敷く. ¶도둑을 잡아 깔고 앉다 泥棒をつかまえて組み敷く / 남편을 깔고 뭉개다 亭主をしり(尻)に敷く. ② (金・品物などを)方方に貸したり掛け売りする.

깔딱 [부][하자] ① 水などを少しばかり飲み込む音：ごくり. ② 息も絶え絶えにあえぐさま. ③ ごわごわした物が裏返る際に出す音：ばりばり. <껄떡. ——-거리다 [자] ごくりごくりと飲む； 息も絶え絶えにあえぐ；ばりばりと裏を返す. ———— [부][하자] ごくりごくり；あえぎあえぎ；ばりばり.

깔딱-하다 [형] ① 気が抜ける；ぼうっとなる. ② (疲れなどで)目がへこんでいる. <껄떡하다.

깔때기 [명] じょうご(漏斗)；ろうと.

깔리다 [一][자] 敷かれ(たようにな)る. ¶구름이 온통 낮게 ~ 雲が一面に垂れ込む / 꽃이 떨어져 ~ 花が散り敷く. [二][피동] 組み敷かれる；押さえられる. ¶밑에 깔린 사람 組み敷かれた人.

깔-보다 [타] あなどる；見下す. ¶깔보는 태도 見下す態度 / 사람을 ~ 人を下目に見る / 상대방이 약하다고 ~ 相手が弱いと見てあなどる.

깔-색【一色】 [명] ① 品の色合い. ② 品の恰好と質.

깔짝-거리다¹ [자] (薄くてごわごわした物が軽く裏返りながら)ぱりぱりと音を出す. 깔짝-깔짝¹ [부][하자] ぱりぱり.

깔짝-거리다² [타] (ねずみなどが)かじり続ける. ¶쥐가 판자를 ~ ねずみが板をかじる. <끌쩍거리다. 깔짝-깔짝² [부][하타] 続けざまにかじるさま：がさがさ：がりがり.

깔쭉-거리다 [자] (とげ(刺)などで肌が)いらいらする；ちくちくする. <껄쭉거리다. 깔쭉-깔쭉 [부][하자] いらいら；ちくちく.

깔쭉-이 [명] ぎざぎざのある銀貨.

깜깜 [명] 何も知らない状態. ——-하다¹ [형] 全然知らない. ¶소식이 ~이다 便りがなくて何も知らない

‖—— 부지(不知) [명] まったく知らないこと. —— 소식(消息) [명] 便りが絶えていること. ㅗ감감 소식. ¶2년 동안이나 ~이다 二年も何の便りがない.

깜깜-하다² [형] 真っ暗である. <껌껌하다. ¶깜깜한 밤 真っ暗な夜 / 이내 깜깜해졌다 すぐ真っ暗になった.

깜냥 [명] 物事をなしとげるいくらかの力；能力. ¶그의 ~으로는 彼の手際にしては.

깜냥깜냥-이 [부] めいめいの力〔能力〕に応じて.

깜다 [형] 真っ黒い. <껌다.

깜박 [부] ① (明かり・星などが)消えかかってから明るくなるさま：ちらっと；ぽっと. ——-하다 [자][타] ちらつく；瞬く. ② ぼんやりした状態から覚めるさま：うっかり. ——-하다 [자][타] うっかりする. ¶~ 늦잠 잤다 うっかり寝過ごした / ~ 잊었다 度忘れした / 중요한 일을 ~ 잊었다 大事な事をうかと失念した / 그만 ~했다 ついとろとろ(と)した；うっかりした. ③ (目を)しばらく閉じてからあけるさま. ——-하다 [자][타] 瞬く；まじろぐ. <끔벅. ㅛ깜빡. ——-거리다 [자][타] ① ちらつく. ② うかうかする. ③ しばたたく；ぱちつかせる；ぱちぱちさせる. ———— [부][하자타] ① ちらちら. ② うかうか. ③ ぱちぱち.

깜박-이다 [一][자] (明かりなどが)ちらつく；瞬く. ¶깜박이는 별 瞬く星 / 멀리 깜박이는 불빛이 보인다 遠くにちらつく灯火が見える. [二][타] (目を)まじろぐ. ¶눈 하나 깜박이지 않고 まじろぎもせず. <끔벅이다. ㅛ깜빡이다.

깜부기 [명] ① 黒穂. ② 顔色の黒い人のあだ名. ③ ↗깜부기숯.

‖——-불 [명] たき落とし. ——-숯 [명] 燃えさしを消して作った炭. (준)깜부기.

깜빡 [부][하자타] ☞ 깜박. <끔뻑. ——-거리다 [자][타] ☞ 깜박거리다. ———— [부][하자타] ☞ 깜박깜박.

깜빡-이다 [자][타] ☞ 깜박이다.

깜작 [부] まじろぐさま. <끔적. ㅛ깜짝. ——-하다 [타] まじろぐ；瞬く；まばたく. ¶눈 ~할 사이에 瞬く間に；あっという間に. ——-거리다 [타] しきりにまじろぐ〔瞬く〕. ————¹ [부][하타] しきりにまじろぐさま：ぱちぱち；ぱちくり.

깜작-깜작² [부][하형] 小さな黒点が散らばっているさま. <껌적껌적. ㅗ감작감작.

깜작-이 [명] ↗눈깜작이.

깜작-이다 [타] まじろぐ；瞬く. ¶눈을 ~ 目をしばたたく.

깜장 [명] 黒色；黒の染料. <껌정. ㅗ감장.

‖——-이 [명] 黒色の物. <껌정이.

깜짝¹ [부][하타] ☞ 깜작. <끔쩍¹. ——-거리다¹ [타] ☞ 깜작거리다. ————¹ [부][하타] ☞ 깜작깜작.

깜짝² [부][하자] びっくり(驚くさま). <끔쩍². ¶세인을 ~ 놀라게 한 대음모 世人をしんがい(震駭)させた大陰謀 / ~ 놀라다 びっくり(仰天)する / ~ 놀라게 하다 あっと言わせる / 떨어질 뻔해서 ~ 놀라다 落ちそうになってはっとする. ——-거리다² [자] 続けざまにびくっとする. ————² [부][하자] びくつくさま.

깜짝-이 [명] ↗눈깜짝이.

깜짝-이다 [타] ☞ 깜작이다.

깜짝-이야 [감] 驚いて出す声：(ああ)びっくりした. (준)깜짝야. ¶아이구 ~ ああ, びっくりした.

깜찌기 [명] ↗깜찌기실.

‖——-실 [명] 非常に細くて丈夫な糸.

ㄱ

깜찍-이 [부] こざかしく；ずるく.
깜찍-스럽다 [형] ☞ 깜찍하다.
깜찍-하다 [형] ①ませてちゃっかりしている. ¶깜찍한 아이 こましゃくれた〔ひねこびた〕子供／깜찍한 계집아이 おしゃま. ②こすくてみみっちい.
깝대기 [명] 殻. ①(卵·貝·くり(栗)などの)外皮. ②中身を取った外側の物. ＜껍데기.
깝신-거리다 [자][타] いつも軽軽しく振る舞う；おっちょこちょいに振る舞う. ＜껍신거리다. **깝신-깝신** [부][하자타] しきりにうかうかして軽軽しく振る舞うさま.
깝작-거리다 [자][타] そそっかしく振る舞う. ＜껍적거리다. **깝작-깝작** [부][하자타] しきりにそそっかしく振る舞うさま.
깝죽-거리다 [자][타] いつも得意になってそそっかしく振る舞う. **깝죽-깝죽** [부][하자타] しきりに得意がってそそっかしく振る舞うさま.
깝질 [명] ☞ 껍질.
깡 [명]〔鑛〕"雷管"の鉱員語.
깡그리 [부] すっかり；ことごとく. ¶～ 잊어버렸다 すっかり忘れてしまった／논밭을 ～ 팔아버리다 田畑を洗いざらい〔すっかり〕売り飛ばす.
깡그리다 [타] (物事を)まとめる；締めくくる；くくりをつけて仕上げる.
깡깡이 [명]〔樂〕楽器の一種；胡弓に似た小形の二弦弦楽器. ＝해금(奚琴).
깡뚱 [부] そそっかしく跳ね上がるさま：ぴょんと. ＜껑뚱. ——-거리다 [자] ぴょんぴょん(と)跳ね回る. ———— [부][하자] ぴょんぴょん. ¶토끼가 ～ 뛰어다닌다 うさぎがぴょんぴょん跳ね回る.
깡뚱-하다 [형] (着物のすそが短くて)つんつるてんだ. ＜껑뚱하다. ¶깡뚱한 옷 ちんちくりんの着物.
깡-물리다 [자]〔鑛〕雷管を導火線につなぐ.
깡짱 [부] 短い足で力強く飛び上がるさま：ぴょんと. ＜껑쩡. ¶～ 뛰어오르다 ぴょんと跳ね上がる. ——-거리다 [자] ぴょんぴょん飛び歩く. ———— [부][하자] ぴょんぴょん.
깡충-하다 [형] ☞ 껑충하다.
깡통 [명] ①空き缶. ②缶詰めの缶. —— 차다 [자] こじき(乞食)になる. ‖—— 따개 [명] 缶切り.
깡패 [명] ごろつき；ぐれん隊；よた者；やくざ(者). ¶정치 ～ 政治ごろ／～ 족속 よた者の類い.
깨 [명] ①〔植〕ごま(胡麻)·えごま(荏胡麻)の通称. ②ごまの種. ¶～를 빻다 ごまをする.
깨-강정 [명] い(炒)りごま(胡麻)をあめ(飴)で固めた菓子.
깨개갱 [부][하자] 犬の鳴き声：きゃんきゃん.
깨갱 [부] 小犬の鳴き声：きゃん. ＜끼깅. ——-하다 [자] きゃんと鳴く. ——-거리다 [자] きゃんきゃん(と)鳴く. ———— [부][하자] きゃんきゃん.
깨-고물 [명] ごま(胡麻)のまぶし粉. ＝임자말(荏子末).
깨깨¹ [부] ひどくやせたさま：ぎすぎす. ¶～ 마른 여자 ぎすぎすした女.
깨깨² [부] 子供のやかましく泣き叫ぶ声：ぎゃあぎゃあ.
깨끔-하다 [형] すっきり〔さっぱり〕している. ¶방을 깨끔하게 치우다 部屋をさっぱりと〔きちんと〕片付ける. **깨끔-히** [부] さっぱりと. **깨끔-스럽다** [형] さっぱりして清潔だ. **깨끔-찮다** [형] 清潔でない；さっぱりしない.
깨끗-이 [부] きれいに；さっぱりと；さらりと；潔く. ¶～ 먹어치우다 きれいに平らげる／～ 거절당하다 あっさりと断われる／빚을 ～ 갚다 借金をきれいに返す／～ 졌다 きれいに負けた／～ 손질하다 きれいに仕上げる／병이 ～ 나았다 病気がきれいになおった.
깨끗-잖다 [형] 清潔でない；さっぱりしない.
깨끗-하다 [형] きれい(奇麗)だ. ①㉠汚れをとどめていない；清い. ¶깨끗한 물 きれいな水／깨끗한 교제 清いつき合い／마음이 ～ 心が清い〔清らかだ〕／깨끗하게 하다 きれいにする／수염을 깨끗하게 밀다 ひげをきれいにそる. ㉡きちんと〔さっぱり〕している. ¶깨끗한 치열(齒列) きれいな歯並み／깨끗하게 정리된 방 きちんと片づけた部屋. ②(手並みが)あざやかだ. ¶깨끗한 솜씨 あざやかな手際. ③潔い；さらりとしている；正正堂堂としている. ¶깨끗한 최후 潔い最期／깨끗한 태도 さらりとした態度／～한 선거 クリーン選挙／깨끗하게 잊다 きれいに忘れる／깨끗하게 갚다 きれいに返す. ④(病気がなおって)すっきりしている. ¶몸이 아직 깨끗하지 않다 (病み上がりで)まだすっきりしない.
깨끼-겹저고리 [명] ☞ 깨끼저고리.
깨끼-바지 [명] 薄絹のあわせ(袷)のパジ.
깨끼-옷 [명] 縫い目をきれいに仕上げるため, 折り返して縫った薄絹のあわせ(袷).
깨끼-저고리 [명] 薄絹のあわせ(袷)のチョゴリ.
-깨나 [미] "어느 정도는(＝かなり)"の意. ¶돈～ 있는 것 같다 (かなりの)金持ちに見える.
깨-나다 [자] [←깨어나다] ①(眠りから)覚める. ¶꿈〔악몽〕에서 ～ 夢〔悪夢〕から覚める. ②(酒などから)覚める；蘇生する；よみがえる. ¶마취에서 ～ 麻酔から覚める. ③(迷いから)覚める；目覚める. ¶악에서 ～ 悪から目覚める. ④変色したものが持ち前の色を出す.
깨나른-하다 [형] だるい；おっくう(億劫)だ. ¶몸이 ～ 体がだるい.
깨다¹ ㊀[자] ①覚める. ¶잠이 ～ 目が覚める／꿈에서 깨어나다 夢から覚める／마취가 ～ 麻酔が覚める. ②(学んで)人知が開ける. ¶깬 사람 開けた人；物分かりのいい人. ㊁[타] ①(目を)覚ます. ¶빗소리에 잠을 ～ 雨の音に目を覚ます. ②[↗

깨우다] 覚めさせる. ¶두들겨 ~ 叩き起こす.

깨다² 타 ①壊す. ㉠(堅い物を)割る; 破る. ¶그릇을 ~ 器を割る/꽃병을 ~ 花瓶をこわす/얼음을 잘게 ~ 氷をぶっかく〈俗〉/산산 조각으로 ~ こっぱみじん(微塵)に砕く. ㉡(物事を邪魔して)だめにする. ¶흥을 ~ 興を冷ます/모임을 ~ 会を割る. ②(記録·旧習などを)破る.

깨다³ 피동 ①(卵が)かえ(孵)される; かえ(孵)られる. ②(体重·財物などが)減らされる.

깨다⁴ 사동 (卵を)かえす; かえらせる. ¶병아리를 ~ ひな(雛)をかえす.

깨닫다 ㊀타 悟る. ①〖佛〗(迷いから覚めて)悟りを開らく. ¶인생의 허무함을 ~ 人生のはかなさを思い知る. ②(物事の道理を)明らかに知る; 理解する. ¶사정을 ~ 事情を了する/현실을 ~ 現実に目覚める. ③(前もって)感づく; 察知する. ¶죽음이 가까이 온 것을 ~ 死期が近づいたことを悟る. ㊁자 心が真理に通じる.

깨달은-이 명〖佛〗悟りを得た人.

깨뜨러-지다 자 "깨지다(=壊れる)"の強勢語.

깨-뜨리다 타 "깨다²(=壊す)"の強勢語. ¶화분을 ~ 植木鉢を割る/찻잔을 ~ 茶わんを割る/평화를〔기록을〕 ~ 平和を〔記録を〕破る.

깨물다 타 かむ. ¶혀를 ~ 舌をかむ/분해서 입술을 꼭 ~ くやしさに唇をかみ締める/혀를 깨물어 자살하다 舌を食い切って自殺する.

깨-부수다 타 打ち砕く; ぶち壊す.

깨-소금 명 ごま塩.

깨-알 명 ごま粒. ——같다 형 ごま粒のようだ; 非常に細かい. ¶~같은 글씨 細かい字.

깨어-나다 자 ☞깨나다. ¶악몽에서 ~ 悪夢から覚める.

깨어-지다 자 ☞깨지다. ¶접시가 ~ 皿がこわれる/흥이 ~ 座が白ける.

깨우다 타 覚ます. ¶두들겨 ~ たたき起こす/바람을 쐬여 술을 ~ 風に当たって酔いを覚ます/태평의 잠을 ~ 太平の眠りを覚ます. 준 깨다¹.

깨우치다 타 悟らす; 覚ます. ¶사리를 ~ 道理を悟らせる/미혹을 ~ 迷いを覚ます.

깨이다 ㊀피동 ①(眠りから)覚まされる. ②(卵が)かえ(孵)される. =깨다³. ㊁사동 (卵を)かえす; かえらす. =깨다⁴.

깨작-거리다¹ 타 嫌嫌ながら字を書く. <끼적거리다. 깨작-깨작¹ 부하타 嫌嫌ながら字を書くさま.

깨작-거리다² 타 ↗깨지락거리다. <께적거리다. 깨작-깨작² 부하타 ↗깨지락깨지락.

깨죽-거리다 자 しきりに不平·不満をこぼす; ぶつぶつ言う. <께죽거리다. 깨죽-깨죽 부하자 ぶつぶつ.

깨-지다 자 [←깨어지다] 壊れる. ①(物が)砕ける; 割れる. ¶공기가 ~ おわんが割れる/달걀이 ~ 卵がつぶれる/유리가 ~ ガラスが割れる/이마가 ~ 額が割れる/산산이 ~ 粉粉に砕ける/깨지지 않도록 하다 壊れないようにする. ②㉠(事が)破れる; だいなしになる. ¶교섭이 ~ 交渉が破れる/균형이 ~ つり合いが破れる; バランスがくずれる/(앞날의) 꿈이 ~ (前途への)夢が破れる/혼담이 ~ 縁談が壊〔破〕れる; 破談になる/희망이 깨졌다 希望がだいなしになった. ㉡(雰囲気が)気まずくなる. ¶흥이 ~ 興が冷める; 座が白ける.

깨지락-거리다 타 (食べ物を)まずそうに食べる; (仕事が気に入らず)いやいやながらする. <께지럭거리다. 준 깨작거리다²·깨질거리다. 깨지락-깨지락 부하타 いやいやながらするさま: まずそうに: のらりくらり; 精を入れずに.

깨질-거리다 타 ↗깨지락거리다. 깨질-깨질 부하타 ↗깨지락깨지락.

깨치다¹ 타 悟る; 会得する. ¶한글을 ~ ハングルを会得する/진리를 ~ 真理を悟る.

깨치다² 타 壊す; 壊してしまう.

깩 부 急所を突かれて不意に叫ぶ声: きゃっ. <끽. ——하다 자 きゃっと叫ぶ. ¶~하고 쓰러지다 きゃっと叫んで倒れる.

깩-깩 부하자 急所を突かれて続けざまに叫ぶ声: きゃっきゃっ; ぴいぴい. ¶~ 비명을 지르다 ぴいぴいと悲鳴をあげる. ——거리다 자 ☞깩깩하다.

깩-소리 명 言い返す言葉; 反論《下に必ず否定または禁ずる語を伴う》. <끽소리. ¶~ 못하다 ぐうの音も出ない/~ 마라 文句(を)言うな.

깻-묵 명 油かす(粕); 搾り滓.

깻-송이 명 ごま(胡麻)の穂.

깻-잎 명 ごま(胡麻)·えごま(荏胡麻)の葉.

깽 부 苦しいとき, または力をこめるときの声: うん. <낑.

깽-깽 부하자 苦しいとき, または力をこめるときにしきりに出す声: うんうん. ——거리다 자 うんうん(と)うな(唸)る.

꺄룩-거리다 자타 (のぞき見をするとき, またはのどにつかえた物を飲み下す際)首をぐっと伸ばす. <끼룩거리다. 꺄룩-꺄룩 부하자타 のぞき見をするとき, またはのどに掛かったものを飲み下す際, しきりに首をぐっと伸ばすさま.

꺄우듬-하다 형 ☞끼우듬하다.

꺄우뚱-거리다 자타 ☞갸우뚱거리다.

꺄울다 자 ☞갸울다.

꺄울어-뜨리다 타 ☞갸울어뜨리다.

꺄울어-지다 자 ☞갸울어지다.

갸울이다 타 ☞갸울이다.

꺄웃-하다 타형 ☞갸웃하다.

꺅¹ 부하자 危ないときに叫ぶ声: ぎゃっ; きゃっ.

꺅² 부하자 腹いっぱい食べて食べ

物がのどまで詰まったさま.
꺅-꺅 부하자 獣などが鋭く叫ぶ声: きゃっきゃっ. ――-거리다 자 きゃっきゃっと叫ぶ.
꺌-꺌 부 めんどり(雌鳥)·かもめ(鷗)などの鳴きわめく声: こっここっこ; があがあ.
꺼 준 ①"끄다(=消す)"の活用形"끄어"の略語. ¶불을 ~라 火を消せ/불이 ~졌다 火が消えた. ②"끗다"の不規則活用形"끄어"の略語. ¶놈을 이리로 ~ 오너라 彼奴をここに引っぱって来い.
꺼끄러기 명 のぎ(芒). >까끄라기. 준 꺼러기·꺼럭.
꺼끙-그리다 타 (もみ殻を除くために)玄米つきにする.
꺼-내다 타 [↗끄어 내다] 取り出す; 引っ張り出す; 持ち出す. ¶금고에서 돈을 ~ 金庫から金を取り出す/혼담을 ~ 縁談を持ち出す.
꺼덕-꺼덕 부하형 水気が乾きかけているさま.
꺼드럭-거리다 자 ☞ 거드럭거리다.
꺼들먹-거리다 자 ☞ 거들먹거리다.
꺼뜨럭-거리다 자 (得意になって)しきりに高ぶる; 威張りちらす. >까뜨락거리다.
꺼-뜨리다 타 過って火を切らす. ¶연탄불을 ~ 練炭の火を切らす.
꺼리다 타 はばかる; (忌み)嫌う; 忌む. ¶동북방을 ~ 鬼門を嫌う/세인의 평판을 ~ 世人の取りざたを気にする/말을 ~ 言い渋る/체면을 ~ 見目をはばかる.
꺼림칙-하다 형 (何となく)気にかかる; 忌まわしい; まがまが(禍禍)しい; 気が差す; いとわしい. ¶꺼림칙한 병 忌まわしい病気/마음이 ~ 気が差す.
꺼림-하다 형 ①気にかかる; (疑わしくて)すっきりしない. ¶꺼림해서 못 먹겠다 気になって食べられない. ②やましい; うしろ暗い. ¶어제의 거짓말이 왠지 지금까지 ~ 昨日のうそがなぜか今でもうしろめたい.
꺼멓다 형 真っ黒い. >까맣다. ㅅ거멓다.
꺼메-지다 자 (色が)黒ずむ. >까매지다. ㅅ거메지다.
꺼물-거리다 자 ☞ 가물거리다.
꺼벙-하다 형 体付きは大きいが締まりがない; 大柄でだらしない.
꺼불-거리다 자타 ☞ 까불거리다.
꺼지다¹ 자 ①(火·泡などが)消える. ¶불 꺼지지 않게 하다 火を絶やさないようにする/전등불이 ~ 電灯が消える. ②《俗》(目の前から)消え失せる. ¶빨리 꺼져라 とっとと消え失せろ.
꺼지다² 자 しゃくむ; 落ち込む; へこ(凹)む. ¶땅이 ~ 地が落ち込む/배가 ~ 腹がすいてへこむ.
꺼치적-거리다 자 ☞ 거치적거리다.
꺼칠-꺼칠 부 なめらかでないさま: かさかさ. ㅅ거칠거칠. ――-하다 형 粗い; ざらざらする; かさかさする. ¶감촉이 ~하다 手触りがごつごつする.
꺼칠-하다 형 やつれて脂気がない. ㅅ거칠하다. ¶피부가 ~ 肌がかさかさしている.
꺼칫-거리다 자 手触りが粗い; ざらざらする. ㅅ거칫거리다. 꺼칫-꺼칫 부하자 ざらざら.
꺼칫-하다 형 ①やせおとろえている; やつれている; 潤いがなくかさかさしている. ②滑らかでない. ③粗い; ざらざらしている. >까칫하다.
꺼풀 명 膜; 皮. >까풀. ¶그도 한 ~ 벗겨 보면 조금도 다른 데가 없는 인간이다 彼だって一皮むけばなんの変哲もない人間だ. ――-지다 자 皮·殻をなす; 膜を張る. >까풀지다.
꺽 부 おくび〔げっぷ〕をする音.
꺽-꺽 부 雄きじの鳴き声: けんけん.
꺽꺽-하다 형 荒っぽい; 粗い. ¶성격이 ~ 性格が荒い/품질이 ~ 品質が粗い.
꺽둑-거리다 타 (大根などを)やたらにぶっ切る. >깍둑거리다. 꺽둑-꺽둑 부하타 やたらにぶっ切りにするさま.
꺽죽-거리다 자 えらそうに体をゆすぶりながらしゃべりまくる.
꺽지다 형 勇敢で決断力に豊む.
꺽짓-손 명 なみなみならぬ手立て.
‖―― 세다 형 人を御し得て, 大事に当たり得る手腕がある.
꺾-꽂이 명하타 〖植〗 挿し木.
꺾다 타 ①(枝などを)折る; 手折る. ¶나뭇가지를 ~ 枝を折る/꽃을 ~ 花を折る〔手折る〕. ②(方向を)直角に変える. ¶핸들을 ~ ハンドルを切る. ③(紙などを)折る; たたみかさねる. ¶바느질밥을 꺾어 넣다 縫い代をたたみ入れる. ④(勢いを)へし折る; 抑える; くじく; ひしぐ. ¶기세를 ~ 気勢をひしぐ/거만한 콧대를 꺾어 놓다 高慢な鼻をへし折る/적의 예봉을 ~ 敵のえいほう(鋭鋒)をくじく/남의 주장을 ~ 人の主張を抑える. ⑤(相手を)負かす; 破る. ¶우승 후보를 ~ 優勝候補を破る〔食う〕.
꺾-쇠 명 かすがい(鎹).
‖―― 묶음 명 かぎ括弧《〔 〕》. =대괄호.
꺾어-지다 자 折れる. ¶바람에 나뭇가지가 ~ 風で枝が折れる/종이 끝이 꺾어져 접히다 紙の端が折れる.
꺾이다 피동 折れる. ①(枝などが)折られる; 手折られる. ¶나뭇가지가 비바람에 ~ 枝が雨風に折れる. ②(方向が)変えられる. ¶갈길이 네거리에서 왼쪽으로 ~ ゆくてが十字路から左へ折れる. ③(紙などが)折れる; 曲がる. ¶굵은 철사가 ~ 太い針金が折れる. ④(勢いが)そがれる; へし折られる; くじ(挫)ける. ¶기세가 ~ 気勢がそがれる/의욕이 ~ 心がくじける; 意気込みが砕ける/꺾이어 들어가다 折れて出る. ⑤(相手に)負かされる; 破られる. ¶상대 팀에게 ~ 相手の

チームに破られる.
…임-꺾임 부 あちこち折れ曲がったさま.
…임-새 명 折れた形; 折り目.
…-자 【—字】 명 ①文書の余白に"以上"の意で書くかぎ形の符号. ②"消す"をあらわすかぎ形の棒線. ——-놓다, ——-치다 타 ①余白にかぎ形を書き入れる. ②かぎ形の棒線を引いて消す.
껄껄 부 高らかに笑う声: からから. >깔깔. ——-거리다 자 大声でとめどなく笑う. —— 웃다 자 からから笑う; 声高らかに笑う.
껄껄-하다 형 (性格が)荒い; (品質が)粗い; ざらざらしている. >깔깔하다.
껄끄럽다 형 ①(のぎ(芒)などがついて)ちくちく刺す. ②ごつごつする. >깔끄럽다.
껄끔-거리다 자 (のぎなどが)ちくちくと刺す. >깔끔거리다. 껄끔-껄끔 부 하자 ちくちく; ちくりちくり.
껄떡 부 하자 ①液体を少し飲み込む音: ごくり. ②息が切れそうにあえぐ声. ③薄く硬い物がひっくりかえる音: ばりっ. >깔딱. ——-거리다 자 ①ごくりごくりと飲み込む. ②しきりに息を切らす. ③ばりばり〔ばらばら〕音がする. ④ ☞ 껄근거리다. >깔딱거리다. ———— 부 하자 "껄떡"の畳語.
‖——-이 명 どんよく(貪欲)な人.
껄떡-하다 형 疲れや病などで目が落ちくぼんでいる. >깔딱하다.
껄렁껄렁-하다 형 (人となりやしぐさなどが)不真面目でいいかげんだ; くだらない; ふしだらだ. 준 껄렁하다.
껄렁-패 【—牌】 명 不良仲間; ぐれん(愚連)隊.
껄렁-하다 형 ↗껄렁껄렁하다.
껄쭉-거리다 자 ざらついてちくりちくり刺す. >깔쭉거리다. 껄쭉-껄쭉 부 하자 ざらざらしてちくりちくり刺すさま.
껌 〔gum〕 명 [↗추잉검] ガム. ¶ ~을 씹다 ガムをかむ.
껌껌-하다 형 ①真っ暗だ. ¶ 껌껌한 밤길을 가다 真っ暗な夜道を行く. ②腹黒い. ㅆ컴컴하다.
껌다 형 ☞ 검다.
껌벅 부 ☞ 끔벅. ——-거리다 자타 ☞ 끔벅거리다. ———— 부 하자타 ☞ 끔벅끔벅. ——-이다 자타 ☞ 끔벅이다.
껌적-껌적 부 하형 黒い点が散らばっているさま: 点点. >깜작깜작. ㅗ검적검적.
껌정 명 黒; 黒色の染料や絵の具. >깜장. ㅗ검정.
‖——-이 명 黒色の物. ㅗ검정이.
껍데기 명 ①殻. ¶ 조개 ~ 貝殻(=조가비) / 소라의 빈 ~ さざえの空き殻. ②中身を包んだ外皮; カバー. ¶ 이불 ~ ふとんのカバー. >깝대기.
껍신-거리다 자타 軽軽しくふるまう. >깝신거리다. 껍신-껍신 부 하자타 軽軽しくふるまうさま.
껍적-거리다 자타 ☞ 깝작거리다.
껍죽-거리다 자타 ☞ 깝죽거리다. 껍죽-껍죽 부 하자타 そそっかしく振る舞い続けるさま.
껍질 명 皮. >깝질. ¶ 사과 ~ リンゴの皮 / 나무 ~ 木の肌; 樹皮; 木皮 / 콩~ まめさや(莢) / 귤 ~을 벗기다 みかん(蜜柑)の皮をむく.
‖——-눈 명 〘植〙 皮目; 皮孔. = 피목(皮目).
-껏 미 あらん限りの; 手数を尽くして. ¶ 정성~ 誠を尽くして / 마음~ 즐기다 心ゆくまで楽しむ.
껑 명《俗》うそ(嘘). ¶ ~을 까다 うそをつく.
껑쩡, 껑청 부 長い脚で, 勢いよく跳ねるさま: ぴょん. ㅗ겅정. ——-거리다 자 長い脚で勢いよくはね続けるさま: ぴょんぴょん.
껑충 부 得意げに長い脚ではね上がるさま. >깡총. ——-거리다 자 得意げに, 長い脚で跳ねるが如くはずみをつけて歩く. ㅗ겅중거리다. ———— 부 하자 得意げに, 長い脚でくりかえし跳ねるさま; ぴょんぴょん.
껑충-이 명 のっぽ.
껑충-하다 형 ひょろ長い. >깡총하다. ¶ 다리가 껑충한 사람 足がひょろ長い人.
께 조 "에게(=に)"の敬語. ¶ 어머님~ 보내는 편지 母への手紙 / 선생님~ 안부 전해 주십시오 先生によろしく(お伝えください).
-께[1] 미 …辺り; …ごろ(頃). ¶ 3월 보름~ 三月の十五日ごろに / 지금쯤 대전~나 갔을까 今頃大田あたりまで行ったろうか.
-께[2] 어미 "-ㄹ 것이니(=…するから)"·"겠다(=…するよ)"の意. ¶ 줄~ 이리와 やるからこちに来い / 곧 다녀 올~ すぐ行って来るよ〔来るから〕.
께끄름-하다 형 ひどく気にかかる; 気が進まない〔向かない〕. 준 께끔하다.
께끔-하다 형 ↗께끄름하다.
께끼다 타 ①うすつき(臼搗)の際, うすの縁にはみ出たものを中にかき入れる. ②(歌や話をする際)そばで調子をあわせる.
께느른-하다 형 物憂い; けだるい. >깨나른하다. ¶ 께느른한 봄날 物憂い〔けだるい〕春の日.
께서 조 "가"·"이"の敬語: …が. ¶ 선생님~ 말씀하셨습니다 先生がおっしゃいました.
께옵서 조 "께서"の敬語: おかせられて. ¶ 폐하~는 陛下におかせられては.
껙껙 부 하자 やたらにわめき, またはどなりちらす声. >깩깩.
껜 준 助詞 "께"と"는"がひとつになってできた略語: …には. ¶ 선생님~ 말씀드렸습니다 先生には申し上げました.
-껜 준 接尾語 "-께"と"는"がひとつになってできた略語: …ごろ(頃)には; …辺りには. ¶ 9시~ 집에 있겠습니다 九時頃には家にいます.
껴-들다 타 ①両腕で抱きかかえて

持つ. ②(二つの物を)いっしょに抱え込む.

껴-안다 타 抱え込む; 抱き込む; 抱きすくめる. ¶꽉 ~ 抱きしめる/팔로 ~ 腕に抱えこむ/서로 ~ 抱き合う/서로 껴안고 울다 相擁して泣く.

껴-입다 타 着込む. ¶두꺼운 셔츠를 여러 개 ~ 厚いシャツを何枚も着込む.

꼬기-꼬기 부하형 紙や布などがしわくちゃになったさま: くしゃくしゃ; くちゃくちゃ.

꼬까 명《兒》☞ 때때.

‖——-신 명 いろどりどりの子供の履物. =때때신. ——-옷 명 ☞ 때때옷.

꼬꼬 ㊀명《兒》鶏. =닭. ㊁부 めん鳥の鳴き声: くっくっ; くくう; こっこ.

꼬꾜 ㊀명《兒》鶏. =닭. ㊁부하자 꼬끼오.

꼬끼오 부하자 おんどり(鳥)の鳴き声: こけこっこう.

꼬다 타 ①なう; よ(撚)る. ¶실을 ~ 糸をよる; 糸によりをかける/새끼를 ~ 縄をなう/끈을 ~ ひもをよじる. ②(身を)よじる; ねじる. ¶다리를 ~ 足を組む. ③[↗비꼬다] 当てこする; 皮肉る.

꼬드기다 타 ①(たこ(凧)を高くあげるために)糸を手繰る〔弾く〕. ②唆す; おだてる; つつく. ¶꼬드겨서 죄를 짓게 하다 唆して罪を犯させる/누군가 뒤에서 꼬드기고 있음에 틀림없다 だれかが後ろでけしかけているに違いない.

꼬들-꼬들 부하형 飯粒などのこわいさま. <꾸들꾸들. ㅗ고들고들.

꼬락서니 명《俗》体たらく; ざま; しだら. ¶그게 무슨 ~야 何という体たらくだ/저 자의 ~가 마음에 안든다 あの男の様子が気に食わない/이거 무슨 ~냐 このしだらは何事だ.

꼬랑이 명《俗》しっぽ(尻尾). =꼬리.

꼬랑지 명《俗》鳥の尾. =꽁지.

꼬르륵 부하자 ①(腹がすいたりして)鳴る音. また, キセルにやに(脂)が詰まって出る音: ぐうぐう; ごろごろ. ②にわとりが驚いて出す声: こっこ; があがあ. ③小穴を通る水などが出す音: ごぼごぼ. <꾸르륵. ——-거리다 자 ①(腹やキセルのやになどが)ぐうぐうとなる. ②にわとりが驚いてこっことなく. ③小穴を通る水などがごぼごぼ流れ出る. ——— 부하자 ぐうぐう; ごろごろ; ごぼごぼ.

꼬리 명 しっぽ(尻尾); 尾. ¶개 ~ 犬のしっぽ/무 ~ 大根のしっぽ/살별의~ すい星の尾/~가 잡히다 足がつく/말~를 잡다 ことばの端をとらえる/~가 길면 밟힌다《俚》悪い事を重ねるといつかは捕われるとの意/~를 물다 相次いで起こる; 糸を引く. ——-치다 자 ①尾を振る; 誘惑する. ②(女が)色目を使う.

‖——-표(票) 명 荷札; 付け札. ¶~를 달다 荷札を付ける.

꼬마 명 ①小形〔小型〕. ¶~ 자동차 小型自動車/~ 전구 豆電球. ②《俗》小供; ちびっこ; じゃり. ③↗꼬마둥이.

‖——-둥이 명 背丈が低い人; ちび. (준)꼬마③.

꼬맹이 명 ☞ 꼬마둥이.

꼬바기 부 ぶっとおし; 丸. ¶~ 사흘 동안 丸三日間/~ 12시간을 자다 ぶっとおし十二時間を眠る/~ 뜬눈으로 밤을 새우다 まんじりともせず夜を明かす/~ 한 시간 걸리다 まる一時間を費やす. (준)꼬박.

꼬박[1] 부 ↗꼬바기.

꼬박-꼬박 부 (言い付け·おきて·期日などを)よく守る〔違えない〕さま. ¶세금을 ~ 내다 税金をきちんきちんと納める.

꼬박[2] 부 ☞ 꾸벅.

꼬부라-들다 자 内側に曲がりこむ.

꼬부라-뜨리다 타 内側に曲がらす.

꼬부라-지다 자 内側に曲がる.

꼬부랑 글자 명 ①へたな字. ②《俗》横文字.

꼬부랑-길 명 曲がりくねった道.

꼬부랑 늙은이 명 腰の曲がった〔かがんだ〕年寄り.

꼬부랑-이 명 ①曲がった物. ②腰の曲がった人. ③つむじ曲がり.

꼬부랑-하다 형 (内側に)曲がっている. **꼬부랑-꼬부랑** 부하형 折り曲がっているさま; 曲がりくねっているさま: くねくね.

꼬부랑 할미 명 腰の曲がった〔かがんだ〕おばあさん.

꼬부리다 타 曲げる. <꾸부리다.

꼬부스름-하다 형 曲がったようだ. <꾸부스름하다.

꼬부장-하다 형 やや曲がり気味である. <꾸부정하다.

꼬불-거리다 자 続けざまにあっちこっちが曲がる. =꼬불대다. <꾸불거리다.

꼬불탕-하다 형 やや曲がり気味である. <꾸불텅하다.

꼬이다 ㊀자 ①こじれる. ㉠(事が)順調に運ばない; 狂う. ¶일이 ~ 手はずが狂う. ㉡(心·感情などが)悪くなる. =뒤틀리다. ¶속이 ~ 感情がこじれる. ②(糸·ひもなどが) ③からむ; もつれる. ¶실이 ~ 糸がもつれる. ㊁피동 よじられる; ねじれる; よれる. ¶옷자락이 ~ すそ(裾)がよれる. (준)꾀다[2].

꼬장-꼬장 부하형 ①細長く真っ直ぐなさま. ②人となりが廉直なさま. ③老人がしゃんとしているさま. ¶나이를 먹었어도 ~하다 年をとってもしゃんとしている.

꼬집다 타 ①つねる. ¶팔을 ~ 腕をつねる. ②皮肉を言う; (人の)弱点をつく.

꼬챙이 명 くし(串). (준)꼬치①. ¶~에 꿰다 くし刺しにする/~에 꿰어 굽다 くし焼きにする.

꼬치 명 ①[↗꼬챙이] くし(串). ②くし刺しの食べ物. ③おでん.

‖—— 백반(白飯) 명 (くし刺しの)おで

ん飯. ── 안주(按酒) 명 (さかな(肴)としての)おでん.

꼬치-꼬치 부 ①骨と皮ばかりにやせおとろえたさま. ¶～ 마르다 骨と皮ばかりになる; やせさらばえる. ②根掘り葉掘り. ¶～ 캐묻다 根掘り葉掘り問いただす.

꼬투리 명 ①[↗담배 꼬투리] タバコの葉の筋. ②さや(莢). ③(事の)きっかけ; 原因. ¶～를 캐다 原因を突き詰める. ④言葉じり. ¶말～를 잡다 言葉じりをとらえる; 揚げ足を取る.

꼬푸리다 타 (身を)かがめる.

꼭 부 ①しっかり; しかと; ぎゅっと; 固く. ¶～ 매다〔묶다〕しっかり結ぶ〔縛る〕/～ 붙들다 しっかりつかまる/～ 쥐다 しかと握る/문을 ～ 닫다 戸をしっかりしめる/수건을 ～ 짜다 タオルを固くしぼる. ②まるで; あたかも. ¶～ 봄같다 あたかも春のようだ/진짜와 ～ 같다 本物そっくりだ. ③きっと; 必ず; きまって; 間違いなく; てっきり; ちょうど; きっちり; ぴったり. ¶～ 12시 かっきり十二時/～ 알맞다 ちょうどよい具合だ/양복이 ～ 맞다 洋服がぴたりと合う/～ 붙어서 걷다 ぴたりとくっついて歩く/～ 만나고 싶다 ぜひ(是非)お会いしたい/～ 해내겠다 是が非でもやりとげる/～ 성공할걸세 大丈夫成功するよ/～ 속은 줄 알았다 てっきりだまされたと思った/싫은 것을 ～ 하라는 건 아닐세 いやなのをたってというわけではない.

꼭-꼭[1] 부 ①強く縛ったり押し込んだりするさま: しっかり; ぎりぎり; ぎゅうぎゅう. ¶～ 눌러 담다 ぎゅうぎゅうつめこむ/붕대로 ～ 감다 ほうたいをぎりぎりとまく/도둑놈을 잡아서 ～ 묶다 泥棒をつかまえてきゅうきゅう縛りあげる. ②強く刺すさま. <꾹꾹[1]. ③必ず; きっと; 間違いなく. ④☞ 꽁꽁[2]②.

꼭-꼭[2] 부하자 めんどりが鳴く声: こっこっ. ──-거리다, ──-대다 자 めんどりがこっこっと鳴く.

꼭대기 명 ①てっぺん; いただき. ¶산～ 山頂; 山のいただき〔てっぺん〕/머리 ～ 頭のてっぺん. ②かしら; 首領.

꼭두-각시 명 ①かいらい(傀儡); あやつり人形. ②仮面をかぶって舞う女.

‖──-놀음 명하자 ①人形劇《民俗演劇の一つ》. ②人の思いのままに使われること.

꼭두 새벽 명 早暁; 朝っぱら.

꼭두서니 명〔植〕あかね(茜).

꼭뒤 명 ①後頭部の真中. ②弓のはず巻の裏. ──-누르다 타 権力で押さえ付ける; 圧制する. ──-눌리다 피동 ①圧制される. ②先手をとられる; だしぬかれる. ──-잡이-하다 타 襟首をひっつかむ〔とらえる〕. ──-지르다 타 ①圧制する. ②鼻をあかす. ──-질리다 피동 ①圧制される. ②鼻をあかされる; だしぬかれる.

꼭지 명 ⊖ ①(かき(柿)·なすびなどの)ほぞ(蒂); へた. ②ふた(蓋)のつまみ. ③たこ(凧)の上部にはった丸い色紙. ④殻竿のかなめ. ⑤(こじきなどの)かしら. ⊜ 의명 一握りほどに束ねた長い物を数える単位.

‖──-눈 명〔植〕頂芽. =정아(頂芽). ──-점(點) 명 頂点.

꼲다 타 評価〔評定〕する.

꼴[1] 명 事物の状態·形, またはなりふり; かっこう(恰好); 体たらく; しだら; ざま(様). ¶세모～ 三角形/묘한 ～ 妙ななり/비참한 ～을 하고 있다 情けない〔みじめな〕かっこうをしている/이게 무슨 ～이냐 これは何たるざまだ/～사납다 見苦しい; 体を成さない/～ 좋다 いいつらの皮だ; ざまを見ろ/보다시피 저 ～이다 何にしろあの始末だ.

꼴[2] 명 まぐさ(秣); 飼い草; かいば.

-꼴 미 交換の割合: 代〔替·換〕え. ¶한 가마니에 만 원～로 샀다 一俵一万ウォン代えで買った/하나에 10원 ～이다 一個当たり十ウォンだ.

꼴-같잖다 형 不格好だ; 無様〔不様〕だ; 見苦しい; 目障りだ.

꼴깍 부하자 ☞ 꿀꺽.

꼴꼴[1] 부하자 水などが曲がりくねった所を少しずつ流れる音: ちょろちょろ. <꿀꿀[1]. ──-거리다 자 ちょろちょろ流れる.

꼴-꼴[2] 부하자 ☞ 꿀꿀[2].

꼴꼴-하다 형 のり気がやや強い.

꼴-꾼 명 まぐさ(秣)を刈る人.

꼴-답잖다 형 みっともない.

꼴딱 부하자 ☞ 꿀떡[2].

꼴뚜기 명〔動〕いいだこ(飯蛸).

‖── 장수 명 ①飯蛸売り. ②身代を棒に振った人を見下げていう語. ──-질 명하자 人をののしる際, 中指をのばし他の指は曲げて前につき出すしぐさ.

꼴랑 부 ☞ 꿀렁.

꼴리다 자 ①(男性の性器が)ぼっき(勃起)する. ②怒りがこみあげる.

꼴-보다 타 ふり〔様子〕を見る.

꼴-불견【─不見】명 なりやしぐさが不格好で見苦しいこと.

꼴-사납다 형 みっともない. ¶꼴사나운 짓 みっともない振る舞い/꼴사납게 보이다 不格好に見える/남이 보는 데서 달라붙어 껴안다니 ～ 人前でべたつくとは見苦しい.

꼴-싸다 타 織物を, 両方の長さが同じように縦に折る.

꼴찌 명 びり; とんじり. ¶마라톤에서 ～를 하다 マラソンでびりになる/～부터 세는 것이 빠르다 しりから数えた方が早い.

꼼꼼-하다 형 きちょうめん(几帳面)で抜け目がない. ¶꼼꼼하지 못하다 ルーズ〔ずぼら〕だ. 꼼꼼-히 부 抜け目なく; きちょうめんに. ¶일기를 ～ 쓰다 日記をまめにつける.

꼼실-거리다 자 虫がもぞもぞとうごめく. <꿈실거리다. 꼼실-꼼실 부하자 もぞもぞ.

꼼작 부하자타 ☞ 꿈적.

ㄱ

꼼지락 [부] ☞ 꿈지럭. ──거리다 [자][타] ☞ 꿈지럭거리다. ──── [부][하자타] ☞ 꿈지럭꿈지럭.
꼼질 [부] ↗꼼지락.
꼼짝 [부][하자타] ちょっと動くさま. ＜꿈쩍. ¶ ~ 마라 (やれ), 動くな / ~ 않고 바라보다 (身じろぎもせず)見つめる / ~할 수 없다 身動きがとれない / 그 사건 이후 그는 ~ 않고 있다 あの事件以来彼はすっかり息を殺している. ──-거리다 [자][타] (しきりに)身じろぎ〔身動き〕する. ──── [부][하자타] (しきりに)身じろぎ〔身動き〕するさま.
꼼짝-달싹 [부] 微動するさま.
꼼짝 못하다 [구] ① 全然身動きができない. ② どうすることもできない; 身の動きが取れない. ¶ 빚으로 ~ 負債で動きがとれない〔首が回らない〕.
꼼짝(도) 아니하다, 꼼짝(도) 않다 [구] 身じろぎ〔微動〕もしない ; 息を殺している. ¶ 손가락 하나 꼼짝 않는다 指だに動かさない《ちっとも働かない》. * 꼼짝.
꼼짝-없다 [형] 身動きができない; どうすることもできない; なす術を知らぬ. 꼼짝-없이 [부] どうすることもできずに; 微動もしないで.
꼼틀 [부][하자타] ☞ 꿈틀.
꼽다 [타] ①(数えるため)指を折る; 指折り数える. ¶ 손꼽아 기다리다 指折り数えて待つ. ②(すぐれていて)…の中に数えられる; 指す. ¶ 손꼽는 부자 屈指の素封家 / 대발명가로 꼽힌다 大発明家の中に数えられる.
꼽작 [부][하자타] 頭を下げて腰をかがめるさま. ＜꿉적.
꼽재기 [명] ① かす(滓); くそ(糞). ¶ 눈~ めくそ / 때~ あか(垢). ② ごく小さな物をさす語.
꼽추 [명] ☞ 곱사등이.
꼽치다 [타] ① ひとつに折り合わせる. ② 二倍にする. ㅗ곱치다.
꼿꼿-이 [부] 真っ直ぐに; 剛直に.
꼿꼿-하다 [형] ① 真っ直ぐだ. ② 剛直だ. ¶ 꼿꼿한 성격 剛直な性格. ③ (事にあたって)手も足も出ない; なす術を知らない. ＜꿋꿋하다.
꽁-꽁[1] [부][하자] うめく声: うんうん. ──-거리다 [자] うんうんうめく.
꽁꽁[2] [부] ① 堅く凍り付いたさま: かちかち; こちんこちん. ¶ ~ 얼다 かちかちに凍る. ② うまく隠れるさま. ＝꼭꼭.
꽁무니 [명] ① せき柱の末端; (転じて)おしり; けつ〈俗〉. ¶ ~가 빠지게 달아나다 しりに帆をかける / 여자의 ~를 쫓아다니다 女のしりを追いまわす. ② 最後; びり; どんじり. ＝끝. ¶ 행렬의 ~에 붙다 行列のどんじりに付く. ──-빼다 [자] (身を)引く; しり込みする.
‖── 바람 [명] 追い風. ──-뼈 [명] 〖生〗尾骨. ＝미저골(尾骶骨).
꽁-보리밥 [명] 麦だけでた(炊)いた飯.
꽁-생원 【─生員】 [명] 無口で狭量の人をあざける語.

꽁지 [명] 鳥の尾.
꽁초 【─草】 [명] (タバコの)吸い殻; 吸いさし.
꽁치 [명] 〖魚〗 さんま(秋刀魚).
꽁-하다 [형] 無口で度量が狭い; 根に持って忘れない. ¶ 꽁하게 ⋯각하다 根に持つ / 꽁한 감정이 풀⋯다 わだかまりがとける.
꽂다 [타] 差〔刺·挿〕す. ¶ 산정에 기⋯ ~ 山の頂に旗を立てる / 관절⋯ 침을 ~ 関節にはりを刺す / 꽃병⋯ 꽃을 ~ 花びんに花を挿〔差〕す / ⋯리에 비녀를 ~ 髪にかんざし(簪)を挿⋯す / 머리에 핀을 ~ 髪をピンで止める.
꽂을-대 [명] (銃の)洗い矢; 込め矢.
꽂히다 [피동] 差〔刺·挿〕さ(れ)る. ¶ 가시가 ~ とげに刺さる.
꽃 [명] 花〔華〕. ¶ ~을 따다 花を摘む / ~을 꺾다 花を手折る / ~이 피다 花が咲く; 花をつける / ~이 지다 花が散る / 사교계의 ~ 社交界の花 / 이야기의 ~을 피우다 話に花を咲かす / 청년 시절은 인생의 ~이다 青年時代は人生の花である.
꽃-가게 [명] ① 花屋. ② 造花を作って売る店. ＝화방(花房).
꽃-가루 [명] 花粉. ¶ ~를 나르다 花粉を運ぶ.
꽃-게 [명] 〖動〗 がざみ; わたりがに. ＝화해(花蟹).
꽃-구경 [명] 花見. ──-하다 [자] 花見をする. ¶ ~ 가다 花見に行く.
꽃-꽂이 [명] 活け花; 華道. ¶ ~를 배우다 活け花を習う.
꽃-나무 [명] ① 花木; 花樹. ② ☞ 화초(花草).
꽃-놀이 [명] 花見. ¶ 곧 ~철이 온다 間もなく花見時が来る / ~꾼들이 떼지어 있다 花見の人が群がっている. ── 가다 [자] 花見に行く.
꽃-눈 [명] 花の若芽.
꽃-다발 [명] 花束; ブーケ. ¶ 성공을 축하하여 ~을 보내다 成功を祝って花束を贈る.
꽃-다지 [명] (うり(瓜)などの)初なり.
꽃-답다 [형] (花のように)美〔麗〕しい. ¶ 꽃다운 처녀 花のような美しい〔麗しい〕乙女 / 꽃다운 나이 芳年.
꽃-대 [명] 〖植〗 とう(薹); 花軸. ¶ 머위의 ~ ふきの薹.
꽃-돗자리 [명] 花ござ. ＝화문석·꽃자리.
꽃-동산 [명] 花園.
꽃-등 【─燈】 [명] 花模様のちょうちん(提灯).
꽃-말 [명] 花言葉; フラワーランゲージ. ¶ 장미의 ~은 순정이다 バラの花言葉は純情である.
꽃-망울 [명] 幼いつぼみ(蕾).
꽃-무늬 [명] 花模様. ¶ ~를 수놓은 손수건 花模様をししゅう(刺繡)したハンカチ.
꽃-바구니 [명] 花かご. ¶ ~를 들다 花かごを手にもつ.
꽃-바람 [명] 花風.
꽃-방 【─房】 [명] ☞ 꽃가게.
꽃-방석 【─方席】 [명] ① 花ざぶとん. ② 花むしろ.

꽃-밭 명 ① 花畑. ＝화전(花田). ② 《俗》 若い女の多い場所.
꽃-병 【—瓶】 명 花瓶. ¶ ~ 깔개 花瓶敷き / ~에 꽃을 꽂다 花瓶に花を活ける.
꽃-봉오리 명 つぼみ(蕾). ¶ ~지다 つぼむ / ~가 나오다 つぼみが出る / ~가 벌어지다 つぼみが開く〔ほころびる〕. (준) 꽃봉·봉오리.
꽃-불 명 ① 強火. ¶ 불고기는 ~에 구워야 한다 焼肉は強火で焼いた方がうまい. ② 花火.
꽃-삽 【—鍤】 명 移植ごて.
꽃-샘 명하자 花冷え. ¶ ~ 바람 花あらし.
꽃-송이 명 花房.
꽃-술 명 かずい(花蕊).
꽃-식물 【—植物】 명 顕花植物.
꽃-잎 명 花弁; 花びら.
꽃-자루 명 〔植〕 花序を構成する枝; 花柄; 花梗.
꽃-전 【—煎】 명 ① もち米の粉をこね, フライパンで花形に焼き上げたもち(餅); 花弁もち. ② なつめ(棗)とつつじや菊の花びらをあしらって焼き上げたもち.
꽃-줄기 명 〔植〕 花をつける茎.
꽃-차 【—車】 명 花車.
꽃-차례 【—次例】 명 〔植〕 花序. ＝화서.
꽃-철 명 花時.
꽈르르 부하자 液体が勢いよく流れ出るさま: どくどく.
꽈리 명 ①〔植〕 ほおずき(酸漿·鬼燈). ②〔醫〕 すいほう(水疱).
꽉 부 ① 強く押しつけたり縛るさま: きゅっと; しっかり; し(っ)かと; ひしと. ¶ 가슴을 ~ 졸리다 胸をきゅっとしめつけられる / (새끼로) ~ 묶다 (なわで)ぎゅっと〔しっかり〕しばる / 손을 ~ 쥐다 手を握り締める〔しっかり握る〕 / ~ 껴안다 ひしと抱く / 입을 ~ 다물다 口をぎゅっと締める / 목덜미를 ~ 잡아 쥐다 襟首をむずと引っつかむ. ② ものの満ちているさま: ぎっしり; いっぱい. ¶ 상자에 ~ 차 있다 箱にぎっしり詰まっている. ③ 苦しみを堪え忍ぶさま: ぐっと; きゅっと; じっと. ¶ 아픔을 ~ 참고 견디다 痛みをじっと堪える / 이를 ~ 물고 참다 歯をきゅっと食いしばってがまん(我慢)する.
꽉-꽉 부 ① 幾度も強く押したり, 堅く縛るさま: ぎゅうぎゅう. ¶ ~ 죄다 ぎゅうぎゅうと締める / ~ 눌러 담다 ぎゅうぎゅうつめこむ. ② いっぱい満ちているさま: ぎっしり; きっちり. ¶ ~ 밀어 넣다 ぎっしり押し詰める.
꽉-차다 자 いっぱいになる; ぎっしり詰まる. ¶ 구경꾼으로 ~ 見物の人でいっぱいになる / 홀은 관객으로 꽉 차 있었다 ホールは観客でぎっしりだった.
꽝 ㊀부하자 ① 銃砲などを撃つとき, または砲弾が落ちて破裂するときの音: ずどん; どかん. ¶ ~하고 떨어지다 どかんと落ちる / ~하고 터지다 どかんと破裂する / ~하고 대포 소리가 나다 ずどんと大砲が鳴る. ② どらや鼓などを打ったりまたは物がぶつかるときの音: どん; ごん; ばたん; ぴしゃり. ¶ 문을 ~(하고) 닫다 戸をばたん〔ぴしゃり〕と締める. ㊁명 《俗》 空くじ. ¶ ~을 뽑다 空くじを引く.
꽝-꽝 부하자타 ① しきりに鳴り響く銃砲の破裂音: ずどんずどん; どかんどかん. ② しきりに打ち鳴らすかまたはぶつかる際の音: どんどん; ごんごん; ばたんばたん; ぴしゃりぴしゃり. ——-거리다 자타 しきりにどかんどかん〔どんどん·ばたんばたん〕と鳴る〔鳴らす〕.
꽤 부 ① かなり; よほど; ずいぶん(随分); だいぶ(大分). ¶ ~ 오래된 그림 随分古い絵 / ~ 많은 돈 かなりの金額 / ~ 이름이 알려진 사람 かなり名の知れた人 / ~ 재미있다 なかなか面白い / 성적이 ~ 좋아졌다 成績が大分よくなった. ② わり(あい)に; 比較的(に); やや. ¶ ~ 조용한 방 わりに静かな部屋.
꽥 부하자 ① ショックを受けるか驚き恐れて叫ぶ声: きゃあ; きゃっ. ② 怒ってどなる声: わっ. <꽥.
꽥-꽥 부하자 わめき〔どなり〕散らす〕声: きゃあきゃあ; きゃっきゃっ. ¶ 원숭이가 ~ 떠들어 대다 猿がきゃっきゃっと騒ぎ立てる. ——-거리다 타 わめき散らす; どなり散らす. —— 지르다 타 どなり散らす; 大声でわめく.
꽥-지르다 타 きゃっと叫ぶ.
꽹과리 명 かね(鉦). ＝동고(銅鼓)·쟁(錚)·소금(小金).
꽹-꽹 부하자 しきりにかね(鉦)を打ちならす音: かんかん. ——-거리다 자 かんかんと鉦を打ちならす.
꽹-하다 형 物が非常に透き通って見える.
꾀 명하타 知恵; はかりごと(謀); 計略. ¶ 얕은 ~ 浅知恵 / 제 ~에 제가 넘어간다《俚》おのれの悪知恵のために自分が倒される.
꾀-까다롭다 형 いやにややこしい; いやに気むずかしい. 꾀-까다로이 부 いやに気むずかしく〔ややこしく〕. ¶ ~ 군다 いやに気むずかしく振る舞う.
꾀까닭-스럽다 형 ☞ 꾀까다롭다.
꾀꼬리 명 〔鳥〕 ちょうせんうぐいす(朝鮮鶯). ＝황조(黃鳥).
꾀꼴 부 うぐいす(鶯)の鳴き声: ほおほけきょ. ———— 부하자 うぐいすの鳴き続ける声.
꾀다[1] 자 たかる; すだく. ¶ 파리가 음식에 ~ はえ(蠅)が食べ物にたかる / 비듬이 ~ ふけがわく.
꾀다[2] 자 피동 ↗꼬이다. ¶ 일이 자꾸 ~ 事がうまく運ばない; 事が悪く行く.
꾀다[3] 자 誘う; いざなう〈雅〉; おびき寄せる; 惑わす; 唆す. ¶ 여자를 ~ 女をたらす / 못된 길로 ~ 悪の道に誘う / 감언으로 ~ 甘言で釣る.
꾀-바르다 형 こざかしい; 気転が利

ㄱ

きく；小取り回しがよい．

꾀-병【―病】 명 仮病．¶～을 부리다 仮病を使う／～을 앓다 病気を構える．

꾀-보 명 ①知恵者；利口者；小才が利く人．②ずるけ者．

꾀-부리다 자 ずるける．

꾀-쓰다 자 ①知恵を働かす．②ずるける．＝꾀부리다．

꾀어 내다 타 誘い出す；おびき出す．¶감언으로 ～ 甘言で誘い出す／술집으로 ～ 飲み屋に誘い出す．

꾀이다 피동 (人に)誘われる；唆される．

꾀-잠 명 空寝；たぬき寝入り．

꾀죄죄-하다 형 ひどくみすぼらしい；たいへん薄汚ない．¶꾀죄죄한 옷차림 みすぼらしい身なり．

꾀죄-하다 형 ①みすぼらしい；うす汚い．②(心が)すっきり〔あっさり〕しない．

꾀-피우다 자 策をろう(弄)する；ずるける．

꾀-하다 타 図〔謀〕る；もくろむ；企てる；たくらむ．¶재기를 ～ 再挙を図る／음모를 ～ 陰謀をたくらむ．

꾐 명 誘い；誘惑；唆し．¶～에 빠지다 誘いに乗る；唆される／악우의 ～에 빠져 못된 길에 빠졌다 悪友に唆されてわき道にそれた．

꾸기다 자타 ☞ 구기다．

꾸김-살 명 ☞ 구김살．

꾸김-없다 형 すなお(素直)だ．**꾸김-없이** 부 すなお(素直)に．¶～ 자라다 すなおに育つ．

꾸깃-거리다 타 ☞ 구깃거리다．**꾸깃-꾸깃** 부하타 ☞ 구깃구깃1．

꾸꾸꾸 부 はと(鳩)などの鳴き声：くうくう；こっこ．

꾸다1 타 (夢を)見る．¶이상한 꿈을 꾸었다 妙〔変〕な夢を見た．

꾸다2 타 借りる．¶돈을 ～ 借金する／꾼 돈을 갚다 借りた金を返す／꾸어 온 보릿자루 모양으로 借りて来たねこ(猫)のように．

꾸덕-꾸덕 부하형 水気のある物が幾分乾いたさま．⊥구덕구덕．¶떡이 ～해졌다 もち(餅)がやや硬くなった．

꾸드러-지다 부하형 飯などが強くなる．⊥구들구들．

-꾸러기 미 ある語に添えて性質・癖の強い人の意を表わす語．¶잠～ 寝坊／심술～ 意地っぱり／욕심～ 欲張り／말썽～ 厄介者．

꾸러미 ㊀명 包み；束．¶열쇠 ～ かぎ束／～를 짓다 包み〔束〕にする．㊁피동 卵十個をわらづと(藁苞)にしたもの．

꾸려 매다 타 荷造りをする．

꾸르륵 부하자 ①腹がすいたりまたはキセルのやた(脂)が詰まって鳴る音：ぐうぐう；ごろごろ．②鶏が驚いて出す声．③瓶などから液体が出る音：ごぼごぼ．**――거리다** 자 しきりに"꾸르륵"と音が鳴る．

꾸리 명 (おだまきのように巻いた)糸のかたまり．

꾸리다 타 ①まとめてくく(括)る；こ(梱)る；荷造りをする．¶이삿짐을 ～ 引っ越しの荷造りをする．②(事を)処理する；切り回す；差し繰る．¶살림을 꾸려 나가다 家事を切り盛りする／바느질로 생계를 ～ 針仕事で暮らしを立てる／적은 돈으로 꾸려 나가다 少ないお金でまかなう／가사를 혼자서 꾸려 나가다 家事を一人で切り回す．③(外見を)飾る；繕う．

꾸며-내다 타 つくり上げる；でっち上げる〈俗〉．¶꾸며낸 이야기였다 でっちあげの話であった／전부 꾸며낸 거짓말이다 全部つくり上げたうそ(嘘)だ．

꾸며-대다 타 言い繕う．

꾸무럭-거리다，꾸물-거리다 자타 (虫が)うごめく；(人が)ぐずつく；ぐずぐずする．¶거기서 무엇을 꾸물거리고 있느냐 そこで何をぐずぐずしているのか．**꾸무럭-꾸무럭，꾸물-꾸물** 부하자타 もぐもぐ；もぞもぞ；のそのそ；ぐずぐず．

꾸미개 명 着物・ござなどの縁をとる飾り布．

꾸미다 타 ①作りあげる；作〔造〕る；仕立てる．¶살림을 ～ 世帯を構える〔張る〕／정원을 ～ 庭を造る．②(見掛けを)つくろう；見せ掛ける；飾る；作り立てる；装う．¶화려하게 꾸민 여자 作り立ての女／겉을 ～ 上辺を飾る／말을 ～ 言葉を飾る／(가짜를) 진짜처럼 ～ (まがい物を)本物らしく装う．③作りあげる；でっちあげる；こしらえる．¶꾸며낸 이야기 でっちあげた話．④たくらむ；たくむ；企てる；謀る．¶일을 ～ 事を構える／못된 짓을 ～ 悪事をたくらむ．

꾸밈 명 ①仕上げること．②見せ掛けをよくすること；たくむこと；飾り．③見せ掛けること；装うこと．**――없다** 형 飾らない；たくまない；装わない．

‖**――말** 명 〖言〗修飾語．**――새** 명 作〔造〕り；つくったさま．

꾸벅 부하타 居眠り〔おじぎ〕をするさま：こくり；ぺこり．¶～ 절하다 ぺこりとおじぎをする／머리를 ～하다 こっくりをする．**――거리다** 타 こくりこくりする；ぺこぺこする．＞꼬박거리다．**――――1** 부하타 こくりこくり；ぺこぺこ．¶～ 졸다 こくりこくりと居眠りをする／～ 절하다 ぴょこぴょこお辞儀をする．

꾸벅-이다 타 ☞ 꾸벅거리다．

꾸벅-꾸벅2 부하타 ①ひたすらに従うさま．②待ちこがれるさま．

꾸부러-뜨리다 타 押しまげる(《"꾸부리다"の強調語》)．

꾸부러-지다 자 ☞ 구부러지다．

꾸부렁-꾸부렁 부하형 曲がりくねったさま：くねくね．

꾸부렁-이 명 曲がった物．⊥구부렁이．

꾸부렁-하다 형 曲がっている．

꾸부리다 타 ☞ 구부리다．

꾸부스름-하다 형 やや曲がり加減だ．㊤꾸부슴하다．

꾸부슴-하다 형 ↗꾸부스름하다．

꾸부정-하다 형 ☞ 꾸부렁하다．꾸부

-꾸부정 [부][하형] 所所折れ曲がっているさま.

[꾸]불-거리다 [자] 曲がりくねる. 꾸불-꾸불 [부][하형] 曲がりくねるさま: くねくね. ¶～ 끝없이 이어진 산줄기 えんえん(蜿蜒)とつらなる山脈 / ～ 산길을 오르다 曲がりくねった山道を登る.

[꾸]불텅-하다 [형] 深く折れ曲がっている. 꾸불텅-꾸불텅 [부][하형] 幾重にも深く曲がりくねったさま.

[꾸]붓-이 [부][하형] (所所が皆)やや曲がっているさま.

[꾸]붓-하다 [형] やや曲がっている.

꾸뻑 [부][하타] 居眠り〔おじぎ(辞儀)〕をするさま: こっくりと; ぴょこんと; ぺこりと. ⊥꾸벅. ¶～하고 절을 하다 ぴょこんとおじぎをする. ——-거리다 [타] こっくりこっくりする; ぺこぺこする. ———— [부][하타] こっくりこっくり; ぺこぺこ.

꾸뻑-이다 [타] ☞ 꾸뻑거리다.

꾸역-꾸역 [부] 多くの物や人が一所に押し寄せたり, 一所から出るさま: 続続. ¶～ 모여들다 続続と押し寄せる〔詰めかける〕.

꾸이다 ㊀[자] 夢に現われる. ㊁[타] 貸す. (준) 뀌다¹.

꾸준-하다 [형] うまずたゆまない. 꾸준-히 [부] うまずたゆまず(に).

꾸중 [명] "꾸지람"の尊敬語: おしかり. ——-하다 [타] しかる. ¶～을 듣다 しかられる / 크게 ～ 듣다 お目玉をくう / 아버님의 ～을 듣고 울상을 짓다 父のおしかりを受けて泣き面になる.

꾸지람 [명] おしか(叱)り. ——-하다 [타] しかる; とが(咎)める.

꾸짖다 [타] しかる; とがめる. ¶큰 소리로 ～ 大声でしかる.

꾸푸리다 [타] かがめる. ⊥구푸리다. ¶허리를 ～ 腰をかがめる.

꾹 [부] ① 強く押したり締め付けるさま: ぎゅっと. ¶입을 ～ 다물다 口をぎゅっとしめる / 상대의 목덜미를 ～ 조르다 相手の襟元を締めつける. ② 苦しみを堪え忍ぶさま: じっと; ぐっと. ¶모욕을 ～ 참다 侮辱をじっと忍ぶ / 고통을 ～ 참다 苦しみをぐっとこらえる. >꼭.

꾹-꾹¹ [부] ① (多く入れようとして)押し詰めるさま: ぎしぎし; ぎゅうぎゅう. ② 強く刺すさま. >꼭꼭¹. ③ 強く締めつけるさま: きゅうきゅう.

꾹-꾹² [부] はと(鳩)の鳴き声: くうくう.

-꾼 [미] ある語に付いて, ① その事を専門的·習慣的にする人を指す語. ¶술～ 飲み助; 飲んべえ / 잔소리～ やかまし屋 / 씨름～ すもう取り / 장사～ 商人. ② その場に集まる人の意. ¶구경～이 모여들다 見物人が押しよせる.

꿀 [명] 蜜; はちみつ(蜂蜜). ＝봉밀·청밀(清蜜). ¶～처럼 달다 蜜のように甘い / ～도 약이라면 쓰다《俚》良薬口に苦し.

꿀꺽 [부][하자] ① 液体をひと息に飲みこむ音: ごくり; ごっくり; ぐっと. ¶물을 ～ 마시다 水をごくりと飲む / 침을 ～ 삼키다 のど(喉)をごくりと鳴らす; なまつば(生唾)を飲みこむ. ② 激しい興奮などをこらえるさま: ぐっと; じっと. ¶분을 ～ 참다 憤りをじっとこらえる. ——-거리다 [자] 続けざまに飲みこす. また, その音がする. ———— [부][하자] ごくりごくり; ごくごく; ぐびぐび.

꿀-꿀¹ [부][하자] 細めの曲がりを水が流れる音: ちょろちょろ; ごぼごぼ. ——-거리다¹ [자] ちょろちょろと流れる.

꿀-꿀² [부][하자] 豚が鼻を鳴らす声: ぶうぶう. ——-거리다² [자] 豚が鼻を鳴らす.

꿀꿀-이 [명] 豚のように貪慾な人. ‖——-죽 [명] かゆ状の豚の飼料.

꿀-단지 [명] はちみつ(蜂蜜)のつぼ(壺).

꿀-떡¹ [명] ① もち米にくり·なつめなどを混ぜて, 蜜で味をつけて蒸したもち(餅). ② 蜜や砂糖で味をつけた餅の総称.

꿀떡² [부][하자] 食べ物や薬をひといきに飲みこむさま: ぐっと; ぐいと; がぶり. ¶쓴 약을 눈을 감고 ～ 마시다 目をつぶって苦い薬をぐっと飲み下す. ——-거리다 [자] (食べ物や飲み物などを)しきりに飲み込む. ———— [부][하자] ぐいぐい; がぶ(り)がぶ(り).

꿀렁 [부] ① 液体が入れ物の中などで揺れ動く音. ② ぴったりはり付かず浮き上がっているさま. ——-거리다 [자] (桶の水などが)ゆれ動く; だぶつく. ———— [부][하자] ① だぶだぶ. ② ぴったり付かずあちこち浮き上がっているさま. ¶벽지가 여기저기 ～하다 壁紙があちこち浮き上がっている.

꿀리다 [자] ① しわが寄る. ② ぴったりはりつかずに浮き上がる. ③ 金や暮らしに窮する. ¶살림이 ～ 暮らしに窮する. ④ 引け(目)を感ずる. ¶그에게 꿀릴 것은 조금도 없다 彼に引けを感ずることは少しもない.

꿀-물 [명] 蜜をとかした水.

꿀-벌 [명]〘蟲〙みつばち(蜜蜂). ¶～을 치다 みつばちを飼う.

꿇다 [타] ひざまずく. ¶무릎을 ～ ひざまずく; ひざ(膝)を屈する / 무릎을 꿇고 사과하다 もろひざ(両膝)をついてあやまる.

꿇리다 ㊀[사동] ① ひざまずかせる. ② 圧する; 圧倒する. ③ 服従させる. ㊁[피동] ひざまずかされる.

꿇어-앉다 [자] ひざ(膝)をついて座る; ひざまずく. (준) 꿇앉다.

꿈 [명] 夢. ¶～ 이야기 夢語り; 夢物語 / ～ 해석 夢判断; 夢あわせ; 夢うら; 夢解き / ～을 꾸다 夢を見る; 夢を結ぶ / ～ 많은 소년 시절 夢多き少年時代 / 신혼의 단 ～ 新婚の甘い夢 / ～에서 깨어나다 夢から覚める / 그러고 보니 맞는 ～이었군 さては正夢だったか / ～이런가 생시런가 夢かうつつ(現)か / ～밖이다 夢にも思わなかった事だ / ～보다 해몽《俚》夢は判じがら; 夢とたか(鷹)

とは合わせがら. ——-에도 부 夢にも; 夢さら; 全然《打消しを伴う》. ¶ ~에도 몰랐다 夢にも知らなかった.

꿈-같다 형 夢のようだ. ¶ 꿈같은 이야기 夢のような話.

꿈-결 명 夢うつつ(現); 夢中; 夢路. ¶ ~에 듣다 夢うつつに聞く / ~ 속에 살아가다 夢路の暮らしをする.

꿈-길 명 夢路. ¶ ~을 더듬다 夢路をたどる.

꿈-꾸다 夢見る. ㊀자 夢を結ぶ. ㊁타 志す. ¶ 미래를 ~ 未来を夢見る / 성공을 ~ 成功を志す.

꿈-나라 명 夢の国. ①理想境. ②眠り. ＝잠. ¶ ~로 가다 寝入る.

꿈-땜 명하자 悪夢を現実の事で埋め合わせること.

꿈-속 명 夢中; むび(夢寐); 夢裏. ¶ ~에서 깨닫다 夢の間に悟る / ~의 꿈 夢のまた夢.

꿈실-거리다 자 (虫などが)もぞもぞとうごめく. ㄴ굼실거리다. **꿈실-꿈실** 부하자 もぞもぞ.

꿈-자리 명 夢のあと《それで未来の吉凶を判断する》; 夢に現われた物事. ＝몽조(夢兆). ¶ ~가 사납다 夢見が悪い.

꿈적 부하자타 やや大きく動くさま: のそり. ㄴ굼적. ——-거리다 자타 のそりのそり〔のろのろ〕と動く. ——— 부하자타 のろのろ; のそりのそり. ——-이다 자타 のそりと動く; のろのろする. ¶ 몸이 불편해서 겨우 ~이다 体が悪くてやっと動き回る.

꿈지럭 부 鈍くゆるやかに動くさま: のっそり; のそのそ; ぐずぐず. ㄴ굼지럭. ——-거리다 자 のそのそする; のっそりのっそり動く; ぐずぐずする. ——— 부하자 のっそりのっそり; のそのそ.

꿈질 부 ↗꿈지럭.

꿈쩍 부하자타 ちょっと鈍く動くさま: びくり. ¶ 그런 일로는 ~도 않는다 そんなことではびくともしない. ——-거리다 자타 びくりびくりする. ——— 부하자타 びくりびくり. —— 못하다 자 身じろぎもできない; 動きがとれない; 手も足も出ない. ¶ 권력 앞에는 꿈쩍도 못한다 権力には手も足も出ない. ——-없다 형 微動だにしない. ——-없이 부 動く気配もなく; びくともせずに. ——-하면 부 少しでも動けば.

꿈틀 부하자타 うごめく〔のたくる〕さま: ぴくり. ¶ 지렁이도 밟으면 ~한다《俚》一寸の虫にも五分の魂 / 근육이 ~하고 움직이다 筋肉がぴくりと動く. ——-거리다 자타 続けざまにうごめく; くねくね〔にょろにょろ〕と動く; のたくる. ——— 부 にょろにょろ; くねくね. ¶ 뱀이 ~ 기다 蛇がのたくる.

꿉꿉-하다 형 やや湿っぽい.

꿉실 부하자타 ☞ 굽실.

꿋꿋-이 부 屈せず; ひるまず.

꿋꿋-하다 형 ①力強くて屈しない〔ひるまない〕. ②気丈だ. <꼿꼿하다.

꿍 부자 ☞ 쿵.

꿍-꽝 부하자 ☞ 쿵쾅.

꿍-꿍¹ 부하자 ①重い物がつづけ落ちる音: どしんどしん. ②大砲や太鼓がつづけざまに鳴る音: かんどかん; どんどん. ——-거리다 자 続けてどしんどしん〔どかんどかん どんどん〕と鳴る.

꿍꿍² 부하자 うめく声: うんうん. ——-거리다 자 うんうんうな(唸)る.

꿍꿍이 명 ↗꿍꿍이셈.

‖——-셈 명 胸算用. ㊈꿍꿍이 ——-속 명 胸中(に秘めたもくろみ). ¶ 무슨 ~인지 모르겠다 どういうつもりか〔もくろみだか〕知らない.

꿍-하다 형 ☞ 꽁하다.

꿩 명 〔鳥〕 きじ(雉); きじす(雉子)〈雅〉. ¶ ~ 대신 닭《俚》きじの代わりににわとり《似た物でかわりをつとめさせるとのたとえ》/ ~ 먹고 알 먹는다《俚》飛車取り王手; 一石二鳥 / ~은 머리만 풀에 감춘다《俚》きじの草隠れ.

꿩-사냥 명 ①きじ狩り. ②きじを狩る人.

꿰다 타 ①(糸やひも(紐)を穴に)通す. ¶ 바늘에 실을 ~ 針に糸を通す / 낚싯바늘에 미끼를 ~ 釣針にえ(餌)をつける / 구슬을 꿰어 목걸이를 만들다 玉をつないで首飾りにする. ②(くし(串)やさおに)さす. ¶ 고기를 꼬챙이에 꿰어서 굽다 肉をくし焼きにする. ③(衣類を)着る; (履き物を)履く; 引っ掛ける. ¶ 새 바지를 꿰입고 나가다 新しいズボンをはいて出かける / 발에 슬리퍼를 ~ スリッパーを引っ掛ける〔つっかける〕.

꿰-들다 타 ①くし(串)などに通して持ち上げる. ②人のあやまちを暴く.

꿰-뚫다 타 ①貫く; 突き通す〔抜く〕; 貫通する. ¶ 총알이 벽을 ~ 弾が壁を突き抜ける. ②(事や事情を)見抜く; 見透かす. ¶ 내막을 꿰뚫어 보다 内幕を見抜く.

꿰-뜨리다 타 すりへらす; 擦り切らす; 破れさせる. ¶ 신발을 잘도 꿰뜨리는 아이 靴をよくはき破る子供.

꿰-매다 타 ①縫う; 繕う. ¶ 옷을 ~ 着物を縫う. ②収拾する; 取りつくろう. ③口止めする; 口を封ずる.

꿰맴-질 명 縫い物; 繕い物; 裁縫. ——-하다 자 縫い物をする.

꿰미 명 ①通しひも(紐). ②穴にひも(紐)を通して束にした物の単位.

꿰이다 피동 突き刺される; 突かれる; 通される.

꿰-지다 자 破れる; 裂ける. ¶ 자루가 꿰지도록 담다 袋がはち切れるほど詰めこむ / 신발이 ~ 靴が破れる.

꿰-지르다 타 《卑》 ☞ 신다·입다.

꿰-찌르다 타 突く; 突き刺す; 突き込む.

꿰-차다 타 ①ひも(紐)を通して腰にさげる. ②《俗》自分の物にする.

ㄱ

꿱 부하자 腹を立てたり, 人を驚かせるために張りあげる声: わっ.
꿱-꿱 부하자 怒鳴りちらす声. ——거리다 자 しきりに怒鳴りちらす.
꿱-지르다 타 わっと叫ぶ.
뀌다¹ 자타 ↗꾸이다.
뀌다² 타 ひる. ¶방귀를 ～ へ(屁)をひる; おならをする〈口〉.
끄나풀 명 ①ひも切れ. ②手先; お先き. ¶경찰의 ～ 警察の手先.
끄느름-하다 형 ①どんより曇っている. ②とろとろ(と)燃えている.
끄다 타 ①消す. ㉠(燃えるのを)止める. ¶불을 ～ 火を消す / 밟아 ～ 踏んで消す / 담뱃불을 비벼 ～ タバコの火をもみ消す. ㉡(栓をひねって)止める. ¶라디오를 ～ ラジオを消す / 가스를 ～ ガスを止める / 스위치를 ～ スイッチを切る. ②(固まりなどを)砕く. ¶얼음을～ 氷を砕く. ③借金などを返す; 勘定を済ます. ¶빚을 깨끗이 ～ 借金をきれいに返す.
끄덕 부하타 首をたてに振るさま; うなずくさま: こくり. ——거리다 타 こくりこくりする. ———— 부하타 こくりこくり. ¶좋아 좋아 하면서 아버지는 고개를 ～하셨다 父はよしよしと首をこくりこくりさせた. ——이다 타 うなずく. ¶고개를 ～ 首をたてに振る; うなずく.
끄덩이 명 ①髪の根元. ¶머리 ～를 잡고 싸우다 髪の根元を引っつかみ合ってけんかをする. ②もつれた糸の元.
끄덱-거리다 타 ☞ 끄덕거리다. **끄덱-끄덱** 부하타 ☞ 끄덕끄덕.
끄떡 부하타 首を軽くたてにふるさま: こっくり. ——거리다 타 首を軽く続けてたてにふる. ———— 부하타 こっくりこっくり. ——없다 형 ☞ 까딱없다.
끄르다 타 ①解く; ほどく. ¶신발끈을 ～ 靴ひもを解く. ②外す. ¶단추를 ～ ボタンを外す / 모기장 끈을 ～ 蚊帳のつり手を外す.
끄르륵 부하자 おくびをする音: ぷう. ——거리다 자 しきりにおくびをする. ———— 부하자 ぷうぷう.
끄무러-지다 자 曇り出す; 天気がかたむく.
끄무레-하다 형 どんより曇っている; 曇り模様だ.
끄물-거리다 자 (天気が)ぐずつく. **끄물-끄물** 부하자 (天気の)ぐずつくさま.
끄어-당기다 타 引き寄せる. 준 꺼당기다.
끄집다 타 引き寄せてつかむ; つかみ寄せる.
끄집어-내다 타 (中のものを)引き〔取り〕出す; つかみ〔つまみ〕出す; (話などを)持ち出す; 切り出す. ¶결혼 이야기를 ～ 結婚話を切り出す / 어째서 또 그런 케케묵은 일을 끄집어내는가 なんでまたそんな古くさい事を持ち出すのかね.
끄집어-내리다 타 (取り)下ろす.
끄집어-당기다 타 取り寄せる; 引き寄せる.
끄집어-들이다 타 取り〔つかみ〕入れる.
끄집어-올리다 타 取り〔つかみ〕上げる.
끄트러기 명 切れ端; はしくれ; きれっぱし.
끄트머리 명 端. ①さき. ¶～에서 ～까지 端から端まで. ②(物事の)はじめ; こぐち; 緒〔糸口〕. ＝단서(端緒).
끈 명 ①ひも(紐); 緒. ¶～을 매다 ひもを結びつける. ②生計の道; 稼ぎ; 職. ＝벌잇줄. ③手づる; 頼みの綱; 頼り.
끈-기【一氣】 명 粘り. ①粘り気. ¶～있는 밥 粘り気のあるご飯. ②根気〈口〉. ¶～ 하나로 根気ひとつで / ～있는 사람 粘り強い人 / ～있게 계속하다 根気よく続ける.
끈끈-이 명 鳥もち.
끈끈-하다 형 ①粘っこい. ②しつこい.
끈덕-거리다 자타 しきりに揺れる. また, 続けざまに揺らす.
끈덕-지다 형 根気がある; 粘り強い; しつこい. ¶끈덕진 사람 粘り強い人 / 끈덕지게 물고 늘어지다 執拗に食い下がる.
끈떡-거리다 자타 小幅に強くしきりに動く. **끈덕-끈덕** 부하자타 小幅に強くしきりに動くさま.
끈적-거리다 자 べたつく; べとつく; 粘(り)つく. ¶풀이 ～ のり(糊)が粘つく / 땀으로 손이 ～ 汗で手がべたつく. **끈적-끈적** 부하자 ねばねば; べたべた; べとべと; ねとねと. ¶～한 약을 바르다 ねっとりした薬をぬる / 땀이 배어 셔츠가 살갗에 ～ 달라붙다 汗ばんでシャツがねとねとと肌につく.
끈적-이다 자 ①粘つく; べたつく. ②執念深くあきらめが悪い.
끈지다 형 粘っこい; しつっこい.
끈-질기다 형 粘り強い; しつこい. ¶끈질긴 질문 しつこい質問 / 지독히 끈질긴 놈이다 性こりもない奴だ / 끈질기게 조르다 しつこくねだる.
끊기다 피동 切(ら)れる; 絶たれる; 絶やされる; 絶える. ¶대가 ～ 家が断絶する; あとが絶える / 보급로를 ～ 補給路を絶たれる.
끊다 타 ①切る; 断つ. ㉠(刃物で)切断する. ¶테이프를 ～ テープを切る / 철사를 펜치로 ～ 針金をペンチで切る. ㉡(続けていたことを)やめる. ¶갑자기 말을 ～ 不意に言葉を切る / 전화를 ～ 電話を切る / 연락을 ～ 連絡を断つ. ㉢(習慣などを)やめる. ¶술을 ～ 酒を断つ / 담배를 ～ 煙草をやめる. ㉣(関係を)切る. ¶관계를 ～ 関係を断つ; 手を引く; 手を切る / 교제를 ～ 交際を断つ / 끊을래야 끊을 수 없는 사이 切っても切れぬ仲. ㉤断ち切る; さえぎる. ¶보급로를 ～ 補給路を断ち切る / 퇴로를 ～ 退路を断つ. ㉥死に至らしめる. ¶목숨을 ～ 命を断つ / 숨통을 ～ 息の根を

ㄱ

とめる；止めを刺す．㊇(ことばなどを)区切る．¶문장을 끊어서 읽다 文章を切って読む/말을 또박또박 끊어서 하다 言葉を一言一言区切って言う．②(布などを)買う．¶옷감을 ～ 切れ地を買う/기차표를 ～ 汽車の切符を買う．③(手形などを)振る；振り出す．¶수표를 ～ 小切手を振る．

끊어-뜨리다 타 断〔裁〕ち切る．

끊어 주다 타 支払う；勘定する．

끊어-지다 자 切れる．①(物が)断ち切れる．¶전깃줄이 ～ 電線が切れる/실이 뚝 ～ 糸がぷっつり切れる．②(関係が)断ち切れる．¶그와의 관계는 아주 끊어졌다 彼との関係はすっかり切れた．③絶える．㉠(息が)とまる．¶숨이 끊어졌다 息が切れた〔絶えた〕．㉡とだえる；断たれる．¶공급이 ～ 補給が絶える/소식이 ～ 便りが切れる〔とだえる〕/손님의 발길이 ～ 客の足がとだえる/송금이 ～ 送金が絶える/사람 왕래가 ～ 人通りがとだえる/자손이 ～ あとが絶え果てる/퇴로가 ～ 退路が断たれる．

끊이다 자 ☞ 끊어지다．¶내전이 끊일 새 없는 나라 内戦の絶え間ない国/원조가 ～ 援助が切れる/손님이 끊이지 않다 引きも切らず客が詰めかける．

끊임-없다 형 絶え間がない．**끊임-없이** 부 絶え間なく；間断なく；続続と；引きも切らず；ひっきりなしに．¶～ 밀려오다 絶え間なく押し寄せて来る/～ 노력하다 絶えず努力する．

끌 명 のみ(鑿)．¶～로 파다 鑿で彫る．

끌-구멍 명 のみ(鑿)でほった穴．

끌꺽끌꺽-하다 자 (食べた物が支えて)しきりにおくびが出る．

끌끌 부감 舌打ちをしたり，おくびをする音．

끌다 타 ①引く．㉠引っ張る．¶줄을 ～ 綱を引く/소매를 ～ そでを引く/배를 끌어올리다 舟を引き上げる/말이 무거운 짐을 ～ 馬が重い荷を引く/수레를 ～ 車を引く．㉡引きずる．¶한쪽발을 질질 끌며 걷다 片足を引きずって歩く/옷자락을 질질 ～ 着物のすそを引きずる〔引く〕．㉢引き付ける．¶마음을〔주의를〕～ 気を引く/남의 눈을 ～ 人目を引く/인기를 ～ 人気を呼ぶ．㉣引き込む．¶물을 ～ 水を引く/수도를 끌어들이다 水道を引く．㉤誘う．¶예서제서 끄는 데가 많은 사람 引く手あまたの男/여러 회사에서 서로 끌려고 야단이다 方方の会社から引っ張りだこだ/손님을 ～ 客を引く．②長引かせる；延ばす．¶전쟁이 오래 끌었다 戦争が長引いた/시간을 ～ 時を稼ぐ．③長く引く．¶목소리를 길게 ～ 声を長く引く．④(乗り物を)運転する．

끌러-지다 자 解ける；ほどける．¶허리띠가 ～ 帯が解ける/매듭이 ～ 結び目がほどける/단추가 ～ ボタンが外れる．

끌려-가다 피동 [↗끌리어가다] 引っ張られる．¶경찰에 ～ 警察に引っ張られる．

끌려-들다 자 引き込まれる；巻き込まれる；釣り込まれる；のせられる．¶교묘한 화술에 끌려들어 시간 가는 줄 몰랐다 うまい話に釣りこまれて時の経つのを忘れた．

끌리다 피동 ①引かれる．¶정취에 끌리어 情趣に魅せられて/마음이 ～ 心が引かれる/정에 ～ 情に引かされる〔ほだされる〕/남의 말에 끌리어 나쁜 길에 들어가다 人の話に釣られて悪にのめり込む/광고에 끌리어 그만 사고 말았다 広告につりこまれてうかと買ってしまった．②すそなどが引きずられる．¶옷자락이 땅에 ～ 着物のすそが地にずれる．③延期される；長引かされる．

끌-방망이 명 のみづち(鑿槌)．

끌어-내다 타 引っ張り出す；引きずり出す．¶집에서 ～ 家から引っ張り出す〔引きずり出す〕/가재를 ～ 家財を持ち出す/강제 노동에 ～ 強制労働に駆り出す/감언으로 ～ 甘言でおびき出す．

끌어-내리다 타 引きずり下ろす．¶열차에서 ～ 列車から引きずり下す．

끌어-넣다 타 引き入れる；引っ張り込む．¶사건에 ～ 事件に巻き込む/자기편으로 ～ 味方に引き入れる．

끌어-당기다 타 引き寄せる；繰り寄せる．¶서로 끌어당기기를 하다 引っ張りっこをする/연을 ～ たこを手繰る/자석이 못을 ～ 磁石がくぎ(釘)を引き付ける．

끌어-대다 타 ①金繰りをする．¶자본을 ～ 資本をかき集める．②引き合わせる．

끌어-들이다 타 引き入れる；引き込む；(人を)抱き込む．¶수도를 ～ 水道を引き込む/전선을 집안에 ～ 電線を家へ引き込む/유력자를 ～ 有力者を抱き込む/한패에 ～ 仲間に引き込む〔引き入れる〕/손님을 ～ 客を釣り込む/사내를 ～ 男を引き入れる/친구를 나쁜 일에 ～ 友人を悪に引きずり込む/회원으로 ～ 会員に誘い入れる．

끌어-안다 타 抱き寄せる；抱き込む．¶어린이를 ～ 子どもをだき抱える/마주 끌어안고 울다 相擁して泣く．

끌어-올리다 타 引き上げる．¶옥상으로 ～ 屋上に引き上げる/침몰선을 ～ 沈没船を引き上げる/그 회사를 현재의 위치까지 끌어올린 것은 K씨입니다 その会社を現在までに守り立てたのはKさんです．

끌-질 명하자 のみ仕事．

끓는-점 【一點】명〔物〕 沸騰点．＝비등점．

끓다 자 ①沸く；煮え返る．¶물이 ～ 湯が沸く．②ひどく熱くなる．¶몸이 ～ (体の)熱が高い．③ひどく腹が立つ；煮えくり返る．¶노여움으로 뱃속이 부글부글 ～ 憤りで腹

が煮え返る. ④(病気で)腹がごろごろ鳴る. ⑤たん(痰)が支えてのど(喉)がぜいぜいする. ⑥(虫などが)わく; たかる. ¶구더기가 ~ うじ(蛆)がわく / 파리〔모기〕가 ~ はえ〔蚊〕がたかる. ⑦(感情などが)湧く. ¶피가 ~ 血がわく. ⑧ひしめく; わいわい騒ぐ.

끓어-오르다 자 沸き上がる. ①煮え立つ; 沸き立つ. ¶물이 ~ 湯が沸き立つ / 끓어오르는 물에 넣다 煮え立つ湯に入れる. ②煮え(くり)返る. ¶분노가 ~ 怒りが沸き上がる.

끓이다 타 ①煮る; 沸かす. ¶목욕물을 ~ 風呂を沸かす / 차를 ~ お茶をたてる〔沸かす〕. ②煮る. ¶설날에는 떡국을 끓여 낸다 お正月にはお雑煮を出す. ③(じめじめと)気に病む; 苦しむ. ¶하찮은 일로 속을 끓여 병이 나다 大したことでもないのを気に病んで病気になる / 남의 속을 무던히도 끓이는구나 よくよく人を苦しめるね.

끔뻑 부하자타 (明かり·星などが)くらくなってから明るむさま: ちらっと. ——거리다 자타 ①ちらつく. ②しばたたく; ぱちぱちする〔させる〕. ——— 부 ①ちらちら. ②ぱちぱち. ——이다 자타 ①(星などが)ちらつく. ②(目を)瞬く.

끔쩍¹ 부하타 眼を閉じてからまた開くさま. ㅅ끔적. >깜작. ——거리다 타 しきりに瞬く〔まじろぐ·まばたく〕. ——— 부하타 ぱちぱち; ぱちくり.

끔쩍² 부하자 驚くさま: ぱっと.

끔찍끔찍-하다 형 むごたらしい; 惨酷だ.

끔찍-스럽다 형 むご(たらし)い.

끔찍-이 부 非常に; 大変; 大いに. ¶~ 사랑하다 非常に愛する.

끔찍-하다 형 ①物すごい; ひどい; むご(たらし)い. ¶끔찍한 형상 物すごい形相 / 끔찍한 광경 むご(たらし)い光景. ②懇ろだ; 手厚い. ¶끔찍한 대접을 받다 手厚いもてなしを受ける.

끗 의명 ①折りたたんだ反物の折り目の単位. ②ばくち(博打)の点数: 点. ¶아홉 ~ かぶ.

끗다 타 引き寄せる; (側や近くへ)引く. ＊끌다. ¶밧줄을 ~ 綱を引きよせる.

끗-수 【一數】 명 ばくち(博打)の点数.

끙 부하자 うめくか, またはいきむ声: うん.

끙-끙 부하자 続けざまにうめいたりいき(息)む声: うんうん. ——거리다 자 うんうんうな(唸)る.

끙짜 놓다 자 不快に思う.

끝 명 ①端; ふち; 先. ¶창 ~ やり(槍)の穂 / 지팡이의 ~ つえ(杖)のしり / 장대 ~ さお(竿)の先. ②終わり; しまい; はて. ¶언쟁 ~에 주먹다짐을 하다 口論のはてに殴りあいをする / 처음부터 ~까지 ピンからキリまで / ~까지 추구하다 とことんまで追求する / 농락한 ~에 버리다 もてあそんだあげく捨てる / 만취 ~에 상사를 때리다 乱酔の末上役をなぐる / 영화를 ~까지 보았다 映画をしまいまで見た. ③(順位の)びり. ¶~에서 세 번째에 서다 びりから三番目に立つ. ④『言』語尾.

끝간-데 명 端(になるところ); 終わるところ. ¶~를 모르다 窮まる所を知らぬ.

끝-갈망 명 締めくくり; まとまり. ——-하다 타 締めくくる; 取りまとめる.

끝끝-내 부 おわり〔しまい〕まで; 遂に; とうとう. 준끝내. ¶~ 나타나지 않았다 遂に現われなかった / ~ 말을 하지 않았다 遂に口をきかなかった / ~ 빌미붙다 後後までたたる.

끝-나다 자 終わる. ①(事が)済む; 果てる. ¶일이 ~ 仕事が終わる / 대충 ~ ひと通り済む / 숙제가 ~ 宿題が片付く / 시험이 ~ 試験が済む / 연회가 ~ 宴が果てる / 회의가 ~ 会が終わる / …로 ~ …に終わる / 헛수고로 ~ むだ骨折りに終わる. ②(時間的·空間的に)切れる; 明ける; 尽きる. ¶계약이 ~ 契約が切れる / 휴가가 ~ 休暇が明ける / 숲이 끝나고 넓은 길로 나오다 森が尽きて広い道へ出る.

끝-내 부 ↗끝끝내. ¶~ 무실을 주장하다 あくまで無実だとがんばる / ~ 정조를 지키다 操を立て切る.

끝-내기 명 ①終結すること; 結末をつけること. ＝끝마감. ②(碁の)寄せ; 収束. ¶큰 ~ 大よせ.

끝-내다 타 終える; 済ませる; 果たす. ¶볼일을 ~ 用事を済ます / 셈을 ~ 勘定を済ます / 저녁 식사를 ~ 夕飯を済ます / 일을 ~ 仕事を終える / 회의를 ~ 会議を閉じる.

끝-닿다 자 終わり〔果て〕にいたる; 果てる.

끝-돈 명 残金. ＝끝전. ¶~을 치르다 残金を払う.

끝-마감 명 打ち切り; 締め切り; 締めくくり. ——-하다 타 締め切る; 打ち切る; 締めくくる.

끝-마치다 타 終える; 済ます. ¶숙제를 ~ 宿題をおえる / 이로써 방송을 끝마치겠습니다 これで放送を終わります / 다섯 시에는 끝마친다는 말이었다 五時には終えるということだった.

끝-막다 타 締め切る; 終える.

끝-막음 명 終えること; 終結; 結末. ——-하다 타 終結する; 結ぶ; 結末をつける.

끝-머리 명 末尾; おわり. ¶편지 ~에 手紙の末尾に.

끝-물 명 季節の終わり頃にできたもの《野菜など》.

끝-소리 명 終声. ＝말음(末音).

끝-없다 형 切り〔限り〕がない; 際限〔果て(し)〕(が)ない. ¶끝없는 야망 あくなき野望 / 끝없는 사랑의 정념 果てしなき愛の情念 / 끝없는 전쟁이 계속되다 果てしなき戦いが続く. 끝-없이 부 限りなく; はて(し)なく. ¶~ 이어지는 길 果てしなく続く道.

끝-자리 명 ①(数字などの)末位. ②末席; 下座.

끝-장 명 ①終わり; お仕舞い; けり; 結末; 締めくくり. ¶~을 보다 終わりを告げる / 이제 이것으로 ~이군 もうこれでおしまいだな. ②死. =죽음. ——-나다 자 終わる; お仕舞いになる; けりがつく; 終局にいたる. ——-내다 타 終える; 結末〔けり〕をつける.

끝-판 명 終局.

끼¹ 명 〈俗〉[←기(氣)] 浮気·浮気心などの浮かれた気運. ¶~가 있는 여자 浮気な女.

끼² 의명 食事の度数を数える語. ¶하루 세 ~의 밥을 먹다 日に三食をとる / 설령 한 ~를 굶더라도 たとえ一食を欠くとも.

끼깅 부하자 ☞ 깨갱.

끼끗-이 부 みずみずしく; すっきりと.

끼끗-하다 형 新鮮で〔みずみずしく〕すっきりしている.

끼니 명 きまった食事. ¶그날 그날의 ~를 이어가기도 어렵다 その日の食事にも事欠く / 세 ~를 다 하숙에서 먹여 준다 三食とも下宿で賄ってくれる.
‖——-때 명 飯時; 食事時.

끼다¹ 一자 ↗끼이다². ¶꼭 끼는 구두 きちきちの靴 / 마가 ~ 魔が差す / 5대 강국에 ~ 五大強国に列する / 명인 축에 ~ 名人の列に伍する / 좋은 일이 있거든 한몫 끼워 주게 うまい話があったら一口乗せてくれ. 二타 ① ↗끼우다. ¶창문에 유리를 ~ 窓にガラスをはめる / 귀에 보청기를 ~ 補聴器を耳にはさむ. ② 抱える; わき挟む. ¶책 몇 권을 겨드랑이에 끼고 数冊の本をこわきに抱えて / 끼고 자다 抱き寝する / 책을 옆구리에 ~ 本をわきに挟む / 팔짱을 ~ 腕を組む / 창을 겨드랑이에 ~ やりをかい込む. ③はめる. ¶금반지를 ~ 金の指輪をはめる. ④沿って行く. ¶강을 끼고 내려 가다 川に沿って下る. ⑤(有力者を)背景に持つ; かさ(笠)に着る.

끼다² 자 ①立ち込める. ¶안개가 자욱이 ~ 霧がこく立ち込める / 연기가 ~ 煙る. ②あか(垢)·ほこり(埃)が付く. ¶눈곱이 ~ 目くそがたまる. ③こけむす; さ(寂)びる. ¶이끼 낀 비면 こけむしたひめん(碑面).

끼룩 부하자 首を長く延ばすさま. ——-거리다 자 しきりに首を長く延ばす. ———— 부하자 しきりに首を長く延ばすさま.

-끼리 미 仲間を組む意を表わす語: 同士. ¶원수~ かたきどうし / 이것은 우리~만의 이야긴데 これは内内の話だが.

끼리-끼리 부 似たもの同士; 仲間同士で. ¶~ 모이다 類は類を呼ぶ / ~ 모여 살다 似たもの同士が集まって暮らす.

끼-얹다 타 振り掛ける; 振りまく; 浴びせる. ¶물을 ~ 水を(ぶっ)掛ける〔浴びせる〕/ 나는 머리에 찬물을 끼얹는 듯한 느낌이었다 わたしは頭から冷や水を浴びせかけられたような気がした / 머리에서부터 모래를 ~ 頭から砂を振り掛ける.

끼우다 一타 差し込む; はめ込む. ¶서표를 책 사이에 ~ しおりを本に挟む / 유리를 ~ ガラスをはめ込む / 필름을 끼워 넣다 フィルムを入れる / 단추를 ~ ボタンを掛ける / 팔찌를 ~ 腕輪をはめる. 二사동 差し込める; はめる. 준 끼다.

끼우듬-하다 형 やや傾いている. 끼우듬-히 부 傾き加減に.

끼울다 자형 傾く; 傾いている; かたよっている. ㅗ기울다.

끼웃-이 부 傾き加減に.

끼웃-하다 一형 傾き加減だ. 二타 少し傾ける.

끼이다¹ 타 人を嫌う.

끼이다² 一피동 挟まる; 差し込まれる; はまる. ¶잇새에 ~ 歯に挟まる / 이해를 달리 하는 두 사람의 틈바구니에 끼어서 난처하게 되다 利害を異にする二人の中に挟まれて閉口する. 二자 仲間入りをする; ご(伍)する; 加わる. 준 끼다.

끼적-거리다 자타 書き散らす; 書きなぐる; なげやりに書く. 끼적-끼적 부하자타 むぞうさ(無造作)〔なげやり〕に書くさま.

끼치다¹ 자 ①よだつ. ¶소름이 ~ 身の毛がよだつ. ②(覆うように)かかる; こみあげる. ¶더운 김이 얼굴에 ~ 熱い湯気が顔にかかる.

끼치다² 타 ①(面倒·迷惑を)掛ける. ¶폐를 ~ 迷惑をかける; 難儀をかける / 걱정을 ~ 心配をかける. ②(後世に)残す; 及ぼす. ¶누명을 ~ 汚名を残す / 자손 만대에 누를 ~ 子孫万代に累を及ぼす. ③払い切らずに少し残す.

끽-소리 명 ぐうの音. ¶~도 못내다 ぐうの音も出せない / ~ 못하게 하다 ぐうの音も出ないようにする; へこませる / 야당의 추궁에 정부측은 ~도 못한다 野党の追求に政府側はぐうの音も出せない.

끽연【喫煙】 명하자 喫煙. =흡연(吸煙). ¶~실 喫煙室.

끽-해야 부 せいぜい(精精); たかだか. ¶~ 출석자는 10명이나 될까 出席者はたかだか十人ぐらいだろうか.

낌 명 ☞ 낌새.

낌새 명 けはい(気配); けしき(気色). ¶비가 올 ~ 雨模様; 雨催い / 범죄의 ~ 犯罪のにおい / ~를 엿보다 様子をうかがう / ~가 어쩐지 이상하다 様子がどうも変だ; 変なけはいがする. —— 보다 자 けはいをうかがう. —— 채다 자 けどる; 感づく; かぎつける.

낑 부 うめく声; うなる声: うん; きゃ(あ)ん.

낑-낑¹ 부하자 うめいたり力む声: うんうん; きゃ(あ)んきゃ(あ)ん; よっしゃよっしゃ. ——-거리다¹ 자 うんうん〔きゃ(あ)んきゃ(あ)ん·よっしゃよっしゃ〕としきりに息む.

낑-낑² 부 子供がぐずる〔むずかる〕さま. ——-거리다² 자 しきりにだだをこねる; むずかる.

ㄴ

ㄴ[1] ハングルの第二番目の子音.

ㄴ[2] 조 ↗는. ¶나~ 가오 わたしは行きます/나~ 그런 거 몰라요 僕はそんな事知りません.

-ㄴ가 어미 …か. ¶누구이~ 誰かね/기쁘~ うれしい(の)か/바쁘~ 忙しいのか.

-ㄴ가-보다 구 …(である)らしい; …のように見える. ¶너무 크~ あまり大き過ぎるらしい/옆집 개이~ お隣の犬らしい.

-ㄴ걸 어미 [↗-ㄴ 것을] …よ; …ね. ¶벌써 그는 돌아가~ もう彼は帰ったよ/꽤 크~ 相当大きいね.

-ㄴ다 어미 終声のない動詞の語幹に付いて動作の進行を表わす語. ¶눈이 오~ 雪が降る/나는 가~ 俺は行くよ.

-ㄴ다는 어미 [↗-ㄴ다고 하는] …と言う; …との. ¶오~ 소식 来るとの便り.

-ㄴ다니 어미 [↗-ㄴ다느냐] …すると言うのか. ¶그는 언제 오~ 彼はいつ来ると言うのか/자네가 와주~ 정말 고맙다 君が来てくれるとは本当にありがたい.

-ㄴ단 어미 ①[↗-ㄴ다는] …と言う. ¶벌써 가~ 말이오 もう行くというのですか. ②[↗-ㄴ다고 한] …と言った. ¶가~ 약속을 했다 行くと言った約束をした.

-ㄴ단다 어미 [↗-ㄴ다고 한다] …と言う; …するそうだ. ¶비가 오는 데도 가~ 雨が降るのにも行くと言う(のよ)/누님은 시집가~ 姉は嫁に行くそうだ.

-ㄴ답니다 어미 [↗-ㄴ다고 합니다] …と言います. ¶그는 서울에 가~ 彼はソウルへ行くそうです/그는 고향으로 가~ 彼は故郷にかえるそうです.

-ㄴ답디다 어미 [↗-ㄴ다고 합디다] …と言いました. ¶그가 오~ 彼が来ると言っていました.

-ㄴ답시고 어미 …するとか言って. ¶운동을 하~ 놀기만 한다 運動をするとか言って遊んでばかりいる.

-ㄴ대 어미 [↗-ㄴ다고 해·-ㄴ다 해] …だそうな; …すると言う. ¶나중에 가~ あとで行くそうだ.

-ㄴ대서 어미 [↗-ㄴ다고 하여서] …と言うので; …と言って. ¶그가 오~ 하루 종일 기다렸다 彼が来ると言うので一日中待っていた.

-ㄴ대서야 어미 [↗-ㄴ다고 해서야] …とは; …なんて. ¶그걸 모르~ それを知らないとは/그만 일에 우~ それぐらいのことで泣くとは.

-ㄴ데 어미 "이다"または終声のない形容詞の語幹に付く. ①…のに; …が. ¶키는 크~ 힘은 없다 背は高いが強くはない/값은 싸~ 맛은 없다 値段は安いがうまくはない. ②…な(あ); …ね. ¶꽤 크~ 相当大きいな.

ㄴ들 조 …だとて; …だって. ¶낙화~ 꽃이 아니랴 落花だって花でなかろうか; 落花もまた花である.

-ㄴ들 어미 …とて; …(と)言っても. ¶천리가 멀다 하~ 千里が遠いといっても.

-ㄴ 바 구 …(した)ところ; …(の)次第. ¶현장에 가 보~ 사실과 같더라 現場に行って見たところ事実の通りだった/금강산에 가 보~ 가위 절경이더군 金剛山に行って見たところが果たして絶景だったよ.

-ㄴ즉 어미 …と; …ので; …から. ¶힘이 세~ 바위라도 움직인다 力が強いから岩でも動かす.

-ㄴ즉슨 어미 "-ㄴ즉"の強勢語. ¶배가 부르~ 게을러진다 生活に事欠かぬようになるととかく怠け勝ちになる.

-ㄴ지 어미 …か; …やら. ¶얼마나 예쁘~ 모르겠다 どんなに美しいか知らない/감기이~도 모르겠다 かぜかも知らない.

나[1] 一 대 私; わたし; 僕: 我《옛말투》; おれ《助詞"가"がつく時は"내"にかわる》. ¶~와 너 僕と君/~를 잊다 我を忘れる/~도 모르게 我もなく; 我しらず/~같은 늙은이는 이제 틀렸어 わたしみたいな老いぼれはもうだめだ/내가 알 게 뭐야 おれの知ったことか. 二 명 己れ; 我; 自分自身. ¶~를 버리고 대의에 살다 我を捨てて大義に生きる.

나[2] 조 終声のない体言につく補助詞. ①多くの中からあるものを選択する意で使われる: …でも. ¶운동은 그만두고 공부~ 열심히 하여라 運動は止めて勉強でも熱心にやれよ. ②数量が多いとか感情が高まったことなどを誇張的に, または叙述的に表わす: …でも; …や. ¶소~ 개도 주인을 알아본다 牛や犬でも主人を見分ける/눈이 1미터~ 쌓였다 雪が一メートルも積もった.

나- 두 外に向かう動作を表わす語. ¶~오다 出て来る; 出る/~서다 出掛ける.

-나[1] 어미 終声のない語幹につく連結語尾. ①…が; …だが. ¶밤은 기~ 낮은 짧다 夜は長いが昼は短い. ②…ても. ¶자~ 깨~ 불조심 寝ても起きても火の用心. ③形容を誇張するために語幹を重ねて使う際, 上の語幹に付く. ¶머~ 먼 はるかに遠い/기~ 긴 가

을밤 長い長い秋の夜. * -으나.

-나² 어미 [↗-는가] …のか; …か. ¶ 자네 가~ 君は行くのか.

나가다 자 ①出る. ㉠外に出る; 出掛ける; 出向く. ¶ 산책을 ~ 散歩に出る / 약속 장소에~ 約束の場に出向く / 장보러 ~ 買い物に出る. ㉡出て行く; (職場を)辞める. ¶ 집에서 ~ 家を出る. ㉢進出する; 乗り出す. ¶ 사회에 ~ 社会に出る〔進出する〕. ㉣出場する; 参加する. ¶ 결승전에 ~ 決勝戦に出る. ㉤出席する; 出勤する. ¶ 회사에 ~ 会社へ出る. ②(服などが)もろく破れる〔裂ける〕; 擦り切れる. ¶ 구두창이 ~ 靴底が擦り切れる. ③↗나아가다. ¶ 일이 잘 ~ しごとがはかどる; 事が都合よく〔うまく〕運ぶ. ④(値打ち·値段が)…する; (重さが)…ある. ¶ 값나가는 물건 値打ちのある品物 / 삼십 파운드나 나가는 물건 三十ポンドもある品物. ⑤(電気が)止まる; 消える. ¶ 전기가 ~ 電気が止まる. ⑥(給料などが)支給される. ¶ 수당이 나간다 手当てが支給される. ⑦さばける; 売れる. ¶ 가장 잘 나가는 책 最もよく売れる本 / 집이 ~ 家が売れる.

나가-동그라지다 자 ころげ倒れる. ㊟ 나동그라지다.

나가-떨어지다 자 ①(転び)倒れる. ¶ 얼음판에서 ~ 氷の上で転び倒れる. ②《俗》へとへとになる. ¶ 그까짓 술에 ~니 それっぽちの酒でへたばれるとは.

나가-자빠지다 자 ①あおむけに倒れる; 転倒する. ②かかわり合いから手を引く. ¶ 빚을 지고 ~ 借り倒す.

나귀 명 ↗당나귀.

나그네 명 ①よそ者. ¶ 정처없는 ~ 旅烏. ②旅の者; エトランゼ; 旅人〈雅〉. =여객·길손·행객. ¶ 인생을 나그넷길에 비기다 人生を旅になぞらえる.

나긋나긋-이 부 やわらかく; しなやかに; 優しく.

나긋나긋-하다 형 ①(食べ物が)軟らかい. ②(肌が)柔らかい; (体が)しなやかだ. ¶ 나긋나긋한 몸 しなやかな体. ③親切で優しい. ¶ 나긋나긋한 여자 優しい女.

나날 명 日毎; 毎日. ¶ 눈물로 보내는 ~ 涙の日日. ——-이 부 日毎に; 日に日に. ¶ ~ 성장하다 日に日に成長する.

나누다 타 ①分ける; 分かつ. ㉠分割する. ¶ 몇개로 ~ 幾つかに分ける / 학생을 두 반으로 ~ 生徒を二組に分ける. ㉡区分〔区別·類別〕する. ¶ 몇 구역으로 ~ いくつかの区域に分かつ. ㉢分配する. ¶ 이익을 ~ 利益を分かつ / 절반씩 ~ 山分けする. ②(数を)割る; 割り算をする. ¶ 열을 둘로 ~ 十を二で割る. ③共にする; 分かち合う. ¶ 슬픔을 같이 ~ 悲しみを分かち合う. ④交わす; やりとりする. ¶ 이야기를 ~ 話を交わす / 눈인사를 ~ 目礼を交わす / 술잔을 ~ 酒を酌み交わす.

나누이다 피동 分けられる; 割られる. ¶ 이 장은 5절로 나누이어 있다 この章は五節に分かれている. ㊟ 나뉘다.

나눗-셈 명 하자타 割り算; 除算.

나다 자 ①起こる; 発生する; できる. ¶ 길이 ~ 道が開ける / 상처가 ~ 傷が付く / 사건이 ~ 事件が起こる / 혹이 ~ こぶができる / 불이 ~ 火事が起こる / 연기가 ~ 煙る; 煙が立つ / 소리가 ~ 音がする / 소문이 ~ うわさが立つ / 발자국이 ~ 足跡がつく. ②生える. ¶ 풀이 ~ 草が生える / 이가 ~ 歯が生える. ③出る. ㉠…になる; (吐き気などを)催す. ¶ 병이 ~ 病気にかかる / 하품이 ~ あくびが出る / 현기증이 ~ めまいがする / 미열이 ~ 微熱が出る / 다래끼가 ~ 物もらいができる. ㉡流れる; 湧き出る. ¶ 눈물이 ~ 涙が出る / 땀이 ~ 汗をかく. ㉢産する. ¶ 금이 ~ 金が出る; 金を産する / 이 광산에서 철이 난다 この山から鉄が取れる. ㉣載る. ¶ 신문에 ~ 新聞に出る. ㉤加わる. ¶ 속력이 ~ 速力が出る / 힘이 ~ 元気が出る; 力がつく. ④現われる. ㉠…のようすが見える; …びる. ¶ 이름이 ~ 有名になる; 名が揚がる / 모가 ~ 角が立つ / 어른 티가 ~ 大人びる / 촌티가 ~ 田舎びる. ㉡生ずる. ¶ 할 마음이 ~ 気が向く; やる気が出る / 화가〔부아가〕 ~ 腹が立つ; しゃくにさわる / 싫증이 ~ いやになる; いやけが差す. ⑤ある結果になる. ¶ 결딴 ~ だめ〔だいなし〕になる / 동이 ~ 払底する; 品切れになる / 결말이 ~ 結末〔かた·決まり〕が付く / 승부가 ~ 勝負が付く. ⑥(だんだん)…なる; 上がる. ¶ 재미가 ~ おもしろくなる / 능률이 ~ 能率が上がる. ⑦出回る. ¶ 햅쌀이 ~ 新米が出回る. ⑧(時間·空間的に)明〔空·開〕く. ¶ 틈〔손〕이 ~ 手が空く / 구멍이 ~ 穴が明〔開〕く / 과장 자리가 하나 ~ 課長のポストが一つ空く. ⑨生まれる. ¶ 내가 난 해 わたしの生まれた年. ⑩(におい·味が)する. ¶ 좋은〔고약한〕 냄새가 ~ いい〔くさい〕においがする. ⑪《俗》偉い. ¶ 난 체하다 もったいぶる; 偉ぶる.

나다² 타 過ごす. ¶ 겨울을 ~ 冬を過ごす〔越す〕.

나-다니다 자 出歩く. ¶ 일의 성격상 나다니는 일이 많다 仕事柄出歩くことが多い.

나달 명 四五日ほど. ¶ 한 ~ 걸렸다 四五日ほどかかった.

나-돌다 자 ↗나돌아다니다. ¶ 가짜가 ~ にせ物が出回る.

나-돌아다니다 자 ①出回る; 出歩く; ぶらつく. ②(うわさが)ひろがる. ㊟ 나돌다.

나들이 명 外出; よそ行き; 外歩き. ——-하다 자 外出する; よそに出掛ける. ¶ ~ 준비를 하다 よそ行き

の支度をする.
‖──-옷 명 外出着; 晴れ着; 訪問着. ¶ ~으로 몸치장을 하다 晴れ着で装う.

나라 명 国. ① 国家. ¶ 농사는 ~의 근본 農は国の本 / ~를 위해 죽다 国に殉ずる. ② (或る特殊な)世界. ¶ 꿈~ 夢の国〔世界〕/ 별~ 星の世界.
‖──-꽃 명 国の花; 国花. ──-님 명 お上; 王. =임금. ──-말 명 国語; 国言葉. =국어.

나락【奈落】명 奈落.

나란-히 부 並んで. ¶ ~ 달리다 並んで走る / ~ 서다 並ぶ.

나레이션〔narration〕명 ナレーション.

나레이터〔narrator〕명 ナレーター.

나력【瘰癧】명〔醫〕るいれき.

나루 명 渡し場.
‖──-터 명 渡し場; 船〔舟〕渡し; 渡船場. ──-터-지기 명 渡し守. 나룻-배 명 渡船; 渡し船〔舟〕. 나룻-삯 명 渡し銭; 渡船料.

나룻 명 ほおひげ.

나르다 타 運ぶ. ¶ 짐 나르기를 돕다 荷物運びを手伝う.

나른-하다 형 ① だるい. ¶ 어쩐지 ~ 何となくけだるい / 더위로 몸이 나른해지다 暑さで体がだらける. ② 弱弱しく柔らかい. <느른하다.

나름 의명 "柄·次第·なり"の意を表わす語. ¶ 내 ~의 해석 私なりの解釈 / 일할 ~ 働き次第.

나리¹ 명〔植〕ゆり. =백합. ¶ ~꽃 百合の花.

나리² 명〔史〕① 下位の者が上司を呼ぶ尊称. ② 身分の高い者の尊称. ‖──-마님 명 "나리"の尊称.

나마【裸馬】명 裸馬.

나마 조 "不満足ながらしんぼうしてする"の意を表わす語: …でも; …(で)さえ. ¶ 잠시~ 어머니를 만나고 싶다 一目だけでも母に会いたいものだ.

-나마 어미 "…ではあるが"の意を表わす語: …だが; …けれど. ¶ 맛은 좋지 못하~ 많이 먹어라 まずいものではあるがたくさんおあがりなさい. * -으나마.

나막-신 명 ぼくり《木製のはきもので底はげたのように二枚の歯がある》. ¶ 굽이 높은 ~ 高ぼくり; 高げた.

나머지 명 ① 余り. ㉠ 余分; 残り. ¶ ~는 없다 余りはない. ㉡ …したあげく; …のすえ; 終わり. ¶ 놀란 ~ 실신하였다 驚きの余り失心した / 슬픈 ~ 悲しみの余り. ② 後. ¶ ~ 일은 상상에 맡긴다 後は想像に任す.

나무 명 ① 木〔樹〕. ㉠ 樹木. ¶ ~ 열매 木の実 / 썩은 ~ 朽ち木 / ~를 심다 木を植える / ~가 우거지다 木が茂る. ㉡ 材木; 材. ¶ ~ 망치 木づち. ② たきぎ; まき. ¶ ~하다 (たきぎを)こ(樵)る / ~를 패다〔빠개다〕まきを割る.
‖──-꾼 명 きこり(樵). ──-눈 명 木の芽. ── 다리 명 ① 木の橋. ② 木製の義足. ── 막대기 명 木の棒. ──-못 명 木くぎ. ── 부처 명 木仏; きぼとけ; 木彫りの仏像. ── 뿌리 명 木の根. ── 상자(箱子) 명 木箱. ──-숲 명 木立; 木むら. ── 장수 명 木売り; たきぎ屋; まき屋. ── 접시 명 木皿. ──-좀 명〔蟲〕きくいむし. ──-쪽 명 木片; 木切れ. ──-칼 명 木刀. ── 토막 명 木の切れ端〔切れっ端〕. ──-통 명 (木の)桶. ──-틀 명 木型. ── 판자(板子) 명 ☞ 널빤지. 나뭇 가지 명 (木の)枝. 나뭇 개비 명 棒切れ. 나뭇-결 명 木目. ¶ ~이 좋다〔곱다〕木目がいい; 木目が細かい. 나뭇-잎 명 木の葉. ¶ ~ 사이로 보이다 葉隠れに見える. 나뭇 조각 명 木切れ; 木片. 나뭇-진 명 木の脂. 나뭇-짐 명 たきぎ(薪)の荷.

나무【南無】관〔佛〕南無.
‖── 아미타불 명〔佛〕南無阿弥陀仏; 六字の名号.

나무라다 타 とがめる; なじる. ¶ 나무랄 데 없는 인품 結構なお人柄 / 하나도 나무랄 데가 없는 사람 非の打ち所がない人.

나무람 명 とがめ. ──-하다 타 とがめる.

나물 명 おひたし; 浸し物. ¶ ~ 반찬 総菜料理.
‖──-국 명 浸し物のお汁. ──-밥 명 浸し物をまぜ合わせて炊いたご飯.

나박-김치 명 大根を薄く切り刻み, 唐辛子·ねぎ·にんにく·せりなどを入れた汁の多い漬物.

나발-거리다 자《俗》口軽くべらべらしゃべる. 나발-나발 부 하자 べらべら.

나방 명〔蟲〕が(蛾).

나변【那邊】명 ① どこ. ② なへん; いずこ; どのへん. ¶ 진의가 ~에 있는지 真意がいずこにあるのか(わからない).

나병【癩病】명〔醫〕らい病; らい《준말》; ハンセン病. ¶ ~ 환자 らい病患者; ハンセン病患者.

나-병원【癩病院】명 らい病院.

나부【裸婦】명 裸婦.

나부끼다 자 (風に)翻る; はためく. ¶ 기(旗)가 ~ 旗がはためく.

나부랭이 명 ① 切れっ端; くず切れ. ② 端くれ; 末輩. ¶ 깡패 ~ よた者の端っくれ.

나부죽-이 부 丁寧なものごしでおもむろにひれ伏すさま.

나부죽-하다 형 (薄い物·低い物が)広く平たい.

나불-거리다 자 ① (軽く)揺らぐ; ひらひらゆれ動く. ② しきりにしゃべる. ¶ 입을 ~ (出しゃばって)べらべらしゃべる.

나붓-거리다 자 ひらひら揺れ動く; ひらめく.

나-붙다 자 (広告などが)はり出される; はられる. ¶ 합격자의 이름이 ~ 合格者の名前がはり出される.

나비 명〔蟲〕ちょう(蝶); こちょう(胡蝶). ¶ ~ 매듭 ちょう結び.

‖── 넥타이 명 ちょう(蝶)ネクタイ；ボータイ.

나빠-지다 자 悪くなる；こじれる；崩れる. ¶날씨가 ～ 天気が崩れる / 건강 상태가 ～ 健康が衰える.

나쁘다[1] 형 悪い. ①良くない；忌まわしい；いとわしい. ¶나쁜 환경 悪い環境 / 나쁜 꿈 忌まわしい夢 / 좋은 일이건 나쁜 일이건 善〔良〕きにつけ悪しきにつけ / 머리가 ～ 頭が悪い / 평(판)이 ～ 評判が悪い / 나쁜 버릇이 고쳐지다 悪い癖が直る. ②(心が)善くない. ¶나쁜 짓을 하다 悪事を働く / 심보가 ～ 意地悪い.

나쁘다[2] 형 (量が)足らず気味だ. ¶음식은 좀 나쁘게 먹는 것이 좋다 食べ物は少し不足ぎみ〔腹八分〕に食べるのがよい.

나삐 부 悪く. ¶남을 ～ 말하다 人をあしざまに言う. ──-보다 타 ①悪く〔良くなく〕見る. ②見くびる；見下げる；ばかにする. ── 여기다 타 ①あしざまに思う. ②軽んじてばかにする.

나사【螺絲】명 ①ねじ. ¶～를 죄다 ねじを巻く / ～가 풀리다 ねじがゆるむ / ～를 돌리다 ねじをまわす. ②↗나사못.

‖──-골 명 ねじの溝. ──-못 명 ねじくぎ. ¶～으로 고정시키다 ねじでとめる. ──-산 명 ねじ山. ── 송곳 명 ドリル；木工ぎり. 나삿-니 명 ねじ山. ＝나사산.

나사[1]【羅紗】명〔포 raxa〕ラシャ.

‖──-점 명 ラシャ店.

나사[2]【NASA】명 ナサ.

나상【裸像】명 裸像.

나서다 자 ①出る. ㉠前へ〔前に〕出る. ¶세 발 앞으로 ～ 三歩前に出る / 사람 앞에 나서는 것을 싫어하다 人前に出ることを嫌う. ㉡出掛ける. ¶여행(길)에 ～ 旅に出る / 딸을 데리고 ～ 娘を伴って出掛ける. ㉢乗り出す；立つ. ¶정계에 ～ 政界に出る〔乗り出す〕/ 무대에 ～ 舞台に立つ. ㉣差し出る；でしゃばる；干与〔関与〕する. ¶네 따위가 나설 자리가 아니다 お前などの出る幕じゃない / 주제넘게 나서지 말게 差し出がましいことはやめたまえ / 형을 제쳐놓고 ～ 兄を差し置いてでしゃばる. ②立つ. ¶안내를 맡고 ～ 案内に立つ. ③(口が)見つかる；(希望者が)申し出る. ¶취직 자리가 ～ 勤め口が見つかる / 혼담이 ～ 縁談が持ち上がる. ④乗り出す；行動を始める. ¶발벗고 ～ ひと肌脱ぐ / 사태 수습에 ～ 事態収拾に乗り出す.

나선【螺旋】명 らせん(螺旋). ¶～ 계단 螺旋階段；螺階《준말》/ ～상 螺旋状.

나신【裸身】명 裸身；裸体；裸「はだか.

나아-가다 자 ①進む. ㉠前進する；出る. ¶앞으로 ～ 前へ進む / 사람을 헤집고 ～ 人ごみを押し分けて進む / 금후 한국이 나아갈 길 今後韓国の進むべき道 / 앞장서서 ～ 先立って進む / 자신을 위해서, 나아가서는 나라를 위함도 된다 自分のため, ひいては国のためにもなる. ㉡出る；乗り出す. ¶사회로 ～ 社会に出る / 준결승전에 ～ 準決勝戦に進む. ㉢はかどる. ¶일이 잘 되어 ～ ことがうまくはかどる / 하루 한 페이지씩 ～ 日に一ページずつ進む. ②(状態・病気などが)よくなりつつある；好転しつつある. ¶병이 ～ 快方に向かう.

나아-지다 자 よくなる；改まる. ¶화장품의 질이 ～ 化粧品の質が改まる / 환자가 나날이 나아졌다 病人が見直って来た.

나안【裸眼】명 裸眼；肉眼.

나약【懦弱】명 惰弱. ──-하다 형 惰弱だ；いくじがない. ¶～한 남자 弱気な男 / ～한 국민 惰弱な国民 / ～한 소리를 하다 弱音を吐く.

나열【羅列】명하자타 羅列.

나-오다 ㊀자 出る. ①(内から)外へ出る；出て来る. ¶방에서 ～ 部屋を出る / 탕에서 ～ 風呂から上がる / 회충이 ～ 虫が下りる / 마중 나왔습니다 お迎えに参りました. ②流れ出る. ¶피가 ～ 血が出る / 눈물이 ～ 涙が出る / (수돗)물이 잘 안 ～ 水の出が悪い. ③現われる；姿を見せる；出席〔出勤・出場〕する. ¶그 영화에 나오는 배우 その映画に出る俳優 / 유령이 ～ 幽霊が出る / 법정에 ～ 法廷へ出る / 다들 나온 모양이니 회의를 시작 할까 皆出そろったようだから会議を始めようか. ④(候補に)立つ. ¶성동 을구에서 ～ 城東乙区から出る. ⑤産出する. ¶수박이 나올 때다 そろそろすいかが出廻る頃だ. ⑥…から生ずる；(源を)発する. ¶그 돈은 어디서 나온 것인가 その金はどこから出たのか. ⑦(勤め口を)辞める. ¶직장에서 나온 지 일 년이 된다 職場を辞めてから一年になる. ⑧出刊される. ¶5월호가 ～ 五月号が出る. ⑨見つかる. ¶잃어버린 것이 나왔다 落とし物が出た. ⑩支給される；下がる；下りる；与えられる. ¶허가가 ～ 許可になる；許可が下りる / 여권이 ～ 旅券が下りる / 보너스가 ～ ボーナスが出る. ⑪態度を取る. ¶크게 ～ 大きく構える / 고압적인 태도로 ～ 高飛車に出る. ⑫突き出る. ¶못이 나온 구두 くぎ(釘)がつき出た靴 / 이마가 ～ ひたいが突き出る. ㊁타 出る；卒業する. ¶학교를 나왔지만 직장이 없다 学校を出たものの勤め先がない.

나왕【羅王】명〘植〙[←말레이 lauan] ラワン.

나위 의명 もっとなし得る余裕；なすべき必要. ¶말할 ～도 없이 言うまでもなく / 더 할 ～ 없다 この上もない；申し分(が)ない / 더 할 ～ 없는 됨됨이 上上の出来映え.

나이 명 年；年齢；よわい(齢). ¶～ 열 살 안팎의 아이 年十歳そこらの子 / ～도 차지 않은 아이 年端も

かかぬ子 / 사랑을 알 ~ 情けを知る年ごろ / 철이 들 ~ 物心がつく年(ごろ) / 한창 일할 ~의 젊은이 働き盛りの若い人 / ~가 들다 年が寄る / 드는 ~는 어쩔 수 없다 寄る年波には勝てない / ~ 탓으로 돌리다 年のせいにする / ~깨나〔나잇살이나〕 먹은 자가 부끄럽지도 않소 よい年をして恥かしくもないですか. ——들다 자 ☞ 나이먹다. ——-먹다 자 年をとる; 年老いる.
——-배기 명 見掛けによらず年をとった人. ——-테 명 〘植〙 ☞ 연륜(年輪). 나잇-값 명 年がい. ¶ ~도 못한다 年がいもない.

나이드라지드 〔Nydrazid〕 명 〘藥〙 ナイドラジッド.

나이터 〔night+er〕 명 ナイター. ¶ ~ 게임 ナイターゲーム.

나이트 〔Knight〕 명 ナイト.

나이트 〔night〕 명 ナイト. ¶ ~ 가운 ナイトガウン / ~ 클럽 ナイトクラブ.

나이팅게일 〔nightingale〕 명 〘鳥〙 ナイチンゲール; よなきうぐいす; さよなき鳥.

나이팅게일 기장 【—記章】 〔Nightingale〕 명 ナイチンゲール記章.

나이프 〔knife〕 명 ナイフ. ¶ 재크 ~ ジャックナイフ.

나인 명 [←내인(內人)] 宮仕えの女; 宮女; 女官; にょかん; にょうかん; 宮人.

나일론 〔nylon〕 명 ナイロン. ¶ ~ 스타킹 ナイロンストッキング.

나-자빠지다 자 ↗나가자빠지다.

나자 식물 【裸子植物】 명 〘植〙 裸子植物. =겉씨 식물.

나전 【螺鈿】 명 らでん(螺鈿). ¶ ~ 세공 螺鈿細工 / ~ 칠기 螺鈿漆器.

나전 【羅甸】 명 ラテンの音訳. =라틴. ¶ ~어 ラテン語.

나절 의명 昼間の半分くらいの間. ¶ 반 ~ 四半日 / 아침 ~ 午前中; 昼前; 朝方 / 저녁 ~ 夕方.

나졸 【邏卒】 명 〘史〙 らそつ(邏卒)《捕盗庁の巡邏》.

나중 명부 後; 後程. ¶ ~에 전화할게 기다려다오 後程電話するから待ってくれ / ~에 말했자 소용없다 あとから言っても始まらない / 청소는 ~에 하겠어 掃除は後でするよ / ~에 다시 찾아뵙겠습니다 後程改めてお伺い致します.

나지막-하다 형 かなり低い; 低めである. ¶ 나지막한 키 かなり低い背丈. 나지막-이 부 低めに.

나직-하다 형 (声·位置などが)やや低い. 나직-이 부 やや低めに.

나체 【裸體】 명 裸体; 裸身; はだか; ヌード(nude). ¶ ~ 춤 裸踊り / 전~의 여인 全裸の女 / 반~ 半裸体 / ~화 裸体画.

나치스 〔도 Nazis〕 명 ナチス; ナチ.

나치즘 〔Nazism〕 명 ナチズム.

나침-반 【羅針盤】 명 羅針盤; コンパス. ¶ 항해용 ~ 航海用羅針盤.

나타-나다 자 現〔表〕われる. ① 出(てく)る; 見えてくる. ¶ 적이 ~ 敵が現われる / 갑자기 그 곳에 ~ 突然その場に現われる / 때마침 그 자리에 경관이 나타났다 折りよくその場へ警官がやって来た. ②(表に)表われる; 浮かぶ. ¶ 태도에 ~ 態度に表われる / 불쾌한 빛이 얼굴에 ~ 不快の色が顔に浮かぶ. ③ 見つかる; 発見される. ¶ 잃었던 시계가 나타났다 失った時計が見つかった.

나타-내다 타 現〔表〕わす. ① 示す; 表する; 呈する; 出す; 見せる; 浮かべる. ¶ 호경기를 ~ 好景気を呈する / 모습을 ~ 姿を現わす〔見せる〕 / 기쁨을 얼굴에 ~ 喜びを顔に浮かべる / 감사의 뜻을 ~ 感謝の意を表する / 약호로 ~ 略号で表わす. ②(さらけ)出す. ¶ 술에 취해 본성을 ~ 酒に酔って本性を表わす. ③ 表現する. ¶ 말로 나타낼 수 없다 言葉に表わせない.

나태 【懶怠】 명하형 おこたり; らんだ(懶惰); 怠惰. ¶ ~한 생활 怠惰な生活 / ~한 마음을 일으키다 なまけ心をおこす.

나토 【NATO】 명 〘政〙 ナトー.

나트륨 〔natrium〕 명 〘化〙 ナトリウム《記号: Na》. ¶ ~ 램프 ナトリウムランプ.

나팔 【喇叭】 명 らっぱ. ¶ ~ 소리 らっぱの音 / ~ 소리가 울려퍼지다 らっぱが鳴りひびく / 기상 ~ 起床らっぱ / ~을 불다 らっぱを吹く; 《俗》 らっぱ飲みする; 《俗》 やかましく宣伝する; 《俗》 ほらを吹く.
‖——-관(管) 명 〘生〙 らっぱ管. ——꽃 명 〘植〙 あさがお. =견우(牽牛). ——-수 명 らっぱ手; らっぱ吹き.

나포 【拿捕】 명하타 だほ(拿捕).

나풀-거리다 자 (風に)絶え間なくはためく; (激しく)ひらめく. 나풀-나풀 부하자 ひらひら.

나프타 〔naphtha〕 명 〘化〙 ナフサ. ¶ ~ 분해 시설 ナフサ分解施設.

나프탈렌 〔naphthalene〕 명 〘化〙 ナフタレン, ナフタリン. ¶ 농속에 ~을 넣다 たんすにナフタレンを入れる.

나한 【羅漢】 명 〘佛〙 [↗아라한(阿羅漢)] 羅漢; あらかん.

나흗-날 명 ① ↗초나흗날. ¶ 정월(초) ~ 正月四日. ② 四日めの日. ㊟ 나흘. ¶ ~만에 돌아오다 四日ぶりに帰る.

나흘 명 ① 四日; 四日間. ¶ ~ 간의 여행 四日間の旅. ② ↗나흗날.

낙 【樂】 명 楽; 楽しみ; 慰み物. ¶ ~이 없는 사람 楽しみのない人 / ~이 있으면 괴로움도 있다 楽あれば苦あり / 고생 끝에 ~이 온다 苦は楽の種.

낙관 【落款】 명하자 落款. =관지(款識). ¶ ~을 누르다 落款を押す.

낙관 【樂觀】 명하자타 楽観. ¶ 너무 ~하지 마라 余り楽観するな.
‖——-론 명 楽観論. ——-적 명관 楽観的. ¶ ~인 사고 방식 甘い〔楽観的な〕考え方 / 사물을 ~으로 보다 物事を楽観的に見る.

낙길 명 [←낙질(落帙)] 落帙; 欠本

けっぱん.

낙낙-하다 형 (大きさ·数量·かさ·重さなどが)ゆとりがある. ＞넉넉하다. ¶ 낙낙한 옷 ゆとりのある服 / 이 신이 발에 ～ このくつの方が足にゆっくりしている.

낙농【酪農】 명 酪農. ¶ ～가가 늘었다 酪農家が増えた.

낙담【落膽】 명하자 落胆; 気落ち; 力抜け. ¶ 아들을 잃고 매우 ～하고 있다 息子に死なれてすっかり気を落としている.

낙도【落島】 명 離れ島; 離島; 絶島; 孤島. ¶ ～의 어린이들 離れ島の子供たち.

낙락 장송【落落長松】 명 枝が長く垂れ下がった大きな松.

낙뢰【落雷】 명하자 落雷.

낙루【落淚】 명하자 落涙. ¶ 저도 모르게 ～하다 思わず落涙する.

낙마【落馬】 명하자 落馬.

낙망【落望】 명하자 失望; 落胆. ¶ 그렇게 ～하지 말게 そう失望するな.

낙반【落盤】 명하자 〔鑛〕 落盤. ¶ 잇단 ～ 사고 相次ぐ落盤事故.

낙방【落榜】 명하자 科挙〔入試〕に落ちること; 落第. ¶ 입시에 ～하다 入試に落ちる〔すべる〕.

낙법【落法】 명 (柔道の)受け身.

낙상【落傷】 명하자 (高い所から)落ちたり倒れたりして怪我をすること, また, その傷.

낙서【落書】 명하자 落書き.

낙석【落石】 명하자 落石. ¶ ～에 주의하시오 落石にご注意願います.

낙선【落選】 명하자 落選. ¶ ～의 쓰라림을 당하다 落選のうき目を見る.

낙성【落成】 명하자타 落成. ¶ ～식 落成式.

낙성【落城】 명하자 落城.

낙숫-물【落水—】 명 雨垂れ; 玉水. ¶ 처마의 ～ 軒の雨垂れ.

낙승【樂勝】 명하자 楽勝.

낙심【落心】 명하자 気落ち; 落胆. ¶ 낙방해서 ～하다 落第して気を落とす / 그렇게 ～하지 말게 そんなに落胆するなよ.

낙양【洛陽】 명 〔地〕 洛陽. ¶ ～의 지가(紙價)를 올리다 洛陽の紙価を高める.

낙엽【落葉】 명 落葉; 落ち葉. ¶ ～을 긁어 모으다 落ち葉をかき集める / ～이 쌓이다 落ち葉が積もる.
‖——송 명 〔植〕 からまつ. ——수 명 〔植〕 落葉樹.

낙오【落伍】 명하자 落伍. ¶ 사회의 ～자 社会の落伍者.

낙원【樂園】 명 楽園; パラダイス; 天国. ¶ 지상의 ～ 地上の楽園.

낙인【烙印】 명 らく印; 焼き印. ¶ ～ 찍힌 악인 折り紙付きの悪人 / ～이 찍히다 らく印をおされる.

낙장【落張】 명 ① 落丁. ② 花札やカードなどで既に出した札.
‖——불입(不入) 명 とばくで一度出した札は再び戻せないというおきて.

낙점【落點】 명하자 〔史〕 役人を採用する際, 三人の候補者の中から適任者の名前の上に国王自ら点を打つこと.

낙제【落第】 명하자 落第. ＝낙방(榜). ¶ ～생 落第生.

낙조【落照】 명 落照; 落日; 入り日; 夕日影. ＝석양(夕陽).

낙지 명 〔動〕 たこ; まだこ. ¶ ～발 빨판 たこの足のいぼ.

낙질【落帙】 명 ☞ 낙길. ¶ ～은 바드립니다 端本は取り替えてあげす.

낙차【落差】 명 落差. ¶ ～가 크다 差が大きい / 문화의 ～ 文化の差.

낙착【落着】 명하자 落着. ¶ 분이 ～되다 紛争が落着する.

낙찰【落札】 명하자 落札. ¶ ～ 가落札価格; 落札値.

낙천【落薦】 명하자 推薦もれになること.

낙천【樂天】 명 楽天. ¶ ～가 楽天家; オプチミスト.
‖——적 명관 楽天的. ¶ ～인 생각 楽天的な考え. ——주의 명 楽天主義. ¶ ～주의자 楽天主義者; オプチミスト.

낙타【駱駝】 명 〔動〕 らくだ. ＝약대. ¶ ～색 ラクダ色; ベージュ / 단봉〔쌍봉〕 ～ ひとこぶ〔ふたこぶ〕らくだ.
‖——지(地) 명 らくだ織り; カムレット (camlet).

낙태【落胎】 명하자 堕胎; 流産. ¶ 인공 ～ 人工堕胎; 人工流産 / ～죄 堕胎罪.

낙토【樂土】 명 楽土; 楽地.

낙하【落下】 명 落下. ——하다 자 落下する; 落ちる. ¶ ～점 落下点 / 수직으로 ～하다 垂直に落下する.
‖——산 명 落下傘; パラシュート. ——산 부대 명 落下傘部隊; くうてい(空挺)部隊.

낙향【落鄕】 명하자 都落ち. ¶ 생활난으로 ～하다 生活難で都落ち(を)する.

낙화【烙畫】 명 焼き絵. ¶ ～술 焼き絵術.

낙화【落花】 명하자 落花. ¶ ～는 눈처럼 떨어진다 落花は雪と降る.
‖—— 유수 명 落花流水. ¶ ～의 정 落花流水の情.

낙화-생【落花生】 명 〔植〕 落花生; ピーナッツ. ¶ ～유 落花生油.

낙후【落後】 명 落後. ——하다 자 落後する; 人におくれる.

낚다 타 ① 釣り上げる. ¶ 지금 한창 낚인다 今盛んに釣れる. ②《俗》(異性を)おびき出す; 引っ掛ける; おびく. ¶ 여자를 ～ 女を引っ掛ける.

낚시 명 ① 釣り. ¶ ～ 친구 釣り仲間 / ～회 釣友会; 釣りの会 / ～가다 釣りに行く. ——하다 자 釣りをする; 釣る. ② ☞ 낚싯바늘.
‖——꾼 명 釣り手; 釣り師. ——질 명 釣り. ¶ ～하다 釣りをする; 釣る. ——찌 명 浮き. ——터 명 釣り場; 釣台. 낚싯-대 명 釣りざお. ¶ ～가 휘어지다 釣りざおがしなう. 낚싯-바늘 명 釣り針. 낚싯-밥 명 釣

りえ；釣りえさ. 낚싯-배 〔명〕 釣り舟. 낚싯-봉 〔명〕 沈み；おもり. 낚싯-줄 〔명〕 釣り糸. ¶～을 드리우다 釣り糸を垂れる.

난【亂】 〔명〕 [↗난리] 乱.

난【欄】 〔명〕 欄. ¶윗 ～ 上の欄 / 가십 ～ ゴシップ欄.

난【蘭】 〔명〕〖植〗 蘭.

난-【難】 〔두〕 難；"難しい"の意. ¶～공사 難工事.

-난【難】 〔미〕 難；"難しさ"の意. ¶생활～ 生活難.

난간【欄干】 〔명〕 欄干；手すり. ¶다리～ 橋のてすり / ～에 기대어 欄干にもたれて〔寄り掛かって〕.

난감【難堪】 〔명〕〔하형〕 堪え難いこと；辛抱しがたいこと. ¶～해지다 困り果てる.

난공 불락【難攻不落】 〔명〕 難攻不落.

난-공사【難工事】 〔명〕 難工事.

난관【難關】 〔명〕 難関. ¶～을 돌파하다 難関を突破する〔切り抜ける〕.

난구【難句】 〔명〕 難句；難しい句. ¶～집 難句集.

난국【亂局】 〔명〕 乱局.

난국【難局】 〔명〕 難局. ¶～을 타개하다 難局を打開する / ～을 극복하다 難局を乗り切る.

난-기류【亂氣流】 〔명〕 乱気流.

난다-긴다-하다 〔자〕 (技量・動作など が)非常にずば抜けている. ¶난다긴다하는 사람 ずば抜けている人.

난대【暖帶】 〔명〕 暖帯. ¶～ 지방 暖帯地方 / ～림 暖帯林.

난데-없이 〔부〕 だしぬけに. ¶～ 나타나다 突然と〔だしぬけに〕現われる.

난도-질 【亂刀—】 〔명〕〔하타〕 めった切り；乱切り. ¶고기를 ～하다 肉をめった切りにする.

난동【暖冬】 〔명〕 暖冬. ¶～ 이변 暖冬異変.

난동【亂動】 〔명〕〔하자〕 無法な振る舞い；ろうぜき(狼藉). ¶～을 부리다 ろうぜきを働く.

난로【煖爐】 〔명〕 暖炉；ストーブ. ¶～를 쬐다 ストーブにあたる.

난류【暖流】 〔명〕 暖流.

난류【亂流】 〔명〕 乱流.

난리【亂離】 〔명〕 乱；変乱；戦乱；戦争. ¶～를 피하다 乱〔戦乱〕を避ける. 〔준〕 난(亂).

난립【亂立】 〔명〕 乱立〔濫立〕. ¶～을 막다 乱立を防ぐ / 후보자의 ～ 候補者の乱立.

난마【亂麻】 〔명〕 乱麻. ¶쾌도 ～를 자르다 快刀乱麻を断つ.

난막【卵膜】 〔명〕〖生〗 卵膜.

난만【爛漫】 〔명〕〔하형〕 らんまん(爛漫). ¶천진～ 天真らんまん / 백화가 ～하다 百花らんまんたり.

난망【難忘】 〔명〕 忘れ難いこと. ¶은혜는 백골 ～이다 ご恩は死んでも忘れ難い.

난망【難望】 〔명〕 望み難いこと；むずかしい望み.

난맥【亂脈】 〔명〕 乱脈. ¶～상을 드러내다 乱脈相を現わす.

난무【亂舞】 〔명〕〔하자〕 ① 乱舞；踊り狂うこと. ¶광희 ～ 狂喜乱舞. ② 横行；跳梁. ¶폭력이 ～하다 暴力が跳梁する.

난문【難問】 〔명〕 難問. ① 難しい問い. ¶～ 난제 難問難題. ② ☞ 난문제.

난-문제【難問題】 〔명〕 難問(題). ¶～에 부닥치다 難問にぶつかる.

난민【難民】 〔명〕 難民. ¶～ 구제 難民救済.

난-바다 〔명〕 沖. ¶～ 어업이 가업이다 沖合漁業が家業である.

난-반사【亂反射】 〔명〕〔하자〕〖物〗 乱反射.

난방【煖房・暖房】 〔명〕 暖房.
‖—— 장치 〔명〕 暖房装置；ヒーティング.

난-번【—番】 〔명〕 当直を終えて引き下がる番；出番.

난봉 〔명〕 ほうとう(放蕩)；ゆうとう(遊蕩)；道楽；不身持ち. ¶～ 나다 放蕩する / ～ 부리다 放蕩をはたらく / ～ 피우다 不身持ちをする.
‖——-꾼 〔명〕 放蕩者；道楽者；遊び人；女たらし.

난사【亂射】 〔명〕〔하타〕 乱射. ¶권총을 ～하다 ピストルを乱射する.

난사【難事】 〔명〕 難事；むずかしい事柄・事件.

난-사람 〔명〕 すぐれた〔衆に秀でた〕人.

난산【難産】 〔명〕〔하타〕 難産. ¶해산은 ～이었다 お産は難産であった / 이번 조각은 아주 ～이었다 こんどの組閣はなかなかの難産であった.

난삽【難澁】 〔명〕 難渋；すらすらと進まないこと. ——-하다 〔형〕 難渋だ；渋る《동사적》.

난상【卵狀】 〔명〕 卵状；卵形.

난색【暖色】 〔명〕 暖色；暖かな色；温色.

난색【難色】 〔명〕 難色. ¶～을 보이다 難色をしめす.

난생【卵生】 〔명〕〔하타〕〖生〗 卵生.
‖—— 동물 〔명〕 卵生動物.

난생 처음【—生—】 〔명〕〔부〕 生まれて始めて. ¶～좋은 구경을 했다 生まれて始めてすばらしい見物をした.

난세【亂世】 〔명〕 乱世；争乱の世. ¶～의 영웅 乱世の雄.

난-세포【卵細胞】 〔명〕〖生〗 卵細胞.

난센스 〔nonsense〕 〔명〕 ナンセンス.

난소【卵巢】 〔명〕〖生〗 卵巣. ¶～염 卵巣炎 / ～ 호르몬 〔명〕 卵巣ホルモン.

난수-표【亂數表】 〔명〕 乱数表.

난숙【爛熟】 〔명〕〔하자〕 らんじゅく(爛熟). ¶～기 爛熟期.

난시【亂時】 〔명〕 乱された世.

난시【亂視】 〔명〕〖醫〗 乱視. ¶～용 안경 乱視用の眼鏡.

난신【亂臣】 〔명〕 乱臣. ¶～ 적자 乱臣賊子.

난외【欄外】 〔명〕 ① 欄外. ¶～ 여백 欄外余白. ② 欄干の外.

난이【難易】 〔명〕 難易. ¶～의 차 難易の差.

난입【亂入】 〔명〕〔하자〕 乱入. ¶적진 속으로 ～하다 敵の陣中に乱入する.

난자【卵子】명〔生〕卵子；卵.
난자【亂刺】명 하타 ところかまわず突き刺すこと.
난잡【亂雜】명 乱雑；わいざつ(猥雜). ——하다 형 乱雑だ；みだりがわしい. ¶～한 행동 乱雑な行動/～한 생활 みだらな生活.
난장-판【亂場—】명 人が入り混じってやっさもっさ騒いでいる場.
난쟁-이 명 一寸法師；こびっちょ〈俗〉；ちび；小人.
난전【亂戰】명 乱戦；混戦；乱軍. ¶～이 벌어지다 乱戦になる.
난점【難點】명 難点. ¶조건에 ～이 있다 条件に難点がある.
난제【難題】명 難題. ¶난문 ～ 難問難題.
난조【亂調】명 乱調；乱調子. ①乱れた調子. ②〔經〕乱高下；相場の騰落の定まりないこと. ¶경제계는 ～에 빠지다 経済界は乱調を来たす.
난중【亂中】명 乱中；変乱のまっさかり.
난중지-난【難中之難】명 難中の難.
‖——사(事) 명 難事の中でも最も難しいこと.
난증【難症】명 難症；難病.
난질 명 女の浮気.
난처【難處】명 立場が苦しいこと；処理し難いこと. ——하다 형 困る；まずい；立場が苦しい. ¶～한 입장 苦しい立場/～하게도 困ったことには/몹시 ～하다 ほとほと困った；困り切る；困り抜く；弱り抜く/그것 참 ～하게 되었다 それはまずい〔困った；弱った〕ことになった.
난청【難聽】명 難聴. ¶노인성 ～ 老人性難聴.
‖—— 지역 명〔電〕難聴地域.
난초【蘭草】명〔植〕蘭.
난층-운【亂層雲】명〔氣〕乱層雲；乱雲；雨雲.
난치【難治】명 하형 難治. ¶～의 병 難治の病.
난타【亂打】명 하타 乱打.
난투【亂鬪】명 하자 乱闘. ¶～ 사건 乱闘事件.
‖——극(劇) 명 (大)立ち回り. ¶～을 벌이다 大立ち回りを演ずる.
난파【難破】명 하자 難破；難船.
‖——선 명 難破船；難船.
난폭【亂暴】명 [←난포(亂暴)] 乱暴；粗暴；伝法. ——하다 형 乱暴だ；粗暴だ；伝法だ；いなせである；荒っぽい. ¶～한 행위 荒荒しい行ない/～한 성품 荒っぽい気性/～한 말씨를 쓰다 乱暴な言葉遣いをする/～하게 굴다 暴れる/～한 말을 하다 乱暴なことを言う/～한 짓을 하다 いなせなことをする.
‖——자 명 乱暴者；狼藉者.
난필【亂筆】명 乱筆. ①乱れ書き；殴り書き. ②自分の筆跡の謙称. ¶～을 용서해 주십시오 乱筆(を)ごめん下さい.
난-하다【亂—】형 ①はでだ；けばけばしい. ¶옷차림이 난한 여자 けばけばしい身なりの女/옷이 너무 ～ 服があまりはですぎる. ②乱雑だ.
난항【難航】명 하자 難航. ¶회의가 ～하다 会議が難航する.
난해【難解】명 難解. ——하다 형 難解だ. ¶～한 논문 難解な論文.
난행【亂行】명 乱行. ①乱暴(な行ない). ——하다 자 乱暴(なこと)をする. ②醜行；暴行. ——하다 자 醜行〔暴行〕をする.
난행【難行】명 하형 ①実行し難いこと. ②〔佛〕難行.
‖—— 고행 명 難行苦行.
난형 난제【難兄難弟】명 하형 兄たり難く弟たり難し《二つの物事の優劣を区別しにくいことのたとえ》.
난황【卵黃】명〔生〕卵黃；黄身. ＝노른자위.
낟-가리 명 刈り取った穀物を野外に積み重ねたもの.
낟-알 명 ①穀物の粒. ②米粒. ③飯粒.
날[1] 명 日. ①日にち. ¶어떤 ～ ある日/문화의 ～의 모임 文化の日の集い/～이 감에 따라 日〔日にち〕がたつにつれて/～마다 日に日に；日ごとに/～마다 달마다 日に月に/～이 갈수록 커지다 日増しに大きくなる/～이 새다〔밝다〕夜が明ける；明け放れる/～이 저물다 日が暮れる/오늘은 아무래도 ～이 좋지 않다 今日はどうも日が悪い. ②日和. ¶청명한 ～ 晴天の日/무더운 ～ 蒸し暑い日/비 오는 ～이나 바람 부는 ～이나 雨の日も風の日も. ③日付. ¶～을 잡다 日を決める. ④暁；場合；時. ¶성공하는 그 ～에는 成功の暁には/젊은 ～의 추억을 마음에 그리다 若き日の思い出を心に浮かべる.
날[2] 명 刃；やいば. ¶양(兩)～ 両刃；もろば/대팻～ かんなの刃/～이 무딘 톱〔식칼〕切れ味が甘いのこぎり〔包丁〕/～을 세우다 刃をつける/～이 무디다 刃が鈍い；切れ味が甘い.
날[3] 명 (織物の)縦糸.
날[4] 준 "나를"の略語：わたしを. ¶～ 보라 わたしを見よ/～ 따르라 わたしに従え.
날- 명 두 生. ¶～로 먹다 生で食べる/～것 生物/～계란 生卵/～고기 生肉.
날-감 명 渋がき.
날개 명 翼. ①羽；羽〈雅〉. ¶～소리 羽音/～ 치다 羽ばたく/～를 펴다 翼を広げる〔張る〕；羽をのばす/～(가) 돋친듯이 팔리다 飛ぶように売れる. ②翼；羽；機翼；ウィング. ¶꼬리 ～ 尾翼/선풍기의 ～ 扇風機の羽.
‖——집 명 母屋の左右に立ち並んでいる付属建物. ——털 명 羽毛. **날갯-죽지** 명 ①羽の付け根；翼の根元. ②《俗》羽；つばさ.
날-김치 명 漬け立てのキムチ.
날다[1] 자 ①飛ぶ；かける. ¶높이 ～

高く飛ぶ / 매가 하늘을 ～ はやぶさが空をかける / 나는 새도 떨어 뜨린다 飛ぶ鳥も落とす / 나는 놈 위에 뛰는 놈 있다《俚》上には上がある. ② 飛んで〔飛ぶように〕行く. ¶나는 듯이 돌아오다 飛ぶように帰って来る. ③ 吹き飛ばされる.

날다² 자 ① (色が)あせる; 落ちる. ¶옷색이 ～ 着物の色が落ちる. ② (においが)消える.

날다³ 타 ① 紡ぐ. ¶솜에서 실을 ～ 綿から糸を紡ぐ. ② たていと(経糸)を整えてはた(機)にかける.

날-다람쥐 명 〔動〕ももんが; ももが.

날-도둑놈 명 ずうずうしく人の物をゆすったり奪ったりする者.

날-들다 자 天気になる; 晴れる; (雨が)上がる. ¶날이 들 것 같다 晴れそうだ.

날-뛰다 타 ① (喜んで)飛んだり跳ねたりする. ¶기뻐서 ～ 跳ね上がって喜ぶ. ② 荒れる; 暴れる; 猛る; はやる; 跳ね上がる. ¶미친 듯이 날뛰는 말 荒れ狂う馬. ③ 跳梁する; のさばる. ¶불량배가 제멋대로 ～ 不良がのさばる; 無頼の徒が横行する.

날래다 형 すばしこい; 手早〔手速〕い. ¶참으로 날래군 実に手早いものだね.

날려 보내다 타 ① 放す; 放してやる. ¶새장의 새를 ～ かごの鳥を放してやる. ② 吹き飛ばす; 吹き払う. ¶바람이 모자를 ～ 風に帽子が飛ばされる. ③ (身代などを)つぶす; 無くす. ¶일억 원을 ～ 一億ウォンを棒に振る.

날렵-하다 형 す早い; すばし(っ)こい.

날로¹ 부 日増しに; ますます; 日ごとに; 日に日に. ¶～ 커지다 日増しに大きくなる.

날로² 부 生のまま; 生で. ¶～ 먹다 生で食べる.

날름 부하자타 ぺろりと; べろりと; さっと. ¶혀를 ～ 내밀다 ぺろりと舌を出す / ～날름 혀를 내밀다 ぺろぺろと舌を出す. ——거리다 자타 ぺろぺろする. ¶뱀이 혀를 ～ へび(蛇)が舌をちょろちょろとなめずる.

날리다¹ 자타 《俗》(名を)はせる; うたわれる; 揚げる. ¶한창 날리는 배우 はやりざかりの俳優〔スター〕/ 한때는 날리기도 했다 一時は鳴らしたものだ.

날리다² ㊀타 ① (空に)飛ばす; 揚げる. ¶연을 ～ たこを飛ばす〔揚げる〕/ 홈런을 ～ ホームランを(かっ)飛ばす. ② 放してやる. ¶새를 ～ 鳥を放してやる. ③ (元手などを)つぶす; 振る. =날려 보내다. ④ いい加減にする; (仕事などを)ぞんざいにする; おざなりにする. ㊁피동 飛ばされる. ¶재가 바람에 ～ 灰が風に飛ばされる.

날림 명 やっつけ仕事; また, そうして作った物; 雑な仕事. ¶～(으로 지은) 집 やっつけ仕事で建てた家.
‖—— 공사(工事) 명 安普請.

날-마다 명부 日日; 日ごと(に). ¶～ 밤마다 日ごと夜ごと / ～의 근무 日ごとの勤め.

날-밑 명 (刀の)つば.

날-밤 명 生ぐり.

날밤 새우다 구 (まんじりともしないで)夜明かしをする. 준 날밤 새다.

날-벼락 명 ☞ 생벼락.

날-변【—邊】 명 日歩. ¶～으로 빚을 얻다 日歩で金を借りる.

날-불한당【—不汗黨】 명 大様に振る舞って人の金品をゆすったりする無頼漢〔ならず者〕.

날-붙이 명 刃物; やいば.

날-삯 명 日給. ¶～꾼 日雇い; 日雇い人夫.

날샐-녘 명 夜明け方; 夜明け頃; 暁; あけぼの.

날-세우다 타 刃をつける; 刃を研ぐ.

날-수【—數】 명 日数; ひかず; 日日. ¶다소 ～가 필요하다 多少の日数を要する.

날-숨 명 呼気; 吐き出す息.

날-실¹ 명 生糸; 練らない糸.

날-실² 명 縦糸.

날쌔다 형 手早〔手速〕い; 敏捷だ; 素早い; 手っ取り早い. ¶날쌔게 준비하다 すばやく準備する.

날씨 명 (お)天気; 空模様; 日和. ¶끄물거리는 ～ ぐずつく天気 / 맑게 갠 ～ 晴れあがった天気 / 변덕스러운 ～ 気まぐれ天気 / 잔뜩 찌프린 ～ どんよりした空; 雨模様の空 / 쾌청한 가을 ～ 秋日和; 秋晴れ / ～가 이상하다 空模様があやしい.

날씬-하다 형 しなやかだ; すんなりしている; すらりとしている; きゃしゃだ. ¶날씬한 미인 すらりとした美人 / 날씬한 허리 しなやかな腰つき.

날아-가다 자 飛ぶ. ① ㉠ 飛び立つ; 飛んで行く; 飛び去る. ¶공이 멀리 ～ ボールが遠くまで飛ぶ. ㉡ 消し飛ぶ; 吹っ飛ぶ〈俗〉. ¶강풍으로 지붕이 날아갔다 強風で屋根が吹っ飛んだ. ② 無くなる; 吹っ飛ぶ. ¶백만 원이 하룻밤 사이에 휙 날아갔다 百万ウォンが一晩で吹っ飛んだ. ③ 解雇される; くびになる. ¶목이 ～ くびがふっ飛ぶ.

날아-다니다 자 飛び回る. ¶창공을 ～ 大空を飛び回る.

날아-오다 자 飛んで来る; 飛来する. ¶메뚜기의 큰 떼가 ～ いなごの大群が飛来する.

날염【捺染】 명하타 捺染; プリント. ¶～한 옷감 プリントの服地.

날인【捺印】 명 捺印; 押印. ——하다 자 捺印〔押印〕する; 判を押す. ¶기명 ～하다 記名捺印する.

날-일 명 日雇い仕事.

날조【捏造】 명 捏造; でっちあげ〈俗〉. ——하다 타 捏造する; でっちあげる. ¶～한 이야기 でっち〔作り〕あげた話; 作り話.
‖—— 기사 명 捏造記事; でっちあげた記事.

날-짐승 명 飛ぶ鳥; 飛鳥.

날짜 명 ① 日数; にっすう. ¶ ~가 걸리다 日数がかかる. ② 日; 日日; 日取り; 日付. ¶ 접수한 ~ 受付の日付 / 결혼 ~를 정하다 結婚の日取りをきめる.

날짝지근-하다 형 ひどく気怠い; もの憂い.

날치 명 〘魚〙 飛び魚.

날-치기 명 かっぱらい. ——-하다 타 かっぱらう; さらう. ¶ ~ 짓을 하다 かっぱらいを働く / 어음을 ~ 당했다 手形をぱくられた.

날카롭다 형 鋭い. ① (物·刃などの先が)とがっている; 鋭利だ. ¶ 날카로운 작은 칼 鋭い小刀. ② 鋭敏だ; シャープだ. ¶ 머리가 ~ 頭が鋭い. ③ (勢いなどが)激しい; きびしい. ¶ 날카로운 눈매〔눈초리〕 するどい目つき / 날카로운 질문으로 장관을 꼼짝 못하게 하다 鋭い質問で長官をやりこめる. ④ 細かい; とがっている. ¶ 신경을 날카롭게 하다 神経をとがらす.

날-품 명 日雇い(仕事).
‖——-팔이 명하자 日稼ぎ; 日雇い; その日稼ぎ. ¶ ~꾼 日雇い人夫.

낡다 형 古い. ① 古くさい; 古びる; 古ぼける. ¶ 낡은 집 古い家; 古びた家 / 써서 낡은 기계 使い古された機械. ② 旧式だ; 時代おくれだ; 古臭い. ¶ 낡은 생각 古(くさ)い考え.

낡아-빠지다 형 古臭い; 古ぼけている; いかれている〈俗〉; くたびれている〈俗〉. ¶ 낡아빠진 모자 古ぼけた帽子 / 낡아빠진 사상 古臭い思想 / 낡아빠진 양복 くたびれた洋服 / 낡아빠진 텔레비전 いかれたテレビ.

남 명 ① (自分以外の)人; 人様; 他; 他人. ¶ ~ 앞에서 人の前で / ~의 속도 모르고 人の気も知らないで / ~ 모르는 고생 人知れぬ苦労 / ~ 보기엔 사이가 좋은 것 같지만 よそ目〔はため, 人目〕には仲がよさそうだが / ~ 보기가 흉하다 よそ目が悪い / ~의 일이 아니다 ひとごとでない; よそ事じゃない / ~의 손에 넘어가다 人手に渡る / ~의 말꼬리를 잡다 人の言葉じりをとらえる / 죄를 ~에게 씌우다 罪を人に着せる / ~의 밑에 붙다 人の下に付く / ~을 나쁘게 말하다 人を悪し様に言う / ~의 탓으로 돌리다 人のせいにする. ② 自分; 僕; 俺. ¶ 네가 왜 ~의 책을 가져가니 君がどうしてぼくの本を持って行くのか.

남【男】 명 男.

남【南】 명 南. ¶ ~쪽 나라 南の国 / 기수를 ~으로 돌리다 機首を南に向ける.

남-【男】 두 “사내(＝男)”の意. ¶ ~동생 弟.

남가 일몽【南柯一夢】 명 なんかの夢《はかないことのたとえ》.

남극【南極】 명 南極.
‖——-계 명 南極界. ——-광 명 南極地方のオーロラ〔極光〕. ——-권 명 南極圏. —— 대륙 명 南極大陸. ——-성 명 南極星. —— 탐험 명 南極探険.

남기다 타 ① 残す. ㉠ とどめる. ¶ 유산을 ~ 遺産を残す / 이름을 후세에 ~ 名を後世に残す〔とどめる〕/ 미련을 ~ 未練を残す. ㉡ 余す. ¶ 용돈을 ~ 小遣いを余す / 일을 하다가 (중도에) ~ 仕事をやり残す〔し残す〕. ② 利益をつける〔得る〕; もうける; 得をする. ¶ 많은 이익을 ~ 多くの利益を得る / 본전의 세 곱을 ~ 元値の三倍の利を得る.

남김-없이 부 ねこそぎ; 残らず; すっかり; 余す所なく. ¶ 그에게는 ~ 이야기했다 彼にはすっかり話した.

남남-끼리 부 他人同士.

남-남동【南南東】 명 南南東.

남남 북녀【南男北女】 명 (韓国で)南部地方は男性が, 北部地方は女が勝っているということ.

남-남서【南南西】 명 南南西.

남녀【男女】 명 男女; なんによ.
‖—— 공학 명하자 男女共学. —— 노소(老少) 명 老若男女. —— 동등권(同等權) 명 男女同権. ——-별 명 男女の別. —— 평등 명 男女平等. ＝남녀 동등.

남-녘【南—】 명 南の方; 南方.

남다 자 ① 残る. ㉠ 余る; 余分がある. ¶ 팔다 남은 책 売れ残りの本 / 얼마 안 남은 인생 残り少ない人生 / 한 개가 ~ ひとつが余る / 여비가 만원 ~ 旅費が一万ウォン余る〔浮く〕. ㉡ 残留〔残存〕する; 生き残る; とどまる. ¶ 뒤에 남은 처자 あとに残った妻子 / 귀에 ~ 耳に残る / 흉터가 ~ きずあとが残る. ㉢ 後世に伝わる. ¶ 이름이 ~ 名が残る. ② もうかる; もうけになる; 利を得る. ¶ 많이 남는 장사 もうけの多い〔割りのいい〕商売.

남-다르다 형 並外れている. ¶ 남다른 사이 特別〔じっこん〕な間柄 / 어딘가 남다른 데가 있다 どこか並はずれな〔一風変わった〕ところがある.

남단【南端】 명 南端.

남-달리 부 人並〔並〕はずれて. ¶ ~ 키가 크다 人並はずれて背が高い.

남-대문【南大門】 명 南大門《ソウルの“숭례문(崇禮門)”の別称》.

남도【南道】 명 京畿道以南の地域《忠清·慶尚·全羅道の三道》.

남독【濫讀】 명하타 濫読〔乱読〕.

남동【南東】 명 南東; 東南.
‖——-풍(風) 명 南東の風.

남-동생【男同生】 명 弟.

남루【襤褸】 명 ぼろ. ——-하다 형 (服が)ぼろぼろだ; みすぼらしい. ¶ ~한 옷 ぼろ(ぼろ)の服.

남매【男妹】 명 兄と妹; 弟と姉; 妹背. ¶ ~간 兄と妹と〔弟と姉と〕の間柄.

남미【南美】 명 南米; 南アメリカ.
‖—— 대륙 명 南アメリカ大陸. ——-주 명 南アメリカ州.

남-반구【南半球】 명 南半球.

남발【濫發】 명하타 濫発〔乱発〕. ¶ 지폐〔어음〕의 ~ 紙幣〔手形〕の濫発.

남방【南方】명 南方.
‖── 셔츠 명 アロハシャツ.
남벌【濫伐】명하타 濫伐〔乱伐〕.
남복【男服】명 男の服. ──-하다 자 男装する.
남부【南部】명 南部. ¶～ 지방 南部地方.
남-부끄럽다 형 (人に)はずかしい; 面目ない.
남-부럽잖다 형 人がうらやましくない. ¶남부럽잖게 지내다 裕福に過ごす.
남부 여대【男負女戴】명하자 男は家財を背に負い, 女は頭に戴せて行くこと《貧しい人の流浪生活をさす語》.
남북【南北】명 南北.
‖──-극 명 南極と北極. ── 고위 회담 명 南北高官会談. ── 교차 승인 명 南北クロス承認. ── 기본 합의서 명 南北基本合意書. ── 문제 명 南北問題. ── 전쟁 명〔史〕(アメリカの) 南北戦争. ──-조 명〔史〕南北朝. ¶～ 시대 南北朝時代. ── 통일 명하자 南北統一. ──-한 유엔 동시 가입 명 南北韓国連同時加盟. ── 화해 공동 위원회 명 南北和解共同委員会.
남빙-양【南氷洋】, **남빙-해**【南氷海】명 南氷洋. ＝남극해.
남-빛【藍─】명 あい; あい色.
남-사당【男寺黨】명 "사당(寺黨)"の服をして集団をなし各地を回りながら歌と踊りを売る男だち.
남산【南山】명〔地〕南山.
‖──-골 샌님 명 貧しいくせに高慢にふるまう人をあざける語.
남상【男相】명 男の顔のような女の顔つき.
남상【男像】명 (絵や彫刻などで) 男の像.
남상【濫觴】명 らんしょう(濫觴); 事の始まり.
남새 명 野菜; 青物.
남색【男色】명 男色; ホモ; けいかん(鶏姦); おかま〈俗〉.
남색【藍色】명 あい色.
남생이 명〔動〕くらがめ; いしがめ.
남서【南西】명 南西. ¶～쪽 南西側. ¶～풍 南西風.
남성【男性】명 男性.
‖──-미 명 男性美. ──-적 명관 男性的. ── 호르몬 명 男性ホルモン.
남성【男聲】명 男声.
‖── 사중창 명 男声四重唱. ── 합창 명 男声合唱.
남십자-성【南十字星】명 南十字星.
남아【男兒】명 男児. ¶～ 일언 중천금(一言重千金) 男児の一言は千金よりも重し.
남아-돌다 자 有り余る. ¶남아도는 돈 有り余るお金.
남-아메리카【南─】〔America〕명〔地〕南アメリカ; 南米.
남-아프리카【南─】〔Africa〕명〔地〕南アフリカ; 南阿.
남양【南洋】명 南洋. ¶～ 군도 南洋群島.
남용【濫用】명하타 濫用〔乱用〕. ¶직권 ～ 職権濫用.
남우【男優】명 男優.
남-우세 명하자스형 人の笑いぐさになること. 준 남세.
남위【南緯】명 南緯. ¶～ 15도 20분 南緯十五度二十分.
남-유럽【南─】〔Europe〕명〔地〕南ヨーロッパ.
남의-눈 명 人目. ¶～에 띄다 人目に付く / ～을 피하다〔꺼리다〕人目を忍ぶ〔はばかる〕.
남의살-같다 형 (凍えるかまたはしびれて)肌の感覚がない.
남의집 살다 자 住み込み奉公をする.
남의집-살이 명 住み込みの生活. また, その人. ──-하다 자 住み込む.
남인【南人】명〔史〕朝鮮朝の四党派の一つ《"北人"から分派した》.
남자【男子】명 男子; 男; 男の子〈雅〉. ＝사나이. ¶～용 시계 男用〔男持ち〕の時計 / ～분〔양반〕殿方; 殿御. ──-답다 형 男らしい; 男前がある.
남작【男爵】명〔史〕男爵; バロン.
남장【男裝】명하타 男装. ¶～ 미인 男装の美人.
남정【男丁】명 十五才以上の壮丁.
‖──-네 명 下流階級の女が男だちをさすことば; 男衆.
남조【濫造】명하타 濫造〔乱造〕. ¶조제 ～ 粗製濫造.
남존 여비【男尊女卑】명 男尊女卑.
남중【南中】명하자〔天〕南中.
남-중국해【南中國海】명〔地〕南支那海.
남진【南進】명하자 南進.
남짓 의명 하형 (重さ·分量·数などが)やや余ること. ¶신장이 6척 ～하다 身の丈が六尺余りだ / 닷새 ～ 五日余り / 삼십 ～한 여자 三十余りの女.
남-쪽【南─】명 南の方.
남창【男娼】명 男娼; 陰間.
남천【南天】명 南天; 南の空.
남침【南侵】명하자 南侵. ¶～ 계획이 있다면 아마 그것은 자멸을 초래할 것이다 南侵計画をたてているとすれば恐らくそれは自滅を招くであろう.
남탕【男湯】명 男風呂.
남파【南派】명하타 南派; 南の方に派遣すること. ¶～ 간첩 北朝鮮から韓国に送り込んだスパイ / 간첩을 ～하다 スパイを南に放つ.
남편【男便】명 夫; 亭主; 主. ¶전 ～ 前の夫; 先夫; 前夫 / ～ 있는 몸 夫のある身 / ～을 깔아뭉개다 亭主をしりに敷く.
남포[1] 명 導火線装置したダイナマイト.
‖──-꾼 명 (鉱山などで) 発破を(業と)する人.

남포² 명 ↗남포등.
‖——-등(燈) 명 (石油)ランプ. 남폿-불 명 ランプの火.
남풍【南風】명 南風·; はえ. * 마파람.
남하【南下】명하자 南下. ¶ ~ 정책 南下政策.
남-학생【男學生】명 男の学生.
남한【南韓】명 朝鮮戦争後の休戦ライン以南の韓国.
남해【南海】명 南海.
남-해안【南海岸】명 南海岸.
남행【南行】명하자 南行き. ¶ ~ 열차 南行き列車.
남행【濫行】명하자 濫行〔乱行〕.
남향【南向】명하자 南向き; 南面. ¶ ~방〔집〕南向きの部屋〔家〕/ ~판 (家の敷地·墓などが)南向きであること.
남-회귀선【南回歸線】명〖天〗南回帰線.
남획【濫獲】명하타 濫獲〔乱獲〕.
납 명 鉛《記号: Pb》. ¶ ~중독 鉛中毒.
납【蠟】명 ろう. ① ☞ 밀랍(蜜蠟). ② ☞ 백랍(白蠟).
납골【納骨】명 納骨. ¶ ~식 納骨式 / ~당 納骨堂; 骨堂.
납금【納金】명 納金.
납기【納期】명 納期. ¶ ~가 다가오다 納期が迫る.
납-덩이 명 鉛の塊. ——-같다 형 ① (血の気が引いた顔色が)鉛のように青白い. ② (ひどく疲れて体が)重くけだるい. ¶ 머리가 ~같이 무겁다 頭が鉛のように重い.
납득【納得】명 納得; 合点; のみ込み. ——-하다 타 納得する; 合点する; のみ込む. ¶ ~이 가다 納得〔合点〕が行く / ~이 빠르다 のみ込みが早い / 오해가 없도록 ~시키다 誤解のないよう言い含める.
납-땜【鑞—】명하타 はんだ付け; ろう付け. * 땜납.
‖—— 인두 명 はんだごて.
납량【納涼】명 納涼; 涼み. ——-하다 자 納涼する; 涼む.
납본【納本】명하타 納本.
납부【納付·納附】명 納付. ——-하다 타 納付する; 納める. ¶ 만원씩 ~하다 一万ウォンずつ納める / 세금을 ~하다 税金を納付する.
‖——-금 명 納付金.
납북【拉北】명하타 人を北〔北韓〕に拉致して行くこと.
납석【蠟石】명 ろう石. =곱돌.
납세【納稅】명하자 納税. ¶ ~자 納税者.
‖—— 고지 명 納税告知. ¶ ~서 納税告知書. —— 신고 제도 명 納税申告制度. ——필-증(畢證) 명 納税済みの証明書.
납-세공【蠟細工】명 ろう細工.
납시다 자 "出て行く·出て来る"の意で王に対して用いた語: おいまし〔おわし〕になられる; いませられる.
납신-거리다 ㊀자 ぺちゃくちゃとしゃべり立てる. ㊁타 しきりに腰を下げる; ぺこぺこする. 납신-납신 부하자타 ぺちゃくちゃ; ぺこぺこ.
납월【臘月】명 臘月; 十二月; 師走; 極月.
납입【納入】명 納入. ——-하다 타 納入する; 納める. ¶ 월사금을 ~하다 月謝を納める / ~금 納入金.
납작¹ 부 薄く平たいさま. また, 押し付けられたりやりこめられたりしてぺしゃんこになるさま: 平たく; 平べったく; ぺしゃんこに. ——-하다 형 平たい; 平べったい〈俗〉; ぺしゃんこだ. ¶ ~한 상자 平べったい箱 / ~한 접시 平たい皿 / ~해지다 ぺちゃんこになる / 상대를 ~하게 만들다 相手の鼻をへし折る; やりこめてぺちゃんこにする〔へこます〕. 납작-납작¹ 부하형 一様に平べったいさま.
‖——-보리 명 平麦; 押し麦; 押し割り(麦). ——-이 ㊀명 顔かたちなどが平べったい人. ㊁부 平べったく; 平たく; ぺちゃんこに. ——-코 명 あぐら鼻.
납작² 부 (体を)ひれ伏したりまたは四つんばいになるさま: ばったり. ¶ ~ 엎드리다 ばったりと伏せる.
납작-납작² 부하타 ばったりばったり.
납-중독【—中毒】명 鉛中毒.
납지【蠟紙】명 ろう紙; ろう引きの紙.
납지【鑞紙】명 銀紙. =은종이.
납채【納采】명하자 納采; 結納.
납치【拉致】명하타 拉致·. ¶ ~범 拉致犯 / 여객기를 ~하다 旅客機を乗っ取る / ~ 소동을 벌렸다 拉致騒ぎを起こした.
납폐【納幣】명하자 結納. =납채(納采).
납품【納品】명하자타 納品. ¶ ~서 納品書 / 백화점에 ~하다 デパートに納品する.
납회【納會】명 納会.
낫 명 かま. ¶ ~ 놓고 기역자도 모른다《俚》一丁字を識らず; いろはのいの字も知らない.
낫다¹ 자 (病気が)直〔治〕る; 癒える〈雅〉. ¶ 잘 낫지 않는 고질 よく治らないこしつ(痼疾) / 진심으로 병이 낫기를 빌다 心から平癒を祈る.
낫다² 형 勝る; 優れる; ましだ; よい. ¶ 보다 나은 생활 よりよい暮らし / 소문보다 (훨씬) ~ 聞きしに勝る / 살아 수모를 겪느니 차라리 죽는 편이 ~ 生きて恥をさらすよりはむしろ死んだ方がましだ.
낭군【郎君】명 郎君; 若い妻が夫を指す語.
낭독【朗讀】명하타 朗読. ¶ 시~ 詩の朗読.
낭-떠러지 명 がけ; 切り岸; 断崖.
낭랑【朗朗】명하형 朗朗. ¶ ~한 명월 朗朗たる明月 / ~한 목소리 れいろう(玲瓏)とした〔朗朗たる〕声.
낭만【浪漫】명하형 浪漫. ¶ ~주의 浪漫主義; ロマンチシズム.
낭보【朗報】명 朗報. ¶ 합격의 ~에 접하다 合格の朗報に接する.
낭비【浪費】명하타 浪費; 空費; 乱費〔濫費〕; むだづかい. ¶ ~벽 浪

癖 / 예산의 ～ 予算の乱費 / 돈 ～하다 金を浪費する / ～를 없애다 だを省く.

설【浪說】 명 風説; 虚説; 浮説; デマ. ¶ ～을 퍼뜨리다 流言をとばす; デマる〈俗〉.

송【朗誦】 명하타 朗唱. ¶ 시의 ～ 詩の朗唱.

자 명 ① 婦人が礼装のとき着ける付け髪の一つ《まげに載せてかんざしをさす》. ② ☞ 쪽.

자【娘子】 명 むすめご; 少女. = 처녀.

자【狼藉】 명하형 狼藉; 取り散らかされて乱雑なさま. ¶ 선혈이 ～하다 鮮血が散り乱れている.

패【狼狽】 명하타 ろうばい; 事が失敗してうろたえること. ¶ ～한 기색을 보이다 ろうばいの色を見せる / 이거 ～로구나 これはしまった.

——보다 자 不覚を取る.

하【廊下】 명 ☞ 복도.

낮 명 昼; 昼間; 日中. ¶ ～도둑 昼盗人; 昼とんび〈俗〉/ ～ 동안 昼の内(に); 昼中; 昼間 / ～과 밤을 가리지 않고 夜となく昼となく / ～ 말은 새가 듣고 밤 말은 쥐가 듣는다《俚》 壁に耳あり; 昼には目あり夜には耳あり.

낮다 형 低い. ① 高さが小さい. ¶ 낮은 산 低い山 / 책상이〔코가〕 ～ 机が〔鼻が〕低い. ② (声・音が)小さい. ¶ 낮은 음 低音 / 목소리가 ～ 声が低い. ③ (程度・地位が)劣っている. ¶ 온도가 ～ 温度が低い / 비율이 ～ 歩が悪い.

낮은-말 명 ① 低い声でささやく語. ② 卑語.

낮-잠 명 昼寝; 午睡. ¶ ～을 자다 昼寝をする; 午睡をとる.

낮-잡다 타 元値より安く値踏みする; 低く見積もる.

낮-참 명 昼飯前後に一休みする間. また, そのときにとる間食〔間食〕.

낮추다 타 ① 低くする; 低める; 下げる; 落とす. ¶ 목소리를 ～ 声をさげる〔落とす; ひそめる〕/ 몸을 ～ 身を低める / 라디오의 볼륨을 ～ ラジオのボリュームを絞る. ② 目下に使う言葉遣いをする.

낮춤 명 ① 低めること. ②〖言〗 見下げていう言葉遣い.

‖——-말 명〖言〗 目下に使う語《"해라·하게(=せよ; しなさい)"など》.

낯 명 顔. ① 顔面; 面. ¶ ～을 붉히다 顔を赤らめる. ② 面目; 体面. ¶ ～을 보아 顔に免じて / 대할 ～이 없다 合わす顔がない; 顔向けができない / ～이 서다 顔が立つ.

낯-가리다 자 ① 人見知りをする; 人おじする. ¶ 이 애는 낯을 안 가려요 この子は人見知りをしません. ② 顔を覆い隠す.

낯-가림 명하타 人見知り; 人おじ.

낯-가죽 명 面皮. ① 面の皮. ¶ ～이 두껍다 面の皮が厚い; 鉄面皮だ / ～을 벗기다 面の皮をは(剝)ぐ. ② 世間への顔むけ.

낯-간지럽다 형 面はゆい; しりこそばゆい; 照れくさい. ¶ 너무 칭찬을 받아서 좀 ～ あまり褒められていささか面はゆい.

낯-나다 자 顔〔面目〕が立つ.

낯-내다 자 顔を立てる; 恩に着せる; 恩着せがましくふるまう.

낯-두껍다 형 厚かましい; 面の皮が厚い; 鉄面皮だ; ずうずうしい.

낯-모르다 자 見知らない.

낯-바닥 명《俗》 顔; 面.

낯-부끄럽다 형 面目ない; 面はゆい.

낯-붉히다 자 顔を赤らめる; 赤面する.

낯-빛 명 顔色.

낯-설다 형 不慣れだ; 見知らない; 見慣れない. ¶ 낯선 사람 見慣れぬ人; 見知らぬ人 / 낯선 고장 不慣れな土地.

낯-없다 형 面目ない.

낯-익다 형 顔なじみである; 見慣れている. ¶ 그녀와는 낯익은 사이다 彼女とは顔なじみである.

낯-익히다 타 なじませる; 見慣れるようにする.

낯-짝 명《俗》 顔; 面〈俗〉; 面の皮. ¶ 무슨 ～으로 どの面を下げて / ～이 두껍다 面の皮があつい.

낱-개 명 (ばらになっている)一個; ばら. ¶ ～로 팔다 ばらで売る.

낱-권【一卷】 명 巻; 各巻.

낱낱-이 부 一つ一つ; いちいち; 一つ残らず. ¶ 죄상을 ～ 들추어 내다 罪状を残らずあばき出す.

낱-돈 명 ばら銭; 小銭.

낱-말 명 単語.

낱-알 명 (個個の)粒; 一粒. ¶ ～이 크다 粒が大きい.

낱-장【一帳】 명 (紙などの)一枚; 一枚一枚.

낳다[1] 타 産〔生〕む. ① (子・卵などを)産〔生〕む. ¶ 쥐가 새끼를 ～ ねずみが子を産む / 사내 아이를 ～ 男の子を生む. ② 作る; 生じる. ¶ 소문이 소문을 ～ うわさがうわさを生む / 좋은 결과를 ～ よい結果を生む.

낳다[2] 타 ① 紡ぐ. ② (糸で織物を)織る.

내[1] 명 煙. = 연기(煙氣).

내[2] 명 〔↗냄새〕 匂い; 臭い. ¶ 술～ 酒のにおい / 탄 ～가 나다 焦げたにおいがする / 돈 ～를 맡다 金の気配をかぎ付ける.

내[3] 명 流れ; 川. ¶ ～를 건너다 川を渡る.

내[4] ㊀대 私; わたし; 僕; おれ; わし. ¶ ～ 알 바 아니다 おれの知ったことではない / ～게도 한잔 주지 않겠나 おれにも一杯注がないか. ㊁관 わたしの; 僕の; おれの; 我〔吾〕が. ¶ ～ 집 わたし〔僕〕の家; 我が家 / 그것은 ～ 것이다 それはわたし〔おれ〕の物である.

내- 두 外の方に向かう動作を表わす語. ¶ 의자를 ～던지다〔팽개치다〕 椅子をほうり出す.

내-【來】 두 来; "来る"の意. ¶ ～주 来週 / ～삼월에 来る三月

に.

-내 回 '始めから終りまで'の意を表わす語: …中. ¶ 여름~ 夏じゅう.

-내【內】 回 内; うち. ¶ 합격권~ 合格圏内 / 기한~에 납부했다 期限内に納めた.

내-가다 타 持ち出す. ¶ 밥상을 ~ お膳を持ち出す.

내각【內角】[1] 명 〖數〗 内角.

내각【內角】[2] 명 〖野〗 内角; インコーナー.

내각【內閣】 명 内閣; キャビネット. ¶ 약체 ~ 弱体内閣 / 연합 ~ 連合内閣.
‖── 불신임안(案) 명 内閣不信任案. ── 책임제 명 内閣責任制. ── 회의 명 内閣会議; 国務会議. ㊟ 각의(閣議).

내간【內間】 명 婦女子の住み間.

내-갈기다 타 ① ぶん殴る; 張り飛ばす. ¶ 빰을 ~ ほっぺたをぶん殴る. ② 殴り書きにする.

내강【內剛】 명 内剛. ¶ ~ 외유 内剛外柔.

내객【來客】 명 来客; 訪問客. ¶ ~이 그칠 새 없다 来客の絶え間がない.

내-걸다 타 ① (旗などを)掲げる. ¶ 국기를 대문에 ~ 国旗を門に掲げる. ② (条件·問題などを)ひっさげる; 掲げる. ¶ 외교 문제를 내걸고 연설을 하다 外交問題を引っ提げて演説を行なう. ③ (命などを)懸ける. ¶ 목숨을 내건 싸움을 하다 命をかけた戦いをする.

내공【內攻】 명하자 内攻. ¶ 병이 ~하다 病気が内攻する.

내과【內科】 명 内科.
‖──-의 명 内科医者; 内科医.

내관【來館】 명하자 来館. ¶ ~자 来館者.

내교【來校】 명하자 来校.

내-교섭【內交涉】 명하자 内交渉.

내구【來寇】 명하자 らいこう(来寇).

내구【耐久】 명 耐久. ¶ ~력 耐久力.
‖──-재 명 耐久財.

내국【內國】 명 内国; 国内.
‖── 무역 명 内国貿易. ──-법 명 内国法. ──-세 명 内国税. ──-환(換) 명 内国為替.

내규【內規】 명 内規. ¶ 회사 ~를 준수하다 社の内規を守る.

내근【內勤】 명하자 内勤. ¶ ~ 기자 内勤記者.

내기 명 かけ(賭); 賭け事. ──-하다 자 賭をする; 賭ける. ¶ ~ 바둑 賭碁 / ~에 이기다 賭で勝つ / 그는 ~를 좋아한다 彼は勝負事を好む.

-내기 回 ① …生まれ; …育ち. ¶ 시골~ 田舎っぺ / 서울 ~ ソウル子. ② 或る語に付いて人となりを指す語. ¶ 풋~ 青二才.

내남-없이 早 だれかれの区別なく; 自他共に. ¶ ~ 그의 실력은 인정하는 바이다 彼の実力は自他共に認めるところである.

내내 早 終始; 始終; ずっ… ¶ 일년 ~ 一年中 / ~ 행복하시…를 末永くお幸せの程を / ~ 방침을 유지하였다 終始その方針…持した.

내-내년【來來年】 명 再来年; 翌々年. =후년(後年).

내-내월【來來月】 명 再来月; 翌々月.

내년【來年】 명 来年; 明年. ~봄 来春; 明春 / ~도 来年〔…年〕度.

내-놓다 타 ① 取り出す; さらけ出す; 露出する; 見せびらかす. 명함을 ~ 名刺を取り出す / 가…을 ~ 胸をむき出しにする. ② 放す; 出して置く. ¶ 짐승을 내놓고 …르다 家畜を放し飼いにする. ③ 売り物に出す. ¶ 집을 ~ 家を売りに出す. ④ [↗내어 놓다] 出す. ¶ 복도〔베란다〕에 ~ 廊下〔ベランダ〕に出す / 재산을 빈민 구제에 ~ 財産を貧民救済に供する. ⑤ 除く. ¶ 나를 내놓고는 여기 모인 사람은 모두 부자다 ここに集った方方は僕を除いては皆お金持ちだ.

내다[1] 자 いぶ(燻)る; くす(燻)ぶる; けむる. ¶ 장작이 내기만 하고 좀처럼 타지 않는다 まきがくすぶ(燻)ってなかなか燃え付かない.

내다[2] 타 ① 出す. ㉠ 内から外に移す. ¶ 책상을 밖으로 ~ 机を外へ出す. ㉡ 出発〔発車·出帆〕させる. ¶ 배를 ~ 船を出す / 임시 열차를 ~ 臨時列車を出す. ㉢ 提出〔出品〕する; (金を)支払う. ¶ 원서를 ~ 願書を出す / 전람회에 ~ 展覧会に出す / 학비를 내주지 学費を出してやろう / 회비의 부족분을 내가 ~ 会費の不足分を自腹で出す. ㉣ (新聞などに)載せる; (書物を)刊行する. ¶ 광고를 신문에 ~ 広告を新聞に出す / 책을 ~ 本を出す. ㉤ 新たに始める. ¶ 가게를 ~ 店を出す〔張る〕/ 살림을 ~ 所帯を持つ. ㉥ 起こす; 生じる. ¶ 불을 ~ 火事を起こす / 사고를 ~ 事故を起こす / 많은 사상자〔피해자〕를 ~ 多くの死傷者〔被害者〕を出す. ㉦ (光·熱·声などを)発する; (ほこりなどを)立てる. ¶ 소리를 ~ 音を出す〔立てる〕/ 먼지를 ~ ほこりを立てる. ㉧ もてなす; 奢る. ¶ 술을 ~ 酒を振る舞う / 이번엔 내가 (한턱) 내지 今度は僕がおごろう. ㉨ (手紙などを)出す; 送る. ¶ 독촉장을 ~ 督促状を出す. ㉩ 新たに加える. ¶ 속력을 ~ 速力を出す / 힘〔기운〕을 ~ 元気を出す. ㉪ (合計·解答·結果などを)出す. ¶ 집계를〔답을〕 ~ 集計〔答え〕を出す / 결말을 ~ 結末をつける. ㉫ 産み出す. ¶ 많은 인물을 ~ 多くの人物を出す. ② (道を)つける; 開く; 通す. ③ (穴を)明ける; うがつ. ④ 口に出す; 口外する; 漏らす. ¶ 소문을 ~ うわさ(噂)を立てる / 입밖에 내지 마라 口外するなよ. ⑤ 表わす. ¶ 성을 ~ 怒

る / 화를 ～ 腹を立てる / 욕심을 ～ 欲張る. ⑥(苗を)植える; 移植する. ¶모를 ～ 苗を植える; 田植え(を)する. ⑦(泡·湯気を)立てる. ⑧(かりうちで)進めた駒を上げる.

내다³ 보동 動詞語尾"-아·-어"の下に付いてその動作を自力で成し遂げる意を表わす語: …し切る; …し抜く; …し尽くす. ¶끝까지 견뎌 ～ 最後まで耐え抜く.

내다-보다 타 ①外を見る; 眺める. ¶창밖을 ～ 窓の外を眺める. ②予知〔予測〕する; 見通す; 見越す. ¶앞날을 ～ 将来〔先先〕を見通す / 앞을 내다보고 잔뜩 사 들이다 先を見込んでうんと買い込む.

내다-보이다 자 ①(内から)見える; 見渡される. ¶창에서 공원이 ～ 窓から公園が見える. ②(外から)見える; 透いて見える. ¶속살이 ～ 肌身が透いて見える. ③(将来のことが)見通せる; 予測される.

내-닫다 자 (いきなり)飛び出す; 急に走り出す.

내-달【來─】 명 来月.

내담【來談】 명하타 来談. ¶～을 바람 ご来談を請う.

내-대각【內對角】 명 〘數〙内対角. =안맞각.

내-대다 타 冷たく当たる.

내-던지다 타 ①投げ〔叩き〕付ける; 投げ捨てる; ほう(放·抛)る; ほうりだす. ¶냅다〔휙〕 ～ 投げ飛ばす / 상사에게 사표를 ～ 上役に辞表を叩き付ける. ②投げ出す; なげうつ; 見捨てる; 見放す. ¶목숨을 ～ 命を投げ出す.

내도【來到】 명하자 来着; 到着; やってくること.

내-돋다 자 (外または表に)生え出る; 萌え出る.

내-돌리다 타 むやみに物を持ち出して人に渡す〔回す〕.

내-동댕이치다 타 投げ付ける; 振り捨てる; 投げ飛ばす; 叩き付ける. ¶땅바닥에 ～ 地面に叩きつける / 일을 ～ 仕事を投げうつ.

내-두르다 타 ①振り回す. ¶머리를 ～ 頭を振る. ②(人を)言いなりほうだいにさせる; 意のままに動かす.

내-둘리다 피동 ①振り回される. ②意のままに動かされる.

내-드리다 타 (目上に)物を差し上げる.

내-디디다 타 踏み出す. 준 내딛다. ¶첫발을 ～ 第一歩を踏み出す.

내-뜨리다 타 投げ飛ばす; ほうり投げる; (力いっぱい)投げ捨てる.

내락【內諾】 명하타 [←내낙(內諾)] 内諾. ¶～을 얻다 内諾を得る.

내란【內亂】 명 内乱. ¶～을 틈타 内乱に乗じて / ～을 일으키다〔진압하다〕 内乱を起こす〔静める〕.

‖───죄 명 内乱罪.

내려-가다 자 下がる. ①降りる; 下る. ¶단에서 ～ 壇を降りる / 기온〔열〕이 ～ 気温〔熱〕が下がる / 빙점 이하로 ～ 氷点以下に下がる / 산길〔비탈〕을 ～ 山道〔坂〕を下る. ②(食べたものが)消化する. ③(物価·成績などが)落ちる. ¶시세가 내려가기만 한다 相場が下がる一方である.

내려-놓다 타 下〔降〕ろす; 置く. ¶짐을 땅바닥에 ～ 荷物を地面に下ろす.

내려-누르다 타 押さえ付ける; 上から力を入れて押す.

내려다-보다 타 見下ろす; 見下す. ①上から下の方を見る. ¶산에서 ～ 山から見下ろす. ②見下げる. ¶남을 ～ 人を見下げる.

내려-뜨리다 타 (下に)落とす.

내려-앉다 자 ①下の方に座を取る. ②(建物·山などが)崩れる. ¶화재로 지붕이 ～ 火事で屋根が落ちる.

내려-오다 자 ①下る. ㉠降〔下〕りる; 降りて来る. ¶하늘에서 ～ 天から下る / 단에서 ～ 壇を降りる / 명령이 ～ 命令が下る. ㉡(都から地方へ)来る. ②伝わって来る; 伝わる. ¶입에서 입으로 전해 내려오는 전설 口から口へと伝わって来た伝説.

내려-지다 자 落とされる; 下ろされる; 落ちる.

내려-찍다 타 (刃物で)上から下に切る; ぶち切る.

내려-치다 타 打ち下ろす; 切り下ろす.

내력【來歷】 명 来歴; 由緒; 由来. ¶그 ～을 들려주게 その来歴を聞かしてくれ / 이 소나무에는 ～이 있다 この松には由緒がある / 사건의 ～을 캐다 事件の来歴を尋ねる.

내륙【內陸】 명 内陸.

‖── 기후 명 内陸気候. ── 성 기후 명 内陸性気候. =내륙 기후.

내리 부 ①上から下へ真直ぐに; 下方へ. ¶～ 구르다 真直ぐに転ぎ落ちる. ②初めから終りまで; 始終; ずっと; 引き続き; (ぶっ)続けて. ¶추운 날씨가 ～ 계속되다 ずっと寒い日が続く.

내리- 두 "上から下へ"の意.

내리-긋다 타 線を縦に引く.

내리-깎다 타 ひどく値切る〔けなす〕.

내리-깔다 타 (目を)伏せる.

내리-내리 부 ずっと; 続けて; …通し; いつまでも.

내리다 ㊀자 ①降〔下〕りる; 降る; 落ちる. ¶내려 쌓이는 눈 降り積る雪 / 부슬부슬 내리는 비 そぼ降る雨 / 비가 ～ 雨が降る / 서리가 ～ 霜が降りる / 막이 ～ 幕が下りる / 비행기가 ～ 飛行機が着陸する. ②(食べたものが)消化する. ③(肉が)落ちる; や(痩)せる. ④(神が)乗り移る; 神がかりになる. ¶신령이 무당에게 ～ 神霊がみこ(巫女)に乗り移る. ⑤(乗り物から)降〔下〕りる. ¶배를 ～ 船を降りる / 버스에서 ～ バスから降りる. ⑥(熱·温度が)下がる〔下る〕. ⑦(物価·成績などが)下がる. ⑧根付く. ⑨(判決などが)下る; 決まる. ¶무죄

ㄴ

로 판결이 ～ 無罪に決まる / 명령이 ～ 命令が下る. ㊁[타] ① 下ろす; 下す; 下げる. ¶ 올린 손을 ～ あげた手を下ろす / 짐을 ～ 荷を下ろす / 막을 ～ 幕を下ろす. ② 落とす. ㉠ (値段を)切り〔引き〕下げる. ¶ 운임을 ～ 運賃を引き下げる. ㉡ (地位・程度を)(引き)下げる. ¶ 한 계급 ～ 一階級引き下げる. ③ 賜う; 下す; 取らせる. ¶ 상을 ～ ほうびを取らせる. ④ (命令などを)下す. ¶ 판결〔명령〕을 ～ 判決〔命令〕を下す.

내리-닫이[1] [명] (子供の)上下続きの服.

내리-닫이[2] [명] 上げ下げ窓.

내리-뜨다 [타] 目を伏せる; 伏し目になる.

내리막 [명] ① 下り坂. ② (物事の)下り道; 落ち目; 落潮.

‖――-길 [명] 下り坂. ¶ ～에 있는 회사 下り坂の会社.

내리-밀다 [타] 下の方に押しつける.

내리-받이 [명] 下り坂.

내리-비치다 [자] 上から照り付ける.

내리-사랑 [명] 子に対する親の愛. ¶ ～은 있어도 치사랑은 없다《俚》 親が子を愛するのは人情だが, 子はとかく親を疎んじやすい.

내리-쏟다 [타] 上から注ぐ.

내리-쏟아지다 [자] 降り注ぐ.

내리-쬐다 [자] 照り付ける. ¶ 한낮의 햇볕이 ～ 真昼の日差しが照り付ける / 햇볕이 쨍쨍 ～ 日がかんかん(と)照る.

내리-치다 [타] 打ちおろす; 切り下ろす; たた(叩)き付ける. ¶ 막대기로 어깻죽지를 ～ 棒切れで肩口を叩き付ける.

내리-퍼붓다 ㊀[자] 降り注ぐ. ¶ 비가 ～ 雨が降り注ぐ. ㊁[타] (水などを)上から下へ注ぎかける.

내림 [명] 血統的な遺伝; (引いている)血筋.

내림【來臨】 [명][하자] 来臨; らいが(来駕). ¶ ～하여 주십시오 ご来臨下さい.

내림-굿 [명] みこ(巫女)になろうとする神がかりの祈り.

내림-내림 [명] 代代の遺伝.

내림-대 [명] みこ(巫女)が神降ろしに用いる松や竹.

내림-세【―勢】 [명] (物価・相場の)低落; 下がり(目); 下向き.

내막【內幕】 [명] 内幕; うちまく; 内実; 楽屋裏. ¶ 회사의 ～ 会社の内幕 / ～을 폭로하다 うちまくをあばく.

내-맡기다 [타] (すっかり)任せる; 委ねる; 放任する. ¶ 회사의 업무를 ～ 会社の業務一切を任せる.

내면【內面】 [명] 内面.

‖―― 묘사 [명] 内面描写. ――-적 [명][관] 内面的.

내명【內命】 [명] 内命; 内密の命令. ¶ ～을 받다 内命を受ける.

내-몰다 [타] 追い立てる; 追い払う; 退ける; 追い出す. ¶ 셋방에 든 사람을 ～ 間借りの人を追い立てる.

내-몰리다 [피동] 追い立てられる; 追い払われる; 追い出される; 駆逐される.

내무【內務】 [명] 内務.

‖――-부 [명] 内務部. ―― 생활 [명] 内務生活.

내밀【內密】 [명] 内密; 内緒; 内内; うちうち. ――-하다 [형] 内密だ. ――-히 [부] 内密に; 密かに; こっそり. ¶ ～ 알리다 密かに知らせる / ～ 상의하다 内内相談する.

내-밀다 ㊀[자] 突き出る; 張り出す; 出っ張る. ¶ 내민 이마 張り出したひたい. ㊁[타] ① 出す. ㉠ 押し出す; 突き出す. ¶ 혀를 ～ 舌を出す / 손을 쑥 ～ 手を突き出す / 창에서 머리를 ～ 窓から首を突き出す. ㉡ 姿を見せる. ¶ 얼굴을 ～ 顔を出す; 顔出しをする. ② 差し出す; 差し延べる. ¶ 구원의 손길을 ～ 救いの手を差し延べる.

내-밀리다 [자] 突き〔押し〕出される; 追いやられる.

내밀-힘 [명] 自信満満と主張する気勢; 押し.

내방【來訪】 [명][하자] 来訪. ¶ ～을 받다 来訪を受ける.

내-배다 [자] にじみ出る; 染み出る.

내-뱉다 [타] 吐き出す; 吐く. ① (つば・たんなどを)吐く. ¶ 가래침을 ～ たんを吐き出す. ② 言い捨てる; 飛ばす. ¶ 내뱉듯이 말하다 吐き出すように言い捨てる.

내버려 두다 [타] ほったらかす; 捨て置く; 差し置く; 放っておく; 見捨てる; 放置する. ¶ 일을 내버려 두고 외출했다 仕事を差し置いて外出した / 그대로 내버려 둘 수는 없다 そのまま捨て置くわけには行かない.

내-버리다 [타] (取り)捨てる; 投げ捨てる. ¶ 휴지를 ～ 紙くずを投げ捨てる.

내벽【內壁】 [명] 内壁. ＝안벽.

내-보내다 [타] ① 出て行かせる. ¶ 고용살이로 ～ 奉公に出す / 스파이를 ～ スパイを送る. ② 辞めさせる; 解雇する; 追い出す. ¶ 공원을 ～ 工員を解雇する.

내복【內服】[1] [명] ☞ 속옷.

내복【內服】[2] [명][하타] 内服; 内用.

‖――-약 [명] 内服薬; 飲み薬.

내부【內部】 [명] 内部; 内側; インサイド. ¶ ～ 공작 内部工作 / ～ 사정에 밝다 内情に明るい.

‖―― 감사 [명] 内部監査. ―― 기생 [명] 〔生〕 内部寄生. ―― 분열 [명] 内部分裂. ――자 거래 [명] インサイダー取引.

내분【內分】 [명][하타] 〔數〕 内分. ¶ 선분 AB를 점 P로써 ～하다 線分ABを点Pにて内分する.

내분【內紛】 [명] 内紛; (内輪の)揉めごと; いざこざ; 内輪揉め; 内ゲバ; ないこう(内訌). ¶ ～에 휘말려 들다 内紛に巻き込まれる.

내-분비【內分泌】 [명] 〔生〕 内分泌.

‖―― 기관 [명] 〔生〕 内分泌器官. ―― 물 [명] 内分泌物; ホルモン. ――-선 [명] 内分泌腺.

-비치다 자 ①透き通って見える. ②ほのめかす; それとなく素振りに見わす. ¶어제부터 월경이 내비쳤다 作日から月のものが見え始めた.
빈【來賓】명 来賓. ¶~석 来賓席 / ~ 축사 来賓祝辞.
-빼다 자《俗》逃げ出す; 逃げる; ずらかる. 준 빼다. ¶슬금슬금 ~ こそこそ逃げ出す.
-뻗다 자타 ①勢いよく伸びる〔伸ばす〕. ②意地を張り通す.
-뻗치다 자타 ①勢いよく吹き出る〔出す〕. ②勢いよく伸ばす〔伸びる〕.
-뿜다 타 噴〔吹〕き出す; 吹き付ける〔掛ける〕; ほとばしらせる. ¶핏줄기가 ~ 血潮がほとばしる / 거울에 입김을 ~ 鏡に息を吹き掛ける / 상처에서 왈칵 피가 ~ 傷口からどっと血が吹き出す.
내사【內査】명하타 内密にする調査.
내사【來社】명하자 来社.
내-상【內相】명 内相《内務大臣·内務部長官の略称》.
내색【一色】명하자 気振り; そぶり. ¶~을 하지 않다 気振りを見せない.
내생【來生】명〔佛〕来生; 来世; 後生; 後世.
내선【內線】명 内線. ¶전화의 ~을 끌다 電話の内線を引く.
내성【內省】명하자 内省.
‖——적 명관 内省的. ¶~인 기질 内省的な気質.
내성【耐性】명 耐性. ¶~이 생기다 耐性が生じる.
내세【來世】명〔佛〕来世; 後世; 後生.
내-세우다 타 ①表面に立たせる; 立てる; 出す. ¶대표자로 ~ 代表者に押し立てる / 표제를 ~ 見出しに掲げる. ②(申し)立てる; 主張する; 唱える; 掲げる. ¶이의를 ~ 異を立てる; 異議を申し立てる / 이렇다 하게 내세울 만한 것도 없다 取り立てて言う〔掲げる〕ほどのものもない / 직함을 지나치게 ~ 肩書きを振り回す.
내셔널〔national〕명 ナショナル.
내셔널리스트〔nationalist〕명 ナショナリスト.
내셔널리즘〔nationalism〕명 ナショナリズム.
내-소박【內疏薄】명하자 妻が夫を疎んじて冷遇すること.
내수【內需】명 内需; 国内需要. ¶~ 산업 内需産業.
내수【耐水】명하자 耐水; 防水. ¶시멘트는 ~성이 있다 セメントは耐水性がある.
내수-면【內水面】명 内水面《河川·湖沼·運河など》.
‖—— 어업 명 内水面漁業.
내숭 명하형 [←내흉(內凶)] うわべはやさしく見えるが心はねじけていること. ——스럽다 형 見かけによらずこすくて悪い.
내-쉬다 타 (息を)吐く; 吐き出す.
내습【來襲】명하자타 来襲. ¶대거 ~하다 大挙来襲する.
내습【耐濕】명 耐湿. ¶~성이 강하다 耐湿性が強い.
내시【內示】명하타 内示; 内達.
내시【內侍】명 ①〔史〕かんがん(宦官). ②去勢された男.
내시-경【內視鏡】명〔醫〕内視鏡.
내신【內申】명하타 内申. ¶~서〔성적〕内申書〔成績〕.
내실【內室】명 ①婦女の居間; けいぼう(閨房). ②内室〈老〉; おくがた; 令室; 内儀〈老〉.
내실【內實】명 内実.
내심【內心】명 内心; 心のうち. =속마음. ¶~을 털어놓다 内心を打ち明ける; 胸を割る / ~ 불쾌감을 느끼다 内心不快を覚える.
내-쏘다 타 ①はばかりなく言いまくる; (鋭く)言いはなつ. ②みだりに打ちまくる; ぶっ放す〈俗〉. ¶대포를 ~ 大砲をぶっ放す.
내야【內野】명〔野〕内野; インフィールド. ¶~수 内野手 / ~ 플라이 内野フライ; インフィールドフライ / ~ 히트 内野ヒット〔安打〕.
내약【內約】명하타 内約. ¶~을 얻다 内約を得る.
내역【內譯】명 内訳. =명세(明細).
내연【內緣】명 内縁. ¶~의 처 内縁の妻.
내연 기관【內燃機關】명 内燃機関.
내열【耐熱】명 耐熱. ¶~ 유리 耐熱ガラス.
내-오다 타 [↗내어오다] (うちの物を外へ)持ち出す; 出す.
내왕【來往】명하자 行き来; 通い.
내외【內外】[1] 명 ①内外. =안팎. ¶백 명 ~ 百名内外; 百人前後 / ~의 정세 内外の情勢. ② ☞ 부부(夫婦). ¶김(金)씨 ~ 金さん夫婦 / ~간 夫婦の間柄 / ~분 '夫婦'の敬称.
내외【內外】[2] 명하자 (礼儀上)婦女子がよその男性と顔を合わせることを避けること. ——하다 자 よその男性との顔合わせを避ける.
내용【內用】명하자 内用; 内服.
‖——약 명 飲み薬; 内服薬.
내용【內容】명 内容; (物·ことの)中味. ¶말씀의 ~ お話の内容〔おもむき〕/ ~ 없는 이야기 実のない話 / 자세한 ~은 아직 모르겠다 詳細はまだわからない.
‖——물 명 内容物; 中身. —— 증명 명 内容証明. —— 증명 우편 명 内容証明郵便.
내용【耐用】명 耐用.
‖—— 연수 명 耐用年数. ——재 명 耐用材.
내우【內憂】명 内憂; 内患. ¶~외환 内憂外患.
내원【來援】명하자 来援.
내월【來月】명 来月. =내달.
내유 외강【內柔外剛】명 内柔外剛.
내응【內應】명하자 内応; 裏切り; 内通.
내의【內衣】명 下着; 肌着; アンダーシャツ. =속옷. ¶~를 입다 肌着を着る.
내의【內意】명 内意.

ㄴ

내이【內耳】명〖生〗内耳. ¶～염 内耳炎.
내일【來日】명 明日; あした(明日); みょうにち. ¶～ 밤 あしたの晩; 明晩/～ 아침 あすの朝; 明朝/～은 갤 테지 あすは晴れるだろう/～은 댁에 계십니까 あすはご在宅ですか.

ㄴ

내자【內子】명 うちの者; 女房; 家内.
내자【內資】명 国内の資本.
내장【內粧·內裝】명하타 内装. ¶～공사 内装工事.
내장【內障】명 ↗내장안(內障眼). ¶흑～ 黒そこひ/백～ 白そこひ.
‖——안 명〖醫〗内障眼; そこひ. ㊜ 내장(內障).
내장【內藏】명하타 内蔵. ¶프로그램 ～ 방식의 계산기 プログラム内蔵方式の計算機.
내장【內臟】명〖生〗内臓; ぞうふ(臓腑); もつ〈俗〉; 腸. ¶～ 요리 臓物料理/～ 구이 もつ焼き.
내재【內在】명하자〖哲〗内在. ¶신은 각인의 마음 속에 ～한다 神は各人の心に内在する.
내적【內的】명관 内的. ¶～인 문제 内的な問題/～ 경험 内的経験.
내전【內戰】명 内戦. ¶～이 끊일 새가 없다 内戦が絶え間ない.
내전【來電】명하자 来電.
내점【來店】명하자 来店. ¶～하신 여러분 ご来店のみなさま.
내접【內接】명하자〖數〗内接. ¶～원 内接円.
내정【內定】명하자 内定. ¶거의 ～되었다 ほぼ内定した.
내정【內政】명 内政.
‖—— 간섭 명하자 内政干渉.
내정【內情】명 内情. ¶～을 살피다 内情を探る.
내조【內助】명하자타 内助. ¶～의 공 内助の功.
내종【內從】명 ↗내종 사촌.
‖—— 사촌(四寸) 명 父の姉妹の子供; いとこ.
내주【來週】명 来週. ¶～의 이 날 来週の今日/～ 토요일 来週の土曜日.
내-주다 타 渡す. ①渡してやる. ¶저금을 ～ 貯金を払い戻してやる. ②明け渡す. ¶집을 ～ 家を明け渡す/성을 ～ 城を明け渡す.
내-주장【內主張】명하자타 かかあ(嬶〔嬶〕)天下〈俗〉. ¶～하다 夫を尻に敷く.
내지【內地】명 内地. ①内陸. ②(植民地から見て)本国. ③その国のうち.
내지【乃至】부 乃至; または. ¶북～ 북동풍 北乃至北東の風/삼년～ 십년 三年乃至十年.
내-지르다 타 ①(外の方へ)け飛ばす; 突き出す. ②(声を)張り上げる.
내직【內職】명하자 内職; アルバイト. ㊜ バイト.
내진【內診】명 内診.
내진【來診】명하자 来診. =왕진(往診).
내진【耐震】명 耐震.
‖—— 가옥 명 耐震家屋. —— 건 명 耐震建築.
내-쫓기다 피동 追い出される; 締め出しを食う. ¶밤늦게 돌아와 아내에게 내쫓기었다 夜遅く帰って来て家内に締め出された.
내-쫓다 타 追い払う; 追っ払う〈俗〉. ①追い出す. ¶지위에서 ～ 地位を追おう/조합에서 ～ 組合から追い出す. ②追い立てる. ¶반대자를 ～ 反対者を追い払う.
내-차다 타 (外の方へ)け飛ばす.
내처(-서) 부 引き続いて; ずっと終わりまで. ¶아침까지 ～ 잤다 朝までずっと寝つづけた/5시간 ～ 이야기하다 五時間もぶっこ抜いて話す.
내추럴〔natural〕명 ナチュラル.
내추럴리스트〔naturalist〕명 ナチュラリスト.
내추럴리즘〔naturalism〕명 ナチュラリズム.
내-출혈【內出血】명 内出血. ¶장～ 腸内出血.
내치【內治】명하타 内治. ①飲み薬で病気を治すこと. ②内政.
내친-걸음 명 行き掛かり; 乗りかかった船; ことのついで. ¶～이라 그만둘 수 없다 乗り掛かった船で後へは引かれない/～이니 종점까지 가자 ついでに終点まで行こう.
내키다 ㊀자 気が向く; 気乗りする; 乗り気になる. ¶내키지 않는 대답 気乗りのしない返事/마음 내키는 대로 홀로 하는 여행 気任せなひとり旅. ㊁타 乗り気にならせる; 気が向くようにする.
내탐【內探】명하타 内探; 内偵. ¶적정을 ～하다 敵情を内偵する.
내탕-금 명 ないどきん(内帑金). = 내탕전(內帑錢).
내통【內通】명하자 内通. ①(敵との)内応. ¶적과 ～하다 敵と内通〔内応〕する. ②(男女の)私通; 密通.
내-팽개치다 타 投げ捨てる; 放り出す; かなぐり捨てる; 叩き付ける. ¶세상에 내팽개쳐지다 世の中に放り出される/땅바닥에 ～ 地面に叩き付ける/지위도 명예도 모두 ～ 地位も名誉もかなぐり捨てる.
내포【內包】명 内包. ——하다 타 内包する; はら(孕〔妊〕)む. ¶위험성을 ～한 계획 危険性をはらんだ計画/가능성을 ～하다 可能性を内包する.
내폭【耐爆】명하자 耐爆.
내피【內皮】명 ①内皮. ②甘皮; 渋皮. =보늬.
내핍【耐乏】명하자 耐乏. ¶～ 생활 耐乏生活.
내-학기【來學期】명 来学期.
내-학년【來學年】명 来学年.
내한【耐寒】명하자 耐寒. ¶～ 훈련 耐寒訓練.
내한【來韓】명하자 来韓.

항【内港】명〔地〕内港.
항【内項】명〔數〕内項.
항【内航】명 内航. ¶ ～선 内航船.
항【來航】명하자 来航.
해【内海】명 ① 内海; うちうみ. ② 非常に大きい湖.
-행성【内行星】명〔天〕内惑星.
향【内向】명하자 ① 内向. ② 内攻.
——-성 명 内向性.
홍【内訌】명 ないこう(内訌); 内争; うちわもめ; 内わげば. ＝내분(内紛).
화【耐火】명하자 耐火. ¶ ～ 장치 耐火装置.
‖—— 건축 명 耐火建築. —— 구조 명 耐火構造. —— 금고 명 耐火金庫. —— 벽(甓)돌 명 耐火煉瓦.
내환【内患】명 ① 妻の病気. ② 内患; 内憂.
내-후년【來後年】명 来年の翌年; 再来年; 明後年.
내훈【内訓】명 内訓.
냄비 명 なべ. ¶ ～ 요리 なべ物/자선 ～ 慈善なべ/～를 불에 올려놓다 なべを火にかける/～ 뚜껑 なべぶた.
냄새 명 ① 匂い; 薫〔香〕り; 香; 臭い. ¶ 향수 ～ 香水のかおり/바다 ～ 磯〔潮〕の香/코를 찌르는 ～ 鼻をつく匂い/～를 풍기다 匂わす; 臭わす《악취를》/～를 맡다 嗅ぐ; 嗅ぎ出す〔つける〕. ② …臭いこと; …めいた感じ. ¶ 서양 ～가 나는 バタ臭い. —— 나다 자 ① 匂〔臭〕う; 匂〔臭〕いがする. ¶ 남자 ～가 나는 방 男臭い部屋. ②《俗》鼻に付く; 嫌気がさす.
냅다¹ 형 煙(た)い. ¶ 방 안이 ～ へやのなかが煙たい〔煙い〕.
냅다² 부 一気に激しくするさま: 激しく; いきなり. ¶ ～ 때리다 (いきなり)なぐりつける; ぶんなぐる〈俗〉/～ 던지다 投げ飛ばす; 投げつける; ぶん投げる〈俗〉/～ 도망치다 一目散に逃げ出す/～ 달리다 突っ走る.
냅킨〔napkin〕명 ナプキン; ナフキン. ¶ 종이 ～ 紙ナプキン.
냇-가 명 川端; 川辺〈雅〉.
냇-물 명 川水; 流れ. ¶ ～에 발을 담그다 流れに足を入れる.
냇-버들 명〔植〕川柳.
냉【冷】명〔韓醫〕① 冷え症. ② 下半身が冷え過ぎて起こる病気. ③ こしけ; たいげ; おりもの. ¶ ～이 있다 こしけがある.
냉-【冷】두 冷やし…. ¶ ～커피 冷やしコーヒー; アイスコーヒー.
냉각【冷却】명하자타 冷却.
‖——-기, —— 기간 명 冷却期間. —— 장치 명 冷却装置.
냉국【冷―】명 ☞ 찬국.
냉기【冷氣】명 冷気; 冷え. ¶ 가을 밤의 ～ 秋の夜の冷気/～가 심하다 冷えがきつい.
냉-난방【冷暖房】명 冷暖房. ¶ ～ 장치 冷暖房装置.
냉담【冷淡】명 冷淡. ——-하다 형 冷淡だ; 冷ややかだ; 冷たい. ¶ ～한 태도 冷ややかな態度/～하게 뿌리치다 冷淡に突き放す. ——-히 부 冷淡に; 冷ややかに; 冷たく.
냉대【冷待】명 冷遇; 冷ややかなあしらい. ＝푸대접. ——-하다 타 冷遇する; 冷や飯を食わせる. ¶ ～를 달게 받다 冷遇に甘んずる.
냉동【冷凍】명하타 冷凍. ¶ ～ 식품 冷凍食品/～육 冷凍肉; コールドミート.
‖——-기 명 冷凍機. ——-법 명 冷凍法. ——-선 명 冷凍船. —— 야채 명 冷凍野菜. ——-어 명 冷凍魚.
냉랭【冷冷】명 冷え冷え; 冷ややかなさま. ——-하다 형 冷え冷えしている; 冷ややかだ; 冷たい. ¶ ～한 태도 冷ややかな態度. ——-히 부 冷え冷えと; 冷ややかに.
냉면【冷麵】명 れいめん(冷麵); ネンミョヌ.
냉방【冷房】명 ① 冷房. ¶ ～병 冷房病. ② 火の気の無い部屋. ＝냉실(冷室).
‖—— 장치 명 冷房装置.
냉-병【冷病】명〔韓醫〕冷え症; 冷え. ＝냉증.
냉소【冷笑】명 冷笑; あざわらい. ——-하다 타 冷笑する; あざわらう.
냉수【冷水】명 冷水; 冷や水; 生水; お冷や. ＝찬물. ¶ ～를 마시지 마라 生水を飲むな/～를 끼얹다 冷水を掛ける.
‖—— 마찰 명 冷水摩擦. ——-욕 명 冷水浴.
냉습【冷濕】명하형 ① 冷えて湿気があること. ②〔韓醫〕冷えと湿気で起こる病症.
냉엄【冷嚴】명 冷厳. ——-하다 형 冷厳だ; きびしい. ¶ ～한 사실〔태도〕冷厳な事実〔態度〕.
냉육【冷肉】명 冷肉; コールドミート; 冷凍肉.
냉이 명〔植〕なずな(薺); ぺんぺん草; 三味線草.
냉장【冷藏】명하타 冷蔵. ¶ ～ 온도 冷蔵温度.
‖——-고 명 冷蔵庫; フリーザー. ¶ 전기 ～ 電気冷蔵庫.
냉전【冷戰】명 冷戦. ¶ ～ 상태가 계속되다 冷戦状態が続く/동서의 ～ 구조는 붕괴된 지 오래다 東西の冷戦構造は既に崩れて久しい/～ 체제는 옛말이 되었다 冷戦体制はもう昔の話である.
냉정【冷情】명 冷淡で薄情なこと. ——-하다 형 冷たい; つれない; 冷ややかだ. ¶ ～한 사람 冷たい〔つれない〕人/～한 태도 冷ややかな〔冷たい〕態度. ——-히 부 冷淡に; つれなく; 冷ややかに.
냉정【冷靜】명 冷静. ——-하다 형 冷静だ. ¶ ～한 판단 冷静な判断/～을 되찾다 冷静に帰る; 冷静を取り戻す/～을 잃다 冷静を失う. ——-히 부 冷静に; 冷ややかに.
냉증【冷症】명 冷え症. ＝냉병.
냉차【冷茶】명 冷やしお茶.
냉채【冷菜】명하자 冷やし物にした

野菜のあえ物；酢の物.

냉철【冷徹】[명][하형] 冷徹. ¶～한 눈으로 관찰하다 冷徹な目で観察する. ——-히 [부] 冷徹に.

냉큼 [부] ただちに；すぐに；素早く. ¶～ 나가라 どっとと出て行け.

냉-하다【冷—】[형] ① 冷症がある. ②(下腹などが)冷えて冷たい. ¶냉한 체질의 사람 冷え症の人. ③ 薬材の性質が冷たい.

냉한【冷汗】[명] 冷や汗.

냉해【冷害】[명] 冷害. ¶～ 대책 冷害対策.

냉혈【冷血】[명] 冷血；非情. ¶～ 동물 冷血動物／～한 冷血漢.

냉혹【冷酷】[명][하형][히부] 冷酷. ¶～한 처사 冷酷な〔むごい〕仕打ち.

냠-냠 [부]《兒》(食事で)舌鼓を打つ音. ——-하다 [자] (ひどく)食べたくて舌鼓を打つ.

냥【兩】[의명] 両. ¶은 한 ～ 銀一両目.

냥-쭝【兩—】[의명] 重さの単位；両. ¶금 한 ～ 金一両.

너 [대] お前；君；貴様〈俗〉；お主；手前；なんじ〈老〉. ¶～의 집 君の家／～나 하는 사이다 お前俺と呼び合う間柄である／～ 자신을 알라 なんじみずからを知れ.

너구리 [명]〔動〕狸；むじな. ¶～굴 보고 피물(皮物)돈 내어 쓴다《俚》とらぬ狸の皮算用.

너그럽다 [형] 寛大だ；度量が大きい. ¶너그러운 조처〔태도〕寛大な処置〔態度〕. 너그러-이 [부] 大目に；寛大に. ¶～ 봐주다 大目に見る.

너글너글-하다 [형] 寛大だ；おおらかだ. ¶너글너글한 마음씨 おおらかな心.

너나-없이 [부] だれ彼なしに；だれそれなく；だれもが.

너더-댓 [수][관] 四つか五つ(ぐらい). ‖——-새 [명] 四五日(ぐらい).

너더분-하다 [형] ごたごたしている；取り散らかしている；乱雑だ. ¶너더분하게 늘어 놓고 있다 ごたごた並べ立てている. 너더분-히 [부] ごたごた(と).

너덕-너덕 [부][하형] べたべた(と)；つぎはぎだらけに. ¶～ 기운 옷 つぎはぎだらけの服／비라를 ～ 붙이다 ビラをべたべた(と)張る.

너덜-거리다 [자] ① 見境なくしゃべり立てる. ②(ぼろなどが)幾すじも垂れ下がって揺れる. 너덜-너덜 [부][하자] (ぼろなどが)揺れ動くさま. ¶～ 해진 옷 ぼろぼろの服.

너덧 [수][관] 四つぐらい. ¶～ 개 四個ぐらい／～ 사람 四人ほど.

너럭-바위 [명] 広く平たい岩.

너르다 [형] 広い. ＝넓다. ¶너른 세상 広い世の中.

너른-바지 [명] 女性がはくズボンのような下着(チマの下に着る).

너만-한 [관] "君程度の"の意. ¶～ 친구도 없다 君ほどの友達もないよ.

너머 [명] (山・垣などの)向こう；向こうがわ；物越し；…越し. ¶창 로 보다 窓越しに見る.

너무 [부] あまり；あんまり；ずいぶ… ——-하다 [형] あんまりだ. ¶～ 심하… 余りひどい／～한 처사 あまりの仕ち／～ 욕심부리면 아무 것도 못 얻… 된다 あまり欲張るとあぶはち取… ずになるよ.

너무-나 [부] "너무"の強調語：… まりに；あまりにも. ¶～도 유명하… あまりにも有名である／～ 아름다… 넋을 잃고 바라보았다 あまりの美… さにうっとりと見とれた.

너벅-선【—船】[명] 平底の船；平… 舟.

너부죽-이 [부] ① 平たくてやや広く… ＞나부죽이. ② おもむろにひれ伏… さま.

너부죽-하다 [형] (薄く底浅の物が… 平たくやや広い. ＞나부죽하다.

너비 [명] 幅. ＊나비.

너설 [명] けわしい岩や石などの鋭… く角立った部位；ごつごつの岩か… ど.

너스레-떨다 [자] ずるいふざけた言い… 方をする.

너와-집 [명] 屋根をうすい木片でふ… (葺)いた家.

너울¹ [명] ①〔史〕黒色の薄絹で作った婦女子の外出用被り物. ② 昔，新婦がつけた黒い紗のベール.

너울² [명] ☞ 놀².

너울-거리다 [자] ①(沖の海が)大波立つ；しきりにうねる〔波打つ〕. ②(木の葉などが)揺れ動く；ゆらゆらなびく. 너울-너울 [부][하자] ゆらゆら；のたりのたり；ひらひら. ¶나비가 ～ 춤추다 蝶がひらひらと舞う.

너저분-하다 [형] ごたごた〔ごみごみ〕している；取り散らかしている. ¶책상 위가 ～ 机の上がごたごたしている.

너절-하다 [형] ①(こざっぱりせず)むさくるしい；汚らしい. ¶너절한 옷차림 むさくるしい身なり／너절한 꼴 むさくるしい風体. ② くだらない；つまらない. ¶너절한 작품 くだらない作品.

너털-거리다 [자] ①(ぼろなどが)幾すじにも垂れてぶらぶらする. ②(大声で)げらげら笑う. 너털-너털 [부][하자] ぼろぼろ(に)；げらげら(と).

너털-웃음 [명] 豪放な笑い. ¶～을 웃다 げらげらと大声で笑う.

너트〔nut〕[명] ナット.

너풀-거리다 [자] やや激しくはためく. ＞나풀거리다. 너풀-너풀 [부][하자] ひらひら；はたはた.

너희(-들) [대] "너"の複数：君達；お前ら；お前たち；諸君；なんじら〈雅〉；者共〈雅〉. ¶～에게 고한다 なんじらに告ぐ.

넉넉-하다 [형] ① 十分〔充分〕だ. ¶쌀은 ～ お米は充分だ. ②(暮らしが)豊かだ；裕福だ；事欠かない. ¶넉넉한 살림 裕福な暮らし／살림이 ～ 暮らし(向き)がよい. 넉넉-히 [부] 十分；充分に；裕福に.

넉살 명스형 ふてぶてしさ；厚かましさ. ――부리다 자 ふてぶてしくふるまう. ―― 좋다 형 ふてぶてしい；虫がいい；臆面がない；しゃあしゃあ(と)している；ずうずうしい.

넋 명 魂. ①霊；心の働きをつかさどるとされるもの. ¶ 희생자의 ～을 위로하다 犠牲者の霊を慰める〔鎮める〕. ②精神；気. ¶ ～을 빼앗다 魂を奪う；とろかす / ～을 잃다 (…に)魂を奪われる；とろける；ぼんやりする / ～을 잃고 바라보다 我を忘れて見とれる〔見入る〕；ぼんやりと見入る.

넋-두리 명 ①(みこの)ご託；口寄せ；死に口. ②愚痴；泣き言.

넋-없다 형 ぼんやりしている；気抜けしている. **넋-없이** 부 ぼんやり；呆然と.

넌더리 명 懲りること；嫌気がさすこと；懲り懲り〔うんざり〕すること. ¶ ～도 내지 않고 性懲りもなく. ――나다 자 懲りる；うんざりする；う(倦)む；嫌気がさす；飽きる. ¶ 생각만 해도 ～ 考えただけでもうんざりする. ――대다 타 うんざりするように振る舞う.

넌덜-머리 명 "넌더리"の卑語.

넌지시 부 それとなく；そっと；暗に. ¶ ～ 알려주다 それとなく知らせる / 사의(辭意)를 ～ 비추다 辞意をほの(仄)めかす / 주머니에 ～ 돈을 넣어주다 そっとポケットに金を入れてやる.

널 명 ① ↗널빤지. ¶ 너푼 ～ 四分板. ②板跳びの板. ③棺.

널다 타 干す；干し物をする. ¶ 빨래를 ～ 洗濯物を干す.

널-다리 명 板橋.

널-대문【―大門】명 板作りの門.

널-따랗다 형 広広としている；広い.

널-뛰기 명하자 板跳び.

널-뛰다 자 板跳びをする.

널리 부 広く；あまね(普·遍·洽)く. ¶ ～ 천하에 알리다〔알려지다〕 あまねく天下に知らせる〔知れ渡る〕/ 인재를 ～ 구하다 人材を広く求める.

널리다¹ 타 広くする；広める.

널리다² 피동 ①散らばる. ¶ 도처에 시체가 널려 있었다 至る所にしかばねが散らばっていた. ②(干し物が)干される.

널-문【―門】명 板戸.

널-반자 명 天井板.

널-빤지 명 板；板材. 준 널.

널-조각 명 板切れ.

널찍-하다 형 広やかだ；やや広い；広広としている. **널찍-이** 부 広やかに；広広と. **널찍-널찍** 부하형 広広と. ¶ ～한 마당 広広(と)した庭.

넓다 형 広い. ①面積が大きい. ¶ 이마가 ～ 額が広い. ②幅が広い. ¶ 넓은 길로 나오다 広い道へ出る / 보폭이 ～ 歩幅が広い. ③心が寛大である. ¶ 도량이 ～ 度量が広い. ④つきあいが多い. ¶ 교제가〔발이〕 ～ 交際が広い. ⑤(物事の範囲が)大きい. ¶ 넓은 뜻으로는 広い意味では.

넓어-지다 자 広がる；広くなる. ¶ 길이 ～ 道が広がる.

넓이 명 広さ. ①広い程度. また，幅. ¶ 세 사람이 들어갈 ～ 三人が入れる広さ. ②〔數〕面積.

넓이-뛰기 명 幅跳び.

넓적-다리 명 だいたい(大腿)；太もも. ¶ ～를 드러내다 太ももをむき出す.

넓적-하다 형 平たい；偏平だ；広い. ¶ 넓적한 얼굴 平たい顔. **넓적-넓적** 부하형 皆一様に平たく.

넓죽-이¹ 명 平たい顔の人.

넓죽-하다 형 長めに広い. **넓죽-이²** 부 長めに広く. **넓죽-넓죽** 부하형 皆長めに平べったいさま.

넓히다 타 広くする；広げる；広める. ¶ 도로를 ～ 道路を広げる / 견문을 ～ 見聞を広める / 보폭을 ～ 歩幅を伸ばす.

넘겨다-보다 타 ①不当な欲を出す；人の物を欲しがる. ¶ 남의 재산을 ～ 人の財産をうかがう. ②物越しに見る. ＝넘어다보다.

넘겨-씌우다 타 (人に)おっかぶせる；なすりつける. ¶ 남에게 죄를 ～ 人に罪をなすりつける〔おっかぶせる〕.

넘겨-잡다 타 当て推量する.

넘겨-짚다 타 当て推量をする；かま(鎌)を掛ける〈俗〉. ¶ 넘겨짚고 한 말 鎌をかけたことば.

넘고-처지다 자 釣り合わない. ¶ 내게는 넘고 처지는 혼담일세 わたしには釣り合わない縁談である.

넘기다 타 ①(物越しに)渡す. ¶ 담 너머로 ～ 垣根越しに渡す. ②倒す. ¶ 나무를 잘라 ～ 木を切り倒す / 풀을 베어 ～ 草をなぎ倒す. ③過ごす；越す；切り抜ける. ¶ 어려운 고비를 ～ 難場を切り抜ける. ④渡す；引き渡す. ¶ 정권을 넘겨 주다 政権を渡す / 범인을 경찰에 ～ 犯人を警察に引き渡す. ⑤越す；超過する. ⑥めくる；繰る；はぐる. ¶ 달력을 ～ カレンダーをはぐる / 책장을 ～ ページを繰る〔めくる〕. ⑦飛ばす；間を抜かして先に移る. ¶ 책 중간을 넘기고 읽다 本の半ばをとばして読む. ⑧繰り越す；持ち越す. ¶ 심의를 내일로 ～ 審議を明日に持ち越す. ⑨動詞の連用形に付いて，動作を表わす語の語勢を強める語. ¶ 팔아 ～ 売り渡す；売り飛ばす / 속여 ～ まんまとだます.

넘나-들다 자 (ひんぱんに)出入りする.

넘다 ㊀자 ①(度が)過ぎる；越える. ¶ 한 말이 ～ 一斗にあまる / 재학생이 5백 명이 ～ 在学生が五百名を越える. ②(時が)過ぎる. ¶ 벌써 열두 시가 넘었다 もはや十二時が過ぎた / 나이 사십이 ～ 年四十を越す. ㊁타 ①越す；(上を)通り過ぎる〔越す〕. ¶ 산을 ～ 山を越える / 난관을 ～ 難関を越す. ②(度を)越す；過ごす. ¶ 30도가 넘

는 더위 30度を越す暑さ / 도를 ~ 度を越す / 예산을 넘지 않는 범위에서 予算を出ない範囲で. ③(とび)越える；またぐ. ¶담을 ~ へいを越える / 문지방을 ~ 敷居をまたぐ.

넘버 〔number〕 명 ナンバー. ¶차량 ~ 車のナンバー.

‖——-원 명 ナンバーワン.

넘버링 〔numbering〕, **넘버링 머신** 〔numbering machine〕 명 ナンバリング；ナンバリングマシン.

넘-보다 타 見下げる；見下す；見くびる. ¶상대를 사뭇 ~ 相手を飲んでかかる.

넘실-거리다 자 ①(欲しがって)首を伸ばしてねらう. ②波がうねる.

넘어-가다 一자 ①倒れる. ㉠(立っていたものが)横に倒れる. ¶태풍에 전봇대가 ~ 台風に電信柱が倒れる. ㉡滅びる；倒産する. ¶회사가 불경기로 ~ 会社が不景気で倒れる. ②経過する；過ぎる. ¶기한이 ~ 期限が切れる. ③㉠(人の手に)落ちる；渡る. ¶집이 남의 손에 ~ 家が人手に渡る〔落ちる〕. ㉡移る. ¶본론으로 ~ 本論に移る. ④沈む. ¶해가 ~ 日が沈む. ⑤だまされる；(甘言に)乗せられる. ¶남의 감언〔유혹〕에 ~ 人の甘口〔誘惑〕に乗る〔釣られる〕/ 감쪽같이 속아 ~ いっぱい食わされる / 호락호락 ~ むざむざ(と)ひっかかる. ⑥(飲み食い物がのどもとを)過ぎる. ⑦風にまかれる. ¶바람에 책장이 ~ 風に本がまかれる.

二타 越える；越す. ¶국경선을 ~ 国境線を越えて行く.

넘어다-보다 타 見越す；物越しに見る. ¶담을 ~ 塀越しに見る.

넘어-뜨리다 타 (打ち)倒す. ¶나무를 ~ 立ち木を倒す / 정부를 ~ 政府を倒す / 앞으로 밀어 ~ 突きのめす. ＊쓰러뜨리다.

넘어-서다 타 通り越す；切り抜ける. ¶문지방을 (밟고) ~ 敷居を踏み越える / 병이 고비를 ~ 病気がとうげを越す.

넘어-오다 자 ①(こちらへ)倒れる. ②(責任·権利などが)こちらへ渡って来る；移管される. ③吐き気を催す； (食べた物が)込み上げる. ④(こちらへ)越えて来る. ¶산〔국경〕을 ~ 山〔国境〕を越えて来る.

넘어-지다 자 倒れる；転ぶ. ¶미끄러져 ~ 滑って転ぶ / 발이 걸려 ~ つまずいて倒れる / 옆으로 ~ 横ざまに倒れる.

넘-치다 자 ①あふれる；こぼれる；みなぎる. ¶끓어 ~ 煮えあふれる / 투지가 ~ 闘志がみなぎる. ②過ぎる；あまる. ¶분에 ~ 分に過ぎる / 분에 넘치는 영광 身にあまる光栄.

넙치 명 〔魚〕 ひらめ《"鮃·比目魚·平目(魚)" 따위로 씀》.

넝마 명 ぼろ；くず物；お払い物. ¶~를 걸친 사람 ぼろを着けた人 / ~같은 옷 おんぼろの服.

‖——-장수 명 くず屋. ——-주이 명 くず拾い；ばた屋；拾い屋〈俗〉.

넣다 타 入れる. ①(中へ)差し入れる；込める；差す. ¶안약을 ~ 目薬をさす / 타이어에 바람을 ~ タイヤに空気を入れる / 스위치를 ~ スイッチを入れる. ②(金を)預ける；納める. ¶은행에 백만 원을 ~ 銀行に百万ウォンを預金する. ③収容する；収める；しまう《챙겨넣다》. ¶옷을 옷장에 ~ 服をたんすにしまう / 시체를 관에 ~ 死体を棺に収める. ④含める；込める. ⑤(学校·団体などに)入れる. ¶학교에 ~ 学校に入れる〔入学させる〕. ⑥(物を)はめ込む；差しはさむ. ¶반지에 보석을 ~ 指輪に宝石を入れる / 솜을 ~ 綿を入れる. ⑦(自分の)物にする. ¶진귀한 고서를 손에 ~ 珍しい古書を手に入れる〔ものにする·手中に収める〕. ⑧(情感を)込める. ¶감정을 넣어서 노래하다 情感を込めて〔入れて〕歌う.

네[1] 一대 "너"が変わった語《主格助詞 "가"の前に使われる》: 手前；お前；そち. ¶~가 해라 お前がやれ / ~가 가 줬으면 좋겠다 お前に行ってもらおう / ~가 알 바 아니다 手前の知ったことじゃない. 二준 "너의"の略語: 君の；お前の. ¶~ 책이다 君の本だ.

네[2] 관 四つ；よん；よつ. ¶~살 四歳 / ~ 사람 四人 / ~ 개 四個.

네[3] 감 返事するとか反問する語: はい；え. ＝예. ¶~, 그렇습니다 はい〔え〕, そうです / ~, 무어라고요 え, なんですって.

-네[1] 미 ①同じ類のひとびとを表わす語: …たち(達)；…等. ¶우리~ 我等 / 부인~ 婦人等. ②ある家庭や家族全体を表わす語: …(の)所. ¶형~ 집에서 잔다 兄の所で泊まる.

-네[2] 어미 用語の語幹に付いて感動を表わし, または同年輩などに物を言う際の終結語尾: …よ；…だよ；…な；…ね. ¶나는 가~ ぼくは行くよ / 벌써 꽃이 피었~ もう〔もはや〕花が咲いたな〔ね〕.

네가 명 [↗네가티브(negative)] ネガ. ¶~ 필름 ネガフィルム.

네가티브 〔negative〕 명 ネガチブ；ネガ《준말》.

네-거리 명 十字路；四つ角；四つつじ(辻). ¶~를 오른쪽으로 돌다 四つ角を右に曲がる.

네글리제 〔프 négligé〕 명 ネグリジェ.

네-다리 명 《俗》 大の字になって寝ている時の手足.

네다바이 〔일 ねたばい〕 명 にせの札束などを使って人の金品をだまし取ること.

네-모 명 四角；角形. ¶~ 반듯한 집 きちんとした四角の家. ——-나다 형 四角張っている. ¶종이를 ~나게 접다 紙を角形に折る. ——-지다 형 角張る. ¶~진 얼굴 角張〔四角張〕った顔.

——-꼴 명 四角形. =사각형.
——-뿔 명 〔數〕 四角すい(錐).
-발 명 (獣の)四つ足; 四足. ¶ ~ 짐승 四足の動物.
네온 〔neon〕 명 〖化〗 ネオン.
|—— 사인 명 ネオンサイン.
네이블 〔navel〕, 네이블 오렌지 〔navel orange〕 명 〖植〗 ネーブル; ネーブルオレンジ.
네이팜 〔napalm〕 명 〖化〗 ナパーム.
‖—— (폭)탄 명 〖軍〗 ナパーム弾.
네임 〔name〕 명 ネーム.
‖—— 밸류 명 ネームバリュー. ¶ ~가 있는 사람 ネームバリューのある人.
네커치프 〔neckerchief〕 명 ネッカチーフ.
네크-라인 〔neckline〕 명 ネックライン.
네크-리스 〔necklace〕 명 ネックレス. ¶ ~를 하고 있다 ネックレスを着けている.
네트 〔net〕 명 ネット. ¶ 헤어 ~ ヘアネット.
‖——-볼 명 ネットボール. ——-워크 명 ネットワーク. ——-인 명 ネットイン. —— 플레이 명 ネットプレー.
네-활개 명 大の字に伸ばした両手両足. ¶ ~ 치며 다니다 意気揚揚と歩き回る.
넥타 〔nectar〕 명 ネクター; ネクタール. ¶ 사과 ~ リンゴネクター.
넥-타이 〔necktie〕 명 ネクタイ. ¶ ~를 매다 ネクタイを締める / 그 옷에는 이 ~가 잘 어울린다 その服にはこのネクタイがしっくりする.
‖——-핀 명 ネクタイピン; タイピン.
넷 수 四(っ)つ; よん; 四; 四. ¶ 하나 둘 셋 ~ 一二三四.
녀석 명 男を情感を込めて, または卑しめて呼ぶ語: やつ. ¶ 그 ~ そいつ / 이 ~ こいつ奴 / 바보 같은 ~ ばかめ.
년 명 女をさげすんで言う語: 女郎〈俗〉(“野郎”를 본뜬 말임); あまっ子〈俗〉; あま(っちょ)〈俗〉. ¶ 이 망할〔화냥〕 ~ このばいため / 이 ~ 나가거라 このあま出て行け.
년【年】 의명 年. ¶ 명~ 明年 / 십~ 十年 / 명후~ 明後年.
녘 의명 …頃; …方; …方. ¶ 새벽 ~ 夜明け頃 / 동틀 ~ 明け方 / 동~ 東の方.
노 명 ひも; 細引き; (ほそい)麻なわ. ¶ ~를 꼬다 ひもをよる.
노【櫓】 명 ろ(櫓); かい(櫂); オール. ¶ ~를 젓다 櫓を漕ぐ.
노 〔no〕 명감 ノー. ¶ 답은 ~다 答えはノーだ / 자, 어때, 예스냐 ~냐 さあ, どうだ, イエスかノーか.
‖—— 스모킹 명 ノースモーキング. —— 코멘트 명 ノーコメント. ¶ 기자단의 질문에 대해서는 일체 ~였다 記者団の質問にはいっさいノーコメントだった. —— 터치 명 ノータッチ. ¶ 나는 이 사건에는 ~다 ぼくはこの事件にはノータッチである.
노-【老】 두 老; “老い”の意. ¶ ~처녀 オールドミス / ~신사 老紳士.
노고【勞苦】 명 労苦; 苦労; 骨折り; 労. ——-하다 자 苦労する; 労する; 骨折る. ¶ ~에 보답하다 労苦〔労〕に報いる / ~를 위로하다 労をいたわる〔ねぎらう〕.
노곤【勞困】 명 疲れ; くたびれ; 気怠さ. ——-하다 형 気怠い; 疲れている.
노골【露骨】 명 露骨; むきだし.
‖——-적 명관 露骨的. ¶ ~으로 말하다 明け透けに物を言う; ぶっつけに話す / 남 앞에서 ~으로 말하다 人の前まであからさまにいう / 저 그림은 너무 ~이다 あの絵はあまり露骨だ.
노구【老軀】 명 老軀. ¶ ~를 이끌고 老軀を駆って / ~를 무릅쓰고 老軀をおして.
노그라-지다 자 ① くたびれてぐったりする; げんなりになる. ¶ 몸이 노그라질 듯한 더위 げんなりする暑さ. ② (ある人·ことに)現つを抜かす; すっかりおぼ(溺)れ込む.
노글노글-하다 형 ① 熟れ過ぎるかまたは煮過ぎて柔らかだ. ② (体が)柔軟だ.
노기【怒氣】 명 怒気. ¶ ~를 띠다 怒気を帯びる〔含む〕.
‖—— 등등(騰騰) 명하형 怒気が極度に達したさま. ¶ ~한 얼굴 すごいけんまく. —— 충천(沖天) 명하형 怒気〔怒髪〕天を突くこと.
노끈 명 ① ひも(紐). =노. ¶ (맨) ~을 풀다 ひもをほど(解)く / 상자를 ~으로 동이다 箱を紐でくくる. ② ひも切れ.
노년【老年】 명 老年; 老齢; 老いらく〈雅〉. ¶ ~기 老年期.
노농【勞農】 명 労農.
‖——-당 명 労農党.
노느다 타 分ける; 分配する. =나누다.
노느-매기 명 分け; 分配. ——-하다 타 分配する; 分ける. ¶ ~ 접시 めいめい皿.
노-닐다 자 (ぶらぶらと)遊び歩く.
노다지 명 ①〖鑛〗 豊富な鉱脈; 富鉱帯; 山. ¶ ~를 찾아내다 山を当てる. ② 大当たり; 幸運; ぼろもうけ.
노닥-거리다 자 くだらないことをしゃべりふざける.
노닥-이다 자 くだらないことをしゃべりまく.
노대【露臺】 명 露台; バルコニー.
노-대가【老大家】 명 老大家. ¶ 서예의 ~ 書道の老大家.
노-대국【老大國】 명 老大国.
노도【怒濤】 명 怒濤. ¶ ~와 같이 몰려드는 인파 怒濤の如く押しよせる人波.
노동【勞動】 명 労働. ¶ 중~ 重労働 / 육체〔정신〕 ~ 肉体〔精神〕労働 / 신성한 ~ 神聖な労働.
‖—— 계급 명 労働階級. —— 단체 명 労働団体. ——-당 명 労働党. ——-력 명 労働力. ——-법 명 労働法. ——-부 명 労働部(労働省に当たる). —— 운동 명 労働運動. ——-자 명 労働者. —— 쟁의 명 労働争議. ——-절 명 ① 労働節. ②

メーデー. ── 조합 명 労働組合. ──-판 명 肉体労働者たちの働き場.
노랑 명 黄色; 黄; 黄み.
‖──-머리 명 黄色い髪の毛. また, そんな人. ──-이 명 ①黄色の品物. ②黄色い小犬. ③けちん坊; しみったれ. ¶ 저런 ~는 싫다 あんなしみったれは嫌いだ.

노랗다 형 ①黄色い; 黄色っぽい. <누렇다. ¶ 은행잎이 노랗게 물들다 銀杏の葉が黄ばむ. ②《俗》見込みがない. ¶ 싹수가 ~ とても見込みがない.
노래 명 歌; 歌曲. ──-하다 자타 歌う. ¶ 한때 유행한 ~ 一時はやった歌 / 소리높이 ~ 부르다 声高らかに歌う.
‖── 자랑 명 歌のコンテスト; のど自慢. 노랫 소리 명 歌声.
노래기 명〘動〙やすで.
노래-지다 자 黄色くなる. <누레지다.
노략【擄掠】 명하타 ろりゃく(鹵掠); 略奪.
‖──-질 명하자 略奪行為.
노려-보다 타 にらむ; にらみ付ける. にらまえる〈俗〉; (鋭い目付きで)見つめる. ¶ 눈을 부릅뜨고 ~ ぎょろりとにらみ付ける / 무서운 눈초리로 ~ 凄い目でにらむ.
노력【努力】 명 努力. ──-하다 자 努力する; 努める. ¶ ~가 努力家 / 될 수 있는 대로 깨끗한 생활을 하도록 ~하다 できるだけ清らかな生活をするように努める.
노력【勞力】 명하자 労力. ¶ ~을 덜다 労力を省く.
노련【老鍊】 명하형 老錬; 老巧; 老熟. ¶ ~한 선수〔수법〕老巧な選手〔やり口〕.
노령【老齡】 명 老齢; 老年. ¶ ~ 인구 老齢人口.
노루 명〘動〙のろ; ノル.
‖──-꼬리 명 ひどく短いことのたとえ. ──-목 명 のろの通り道〔関〕. ──-발-장도리 명 釘抜き付きの金づち. ──-잠 명 うたた寝; 仮寝; 浅い眠り.
노르께-하다 형 黄ばんでいる; 黄色がかっている. <누르께하다. ¶ 떡을 노르께하게 굽다 お餅をこんがり(と)焼く.
노르다 형 ☞ 노랗다①.
노르딕 〔Nordic〕 명 (スキーの)ノルディック.
노르마 〔러 norma〕 명 ノルマ.
노르말 〔도 Normal〕 명〘化〙ノルマル.
노르스름-하다 형 黄みを帯びている; やや黄色い; 黄色がかっている. ¶ 단풍이 노르스름해질 무렵 紅葉が黄ばむ頃.
노른-자, 노른-자위 명 卵黄; 黄身.
노름 명하자 ばくち; とばく(賭博); かけ事.
‖──-꾼 명 ばくち打ち; やくざ; 遊び人; 博徒. ──-빚 명 とばくの借金. ──-판 명 ばくち場; 賭場.
노릇 명 本分; 役; 職; 業. ¶ 사람 ~ 人としての本分 / 선생 ~ 先生の職.
노릇-노릇 부하형 点点と黄色を帯びているさま.
노리개 명 ①金·銀·宝石などで作った婦人用の装飾品. ②慰み〔なぶり〕物; ひまつぶしにもて遊ぶ物; おもちゃ. ¶ 여자를 ~로 삼다 女を慰み物〔なぶり物〕にする.
노리다[1] 타 ①にらむ; にらみ付ける. ¶ 무서운 눈으로 ~ すごい目でにらむ. ②(目標を)ねらう; うかがう; 目ざす; 目掛ける. ¶ 신기록을 ~ 新記録をめざす / 급소를 ~ 急所をねらう / 대중의 인기를 노린 영화 俗受けをねらった映画 / 틈을 ~ 隙をねらう / 먹이를 노리고 다가 가다 獲物を目掛けて近寄る.
노리다[2] 형 ①毛が燃える臭いや, やすでなどの臭いがする. ②けちだ.
노린-내 명 (やすで·羊·狐などの)臭気.
노망【老妄】 명하자 ろうもう; もうろく. ¶ ~한 노인 もうろくした老人 / 나이탓으로 ~이 나다 年のせいでもうろくする.
노멀 〔normal〕 명 ノーマル. ──-하다 형 ノーマルだ; 正常だ.
노면【路面】 명 路面; 路上. ¶ ~ 포장 路面舗装.
노모【老母】 명 老母. ¶ ~를 섬기다 老母を養う.
노목【老木】 명 老木; 老い木.
노무【勞務】 명 労務. ¶ ~ 관리 労務管理.
‖──-자 명 労務者.
노반【路盤】 명 路盤. ¶ ~ 공사 路盤工事 / ~이 물러서 함몰하다 路盤が緩んで陥没する.
노발 대발【怒發大發】 명하자 怒髪天をつくこと.
노방【路傍】 명 路傍; 道端; 路頭〈俗〉.
노벨-상【─賞】 〔Nobel〕 명 ノーベル賞. ¶ ~을 수상하다 ノーベル賞を受賞する.
노변【路邊】 명 路辺; 道端; 道の辺〈雅〉. ¶ ~에 핀 들국화 道端に咲いた野菊.
노변【爐邊】 명 炉辺; 炉端; いろりばた.
‖── 담화 명 炉辺談話.
노병【老兵】 명 老兵. ¶ ~은 사라질 뿐이다 老兵は去るのみである.
노병【老病】 명 老病.
노부【老父】 명 老父.
노-부모【老父母】 명 老父母. ¶ ~를 잘 모시다 老父母をよく養う.
노-부부【老夫婦】 명 老夫婦.
노블 〔noble〕 명 ノーブル. ──-하다 형 ノーブルだ; 上品だ.
노비【奴婢】 명 奴婢; ぬひ. =종. ¶ ~ 제도 奴婢制度.
노비【路費】 명 ☞ 노자(路資).
노사【勞使】 명 労使〔労資〕. ¶ ~의 분쟁 労使の紛争 / ~ 협의회 労使協議会.
노상【路上】 명 路上; 途中. ¶ ~에서 돈을 줍다 路上で金を拾う.

|— 강도 명 辻強盗. ¶ ~를 만 ナ서 빈털터리가 되었다 辻強盗に会ってすっからかんになった.

ㄷ상 부 いつも; 常に; 常常; 始終; しょっちゅう. ¶ ~ 젊게 보인다 いつも若く見える / ~ 불평만 하고 있다 しょっちゅう不平ばかり言っている.

ㄷ새 명 〖動〗 らば(騾馬).

ㄷ색 【老色】 명 年寄り向きの色合い.

노색 【怒色】 명 怒気; 怒った〔怒気を帯びた〕顔色.

노선 【路線】 명 路線; 線《준말》. ¶ ~ 변경 路線変更 / 자주 ~ 自主路線 / 버스 ~ バス路線.

노소 【老少】 명 老少; 老若; ろうにゃく; 長幼. ¶ 남녀 ~ 老若男女 / ~를 불문하고 老少を問わず.

‖— 동락 명하자 老少同楽.

노송 【老松】 명 老松; 古びた松.

‖—-나무 명 〖植〗 まき(真木).

노쇠 【老衰】 명 老衰. —-하다 형 老衰している. ¶ ~기 老衰期.

노숙 【老熟】 명 老熟. —-하다 형 老熟している. ¶ 저 ~ 한 연기를 보시오 あの老練な演技を見てみなさい.

노숙 【露宿】 명하자 露宿; 露の宿; 野宿. ¶ 하룻밤을 ~하다 一夜を野宿する.

노스탤지어 〔nostalgia〕 명 ノスタルジア; ノスタルジー; ホームシック.

노승 【老僧】 명 老僧.

노심 【勞心】 명하자 労心; 心配; 気苦労.

‖— 초사(焦思) 명하자 心を労し気を砕くこと.

노아 〔Noah〕 명 〖宗〗 ノア. ¶ ~의 방주 ノアの方舟 / ~의 홍수 ノアの洪水.

노안 【老眼】 명 老眼; 老視.

노안 【老顔】 명 老顔.

노약 【老若】 명 老若; 老少. ¶ ~을 가리지 않다 老若を分かたない.

노약 【老弱】 명 老弱. ¶ ~자를 보살피다 老弱を労わる / ~자를 거느리다 足弱を引きつれる.

노여움 명 怒り; 憤り; 立腹. 준 노염. ¶ ~을 사다 怒りをこうむる; 怒りに触れる / ~을 품다 怒りを含む.

노여워-하다 자 腹を立てる; 怒る; いかる; 憤る.

노역 【勞役】 명하자 労役. ¶ ~에 복역하다 労役に服する.

노염 명 ↗노여움. ¶ ~을 타다 ともすると怒る〔むっとする〕.

노엽다 형 くやしくて残念だ.

노영 【露營】 명하자 露営; 野営; ビバーク. =야영(野營).

노예 【奴隸】 명 奴隷. ¶ 돈의 ~ 金銭の奴隷 / ~처럼 부리다〔일하다〕 奴隷のようにこき使う〔働く〕.

‖— 매매 명 奴隷売買. — 제도 명 〖社〗 奴隷制度. — 해방 명 〖社〗 奴隷解放.

노옹 【老翁】 명 老翁; ろうや(老爺).

노유 【老幼】 명 老幼. ¶ ~를 불문하고 누구든지 老幼を問わずだれでも.

노이로제 〔도 Neurose〕 명 ノイローゼ; 気の病. ¶ 약간 ~ 경향이다 ややノイローゼ気味である.

노-익장 【老益壯】 명 老いてますます盛んなること.

노인 【老人】 명 老人; 年寄り; 老翁; 隠居; 翁〈雅〉; 老体〈婉曲〉. =늙은이. ¶ ~병 老人病 / ~을 보살피다 年寄りをいたわる.

‖— 복지 시설 명 老人福祉施設. —성 난청 명 老人性難聴. —성 치매 명 老人性ちほう(痴呆). —-장(丈) 명 尊老; ご老体《老人の尊称》. —-정(亭) 명 町・村の老人休息所.

노임 【勞賃】 명 労賃; 労銀; 手間賃; 手間代. =품삯. ¶ ~이 비싸게 먹히다 労賃が高くつく.

노자 【路資】 명 路銭; 路用; 旅費; 路銀〈老〉. ¶ ~에 충당하다 路用に当てる.

노작 【勞作】 명하자타 労作. ¶ 그것은 심혼을 기울인 ~이다 それは心魂を傾けた労作である.

노장 【老壯】 명 老壮; 老人と壮年.

노장 【老將】 명 老将.

노적-가리 【露積—】 명 稲むら; 堆.

노점 【露店】 명 露店; 出店; 大道店. ¶ ~ 상인 露店商人.

노점 【露點】 명 〖物〗 露点. =이슬점.

노정 【路程】 명 路程; 行程; 道のり; 道程. ¶ 하루의 ~ 一日の路程〔道のり〕.

노정 【露呈】 명하타 露呈.

노조 【勞組】 명 [↗노동 조합] 労組; ろうくみ. ¶ 출판 ~ 出版労組.

노즐 〔nozzle〕 명 ノズル.

노-처녀 【老處女】 명 老嬢; 年を取った未婚の女.

노천 【露天】 명 露天; 野天. ¶ ~ 시장 青空市場 / ~ 목욕탕 野天風呂.

‖— 극장 명 露天劇場.

노총 【勞總】 명 [↗노동 조합 총연합회] 労総. ¶ ~ 산하의 각 기관 労総傘下の各機関.

노-총각 【老總角】 명 年かさ(嵩)んだ総角〔未婚の男〕.

노출 【露出】 명 露出. —-하다 자타 露出〔裸出〕する; むきだしにする. ¶ ~된 살갗 あらわな肌 / ~ 부족 露出不足《사진의》 / ~ 광상 露出鉱床 / 가슴이 ~되다 胸がはだ(開)かる. ‖—-계 명 露出計. —-증 명 露出症.

노크 〔knock〕 명하자타 ノック.

노타이 셔츠 〔일 notie shirts〕 명 ノータイシャツ.

노트 〔note〕 명하타 ノート; 帳面.

‖—-북 명 ノートブック; ノート《준말》.

노트 〔knot〕 의명 ノット.

노틀 명 〔중 老頭兒〕 ロートル; 老人.

노-티 【老—】 명 年寄りじみた態度; 年寄りめいた格好; 老けて見える様子.

노파 【老婆】 명 老婆; ばば(婆); ばばぁ; 老女. ¶ 쭈글쭈글한 ~ しなび

ㄴ

れたおばぁさん.
‖——-심 명 婆心; 老婆心〈老〉.
노폐【老廢】명하형 老廃. ¶~물 老廃物.
노폭【路幅】명 道幅.
노-하다【怒—】자 怒る·怒る; 腹立てる; いきどおる. ¶불같이 ~ 火のように怒る; かんかんになって怒る / 열화같이 ~ 烈火の如く怒る.
노-하우〔미 know-how〕명 ノーハウ; 技術情報.
노형【老兄】대 ① 老兄. ② 親しくない間柄で相互の呼称.
노호【怒號】명하자 怒号.
노화【老化】명하자 老化. ¶~ 현상 老化現象 / 고무가 ~하다 ゴムが老化する.
노환【老患】명 老患.
노회【老獪】명하형 ろうかい(老獪).
노획【鹵獲】명 ろかく; 捕獲. ——-하다 타 ろかく〔捕獲〕する; ぶんどる. ¶~품〔물〕 ろかく〔捕獲〕品 / 전차를 ~하다 戦車をぶんどる.
노후【老朽】명 老朽; 腐朽. = 노폐(老廢). ——-하다 형 老朽している. ¶~선 腐朽船 / ~를 방지하다 腐朽を防ぐ / ~한 시골의 교사 老朽したいなかの校舎.
노후【老後】명 老後. ¶~의 낙 老後の楽しみ.
녹【祿】명 [↗녹봉(祿俸)] 禄; ぞく(粟). ¶~을 먹다 禄〔粟〕を食む.
녹【綠】명 ① ☞ 동록(銅綠). ② さび. ¶빨간 ~ 赤さび / ~방지 도료〔방청제〕 さび止め / ~이 슬다 さびがつく.
녹-나다【綠—】자 さびる; さびがつく. ¶식칼이 ~ 包丁がさびる.
녹-나무 명〔植〕くすのき.
녹-내 명 さびのにお(臭)い. ¶~ 나다 さび臭い.
녹-내장【綠內障】명 緑内障; 青そこひ.
녹는-점【—點】명〔化·物〕融解点; 融点.
녹다 자 ① 溶ける《금속의 경우는 "鎔〔熔〕ける"로도 씀》. ㉠ (固体などが)液体になる. ¶눈〔얼음〕이 ~ 雪〔氷〕が溶ける / 초가 ~ ろうそくがとろける / 불에 녹는다 火に熔ける. ㉡ 水に溶ける. ¶잘 녹지 않는다 よく溶けない. ② 暖かくなる; ぬるむ; 温まる. ¶손이 ~ 手が温まる. ③ (酒·女などに)おぼれる; とろける; 参る. ¶몸이 녹아 나는 것 같다 体がとろけるようだ. ④ (ことをしくじって)がっかりする; 参る. ⑤ ひどい〔さんざんな〕目にあう. ¶이 더위에는 정말 녹았다 この暑さには参った.
녹-다운〔knock-down〕명 ノックダウン.
녹두【綠豆】명〔植〕ぶんどう(文豆); やえなり. ¶~묵 ぶんどうで作った'묵'.
녹로【轆轤】명 ろくろ.
녹록-하다【碌碌—】형 ① ろくでもない; つまらない; とるに足らない. ¶녹록지 않은 並みでない; 侮り難い. ② (人柄が)大様でない.
녹말【綠末】명 澱粉. =전분. ¶~풀 生麩糊 / 고구마 ~ さつまいも澱粉 / ~ 가루 澱粉.
녹-물【綠—】명 さび(銹)の染み.
녹미【祿米】명 禄米; 扶持米.
녹봉【祿俸】명〔史〕俸禄; 扶持; 知行; 食禄.
녹비 명 [←녹피(鹿皮)] 鹿皮; 鹿革.
녹비【綠肥】명 緑肥; 草ごえ. = 풋거름.
‖—— 작물 명 緑肥作物.
녹색【綠色】명 緑; 緑色·りょくしょく. ¶짙은 ~ 濃緑·こみどり.
‖—— 신고(申告) 명〔經〕青色申告. —— 조류 명〔植〕緑色藻類; 緑藻類.
녹-슬다 자 さ(銹)びる; 銹び付く. ¶자물쇠가 ~ 錠が銹び付く / 식칼이 ~ 包丁が銹びる / 연관이 ~ 鉛管が焼ける〔銹び付く〕.
녹신-하다 형 柔軟だ; 柔らかだ. 녹신-녹신 부하형 柔らかなさま: ぐにゃぐにゃ.
녹실-녹실 부하형 (熟しすぎて)ひどく柔らかいさま. ¶~한 떡 ひどく柔らかいもち(餅).
녹-십자【綠十字】명 緑十字. ¶~ 운동 緑十字運動.
녹-아웃〔knock out〕명 ノックアウト.
녹옥【綠玉】명 緑玉. ① 緑色の玉. ② ☞ 에메랄드.
녹용【鹿茸】명 鹿の若角.
녹음【綠陰】명 緑陰.
‖—— 방초(芳草) 명 青葉茂る陰とうるわしい草.
녹음【錄音】명하타 録音. ¶~ 테이프 録音テープ / 가두 ~ 街頭録音 / ~기 録音器 / ~ 방송 録音放送 / ~을 지우다 録音を消す.
녹이다 타 ① 溶かす《금속의 경우에는 "熔〔鎔〕かす"로도 씀》. ㉠ (固体を高温で)液化する. ¶쇠를 도가니에 넣고 ~ 鉄をるつぼに入れて熔かす. ㉡ (結晶体を)液体にする. ¶눈〔얼음〕을 ~ 雪〔氷〕を溶かす / 그림 물감을 기름으로 ~ 絵具を油で溶かす. ② (体を)温める. ¶화로에 손을 ~ 火鉢に手をあぶる / 목욕탕에서 몸을 ~ ふろで体を温める. ③ (人の心などを)とりこにする; とろかす. ¶남자의 마음을 ~ 男の心をとろかす. ④ ひどい〔さんざんな〕目に合わせる.
녹조-류【綠藻類】명〔植〕[↗녹색 조류] 緑藻類.
녹주-옥【綠柱玉】명〔鑛〕エメラルド. =에메랄드.
녹지【綠地】명 緑地. ¶~화 緑地化 / ~대 緑地帯.
녹차【綠茶】명 緑茶.
녹청【綠靑】명 緑青; 銅青; 石緑. ① 銅に生ずる緑色のさび. ② 緑色の塗料.
녹초 명 へたばった状態. ¶~가 되다 へ(た)ばる; ぐったりとなる; へこたれる.
녹화【綠化】명하타 緑化. ¶산림 ~ 山林緑化 / ~ 운동 緑化運動.
녹화【錄畫】명하자타 録画. ¶~ 중계 録画中継 / ~ 테이프 録画テー

プ / ~기 録画撮り; カムコーダ / 예약 ~ 留守録画.

논 명 田; 水田. ¶계단식 ~ 棚田 / 황폐한 ~ 荒れ田 / ~길 田圃道 / ~을 갈다 田を耕す / ~이 말라서 갈라지다 田が干割れる / ~에 물을 대다 田に水を引く.

논【論】 명 論. ① 意見; 見解. ② 事物について論ずる文体. ③ ☞ 논설.

논- 〔non〕 두 ノン. ¶~스톱 ノンストップ / ~픽션 ノンフィクション.

논-갈이 명 하자 田を耕すこと.

논객【論客】 명 論客; ろんきゃく.

논거【論據】 명 論拠. ¶~가 확고하다 論拠がしっかりしている.

논고【論考·論攷】 명 하타 論考.

논고【論告】 명 하타 論告. ¶검찰관의 준엄한 ~ 検察官の峻厳な論告 / 검사의 ~가 있었다 検事の論告があった.

논공【論功】 명 하타 論功.

‖── 행상 명 論功行賞. ¶~이 합당치 못하였다 論功行賞が当を得なかった.

논-길 명 あぜ道; たんぼ道.

논-꼬 명 田の用水の出し入れ口.

논-농사【一農事】 명 田作·たつくり; 稲作.

논다 타 [↗노느다] 分ける. ¶다섯 몫씩 ~ 五人分ずつ分ける.

논-다니 명 《俗》遊女; 遊び女.

논단【論壇】 명 論壇. ¶M씨는 ~의 원로중의 한 사람이다 M氏は論壇の元老の一人である.

논-두렁 명 あぜ(畦·畔). ¶~길 あぜ道.

논-둑 명 あぜ(畦·畔).

논란【論難】 명 하타 論難.

논리【論理】 명 論理. ¶형식 ~ 形式論理 / ~의 비약 論理の飛躍.

‖──-성 명 論理性. ──-적 명 관 論理的. ¶~인 사고 방식 論理的な考え方. ──-학 명 論理学.

논-마지기 명 いくばくの田.

논-매다 자 田の草取りをする.

논문【論文】 명 論文. ¶~ 형식 論文形式 / ~집 論文集 / 졸업 ~ 卒業論文 / 학위 ~ 学位論文.

논-문서【一文書】 명 田の所有権利証書.

논-물 명 田水.

논박【論駁】 명 하타 ろんぱく(論駁). ¶어용 학자의 논문을 ~하다 御用学者の論文を論駁する.

논-밭 명 田畑. ¶~을 갈다 田畑を耕す.

논-배미 명 田の一区域; ある広さの田.

논법【論法】 명 論法. ¶삼단 ~ 三段論法 / 춘추의 ~으로써 한다면 春秋の論法をもってすれば.

논-보리 명 田に植えた麦.

논봉【論鋒】 명 ろんぽう(論鋒). ¶예리한 ~으로 따지고 들다 論鋒鋭く詰め寄る.

논설【論說】 명 하타 論説. ¶~문 論説文 / ~란 論説欄.

‖── 위원 명 論説委員.

논술【論述】 명 하타 論述. ¶자네의 ~에는 잘못이 있다 君の論述には誤りがある.

논-스톱 〔nonstop〕 명 ノンストップ.

논어【論語】 명 論語.

논외【論外】 명 論外. ¶그것은 ~의 문제이다 それは論外の問題である.

논의【論議】 명 하타 論議. =의논. ¶충분히 ~하였다 十分に論議を尽くした.

논-일 명 하자 田の仕事.

논자【論者】 명 論者. ¶산아 제한 ~ 産児制限論者.

논쟁【論爭】 명 하자 論争; 争論. ¶격렬한 ~ 激しい論争 / 무의미한 ~ 無意味な論争 / ~의 여지가 없는 論争の余地の無い.

논점【論點】 명 論点. ¶~을 벗어난 질문 論点をはずれた質問.

논제【論題】 명 論題; 論説の題目. ¶토론회의 ~ 討論会の論題.

논조【論調】 명 論調. ¶신문의 ~ 新聞の論調 / 격렬한 ~로 반박하다 激しい論調で反駁する.

논죄【論罪】 명 하타 論罪.

논증【論證】 명 하타 論証. ¶직접〔간접〕 ~ 直接〔間接〕論証.

논지【論旨】 명 論旨. ¶~는 극히 명쾌하다 論旨は極めて明快である.

논-타이틀 〔nontitle〕 명 ノンタイトル. ¶~ 친선 경기를 갖다 ノンタイトル親善競技を持つ.

논평【論評】 명 하타 論評. ¶신랄하게 ~하다 舌先鋭く論評する.

논-풀다 자 土地や畑を田に替える.

논-프로 명 [←nonprofessional] ノンプロ.

논-픽션 〔non-fiction〕 명 ノンフィクション.

논-하다【論—】 타 [↗논지(論之)하다] 論ずる. ¶문학을 ~ 文学を論ずる / 논할 거리가 못 된다 論ずるに足らない / 논할 것도 없이 論じるまでもなく.

놀¹ 명 空が赤く染まって見えること. ¶아침 ~ 朝焼け / 저녁 ~ 夕焼け.

놀² 명 大波; 荒浪; 激浪. ¶산더미 같은 ~ 山なす大波.

놀다 자 ① 遊ぶ. ㉠ 戯れる. また, 好きなことをする. ¶놀며 시간을 보내다 遊びながら時間をつぶす / 놀러 가다 遊びに行く / 또 놀러 오게나 また遊びに来たまえ / 강아지가 공을 가지고 ~ 子犬がまりに戯れる. ㉡ …をして楽しむ. ¶노래를 하며 ~ 歌を歌って遊ぶ. ㉢ 遊興する. ¶오늘 저녁 한잔 마시고 놀자 今夜一杯飲んで遊ぼうや. ㉣ 何もしないでいる; 休む. ¶노는 날 休日; 休み / 하루 ~ 一日休む / 내일은 노는〔쉬는〕 날이다 明日は休みだ. ㉤ 職を得られずにいる; ぶらぶらする. ¶놀고 지내다 遊んで暮らす / 지금 놀고 있습니다 今休んでいます. ㉥ 使用されずにいる; 寝る. ¶놀고 있는 돈〔땅〕 遊んでいる金〔土地〕 / 돈이

놀고 있다니 金を寝かしているとは. ②挿し込まれたものが緩み動く. ¶못이 ~ くぎ(釘)が死んでいる / 나사가 ~ ねじが空回りをする / 이가 ~ 歯が動く. ③わがままに振舞う. ¶제멋대로 ~ 勝手に振舞う.

놀라다 자 驚く; びっくりする; あきれる; たまげる〈俗〉. ¶소스라치게 ~ びっくり仰天する; 肝をつぶす / 놀란 나머지 실신하다 驚きのあまり気を失う / 깜짝 놀라게 하다 あっと言わせる; 度胆を抜かす.

놀라움 명 驚き; 驚異; きょうがく(驚愕).

놀란 가슴 명 ひとどき驚いたことにより, ともするとびくびくする胸.

놀랍다 형 ①驚くべきだ; オドロキだ〈口〉. ¶놀라운 사건이다 驚くべき事件だ. ②目覚ましい; 素晴らしい; 見事だ. ¶놀라운 진보 目覚ましい進歩. ③意外だ; 案外だ. ¶놀랍게 여기다 案外に思う.

놀래다 타 びっくりさせる; 驚かす. ¶너를 크게 놀래 줄 일이 있다 君をびっくりさすことがある.

놀리다[1] 사동 遊ばせる. ①遊びをさせる; 楽しませる. ¶어린 아이를 ~ 子供を遊ばせる. ②休ませる; 休める. ¶저 사람은 조금도 몸을 놀려 두지 않는다 あの人は少しも休まないで動き回っている. ③使用しないでおく. ¶기계를 놀려 두다 機械を遊ばせておく / 밭을 ~ 畑を休ます / 돈을 놀려 두다 お金を寝かしておく.

놀리다[2] 타 ①からかう; 冷やかす. ¶여자를 ~ 女を冷やかす / 나를 놀리지 마라 おれをおちょくるなよ. ②操る; 動かす. ¶인형을 ~ 人形を操る / 기계를 ~ 機械を動かす / 손발을 ~ 手足を動かす / 붓을 빨리 ~ 筆を走らす. ③みだりにしゃべる. ¶입 좀 그만 놀려라 あまり無駄口をたたくな. ④金を回す; 金貸しをする. ¶5푼 이자로 돈을 ~ 五分の利子で金貸しをする.

놀림 명 冷やかし. ¶반~조로 冷やかし半分に.
‖──-감 명 なぶり物. ¶~이 되다 なぶり物になる. ──-거리 명 笑いぐさ.

놀부 명 欲張りで意地の悪い人《古代小説"興夫伝"の主人公の一人》.

놀아-나다 자 浮気をし始める.

놀이 명하자 ①遊び. ¶~ 상대 遊び相手. ②楽しく遊ぶこと; 遊びごと; 行楽. ¶꽃~ 花見 / 카드 ~ カード遊び; カードプレイング / 단풍 ~ 가다 紅葉狩りに行く.
‖──-터 명 行楽地; 遊び場. ──-판 명 行楽場. 놀잇-배 명 遊船.

놀-지다 자 大波が立つ.

놈[1] 명 やつ; 野郎. ¶이 ~이 この野郎が / 바보 같은 ~ ばかめ; ばか野郎 / 얼간이 같은 ~ とんま(頓馬)なやつ.

놈[2] 의명 動物や品物を指す語. ¶암~이 수~보다 크다 めすがおすより大きい.

놈-팡이 명《俗》①男を見さげていう語. ②ジゴロ; ならず者; ひも. ③ルンペン.

놋 명 ↗놋쇠. ¶~세공(細工) しんちゅう(真鍮)細工.

놋-그릇 명 しんちゅう(真鍮)の器.

놋-쇠 명〔化〕しんちゅう(真鍮); 黄銅. 준 놋. ¶도금한 ~ 金着せ真鍮.

놋-숟가락 명 しんちゅう(真鍮)のさじ.

놋-젓가락 명 しんちゅう(真鍮)のはし.

농【弄】 명하자 ①いたずら; たわむれ. ②↗농담.

농【膿】 명 のう; うみ. =고름.

농【籠】 명 ①つづら; こうり(行李). ②[↗장농(欌籠)] たんす. ¶~ 속에 나프탈렌을 넣다 たんすの中にナフタリンを入れる.

농가【農家】 명 農家. ¶~에 묵다 農家に泊まる.

농간【弄奸】 명하타 手練; 手管; 細工〈俗〉. ──-부리다 자 手練を弄する; 手管に乗せる; 小細工を弄する. ¶뒤에서 농간을 부리다 陰で細工をする.

농경【農耕】 명하자 農耕. ¶~ 생활 農耕生活 / ~기 農耕期.

농공【農工】 명 農工.
‖──-업 명 農工業.

농과 대학【農科大學】 명 農科大学.

농구【籠球】 명 バスケットボール.

농군【農軍】 명 農夫.

농기【農期】 명 農期. =농사철.

농-기구【農機具】 명 農機具. =농구(農具).

농노【農奴】 명〔史〕農奴.
‖── 해방 명〔史〕農奴解放.

농담【弄談】 명 冗談. ──-하다 자 冗談を言う. ¶~을 진담으로 듣다 冗談を真に受ける.

농담【濃淡】 명 濃淡.

농도【濃度】 명 濃度. ¶~계 濃度計.

농땡이 명《俗》のらくら(もの); 怠け者. ¶걸핏하면 ~친다 何かに付けサボる.

농락【籠絡】 명 ろうらく(籠絡). ──하다 타 籠絡する; もてあそぶ. ¶여자를 ~하다 女をもてあそぶ / 운명에 ~되다 運命にもてあそばれる.

농림【農林】 명 農林.
‖── 수산부 명 農林水産部《農林水産省にあたる》. ── 행정 명 農林行政.

농무【濃霧】 명 濃霧. ¶~에 싸여서 濃霧に包まれて.

농민【農民】 명 農民; 百姓.
‖── 문학 명 農民文学. ── 운동 명 農民運動.

농번-기【農繁期】 명 農繁期.

농본-주의【農本主義】 명 農本主義.

농부【農夫】 명 農夫; 百姓.

농사【農事】 명하자 農事. ¶~는 나라의 근본 農は国の本 / ~에 힘쓰고 있다 農事にいそしんでいる. ──-짓다 자 農業をする; 農作する; 耕作する.
‖──-꾼 명 百姓; 農夫. ──-일 명하자 農事. ──-철 명 農繁期; 農期. 농삿-집 명 農家.

농산【農産】 명 農産(物).
——물 명 農産物；農産《준말》. ¶ ~ 가공 農産物加工 / ~의 집산지 農産(物)の集散地.

농상【農商】 명 農商.

농성【籠城】 명 ろうじょう(籠城). ——하다 자 籠城する；座り込む. ¶ ~ 투쟁 籠城闘争 / 데모대가 관청 앞에서 ~하다 デモ隊が役所の前に座り込む.

농-수산【農水産】 명 農水産.

농아【聾啞】 명 ろうあ(聾啞).
‖—— 교육 명 ろうあ教育. —— 학교 명 ろうあ学校.

농악【農樂】 명 農楽《韓国農民特有の民俗芸能；笛·太鼓·鉦·銅鑼などをはやしながら歌い踊る》.
‖——대 명 農楽隊.

농약【農藥】 명 農薬. ¶ 잔류 ~ 残留農薬.

농양【膿瘍】 명 〖醫〗のうよう(膿瘍).

농어 명 〖魚〗すずき(鱸). ¶ ~의 새끼 せいご.

농어-촌【農漁村】 명 農漁村.

농업【農業】 명 農業. ¶ ~에 종사하다 農業に従事する.
‖—— 경제 명 農業経済. —— 기상 명 農業気象. —— 인구 명 農業人口. —— 정책 명 農業政策. —— 행정 명 農業行政. —— 혁명 명 農業革命. —— 협동 조합 명 農業協同組合. 준 농협.

농예【農藝】 명 農芸.

농원【農園】 명 農園.

농작【農作】 명 農作.
‖——물 명 農作物；作物.

농장【農場】 명 農場. ¶ ~ 관리 農場管理 / 수경 ~ 水耕農場.

농정【農政】 명 農政.
‖——학 명 農政学.

농조【弄調】 명 冗談まじり；ふざけ調子.

농주【農酒】 명 ① 農事の合間に飲む酒. ② どぶくろ.

농지【農地】 명 農地.
‖—— 개혁 명 農地改革.

농-지거리【弄—】 명 冗談；ざれ言. ——하다 자 冗談口をたたく；ざれ言をいう.

농촌【農村】 명 農村. ¶ ~ 개혁 農村改革 / 시급한 ~ 문제 急を要する農村問題.

농축【濃縮】 명하자 濃縮.
‖—— 우라늄 명 濃縮ウラン.

농토【農土】 명 田畑；農地.

농-하다【弄—】 자 ① いたずらをする；ふざける. ¶ 농하지 말게 ふざけないでくれ. ② 弄する. ¶ 궤변을 ~ 奇弁を弄する.

농학【農學】 명 農学. ¶ ~ 박사 農学博士.

농한-기【農閑期】 명 農閑期；作間. ¶ ~를 이용한 수공업 農閑期を利用した手工業.

농협【農協】 명 [↗농업 협동 조합] 農協.

농후【濃厚】 명하형 濃厚. ¶ ~한 러브신 濃厚なラブシーン.

높-낮이 명 高低.

높다 형 高い. ① (空間的に)上の位置にある. ¶ 높은 코 高い鼻 / 산이 ~ 山が高い. ② 高貴である；尊〔貴〕い；偉い. ¶ 지위가〔신분이〕 ~ 地位〔身分〕が高い. ③ 世間に知れ渡っている. ¶ 평판이 ~ 評判が高い. ④ すぐれている；卓越だ. ¶ 식견이〔눈이〕 ~ 見識が〔目が〕高い. ⑤ (温度·比などが)大きい. ¶ 온도가〔열이〕 ~ 温度が〔熱が〕高い / 사망률이 ~ 死亡率が高い. ⑥ 値が張る. ¶ 물가가 ~ 物価が高い. ⑦ (声などが)大きい. ¶ 목소리가 ~ 声が高い. ⑧ (程度が)はなはだしい. ¶ 위도가 ~ 緯度が高い.

높-다랗다 형 非常に高い.

높아-지다 자 高まる. ¶ 관심이 ~ 関心が高まる / 비난의 소리가 ~ 非難の声が高まる.

높이 一명 高さ；高度. ¶ ~는 5척 高さは五尺 / ~를 재다 高さをはかる. 二부 高く. ¶ 종달새가 하늘 ~ 날아 오르다 ひばり(雲雀)が空高く舞い〔飛び〕上がる / 소리 ~ 노래 부르다 声高らかに歌う.

높이다 타 ① 高める. ¶ 여성의 지위를 ~ 女性の地位を高める / 소리를 높여 외치다 声を張り上げて叫ぶ. ② 敬語を使う.

높이-뛰기 명 高跳び；走り高跳び；ハイジャンプ.

높임-말 명 敬語. =공대말.

높직-이 부 やや高く；高めに.

높직-하다 형 やや高い. ¶ 높직한 언덕 小高い丘.

놓다¹ 타 ① (取っていたものを)放す. ¶ 핸들을 ~ ハンドルを放す / 새를 놓아 주다 鳥を放してやる. ② 放つ. ¶ 실탄을 한 방 ~ 実弾を一発放つ / 불을 ~ 火を放つ. ③ (間に人·橋などを)置く；架け渡す. ¶ 강에 다리를 ~ 川に橋を架ける / 거간꾼을 ~ 仲買〔ブロカー〕を立てる. ④ 装置する；仕掛ける. ¶ 덫을 ~ わなを仕掛ける. ⑤ 置く；残しておく. ¶ 책상 위에 책을 ~ 机の上に本を置く. ⑥ 打つ；注射する. ¶ 침을 ~ はり(鍼)を打つ. ⑦ 飾り縫いをする；ししゅう(刺繡)する. ¶ 꽃수를 ~ 花をししゅうする. ⑧ (そろばんを)弾く；計算する. ¶ 주판을 ~ そろばんを弾く. ⑨ 引く；架設する. ¶ 수도를 ~ 水道を引く. ⑩ 措く. ¶ 붓을 ~ 筆をおく / 숟가락을 ~ さじをおく. ⑪ (買い手が値段を)言う；つける. ¶ 값을 놓아 보시오 値段をつけて見なさい. ⑫ (利子を取って)金を貸す. ¶ 오푼 이자로 돈을 ~ 五分の利子で金を貸す. ⑬ 心配がなくなる. ¶ 마음을 ~ 安心する. ⑭ ぞんざいなことば遣いになる. ¶ 그는 이봐 창수, 하고 말을 놓았다 彼はおい昌洙と呼捨てにした.

놓다² 보동 "-아"·"-어", または "라"·"이라"の次について, これまでの形状をそのままにしておくことを表わす

語. ¶ 논을 갈아 ~ 田を耕しておく / 답안지를 엎어 ~ 答案紙を伏せておく.
놓아 두다 타 ① 置いておく. ¶ 책을 책상 위에 ~ 本を机の上に置いておく. ② ほったらかしておく. ¶ 참견 말고 그냥 놓아 두어라 おせっかいはやめてほったらかしておけ.

ㄴ

놓아 주다 타 放してやる; 逃がす; 逃す. ¶ 잡은 새를 ~ つかまえた鳥を放してやる.
놓이다 자 ① 載る. ¶ 책상 위에 시계가 놓여 있다 机の上に時計が載っている. ② (心が)安らぐ. ¶ 마음이 ~ 安心できる.
놓치다 타 ① 逃がす; 逃す; 取りにがす; 逸する. ¶ 절호의 찬스를 ~ 絶好のチャンスを逃がす; 好機を逸する / 일행을〔끼니를〕 ~ 一行に〔飯に〕はぐれる. ② 乗りそこなう; 乗り外す; 乗り遅れる. ¶ 2분 차이로 기차를 ~ 二分の違いで汽車に乗り損なう. ③ 見失う; 見逃す; 見過ごす〈老〉. ¶ 깜박 ~ うっかり見逃す. ④ (手に持っていた物を)取り落とす. ¶ 그릇을 놓쳐 깨뜨리다 食器を取り落として割る.
뇌 【腦】 명 脳; 脳味噌〈俗〉. ¶ ~를 앓다 脳をおかされる.
뇌격 【雷擊】 명하타 雷撃. ¶ ~기로 공격하다 雷撃機で攻撃する.
뇌관 【雷管】 명 雷管. ¶ 포탄의 ~ 砲弾の雷管.
뇌까리다 타 (不快な相手の言葉を交ぜ返して)くどくど繰り返して言う.
뇌다 타 くどくど言う.
뇌동 【雷同】 명하자 雷同. ¶ 부화 ~ 付和雷同.
뇌리 【腦裡】 명 脳裏. ¶ ~에 새기다 脳裏に焼き付ける / ~에서 떠나지 않다 脳裏を去らない.
뇌막 【腦膜】 명 脳膜. ¶ ~염에 걸리다 脳膜炎にかかる.
뇌물 【賂物】 명 わいろ; そでの下. ¶ ~을 쓰다 わいろ〔そでの下〕を使う / ~로 매수하다 わいろで買収する.
뇌-빈혈 【腦貧血】 명〔醫〕脳貧血. ¶ ~을 일으키다 脳貧血を起こす.
뇌사 【腦死】 명 脳死.
뇌성 【雷聲】 명 雷声.
‖— 벽력(霹靂) 명 雷の音と落雷; 耳をつんざくようなとどろき.
뇌쇄 【惱殺】 명하타 悩殺.
뇌수 【腦髓】 명 脳髄; 脳みそ〈俗〉.
뇌-수술 【腦手術】 명 脳手術.
뇌-신경 【腦神經】 명〔生〕脳神経.
뇌압 【腦壓】 명 脳圧.
뇌염 【腦炎】 명〔醫〕脳炎. ¶ ~에 걸리다 脳炎にかかる.
뇌우 【雷雨】 명 雷雨.
뇌-일혈 【腦溢血】 명〔醫〕脳溢血; 脳出血. ＝뇌출혈.
뇌-전색 【腦栓塞】 명〔醫〕脳塞栓; 脳栓塞.
뇌-졸증 【腦卒中】 명〔醫〕脳卒中.
뇌-종양 【腦腫瘍】 명〔醫〕脳腫瘍.
뇌-진탕 【腦震蕩】 명〔醫〕脳震盪〔脳震蕩〕.
뇌-척수 【腦脊髓】 명〔生〕脳脊髄.
‖—막-염 명〔醫〕脳脊髄膜炎.
뇌-출혈 【腦出血】 명〔醫〕☞ 뇌일혈
뇌파 【腦波】 명〔生〕脳波. ¶ 정상 ~ 正常脳波 / 이상 ~ 異常脳波.
뇌-하수체 【腦下垂體】 명〔生〕 脳下垂体. ¶ ~ 호르몬 脳下垂体ホルモン.
뇌-혈전 【腦血栓】 명〔醫〕脳血栓.
누 【累】 명 累; わずらい. ¶ ~를 끼치다 累を及ぼす.
누 【樓】 명 楼. ① ↗누각. ② 高殿. ＝다락집. 「何と言っても.
누 대 ↗누구. ¶ ~가 뭐라 해도 誰が
누가 준 [↗누구가] 誰が. ¶ ~ 썼느냐 誰が書いたか.
누각 【樓閣】 명 楼閣; 高殿. ¶ 공중 ~ 空中楼閣 / 사상 ~ 砂上の楼閣.
누거 【陋居】 명 陋居; 陋屋.
누계 【累計】 명하타 累計. ¶ ~ 일천만 원 累計一千万ウォン.
누구 대 誰. ¶ 너는 ~냐 君は誰か / 실례지만 ~신지요 失礼ですがどちら様〔どなた様〕でいらっしゃいますか / ~하고는 다르지 だれかさんとは違うよ / ~나 정치를 하겠다니 탈이다 猫も杓子も政治に手を出すとは困ったものである.
누구-누구 대 "누구"の複数形: 誰誰. ¶ 이번에 당선된 사람은 ~입니까 今度当選したのはだれだれですか / ~할 것 없이 誰彼なしに; 誰彼の区別なく.
누그러-지다 자 和らぐ; 和む; 軟化する. ¶ 통증이 ~ 痛みが和らぐ / 험악한 공기가 ~ 険悪な空気が和む / 태도가 ~ 態度が和らぐ.
누글누글-하다 형 湿っぽくて柔らかい.
누긋-하다 형 ① (物が湿り気があって)柔らか気である. ② (ゆとりがあって)柔和だ; 悠長だ; ゆったりしている. ¶ 누긋한 태도 のんびりした態度 / 누긋하게 마음 먹다 悠長に構える. 누긋-이 부 柔らかく; 柔和に; ゆったり〔のんびり〕と; 悠長に.
누기 【漏氣】 명 湿り; 湿り気. ¶ 김에 ~가 찼다 のり(海苔)に湿りがはいった / ~찬 김 じとじとになった海苔.
누나 명 姉; 姉さん.
누누-이 【屢屢—】 부 縷縷と; こまごまと; 繰り返して. ¶ ~ 설명하다 こまごまと説明する.
누님 명 姉さん; 姉御.
누다 타 大小便をする; たれる. ¶ 오줌을 ~ 小便をする / 똥을 ~ 糞をたれる.
누대 【屢代】 명 累代; 累世. ¶ ~의 묘 累代のお墓.
누대 【樓臺】 명 楼台.
누더기 명 ぼろ. ¶ ~를 걸친 사람 ぼろをまとった人 / ~ 같은 옷 おんぼろな服.
누덕-누덕 부하형 継ぎはぎだらけなさま. ¶ ~한 옷을 벗어던지다 継ぎはぎだらけの服をぬぎ捨てる.
누-되다 【累—】 자 わずらわしくする; 累を及ぼす〔掛ける〕.
누드 〔nude〕 명 ヌード. ¶ ~쇼 ヌード

ショー.

누락【漏落】 명 漏れ; 落ち; 抜け. ——-하다 자타 漏れる; 抜ける; 落ちる; 落とす. ¶기입 ~ 記入漏れ / 장부에 ~이 있다 帳簿に落ちがある.

누란【累卵】 명 累卵. ¶~의 위기 累卵の危機.

누렇다 형 黄ばんでいる; 黄金色だ.

누룩 명 こうじ(麹).
‖——곰팡이 명〘植〙こうじ菌.

누룽-지 명 焦げ; お焦げ〈女〉.

누르다 타 ① 押さえる. ㉠(上から下へ)押す. ¶급소를 ~ つぼを押さえる / 목을 ~ のどを押さえる. ㉡(強いて)押さ〔抑〕えつける; (抑)制する; 鎮圧する. ¶격정을 ~ 激情を抑える / 노여움을 ~ 怒りを押さえる〔制する〕/ 충동을 ~ 衝動を制する / 반란을 ~ 反乱を鎮圧する. ② 押す. ㉠ 捺印する. ¶도장을 ~ 印〔はんこ〕を押す. ㉡(相手を)圧倒する; 圧する. ㉢ 押して鳴らす. ¶초인종을 ~ 呼び鈴を押す.

누르락붉으락-하다 형 (ひどく怒って顔色が)黄色くなったり赤くなったりする.

누르락푸르락-하다 형 (ひどく怒って顔色が)黄色くなったり青くなったりする.

누르스름-하다 형 薄黄色い; 黄みがかっている.

누름-단추 명 押しボタン.

누릇누릇-하다 형 点点と黄色みがかっている.

누리 명 世界; この世.

누리다¹ 타 (富貴·長寿などを)うける; 享受する. ¶행운을 ~ 幸運を享受する.

누리다² 형 (肉などが)脂臭い; 獣くさい.

누린-내 명 (獣の肉から発する)脂臭いにおい; (獣の毛などが焼けるときにでる)焦げ臭いにおい.

누명【陋名】 명 ① 汚名; 不名誉. =오명. ② ぬ(濡)れ衣.

누범【累犯】 명〘法〙累犯. ¶~자 累犯者.

누비다 타 ①(綿を入れて)刺し縫いする; 刺し子に縫う. ②(狭い間を)縫う. ¶인파를 누비고 가다 人波を縫って行く.

누비-옷 명 刺し子.

누비-이불 명 刺し縫い布団.

누선【涙腺】 명〘生〙るいせん(涙腺).

누설【漏泄】 명 ろうえい(漏洩)《"ろうせつ"의 관용음》. ——-하다 자타 漏洩する; 漏れる; 漏らす. ¶비밀을 ~하다 秘密を漏らす.

누수【漏水】 명하타 ① 漏水. 漏れ水. ② 水時計〔漏刻〕の水.

누심【壘審】 명 (野球の)塁審.

누에 명〘蟲〙蚕. ¶~를 치다 蚕を飼う.
‖——고치 명 (蚕の)繭. ——-잠 명 蚕の眠り. ——-콩 명〘植〙そらまめ.

누옥【陋屋】 명 ろうおく(陋屋).

누워 떡 먹기 구 朝飯前; 朝飯前のお茶漬け.

누워-먹다 타 ただで食う; 遊んで暮らす.

누이 명 姉; 妹. ¶~ 좋고 매부 좋다《俚》 妹にも結構義弟にも結構《両方ともいいことのたとえ》.
‖—— 동생(同生) 명 妹.

누이다¹ 타 ① 寝かす; 寝かせる; 横たえる. ¶자리에 ~ 床に寝かす〔横たえる〕. ②(織物をあく(灰汁)で)練る. ¶명주를 ~ 絹を練る.

누이다² 사동 大小便をさせる. ¶오줌을 ~ 小便〔おしっこ〕をさせる.

누적【累積】 명하자타 累積. ¶~된 울분이 터지다 積もった鬱憤が爆発する.

누전【漏電】 명하자 漏電.

누지다 형 やや湿っている; 湿り気がある.

누진【累進】 명하자 累進.
‖—— 과세, ——-세 명 累進課税; 累進税. ——-율 명 累進率.

누차【屢次】 ㊀명 累次; 再三再度; 屢次. ¶~의 재해 累次の災害 / ~의 주의에도 불구하고 再再(度)の注意にもかかわらず. ㊁부 しばしば; たびたび. ¶비슷한 사건이 ~ 일어났다 同じような事件がしばしば〔たびたび〕起こった.

누추-하다【陋醜—】 형 むさくるしい; むさい〈俗〉. ¶누추한 방 むさくるしい部屋 / 누추한 집이지만 어서 들어오십시오 むさい所ですがどうぞお上がりください.

누출【漏出】 명하자 漏出. ¶호스에서 물이 ~하다 ホースから水が漏れ出る.

눅눅-하다 형 湿っぽい. ¶눅눅한 종이 湿っぽい紙.

눅다¹ 자 ①(相場が)下がる. ②(寒さが)和らぐ; 暖かくなる.

눅다² 형 ①(練りなどが)水気〔しめりけ〕があって柔らかい. ②(性格が)おだやかだ; 和やかだ. ¶성질이 눅은 사람 おだやかな人.

눅신-하다 형 (繊維質の物が)やや湿っぽくて柔らかい. 눅신-눅신 부하형 やや湿っぽくて柔らかいさま.

눅이다 타 ①(固いものを)柔らかくする; 湿す; 湿らせる. ¶반죽을 ~ 練りを薄くする. ②(心を)和らげる. ¶날카로워진 신경을 ~ 尖った神経を和らげる.

눅지다 자 (寒さが)温む; 和らぐ.

눅진-눅진 부하형 柔軟でねばねばしているさま; とろとろ. ¶~한 엿 とろとろのあめ(飴).

눈¹ 명 目. ① 目; 眼〈雅〉; めんめ〈児〉; お目目〈雅〉. ¶왕방울 ~ どんぐり眼 / ~을 크게 뜨고 目を丸くして / ~깜짝할 사이에 瞬く間に; あっという間に / ~을 내리 깔다 目を伏せる / ~이 뜨이다 目が覚める / ~에 들어오다 目に入る / ~에 비치다 目に映る / ~을 부라리다〔부릅뜨다〕 目をむく / 제 ~을 의심하였다 目を疑った / ~이 휘둥그래지다 目をぱちくりさせる / ~을 희번덕거리다 目を白黒させる / ~에서 불이 난다 目から火が出る. ② 表情; 顔付き. ¶~으로 알리다 目で知らせる / ~으

ㄴ

로 인사하다 目であいさつする / 의심하는 ～으로 보다 疑いの目で見る / 호의적인 ～으로 보다 好意のまなざしで見る / ～에 쌍심지를 켜다 目に角を立てる. ③ 視力. ¶ 밤～에도 똑똑이 보이다 夜目にもはっきり見える / ～이 멀다 目がつぶれる / ～이 나쁘다〔좋다〕目が悪い〔良い〕. ④ 心; 意中. ¶ ～에 들다 目〔気〕に入る / ～에 거슬리다 目に障る / ～에 선하다 目に残る; 目にありありとする / 돈에 ～이 어두워지다 金に目がくらむ / 욕심에 ～이 멀다 欲に目がくらむ. ⑤ 注目; 注視. ¶ 남의 ～을 피하다 人の目をさける〔忍ぶ〕/ 사람의 ～을 끌다 人の目を引く / ～에 띄다 目に立つ; 目に止まる / ～을 떼지 않다 目を放さない / ～을 딴 데로 돌리다 目をそらす / ～이 닿다〔미치다〕目がとどく. ⑥ 眼識. ¶ ～이 높다〔높아지다〕目が高い〔肥える〕/ 미술에 대한 ～이 있다 美術の目がある / 내 ～엔 틀림없다 私の目に狂いはない. ⑦ 見方. ¶ 서양 사람의 ～으로 보면 西洋人の目から見れば. ⑧ 自覚. ¶ 이로써 그도 ～을 떴겠지 これで彼も目がさめたであろう.

눈² 명 芽. ¶ ～이 트다 芽を吹く.

눈³ 명 ☞ 눈금. ¶ 저울～ はかりの目 / 저울～을 속이다 目〔めかた〕を盗む.

눈⁴ 명 ① 目. ¶ 그물 ～ 網の目 / ～이 성긴 체 目の粗いふるい(篩). ② (革靴などの)先と縁の飾り.

눈⁵ 명 雪. ¶ 큰 ～ 豪雪 / ～같이 흰 살갗 雪のような肌 / ～이 내리다 雪が降る / ～처럼 희다 雪のように白い; 雪を欺く / ～에 덮이다 雪におおわれる / ～에 묻히다 雪に埋もれる.

눈-가 명 目じり; 目縁. ¶ ～에 주름이 잡히다 目じりにしわが寄る.

눈-가루 명 雪の粉.

눈-가림 명하자 手を抜くこと; 見せかけ.

눈-감다 자 ① 目をつぶる〔閉じる〕; 死ぬ. ¶ 눈감으면 코 베어 먹을 세상《俚》生き馬の目を抜く. ② 見て見ないふりをする.

눈감아 주다 타 大目に見る; 見逃す; 黙認する.

눈-거칠다 형 目障りだ.

눈-겨룸 명하자 にら(睨)めっこ; にらみっくら.

눈-결 명 目に付いた一瞬; 束の間.

눈-곱 명 ① 目やに; 目くそ. ¶ ～이 끼다 目やにがたまる. ② ごく小さいものをいう語. ¶ 그의 말에는 ～만큼의 진실도 없다 彼の言うことにはけし粒ほどの真実もこもってない.

눈-곱자기 명 "눈곱"の俗称.

눈-구멍 명 眼孔.

눈-구석 명 目頭; 目もと.

눈-금 명 目盛り; 度盛り; 度; 目. =눈. ¶ ～을 읽다 目盛りを読む / ～을 세다 度盛りを数える.

눈-기이다 타 人目を忍ぶ; ごまかす.

눈-길¹ 명 視線.

눈-길² 명 雪道.

눈-까풀 명 まぶた. <눈꺼풀.

눈깔 사탕【—砂糖】 명 あめ玉.

눈-깜작이, 눈-깜짝이 명 習慣的に瞬きする人.

눈-꺼지다 자 目がくぼむ.

눈-꺼풀 명 ☞ 눈까풀.

눈꼴-사납다 형 ① 目付きが和やかでない. ② 気〔しゃく〕にさわる; 目障りだ; 目に余る.

눈꼴-시다, 눈꼴-틀리다 자 胸糞が悪くなる; 目にさわる; 見ただけでもへどが出る. ¶ 눈꼴시어 못 보겠다 目障りで見ていられない.

눈-꽃 명 雪花.

눈-높다 형 目が高い; 目が肥えている. ¶ 눈 높은 사람 目の高い〔肥えている〕人.

눈-대중 명하타 目分量; 目積もり.

눈-독 명 貪欲な目つき; 目星.
——-들이다 타 狙う; 目星をつける; 見込む.

눈-동자【—瞳子】 명 瞳; 瞳孔.

눈-두덩 명 上まぶた.

눈-딱부리 명 どんぐりまなこ. また, その人.

눈-뜨다 자 ① 目を開ける. ¶ 차마 눈 뜨고 볼 수 없다 見るに忍びない; 目も当てられない. ② 目覚める. ¶ 현실에 ～ 現実に目覚める / 성에 ～ 性に目覚める.

눈뜬 장님 명 文盲.

눈-띄다 자 目に付く; 目立つ.

눈-망울 명 ひとみ(瞳)の部分.

눈-맞다 자 ① 目(つき)で相通ずる. ②《俗》(男女が)恋におちいる.

눈-맞추다 자 見合わす; 互いに恋う目つきで見交わす.

눈매, 눈-맵시 명 目の形; 目つき.

눈-멀다 자 目がつぶれる; 盲目になる.

눈-물 명 涙. ¶ ～로 보내는 나날 涙の日日 / ～을 흘리면서 涙ながら(に) / ～을 흘리다 涙を流す; 涙をこぼす; 涙する / ～을 글썽이다 涙を浮かべる.

눈물-겹다 형 涙ぐましい. ¶ 눈물겨운 이야기 涙こぼるる話 / 눈물겨운 정경 涙ぐましい情景.

눈물-어리다 자 涙ぐむ.

눈물-없이 부 涙なしに; 感動せずに.

눈물-지다 자 涙を流す.

눈물-짓다 자 涙する; 涙を浮かべる.

눈-바람 명 雪の上を吹きまくる冷たい風; 雪まじりの風.

눈-발 명 (筋のように)降り注ぐ雪.
——-서다 자 雪模様になる.

눈-병【—病】 명 眼病; 眼疾.

눈-보라 명 吹雪; 雪煙. ¶ ～(가) 치다 吹雪く.

눈-부시다 형 ① まぶしい; まばゆい〈雅〉. ¶ 눈부시게 흰 눈 まぶしいほど白い雪 / 눈부신 햇빛 まばゆい日の光. ② 目覚ましい; 華華しい. ¶ 눈부신 활약 目覚ましい働き; 華華しい活躍.

눈-비 명 雪と雨.

눈-빛¹ 명 ① 目色; 目つき. ¶ 애원하는 듯한 ～이었다 哀願するような目色だった. ② 目の色. ¶ 파란 ～ 青い目の色.

눈-빛² 명 雪色; 雪の白色; 真っ白な色.
눈-사람 명 雪だるま.
눈-사태【—沙汰】 명 雪崩.
눈-살 명 眉間のしわ. ——-찌푸리다 자 眉をひそめる.
눈-석임 명하자 雪解け.
‖——-물 명 雪解け水.
눈-설다 형 目慣れない; 見慣れない.
눈-속이다 타 (人の)目をだます; 目をくらます; 目をごまかす.
눈-속임 명하타 ごまかし.
눈-송이 명 雪のひら; 雪片.
눈-시울 명 目頭. ¶~이 뜨거워지다 目頭が熱くなる／~을 적시다 目頭をぬ(濡)らす.
눈-싸움¹ 명 にら(睨)めっこ; 睨めっくら. =눈겨룸.
눈-싸움² 명 雪合戦; 雪投げ.
눈-썰미 명 目端が利いてすぐまねる手並み; 見まね.
눈썹 명 眉; まゆ毛. ¶가는 ~ 細まゆ／그린 ~ 作りまゆ; 引きまゆ毛／~을 그리다 まゆを描く〔引く〕／~을 찌푸리다 まゆ根をひそめる／~하나 까딱 않고 듣다 まゆ一つ動かさずに聞く.
눈-알 명 目玉; 眼〈雅〉.
눈-앞 명 目の前; 目先; 眼前; 目前. ¶~의 이익 目先の利益／~의 적 目前の敵.
눈-약【—藥】 명 目薬. ¶~을 넣다 目薬を差す.
눈-어림 명 目算; 目分量; 目加減. =눈짐작. ——하다 타 目算する; 目積もりする.
눈엣-가시 명 目の上のこぶ; 目の敵.
눈여겨 보다 타 目を凝らして見る; 目を注ぐ.
눈-요기【—療飢】 명하자 目の保養. ¶~를 하다 目の保養をする.
눈-웃음 명 目笑; 色目. ——-치다 자 目笑をする; 色目を使う.
눈-익다 형 目慣れる; 見慣れる. ¶눈익은 경치 目慣れた景色.
눈-인사【—人事】 명하자 目礼.
눈-자위 명 目の縁.
눈-주다 자 ①約束の目配せをする. ②目〔視線〕を向ける.
눈-짐작 명하타 ☞ 눈어림.
눈-짓 명하자 目顔; 目配せ; 目色; 目交ぜ. ¶~으로 알리다 目顔で知らせる; 目配せする.
눈-초리 명 目じり; まなじり; 目つき. ¶험상궂은 ~ 険しい目つき／매서운 ~ 鋭い目つき.
눈-총 명 どくどくしい眼差し; にら(睨)み.
눈-총기【—聰氣】 명 (物事をすぐ見覚える)目の才気. ¶~가 있다 覚えがいい.
눈총 맞다 자 にらまれる; 憎まれる.
눈치 명 ①目端; 機転; 勘; センス. ¶~가 빠르다 目端〔気〕が利く; 勘がいい; 目ざとい／~ 코치도 모르다 目端がちっとも利かない. ②人を嫌う気色. ¶싫은 ~ 하나 뵈지 않고 いやな顔ひとつせず. ③表にあらわれたある気色. ¶가고 싶은 ~다 行きたい素振りだ／~가 좀 이상하다 気色がちょっと怪しい. ——보다 타 人の気色をさぐる; 顔色〔機嫌〕をうかがう. —— 채다 타 気取る; 気づく; 嗅ぎ付ける. ¶이미 눈치채였다 早くも気取られた／전혀 눈치채지 못하였다 とんと気がつかなかった.
눈칫-밥 명 (居候などの)気兼ねの食事.
눈-코 명 目と鼻. ¶~ 뜰 새 없다 目が回るほど忙しい.
눈-트다 자 芽ぐむ; 芽吹く; 萌える. ¶숲속 나무들이 눈트기 시작했다 森の木木が芽吹きはじめた.
눋다 자 焦げる. ¶밥이 노랗게 ~ 飯が黄色く焦げる.
눌러 부 ①そのまま大目に. ¶~ 봐주다 そのまま大目に見てやる. ②引き続き. ¶회장은 ~ 앉게 되었다 会長は居座ることになった.
눌러 보다 타 大目に見る.
눌리다¹ 피동 押される. ¶상대 팀에게 시종 ~ 相手のチームに始終押され気味である／기백에 ~ 気魄に押される.
눌리다² 사동 焦がす.
눌변【訥辯】 명 とつ弁; 不弁; 口べた.
눌어-붙다 자 ①焦げつく; 焼きつく. ¶밥이 ~ 飯が焦げつく. ②長居する; しり長く居座る. ¶자리에 눌어붙어 미움을 받다 長居して人に嫌われる.
눌은-밥 명 焦げ飯.
눌-하다【訥—】 형 口べたである.
눕다 자 伏〔臥〕す; 横たわる; 横になる; 寝る. ¶침대에 ~ ベッドに横たわる／누워서 침 뱉기《俚》天につばき(唾)する.
눕히다 타 [→누이다] 寝かす; 横たえる. ¶때려 ~ たたきのめす／몸을 ~ からだを横たえる.
눙치다 자 よく説いて和らげる; なだめる.
뉘¹ 명 つ(搗)いた米に混じっているもみ. ¶밥 속에 ~가 섞여 있다 飯にもみが混じっている.
뉘² 준 "누구의"の略語: 誰の.
뉘앙스〔프 nuance〕명 ニュアンス.
뉘엿-거리다 자 ①日がまさに暮れようとする. ②吐き気がする; むかつく. 뉘엿-뉘엿 부하자 日がまさに沈まんとするさま.
뉘우치다 타 悔いる; 悔やむ. ¶전비를 ~ 前非を悔いる.
뉘우침 명 悔い.
뉴〔new〕명 ニュー.
‖—— 룩 명 ニュールック. —— 모드 명 ニューモード. —— 스타일 명 ニュースタイル.
뉴스〔news〕명 ニュース. ¶중대한 ~ 重大なニュース; ビッグニュース.
‖—— 밸류 명 ニュースバリュー. —— 영화 명 ニュース映画. —— 캐스터 명 ニュースキャスター.
느글-거리다 자 むかつく; むかむかする. 느글-느글 부하자 しきりにむかつくさま.
느긋-이 부 いかにも満足げに; 余裕ありげに.

ㄴ

느긋-하다 형 余裕ある気構えである；満足な気持ちだ．¶느긋한 마음 満ち足りた気持ち．

느끼다 一 타 感じる．①(物事に触れるか，または感覚によって)知覚する；覚える．¶추위〔더위〕를 ～ 寒さ〔暑さ〕を感ずる／공복을 ～ 空腹を感ずる／격통을 ～ 激痛を覚える／친근함을 ～ 親しみを感ずる／슬픔을 ～ 悲しみを覚える．②感動〔感心〕する．¶느끼는 바가 있어 思う所があって． 二 자 泣きむせぶ；すすりなく．¶흑흑 느끼어 울다 (悲しげに)すすり泣く．

느끼-하다 형 ①(食べ物が)脂ぎって口当たりが悪い； 脂っこい．¶느끼한 고기 요리 脂っこい肉料理．②(腹が)もたれ気味だ．

느낌 명 感じ；感；思い．¶밝은 ～의 그림 明るい感じの絵／아직 이른 ～이 있다 まだ早い感がある．

‖——표(標) 명 感嘆符．＝감탄 부호(感歎符號)．

-느냐 어미 目下に何かを問うことを表わす語：…(の)か．¶무엇을 하～ 何をする(の)か／어디 있～ どこにある(の)か／선생님도 계시～ 先生もいらっしゃる(の)か．

느닷-없이 부 いきなり；だしぬけに；不意に．¶～ 때리다 いきなりなぐりつける／～ 해고하다 だしぬけに解雇する．

느루 부 (一度にでなく)ながく；ながらく． ——먹다 타 食い延ばす．¶밥에 잡곡을 섞어 쌀을 ～ 飯に雑穀をまぜてお米を食い延ばす． ——잡다 타 ①ゆるく手にとる〔握る〕．②間をおいて日時を定める．¶출발 날짜를 한 열흘 ～ 出発の日を十日ぐらいの間をおいて決める．

느른-하다 형 ①くたくただ；重ったるい．¶피곤해서 느른해지다 つかれてくたくたになる．②か弱く柔らかい．

느릅-나무 명〔植〕にれ；エルム．

느리-광이 명 のろま；怠け者．

느리다 형 ①のろい；遅い．¶기차가 ～ 汽車がのろい／발이〔진보가〕～ 足〔進歩〕が遅い／일손이 ～ 手がのろい．②よ(縒)りや織り目が緩い；詰んでいない．¶느린 천 目の緩い布地．

느림 명 (カーテンなどに飾りとして垂らす)房または細布．＝술³．

느림-보 명 ☞ 느리광이．

느릿-느릿 부하형 ①のろのろ；のそのそ；のっそりのっそり．¶～ 걷다 のそのそと歩く／～ 일어나다 のっそりと立ち上がる． ②よりや織りが緩く．¶～ 꼰 새끼 緩くよった縄．

느릿-하다 형 ややのろい；のっそりしている；緩やかだ．¶동작이 ～ 動作がのっそりしている．

느물-거리다 자 ずるく振る舞う；ずる(狡)い話振りをする． **느물-느물** 부하자 ずる(狡)く横着に振る舞うさま．

느슨-하다 형 ①緩んでいる；たるんでいる．¶매듭이 ～ 結び目が緩んでいる／허리띠가 느슨해지다 帯が緩む．②(性格に)締まりがない．¶성격이 느슨한 사람 締まりのない人．

느슨-히 부 緩く．¶끈을 ～ 매다 ひもを緩く結ぶ．

느즈러지다 자 ①緩む．¶말의 뱃대끈이 ～ 馬の腹帯が緩む．②たるむ．¶눈꺼풀이 ～ まぶた(瞼)がたるむ．③延期される；延びる．

느지감치 부 かなり遅く；相当遅く．

느지막-하다 형 かなり遅い． **느지막-이** 부 かなり遅く．¶～ 저녁을 먹다 かなり遅く夕飯を食べる．

느직-이 부 やや遅く．

느직-하다 형 やや遅い．

느타리, 느타리-버섯 명〔植〕ひらたけ．

느티-나무 명〔植〕けやき．

늑대 명〔動〕おおかみ(狼)；ヌクテー．

늑막【肋膜】 명〔生〕胸膜；ろくまく(肋膜)．

‖——염 명〔醫〕胸膜炎．

늑목【肋木】 명 ろくぼく(肋木)．

늑장-부리다 자 ぐず(愚図)る；ぐずぐずする．

는 조 終声の無い語につく補助詞：…は．¶나～ 아니다 わたしではない／만나기～ 했으나 이야기～ 안 했다 会いはしたが話はしなかった／먹어서～ 안 된다 食べてはいけない／빨리～ 안 됩니다 早くはできません．

-는 어미 今進行中であることを表わす語尾．¶흐르～ 물 流れる水／뜰에 있～ 나무 庭の木／둘도 없～ 친구 無二の親友．＊-은．

-는걸 어미 ある動作に対する自分の感じを表わす語：…よ．¶벌써 왔～ とっくに来たんだよ／비가 꽤 오～ 雨が随分降るね．＊-ㄴ걸．

-는데 어미 ①次の話を引き出すために前もってそれと掛かり合う事実を述べる際に用いる語：…のに；…が；…に〈雅〉．¶눈이 오～ 어딜 가나 雪が降るのにどこへ行くのか．②相手の意見を聞きたさに相手の行為に感嘆する際用いる語：…(だ)ね；…な．¶영어를 참 잘 하～ 英語がなかなかうまいね．

는질-거리다 자 ただれてどろどろ〔ぐにゃぐにゃ〕する．

는-커녕 조 "커녕"の強勢語：どころか；…はおろか．¶비디오～ 라디오도 없다네 ビデオどころかラジオも無いよ．

늘 부 いつも；常に；始終；しょっちゅう〈俗〉．¶～ 놀고 지내다 いつもぶらぶら暮らす／～ 일러 주고 있습니다만 いつも言い聞かしているんですが．

늘그막 명 晩期；老境；晩年；老いらく〈雅〉．¶～의 사랑 老いらくの恋／～에 접어들다 老境に入る；老いを迎える．

늘다 자 ①増える；増す．¶인구가 ～ 人口が増える／겨울에는 여름보다 화재가 는다 冬には夏より火事が増す． ②上達する；うまくなる；上がる．¶솜씨가 ～ 腕〔手〕が上がる．

늘름 부하자타 舌や手をすばやく動かすさま：ぺろりと；さっと．＞날름．

—-거리다 자타 しきりに手をさっと〔舌をぺろりと〕動かす.

-리다 타 増やす; 増す. ¶ 재산을 ~ 財産を増やす.

비-하다 형 (物が)ずらりと置かれている.

썽-하다 형 (編み目や織り目が)粗い.

씬-하다 형 すらりとしている. ¶ 키가 ~ 背がすらりとしている / 늘씬한 현대 여성이다 すらりとしたモダンガールである. 늘씬-히 부 ①すらりと. ②ぐったりと.

늘어-가다 자 ①増〔殖〕えて行く. ¶ 재산이 ~ 財産が殖える. ②うまくなって行く; 上達する. ¶ 글씨가 나날이 늘어 갔다 字が日日にうまくなって行った.

늘어-나다 자 だんだん増え(てく)る; 増す; 大きく〔長く, 多く〕なる. ¶ 인구가 ~ 人口が増える.

늘어-놓다 타 ①ずらりと並べる. ¶ 한 줄로 ~ 一列に並べる. ②散らかす. ¶ 장난감을 여기저기 늘어놓고 있다 おもちゃをあちこち散らかしている. ③事業などを(あちこちに)広げる. ¶ 사업체를 ~ 企業を(あちこちに)広げる. ④配置する. ¶ 감시병을 ~ 監視兵を配置する. ⑤(言葉を)並べ立てる; 連ねる; しゃべる. ¶ 불평을 ~ 不平を並べ立てる / 그 이야기를 장황하게 ~ その話を長長としゃべりまくる.

늘어-뜨리다 타 垂らす; 垂れる; ぶら下げる. ¶ 끈을 ~ ひもを垂らす / 개가 꼬리를 ~ 犬が尾を垂れる.

늘어-서다 자 並ぶ; 立ち並ぶ. ¶ 이열 횡대로 ~ 二列横隊に並ぶ / 고관들이 기라성처럼 ~ 顕官がきらぼし(綺羅星)の如く居並ぶ.

늘어-지다 자 ①(物が)長くなる; 伸びる. ¶ 고무줄이 ~ ゴムひもが伸びる. ②(下に)垂れる; ぶら下がる. ¶ 등나무 꽃이 ~ ふじ(藤)の花が垂れ下がる / 손이 축 ~ 手がだらりと垂れる. ③(時間が)長引く; 延びる. ¶ 강연 시간이 ~ 講演の時間が延びる. ④(体が)へたばる; げんなり(と)する; ぐったりする. ¶ 밥을 너무 먹고 축 ~ 飯を食い過ぎてげんなりする. ⑤心配がなく暮らしが楽である. ¶ 팔자가 ~ 幸運に恵まれている.

늘이다 타 ①伸ばす; 長くする. ¶ 고무줄을 잡아 ~ ゴムひもを引き伸ばす / 수명을 ~ 寿命を伸ばす. ②垂らす; 垂れ下げる. ¶ 발을 ~ すだれ(簾)を垂れる.

늘쩍지근-하다 형 ひどくだるい.

늘컹-거리다 자 ぐんにゃりして垂れがちだ.

늘큰-거리다 자 もろく柔らかいので垂れがちだ.

늘푸른-나무 명 〔植〕 ☞ 상록수(常緑樹).

늙다 자 ①年をとる; 老いる; 老ける. ¶ 나이보다 늙어 보인다 年より老けて見える. ②古くなる.

늙-다리 명 ①年取ったけだもの. ②《俗》老いぼれ; 年寄り.

늙수그레-하다 형 かなり老けて見える.

늙어-빠지다 형 老いぼれる; 老いさらばう. ¶ 늙어빠진 노인 老いぼれた〔よぼよぼの〕老人.

늙은-이 명 年寄り; 老人. ¶ 저런 ~가 무엇을 하겠는가 あんな年寄りに何ができるもんか.

늙정이 명 《俗》お年寄り; おいぼれ.

늙히다 타 年を取るままにほうっておく; 老けさせる. ¶ 딸을 ~ 娘を嫁がさないで年を取るままにおいておく.

늠름-하다【凜凜—】형 りり(凜凜)しい; りんりん(凜凜)としている. ¶ 늠름한 모습 りりしい姿. 늠름-히 부 りりしく; りんりんと.

능【能】명 ①才能. ¶ 돈을 모으는 것만이 ~이 아니다 金をためるだけが能ではない. ②能力.

능【陵】명 ご陵; みささぎ.

능가【凌駕】명 りょうが(凌駕〔陵駕〕). ——-하다 타 凌駕する; しのぐ. ¶ 젊은이를 ~하는 기세 若者をしのぐ気勢.

능갈-치다 형 うまくごまかす能がある.

능-구렁이 명 ①〔動〕あまがさへび. ②ふるだぬき(古狸); ふるぎつね(古狐); とぼけたやつ. ¶ ~ 영감 たぬきおやじ / ~가 다 되었다 古だぬきになる; 世故にたける.

능글-능글 부하형 いけずうずうしいさま.

능글-맞다 형 いけずうずうしい; あつかましい.

능금 명 ちょうせんりんご.
‖——-나무 명〔植〕ちょうせんりんごの木.

능동【能動】명 能動.
‖——-사 명 能動詞. ——-적 명관 能動的. ¶ ~인 태도 能動的な態度.

능라【綾羅】명 りょうら(綾羅); あや絹と薄絹.

능란-하다【能爛—】형 熟達していて非常に上手だ. ¶ 능란한 솜씨 素敵な腕前.

능력【能力】명 能力. ¶ 생산 ~ 生産能力 / ~의 한계를 넘다 能力の限界を越える.
‖——-급 명 能力給. —— 상실자 명〔法〕能力喪失者.

능률【能率】명 能率.
‖——-급 명 能率給. ——-적 명관 能率的.

능멸【凌蔑】명하타 ないがしろにすること.

능묘【陵墓】명 ご陵と墓.

능변【能辯】명 能弁. ——-하다 형 能弁だ. ¶ ~가 能弁家.

능사【能事】명 能事; 能. ¶ 지껄이는 것만이 ~가 아니다 しゃべるだけが能ではない.

능선【稜線】명 りょうせん(稜線); 尾根; 山の端〈雅〉.

능소 능대【能小能大】명하형 すべてに長じていること.

능수【能手】명 すてき(素敵)な腕前〔手際〕. また, その人.
‖——-꾼 명 手際の立派な人.

능수-버들 명〔植〕こうらいしだれやなぎ.

능숙-하다【能熟—】형 (熟練してい

て)上手だ; たくみだ; 達者だ. ¶능숙한 솜씨 達者な腕/영어가 ～ 英語が達者である.

능욕【凌辱】명 りょうじょく(凌辱〔陵辱〕). ——-하다 타 凌辱する; 辱しめる. ¶폭한에게 ～당하다 暴漢に凌辱される. 「守り.

능-지기【陵—】명 陵守; みささぎ

능지 처참【陵遲處斬】명하타〔史〕罪人を殺したのちに, 頭·胴体·手·足を切断する極刑. ㊟ 능지(陵遲). 「綾.

능직【綾織】명 あや織り. ¶흰 ～ 白

능청 명 もっともらしく白をきる〔いけずうずうしい〕態度. ——-스럽다 형 知っていながらいけずうずうしくそしらぬ振りをする. ——-떨다 자 もっともらしく白をきる. ——-맞다 형 そ知らぬ顔をして空とぼける.

능통【能通】명하형 (物事に)よく通じていること. ¶한문에 ～한 사람 漢文に通暁している人.

능-하다【能—】형 うまい; 長じている; たけている. ¶처세가 ～ 世渡りがうまい; 処世にたけている/권모 술수에 ～ 権謀術数に富む/용병에 ～ 用兵に長じている.

능-히 부 よく; 充分に. ¶～ 자기를 이겨내다 よくおのれに打ち克つ.

늦- 두 "時間的に遅い"の意を表わす語. ¶～더위 残暑/～봄 晩春/～출근 遅出.

늦-가을 명 晩秋; 秋の暮れ.

늦-거름 명 ①時期おくれの施肥. ②施肥後遅れて効き目が出る肥料.

늦다 一형 ①(時間的に)遅い; 間に合わない. ¶늦어도 두 시까진 도착하시오 遅くとも二時までにはご到着願います/밤 늦게까지 夜遅くまで/지금에 와서는 이미 너무 ～ 今となってはもはや遅すぎる〔間に合わない〕/늦은 감이 없지 않습니다 遅きに失した感がなきにしも非ずです. ②(結びなどが)緩んでいる; 緩い. ¶끈이 ～ ひもがゆるい. 二자 遅れる. ¶늦어서 미안합니다 遅れてすみません/출발은 늦어질 모양이다 出発は遅れるようだ.

늦-더위 명 残暑.

늦-되다 자 ①(物事が)後れて成る. ②(知覚が)後れて目覚める. ③(果物·穀物などが)後れて熟する. ¶늦되는 과실 おくての果物.

늦-바람 명 ①夜遅く吹く風. ②中年以後の浮気; 四十過ぎの道楽. ¶～나다 年をとって浮気をする.

늦-배 명 後れてかえ(孵)したり生んだりしたひな, または子.

늦-벼 명 晩稲; おくて.

늦-복【—福】명 晩年の幸せ.

늦-봄 명 晩春; 暮春.

늦-여름 명 晩夏; 季夏.

늦-잠 명 朝寝. ¶～ 자면 지각한다 寝過ぎると〔寝坊すると〕遅刻する(よ). ‖——-쟁이 명 朝寝坊.

늦-장마 명 時遅れの長雨.

늦추다 타 ①緩める. ¶허리띠를 ～ 帯を緩める/경계를 ～ 警戒を緩め る/속도를 ～ 速度を緩める. ② のばす; 延べる; 遅らせる. ¶졸업 날짜를 ～ 卒業式の日を延 す/시계를 ～ 時計を遅らせる.

늦-추위 명 時節遅れの寒さ; 余 「리 沼べり

늪 명 沼. ¶～ 지대 沼地/～ 언

니 조 物事を列挙するときに用いる語: …やら; …とかも; …た と. ¶너～ 나～ 구별하지 말아라 君だ(とか)僕だと〔とか〕(言って)区別だてをするな.

-니¹ 어미 次に言おうとする事柄の原因·理由を表わす語: …だから. ¶나는 부자이～ 무엇이든지 살 수 있다 わたしは金持ちだから何でも買える.

-니² 어미 ①次に話す事柄のわけを表わす語: …ので; …(だ)から. ¶겨울이 되～ 춥다 冬になったので寒い/날씨가 차～ 조심해라 気候が寒い(んだ)から気をつけなさい. ②ある事実を説明する際に用いる語: …(する)と; …したら. ¶집에 돌아오～ 세 시였다 家に帰ったら三時だった. *-으니¹.

-니³ 어미 ↗-느냐. ¶어디 가～ どこ行くの/보았～ 見たか(い)/그만 돌아가지 않겠～ もう帰らないかい. *-으니².

-니⁴ 어미 "こうでもありああでもある"の意を表わす語: …とか; …のと. ¶크～ 안 크～ 하고 야단이다 大きいとか大きくないとか言って騒ぎ立てる.

니그로〔nigro〕명 黒人.

-니까 어미 "-니¹·²"の強調語. ¶헛되지 않을 테～ 사 두게나 むだになるまいから買って置きたまえ/때리～ 울지 殴るから泣くのだよ.

니스 명 [↗와니스] ニス. ¶잘 먹는 ～ 伸びがきくニス.

니켈〔nickel〕명〔化〕ニッケル. ‖——-강 명 ニッケル鋼. —— 구리 명 ニッケル銅.

니코틴〔nicotine〕명 ニコチン. ‖——-산 명 ニコチン酸. —— 중독 명 ニコチン中毒; ニコ中《준말》.

니크-네임〔nickname〕명 ニックネーム; あだ名; 愛称.

니크롬〔nichrome〕명〔化〕ニクロム. ‖——-선 명 ニクロム線.

니트로〔nitro〕명〔化〕ニトロ. ‖——-글리세린 명〔化〕ニトログリセリン. 「あみもの.

니팅〔knitting〕명 ニッティング; 編物

니힐〔라 nihil〕명 ニヒル. ——-하다 형 ニヒルだ. ¶～한 웃음 ニヒルな笑い.

니힐리스트〔nihilist〕명 ニヒリスト.

니힐리즘〔nihilism〕명 ニヒリズム.

-님 미 …さん; …様; …殿. ¶아드～ むすこさん/해～ おてんと様/대장～ 隊長殿.

님프〔nymph〕명 ニンフ.

닢 의명 葉; 硬貨やかます(叺)のような薄いものを数える語. ¶동전 두 ～ 銅コイン二枚/가마니 한 ～ かます一枚.

ㄷ

ㄷ ハングル字母の第三番目の字.

다[1] ㊀부 ①すべて; 皆; 全部. ¶～ 주겠다 みんなあげるよ/～ 가져가게 みんな持って行きたまえ/그것이 인생의 ～는 아니다 それが人生のすべてではない. ②残らず; 漏れなく; ことごと(悉)く; つぶさに; すっかり. ¶빚을 ～ 갚았다 借金をすっかり返した/소지품을 ～ 도둑맞다 所持品をすっかり盗まれる/세상의 쓴맛 단맛을 ～ 맛보다 世の中の辛酸をつぶさになめる/돈을 ～ 써버리다 お金を使い切る. ③なんでも; どんなものでも. ¶둘 ～ 좋다 二つ共いい/다섯집 ～ 휴업이었다 五軒共休みだった. ④ほとん(殆)ど. ¶그는 ～ 죽은거나 다름 없었다 彼はほとんど死んだも同じであった. ㊁명 皆; みんな. ¶～들 어디 갔느냐 みんなどこへ行ったか/누구나 ～ 알고 있다 誰しも知っている.

다[2] 조 ①↗다가. ¶어디～ 두었소 どこに置きましたか. ②"이다"から"이"が省略された語: …だ: …である. ¶너는 환자～ 君は病人だ.

다-【多】 두 多. ¶～방면 多方面/～목적 多目的.

-다 어미 ①語の原形を表わす語尾. ¶가～ 行く/오～ 来る. ②形容詞の原形を表わす終結語尾: …い. ¶맑～ 清い. ③↗다고. ¶돈이 없～ 하여 낙심말라 お金が無いからとて気を落とすな. ④↗다가. ¶타～ 남은 담배꽁초 燃え残りのたばこ.

다가 조 置く所を表わす助詞: …に. ㊟ 다. ¶어디～ 둘까 どこに置こうかな.

-다가 어미 …してから; …かけて. ¶잡았～ 놓아주었다 捕えてから放してやった/가～ 말았다 行きかけてやめた.

다가-놓다 타 近寄せて置く.

다가-서다 자 そばへ近づく; 詰め寄る〔かける〕; 近寄る.

다가-앉다 자 詰めて座る.

다가-오다 자 近づく. ¶여름이 ～ 夏が近づく/기한이 ～ 期限が迫まる.

다각【多角】 명 多角. ①〔數〕角が多いこと. ¶～형 多角形. ②多方面. ¶～적으로 검토하다 多角的に検討する.
‖── 경영 명 多角経営. ── 무역 명 多角貿易.

다-갈색【茶褐色】 명 茶褐色: とび色; すずめ色. ¶밝고 엷은 ～ 小麦色/충충한 ～ くすんだとび色.

다감【多感】 명하형 多感. ¶～한 청년 多感な青年.

-다고 어미 …(る)と: …と言って. ¶지키겠～ 약속하다 守ることを約束する.

다공-질【多孔質】 명 多孔質.

다과【多寡】 명 多寡. =다소.

다과【茶菓】 명 茶菓. ¶～를 대접하다 茶菓を供する.
‖──회 명 ティーパーティー.

다관【茶罐】 명 ①お茶を沸かして入れておく器. ②茶瓶. =차관(茶罐).

다구【茶具】 명 茶具.

다국적 기업【多國籍企業】 명 多国籍企業.

다그다 타 ①近寄せる. ¶그 그릇을 이리로 다가 놓으시오 その器をこちらに寄せて下さい. ②繰り上げる. ¶회의 날자를 3일로 다가 잡았다 会議の日取りを三日に繰り上げた.

다그-치다 타 せき立てる; 畳み掛ける. ¶빨리 하라고 ～ 早くしろとせき立てる/다그쳐 질문하다 畳み掛けて質問する.

다극【多極】 명 多極. ¶～ 진공관 多極真空管/이제 ～화 시대에 들어섰다 今や多極化時代に進入した.

다급-하다 형 差し迫っている; 緊急だ. ¶다급한 사정 差し迫った事情.

다기【多氣】 명 大胆; 度胸の強いこと. ¶～지다 大胆だ; 度胸が強い; 気強い.

다난【多難】 명하형 多難. ¶다사～한 시대 多事多難な時代.

다남【多男】 명하형 男の子が多いこと.

다녀-가다 자 立ち寄って行く. ¶나온 김에 시장엘 다녀 가자 出たついでに市場に寄って帰ろう.

다녀-오다 자 行って来る; 帰る. ¶다녀왔습니다 ただいま《外出から帰ったときのあいさつ》/학교에 ～ 学校へ行って来る.

다년【多年】 ㊀명 多年. ㊁부 ☞ 다년간.
‖──간 명부 多年間. ──생 식물 명 多年生植物. =여러해살이 식물.

다뇨-증【多尿症】 명 多尿症.

-다는 어미 [↗-다고 하는]: …という. ¶좋～ 물건 いいという品物/잘 듣는～ 약 よく利くという薬/오겠～ 사람 来るといっている人.

-다니 어미 …とは; …なんて. ¶그가 죽～ 彼が死ぬとは/이제와서 거절하～ 今になって断わるなんて/나쁘～ 무슨 일인가 悪いとはどうしたことだ/그가 중병에 걸리～ 거짓말같다 彼が重い病気だなんてうそのようだ.

다니다 자 ①通う. ㉠(一定の場所を)行き来する. ¶병원에 ～ 病院へ通う/이 길만을 ～ この道だけ

を行き来する. ㉡ 通いで勤める; 通学する. ¶ 회사에 ~ 会社に勤める / 걸어서 학교에 ~ 歩いて通学する. ㉢ しばしば行く; 出入りする. ¶ 늘 다니는 다방 行きつけのティールーム. ② 寄って〔行って〕来る. ¶ 집에 다녀 오너라 家に行ってこい. ③ …して回る. ¶ 인사차 ~ あいさつに回る.

다다르다 자 至る; (たどり)着く; 到達する; 届く. ¶ 정오에야 목적지에 ~ 正午になって目的地に至る / 산정에 ~ 山頂を窮める / 험한 곳에 ~ 難所に差しかかる.

다닥-다닥 부하형 多くのものが付いているさま: 鈴なりに: ふさふさと. ¶ 감나무에 감이 ~ 붙었다 かきの木にかきが鈴なりになっている.

다닥-뜨리다 자 ぶっつかる: ぶつかり合う: でくわす.

다달-이 부 月月に; 月ごとに; 毎月; まいつき. ¶ ~ 열리는 모임 月月の会 / ~ 고향에 생활비를 부치다 毎月国もとへ仕送りをする.

다담-상 【茶啖床】 명 客のもてなし用の長方形の大きな食卓.

다대 【多大】 명하형 多大. ¶ ~한 전과를 올렸다 多大な戦果をあげた.

다도 【茶道】 명 茶道.

다도-해 【多島海】 명 多島海.

다독 【多讀】 명하타 多読.

다독-거리다 자 (赤子を寝つかせるときなどに)軽くたたく. **다독-다독** 부하타 軽くたたくさま.

다듬다 타 ① 整える. ㉠ 手入れをする; きれいにする; 練る; 仕上げる. ¶ 문장을 ~ 文章を練る. ㉡ (野菜の根などを)切り取ってきれいにする; (草木の)端をつんで整える. ② きぬた(砧)を打つ.

다듬-이 명하타 ① きぬた. ② ↗다듬이질.

‖——-질 명 きぬた打ち. ¶ ~하다 洗いたての衣を打つ. **다듬잇-감** 명 きぬた打ちにする布類. **다듬잇-돌** 명 きぬた. **다듬잇-방망이** 명 きぬた打ち用の棒.

다듬-질 명 ① 仕上げ. ② ↗다듬이질.

다락 명 ① 屋根裏. ② ↗다락집.

‖——-방(房) 명 屋根裏部屋. ——-집 명 楼閣; 高殿; 台.

다락-같다 형 (物の値段が)非常に高い. ¶ 쌀값이 다락같이 올라간다 米の値が天井知らずに高くなる.

다람-쥐 명 〖動〗 りす. ¶ ~ 쳇바퀴 돌듯《俚》 りすの車回し《反復するだけで結末のつかないこと》.

다랍다 형 ① 非常にきたない. ② ひどくけちくさい; みみっちい; しわ(吝)い〈関西方〉. ¶ 적은 돈에 다랍게 굴다 わずかな金にけちくさい.

다랑-어 【—魚】 명 〖魚〗 まぐろ. ¶ 새끼 ~ めじ(まぐろ) / 큰 ~ しび(鮪).

다래 명 〖植〗 ① さるなしの実. ② 棉花の未だ開いていない実.

다래끼[1] 명 口の小さいかご.

다래끼[2] 명 〖醫〗 ものもらい. ¶ ~가 나다 ものもらいができる.

다량 【多量】 명 多量; 大量. ¶ 출혈 ~ 出血多量.

다루다 타 ① (取り)扱う. ㉠ (事を)処理する; さばく. ¶ 다루기 힘든 문제 (取り)扱いにくい問題 / 공평히 ~ 公平に処理する / 신중히 ~ 慎重に扱う. ㉡ 手で扱う; 操作する. ¶ 거칠게 ~ 手荒く扱う / 소중하게 ~ 大切に扱う. ㉢ (人を)操る; 取り回す. ¶ 다루기 힘든 사람 扱いにくい人 / 사람을 잘 ~ 人をうまく操る; 人の取り回しがうまい. ② なめ(鞣)す. ¶ 가죽을 ~ 皮をなめす. ③ 競う.

다르다 형 異なる; 違う. ¶ 성격이 ~ 性格が異なる / 의견이 ~ 意見が違う / 배가 ~ 腹が違う.

다름-없다 형 違う所がない; 違いがない; 同然だ; 同様だ. ¶ A는 B와 ~ AはBと同様である. **다름-없이** 부 違いなく; 同様に; 相変わらず.

다리[1] 명 ① 足〔脚〕. ¶ ~가 길다〔짧다〕 脚が長い〔短い〕 / ~를 굽히다 足をかがめる / ~를 뻗다 足を伸ばす / ~를 뻗고 자다《俚》 枕を高くして寝る. ② (物の)脚. ¶ ~ 셋 달린 책상 三本脚の机.

다리[2] 명 橋. ¶ 외나무 ~ 一つ橋; 一本橋; 丸木橋 / ~를 놓다〔건네다〕 橋をかける〔渡す〕; 仲立ちをする / ~를 놓아 주다(人と人との)橋渡しをする.

‖다릿-목 명 橋のある道筋; 橋際.

다리[3] 명 かもじ; 入れ髪; 入れ毛; 付け髪.

‖—— 꼭지 명 かもじの束.

다리다 타 火のしをする; アイロンをかける.

다리미 명 火のし; アイロン.

‖——-질 명하타 アイロンかけ; 火のしをかけること. ¶ ~하다 火のし〔アイロン〕をかける.

다림-질 명하타 [↗다리미질] 火のし〔アイロン〕をかけること.

다릿-심 명 脚力.

다만 부 ただ. ① 単に. ¶ ~ 사람이 좋다는 것 뿐이다 ただ人が好いというだけである / ~ 물어 보았을 뿐이다 単に聞いてみただけだ. ② 但し; しかし. ¶ 그것은 재미 있지, ~ 좀 위험하기는 하지만 そりゃおもしろいよ, ただ少少危険は有るがね.

다망 【多忙】 명하형 多忙.

다매 【多賣】 명하타 多売. ¶ 박리 ~ 薄利多売.

다모-작 【多毛作】 명 〖農〗 多毛作.

다목적-댐 【多目的—】 〔dam〕 명 多目的ダム.

다문 【多聞】 명하형 ① 多聞. ② 〖佛〗 多聞.

‖—— 박식(博識) 명하형 見聞が広く学識に富むこと. ——-천 명 〖佛〗 多聞天; 毘沙聞天.

다물다 타 つぐむ; 閉じる; 締める. ¶ 입을 ~ 口をつぐむ.

다반-사 【茶飯事】 명 [↗항다반사] 茶飯事.

-발 ㊀명 束たば. ¶꽃~ 花束はなたば/~로 묶다 束に結むすぶ. ㊁의명 束たば; わ(把).
다발【多發】명하타 多発たはつ.
‖——-성 명 多発性たはつせい. ¶~ 신경염증 多発性神経炎症しんけいえんしょう.
다방【茶房】명 喫茶店きっさてん; ティールーム; コーヒーショップ.
다-방면【多方面】명 多方面たほうめん. ¶~에 걸친 학식 多方面にわた(亘)る学識がくしき.
다변【多辯】명하형 多弁たべん. ¶~은 웅변이 아니다 多弁は雄弁ゆうべんではない.
다변-형【多邊形】명〔數〕多辺形たへんけい.
다병【多病】명하형 多病たびょう. ¶재사는 대개 ~하다 才子さいしは概がいして多病である.
다보-탑【多寶塔】명 多宝塔たほうとう.
다복【多福】명하형 多幸たこう; 多祥たしょう.
다부지다 형 ①難事なんじを良よく切きり廻まわし, かつ果断性かだんせいがある. ②(身みが)がっしりしている; (気きが)しっかりしている; 気丈きじょうだ; きつい. ¶다부진 몸 がっしりした体からだ/다부진 아이 きつい子こ/끈질기고 ~ 腰骨こしぼねがしっかりしている.
다분【多分】명하자히부 多分たぶん.
다붓-하다 형 (間まが)近ちかい. 다붓-이 부 (間まが)近ちかく.
다비【茶毘】명〔佛〕だび(茶毘); 火葬かそう.
-다-뿐 구 もちろん(勿論)…(する)とも: …(する)ばかり(か). ¶가~이겠느냐 行いくも行かぬもないよ; もちろん行いくとも.
다사【多事】명하형 ①多事たじ; 事ことが多おおいこと. ②忙いそがしいこと. ②おせっかい(節介)をしたがること. ——-롭다, ——-스럽다 형 ①事が多い. ②余計よけいな世話せわを焼やくかたむきがある. ③忙しい. ——-로이 부 忙しく.
‖—— 다난 명하형 多事多難たじたなん.
다사-롭다 형 温和おんわだ; 暖あたたかい; やさしい. ——-로이 부 温和に; 暖かく; やさしく.
다산【多産】명 多産たさん. ¶~종〔계〕 多産種しゅ〔系けい〕.
다색【茶色】명 茶色ちゃいろ. =갈색.
다섯 수 五いつつ; 五ご. ¶~번째 第だい五番目ばんめ/~배 五倍ばい.
다소【多少】多少たしょう. ㊀명 多寡たか. ¶~를 불문하고 多少を問とわず/~에 관계없이 多少にかかわらず/~의 잘못이 있다 多少の誤あやまりがある. ㊁부 ①少少しょうしょう; いくらか. ¶모은 돈이 ~ 있다 蓄たくわえが多少ある. ②↗다소간.
다소-간【多少間】부 多少たしょう; 多おおかれ少すくなかれ. ¶~에 모두 피해를 입었다 多かれ少なかれ皆みな害がいを被こうむった.
다소곳-이 부 (うつむいて)つつ(慎)ましやかに; 従順じゅうじゅんに. ¶~ 앉아 있다 おとなしやかに座すわっている.
다소곳-하다 형 (うつむいて)黙だまっている; 従順じゅうじゅんだ.
-다손 치더라도 구 よしんば…であろうとも; …(だ)としても. ¶간~ 行いくとしても.
다수【多數】명 多数たすう. ¶절대 ~ 絶対ぜったい多数.

‖——-결 명 多数決たすうけつ. ¶~에 따르다 多数決に従したがう. ——-당(黨) 명 多数党とう. ——-파 명 多数派は.
다-수확【多收穫】명 多収穫たしゅうかく.
‖—— 작물 명 多収穫作物さくもつ.
다스〔dozen〕의명 ダース. ¶3~ 三さんダース.
다스리다 타 ①治おさめる. ㉠統治とうちする. ¶나라를 ~ 国くにを治める. ㉡しずめる. ¶난을 ~ 乱らんを治おさめる. ㉢治療ちりょうする. ㉣学修がくしゅうする. ¶학문을 ~ 学がくを修おさめる. ②罰ばっする. ¶죄인을 ~ 罪人ざいにんを罰する.
다스-하다 형 やや暖あたたかい.
다습【多濕】명하형 多湿たしつ. ¶고온 ~ 高温こうおん多湿.
다시 부 又また; 更さらに; 再ふたたび. ¶~ 간청하다〔권하다〕更に懇請こんせいする〔勧すすめる〕/뭐, ~ 한번 말해 봐라 何なに, もう一度言いってみろ/두번 ~ 하지 말아라 二度にどとするなよ.
다시금 부 今一度いまいちど; またと; 再ふたたび(《"다시"の強調語きょうちょうご》).
다시다 타 舌したを鳴ならす; 舌鼓したつづみを打うつ.
다시마 명〔植〕昆布こんぶ・こぶ.
다시-없다 형 又またとない; これ以上いじょうはない. ¶다시없는 즐거움 又またとない楽たのしみ. 다시-없이 부 又またとなく.
-다시피 구 …の通とおり; …のように. ¶보~ 이렇다 見みる通とおりこうである.
다식【多食】명하타 多食たしょく. =대식.
다식【多識】명하형 多識たしき; 博識はくしき. ¶박학 ~하다 博学はくがく多識である.
다신-교【多神敎】명〔宗〕多神教たしんきょう.
다실【茶室】명 茶室ちゃしつ; ティールーム. =다방(茶房).
다액【多額】명 多額たがく. ¶~ 납세자 多額納税者のうぜいしゃ.
다양【多樣】명하형 多様たよう. ¶~한 목적 多様な目的もくてき.
‖——-성 명 多様性せい; バラエティー.
다언【多言】명 多言たげん; 多弁たべん.
다예【多藝】명 多芸たげい. ¶~ 다재 多芸多才たさい.
다오 불타 …してくれ. ¶물을 ~ 水みずをくれ/울지 말아 ~ 泣なかないでくれ.
다우【多雨】명하형 多雨たう. ¶고온 ~ 지역 高温こうおん多雨地域ちいき.
다운〔down〕명하자 ダウン. ①下さげる〔下さがる〕こと. ¶코스트〔베이스〕~ コスト〔ベース〕ダウン. ②(ボクシングで) 倒たおれること. =녹다운. ③《俗》へたばること.
다원【多元】명 多元たげん.
‖——-론 명〔哲〕多元論ろん. —— 방송 명 多元放送ほうそう.
다위니즘〔Darwinism〕명〔生〕ダーウィニズム.
다육【多肉】명하형 多肉たにく. ¶~질 多肉質しつ.
‖——-과 명 多肉果たにくか. =액과・장과.
다음 명 次つぎ. ①ある順番じゅんばんのすぐ後あと. ¶~ 방 次の間ま/~ 편으로 次の便びんで/~과 같습니다 次の通とおりであります/어서, 그 ~을 계속해 주시오 どうぞその先さきをつづけて下ください. ②二番目にばんめ. =버금. ¶부장 ~으로 높다

ㄷ

部長の次にえらい. ——-가다 자 次ぐ; 続く. ¶ 부산은 서울에 ~가는 대도시다 釜山はソウルに次ぐ大都市である.
‖——-날 명 次の日; 又の日; あくる日; 翌日. =훗날. ¶ ~밤 翌晩 / ~아침 明くる朝. ——-달 명 翌月; 次の月. =훗달. ¶ ~로 돌리다 翌月に回す. ——-해 명 翌年; 次の年. ¶ 계산을 ~로 이월하다 勘定を翌年に繰り越す.

다음-다음 부 次の次; 二の次; 再来. ¶ ~주 再来週 / ~달 再来月 / 그 말씀은 ~으로 미루고 そのお話は二の次にして.

다의【多義】 명하형 ① 多義; ひとつの語が多くの意味を持つこと. ② 言語の意味があいまいなこと.

다이내믹 〔dynamic〕 명하형 ダイナミック.

다이너마이트 〔dynamite〕 명 ダイナマイト.

다이닝 〔dining〕 명 ダイニング.
‖——-룸 명 ダイニングルーム. —— 키친 명 ダイニングキチン.

다이빙 〔diving〕 명하자 ダイビング. ¶ 스킨~ スキンダイビング / ~패스 (ラグビーの) ダイビングパス.

다이아 〔dia〕 명 ① [↗다이어그램] ダイヤ. ② [↗다이아몬드] ダイヤ.

다이아나 〔Diana〕 명 (ローマ神話の) ダイアナ; ディアナ.

다이아몬드 〔diamond〕 명 ダイヤモンド. 준 다이아.
‖—— 게임 명 ダイヤモンドゲーム.

다이얼 〔dial〕 명 ダイヤル. ¶ ~을 돌리다〔맞추다〕 ダイヤルを回す〔合わせる〕.

다이얼로그 〔dialogue〕 명 ダイアローグ.

다이오드 〔diode〕 명 〖物〗 ダイオード.

다이제스트 〔digest〕 명 ダイジェスト. ¶ ~판 ダイジェスト版.

다인 〔dyne〕 의명 〖物〗 ダイン.

다작【多作】 명하타 多作. ¶ ~농 多作農 / ~가 多作家.

다잡다 타 ① 厳重に指揮監督する; 厳重に取り締まる. ② 用心深く処理する. ③ 真面目になる; 心を引き締める.

다재【多才】 명하형 多才. ¶ 다예~한 사람 多芸多才の人.

다정【多情】 명하형히부스형 ① 多情. ② 親しいこと. ¶ ~한 친구 親しい友.
‖—— 다감 명하형 多情多感. —— 다한 명하형 多情多恨. —— 불심 명 多情仏心.

다조지다 타 事をあわただしく取り締まる.

다족-류【多足類】 명 〖動〗 多足類.

다종【多種】 명하형 多種. ¶ ~ 다양 多種多様.

다죄다 타 しっかりと締める.

다중【多衆】 명 多衆; 大衆.

다중 통신【多重通信】 명 多重通信.

다지다 타 ① 念を押す; たしかめる. ¶ 꼭 오라고 몇 번씩 ~ ぜひ来るように何度も念を押す. ② (地面などを) 押し固める. ¶ 땅을 다지고 집을 짓다 地をならし固めて家を立てる. ③ 切りきざむ. ¶ 정갱이 다진 것 あじのたたき. ④ 食べ物に薬味を添えて下味を付ける.

다짐 명 ① 念おし. ——-하다 자 念を押す; 駄目を押す. ¶ ~하기 위해서 부언하거니와 念のために付言するが. ② 誓い; 確約. ——-하다 타 固く誓う. ——-받다 타 ① 念を押して確かな返答や約束をしてもらう. ② 念書を書いてもらう.

다짜-고짜(-로) 부 むてっぽうに; いきなり; 有無を言わせず. ¶ ~ 때리다 いきなりなぐりつける; 有無を言わせず殴る.

다채【多彩】 명하형 多彩. ——-롭다 형 多彩だ. ¶ 다채로운 행사 多彩な催し. ——-로이 부 多彩に.

다치다 자 傷つく; けがする; 痛める. ¶ 아이가 다치지 않도록 주의해 주게 子供にけがをさせないように気をつけてくれ / 발을 ~ 足を痛める.

다크 〔dark〕 명하형 ダーク; 暗黒.
‖—— 룸 명 ダークルーム; 暗室. —— 호스 명 ダークホース.

다투다 자타 ① 争う. ¶ 세력을 ~ 勢力を争う / 아이들이 ~ 子供たちがけんかをする / 한 여자를 두고 두 남자가 ~ 一人の女を男二人で張り合う. ② 競う. ¶ 콘테스트에서 미를 ~ コンテストで美を競う.

다툼 명 争い; 競い; いざこざ; もめごと; ごたごた. ¶ 주도권〔세력〕~ 主導権〔勢力〕争い.

다-하다 ㊀자 ① 終わる; 済む. ¶ 이제야 겨우 다했다 今やっと終わった. ② 尽きる. ㊁타 ① 尽くす. ¶ 최선을 ~ 最善を尽くす / 사치를 ~ ぜい(贅)を尽くす; ぜいたく(贅沢)をきわめる / 온갖 횡포를 ~ 横暴をきわめる. ② 果たす. ¶ 우리 임무를 ~ 我らの役目を果たす / 사명을 ~ 使命を全うする.

다항-식【多項式】 명 〖數〗 多項式.

다행【多幸】 명 多幸; 幸い; しあわせ. 준 행. ——-하다 형 多幸だ; 幸いだ; (…が)せめてもだ《그나마》. ¶ 불행중 ~ 不幸中の幸い / 그나마 돈이라도 찾은 것이 ~이다 お金を取り戻したのがせめてもだ. ——-히 부 幸い(に); しあわせに. ¶ ~ 큰 피해는 없었다 幸いに大した被害はなかった.

다혈 명 多血.
‖——-증 명 〖醫〗 多血症. ——-질 명 〖心〗 多血質.

다홍【—紅】 명 紅; まっか; 深紅色.
‖——-실 명 紅の糸. ——-치마 명 紅の"チマ".

닥-나무 명 〖植〗 こうぞ(楮).

닥-닥 부 ① 勢いよく線を引くさま: ぐいっぐいっと. ② 水がにわかに凍りつくさま. ③ 音を出しながら引っか(掻)くさま: ぼりぼりと.

닥-뜨리다 ㊀자 直面する; ぶっつかる. ¶ 난관에 ~ 難関に直面する. ㊁타 むてっぽうに引き締まる.

닥지-닥지 부하형 あか(垢)やほこり

埃)などが多くついているさま: べ
こべた.

쳐-오다 자 迫る: 切迫する. ¶ 목전에 위험이 ～ 目前に危険が迫る / 시험 날짜가 ～ 試験の日が迫って来る.

치다 자 近づく; 切迫する. ¶ 눈앞에 ～ 目前に迫る / 겨울이 ～ 冬が迫る.

터 〔doctor〕 명 ドクター. ¶ ～ 코스 ドクターコース.

다 타 ① 磨く. ¶ 구두〔이〕를 ～ くつ〔歯〕を磨く. ② ふ(拭)く; ぬぐ(拭)う. ¶ 눈물을 ～ 涙をぬぐう / 습기를 닦아 내다 湿気をぬぐい取る. ③ 平にならす(均)す. ④ 修める; 磨く; 練る; 修する. ¶ 무예를 ～ 武芸を修める / 심신을 ～ 心身を練る.

달 명하타 駆り立てること; せきたてること; ぎゅうぎゅうの目に合わせること ¶ 빨리 끝내라고 ～하였다. 早目にし終えとはっぱをかけた.
‖───질 명하자 ① せき立てる行為. ② 人をぎゅうぎゅうの目に合わせる行為.

닦아-세우다 타 なじりつける; 責めつける; 言い込める. ¶ 부하를 호되게 ～ 部下をこっぴどく責めつける.

닦음-질 명하타 ふ(拭)く行為.

닦이다 피동 磨かれる; ふ(拭)かれる.

단 명 (蔬菜·薪などの)束. ¶ 나무 두 ～ 薪二束.

단【段】 ㊀ 명 段. ① 紙面を区切って線を引いた区分. ② (碁·武術などの)段. ㊁ 의명 反《面積の単位》. ¶ ～당 석섬의 산출 反当たり三石の産出.

단【壇】 명 壇. ¶ 교～ 教壇 / ～에 오르다 壇に上る.

단【斷】 명 断. ＝결단. ¶ ～을 내리다 断を下す.

단【單】 관 ただ; やっと; 単に; たった. ¶ ～ 한 번 ただの一度 / ～ 이틀 만에 이루어졌다 たった二日で出来てしまった.

단【但】 부 但し; もっと(尤)も. ＝다만. ¶ 내일은 임시 휴교, ～ 교직원은 출근할 것 明日は臨時休校, 但し教職員は出勤の事.

-단【團】 미 団. ¶ 청년～ 青年団 / 소년～ 少年団.

-단 어미 [↗-다고 한; -다고 하는] …と言う. ¶ 없～ 말인가 無いと言うのか / 못하겠～거로군 やれないと言うのだね.

단가【短歌】 명 短歌. ① 唱劇の歌い手が歌う韓国固有の歌の一つ. ② 短い形式の詩歌《ふつう"시조(時調)"をいう》.

단가【單價】 명 単価. ¶ ～ 삼천 원 単価三千ウォン.

단가【團歌】 명 団歌.

단가【檀家】 명 〖佛〗 だんか(檀家).

단-감 명 あまがき(甘柿); きざわし(木醂).

단-거리【短距離】 명 短距離. ¶ ～의 여행 短距離の旅行.
‖── 경주 명 短距離競走. ── 선수 명 短距離選手. ── 탄도 유도탄 명 短距離弾道誘導弾; エスアールビーエム(S.R.B.M.).

단검【短劍】 명 短剣.

단견【短見】 명 短見.

단결【團結】 명하자 団結. ＝단합(團合). ¶ 대동 ～ 大同団結 / ～력이 강하다 団結力が強い / ～을 자랑하다 団結を誇る.
‖───권 명 団結権.

단경-기 명 端境期.

단계【段階】 명 段階. ¶ 끝마무리 ～ 仕上げ段階 / 실험 ～ 実験段階 / 근일 개업할 ～에 이르렀다 近日開店の運びになった.

단곡【短曲】 명 短い楽曲.

단골 명 ① ↗단골집. ② 得意先. ¶ ～ 손님 常得意; 常連; 常客 / ～ 가게 買い付けの店; 行きつけの店; 取り付けの店 / ～ 목수 出入りの大工 / ～ 여관 常宿〔定宿〕 / ～ 의사 掛かりつけの医者.
‖───집 명 常連の家〔店〕. ㊟ 단골.

단과 대학【單科大學】 명 単科大学.

단교【斷交】 명하타 断交. ¶ 양국은 십년래 ～ 상태에 있다 両国は十年来断交状態にある.

단구【段丘】 명 〖地〗 段丘. ¶ 해안 ～ 海岸段丘.

단구【短句】 명 短句; 短い句.

단구【短軀】 명 たんく(短軀); ちび.

단군【檀君】 명 檀君《韓国の開国神》.
‖───교(教) 명 ☞ 대종교(大倧教). ── 기원(紀元) 명 檀君紀元《B.C. 2333年を元年とする》. ㊟ 단기(檀紀). ── 조선(朝鮮) 명 〖史〗 檀君朝鮮; 檀君が立てた古朝鮮.

단권【單卷】, 단권-책【單卷冊】 명 単行本.

단궤【單軌】 명 [↗단선 궤도] 単軌.
‖── 철도 명 単軌鉄道.

단근-질 명하타 焼きごての刑. ＝낙형(烙刑). ¶ ～을 하다 焼きごての刑を加える.

단기【短期】 명 短期.
‖── 거래 명 〖經〗 短期取り引き. ── 공채 명 短期公債. ── 금리 명 短期金利. ── 금융 명 短期金融. ── 대부 명 短期貸し付け.

단기【單機】 명 単機.

단기【單騎】 명 単騎.

단기【團旗】 명 団旗.

단기【檀紀】 명 ↗단군 기원.

단-기간【短期間】 명 短期間. ＝단기(短期).

단김-에 부 ① 一ぺんに; 一気に; 一息に. ② 好機を逃がさず; すかさず. ¶ ～ 결판내다 好機を逃がさず事の是非を決定する / 쇠뿔도 ～ 빼랬다 《俚》 鉄は熱いうちに打て.

단꿈 명 甘い夢. ¶ ～을 꾸다 甘い夢を見る.

단-내 명 ① 焦げ臭い〔きな臭い〕におい. ¶ ～가 나다 焦げ〔きな〕臭いにおいがする. ② 高熱で鼻から出るにおい.

단념【斷念】명 断念；あきら(諦)め. ──-하다 타 断念する；あきらめる；見限る；見切る. ¶할 수 없다고 ~하다 仕方がないと諦める / 가망이 없는 듯해서 ~하다 見込みがなさそうで見限る / 적당히 ~하는 편이 좋겠다 いい加減に見切りをつけた方がよさそうだ / ~할 수 없다 あきらめられない.

단단-하다 형 堅〔固〕い. ① 柔らかくない；堅固だ. ¶단단한 연필 堅い鉛筆 / 쇠처럼 ~ 鉄のように固い. ② 中味が充実している；しっかりしている. ¶단단한 회사 しっかりした会社. ③ ㉠ 強い. ¶적의 방어는 ~ 敵の防御は固い. ㉡ (結び目などが)きつい. ¶단단하게 맨 매듭 堅い結び目. ㉢ 厳格だ. ¶단단한 약속 堅い約束. ㉣ がっちりして〔引き締まって〕いる. ¶단단한 몸매 引き締まった体. 단단-히 부 堅〔固〕く；しっかり(と)；ぎっしりと；丈夫に. ¶수비를 ~하다 守備を堅める / ~ 매다〔묶다〕 固く結ぶ〔縛る〕/ ~ 결심〔약속〕하다 堅く決心〔約束〕する / 문단속을 ~하다 戸締まりをしっかりする.

단당-류【單糖類】명〘化〙単糖類.

단-대목【單─】명 物前；大事を控えた緊要な機会または場所. ¶설날 ~ 正月の物前.

단도【短刀】명 短刀；あいくち(匕首)；九寸五分〈俗〉；懐剣. ¶~를 품에 품다 短刀を懐に忍ばせる.

단도 직입【單刀直入】명하자 単刀直入.

단독【丹毒】명〘醫〙丹毒.

단독【單獨】명 単独.
‖── 강화 명하자 単独講和. ──-범 명 単独犯. ── 행동 명하자 単独行動. ── 행위 명 単独行為. ── 회견 명하자 単独会見.

단-돈 관 極く少ない金の意. ¶~ 만 원도 없다 ただの一万ウォンも持ってない.

단두【斷頭】명 断頭. ¶~형 断頭刑.
‖──-대(臺) 명 断頭台.

단-둘 명 ただ二人. ¶~이(서) ただ二人で / ~이 살고 있다 ただ二人で暮らしている.

단락【段落】명 段落. ① 物事のくぎり；けじめ. ¶일~ 一段落 / 일이 일~ 됐다 事がひとまずかたづいた. ② 長い文章の大きな切れ目. ──-짓다 타 段落を付ける；ひとくぎりをつける.

단락【短絡】명하타 短絡；ショート. =쇼트②.

단란【團欒】명하형 だんらん(団欒). ¶오붓하고 ~한 가정 水入らずのだんらんな家庭.

단련【鍛錬】명 鍛練〔鍛錬〕. ──-하다 타 鍛練する；鍛える；練る. ¶소풍은 다리의 ~이 된다 遠足は足の鍛練になる / 심신을 ~하였다 心身を鍛えた.

단막【單幕】명 一幕で終わる芝居.
‖──-극 명 ☞ 일막극(一幕劇).

단말【端末】명 端末. ¶~ 장치 端末装置.

단-말마【斷末魔】명 断末魔. ~의 고통 断末魔の苦痛〔苦しみ〕.

단-맛 명 甘味. ¶~이 덜하다 甘味が足りない / 알맞은 ~ 程合いの甘み / ~ 쓴맛 다 겪다 つぶさに辛酸をなめる.

단면【斷面】명 断面. ¶사회의 한 ~ 社会の一断面 / 일상 생활의 ~ 日常生活の一こま.
‖──-도 명 断面図. ──-상 명 断面相. ──-적 명 断面積.

단명【短命】명 短命. ──-하다 형 命が短い. ¶~의 작가 短命の作家 / ~ 내각 短命内閣.
‖──-구(句) 명 文意に短命が象徴されている文章.

단-모음【單母音】명 単母音.

단-무지 명 たくあん.

단문【單文】명 単文.

단문【短文】명하형 短文. ¶~ 짓기 短文作り.

단-물 명 ① 淡水. ② 実のある部分；甘い汁. ¶~만 빨아 먹다 甘い汁だけ吸い取る；実利だけをとる. ③〘化〙軟水. =연수.

단박(-에) 부 立ち所に；ただちに；一気に；即座に. ¶~(에) 해치우다 ただちにやってのける.

단발【單發】명 単発. ① 一発の弾丸. ② ↗단발총. ③ 発動機が単基であること.
‖──-기 명 単発機. ──-성 신경염 명〘醫〙単発性神経炎. ──-총 명 単発銃.

단발【短髮】명 短髪.

단발【斷髮】명 명하자 断髪.
‖── 머리 명 断髪した髪；おかっぱ(河童). また, そんな人. ¶~의 소녀 断髪の乙女. ── 미인 명 断髪美人.

단방【單放】명 ① ただ一発の発射. ¶~에 맞다 単一発で当たる〔やられる〕. ② ただの一度；一遍. =단번.

단백【蛋白】명 たんぱく(蛋白).
‖──-뇨 명 蛋白尿. ──-석 명 蛋白石；オパール. ──-질 명 蛋白質.

단번【單番】명 ただ一遍；一度. ──-에 부 ただ一遍で；ただ一度で；一挙に；ただちに. ¶~에 따라붙다 ただちに追い付く / ~에 열세를 만회했다 一挙に劣勢をばんかい(挽回)した.

단-벌 명 ただ一つしかない品物. ¶~ 신사 着た切りすずめ(雀)〈俗〉/ ~옷을 입고 외출하다 一張羅を着込んで出かける.

단병【短兵】명 短兵.
‖── 접전 명하자 短兵接戦；白兵戦.

단보【段步】의명 反歩. ¶5~ 五反歩《1反歩は約300坪》.

단-본위(제)【單本位(制)】명〘經〙単本位(制).

단-봇짐【單褓─】명 簡単なふろしき(風呂敷)包みの荷.

단-비 명 甘雨；慈雨. ¶~가 촉촉

내리다 甘雨がしずしずと降る.

-비례【單比例】명〔數〕単比例.

산【斷産】명하자 ① 子供を生めなくなること. ② 出産を断つこと.

상【壇上】명 壇上. ¶ ~에 오르다 壇上にのぼる / ~에서 (말이 막혀) ~짝을 못하다 壇上で立往生する.

상【斷想】명하자 断想. ① 想念を断つこと. ② 断片的な考え.

색【單色】명 単色.

──-광 명 単色光.

서【但書】명 但し書き. ¶ ~를 붙이다 但し書きをつける.

서【端緒】명 端緒; いとぐち; 手掛かり. ¶ 사건 해결의 ~ 事件解決の手づる / ~를 잡다 手掛かりをつかむ.

선【單線】명 単線.

‖── 궤도 명 単線軌道. ── 철도 명 単線鉄道.

선【斷線】명하타 断線.

성【單性】명 単性.

‖── 생식 명〔生〕単性生殖. ── 화 명 単性花.

-세포【單細胞】명 単細胞.

‖── 동물 명 単細胞動物. ── 생물 명 単細胞生物. ── 식물 명 単細胞植物.

단소【短小】명 短小.

단소【短所】명 短所; 欠点. ＝단처(短處).

단속【團束】명 取り締まり. ──-하다 타 取り締まる; 締めくくる. ¶ 부정 유출을 ~하다 横流しを取り締まる / ~을 완화하다 取り締まりを和らげる / 문 ~을 엄중히 하다 戸締まりを厳重にする.

단속【斷續】명하타 断続. ¶ ~적으로 노래가 들렸다 断続的に歌声が聞こえてきた.

‖──-기 명〔物〕断続器. ──-음 명 断続音.

단-속곳【單―】명 女性の肌着の上に着る下衣.

단수【段數】명 ① 段の数. ¶ ~가 다르다 段が違う. ② 手練手管の程度; 手. ¶ ~가 높다 手練手管に長けている / 자네보다 ~가 한 단계 위다 君より一段上の手である / 너하고는 ~가 틀려 君とはけた(桁)が違うよ.

단수【單手】명 (碁で)当たり.

단수【單數】명 単数. ¶ 삼인칭 ~ 현재 三人称単数現在.

단수【端數】명 ☞ 우수리.

단수【斷水】명하타 断水. ¶ 수도가 ~되다 水道が断水される.

단순【單純】명하형 単純; シンプル. ¶ ~한 생각 単純な考え / ~한 풍문에 지나지 않는다 単なるうわさ(噂)にすぎない. ──-히 부 単純に. ¶ ~ 생각할 문제가 아니다 単純に考えるべき問題でない.

‖── 개념 명〔哲〕単純概念. ── 평균 명 単純平均. ──-화 명하자타 単純化.

단-술 명 甘酒; 白酒.

단숨-에【單―】부 一気に; ひといきに; 一時に. ¶ ~ 다 쓰다 一気に書き上げる / ~ 죽 들이켜다 一息に飲み干す / ~ 일을 해치우겠다 一気に仕事をかたづけるつもりである.

단시【短詩】명 短詩.

단-시간【短時間】명 短時間.

단-시일【短時日】명 短時日. ¶ ~ 내에 준공시키다 短時日の間に竣工させる.

단식【單式】명 単式. ① 単純な方式. ② ↗단식 부기. ③〔數〕ひとつの項からなる算式. ④ ↗단식 경기.

‖── 경기 명 単式試合; 単試合; シングルス. ── 부기 명 単式簿記.

단식【斷食】명하자 断食. ¶ ~ 요법 断食療法 / ~ 투쟁 断食闘争 / ~ 기도 断食きとう(祈禱).

단신【單身】명 単身. ＝홀몸. ¶ 홀홀 ~ ひょうひょう(飄飄)単身 / ~ 적지로 들어가다 単身敵地に入る.

단신【短信】명 短信.

단심【丹心】명 丹心; まごころ; 赤心. ¶ 일편(一片) ~ いちず(一途)な赤心.

단아【端雅】명하형 端雅. ¶ ~한 몸가짐 端雅な身だしなみ.

단안【單眼】명 ① 隻眼; 片目. ②〔動〕単眼. ＝홑눈.

단안【斷案】명 断案. ¶ ~을 내리다 断案を下す.

단어【單語】명 単語. ＝낱말. ¶ ~장 単語帳 / 중요 ~ 重要単語.

단언【斷言】명하타 断言; 言い切ること. ¶ ~할 수 있다 断言できる / 틀림없다고 ~하다 間違いないと言い切る.

단역【端役】명 端役. ¶ ~을 맡다 端役をやる〔振り当てられる〕.

단연【斷然】부하형히부 断然. ① かたく心に決して動かぬさま; きっぱりとしたさま. ¶ ~ 거절하다 断然ことわる. ② たがいにかけ離れてちがうさま. ¶ ~ 다른 사람을 리드하고 있다 断然他をリードしている. ──-코 부 断然(として); 断固と(して). ¶ 나는 ~ 반대다 わたしは断然反対だ.

단열【斷熱】명하자〔物〕断熱. ¶ ~재 断熱材.

단엽【單葉】명 単葉. ① 一重の花びら. ② 一枚の葉片からなる葉. ③ ↗단엽 비행기.

‖── 비행기 명 単葉飛行機; 単葉機.

단오【端午】명 端午; 重五; あやめ(菖蒲)の節句.

‖단옷-날, ──-절 명 端午の節句.

단원【單元】명 単元. ①〔哲〕単一の根元. ② 学習活動のひとまとめの単位; ユニット. ¶ 교과 ~ 教科単元.

‖──-론 명〔哲〕単元論. ── 학습 명 単元学習.

단원【團員】명 団員. ¶ 합창 ~ 合唱団員.

단원-제【單院制】명 一院制.

단위【單位】명 単位. ¶ 보조 ~ 補助

ㄷ

単位 / 시지 에스 ～ シージーエス単位.
‖──계 [명] 単位系. ¶국제 ～ 国際単位系. ── 노동(勞動) 조합 [명] 単位組合. ── 면적 [명] 〖物〗単位面積.
단음【短音】[명] 短音.
단음【單音】[명] 単音.
‖── 문자 [명] 単音文字.
단음【斷音】[명][하자] 断音. ① 音を断つこと. ②〖樂〗スタッカート.
단-음계【短音階】[명]〖樂〗短音階.
단일【單一】[명][하형] 単一. ① ただひとつ. ¶～ 후보 単一候補. ② 複雑でないこと. ③ まじりもののないこと. ¶～ 민족 単一民族.
‖──신-교 [명] 単一神教. ──-어 [명] 単一語. ¶우리는 ～ 민족이다 われらは単一語民族である. ──-화 [명][하자타] 単一化.
단자【單子】[명] 祝儀·弔慰として贈る品物の品目と数量を書き表わした書状.
단자【短資】[명] 短資 ; コール. ＝콜. ¶～ 회사 短資会社.
‖── 시장 [명]〖經〗コール市場.
단자【端子】[명] 端子 ; ターミナル. ¶～ 전압 端子電圧.
단-자엽【單子葉】[명] 単子葉. ＝외떡잎.
‖── 식물 [명] 単子葉植物. ＝외떡잎 식물.
단-자음【單子音】[명] 単子音.
단작-스럽다 [형] (いやしくて)汚らしい ; みみっちい ; しみったれだ. ＜던적스럽다.
단-잠 [명] 熟睡.
단장【丹粧】[명] ① ☞ 화장. ② 装うこと. ──-하다 [자] めかし装う ; 身じまいをする. ¶새로 ～한 다방 新たにめかし飾ったティールーム / ～을 하고 외출하다 身じまいをして出かける / 새롭게 ～하고 화려하게 개점하다 装いも新たにはなばなしくオープンする.
단장【短杖】[명] 短い杖 ; ステッキ. ¶～을 짚은 노신사 ステッキをついた老紳士.
단장【團長】[명] 団長. ¶사절단의 ～ 使節団の団長.
단장【斷腸】[명] 断腸. ¶～의 심정 断腸の思い.
‖──-곡 [명] 断腸の曲.
단적【端的】[명] 端的. ¶～인 표현 端的な表現 / ～으로 말한다면 端的に言えば.
단전【丹田】[명] 丹田. ¶제하 ～ せいかたんでん(臍下丹田) / ～에 힘을 주다 丹田に力を入れる.
단전【斷電】[명][하자] 電気を断つこと ; 休電.
단절【斷絶】[명][하타] 断絶. ¶국교 ～ 国交断絶 / 세대의 ～ 世代の断絶.
단점【短點】[명] 短所 ; 欠点. ¶～을 고치다 短所を改める / 그는 화를 잘 내는 것이 ～이다 彼はおこりっぽいのが短所である.
단정【端正】[명][하형][히부] 端正. ¶～한 복장을 하다 端正な服装をする.
단정【端整】[명][하형][히부] 端整. ¶～ 모가 ～한 여자 顔形のととのった女性.
단정【端艇·短艇】[명] 短〔端〕艇 ; ボート.
단정【斷定】[명][하타] 断定. ¶～을 내리다 断定を下す. ──-코 [부] 断じて. ¶～ 말하거니와 断じて言いますが
단조【單調】[명][하형] 単調. ──-롭다 [형] 単調だ. ¶～로운 생활 単調な生活. ──-로이 [부] 単調に.
단조【短調】[명]〖樂〗短調 ; モード ; マイナー.
단좌【單坐】[명][하자] 単座. ¶～ 전투기 単座戦闘機.
단좌【端坐】[명][하자] 端座 ; 正座. ¶서재에 ～하고 書斎に端座して.
단죄【斷罪】[명][하타] 断罪.
단주【斷酒】[명][하자] 断酒 ; 禁酒.
단지 [명] 小さい素焼きのつぼ.
단지【團地】[명] 団地. ¶주택〔공업〕～ 住宅〔工業〕団地.
단지【斷指】[명][하자] 断指. ① 指を切ってしまうこと. ② 危篤の親または夫に指を切ってその血を飲ませること. ③ 誓いのしるしに指を切ること ; 指切り.
단지【但只】[부] 単に ; ただ(只·唯) ; ただ(啻)に. ¶～ 명령에 따를 뿐 ただ命令に従うのみ / ～ 물어 보았을 뿐이다 単に聞いてみただけである.
단짝 [명] 大の仲よし.
단처【短處】[명] 短所.
단청【丹青】[명][하자타] 丹青 ; 木造の建物に丹碧で模様を描き入れること.
‖──-집 [명] 丹青を施した建物.
단체【單體】[명]〖化〗単体. ＝홑원소 물질.
단체【團體】[명] 団体. ¶즐거운 ～ 생활 楽しい団体生活.
‖── 경기 [명] 団体競技. ── 교섭 [명][하자] 団体交渉. ¶～권 団体交渉権. ──-전 [명] 団体戦. ── 정신 [명] 団体精神.
단총【短銃】[명] 短銃 ; ピストル. ＝권총. ¶기관 ～ 機関短銃.
단추 [명] ボタン. ¶초인종의 ～를 누르다 呼び鈴のボタンを押す.
‖단춧-구멍 [명] ボタン穴.
단축【短縮】[명][하타] 短縮. ¶～ 수업 短縮授業 / 수명을 ～시키다 寿命を縮める.
단출-하다 [형] ① 家族が少なくて身軽である. ② 簡便である.
단층【單層】[명] 一階.
‖──-집 [명] 平家.
단층【斷層】[명] 断層.
‖──-면 [명] 断層面. ── 지진 [명] 断層地震. ── 해안 [명] 断層海岸.
단침【短針】[명] 短針. ＝시침(時針).
단칸【單─】[명] 一間 ; 一室.
‖── 마루 [명] 一間の板間. ── 방(房) [명] 一間の部屋. ── 살림, ──-살이 [명][하자] 一間世帯 ; 一間暮らし.
단칼-에【單─】[부] 一刀のもとに. ¶～ 두 쪽을 내다 一刀両断する.
단타【單打】[명]〖野〗単打 ; シングル

セット.
ㅏ타【短打】[명]〔野〕短打. ¶ ~ 전법 短打戦法 / 장~ 長短打.
ㅏ파【短波】[명]〔物〕短波. ¶ ~ 방송 短波放送 / 초~ 超短波.
ㅏ-판【單一】[명] 一番勝負.
‖── 씨름 [명] 一番勝負のすもう.
ㅏ-팥죽 [명] 汁粉.
ㅏ편【短編】[명] 短編.
‖── 소설 [명] 短編小説. ¶ 토마스 하디의 ~ トマスハーディーの短編小説. ── 영화 [명] 短編映画. ──-집 [명] 短編集.
단편【斷片】[명] 断片. ¶ ~적 기록 断片的な記録 / ~적인 이야기로는 진상을 알 수 없다 切れ切れ話では真相がつかめない.
단평【短評】[명] 短評. ¶ 문예 ~ 文芸短評.
단풍【丹楓】[명] ① ↗단풍나무. ② 紅葉. ¶ ~이 든 산 紅葉の山.
‖──-나무 [명]〔植〕かえで(楓). ── 놀이 [명][하자] 紅葉狩り. ¶ ~ 가다 紅葉狩りに行く. ──-잎 [명] ① 紅葉. ② かえでの葉.
단합【團合】[명][하자] ☞ 단결.
단항-식【單項式】[명]〔數〕単項式.
단행【斷行】[명][하타] 断行. ¶ 가격 인하를 ~하다 値下げを断行する / 한 번 결심했으면 ~할 일이다 一決したからには断行すべきだ.
단행-본【單行本】[명] 単行本.
단호【斷乎】[명] 断固. ──-하다 [형] 断固としている. ¶ ~한 결심 断固たる決心 / ~한 조치를 취하다 断固たる処置を取る. ──-히 [부] 断固として. ¶ ~ 반대하다〔부정하다〕断固として反対する〔否定する〕/ ~ 싸우다 断固として戦う.
단화【短靴】[명] 短靴.
닫다[1] [자] 走る; 駆ける; 急ぎ行く. ¶ 전속력으로 ~ 全速力で駆ける.
닫다[2] [타] 閉める. ① 閉じる. ¶ 문을 ~ 戸を閉める / 서랍을 ~ 引き出しを閉める / 장지를 꽉 ~ 障子を立て切る. ② しま(仕舞)う. ¶ 벌써 가게를 닫았군 もう店を閉めたな.
닫아 걸다 [타] 門〔戸〕を閉めてかんぬき(閂)をさす.
닫히다 [피동] 閉まる; ふさ(塞)がる; 閉じる. ¶ 언제나 꼭 닫혀 있는 창문 閉め切りの窓 / 문이 ~ 戸が閉まる / 열린 입이 닫혀지지 않는다 あいた口がふさがらない.
달 [명] ① 月; 地球の衛星. ¶ ~로켓 月ロケット / ~세계 月の世界; 月世界 / ~이 비치는 밤 月が照る夜 / ~이 뜨다 月が出る〔昇る〕/ ~이 지다 月が沈む〔入る〕/ ~이 밝다 月が澄む〔さ(冴)えている〕. ② (暦上の)月. ¶ 큰~ 大の月 / 작은~ 小の月 / ~이 바뀌다 月が変わる / (한) ~에 한 번 모이다 月に一度集まる.
달가닥 [부][하자] 固くて小さい物が軽く触れ合う音: がらがら; かたかた. ㊥ 달각. ──-거리다 [자] がらがらする; かたかた〔ことこと〕する. ──-── [부][하자] がらがら(と); かたかた; ことこと.
달가당 [부][하자] 固くて小さい物が軽く触れ合って出す音: ことんことん; かたんかたん.
달각 [부][하자] ☞ 달가닥. ──-거리다 [자] ☞ 달가닥거리다. ──-── [부][하자] ☞ 달가닥달가닥.
달갑다 [형] ① (気に入って)満足だ; 願わしい; ありがたい. ¶ 달갑지 않은 손님이다 ありがたくないお客様である. ② いと(厭)わない; (…されても)不満がない. ¶ 벌을 달갑게 받다 甘んじて罰を受ける.
달걀 [명] (鶏の)卵. ＝계란. ¶ ~꼴 卵形 / ~부침 卵焼き / 반숙의 ~ 半熟の卵 / 삶은 ~ ゆで卵 / ~을 깨다 卵を割る / ~을 젓다 卵をかき回す / ~을 지지다 卵をい(煎)りつける.
‖── 가루 [명] 卵の粉. ── 노른자 [명] ① 黄身. ② 物事の重要な部分. ── 흰자 [명] 卵の白身.
달게-굴다 [타] すが(縋)り付いてうるさくせがむ〔ねだる〕.
달게 받다 [타] 甘受する; 甘んずる. ¶ 비난을 ~ 非難を甘受する / 벌을 ~ 甘んじて罰を受ける.
달게 여기다 [자] 満足に思う; ありがたく感ずる.
달견【達見】[명] 達見. ¶ ~을 가진 사람 達見の持ち主.
달관【達觀】[명][하타] 達観. ¶ 인생을 ~하다 人生を達観する.
달구 [명] (地固めの)落としづち; たこ(蛸); 胴突き.
‖──-질 [명] 地固め; 胴突き; よいとまけ〈俗〉. ¶ ~하다 地固めをする.
달굿-대 [명] 胴突きのたこ.
달구다 [타] ① (火で)熱する; 焼く. ¶ 쇠를 ~ 鉄を熱する / 부젓가락을 새빨갛게 ~ 火ばしを真っ赤に焼く. ② オンドル(温突)に火をたいて熱くする.
달그락 [부][하자] 固く小さい物が触れ合う時の音: がらがら; ことり; かたり. ──-거리다 [자] がたがた〔がらがら〕する; ことことする. ──-── [부][하자] がらがら; ことりことり. ¶ ~ 소리를 내다 ことりことり〔がらがら〕と音を立てる.
달그랑 [부][하자] 固く小さい金属性の物が触れ合って出る音: かちん(と). ──-거리다 [자] かちんかちん〔がちゃんがちゃん〕と鳴る. ──-── [부][하자] がちゃんがちゃん.
달-나라 [명] 月世界.
달-님 [명] お月さま.
달다[1] [자] ① (汁物などが)煮えすぎる; 煮詰まる. ② 非常に熱くなる; 熱せられて赤くなる; ほて(火照)る. ¶ 빨갛게 단 쇠 赤熱の鉄 / 얼굴이 화끈 ~ 顔がほてる. ③ いらだつ; やきもきする. ④ (霜焼けで)ひび(皹)が切れる.
달다[2] [타] ① つ(吊)る(す). ¶ 처마끝에 풍경을 ~ 軒先に風鈴をつるす / 모기장을 ~ 蚊帳をつる / 선반을 ~ 棚をつる. ② 付〔着〕ける. ㉠ 縫い付ける. ¶ 단추를 ~ ボタンをつけ

る/모자에 장식깃을 ~ 帽子に飾り毛をつける. ㉡(体などに)ぶら下げる. ¶귀고리를 ~ 耳輪をぶら下げる/가슴에 훈장을 ~ 胸に勲章をぶら下げる. ③取り付ける; 架設する; 引く. ¶벽에 스위치를 ~ 壁にスイッチを取り付ける. ④付ける. ㉠(注釈·助詞などを)書き入れる. ¶알기 쉽게 주석을 ~ わかりやすいように注釈を付ける/한자에 훈을 ~ 漢字に訓を当てる/운을 ~ 韻を踏む. ㉡(勘定を)記録する. ¶장부에 외상을 ~ 帳簿に掛けをつける. ⑤(花婿を)つ(吊)るし上げにしてぎゅうぎゅうの目に合わせる. ⑥(はかりで)計〔測〕る. ¶달아서 팝니다 計り売りします/체중을 ~ 体重を測る.

달다[3] 형 ①甘い. ¶맛이 ~ 味が甘い/단 것 甘いもの. ②食欲がよくてうまい. ¶달게 먹다 うまそうに食べる. ③気に入って快い.

달달[1] 부 ①ぶるぶる; がたがた. ¶어린 아이가 ~ 떨고 있다 子供がぶるぶると震えている. ②車輪などが固い地面を転がり行く音: がたがた. <덜덜.

달달[2] 부 ①ごま(胡麻)·豆などをかきまぜながらい(炒)るさま. ②ごま·豆などをひきうす(碾臼)でひくさま: がらがら. ③くどくど言ってさいな(苛)むさま. ④物をくまなくさがすさま.

달달 볶다 타 ①ごま·豆をかきまぜながらい(炒)る. ②(人を)いびる; さいな(苛)む. <들들 볶다.

달디-달다 형 非常に甘い; 甘ったるい.

달-뜨다 자 心が浮つく; 落ち着かない. ¶처녀의 마음을 달뜨게 하다 乙女の心を浮つかせる.

달라다 타 求める; 請う. ¶졸라서 사 달라자 せがんで買ってもらおう/고쳐 달라자 直してもらおう.

달라-붙다 자 くっつく; 粘り着く; かじ(齧)りつく; へばり付く. ¶책상〔일〕에 ~ 机〔仕事〕にかじりつく/옷에 엿이 착 ~ 服にあめがべったり引っつく/끈적끈적 ~ ねとねと粘りつく/추근추근 ~ ねちねち食い下がる.

달라-지다 자 変わる; 変化する.

달랑 부 ①小さい鈴の鳴る音: ちりん; りん. ②落ち着きがなくそそっかしいさま; (前後をわきまえず)やたらに行動するさま. ¶트렁크 하나만 ~ 들고 나서다 トランク一つ持ち切りで出掛ける. ③ちょこ(な)んと; ぽつんと; しょんぼり. ¶커다란 방에 혼자만 ~ 남았다 広い部屋に一人ぽつんと残った. ——-거리다 자 ①(鈴などが)ちりんちりんと鳴る. ②そそっかしく振る舞う; ちょこまかする〈俗〉. ———— 부하자 ①ちりんちりん. ②そそっかしく; ちょこまか.

달랑달랑-하다 형 (金などが)いくらも残っていない; 底が見えてくる; 尽きかけている; 残り少ない.

달랑이다 자 そそっかしく振る舞う.

달랑-하다 자 ①(鈴などが)ちりんと鳴る. 쓰딸랑하다. ②胸がどきんとする. <덜렁하다.

달래 명〘植〙ひめにら.

달래다 타 ①慰める; 紛らす. ¶여정을 ~ 旅情〔つれづれ〕を慰める/노래로 무료함을 ~ 歌で退屈を紛らす/슬픔을 술로 ~ 悲しみを酒で紛らす. ②なだ(宥)める; すかす; あやす. ¶쌍방을 달래어 화해시키다 双方をなだめて仲直りをさせる/아이를 달래어 잠재우다 子供をすかして寝つかせる/보채는 젖먹이〔우는 아이〕를 ~ むずかる赤ん坊〔泣いている子〕をあやす.

달러 (dollar) 명 ドル. ¶~상(商) ドル買い./~ 박스 ドル箱.

달려-가다 자 駆けつける; は(馳)せつける. =뛰어가다. ¶급보를 받고 ~ 急報に接して駆けつける.

달려-들다 자 にわかに飛び掛かる; 飛びつく. ¶개가 ~ 犬がとびかかる/소가 뿔을 곤두세우고 ~ 牛が角をたててつっかかる/칼을 들고 ~ 刃物を持って切りかかる.

달려-오다 자 ☞ 뛰어오다.

달력【一曆】 명 暦; カレンダー. ¶~ 나이로 스무살 数えて二十歳; 数え年で二十.

달리 부 ほかに; 他に; 別に. ——-하다 타 異にする. ¶기대와는 ~ 期待に反して/예상한 바와 ~ 案に相違して/~ 도리가 없다 ほかになすすべがない/언어를 ~하는 나라 言語を異にする国.

달리기 명하자 駆けくらべ; 駆けっくら; 駆けっこ〈児〉; 走り. ¶토끼와 거북이의 ~ うさぎ(兎)とかめの駆けくらべ.

달리다[1] ㊀자 ①ぶら下がる. ㉠つ(吊)り下がる; 垂れる. ¶처마 끝에 풍경이 달려 있다 軒先に風鈴がつり下がっている. ㉡(身などに)付け(られ)ている. ¶옷에 단추가 달려 있다 服にボタンが付いている/훈장이 달려 있었다 勲章がぶらさがっていた. ②取り付け(られ)ている. ¶전등이 달려 있다 電灯が取り付けてある. ③(ある関係に)左右される; かかる; …(いかん)による. ¶노력 여하에 달려 있다 努力いかんによる/문제는 저쪽〔상대방〕의 태도 여하에 달려 있다 問題は向こうの出方いかんによる/승진은 수완 여하에 달렸다 昇進は手腕次第だ. ㊁피동 ①つるされる. ②(はかりなどで)計られる. ¶너무 무거워 저울에 달리지 않는다 重すぎてはかりに掛からない.

달리다[2] 자 ①及ばない; 手にあまる. ¶결국 힘이 달려 지고 말았다 結局力及ばずして負けてしまった. ②不足する. ¶사업 자금이 ~ 事業資金が続かない.

달리다[3] 자 ①だるくて気力が無くなる. ②(疲れて)目がたるむ.

달리다[4] ㊀타 走らせる; 駆る; すっとばす《특히 자동차를》. ¶말을 ~ 馬

を走らす〔駆る〕/ 시속 백 킬로로 ～ 時速百キロで飛ばす. ㊁자 走る; 駆ける; はせる. ¶전속력으로 ～ 全速力で走る / 나란히 ～ 並んで走る / 내처 달려서 숨차다 駆け通しで息がきれる.

리아 명〔植〕ダリア.

마【達磨】 명〔佛〕だるま(達磨).

-맞이 명하자 月見; 観月.

——**꽃** 명〔植〕つきみそう(月見草).

-무리 명 つきがさ(月暈).

-밤 명 月夜. ¶～의 산책 月夜の散歩.

변【達辯】 명 達弁; 口達者. ¶～인 사람 達弁の人.

-빛 명 月光; 月明かり; 月; 月影; 月色; 月の光. ¶～이 밝다 月が明るい / ～이 구석구석까지 비치고 있었다 月光がくまなく照り渡っていた.

성【達成】 명 達成. ——하다 타 達成する; 果たす. ¶목표 ～에 노력하다 目標達成に努力する / 목적을 ～하다 目的を果たす.

달싹-이다 자타 ☞ 들썩이다.

달싹-하다 형 しっかり覆われていない.

달아-나다 자 ①早く走る. ②逃げる. ¶달아나려 하다 逃げ足〔腰〕になる / 허둥지둥 ～ ほうほうの体で逃げる / 친구를 버리고 ～ 友を見捨てて逃げる.

달아-매다 타 ①ぶら下げる; つるす. ¶나무에 그네를 ～ 木にぶらんこをつるす. ②縛り付ける. ¶개를 기둥에 ～ 犬を柱に縛り付ける.

달아-보다 타 ①(はかりで)計って見る. ②(人柄を)試して見る. ¶인품을 ～ 人柄を試して見る.

달아-오르다 자 ①(鉄などが)熱する; 熱くなる. ②(顔が)ほてる. ¶부끄러움으로 나의 얼굴은 벌겋게 달아올랐다 恥ずかしさの余りわたしの顔は赤くほてるのだった.

달음박-질 명 駆け足; 走り. ㊀ 달음질. ——하다 자 駆け足する; 走る. ¶～해서 가다 駆け足で〔走って〕行く. ——치다 자 走る; 駆ける.

달음-질 명하자 ①駆けくらべ; かけっこ. ②↗달음박질.

달이다 타 ①煮詰める. ¶간장을 ～ しょうゆ(醬油)を煮詰める. ②せん(煎)じる. ¶한약을 ～ 韓薬をせんじる.

달인【達人】 명 達人. ¶검술의 ～ 剣術の達人.

달짝지근-하다 형 やや甘い; ちょっと甘味がある.

달착지근-하다 형 やや甘味がある.

달창-나다 자 ①(使い古して)すり減る〔穴があく〕; 擦り切れる. ②(多くあったものが)尽きる; 無くなる.

달치다 자타 ①熱すぎる. ②煮詰めすぎる.

달카닥 부 固い物どうしがぶっつかって出す音: かたん; ことん. ㊀ 달칵. <덜커덕. ——하다 자 かたんと鳴る; ことんと鳴る. ——거리다 자 かたんかたんと鳴る. ——— 부하자 かたんかたん.

달칵 부하자 ↗달카닥. <덜컥[1]. ——거리다 자 ↗달카닥거리다. ——— 부하자 ↗달카닥달카닥.

달콤쌔큼-하다 형 甘酸っぱい. ¶달콤쌔큼한 맛 甘酸っぱい味.

달콤-하다 형 甘い; 甘ったるい. ¶달콤한 말로 사람을 유혹하다 甘い言葉で人を誘惑する / 달콤한 맛 甘ったるい味 / 달콤한 목소리로 말하다 甘ったるい声で話す. **달콤-히** 부 甘く; 甘ったるく.

달통【達通】 명하자타 通達; 物事の道理に通じること.

달팽이 명〔動〕かたつむり(蝸牛).

달-포 명 一か月余; 一か月余り. ¶한 ～ 전에 約一か月余り前に.

달-품[1] 명 月ぎめ賃金の労働.

달필【達筆】 명 達筆. ¶～로 써내려가다 達筆で書きなぐる.

달-하다【達一】 자타 達する. ①目的を果たす. ¶목적을 ～ 目的を達する. ②(ある程度·限度に)至る. ¶인기가 절정에 ～ 人気が頂点に達する. ③栄華をきわめる.

닭 명〔鳥〕鶏; とり. ¶～을 치다 鶏を飼う / ～을 닭장에 넣다 鶏を鶏舎に入れる / ～이 홰를 치다 おんどりが時をつくる.

닭-국 명 鳥肉の吸い物〔煮出し汁〕. =계탕(鷄湯).

닭의-장【一欌】 명 鶏小屋; 鶏舎. ㊀ 닭장.

닮다 타 ①似る. ¶부모를 ～ 親に似る / 두 사람의 생애는 서로 닮은 데가 있다 二人の生涯には相似るところがある / 그것은 교묘하게 진짜에 닮게 만들어져 있다 それは巧みに本物に似せてある. ②(ある物を)まねてそれに近くなる. ¶서양 풍속을 닮아가다 西洋の風俗に似つつある.

닳고-닳다 자 ①すれにすれる; すれて減りに減る. ②(社会の荒波にもまれて)人ずれする; すれる. ¶닳고닳은 사나이 すれた男 / 닳고닳은 여자 擦れっ枯らしの女; あば(阿婆)ずれ女.

닳다 자 ①すれる; すり減る. ¶신발이 닳았다 くつがすり減った / 천이 닳아서 보풀이 일다 生地がすれて毛羽立つ. ②(液体などが)煮つまる. ③肌が凍えて赤くなる.

닳리다 타 ①(靴などを)すり減らす. ②(液体などを)煮つめる. ③(肌などを)凍えさせて赤くする.

담 명 塀; 垣. ¶벽돌～ 煉瓦塀 / 토～ 土塀 / ～을 쌓다 垣をめぐらす〔造る〕.

담【痰】 명 ①〔生〕たん(痰). =가래[2]. ②分泌液の循環障害から起こる一種の神経痛.

담【膽】 명 ①〔生〕胆のう. =쓸개. ②↗담력.

담-【淡】 두 色があわい〔うすい〕ことを表わす接頭語: 淡…. ¶～황색 淡黄色.

-담【談】 미 談. ¶경험～이 재미있

다 經驗談が面白い.

담-갈색【淡褐色】명 淡褐色; 白茶.

담-결석【膽結石】명 ☞ 담석.

담그다 타 ①漬ける. ㉠液体につける; 浸す. ¶물에 ~ 水に漬ける / 따뜻한 물에 발을 ~ 暖かい水に足を浸す; 足湯を使う / 냇물에 발을 ~ 流れに足を入れる. ㉡(菜を)漬け込む. ②(酒などを)仕込む. ③(魚などの)塩辛をつくる.

담금-질 명〔工〕焼き. ——-하다 타 焼きを入れる.

ㄷ

담기다 피동 盛られる. ¶광주리에 담긴 과일 かごに盛られた果物.

담낭【膽囊】명〔生〕たんのう(胆嚢).
‖——-염 명 胆嚢炎.

담-녹색【淡綠色】명 薄緑色. = 연둣빛.

담다 타 ①(器に)盛る; 入れる. ¶밥을 그릇에 골막하게 ~ 飯を目八分に盛る / 단지에 담아 두다 つぼに入れておく. ②(比喩的に)込める. ¶불타오르는 사모의 정을 담은 편지 燃える思いを込めた手紙 / 기도를 담아서 祈りを込めて. ③(悪口を)口にする〔言う〕. ¶그의 이름은 입에 담기에도 더럽다 彼の名を口にするのも汚らわしい.

담담-하다【淡淡—】형 淡淡としている. ¶담담한 태도 淡淡たる態度 / 담담한 심경 淡淡たる心境. 담담-히 부 淡淡と.

담당【擔當】명 担当; 受け持ち. ——-하다 타 担当する; 受け持つ. ¶~ 구역 担当区域 / 1학년을 ~하다 一年生を受け持つ.

담대【膽大】명 豪胆; 大胆. ——-하다 형 大胆だ; 胆っ玉が太い. ¶~한 사람 大胆な人. ——-히 부 大胆に.

담력【膽力】명 胆力. ㊜ 담(膽). ¶~을 기르다 胆力を練る / 상당한 ~이다 相当な度胸だ.

담론【談論】명하타 談論. ¶술을 마시면서 ~하다 酒を飲み交わしながら談ずる.

담박【淡泊·澹白】명 淡泊〔淡白〕. = 담백. ——-하다 형 淡泊だ. ¶~한 인품 淡泊な人柄 / ~한 맛 淡白な〔さっぱりした〕味.

담배 명 タバコ(煙草). ¶~ 한 갑〔개비〕タバコ一箱〔一本〕/ ~를 권하다〔끊다〕タバコをすすめる〔やめる〕/ ~를 피우다 タバコを吸う〔のむ; ふかす〕/ ~가 순하다〔독하다〕タバコが甘い〔辛い〕.
‖—— 꽁초 명 タバコの吸い殻; タバコの燃えさし. —— 물부리 명 キセルの吸い口. ㊜ 물부리. —— 설대 명 キセルの管; ラオ(羅宇). ㊜ 설대. —— 쌈지 명 タバコ入れ. ㊜ 쌈지. ——-질 명하자 やたらにタバコばかり吸うこと. 담뱃-가게 명 タバコ屋. 담뱃-갑(匣) 명 タバコの箱. 담뱃-값 명 タバコ代; タバコ銭. ¶~도 넉넉지 못하다 タバコ銭にも事欠く / ~이 떨어지다 タバコ銭が切れる. 담뱃-대 명 キセル. 담뱃-불 명 タバコの火. ¶~을 비벼 끄다 タバコの火をもみ消す. 담뱃-재 명 タバコの灰. 담뱃-진(津) 명 タバコのやに.

담-벼락 명 ①塀·壁の面. ②朴仁; わからずや. ¶~ 같은 사 唐変木.

담보【擔保】명하타 担保. ¶집 ~로 하여 돈을 빌리다 家を担保に入れて金を借りる; 家を抵当に入れて金を借りる.
‖——-권 명 担保権. ——-물, ——- 명 担保物. ——-(부) 대부 명 担保付き貸し付け.

담비 명〔動〕てん(貂).

담뿍 부하형 ☞ 듬뿍.

담색【淡色】명 薄い色; 淡い色.

담석【膽石】명〔生〕胆石.
‖——-증 명 胆石症.

담세【擔稅】명하자 担税; 租税を負担すること.
‖——-력 명 担税力.

담소【談笑】명하자 談笑.

담소【膽小】명 小胆; 小心. ——-하다 형 小胆〔小心〕だ.

담수【淡水】명 淡水; まみず.
‖——-어 명 淡水魚. =민물고기. ——-어업 명 淡水漁業. ——-호 명〔地〕淡水湖.

담수【湛水】명 ①た(溜)まった水. ②貯水池·ダムに水をためること.

담시【譚詩】명 たんし(譚詩). =발라드(ballade).

담-쌓다 자 ①塀を築く〔立てる; めぐらす〕. ②交際を断つ; 関係を切る.

담쏙 부 ☞ 듬쑥.

담요【毯—】명 毛布; ブランケット; ケット《준말》.

담임【擔任】명 担任. ——-하다 타 担任する; 受け持つ. ¶~ 선생 担任先生 / 학급 ~ 学級担任.

담-자색【淡紫色】명 薄紫.

담쟁이(-덩굴) 명〔植〕つた(蔦).

담즙【膽汁】명〔生〕胆汁.

담-차다【膽—】형 大胆だ; 豪胆だ; 度胸がすわっている. ¶담찬 사나이 豪胆な男.

담채【淡彩】명 淡彩; あっさりと色どること. また, その彩色.
‖——-화 명 淡彩画.

담판【談判】명하타 談判. ¶사장과 직접 ~하다 社長と直に談判する.

담합【談合】명하타 談合. ¶업자간의 ~ 業者間の談合.

담-홍색【淡紅色】명 薄紅.

담화【談話】명하자 談話. ¶~문을 발표하다 談話文を発表する.
‖——-체 명 談話体.

담-황색【淡黃色】명 うす黄色.

담-흑색【淡黑色】명 うす黒色.

답【畓】명 ☞ 논. ¶전~ 田畑.

답【答】명하자 答え; 返答; 解答.

답교【踏橋】명하자〔民〕陰暦の正月十五日の夜, 橋を踏み歩いてその年の邪気を除く習わし.

-답다 미 "…らしい"·"…の価値がある"·"…にふさわしい"の意. ¶여자~

らしい / 자네답지도 않은 말을 한 君らしくもない事を言う.

답-하다【沓沓—】형 ① (病気·心配事などで) 重苦しい. ¶답답한 심정 重苦しい心境 / 가슴이 ~ 胸苦しい. ② 息苦しい. ¶답답한 방 息苦しい部屋 / 답답하게 느끼다 息苦しく感じる. ③ さっぱりしない; たいくつだ; うっとうしい; じれったい; もどかしい. ¶답답한 일솜씨 もどかしい仕事ぶり / 답답한 사람이군 分からん人だな.

답례【答禮】명하자 答礼; お返し; 返礼. ¶~의 선물 お返しの贈り物 / ~로서 방문하다 答礼として訪問する.

답방【答訪】명하자 答訪. ¶~으로 서 가다 答訪として行く.

답변【答辯】명하자 答弁; 返答. ¶임시 변통의 ~ その場逃がれの答弁 / ~에 궁하다 返答に窮する.

답보【踏步】명하자 足踏み. ¶~ 상태 足踏みの状態.

답사【答辭】명하자 答辞. ¶~를 읽다 答辞を読む.

답사【踏査】명하타 踏査. ¶실지 ~ 実地踏査.

답삭 부 ☞ 덥석.

답서【答書】명하자 返信; 答書. =답장. ¶~가 오다 返信が来る.

답습【踏襲】명하타 踏襲; 後〔跡〕を受け継ぐこと. ¶전내각의 정책을 ~하고 있다 前内閣の政策を踏襲している.

-답시고 미 "少しばかり…からといって"の意を皮肉って言う語. ¶나이깨나 먹었~ ちょっと年を取ったからといって / 돈 좀 있~ 사람을 깔보지 마라 少少金持ちだからとて人をけいべつ(軽蔑)するな.

답신【答申】명하자 答申.

‖——서 명 答申書.

답안【答案】명 答案. ¶시험〔모범〕~ 試験〔模範〕答案 / ~을 다시 보다 答案を見直す.

답작-이다 자 ☞ 덥적이다.

답장【答狀】명하자 返事; 返信; 返書〈老〉; 復文. ¶~을 내다 返事を出す; 復文を出す.

답전【答電】명하자 答電; 返電. ¶~을 치다 答電〔返電〕を打つ.

답지【遝至】명하자 ひとところに集まること. ¶주문이 ~하다 注文が殺到する.

-답지 못하다 미 …らしくない; …としての値打ちがない. ¶남자~ 男らしくない / 여자답지 못하게 女だてらに.

-답지 않다 미 ☞ -답지 못하다.

답파【踏破】명하타 踏破. ¶전국을 ~하였다 全国を踏破した.

답-하다【答—】자 答える; 返答する; 返事する.

닷 관 ↗다섯. ¶~냥 五両 / ~말 五斗 / ~새 五日.

닷새 명 ① 五日. ② 月の五日. =초닷샛날.

‖닷샛-날 명 ① 五日目の日. ② 月の五日. =초닷샛날.

당【堂】명 ① ↗당집. ② ☞ 대청. ③〔佛〕 寺の門前にその寺の高僧を知らせるためにかかげる旗.

당【糖】명〔化〕 糖.

당【黨】명 党. ¶~의 기풍 党風 / ~총재 党の総裁 / ~의 상무위원 党の常務委員 / ~ 확대 간부 회의 党拡大幹部会議.

당-【當】두 当. ¶~회사 当会社 / ~연구소 当研究所 / ~25세 当年(とって)二十五歳.

-당【堂】미 堂; 店名や人名または雅号に付ける語. ¶고려~ 高麗堂 / 사명~ 四溟堂.

-당【當】미 当たり. ¶일인~ 만 원 ひとり当たり一万ウォン / 단보~ 수확량 反当たりの収穫量.

당-고모【堂姑母】명 父のいとこ(従姉妹). ¶~부 父のいとこの夫.

당교【當校】명 当校.

당구【撞球】명 玉突き; 球; ビリヤード; どうきゅう(撞球). ¶~를 치다 球を突く.

‖——대 명 たまつき台. ——봉(棒) 명 キュー. ——장 명 たまつき場.

당국【當局】명하자 当局. ¶관계 ~ 関係当局 / ~에 신고하다 当局に申し立てる〔届け出る〕 / ~으로부터의 시달 当局からの示達.

‖——자 명 当局者.

당권【黨權】명 党権; 党の主導権. ¶~ 투쟁 党の主導権争い.

당규【黨規】명 党規. =당칙. ¶~에 위배되다 党規に反する.

당근 명〔植〕 にんじん(人参). =홍당무. ¶말에 ~을 먹이다 馬ににんじんを食わせる.

당금【當今】명부 近ごろ; このごろ; 当今. ¶~의 정세 当今の情勢.

당기【當期】명 当期. ¶~의 이익 当期の利益.

당기【黨紀】명 党紀. ¶~ 숙정 党紀粛正 / ~를 어지럽히다 党紀を乱す.

당기다 타 ① 引く; 引き寄せる. ¶그물을 ~ 網を引く / 맞~ 引き合う / 힘껏 ~ ぐいと引っぱる. ② 糸を引き張る. ¶실을 팽팽히 ~ 糸をぴんと引き張る / 활시위를 ~ 弓を引く. ③ 繰り上げる. ¶결혼식 날짜를 앞~ 結婚式の日を繰り上げる. ④ 食欲をそそる.

당-나귀【唐—】명〔動〕 ろば(驢馬); うさぎ馬. =나귀.

당내【堂內】명 堂内. ① 仏堂·しどう(祠堂)などの中. ② 親戚.

당내【黨內】명 党内. ¶~ 파벌 党内派閥 / ~에 분규가 있다 党内にもやもやがある.

당년【當年】명 当年. ¶~ 18세 当年(取って)十八歳.

‖——치 명 その年に出たもの. ¶~ 농사 その年の農作. ——치기 명 一年間しか使えないもの.

당뇨【糖尿】명〔醫〕 糖尿.

‖——병 명〔醫〕 糖尿病.

당-닭【唐—】명 ①〔鳥〕ちゃぼ(矮鶏). ② 背が低くて太った人のあだな.

당당【堂堂】명하형히부 堂堂. ¶정정 ~ 正正堂堂 / ~한 풍격〔태도·체

子〕堂堂たる風格〔態度・体軀〕/ 보무 ~히 나아가다 歩武堂堂と進む.
당대【當代】명 当代. ¶~의 영웅 当代の英雄.
당도【當到】명하자 到着; 到達. ¶목적지에 ~하다 目的地に到着する.
당돌-하다【唐突—】형 大胆だ; 不敵だ; 向こうみずだ. **당돌-히** 부 大胆に.
당락【當落】명 当落. ¶~의 고비 当落の境目.
당랑【螳螂】명〔蟲〕とうろう(螳螂)《かまきりの漢名》. =사마귀.
‖——지-부(之斧) 명 螳螂のおの(斧).
당략【黨略】명 党略. ¶당리 ~ 党利党略/~상 党略上.
당량【當量】명〔化〕当量.
당론【黨論】명 党論. ①朋党の論議. ②政党の意見または論議.
당류【糖類】명〔化〕糖類. ¶어릴수록 ~를 좋아한다 幼いほど糖類を好む.
당리【黨利】명 党利.
당면【唐麵】명 じゃがいものでんぷんで作っためん(麵); はるさめ.
당면【當面】명하자 当面. ¶~ 목표 当面目標/위기에 ~하다 危機に面する.
당목【唐木】명 唐木綿; カナキン(金巾). =서양목(西洋木).
당목【撞木】명 しゅもく(撞木). ¶~으로 종을 치다 撞木で鐘をつく.
당무【黨務】명 党務.
당밀【糖蜜】명 糖みつ(蜜); みつ(蜜)《준말》.
당방【當方】명 当方.
당번【當番】명하자 当番. ¶취사 ~ 炊事当番/~이 되다 当番に当たる.
당부【當付】명하타 頼むこと. ¶신신 ~하다 くれぐれも頼む.
당부【當否】명 当否. ¶이 학설의 ~는 조급히 판정할 수 없다 この学説の当否は早急に判断出来ない.
당-부당【當不當】명 当不当.
당분【糖分】명 糖分.
당분-간【當分間】명부 当分; しばらく; 差し当たり; 当座. ¶이 문제는 ~ 제쳐놓고 この問題はしばらく置いて/결혼은 ~ 보류다 結婚は当分お預けだ/~은 이것이면 된다 さしあたりこれで間に合う.
당비【黨費】명 党費.
당사【當社】명 当社; この会社.
당사【當事】명하자 当事.
‖——국 명 当事国. ——자 명 当事者. ¶~끼리 타협하였다 当事者同士が妥協した/소송 ~ 訴訟当事者.
당사【黨舍】명 党舎.
당상【堂上】명 ①板敷きの広間. ②〔史〕堂上《昇殿を許された一部の正三品以上の文武官の職位》.
‖——관(官) 명 堂上官; 堂上の官員.
당선【當選】명하자 当選. ¶~ 확실 当選確実; 当確《준말》/무투표 ~ 無投票当選.
‖——권 명 当選圏. —— 무효 명 当選無効. ——작 명 当選作. ——가 명 当選作家.
당세【黨勢】명 党勢. ¶~가 약화되다 党勢が衰える.
당수【唐手】명 唐手〔空手〕.
당수【黨首】명 党首.
당숙【堂叔】명 父のいとこ(従兄弟)
‖——모(母) 명 父のいとこの妻.
당승【唐僧】명 唐僧.
당시【唐詩】명 唐詩. ¶~선 唐詩
당시【當時】명 当時; 時. ¶패전 ~ 敗戦当時/~의 수상 当時の首相/그 ~를 회상하다 その当時をしのぶ.
당신【當身】대 ①同等の相手に対する呼称: あなた; 御身〈雅〉. ¶~이 후원해 주신다면 あなたが後援して下されば/~에게 부탁할 일이 있소 あなたに頼み事がある. ②目上を敬っていう第三人称: ご自分; ご自身. ¶아버지께서는 모든 일을 ~이 직접 하신다 父はすべてのことを自身でなさる. ③夫婦の間で相手を指す語: あなた; あんた. ¶그 일은 ~이 하세요 それはあんたがしてちょうだい.
당실-거리다 자 ☞ 덩실거리다. **당실-당실** 부하자 ☞ 덩실덩실.
당악【唐樂】명 唐楽.
당-악기【唐樂器】명 ①唐代の楽器. ②唐楽を演奏する楽器.
당연【當然】명하형 当然; あたりまえ; もっとも. ¶~한 결과 当然の結果/~한 이치 理の当然/극히 ~한 일 決まりきった事/그런 일은 ~한 일이야 そんな事はあたりまえさ/그 질문은 ~하십니다 そのご質問はごもっと(尤)もです. ——히 부 当然に.
‖——지-사(之事) 명 当然なこと; あたりまえのこと; もっともなこと.
당원【黨員】명 党員.
당위【當爲】명〔倫理〕当為.
‖——성 명〔倫理〕当為性.
당의【唐衣】명 婦人の礼服のひとつ.
당의【糖衣】명 糖衣.
‖——정 명 糖衣錠.
당일【當日】명 当日. ¶사건 ~에는 거기 없었다 事件当日にはそこに居なかった/~ 판매 当日売り.
‖——치기 명하자 その日にし終えてしまうこと. ¶~ 여행을 했다 日帰り旅行をした.
당자【當者】명 ①その人. ¶~에게 물어 보아라 本人に聞きたまえ. ②当事者.
당장【當場】㊀명 当の場所; その場. ¶~의 이익만 생각하다 目先の利益だけを考える/~은 이것으로 된다 さしあたりこれで間に合う. ㊁부 すぐさま; 直ちに; 立ち所に; 早速. ¶~ 달려가다 すぐさま駆け付ける/이 약 한 첩으로 ~ 낫는다 この薬一服で立ちどころになおる/~ 신청해 두자 早速申し込んでおこう.
당쟁【黨爭】명하자 党争. ¶~을 일

삼다 党争を事とする.
당적【黨籍】명 党籍. ¶～이탈 党籍離脱.
당정【黨政】명 党政. ¶～협의 党政協議.
당좌【當座】명〖經〗当座預金；当座(준말).
‖── 계정(計定) 명 当座勘定. ── 대부 명 当座貸し付け. ── 대월 명 当座貸し越し. ── 수표(手票) 명 当座小切手. ── 예금 명 当座預金.
당지다 자 (抑えられて)固くなる.
당-지질【糖脂質】명 糖脂質.
당직【當直】명하자 当直. ¶～자 当直者／～과장 当直課長.
당-질【堂姪】명 いとこの息子.
당-질녀【堂姪女】명 いとこの娘.
당집【堂─】명 神仏を祭る堂；社；ほこら(祠)；お堂. (준) 당(堂).
당차다 형 小柄にしてしたたかである. ¶당차게 생긴 사람 小さくて強か者.
당착【撞着】명하자 どうちゃく(撞着). ¶자가～ 自家どうちゃく.
당-찮다【當─】형 ↗당치 아니하다. ¶당찮은 이야기 とんでもない話.
당첨【當籤】명하자 とうせん(当籤). ¶～운 くじ運／～자 とうせん者／～이 되다 くじが当たる.
당초【唐草】명 ↗당초문.
‖── 무늬, ──-문(紋) 명 唐草模様.
당초【唐椒】명〖植〗☞ 고추. ¶고추～ 맵다지만 とうがらし(唐辛子)がいくら辛くとも；とうがらしが辛いとは言え.
당초【當初】명 当初. ＝애초. ¶개업～에는 開業当初は. ──-에 부 当初に；最初に.
당최 부 ↗당초에.
당치 아니하다【當─】, 당치 않다【當─】형 妥当でない；とんでもない；もっての外だ. ¶당치 아니한 이야기다 とんでもない話だ／당치 아니한 소릴 하고 있구나 むちゃな事を言っているね.
당파【黨派】명 党派. ¶초～ 超党派／～심 党派心／～를 초월하여 党派をこえて.
‖── 싸움 명하자 党争；派閥争い.
당하【堂下】명 ①堂の下. ②〖史〗地下(昇殿を許されない一部の正三品以下の文武官の官職).
‖──-관(官) 명 地下人.
당-하다【當─】㊀형 道理に適う. ㊁자 会う；ぶつかる；当面する. ¶눈 앞에 당하면 어떻게 되겠지 いざ事に会ったらどうにかなるだろう. ㊂타 ①充分に勝ち抜く；匹敵する；かな(適)う. ¶그를 당할 사람은 없다 彼に適うものはない／힘이 못～ 力が及ばない／실력으론 그를 당할 수 없다 実力では彼に歯が立たない. ②事に当たる；事に際する. ¶낙선의 쓰라림을～ 落選のうき目を見る／반죽음을～ 半殺しの憂き目に会う／참패를～ 惨敗を喫する.
-당하다【當─】미 (…を)受ける；(…に)会う. ¶모욕～ 侮辱される／반격～ 反撃に会う／가는 곳마다 거절～ 行くさきざきでことわられる／많은 사람 앞에서 창피～ 人中で恥をかく.
당한【當限】명하자 ①〖經〗当限り；当月ぎり. ¶～거래 当限り取引. ②期限が迫ること.
당해【當該】관 当該. ¶～관청 当該役所／～사항 当該事項.
당헌【黨憲】명 党の綱領または基本方針.
당혹【當惑】명하자 当惑. ¶순간～했다 はたと当惑した／꼭 찍어 말하는 데～했다 図星をさすのにはとまど(戸惑)った.
당화【糖化】명하자타 糖化. ¶전분을～하다 でんぷん(澱粉)を糖化する.
당황-하다【唐慌─】자 慌てる；面くらう；うろたえる；まごつく. ¶당황한 기색이 뚜렷이 보였다 ろうばいの色がありありと見えた／갑자기 영어로 말을 걸어 와서 적이 당황했다 いきなり英語で話しかけられて少なからず面くらった／갑작스런 질문에 당황했다 急に尋ねられてまごついた.
당회【堂會】명 (長老教会で)牧師と長老からなる最高機関.
닻 명 いかり(錨〔碇〕)；アンカー. ¶～줄 錨綱；錨鎖／～을 내리다〔올리다〕 いかりを下ろす〔上げる〕／～을 감다 いかりを巻く.
닻-가지 명 いかりのつめ(爪).
닻-고리 명 いかり綱のわ(鐶).
닻-돌 명 いかり(錨)の子；木製のいかりを沈めるために付ける重石.
닻-주다 자 いかりをおろす.
닻-줄 명 いかり綱.
닻-혀 명 いかりのつめ(爪)のかぎ(鉤).
닿다 자 ①着く. ㉠触れる；接する；触る；(手足・頭などが)届く. ¶손에 닿는 대로 물건을 내던졌다 手に触れ次第物を投げ出した／가볍게～ 軽く触れる／머리가 천장에～ 頭が天井に着く／발돋움을 해야 닿는다 背伸びしなくては届かない. ㉡(目的地に)到着する；届く；至る. ¶행선지에～ 先方に着く／배가 물가에～ 船が岸に着く. ②つる〔つて〕がある. ¶인연이 닿으면 또 만나겠지요 縁があったらまた会えましょうよ／고위층에 줄이～ 高位の人に手づる〔コネ〕がある.
닿-소리 명 ☞ 자음(子音).
대[1] ㊀명 ①茎. ¶수숫～ きびの茎；きびがら／머윗～ ふきのとう(薹)／～가 생기다 とうが立つ. ②細長くて中のうつろな棒の総称. ¶깃～ 旗ざお. ㊁의명 火皿にタバコをつめる分量またはタバコをふかす回数を数える語：…服. ¶담배 한～ 피우자 タバコを一服しようや.
대[2] 명〖植〗竹. ¶～꼬챙이 끝 竹の切っ先／～마디 竹の節／～울타리 竹垣；竹矢来／(성미가)～쪽 같은 사나이 竹を割ったような男／

ㄷ

～를 쪼개다 竹を割る.
대【大】명 大. ¶～는 소를 겸한다 大は小を兼ねる/～를 살리고 소를 죽이다 大を生かして小を殺す.
대【代】명 ① 代. ¶～를 이을 아들 跡取り息子/～가 바뀌다 代がかわる/저 사람 ～에 와서 번창하였다 あの人の代になって(から)繁昌した/～를 이을 사람이 없다 世継ぎがない. ② み代; 治世; 代. ¶영조의 ～ 英祖の治世.
대【隊】명 隊. ¶일렬 횡～ 一列横隊/데모 ～와 경관이 옥신각신하다 デモ隊と警官がもみ合う.
대【對】㊀명 対. ¶A팀 ～ B팀 Aチーム対Bチーム. ㊁의명 対. ¶주련 한 ～ ちゅうれん(柱聯)一対.
대【臺】¹ 명 台. ¶첨성～가 높다랗다 瞻星台が高くそびえている/전망～ 見晴らし台/증언～ 証言台.
대【臺】² 의명 (単位としての) 台. ¶자동차 백 ～ 自動車百台.
대- 두 一〔一つ〕の意. =한. ¶～번에 いっぺんに.
대-【大】두 大. ¶～학자 大学者/～찬성 大賛成/～환영 大歓迎.
-대【代】미 代. ① 代; 代金; 価. ¶양곡～ 穀物代/양복～ 洋服代. ② 地質時代を表わす語. ¶신생～ 新生代.
-대【帶】미 帯状の地域〔もの; 部分〕: 帯. ¶화산～ 火山帯/주파수～ 周波数帯.
-대【臺】미 数·年数·値段などの下に付いてその大体の範囲を表わす語: 台. ¶수억～의 재산 数億台の財産/십만원～의 물건 十万ウォン台の品.
-대 어미 "-다 하여"の略語: …と言う; …だそうだ. ¶어제 갔～요 きのう行ったそうです/누이동생도 가고 싶～ 妹も行きたいと言います.
대가【大家】명 ① [↗대방가(大方家)] 大家; 大立て者; 巨匠. ¶화단의 ～ 画壇の大家/사계(斯界)의 ～ その道の大家/문단의 ～ 文壇の大立て者. ② 大きな家; 筋の良い家. ──연(然)-하다 자 大家ぶる; 大家を気取る.
‖대갓-집 명 大家; 名家.
대가【代價】명 代価. ¶비싼 ～ 高い代価/～를 비싸게 치렀다 高い代価を支払った.
대가【對價】명 対価. ¶일의 ～ 仕事の対価.
대-가극【大歌劇】명 グランドオペラ. =그랜드 오페라.
대-가다 자 ① 間に合うように行く. ¶시간에 대갔다 時間に間に合った/열차 시간에 대갈 수 없다 汽車に間に合わない. ② 船を右の方へこ(漕)いで行く《船乗りの用語》.
대-가람【大伽藍】명 だいがらん(大伽藍); 大寺; きょさつ(巨刹).
대가리 명 頭. ①《俗》あたま. ¶돌～ 石頭/～를 빼개다 頭を叩き割る. ② 動物の頭または長い物の先端. ¶못～ くぎの頭/뱀이 ～를 쳐들다 蛇がかま首をもたげる.

대-가족【大家族】명 大家族. ¶～제도 大家族制度.
‖──주의 명 大家族主義.
대각【對角】명〔數〕対角.
‖──선 명〔數〕対角線.
대각 부 堅くて小さな物が互いに触れて発する音: ことり. ──거리다 자 ことりことりする. ──── 부하자 ことりことり.
대간【大奸】명 大奸〔大姦〕.
대-간첩【對間諜】명 対スパイ. ¶～작전 対スパイ作戦.
대갈¹ 명 ☞ 대가리. ¶～통이 크다 頭の鉢が大きい.
‖──못 명 頭の大きいくぎ(釘) びょう(鋲); リベット. ── 장군(將軍) 명 頭でっかち.
대갈【大喝】명하타 大喝. ¶～ 일성 大喝一声.
대감【大監】명 ①〔史〕正二品以上の官員の尊称. ② 神の尊称《みこ(巫女)の語》. ③《俗》大臣·長官の地位にある役人の尊称.
‖──굿, ──놀이 명하자 守護神の前で行なうみこ(巫女)の厄払い儀式.
대-감독【大監督】명 ① 大監督. ②〔基〕(聖公会の)大司教; アーチビショップ.
대강【大綱】㊀명〔↗대(大)강령〕大綱; 大要. ¶～의 줄거리 荒筋/계획의 ～ 計画の枠組み. ㊁부 大体; 一通り; あらまし; おおむね; およそ. ¶사정은 ～ 설명했다 事情はあらまし説明した/～ 이해했다 あらかた理解した/～ 한 번 읽었다 ざっと一読した. ──── 부 大体; あらまし; ざっと.
대강【代講】명하자 代講. ¶강의의 ～을 부탁하다 講義の代講を頼む.
대-강당【大講堂】명 大講堂.
대-강령【大綱領】명 大綱. ¶～을 정하다 大綱を決める. 준 대강.
대-갚음【對─】명 (人からの仕打ちに対する)仕返し; (人の恩などに対する)報い. ──-하다 타 仕返しをする; 報いる.
대개【大概】명부 大概; おおよそ; 大方; あらまし; たいてい. ¶아침엔 ～ 산책을 한다 朝は大概散歩をする/～는 알고 있다 たいていの事は知っている/～ 처리되었다 ほぼ片づいた.
대거【大擧】부 大挙(して). ¶일회말에 ～ 득점하였다 第一回の裏で大挙得点した.
대검【大劍】명 大剣.
대검【大檢】명 ↗대검찰청.
대검【帶劍】명하자 ① 帯剣; 帯刀. ② 小銃に差す剣; 銃剣.
대-검찰청【大檢察廳】명〔法〕大検察庁《日本の最高検察庁にあたる》. 준 대검(大檢).
대견-하다 형 満足だ; ほめるべきだ; 感心だ. 대견-스럽다 형 満足である; 殊勝だ; 感心だ. ¶성적이 좋아서 ～ 成績がいいので感心だ.
대결【代決】명하타 代決. ¶국장 ～ 局長代決.

결【對決】명 하자타 対決. ¶ 일대의 ～ 一対一の対決 / 원고와 피를 ～시키다 原告と被告を対決させる.

경 실색【大慶失色】명 하자 びっくり天して色を失うこと.

계【大計】명 大計. ¶ 국가 백년의 国家百年の大計.

고 부 無理やりに；しきりに. ¶ ～ 조르다 無理やりにねだる.

-고리 명 たけ(竹)のこうり(行李).

-고모【大姑母】명 祖父の姉妹；大伯母〔大叔母〕.

——-부(夫) 명 祖父の姉妹の夫.

곡【代哭】명 하자 喪主の代わりに声をあげて泣くこと. ¶ ～녀 泣き女；なきめ(哭女).

대공【大公】명 大公. ¶ 모나코 ～ モナコ大公. ‖——-국 명 大公国.

대공【大功】명 大功.

대공【對共】명 対共. ¶ ～ 사찰 対共査察 / ～ 정책 対共政策.

대공【對空】명 対空.

‖—— 미사일 명 対空ミサイル. —— 방어 명 対空防禦. —— 사격 명 対空射撃. ——-포 명 対空砲. —— 화기 명 対空火器.

대과【大科】, 대과 급제【大科及第】명 하자 〔史〕(科挙の)文科及第.

대-과거【大過去】명 〔言〕大過去.

대과【大過】명 大過. ¶ ～없이 소임을 다하다 大過なく任務を果たす / ～없이 지내다 大過なく過ごす.

대관【大官】명 大官. ① 大臣. ＝대신. ② 身分の高い役人.

대관【代官】명 代官；ある官職の代理.

대관【戴冠】명 하자 たいかん(戴冠).

‖——-식 명 たいかん式.

대-관절【大關節】부 一体；一体全体. ¶ ～ 어찌된 일이냐 一体どうしたのだ / ～ 이 꼴이 뭐야 一体全体このざまは何だ.

대-괄호【大括弧】명 〔數〕大括弧.

대구【大口】명 〔魚〕たら(鱈). ¶ ～알 たらこ(鱈子) / 건(乾)～ ひだら / 자반～ 塩だら.

대구【對句】명 対句.

‖——-법 명 対句法.

대구루루 부 하자 固いものが転がるさまやその音：ころころ. ¶ 공이 ～ 굴러가다 球がころころと転がる.

대-구치【大臼齒】명 〔生〕だいきゅうし(大臼歯).

대국【大局】명 大局. ¶ ～적 견지 大局的見地.

대국【大國】명 大国. ¶ ～주의 大国主義 / ～이 소국을 압박하다 大国が小国を圧迫する.

대국【對局】명 하자 対局. ¶ ～ 성적에 따라 승단하다 対局成績に依って昇段する.

대군【大君】명 大君. ①〔史〕王の正妃が生んだ王子. ② 高麗朝の正一品王族の封爵. ③ "君主"の敬称.

대군【大軍】명 大軍. ¶ ～을 거느리다 大軍を率いる / 적의 ～을 격퇴하다 敵の大軍を撃退する.

대군【大群】명 大群. ¶ 메뚜기의 ～ いなご(蝗)の大群.

대굴-대굴 부 小さくて固いものが転がるさま：ころころ. ㅛ때굴때굴. ¶ ～ 굴러가다 ころころ転がる.

대권【大圈】명 大圏. ①〔數〕球の中心を中心とした円. ②〔地〕地球表面に描いた大円.

‖—— 코스 명 大圏コース. —— 항로 명 大圏航路.

대권【大權】명 大権. ¶ 병마의 ～ 兵馬の大権 / 한때 국가의 ～을 군인이 장악한 적이 있다 かつて軍人が国家の大権を掌握していた時があった.

대궐【大闕】명 ☞ 궁궐.

대-규모【大規模】명 大規模. ¶ ～의 계획 大規模な計画 / ～ 시위 大デモ.

대그락 부 固い物がぶっつかり合って出す音：ことり；からから. ㅛ때그락. ——-거리다 자 ことりことり〔からから〕する. 대그락-대그락 부 하자 ことりことり；からから.

대-그릇 명 竹製の容器.

대글대글-하다 형 (細かいか小さいものの中で)いくつかがやや大きい.

대금【大金】명 ① 大金；大枚. ＝큰돈. ②〔樂〕しんちゅう(真鍮)作りのどら(銅鑼)のような楽器.

대금【代金】명 代金；代. ¶ 책 ～ 本代 / ～을 납부하다 代金を納める / ～이 얼마인가요 お代はいくらですか.

대금【貸金】명 하자 貸し金. ¶ ～을 회수하다 貸し金を回収する / ～ 반제의 최고를 하였다 貸し金返済の催告をした. ‖——-업(業) 명 貸し金業. ¶ ～자 貸し金業者.

대기【大氣】명 大気. ¶ ～의 상층 大気の上層. ‖——-권 명 〔地〕大気圏. ——-압 명 大気圧.

대기【大器】명 大器. ¶ 미완의 ～ 未完の大器.

‖—— 만성 명 大器晩成.

대기【待機】명 하자 ① 待機. ¶ ～ 기간 待機期間 / ～자세를 취하다 待機の姿勢をとる. ② 公務員の待命処分. ¶ ～ 대사 待命大使 / ～ 휴직 待命休職.

‖—— 명령 명 待機命令. ㊟ 대명(待命).

대기 속도【對氣速度】명 対気速度.

대길【大吉】명 하형 大吉；上上.

대깍 부 하자 堅くて大きい物のぶっつかり合う音：かたり. <데꺽. ——-거리다 자 かたりかたりする. ———— 부 하자 かたりかたり.

대꾸 명 하자 ↗말대꾸.

대꾼-하다 형 (疲れきって)目がくぼみ元気なくみえる. ¶ 눈이 ～ 目がくぼんでけだるくみえる.

대끼다 자 (非常に)もまれる；きびしい苦労をする. ¶ 세파에 ～ 世の荒波にもまれる.

대-나무 명 竹. ¶ ～ 장대 さおだけ(竿竹)；竹ざお.

대낚, 대-낚시 명 さおづ(竿釣)り. ¶ ～(으)로 낚시질하다 さお釣りをする.

대남【對南】명 対南. ¶ ～ 간첩 対南

ㄷ

ㄷ

スパイ / ~ 공작 対南工作 / ~ 위협 対南脅威.

대납【代納】명하타 代納. ¶숙부가 세금을 ~하였다 おじ(叔父)が税金を代納した.

대-납회【大納會】명〔經〕大納会.

대-낮 명 真昼；白昼. ¶~의 강도 白昼の強盗 / 한창 더운 ~에 暑い日盛りに.

대내【對內】명 対内. ¶~ 문제 対内問題.

‖——-적 명관 対内的. ¶~ 사정 対内的事情. —— 주권 명 対内主権.

대년【待年】명하자 婚約後結婚する年を待つこと.

대-농【一籠】명 竹製のつづら(葛籠).

대농【大農】명 大農. ¶이 동네에는 ~가가 허다하다 この村には大農家が多い.

대뇌【大腦】명〔生〕大脳.

‖—— 수질 명 大脳髄質. —— 피질 명 大脳皮質.

대님 명 バチの端を結ぶひも(紐).

대다[1] 자 (時間に)間に合う；遅れない. ¶간신히 기차 시간에 ~ 辛うじて汽車に間に合う / 문 닫을 시간에 대지 못하다 門限に遅れる.

대다[2] 타 ①当てる. ¶바대를 ~ 継ぎを当てる / 이마에 손을 ~ 額に手を当てる. ②比べる. ¶키를 대어 보다 背を比べて見る. ③付〔着〕ける. ㉠(物に)触れる. ¶손을 대지 마십시오 手を触れないでください. ㉡(ある事に)手を付ける；取りかかる. ¶사업에 손을 ~ 事業に手を付ける / (어떻게) 손을 댈 수가 없다 手の付けようがない. ㉢口にする；食べようとする. ¶컵을 입에 ~ コップを口につける / 술은 입에 대지도 않는다 酒は一切口にしない. ㉣(車・船などを)ぴったりと着ける. ¶항구에 배를 ~ 港に船を着ける / 자동차를 현관에 ~ 自動車を玄関へ着ける. ④もた(凭)れる. ¶등을 (벽에) ~ 背を(壁に)もたせかける. ⑤"向かって"の意《"대고"の形だけで使う》. ¶하늘에 대고 크게 외치다 天に向かって大声でさけぶ.

대다[3] 타 ①(水を)引き入れる. ¶논에 물을 ~ 田に水を引き入れる. ②(物質的に)世話する；出してやる. ¶학비를 대어 주다 学資を(続けて)出してやる. ③供給する；取り付ける. ¶쌀은 이 가게에서 대먹는다 お米はこの店から取り付けている.

대다[4] 타 ①事実通り話す；はっきり示す. ¶증거를 ~ 証拠を出す. ②道を教えてやる. ¶학교로 가는 길을 대어주다 学校に行く道を教えてやる.

대다[5] 보동 …し立てる；…し散らす. ¶떠들어~ さわぎたてる；はやし立てる / 욕을 마구 해 ~ 悪口をさんざん言い散らす.

대-다수【大多數】명 大多数. ¶~의 의견 大多数の意見.

대-단원【大團圓】명 大団円；大詰め；大尾. ¶마침내 ~이 가까(워)지다 いよいよ大詰めに近づく / 연(속)방송극은 어제 ~을 이루었다 連続放送劇は昨日大団円になった.

대단-찮다 형 "대단하지 아니하다"の(略)語：大した事ではない；つまらない；ろくでもない；取るに足らない. ¶대단찮은 사건이다 取るに足らない事件である. 대단찮-이 부 つまらなく.

대단-하다 형 非常に…だ. ①甚だしい. ¶취직난이 ~ 就職難が甚だしい. ②大変だ；すばらしい；すさ(凄)まじい；すご(凄)い. ¶대단한 인기 大した人気；すさまじい人気 / 대단한 수완 すごい腕前 / 대단한 미인 すごい美人 / 대단한 (성)황〔군중〕이다 大変なにぎ(賑)わいである / 대단한 인물이다 なかなかの人物である / 대단한 것이 아니다〔못되다〕 たいしたものではない. ③(病気などが) 非常に重い. ¶병이 ~ 重病である. 대단-히 부 非常に；たいそう(大層)；すこぶ(頗)る；めっぽう(滅法)；ずいぶん(随分)；ひどく；すごく. ¶~ 재미 있는 소설이다 すごくおもしろい小説である / 이것은 ~ 편리한 물건입니다 これは非常に便利な物です / ~ 더운 날이다 ずいぶん暑い日である / 올 겨울은 ~ 춥겠단다 この冬はひどく寒いそうだ.

대담【大膽】명하형 大胆；豪胆. ¶~한 계획 思い切った計画 / ~하게 발언하다 大胆に発言する / ~ 무쌍한 놈이다 大胆不敵なやつだ.

대담【對談】명하자 対談. ¶~ 기사 対談記事.

대답【對答】명 返事；返答. ——하다 자 返事〔返答〕する；答える. ¶모호한 ~ 煮え切らない返事 / ~을 얼버무리다 返事を濁す / ~이 막히다 返事に支える / 질문에 ~하다 質問に答える.

대대【大隊】명〔軍〕大隊. ¶~장 大隊長.

대대【代代】명 代代；世世；歴代. ¶선조 ~ 先祖代代. ——-로 부 代代(に). ¶~ 내려 오는 명문 代代に伝わり来た名門.

‖—— 손손(孫孫) 명 代代に相継ぐ子孫.

대대-적【大大的】명관 大大的. ¶~으로 선전하다 大大的に宣伝する.

대도【大都】명 大都. =대도회(大都會).

대도【大盜】명 大盗；おおどろぼう.

대도【大道】명 ①大道. ㉠広い道. ¶정의의 ~ 正義の大道. ㉡(人間が守るべき)道徳. ②大きな道《地方行政区域のひとつ》.

대-도시【大都市】명 大都市；メトロポリス. =대도회(大都會). ¶서울 다음가는 ~ ソウルにつぐ大都市.

‖——-권 명 大都市圏.

대독【代讀】명하타 代読. ¶축사를 ~하다 祝辞を代読する.

돈-변【—邊】명 月一割の高利貸し金. ¶~을 내서라도 なべかま(鍋釜)を売り払ってでも.

대동【大同】명하자 大同.

── 단결 명하자 大同団結. ¶각파의 ~을 바라다 各派の大同団結を望む. ── 소이 명하형 大同小異. ¶~한 실력 大同小異の実力.

대동【大東】명 韓国を東方の大国の意で称する語.

대동【帶同】명하타 帯同. ¶비서〔수행자〕를 ~하다 秘書〔供の者〕を帯同する.

대-동맥【大動脈】명 大動脈. ¶철도는 나라의 ~이다 鉄道は国家の大動脈である.

대-동사【代動詞】명 代動詞《英語で同じ動詞の反復使用を避けるために代用する動詞; "do"の類》.

대두【大斗】명 一斗升.

대두【大豆】명〖植〗豆; 大豆. =콩.

‖──-박 명 大豆かす(粕). =콩깻묵. ──-유 명 大豆油. =콩기름.

대두【擡頭】명하자 台頭. ¶신인이 ~하다 新人が台頭する.

대-들다 자 食ってかかる; 食いかかる; たて突く; 突っかかる. ¶부모에게 ~ 親に食ってかかる / 주인에게 ~ 主人に手向かう / 상사에게 ~ 上役にかみ付く.

대-들보【大—】명〖建〗大梁; とうりょう(棟梁). ¶나라의 ~ 国家のとうりょう.

대등【對等】명하형 対等. ¶~한 자격 対等な資格 / ~하게 다루다 対等に扱う.

대뜸 부 すぐ; ただちに. ¶귀경하자 ~ 그의 집에 달려갔다 帰京するやただちに彼の家へ駆けつけた.

대란【大亂】명하형 大乱. ¶나라에 ~이 일어났다 国に大乱が起こった.

대략【大略】大略. ㊀명 大体; 概略. ¶~을 말하다 大略をのべる. ㊁부 あらまし; ほぼ; おおよそ. ¶~ 백 명은 들어간다 おおよそ百人は入る.

대량【大量】명 大量. ① 多量. ② 大度.

‖── 생산 명하타 大量生産. ㊥양산(量産).

대령【大領】명 大領《一佐に当たる階級》.

대령【待令】명하자 命令を待つこと.

대례【大禮】명 大礼.

‖──-미사(彌撒) 명〖天主教〗大礼ミサ. ──-복 명〖史〗大礼服.

대로【大老】명 大老; 世間から尊ばれる老年の賢者.

대로【大怒】명하자 大いに怒ること.

대로【大路】명 大路; 大道. ¶탄탄 ~ たんたん(坦坦)たる大路.

대로 ㊀조 ①…の通り; …のまま. ¶종전~ 従前通り / 그~ 두어라 そのままにしておきなさい. ②べつべつに; …なり(に). ¶나는 나~ 하겠다 僕は僕なりにするよ. ㊁의명 ① 通り; ほうだい(放題). ¶배운 ~ 教わった通り / 하고 싶은~ 내버려 두다 したいほうだいにさせておく / 말씀하신 ~ お申し越しの通り. ②…次第. ¶결정되는 ~ 통지하겠습니다 決定次第, ご通知致します.

대롱 명 細い丸竹の切れ.

대롱-거리다 자 垂れさがったものが軽く動く. 대롱-대롱 부하자 ぶらりぶらり. ¶수세미외가 ~ 매달려 있다 へちまがぶらりぶらりと垂れ下がっている.

대류【對流】명〖物〗対流.

‖──-권 명 対流圏.

대륙【大陸】명 大陸. ¶~ 횡단여행 大陸横断旅行 / ~성 기후 大陸性気候.

‖──간 탄도 유도탄 명 大陸間弾道弾《略称: アイシービーエム》. ㊥대륙간 유토탄. ──-법 명 大陸法. ──-붕 명〖地〗大陸だな(棚). ──-적 명관 大陸的. ¶~인 기질 大陸的な気質.

대륜【大倫】명 大倫; 人倫.

대륜【大輪】명 大輪《花などの》.

대리【代理】명하타 代理. ¶수상 ~ 首相代理 / 본인을 ~해서 本人の代理として.

‖── 공사 명 代理公使. ──-모 명 代理母; サロゲートマザー. ── 시험 명 替え玉受験. ──-인 명 代理人. ──-자 명 代理者. ── 전쟁 명 代理戦争. ──-점 명 代理店.

대리-석【大理石】명 大理石; マーブル. ¶~ 건축 大理石建築 / 사문~ 蛇紋大理石.

대립【對立】명하자 ① 対立. ¶의견이 크게 ~하다 意見が激しく対立する. ② たいじ(対峙).

대마【大馬】명 (囲碁で)大石.

‖── 불사(不死) 명 (囲碁で)大石は死せず. ── 상전(相戰) 명 (囲碁で)大石どうしで戦うこと.

대마【大麻】명〖植〗大麻. =삼.

‖──-유 명 大麻油. ──-초(草) 명 マリファナ.

대만【臺灣】명〖地〗台湾; フォマサ; フォルモサ.

대-만원【大滿員】명 超満員; 大入り満員.

대망【大望】명 大望. ¶~을 품다 大望を抱く.

대망【待望】명하타 待望. ¶~의 그날 待望のその日.

대-매출【大賣出】명 大売り出し. ¶연말 ~ 歳末大売り出し / 겨울 물건의 정리를 위해 염가 ~을 하다 冬物の整理のため棚ざらえをする.

대맥【大麥】명〖植〗大麦. =보리.

대-머리 명 はげあたま(禿頭); やかん(薬缶)(あたま). ¶번들번들한 ~ つるっぱげ〈俗〉.

대면【對面】명하자타 対面. ¶뜻밖에 ~하다 はからずも対面する.

대명【大命】명 大命. ¶~이 내리다 大命が下る.

대명【待命】명하자 ① 待命. ② ↗대기 명령.

대-명사【代名詞】명 代名詞.

ㄷ

대명 천지【大明天地】명 明るい世の中.
대목 명 ① 物前; 節季; もう(儲)けどき. ¶ 섣달 ~ (正月を控えた)師走の書き入れ時. ② (物事の)かなめ; とうげ(峠).
‖——-장(場) 명 物前(の)市. ¶ 거리는 ~으로 붐비고 있다 街は物前(の)市で混んでいる.
대목【大木】명 ① 大規模な建築工事をする大工. ② 大工.
대목【臺木】명〔植〕台木. =접본(椄本).
대못 명 たけくぎ(竹釘).
대-못【大—】명 大きなくぎ(釘); 五寸釘.
대문【大門】명 表門. ¶ ~ 안에 門内に / ~을 닫다 門扉を閉める / ~ 밖이 저승이라《俚》雨垂れには三途の川 / ~이 가문《俚》門構えが家柄(家柄が良くても貧乏では威厳が立たないとのこと).
‖——-간(間) 명 門の内側の空間. ——-짝 명 門の一方の扉. ¶ ~만한 명함 馬鹿に大きい名刺.
대문대문-이【大文大文—】부 文章のくぎりごとに.
대-문자【大文字】명 ① 雄大な文章. ② 大文字; キャピタル.
대-문장【大文章】명 雄大で秀でた文章. また, そのような文章家.
대물【代物】명 代物; かわりの物.
‖—— 변제 명하자타 代物弁済.
대물【對物】명 対物(ある物に対すること).
‖——-경(鏡) 명〔物〕対物鏡. =대물렌즈. —— 담보 명 対物担保. ——렌즈 명〔物〕対物レンズ. =대물경.
대-물리다【代—】타 (事物を)子孫に伝える. ¶ 대물린 양복 親ゆずりの洋服.
대-물부리 명 竹で作った吸口.
대미【大尾】명 大尾; 終わり. ¶ 그 연재 소설은 오늘로 ~가 된다 その連載小説は今日で大尾となる.
대미【對美】명 対米. ¶ ~ 교섭 対米交渉 / ~ 관계 対米関係.
대-미사【大彌撒】명〔天主教〕大ミサ.
대민【對民】명 対民; 対民間. ¶ ~ 봉사 対民奉仕.
대-바구니 명 竹かご.
대반【大半】명 大半. =태반(太半).
대-반야【大般若】명 ↗ 대반야경.
‖——-경(經), ——-바라밀다경(波羅蜜多經) 명〔佛〕大般若波羅蜜多経; 大般若経《준말》.
대-받다¹ 타 (反抗的に)言い返す; 口答えをする; 盾突く.
대-받다² 【代—】타 (財産·遺業などを)引き〔受け〕継ぐ.
대-발 명 竹すだれ.
대-발회【大發會】명 (取引所の)大発会; 初立ち会い.
대-밭 명 たけやぶ(竹藪).
대번, 대번-에 부 いっぺんに; 一息に; ただちに. ¶ ~ 알아채다 一遍に見透かす / ~ 찾았다 すぐに探し出した.

대범-하다【大泛—】형 大様だ. ¶ 대범한 인품 大様な人柄. 대범-히 大様に. 대범-스럽다 형 大様だ.
대-법관【大法官】명〔法〕最高裁判 判事.
대-법원【大法院】명〔法〕最高裁判; 最高裁《준말》. 준 대 (大法). ¶ ~장 最高裁判所長官.
대-법회【大法會】명〔佛〕大法会; 大会.
대변【大便】명 大便; 大用; ば〈児〉. —— 보다 자 大便をする; はかりに行く. =뒤보다.
대변【代辯】명하자 代弁.
‖——-인, ——-자 명 代弁人; 代弁者; スポークスマン. ¶ 정부의 ~ 政府のスポークスマン.
대변【貸邊】명〔經〕貸し方.
대변【對邊】명〔數〕対辺. =맞변.
대별【大別】명하타 大別. ¶ 둘로 ~되다 二つに大別される.
대병【大兵】명 大兵. ¶ ~을 거느리고 나아가다 大兵を率いて進む.
대보【大寶】명 ① 大宝; 至宝. ② 皇帝のぎょくじ(玉璽).
대-보다 타 比べる. ¶ 키를 ~ 背を比べ(て見)る.
대-보름날【大—】명 陰暦正月十五日; 上元.
대-보수【大補修】명 大大的な補修.
대복【大福】명 大福.
대본【大本】명 大本·おおもと. ¶ 교육의 ~을 잊고 있다 教育の大本を忘れている.
대본【貸本】명 貸本.
대본【臺本】명 ① 台本; 脚本. ¶ ~을 읽다 台本を読む. ② 底本; 種本.
대-본원【大本願】명 大本願.
대부【代父】명〔天主教〕教父; 名付け親; ゴッドファーザー.
대부【貸付】명 貸し付け; ローン. ——-하다 타 貸し付ける; 貸す. ¶ ~금 貸付金 / 무상 ~ 無償貸し付け / 은행 ~를 받다 銀行の貸し付けを受ける.
‖—— 이자(利子) 명 貸付金利.
대-부분【大部分】명부 大部分; だいぶ; おおかた; たいてい; ほとんど. ¶ 가옥의 ~이 유실되었다 家屋の大部分が流された.
대-부인【大夫人】명 ① 他人の母の尊称. ② 大夫人; 王の実母の尊称.
대불【大佛】명〔佛〕大仏.
‖—— 개안(開眼) 명 大仏開眼.
대-불경【大不敬】명 大不敬《特に王室に対する不敬》.
대붕【大鵬】명 たいほう(大鵬).
대-비 명 竹ぼうき.
대비【大妃】명 先王の后妃.
대비【對比】명하타 対比.
대비【對備】명 対備; 備え. ——하다 자 対備する; 備える. ¶ 최후의 결전에 ~하다 最後の決戦に備える.
대사【大寺】명 大寺; 大きな寺.
대사【大事】명 ① 大事. ¶ 국가의 ~를 처리하다 国家の大事を処理し

する. ②《俗》婚礼.

대사【大使】명 [↗특명 전권 대사] 大使. ¶순회 ~ 巡回大使/~가 본국에 소환되었다 大使が本国に召還された.
‖——-관 명 大使館. ¶~부 무관 大使館付き武官.

대사【大師】명 大師. ①ぼさつ(菩薩)の尊称. ②朝廷から高僧に賜わる号. ¶사명 ~ 四溟大師.

대사【大蛇】명 大蛇; おろち.

대사【大赦】명하타 大赦.
‖——-령 명 大赦令.

대사【代謝】명하자 [↗신진 대사] 代謝. ¶기초 ~ 基礎代謝.
‖—— 기능 명〘生〙代謝機能.

대사【臺詞】명 台詞. ¶~를 잘못 말하다 台詞を言い損なう.

대-사립 명 竹で編んだ枝折り戸.

대-사업【大事業】명 大事業.

대-사헌【大司憲】명〘史〙朝鮮朝司憲府の最高の職位《従二品》.

대살-지다 형 (体格が)や(痩)せていてもひきしまっている.

대상【大祥】명 大祥忌《死後の第二周目の祭祀》.

대상【大商】명 大商; 豪商. ¶굴지의 ~ 屈指の豪商.

대상【大喪】명 大喪; 王の喪儀.

대상【大賞】명 大賞; グランプリ. ¶디스코 ~ ディスコ大賞.

대상【代償】명하타 代償. ¶…의 ~으로서 …の代償として/어떤 ~을 치르더라도 どんな代償を払ってでも.
‖—— 행동 명〘心〙代償行動.

대상【帶狀】명 帯状.
‖—— 도시 명 帯状都市.

대상【隊商】명 隊商; キャラバン.

대상【臺上】명 台上; 台の上.

대상【對象】명 対象. ¶~물 対象物/어린이를 ~으로 한 방송 子供を対象とした放送.

대생【對生】명하자〘植〙対生. =마주나기. ¶아카시아의 잎은 ~한다 アカシアの葉は対生する.

대서【大書】명하타 大書.
‖—— 특필(特筆) 명하타 特筆大書. ¶신문에 ~하다 新聞に特筆大書する.

대서【大暑】명 大暑. ①二十四節気のひとつ. ②非常に暑いこと.

대서【代書】명하타 代書; 代筆. ¶남의 편지를 ~해 주다 人の手紙を代筆してやる.
‖——-방(房), ——-소(所) 명 代書人事務所. ——-사(士), ——-인(人) 명 代書人《法務士·行政書士の旧称》.

대서【代署】명하자 代署. ¶사장의 ~를 하다 社長の代署をする.

-대서 어미 …のゆえに; …と言って. ¶키가 크~ 키다리라고 한다 背が高いのでのっぽと呼ぶ.

대-서다 자 ①後について立つ. ②近寄って立つ. ③飛びついて対抗する.

-대서야 어미 …と言っては. ¶그만둔~ 쓰나 やめるなどと言っては駄目だよ.

대서-양【大西洋】명 大西洋. ¶~항로 大西洋航路.
‖—— 헌장 명 大西洋憲章.

대석【對席】명하자 対席.

대석【臺石】명 台石. =받침돌.

대선【大仙】명 大仙.

대선【大船】명 大船·おおぶね.

대-선거구【大選擧區】명〘政〙大選挙区.

대-선사【大禪師】명 禅宗の最高位の修行階級.

대설【大雪】명 大雪. ①二十四節気のひとつ. ②大雪. =장설(壯雪).

대성【大成】명하자타 大成. ¶물리학자로서 ~하였다 物理学者として大成した.

대성【大聖】명 ①大聖; 最大の聖人. ②孔子の尊称. ¶~ 공자 大聖孔子. ③しゃか(釈迦)のように正覚を得た人.

대성【大聲】명 大声·おおごえ. ¶~ 질타하였다 大声しった(叱咤)した/~ 통곡하다 大声でひどく泣く.

대-성공【大成功】명 大成功.

대-성황【大盛況】명 大盛況. ¶어젯밤 음악회는 ~이었다 ゆうべ(昨夜)の音楽会は大盛況だった.

대세【大勢】명 大勢. ¶~에 순응하다 大勢に順応する/~를 파악하다 大勢を把握する.

대소【大小】명 大小. ¶~ 각종의 도구 大小さまざまの道具/일의 ~를 가리지 않고 事の大小を問わず.

대소【大笑】명하자 大笑; 大笑い. ¶가가 ~하다 かか(呵呵)大笑する.

대-소동【大騷動】명 大騒動; 大騒ぎ. ¶~이 일어났다 大騒動が起こった.

대소-변【大小便】명 大小便; しも《공손한 표현》.

대소-사【大小事】명 大小事.

대소 인원【大小人員】명 高下すべての役人.

대-소쿠리 명 たけかご(竹籠).

대속【代贖】명하타 人の罪を代わってしょくざい(贖罪)すること.

대손【貸損】명 貸し倒れ.

대솔【大一】명 大きな松の木.

대송【大松】명 大きな松.

대수【大綬】명 大綬《"무궁화"大勲章及び各一等級の勲章をお(佩)びるのに用いる綬》.

대수【大數】명 大数.

대수【代數】[1] 명〘數〙[↗대수학] 代数. ¶~학자 代数学者/~로 풀다 代数で解く.
‖—— 기하학 명 代数幾何学. —— 방정식 명 代数方程式. ——-식 명 代数式. ——-학 명 代数学. ㊀ 대수.

대-수【代數】[2] 명 世代の数.

대수【對數】명〘數〙☞ 로그.

대수【臺數】명 台数. ¶트럭 ~는 백 대나 되었다 トラックの台数は百台にも上った.

ㄷ

대수-롭다 형 [←대사(大事)롭다] たいしたことである; 重要なことである. ¶그것은 대수로운 일이 아니다 それは大したことではない. 대수-로이 부 大切に; 緊要に.
대수롭지 않다 형 [←대사(大事)롭지 않다] 大した事でない; 物の数でない; さほど重要でない; 取るに足りない. ¶대수롭지 않은 일 取るに足りない事/충고를 대수롭지 않게 듣다 忠告をなおざりに聞き流す.
대-수술【大手術】명 大手術.
대-숲 명 たけやぶ(竹藪).
대승【大乘】명〖佛〗① 大乘《人間全般の救済を説く仏教の一派》. ② ↗대승 불교.
‖── 불교 명〖佛〗大乘仏教. ──-적 명관 大乘的. ¶~ 견지 大乘的見地.
대승【大勝】명하자 大勝. ¶그 경기에서 ~했다 その試合で大勝した.
대-승리【大勝利】명하자 大勝利.
대시 명 ダッシュ.
대식【大食】명하타 大食. ¶~하는 사내 大食の男.
‖──-가 명 大食家; 大食漢.
대신【大臣】명 大臣.
대신【代身】명 代わり. ①(人の)代理; 身がわり. ──-하다 타 代理する; 代わりをする. ¶아버지를 ~하다 父の代わりをする/일동을 ~해서 제가 말씀 드리겠습니다 一同に代わってわたしから申し上げます. ② 代用. ──-하다 타 代わりをする. ¶이 책 ~에 저 책을 주시오 この本の代わりにあの本を下さい.
대실【貸室】명 貸室.
대심-원【大審院】명 アメリカの最高裁判所.
대아【大我】명〖哲·佛〗大我.
대악【大惡】명 大悪.
‖── 무도(無道) 명하형 大悪無道; 極悪非道.
대안【代案】명 代案. ¶~을 준비할 예정이다 代案を準備するつもりである.
대안【對岸】명 対岸; 向こう岸. ¶~의 불 보듯하다 対岸の火を見る如し《束手傍観のたとえ》.
대안【對案】명하자 ① 机などをはさんで向かい合いに座ること. ② 対案; ある案に対して出す別の案. ¶~을 세우다 対案を立てる.
대안 렌즈【對眼―】(lens) 명〖物〗接眼レンズ.
대액【大厄】명 大厄; ひどい災難; ひどい災厄. ¶~을 면하다 大厄を免れる.
대야 명 たらい(盥). ¶쇠~ 金だらい/세탁 ~ 洗濯だらい.
-대야 어미 [↗-다고 하여야] …と言ってこそ; …と言わないことには. ¶공부를 한~ 책을 사 주지 勉強をすると言わないことには本は買ってやれない.
대양【大洋】명〖地〗大洋; 大海.
‖──-도 명〖地〗大洋島. ── 문화 명 大洋文化. ──-주(洲) 명〖地〗大洋州; オセアニア. =오세아니아.

대어【大魚】명 大魚.
대어【對語】명 対語. ① 向かい合って懇談すること; 面語. ② 味の上で相対応する語.
대언【大言】명하자 大言. =대어(
語). ¶~ 장담 大言壯語.
대업【大業】명 大業.
대여【貸與】명 貸与. ¶무료로 ~
다 無料で貸し付ける.
대-여섯 수 五つか六つぐらい. 준
엿.
대역【大役】명 大役; 大任. ¶
~이 부여되다 大役をおおせつかる.
대역【大逆】명 大逆·大逆. ¶~
건 大逆事件.
‖── 부도(不道) 부하형 大逆無道. ──-죄 명 大逆罪.
대역【代役】명하자 代役. ¶그의 ~으로 발탁되었다 彼の代役としてばってき(拔擢)された.
대역【對譯】명하타 対訳. ¶~ 사서 対訳辞書.
대-연습【大演習】명 大演習.
대열【隊列】명 隊列. ¶~을 흩뜨리다 隊列を乱す.
대-염불【大念佛】명〖佛〗大念仏.
대-엿 수 ↗대여섯.
‖──-새 명 五日か六日ぐらい.
대영【對英】명 対英. ¶~ 무역 対英貿易.
대오【大悟】명〖佛〗大悟; 大いに悟ること.
대오【隊伍】명 隊伍. ¶~를 지어 나가다 隊伍を組んで進む.
대-오다 자 間に合わせて来る. ¶발차 시간에 ~ 発車時間に間に合わせて来る.
대-오리 명 竹ひご; ひご; 細く割った竹.
대옥【大獄】명 大獄; 重大な犯罪事件で多くの者が捕えられること.
대왕【大王】명 大王.
대외【對外】명 対外. ¶~ 교섭 対外交渉.
‖── 정책 명 対外政策. ── 투자 명 対外投資.
대요【大要】명 大要. ¶그는 사건의 ~를 말하였다 彼は事件の大要を話した.
대욕【大慾·大欲】명 大欲. ¶~은 무욕과 같다 大欲は無欲に似たり.
대용【大勇】명 大勇. ¶~ 약겁(若怯) 大勇は怯なるが如し.
대용【代用】명하타 代用. ¶~품 代用品/~식 代用食/이 책은 사전의 ~이 된다 この本は辞書の代用になり得る.
‖── 작물(作物) 명〖農〗苗がだめになった田畑にほかの穀物をま(播)いて取れた作物.
대우【大愚】명 大愚; たいへん愚かなこと. ¶~는 대현과 같다 大愚は大賢に似たり.
대우【待遇】명하타 待遇. ¶~ 개선 待遇改善/국장 ~ 局長待遇.
대-우주【大宇宙】명〖哲〗大宇宙; マクロコスモス.
대운【大運】명 ① 大運; 大きな幸運

...ん. ② 天地の間に巡り来る吉凶禍福. ——-트이다 [자] 大きな幸運がやって来る.
-울, 대-울타리 [명] 竹垣; 竹矢来.
웅-전【大雄殿】[명]〔佛〕金堂; 本尊を安置してある法堂.
원【大圓】[명] 大円. ¶ ~을 그리다 大円を描く.
원【大願】[명] 大願.
원【隊員】[명] 隊員. ¶ 특공 ~ 特攻隊員.
원-군【大院君】[명]〔史〕① 大院君; 朝鮮朝時代, 傍系の王族が王位を継いだ場合, その実父に与えた爵位. ② 朝鮮朝末の高宗の実父《李昰應》.
-원수【大元帥】[명] 大元帥.
월【貸越】[명] [↗당좌 대월] 貸し越し.
‖——-금(金) [명] 貸越金. ——-한(限) [명] 貸し越し限度.
대위【大位】[명] 高い位.
대위【大尉】[명]〔軍〕大尉《一尉にあたる》.
대위【代位】[명][하자] 代位《当事者でない者が他人の法律上の地位に代わってその権利を取得しまたは行使すること》.
‖—— 변제, —— 판제(辦濟) [명] 代位弁済.
대위-법【對位法】[명]〔樂〕対位法.
대유【大儒】[명] 大儒; 大学者.
대은【大恩】[명] 大恩; 洪恩.
대응【對應】[명][하자] 対応. ¶ 시국에 ~해 나가다 時局に対応して行く.
‖——-각 [명] 対応角. ——-변 [명] 対応辺. ——-책 [명] 対応策.
대의【大意】[명] 大意. ¶ ~를 파악하다 大意をつかむ〔把握する〕.
대의【大義】[명] 大義. ¶ ~에 어긋나는 행동 大義に背く行動.
‖—— 명분 [명] 大義名分. —— 충절 [명] 大義忠節.
대의【大醫】[명] 名医.
대의【代議】[명] 代議.
‖—— 기관 [명] 代議機関. ——-원 [명] 代議員. —— 정치 [명] 代議政治. ¶ 영국은 ~의 본 고장이다 英国は代議政治の本場である. —— 제도 [명] 代議制度.
대인【大人】[명] 大人. ① 巨人. ② おとな; 成人. ③ 徳の高い人. ④ 他人の父を尊敬して呼ぶ語. ⑤ 大物.
‖—— 군자 [명] 大人君子.
대인【代印】[명] 代印; 代理のはんこ. ¶ ~을 누르다 代印をお(捺)す.
대인【對人】[명] 対人. ¶ ~ 관계가 원만하지 못하다 対人関係が円満でない.
대-인기【大人氣】[명] 大人気; 大持て. ¶ ~를 끌다 大持てにもてる.
대일 여래【大日如來】[명]〔佛〕大日如来.
대일【對日】[명] 対日. ¶ ~ 감정이 문제다 対日感情が問題である.
대임【大任】[명] 大任. ¶ ~을 다하다 大任を果たす.
대입【代入】[명][하타]〔數〕代入.
‖——-법 [명] 代入法.
대-자 [명] 竹の物差し.
대자【代子】[명]〔天主教〕名付け子.
대자【帶磁】[명][하자]〔物〕帯磁; 磁化.
대자 대비【大慈大悲】[명][하형] 大慈大悲.
대-자리 [명] 竹で編んだござ.
대-자연【大自然】[명] 大自然. ¶ ~의 품에 안기다 大自然にいだかれる.
대작【大作】[명] 大作. ¶ 이 소설은 확실히 ~이다 この小説は確かに大作である.
대작【大爵】[명] 高い爵位.
대작【代作】[명][하타] 代作. ¶ 논문의 ~을 부탁하다 論文の代作を頼む.
‖——-물 [명] ① 代作物. ② 稲の代わりに植えた穀物.
대작【對酌】[명][하타] 対酌; 対飲.
대장【大將】[명] 大将. ①〔史〕将帥; 将軍. ②(陸·海·空軍の)最高級の将官. ③ グループや団体の頭. ¶ 골목 ~ 餓鬼大将.
대장【大腸】[명]〔生〕大腸.
‖——-균 [명]〔生〕大腸菌. ——-염 [명]〔醫〕大腸炎.
대장【隊長】[명] 隊長. ¶ 탐험 ~ 探険隊長.
대장【臺長】[명] 台長; 天文台または気象台の長.
대장【臺帳】[명] 台帳. ¶ 비품 ~ 備品台帳 / 토지 ~ 土地台帳.
대장-간【—間】[명] かじや(鍛冶屋).
대-장경【大藏經】[명]〔佛〕大蔵経. ㊟ 장경(藏經).
‖—— 목판(木板) [명]〔佛〕韓国の海印寺に所蔵されている大蔵経の木板.
대-장군【大將軍】[명] 大将軍.
대-장부【大丈夫】[명] 大丈夫; ますらお. ¶ 사내 ~는 계집애처럼 우는 소리 하는 게 아니다 大丈夫ともあろう者はめめしく泣言をいうものじゃない. ——-답다 [형] (大丈夫らしく)威風がある; 堂堂としている. ¶ 대장부다운 태도 男らしい態度.
대장-일 [명] かじ(鍛冶)仕事.
대장-장이【—匠—】[명] かじ(鍛冶)屋.
대재【大災】[명] 大災.
대-저울 [명] さおばかり(竿秤).
대적【大賊】[명] ① 大賊; 大盗. ② 極悪人.
대적【大敵】[명] 大敵. ¶ 민주주의의 ~은 독재다 民主主義の大敵は独裁である / ~과 맞서다 大敵と相対する.
대적【對敵】[명] 対敵. ¶ ~ 행위 対敵行為 / ~할 수 없다 対敵することができない.
대전【大全】[명] 大全. ¶ 낚시 ~ 釣り大全.
대전【大典】[명] 大典. ¶ 즉위의 ~ 即位の大典.
대전【大殿】[명] ① 宮殿. ② 帝王の尊称.
‖——-마마(媽媽) [명] 帝王の尊称.
대전【大戰】[명][하자] 大戦. ¶ 제2차 세계 ~ 第二次世界大戦.

ㄷ

대전【大篆】명 だいてん(大篆).
대전【代錢】명 代銭. ¶ ~을 치르다 代銭を支払う.
대전【帶電】명하자〔物〕帯電.
‖——-체 명 帯電体.
대전【對戰】명하자 対戦. ¶ ~표 対戦表 / S교와 ~하게 되어 있다 S校と対戦することになっている.
대-전제 【大前提】명 (三段論法の)大前提. ¶ 그것을 아는 것이 ~이다 それを知ることが大前提だ.
대-전차포【對戰車砲】명〔軍〕 対戦車砲.
대-전차호【對戰車壕】명〔軍〕 対戦車壕.
대절【貸切】명 貸し切り《"전세(專貰)"の旧称》.
대접 명 平鉢; 底が浅く平たい食器の一つ.
대접【待接】명 もてなし; 供応; ごちそう(御馳走). ——-하다 타 もてなす; 供応する. ¶ 후히 ~하다 厚くもてなす / 다과의 ~을 받다 茶菓のもてなしを受ける / 남의 집에서 식사 ~을 받다 よそでごちそうになる.
대정【大政】명 大政.
대-정맥【大靜脈】명 大静脈.
대제【大帝】명 大帝. ¶ 피터 ~ ピーター大帝.
대제【大祭】명 大祭. ① 盛大な祭祀. ②〔史〕 そうびょう(宗廟)やしゃしょくだん(社稷壇)で行なう君王主宰の祭祀.
대-제사장【大祭司長】명 大祭司.
대-제전【大祭典】명 大祭典. ¶ 민족의 ~ 民族の大祭典.
대조 【對照】명하타 対照; 照合. ¶ 원부와 ~하다 原簿と対照する / 서류의 ~를 끝내다 書類の照合を終える / 원가와 ~하다 原価と見合わせる / 두 사람의 의견은 ~적이다 二人の意見は対照的だ.
‖——-표 명 対照表. ¶ 대차 ~ 貸借対照表.
대족【大族】명 大族; 豪族.
대졸【大卒】명 [↗대학 졸업] 大卒.
대종【大宗】명 大宗. ① 大宗家の系統. ②(物事の)おおもと. また, その方面の大家. ¶ 화단의 ~ 画壇の大宗 / 수출품의 ~ 輸出品の大宗.
대종【大鐘】명 大鐘; 大きな鐘.
대-종가【大宗家】명 大宗家; おおもとの家.
대종-교【大倧教】명 韓国固有の宗教の一つ《国を創建した檀君を崇拝する》; 檀君教.
대-종손【大宗孫】명 大宗家の後継ぎ.
대-종중【大宗中】명 大きな宗族《たいてい五代以上の先祖から分かれた子孫の一門》.
대좌【對坐】명하자 対座. ¶ 손님과 ~하셨다 客と対座なさった.
대좌【臺座】명 台座; 像を安置する台.
대죄【大罪】명 大罪. ¶ ~를 짓다 大罪を犯す.
대죄【待罪】명하자 待罪. ¶ 석고(席藁) ~하다 むしろ(薦)にうつぶして罪する.
대주【大酒】명 大酒. =호주(豪酒
대주【代走】명하자〔野〕代走; ピンチランナー.
대주【貸主】명 貸し主; 貸し手. ~의 양해를 구하다 貸し手の諒解を求める.
대-주객 【大酒客】명 大酒飲み 上戸. 「だい
대-주교【大主教】명〔天主教〕 大司
대-주다 타 ①(つづけて)供給する あてがう; まかなう. ¶ A공장에 석유를 ~ A工場に石油をあてがう ②(方向や住所などを)教えてやる. ③(袋などを)あてがってやる. ¶ 쌀을 담을 자루를 ~ 米を入れる袋をあてがってやる.
대중 명하타 ① 見積もること; 概算; 目安. ¶ 눈 ~ 目分量; 目積もり. ② 標準; 見当; 見当て. ¶ 무슨 말인지 ~을 잡을 수가 없다 何の話なのか見当がつかない. ——-없다 형 基準がない; まちまちだ. ——-없이 부 まちまちに; 基準もなく. ——-잡다 타 概略の基準を定める. ¶ 대중잡아 계산해 보자 あらまし計算してみよう. ——-치다 타 概算する.
대중【大衆】명 大衆. ① 多くの人. ¶ 근로 ~ 勤労大衆 / ~의 지지를 얻다 大衆の支持を受ける. ②〔佛〕多くの僧侶; 大衆.
‖—— 문학 명 大衆文学. ——-성 명 大衆性. ¶ 예술의 ~ 芸術の大衆性. —— 소설 명 大衆小説. —— 심리 명 大衆心理. =군중 심리. —— 작가 명 大衆作家. —— 잡지 명 大衆雑誌. ——-화 명하자타 大衆化. ¶ 과학의 ~ 科学の大衆化.
대증【對症】명 対症.
‖—— 요법 명 対症療法.
대지【大地】명 大地. ¶ ~를 밟다 大地を踏む.
대지【大志】명 大志. ¶ 소년이여, ~를 품어라 少年よ, 大志を抱け.
대지【垈地】명 敷地. ¶ 가옥 ~ 家屋敷地.
대지【臺地】명〔地〕台地. ¶ 용암 ~ 溶岩台地.
대지【臺紙】명 台紙. ¶ ~에 그림을 붙이다 台紙に絵を張る.
대지 공격【對地攻擊】명〔軍〕対地攻撃
「マグナ.
대-지구대【大地溝帶】명〔地〕フォッサ
대-지르다 자 突きかかる; 突き刺さんばかりにつっかかる.
대-지주【大地主】명 大地主.
대-지팡이 명 竹杖.
대진【代診】명하타 代診.
대진【對陣】명하자 対陣. ¶ 강을 사이에 두고 ~하고 있었다 川をへだてて対陣していた.
대질【對質】명하자 対質. ¶ ~ 심문 対質審問 / 공범자를 ~시키다 共犯者を突き合わせる.
대-질리다 피동 突き刺さんばかりにつっかかられる.
대-짜【大—】명 大物. ¶ 오늘은 ~

가 재미날 정도로 낚인다 きょうは大物がおもしろいほど釣れる.
‖——-배기 명 大物; 多くのうちでもっとも大きい物. ——배기-로 부 ① おおがかりに. ¶ 싸움이 ~ 벌어졌다 けんか(喧嘩)がおおがかりに起こった. ② 大物で; 大物を以って.
대-쪽 명 竹の細割り. ¶ ~ 같은 성미 竹を割ったような性.
대차【大差】명 大差. ¶ 이것과 저것과는 ~ 없을 것이다 これとあれとは大差がなかろう.
대차【貸借】명 貸借. ¶ 그와의 ~ 관계는 복잡하다 彼との貸借関係は複雑である.
‖—— 대조표 명 貸借対照表; バランスシート.
대찰【大刹】명 たいさつ(大刹); 大きなお寺.
대-창【—槍】명 たけやり(竹槍).
대책【對策】명 対策. ¶ 실업 ~ 失業対策 / 임시 변통의 ~ その場しの(凌)ぎの対策 / 만전의 ~을 강구하다 十全の対策を講ずる.
대처【大處】명 都会; 都市.
대처【帶妻】명하자 妻帯.
‖——-승 명 妻帯僧; 在家僧.
대처【對處】명하자 対処. ¶ 새로운 정세에 ~하지 못하고 몰락하였다 新情勢に対処し切れず没落した.
대천【大川】명 ① 大川; 大河. ② 有名な川.
대첩【大捷】명하자 大勝.
대청【大廳】명 広い板の間. =대청마루.
대-청소【大清掃】명 大掃除.
대체【大體】명부 大体; おおよそ; あらまし; 一体; もともと. ¶ ~ 어떻게 된 셈이냐 一体どうしたのだ / ~ 여길 어디라고 알고 있는 거냐 一体ここをどこだと心得ているんだ / 저 소동은 ~ 무어냐 あの騒ぎは一体何かね. 대체-로 부 総じて; おおむね; おおよそ; 概して. ¶ 건강은 ~ 양호하다 健康は概して〔おおむね〕良好である / ~ 의견이 일치했다 大体において意見が一致した.
대체【代替】명하자타 代替. ¶ ~품 代替品 / ~ 에너지 代替エネルギー / 새 것으로 ~하다 新しい物に取り替える.
대체【對替】명〔經〕振替.
‖—— 계정(計定) 명 振替勘定. —— 저금 명 振替貯金.
대-초원【大草原】명 大草原.
대촌【大村】명 大きな村.
대추 명 なつめ(棗). ¶ ~나무 なつめの木.
대춘【待春】명하자 春を待つこと.
대출【貸出】명 貸し出し. ——하다 타 貸し出す. ¶ 도서의 ~ 図書の貸し出し / 은행이 돈을 ~해 주었다 銀行が金を貸し出してくれた.
‖—— 금리 명 貸出金利.
대충 부 [←대총(大總)] 大体; およそ; 大方; ざっと; 概略. =대강. ¶ ~ 한번 읽다 ざっと一読する / ~ 어림잡다 大まかに見積もる / ~ 십만 명이 모였다고 하더라 およそ十万人が集まったそうだ / 일이 ~ 정리되었다 仕事がおよそ片付いた / 이것으로 ~ 끝났다 これで一通り済んだ. ——— 부 おおまかに; おおざっぱに.
대충 자금【對充資金】명 見返り資金.
대취【大醉】명하자 大酔. ¶ ~해서 귀가하였다 大酔して帰って来た.
대치【代置】명하타 代置. ¶ Y의 자리에 3을 ~하다 Yのところに3を代置する.
대치【對峙】명하자 たいじ(対峙). ¶ 양웅이 ~하다 両雄がたいじする.
대치【對置】명하타 対置.
대칭【對稱】명 対称.
‖—— 도형 명〔數〕対称図形. ——률 명〔數〕対称律. ——면 명〔數〕対称面. ——축 명 対称軸.
대-칼 명 竹刀; たけみつ(竹光).
대타【代打】명하자〔野〕代打; ピンチヒッター.
대-테 명 竹のたが(箍).
대토【代土】명하타 替え地.
대-톱【大—】명 大きなのこぎり(鋸).
대-통【—筒】명 竹の筒.
대통【大通】명하자 大いに運が開けること. ¶ 운수 ~하다 すばらしい幸運に会う.
대통【大統】명 大統. ¶ ~을 잇다 大統を継ぐ.
대-통령【大統領】명 大統領.
‖——-령 명 大統領令. ——-제 명 大統領制. —— 선거법 명 大統領選挙法. ¶ ~ 위반 大統領選挙法違反. ——직 계승 위원회 명 大統領継承委員會.
대퇴【大腿】명〔生〕だいたい(大腿); 太もも. =넓적다리.
‖——-골 명〔生〕大腿骨.
대-투매【大投賣】명하타 大投げ売り.
대파【大破】명하자타 大破. ¶ 배가 ~했다 船が大破した / 적을 ~할 것이다 敵を大破するだろう.
대파【代播】명하타 (日照りなどで)作物の植え付けが出来なかった田畑に, 遅ればせに他の穀物をま(播)くこと.
대판【大版】명〔印〕① 字体の大きい版. ② 規格の大きい版.
대판-거리【大—】명 大規模な場〔局〕. ¶ ~로 싸우다 おおがかりにけんかをする〔争う〕.
대패 명 かんな(鉋).
‖——-질 명하자 かんな掛け. ¶ ~을 하다 かんなを掛ける. 대팻-날 명 かんなの刃. 대팻-밥 명 かんなくず; かんな殻. 대팻-집 명 かんな台.
대패【大敗】명하자 ① ひどい失敗. ② 大敗. ¶ 선거에서 ~하다 選挙で大敗する.
대-평원【大平原】명 大平原.
대포 명하자 ① これといったさかな抜きで大杯の酒を飲むこと. ② ↗ 대폿술.
‖대폿-술 명 これといったさかなもなしに大杯で飲む酒. 대폿-잔(盞) 명 大きな杯; 大白. 대폿-집 명 立

ㄷ

ち飲み屋; 居酒屋. ¶ ~에서 한 잔 들이켜다 居酒屋で一杯ひっかける.

대포【大砲】명 ① 大砲. ¶ ~알 砲弾 / ~를 쏘다 大砲を撃つ. ② "うそ(嘘)"のしゃれた語; ほら.
‖——-쟁이 명 うそつき; ほらふき.

대폭【大幅】㊀명 大幅. ¶ ~적인 가격 인상 大幅な値上げ. ㊁부 大幅に; ぐんと. ¶ 예산을 ~ 삭감하다 予算を大幅に削減する.

대표【代表】명하타 代表. ¶ 한국 ~팀 韓国代表チーム / 정부를 ~하다 政府を代表する.
‖——-권 명 代表権. —— 번호 명 (電話の)代表番号. ——-부 명〖政〗代表部. —— 이사(理事) 명 代表取締役. ——-자 명 代表者. ——-작 명 代表作. —— 최고 위원 명 代表最高委員.

대풍【大豐】명 大豊作. ¶ 눈은 ~의 징조 雪は大豊作の前触れ.

대피【待避】명하자타 待避. ¶ 보통 열차가 특급을 ~해 있다 普通列車が特急を待避している.
‖——-선 명 待避線. ——-소 명 待避所. ——-호 명 待避壕.

대필【代筆】명하타 代筆. ¶ 편지를 ~해 주었다 手紙を代筆してやった.

대하【大河】명 大河.
‖—— 소설 명 大河小説.

대하【大蝦】명〖動〗いせえび.

대하【帶下】명〖醫〗こしけ(腰気・帯下); 下り物. =대하증(症)・냉(冷).

대-하다【對—】자타 対する. ① 向かい合う. ¶ 얼굴을 마주 ~ 面と向かう / 길을 사이에 두고 마주 ~ 道をはさんで相対する. ② 相手にする. ¶ 동생에게 심하게 ~ 弟につらく当たる / 추위에 대하여 민감하다 寒さに敏感である. ③ もてなす; 接待する. ¶ 친절한 태도로 손님을 ~ 親切な態度でお客を接待する.

대학【大學】명 大学.
‖—— 교수 명 大学教授. —— 병원 명 大学病院. ——-원 명 大学院.

대-학교【大學校】명 大学校; ユニバーシティー.

대-학자【大學者】명 大学者.

대한【大旱】명 たいかん(大旱); 大ひでり.

대한【大寒】명 大寒. ① ひどく寒いこと. ② 節気の一つ.

대한【大韓】명 大韓. ① ↗대한 제국. ② ↗대한 민국. ¶ ~ 사람 韓国人.
‖—— 민국 명 大韓民国; 韓国《준말》. —— 제국 명〖史〗大韓帝国.

대한【對韓】명 対韓. ¶ ~ 정책 対韓政策.

대함【大艦】명 大艦; 巨艦.

대합【大蛤】명〖貝〗はまぐり(蛤).

대합-실【待合室】명 待合室. ¶ ~에서 만나기로 하였다 待合室で待ち合わせることにした.

대항【對抗】명하자타 対抗. ¶ ~ 경기 対抗競技 / ~책 対抗策 / 적에 ~하다 敵に立ち向かう.
‖——-력 명 対抗力.

대해【大害】명 大害. ¶ 태풍으로 ~를 입다 台風で大害を被る.

대해【大海】명 大海; 大海原. ¶ 망망한 ~ ぼうぼう(茫茫)たる大海 / 우물안 개구리 ~를 모르다《俚》井戸の中のかわず(蛙)大海を知らず.

대행【代行】명하타 代行. ¶ 사무를 ~하다 事務を代行する.
‖—— 기관 명 代行機関.

대-행성【大行星】명 大惑星; 木星型惑星.

대향【對向】명하자 対向; 互いに向き合うこと.

대헌-장【大憲章】명 大憲章; マグナカルタ.

대-혁명【大革命】명 大革命. ① 大きな革命. ② フランス大革命.

대현【大賢】명 大賢. ¶ ~은 대우와 비슷하다 大賢は大愚に似たり.

대-협곡【大峽谷】명 大峡谷.

대형【大兄】명 大兄; 同輩またはやや年長の相手に使う敬称《書簡文に使われる》.

대형【大型・大形】명 大型〔大形〕. ¶ ~의 자동차 大型の自動車 / ~ 비행기 大型飛行機.

대형【隊形】명 隊形. ¶ 전투 ~ 戦闘隊形.

대호【大虎】명 大きな虎.

대호【大湖】명 大湖; 大きな湖.

대화【大禍】명 大禍.

대화【大火】명 大火; 大火災.

대화【對話】명하자 対話. ¶ 남북 ~ 南北対話 / ~의 광장 対話の広場.
‖——-극 명 対話劇. ——-체 명 対話体.

대-화상【大和尙】명〖佛〗大和尚《高僧の敬称》.

대환【大患】명 大患. ① 大きな憂い. ¶ 국가의 ~ 国家の大患. ② 重い病気.

대-환영【大歡迎】명 大歓迎.

대회【大會】명 大会. ¶ 체육 ~ 体育大会.

대효【大孝】명 大孝.

대훈【大勳】명 [↗대훈로] 大勲; 大きな手柄.

대-훈위【大勳位】명 大勲位.

대휴【代休】명 代休; 休日に勤めた場合, 代わりにとる休み.

대흉【大凶】명하형 ① 大凶; この上もない凶事. ② ひどい凶作.

대-흉일【大凶日】명 大凶日.

대흑-색【帶黑色】명 帯黒色; 黒みを帯びた色.

댁【宅】㊀명 お宅. ¶ ~으로 보내드리겠습니다 お宅にお届けします / 주인께서는 ~에 계신지오 だんな様はご在宅ですか. ㊁의명 夫の姓や職位の下, または夫人の実家の地名の下に付けて誰それの妻, またはどこそこ生まれの夫人という意を表わす呼称: …夫人; …(生まれの)夫人. ¶ 김사장 ~ 金社長夫人 / 강화 ~ 江華(生まれ)の夫人. ㊂대 お宅; あなた; そちら. ¶ ~은 이 일을 알고 계십니까 お宅はこの事をご存じですか / ~은 뉘시오

うがさらに悪くなる／～　심해졌다 もっと〔さらに〕ひど(酷)くなった.

더욱-더 [부] 更にいっそう；なおさら；ますます. ＝더한층. ¶～ 아름다워지다 更にいっそう美しくなる／동반해 주신다면 ～ 편리하겠습니다 ご同伴頂ければなおさらでございます.

더욱-더욱 [부] もっともっと；ますます.

더욱-이 [부] その上に. ¶～ 곤란한 일로는 その上に困った事には.

더운-물 [명] 温めた水；温水.

더운-찜질 [명]〔醫〕温湿布. ＝온엄법(溫罨法).

더위 [명] ①暑さ. ¶심한 ～ ひどい暑さ／숨막히는 ～ 息苦しい暑さ／찌는 듯한 ～ 蒸すような暑さ. ②〔韓醫〕暑気当たり.

더위 들다 [자] ☞ 더위 먹다.

더위 먹다 [자] 暑気当たりする.

더위 타다 [자] 暑さに負ける.

더치다 [一][자] (病が)再発する；高ずる；ぶりかえす. ¶찬 바람을 쐬어 감기가 ～ 冷や風に当たってかぜがぶりかえす／병세가 ～ 病気が高ずる. [二][타] ☞ 덧들이다. ¶자는 아이를 더쳐서 울리다 寝る子をこづいて泣かす.

더킹 〔ducking〕 [명] ダッキング. ¶～ 모션 ダッキングモーション.

더펄-거리다 [자] (髪などが)ふさふさとゆれる. ＞다팔거리다. **더펄-더펄** [부][하자] (髪などが)しきりにふさふさとゆれるさま.　「녀 お下げの少女.

더펄-머리 [명] ふさふさした髪. ¶～ 소

더펄-이 [명] (性格が)せわしくて活発な〔むぞうさ(無造作)な〕人.

더-하기 [명]〔數〕足し算；加え算.

더-하다 [一][자] (以前より)つのる；重くなる. ¶병세가 ～ 病勢がつのる／그리움이 더해지다 懐かしさがつのる. [二][타] 加える；足す. ¶2에 3을 더하면 5다 二に三を足せば五になる. [三][형] より多い；よりひどい. ¶게으르기로 말하자면 그가 ～ 怠け者の点では彼がよりひどい.

더-한층【一層】 [부] ☞ 더욱더.

덕【德】 [명] 徳. ¶～을 기리다 徳をたたえる／～으로써 원한을 갚다 徳を以って恨みに報ず.

덕담【德談】 [명][하자] 幸せあれかしと述べる言葉.

덕대 [명]〔鑛〕鉱山主と契約を結んでその鉱山の一部を採鉱する人(“徳大”は当て字).

‖——갱(坑) [명] “덕대”が採鉱する坑.

덕-되다【德—】 [자] 徳になる. ¶덕되는 일 徳になること.

덕망【德望】 [명] 徳望. ¶～가 徳望家／～이 높다 徳望が高い.

덕목【德目】 [명] 徳目(忠·孝·仁·義などの徳を分類した個個の名称).

덕-보다【德—】 [자] おかげをこうむる；お恵みにあずかる.

덕분【德分】 [명] おかげ；徳沢；恩沢. ¶자네 ～에 성공했네 君のおかげで成功したよ／～으로 살았다 おかげで助かった.

덕-불고【德不孤】 [명] 徳は孤ならず.

덕성【德性】 [명] 徳性. ¶～을 기르다 徳性を養う. ——-스럽다 [형] 徳性がありげである. ¶덕성스럽게 생긴 처녀 貞淑で気品のありげな娘.

덕-스럽다【德—】 [형] 徳がありげである；ふくよかで気品が高い.

덕용【德用】 [명] 徳用. ¶～ 성냥 徳用マッチ.

‖——품 [명] 徳用品.

덕적-덕적, 덕지-덕지 [부] あか(垢)などがべた付いているさま：こてこて；べたべた.

덕택【德澤】 [명] 徳沢；おかげ；恩沢；恵み. ¶진력하여 주신 ～으로 어려움을 넘겼습니다 ご尽力のおかげで助かりました.

덕행【德行】 [명] 徳行. ¶～으로 알려지다 徳行で知られている.

덖다[1] [자] ひどくあか染みる.

덖다[2] [타] (水気のあるものを)い(煎·炒)る.

-던 [어미] …していた；…だった. ¶같이 공부하～ 친구 いっしょに勉強していた友／먹～ 밥 食べていた飯／추웠～ 기억 寒かった記憶.

-던가 [어미] …かったか；…だったか. ¶영화는 재미 있～ 映画はおもしろかったかね／이게 무슨 꽃이～ これはなんという花だったかな.

-던걸 [어미] [←-던 것을] …だったよ. ¶매우 아름답～ 非常に美しかったよ.

-던데 [어미] ①…したのに. ¶아까 먹～ 또 배가 고프단 말이냐 さっき食べていたのにまた腹がすいたというのか. ②…したんだが；…だったんだが. ¶그 여자는 매우 아름답～ その女は非常に美しかったよ.

-던들 [어미] …し(てい)たなら. ¶더 공부했～ 합격했을 것을 もっとべんきょうし(てい)たなら合格したんだが.

던적-스럽다 [형] 汚らしい；卑しい；さもしい. ¶던적스러운 마음 さもしい心.

던져-두다 [타] 捨て置く；うっちゃる；ほったらかす. ¶그냥 던져 둘 수는 없다 そのまま捨て置くわけにはいかない.

-던지 [어미] …したのか；…がった〔だった〕のか. ¶얼마나 무서웠～ 생각도 하기 싫다 どんなに怖かったか思い出したくもない.

던지다 [타] 投げる. ①㉠(何かを遠くへ)ほう(放)る；投ずる. ¶공을 ～ ボールを投げる／붓을 ～ 筆を投げる／개에게 돌을 ～ 犬に石を投げる. ㉡(身を)投ずる；飛び込む. ¶불 속에 몸을 ～ 火中に身を投げる／정계에 몸을 ～ 政界に身を投ずる. ㉢提供する. ¶화제를 ～ 話題を投げる. ㉣あきらめる. ¶(바둑에서) 돌을 ～ (碁で)投げ打つ. ②投票する；投ずる. ¶…에게 한 표를 ～ …に一票を投ずる. ③影響を及ぼす；投げかける. ¶정계에 파문을 ～ 政界に波紋を投げかける.

던지럽다 [형] 卑しい；いやらしい；さもしい. ¶그렇게 던지러운 짓을 할 사내가 아니다 そんな卑劣なことをす

ㄷ

る男ではない.

덜 부 ある限度に満たない意を現わす語. ¶ ~ 익다〔諡다·삶다〕 煮が足りない / ~ 익은 감 熟してないかき(柿) ; しぶ柿 / ~ 마른 셔츠 生乾きのシャツ.

덜거덕 부하자 硬くて厚みのある物がかち合って出す音: がちり ; がたがた. 준 덜걱. ——-거리다 자 がたがたする. ——— 부하자 がたがた.

덜거덩 부하자 硬くて厚みのある物がかち合う音: がたん ; がちゃん. >달가당. ¶ 바람에 문이 ~하고 울린다 風で戸ががたんと鳴る. ——-거리다 자 しきりにがたんがたんと鳴る. ——— 부 がたんがたん.

덜걱 부하자 ↗덜거덕. ——-거리다 자 ↗덜거덕거리다. ——— 부하자 ↗덜거덕덜거덕.

덜그럭 부하자 硬くて大きな物がぶっつかったりすれ合ったりして出す音: がらがら. >달그락. ——-거리다 자 しきりにがらがら鳴る. ——— 부하자 がらがら.

덜다 타 減ずる ; 減らす ; 省く ; 和らげる ; 分ける. ¶ 수고를 ~ 労〔手間〕を省く / 고통을 ~ 苦痛を和らげる / 경비를 ~ 経費を減らす / 큰 그릇에서 덜어 내다 大きな器から分ける.

덜덜 부 ① 寒くてふるえるさま: ぶるぶる ; がたがた. ¶ 심한 추위에 몸이 ~ 떨리다 あまりの寒さに体がぶるぶる震える. ② 固い地面を車などが走る音: がらがら. ——-거리다 자타 ① 続けてぶるぶる〔がたがた〕と身震いする. ② 続けてがらがらと音を出す. ¶ 짐수레의 덜덜거리는 소리 荷車のがらがらする音.

덜-되다 형 ① 出来上がっていない ; 完成していない. ¶ 일이 아직 ~ 事がまだ完成していない. ② まぬ(間抜)けである ; 足りない. ¶ 저 사람은 하는 짓이 덜되었다 あの人はできていない.

덜렁 부하자 ①大きな鈴がゆれて鳴る音: りん. ②そそっかしく振る舞うさま: ちゃかちゃか. >달랑. 쓰떨렁. ——-거리다 자 ① りんりんと鳴る. ② ちゃかちゃかする. ¶ 덜렁거리는 사람 そそっかしい人. ——— 부하자 ① りんりん鳴るさま. ② ちゃかちゃかするさま.

덜렁-쇠, 덜렁-이 명 そそっかし屋 ; がさつな人. ¶ 그는 ~다 彼はそそっかしい人である.

덜렁-이다 자 そそっかしく振る舞う.

덜렁-하다 자 どきんとする. >달랑하다. ¶ 가슴이 ~ 胸がどきんとする.

덜름-하다 형 つんつるてんだ. ¶ 덜름한 양복 바지 つんつるてんのズボン / 바지가 덜름해지다 ズボンが寸詰まりになる.

덜리다 자피동 減ずる ; 減(らされ)る ; 省かれる ; 省ける ; 和らぐ.

덜-먹다 一타 ① すっかり食べない. ② 食べ尽くさない ; 腹八分に食べる. 二자 軽率でおうちゃく(横着)にふるまう.

덜미 명 ↗뒷덜미. ¶ ~를 잡히다 首すじをつかまれる ; 首根っこを押えられる ; (比喩的に)悪事〔悪だくらみ〕がばれる. —— 짚다 자타 (① 首筋をつかまえて行く. ② (首筋を押さえんばかりに)ひどく催促する ; せき立てる.

‖——-잡이 명하타 首筋をつかまえて行く行為. 덜밋-대문(大門) 명 裏門 ; 通用門.

덜어 내다 타 (一部を)取り出す ; 減らす ; 省く ; 取り移す.

덜커덕 부하자 大きくて堅い物がぶっつかって出す音: がちゃり ; ばたん ; がたがた. 준 덜컥. ——-거리다 자 がちゃりがちゃりする ; がたつく. ——— 부하자 がちゃりがちゃり ; がたがた.

덜커덩 부하자 堅くて中身のうつろな大きな物がぶっつかって出す音: がちゃん. ¶ ~하고 소리를 내다 がちゃんと音を立てる. ——-거리다 자 がちゃんがちゃんする. ——— 부하자 がちゃんがちゃん.

덜컥[1] 부하자 ↗덜커덕. >달칵. ——-거리다 자 ↗덜컥덕거리다. ——— 부하자 ↗덜커덕덜커덕.

덜컥[2] 부하자 急に驚くか重大な事態に直面するさま: ぎくり ; ぎくっ ; がくん ; どっと. ¶ 정곡을 찔려서 가슴이 ~하다 ずぼし(図星)をさされてぎくりとする / ~ 몸져 눕다 どっと病床に就く / 뇌출혈로 ~ 죽었다 脳出血でぽっくりと亡くなった.

덜컹 부하자 ↗덜커덩. >달캉. ——-거리다 자 ↗덜커덩거리다. ——— 부하자 ↗덜커덩덜커덩.

덜-하다 一자 (以前よりは)ひどくない ; 減る ; 薄らぐ. ¶ 수요가 덜해지다 需要が減って来る / 해가 지남에 따라 슬픔이 덜해지다 年がたつにつれて悲しみが薄らぐ. 二타 減ずる ; 減らす. ¶ 경비를 ~ 経費を減らす. 三형 より少ない. ¶ 단맛이 ~ 甘みが足りない.

덤 명 ① おま(負)け ; 景品. ¶ 다 사시면 그것을 ~으로 드리겠습니다 皆お買いあげ下さればそれをおまけに差し上げます / 이것은 ~입니다 これはおまけです. ② (碁で)込み. =공제(控除). ¶ ~을 치르고도 흑(黑)이 반집을 이겼다 込みを引いても黒が半目勝った.

덤덤-하다 형 押し黙っている. 덤덤-히 부 押し黙って.

덤벙 부하자 重くて大きな物が水に落ちて出す音: どぶん. 쓰텀벙. ¶ 바다 속에 ~ 뛰어들다 海にどぶんと飛び込む. ———[1] 부하자 どぶんどぶん.

덤벙-거리다 자 ☞ 덤벙이다. 덤벙-덤벙[2] 부하자 そそっかしく.

덤벙-이다 자 浮わつく ; そそっかしくふるまう. ¶ 형은 요즘 공연히 덤벙이고 있다 兄は近頃わけなく浮わついている.

덤-벨 〔dumbbell〕 명 ダンベル ; あれい「(啞鈴).

덤벼-들다, 덤비어-들다 자 飛びかかる；躍り〔襲い〕かかる；食いかかる. ¶짐승처럼 ～ けだもの(獣)のように躍りかかる／사납게 ～ 猛然と襲いかかる.

덤불 명 草むら；やぶ(藪). ¶～이 우거지다 やぶがおい茂っている.

덤비다 자 ①突っかかる；飛び掛かる. ¶갑자기 ～ いきなりとびかかる. ②せ(急)く；急ぐ；あせる. ¶그렇게 덤벼서는 일이 안 된다 そんなに急いては事が成さない.

덤뻑 부 前後をわきまえずに飛びつくさま.

덤터기 명 (罪・責任・心配事などを他人に)負わすこと. また，負わされること.

덤터기 쓰다 자 (人の罪などを)負わされる；ひっかぶる. ¶남의 책임을 ～ 人の責任をひっかぶる.

덤터기 씌우다 타 (罪などを人に)負わす；なす(擦)(りつけ)る. ¶남에게 죄를 ～ 人に罪をなすりつける.

덤퍼 〔dumper〕, **덤프 카** 〔dump car〕 명 ダンプ；ダンプカー.

덤핑 〔dumping〕 명 〔經〕 ダンピング.
‖―― **관세** 명 ダンピング関税.

덥다 형 暑い. ¶더워서 못 견디겠다 暑くてたまらない／지독하게 ～ むちゃに暑い／찌는 듯이 ～ 蒸し暑い.

덥석 부 わしづか(鷲掴)みにするかまたはかぶ(齧)りつくさま：ひしと；むんずと；がぶりと. ¶아기를 ～ 안다 赤ん坊をひしと抱きしめる／사과를 한 입 ～ 물다 りんごを一口かぶりつく. ――― 부 ひしと；むんずと；がぶりがぶりと.

덥적-거리다 자 ☞ 덥적이다. **덥적-덥적** 부하자 ①飛びついてすばやく動くさま. ②しきりにおせっかいを焼くさま.

덥적-이다 자 ①飛びついてすばやく動く. ②おせっかい(節介)を焼く；よくで(出)しゃばる. ¶쓸데없이 덥적이지 말게 い(要)らぬおせっかいはやめてくれ.

덧 명 間；ひどく短い時間. ¶어느 ～ 봄이 왔다 いつの間にか春が来た.

덧- 두 重複または附属の意を表わす語. ¶～저고리 チョゴリの上に重ねて着るチョゴリ.

덧-가지 명 よけいな枝.

덧-거리 명하타 ①余分：よけい(余計)(な物). ②(あらぬことを)付け足して言うこと；誇張.
‖――**질** 명하타 (あらぬ事を)付け足して誇張する行為.

덧-걸리다 자 重なり合う；おり重なる；かちあう. ¶우리 집에는 혼사에 송사가 덧걸려서 복잡합니다 うちでは結婚式や裁判さた(沙汰)が重なり合って大変ですよ.

덧-그림 명 敷き〔透き〕写しの絵.

덧-깔다 타 重ねて敷く. ¶요 위에 담요를 ～ 敷きぶとんの上に毛布を敷き重ねる.

덧-나다[1] 자 ①(はれものなどが)とが(咎)める；こじ(拗)れる. ¶종기가 ～ はれものがとがめる. ②腹が立つ.

덧-나다[2] 자 よけい(余計)について出る〔生える〕. ¶이가 ～ 八重歯が生える.

덧-내다 타 (はれものなどを)とが(咎)める；こじ(拗)らす. ¶그는 병을 덧냈다 彼は病気をとがめた.

덧-니 명 八重歯；添い歯.
‖――-**박이** 명 八重歯の(生えた)人.

덧-대다 타 (布などを)当てた上に重ねて当てる.

덧-덮다 타 重ねて覆う.

덧-들다 자 (うたた寝が覚めて)寝つけない；寝そびれる.

덧-들이다 타 ①(人を)怒らせる. ②(うたたねが覚めて)寝つかれなくする；寝そびらせる.

덧-문 【―門】 명 雨戸；繰り戸.

덧-바지 명 重ねてはくバチ.

덧-버선 명 上足袋.

덧-붙다 자 重なり付く.

덧-붙이기 명 重ね付けること. また，そのような物.

덧-붙이다 타 ①重ねて付ける. ②(話などに)付け加える；付け足す. ¶덧붙여서 말하다 付け加えて話す.

덧-세우다 타 重ねて立てる；付け加えて立てる.

덧-셈 명 足し算；寄せ算.

덧-소금 명 (塩漬けで)上の方にたっぷり振り掛ける塩.

덧-신 명 上靴；オーバーシューズ.

덧-신다 타 (靴・たびの上に)重ねてはく.

덧-양말 【―洋襪】 명 くつしたカバー.

덧-없다 형 ①跡形もない. ¶덧없이 황폐한 옛 성터 跡形もなく荒れ果てた古城の跡. ②時の流れが速い. ¶덧없는 세월 矢のように速い歳月. ③はかない. ㉠無常である；定めがない. ¶덧없는 사람 목숨 常ならぬ人の命／덧없는 세상에 살다 無常の世に生きる／인생의 덧없음을 깨닫다 人生のはかなさを悟る. ㉡むな(空・虚)しい. ¶덧없는 꿈 はかない夢／덧없이 죽어가다 むなしく死んで行く／덧없는 희망을 걸다 はかない〔淡い〕望みをかける. ㉢かりそめである. ¶덧없는 사랑 はかない〔かりそめの〕恋.

덧-없이 부 ①跡形もなく. ②(時の流れが)速く；矢のように. ③はかなく.

덧-저고리 명 チョゴリの上に重ねて着るチョゴリ.

덩굴 명 〔植〕 つる(蔓). ¶～풀 つる草／칡～ くず(葛)のつる／～이 뻗다 つるがはう. ――-**지다** 자 つる張る；つるがはう.
‖――-**손** 명 〔植〕 巻きひげ(鬚). ――-**치기** 명 無駄なつるを切り取ること.

덩그렇다 형 ①高くそび(聳)え立つ. ¶덩그렇게 잘 지은 집 高くそびえる立派な屋敷. ②がらんとしている. ¶저 집은 덩그러니 비어 있다 あの家はがらんと空いている.

덩-달다 자 しりうま(尻馬)に乗る；雷同する. ¶남이 하니까 덩달아 떠들

ㄷ

ㄷ

다人のしりうまに乗って騒ぎ立てる.
덩더-꿍 [부] リズミカルな鼓の音.
덩덩 [부] 鼓・太鼓などを打つ音: どんどん.
덩실-거리다 [자] 興に乗って舞う. **덩실-덩실** [부][하자] 興に乗って舞うさま.
덩실-하다 [형] (建物などが)高くていかめしい.
덩싯-거리다 [자] 仰むけになって手足を軽く動かす. **덩싯-덩싯** [부][하자] 仰むけになって手足を軽く動かすさま.
덩어리 [명] 塊. ¶비곗~ 脂肪のかたまり / 석탄 ~ 石炭のかたまり / 욕심 ~ 欲のかたまり / 흙 ~ 土くれ / 얼음 ~ 氷のかたまり. ——-지다 [자] かたまりになる; 固まる. ¶단단히 ~ 堅く固まる.
덩이 [명] 小さな塊. ———— [부] 小さなかたまりの多いさま. ¶호박이 ~ 열렸다 かぼちゃがたくさん(沢山)なっている.
덩치 [명] ずうたい(図体). ¶~만 큰 녀석 ずうたいばかり大きい奴.
덫 [명] わな(罠); 落とし. ¶~에 걸리다 わなに掛かる / 제가 놓은 ~에 걸리다 自分のわなにかかる.
덮개 [명] ①(かけぶとんなど)覆うものの総称; 覆い. ¶짐에 ~를 씌우다 荷物に覆いをかける. ②ふた(蓋).
덮다 [타] ①覆う. ㉠(覆い)かぶせる; 伏せる. ¶함석으로 지붕을 ~ トタンで屋根をふく / 모판을 비닐로 ~ 苗床をビニールで覆う / 담요를 덮어 주다 毛布をかぶせてやる. ㉡ふた(蓋)をする. ㉢覆いかくす. ¶단점(短點)을 덮어 가리다 短所を覆う. ②とが(咎)めないで置く; 見逃がしてやる.
덮어-놓고 [부] やたらに; むやみに. ¶~ 책을 읽다 やたらに本を読む / ~ 굽실거리다 やたらに腰を折る / 저 사람은 ~ 약속을 한다 あの人はむやみに約束をする.
덮어-놓다 [타] ①覆う; かぶ(被)せる. ¶흙을 ~ 土をかぶせる. ②とが(咎)めない; 見逃がす. =덮어두다. ③秘密に付する; 伏せて置く. ¶그 일은 덮어놓아 둡시다 その事は伏せて置きましょう.
덮어-두다 [타] とが(咎)めない; 不問に付する. ¶잘못을 ~ あやまちを不問に付する〔見逃がす〕/ 이 문제를 덮어둘 수는 없다 この問題を見逃すわけにはいかない.
덮어-쓰다 [타] ①(ぬれぎぬを)かぶ(被)せられる; (引っ)かぶる. ¶죄를 ~ 罪をかぶる. ②覆いかぶ(さ)る; 引っかぶる. ¶이불을 ~ ふとんを引っかぶる.
덮어-씌우다 [타] (無理強いに)ぬ(濡)れぎぬ(衣)をかぶ(被)せる; (引っ)かぶせる; なすり付ける. ¶남에게 책임을 ~ 人に責任をかぶせる.
덮이다 [피동] 覆われる. ①㉠(覆い)かぶされる. ¶국기에 덮인 영구 国旗に覆われたひつぎ(柩) / 온통 눈에 ~ 一面雪に覆われる. ㉡包まれる. ¶어둠에 ~ 暗黒〔やみ(闇)〕に覆われる / 먹구름에 ~ 暗雲に覆われる. ②覆いかくされる; さえぎられる. ¶해가 구름에 ~ 日が雲に覆われる.
덮치다 [자] ①の(伸)しか(掛)かる; 覆いかぶさる. ¶상대를 덮쳐 누르다 相手にのしかかる. ②(いろんな事が一度に)押し寄せる. ¶엎친 데 ~ 《俚》泣きっ面にはち(蜂). ③(不意に)襲う; 飛び付く; 降り懸かる. ¶신상에 재난이 ~ 身に災難が降りかかる / 해일이 ~ 津波が襲う / 경관이 ~ 警官が踏み込む / 현장을 ~ 現場を押さえる.
데 [의명] ①☞ 곳. ¶갈 ~가 없다 行く場がない. ②場合; 時. ¶아픈 ~ 먹는 약 痛い時に飲む薬.
데- [두] 完全でないことを表わす語: 不充分な; 生の. ¶~삶은 고기 生煮えの肉 / ~알다 半可通である.
데구루루 [부] 堅い物がごろごろと転がるさまや音: ごろごろ. >대구루루. ㅆ떼구루루.
데굴-데굴 [부] 堅くて大きな物が転がるさま: ごろごろ. >대굴대굴. ㅆ떼굴떼굴. ¶~ 구르다 ごろごろ転がる.
데그럭-거리다 [자] (多くの堅い物が触れ合って)からからする. **데그럭-데그럭** [부] からから.
데꺽 [부] ①堅くて大きな物がぶっかって鳴る音: かたかた. ②直ちに; すぐに; 立ち所に; やすやすと. ¶~ 승낙하다 直ちに承諾する / ~ 해치우다 すぐに〔やすやすと〕やってのける. ㅆ떼꺽. ——-거리다 [자] かたかたと音をたてる. ———— [부][하자] ①かたかた. ②ぱっぱと; ぐいぐい; てきぱき. ¶무슨 일이든 ~ 처리하다 何事もてきぱき(と)かたづける.
데꾼-하다 [형] ☞ 떼꾼하다.
데다¹ [자] 焼く. ①やけどする. ¶끓는 물에 ~ 熱湯にやけどする / 부젓가락에 ~ 火ばしにやけどする. ②懲りる; 手を焼く. ¶저 사람에게 정말 데었다 あの人には本当に懲りた; 彼にはさんざん手を焼いた.
데다² [타] ↗데우다.
데데-하다 [형] 取るに足りない; つまらない; ばかばかしい. ¶데데한 생각은 하지 마라 ばかばかしい考えは止せや.
데드-라인 〔deadline〕 [명] デッドライン.
데드 볼 〔dead+ball〕 [명] デッドボール. =히트 바이 피치. ¶~로 일루에 나가다 デッドボールで一塁に出る.
데려-가다 [타] 連れて行く. ¶그는 누이동생들을 데려갔다 彼は妹たちを連れて行った / 색시로 데려갈 사람이 없다 嫁に貰い手がない.
데려-오다 [타] 連れて来る. ¶그는 형제를 데려왔다 彼は兄弟を連れて来た / 가출한 딸을 ~ 家出娘を連れ戻す.
데리다 [타] (引き)連れる. ¶데리러 가다 連れに行く / 딸을 데리고 떠나다 娘を引き連れて出掛ける / 데리고 가 주세요 連れて行って下さい.

릭 기중기【―起重機】〔derrick〕명 デリック起重機.

릴-사위 명 婿養子；入り婿.

데릴사윗-감 명 ①ひどくおとなしい人の称. ②人にかわいがられる見込みのない人をさげすむ語.

림-추 명 人の言いなりになる人.

마 명［↗데마고기］デマ. ¶～를 퍼뜨리다 デマを言い触らす／당치도 않는 ～ とんでもないデマ.

먼스트레이션〔demonstration〕명 デモンストレーション. ㊟데모.

면데면-하다 형 ①(性格が)きちょうめんでない；(物事に)気を付けない；おろそかだ. ②よそよそしい；気まずい. ¶데면데면하게 대하다 よそよそしくあしらう.

모 명［↗데먼스트레이션］デモ. ¶～행진 デモ行進／～대가 거리를 누비다 デモ隊が町を練り歩く.

모크라시〔democracy〕명 デモクラシー.

-밀다 타 押し込む；押し入れる；差し入れる. ¶우리 안에 먹이를 ～ おり(檻)の中にえ(餌)を差し入れる.

번-기【―紀】〔Devon〕명〖地〗デボン紀.

데뷔〔프 début〕명 デビュー. ¶～작품 デビュー作品／은막에 ～하다 銀幕にデビューする.

데-삶다 타 生煮えにする；半煮えにする. ¶데삶은 고기 生煮えの肉.

데생〔프 dessin〕명 デッサン.

데생각-하다 자 まずい考え方をする；思い違いをする.

데-생기다 자 まともに出来ていない；半端にできる.

데설-궂다 형 (性格が)大ざっぱ(雑把)だ.

데스-마스크〔deathmask〕명 デスマスク. ¶～를 뜨다 デスマスクを取る.

데스크〔desk〕명 デスク.

데시-〔라 deci〕두 デシ《記号：d》.

‖――-그램 의명 デシグラム《記号：dg》. ――-리터 의명 デシリットル《記号：dl》. ――-미터 의명 デシメートル《記号：dm》. ――-벨 의명 デシベル《記号：db》.

데-알다 타 生半可に知る. ¶데아는 지식을 과시하다 半可通を振りまわす.

데우다 타 (火などで)温める；ぬくめる；沸かす. ¶찬밥을 ～ 冷や飯を温める／술을 ～ かん(燗)をつける／목욕물을 ～ ふろを沸かす.

데이〔day〕명 デー. ¶유엔 ～ ユーエンデー.

데이비스 컵〔Davis Cup〕명 デービスカップ；デ杯《준말》.

데이터〔data〕명 データ. ¶～에 의하면 データによれば／～를 정리하다 データをまとめる.

‖―― 베이스 명 データベース.

데이트〔date〕명하자 デート. ¶～ 상대 デートの相手／어제 그녀와 ～를 했다 昨日彼女とデートをした.

데-익다 형 煮えきらない.

데치다 타 ①湯がく；ゆでる. ¶시금치를 ～ ほうれんそうをゆがく. ②(しか(叱)って)しょげさせる.

데카-〔deca〕두 デカ《記号：D》.

‖――그램 의명 デカグラム《記号：Dg》. ――리터 의명 デカリットル《記号：Dl》. ――미터 의명 デカメートル《記号：Dm》.

데카당〔프 décadent〕명 デカダン. ¶～파 デカダン派.

데카당스〔프 décadence〕명 デカダンス.

데카르〔decare〕의명 デカール《一アールの十倍》.

데커레이션〔decoration〕명 デコレーション. ¶크리스머스 ～ クリスマスデコレーション.

데퉁-바리 명 堅物；鈍物.

데퉁-스럽다 형 言行が粗雑で愚鈍だ.

데퉁-하다 형 融通がきかなく愚鈍だ.

덱〔deck〕명 デッキ. ¶～에 올라가다 デッキに上がる.

덱-데구루루 부 ①大きくて堅い物が他の物とぶっつかりながら転がる音：ごろごろ. ②遠雷の音：ごろごろ.

덱데굴-덱데굴 부 ☞ 떽떼굴떽떼굴.

덴-가슴 명 懲り懲りする心.

덴겁-하다 자 (意外の事に)驚きあわてふためく.

덴-바람 명 北風《船乗り用語》.

델리킷〔delicate〕명 デリケート. ――하다 형 デリケートだ. ¶가장 ～한 문제 もっともデリケートな問題／정국의 동향은 극히 ～하다 政局の動きは極めてデリケートである.

델린저 현상【―現象】〔Dellinger〕명〖物〗デリンジャー現象.

델타〔delta〕명〖地〗デルタ. ＝삼각주(三角洲).

뎅 부 金物が堅い物にぶっつかって出す音：かん. ＞댕. ㅆ뗑.

뎅겅-거리다 자 ①↗뎅그렁거리다. ②金物に水しずくがしきりに落ちて音を出す. ＞댕강거리다. 뎅겅-뎅겅 부하자 ①↗뎅그렁뎅그렁. ②どぼんどぼん.

뎅그렁 부 大きな鈴などが揺れる音：からんこらん. ㅆ뗑그렁. ――-거리다 자 からんこらんと鳴る. ¶풍경이 추녀에서 ～ 風鈴が軒先でからんこらんと鳴る. ―――― 부하자 からんこらん.

뎅뎅 부 金物の器をしきりに打ち鳴らす音：かんかん. ＞댕댕. ㅆ뗑뗑.

도【度】㊀명 度. ①物の長さや幅を計る器具. ¶～량형 度量衡. ②程度；ほど. ¶～를 지나치다 度を過ごす. ③めがねの度. ¶～가 센 안경 度の強い眼鏡. ㊁의명 度. ①角度の単位. ¶45～의 각 四十五度の角. ②温度の単位. ¶섭씨 100～ 摂氏百度. ③回数；たび. ¶2～ 인쇄 二度刷り. ④〖地〗経度・緯度の単位. ¶북위 35～ 北緯三十五度.

도【道】[1] 명 ①道；道理. ②宗旨；悟り. ¶～를 깨닫다 悟りを開く. ③技芸や方術を行なう方法.

도【道】[2] 명 道《韓国行政区域

の一つ》.

도〔이 do〕명〘樂〙ド. ¶이동〔고정〕~ 移動〔固定〕ド.

도 조 補助詞の一つ. ①も. ¶나~ 그렇다 僕もそうである / 당신이 가면 나~ 간다 あなたが行けば僕も行く / 꽃~ 피고 잎~ 핀다 花も咲くし葉も開く / 그 사람은 집~ 없다 その人は家もない / 그는 스무 살~ 되기 전에 결혼했다 彼は二十歳にもならぬうちに結婚した / 천 명~ 더 된다 千人以上もある / 오늘~ 춥다 今日も寒い / 여기~ 좋군 ここもいいね / 재미~ 없다 おもしろくもない. ②感嘆の意を表わす語. ¶과연 좋기~ 하군 さすがにいいことはいいね. ③譲歩の意を表わす語: …でも. ¶삼등차~ 좋소 三等車でもいい / 오늘 안 되면 내일~ 좋다 今日できなかったら明日でもよい.

-도【度】미 年度を表わす語: …度. ¶1994 학년~ 1994学年度 / 금년~ 今年度.

-도【島】미 島. ¶제주~ 済州島 / 강화~ 江華島.

-도【圖】미 図. ¶산수~ 山水図 / 설계~ 設計図.

도가【都家】명 ①同業者たちが集まってたのもしこう(頼母子講)とその他の商議をした家. ②問屋. =도매상. ¶술~ 酒の問屋.

‖도갓-집 명 ① ☞ 도가. ②品物を作って卸し売りする家.

도가【道家】명 道家.

도가니¹ 명 ①[↗무릎도가니] 牛のひざ(膝)の骨と肉. ②牛のでんぶ(臀部)の肉.

도가니² 명 るつぼ(坩堝). ¶흥분의 ~로 화하다 興奮のるつぼと化す.

도가-머리 명 鳥の頭に長く生えた毛. また, そのような鳥.

도감【圖鑑】명 図鑑. ¶동물 ~ 動物図鑑 / 식물 ~ 植物図鑑.

도강【渡江】명하자 渡河. =도하(渡河). ¶~ 작전 渡河作戦 / 적전 ~하다 敵前渡河をする.

도개-교【跳開橋】명 跳開橋; 跳ね橋.

도거리 명 一手; 卸; ひとまとめ; ひっくるめてすること. ¶~로 사면 싸다 ひっくるめて買うと安い / 일을 ~로 맡다 仕事を一括して請け負う.

도검【刀劍】명 刀剣. ¶~ 불법 소지 刀剣不法所持.

도계【道界】명 道と道との境.

도공【刀工】명 刀かじ; 刀工; 刀匠.

도공【陶工】명 ☞ 옹기장(甕器匠)이.

도공【圖工】명 製図工.

도관【導管】명 導管. ¶~ 조직 導管組織 / ~이 막히다 導管がふさがる.

도괴【倒壞】명하타 倒壊. ¶~ 가옥 倒壊家屋.

도-교【道教】명〘宗〙道教; 道学.

도구【道具】명 道具. ¶살림 ~ 所帯道具 / 취사 ~ 炊事道具.

도국【島國】명 島国. =섬나라.

‖── 근성 명 島国根性. ──(民) 명 島国の国民.

도굴【盜掘】명하타 盜掘.

도규【刀圭】명〘史〙とうけい(刀圭… 医術; 医者. ¶~가 刀圭家… ~계 刀圭界.

‖──-술 명 刀圭術. =의술.

도그르르 부 ☞ 또그르르.

도글-도글 부 ☞ 또글또글.

도금【鍍金】명하타 めっき(鍍金). 은~한 숟가락 銀めっきのさじ / ~… 벗겨지다 めっきがはげる / 반지에 금… ~하다 指輪に金を着せる.

도급【都給】명 請負. ¶~ 가격 … 負値段 / ~으로 내놓다 請負に出す.

‖── 계약 명〘法〙請負契約. ── 금 명 請負金.

도기【陶器】명 陶器. =오지 그릇 ¶경질 ~ 硬質陶器.

도깨-그릇 명 かめ·こがめ·つぼなどの… 器の総称. 준 독그릇.

도깨비 명 化け物; お化け; へん… げ; 化生. ¶~집 化け物屋敷 / ~같은 여자 化け物みたいな女 / ~가 나올 것 같은 집 お化けが出て来そうな家 / ~에게 홀린 것 같다 きつね(狐)につままれたようだ.

‖──-놀음 명 何が何やらわからないくらい奇怪なこと. ──-불 명 ①鬼火; きつね火. =귀린(鬼燐). ¶묘지에서 ~이 오르고 있다 お墓場で鬼火が燃えている / ~이 날다 人だまが飛ぶ. ②原因不明の火事. =신화(神火).

도끼 명 おの(斧). ¶~로 장작을 패다 おのでまき(薪)を割る.

‖──-눈 명 (くやしいかまたは憎くて)にら(睨)む目つき. ──-질 명하자 斧仕事.

도나-캐나 부 なんでも(かんでも).

도난【盜難】명 盜難. ¶~ 신고 盜難届け / ~당하다 盜難に遭う.

‖── 보험 명 盜難保険.

도-내【道內】명 道内.

도넛〔doughnut〕명 ドーナツ.

‖──-판(板) 명 ドーナツ盤. ── 현상 명 ドーナツ現象.

도닐다 자 まわりをぐるぐる歩きまわる.

도다녀-가다 자 来てからすぐ帰る.

도다녀-오다 자 行ってからすぐ帰って来る.

도다리 명〘魚〙めいたがれい(目板鰈).

도달【到達】명하자 到達. ¶목적지에 ~하다 目的地に着く / 대화가 결론에 ~하다 話し合いが結論に達する.

도담-하다, 도담-스럽다 형 ふくよかでこぎれいに引き立って見える.

도당【徒黨】명 徒党. ¶반역 ~ 反逆徒党 / 군인이 ~을 이루어 정권을 찬탈했다 軍人が徒党を組んで政権をさんだつ(簒奪)した.

도-대체【都大體】부 一体; 一体全体. =대관절. ¶~ 무슨 일이 일어났느냐 一体何事が起こったのか / ~ 어떤 자일까 一体何者だろ

う / ～ 어떻게 된 셈이냐 一体どうしたのだ.

도덕【道徳】명 道徳. ¶ 상업 ～ 商業道徳 / ～이 퇴폐하다 道徳が乱れる / ～ 정치를 표어로 내걸다 道徳政治をモットーに掲げる.
‖──-관 명〖論〗道徳観. ── 관념 명 道徳観念. ── 교육 명 道徳教育. ── 군자 명 道徳君子. ＝도학군자. ──-률(律) 명〖倫〗道徳律. ──-성 명 道徳性. ──-심 명 道徳心. ── 의식 명 道徳意識. ── 재무장 운동 명 道徳再武装運動. ＝엠아르에이(M.R.A.) 운동. ──-적 명관 道徳的.

도도록-하다 형 (中の部分が) 少し盛り上がっている. 도도록-이 부 中が少し盛り上がって.

도도-하다 형 気位が高い; 高慢だ. 도도-히 부 高慢(ちき)に.

도도-히【滔滔―】부 とうとう(滔滔)と. ¶ ～ 흐르는 대하 とうとうと流れる大河 / ～ 기염을 토하다 とうとうとまくしたてる.

도독-하다 형 ① やや厚い. ¶ 도독하게 생긴 입술 やや厚目のくちびる. ② ↗도도록하다. ＜두둑하다. 도독-이 부 やや厚目に.

도두 부 伸び上がって高く.

도두-보다 타 実際よりもよく見る; 買いかぶる. 준 돋보다.

도두-보이다, 도두-뵈다 자 実際よりよく見える; 見栄えがする; 引き立つ. 준 돋보이다·돋뵈다. ¶ 남의 것은 도두보이는 법이다 人の物は実際よりよく見えるものである.

도둑 명 泥棒; 盗み; 盗人. ¶ ～ 근성 泥棒根性 / ～이 들다 泥棒が入る / ～을 잡다 泥棒を捕まえる〔捕らえる〕/ ～과 다름없는 행위 泥棒に等しい行ない / ～을 맞다 盗まれる / ～이 매를 든다《俚》盗人たけだけしい / ～에게 열쇠 준다《俚》猫にかつおぶし / ～이 제 발이 저리다《俚》後ろ暗ければしりもち(尻餅)つく / ～을 맞고 사립 고친다《俚》盗人を見て縄をな(綯)う.
‖── 고양이 명 野良猫. ──-놈 명 "도둑"の卑語. ── 장가 명 ひそやかに嫁を迎えること. ──-질 명하타 盗み. ¶ ～을 해도 손이 맞아야 한다《俚》泥棒も腹が合わなければできない《互いに協力しなければ何事も成し得ないことのたとえ》.

도드라-지다 ㊀형 際立っている; 目につく; 目立ってはっきりしている. ¶ 도드라진 눈 際立っている目 / 도드라진 행동 目立つ行動. ㊁자 やや盛り上がってつきだす. ＜두드러지다.

도드미 명 目の粗いふるい(篩).

도라지 명〖植〗ききょう(桔梗). ¶ ～ 나물 ききょう(桔梗)の浸し物 / ～ 생채 ききょうのあえもの.

도락【道楽】명 道楽. ¶ 식～ 食い道楽; 食道楽 / 이렇다 할 ～도 없다 これと言った道楽も無い.

도란〔도 Dohran〕명 ドーラン. ¶ ～ 화장 ドーラン化粧 / ～을 바르다 ドーランを塗る.

도란-거리다 자 (むつまじく)ささ(囁)やき合う. ＜두런거리다. 도란-도란 부하자 (むつまじく)ささやき合うさま: ぼそぼそ.

도란-형【倒卵形】명 倒卵形.

도랑 명 小川; 溝; 細流. ¶ ～을 파다 溝をほる / ～이 막히다 溝がつまる.
‖──-창 명 不潔な小川; どぶ.

도랑-치마 명 短いチマ.

도랒 명〖植〗↗도라지.

도래 명 円い物の回り.
‖──-떡 명 婚礼式で卓上にのせる大きくて丸い白もち. ── 매듭 명 ひも(紐)の結び方の一つ《二重結び》. ── 방석(方席) 명 丸い座布団. ──-샘 명 ぐるりと回って流れる泉. ──-솔 명 お墓のまわりの松. ── 송곳 명 ① まるぎり(円錐); つぼぎり(壺錐). ② ボルト錐.

도래【到來】명하자 到来. ¶ 호기 ～ 好機到来 / 위기가 ～하다 危機到来する.

도래【渡來】명하자 渡来. ¶ 외국에서 ～한 물건 舶来品.

도래 목정 명 牛のくびの上方の肉.

도량【度量】명 度量. ¶ ～이 그렇게 좁아서야 度量がそんなに狭くては / ～이 넓다 度量が広い.

도량【跳梁】명하자 ちょうりょう(跳梁). ¶ 스파이가 ～하다 スパイが跳梁する.

도량【道場】명〖佛〗道場.

도-량-형【度量衡】명 度量衡. ¶ ～기 度量衡器.
‖── 원기 명 度量衡原器.

도려-내다 타 えぐ(抉)る; くりぬく. ¶ 상처를 ～ 傷口をえぐる.

도련 명 ツルマキやチョゴリのすそ回し.

도련【刀錬】명하타 紙の端を切りそろ(揃)えること. ──-치다 타 紙などの端を切りそろえる.
‖──-칼 명 紙などの端を切りそろえる刀.

도련-님 명 ① 坊っちゃん; 若だんな(旦那). ② 夫の未婚の弟の敬称.

도령 명 [←도리(闍梨)] チョンガーの敬称.

도로【徒勞】명하자 徒労; むだ骨折り. ¶ ～에 그치다 徒労に終わる〔帰す〕/ 너 때문에 모처럼 애를 쓴 것도 ～에 그치고 말았다 君のためにせっかくの骨折りも徒労に帰してしまった.
‖── 무공(無功), ── 무익(無益) 명하형 徒労に終わること.

도로【道路】명 道路. ¶ 고속 ～ 高速道路 / ～를 사이에 두고 道路を隔てて / ～ 공사가 한창이다 道路工事がたけなわだ.
‖──-망 명 道路網. ── 원표 명 道路元標. ── 표지 명 道路標識.

도로 부 ① 元へ; 引き返して. ¶ 물건을 ～ 찾다 品物を取り返す / 가

던 길을 ~ 돌아왔다 歩いていた道を引き返した. ② 更に; また; 再び. ¶중단했던 것을 ~ 시작하다 止めていたことを改めて始める. ③ もと通りに. ¶~ 제 자리에 놓다 もと通りに置く.

‖── 아미타불(阿彌陀佛) 명 元のもくあみ(木阿弥). ¶노력은 ~이 되었다 努力は元のもくあみになった.

-도록 어미 …することができるよう; …にするよう; …にするまで. ¶늦지 않~ 유의하시오 遅れないように注意しなさい / 늦~ 공부하다 遅くまで勉強する / 부디 합격하시~ どうぞ合格なさいますように / 시간에 댈 수 있~ 나서다 間に合うように出掛ける.

도롱이 명 みの(蓑).

도료【塗料】 명 塗料. ¶~ 분무기 塗料噴霧器 / ~를 칠하다 塗料を塗る.

도루【盜壘】 명하자〖野〗盗塁. ¶~에 능한 선수 盗塁のうまい選手.

도루-묵 명〖魚〗はたはた(鰰・鱩・鱪魚); かみなりうお.

도륙【屠戮】 명하타 とりく(屠戮). =도살(屠殺).

도르다¹ 타 へど(反吐)を吐く; 戻す.

도르다² 타 配る. ¶신문을 집집에 ~ 新聞を家ごとに配る / 카드를 쳐서 ~ カードを切ってから配る.

도르다³ 타 ① (金などを)やりくりする. ② (物事をうまく)やりくりする.

도르래¹ 명 竹とんぼ. =풍차(風車).

도르래² 명〖物〗滑車; ろくろ.

도르르 부 巻かれた紙などがほど(解)けてから独りで巻き返るさま: とろりっと. <두르르.

도르리 명하타 ① 代わり番でおごり合うこと. ¶국수 ~ そうめん(素麵)のおごり合い. ② 等分すること; 同じく配ってやること.

도리 명〖建〗けた(桁). ¶~ 간수 4간에 들보 간수 3간 けたゆ(桁行)き四間にはりま(梁間)三間.

도리【道理】 명 ① 道理. ¶자식으로서의 ~ 子としての道理 / ~에 어긋나다 道理にかなわない. ② 方途と事理. ¶어찌할 ~가 없다 どうにも仕様がない.

도리기 명하타 お金を出しあって食べ物を買い食いすること.

도리깨 명 からざお(殻竿・連枷); 麦打ち.

‖──-질 명하자 からざおで穀物の穂などを打ち落とすこと.

도리다 타 ① えぐ(抉)る; く(刳)りぬ(貫)く. ¶사과의 상한 속을 도리어 내다 りんごの腐った心をえぐり取る〔くりぬく〕. ② (文章や帳簿のある行を)符号を使って削除する.

도리-도리-도리 감 赤ん坊にお頭を振らせるときにあやす語.

도리암직-하다 형 丸顔の小柄でかっこう(恰好)のいい体つきをしている; こぢんまりしている.

도리어 부 ① かえ(返・却)って; 逆に. ¶벌기는커녕 ~ 손해를 봤다 う(儲)ける所かかえって損をした. ② むし(寧)ろ; いっそ. ¶그들은 굴복하기보다는 ~ 죽음을 택할 것이다 彼らは屈服するよりはむしろ死を選ぶであろう.

도립【倒立】 명 倒立; 逆立ち.

도립【道立】 명 道立. ¶~ 병원 道立病院.

도마 명 まないた(俎・俎板). ¶~ 위에 오른 고기《俚》そじょう(俎上)の魚.

‖──-질 명하자타 まないたに包丁を使うこと.

도마-뱀 명〖動〗とかげ(蜥蜴).

‖──-붙이 명〖動〗やもり(守宮).

도막 명 切れ; 切れはし.

도막-도막 부 ① 切れ切れ. ② 切れごとに. ¶~ 자르다 切れぎれに切る.

도말【塗抹】 명하타 塗抹. ① 塗り付けること. ② 都合のいいようにやりくりすること.

도망【逃亡】 명 逃亡. ──-하다 자 逃亡する; 逃げる. ¶~자 逃亡者 / 정신없이 ~하다 無我夢中で逃げる. ──-가다, ──-치다 자 逃げる; 逃げ出す. ¶어둠을 타고 ~ やみ(闇)にまぎれて逃げる / 허둥지둥 ~ ほうほうの体で逃げる / 남의 집에 도망쳐 들어가다 人の家に逃げ込む / 슬금슬금 ~ こそこそ逃げ出す / 죽어라 하고〔냅다〕~ いちもくさん(一目散)に逃げ出す / 남의 것을 가지고 ~ 人の物を持ち逃げする.

‖──-질 명하자 逃げること. ¶~ 치다 逃げる; 逃げ出す.

도-맡다 타 (一手に)引き受ける; 引き継ぐ. ¶아버지를 대신하여 가게 일을 ~ 父に代わって店を引き受ける.

도매【都賣】 명하타 卸; 卸し売り. ¶~ 가격 卸値; 卸値段 / ~업 卸売業 / ~로 사서 소매하다 卸で買って小売りする.

‖──-상(商), ──-점(店) 명 卸屋; 卸問屋; 問屋; 卸売商. =도맷집. ¶포목 ~ 呉服問屋.

도면【圖面】 명 図面. =도본. ¶집의 설계 ~ 家の設計図面.

도모【圖謀】 명 企図; 企て. ──-하다 타 図〔謀〕る. ¶국력의 신장을 ~하다 国力の伸張を図る / 편의를 ~하다 便宜を図る.

도무지 부 どうも; 全く; まるっきり; 皆目. ¶~ 반성의 빛이 없다 全く反省の色がない / ~ 맛이 없다 とんとおいしくない / ~ 짐작이 가지 않는다 皆目見当がつかない / 무슨 영문인지 ~ 모르겠다 何の事やらまるっきり分からない.

도미 명〖魚〗たい(鯛). ¶새우로 ~를 낚다 えびで鯛を釣る / ~를 회로 요리하다 鯛をさしみに作る. 준 돔.

도미【掉尾】 명 掉尾. ¶~를 장식하다 掉尾を飾る.

도미【渡美】 명하자 渡米. ¶학문을 닦으러 ~하다 研学のため渡米する.

도미노〔domino〕명 ドミノ. ¶~ 이론 ドミノ理論.

도민【島民】 명 島民; 島人.
도민【道民】 명 道民.
도박【賭博】 명 とばく(賭博); ばくち(博打). ¶～장 賭博場/～으로 재산을 없애다 賭博で財産をなくす/～이 고질이 되다 賭博が病み付きになる.
도발【挑發】 명하타 挑発. ¶전쟁～자 戦争挑発者.
‖——적 명관 挑発的. ¶～인 태도 挑発的な態度.
도배【徒輩】 명 徒輩; ともがら; やから. ¶폭력 ～ 暴力を振るうやから/불령 ～ ふてい(不逞)のやから.
도배【島配】 명 島流し; 遠島; 流罪. ——하다 타 島流しにする.
도배【塗褙】 명하자타 壁や天井を紙で張ること. ¶～지 壁紙; 天井紙.
도백【道伯】 명〔史〕観察使の美称《今の道知事に当たる》.
도벌【盜伐】 명하타 盗伐. ¶산림 ～ 山林盗伐.
도범【盜犯】 명 盗犯. ¶～ 방지 盗犯防止.
도법【圖法】 명 [↗작도법(作圖法)] 図法.
도벽【盜癖】 명 盗癖; 手長; 盗み癖. ¶～이 있는 사람 盗癖のある人/그는 ～이 있다 彼は手長だ.
도별【道別】 명 道別.
도보【徒步】 명하자 徒歩; 歩行; かち(徒)〈雅〉. ¶～ 여행 徒歩旅行.
‖—— 경주(競走) 명 競歩; ウォーキングレース.
도복【道服】 명 ①道服; 道士の着る服. ②武道修練用の運動服.
도부【到付】 명하자타 ①公文が到達すること. ②行商; せ(糶)り売り. —— 치다 자타 行商する.
‖——꾼 명《俗》☞ 도붓장수. 도붓-장수 명 行商人; 旅あきんど; せ(糶)り(売り).
도불【渡佛】 명하자 渡仏.
도사【道士】 명 道士.
도사【道師】 명〔宗〕(侍天教で) 信仰を統一し, 布教する人.
도-사공【都沙工】 명 船乗りの頭.
도사리다 타 ①あぐら(胡坐)をかく; うずくま(蹲)る; 足を組み合わす. ②(心に)わだかま(蟠)る. ¶가슴 속에 도사린 불평 心の底にわだかまっている不平. ③(浮き立った気持ちを)静める.
도산【倒産】 명하자 倒産. =파산. ¶불경기로 ～하다 不景気で倒産する/～의 위기에 처하다 倒産の危機に会う.
도산-매【都散賣】 명하타 卸し売りと小売り.
도살【屠殺】 명하타 とさつ(屠殺). ¶～장 屠殺場/～업 屠殺業.
도살【盜殺】 명하타 密殺. ①暗殺. ②ひそかに家畜を屠殺すること. =밀도(密屠).
도상【途上】 명 ①途上. ¶상경하는 ～에 그를 만났다 上京する途上で彼に会った. ②中途; 途中. ¶발전 ～국 発展途上国.
도상【圖上】 명 図上. ¶～ 작전 図上作戦/산의 방향을 ～에서 알아 보다 山の方向を図上で調べる.
도색【桃色】 명 桃色.
‖—— 영화(映畫) 명 エロ映画; ブルーフィルム. —— 유희 명 桃色遊戯. —— 잡지(雜誌) 명 エロ雑誌.
도생【倒生】 명하자 倒生; さかさに生えること.
도생【圖生】 명하자 生きようと図ること.
도서【島嶼】 명 とうしょ(島嶼); 島島.
도서【道書】 명 道書; 道教の教義を説いた書.
도서【圖書】 명 図書; 書籍; 本. ¶～실 図書室/～ 대출 図書貸し付け/우량 ～ 優良図書.
‖——관 명 図書館. ¶순회 ～ 巡回図書館/～학 図書館学.
도-서다 자 ①風が向きを変える. ②(歩いていた道を)引き返す. ¶가던 길을 도서서 왔다 歩いていた道を引き返して来た. ③出産の際胎児が回まり始める. ④産後に乳のしこ(痼)りが取れてお乳が出始める.
도선【渡船】 명 渡船; 渡し舟. =나룻배. ‖——장 명 渡船場; 渡し場. =나루터.
도선【導船】 명 水先案内. ——하다 자 水先案内をする. ¶항내 ～ 港内水先案内.
‖——사(士) 명 水先人; パイロット.
도선【導線】 명 導線.
도섭 명스형 騒がしくていけずうずうしいしぐさ.
도성【都城】 명 都. =서울.
‖——지(址) 명 城郭都市の遺跡.
도소【屠蘇】 명〔韓醫〕酒に入れて年の初めに飲む薬. ¶～주 屠蘇(酒).
‖——산 명〔韓醫〕屠蘇散. =도소(屠蘇).
도수【度數】 명 ①度数; 回数. ¶(전화의) ～계 (電話の)度数計/～요금 度数料金. ②(めがねなどの)度数. ¶안경의 ～ 眼鏡の度数. ③度; 程合い. ¶～가 지나치다 度を越す. ④〔數〕頻度.
‖——제(制) 명 電話の度数制.
도수【徒手】 명 徒手; 素手.
‖—— 공권 명 徒手くうけん(空拳). ¶～으로 성공하다 徒手空拳で成功する. —— 체조 명 徒手体操. =맨손체조.
도수【導水】 명하자 導水. ¶～관 導水管/～로 導水路.
‖——거 명 導水きょ(渠). ——교 명〔土〕導水橋.
도술【道術】 명 道術.
도스르다 타 (ある事を成し遂げようと)心をひきしめる.
도승【道僧】 명 道僧; 道を悟った僧.
도-승지【都承旨】 명〔史〕朝鮮朝, 承政院の首席の役職.
도시【都市】 명 都市. ¶위성 ～ 衛星

都市 / 소비 ～ 消費都市 / 자매 ～ 姉妹都市.
‖── 가스 명 都市ガス. ── 경제 명 〘經〙 都市経済. ── 계획 명 都市計画. ── 국가 명 〘史〙 都市国家. ──-화 명 하자타 都市化.
도시【圖示】명 하타 図示. ¶ 회장의 위치를 ～해 주었다 会場の位置を図示してやった.
도시【都是】부 ☞ 도무지. ¶ ～ 네 말은 알아들을 수가 없다 あんたの言うことは一向理解できないね.
도시락 명 弁当. ¶ ～을 만들다〔싸다〕 弁当をこしらえる〔詰める〕.
‖──-밥 명 お弁当; 弁当の飯.
도식【徒食】명 하자 ① 徒食. ¶ 무위 ～ 無為徒食. ② 肉類なしに食事をすること.
도식【圖式】명 図式. ¶ 학설을 ～화해서 설명하다 学説を図式化して説明する.
도심【都心】명 都心. ¶ ～ 지대 都心地帯 / ～지 都心地.
도안【圖案】명 図案; デザイン. ¶ ～가 図案家; デザイナー.
도야【陶冶】명 하타 陶冶. ¶ 인격 ～ 人格陶冶.
도약【跳躍】명 하자 跳躍; ジャンプ.
‖── 경기 명 跳躍競技. ── 운동 명 跳躍運動.
도어〔door〕명 ドア. ¶ ～ 보이 ドアボーイ / 회전 ～ 回転ドア / 자동 ～ 自動ドア.
‖── 엔진 명 〘機〙 ドアエンジン. ── 체크 명 ドアチェック.
도연【陶然】명 하형 陶然. ──-히 부 陶然と. ¶ 한 잔의 술에 ～ 취하다 一杯のお酒に陶然と酔よう.
도열【堵列】명 하자 とれつ(堵列). ¶ 길 양쪽에 ～하여 전송하다 道の両側に堵列して見送る.
도열-병【稻熱病】명 〘植〙 稲熱病; いもち病.
도영【渡英】명 하자 渡英.
도예【陶藝】명 陶芸. ¶ 처녀 ～전 処女陶芸展.
도와 주다 타 手伝ってやる; 手助けする; 助力する; 助勢する. ¶ 도와 주면 좋겠는데 手伝ってくれないかな; 手伝ってくれるといいのだが.
도외【度外】명 度外.
‖──-시 명 하타 度外視. ¶ 이익을 ～한 사고 방식 利益を度外視した考え方.
도요【陶窯】명 陶窯; 焼き物窯.
도요-새 명 〘鳥〙 しぎ(鴫·鷸).
도용【盜用】명 하타 盗用. ¶ 디자인 ～ デザインの盗用 / 명의를 ～하다 名儀を盗用する.
도움 명 助け; 助勢; 助力. ¶ ～이 되다 助けになる / ～을 청하다 助力を請う / 아무 ～도 안 된다 何の足しにもならない.
‖──-닫기 명 助走. ¶ ～가 나빠서 높이뛰기는 실패했다 助走が悪かったので高跳びは失敗した.
도원【桃園】명 桃園·ももその.

도원-경【桃源境】명 桃源境; ユートピア.
도읍【都邑】명 ① 都. ＝서울. ¶ 나라는 ～을 옮겼다 その国は都をうつした. ② 都邑.
도의【道義】명 道義. ¶ ～심 道義心 / ～에 어긋나다 道義に背く.
‖──-적 명 관 道義的. ¶ ～인 책임 道義的な責任.
도인【道人】명 ① 道人; 道士. ② 天道教の教徒.
도일【渡日】명 하자 渡日.
도임【到任】명 하자 役人が着任すること.
도입【導入】명 하타 導入. ¶ 외자 ～ 外資導入 / 새로운 기술을 ～하다 新しい技術を取り入れる.
도자【陶瓷·陶磁】명 陶器と磁器.
‖──-기 명 陶磁器.
도작【盜作】명 하타 盗作; ひょうせつ(剽窃). ¶ ～한 작품 盗作した作品.
도작【稻作】명 하자 稲作; いねさく. ＝벼농사.
도장【道場】명 道場. ¶ 유도 ～ 柔道の道場.
도장【塗裝】명 하타 塗装. ¶ ～ 공사 塗装工事.
도장【圖章】명 印; 印章; 判こ. ¶ ～을 찍다 判こを押〔捺〕す.
‖──-방(房), ──-포(鋪) 명 判こ屋; 印章屋.
도저-히【到底—】부 とうてい(到底); とても. ¶ ～ 갈 수 없다 到底行けない / ～ 불가능하다 とても不可能である / 지금부터라면 ～ 제때에 대지 못한다 今からではとてもまにあわない / 너에겐 ～ 못 당하겠다 君にはとてもかなわない.
도적【盜賊】명 盗賊. ＝도둑.
도전【挑戰】명 挑戦. ──-하다 자 挑戦する; 挑む. ¶ 신기록에 ～하다 新記録に挑戦する / ～에 응하다 挑戦に応ずる / 산에 ～하다 山に挑む.
‖──-적 명 관 挑戦的.
도전【盜電】명 하자 盗電.
도전【導電】명 〘物〙 導電. ¶ ～율 導電率.
도정【道政】명 道政.
도정【道程】명 道程; 道のり; 路程. ¶ ～ 표시 道程表示.
도정【搗精】명 하타 とうせい(搗精); 玄米をついてしら(精)げること.
도제【徒弟】명 徒弟; 小僧; でっち(丁稚); 内弟子. ¶ ～를 양성하다 徒弟を養成する / 7년 연기의 ～ 七年年期の小僧.
‖── 제도 명 徒弟制度.
도제【陶製】명 陶製. ¶ ～품이 많았다 陶製品が多かった.
도조【賭租】명 小作料; 年貢.
도주【逃走】명 하자 逃走. ＝도망. ¶ ～를 꾀하다 逃走を企てる.
‖──-죄 명 〘法〙 逃走罪.
도중【途中】명 途中. ¶ 말하는 ～ 話ちゅう / 집에 돌아가는 ～ 家に帰る途中 / 이야기 ～에 자리를 떴다 話の中程に席を立った.
‖── 하차 명 하자 途中下車.

도지【賭地】명 ①一定の小作料や金額を出して借りた耕地や敷地. ② ☞ 도조(賭租).

도지다 자 (病気が)ぶり返す; こじ(拗)れる. ¶무리를 해서 병이 ~ 無理をして病気がぶり返す.

도지-볼 〔dodge ball〕 명 ドッジ〔ドッチ〕ボール; デッドボール.

도-지사【道知事】명 道知事.

도질 토기【陶質土器】명 陶質土器.

도-차지 명하타 ☞ 독차지.

도착【到着】명 到着. ——-하다 자 到着する; 着く. ¶~역 着駅/앞서거니 뒤서거니 ~하다 相前後して到着する/~하자마자 되돌아가다 着くやすぐ引き返す/화물이 ~하였다 荷物が着いた.

도착【倒錯】명하자 倒錯. ¶~증 倒錯症/성적 ~ 性的倒錯.

도찰【塗擦】명하타 塗擦.
‖—— 요법 명 塗擦療法. ——-제 명 塗擦剤. ㊟ 도제(塗劑).

도처【到處】명부 至る所; あらゆる所. ¶~에 대단한 인파다 到る所大変な人出である/인간 ~ 유청산(有青山) 人間至る所青山有り.

도첩【圖牒】명 画帳.

도청【盜聽】명하타 盗聴; 盗み聞き. ¶전화의 ~ 電話の盗聴/문제의 ~ 테이프는 여기 있다 問題の盗聴テープはここにある.

도청【道廳】명 道庁.

도체【導體】명〘物〙導体.

도축【屠畜】명하자 とちく(屠畜).

도출【導出】명하타 導出.

도취【陶醉】명하자 陶酔. ¶아름다움에 ~하다 美しさに陶酔する/승리에 ~하다 勝利に酔う.

도치【倒置】명하자타 倒置.
‖——-법 명 倒置法.

도칠-기【陶漆器】명 漆塗りの陶器.

도큐먼트 〔document〕 명 ドキュメント. ¶휴먼 ~ ヒューマンドキュメント.

도킹 〔docking〕 명하자 ドッキング. ¶~을 풀다 ドッキングを解く.

도탄【塗炭】명 塗炭. ¶~의 고생 塗炭の苦しみ.

도탑다 형 ☞ 두텁다. 도타-이 부 ☞ 두터이.

도태【淘汰】명하자 ①とうた(淘汰). ②〘生〙選択. ¶자연 ~ 自然選択.

도토리 명 どんぐり.
‖——-묵 명 どんぐりで作ったところてん状の食品.

도톨-도톨 부 物の表面がなめらかでないさま: でこぼこ. <두툴두툴. ——-하다 형 でこぼこだ.

도톰-하다 형 ☞ 두툼하다.

도통【都統】부 すべて; まとめあげて. ¶무슨 말인지 ~ 알 수가 없다 何の事やらさっぱり分からない.
‖——-사 명〘史〙都統使《朝鮮朝高宗の時, 武衛営を統べた将帥》.

도투락 댕기 명 幼い女の子の髪に巻きつけるてがら(手絡).

도투마리 명 (機の)緒巻き. ¶~ 잘라 넉가래 만들기《俚》非常にたやすいことのたとえ.

도트 맵 〔dot map〕 명 ドットマップ.

도파-관【導波管】명〘物〙導波管.

도파니 부 全部; まとめて; すっかり.

도판【圖版】명 図版. ¶~을 넣다 図版を入れる.

도-편수【都—】명 とうりょう(棟梁).

도포【塗布】명하타 塗布. ¶~약 塗布薬.
‖——-제 명 塗布剤.

도포【道袍】명 どうほう(道袍)《道服に似た通常の礼服》. ¶~를 입고 논을 갈아도 제멋이다《俚》たで(蓼)食う虫もすきずき.
‖——-짜리 명 道袍を着た人をあざけ(嘲)る語.

도표【圖表】명 図表. ¶위에 게시한 ~ 上掲の図表.

도표【道標】명 道標; 道しるべ.

도품【盜品】명 盗品. ¶~ 고매 盗品故買.

도플러 효과【—效果】〔Doppler〕 명 ドップラー効果.

도피【逃避】명하자 逃避. ¶~자 逃避者/~적 생활 逃避的生活.
‖——-행 명 逃避行. ¶사랑의 ~ 恋の逃避行.

도핑 〔doping〕 명 ドーピング. ¶~ 테스트 ドーピングテスト.

도하【都下】명 都下. ¶~의 각 신문에 보도되었다 都下の各新聞に報道された.

도하【渡河】명하자 渡河. =도강(渡江). ¶~ 작전 渡河作戦.

도학【道學】명 道学.
‖—— 군자 명 道学君子. —— 선생 명 道学先生. ——-자 명 道学者.

도-함수【導函數】명〘數〙導関数.

도합【都合】명부 都合; 合計; しめて. =도통(都統). ¶~ 백 사람 合計百人.

도항【渡航】명하자 渡航.

도해【圖解】명하타 図解. ¶인체의 ~ 人体の図解.

도형【徒刑】명〘史〙徒刑.

도형【圖形】명 図形. ¶~을 그리다 図形をかく/기하학적 ~이 훌륭하다 幾何学的な図形が立派である/~으로 나타내다 図形に表わす.

도호【道號】명〘佛〙道号.

도홍-색【桃紅色】명 桃色.

도화【桃花】명 桃花; 桃の花. =복숭아꽃.

도화【圖畫】명 図画. ¶~를 그리다 図画をかく/~지 画用紙.

도화【導火】명 導火; 口火.
‖——-선 명 導火線. ¶그것이 바로 전쟁의 ~이었다 まさしくそれが戦争の導火線であった.

도회【都會】명 都会. ¶대~ 大都会. =도회지(都會地).
‖——-병 명 都会病. ——-지 명 都会.

도-흥정【都—】명하타 引っくるめて取引すること.

독 명 かめ(瓶). ¶~ 안에 든 쥐《俚》袋の(中の)ねずみ.

독【毒】명 毒.
독〔dock〕명 ドック. ＝선거(船渠).
독-【獨】두 独; 独り. ¶～ 무대 独り舞台／～ 차지 独り占め.
독-가스【毒—】〔gas〕명〘化〙毒ガス.
‖——-탄 명 毒ガス弾. 준 가스탄.
독감【毒感】명 ① 悪性の感冒. ② インフルエンザ.
독-개미【毒—】명 どくあり(毒蟻).
독경【讀經】명하자〘佛〙読経. ¶ 우이(牛耳) ～ 馬の耳に念仏.
‖——-대(臺) 명 経典を載せて読む台.
ㄷ
독-과점【獨寡占】명 独寡占.
독균【毒菌】명 毒菌.
독-그릇 명 ↗도깨그릇.
독금-법【獨禁法】명 独禁法. ＝독점(獨占) 금지법.
독기【毒氣】명 毒気; 毒. ¶가스의 ～를 마시고 기절했다 ガスの毒気に当たって気を失った.
독-나방【毒—】명 どくが(毒蛾).
독농【篤農】명 篤農. ¶～가의 표창 篤農家の表彰.
독단【獨斷】명하타 独断. ¶～ 전행 独断専行／～론 独断論／～ 주의 独断主義.
독대【獨對】명하자 役人が単独で帝王にまみえて政治に関する意見を上奏すること.
독도-법【讀圖法】명 読図法.
독두【禿頭】명 とくとう(禿頭); はげあたま. ＝대머리. ¶～병 禿頭病.
독려【督勵】명하타 督励.
독료【讀了】명하타 読了. ＝독파(讀破).
독립【獨立】명 独立; 独り立ち; 一本立ち. ——-하다 자 独立する; 独り立ちする. ¶～ 생활 一本立ちの生活／자주 ～ 自主独立／경제적 ～ 経済的の独立.
‖—— 가옥 명 独立家屋; 一軒屋〔家〕. ——-국 명 独立国. ¶신흥 ～ 新興独立国. ——-군 명 独立軍. —— 기념일 명 独立記念日. —— 독행 명 独立独行; 独立独歩. —— 변수 명〘數〙独立変数. —— 선언 명 独立宣言. ——-심 명 独立心. —— 운동 명 独立運動. —— 자영 명 独立自営. —— 정신 명 独立精神.
독-무대【獨舞臺】명 独り舞台; 独り相撲. ＝독판.
독물【毒物】명 ① 毒物. ② 極悪な人やどうもう(獰猛)なけだもの.
‖——-학 명 毒物学.
독-미나리 명〘植〙どくぜり(毒芹).
독방【獨房】명 ① 独房. ¶정치범을 ～에 넣다 政治犯を独房に入れる. ② 個室.
독백【獨白】명하자 独白; モノローグ; 独り言.
독-버섯【毒—】명〘植〙どくたけ(毒茸).
독-벌【毒—】명〘蟲〙どくばち(毒蜂).
독-벌레【毒—】명 毒虫.
독법【讀法】명 読み方.
독보【獨步】명 独歩. ¶독립 ～ 独立独歩.
독본【讀本】명 読本.
독부【毒婦】명 毒婦.
독불 장군【獨不將軍】명 ① のけ者にされた人. ② 何でも独りで処理して行く人. ③ "独りでは将軍になれない"との意で, 人と協力しなければならないことのたとえ.
독사【毒死】명하자 毒死.
독사【毒蛇】명 毒蛇. ¶～ 아가리에 손가락을 넣다〘俚〙虎の尾を踏む.
독-사진【獨寫眞】명 独り写しの写真.
독살【毒殺】명 ① 毒殺. ② 毒毒しいこと. ——-스럽다 형 毒毒しい. ¶악마의 독살스러운 얼굴 悪魔の毒毒しい顔. ——-부리다, ——-피우다 자 毒毒しく人に当たる.
독-살림【獨—】명하자 独立所帯.
독상【獨床】명 独り膳.
독생-자【獨生子】명〘宗〙キリストの称.
독서【讀書】명하자 読書.
‖——-당(堂) 명〘史〙朝鮮時代に文学に秀でた若い官吏に学問を専攻させた書斎. —— 삼매 명 読書三昧. ¶～경 読書三昧境.
독-서당【獨書堂】명 一家の専用のじゅく(塾).
독선【獨善】명 独善; 独りよがり.
‖——-적 명관 独善的; 独りよがり.
독-선생【獨先生】명 個人指導の先生.
독설【毒舌】명 毒舌. ¶～가 毒舌家／～을 퍼붓다 毒舌をふるう.
독성【毒性】명 毒性.
독소【毒素】명〘化〙毒素. ¶～가 있는 식물 毒素のある植物.
독수【毒水】명 毒水.
독수【毒手】명 毒手. ＝독아(毒牙).
독수 공방【獨守空房】명 夫婦がいっしょに住めないこと. 特に, 妻が夫なしに暮らすこと.
독-수리【禿—】명〘鳥〙はげわし(禿鷲).
독순-술【讀脣術】명 読唇術.
독습【讀習】명하타 読習; 読み習うこと.
독시【毒矢】명 毒矢.
독식【獨食】명하타 利益を読占すること.
독신【獨身】명 ① ひとり子. ② (未婚の)独身; 独り者. ¶～자 独身者.
‖——-주의 명 独身主義.
독실【篤實】명하형 篤実. ¶～한 신자 篤実な信者.
독심-술【讀心術】명 読心術.
독아【毒牙】명 毒牙. ＝독수(毒手).
독액【毒液】명 毒液.
독야 청청【獨也青青】명 独り青青としていること; 転じて孤高として節操を守ること. ¶백설이 만건곤할 제 ～하리라 白雪が天地を覆うとき独り青青としていようぞ.
독약【毒藥】명 毒薬; 毒.
독어【毒魚】명 毒魚.
독어【獨語】[1] 명 ドイツ語.
독어【獨語】[2] 명 独り言.
독-오르다【毒—】자 ① 毒気付く.

憎悪心が込み上げる.
우물 명 底のないかめを埋めた井戸. =옹정(甕井).
일【獨逸】명〖地〗ドイツ.
—— 문자 명 ドイツ文字.
자【獨子】명 ①独り息子. =외아들. ¶삼대 ~ 三代続けての独り息子. ②独りっ子. =독신.
자【獨自】명 独自. ¶~성 独自性/~적인 행동을 취하다 独自の行動を取る.
자【讀者】명 読者; 読み手. ¶일반 ~ 大方の読者.
작【獨酌】명하타 独酌. ¶~으로 한 잔 하다 独りで一杯飲む.
장수-셈 명 かめ売りの算用; 皮算用. =옹산(甕算).
장-치다【獨場—】자 独り場である. =독판치다. ㊜ 장치다.
재【獨裁】명하자타 独裁.
‖——-적 명관 独裁的. —— 정치 명 独裁政治. ——-주의 명 独裁主義.
전【督戰】명하자 督戦. ¶~대 督戦隊.
점【獨占】명하타 独占; 独り占め. =독차지. ¶이익을 ~하다 利益を独り占めにする.
‖—— 가격 명〖經〗独占価格. —— 기업 명 独占企業. —— 사업 명 独占事業. —— 자본 명 独占資本. ¶~주의 独占資本主義.
독존【獨尊】명하형 独尊. ¶천상 천하 유아 ~ 天上天下唯我独尊.
독종【毒種】명 あくらつ(悪辣)でどくどくしい人または畜生.
독좌【獨坐】명하자 独座.
독주【毒酒】명 ①アルコール分の強い酒. ②毒酒. ¶~를 먹이다 毒酒を飲ます.
독주【獨走】명하자 独走. ¶너만 ~해서는 곤란하다 君だけ独走しては困る.
독주【獨奏】명하타〖樂〗独奏; ソロ. ¶피아노 ~ ピアノ独奏.
독지【篤志】명 篤志. ¶~가의 표창 篤志家の表彰.
독직【瀆職】명 とくしょく(瀆職); 汚職. ¶~ 사건 瀆職事件.
독질【毒疾】명 非常に悪質な病気.
독-차지【獨—】명하자 独り占め. =독점(獨占). ¶이익의 ~ 利益の丸取り.
독창【獨唱】명하자타 独唱. =솔로. ¶~곡 独唱曲.
독창【獨創】명하타 独創. ¶~적인 작품 独創的な作品.
‖——-력 명 独創力.
독-채【獨—】명 一戸建て. ¶~집 一軒家.
독초【毒草】명 ①毒草. =독풀. ②苦くてきついタバコ.
독촉【督促】명하타 督促. ¶~장 督促状.
독충【毒蟲】명 ①毒虫. =독벌레. ②まむし(蝮).
독침【毒針】명 毒針. =독바늘.
독탕【獨湯】명하자 独り風呂.
독트린〔doctririe〕명 ドクトリン. ¶닉슨 ~ ニクソンドクトリン.
독특【獨特】명하형히부 独得〔独特〕. ¶~한 맛 独得な味.
독파【讀破】명하타 読破; 読了. ¶하루에 ~하였다 一日で読破した/단숨에 ~했다 一息に読み終えた.
독-판【獨—】명 独り舞台. =독무대. ——-치다 자 独り舞台の如く振舞う.
독-풀【毒—】명 毒草.
독필【禿筆】명 とくひつ(禿筆); ちび筆.
독필【毒筆】명 毒筆. ¶~을 휘두르다 毒筆を振る〔揮う〕.
독-하다【毒—】형 ①有毒だ. ¶독한 약 毒性のある薬; (舌ざわりの)きつい薬. ②味·にお(匂·臭)いなどの度が強い. ¶독한 술 きつい酒; 度の強い酒/독한 담배 きついタバコ. ③どくどくしい; 残忍で悪辣だ. ¶독한 계집 あくらつ(悪辣)な女/성질이 ~ 性格が悪どい. ④ひどく我慢強い. ¶독하게 마음을 도스르다 堅く心を引き締める.
독학【篤學】명하자 篤学. ¶~지사 篤学の士.
독학【獨學】명하자 独学.
독-학사【獨學士】명 独学で国家考試を受けて得た学士の学位.
독해【毒害】명하타 毒害. =독살.
독해【讀解】명하타 読解. ¶~력 読解力/~할 수 없다 読み取ることができない.
독행【獨行】명 独行.
독혈【毒血】명 悪血.
‖——-증(症) 명〖醫〗血液伝染病の一つ.
독회【讀會】명 読会. ¶제삼 ~ 第三読会.
독후【讀後】명 読後.
‖——-감 명 読後感.
돈 ㊀명 お金; 銭; 金子; 金円. =화폐. ¶~으로 쳐서 お金にして/~을 내다 金を出す/~을 낭비하다 お金を浪費する; むだ遣いする/~을 놀리다 お金を寝かす/~을 굴리다 お金を回す/~을 모으다 金をためる/~을 마련하다 お金を工面する〔都合する〕/~을 벌다 金を稼ぐ〔もうける〕/~을 빌리다〔꾸다〕金を借りる/~을 꾸어주다 お金を貸す/~을 아끼지 않고 쓰다 金にあかす; 金に糸目をかけない/~을 쥐어주다 金を握らせる/~이 들다 金がかかる/~을 치르다 金を払う/~에 궁하다 金に困っている/~으로 낚다 金で釣る/~이 떨어지다 金が切れる/~에 눈이 어두워지다 金に目がくらむ/~만 있으면 귀신도 부릴 수 있다《俚》地獄の沙汰も金次第. ㊁의명 ①昔の銭十枚を称する単位. ②匁. =돈쭝. ¶한 ~짜리 금반지 一匁の金の指輪.
돈【噸】의명 トン(噸·瓩). =톤(ton).
돈-구멍 명 ①硬貨の穴. ②金づる. ¶~을 찾다 金づるを探す.
돈-궤【—櫃】명 金箱; 金びつ. =

금고.
돈-꿰미 명 銭差し；ぜになわ；銭つら；差し.
돈-내기 명하자 ① かけ事. ② とばく(賭博).
돈-냥【一兩】 명 幾分かのお金. ＝돈푼. ¶～이나 갖고 있다 幾分かのお金を持っている.
돈-놀이 명하자 金貸し(業).
돈-독【一毒】 명 金に味をしめてひたすらお金ばかりを追うかたむき；金に夢中になること. ¶～이 오르다 金に夢中になる.
돈독【敦篤】 명하형히부 敦篤；敦厚.
돈령【敦寧】 명〔史〕[←돈녕] 王室の親戚.
돈-만【一萬】 명 万金. ＝전만(錢萬).
돈-맛 명 お金の味. ¶～을 알다 お金の味を知る.
돈-머리 명 金高；金額.
돈-바르다 형 うまれつき度量が狭く気難しい.
돈-백【一百】 명 百単位で数えるほどのお金.
돈-벌다 자 お金を稼ぐ. ¶머리로～ 頭を使ってお金をもうける.
돈-벌이 명하자 金もうけ. ¶좋은～가 있다 いい金もうけがある／～를 잘 한다 金もうけがうまい／무슨 좋은～될 일이 없을까 何かよいもうけ口はないだろうか.
돈벼락-맞다 자 急に山ほどの金をもうける；(一躍)成金になる.
돈-변【一邊】 명 利子；利息；金利. ¶월 2푼의 ～ 月二分の利子.
돈-복【一福】 명 金運. ¶～ 있는 사람 金に恵まれた人.
돈복【頓服】 명하타 とんぷく(頓服). ¶～약 頓服薬.
돈사【豚舍】 명 豚舎；豚小屋.
돈사【頓死】 명하자 とんし(頓死).
돈수【頓首】 명하자 とんしゅ(頓首). ‖── 재배 명하자 頓首再拝.
돈유【豚油】 명 ☞ 돈지(豚脂).
돈육【豚肉】 명 豚肉.
돈-잎 명 銭びら.
돈절【頓絶】 명하자 にわかに絶えること；全く絶えてしまうこと.
돈좌【頓挫】 명하자 とんざ(頓挫).
돈-줄 명 金づる. ¶좋은 ～을 잡았다 いい金づるをつかんだ／～을 찾다 金づるをたどる.
돈지【豚脂】 명 豚の脂.
돈지【頓智】 명 とんち(頓智·頓知).
돈-지갑【一紙匣】 명 財布；金入れ；がまぐち. ¶～을 털어 주었다 財布をはたいてくれてやった.
돈-지랄 명하자 分に過ぎたむだ遣い.
돈-질 명하자 (とばくじょう(賭博場)で)現金をやりとりする行為.
돈-짝 명 昔の銭くらいの大きさ. ¶～만한 크기의 무늬 銭大の紋様.
돈-쭝 의명 薬や金·銀などの重さを計るはかり(秤)の単位：匁. ¶백금 두 ～ 白金二匁.
돈-천【一千】 명 千台に至る程のお金. ＝전천(錢千).
돈-치기 명하자 銭打ち；穴一.
돈-콜레라【豚一】〔cholera〕명 豚コ ラ.
돈 키호테〔Don Quixote〕명 ドンキホーテ. ¶～형 ドンキホーテ型.
돈-푼 명 いくらかのお金. ¶～이 있다고… 金が少しばかり有るかといって….
돈피【豚皮】 명 豚の皮.
돈후【敦厚】 명하형 敦厚. ＝돈독(敦篤). ──히 부 篤く.
돈 후안〔Don Juan〕명 ドンファン；女たらし.
돋구다 타 高める；盛り上げる；(めがねの度数を)強める.
돋다¹ 자 ① 昇る. ¶해가 ～ 日が昇る〔出る〕. ② 生える；芽生える. ¶싹이 ～ 芽が生える／날개가 ～ 羽生える. ③ 吹き出る；できる. ¶드름이 ～ にきびができる／얼굴에 쌀알 같은 것이 돋았다 顔にぶつぶつができた.
돋다² 타 ↗돋우다.
돋-보기 명 ① 老眼鏡. ¶～를 쓴 람 老眼鏡を掛けた人. ② 虫眼鏡；ルーペ. ＝확대경.
돋-보다 타 ↗도두보다.
돋-보이다, 돋-뵈다 자 ↗도두보이다. ¶엷은 빨강 바탕에 초록 물방울 무늬가 돋보인다 淡い赤地に緑の水玉が引き立つ／맑은 가을 하늘에 단풍잎이 한층 더 돋보인다 澄みきった秋空に紅葉がぐっと引き立って見える／이 옷을 입으면 한층 돋보일게다 この服を着たらいっそう見栄えがするだろう.
돋아-나다 자 ① 芽生える；芽ぐむ. ¶초목이 ～ 草木が芽生える. ② (ぶつぶつなどが)吹き出る；できる. ¶얼굴에 여드름이 ～ 顔ににきびが吹き出る.
돋우다 타 ① (ランプなどのしん(芯)を)かき揚げる；かき立てる. ¶심지를 ～ 灯心を上げる. ② (挑発して)怒らせる；(感情を)かき立てる；刺激する；(興味などを)そそる；添える. ¶한결 더 흥을 ～ 一入興を添える. ③ (下を支えて)高める. ¶발을 ～ 背伸びをする. ④ (食欲を)そそる；付ける. ⑤ (元気を)つける；励ます；鼓舞する. ¶사기를 ～ 士気を鼓舞する. ⑥ 唆す. ¶싸움을 ～ けんか(喧嘩)を唆す. ㊟돋다.
돋을-새김 명 浮き彫り；陽刻. ＝부각(浮刻). ¶～ 세공 浮き彫り細工／～으로 하다 浮彫りにする.
돋치다 자 ① (生えて)突き出る. ¶가시 돋친 말 とげ(刺)のある〔針を含んだ〕言葉／뿔이 ～ 角が生える. ② (値段が)上がる. ¶값이 곱절로 ～ 値段が倍に上がる.
돌¹ 명 ① ある事があってから毎年めぐり来るその日；誕生日. ② ↗첫돌. ¶～떡 ☞ 돌떡. ③ ある時点よりまる一日または一年になる日；一周期. ¶돌아가신 지가 어언 ～이 된다 亡くなられてからもはや一周年になる. ④ 周年

. ¶ 개교 열～ 맞이 기념 행사 開校十周年の記念行事.

[2] 명 石. ① 岩より小さく砂より大きなかたまり. ¶ 큰～ 大石 / ～을 갈다 石を磨く / ～을 깔다 石を敷く / ～을 던지다 石を投げつける / ～을 베개 삼다 石に枕する / 모난 ～이 정 맞는다《俚》出るくい(杭)は打たれる. ② 石材. ¶ ～로 지은 집 石で建てた家. ③ [↗바둑돌] 碁石. ¶ 흰～ 白石. ④ 火打ち石. ¶ 라이터 ～ ライターの石. ⑤ 固いもの·冷たいものなどのたとえ.

돌- 두 動植物の劣る品質や野生の物を表わす語. ¶ ～감 やまがき(山柿) / ～배 山梨.

돌-가자미 명 〖魚〗 いしがれい(石鰈).

돌개-바람 명 《俗》 ぐふう(颶風).

돌격【突撃】 명하자 突撃; 突貫. ¶ ～대 突撃隊.

돌-결 명 石目.

돌-계집 명 産まず女; うまずめ(石女).

돌-고드름 명 いわつらら(岩垂氷); しょうにゅうせき(鍾乳石); つららいし(氷柱石); 石の花. ＝석종유(石鍾乳).

돌-고래 명 〖動〗 まいるか(真海豚).

돌-공이 명 石のきね(杵).

돌관【突貫】 명하타 突貫.

‖── 공사 명 突貫工事.

돌-구멍 명 岩穴.

돌기【突起】 명하자 突起. ¶ 충양 ～ 虫様突起.

돌-기둥 명 石柱.

돌-기와 명 いしがわら(石瓦).

‖──-집 명 石瓦葺きの家.

돌-길 명 ① じゃり道; 石道. ② 石を敷きつめた道.

돌-날 명 初誕生日.

돌다 자타 ① 回る. ㉠ 回転する. ¶ 팽이가 ～ こまが回る / 빙빙 ～ ぐるぐる回る. ㉡ (周囲を) 巡る. ¶ 달이 지구를 ～ 月が地球を回る / 한 바퀴 ～ 一回りする. ㉢ 巡回する; 回遊する. ¶ 담당 구역을 ～ 受け持ち区域を巡視する / 단골처를 ～ 得意先を回る. ㉣ 遠回りする. ¶ 돌아(서) 가다 回り道をする / 배가 곶을 ～ 船が岬を回る / 적의 배후로 ～ 敵の背後に回る. ㉤ めまい(目眩)がする. ¶ 눈이 ～ 目が回る / 바빠서 눈이 돌 지경이다 忙しくて目まいがする程だ. ㉥ 順次に巡る. ¶ 술잔이 ～ 杯が回る / 인사차 ～ あいさつに回る. ㉦ (酒·薬などが) 効く. ¶ 독이 ～ 毒が回る / 술기운이 ～ 酒が回る. ㉧ 流通する. ¶ 돈이 잘 안 ～ 金回りが悪い. ㉨ 血のめぐりがよい. ¶ 머리가 잘 ～ 知恵が回る. ㉩ 向きを変える. ¶ 반대당으로 ～ 反対党に回る. ② (うわさ(噂)が) 立つ. ¶ 당신의 소문이 돌고 있다 あんたのうわさが立っている. ③ 正気に返る. ④《俗》気が触れる; 頭が変になる. ¶ 저녀석은 좀 돌았다 あいつは少少左巻きだ.

돌-다리 명 石橋. ¶ ～도 두드려 보고 건너라《俚》石橋もたた(叩)いて渡れ.

돌-담 명 石垣.

돌-대가리 명 《俗》 石頭; 頓馬.

돌-덩이 명 小石よりやや大きい石; 石塊.

돌-도끼 명 いしおの(石斧); せきふ.

돌돌 부 ① 幾重にも円く巻くさま: くるくる. ¶ ～ 말리다 くるくる巻きつく. ② 円い物が軽やかに転ぶさま: ころころ. <둘둘. ㅆ. ¶ ～ 구르다 ころころ転がる.

돌돌-하다 형 利口だ. ㅆ똘똘하다. ¶ 돌돌한 아이 利口な子.

돌-떡 명 初の誕生日の祝いもち(餅).

돌라-놓다 타 ① (めいめいの分け前として) 円く広げて置く. ② 向きを変えて置く. ¶ 의장을 ～ たんす(箪笥)の向きを変えて置く. <둘러놓다.

돌라-대다 타 ☞ 둘러대다.

돌라-막다 타 ☞ 둘러막다.

돌라-맞추다 타 (他の物で) 間に合わす〔用立てる〕. <둘러맞추다.

돌라-매다 타 ① 一回り回して結ぶ. <둘러매다. ② 利息を元金に繰り込む.

돌라방-치다 타 すり替える; 替え玉でごまかす. 준 돌라치다.

돌라-붙다 타 (機会を見計らって有利な方に) 寝返りを打つ.

돌라-싸다 타 円く囲む. <둘러싸다.

돌라-쌓다 타 (周囲を何かで) 円く積み上げる.

돌라-앉다 자 (大勢が) 輪になって座る; 車座になる. <둘러앉다.

돌라-주다 타 (分けて) 配る. ¶ 선물을 ～ おみやげを配る.

돌려-놓다 타 向きを変えて置く.

돌려-보내다 타 ① (持って来たものを) 戻す. ¶ 선물을 ～ 贈り物を戻す. ② (訪ねて来た人を会わずにそのまま) 帰す; 帰らせる. ¶ 심부름꾼을 ～ 使いを帰す / 며느리를 친정으로 ～ 嫁を里に帰す.

돌려-보다 타 (順順に) 回して見る; 回覧する.

돌려-쓰다 타 ① (金品を) 都合〔やりくり〕して使う. ¶ 돈을 ～ 金を都合〔やりくり〕して使う. ② いろいろに利用する.

돌려-주다 타 ① 返す. ¶ 빌린 책을 ～ 借りた本を返す / 원금만이라도 돌려주었으면 싶다 元金だけでも返してほしい. ② 都合してやる. ¶ 돈을 ～ 金を都合してやる / 땅판 돈을 회사에 ～ 土地を売った金を会社に回す.

돌려-짓기 명하타 輪作. ＝윤작.

돌리 〔dolly〕 명 ドリー.

돌리다[1] 자타 ① (病気が) 峠〔危機〕を越す. ② ほっとする. ¶ 한숨 ～ ほっと一息つく. ③ (怒りが) 和らぐ; 和らげる; 鎮まる. ④ 都合がつく; 都合をつける. ¶ 돈을 ～ 金を融通する.

돌리다[2] 타 ① の(除)け者〔仲間外れ〕にする. ＝따돌리다. ② おろそかにもてなす; 冷遇する.

돌리다[3] 타 ① 回す. ㉠ 回るようにする. ¶ 팽이를 ～ こまを回す / 다이얼을

ㄷ

～ ダイヤルを回す. ㉡ 次次に渡す. ¶ 다음으로 ～ 次へ回す / 잔을 ～ 杯を回す / 서류를 담당계로 ～ 書類を係りへ回す. ② (向きを)変える; 向ける; 転ずる. ¶ 화제를 ～ 話題を変える / 시선을 ～ 視線をそ(逸)らす / 기수를 서쪽으로 ～ 機首を西に向ける / 발길을 ～ きびすを巡らす. ③ 配る. ¶ 신문을 ～ 新聞を配る / 격문을 ～ げき(檄)を飛ばす. ④ 思い直す. ¶ 마음을 ～ 思い直す; 気を転ずる / 마음을 돌려 부지런히 일하다 心を入れ替えてまじめに働く. ⑤ 営む; 経営する. ¶ 공장을 ～ 工場を動かす / 기계를 ～ 機械を動かす. ⑥ (責任・てがら(手柄)などを)…に帰する; 譲る. ¶ 죄를 남에게 ～ 罪を人にかぶせる / 승리의 영광을 그에게 ～ 勝利の栄光を彼に譲る. ⑦ 後回しにする. ¶ 이것은 뒤로 돌리자 これは後回しにしよう. ⑧ 転用する; 振り向ける. ¶ 예산을 …에 ～ 予算を…に振り向ける / 공업용으로 ～ 工業用に回す.

돌림 명 ① 順順に回すこと. ¶ ～으로 한 턱씩 내다 たらい(盥)回しでおごる. ② ↗돌림병.

‖── 감기(感氣) 명 はやりかぜ. =유행 감기. ──-병 명 はやり病; はやりやみ. =유행병(流行病). ㊟ 돌림. ──-턱 명 たらい回しでおごること.

돌-맞이 명하자 初誕生日を迎えること.

돌멘 (dolmen) 명 〖史〗 ドルメン.

돌-멩이 명 石ころ; 石くれ.

‖──-질 명하자 石投げ; つぶて打ち. ㊟ 돌질.

돌-무더기 명 石の積み重ね.

돌-미륵【―彌勒】명 石作りのみろく(弥勒)仏像.

돌발【突發】명하자 突発. ¶ ～ 사고 突発事故 / ～성의 사건 突発性の事件.

‖──-적 명관 突発的. ¶ ～인 증상 突発的な症状.

돌-방【―房】명 石室.

돌배-나무 명 〖植〗 やまなし(山梨).

돌변【突變】명하자 急変. ¶ 형세의 ～에 놀라다 形勢の急変に驚く / 승객이 강도로 ～하다 乗客が強盗に開き直る.

돌-보다 타 ① 助ける; 助力する. ② 世話をする; めんどう(面倒)を見る; 保護する. ¶ 돌보아 주는 사람이 없는 아이 構い手の無い子 / 일상사를 돌보아 주다 身の回りの世話をする / 잘 돌보아 기르다 手塩にかけて育てる.

돌-부리 명 (路面につき出た)石(の角). ¶ ～를 차면 발부리만 아프다 《俚》 でたらめかんしゃく(癇癪)は己れの損.

돌-부처 명 石仏.

돌-비늘 명 〖鑛〗 ☞ 운모(雲母).

돌-사닥다리 명 명 石坂の険しい山道.

돌-산【―山】명 岩山; 石山.

돌-삼 명 〖植〗 野生のあさ(麻).

돌-상【―床】명 初誕生日の祝いのお膳.

돌-소금 명 山塩; 岩塩.

돌-솜 명 〖鑛〗 石綿; アスベスト =석면(石綿). 「釜)

돌-솥 명 (飯炊き用の)いしがま(石

돌-싸움 명하자 石合戦. =석 (石戰).

돌아-가다 자 ① (もとに)帰〔返〕る. ¶ 집으로 ～ 家に帰る / 동심〔제정신〕으로 ～ 童心〔我〕に返る. ② 遠回りをする; 回って行く. ③ 順番になる; 手交わす. ¶ 인쇄물이 전원에게 ～ 印刷物が全員に渡る / 승리는 적의 손에 ～ 勝利は敵の手に入る. ④ 終末を告げる; 帰する. ¶ 수포로 ～ うたかた(泡沫)に帰す / 헛수고로 ～ 無駄骨に終わる. ⑤ "죽다"を敬って言う語: お隠れになる; お亡くなりになる. ¶ 할아버지는 작년에 돌아가셨습니다 祖父は昨年亡くなりました.

돌아-눕다 자 寝返る.

돌아-다니다 자 ① 歩き回る. ¶ 끌고 ～ 引き回す / 나라 안을 ～ 国中を歩き回る / 친구 집을 ～ 知人の家を巡る / 세계를 두루 ～ 世界をまた(股)にかける. ② (病気などが)はやる. ¶ 독감이 ～ インフルエンザがはやる.

돌아-보다 타 ① 振り返る; 見返る. ¶ 무심코 ～ 思わず振り返る / 돌아보지도 않다 見向きもしない. ② 顧〔省〕みる. ¶ 나 자신을 ～ わが身を顧みる. ③ 見回る. ¶ 공장을 ～ 工場を見回る / 명소를 ～ 名所を見回る. ④ ☞ 돌보다. ¶ 버리고 돌아보지 않다 むげ(無下)にする; 見離す.

돌아-서다 자 ① 後ろ向きになる; 背を向ける. ② 仲たがいする. ③ (病勢が)快方にむかう. ¶ 병이 조금 ～ 病気が治りかける.

돌아-앉다 자 ① 後ろ向きに座る; 背を向けて座る. ② 後ろ向きたなっている; 背を向けている. ¶ 도표가 돌아앉아 있다 道しるべが後ろ向きになっている.

돌아-오다 자 ① 帰〔返〕(って来)る; 戻る. ¶ 돌아오는 길 帰りがけ; 帰りしな; 帰り道 / 부자가 되어 고향에 ～ 金持ちになってくにへ帰って来る / 제정신으로 ～ 我に返る / 잃었던 물건이 ～ 忘れ物が戻って来る / 남북은 "돌아오지 않는 다리"로만 이어져 있다 南北は「帰らざる橋」だけによって連なっている. ② (順が)回って来る; 巡(って来)る. ¶ 책임이 내게 ～ 責任がわたしに回って来る / 운이 ～ 付きが回って来る. ③ 回り道をする; 遠回りする. ¶ 볼일이 있어서 ～ 用があって回り道をして来る.

돌연【突然】㊀ 명하형 突然; だしぬけ. ¶ ～한 길보 突然の吉報. ㊁ 부 ☞ 돌연히. ──-히 부 突然; にわか(俄)に; 不意に; いきなり; 突如. ¶ 차가 ～ 멈추었다 車が突然止まった.

‖── 변이 명 〖生〗 突然変異. ──

ㄷ

사 명 〔醫〕 突然死.
--연모 명 石器; 石の道具.
--우물 명 石囲いの井戸.
-이키다 타 ① 振り返る. ㉠(首を)振り向く; 顧みる. ¶ 돌이켜 보다 振り返って見る. ㉡ 省みる; 反省する. ¶ 과거를 돌이켜 보다 過去を振り返って見る. ② 心を入れ替える. ③ 取り戻す; ばんかい(挽回)する. ¶ 돌이킬 수 없는 실패 取り返しのつかない失敗.
돌입【突入】명하자 突入. ¶ 적진에 ~하다 敵陣に突入する / 대기권에 ~하다 大気圏に突入する.
돌-잔치 명하자 初誕生日の祝い.
돌-잡이 명하자 初誕生日の祝いにいろいろな物を並べて幼児にその中の品物を思うままに取らせてその将来を占うこと.
돌-장이 명 石屋; 石きり. ＝석수(石手).
돌-쟁이 명 初誕生日前後の幼児.
돌-절구 명 いしうす(石臼). ¶ ~ 밑 빠질 때가 있다《俚》石臼も底が抜けるときがある.
돌진【突進】명하자 突進. ¶ 무턱대고 ~하다 遮二無二に突進する.
돌-질 명하자 ↗돌멩이질.
돌-집 명 石造りの家.
돌쩌귀 명 ひじつぼ(肘壺)とひじがね(肘金). ¶ ~에 녹슬지 않는다《俚》使うくわ(鍬)にさび(錆)つかぬ.
돌체〔이 dolce〕명 〔樂〕ドルチェ; 優美に.
돌출【突出】명하자 突出. ――하다 자 突出する; 突き出る. ¶ ~한 게 눈 突き出たかにの目.
돌-층계【―層階】명 石段; 石階.
돌-칼 명 石剣; 石で作った刀.
돌-콩 명 〔植〕つるまめ(蔓豆).
돌-탑【―塔】명 石塔. ＝석탑(石塔).
돌파【突破】명 突破. ――하다 타 突破する; 突き破る; 突っ切る. ¶ 곤란을 ~하다 困難を突っ切る / 적진〔난관〕을 ~하다 敵陣〔難関〕を突破する / 적의 포위를 ~하다 敵の包囲を突き破る.
‖――구 명 突破口. ¶ ~를 만들다 突破口を作る.
돌-팔매 명 つぶて(飛礫). ¶ ~을 던지다 つぶてを投げる〔打つ〕.
‖――질 명하자 つぶて打ち.
돌-팔이 명 [↗돈팔이] いかがわしい占い・技術・物などを売り歩くこと. また, その人; 旅稼ぎ.
‖―― 선생 명 粗末な寺小屋の先生; いかさま先生. ―― 의사(醫師) 명 やぶ(藪)医者.
돌-팥 명 〔植〕野生の小豆.
돌풍【突風】명 突風.
돌-함【―函】명 石の箱.
돌-확 명 (小さな)いしうす(石臼).
돔〔프 dome〕명 ドーム. ¶ (지층이) ~상으로 되어 있다 (地層が)ドーム状になっている.
돕다 타 助ける. ① 助力する; 手伝う. ¶ 일을 ~ 仕事を助ける〔手伝う〕/ 서로 ~ 助け合う / 하늘은 스스로 돕는 자를 돕는다 天は自ら助くる者を助く. ② 救済する. ¶ 가난한 사람을 ~ 貧者を助ける. ③ 促す; 助長する. ¶ 소화를 ~ 消化を助ける.
돗-바늘 명 (ござ(蓙)などを縫う)大針; かがり針.
돗-자리 명 ござ(莫蓙〔蓙〕); むしろ.
동[1] 명 ① (物事の)つな(繋)がり; 筋(道). ¶ ~이 닿다 つじつま(辻褄)が合う / ~(이) 닿지 않는 말 辻褄の合わない話. ② 間; ま. ¶ ~대다 後を続かせる; 辻褄を合わせる / ~이 뜨다 間が長い; 間の隔たりがある. ③ チョゴリのそで(袖)の継ぎ合わせ切れ. ④ (物事の)終わり; 払底. ¶ (물건이) ~나다 品切れになる; 払底する.
동【東】명 東. ＝동쪽. ¶ ~유럽 東ヨーロッパ.
동【洞】명 洞; 地方行政区域の末端機構《町・村に当たる》.
동【胴】명 胴.
동【銅】명 〔鑛〕銅. ＝구리. ¶ ~광 銅鉱 / ~메달 銅メダル.
동[2] 의명 ひとまとめになった単位: 束(墨は十個, 筆は十本; 木綿・麻などは五十匹, 白紙は二十枚ひとたばの百個, いしもち(石首魚)・にしん(鯡)などは二千匹, 干し柿は千個).
동【棟】의명 棟; 軒. ＝채. ¶ 가옥 2 ~ 家屋二棟.
동【同】관 同. ¶ ~시대 同時代 / ~분모 同分母.
동[3] 부 太鼓・琴などの音: どん. ＜둥[3].
동가【同價】명 同価. ¶ ~ 원소 同価元素.
‖―― 홍상(紅裳) 명 同じことなら紅色のチマ〔も(裳)〕を《どうせの事なら分の良い方を選ぶとの意》.
동가【東家】명 ① 東側の隣家. ② 泊まっている家の主.
동가리-톱 명 横引きのこぎり. ㉾ 동톱.
동가식 서가숙【東家食西家宿】명하자 寄る辺のない人. また, そのさすらい.
동갈【胴喝】명하자 どうかつ(胴喝). ¶ 그 나라는 항상 ~ 외교를 일삼아 왔다 あの国は常に胴喝外交を用いて来た.
동감【同感】명하자타 同感.
동감【動感】명 動感. ¶ ~이 넘치는 그림 動感あふれた絵.
동갑【同甲】명 同い年; 同齢. ¶ 두 사람은 ~이다 二人は同い年だ.
동강 명 切れ; 切れ端. ¶ ~나다〔내다〕(長いものが〔を〕)切れる〔切る〕; 切断される〔する〕/ 두 ~나다〔내다〕二つに切れる〔切る〕. ――― 부 ずたずたに; きれぎれに. ¶ ~ 토막낸 시체 ずたずたに切った死体; バラバラ死体.
‖――이 명 切れっぱし; 断片.
동거【同居】명하자 同居. ¶ ~인 同

居人 / ～ 생활 同居生活.
동검【銅劍】명 銅剣.
동격【同格】명 同格. ¶ ～으로 대우하다 同格に待遇する.
동결【凍結】명하자타 凍結. ¶ 자금의 ～ 資金の凍結 / ～을 풀다 凍結を解く.
동경【東京】명〖地〗高麗四京の一つ《今の慶州》.
동경【東經】명〖地〗東経. ¶ ～ 20도 東経二十度.
동경【銅鏡】명 銅づくりの鏡.
동경【憧憬】명하타 どうけい(憧憬); あこがれ. ¶ ～의 대상이었다 あこがれの的であった.
동계【冬季】명 冬季. ¶ ～ 올림픽 冬季オリンピック.
동계【同系】명 同系. ¶ ～ 회사 同系会社 / ～의 고교 同系の高校.
동계【動悸】명〖生〗どうき(動悸).
동고【同苦】명하자 苦労を共にすること.
‖── 동락(同樂) 명하자 苦楽を共にすること.
동고서저【東高西低】명 東高西低《韓国附近の気圧配置の一つ》.
동곳 명 (男の)まげ(髷)挿し. ── 빼다 자 (あやまちを認めて)屈服する; かぶと(兜)をぬぐ.
동공【瞳孔】명〖生〗どうこう(瞳孔); ひとみ(瞳). ＝눈동자.
‖── 막 명 瞳孔膜. ── 반사 명 瞳孔反射.
동관【同官】명 同官; 同役.
동광【銅鑛】명 銅山; 銅鉱. ¶ ～의 채굴 銅鉱の採掘.
동교【東郊】명 東郊. ① 東にある野. ② 春の野. ③ ソウルの東大門はずれ.
동구【洞口】명 ① 村の入口. ¶ ～밖 村はずれ. ② 山門の入口.
동국【東國】명 ① 東国《中国に対する韓国の自称》. ② 東方の国.
동굴【洞窟】명 どうくつ(洞窟); 洞穴; ほらあな.
‖── 동물 명 洞窟動物. ── 미술 명 洞窟美術. ── 유적 명〖史〗洞窟遺蹟. ── 인류 명 洞窟人類.
동궁【東宮】명 東宮.
동권【同權】명 同権. ¶ 남녀 ～ 男女同権.
동그라미 명 ① 円. ＝원. ¶ ～를 그리다 円をえがく. ② 丸. ¶ ～표 丸印 / 맞는 글에 ～를 쳐라 正しい文に丸をつけよ. ③《俗》お金. ¶ ～가 없다 お金がない.
동그라-지다 자 倒れ転ぶ; 突き飛ばされる; つっ転ぶ.
동그랑-땡 명《俗》銭大の"저냐"《魚・肉などのみじん切りにメリケン粉と卵の衣を着せて油で揚げた食べ物》. ＝돈저냐.
동그랗다 형 (真ん)丸い; 円い. <둥그렇다. ¶ 동그랗게 원을 그리다 真丸く円をえがく.
동그래-지다 자 (真ん)丸くなる. ¶ 깜짝 놀라 눈이 ～ びっくりして目が丸くなる.
동그마니 부 ① 身軽に. ② ぽっちり ぽつねんと. ¶ ～ 생각에 잠겨 있다 ぽつねんと物思いにふけっている.
동그스름-하다 형 丸みを帯びている; 丸っこい〈俗〉. <둥그스름하다 ¶ 동그스름한 얼굴 丸っこい顔.
동극【童劇】명 児童劇.
동글납대대-하다 형 丸くて平たい.
동글납작-하다 형 丸くてやや平べったい. ¶ 동글납작한 얼굴 丸ぽちゃの平たい顔.
동글다 형 丸(円)い. <둥글다. ¶ 달은 ～ 月は丸い / 둥근 얼굴 丸い顔.
동글-동글 부하형 ① 円をえがきながらしきりに回るさま: くるくる. ¶ ～ 돌다 くるくる回る. ② 多くの物が一様に丸いさま. <둥글둥글. ㅆ똥글똥글.
동급【同級】명 同級. ¶ ～의 물품 同級の品物 / ～생의 모임 同級生のつどい.
동기【冬期】명 冬期. ＝동계.
동기【同氣】명 兄弟姉妹.
‖──-간(間) 명 兄弟姉妹の間柄.
동기【同期】명 同期. ¶ ～생 同期生 / 이것들은 그의 거의 ～의 작품이다 これらは彼のほぼ同期の作品である / 작년 ～에 비하면 昨年の同期に比べると.
동기【動機】명 動機. ¶ 불순한 ～ 不純な動機 / …의 ～가 되다 …の動機になる.
동기【童妓】명 ひなぎ(雛妓).
동기【銅器】명 銅器.
‖── 시대 명〖史〗銅器時代.
동-나다 자 品切れになる; 払底する. ¶ 설탕이 ～ 砂糖が品切れになる / 인물이 ～ 人物が払底する.
동남【東南】명 東南.
‖──-동 명 東南東. ──-아(亞), ──-아시아 명 東南アジア. ──-풍 명 東南の風; いなさ; たつみ風.
동남【童男】명 童男.
‖── 동녀 명 童男童女.
동내【洞內】명 (自分の住む)町の中; 町内.
동냥 명하자타 [←동령(動鈴)] ①〖佛〗たくはつ(托鉢). ② 物もらいをすること; 物ごい; そでご(袖乞)い.
‖──-아치 명 こじき(乞食); 物もらい. ── 자루 명 乞食袋. ──-젖 명 もらい乳. ¶ ～을 먹이다 もらい乳をする. ──-중 명 托鉢僧. ──-질 명하타 物もらいの行為.
동네【洞─】명 村; 隣近所. ＝마을. ¶ ～북《俚》村の太鼓《多くの人からむやみにいじめられることのたとえ》/ ～ 색시 믿고 장가 못든다《俚》村娘をあてにして嫁をもらわぬ《とんでもないことをあてにして事を仕損ずることのたとえ》.
동녀【童女】명 童女.
동년【同年】명 同年. ① 同じ年. ② 同じ年齢. ＝동갑. ③ 科挙に同じく及第すること. ＝동방(同榜).
‖──-배(輩) 명 ☞ 동연배.
동-녘【東─】명 東; 東方. ¶ ～

-늘 東の空.
란【東端】명 東端.
당-거리다 타 (小鼓を)どんどん鳴らす. 동당-동당 부 どんどん.
-닿다 자 ①(綿綿と)続く. ②(筋が)通る; つじつま(辻褄)が合う.
-대구【凍大口】명 凍らしたたら(鱈).
-대다 타 ①(絶やさず)引き続かせる. ②(初物が出るまで)持たす; 持ち続かせる. ③つじつま(辻褄)を合わす; (話の)前後が合うようにする.
동댕이-치다 타 ほう(放·抛)る. ①(物を)投げつける; なげう(抛·擲)つ. ¶들었던 책을 ~ 手にした本を投げつける / 편지를 책상 위에 ~ 手紙を机の上になげうつ. ②(中途で)なげうつ; 放り出す; 止める; 投げ捨てる. ¶시험을 ~ 試験をほうる.
동도【同道】명 ①同じ道; その〔この〕道. ②同道; 同行.
동도【東道】명 ①〔宗〕檀君教で天山(=白頭山)を中心に東の方を指す語. ②東道; 東方の道.
동동[1] 부 小鼓を続けざまに打ち鳴らす音: とんとん. <둥둥[1].
동동[2] 부 じだんだを踏むさま: ばたばた. ¶발을 ~ 구르며 울다 足をばたつかせながら泣く. ——-거리다 타 (寒さ·くやしさ·あせりのために)足をばたばたさせる; じだんだを踏む.
‖——-걸음 명 (急ぎ·寒さなどで)そそくさとこまた(小股)に歩くこと.
동동-주【—酒】명 米粒の浮いているどぶろく.
동등【同等】명하형 同等. ¶~한 자격 同等の資格. ——-히 부 同等に.
동-떨어지다 자 懸け離れる; 隔たる. ¶액수가 ~ 額が飛び違う / 너무 현실과 ~ あまりにも現実と懸け離れている.
동떨어진 소리 명 ①(敬語でも何でもない)どっち付かずのあいまいな言葉遣い. ②つじつま(辻褄)の合わない話.
동-뜨다 형 ①抜きんでている; ずば抜けている〈俗〉. ¶이것은 동뜨게 좋다 これはずば抜けて良い. ②↗동안뜨다.
동락【同樂】명하자 共に楽しむこと. ¶동고 ~하다 苦楽を共にする.
동란【動亂】명 動乱. ¶한국 ~ 韓国動乱.
동량【棟梁】명 とうりょう(棟梁). ①棟とはり(梁). ②↗동량지재.
‖——지-재(之材) 명 棟梁(の器); 一国·一家をささえる人.
동력【動力】명 動力. =원동력(原動力). ¶~ 사정 動力事情.
‖——-선 명 動力線. ——-원 명 動力源. —— 자원 명 動力資源.
동렬【同列】명 同列. ¶~로 논할 수 없다 同列に論じられない.
동록【銅綠】명 緑青; 銅青; 石緑. =녹(綠). ——-슬다 자 緑青が吹く.
동료【同僚】명 同僚; 仲間. ¶~ 의식 仲間意識.
동류【同流】명 ①同流. ㉠同じ流れ. ㉡同じ流儀. ¶~에 속하는 작품 同流に属する作品. ②☞동배(同輩).
동류【同類】명 同類. =동종(同種). ¶그 녀석도 ~겠지 あいつも同類だろう.
‖——-항 명〔數〕同類項.
동류【東流】명 東流.
동륜【動輪】명 動輪.
동률【同率】명 同率.
동리【洞里】명 ①☞마을. ②地方行政区域の洞と里《町と字に当たる》.
동맥【動脈】명 動脈.
‖—— 경화증 명 動脈硬化症. —— 주사 명 動脈注射.
동맹【同盟】명하자타 同盟.
‖—— 파업 명하자 同盟罷業; ストライキ. —— 휴교 명하자 同盟休校. =동맹 휴학. ㊀맹휴.
동-메달【銅—】〔medal〕명 銅メダル. =동패(銅牌).
동면【冬眠】명하자 冬眠; 冬ごもり. =겨울잠.
동명【同名】명 同名. ¶동성 ~ 同姓同名.
‖—— 이인 명 同名異人.
동명【洞名】명 洞名; 洞の名.
동-명사【動名詞】명 動名詞.
동-명태【凍明太】명 凍らせためんたい(明太). ㊀동태.
동모【同母】명 同母.
‖——-매(妹) 명 同腹の妹. ㊀모매(母妹). ——-제(弟) 명 同腹の弟. ㊀모제(母弟).
동몽【童蒙】명 どうもう(童蒙); 子供.
동무 명 ①友達; 友. =친구·벗. ¶나쁜 ~와 어울리다 悪友と交わる / ~들과 즐겁게 하루를 지냈다 友達と楽しく一日を過ごした. ②相棒; 仲間. =동지(同志). ——-하다 자 友となる; 組み合う; 道づれになる.
동무【童舞】명 童舞.
동문【同文】명 同文. ¶이하 ~ 以下同文.
동문【同門】명 ①同門; 相弟子. ¶~의 친교 同門のよしみ / ~에서 배운 사이 同門に学んだ間柄. ②同じ宗派. また, その人.
‖—— 동학(同學), —— 수학(修學) 명하자 師を同じくして学ぶこと.
동문【東門】명 東の門.
동문 서답【東問西答】명하자타 的はずれな答え; 見当違いの答え; ちんぷんかんぷんな答え.
동물【動物】명〔生〕動物. ¶하등 ~ 下等動物 / 그는 ~ 애호가이다 彼は動物愛好家である.
‖——-계 명 動物界. ——-성 명 動物性. ¶~ 섬유 動物性繊維 / ~ 식물 動物性食物 / ~ 물감 動物性染料. —— 시험 명 動物試験. ——-원

명 動物園. ¶ ~에 데리고 가다 動物園に連れて行く. ——적 명관 動物的. ¶ ~인 본능 動物的な本能.
동민【洞民】명 洞民; 町民; 村民.
동-바리 명 ① 根太をささえる短い柱; つっかい柱. ②〔鑛〕坑木.
동박-새 명〔鳥〕めじろ(目白). =백안작(白眼雀).
동반【同伴】명 同伴. ——하다 타 同伴する; 伴う. ¶ 부인 ~ 夫人同伴 / ~자 관계 同伴者関係 / ~작가 同伴作家.
‖—— 자살(自殺) 명 心中; 無理心中. ¶ 모자 ~ 親子心中.
동반【同班】명 ① 同級. ② 同列.
동반【銅盤】명 銅製のお盆.
동-반구【東半球】명 東半球.
동방【東方】명 東方. =동쪽. ¶ ~ 문화 東方文化.
‖—— 교회 명〔基〕東方教会; ギリシア正教会. ——박사 명 東方の賢者; 東方三博士. —— 예의지국(禮儀之國) 명 礼儀をよく守る東方の国《中国で韓国を指して言った語》.
동방【洞房】명 ① 洞房; ねや. ② ↗동방 화촉·화촉 동방.
‖—— 화촉(華燭) 명 (新婚の)床入り.
동배【同輩】명 同輩.
동백【冬柏】명 つばき(椿). ¶ ~꽃 椿の花.
‖—— 기름 명 椿の油. ——나무 명〔植〕椿.
동병【同病】명 同病.
‖—— 상련(相憐) 명하자 同病相哀れむこと.
동복【冬服】명 冬着.
동복【同腹】명 同腹; 同母. ¶ ~ 형제 同腹の兄弟 / ~ 형〔동생〕同腹の兄〔弟〕/ ~ 누이 同腹の姉や妹.
동봉【同封】명하타 同封.
동부 명〔植〕ささげ(大角豆).
동부【東部】명 東部.
동부【胴部】명 胴部. =몸통.
동부【動部】명 動く部分.
동부【銅斧】명 銅または青銅製のおの(斧).
동-부인【同夫人】명 夫婦連れ; 夫人同伴. ——하다 자 夫人を同伴する. ¶ ~해서 와 주십시오 夫人同伴でおでまし下さい.
동북【東北】명 東北.
‖——동 명 東北東. —— 아시아 명 東北アジア. ——풍 명 北東の風. =북동풍.
동-분모【同分母】명〔數〕同分母.
동분 서주【東奔西走】명하자 東奔西走. ¶ 취직 자리를 찾아 보려고 ~하다 就職口を見つけるために東奔西走する.
동사【東史】명 中国で韓国の歴史を称した語.
동사【凍死】명하자 凍死; 凍え死に. ¶ ~자 凍死者.
동사【動詞】명 動詞.
동-사무소【洞事務所】명 "동(洞)"の所.
동산 명 ① 家の裏手の小山. 園. ¶ 꽃~ 花園 / 에덴의 ~ エテの園.
동산【動産】명 動産.
동산【銅山】명〔鑛〕銅山.
동삼【童蔘】명 ↗동자삼(童子蔘).
동상【同上】명 同上. =상동(同).
동상【東上】명하자 東から上がて来ること.
동상【凍傷】명 凍傷; 霜焼け; 霜ばれ. ¶ ~에 걸리다 凍傷にかかる.
동상【銅像】명 銅像; ブロンズ.
동상 이몽【同床異夢】명 同床異夢.
동색【同色】명 ① 同色; 同じ色. ② 同派.
동색【銅色】명 銅色. =구릿빛.
‖—— 인종 명 銅色人種《アメリカインディアンなど》.
동생【同生】명 弟, または妹.
동서【同書】명 同じ本.
동서【同棲】명하자 どうせい(同棲). ¶ ~ 생활 同棲生活.
동서【同壻】명 相婿; 義兄弟; 相嫁.
동서【東西】명 東西. ① 東と西. ② 東洋と西洋. ③ 共産圏と自由陣営.
‖—— 고금 명 古今東西. ——남북 명 東西南北; 四方. ——반(班) 명〔史〕"동반(東班)"と"서반(西班)"《文官と武官の班列》. ——양(洋) 명 東洋と西洋.
동석【同席】명하자 同席.
동선【同船】명하자 同船. ① 同じ船. ② 船を一緒に乗ること.
동선【銅線】명 銅線.
동설【同說】명 同説.
동설【銅屑】명 銅(の)くず(屑).
동성【同性】명 同性.
‖—— 연애(戀愛) 명하자 同性愛.
동성【同姓】명 同姓; 同苗〈老〉.
‖—— 동명 명 同姓同名. —— 동본 명 同姓同本《姓も本貫も同じであること》. —— 불혼 명 同姓不婚《同じ父系の親族間では結婚が出来ないこと》.
동성【銅星】명 銅星. ¶ ~ 훈장 銅星勲章; ブロンズスター.
동소【同素】명 同素.
‖——체 명〔化〕同素体.
동수【同數】명 同数. ¶ 찬부〔찬반〕~여서 난처하다 賛否同数で困ったものだ.
동숙【同宿】명 同宿.
동승【同乘】명하자 同乗; 同車.
동시【同時】명 同時.
‖—— 녹음〔녹화〕명 同時録音〔録画〕. —— 통역 명 同時通訳.
동시【童詩】명 童詩.
동-식물【動植物】명 動植物.
동신-제【洞神祭】명 村の守り神にささ(捧)げる祭.
동실-동실 부 小さい物が浮かんで軽やかに動くさま: ふわふわ. <둥실둥실. 준 동동.

…실동실-하다 형 丸みがかってぽってりしている. <동실동실하다.

심【同心】명하자 同心. ① 心を同じくすること. ②〔數〕中心が同じであること.

‖── 동력(同力) 명하자 心と力を同じくすること. ──-원 명〔數〕同心円.

동심【動心】명하자 心が動くこと.

동심【童心】명 童心; 幼心; 子供心. ¶ ~으로 돌아가다 童心に帰る.

동아【冬芽】명〔植〕冬芽.

동아【東亞】명 東亜.

동아리¹ 명 (長い物の)一部分. ¶ 아랫 ~ 下の部分.

동아리² 명 やから(輩); やつら; 連中; 相棒〈俗〉; 群れ; 仲間.

동-아시아【東—】〔Asia〕 명 東アジア.

동아-줄 명 丈夫によった太綱.

동안 명 間; ま; うち; 間; 中〈老〉. ¶ 그 ~ 其の間 / 눈깜짝할 ~에 あっと言う間に / 내가 살아 있는 ~에는 わたしが生きている間は. ──-뜨다 형 ① 久しくなる. ② 距離が遠い.

동안【東岸】명 東岸.

동안【童顔】명 童顔.

동압【動壓】명〔物〕動圧.

동액【同額】명 同額.

동양【東洋】명〔地〕東洋. ¶ ~미를 풍기다 東洋美を匂わす.

‖──-학 명 東洋学. ──-화 명 東洋画; 韓国画.

동업【同業】명하자 同業. ① 同じ営業. ② 事業を共にすること. =동사(同事).

‖── 조합 명 同業〔同職〕組合.

동여-매다 타 (荷物になどを)縛り付ける.

동-역학【動力學】명 動力学.

동-연배【同年輩】명 同年輩. =동년배.

동-옷 명 男が着るチョゴリ.

동요【動搖】명 動揺; 揺るぎ. ──하다 자 動揺する; 騒ぐ; 動ずる. ¶ 인심의 ~ 人心の動揺.

동요【童謠】명 童謡; 童歌.

동우【凍雨】명 冬の冷たい雨またはみぞれ(霙).

동원【凍原】명〔地〕 凍原; ツンドラ. =툰드라(tundra).

동원【動員】명하자타 動員. ¶ 3개 사단을 ~하다 3個師団を動員する.

‖──-령 명 動員令.

동위【同位】명 同位.

‖── 개념 명〔論〕 同位概念. ── 원소 명〔化〕同位元素; アイソトープ.

동유【桐油】명 とうゆ(桐油).

동음【同音】명 同音.

‖──-어 명 同音語. ── 이의 명 同音異義. ── 이자 명 同音異字.

동의【冬衣】명 冬着.

동의【同義】명 同義. ¶ ~어 同義語; シノニム.

동의【同意】명 同意. ──하다 자 同意する; 同ずる; 賛成する. ¶ ~를 얻다 同意を得る.

동의【胴衣】명 ① ☞ 동옷. ② ☞ 조끼.

동의【動議】명하자타 動議. ¶ 긴급 ~ 緊急動議 / ~를 가결하다 動議を可決する.

동이 명 (口が広く両側に取っ手のある)かめ(甕). ¶ 물 ~ 水がめ

동이【東夷】명 とうい(東夷). ¶ ~ 서융 東夷せいじゅう(西戎).

동이다 타 ① (物を)くくる. ② (体を)縛る. ¶ 손수건으로 상처를 ~ ハンケチで傷口を縛る.

동인 【同人】 명 同人. ① 仲間; 同志. ② その人. ③ 同門の人.

‖── 잡지(雜誌), ──-지(誌) 명 同人雑誌.

동인【動因】명 動因.

동인【銅人】명 銅人《針術の練習に用いる銅製の人形》.

‖──-도(圖) 명 針術を習うときに用いる人体図.

동-인도【東印度】명 東印度.

동일【同一】명하형 同一.

‖── 개념 명 同一概念. ──-법 명 同一法. ──-시 명하타 同一視.

동일【同日】명 同日.

동자【童子】명 男の子供; 童.

‖── 기둥 명 つかばしら(束柱); つか(束)《준말》. ──-삼(蔘) 명 幼子の形をした野生のこうらいにんじん(高麗人参). ㊜ 동삼(童蔘). ──-석(石) 명 墓に立てる童の石像. ──-중 명〔佛〕幼い僧.

동자【瞳子】명 どうし(瞳子); ひとみ(瞳). =눈동자.

동작【動作】명하자 動作. ¶ 기본 ~ 基本動作 / 어색한 ~ ぎこちない動作 / 민첩한 ~ 敏捷な動作 / ~이 둔하다〔느리다〕動作が鈍い.

동장【洞長】명 洞長; 洞役所の長.

동장【銅匠】명 銅器をつくる人.

동장【銅章】명 銅製の記念章.

동-장군【冬將軍】명 冬将軍.

동-저고리 명《俗》☞ 동옷.

‖동저고릿-바람 명 着流しの身なり. ¶ ~으로 외출하다 着流しのままで出かける.

동적【動的】명관 動的; ダイナミック. ¶ ~인 리듬 動的なリズム / ~ 경향 動的傾向.

동전【動轉】명하자 動転.

동전【銅錢】명 コイン; 銅貨.

동-전기【動電氣】명〔物〕動電気.

동-전력【動電力】명 動電力. = 기전력(起電力).

동절【冬節】명 冬季; 冬時.

동점【同點】명 同点. ¶ ~이 되었다 同点になった.

동점【東漸】명하자 東漸. ¶ 불교는 ~하여 왔다 仏教は東漸して来た.

동접【同接】명하자 同じ塾·学校で学業を修めること. また, その学友.

동정 명 掛襟; 襟.

동정【同情】명 同情; 思いやり; 哀れみ. ──하다 타 同情する; 思いやる; 哀れむ. ¶ ~심 同情心 / ~어린 말 同情のこもったことば / 값싼 ~ 安価な同情.

ㄷ

‖── 스트라이크, ── 파업 명 同情スト(ライキ); 同情罷業; お付き合い休業. ──-표(票) 명 同情して投げた票.

동정【動靜】명 動静. ¶ 학계의 ～ 学界の動静 / 적의 ～을 살피다 敵の向背を探る.

동정【童貞】명 童貞. ¶ ～을 지키다 童貞を守る.

‖──-남(男) 명 童貞の男; 生息子. =숫총각. ──-녀(女) 명 ① 生娘. =숫처녀. ②〔基〕聖母マリアの称.

동제【銅製】명 銅製.

동조【同調】명하자 同調. ¶ ～자가 많다 同調者が多い.

‖── 회로 명 同調回路.

동족【同族】명 同族.

‖── 상잔(相殘) 명하자 同族が相争い殺し合うこと. ──애 명 同族愛. ── 회사 명〔經〕同族会社.

동종【同種】명 同種.

동죄【同罪】명 同罪.

동주【同舟】명하자 ① 同じ舟. ② 同じ舟に乗りあわせること. ¶ 오월 ～ 呉越同舟.

동지【冬至】명 冬至.

‖──-사(使) 명〔史〕毎年陰暦十一月に中国へ遣わした使節. ── 팥죽(粥) 명 冬至の日に食べる小豆のおかゆ(粥). 동짓-달 명 陰暦十一月; 霜月〈雅〉.

동지【同志】명 同志. ¶ ～를 규합하다 同志を糾合する.

동지【同知】명〔史〕《俗》官位を持たない老人の尊称.

동직【同職】명 ① 同職; 同業. ② その職務.

동진【東進】명하자 東進.

동질【同質】명 同質.

‖── 이상 명〔鑛〕同質異像.

동-쪽【東一】명 東(の方). ¶ ～ 하늘 東の空.

동차【動車】명 動力車のひとつ《気動車など》.

동창【同窓】명 [↗동창생] 同窓; 同学. ¶ ～회〔생〕同窓会〔生〕.

동창【東窓】명 東側の窓.

동천【冬天】명 冬天; 冬空.

동천【東天】명 東天.

동천【東遷】명하자 東遷.

동체【同體】명 ① 同体. ¶ 일심 ～ 一心同体. ② 同じ物体.

동체【胴體】명 胴体.

동체【動體】명 動体. ① 動いている物. ②〔物〕流動体.

동초【動哨】명 動き回りながら警戒に当たるしょうへい(哨兵).

동촌【東村】명 ① 東の村. ②〔史〕昔, ソウル市の東の村を指した語.

동치다 타 包むようにしてくくる〔縛る〕.

동치미 명 キムチの一つ《大根を輪切りにして薄い塩水に漬ける》.

‖동치밋-국 명 "동치미"の汁.

동-침【一鍼】명〔韓醫〕針の一種《細くて長い》.

동침【同寢】명 どうきん(同衾); 共寝. ──-하다 자 同衾する; まくら(枕)をかわす.

동태【凍太】명 (凍った)すけそうだら〔めんたい(明太)〕.

동태【動態】명 動態; 様子; 動き. ¶ ～를 살피다 動態を探る.

‖── 경제 명〔經〕動態経済.

동토【東土】명 ① 東にある土地や国. ② 中国に対する韓国の自称.

동토【凍土】명 凍土.

‖──-대 명〔地〕凍土帯; ツンドラ. =툰드라.

동통【疼痛】명 とうつう(疼痛).

동-트기【東一】명 夜明け; あけぼの(曙)〈雅〉.

동-트다【東一】자 東の空が白む; 夜が明ける.

동티 명 [←동토(動土)] ①〔民〕地神の怒りに触れて被るたたり(祟り). ② いたずらに手をつけていらぬ心配事を招いたり災いにあうことのたとえ. ──(가) 나다〔(를) 내다〕구 ① 祟る〔らせる〕; 地神を怒らせて災いに会う〔会わせる〕. ② いたずらに手をつけたために物事が〔を〕悪く〔駄目に〕なる〔する〕.

동파【凍破】명하자 凍破.

동판【銅板】명〔印〕銅板. ¶ ～화 銅板画.

동편【東便】명 東の方面.

동포【同胞】명 同胞. ① はらから(同胞). ② 同じ国民.

동풍【東風】명 東風; こち(東風)〈雅〉.

동-하다【動一】자 ① 動く. ② 動ずる; そそられる. ¶ 구미가 ～ 食指が動く; 食欲が起こる. ③ (病気などが)ぶり返す.

동학【同學】명하자 同学. =동접(同接).

동학 혁명【東學革命】〔史〕명 東学革命.

동-합금【銅合金】명 銅合金. =구리 합금.

동항【凍港】명 凍港.

동해【東海】명 ① 東海. ②〔地〕東海.

동해【凍害】명 凍害; 寒害.

동-해안【東海岸】명 ① 東海岸. ②〔地〕東海の沿岸.

동행【同行】[1] 명하자 同行. ¶ ～자 同行者; 連れ合い; 道連れ / 길에서 ～이 되다 道でつれになる.

‖── 친구(親舊) 명 道連れ.

동행【同行】[2] 명〔佛〕同行.

동향【同鄕】명 同郷; 同じ国. ¶ ～인 同郷の人.

동향【東向】명하자 東向き.

‖──-판 명 東向きの敷地.

동향【動向】명 動向; 動き. ¶ 세계의 ～ 世界の動向.

동혈【同穴】명 同穴. ① 同じ穴. ② 夫婦が死んで同じ墓に葬られること. ¶ ～의 맹세 同穴の契り.

동혈【洞穴】명 洞穴; 洞.

동형【同形·同型】명 同形〔同型〕.

동호【同好】명 同好. ¶ ～인 同人; 同好者; 同好の士 / ～회 同好会.

동혼-식【銅婚式】명 銅婚式.

동화【同化】명하자 同化. ¶ 자음 ～ 子音同化 / 이민족을 ～시켰다 異民

族を同化させた. ── 작용 명〖生〗同化作用. ¶ 탄산 ~ 炭酸同化作用. ── 정책 명〖~政〗同化政策.

동화【同和】명하자 同和; 共に和合すること.

동화【動畫】명 動画; アニメーション.

동화【童話】명 童話; おとぎばなし(御伽噺); おとぎ(御伽)《준말》. ¶ ~극 童話劇 / ~집 童話集 / ~의 세계 童話の世界.

동화【銅貨】명 銅貨.

동-활자【銅活字】명 銅活字.

동회【洞會】명 洞会; 洞事務所《町会; 町会事務所に当たる》.

동회【動蛔】명하자 ① 腹の中の回虫がうごめくこと. ② 食欲が起こること.

돛 명 帆. ¶ ~을 올리다 帆を揚げる / 순풍에 ~을 달다 順風に帆をあげる / ~을 달다 帆を張る.

돛단-배, 돛-배 명 帆船·帆舟; 帆掛け船.

돛-대 명 帆柱; マスト. ¶ ~에 오르다 帆柱に登る.

돨돨 부 (消化が悪くて)腹が鳴る音: ごろごろ. ㅆ뙬뙬.

돼-가다 자 ↗되어 가다.

돼지 명 ①〖動〗豚. ¶ ~ 새끼 子豚 / ~ 가죽 豚の皮 / ~를 치다 豚を飼う / ~같이 살찐 豚のように肥った / ~에 진주《俚》豚に真珠; ねこに小判. ②《俗》欲深く愚かな人. ¶ ~같은 녀석 豚のような欲張り奴.

‖──-고기 명 豚肉. ＝제육. ──기름 명 豚脂; ラード. ──-꿈 명 豚の夢《夢に豚を見ると縁起が良いとされている》. ──-날 명〖民〗亥の日. ── 우리 명 豚小屋.

되¹ ㊀명 升《枡로도 씀》. ¶ 한 홉들이 ~ 一合升. ㊁의명 升. ¶ 한 ~는 약 1.8리터이다 一升は約1.8リットルである.

되² 명 ① 昔, 豆満江一帯に住んでいた女真族. ② ☞ 오랑캐.

되- 두 "도리어(＝かえ(却)って)"·"다시(＝更に)"·"도로(＝逆に)"の意. ¶ ~사다 買い戻す / ~튀기다 跳ね返す / ~살아난 느낌이다 生き返った思いだ.

-되 어미 …が; …だが; …ではあるが. ¶ 술은 먹~ 알맞게 먹어야 한다 酒は飲むべし, 但し程よく飲むべし / 비는 오~ 바람은 안 분다 雨は降るが風はない.

되-가웃 명 一升升で量った残りの半升ぐらいの量.

되-갈다 타 ① 田畑を耕し直すこと. ② 粉などをひ(碾)き直すこと. ¶ 곱게 되갈아서 체로 치다 細かくひき直してふるい(篩)にかける.

되-걸리다 자 病気が再発する; ぶり返す.

되게 부 ☞ 몹시. ¶ ~ 늦다 ばかにおそい / ~ 더운 날이다 いやに暑い日である / ~ 바가지 씌우는 가게다 ずいぶんぼる店だ / ~ 재미있다 すごくおもしろい.

되-깔다 타 敷き直す; 敷きかえす.

되-깔리다 자 逆に下敷きにされる; かえって組み敷かれる.

되-넘기 명 転売; またうり.

되-넘기다 타 転売する.

되-놈 명 中国人の卑称.

되-놓다 타 戻して置く; 置き戻す. ¶ 들었던 물건을 ~ 持ちあげたものを置き戻す.

되-뇌다 타 繰り返して言う; 重ねて言う; (人のことばを)おうむ(鸚鵡)返しに言う.

되는-대로 부 適当に; でたらめに; いいかげんに. ¶ ~ 대답하다 いいかげんに答える / 일을 ~ 하다 仕事をでたらめにする.

되다¹ 자 ① できる. ㉠ 出来上がる. ¶ 맞춘 옷이 다 ~ あつらえ(た)服が出来上がる. ㉡ よく生長する. ¶ 벼가 잘 ~ 稲がよくできる〔生育する〕. ㉢ 可能だ. ¶ 될 수 있는 대로 깨끗한 생활을 하도록 노력하다 できる限り清潔な生活をするように努める. ㉣ よくなる. ¶ 된 사람 できた人. ② (…に〔と〕)なる. ㉠ (ある身分·状態に)置かれる. ¶ 정비사가 ~ 整備士になる / 비행사가 ~ 飛行士になる. ㉡ うまく行く. ¶ 일이 제대로 ~ 物事がうまく行く / 수습이 잘 ~ うまく収拾がつく. ㉢ ある数量に及ぶ. ¶ 합계 백만 원이 ~ 合計百万ウォンになる. ㉣ 用を足す. ¶ 약이 ~ 薬になる. ㉤ ある時がやってくる. ¶ 봄이 ~ 春になる; 春が来る. ㉥ 変わる. ¶ 노랗게 ~ 黄色くなる. ㉦ 年をとる. ¶ 열 살이 ~ 十歳になる. ㉧ …し始める. ¶ 사랑하게 ~ 愛するようになる. ㉨ 経つ. ¶ 떠난 지 5년이 ~ 離れてから五年になる. ㉩ (ある結果を)もたらす. ¶ 싸움이 ~ けんかになる / 거짓말이 ~ うそになる. ③ 組み立てられている; 成り立つ. ¶ 선수로 된 팀 選手で組まれたチーム.

되다² 타 (升で)量る. ¶ 분량을 ~ 分量を量る.

되다³ 형 ① こわ(強)い; 濃い. ¶ 밥이 ~ 飯がこわい. ② 張りすぎている. ¶ 밧줄을 되게 드리다 綱を張るように密によ(撚)る. ③ 力に余る; きつい. ¶ 일이 되면 쉬어 가며 해라 仕事がきついなら休みながらやれ. ④ ひどい. *되게. ¶ 되게 춥다 ひどく寒い / 되게 주의를 받다 こってり絞られる.

-되다 미 ① "하다"が付き得る名詞に付く語: …になる. ¶ 걱정~ 心配になる. ② 形容詞をなす語: …だ. ¶ 참~ 真実である / 헛된 희망 はかない望み.

되도록 부 できるだけ; できる限り; なるべく; なるたけ. ¶ ~이면 できる限り / ~ 빨리 오라 できるだけ速く来い / ~ 남에게 폐를 끼치지 않도록 해라 なるべく人に迷惑をかけないようにせよ.

되-돌다 자 逆の方向に回る.

되-돌아가다 자 引き返す; (立ち)戻る; (立ち)帰る. ¶ 집으로 ~ 家

に引き返す / 병세는 이전으로 되돌아가고 말았다 病状は以前に戻ってしまった / 원상태로 ～ 元のさや(鞘)に収まる / 본론으로 ～ 本論に立ち戻る.

되-돌아보다 자 振り返(って見)る；返り見る.

되-돌아서다 자 元の方向に立ち戻る.

되-돌아오다 자 (舞い)戻る；戻って来る；引き返す；帰る. ¶도둑 맞은 것이 ～ 盗まれた物が戻る / 근무하던 회사로 ～ 勤めていた会社に舞い戻る / 본심으로 ～ 本心に立ち返る.

되디-되다 형 (かゆなどが)非常に粘っこい；(飯などが)ひどくこわい.

되레 부 ↗도리어.

되롱-거리다 자 (軽い物がぶらさがって)ぶらぶらする. <뒤룽거리다. **되롱-되롱** 부하자 ぶらりぶらり.

되-먹다 타 また食べる.

되-먹히다 자 かえって食われる；かえって損を被る.

되-묻다 타 ① 問い返す；聞き直す. ¶두 번이나 ～ 二度も聞き直す / 문제를 ～ 問題を問い返す. ② 反問する.

되-바라지다 형 ① 深味がなく浅はかである. ② 包容性がなく偏っている. ③ こざかしくあざとい；こましゃくれている. ¶되바라진 여자 人擦れしている女 / 되바라진 아이 こましゃくれた〔ひねこびた〕子供.

되-박다 타 再び打ち込む；再び差し込む.

되-받다 타 ① 返してもらう；受け返す. ② 言い返す；口答えをする.

되-살다 자 ① (食べた物が消化できず)もたれる. ② よみがえる；生き返る. ¶죽은 사람이 되살아나다 死人が生き返る / 사흘 만에 되살아났다 三日目によみがえった. ③ よ(縒)りを戻す；別れた夫婦が再び一緒になる.

되-새기다 타 ① 味気無いようにか(嚙)む. ② はんすう(反芻)する. ㉠ (くり返して)かむ. ㉡ 繰り返して考える. ¶교훈을 되새겨 음미하다 教訓を反芻する.

되새김-질 명하타 はんすう(反芻)すること.

되-쏘다 타 ① 射返す. ② 反射する；照り返す. ¶흰 빛은 빛을 되쏜다 白い色は光を照り返す.

되-씌우다 타 (罪・責任などを)人におおいかぶせる.

되-씹다 타 ① 同じことを繰り返して言う. ② ☞ 되새기다.

되알-지다 형 押しが強い；無理強いに通そうとする傾向が強い.

되어-가다 자 ① (事が)進む；成りつつある. ¶일이 척척 ～ 仕事がとんとんと運ぶ. ② ある時が近づく. ¶죽을 때가 ～ 死に時が近づく. ㊟ 돼가다.

되-올라가다 자 ① (低い所へ下りかけたものが)向きを変えて逆戻りする. ② (下がりつつある値が)また上がり目になる.

되우 부 非常に；甚だしく；ひ(酷)く.

되-잡다 타 つか(摑)み〔捕え〕返す.

되-지기 의명 一升の種をまく耕 の面積《二十坪くらい》.

되지 못하다 형 ① 出来が悪い. (行動・人となりが)なっていない 礼儀にはずれている. ¶되지 못한 석 なっていない奴.

되직-하다 형 (汁・かゆなどが)やや わい. ¶풀을 되직하게 쑤다 のり(糊)をややこわめに炊く. **되직-이** 부 やこわめに.

되-질 명하타 穀物を一升ます 量ること.

되-짚어 부 引き返し(すぐ)；すぐ の場で；折り返し. ── 가다 자 来た道をすぐ立ち戻る. ── 보내다 타 (来た人や送って来た物な どを)すぐ送り返す. ── 오다 자 (ある所まで行ってから)すぐ戻って来る；引き返す. ¶버스가 종점에서 ～ バスが終点からすぐ折り返して来る.

되-찾다 타 探し戻す；取り戻す〔返す〕. ¶옛 모습을 ～ 昔の面影を取り戻す.

되-치이다 자 ① 逆打ちされる. ② (物事が)逆になる；逆転する.

되통-스럽다 형 よくへまをやらかす；気が利かない；軽はずみだ. <뒤퉁스럽다.

되-풀이¹ 명 繰り返し；反復. ── 하다 타 繰り返す；反復する. ¶의론을 다시 ～하다 議論を蒸し返す / ～해서 이야기하다 繰り返して話す.

되-풀이² 명하타 ① 升単位で穀物の値段を計算すること. ② 穀物を升単位で売ること.

된-똥 명 硬い便.

된-밥 명 ① こわめし(強飯). ② 汁・水をかけていない飯.

된-비알 명 急な〔けわしい〕坂.

된-서리 명 晩秋の大霜. ── 때리다 자 草木に大霜が降る. ── 맞다 자 ① ひどい霜に当たる. ② (比喩的に)ひどい打撃を受ける.

된-서방【─書房】명 気むずかしくて横暴な夫. ── 만나다 자 ① きつい夫を迎える. ② ひどい難儀に出会う；ややこしくて難しいことにぶつかる.

된-소리 명 "ㄲ・ㄸ・ㅃ・ㅆ・ㅉ"など, 強く発音される単子音. ＝경음(硬音).

된-장【─醬】명 みそ(味噌). ¶파를 ～으로 무치다 ねぎ(葱)を味噌和えにする.

‖──국 명 味噌汁；おつゆ. ── 찌개 명 野菜や肉などを入れて煮込んだ味噌汁.

된-풀 명 (水を割らない)炊いたままののり(糊).

될성-부르다 형 見込みがある；できそうだ. ¶될성부른 나무는 떡잎부터 알아본다《俚》せんだん(栴檀)は双葉より芳し.

됨됨-이 명 人となり；でき；出来具合；出来映え. ¶사람 ～를 크게

찬하다 人となりを大いにほめる/
-가 훌륭하다 出来上がりが立派である.
직-하다 형 ☞ 될성부르다.
-박 명 ① 升の代用に使うふくべ(瓠). ②《俗》升. =되¹.
——-질 명하자 穀物を升で少しずつ買うこと.
-밥 명 一升の米で炊いた飯.
-술 명 ① 一升の酒. ② 升で売る酒; 升酒.
【頭】명《俗》(煩わしいときの)頭; 頭痛. ¶아이구 ~야 わあ, 頭が痛い.
【斗】의명 斗. =말⁴.
【頭】의명 頭. =마리. ¶소 5 ~ 牛五頭.
두 관 "둘"の意: 二つ. ¶~ 개 二個; 二つ / ~ 사람 二人 / ~ 마음 二心 / ~ 번 二度 / ~ 달 二個月; 両月 / ~ 갈래 二筋 / ~ 가지 방식 二通り; 両様 / ~ 손으로 붙잡다 両手でつかむ / ~ 사람분의 식사를 주문하다 二人前の食事を注文する.
두각【頭角】 명 頭角. ¶~을 나타내다 頭角を現わす.
두개【頭蓋】 명 ずがい(頭蓋).
‖——-골 명 頭蓋骨.
두건【頭巾】 명 ① 喪中に男が被るずきん(頭巾). 준 건(巾). ② 頭巾.
두겁 명 細長い物の先に被せるさや(鞘). ¶연필 ~ 鉛筆のキャップ.
두견【杜鵑】 명 ①〔鳥〕☞ 두견이. ②〔植〕☞ 진달래.
‖——-새, ——-이 명〔鳥〕ほととぎす《보통 "時鳥·杜鵑·子規·不如帰·蜀魂"로 씀》. =소쩍새. ——-화(花) 명 ☞ 진달래꽃.
두고-두고 부 久しく; 長らく; 永遠に.
두골【頭骨】 명〔生〕頭骨.
두근-거리다 자 (ひどく驚いたり恐れたりして胸が)どきどきする; どきつく; わくわくする. ¶가슴이 ~ どうき(動悸)が打つ; 胸が騒ぐ. 두근-두근 부하자 (胸が)どきどき; わくわく.
두글-두글 부 大きくて重いものが続けざまにころぶさま. また, その音: ごろりごろり; ごろごろ. >도글도글. ㅆ뚜글뚜글.
두꺼비 명〔動〕ひきがえる(蟇·蟾蜍); がま(蝦蟇). ¶~ 파리 잡아먹듯《俚》がまがはえ(蠅)を捕って食べるように《手当たり次第に食べることのたとえ》.
‖——-집 명《俗》(電気の)安全開閉器.
두껍다 형 厚い; 分厚い. ¶두꺼운 잎새 肉質の葉 / 두껍게 짠 직물 厚手の織物 / 두꺼운 겨울 옷 厚地の冬服 / 낯가죽이 ~ 面の皮が厚い.
두껍-다랗다 형 思ったより大分厚い.
두껍디-두껍다 형 非常に厚い.
두께 명 厚さ; 厚み. ¶~ 1밀리의 철판 厚さ一ミリの鉄板 / ~가 얇다 分厚が薄い.
두-끼 명 日に二度の食事.
두뇌【頭脳】 명 頭脳. ¶~ 집단〔유출〕頭脳集団〔流出〕.
두다 一타 ① 置く. ㉠ (ある位置に)とどめる. ¶책을 책상 위에 ~ 本を机の上に置く. ㉡ (一定の時間に)わたる. ¶사흘을 두고 싸웠다 三日間も争った. ㉢ (人を)雇う; 取る; 囲う. ¶식모를 ~ 女中を置く / 제자를 ~ 弟子を取る / 첩을 ~ めかけ(妾)を囲う. ㉣ 隔たりを置く. ¶개울을 사이에 두고 그의 집이 있다 小川を隔てて彼の家がある. ㉤ 設置する; 設ける. ¶내무부에 지방국을 ~ 内務部に地方局を設置する〔置く〕. ② 留める. ¶마음에 ~ 心に留める / 남몰래 그녀에게 정을 ~ 密かに彼女に心を寄せる. ③ (碁を)打つ; (将棋を)指〔差〕す. ¶외통 장기를 ~ 詰め将棋を指す. ④ 混ぜる. ¶콩을 둔 밥 豆入りの飯 / 팥을 두어 밥을 짓다 小豆を混ぜて飯を炊く; 赤飯をたく. ⑤ 綿入れをする. ¶이불에 솜을 ~ ふとんに綿を入れる. ⑥ 残す. ¶남겨 두었다가 나중에 먹어라 残して後で食べなさい. 二 보동 他動詞の語尾 "-아"や"-어"に付いてその動作の結果を持ちつづけることを表わす語: …(して)置く. ¶잘 보아 ~ よく見て置く.
두대-박이 명 帆柱二本の船.
두더지 명〔動〕もぐら(土竜).
두덜-거리다 자 ☞ 투덜거리다. 두덜-두덜 부하자 ☞ 투덜투덜.
두덩 명 へこんだ地面のへりの隆起したところ; 畝. ¶~에 누운 소《俚》畝に寝そべった牛《結構な身分のたとえ》.
두두룩-하다 형 小高く盛り上がっている; ふっくらとしている. 준 두둑하다. 두두룩-두두룩 부하형 ひどくふくらんでいるさま.
두두룩-이 부 ふっくらと.
두둑 명 ① あぜ(畦·畔). ② 畝.
두둑-하다 형 ① 大変厚い. ¶두둑한 돈 다발 分厚い札束. ② 豊かである; 豊富である. ③ ↗두두룩하다. >도독하다. 두둑-이 부 分厚く; 豊かに.
두둔 명하타 味方してかば(庇)うこと; 肩を持つこと. ¶제 아이만 ~하다 自分の子ばかりかばう.
두둥-둥실 부 ふわりふわり. ¶수평선에서 ~ 떠오르는 아침 해 水平線からふわり浮き上がる朝日.
두-둥둥 부 太鼓·つづみなどを盛んに打つ音: どんどん.
두-둥실 부 水または空中に浮かぶさま: ふわりと; ぽっかり. ¶~ 떠오르는 달 ぽっかり浮かび上がる月.
두드러기 명 じんましん(蕁麻疹).
두드러-지다 一형 目立つ; 著しい; 表立つ; 際立つ. ¶두드러지게 눈에 띄는 연기 際立つ演技 / 두드러진 작품 めぼしい 作品 / 두드러지게 키가 큰 사람 ずば抜けて背の高い人 / 두드러지게 반대할 필요는 없다 表立って反対することはない. ㉢ 자 盛り上がって突きだす. ¶ 유난히 두드러진 배 いやに突きだした腹. >도드라지다.
두드리다 타 たた(叩)く; 打つ. ㅆ뚜드리다. ¶ 문을 ~ 戸をたたく.
두들기다 타 むやみに殴る; やたらにたた(叩)く. ㅆ뚜들기다.
두랄루민 〔duralumin〕 명 〖化〗 ジュラルミン.
두런-거리다 자 人人がむつ(睦)まじく話し合う. 두런-두런 부하자 ひそひそ; ぼそぼそ.

ㄷ

두렁 명 あぜ(畦·畔). ¶ 논~ 田のあぜ / 밭~ 畑のあぜ.
두레 명 農繁期に村人が協力するための集い. ── 먹다 자 ① 多くの人が車座になって物を食べる. ② 農民が食べ物を準備して遊楽する.
‖──-꾼 명 "두레"に集った農民. ── 농사(農事) 명 農繁期の共同農作. ──-상(床) 명 大勢の人が使える食卓. 두렛-날 명 "두레"でする共同作業日. 두렛-논 명 共同で作業する田. 두렛-일 명 ☞ 두레 농사.
두레-박 명 つるべ(釣瓶). ¶ ~으로 물을 푸다 つるべで水をくむ.
두려-빠지다 자 く(刳)りぬ(貫)ける; えぐ(抉)り取られる.
두려움 명 恐怖; 恐さ; 心配; 不安; 懸念.
두려워-하다 타 ① 恐れる; 怖がる; おっかながる〈俗〉. ¶ 죽음을 ~ 死を恐れる. ② いけい(畏敬)する. ¶ 신을 두려워하지 않는 행위 神をおそ(畏)れぬ行為.
두렵다 형 ① 怖い; 恐ろしい. ¶ 어쩐지 ~ 物恐ろしい. ② 心配だ. ¶ 그 애의 장래가 ~ その子の将来が心配である. ③ 威風があって恐れ入る.
두령 【頭領】 명 頭領; 頭目; 親分; かしら. ¶ 도적의 ~ 盗賊のかしら.
두루 부 あまねく(《"普く·遍く·洽く"라고도 쏨》); まんべん(満遍)なく; 漏れなく. ¶ 산하를 ~ 다니다 山河をあまねく巡り歩く / 여러 고장을 ~ 돌아다니다 諸国をあまねく行脚する. ──── 부 あまねく. ── 쓰다 타 広く一般的に使う.
‖── 춘풍(春風) 명 八方美人. ──-치기 명 一つの物をあれこれと広く使うこと.
두루-마기 명 ツルマギ(《コートのような韓国特有の着物》). =주의(周衣).
두루-마리 명 巻き物; 巻紙.
두루-뭉수리 명 ① (形の整わない)雑然とした物事. ㊣ 뭉수리. ② 下らない〔つまらない〕人.
두루미 명 〖鳥〗 つる(鶴)(《준말》); たんちょうづる(丹頂鶴). =학(鶴).
두르다 타 ① 覆い隠す; 囲む. ¶ 산에 둘러싸인 동네 山に囲まれた村 / 띠를 ~ たすき(襷)を掛ける / 뜰에 울타리를 ~ 庭に垣を巡らす / 완장을 ~ 腕章を巻く. ② (円を描い
て)回す. ¶ 횃불을 휘휘 ~ たいま(松明)をぐるぐる回す. ③ 融通する. ¶ 돈을 ~ お金を融通する.
두르르[1] 부 巻かれたものを解くやなや元に巻かれるさま: くるく >도르르. ㅆ뚜르르[1].
두르르[2] 부 ☞ 뚜르르[2].
두름 명 山菜や干し魚などをわ(藁)で編みつな(繋)いだもの.
두름-성 【─性】 명 融通性; やくり性. =주변성.
두릅 명 たらのき(楤木)の芽; たら穂《구어적(口語的)으로는 "たらっぽ"》.
‖──-나무 명 〔植〕 たらのき.
두리-반 【─盤】 명 大きくて丸い台付きのおぜん(膳).
두리번-거리다 자 きょろきょろ見回す. ¶ 주위를 ~ きょろきょろと辺りを見回す. 두리번-두리번 부하자 きょろきょろ.
두-말 명 とやかく言うこと. ── 말고 부 とやかく言わないで. ── 않다 자 とやかく言わない. ── 없이 부 とやかく言わずに. ¶ ~ 승낙했다 二つ返事だった.
두메 명 遠山里; 片田舎.
‖두메 산(山)골 명 ☞ 두메. 두멧-구석 명 山奥; 僻村. 두멧-사람 명 片田舎に住む人.
두목 【頭目】 명 頭目; 大将; 頭; 親分; おさ(長)〈雅〉. ¶ 너희 ~이 누구냐 お前らの親玉は誰だ.
두문 불출 【杜門不出】 명하자 家に閉じこもって外出しないこと.
두-문자 【頭文字】 명 頭文字.
두발 【頭髮】 명 頭髪. =머리털.
두-벌 명 二度目にすること. =재벌.
‖──-갈이 명하타 二度目の耕作. ── 솎음 명하타 二度目の間引き. また, その青物.
두부 【豆腐】 명 豆腐. ¶ ~ 산적 田楽豆腐 / 구운 ~ 焼き豆腐 / ~ 찌개 豆腐を入れて煮詰めた '찌개'.
두부 【頭部】 명 ① 〔生〕 頭部. ② 物の上部.
두-사이 명 二つの間; 二人の間(仲).
두상 【頭狀】 명 頭状.
‖──-화 명 〔植〕 頭状花; 頭花.
두서 【頭書】 명 序文; 前書き.
두서 【頭緒】 명 ① 事の端緒; 手がかり. ② 条理; 筋道. ──-없다 형 (話の)筋が通っていない; (話の)つじつま(辻褄)が合わない. ¶ 두서없는 말을 하다 筋の通らぬ話をする. ──-없이 부 取り止めもなく.
두-서너 관 二つ三つ.
두-서넛 수 二つまたは三つ四つ.
두성 【斗星】 명 ① 斗星. ② 北斗七星の別称.
두-세 관 二つ三つの. ¶ ~ 가지 물건 二つ三つの品物.
두-셋 수 二つ三つ; 両三.
두송 【杜松】 명 〔植〕 ねず(杜松). =노간주나무.
두수 【頭數】 명 頭数. ¶ 소의 사육 ~ 牛の飼育頭数.
두어 관 二つ程の意. ¶ ~ 사람 二人位.

두어-두다 타 見捨てる；捨て置く；ほったらかす. ¶이것저것 다 두어두고 なにかのことはさて置いて. 준 둬두다.
두억-시니 명 やしゃ(夜叉).
두엄 명 積み肥.
‖——간(間) 명 積み肥小屋. —— 더미 명 積み肥の山.
두엇 명 二つほど.
두옥【斗屋】명 小さい家〔部屋〕.
두운【頭韻】명 頭韻. ¶～을 달다 頭韻を踏む.
두유【豆油】명 ☞ 콩기름.
두유【豆乳】명 豆乳.
두음【頭音】명 頭音；音節の初声.
‖—— 경화 명〔言〕頭音硬化. —— 법칙 명〔言〕頭音法則.
두-이레 명 出産後十四日目の日.
두이-부【—二部】명 漢字部首の一つ. "云"·"亘"などの"二"の名.
두인-변 【—人邊】 명 行人偏；"往"·"徳"などの"彳"の名.
두절【杜絶】명하자 途絶. ¶통신 ～ 通信途絶.
두정-골【頭頂骨】명 頭頂骨.
두족-류【頭足類】명 頭足類.
두주【斗酒】명 斗酒. ＝말술.
‖—— 불사(不辭) 명하자 斗酒をなお辞せず.
두주【頭註】명 頭注；頭書き. ¶～를 달다 頭注をつける.
두짝 열개 명〔建〕両開き.
두 쪽 명 ①二切れ. ②両側.
두찬【杜撰】명 ずさん(杜撰).
두창【痘瘡】명 とうそう(痘瘡)；天然痘.
두텁다 형 厚い；人情深い. ¶정의가 ～ 情宜に厚い；義理堅い／우정이 ～ 友情が深い. 두터-이 부 厚く. ¶우정을 ～ 하다 友情を深くする.
두톨-박이 명 双子くり(栗).
두통【頭痛】명 頭痛. ¶～이 나다 頭痛がする. ‖——거리 명 頭痛の種；厄介物〔事〕.
두툴-두툴 부하형 でこぼこ(凸凹)しているさま：ぼこぼこ. ＝우툴두툴.
두툼-하다 형 やや厚い；厚みがある. ¶두툼한 문서 分厚い文書. 두툼-히 부 やや厚く.
두편【—便】명 両方；両側.
‖——쪽 명 当方と先方；こちらとあちら.
두해살이-풀 명〔植〕二年生草本.
두호【斗護】명하타 かば(庇)って保護すること.
두화【頭花】명 頭花. ＝두상화(頭狀花).
두흉-부【頭胸部】명 ①頭と胸. ②〔動〕頭胸部.
두흔【痘痕】명 とうこん(痘痕).
둑 명 ①堤；土手；堤防. ¶～을 무너뜨리다 土手を突き破る. ②道を切り開くために築いた土手.
둑-길 명 土手路.
둔각【鈍角】명〔數〕鈍角. ¶～ 삼각형 鈍角三角形.
둔감【鈍感】명하형 鈍感；鈍重. ¶～한 사람 鈍感な人.
둔갑【遁甲】명 とんこう(遁甲). ——하다 자 化ける. ¶～술 忍法；忍術／여우로 ～하다 狐に化ける.
둔기【鈍器】명 鈍器. ¶～로 맞은 상처 자국 鈍器で殴られた傷跡.
둔덕 명 丘；塚. ——지다 형 地面が丘のように盛りあがる.
둔부【臀部】명 でんぶ(臀部)；おしり.
둔사【遁辭】명 とんじ(遁辞)；逃げ口上；逃げ言葉.
둔세【遁世】명하자 とんせい(遁世).
둔재【鈍才】명 鈍才.
둔주【遁走】명하자 とんそう(遁走).
‖——곡 명〔樂〕遁走曲；フーガ.
둔중【鈍重】명하형 ①鈍重. ②雰囲気などがけだるく重重しいこと. ③音などが鈍く重重しいこと.
둔치 명 水際；水際の丘.
둔-치다【屯—】一자 たむろ(屯)する；屯営する. ¶소부대가 마을에 ～ 小部隊が村に屯営する. 二타 群衆を集まらせる.
둔탁-하다 【鈍濁—】형 ①鈍重だ；鈍い. ¶둔탁한 사나이 鈍重な男. ②声などが鈍く濁っている.
둔통【鈍痛】명 鈍痛.
둔팍-하다【鈍—】형 愚かで鈍い.
둔필【鈍筆】명 ①下手な書き方. ②字の下手な人.
둔-하다【鈍—】형 ①鈍い. ¶재능이 ～ 才能が鈍い／머리가 ～ 頭が悪い／솜씨가 둔해지다 腕が鈍る. ②のろ(鈍)い. ¶동작이 ～ 動作が鈍い／둔하고 느린 사나이 鈍重な男. ③鈍い；ぼ(惚)けている. ¶신경이 ～ 神経が鈍い.
둔한【鈍漢】명 のろま.
둘 수 二；二つ. ¶～도 없는 즐거움 またとない楽しみ／～도 없는 귀한 물건 掛け替えのない物／～도 없는 친구 無二の親友／～ 다 갖추다 二つの物を合わせ持つ／～이 먹다 하나가 죽어도 모른다《俚》おとがい(頤)の離れる程うまい.
둘- 두 不妊または卵を持てない動物のめす(雌)の意. ¶～암소 不妊の雌牛／～암탉 卵をうめないめんどり.
둘둘 부 ①物を重ねて巻くさま：くるくる. ¶상처에 붕대를 ～ 감다 傷にほうたい(繃帯)をくるくると巻く. ②軽いものが早く転がる音：ころころ. ＞돌돌. ㄲ뚤뚤.
둘러-놓다 타 ①物を円く配置する. ②向きをかえておく. ＞돌라놓다.
둘러-대다 타 ①(金品を)やり繰りする. ¶비용 일부를 ～ 費用の一部をやり繰りする／어떻게 ～ 何とか都合する. ②(もっともらしく)言いまわす；言い繕う.
둘러-막다 타 囲いをする；巡らして遮る. ＞돌라막다.
둘러-맞추다 타 あれこれ取り繕う. ＞돌라맞추다. ¶말을 적당히 ～ うまく言い繕う.

ㄷ

둘러-매다 타 めぐらしてくく(括)る. >둘라매다.

둘러-메다 타 (やや軽いものを)肩にひょいと担ぐ〔背負う〕. ¶쌀자루를 어깨에 ~ 米袋を担ぐ.

둘러-보다 타 見回す; 眺め回す. >둘라보다. ¶주변을 ~ 辺りを見回す.

둘러-서다 자 取り巻く. >둘라서다. ¶길거리에 둘러서서 구경을 하다 道端に取り巻いて見物をする.

둘러-싸다 타 取り囲む; 巡らす. ¶그를 둘러싼 5명의 여자 彼を巡る五人の女性/모닥불을 둘러싸고 노래하다 かがりび(篝火)を囲んで歌う/찬부를 둘러싸고 격론을 벌이다 賛否を巡って激論を繰りひろげる.

둘러-싸이다 피동 取り巻かれる; 囲まれる. ¶산으로 둘러싸인 마을 山に囲まれた村.

둘러-쌓다 타 (あたりを)積み巡らす. ¶성을 ~ 城を築きめぐらす.

둘러-쓰다 타 ①引っ被る. ¶불티를 ~ 火の粉を浴びる. ②やり繰りする; 工面する.

둘러-앉다 자 囲んですわる; 円座する; 車座になる. ¶둘러앉은 사람들 まどい(団居)の人人.

둘러-엎다 타 ぶち壊してひっくり返す.

둘러-치다 타 ①振り飛ばす; ほう(抛)り投げる. ②(棒などで)振りたた(叩)く. ③(屛風·網などを)張りまわす; 巡らす; 引く; 引き回す. ¶벽에 커튼을 ~ 壁にカーテンを引く/둘러치나 메어치나 일반《俚》ふりまわすも, ふりなげるも同じ事だ《同じ結果のたとえ》.

둘레 명 ①縁; へり. ②周囲; まわり; ぐるり. ¶연못의 ~ 池の巡り〔まわり〕.

둘레-둘레 부 ①あたりをさぐるさま: きょろきょろ. ②円坐したさま: ぐるりと.

둘리다¹ 자 まことしやかな誘いに欺かれる.

둘리다² 피동 ①囲みふさ(塞)がれる. ②取り巻かれる. ③振り回される.

둘-잇단음표【—音標】 명〔樂〕 二連音符.

둘-째 수 二番目; 二つ目. ¶용모는 ~다 ようぼう(容貌)は二の次である/첫째도 공부, ~도 공부다 一つにも勉強, 二つにも勉強である.

둥¹ 명〔樂〕 韓国固有の音楽で, 音階の一つの第二音.

둥² 의명 ①…するような, …しないようなことを表わす語: …やら. ¶아침밥도 드는 ~ 마는 ~ 朝飯もそこそこに. ②なんのかのと理屈の多いことを表わす語. ¶좋다는 ~ 나쁘다는 ~ 말이 많다 よいとか悪いとかでやかましい.

둥³ 부 太鼓·琴の音: どん. >동³.

둥개-둥개 감 "둥둥³"をおもしろく言うあやす言葉.

둥그러미 명 丸; 円; 円形. >동그라미.

둥그러-지다 자 倒れ転ぶ; 転がる; 転倒する. >동그라지다.

둥그렇다 형 (真ん)丸〔円〕い; (やや大きく)丸やかだ. >동그랗다. ㅆ뚱그렇다. ¶눈을 둥그렇게 하다 目を丸くする.

둥그스름-하다 형 やや丸い; 丸やかだ; 丸っこい. >동그스름하다. 준 둥긋하다. ¶둥그스름한 얼굴 丸めの顔立ち. **둥그스름-히** 부 やや丸く; 丸めに.

둥근-귀 명 角先を丸やかにした材木の断面.

둥근-끌 명 丸のみ(鑿).

둥근-톱 명 丸のこ(鋸).

둥글넓데데-하다 형 丸っこく平べったい; 平たく丸みがある. >동글납대대하다.

둥글넓적-하다 형 丸くて平たい. >동글납작하다. **둥글넓적-이** 부 丸くて平たく.

둥글다 형 丸い. ①円やかだ; まど(円)かだ. ¶크고 둥근 달 まどかな月; 団団たる月. ②円満だ.

둥글-둥글 부하형 ①一様に丸いさま: まるまる. ¶~하게 썰다 輪切りにする. ②しきりに回るさま: くるくる. ③性格が円満なさま.

둥글리다 타 丸〔円〕くする; 丸める. >동글리다.

둥글뭉수레-하다 형 丸くてずんぐりしている.

둥글번번-하다 형 丸くて滑らかだ. ¶얼굴이 ~ 顔が丸くのっぺりしている. **둥글번번-히** 부 のっぺりと; 丸くなめらかに.

둥긋-하다 형 ↗둥그스름하다. >동긋하다. **둥긋-이** 부 ↗둥그스름히.

둥덩-거리다 타 太鼓をどんどん打ち鳴らす. >동당거리다. **둥덩-둥덩** 부하타 どんどん.

둥덩산-같다【—山—】 형 ①うず高く積もっている. ②身ごもって腹が大きい. **둥덩산-같이** 부 うず高く; (妊婦の)太鼓腹のように.

둥둥¹ 부 鼓を打ち鳴らす音: どんどん. >동동¹.

둥둥² 부 ↗둥실둥실. ¶물에 ~ 떠 있다 水にぷかぷかと浮いている.

둥둥³ 감 幼児をおんぶするかまたはだっこしたりしてあやすことば.

둥실 부 物が浮かび上がるさま: ふわり; ふわっと. ¶달이 ~ 떠 있다 月が高くかかっている. **둥실-둥실** 부 ふわふわ; ぽっかり.

둥실둥실-하다 형 ぽってりしている; まるまる太っている. >동실동실하다.

둥싯-거리다 자 ①(舟などが)緩く揺れながら行く. ②体をのろ(鈍)くうごかす. **둥싯-둥싯** 부하자 のろのろ; ゆるゆる.

둥우리 명 ほうき草やわら(藁)などで編んだかご(籠).

둥주리 명 わら(藁)で粗く編んだかご(籠).

둥치 명 大木の根元.

둥-하다 의형 보동 するようでもあり, しないようでもある《"만·마는·말"など

の次に限って用いる》. ¶그는 나를 [보]는 둥 마는 둥 하였다 彼はわたしを見も見ないもしなかった.

-두다 [타] ↗두어두다.

-쓰다 [타] ↗뒤어쓰다.

뒤 [명] ① 後. ㉠ 後ろ; 後方. ¶~를 돌아보다 後ろを(ふり)向く / ~로 물러나다 後へ下がる / (남의) ~를 따라가다 (人の)後に続く〔ついて行く〕; しり(尻)につく / ~에서 따라오다 後からついて来る / (사람의) ~를 밟다 (人の)跡をつける / 고향을 ~로 하다 故郷を後にする. ㉡ 後; 後日. ¶십년 ~ 十年後 / 저녁 식사 ~에 夕食の後に / ~에 안 일이지만 後にわかった事であるが / ~로 돌리다 後に回す. ㉢ 後継〔跡継〕ぎ. ¶~가 끊기다 後が絶える. ㉣ 後の事. ¶~처리 後始末 / ~는 내가 맡는다 後は僕が引き受ける. ㉤ その外のこと; 残り. ¶~는 상상에 맡긴다 後は想像に任せる. ㉥ 死後. ¶~에 남은 가족 後に残った家族 / ~를 부탁하다 後を頼む. ② 背後; 陰. ¶~에서 농간부리다 陰で細工をろう(弄)する. ③ 大便. ¶~(를) 보다 大便をする / ~가 마렵다 大便を催す. ④ ↗뒷발.

뒤-까불다 [타] 体を振り振り軽薄に振る舞う.

뒤꼍 [명] 裏庭; 後庭.

뒤-꿈치 [명] ↗발뒤꿈치.

뒤-끓다 [자] ① 沸き立つ; 煮立つ. ¶주전자의 물이 ~ やかん(薬缶)の湯が沸き返る. ② ごった返す. ¶인파로 ~ 人の波でごった返す.

뒤-끝 [명] 終わり; 結び; しんがり.

뒤넘기-치다 [타] ① 後ろに倒す. ② ひっくり返す; 覆す.

뒤-넘다 [자] ① あおむ(仰向)きに倒れる. ② 覆る; ひっくり返る.

뒤넘-스럽다 [형] 生意気だ; おこがましい.

뒤-놀다 [자] ① ぐらつく; はげしく揺れ動く. ② 心のおもむくままに歩き回る.

뒤-늦다 [형] (非常に)遅い; 立ち遅れる《동사적》. ¶뒤늦게 오다 遅れて(やって)来る.

뒤-대다 [타] (後ろ盾になって)めんどう(面倒)を見てやる; (金・物などを)続けて提供する〔貢ぐ〕.

뒤-덮다 [타] 覆いかぶせる; 覆い包む; 覆う.

뒤-덮이다 [피동] 覆いかぶせられる; 覆われる.

뒤-돌아보다 [자] 振り返る; 振り向く; 顧みる.

뒤-둥그러지다 [자] ① ゆが(歪)む; 反る; ねじ(捩)れる; むくれる. ② ひが(僻)む; ひねくれる.

뒤-따라오다 [타] 後から付いて〔後を付けて〕来る.

뒤-따르다 [타] 後に従う; 後を追う; 後をつける. ¶그를 뒤따르는 동지 彼に続く同志.

뒤-떠들다 [자] わいわい騒ぐ; 騒ぎ立てる. ¶청중이 ~ 聴衆が立ち騒ぐ.

뒤-떨다 [타] 激しく身震いする.

뒤-떨어지다 [자] ① (立ち)遅れる; 後になる. ② 後に残る. ③ 劣る. ¶능력이 남보다 ~ 能力が人に劣る. ④ 時代に後れる; 時代遅れになる. ¶시대에 뒤떨어진 생각 時代遅れの考え.

뒤뚝-거리다 [자] よろける; ふらつく; ぐらつく. **뒤뚝-뒤뚝** [부][하자] よろけるさま; 足元がふらつくさま: よろよろ; よたよた.

뒤뚱-거리다 [자] (物・人などが)よろめく; ぐらつく; ふらふらする. **뒤뚱-뒤뚱** [부][하자] よろよろ; ぐらぐら; ふらふら.

뒤뚱-발이 [명] ふらふら〔よろよろ〕歩く人.

뒤-뜨다 [자] ① 反り返ってねじ(捩)れる. ② 言い返して盾突く. ¶어른의 말씀을 함부로 뒤뜨지 마라 むやみに目上の言葉に盾突いてはいけない.

뒤-뜰 [명] 後庭; 裏庭.

뒤룩-거리다 [자타] ① (目玉が)ぎょろぎょろする; ぎょろつかせる. ② 太った体をのろ(鈍)く動かす. ③ 怒ってぷりぷりする. >되록거리다. ㅆ뛰룩거리다. **뒤룩-뒤룩** [부][하자타] ぶくぶく; ぎょろぎょろ; ぷりぷり.

뒤룽-거리다 [자] (重い物が)ぶら下がって揺れる. >되롱거리다. **뒤룽-뒤룽** [부][하자] ぶらぶら.

뒤무릎-치기 [명] (相撲で)後方に突っぱった相手のひざ(膝)を攻める技.

뒤-미처 [부] 追っかけて; 後を追って; 相次いで.

뒤-바꾸다 [타] 裏返す; 後先〔あべこべ〕にする; (物を)取り違える.

뒤-바꾸이다, 뒤-바뀌다 [자] 後先〔さかさま〕になる; 順番が狂う; (ほかの物と)取り間違う. ¶이야기가 ~ 話が後先になる / 순서가 ~ 順序が狂う.

뒤-바르다 [타] 塗りたくる〔つぶす〕; やたらに張りつける. ¶얼굴에 분을 ~ おしろいを塗り立てる.

뒤발-하다 [타] 泥などをひっかぶる; 泥まみれにする.

뒤-밟다 [타] (ひそかに)後をつける; 尾行する.

뒤-버무리다 [타] 混ぜ合わす; やたらに混ぜ返す.

뒤-범벅 [명] ごったまぜ; ごちゃごちゃな状態; めちゃくちゃ〈俗〉. ¶~이 되어 뭐가 뭔지 도무지 모르겠다 めちゃくちゃになって何が何やらさっぱりわからない.

뒤-보다[1] [자] "똥누다(=大便をする)"の上品な語; はばか(憚)りに行く; 用を足す; 用足しをする.

뒤-보다[2], **뒤보아 주다** [타] 後ろ見になって世話をする; 後ろ盾をする; 後援する.

뒤-섞다 [타] 混ぜっ返す; かき〔こき〕混ぜる; ごっちゃにする.

뒤-섞이다 [자] ① 入り交じる; 入り乱れる; かき〔取り〕混ぜられる. ②

ㄷ

皆一様になる.
뒤숭숭-하다 형 ① 取り乱されている. ㉠ (心が)乱される；ざわつく；落ち着かない. ㉡ (物が)取り散らされている. ② あわただしい. ㉠ (雰囲気などが)取り込んでいる. ㉡ (世の中が)騒がしい；物騒だ.
뒤스럭-거리다 자 ① 気まぐれに振る舞う. ② ごそごそと手探りする；いじく(弄)りまわす. **뒤스럭-뒤스럭** 부하자 ① 気まぐれに振る舞うさま. ② いじくりまわすさま：ごそごそ.
뒤스르다 타 (何かをなすために)いじくりまわす；どうにかしてやりくる.
뒤어-쓰다 타 (ふとんなどを)ひっかぶる. =들쓰다. 준 뒈쓰다.
뒤-엉키다 자 絡まる；入り乱れる. ¶여러 생각이 ~ あれこれの考えが入り乱れる.
뒤-엎다 타 ひっくりかえす；覆す.
뒤웅-박 명 (割らずに中子をえぐり出した)ふくべ(瓠). ¶~ 차고 바람 잡는다《俚》 ふくべを提げて雲をつかむ《途方もないことをしでかすことのたとえ》.
뒤웅-스럽다 형 愚かに見える；もっさりしている. ¶뒤웅스러운 사나이 もっさりした男.
뒤-잇다 타 引き続く；相次ぐ. ¶인사에 뒤이어 축사가 있었다 あいさつ(挨拶)に次いで祝辞があった.
뒤적-이다 타 かき回して探す；手探りする. **뒤적-거리다** 타 しきりに探す. **뒤적-뒤적** 부하타 かき回したり手探りするさま.
뒤져-내다 타 くまなく探って探しだす.
뒤져-보다 타 くまなく探してみる.
뒤-조지다 타 (物事の)締めくくりをしっかりつける.
뒤좇아-가다 타 ① すかさず後を追って行く；追いかける. ② 人の意に従う.
뒤주 명 こめびつ(米櫃).
뒤죽-박죽 부 ごっちゃごっちゃ；ごったた；めちゃめちゃ. ¶~이 되다 ごっちゃごっちゃになる.
뒤-쥐 명〔動〕じねずみ(地鼠).
뒤-지【—紙】명 落とし紙；ちり紙.
뒤-지다[1] 자 (立ち)遅〔後〕れる；引けを取る. ¶지능이 뒤진 아이 知能の遅れた子供 / 유행에 뒤지지 않도록 하다 流行に後れないようにする.
뒤지다[2] 타 (くまなく)探す；あさ(漁)る. ¶샅샅이 ~ くまなく探す；しらみつぶ(虱潰)しにさがす / 호주머니를 ~ ポケットを探る.
뒤-집다 타 ① 覆す. ㉠ 裏返す. ¶손바닥을 ~ 手のひらを返す / 뒤집어 놓다 裏返しにする / 양말을 뒤집어 신다 くつ下を裏返しにはく. ㉡ (物事・説などを)ひっくり返す；だめにする；くじく. ¶계획을 ~ 計画を覆す / 배를〔정설을〕 ~ 船〔定説〕を覆す. ② (事の)順序を変える；後先にする. ③ (静けさを破って)騒然とさせる； 混乱に陥らせる.

뒤집어-쓰다 타 かぶ(被)る. ① (かぶ物・ふとんなどを)引っかぶる. ¶ 이불을 ~ ふとんを引っかぶる. ② (人の罪などを)かぶる；なすりつけられる；着る. ¶죄를 ~ 罪をかぶる ③ (水・ほこりなどを)浴びる. ¶배가 파도를 ~ 船が波をかぶる / 흙먼지를 ~ 土ぼこりを浴びる.
뒤집어-씌우다 사동 かぶ(被)せる. ① 覆いかぶせる；おっかぶせる；引っかぶせる. ② (罪などを)おっかぶせる；なすりつける. ¶책임을 남에게 ~ 責任を人におっかぶせる. ③ (何かを)浴びせる. ¶먼지를 ~ ほこりをかぶせる.
뒤-집히다 자 ① (物事が)ひっくり返る；覆る. ¶형세가 ~ 形勢がひっくり返る. ② 大騒ぎになる. ¶회사가 발칵 ~ 会社がごったがえしの大騒ぎになる.
뒤-쪽 명 後ろがわ；後方.
뒤-쫓다 타 追いかける；後を追う；後をつける. ¶바짝 ~ 追い詰める / 소매치기를 ~ すり(掏摸)を追いかける / 적을 멀리까지 ~ 敵を長追いする.
뒤-차【—車】명 次〔後〕の車；後車.
뒤-창 명 靴のかかと(踵). =뒤축.
뒤-채 명 (母屋の後ろにある)離れ；後ろの棟.
뒤척-거리다 타 しきりにかきまわしながら探す. **뒤척-뒤척** 부하타 かきまわしながら探すさま：ごそごそ.
뒤척-이다 타 ひっかき回しながら探す. >되착이다.
뒤-축 명 (靴などの)かかと(踵). ¶~이 해어진 짚신 しり切れ草履.
뒤치다 타 ひっくりかえす；返す. ¶자다가 몸을 ~ 寝返りを打つ.
뒤-치다꺼리 명하자 ① 後ろ見；後ろ盾；世話. ② 後始末；しりぬぐ(尻拭)い. =뒷수쇄.
뒤치락-거리다 타 しきりにひっくり返す.
뒤-탈【—頉】명 たた(祟)り；後腐れ. ¶~이 없다 後腐れがない / 과음한 ~로 위궤양이 됐다 飲み過ぎがたたっていかいよう(胃潰瘍)になった.
뒤-통수 명 後頭(部). =뒷골·뒷머리.
뒤퉁-스럽다 형 不器用だ；(そこつ(粗忽)で)よくへまをやらかす. >되퉁스럽다.
뒤-틀다 타 ① ねじる；よじる；もだえる. ¶아파서 몸을 ~ 痛みで身をもだえる. ② (事を)妨げる；くじく；つまずかせる.
뒤-틀리다 피동 ① ねじれる；よじれる. ② 理に反する.
뒤틀어-지다 자 (事が)よじれる.
뒤틈-바리 명 そこつ(粗忽)者.
뒤-편【—便】명 後ろがわ.
뒤-품 명 後ろ身頃の幅.
뒤-흔들다 타 揺るがす. ① 激しくゆさぶる. ¶나무를 ~ 木をゆさぶる / 천지를 뒤흔드는 폭음 天地を揺るがす爆音. ② 波紋を起こす；驚かす. ¶세계를 뒤흔든 일대 사건 世界

…を揺るがせた一大事件.
뒨장-질 명하타 隅隅まで探すこと.
뒨장-하다 타 くまなく探す; しらみつぶ(虱潰)しに探す.
뒷-간【一間】명 便所; かわや(廁)〈老〉. ¶ ~에 갈 적 마음 다르고 올 적 마음 다르다《俚》用ある時の地蔵顔用なき時のえんまがお(閻魔顔).
뒷-갈망 명 後始末; 締めくくり. ――놓다 타 後始末をする.
뒷-갈이 명하타 ① 裏作. =후작(後作). ② 収穫後の耕かし.
뒷-거래【一去來】명하타 やみ(闇)取引.
뒷-거름 명 追い肥; 補肥.
뒷-거리 명 裏町; 裏通り.
뒷-걸음 명 後じさり; しり込み; しりあし(尻足). ――치다 자 後じさりする; しりごみをする.
‖――질 명하자 後じさりをすること.
뒷-골 명 ☞ 뒤통수.
뒷-골목 명 裏路地; 裏通り; 横町.
뒷-공론【一公論】명 ① (事後の)批評〔議論〕; 後の取りざた. ② 壁訴訟; 陰口.
뒷-구멍 명 ① 後ろの穴. ② 裏口. ¶ ~ 입학 裏口入学.
뒷-길¹ 명 (後日を期する)見込み.
뒷-길² 명 ① 裏道; 裏街道. ② 京畿道以南の地で平安道を指す語.
뒷-날 명 後日; 他日; いつか. ¶ ~을 기약하다 他日を期する.
뒷-다리 명 後足. ¶ ~를 잡히다 揚げ足を取られる.
뒷-담 명 後ろの方の塀.
뒷-담당【一擔當】명 後始末; 事後の引き受け. =뒷갈망.
뒷-대문【一大門】명 裏門.
뒷-덜미 명 襟首; うなじ(項)〈雅〉. ¶ ~를 잡다 襟首をつかむ; 首根っこを押さえる. ㊟ 덜미.
뒷-돈 명 ① 後を絶やさず続けてくり込む金. ② 商売・ばくちに貢ぐ金.
뒷-동산 명 (家や村の)裏山; 裏手の園.
뒷-들 명 (家や村の) 裏手の野原.
뒷-마감 명하타 後始末. =뒷막이.
뒷-막이 명 ①(家具の)裏がわに当てる板. ② ☞ 뒷마감.
뒷-말 명하자 ① 陰口. ② 後の取りざた; 後のうわさ.
뒷-맛 명 後味; 後口. ¶ ~이 개운치 않다 後味が悪い; 寝覚めが悪い《비유적으로도 씀》.
뒷-맵시 명 ☞ 뒷모양.
뒷-머리 명 後ろ髪.
뒷-모습 명 後ろ姿; 後ろ影. ¶ 뛰어가는 그의 ~이 보였다 走って行く彼の後ろ姿が見えた.
뒷-모양【一貌樣】명 後ろ姿. =뒷모습.
뒷-몸 명 体の背面.
뒷-무릎 명 ひかがみ(膕). =오금.
뒷-문【一門】명 裏門; 背戸.
뒷-물 명 腰湯; 座浴. ――하다 자 座浴する; 腰湯を使う.
‖―― 대야 명 座浴用のたらい(盥). =뒷대야.
뒷-바닥 명 靴底のかかとの部分.
뒷-바라지 명 (人の)めんどう(面倒)を見ること; 世話. ――하다 자 世話をする; めんどうを見る.
뒷-바퀴 명 後車輪.
뒷-받침 명 ① 後押し; 後ろ盾; 支持. ――하다 자 後押しする; 後援〔支持〕する. ② 裏付け; 裏書き. ――하다 타 裏付ける. ¶ 이론의 ~이 없다 理論の裏付けがない/사실이 그의 말을 ~한다 事実が彼の言葉を裏付ける.
뒷-발 명 ① 後足; しり足. ② 後ろに引いた足.
‖――질 명하자 後足でけ(蹴)ること.
뒷-발길 명 後足け(蹴)り.
뒷-방【一房】명〔建〕居間の裏部屋.
뒷-밭 명 裏畑.
뒷배 명 後ろ見; 後見. ¶ ~를 보다 後ろ見をする; 後見をする; 世話をする.
뒷-배포【一排布】명 (剣道で)相手を打つか突いてからも警戒をおこたらないこと.
뒷-벽【一壁】명 後ろの壁.
뒷-보증【一保證】명하자 ① (証券・手形の)裏書き. =배서(背書). ② 主たる保証人の代わりに陰でその義務を履行すること.
뒷북-치다 구 手遅れになってから騒ぎ立てる.
뒷-사람 명 ① 後の人. ② 後生.
뒷-산【一山】명 裏山.
뒷-생각 명 ① 後の事の思わく. ② 後知恵.
뒷-셈 명 事の済んだ後に至ってそのあらましをつか(摑)むこと.
뒷-소리 명 ① ☞ 뒷말. ② 後ろで応援する声.
뒷-소문【一所聞】명 後聞; 後のうわさ; 後日のうわさ.
뒷-손 명 (わいろ(賄賂)などを)遠慮を装いながらそっともら(貰)う手.
뒷손가락-질 명 後ろ指. ¶ ~을 하다 後ろ指を指す/남에게 ~을 받다 人に後ろ指を指される.
뒷손-없다 형 (仕事などの)締めくくりをゆるがせにするたち(質)だ. 뒷손-없이 부 締めくくりをせずに.
뒷-수습【一收拾】명 後始末; 収拾.
뒷-심 명 ① (人の)後ろ見; 後ろ盾; 背後の助け. ② 底力; がんば(頑張)り通す力.
뒷-일 명 後事; 後. ¶ ~을 부탁한다 後を頼む.
뒷-입맛 명 後味. =뒷맛.
뒷-자락 명 うしろのすそ(裾).
뒷-자손【一子孫】명 あと; 後孫. ¶ 저 집은 ~이 없다 あの家はあとが絶えた.
뒷-전 명 ① 後ろ; 後部. ¶ ~으로 물러나다 後ろの方に引き下がる. ② 陰; 裏面; 背後. ¶ ~에서 공론하다 陰で取りざたする. ③ 後回し; なおざり. ¶ 일을 ~으로 미루다 仕事を後回しにする/숙제는 ~으로

돌리고 놀다 宿題はそっちのけにして遊ぶ. ④ 船縁の後部.
뒷-줄 명 後列.
뒷-지느러미 명 〔魚〕 しりびれ(尻鰭).
뒷-질 명하자 (船が)前後に揺れること; 縦揺れ; ピッチング.
뒷-짐 명 後ろ手. —— 지다 자 後ろ手に組む. —— 지우다 一타 後ろ手に縛る. 二사동 後ろ手に組ませる.
‖—— 결박(結縛) 명하타 高手小手に縛ること.
뒷-집 명 後ろ隣り(の家).
뒹굴다 자 ① 寝転ぶ; 寝転がる. ¶ 자동차가 사고로 ~ 自動車が事故で横転する. ② ごろごろして怠ける.
듀공 〔dugong〕 명 〔動〕 じゅごん(儒艮); 「人魚.
듀스 〔deuce〕 명 ジュース.
‖—— 어게인 명 ジュースアゲーン.
듀엣 〔duet〕 명 〔樂〕 デュエット.
듀테론 〔deuteron〕 명 〔物〕 デューテロン; 重陽子. =중양성자(重陽性子).
듀테륨 〔deuterium〕 명 〔化〕 デュテリウム; ジュウテリウム; 重水素.
드나-들다 자 ① (ひんぱんに)出入りする. ¶ 정부 집에 ~ 情婦の家に通う / 사람이 많이 ~ 人の出入りが多い. ② ひんぱんに入れかわる.
드난 명 (主に女性の)通い奉公. ¶ ~살다 通い奉公暮らしをする.
‖——살이 명하자 通い奉公暮らし.
드-날리다 타 取り上げて飛ばす.
드-넓다 형 広い; 広広としている.
드-높다 형 非常に高い; 高らかだ《음성이》. ¶ 목소리도 드높이 노래 부르다 声高らかに歌う.
드디어 부 ついに; とうとう(到頭); いよいよ; ようやく. =결국. ¶ ~ 완성을 보았다 ついに完成を見た / ~ 본격적인 비다 いよいよ本降りである.
드라마 〔drama〕 명 ドラマ. ¶ 홈 ~ ホームドラマ.
드라마티스트 〔dramatist〕 명 ドラマチスト.
드라마틱 〔dramatic〕 명하형 ドラマチック. ¶ ~한 장면 ドラマチックな場面.
드라이 〔dry〕 명하형 ドライ.
‖—— 독 명 ドライドック. —— 밀크 명 ドライミルク; 粉乳. —— 아이스 명 〔化〕 ドライアイス. —— 클리닝 명 ドライクリーニング.
드라이버 〔driver〕 명 ドライバー.
드라이브 〔drive〕 명하자타 ドライブ.
‖——-웨이 명 ドライブウェー. ——-인 명 ドライブイン.
드라이어 〔drier〕 명 ドライヤー.
드래프트 비어 〔draft beer〕 명 ドラフトビール. =생맥주.
드러-나다 자 現〔表〕われる. ① 表にはっきり出る. ¶ 모습이 ~ 姿が現われる / 표면에 ~ 表面に表われる / 놀란 기색이 표정에 ~ 驚きの色が表情に現われる. ② (隠した物事が)露見〔露顕〕する; 割れる〈俗〉. ¶ 마각이 ~ 化けの皮がはがれる / 비밀이 ~ 秘密がばれる / 구악이 ~ 旧悪が露顕する.
드러-내다 타 現〔表〕わす; 目立たせる; あらわにする; さらけ出す. ¶ 창피〔수치〕를 ~ 恥をさらす / 젖가슴을 ~ 乳房をさらけ出す / 결점을 ~ ぼろを出す / 본심을 ~ 本音を吐く / 이를 ~ 歯をむき出す.
드러-눕다 자 横になる; 横たわる; 寝そべる. ¶ (잠)자리에 ~ 寝床に横になる; 床にふせる / 큰댓자로 ~ 大の字に寝そべる / 아무렇게나 ~ なるがままに寝転ぶ.
드러머 〔drummer〕 명 ドラマー.
드러-쌓이다, 드러-쌔다 자 積み重なる; 山積する.
드러-쟁이다 자 (きちんきちんと)積み重なる〔詰まる〕.
드럼 〔drum〕 명 ①〔樂〕 ドラム. ② ☞ 드럼통.
‖——-통(桶) 명 ドラム缶.
드렁-거리다 자타 ☞ 드릉거리다. 드렁-드렁 부하자타 ☞ 드릉드릉.
드레-드레 부하자 釣り下がった物が揺れ動くさま: ぶらぶら.
드레스 〔dress〕 명 ドレス.
‖——-메이커 명 ドレスメーカー.
드레싱 〔dressing〕 명 ドレッシング.
드레-지다 형 ① 威厳がある; 態度が大様で重重しい. ¶ 드레진 풍채 貫目のあるふうさい(風采) / 드레진 인품 貫禄のある人柄. ② (物が)軽くない.
드로어즈 〔drawers〕 명 ズロース.
드로잉 〔drawing〕 명 ドローイング.
‖—— 페이퍼 명 ドローイングペーパー.
드롭 〔drop〕 명 ドロップ.
‖—— 샷 명 (テニスで)ドロップショット. —— 커브 명 (野球で)ドロップカーブ. —— 킥 명하타 (ラグビーで)ドロップキック.
드롭스 〔drops〕 명 ドロップス.
드르렁 부 いびき(鼾)の音: ぐうぐう. =드르릉. ——거리다 자타 ぐうぐうといびきをかく. 드르렁-드르렁 부하자타 ぐうぐう.
드르르[1] 부 ① 大きな物が滑らかにころがるかまたは戸などを強く開けるさま. また, その音: ごろろ; ごろごろ; がらり. ¶ 문을 ~ 열고 들어가다 戸をがらりと開けて入る. ② 大きな物が小刻みにふるえるさま. また, その音: びりびり. ¶ 지진으로 유리창이 ~ 흔들리다 地震で窓ガラスがびりびりと揺れる. ㅆ뜨르르.
드르르[2] 부 (物事が)よど(淀)みなく進行するさま: すらすら. ㅆ뜨르르.
드르륵 부 ① 鼻が詰まったときのいびきの音. ② ☞ 드르르②. ③ 続けざまに銃などを撃つさま. また, その音: だだだっ. 드르륵-드르륵 부하자타 ぐうぐう.
드릉-거리다 자타 ① しきりに大きな音を出す. ¶ 자동차 엔진 소리가 ~ 車のエンジンの音がぶんぶんする. ② しきりにいびきをかく; ぐうぐういう. >드렁거리다. 드릉-드릉 부하자타 ぶんぶん; ぐうぐう.
드리다[1] 타 ↗드리우다.
드리다[2] 타 (差し)上げる; ささ(捧)

げる. ¶ 하나 드리죠 一つ上げましょう / 자기 저서를 ～ 自著を呈する.
드리다³ 타 (部屋・板の間などを)設ける〔造る〕; 継ぎ足す《종축》. ¶ 2층을 더 ～ 二階を継ぎ足す.
드리다⁴ 타 店仕舞いをする. ¶ 가게를 일찍 ～ 店を早じまいにする.
드리다⁵ 보동 (目上に何かを)して上げる. ¶ 말씀～ 申し上げる / 강사를 소개하여 드리겠습니다 講師をご紹介致します.
드리블 〔dribble〕 명 ドリブル.
드리우다 타 垂れる. ① 垂れ下げる; 垂らす. ¶ 낚싯줄을 ～ 釣り糸を垂らす. ② (範を)垂れる; 示す. ③ (名を後世に)残す. ¶ 이름을 죽백에 ～ 名をちくはく(竹帛)に垂れる. 준 드리다.
드릴 〔drill〕 명 ドリル.
드림 명 ① 垂れ下げた物《吹き流しなど》. ② "贈呈・寄贈"の意で書く語.
드림-셈 명 分割払いの勘定.
드링크 〔drink〕 명 ドリンク; 飲料.
드-맑다 형 さ(冴)え返る; 澄み切っている. ¶ 드맑은 가을 하늘 さえ渡った秋空.
드문-드문 부 ① たまに; 時たま; 時折. ¶ 손님이 ～ 있다 客がたまにくる. ② まば(疎)らに; ちらほら; ぽつりぽつり. ¶ 인가가 ～ 있다 人家がぽつりぽつりある / 논 가운데에 집들이 ～ 서 있다 田の中にぽつりぽつり家が建っている. ――하다 형 まばらだ. ㅆ뜨문뜨문.
드물다 형 まれ(稀)だ. ① しげ(繁)くない. ¶ 드문 기회 たまの機会 / 근래에 드문 불상사 近来まれな不祥事. ② 珍しい; めったにない. ¶ 시골에는 드문 미인이다 いなかには珍しい美人である.
드-새다 자 宿る. ¶ 하룻밤을 ～ 一晩泊まる.
드세다 형 ① 手ごわい; なかなか強い. ② (敷地の地相から見て)縁起が悪い.
드스-하다 형 ほの温〔暖〕かい. ＞다스하다.
드습다 형 程よく温〔暖〕かい.
드시다 타 召し上がる.
드잡이 명하타 ① つかみ合い; 組み討ち. ② (返済不能な借り主の)所帯道具を持ち出すこと.
드티다 자타 (物・時間などを)ずらす; ずれる.
득 【得】 명 [↗소득] 得. ¶ ～을 보다 得をする / ～이 되다 得になる.
득 부 ① 線を強く引くさま. また, その音. ② にわかに水かさが増すさま. ③ 勢いよく(引っ)かくさま. ＞닥.
득남 【得男】 명하자 男の子をもうけること.
득녀 【得女】 명하자 女の子をもうけること.
득달 【得達】 명하자 到着.
득달-같다 형 寸時の遅滞もない; 一刻の猶予もない. 득달-같이 부 間髪を容れず; すぐ(さま).
득도 【得度】 명하자 〔佛〕 得度.
득도 【得道】 명하자 得道; 悟り.
득-득 부 ひっかくさま: がりがり; ばりばり. ¶ 고양이가 미닫이를 ～ 긁다 猫が引き戸をばりばりひっかく.
득률 【得率】 명 (化学工業で)得率; 生産得率.
득리 【得利】 명 得利. ――하다 자 得する; 利を得る.
득명 【得名】 명하자 名を得ること; 名をは(馳)せること.
득문 【得聞】 명하타 耳にすること.
득병 【得病】 명하자 病気にかかること.
득세 【得勢】 명하자 勢いを得ること; 権勢を取ること.
득시 【得時】 명하자 時を得ること.
득시글-거리다 자 うようよ〔うじゃうじゃ〕する; 群がりうごめ(蠢)く. 준 득실거리다. 득시글-득시글 부하형 うようよ; うじゃうじゃ. 준 득실득실.
득실 【得失】 명 得失. ¶ 이해 ～ 利害得失.
득의 【得意】 명하자 得意. ¶ ～에 찬 얼굴 得意な顔; 所得顔.
‖―― 만면 명하형 得意満面. ――양양 명하형 意気〔得意〕揚揚.
득-인심 【得人心】 명하자 人心を得ること.
득점 【得點】 명하자 得点. ¶ ～의 기회 得点のチャンス / 대량 ～ 大量得点 / ～을 막다 得点をはばむ.
‖――-타 명 〔野〕 得点打.
득죄 【得罪】 명하자 罪を犯すこと.
득책 【得策】 명 得策.
득표 【得票】 명하자 得票. ¶ 법정 ～수 法定得票数.
득-하다 【得―】 타 利益を得る.
득효 【得效】 명하자 薬効を得ること.
-든 어미 ↗-든지. ¶ 가～ 안 가～ 상관없다 行こうが行くまいが構わん / 무어～ 할 수 있다 なんだってできる.
든든-하다 형 ① 強い; しっかりしている. ② 堅〔固〕い; 堅固だ; 丈夫だ. ③ 心〔気〕強い; 気丈だ; 頼もしい. ¶ 동행이 있어 ～ つれがあるので気強い / 자네가 있어 주니 ～ 君が居てくれるので心強い. ④ (腹一杯で)ひもじくない. ¶ 배고프지 않도록 든든히 먹어 두다 ひもじくないように腹拵えをして置く. ⑤ (間違いや抜かりがないので)気遣わしくない; 大丈夫だ. ＞단단하다. 든든-히 부 丈夫に; 心強く; 腹いっぱい; 堅固に.
든-번 【―番】 명 当番; 当直. ¶ 오늘부터 밤의 ～이다 今日から夜の出番だ.
-든지 어미 …ようが; …ようと; …なりと. ¶ 가～ 말～ 마음대로 해라 行こうが行くまいが勝手にせい / 어디～ 가 버려라 どこへなりと行ってしまえ. 준 -든.
든직-하다 형 (人となりが)重みがある; どっしりしている. 든직-히 부 どっしり.
듣다¹ 자 ① 滴る. ¶ 빗방울이 듣는 소리 雨滴の音. ② 涙がこぼ(零)

れ落ちる.

듣다[2] 타 ① 聞く. ㉠ 耳に入る. ¶ 귀가 닳도록 들은 이야기 聞き古した話 / 잘못 듣는 일이 없도록 聞き誤りのないように / 잘 주의해서 ～ よく注意して聞く / 귀를 기울여 ～ 聞き澄ます; 聞き耳をたてる / 듣기 거북하다 聞き苦しい; 聞きづらい / 빠뜨리고 ～ 聞き落とす〔もらす〕; 聞き外す / 얻어 ～ 聞き込む / 잘못 ～ 聞き違える; 聞き損なう. ㉡ 伝聞する. ¶ 자주 듣는 이름 よく聞く名前 / 들은 바에 의하면 聞く所によれば / 풍문으로〔귓결에〕 ～ 風のたよりに聞く; うわさ(噂)を耳にはさむ. ㉢ 言いつけに従う. ¶ 부모의 말을 잘 ～ 親の言いつけをよく守る / 남의 말을 듣지 않는다 人の言うことを聞かない. ㉣ 聞き入れる; 聞き届ける. ¶ 부탁을 들어주다 頼みを聞いてやる / 소원을 들어주다 願いを聞き入れる. ② (小言·ほめ言などを)言われる. ¶ 욕설을 듣고 격분하다 悪口を言われて激憤する. 듣다 못해 부 聞きかねて. ¶ ～ 한 마디 했다 聞きかねて一言言ってやった.

듣다[3] 자 利〔効〕く. ¶ 기침에 듣는 약 たんせき(痰咳)にきく薬 / 뇌물이 안 듣는다 わいろ(賄賂)が利かない.

듣보기 장사 명 投機商; 山師.

듣잘것 없다 구 聞く価値がない; 聞くに及ばない.

듣-잡다 타 "듣다(＝聞く)"の最上の謙譲語. ¶ 고마운 말씀을 듣자와 ありがたい仰せを承って.

들[1] 명 野原; 野良. ¶ ～ 가운데 있는 외딴집 野中の一軒家.

들[2] 의명 …など; …ら(等); …共. ¶ 우리～ 我ら / 너희～ おまえ(前)たち; 手前ども / 아이～ 子供たち / 저희～ 手前ども; わたしたち / 자동차·버스～ 自動車·バスなど.

들- 두 "非常に·ひど(酷)く·無理に"の意を表わす語. ¶ ～볶다 いびる / ～끓다 沸き上がる.

-들 미 "여럿(＝皆)"·"여럿이·제각기(＝皆·各)"の意を表わす語. ¶ 자, 어서～ 빨리 가세 さあ, みんな早く行こうよ.

들-개 명 野良犬; 野犬.

들-것 명 担架. ¶ ～에 싣다 担架に載せる / ～으로 나르다 担架で運ぶ.

들고-나가다 타 持って(外に)出て行く; 持ち出す.

들고-뛰다, 들고-버리다, 들고-빼다, 들고-튀다 자 《俗》 逃げる.

들고-일어나다 자 (勢いよく)立ち上がる. ①(くっついているべきものが)浮き上がり立つ. ② 反抗して立つ; 反旗をひるがえす.

들고-파다 타 (ある事に)傾倒する; がっつく〈学〉; 掘り下げる.

들-국화【一菊花】 명 野菊.

들-기름 명 え(荏)の油.

들-까부르다 타 激しくひ(簸)る. 준 들까불다.

들까불-거리다 타 しきりにひ(簸)る.

들-까불다 타 ↗들까부르다

들-까불리다 피동 激しくひ(簸)られる.

들-깨 명 〖植〗 えごま(荏胡麻).

들-꾀다 자 群がる; たかる.

들-끓다 자 沸き返る; 沸き立つ. ¶ 장내가 ～ 場内が沸き立つ / 피서ㅈ으로 ～ 避暑客でごった返す.

들-날리다 자타 ① 名を挙げる; 名声をはせる. ¶ 이름이 국내에 ～ 名が国内に響きわたる. ② ☞ 드날리다.

들-놀이 명하자 行楽; 野遊び. ¶ ～에 알맞은 날씨 行楽日和 / ～가다 野遊びに行く.

들다[1] 자 ① (家などに)入居する; 落ち着く. ¶ 새 집에 ～ 新居に落ち着く / 여관에 들다 宿を取る; 宿屋に落ち着く. ② 入る. ㉠ 外から中へ行く. ¶ 방 안에 ～ 部屋に入る / 도둑이 ～ どろぼうが入る / 잠자리에 ～ 床につく〔入る〕/ 문틈에서 바람이 ～ すきま風が入る. ㉡ (ある特別な時が)回ってくる; 始まる. ¶ 장마철에 ～ 梅雨に入る / 구월 들어 九月に入って. ㉢ (中に)入っている; ある. ¶ 지갑에 삼만 원이 들어 있다 財布に三万ウォン入っている. ㉣ (組織などに)加入する; 入門する. ¶ 클럽에 ～ クラブに入る / 보험에 들어 있다 保険に入っている; 保険がつけてある. ㉤ (ある範囲の中に)置かれる. ¶ …범주에 ～ …のはんちゅう(範疇)に入る. ㉥ 含まれる. ¶ 계산에 들어 있었다 計算に入っていた. ③ (日が)さす; 当たる. ¶ 볕이 잘 ～ 日当たりがよい. ④ (色が)染まる. ¶ 빨갛게 물이 ～ 赤く染まる. ⑤ (金·物などが)いる; かかる. ¶ 막대한 비용을 들여서 ばくだい(莫大)な費用をかけて / 밑천이 드는 장사 元がかかる商売. ⑥ (作柄が)豊作〔凶作〕となる. ¶ 흉년이 ～ 凶作にあう / 올해는 풍년이 들 것 같다 今年は豊年になりそうだ. ⑦ (気に)入る; 心にかなう. ¶ 눈에 ～ 目に入る / 마음에 들지 않다 気に入らない〔食わない〕/ 마음에 드시거든 お気に召したら. ⑧ 味が付く. ¶ 감칠맛이 ～ うま味が付く. ⑨ 癖がつく; 癖になる; 慣れる. ¶ 길이 든 만년필 使い慣れた万年筆 / 못된 버릇이 ～ 悪い癖がつく. ⑩ 正気付く; 道理をわきまえるようになる. ¶ (제)정신이 ～ 正気に戻る / 철이 ～ 物心が付く. ⑪ (病に)かか(罹)る; 病気になる. ¶ 감기가 ～ かぜをひく / 병이 들기 쉽다 病気になりやすい.

들다[2] 자 ① 雨が上がる; 晴れる. ② 汗が止まる.

들다[3] 자 (刃物などが)よく切れる; 利く. ¶ 잘 드는 칼 よく切れる刀.

들다[4] 자 年寄る. ¶ 나이가 ～ 年が寄る / 나이가 꽤 든 사람 かなり年輩の人 / 노경에 ～ 老境に入る.

들다[5] 타 ① (手に)持つ; 取る. ¶ 짐을 ～ 荷を持つ / 붓을〔괭이를〕 ～ 筆〔くわ〕を取る / 손에 들고 보다 手に取って見る / 술을 한 병 들고 오다 酒を一瓶ぶら下げて来る. ② 上げる. ¶ 얼굴〔손〕을 ～ 顔〔手〕を上げ

る/짐을 들어올리다 荷を持ち上げる. ③(事実・例などを)示す. ¶실제를 ~ 実例を挙げる. ④(飲食物を)取る; 食う; 飲む; 召し上がる《존대말》. ¶식사를 ~ 食事を取る/술을 ~ 酒を飲む/무엇을 드시겠습니까 何を召し上がりますか.

들-두들기다 타 やたら〔むやみ〕に打つ〔殴る〕.

들들 부 ①豆などをかき回しながらい(炒)るか, ひ(碾)くさま. ②さんざんにいびるさま. >달달. ── **볶다** 타 ①豆などをかき回しながらい(炒)る. ②いびる; こづ(小突)き回す.

들-떠들다 자 騒ぎたてる.

들-뜨다 자 ①(壁紙など)張ったものがぴったり付かない. ②(心が)そわつく; 浮き浮きする; 浮かされる. ¶들뜬 기분 浮ついた気持ち; ふわふわした気分/목소리가 ~ 声が弾む. ③(皮膚が)黄ばんでむく(浮腫)む. ¶누렇게 들뜬 얼굴 黄ばんでむくんだ顔.

들락날락-하다 자 しきりに出たり入ったりする.

들랑-거리다, 들락-거리다 자 しきりに出入りする.

들러-가다 자타 立ち寄って行く. ¶잠깐 들러가라 ちょっと立ち寄って行けよ.

들러리 명 (花婿・花嫁の)付き添い. ── **서다** 자 付き添いになる.

들러-붙다 자 [←들어 붙다] くっつく; 粘着〔付着〕する; (比喩的に)しがみ〔絡み〕つく. >달라붙다. ¶떡이 착 ~ もち(餅)がべたっとくっつく/들러붙어 떨어지지 않다 くっついて離れない.

들려-주다 타 聞かせてやる. ¶음악을 ~ 音楽を聞かせてやる.

들르다 자 (立ち)寄る. ¶가는 길에 ~ 寄り道をする/지나는 길에 ~ 通りがかりに立ち寄る/친구 집에 들려왔다 友人の家に回って来た.

들리다[1] 一자 ①聞こえる. ¶노랫소리가 ~ 歌声が聞こえる/들리지 않다 聞こえない/들려오다 聞こえて来る/빈정대는 투로 ~ 皮肉に聞こえる/이상하게 들릴는지 모르지만 妙に聞こえるかも知れぬが. ②うわさ(噂)がたって一般に知れる. ¶들리는 바에 의하면 (漏れ)聞くところによれば. 二타 聞かせる; 耳に入れる.

들리다[2] 자 ①病にかかる〔なる〕. ②(悪魔などに)取りつ(憑)かれる. ¶귀신 ~ 物のけ(怪)に取りつかれる.

들리다[3] 一피동 持ち上げられる. 二사동 持たす; 持たせる. ¶가방을 ~ カバンを持たせる.

들먹-거리다 자타 ☞ 들먹이다. **들먹-들먹** 부하자타 そわそわ; むずむず.

들먹-이다 一자 ①(重ったいものが)たえず上下に動く; 揺れる. ¶토대가 ~ 土台がぐらつく. ②(心が)動揺する; そわつく; (…したくて)むずむずする. ¶마음이 들먹여 일이 손에 안 잡힌다 そわついて仕事が手に付かない. ③(肩・しり(尻)などが)上下に揺り動く. 二타 ①(重たいものを)たえず上下に揺り動かす. ②おだ(煽)てる; つつく; 唆す; むずむずさせる. ¶근로자를 들먹여 파업을 시키다 労働者を唆してストライキをやらせる. ③(肩・しり(尻)などを)上下に揺り動かす. ¶어깨를 들먹이며 울다 肩をふるわせて泣く. ④(人のことを)持ち出して話題にする.

들-바람 명 野風.

들-배지기 명 (相撲の)寄り倒し.

들병 장수【―瓶―】 명 瓶酒を売り回る行商.

들-보 명〔建〕はり(梁).

들-볶다 타 さいな(苛)む; いびる; いじ(苛)める. ¶며느리를 ~ 嫁をいびる/의붓 자식을 ~ 継子をさいなむ.

들부셔-내다 타 (食器などを)すっかり洗い落とす; きれいにすす(濯)ぐ.

들-비둘기 명 野のばと(鳩).

들-뽕나무 명 野生の桑.

들-새 명〔鳥〕やきん(野禽); 野鳥.

들-소 명〔動〕野牛; バイソン.

들숨 명 吸い込む息.

들썩-거리다 자타 ☞ 뜰썩거리다. **들썩-들썩** 부하자타 ☞ 뜰썩뜰썩.

들썩-이다 자타 ☞ 뜰썩이다.

들-쑤시다 자타 ↗들이쑤시다.

들-쓰다 타 かぶ(被)る. ①(ふとん・帽子などを)ひっ被る. ¶이불을 들쓰고 자다 ふとんをひっ被って寝る/모자를 ~ 帽子をひっ被る. ②(水などを)浴びる. ¶물을〔먼지를〕 ~ 水〔ほこり〕をかぶる. ③(罪などを)着(せられ)る; ぬ(濡)れぎぬ(衣)を着せられる.

들-씌우다 타 (ひっ)かぶ(被)せる; おっかぶせる. =덮어씌우다.

들어-가다 자 入る. ①(中に)行く; 入る. ¶방으로 ~ 部屋に入る/눈이 쑥 ~ 目が落ち込む/숲속으로 ~ 森の中に入って行く/흘러 ~ 流れ込む; 注ぐ/정계에 ~ 政界に入る. ②(状態・段階に)移る. ¶표결에 ~ 票決に移る/본론에 ~ 本論に入る. ③(学校などに)入学する. ¶대학에 ~ 大学に入る〔上がる〕.

들어 내다 타 ①持ち出す. ②追い出す; つつき〔つま(抓)み〕出す.

들어-맞다 자 ①ぴったり合う; あてはまる; しっくり合う. ②(予想などが)当たる. ¶꿈도 때로는 들어맞는다 夢も時には当たる.

들어-맞추다 타 ぴったり合わせる. ¶장부 숫자를 ~ 帳じりを合わせる.

들어-먹다 타 (身代・元手などを)つぶ(潰)す. ¶재산을 ~ 身上をつぶす/밑천을 다 들어먹고 빈털터리가 되었다 元を食いつぶしてすっからかんになった.

들어-박히다 피동 ①(家などが)立て込んでいる. ¶빽빽이 들어박힌 인가 ぎっしり立て込んだ人家/하늘에 별이 총총(이) 들어박혀 있다 空に星がちりばめられている. ②立て〔閉じ〕こもる. ¶하루 종일 들어박혀 공부했다 一日じゅう家に立てこもって勉強した.
들어-붓다 ㊀자 どしゃ降りに降る. ㊁타 ① (酒を)浴びるように〔がぶがぶと〕飲む; 鯨飲する. ② 注ぎ込む.
들어-서다 자 ① 立ち入る; 入る. ¶구내에 ~ 構内に立ち入る/집 안으로 ~ 家の中へ入る. ② (系統·地位を)継ぐ; 継承する; 就く. ¶후임으로 ~ あとがま(後釜)にすわる.
들어-앉다 자 ① 内側へ近寄って座る; 内側に詰める. ② 居座る; 座る; 納まる. ¶제자리에 ~ 元(の座)に納まる/첩이 본처로 ~ めかけ(妾)が本妻に直る. ③ (職場を辞めて)家に閉じこもる.
들어-오다 자 入る. ① (中へ)入って来る. ¶도둑이 ~ どろぼうが侵入する/시야에 ~ 視野に入る/귀에 ~ 耳に止まる/들어오게 하다 入らせる/일 없는 사람은 들어오지 마시오 無用の者の立入るべからず/기차가 들어왔다 汽車が入って来た. ② 加わる. ¶회사에 ~ 会社に入る/새로 들어온 환자 新来の患者.
들어-주다 타 聞き入れる; 聞いてやる; 取り上げる. ¶의견을 ~ 意見を取り入れる/청을 ~ 頼みを聞き入れる.
들어-차다 자 立て込む; いっぱいになる. ¶집이 빽빽이 ~ 家がぎっしり立て込む.
들-엉기다 자 凝固する; 凝り固まる.
들-엎드리다 자 (家に)引きこもる; ちっきょ(蟄居)する. ¶집에 들엎드려 낮잠만 자다 家に引きこもって昼寝ばかりする.
들여-가다 타 ① 持ち込む; 運び込む; 運び入れる. ¶짐을 차 안으로 ~ 荷を車内に持ち込む. ② 買い入れる. ¶겨울 옷가지를 ~ 冬物を買い入れる.
들여-놓다 타 ① (中へ)入れる; 入れて置く. ¶화분을 방안에 ~ 植木鉢を部屋に入れて置く. ② 買い入れる; 仕入れる. ¶가구를 ~ 家具を買い入れる. ③ 踏み入れる; 踏み出す; 進出する. ¶정계에 발을 ~ 政界に踏み出す.
들여다-보다 타 ① のぞ(覗)く. ㉠ (中を)のぞ(覗)き見る; うかが(窺)う. ¶방안을 ~ 部屋の中をのぞく. ㉡ (ちょっと)(立ち)寄る. ¶입원 중인 친구를 잠깐 ~ 入院中の友をちょっとのぞいて見る. ② (手に取って)見入る; 見る. ¶신문을 ~ 新聞を見る/물끄러미 ~ じっと見入る.
들여다-보이다, 들여다-뵈다 피동 見え透く; 見透かされる; 透けて見える. ¶속살이 환히 ~ 肌が丸見えだ/속이 들여다뵈는 거짓말 見え透いたうそ(嘘)/속이 빤히 들여다뵈는 짓을 한다 見え透いた事をする.
들여-보내다 타 ① (中へ)入れる; 通す. ¶사람을 뒷문으로 ~ 人を裏口から入れる. ② (人を)中へやる; (物などを)届ける. ¶상사 집에 선물을 ~ 上役の家に贈物を届ける.
들여-앉히다 타 ① (女を)職場を(…)やめさせて家に居着かせる〔落ち着かせる〕. ② (めかけ(妾)を)囲んでおく.
들여-오다 타 持ち込む; 運び〔取り〕入れる. ¶방안에 ~ 部屋に持ち込む/외국 문화를 ~ 外国の文化を取り入れる/외국에서 ~ 外国から取り寄せる.
들-오리 명 〔鳥〕 まがも(真鴨). =물오리.
들은-귀 명 聞き覚え. ¶~가 있어서 묻는데 聞き覚えがあって問い質すのだが.
들은-풍월 【一風月】 명 耳学問; 聞き覚え. ¶~로 노래하다 聞き覚えで歌う.
들음직-하다 형 聞くに値する; 聞きごたえがある. ¶들음직한 연설 聞きごたえのある演説.
들이 부 ↗들입다.
-들이 미 器の容量を表わす語. …入り; …詰め. ¶한 되~ 병 一升入り瓶.
들이-긋다 자 内側に線を引く.
들이-끌다 타 内側に引き寄せる.
들이-끼우다 타 (穴·透き間などに)差し込む; はめ込む; 入れる. ¶반지에 보석을 ~ 指輪に宝石を入れる.
들이다 타 ① 入れる. ㉠ (中へ)入らせる; 通す. ¶사람을 객실에 ~ 人を客間に通す/딸을 방에 들이지 않다 娘を部屋に入れない〔通さない〕. ㉡ (力などを)入れる; (費用などを)かける. ¶공을 ~ 念を入れる/막대한 돈을 들여서 이루었다 ばくだい(莫大)な金をかけて成し遂げた. ㉢ (人を)雇う. ¶새로 가정부를 ~ お手伝いさんを雇う〔入れる〕. ② 味を占める〔覚える〕. ¶한번 투기에 맛을 들이면 벗어날 수 없다 一度相場で味を占めると病み付きになる. ③ 染める. ¶빨간 물을 ~ 赤く染める. ④ 馴らす; 懐ける. ¶야생마를 길~ 野生馬を馴らす.
들이-닥치다 자 ① 差し〔押し〕迫る. ¶눈앞에 들이닥친 위험 差し迫った危険. ② 不意に訪れる; 押し寄せる; 襲う. ¶회장에 우르르 ~ 会場にどっと雪崩込む.
들이-대다 ㊀자 盾突く; 手向かう; 攻撃〔抗議〕する. ㊁타 ① 突き〔差し〕つける. ¶권총을 ~ ピストルを突きつける/증거를 ~ 証拠を突きつける. ② (金品などを)続けて供給する.
들이-덤비다 자 ① やたらに食ってかかる; むやみに飛びかかる. ② やたらに急ぐ〔せく〕.
들이-마시다 타 飲(み込)む; 吸い込む. ¶맑은 공기를 깊이 ~ 澄んだ空気を深深と吸い込む.
들이-맞추다 타 当てはめる; (ぴったり)差し込む; ぴったり合わせる; 据え付ける.

들이-몰다 [타] ①(中の方に)追い立てる；追い込む. ②(車・馬などを)駆り立てる；飛ばす.

들이-밀다 [타] ①(中または片っ方へ)押す；押し込む；突っ込む. ②強く押す. (준) 디밀다.

들이-밀리다 [자] (一方に)押しやられる；押される.

들이-박다 [타] ①(深く)打ち込む. ¶ 못을 ~ くぎ(釘)を打ち込む. ②(やたらに)打ちつける〔込む〕.

들이-받다 [타] ①(頭・角で)突つく. ②突き当てる；ぶつける；突き飛ばす.

들이-부수다 [타] (めちゃくちゃに)ぶちこわす.

들이-불다 [자] ①(風が)吹き込む. ②(風が)激しく吹く；吹きまくる；吹きすさむ.

들이-붓다 [타] 器に注ぎ込む. ¶ 솥에 물을 ~ かま(釜)に水を注ぎ込む.

들이-빨다 [타] 強く吸う；吸い込む. ¶ 젖꼭지를 ~ 乳首を強くしゃぶる.

들이-쉬다 [타] (息を)吸い込む.

들이-쌓이다 [자] 一所にたくさん積み重なる. ¶ 창고에 쌀이 산더미처럼 ~ 倉庫に米が山と積まれる.

들이-쏘다 [타] やたら〔むやみ〕に撃つ〔射る〕；撃ちまくる.

들이-쑤시다 ㊀[자] (はげしく)うず(疼)く；ちくちくする. ¶ 옛 상처가 ~ 古傷がうずく. ㊁[타] ①(人を)つつく；そそのかす. ②(探すために)ひっかき回す. ¶ 책상 속을 ~ 机の中をひっかき回す.

들이-지르다 [타] どな(怒鳴)り散らす.

들이-치다¹ [자] (風などが)吹き込む；(雨・雪などが)降り込む. ¶ 비가 창으로 ~ 雨が窓から降り込む.

들이-치다² [타] 襲いかかりざまに強く打つ〔殴る〕.

들이-켜다 [타] (酒・水などを)ひっかける〔あおる〕；飲み干す. ¶ 맥주를 한 잔 ~ ビールを一杯ひっかける / 벌떡벌떡 ~ ぐいぐいあおる〔飲み干す〕/ 독약을 ~ 毒を仰ぐ.

들이-키다 [타] ひっ込ます；中の方へ寄せる.

들이-퍼붓다 ㊀[자] (雨・雪などが)降り注ぐ；はげしく降る. ¶ 비가 ~ 雨がどしゃ降りに降る. ㊁[타] やたらに注ぎ込む.

들-일 [명] 野良仕事.

들입다 [부] やたらに；むやみに；しきりに. ¶ ~ 밀다 やたらに押す. (준) 들이.

들-장미【—薔薇】[명]〔植〕野ばら；のいばら(野茨).

들-재간【—才幹】[명] (相撲で)はらあげ，やぐら，すくいなげなどの技の総称.

들-쥐 [명]〔動〕①のねずみ(野鼠)；はたねずみ(畑鼠). ②かやねずみ(萱鼠).

들-짐승 [명] 野獣.

들쩍지근-하다 [형] 少し甘みがある；やや甘気がある. ＞달짝지근하다. ㅆ들척지근하다.

들쭉-날쭉 [부] 出入りがあって一様でないさま：ぎざぎざ. ——하다 [형] 出入りが多い；ぎざぎざになっている. ¶ ~한 해안선 出入りのはげしい海岸線.

들-차다 [형] 志が固く体が屈強だ.

들-창【—窓】[명] 明かり取り窓. ¶ ~을 내다 明かり取りを設ける.

‖——코 [명] しし(獅子)鼻；あまうけ(雨承)鼻.

들척지근-하다 [형] ☞ 들쩍지근하다. ＞달착지근하다.

들추다 [타] ①(秘密・過去などを)暴く；さらけ出す. ¶ 남의 과거를 ~ 人の過去をあばく. ②(捜すために)かき回す；捜す. ¶ 샅샅이 ~ くまなく捜す.

들추어-내다 [타] ①捜〔探〕し出す；捜し当てる. ②暴き出す；すっぱ抜く〈俗〉. ¶ 남의 신원을 샅샅이 ~ 人の身元を洗い立てる.

들추어-보다 [타] ①捜〔探〕してみる. ¶ 아무리 들추어 보아도 없다 いくら捜してみても見当たらない. ②取り出して見る. ③試しに捜す.

들치근-하다 [형] ↗들척지근하다.

들-치기 [명][하타] 置き引き；《俗》ぱくり；とんび. ¶ ~에게 핸드백을 빼앗겼다 置き引きにあってハンドバッグを盗られてしまった.

들큼-하다 [형] やや甘い. ＞달큼하다. 들큼-히 [부] やや甘く.

들키다 [자] 見つかる；ばれる〈俗〉. ¶ 속임수를 ~ 偽りが見つかる / 들키지 않고 見つからずに.

들-타작【—打作】[명][하자] 野良でする脱穀.

들-통【—桶】[명] 取っ手のついたおけ(桶).

들통-나다 [자] (隠し事が)見つかる；ばれる〈俗〉.

들통-내다 [타] (隠し事を)暴く；ばらす〈俗〉.

들-판 [명] 野原；野っ原〈俗〉；野辺. ¶ 넓은 ~ 広野.

들피-지다 [자] 飢えてやせ衰える.

듬뿍 [부] [↗듬뿍이] たっぷり；どっぷり；どっさり；たんまり；わんさ. ＞담뿍. ¶ 밥을 그릇에 ~ 담다 飯をおわんにたっぷり盛る / ~ 선물을 받다 どっさりお土産をもらう / 붓에 먹을 ~ 먹이다 筆に墨をどっぷり(と)つける. ———— [부][하형] すべて〔どれも〕たっぷり；続けてどっぷり(と).

듬성-듬성 [부] まばらに；ちらほら；ぽつりぽつり；点点と. ——하다 [형] まばらだ；ぽつりぽつり見える《동사적》. ¶ ~ 난 콧수염 まばらに生えた鼻ひげ.

듬쑥 [부] どっさり〔しっかり〕握る〔つかむ，抱え込む〕さま. ＞담쑥. ———— [부] 続けざまにどっさり，またはしっかり握る〔抱え込む〕さま.

듭시다 [자] "들어가다(＝入る)"の敬語.

듯¹ [의명] "-ㄴ·-은·-는·-ㄹ·-을"などの下に付いて，…するようなしないような，どっちつかずの状態を抽象的に表わす語：…するかしないか；…したかしなかったか. ¶ 올~ 말~ 하다 来そうでもありそうでもない

ㄷ

ようでもある；来るかどうかはっきりしない.
듯² [부] ↗듯이. ¶부러운 ～ 바라보다 うらやましげ〔うらやましそう〕に見る.
-듯 [어미] ↗-듯이.
듯-싶다 [보형] …らしい；…そうだ；…らしく思われる. ¶비가 올 ～ 雨になりそうだ / 학생인 ～ 学生らしい.
듯이 [부] ように；ごとく. ¶나는 ～ 달리다 飛ぶがごとく走る / 울기라도 할 ～ 泣かんばかりに / 이것 보란 ～ これ見よがしに
-듯이 [어미] (あたかも) …のように. ¶총알이 비오～ 날아오다 弾が雨のように飛んでくる.
듯-하다 [보형] …のように思われる；…そうだ；…らしい. ¶좀 작을 ～ やや小さいように思われる.
등 [명] 背；背中. ¶～을 돌리다 背〔背中〕を向ける / ～을 보이다 背を見せる / ～을 펴다 背を伸ばす / ～에 지다 背に負う.
등【等】¹ [명] ☞ 등급(等級). ¶일～ 一等.
등【燈】 [명] 灯；ランプ；明かり；ちょうちん. ¶～을 켜다 明かりをつける.
등【橙】 [명]〔植〕だいだい(橙)とその実の総称.
등【藤】 [명] ① ↗등나무. ②"ふじ(藤)"の
등【籐】 [명]〔植〕とう(籐).　　└茎.
등【等】² [의명] など；等；ら. ¶국회～에서 문제가 되었다 国会などで問題になった.
등가【等價】 [명] 等価.
‖── 개념 [명]〔論〕等価概念.
등-가구【籐家具】 [명] とう(籐)家具.
등-가죽 [명] 背中の皮.
등각【等角】 [명]〔數〕等角.
등-갓【燈─】 [명] (電灯·ランプなどの)かさ(笠).
등-거리 [명] 春秋に着るそで(袖)なし単衣.
등-거리【等距離】 [명] 等距離. ¶그 나라는 ～ 외교의 명수다 その国は等距離外交のベテランである.
등-걸 [명] 切り株. ¶나무 ～에 앉아 생각에 잠겼다 切り株に座って思いにふけた.
등겨 [명] もみぬか(籾糠)；もみ殻.
등고-선【等高線】 [명]〔地〕等高線.
등-골¹ [명]〔生〕① ☞ 등골뼈. ② せきずい(脊髄). ── 뽑다 [자] (男から金を)絞り上げる.
‖──-뼈 [명] せきついこつ(脊椎骨). ＝척추골.
등-골² [명] 背筋. ¶～이 오싹해지다 背筋が寒くなる〔ひやりとする〕；ぞっとする.
등과【登科】 [명][하자]〔史〕登科；科挙に合格すること.　「と.
등관【登官】 [명][하자] 官職に就くこ
등교【登校】 [명][하자] 登校. ¶이젠 ～ 시간이에요 もう登校時間ですよ.
등-교의【籐交椅】 [명] とういす(籐椅子)；といす. ＝등의자.
등귀【騰貴】 [명][하자] 騰貴. ¶물가가 ～하다 物価が騰貴する.
등극【登極】 [명][하자] 登極；即位.
등글개-첩【─妾】 [명] 年寄りの若いめかけ(妾)《かゆい背中をかいてくれるところから》.
등-긁이 [명] 孫の手；まこ(麻姑).
등급【等級】 [명] 等級. ¶보통의 ～ 並等 / ～을 매기었다 等級をつけた. ㊀등(等).
등기【登記】 [명][하타] ① 登記. ② ↗등기 우편. ¶편지를 ～로 하다 手紙を書留にする.
‖──-료 [명] 登記料. ──-부 [명] 登記簿. ¶～ 열람 登記簿閲覧. ──-소 [명] 登記所. ── 우편 [명] 書留郵便；書留《준말》. ㊀등기.
등-꽃【藤─】 [명] ふじ(藤)の花.
등-나무【藤─】 [명]〔植〕ふじ(藤). ㊀등. ¶～의 덩굴 ふじかずら(藤葛).
등-널 [명] いす(椅子)の背板.
등단【登壇】 [명][하자] 登壇.
등-달다 [자] 気がせく；焦る；やきもきする；気が気でない.
등대【燈臺】 [명] 灯台.
‖── 감시선 [명] 灯台監視船. ──-수(手), ──-지기 [명] 灯台守り.
등-대다 [자] (…に)頼る；(助けなどを)当てにする；(…を)頼みとする；(…を)かさ(笠)に着る.
등-덜미 [명] 背の上部.
등-뒤 [명] 背後.
등등【等等】 [의명] 等等；などなど.
등등-하다【騰騰─】 [형] 当たるべからずの気勢だ；(ひどく)いきり立っている；ひどく鼻が高い. ¶노기 등등하여 いきり立って；すごいけんまくで.
등락【騰落】 [명] 騰落；ねだんの上がり下がり. ¶물가의 ～이 격심하다 物価の騰落が激しい.
등량【等量】 [명] 等量.
등렬【等列】 [명] 等列；同等の地位や身分.
등록【登錄】 [명][하타] 登録. ¶주민 ～ 住民登録 / ～ 기한 登録期限.
‖──-금(金) [명] (学期初に納める)大学の授業料. ── 상표 [명] 登録商標. ──-세 [명] 登録税. ── 의장 [명] 登録意匠.
등롱【燈籠】 [명] とうろう(灯籠)；ちょうちん(提灯)；万灯. ¶～꾼 灯籠持ち.
등-마루 [명] 脊筋.
등명【燈明】 [명] 灯明；みあかし.
등반【登攀】 [명][하자] とうはん(登攀). ¶～자 登攀者 / 알프스 ～대 アルプス登攀隊.
등방-성【等方性】 [명]〔物〕等方性.
등변【等邊】 [명]〔數〕等辺. ¶～ 사다리꼴 等辺台形〔梯形〕/ ～ 삼각형 等辺三角形.
등본【謄本】 [명] 謄本. ¶호적 ～ 戸籍謄本.
등분【等分】 [명][하타] ① 等級の区分. ② 等分.
등-불【燈─】 [명] 灯火；明かり；ともしび(灯·灯火)；火〔灯〕. ¶～을 켜다 火をともす；明かりをつける / ～을 끄다 火を消す / 멀리 ～이 보이다 遠くともしびが見える.

비【等比】명〔數〕等比.
—— 급수 명 等比級数. ＝기하 급수. —— 수열 명 等比数列.

-뼈 명 背骨; せきつい(脊椎). ＝척추골.

사【謄寫】명하타 謄写.
——-기(機) 명 ☞ 등사판. —— 원지 명 謄写原紙; ステンシル. —— 잉크 명 謄写インキ. ——-지 명 謄写紙. ＝복사지. ——-판 명 がり版; 謄写版.

등산【登山】명 登山. ——-하다 자 登山する; 山に登る. ¶ ~객 登山客/~복 登山服/~지팡이 登山杖; ピッケル/~화 登山靴.

등-살 명 背中の筋肉.

등색【橙色】명 とうしょく(橙色); だいだい色.

등선【登仙】명하자 登仙. ¶ 우화 ~ 羽化登仙.

등성이 명 ①せきりょう(脊梁)の上部. ②↗산등성이.

등-세공【籐細工】명 とう(籐)細工.

등속【等速】명 等速; 等速度.

등속【等屬】의명 …など; …類. ¶ 과자며 차 ~을 파는 가게 菓子や茶などを売る店.

등-솔기 명 背縫い(の縫目). ㊟ 등솔.

등수【等數】명 順位.

등시-성【等時性】명〔物〕等時性.

등식【等式】명〔數〕等式.

등신【等身】명 等身. ¶ ~대 等身大/~상 等身像.
‖——-불 명〔佛〕等身仏.

등신【等神】명 まぬけ; 薄のろ; でくの坊.

등심【—心】명 (牛の)背肉; 鞍下. ＝등심살.
‖——-머리 명 ロース.

등심【燈心】명 灯心. ＝심지.

등심-선【等深線】명〔地〕等深線.

등쌀 명 うるさ(煩)がらせる〔困らす〕こと; 悩ますこと. —— 대다 자타 しつこく困らす〔悩ます〕. ¶ 돈을 꿔달라고 등쌀대는 통에 못살겠다 金を貸せとしつこくせがまれて往生している.

등온【等溫】명 等温.
‖—— 동물 명〔動〕等温動物; 定温動物. ——-선 명〔氣·物〕等温線.

등외【等外】명 等外. ¶ ~품 等外品/~로 떨어지다 等外に落ちる.

등용【登用】명 登用. ——-하다 타 登用する; 引き〔取り〕立てる. ¶ 인재를 ~하다 人材を登用する.

등용【燈用】명 灯用.
‖—— 가스 명 灯用ガス.

등-용문【登龍門】명 登竜門; 立身出世の関門. ¶ 문단의 ~ 文壇の登竜門.

등원【登院】명하자 登院.

등원【等圓】명〔數〕等円.

등위【等位】명 等位.
‖——-각 명 同位角. —— 개념 명〔論〕等位〔同位〕概念.

등유【燈油】명 灯油.

등-의자【籐椅子】명 とういす(籐椅子); といす.

등자【橙子】명 だいだいの実.
‖——-나무 명〔植〕だいだい(橙). ——-색(色) 명 だいだい色. ＝등색.

등자【鐙子】명 あぶみ(鐙).

등잔【燈盞】명 とうさん(灯盞); 油ざら. ¶ ~ 밑이 어둡다《俚》灯台もと暗し. ＝등하 불명(燈下不明).
‖——-걸이 명 灯架.

등장【登場】명하자 登場.
‖—— 인물 명 登場人物.

등재【登梓】명하타 じょうし(上梓).

등재【登載】명하타 登載. ＝게재(掲載).

등적-색【橙赤色】명 だいだい色を帯びた赤.

등정【登頂】명하자 登頂.

등정【登程】명하자 登程; 出で立ち; 旅立ち. ＝등도(登途).

등-줄기 명〔生〕背筋.

등지【等地】의명 地名の下について"などの地"の意を表わす語. ¶ 서울·부산 ~에서 발생하였다 ソウル·釜山などの地で発生した.

등-지느러미 명 せびれ(背鰭).

등-지다 자타 ①仲たがいをする; 仲が悪くなる. ¶ 그와는 등진 듯하다 彼とは仲たがいしたようだ. ②背く; 背を向ける; 捨てる. ¶ 조국을 ~ 祖国に背く; 祖国を捨てる/세상을 ~ 世間に背を向ける; 世を捨てる. ③背にする. ¶ 산〔벽〕을 등지고 서다 山〔壁〕を背にして立つ.

등진-선【等震線】명〔地〕等震線.

등-짐 명 負い荷; 背負い荷.
‖—— 장수 명 背負い行商; 担ぎ.

등차【等差】명〔數〕等差.
‖—— 급수 명 等差級数. —— 수열 명 等差数列.

등-창【—瘡】명 背中に生ずるは(腫)れ物.

등천【登天】명하자 登天; 昇天.

등청【登廳】명하자 登庁. ¶ ~ 시간 登庁時間; 出勤時間.

등-촉【燈燭】명 とうしょく(灯燭); ともしび(灯).

등축【等軸】명 等軸.
‖—— 정계 명〔鑛〕等軸晶系.

등-치다 타 ①いたわるように背中をなでる. ②ゆする; いたぶる〈俗〉; たかる〈俗〉. ¶ 등쳐 먹다 脅して金を巻き上げる/등치는 현장을 잡다 たかりの現場を押さえる/등치고 간 내먹다《俚》人の背をな(撫)でてつきも(肝)を取り出して食う《いたわるように見せかけて害を与えることのたとえ》.

등-침대【籐寢臺】명 とう(籐)のつる(蔓)で作った寝台.

등-타다 자 尾根伝いに行く.

등판【登板】명하자〔野〕登板. ¶ 투수의 ~ 投手の登板.

등피【燈皮】명 火屋.

등하【燈下】명 灯下.
‖—— 불명 명 灯下不明.

등한-시【等閑視】명 等閑視; なおざりにすること. ——-하다 타 等閑視する; 等閑に付する. ¶ 그것은 ~할 일이 아니다 それは等閑に付〔なおざりに〕すべきことではない.

등한-하다【等閑—】형 なおざりだ; お

ろそ(疎)かだ. 등한-히 부 なおざりに；おろそかに. ¶ ～ 하다 なおざりにする / 그 일은 ～ 할 수 없는 문제이다 その件はなおざりにできない問題である. 「腰.
등-허리 명 ① 背と腰. ② 背の方の
등-헤엄 명하타 背泳ぎ；背泳.
등호【等號】명〔數〕等号.
등화【燈火】명 灯火；明かり；ともしび.
‖── 가친(可親) 구 灯火親しむべし. ── 가친지절(可親之節) 구 灯火親しむべき候《秋のたとえ》. ── 관제 명하자 灯火管制.
등황-색【橙黃色】명 とうこうしょく(橙黄色).
-디 어미 ① 形容詞の意を強めるために語幹を重ねる際, 前の語幹に付ける連結語尾. ¶ 크～크다 非常に大きい / 차～ 찬 물 ひどく冷たい水.
디그르르-하다 형 (こまごました物の中で)やや太い〔大きい〕.
디기탈리스〔digitalis〕명〔植〕ジギタリス；きつねのてぶくろ.
디너〔dinner〕명 ディナー.
‖── 파티 명 ディナーパーティー.
디-데이〔D-day〕명 ディーデー.
디디다 타 踏む. ¶ 발디딜 곳〔틈〕도 없다 (足の)踏み所もない / 헛～ 踏み外す / 흙탕에 발을 ～ 泥に踏み込む. 준 딛다. 「す(臼).
디딜-방아 명 からうす(臼)；踏みう
디딜-풀무 명 (踏み)ふいご(鞴).
디딤-널 명 歩み板；踏み板.
디딤-돌 명 踏み石.
디-럭스〔de luxe〕명하형 デラックス.
디렉터〔director〕명 ディレクター.
디룽-거리다 자 (垂れ下がったものが)軽く揺れる. >대롱거리다. ¶ 풍경이 바람에 ～ 風鈴が風にぶらぶらゆれる. ──-── 부하자 ぶらぶら.
디멘션〔dimension〕명 ディメンション；
디-밀다 타 ↗들이밀다. └次元.
디밸류에이션〔devaluation〕명〔經〕デバリュション. =평가 절하(平價切下).
디스-카운트〔discount〕명 ディスカウント.
디스커스〔discus〕명 ディスカス；円盤(投げ). 「コ.
디스코테크〔프 discothèque〕명 ディス
디스크〔disk〕명 ディスク. ① 円盤. ② (蓄音器の)レコード；音盤. ③〔生〕《俗》ついかん(椎間)の軟骨ヘルニア.
‖── 자키 명 ディスクジョッキー.
디스토마〔라 distoma〕명 ジストマ. ¶ 간～ 肝臓ジストマ. 「ー.
디스포저〔disposer〕명 ディスポーザ
디아스타아제〔diastase〕명〔化〕ジアスターゼ《消化剤》.
디아조〔diazo〕명〔化〕ジアゾ. ¶ ～ 화합물 ジアゾ化合物 / ～ 반응 ジアゾ反応.
디-엔-에이【DNA】명 ディーエヌエー《デオキシリボ核酸の略称》.
디-엠-지【DMZ】명 ディーエムゼット；非武装地帯.
디오니소스〔Dionysos〕명 ディオニソス. ¶ ～형 ディオニソス型.
디옥시리보 핵산【─核酸】〔deoxyrib…〕명〔化〕デオキシリボ核酸.
디이즘〔deism〕명〔宗〕ディーズム；神論.
디자이너〔designer〕명 デザイナー.
디자인〔design〕명하타 デザイン.
디저트〔dessert〕명 デザート.
‖── 코스 명 デザートコース.
디-제이【D.J.←disk jockey】명 ↗디스크 자키.
디젤〔diesel〕명 ディーゼル.
‖── 기관(機關), ── 엔진 명 ディーゼル機関；ディーゼルエンジン. ── 전기 기관차 명 ディーゼル電気機関車. ──-차 명 ディーゼル車.
디지털 시계【─時計】〔digital〕명 ディジタル時計.
디지털 컴퓨터〔digital computer〕명 ディジタルコンピューター.
디텍터〔detector〕명〔物〕デテクター；検波器；検電器.
디파트〔depart〕명 デパート. =백화점.
디펜스〔defense〕명 ディフェンス；防御. 「リア.
디프테리아〔diphteria〕명〔醫〕ジフテ
디플레 명 [↗디플레이션] デフレ.
디플레이션〔deflation〕명〔經〕デフレーション.
디-피-이【D.P.E.←developing, printing and enlarging】명 ディーピーイー.
딕터폰〔Dictaphone〕명 ディクタホーン.
딛다 타 ↗디디다.
딜러〔dealer〕명 ディーラー.
딜레마〔dilemma〕명 ジレンマ. ¶ ～에 빠지다 ジレンマに陥る.
딥다 부 ↗들입다.
딩딩-하다 형 ① 力が強い. ② ぴんと張っている. ¶ 젖이 불어 ～ 乳が張っている / 배가 불러 ～ 腹いっぱいだ. ③ (生活·地盤などが)しっかりしている. ¶ 살림이 ～ 暮らし(向き)がよい. 쓰띵띵하다.
따갑다 형 ① (非常に)熱い. ¶ 여름 해가 ～ 夏の日差しが熱い. ② (刺すように)ひりつく；ちくちくする. ¶ 상처가 따갑고 아프다 傷口がひりついて痛む.
따개 명 栓抜き；缶切り.
따귀 명 [↗뺨따귀] ほっぺた；横っ面. ¶ ～를 때리다 びんたを食わす.
따끈-하다 형 あたたかい；ほかほかする. <뜨끈하다. ¶ 갓지은 따끈한 밥 炊き立ての飯. **따끈-히** 부 あったかく；ほかほかと. ¶ (술을) ～ 데우다 かん(燗)をつける〔する〕. **따끈-따끈** 부하형 ほかほか.
따끔-거리다 자 ひりひり〔ちくちく〕する. **따끔-따끔** 부하자형 ひりひり；ちくちく. ¶ 까진 데가 아직 ～하다 すりむいた所がまだひりひりする.
따끔-하다 형 ① (刺すように)痛い；ひりひり〔ちくちく〕する《동사적》. ¶ 절린 데가 ～ 刺された所がひりひりする. ② きびしい. ¶ 따끔한 맛을 뵈다 懲らしめる；目に物を見せる / 따끔하게 혼을 내다 痛い目に合わせる. **따끔-히** 부 びりっと；手ひどく.
따낸-돌 명 (碁の)上げ石；はま；あ

ずはま.
님 명 お嬢様; おじょうさん.
다¹ 타 ①取る. ㉠摘む; 摘み取る. ¶꽃을 ~ 花を摘む / 버섯을 ~ きのこを取〔採〕る. ㉡(かけ事で)金を取る. ㉢(点数·資格などを)得る; もらう. ¶금메달을〔면허를〕 ~ 金メダル〔免許〕を取る / 만점을〔학위를〕 ~ 満点〔学位〕を取る. ②(出来物などを)(突き)つぶす; 切開する. ¶곪은 데를 땄다 う(膿)んだ所を切開した. ③(封じたものを)開ける; 抜く. ¶병마개를 ~ 栓を抜く; 口を切る / 깡통을 ~ かんづめを開ける. ④(人の言葉·文章などを)引く; 引用する.
따다² 타 ①(客に)居留守をつかう. ¶손님을 ~ 来客に居留守をつかう; 来客を門前払いする. ②のけ者にする; 除外する.
따다³ 형 別だ; 全然違う. ¶그것과는 전혀 딴 문제이다 それとは全く別の問題である.
따다닥 부 機関銃の発射音: だだだっ.
따다-쓰다 타 (人の言葉·文章を)引用する.
따-돌리다 타 のけ者にする; はじき〔締め〕出す. ¶친구를 ~ 友達をのけ者にする / 한 동아리로부터 따돌림을 당하다 仲間からはじき出される; 村八分にされる.
따듯-하다 형 ☞ 따뜻하다. 따듯-이 부 ☞ 따뜻이.
따따부따 부 けんか腰になってもんくをつけるさま.
따뜻-하다 형 暖〔温〕かい. ①冷たくない. <뜨뜻하다. ¶따뜻한 날씨 暖かい天気 / 점점 따뜻해지다 だんだん暖かくなる. ②温情〔思いやり〕がある. ¶따뜻한 손길을 뻗치다 温かい手を差し伸べる / 따뜻하게 맞이하다 温かく迎える. 따뜻-이 부 暖〔温〕かく.
따라-가다 타 ①付いて行く. ㉠付き従う; 伴う; 追う. ¶길을 ~ 道について行く / 선생님을~ 先生に伴って行く / 아버지를 ~ 父について行く. ㉡追い付く. ¶너무 어려워서 따라갈 수 없다 むずかし過ぎてついて行けない / 영어는 열심히 공부하지 않으면 따라갈 수 없다 英語はうんと勉強しないと追いつかない. ②肩を並べる; (立ち)並ぶ. ¶재능에서는 그를 따라갈 사람이 없다 才能では彼に並ぶ者がない. ③倣う; 従う. ¶성현의 행적을 ~ 聖賢の行跡を倣う.
따라-다니다 자타 ①付き従う; 後を追う; 後をつける《미행》; 付け〔追い〕回す; 付きまとう. ¶남의 뒤를 ~ 人のあとを付け回す / 여자 궁둥이를 ~ 女のしり(尻)を追い回す / 이상한 녀석이 ~ 変な男に付きまとわれる. ②相伴なう. ¶자유와 책임은 서로 따라다니는 것이다 自由と責任は相伴うものである.
따라-붙다 타 追い付く. ¶한 발 늦게 출발했으나 곧 따라붙었다 一足遅れて出発したがすぐ追い付いた.
따라서 부 従って; (それ)故に. ¶물건은 고급, ~ 값도 비싸다 品は上等, 従って値段も高い.
따라-오다 타 ①付いて来る. ②倣う.
따라-잡다 타 ☞ 따라붙다.
따라지 명 ①(ばくちで)一点. ②しがない存在.
‖── 목숨 명 どん底の人生.
따로 부 ①別に; 離して; 別れて; 離れて. ¶~ 살다 離れて暮らす; 別居する / ~ 떼어두다 別にしまって〔取って〕置く. ②ほかに; 別途の. ¶~ 수입이 있다 別途の収入がある. ──-나다 자 分家する. ──-내다 타 分家させる. ¶아우의 살림을 ~ 弟を分家させる. ──-서다 자 ①離れて立つ. ②幼児が独りで立つ. ────¹ 부 別別に; 別れて; 離れて.
따로-따로², 따로따로 따따로 감 赤子を独り立ちさせるときのかけ声.
따르다¹ 자타 ①従う. ㉠(後に)付き従う. ¶따르는 자 従う者 / 선도자를 ~ 先達に従う / 사냥갈 때면 언제나 사냥개가 따른다 狩りに行く時にはいつも猟犬が従う. ㉡(大勢などに)ついて行く. ¶시세에〔를〕 ~ 時勢に従う〔を追う〕 / 유행을 ~ 流行を追う. ㉢服従する. ¶당의 방침에 ~ 党の方針に従う. ㉣つく; 沿う. ¶계곡을 따라 산을 내려가다 谷に従って山を下る. ㉤倣う. ¶법규를 ~ 法規に従う / 전례에 ~ 前例に倣う. ②懐く; なじむ. ¶어린이가 잘 ~ 子供がよく懐く. ③伴う. ¶성공에는 고생이 따른다 成功には苦労が伴う. ④よる. ¶경우에 따라서는 場合によっては / 때와 경우에 따른다 時と場合による. ⑤("…에 따라서"の形で) …に従って. ㉠…の通りに. ¶규칙〔명령〕에 따라서 움직인다 規則〔命令〕に従って動く. ㉡…(する)につれて〔伴って〕. ¶공업이 발달함에 따라서 工業の発達に伴って / 수입이 늚에 따라서 생활이 펴진다 収入が増すに従って暮らしがよくなる.
따르다² 타 つ(注)ぐ; 差す. ¶술을 ~ 酒を注ぐ.
따르르 부 ①小さい物が転ぶときに鳴る音: ころころ. ②小さい物が強く震動するさま. また, その音: ちりりん. ¶전화 벨이 ~ 울리다 電話のベルがちりりん鳴る. <뜨르르¹.
따름 의명 語尾"ㄹ"·"을"の下に付いて"ばかり·のみ"の意を表わす語. ¶진리는 하나 있을 ~이다 真理は一つだけである / 그저 말해 봤을 ~이다 ただ言って見ただけである.
따리 명 おべっか; へつらい. =아첨. ¶~꾼 おべっか使い; 太鼓持ち / ~를 붙이다 おべっかを使う.
따-먹다 타 ①(果実などを)摘んで食べる. ②(碁·将棋などで)相手の石·こま(駒)を取る.
따발-총【─銃】명《俗》旧ソ連製

ㄷ

の機関短銃.

따분-하다 형 ① たいくつ(退屈)だ; 変てつもない; 味気ない. ¶ 따분한 세상 味気ない世の中 / 여름 방학은 따분해서 견딜 수가 없다 夏休みはたいくつで仕方がない. ② しがない; つまらない. ¶ 따분한 생활 しがない暮らし. **따분-히** 부 たいくつに; つまらなく; 味気なく.

따스-하다 형 (やや)暖〔温〕かい. ¶ 따스한 느낌 暖〔温〕かい感じ. ＞따사하다.

따습다 형 ほどよく暖〔温〕かい.

따오기 명〔鳥〕とき(鴇·朱鷺).

따옥-따옥 부 とき(鴇)の鳴き声.

따옴-표【—標】 명 引用符.

따위 의명 ① 人や物事をさげす(蔑)んで言う語: なんか; 風情; なぞ〈方〉. ¶ 장사꾼 ~ 주제에 商人風情のくせに / 네~가 알 수 있나 お前なんかにわかるものか. ② ☞ 등(等).

따지다 타 ① 計算する; 勘定する. ¶ 이자(利子)를 ~ 利息を計算する. ② なじ(詰)る; 問い詰める. ¶ 면전에서 ~ 面と向かってなじる / 따지니까 그는 대답을 못했다 問い詰めると彼は返事に窮した.

딱[1] 부하자 固いものがぶつかるかまたは折れる音: こつん; ぽきん; ぽかっと; ぷっつり. ¶ ~ 때리다 ぽかっと殴る / ~ 부러지다 ぽきんと折れる.

딱[2] 부 事を決然ときめてしまうさま: きっぱり; すっぱり; ふっつり. ¶ ~ 잘라서 거절하다 きっぱり断わる / 담배를 ~ 끊다 タバコをすっぱりやめる / 그것은 ~ 질색이다 それはまっぴらだ.

딱[3] 부 ① いっぱい開いたさま: ぽっかり; あんぐり; がっしり. ¶ ~ 벌어진 어깨 がっしりとした肩 / 입을 ~ 벌리고 口をあんぐり開けて. ② うまく合ったり的中するさま: ぴったり; きっちり; かっきり; ぽっきり. ¶ 계산이 ~ 맞는다 計算がきっちり合う / ~ 둘로 나누다 かっきり二つに分ける / 예상이 ~ 들어맞다 予想がぴったり的中する. ③ 力強くがんば(頑張)るさま: しっかり(と). ¶ ~ 버티고 서다 ぴたっと相対して立つ; 立ちはだかる. ＜떡.

딱따구리 명〔鳥〕きつつき(啄木鳥); けらつつき.

딱-딱 부 ① 固いものがしきりにかちあう音: かちかち; がちがち; ぽかぽか. ¶ 딱딱이 소리가 ~ 나다 拍子木がかちかち鳴る / 머리를 ~ 때리다 頭をぽかぽかなぐる / 추워서 이가 ~ 마친다 寒くて歯ががちがちと鳴る. ② 固いものが続けざまに折れる音: ぽきんぽきん. ¶ 나뭇가지를 ~ 꺾다 枝をぽきんぽきん折る.

딱딱-거리다 자 (おどすような)きびしい言い方をする; がみがみ言う.

딱딱-이 명 拍子木(を鳴らす夜番).

딱딱-하다 형 堅〔固·硬〕い. ① こちこちである. ¶ (굳어서) 딱딱한 빵 こちこちのパン / 딱딱해지다 堅く〔こちこちに〕なる. ② ぎこちない; 堅苦しい; いかつい〈老〉. ¶ 딱딱한 표정 いかつい表情 / 딱딱한 문장 堅い〔堅苦しい, ぎこちない〕文章 / 딱딱한 인사 堅苦しいあいさつ / 딱딱한 규칙 窮屈な規則 / 딱딱한 이야기는 그만두자 角張った話はやめよう.

딱-바라지다 자 ① ずんぐりしている. ¶ 딱바라진 사나이 ずんぐりした男. ② (器などが)底が浅くて広い.

딱부리 명 ↗눈딱부리.

딱-성냥 명 おうりん(黄燐)〔摩擦〕マッチ.

딱-장대 명 ① 堅苦しい人. ② 荒くて気丈な人.

딱정-벌레 명〔蟲〕① あおおさむし. ② かぶとむし(甲虫). ＝갑충.

딱지[1] 명 ① かさぶた(痂·瘡蓋). ¶ ~가 떨어지다 かさぶたが取れる. ② (紙の)染み. ③ 甲; 甲羅. ④ (懐中時計などの)ふた(蓋).

딱지[2] 명《俗》拒絶; は(撥)ねつけ; ひじ(肘)鉄砲. ¶ ~ 놓다 はねつける; ひじ鉄砲を食わす; 退ける / ~ 맞다 はねつけられる; ひじ鉄砲を食う; 退けられる; け(蹴)られる.

딱지[3] **【—紙】** 명 ① 切手·証紙などの俗称《札·レッテルなど》. ② [↗놀이딱지] めんこ; ぱっち.
‖**—— 장수** 명《俗》だふ屋. **——-치기** 명하자 めんこ遊び.

딱-총【—銃】 명 (おもちゃの)かんしゃくだま(癇癪玉).

딱-하다 형 ① 気の毒だ; 痛痛しい; いたわしい. ¶ 옆에서 보기에도 딱할 정도다 はた目にも気の毒なほどだ / 보기에도 ~ 見るも痛痛しい / 딱하게 여기다 気の毒〔ふびん(不憫)〕に思う. ② 苦しい; 困る《동사적》. ¶ 딱한 입장 哀れな立場.

딴 의명 (自分としてはよくやってみようとする)積もり; …なり; …考え. ¶ 내 ~은 わたしのつもりでは; わたしなりには.

딴 관 別の; ほかの. ¶ ~ 날 別の日 / ~ 곳에 가다 よそへ行く / ~ 집에서 사면 더 싸다 よそで買うともっと安い.

딴-것 명 別〔外〕のもの. ¶ ~은 없어도 何は無くとも / 이 것 말고 ~은 없습니까 これでなくて外のものはありませんか / ~을 가져와라 別のものを持って来い.

딴꽃-가루받이 명〔植〕他花受粉. ＝타화 수분.

딴딴-하다 형 堅〔固·硬〕い. ① 強くしっかりしている; 丈夫だ. ¶ 땅이 ~ 地面が固い. ② (中が)うつろでない; (中味が)満ちている. ⊿단단하다.

딴-마음 명 ① ほか〔別〕の考え. ② 謀反する心; 二心; 異心. ¶ ~을 품다 二心〔異心〕を抱く.

딴-말 명 あらぬ話; かかわり合いのない話. ¶ ~을 하지 말라 あらぬ話は言うなよ.

딴-맛 명 別の味; 変わった味.

딴-머리 명 入れ毛〔髪〕.

딴-사람 명 ほかの人; 別人. ¶ ~처

보인다 別人のように見える. ——다 자 ① 顔が変わる. ②(心を入れ替えて)真人間になる; 生まれ変わる. ③ 身分が変わる.

-살림 명 別所帯. ——-하다 하자 別所帯を構える; 別の生活をする. ¶ ~을 차리다 別所帯を張る.

-생각 명하자 ① あらぬ考え. ② ほかのことを考えること. ¶ ~하느라 상대의 말을 못 들었다 ほかのことを考えていたために相手の話を聞きそこなった.

-소리 명 "딴말"を卑下した語.

-은 부 そう言えば; なるほど; いわして見れば. ¶ ~ 그렇군 なるほど, そうだね.

-전 명 とぼけること; そらとぼ(空惚)け. ¶ 짐짓 ~을 부리다 空を使う.

-죽 명 (相撲での)足払い, または足がらみ. —— 걸다 타 足をすく(掬)う; 足払い〔足がらみ〕をかける.

-판 명 ①(ばくち·碁などの)ほかの場(所). ② 全く違うようす. ¶ 겉보기와는 ~이다 見た目とは全く違う. ③ 全然ちがう局面; 一変した情勢. ¶ 하루 아침에 정세가 ~으로 변해 버렸다 一夜にして情勢が一変してしまった.

딸 명 娘. ¶ ~을 시집보내다 娘を片付ける / ~ 없는 사위《俚》娘なき婿(情が行かないことのたとえ).

딸가닥 부하자 固くて小さいものが, ぶつかって出す音: ことこと; がたがた. <떨거덕. 준 딸각. ——-거리다 자 しきりにことことする; がたがたする. ——— 부하자 ことこと; かたりことり; がたがた.

딸가당 부하자 金属性の小さいものがぶつかり合って出す音: ちゃらん; かちん; がちゃり. <떨거덩. ㅗ달가당. ——-거리다 자 がちゃつく; しきりにがちゃがちゃする. ——— 부하자 がちゃがちゃ; がたがた.

딸각 부하자 ↗딸가닥. <떨걱. ——-거리다 자 ↗딸가닥거리다. ——— 부하자 ↗딸가닥딸가닥.

딸그락 부하자 小さくて固いものが, ぶつかりあって出す音: ことり. <떨그럭. ——-거리다 자 ことりことりする. ——— 부하자 ことりことり.

딸그랑 부 薄い金属性のものがぶつかったりすれあう音: ちゃりん. <떨그렁. ——-하다 자 ちゃりんと鳴る. ——-거리다 자 しきりに, ちゃりんちゃりんと鳴る. ——— 부하자 ちゃりんちゃりん.

딸기 명〔植〕いちご(苺). ¶ ~를 따다 いちごを摘む / ~ 송이 いちごの房 / ~밭 いちご畑 / ~술 いちご酒.

딸깍-발이 명 晴れた日にもぼくり(木履)をはく貧しい儒生の称.

딸꾹 부 しゃっくりの声. ——-거리다 자 しきりにしゃっくりをする.

‖——-질 명하자 しゃっくり. ¶ ~이 나다 しゃっくりが出る.

딸-년 명 ① 自分の娘の謙称. ¶ 집의 ~을 곧 출가시킬 작정입니다 うちの娘を直ぐ嫁に出す考えで居ります. ② 娘の卑語.

딸딸 부 固い地面に車輪などが転がりながら出す音: ごろごろ; かたかた. <떨떨.

딸랑 부 鈴を強く鳴らすような音: ちりん. ——-거리다 자 ① しきりにりんりんと鈴が鳴る. ② ちゃかちゃかする; そそっかしくふざける. ——— 부하자 ちりんちりん; りんりん.

딸리다 一자 付く. ①(物事に)付属する; 付いている. ¶ 침대가 딸린 방 寝台付きの部屋 / 이 방에는 욕실이 딸려 있다 この部屋にはバスルームが付いている ②(人が)付く; 付き添う. ¶ 보모가 딸려 있다 保母が付いている. 二타 添える; 付ける. ¶ 호위를 딸리게 하다 護衛を付ける / 간호원을 딸려서 산책하게 하다 看護婦を添えて散歩させる.

딸보 명 ① 度量の狭い人. ② ずんぐりした人; ちび.

딸싹이다 자타 ☞ 들썩이다.

딸-아이, 딸-자식【—子息】명 自分の娘の謙称. ¶ 집의 ~는〔은〕이제 열다섯 살입니다 うちの娘は今十五歳であります.

딸-애 명 ↗딸아이.

땀¹ 명 汗. ¶ ~투성이가 되어 汗みずく〔汗みどろ〕になって / 손에 ~을 쥐고 보았다 手に汗を握って見た / ~을 흘리다 汗をかく / ~을 (뻘뻘) 흘리며 일하다 汗水たらして働く; 汗だくになって働く / ~으로 속옷이 끈적끈적 달라붙다 汗で下着がべたつく.

땀² 명 縫い目.

땀-구멍 명 汗口.

땀-국 명 あか(垢)じみた衣服ににじんだ汗; 汗じみ.

땀-기【—氣】명 汗ばむ気. ¶ ~가 있다 ちょっと汗ばむ.

땀-나다 자 ① 汗が出る. ② 汗をかく; とても骨が折れる.

땀-내 명 汗のにお(匂)い. ¶ ~나는 옷 汗臭い服.

땀-내다 자 汗する; 汗を流す.

땀땀-이 부 縫い目縫い目に; 縫い目ごとに.

땀-띠 명〔醫〕あせも(汗疹). ¶ ~약 汗知らず / ~가 나다 あせもができる.

땀-받이 명 汗取り; 汗ジュバン.

땀-방울 명 汗しずく. ¶ ~이 떨어지다 汗しずくが落ちる.

땀-빠지다 자 ① 冷汗を流す. ② 非常に苦労する; ひどく苦しい思いをする.

땀-샘 명〔生〕☞ 한선(汗腺).

땀-수【—數】명 縫い目の数.

땀-수건【—手巾】명 汗ふき; 汗ぬぐい; お絞り.

땅¹ 명 土地. ① 土; 地面; 地; 陸. ¶ ~ 고르기 地ならし / ~이 넓다 土地が広い / 이국 ~을 밟다 異国の土を踏む / 상도덕이 ~에 떨어지다 商道が地に落ちる / ~짚고 헤엄치기《俚》朝飯前. ② 田畑. ¶ 메마른 ~ や(痩)せた土地; や(痩)せ地 / ~을 갈다 土地を耕す. ③ 領地

ㄷ

ㄷ

りょう. ¶독도는 한국 ～이다 独島は韓国領である. ④地方; 所; 境. ¶신비의 ～ 神秘の境 / 서북 ～ 西北地方.

땅² 부 銃砲の発射音: ずどん. ㅆ탕.

땅³ 부 金属類を強く打ち鳴らす音: かぁん. <땡.

땅-강아지 명 〔蟲〕けら(蛄螻).

땅-개 명 《俗》①ちん(狆). ②背が低くがっちりしていてよくほっつき回る人.

땅-거미¹ 명 夕やみ; 夕暮れ; たそがれ(黄昏); 火ともしごろ(頃). ¶～가 지기 시작하였다 夕やみが迫って来た.

땅-거미² 명 〔蟲〕じぐも(地蜘蛛); つちぐも(土蜘蛛); あなぐも.

땅기다 一자 引きつる; つ(攣)る. ¶발이 ～ 足がつる. 二타 引っ張る; 引き寄せる. ¶줄을 ～ 綱を引っ張る. ㅗ당기다.

땅-꾼 명 蛇を捕って売る人.

땅-내 명 土のにお(匂)い. ——맡다 자 ①根づく; 根を張る. ②動物がその土地で巣くう.

땅-덩이 명 大陸・地球・国土などをさすことば. ¶중국은 ～가 넓다 中国は領土が広い.

땅딸막-하다 형 ずんぐりしている. ¶땅딸막한 남자 ずんぐりした男.

땅딸-보 명 ちんちくりん; 背の低い人.

땅-땅¹ 부 続けざまに銃砲を打つ音: ずどんずどん. ㅆ탕탕.

땅-땅² 부 金属類を続けざまに打つときの音: かぁんかぁん.

땅-땅³ 부 すごい鼻息で大きなことを言うさま. ——거리다 자 ☞ 떵떵거리다.

땅-뙈기 명 尺寸の地; 寸土.

땅-마지기 명 いくらかの〔ちょっとした〕田畑.

땅-문서 【—文書】 명 土地所有の権利証書.

땅-바닥 명 地面; 地べた. ¶～에 앉다 地べたに座る.

땅-버섯 명 地面に生えるきのこの総称.

땅-벌 명 〔蟲〕①あなばち(穴蜂). ②くろすずめばち(黒雀蜂). ＝땅말벌.

땅-볼 〔ball〕 명 〔野〕ごろ; 〔蹴球〕地面すれすれにけ(蹴)ったボール.

땅-뺏기 명 こま(駒)を弾きながら定めた地面を奪い合う遊び.

땅-사기 【—詐欺】 명 土地売買に関する詐欺. ＝토지 사기.

땅-속 명 地下; 地中. ¶～에서 파내다 地中から掘り出す.

‖——줄기 명 〔植〕地下茎.

땅-울림 명하자 地鳴り; 地響き.

땅위-줄기 명 〔植〕地上茎.

땅-임자 명 土地の所有主.

땅-재주 【—才—】 명 とんぼ返りなどの軽業.

땅-줄기 명 〔植〕地下茎.

땅-콩 명 〔植〕落花生; ピーナッツ; なんきんまめ(南京豆).

‖—— 기름 명 落花生油. —— 버터 명 ピーナッツバター.

땅-파기 명 ①土堀り仕事. ② からず屋との言い争い.

땅파-먹다 자 農夫や鉱夫の暮しをする.

땋다 타 (髪を)編む〔結う〕; (ひもなどを)な(綯)う; よ(縒)る. ¶머리를 髪を編む.

때¹ 명 時. ①時刻; 時間. ¶～ 알리는 종(소리) 時の鐘 / ～가 지나 따라 時が経つに従って〔つれて〕/ ～를 놓치지 않고 時を移さず / ～ 어기지 않고 時をたが(違)えず. ② とが行なわれたとき, またはある状 にあった)…際. ¶넘어졌을 ～ ろんだ時 / 문을 열었을 ～ 戸をあけ 際. ③時期; 機会; 時分; 折 ¶～마침 折よく / ～를 보아 折〔時〕見て / ～를 기다리다 時を待つ / ～를 만나다 時に会う / ～를 노리 時を狙う / ～를 얻다 時を得る. 場合. ¶국가 존망의 ～ 国家存 のとき / 무슨 일이 있을 ～에는 事あるときには; いざというときには / ～에 따라서는 場合によっては / 공한 그 ～에는 成功した暁には / 꾸물거릴 ～는 아니다 ぐずぐずする でない. ⑤時節; 時代; 時分; 頃; その当時. ¶고려 ～ 高麗 時代 / 학생 ～ 学生時代 / ～아닌 한 밤중에 時ならぬ真夜中に.

때² 명 ①あか(垢). ¶～를 씻다 あかを落とす / ～ 미는 사람 三助 / ～가 끼다 あかが付く; あかじみる / ～가 옷깃에 찌들어 빠지지 않는다 襟によごれが染み付いて取れない. ②汚名; ぬ(濡)れぎぬ. ¶도둑의 ～를 벗다 泥棒のぬれぎぬをぬぐ. ③やぼな所; 幼げ. ¶～를 벗은 여자 あか抜けした女.

때-가다 자 (官憲に)引き立てられる. ¶도둑질을 하여 때갔다 泥棒をしてぶちこまれた.

때각-거리다 자타 ☞ 때깍거리다. **때각-때각** 부하자타 ☞ 때깍때깍.

때구루루 부 小さくて固いものが地面に落ちて転がるさま. また, その音: ころころ. <떼구루루.

때굴-때굴 부 小さくて固いものが続けざまに転がるさま: ころころ(と). <떼굴떼굴. ㅗ대굴대굴.

때그락-거리다 자타 多数の固いものがぶつかり合って音を出す〔出るようにする〕; がちゃがちゃする〔させる〕; かちかち〔ことこと〕音を出す〔出るようにする〕. <떼그럭거리다. **때그락-때그락** 부하자타 がちゃがちゃ; こと(り)こと(り); かちかち.

때-까치 명 〔鳥〕もず(鵙・百舌).

때깍 부 固くて小さいものがぶつかり合って出す音: かちん. <떼꺽¹. ——거리다 자타 かちんかちんと鳴る〔鳴らす〕. —— —— 부하자타 かちんかちん; かちかち.

때깔 명 布地などの鮮やかなあや(綾)と色どり.

때-꼽재기 명 あかくず(垢屑); あかのかたまり.

때꾼-하다 형 げっそりと目が落ち込

んでいる. <떼꾼하다.

-늦다 [형] 時おそし; 間に合わない. ¶ 때늦은 감이 없지 않다 時おそしの感無きにしもあらず.

다¹ [타] た(焚)く; くべる. ¶ 석탄을 ~ 石炭をたく.

다² [타] 厄逃れをする.

때때 [명] 《兒》 ↗때때옷.

‖——-옷 [명] 色とりどりの布で仕立てた子供の晴れ着. =꼬까옷.

때때-로 [부] 時時; 時折; 折折; 往往; たびたび; ちょいちょい; まま(間間). ¶ ~ 방문하다 ちょいちょい訪ねる / ~ 가랑비가 뿌리다 時折小雨がばらつく / 실내에서 담배 피우는 사람을 ~ 본다 室内で喫煙する人を時時見受ける.

때때-중 [명] 小坊主; 小僧.

때려 부수다 [타] たたき壊す〔つぶ(潰)す〕; ぶちこわす.

때려 죽이다 [타] たたき殺す; 打ち殺す.

때려-치우다 [타] ほう(放)り出す; 止める; (店などを)畳む.

때-로(는) [부] 時に(は); 時として; たまに(は). ¶ ~ 앓기도 한다 たまに(は)病気になる / ~ 좋은 말도 하는군 たまにはいいことを言うね.

때리다 [타] ① たた(叩)く. ㉠ 殴る; 打つ; 張る. ¶ 머리를 ~ 頭を殴る / 빰을〔따귀를〕 ~ ほお(頬)を張る; びんたを食わす / 볼기를 찰싹 ~ しり(尻)をぴしゃりとたたく / 주먹으로 ~ げんこつで殴る / 멍이 들도록 ~ あざができる程殴る / 때려누이다 殴り〔張り〕倒す; たたきのめす. ㉡ 攻撃〔非難〕する. ¶ 공무원의 부정을 신문이 ~ 役人の不正を新聞がたたく. ② (ボールなどを)打つ; 正確に当てる. ¶ 잘 때리는 선수 よく打つ選手.

때-마침 [부] 都合よく; 折よく; たまたま; 折しも. ¶ ~ 잘 오다 折よく来合わせる / ~ 잘 와 주었다 いい所へ来てくれた / ~ 비가 오기 시작했다 折しも雨が降り出した.

때-맞다 [형] ほどよい; 折がよい; 好都合だ; 時を得ている. ¶ 때맞게 오는 비 ほどよい時の雨.

때문 [의명] ため; 故; …(の)せい. ¶ 당신 ~에 君故に / 무엇 ~에 なぜ; どうして / 모두 나 ~입니다 皆わたしのせいです / 날씨가 나쁘기 ~에 天気が悪いので.

때-묻다 [자] ① あか(垢)染みる; あか(垢)がつく. ② けちくさい. ③ (心が)汚れる; (人が)す(擦)れる. ¶ 때묻지 않은 여자 世間ずれしていない女 / 때묻지 않은 처녀 汚れを知らない娘.

때물 [명] ① あかじる(垢汁). ② 野暮たさ. ¶ ~을 벗다 あか抜けする.

때-아닌 [관] 時ならぬ. ¶ ~ 장마 時ならぬ長雨.

때-없이 [부] 時構わず. ¶ ~ 오는 눈 時構わず降る雪.

때우다 [타] ① 継ぎ合わせる; 鋳掛けをする. ¶ 깨진 꽃병을 ~ 割れた花瓶を継ぎ合わせる / 펑크를 ~ パンクを直す. ② 済ます; 間に合わせる. ¶ 이것으로 때우자 これで済まそう. ③ 償う. ¶ 돈 대신에 노동으로 ~ お金の代わりに労働で償う. [준] 때다.

땍때-구루루 [부] 小さくて固いものが地面などに落ちて転がる音: ころころ. <떽떼구루루.

땍때굴-땍때굴 [부] 小さくて固いものがぶつかり合って弾かれながら転がる音: ころりころり. <떽떼굴떽떼굴.

땔-감 [명] 燃料; た(焚)き物.

땔-나무 [명] 薪; まき; しば(柴). ¶ ~를 하러 산에 갔다 왔다 薪取りに山へ行って来た.

땜¹ [명][하타] ↗땜질.

땜² [의명][하자] 厄運を免れたりまたは他のことで厄逃れをすること. ¶ 팔자~ 厄逃れ.

땜-가게 [명] はんだ(半田)づけ屋; 鋳掛け屋.

땜-납 [명] はんだ(半田); しろめ(白鑞·白目).

땜-인두 [명] はんだごて(半田鏝).

땜-일 [명][하타] はんだ(半田)づけ; 鋳掛け(の仕事).

땜-장이【—匠—】 [명] 鋳掛け屋〔師〕.

땜-질 [명][하타] ① はんだ(半田)づけ(の仕事). ② 継ぎはぎ(の仕事). ③ 一部分だけを繕うこと.

땜-통 [명] 《俗》 頭の傷あと.

땟-국 [명] あかじ(垢染)みた水気.

땟-물 [명] ① ふうさい(風采); みめかたち. =몸매. ¶ 저애는 ~이 좋다 あの子はみめかたちがととのっている. ② あか(垢)を洗い落としたよごれ水.

땟-솔 [명] あか(垢)落としのブラシ.

땡¹ [명] こぼれ〔もっけの〕幸い; 大当たり. ¶ ~(을) 잡다 大当たりを取る; もっけの幸いをつかむ.

땡² [부] 薄く小さい金属類の器を打つとき鳴る音: がぁん; ちん. <뗑. ㅗ댕.

땡-감 [명] 渋がき(柿); 生がき(柿).

땡강 [부][하자] ↗땡그랑. ——-거리다 [자] ↗땡그랑거리다.

땡그랑 [부][하자] 鈴や風鈴などが強く鳴る音: ちりん; りんりん. [준] 땡강. ——-거리다 [자] しきりにりんりんと音がなる. ——-—— [부][하자] りんりん; ちりんちりん.

땡땡 [부] 小鐘などを続けざまに鳴らす音: かんかん; ちんちん. <뗑뗑. ㅗ댕댕. ¶ ~ 종을 친다 かんかん鐘を鳴らす.

땡땡-이¹ [명] 《俗》 鐘.

‖——-중 [명] 《俗》〖佛〗 かね(鉦)を打ちながらたくはつ(托鉢)する僧.

땡땡-이² [명] 《俗》 怠けること. ¶ ~를 치다〔부리다〕 怠ける.

땡땡-하다 [형] ① 張(り切)っている; ひきしまっている. ¶ 근육이 ~ 筋肉がひきしまっている / 배가 ~ 腹が張っている. ② (中が)満ちている. ¶ 살림이 ~ 暮らしに事欠かない; かなり裕福である.

땡추 [명] 〖佛〗 ↗땡추중.

‖——-절 [명] 生臭寺. ——-중 [명] 生臭坊主; 俗僧.

떠-가다 자 (空や水に)浮いて〔浮かんで〕行く；漂う；流れる. ¶구름이 ～ 雲が流れる.

떠꺼-머리 명 ①婚期を逃がした人のお下げ. ②↗떠꺼머리 총각. ③↗떠꺼머리 처녀.

‖── 처녀(處女) 명〔史〕お下げをした未婚の女性. ── 총각(總角) 명〔史〕婚期を逃してお下げをした未婚の男性.

떠나-가다 자 去〔移〕り行く；立ち去る；立つ. ¶하염없이 ～ とめどもなく去り行く.

떠나다 타 去る. ①離れる；立つ；出る. ¶배가 ～ 船が出る/고향을 ～ 故郷を去る/여행길을 ～ 旅に出る/멀리 ～ 遠くへ去る. ②(関係などを)断つ；離れる；や(止)める. ¶속세를 떠난 산골 생활 浮き世を離れた奥山暮らし/부모 슬하를 ～ 親もとを離れる/직장을 ～ 職場を去る. ③死ぬ；辞する. ¶세상을 ～ 世を去る.

떠-내다 타 ①く(汲)み出す〔取る〕；すく(掬)う；しゃくる. ¶국을 ～ スープをすくい取る/통에서 물을 ～ おけ(桶)から水をくみ出す. ②(芝・石などを)切り取る. ¶뗏장을 ～ 芝土を切り取る/돌산에서 석재를 ～ 石山で石材を切り出す.

떠-내려가다 자 流(さ)れる. ¶홍수로 다리가 떠내려갔다 大水で橋が流された.

떠-내려보내다 타 流す. ¶큰비가 집을 ～ 豪雨が家を流す/홍수로 다리를 떠내려보냈다 洪水で橋が流された.

떠-놓다 타 (水などを)く(汲)み〔すく(掬)い〕取っておく；(神仏に)供える. ¶맑은 물을 떠놓고 하늘에 치성드리다 清水を供えて天に祈る.

떠-다니다 자 ①漂う；漂流する. ¶구름이 ～ 雲が漂う. ②さすらう；流浪〔放浪〕する；流れ〔渡り〕歩く. ¶떠다니는 신세였다 さすらいの身であった.

떠다-밀다 타 ①(後ろから)強く押す；突く；押しの(退)ける. ②(自分の事・責任などを人に)押しつける. 준 떠밀다.

떠다-박지르다 타 押し倒す.

떠-돌다 자 ①↗떠돌아다니다. ②(うわさ(噂)が)流れる〔立っている〕.

떠돌아-다니다 자타 さすらう；流浪する；漂い歩く；流れ歩く. ¶전국을 ～ 全国を渡り歩く/떠돌아다니며 고용살이를 하다 渡り奉公をする.

떠돌-이 명 さすらい人；渡り者；流れ者；風来坊. ¶～ 장색 渡り職人.

‖──-별 명 ☞ 행성(行星).

떠들다¹ 자 騒ぐ. ①騒騒しくする；立ち騒ぐ；さんざめく；どよめく；ざわめく；ざわざわする. ¶웃으며 ～ 笑いさんざめく/군중이 시끄럽게 ～ 群衆がわいわい騒ぐ/술을 마시고 ～ 酒を飲んで騒ぐ/큰일 났다고 ～ 大変だと言って騒ぐ. ②(大声で)叫ぶ；(秘密を)ばらす；騒ぎ立てる. ¶떠들면 (네) 목숨이 없다 騒ぐと命がないぞ. ③騒ぎを起こす. ¶조약에 반대하여 ～ 条約に反対して騒ぐ. ④うわさ(噂)が立つ；うわさをする. ¶세상에서는 내가 그 사건에 관계되었다고 떠들어대지만… 世間ではわたしがその事件にかかわっていると騒いでいるが….

떠-들다² 타 まく(捲)り上げる.

떠들썩-하다¹ 형 (かぶ(被)せたものなどが)少し外れて中のものをのぞ(覗)かせている；まく(捲)れている.

떠들썩-하다² 형 騒がしい；やかましい；騒騒しい. ¶장내가 몹시 ～ 場内がひどく騒騒しい/세상을 떠들썩하게 하다 世間を騒がす/지면을 떠들썩하게 하다 紙面をにぎ(賑)わす. 준 들썩하다. 떠들썩-거리다 자 しきりに騒ぎ立てる.

떠들어-대다 자 騒ぎ立てる；まく(捲)し立てる.

떠듬-거리다 자타 ①ども(吃)る. ¶떠듬거리는 영어 片言まじりの英語/떠듬거리며 말하다 どもりながら言う. ②たどたどしく読む. 떠듬-떠듬 부하자타 どもりどもり；たどたどしく.

떠름-하다 형 ①渋い. ㉠(味が)やや渋い. ¶이 감은 ～ この柿はやや渋い. ㉡気乗りがしない. ¶떠름한 대답〔얼굴〕 渋い返事〔顔〕. ②☞ 떨떠름하다②.

떠-맡기다 타 押しつける；託する. ¶어거지로 ～ 無理やりに押しつける.

떠-맡다 타 引き受ける；背負い込む；しょい込む；引き取る. ¶귀찮은 일을 ～ やっかいな役をしょいこむ/유아를 ～ 遺児を引き取る/부채를 ～ 負債を引き受ける/대신 ～ 肩代わりする.

떠-먹다 타 すく(掬)って食べる〔飲む〕.

떠-메다 타 担う；背負う；しょう；担ぐ；負おう.

떠-밀다 타 → 떼밀다.

떠-받들다 타 ①押し上げる；持ち上げる；支える. ②尊ぶ；あが(崇)める；担ぐ；祭り上げる. ¶스승으로 ～ 師として尊ぶ/회장으로 ～ 会長に担ぐ. ③大事にする；もてはやす.

떠-받치다 타 支える. ¶흙담을 통나무로 ～ 土塀を丸太で支える.

떠버리 명 ほら吹き；おしゃべり.

떠-벌리다 타 ①大げさに言いまくる；ほらを吹く. ②(大規模に)設ける. ¶주연을 ～ 酒宴を大きく張る.

떠-보다 타 ①(人柄を)推しはかる. ②(意向・腹の中を)探る；気を引いて〔当たって〕みる. ¶의향을 ～ 意向を質す/마음 속을 ～ 腹を探る；かまをかける〈俗〉.

떠세 명하타 (金力・権力などを盾に)おうへい(横柄)に振る舞うこと. ──-하다 타 かさ(笠)に着る.

떠-오르다 자 浮かび上がる；浮かぶ. ①浮き上がる. ¶잠수함이 ～ 潜水

艦が浮かび上がる. ② 現われる. ¶ 수사선상에 ～ 捜査線上に浮かび上がる / 입가에 미소가 ～ 口もとに微笑が浮かぶ. ③ 思いつく. ¶ 명안이 ～ 名案が浮かぶ. ④ (月・日が)昇る. ¶ 달이 하늘 높이 ～ 空高く月がのぼる.

떡¹ 명 ① もち(餅). ¶ ～을 치다 もちをつ(搗)く / ～ 줄 사람은 꿈도 안 꾸는데 김칫국부터 마신다《俚》相手の気を考えず前もって当て込むことのたとえ. ②《俗》お人よし.

떡² 부 ① 大きく開いているさま: ぽっかり; あんぐり. ¶ 입을 ～ 벌리다 口をあんぐり(と)開ける. ② 物のよく合うさま: ぴったり; きっちり. ¶ ～ 들어맞다 ぴったりは(嵌)まる. ③ 断固として譲らないさま: 頑として. ¶ ～ 버티고 서다 きっと立ちはだかる; りりしく立ち向かう. ④ 態度が堂堂たるさま: 大様に; 堂堂と. ¶ ～ 앉다 大様に座る / 가슴이 ～ 벌어진 사나이 胸のがっしりと張った男. ＞딱.

떡-가래 명 丸い棒状の白いもち(餅)の一本.

떡-가루 명 もち(餅)を作るための穀物の粉.

떡갈-나무 명〔植〕かしわ(柏・槲・檞).

떡갈-잎 명 かしわ(柏)の葉.

떡-값 명 もち(餅)代の意. ① 正月などの祝祭日を控えて会社などで支給する特別手当. ② 入札の際, 落札者が他の業者に与える謝礼.

떡-고물 명 (きな粉など)もち(餅)のまぶし粉.

떡-국 명 雑煮.

‖── 차례(茶禮) 명 雑煮を供えて行なう新年のさいし(祭祀).

떡-돌 명 もちつ(餅搗)きに用いる平たい石.

떡-떡 부 ① 水がたちまち凍りつくさま. ② 硬い物がか(搗)ちあうか, または折れるときの音: ぽきんぽきん; ごつんごつん; かちかち; がちがち. ¶ 추워서 이가 ～ 마주치다 寒くて歯ががちがちと鳴る.

떡-메 명 もち(餅)つきのきね(杵).

떡-방아 명 もち(餅)用の米をつくきうす(木臼).

떡-벌어지다 자 ① (幅広く)広がる; 張っている. ¶ 떡벌어진 어깨 がっしり(と)した肩. ② 大きく間〔口〕が開く; 広い割れ目〔裂け目〕ができる. ¶ 떡벌어진 밤송이 はじ(弾)けたいがぐり(毬栗). ③ (宴が)にぎやかに開かれる〔催される〕; (宴で)ごちそうが豪勢に出される.

떡-보 명 もち(餅)を人一倍食べる人. ＝떡충이.

떡-볶이 명 もち(餅)の小切れに肉と薬味を加えて煮た食べもの.

떡-소 명 もち(餅)のあん(餡).

떡-심 명 ① きょうじん(強靱)な筋. ② 頑固でしぶとい人のたとえ.

떡-쌀 명 もち(餅)用の米. ¶ ～을 담그다 もち用の米を浸す.

떡-잎 명〔植〕子葉; 双葉.

떡-집 명 もち(餅)屋.

떡-치다 자 ① もち(餅)をつく. ②《俗》性交する.

떡-판 명 ① もち(餅)板. ②《俗》女のしり(尻).

떨거덕 부하자 堅くて大きな物がぶつかり合って鳴る音: がちり. ＞딸가닥. ⊥덜거덕. ㊂ 떨걱. ──-거리다 자 がちりがちり〔がたがた〕する. ─── 부하자 がちりがちり.

떨거덩 부하자 大きな物がぶつかり合って鳴る音: がたん. ＞딸가당. ⊥덜거덩. ──-거리다 자 がた(ん)がた(ん)と鳴る. ──── 부하자 がた(ん)がた(ん).

떨거지 명 親類; ゆかり(縁)の者.

떨걱 부하자 ↗떨거덕. ＞딸각. ⊥덜걱. ──-거리다 자 ↗떨거덕거리다. ──── 부하자 ↗떨거덕떨거덕.

떨구다 타《俗》頭を垂れる; 目を伏せる.

떨그럭 부하자 大きくて硬いものがぶつかり合うか, すれ合って出る音: ことり; かたっと. ＞딸그락. ⊥덜그럭. ──-거리다 자 かたかた〔ことりことり〕する. ──── 부하자 かたかた; ことりことり.

떨그렁 부하자 薄い金属類のやや大きなものがぶつかり合う音: かちゃっと; がちゃり. ＞딸그랑. ⊥덜그렁. ──-거리다 자 かちゃかちゃする; がちゃんがちゃんする. ──── 부하자 かちゃかちゃ; がちゃんがちゃん.

떨기 명 (花の)房. ¶ 한 ～ 장미꽃 一輪のばら.

떨다¹ 자타 震える; 震わせる; おのの(戦)く; わななく. ¶ 무서워서 (부들부들) ～ 怖くて(ぶるぶる)震える / 몸을 ～ 身震いする / 노여움으로 몸을 ～ 怒りで体を震わせる / 떠는 목소리로 말하다 おののく声で語る.

떨다² 타 ① 落とす. ㉠ (打ち)払う. ¶ 먼지를 ～ ちり(塵)を払う〔はたく〕/ 밤나무에서 밤을 ～ 栗の木から栗の実を(たたき)落とす. ㉡ (中から一部を)取り除く; ふるい落とす; 上前をはねる. ¶ 수험자의 반수를 ～ 受験者の半分を落とす. ② 差し引く; 天引きする. ¶ 선이자를 떨고 돈을 빌려 주다 利子天引きで金を貸す. ③ (売れ残りを)売り払う; すっかり買い取る. ④ (気性・行動を)表に表わす. ¶ 애교를 ～ あいきょう(愛嬌)を振りまく / 풍을 ～ ほらを吹く / 고집을 ～ 意地を張る.

떨떠름-하다 형 渋い. ① (味が)渋い. ¶ 떨떠름한 땡감 渋い生がき. ② (気持ちが)すっとしない; 気のりがしない; 気にかかる. ¶ 떨떠름한 얼굴 渋い顔 / ～한 기분 もやもやした気分 / 그 일이 마음에 ～ その事がどうも気にかかる. 떨떠름-히 부 渋く; 不機嫌に.

떨떨 부 荷車の輪などが転がる音: がたがた; がらがら. ＞딸딸. ⊥덜덜.

떨떨-하다 형 ① 不格好だ; 無様だ. ② 少し物足りない; 気乗りがしない. 떨떨-히 부 無様に; 物足りなく.

떨-뜨리다 타 高ぶる; もったい(勿体)ぶる; いばりかえる.

떨렁 부하자 ①大きな鈴などが振られて鳴る音: ちりん. ②ちょこまかとした〔そそっかしい〕さま. ——-거리다 자 ①ちりんちりんとなる. ②そそっかしく振る舞う. ——— 부하자 ちりんちりん; そそっかしく; ちょこまかに.

떨렁-하다 자 (胸が)どきっとする; ぎょっとする. >딸랑하다.

떨리다[1] 자 震える; わななく; おののく. ¶목소리가 ~ 声が震える/무서워서〔추워서〕 ~ 怖くて〔寒くて〕震える/손이 떨려 글씨를 쓸 수가 없다 手が震えて字が書けない/떨리는 목소리로 말하다 おののく声で語る/발이 ~ 足が震える.

떨리다[2] 자 ①(付いている物が)(打ち)払われる; 取り除かれる; 落とされる. ②(団体などから)排除される; や(止)めさせられる; お払い箱になる; (試験などで)は(撥)ねられる. ¶30명이나 회사에서 떨려났다 三十人もの人が会社からくびになった.

떨어 가다 타 ①売れ残りをすっかり買い取る. ¶도맷값으로 ~ 卸値ですっかり買り取る. ②奪い去る.

떨어 내다 타 打ち払う; 払い〔振るい〕落とす; はたく. ¶먼지를 ~ ちりを払い落とす.

떨어-뜨리다 타 落とす. ①㉠(高い所から)落ちるようにする. ¶다리 위에서 돈을 ~ 橋でお金を落とす. ㉡取り落とす; 取り損なう. ¶공을 ~ ボールを落とす/컵을 떨어뜨려 깨뜨리다 コップを落として割る. ㉢失う. ¶돈지갑을 ~ 財布を落とす. ②下落〔低下〕させる; 下げる. ¶가치〔신용·인기〕를 ~ 価値〔信用·人気〕を落とす/속도를〔품질을〕 ~ 速度〔品質〕を落とす. ③不合格にする; は(撥)ねる. ¶많은 수험자를 ~ 多くの受験者を落とす. ④攻め取る; 陥らせる. ¶적의 성을 ~ 敵の城を落とす. ⑤(お金などを)ばらまく. ¶관광객이 떨어뜨리고 간 돈 観光客が落として行ったお金.

떨어-먹다 타 ☞ 털어먹다.

떨어-지다 자 ①落ちる. ㉠落下する. ¶벼락이 ~ 雷が落ちる/벼랑에서 ~ がけ(崖)から落ちる/낙숫물이 ~ 雨だれが落ちる. ㉡取れる; 散る. ¶나뭇잎이 ~ 木の葉が散る/단추〔손잡이〕가 ~ ボタン〔とって〕が取れる. ㉢(月·日が)没する. ¶해가 ~ 日が落ちる. ㉣(持ち物が)離れ落ちる.¶땅에 떨어진 돈 地に落ちたお金. ㉤(値段·温度などが)下がる. ¶물가가〔열이〕 ~ 物価〔熱〕が落ちる. ㉥(以前に比して)下がる; (より)劣る. ¶성적이〔인기가〕 ~ 成績〔人気〕が落ちる〔下がる〕/속도가 ~ 速度が落ちる/품질이 ~ 品質が落ちる〔劣る〕/손님이 ~ 客が落ちる ; 客足が減る〔遠のく〕. ㉦(試験·選挙などに)落第する; 失敗する. ¶입사 시험에 ~ 入社試験に落ちる/선거에 ~ 落選する. ㉧攻め落とされる; 陥る. ¶성이 ~ 城が陥る. ㉨(命令などが)下る. ②隔てる; 離れる. ¶부모와 떨어져 살다 親と離れて暮す/멀리 떨어져 있다 遠く離れている. ③(利益として)残る; もう(儲)かる. ¶본전을 빼고 오십만 원 어진다 元を取って五十万ウォン残る. ④(服などが)着古される; 破れる; (はきものなどが)すり切れる. ¶양말이 ~ 靴下が破れる/구 가 ~ 靴がすり切れる. ⑤(癖などが)直る; 取れる; 抜ける. ¶학 이 ~ おこり(瘧)が直る. ⑥(金品などが)切れる; 尽きる. ¶돈이 ~ 金が尽きる/물건이 ~ 品が切れる. ⑦(たくらみなどに)かかる; 陥る. ¶계략에 ~ 計略にかかる/책략에 ~ 策略に陥る. ⑧なくなる; 尽きる. ¶정~ 愛想が尽きる.

떨이 명 売れ残り; 投げ物; 棚さらえ.

떨치다[1] 一자 鳴る; 鳴り響く; とどろ(轟)く. ¶문명이 크게 ~ 文名が鳴り響く/용명이 ~ 勇名がとどろく/사기가 크게 ~ 士気大いに振るう. 二타 鳴らす; は(馳)せる; ¶용명을 천하에 ~ 勇名を天下にとどろかせる/명성을 ~ 名声をとどろかす〔博す〕/태풍이 맹위를 ~ 台風が猛威を振るう.

떨치다[2] 타 振るい落とす; 振り放す; 振り切る. ¶잡념을 ~ 雑念を振い落とす.

떫다 형 渋い. ¶떫은 맛 渋い味/감의 떫은 맛을 빼다 かき(柿)をさわす.

떫디-떫다 형 ひどく渋い.

떳떳-하다 형 潔い; やましくない; 後ろ暗くない. ¶떳떳하게 여기지 않다 潔しとしない; 後ろ暗く〔肩身狭く〕思う/떳떳하게 부부가 되다 (天下)晴れて夫婦になる. 떳떳-이 부 潔く; 晴れて; まともに.

떵 부 ☞ 땅[2].

떵떵-거리다 자 ①すごくいきま(息巻)く. ②威勢高高に暮らす.

떼[1] 명 群れ; 束. ¶~를 이루다〔짓다〕 群れを成す/메뚜기의 큰 ~ いなご(蝗)の大群.

떼[2] 명 芝; 芝土. ¶~를 입히다 芝を敷く; 芝土でおおう.

떼[3] 명 いかだ(筏).

떼[4] 명 だだ(駄駄); やんちゃ〈俗〉. ¶~를 쓰다 だだをこねる.

떼-거지 명 ①こじき(乞食)の群れ. ②(災難などで)にわかにこじき(乞食)になりさがった人びと.

떼걱 부하자 ☞ 떼꺽. ——-거리다 자 ☞ 떼꺽거리다. 떼걱-떼걱 부하자 ☞ 떼꺽떼꺽.

떼-과부 【一寡婦】 명 にわかやもめ(俄寡婦)の群れ.

떼구루루 부 やや大きく固いものが転がる音: ころり; ころころ. >때구루루.

떼굴-떼굴 부 続けざまに転がるさま: ころころ; ころりころり. >때굴

ㅓ굴.

그럭-거리다 자타 固い物どうしがぶつかってがちゃんがちゃん〔かちかち〕と鳴る〔鳴らす〕. ＞때그락거리다.

떼그럭-떼그럭 부하자타 がちゃがちゃ；かちかち.

떼꺽¹ 부 固くてやや大きいものがふ(触)れ合って鳴る音：がたん；がちゃ. ＞때깍. ——-거리다 자타 がたんがたん〔がちゃがちゃ〕と鳴る〔鳴らす〕. ———— 부하자타 がたんがたん；がちゃがちゃ.

떼꺽² 부 (ためらわず)すぐ；直ちに；さっさと. ㅗ데꺽. ¶～ 해치우다 直ちにかたづける.

떼-꾸러기 명 だだ(駄駄)っ子.

떼꾼-하다 형 ☞ 때꾼하다.

떼다¹ 타 離す. ①㉠元の所から離れるようにする；(取り)外す；取り離す；は(剝)がす. ¶간판을〔기계를〕 ～ 看板〔機械〕を(取り)外す／눈을 ～ 目を離す〔そ(逸)らす〕／우표를 ～ 切手をはがす／(어린애가) 발을 ～ (子供が)歩けるようになる. ㉡間をあける；間合を取る；引き裂く〔離す〕. ¶책상과 책상사이를 ～ 机と机との間を取る／1미터 떼어서 심다 一メートル離して植える／부부 사이를 ～ 夫婦の間を引き離す. ㉢乳離れさせる. ②下ろす. ㉠だたい(堕胎)する. ¶아이를 ～ 胎児を下ろす. ㉡(寄生虫を)除く. ¶회충을 ～ 虫を下ろす. ③(封じたものを)切る；(ふた(蓋)を)取る；抜く. ¶편지 봉투를～ 封を切る／코르크 마개를 ～ コルク栓を抜く. ④取る. ㉠(差し)引く；天引きする. ¶인건비를 뗀 잔액 人件費を取った残額／이자를 떼고 돈을 빌려 주다 利子天引きで金を貸す. ㉡取って置く. ¶씨를 따로 떼어 두다 種を取っておく. ㉢もぎる；ちぎる. ¶나무 열매를 잡아 ～ 木の実をもぎり取る. ⑤(手を)切る；身を引く. ¶그 일에서 손을 ～ その事から手を引く. ⑥(病気・癖などを)落とす；除く；無くす；直す. ¶못된 버릇을 ～ 悪い癖を直す／학질을 ～ おこりを落とす.

떼다² 타 ☞ 떼이다.

떼다³ 타 しら(白)をきる；しらばくれる. ¶시치미를 ～ 何食わぬ顔をする／시치미 떼지 마 しらばくれるな.

떼-도둑 명 群盗.

떼-돈 명 にわかもう(儲)けの大金.

떼-먹다 타 ↗떼어먹다.

떼-밀다 타 [←떠밀다] (体で, または後ろから)押す；突く. ¶상대의 가슴을 ～ 相手の胸を突きのける.

떼-버리다 자 ↗떼어 버리다.

떼-새 명 ①群鳥. ②〖鳥〗↗물떼새.

떼-쓰다 자 我を張る；ねだる；ぐずる；無理強いする；だだをこねる；やんちゃを言う. ＝떼거리쓰다. ¶떼쓰는 아이 だだっ子.

떼어논 당상【一堂上】 명 絶対であること；受〔請〕け合い. ¶합격은 ～이다 合格は受け合いだ.

떼어-놓다 타 ①取り残す. ㉠後に残す. ¶아이를 친정에 ～ 子供を里に取り残す. ㉡(…に備えて)取っておく. ¶집세를 내기 위해 돈의 일부를 ～ 家賃にあてるため金の一部を取っておく. ②引き離す. ¶둘 사이를 ～ 二人の仲を引き裂く／3미터 떼어놓고 1등을 하다 三メートル引き離して第一着になる.

떼어-먹다 타 ①ちぎり食べる；もぎ取って食べる. ¶떡을 ～ もち(餅)をもぎって食べる：②(勘定などを)(ふみ)倒す. ¶술값을 ～ 酒代を飲み倒す／밥값을 ～ 食い倒す. ③横領する；着服する；ピンはねをする. ¶회삿돈을 ～ 会社の金を着服する.

떼어-버리다 타 ①取り除く. ㉠(付いているものを)取り去る；は(剝)がす. ㉡取り捨てる；(端数を)切り捨てる. ¶우수리를 ～ はした(端)を切り捨てる. ②㉠(人を)振り捨てる；振り放す. ¶라이벌을 떼어버리고 골인하다 ライバルを振り放してゴールインする. ㉡ま(撒)く. ¶미행자를 ～ 尾行者をまく.

떼이다 피동 (勘定などが)貸し倒れになる；(踏み)倒される. ¶술값을 ～ 飲み代を踏み倒される／밥값을 ～ 食い倒される.

떼-쟁이 명 無理強いをする人；だだ(駄駄)っ子.

떼-짓다 자 群れをなす.

떼-치다 타 突っ放す；振り捨てる〔切る〕. ¶매달리는 아이를 ～ すがりつく子を突っ放す.

떽-떼구루루 부 ①やや大きく固い物が他の物にぶつかりながら転がる音：ころころ；ころりころり. ¶밤이 ～ 굴러 왔다 くり(栗)がころころと転がって来た. ②遠雷が突然鳴る音：ごろごろ. ＞땍때구루루.

뗏-목【一木】 명 いかだ(筏).

뗏-밥 명 (寒食の日に)お墓の芝にかける土.

뗏-장 명 切り取った芝土の一切れ. ¶～을 입히다 芝土でおおう.

뗑 부 やや大きい金物を打つ時に出る音：かあん. ＞땡².

뗑겅 부하자 ①↗뗑그렁. ②一滴のしずく(雫)がしたたる音：ぽとりと. ＞땡강. ——-거리다 자 ①↗뗑그렁거리다. ②(しずくが)ぽとりぽとりと落ちる. ———— 부하자 ぽとりぽとり.

뗑그렁 부하자 鈴や風鈴などが一度鳴る音：ちりん；か(ら)ん. ＞땡그랑. ㅗ뎅그렁. ——-거리다 자 ちゃりんちゃりんとなる；か(ら)んか(ら)んと鳴る. ———— 부하자 か(ら)んか(ら)ん；ち(ゃ)りんち(ゃ)りん.

뗑-뗑 부 大きい金物を続けざまに打ち鳴らす音：がんがん；ごんごん. ¶학교 종을 ～ 친다 学校の鐘をかんかん鳴らす.

또 부 また. ①同じことをくりかえして. ¶～ 불이 났다 また火事が起こった／왜 ～ 그런 짓을 했지 どうしてまたそんなことをしたのかね. ②"…ばかりでなくもっと外に"の意：かつ(また). ¶슬기도 있고 ～ 용기도 있

ㄷ

는 사람이다 知恵もありまた勇気もある人である / 이유는 ~ 있다 理由はまたある. ③"それでも·そうでも"の意の接続副詞. ¶아이의 짓이라면 ~ 몰라도 子供の事ならいざ知らず.

또그르르 [부] 小さくて重い物が勢いよく転がるさま: ころころっと. <뚜그르르.

또글-또글 [부] 固くて小さいものが続けざまに転がるさま: ころころ. <뚜글뚜글.

또깡-또깡 [부][하형] てきぱきするさま: はきはき; きびきび. ¶~한 동작 きびきびした動作.

또는 [부] "そうでなければ"·"あるいは"の意を表わす語: また(又)は; もしくは. ¶편지 ~ 전보를 보내라 手紙または電報を送れ.

또-다시 [부] 再び; またもや; またしても; またまた. ¶봄은 ~ 왔다 春は再びやって来た / ~ 그에게 당했다 またしも彼にやられた.

또닥-거리다 [자] (よく響かないものを)ひき続き軽くたたく〔打つ〕. ㅆ토닥거리다. ¶아기의 등을 가볍게 ~ 赤ちゃんの背を軽くとんとんと打つ. **또닥-또닥** [부][하자] (軽く)とんとん; こつこつ.

또드락-거리다 [자] つち(槌)などで軽く打ち続ける. また, その音が鳴る. **또드락-또드락** [부][하자] とんとん.

또랑또랑-하다 [형] はきはきしている; 澄んで〔さ(冴)えて〕いる; はっきりしている. ¶또랑또랑한 목소리 朗朗とひびく声.

또래 [명] 同じ年ごろの人; ほぼ同じ性質·大きさの物. ¶같은 ~의 아이들 同じ年ごろの子供達.

또렷-하다 [형] はっきりしている; くっきりしている; あざやかだ. ¶또렷한 윤곽 あざやかな輪郭 / 이 사진은 아주 ~ この写真は非常にはっきりしている. <뚜렷하다. **또렷-이** [부] くっきりと; はっきりと; あざやかに. **또렷-또렷** [부][하형] はっきりと; くっきりと.

또르르 [부] 巻かれたものがほどかれてからまた元にかえるさま: くるくる(と). <뚜르르[1].

또바기 [부] 相変わらず; 何時も同じように. ¶인사를 ~ 잘 한다 あいさつを相変わらずきちんとする.

또박-또박 [부] きちんきちんと. ①(あいまいでなく)はっきりと; 正確に. ¶글씨를 ~ 쓰다 字をきちんきちんと書く. ② 日限をたがえないさま: 番を欠かさずきちきち(と). ¶집세를 매달 ~ 치르다 家賃を毎月きちきちと払う.

또한 [부] 同じように; 同じく; (やはり)…もまた. ¶그도 ~ 인간이었다 彼もまた人間であった / 나 ~ 싫습니다 私もやはりいやであります.

똑[1] [부][하자] ①小さいものが落ちる音: ぽとりと; ぽろり; ぽたり. ¶물방울이 ~ 떨어졌다 しずくがぽたりと落ちた / 단추가 ~ 떨어지다 ボタンがぽろりと落ちる. ②小さいものが折れる音: ぽきっ; ぽっきり; ぽきん. 나뭇가지가 ~ 부러졌다 枝がぽきっ折れた. ③ 固い物を軽くたた(叩)た時に出る音: とん; ことり. <뚝

똑[2] [부] 間違いなく; 少しもたが ず; かっきり; すっかり; そっくり. 돈이 ~ 떨어졌다 お金がすっかりなく る《すっからかんだ》/ 크기가 ~ 같 大きさが寸分もたがわない.

똑-같다 [형] 寸分もたがわない; 全 く同じだ; そっくりだ. ¶얼굴이 顔がそっくりだ / 부모의 마음은 ~ の心はひとつである. **똑-같이** 同じく; 一様に.

똑딱-거리다 [자][타] かちかちと音がな る; 固いものを続けざまにたたく うな音が出る〔音を出す〕. <뚝딱거 리다. **똑딱-똑딱** [부][하자타] かちかち がちがち.

똑딱-단추 [명] スナップ《ボタンの一種》. ¶~를 채우다 スナップをとめる.

똑딱-선 【—船】 [명] 発動機船; ぽんぽん蒸気(船).

똑똑 [부][하자] ① しずくなどが続けざまに落ちる音: ぽとりぽとり; ぽつりぽつり; ぽろぽろ; ぽた(り)ぽた(り). ¶빗방울이 ~ 떨어지다 雨のしずくがぽつりぽつり落ちる / 눈물을 ~ 흘리다 ぽろぽろと涙をこぼす. ②小さいものが続けざまに折れる音: ぽきりぽきり; ぽきんぽきん. ¶연필이 ~ 부러졌다 鉛筆がぽきぽき折れた. ③やや固いものを続けてたたくときに出る音: こつこつ; ことこと. ¶문을 ~ 두드리다 戸をこつこつノックする.

똑똑-하다 [형] ①はっきり〔くっきり〕している; 明らかだ. ¶발음이 똑똑지 않다 発音がはっきりしない. ② 利口だ; 利発だ; 賢い. ¶똑똑한 아이 利口な子供 / 머리가 ~ 頭がさ(冴)えている. **똑똑-이** [부] ①はっきり. ②賢く; 利口に.

똑-바로 [부] 真っ直ぐ(に). ①(曲がらず)一直線に; 直行で; 垂直に; 直立に. ¶~ 서다〔앉다〕 まっすぐに立つ〔座る〕/ ~ 집으로 돌아가다 まっすぐ家に帰る / ~ 상대의 얼굴을 보다 まともに相手の顔を見る. ② 間違いなく; 偽りなく; 正直に. ¶~ 말하다〔불다〕 正直に言う〔白状する〕.

똑-바르다 [형] 真っ直ぐだ. ① 曲がっていない. ¶똑바른 길 まっすぐな道. ② 正しい; 理にかなっている. ¶똑바른 길을 걷다 まっすぐな道を歩む / 똑바르게 살아가다 正しく生きていく.

똘똘 [부] ①幾重にも巻きつけるさま; くるくる. ¶실을 ~ 말다 糸をくるくると巻く. ② 一塊〔一丸〕となるさま. ¶~ 뭉쳐 외적을 물리치다 一丸となって外敵を退ける. ③ 軽くすばやく転がるさま. また, その音: ころころ. ¶~ 구루다 ころころと転がる. <뚤뚤. ㅗ돌돌.

똘똘-이 [명] 利発な子.

똘똘-하다 [형] 賢い; 利口だ; はきはきしている. **똘똘-히** [부] 賢く; 利口

こ; はきはき(と).

마니 명 《俗》 子分; ちんぴら.

-배 명 〔植〕 まめなし.

명 ① (大)便; ふん(糞); くそ. ¶ ~을 누다 便をする / ~이 마렵다 便意を催す / ~누러 갈 적 마음 다르고 올 적 마음 다르다《俚》のどもと(喉元)過ぐれば熱さを忘れる. ② すずり(硯)に残った墨汁のかす(滓).

똥-감태기 명 くそ(糞)まみれ.

똥-값 명 捨て値; 二束三文.

똥-개 명 駄犬; 雑犬.

똥-거름 명 下肥.

똥겨-주다 타 教えてやる; ヒントを与える; ほの(仄)めかす.

똥-구멍 명 肛門. ¶ ~이 찢어지게 가난하다《俚》赤貧洗うがごとし.

똥그라미 명 ☞ 동그라미.

똥그랗다 형 ☞ 동그랗다. ¶ 달이 ~ 月が真ん丸い.

똥그래-지다 자 ☞ 동그래지다. ¶ 놀라서 눈이 ~ 驚いて目が(真ん)丸くなる.

똥그스름-하다 형 ☞ 동그스름하다. ¶ 똥그스름한 얼굴 丸っこい顔.

똥글-똥글 부하형 ☞ 동글동글.

똥기다 타 教えてやる; ヒントを与える; ほの(仄)めかす; 暗示する.

똥-끝 명 くそ(糞)の出先. ——**-타다** 자 ① 焦慮のあまり大便が黒くばむ. ② 心を焦がす; ひどく気をも(揉)む.

똥-독 명 くそつぼ(糞壺); くそだめ(糞溜).

똥-독 【—毒】 명 大便の毒. =채독(菜毒).

똥똥-하다 형 ① ずんぐりしている. ② 太っている; ぼってりしている. ¶ 똥똥한 사나이 ずんぐりした男. <뚱뚱하다. **똥똥-히** 부 ずんぐりと; ぼってりと.

똥-물 명 くそみず(糞水).

똥-배 명 《俗》 太鼓腹; 太っ腹. ¶ ~가 나오다 太っ腹が突き出る.

똥-싸개 명 くそ垂れ. ¶ 이 ~야 このくそ垂れ奴.

똥-싸다 자 ① 大便を漏らす〔垂らす〕. ② 《俗》 ひどく苦労する; ほとほと閉口する; てこずる.

똥-오줌 명 大小便; ふんにょう(糞尿).

똥줄-빠지다 자 ひどい目にあう. ¶ 똥줄빠지게 달아나다 命からがら逃げる.

똥-집 명 《俗》 ① 大腸. ② 体重. ③ 胃袋.

똥-차 【—車】 명 ① ふんにょうしゃ(糞尿車). ② ぽんこつ車; ぼろ車.

똥창-맞다 자 《俗》 気が合う; 意気投合する.

똥-칠 【—漆】 명하자 ① くそ(糞)を付けること. ② 面目つぶし. ¶ 얼굴에 ~하다 顔に泥をぬる; みそ(味噌)をつける.

똥탈-나다 자 《卑》 急な事故・故障が起こる.

똥-통 명 ① た(溜)めおけ(桶). ② 《俗》 非常につまらないもの; おんぼろ; ぽんこつ〈俗〉.

똬르르 부 水などが狭い所を勢いよく流れ落ちる音: とくとく; ざあっと. ㅗ돠르르.

똬리 명 荷を頂くとき頭に乗せる輪状のクッション《わら(藁)や布などで作る》.

뙈기 명 ① 田畑の一区画. ¶ 논 한 ~ 田一枚〔一筆〕. ② 一片; 一切れ.

뙤뙤 부 ども(吃)る声. ——**-거리다** 자 しきりにどもる.

뙤록-거리다 자타 ① ぐりぐりした眼がぎょろぎょろする〔眼をぎょろぎょろさせる〕. ② ずんぐりした体が〔を〕のろのろと動く〔動かす〕. ③ ぷりぷりと怒る. <뛰룩거리다. ㅗ되록거리다. **뙤록-뙤록** 부하자타 ① ぐりぐり; ぎょろぎょろ; ぎらぎら. ② のろのろ. ③ ぷりぷり.

뙤약-볕 명 じりじり照り付ける日ざし. =폭양(曝陽).

뚜[1] 명 ↗뚜쟁이.

뚜[2] 부 汽笛・らっぱなどを鳴らす音: ぶう; ぴい.

뚜그르르 부 重くて丸いものが一気に強く転がるさま: ころり.

뚜글-뚜글 부 大きくて重く丸みがかったものが勢いよく転がるさま: ごろごろ. >또글또글.

뚜껑 명 ① ふた(蓋). ¶ 냄비 ~ なべぶた / ~을 열다〔닫다〕 ふたを開ける〔する〕/ ~이 열리다 ふたが開ける. ② 《俗》 帽子; キャップ.

뚜덕-거리다 자타 (響きのない物を)続けざまにやや強くたた(叩)いて音を出す. また, その音が出る. >또닥거리다. **뚜덕-뚜덕** 부하타 (響きのない物を)やや強くたたき続けるさま. また, その音.

뚜덜-거리다 자 ☞ 투덜거리다. **뚜덜-뚜덜** 부하자 ☞ 투덜투덜.

뚜드럭-거리다 자타 つち(槌)などで調子を取りやや強く打ち続ける(音がする〔音を出す〕). >또드락거리다. **뚜드럭-뚜드럭** 부하자타 調子を取って打ち続けるさま〔音〕.

뚜드려 내다 타 のみ(鑿)・かんな(鉋)などの刃をといし(砥石)などにかける前に刃の内側をつち(槌)でたたいてへこ(凹)ませる.

뚜드리다 타 たたく. ㅗ두드리다. ¶ 문을 ~ 戸をたたく.

뚜들기다 타 強くたたく〔打つ〕; ぶ(打)ったた(叩)く. ¶ 북을 ~ 太鼓をどんどん鳴らす.

뚜-뚜 부 汽笛やらっぱなどを続けざまに鳴らす音: ぶうぶう; ぴいぴい.

뚜렷-하다 형 はっきり〔くっきり〕している; 明瞭〔明白〕だ; 明らかだ; 著しい; 目立〔際立〕っている. ¶ 뚜렷한 약효 あらたかな薬効 / 뚜렷한 존재 きわだった存在 / 뚜렷한 증거 明白な証拠 / 뚜렷한 차이 明確な差異 / 윤곽이 뚜렷한 얼굴 彫りの深い顔. **뚜렷-이** 부 はっきり〔くっきり〕と; 明らかに. ¶ 당황한 기색이 ~ 보였다 ろうばいの色がありありと見えた. **뚜렷-뚜렷** 부하형 すべてが明らかなさま; はっきり〔くっきり〕しているさま; 著しいさま.

ㄷ

뚜르르¹ [부] くるっと. >또르르. ㅅ두르르¹. ¶종이가 ~ 말리다 紙がくるくるっと巻かれる.

뚜르르² [부] 車輪などの転がるさま. ㅅ두르르².

뚜벅-거리다 [자] 気取って歩く; こつこつ歩く. >또박거리다. **뚜벅-뚜벅** [부][하자] 気取って歩くさま. また, その足音: こつこつ. ¶~ 그의 구둣소리가 들려 왔다 こつこつと彼の靴音が聞こえてきた.

뚜-쟁이 [명] (男女の)野合を取り持つ人; ぽん引き; ぜげん(女衒). ㊅ 뚜. ¶~ 노릇을 하다 男女の野合を取り持つ.

뚝¹ [부][하자] ① (物や物価・成績などが) 突然, また大きく落ちるさまやその音: がたんと; がたっと; がたり; どかりと. ¶바윗돌이 ~ 떨어졌다 岩がどかりと落ちた / 주가가 ~ 떨어지다 株ががたっと下がった / 생산량이 ~ 떨어졌다 生産量ががどかっと〔がたんと〕落ちた / 매상고〔인기〕가 ~ 떨어지다 売上げ〔人気〕ががた落ちになる. ② 大きい物が突然折れる音: ぽきん; ぽっきり; ぽきっと. ¶소나무 가지가 ~ 부러졌다 松の枝がぽきんと折れた. ③ しずくなどのおちる音: ぽたり. >똑¹.

뚝² [부] ① (声・音・たよりなどが) 急にとだえるさま: ぷっつり; ひたと; ばったり; ぱたりと. ¶울음 소리가 ~ 그쳤다 泣き声がひたと止んだ / 바람이 ~ 그치다 ぱたりと風が止む / 소식이 ~ 끊어지다 便りがぷっつりとだえる. ② (物が) 急に切れるさま: ぷっつり. ¶낚싯줄이 ~ 끊어졌다 釣り糸がぷっつり切れた.

뚝-딱 [부] 物事を手ぎわよくやってのけるさま: てきぱきと; さっさと. ¶밥 한 그릇을 ~ 해치웠다 飯ひとわん(椀)をさっさと平らげてしまった.

뚝딱-거리다 [자][타] ① 固いものをしきりに打ち鳴らして音を出す; とんとんする〔させる〕; かちかちさせる〔する〕. ② 胸がどきどきする. **뚝딱-뚝딱** [부][하자타] かちかち; とんとん; どきどき.

뚝-뚝¹ [부][하자] ① ものが続けざまに落ちるさま, またその音: ぽたりぽたり; ぽつりぽつり; はらはら. ¶눈물을 ~ 흘리다 涙をはらはらと落とす / 피가 ~ 떨어지다 血がぽたぽた落ちる. ② 太くて大きいものが続けざまに折れる音: ぽきんぽきん; ぽきっぽきっ. ¶나뭇가지가 ~ 부러지다 木の枝がぽきぽき折れる. >똑똑.

뚝-뚝² [부][하자] 固いものを続けざまにたた(叩)いて出す音: とんとん; かちかち. >똑똑.

뚝뚝-하다 [형] 無愛想だ; ぶっきらぼうだ; そっけない. ¶매우 뚝뚝한 사람 ひどく無愛想な人.

뚝배기 [명] (みそしる(味噌汁)などを煮る)土焼き. ¶~ 깨지는 소리를 내다《俚》どら声を張り上げる.

뚝별-나다 [형] 怒りっぽい; かんしゃく(癇癪)持ちである.

뚝별-스럽다 [형] 怒りっぽい.

뚝-심 [명] ① がんば(頑張)る〔ねばる〕力. ¶~이 세다 根気が強い. ② そぢから(糞力); ばかぢから(馬鹿力 ¶~을 쓰다 くそ力を出す.

뚤뚤 [부] ① 紙や反物などを幾重にも巻くさま: くるくる. ¶종이 ~ 말다 紙をくるくると巻く. ② や重たいものが勢いよく転がるさま: ころころ. >똘똘. ㅅ둘둘.

뚫다 [타] ① (穴を)空ける; 突き抜く; うが(穿)つ〈雅〉. ¶구멍을 ~ を空ける〔うがつ〕/ 탄환이 벽을 ~ 弾が壁を突き抜く〔貫く〕. ② (道つまりなどを)通ずる; 通す; 開く; 貫通する. ¶터널을 ~ トンネルをくりぬく / 메인 토관을 ~ 土管のつまりを通す. ③ (困難などを)くぐる; 切り抜ける; 突破する. ¶난관을 ~ 難関を切り抜ける / 법망을 ~ 法網をくぐる / 적의 포위망을 ~ 敵の囲みを突破する. ④ 見つけ出す; 探す. ¶취직 자리를 ~ 就職口を見つける.

뚫리다 [피동] 空く; 空けられる; 撃ち抜かれる; 貫かれる. ¶구멍이 ~ 穴が空く / 멘 코가 ~ つまった鼻が通る / 터널이 ~ トンネルが通ずる.

뚫어-내다 [타] ① 貫き通す; 穴を空ける; く(刳)りぬ(貫)く. ② 見つける; 探し出す.

뚫어-새기다 [타] (彫刻で)透かし彫りにする.

뚫어지게 보다 [타] 穴が空く程見つめる; 凝視する; 食い入るように見つめる.

뚫어-지다 [자] 穴が空く; 穴が空かれる; 撃ち抜かれる; (道が)通ずる; (つまったものが)通る.

뚱그렇다 [형] ☞ 둥그렇다.

뚱그스름-하다 [형] ☞ 둥그스름하다.

뚱글-뚱글 [부][하형] ☞ 둥글둥글.

뚱기다 [타] はじ(弾)く.

뚱-딴지 [명] ① 愚鈍でぶっきらぼうな人. ② がいし(碍子). =애자. —— **같다** [구] 突拍子もない; とっぴ(突飛)だ. =엉뚱하다.

뚱땅-거리다 [자][타] ① いろんな楽器を鳴らしてはや(囃)し立てる. ② どんちゃん騒ぎをする. **뚱땅-뚱땅** [부][하자타] ① 鼓などを打ち鳴らす音: どんどん. ② どんちゃん騒ぎをするさま.

뚱뚱-보, 뚱뚱-이 [명] でぶ; 太っちょ.

뚱뚱-하다 [형] ① 太っている. ② 膨れている. >똥똥하다. **뚱뚱-히** [부] でぶでぶと; でっぷりと.

뚱보 [명] ① むっつり屋. ② ☞ 뚱뚱보.

뚱-하다 [형] ① 無口である. ¶(성격이) 뚱한 남자 しんねりむっつりの男. ② 気嫌が悪い; むっつり膨れっ面をしている.

뛰 [부] 汽笛の音: ぶう.

뛰-놀다 [자] 跳ね回る; 飛びまわって遊ぶ. ¶아이들이 ~ 子供達が跳ね回って遊ぶ.

뛰다¹ [자] ① (しぶき・泥水などが) 飛び散る; 跳ね(上が)る. ¶옷에 잉크가 ~ 服にインキが飛び散る. ②

胸が)躍る；ときめく. ¶(기뻐서) 가슴이 ～ 胸がときめく；胸がはずむ/뛰는 가슴을 누르지 못하다 はずむ心を押さえ切れない. ③脈打つ.

뛰다² 자타 ①走る；駆ける. ¶급보를 받고 뛰어오다 急報を受けて飛んでくる/100m를 10초에 ～ 百メートルを十秒で走る/뛰는 놈 위에 나는 놈이 있다《俚》上には上がある. ②飛〔跳〕ぶ. ㉠跳び越える〔越す〕. ¶도랑을 뛰어 건너다 みぞを跳び越える/담을 뛰어넘다 塀を跳び越える. ㉡(価格が)跳ね上がる. ¶물가가 ～ 物価が飛ぶ〔跳ね上がる〕. ㉢(間を)抜かす；(順序を)飛ばす；飛び上がる. ¶3페이지에서 5페이지로 ～ 3ページから5ページへ飛ぶ. ㉣《俗》逃げる；高飛びする；ずらかる〈俗〉；風を食らう. ¶범인이 일본으로 ～ 犯人が日本に飛ぶ. ③(魚などが)ぴんぴん跳ねる. ¶물고기가 펄떡펄떡 ～ 魚がぴちぴち跳ねる.

뛰룩-거리다 자타 ☞ 뙤록거리다. **뛰룩-뛰룩** 부하자타 ☞ 뙤록뙤록.

뛰어-가다 자 駆けて〔走って〕行く；駆ける；走る.

뛰어-나가다 자 飛び出す；駆け出す. ¶밖으로 ～ 外に飛び出す.

뛰어-나다 형 優れる；秀でる；抜きんでる；ずば抜ける〈俗〉. ¶뛰어난 성적 ずば抜けた成績/뛰어난 솜씨 さ(冴)えた腕前/뛰어난 연기 優れた演技/글씨에 ～ 書に秀でる；書に堪能だ/여러 사람보다 ～ 衆に抜きんでている/이 그림은 뛰어나게 좋다 この絵はずば抜けてよい.

뛰어-나오다 자 飛び出す〔出る〕；走り出る. ¶밖으로 ～ 外に飛び出す.

뛰어-내리다 자 飛び降〔下〕りる. ¶벼랑에서 ～ がけ(崖)から飛び下りる/달리는 열차에서 ～ 走る列車から飛び降りる.

뛰어-넘다 타 ①跳び越える；跳び越す. ¶장애물을 ～ 障害物を跳び越える. ②(順序などを)飛ばす；抜かす. ¶어려운 부분을 ～ むずかしい部分を飛ばす.

뛰어-다니다 자 飛び回る；駆け(ずり)回る；飛び歩く. ¶돈을 마련하려고 ～ 金策に飛び〔かけずり〕回る.

뛰어-들다 자 飛び込む. ①(身を躍らせて)飛び入る；躍り込む；身を投げる. ¶바다에 ～ 海に飛び込む〔身を投げる〕/적지에 ～ 敵地に乗りこむ；敵陣に躍り込む. ②(突然または急いで)駆け込む；転げ込む. ¶집 안으로 ～ 家のなかに駆け込む/허둥지둥 파출소에 ～ あたふたと交番に駆け込む. ③(事件に)立ち入る；かか(係)わる. ¶와중에 ～ 渦中に飛び込む/사건에 ～ 事件にかかり合う.

뛰어-들어오다 자 駆け込んで来る；飛び込む；転げ込む. ¶방 안으로 ～ 室内に転げ込む.

뛰어-오다 자 駆け足で〔駆けて〕来る；急いで〔走って〕来る.

뛰어-오르다 자 ①飛び上がる. ㉠飛〔跳〕ぶ；跳ねる；躍(り上が)る. ¶마루에 ～ 緑側へ飛び上がる/말이 ～ 馬が躍る. ㉡(位・成績などが)ぐっと上になる；のし上がる；躍り出る. ¶공적으로 2계급 ～ 功績によって二階級飛び上がる/일약 첫째 자리로 ～ 一躍首位に躍り出る. ②飛び乗る. ¶막 떠나려는 열차에 ～ 発車しかけている列車に飛び乗る. ③(相場などが)跳ね上がる；飛ぶ. ¶물가가 ～ 物価が跳ね上がる.

뜀 명 ①走り. ②跳び(上がり)；飛び越え；跳躍. ③逃げること；高飛び.

뜀-뛰기 명 ☞ 뜀①・②. ¶～ 운동 跳躍運動.

뜀-뛰다 자 (両足をそろ(揃)えて)飛〔跳〕ぶ；高跳び・幅飛びをする.

뜀박-질 명 ①飛〔跳〕ぶこと. ②駆けっこ. ＝달음박질. ——-하다 자 走る；駆けっこをする.

뜀-틀 명 跳〔飛〕び箱；跳馬.

뜨개-것 명 編み物.

뜨개-바늘 명 [↗뜨개질 바늘] 編み針；編み棒；棒針；かぎ針.

뜨개-질 명하자 編み物；編むこと.

뜨거워-지다 자 熱くなる；熱する. ¶주전자 물이 차츰 ～ やかんの水がだんだん熱くなる.

뜨거워-하다 타 熱く感ずる；熱がる.

뜨겁다 형 熱い. ¶몸이 ～ からだが熱い/뜨거운 눈물 熱い涙/뜨거운 사이 お熱い仲/몸이 ～ からだが熱い.

뜨겁디-뜨겁다 형 ひどく熱い. ¶뜨겁디뜨거운 사이 熱熱の仲.

-뜨기 미 名詞の下に付いて，人をからかって言う語. ¶시골～ 田舎っぺい/이 얼～야 나가 버려 この出来損ないめ，出て行け.

뜨끈-하다 형 とても熱い感じがする. ＞따끈하다. **뜨끈-히** 부 熱く. **뜨끈-뜨끈** 부하형 ほかほか；ぽかぽか. ¶～한 군고구마 ほかほかの焼き芋.

뜨끔-거리다 자 ひりひりする；ちくちく痛む. **뜨끔-뜨끔** 부하자 ちくちく；ひりひり.

뜨끔-따끔 부하자 ちくちく〔ひりひり〕痛むさま.

뜨끔-하다 형 ①ちくりと痛い. ¶벌에 쏘여 ～ はち(蜂)に刺されてちくりと痛い/뜨끔한 맛을 뵈다 痛い目に遭わせる；おきゅう(灸)をすえる. ②(良心のかしゃく(呵責)や痛いところを刺されて)ぎくり〔ちくり〕とする. ¶가슴이 ～ ぎくりと胸にこたえる. ＞따끔하다.

뜨내기 명 ①流れ者；旅がらす. ②たまにすること. また，その仕事. ‖—— 손님 명 (常客でない)通りがかりの客；流れ客. —— 장사 명하자 時たまする商売.

뜨다¹ 자 ①浮かぶ. ㉠(水・空に)浮く. ¶나무 토막이 물에 떠 있다 木切れが水に浮かんでいる/물고기가 수면에 떠오르다 魚が水面に浮かび上がる〔浮かぶ〕/비행기가 ～ 飛行機

が飛ぶ〔離陸する〕. ㉡(雲が)流れる. ②(月・太陽などが)昇る；出る；かかる. ¶달이 ~ 月が出る/해가 ~ 日が昇る/무지개가 ~ にじ(虹)がかかる. ③(糸が切れて)たこ(凧)が吹き流される. ④㉠(くっついているものが)離れて浮き上がる. ¶이가 ~ 歯が浮く. ㉡(間が)透く. ¶잇새가 ~ 歯が透く. ㉢(間柄が)密で〔親しく〕ない；しっくりしない. ¶부부 사이가 ~ 夫婦の間がしっくり行かない. ⑤(時間的・空間的に)隔たりがある；かけ離れている. ¶사이가 뜨게 하다 間を置く；間をあける. ⑥(お金などが)(貸し)倒れになる.

뜨다² 자 ①蒸れる；発酵する；寝る. ¶메주가 ~ みそこうじ(味噌麴)が寝る. ②(顔が)むくむ；黄ばむ；青膨れする. ¶굶주려 얼굴이 누렇게 ~ 飢えて顔が黄色くむくむ.

뜨다³ 타 きゅう(灸)をすえる.

뜨다⁴ 타 ①(席を)空ける；外す；立つ. ¶자리를 ~ 席を立つ；座を外す. ②(居た所を)引き払う；離れる；去る. ¶고향을 ~ 故郷〔くに〕を出る〔去る, 離れる〕/세상을 ~ 世を去る.

뜨다⁵ 타 ①(一部分を)切り出す；切り取る. ¶뗏장을 ~ 芝土を切り取る/석재를 ~ 石材を切り出す/강에서 얼음을 ~ 川から氷を切り出す. ②すく(掬)う；すくい取る；しゃくる；く(汲)む. ¶수프를 ~ スープをすくう/물을 떠서 마시다 水をしゃくって飲む. ③(す(簀)にかけて)す(漉)く. ¶종이를 ~ 紙をすく/김을 ~ のり(海苔)をすく. ④(死獣の身を)部分別にばらす；ばらばらに切り裂く. ⑤(肉を)薄切りにする. ⑥(切り売りの反物を)買う. ¶저고리 한 감을 ~ チョゴリ一着分の布を買う. ⑦食事を(少し)取る. ¶점심을 한 술 ~ 昼食をほんの少し取る.

뜨다⁶ 타 ①(目を)開ける. ¶눈을 ~ 目を開く；目覚める/성에 눈(을) ~ 性に目覚める. ②耳が聞こえるようになる；(聞いて)分かるようになる.

뜨다⁷ 타 ①(網を)す(結)く；(毛糸などで)編む. ¶실로 그물을 ~ 糸で網をすく/털실로 양말을 ~ 毛糸で靴下を編む. ②(一針)縫う. ¶터진 데를 한 두 바늘 ~ ほころ(綻)びた所を一針二針縫う.

뜨다⁸ 타 摸して作る；写す；型をとる；摸する. ¶장갑 본을 ~ 手袋の型をとる/지형을 ~ 紙型をとる.

뜨다⁹ 형 ①鈍い. ㉠(動作が)のろい. ¶걸음이 ~ 歩みがのろい/동작이 ~ 動作が鈍い. ㉡(感受性が)鈍い. ¶눈치가 ~ 勘〔センス〕が鈍い. ㉢(刃が)鈍い. ②口が重い〔堅い〕；無口だ. ¶말수가 ~ 口数が少ない. ③(金属が)容易に熱しない. ④(勾配が)緩い.

뜨덤-뜨덤 부 (文章などの意味がよく取れず)かろうじて拾い読み…るさま：たどたどしく.

뜨듯-하다 형 ☞ 뜨뜻하다. >따듯…다. 뜨듯-이 부 ☞ 뜨뜻이. ¶겨울…~ 지냈다 冬を暖かく過ごした.

뜨뜻미지근-하다 형 生温い. ①あ…たかみが少ない. ¶목욕물이 ~ 湯…生温い. ②(態度・やり方などが)…固としない；手ぬるい；煮えき…らない. ¶뜨뜻미지근한 태도 生温…〔中途半端な〕態度.

뜨뜻-하다 형 程よく熱い；暖〔温〕…かい. >따뜻하다. ⊥뜨듯하다. ¶뜨…한 방 あたたかい部屋. 뜨뜻-이 부 …〔温〕かく.

뜨르르¹ 부 ①大きな物が滑らか…転び行く音：ごろごろ. ②大き…物体がふるえるさま：びりびり. …따르르. ⊥드르르¹.

뜨르르² 부 (事物が)よどみなく進…行するさま：すらすら. ⊥드르르².

-뜨리다 미 動詞の語尾"-아·-어"ま…たは動詞の語幹・語根に付いて…その意を強める語. 쓰-트리다. ¶…(쳐서) 넘어~ (打ち)倒す/떨어~…落としてしまう.

뜨막-하다 형 (かなりの間)とだえる〔とぎれる〕；しげくない；しばらくや(止)む；小やみになる《동사적》.

뜨물 명 とぎ水；白水；とぎ汁. ¶~ 먹고 주정하다《俚》酔ったふりをして乱暴をはたらくことのたとえ.

뜨스-하다 형 少し温〔暖〕かい；温い. >따스하다.

뜨습다 형 ほどよく温〔暖〕かい. >따습다.

뜨악-하다 형 気乗りがしない；気が進まない〔向かない〕.

뜨음-하다 형 (頻繁であったものが)とだえている；たまにしかない. ¶손님의 발길이 ~ 客足が引く〔遠のく〕. 준 뜸하다.

뜨이다 자 ①(目が)開く〔覚める〕；目覚める；(比喩的に)うまい話などに思わずはっとする. ¶귀가 번쩍 뜨이는 이야기 はっとするような耳寄りな話/아침 일찍 눈이 ~ 朝早く目が覚める. ②目に付く〔入る〕；目に触れる. ¶아버지 눈에 ~ 父の目に触れる. 준 띄다.

뜬-구름 명 ①浮き雲. ¶~ 같은 신세 浮き雲の身の上. ②浮き世；はかない世の中.

뜬-눈 명 眠らぬ目：夜明かしの目. ¶~으로 밤을 새우다 まんじりともせずに夜を明かす.

뜬-세상【一世上】명 浮き世；はかない世.

뜬-소문【一所聞】명 あらぬうわさ；流言；デマ.

뜬-숯 명 消し炭.

뜬-재물【一財物】명 ①思いがけなく手に入れた財物. ②返してもらう見込みのない財物.

뜯기다 ㊀피동 ①(蚊などに)かまれる；(のみ(蚤)などに)食われる. ②取られる. ㉠(お金などを)奪われる；(せびり)取られる. ¶동생에게 돈을 ~ 弟にお金をせびられる. ㉡

ばくち(博打)で)金を失う. ③(家屋などを)取り壊される; 取り払われる. 二 사동 (牛馬に)草をは(食)ませる.

뜯다 타 ① 力ずくで取り離す. ㉠(付いているものを)取る; 摘む; むし(毟)り取る; は(剝)がす; めく(捲)る. ¶ 풀을 ~ 草を取る / 우표를 ~ 切手をはがす / 머리털을 잡아~ 髪の毛をむしる / 달력을 한 장 ~ カレンダーを一枚めくる. ㉡(封じたものを)あける; 切る. ¶ 편지 봉투를 ~ 手紙の封を切る. ㉢ 取り外す; ばらす; 分解する; (着物などを)ほど(解)く; ほころ(綻)ばす. ¶ 시계를〔책을〕~ 時計〔本〕をばらす / 솔기를 ~ 縫い目をほころばす / 옷을 뜯어서 고치어 짓다 着物をほどいて仕立てなおす. ②(金品などを)ねだり〔せびり〕取る; 巻き上げる; ゆする. ¶ 통행인으로부터 돈을 ~ 通行人から金をせびる. ③(弦楽器を)弾く; かなでる. ¶ 거문고를 ~ 琴をかなでる. ④(歯で)かみ切って食う; かじる; は(食)む. ¶ 갈비를 ~ (焼き)肋骨〔カルビ〕をかじる / 소가 풀을 ~ 牛が草をはむ.

뜯어-고치다 타 改め直す; 作り直す; やり直す. ¶ 집을 ~ 家を建て直す.

뜯어-내다 타 ① 取る; は(剝)ぎ〔ちぎり〕取る; むし(毟)り取る. ¶ 붙인 종이를 ~ 張り紙をはぎ取る / (옷의) 안집을 ~ (着物の)裏をはぎ取る / 달력 한 장을 ~ カレンダーを一枚めくり取る. ② 取り外す; ばらばらにする; ほど(解)く. ¶ 기계를 ~ 機械を取り外す / 솔기를 ~ 縫い目をほころばす / 시계를 ~ 時計をばらす / 지붕을 ~ 屋根をめく(捲)る. ③(金品を)ねだり〔せびり〕取る; 巻き上げる.

뜯어-말리다 타 (けんかなどを)引き分ける; 引き離す.

뜯어-먹다 타 ①(牛馬などが)草をは(食)む. ¶ 한가히 풀을 뜯어먹는 양떼 のんびりと草をはむ羊の群れ. ②(歯で)かじる; ちぎって食べる. ¶ 닭고기를 ~ とりにくをかじる. ③ 食い物にする. ¶ 딸에게서 ~ 娘を食い物にする.

뜯어-버리다 타 取って〔摘んで〕除く; 取り外す; 取りは(剝)がす. ¶ 붙인 종이를 죄다 ~ 張り紙をすっかり取りはがす.

뜯어-벌이다 타 (物を)取り離して〔取りは(剝)がして, 摘み取って〕並べる; 取り外して〔ほど(解)いて, ばらして〕並べる.

뜯어-보다 타 ① 開けて〔開いて, 切って, ほどいて〕見る. ¶ 소포를 ~ 小包を解いて見る / 편지를 ~ 手紙の封を切って読む. ② 子細に調べる; じっくりと見る. ¶ 얼굴을 요모조모 ~ 顔を子細に観察する.

뜰 명 庭. ¶ 앞~ 前庭.

뜰먹-거리다 자타 ☞ 들먹거리다. **뜰먹-뜰먹** 부하자타 ☞ 들먹들먹.

뜰먹-이다 자타 ☞ 들먹이다.

뜰썩-거리다 자타 ☞ 들썩이다. **뜰썩-뜰썩** 부하자타 軽い物などが〔を〕しきりに動く〔動かす〕さま; 心がしきりに揺れるさま.

뜰썩-이다 一 자 ①(軽い物体が)宙に浮いたり元に戻ったりする. ②(心が)揺らぐ. ③(しり(尻)・肩が)軽く上下に動く. 二 타 ①(軽い物体を)持ち上げたり下ろしたりする. ② 人の心を揺さぶる. ③(しり(尻)・肩を)軽く上下に揺り動かす. ¶ 엉덩이를 ~ しきりにしりを動かす; 立ったり座ったりする. >딸싹이다. ∠들썩이다.

뜰아래-채 명 離れ屋.

뜰아랫-방 【─房】 명 庭をへだてた部屋.

뜸¹ 명 とま(苫). ¶ ~으로 지붕을 이다 屋根をとまぶ(苫葺)きにする.

뜸² 명 きゅう(灸). ¶ ~을 뜨다 お灸をすえる.

뜸³ 명 蒸れる〔蒸らす〕こと. ¶ ~을 푹 들이다 飯を充分に蒸らす.

뜸-단지 명 きゅう(灸)を据えるときに使う小さいつぼ(壺). ¶ ~를 붙였나《俚》居たとこ(所)べったり.

뜸-들다 자 蒸れる; ふ(蒸)ける. ¶ 밥이 ~ ごはんが蒸れる.

뜸-들이다 타 ①(飯を)蒸らす. ②(仕事の途中)ちょっとした間を置く; 息抜きをする.

뜸-뜨다 자 おきゅう(灸)を据える.

뜸부기 명〖鳥〗ひくいな(緋秧鶏).

뜸직-하다 형 (言行に)重みがある; どっしりしている. >땀직하다. ¶ 뜸직한 사람 どっしりした人. **뜸직-이** 부 どっしりと. **뜸직-뜸직** 부하형 言行が重重しく落着いているさま: どっしりと.

뜸-질 명하자 おきゅう(灸)を据えること.

뜸-집 명 とまや(苫屋); とまぶきの家.

뜸-하다 형 ↗뜨음하다. ¶ 매상이 ~ 売れ行きが渋る / 발길이 ~ 足が遠のく.

뜻 명하타 意. ① 志; 意図; 旨. ¶ ~을 세우다〔잇다〕 志を立てる〔継ぐ〕/ 감사의 ~을 표하다 感謝の意を表わす / 주인의 ~을 전하다 主人の旨を伝える / …의 ~에 따르다 …の意に従う / 아버님의 ~을 이어 받아 학자가 되다 父の志を継いで学者になる. ② 意味; 訳. ¶ 말의 ~ 言葉の意味 / 왜 웃는지 ~을 모르겠다 どうして笑うのか訳がわからない.

뜻-글자 【─字】 명 意字; 表意文字《漢字など》.

뜻-대로 부 思った通り(に); 意のまま(に). ¶ ~ 해라 勝手にせよ / ~ 되다 思い〔意〕のままになる; 思うつぼ(壺)にはまる / 세상은 ~ 되지 않는다 世の中はままにならぬ.

뜻-맞다 자 ① 気が合う; 意気投合する. ¶ 뜻맞는 사이 気が合う仲 / 서로 뜻(이) 맞다 互いに気が合う. ② 気に入る. ¶ 뜻(에) 맞는 일 気に入る仕事.

뜻-밖 명 思いの外; 意外; 存外.

뜻밖-에 부 意外に; 不意に. ¶ ~ 옛친구를 만났다 思いかけず旧友に出会った / ~ 의견이 일치하였다

図らずしも意見が一致した.

뜻-하다 타 ①志す; もくろむ; 計画する. ¶뜻하는 바 있어 思う所有って/뜻하지 않은 予期しない; 思いがけない; 思いもよらない; 不慮の/뜻하지 않게 패하였다 思いがけなく〔図らずも〕敗けた/뜻하지 않은 변을 당하다 とんだ目に遭う. ②意味する. ¶무엇을 뜻하는지 알겠다 何を意味するかわかる.

띄다 ㊀자 ↗뜨이다. ¶눈에 ~ 目に止まる〔付く, 触れる〕/눈에 띄게 아름답다 際立って〔目立って〕美しい/눈에 띄는 대로 見当たり次第/남의 눈에 띄게 하다 人目にさら(晒)す. ㊁타 ↗띄우다. ¶미소를 띤 얼굴 ほおえみをたたえた〔浮かべた〕顔.

띄어-쓰기 명 文章を書く際, 助詞以外の各単語を離して書くこと; 別ち書き.

띄어-쓰다 타 助詞以外の単語を離して文を書く.

띄엄-띄엄 부 ①まば(疎)らなさま: 点点と; ちらほらと; ぽつりぽつり. ¶집이 ~ 있다 家がぽつりぽつりと建っている. ②とぎれがちなさま, または間を置くさま: とぎれとぎれ; ぽつりぽつり; 飛び飛び. ¶~ 말하다 とぎれとぎれに〔ぽつりぽつりと〕話す/책을 ~ 읽다 本をとぎれとぎれに〔とびとびに〕読む.

띄우다 타 ①浮かべる. ㉠(水や空中に)浮かす. ¶바다에 배를 ~ 海に船を浮かべる. ㉡(表情を)表わす; たた(湛)える; 漂わす. ¶입가에 슬픈 기색을 ~ 口元に悲しみを浮かべる/만면에 웃음을 ~ 満面に笑みをたたえる. ②(熱で)蒸れるようにする; 発酵させる; 寝かす. ¶메주를 ~ みそこうじ(味噌麴)を寝かす. ③(時間的·空間的に)間を置く. ¶석 자 사이를 띄우고 나무를 심다 三尺間を置いて木を植える. ④(手紙を)出す〔送る〕; 人伝に頼む. ¶격문을 ~ げき(檄)を飛ばす/급히 사람을 ~ 急使を立てる.

띠[1] 명 ①帯; ベルト; バンド. ¶허리~ 腰ひも; ベルト/머리~ ヘアバンド. ②(テープなどのような)平たくて細長いもの.

띠[2] 명 〖植〗ちがや(茅·茅草·茅萱).

띠[3] 명 人の生まれ年を十二支に当てて言う語. ¶말~ うま(午)年/범~ 태생 とら(寅)年生まれ.

띠-그래프 〔graph〕 명 帯グラフ.

띠그르르-하다 형 細かいとか小さいもののなかで大きい.

띠다 타 ①(帯を)結ぶ; 締める. ¶허리띠를 ~ ベルト〔帯〕を締める. ②帯びる. ㉠身に付ける; 携える. ㉡(用務·職責·使命を)委任される; 引き受ける. ¶사명을 ~ 使命を帯びる. ㉢(…の)気味がある; 有する; 漂わす; 含む; 呈する. ¶붉은 빛을 ~ 赤みを帯びる/노기를 띤 말 怒気を含んだ言葉/우수를 띤 얼굴 모습 憂いを帯びた面持ち/활기를 ~ 活気を帯びる〔呈する〕.

띠앗, 띠앗-머리 명 兄弟姉妹間の情愛; 友愛. ¶~가 사납다 兄弟間に思いやりがない.

띠-톱 명 帯のこ(鋸).

띳-집 명 ぼうおく(茅屋); かやぶきの「家」.

띵 부하형 ①頭にひびくように痛むさま: がん(と). ②頭痛がして頭がぼうっとするさま: ぼうっと.

띵띵 부 ぴんと張って膨れているさま: ぴんぴん. >땡땡. ㅆ팅팅. ¶벌에 쏘여 다리가 ~ 붓다 はち(蜂)に刺されて脚がぴんとは(腫)れあがる.

띵띵-하다 형 ☞ 땡땡하다.

띵-하다 형 ①頭が重い; がんがんする. ②(頭が痛くて)ぼうっとする. ¶어젯밤 잠을 제대로 못 자서 머리가 ~ 昨晩の寝不足で頭がぼうっとする.

ㄹ

ㄹ ハングル字母の第四番目の字.

ㄹ 조 ↗를. ¶돼지~ 치다 豚を飼う/자리~ 잡다 席を取る/나~ 보세요 わたしを見なさい.

-ㄹ 어미 終声のない語幹につく冠形詞形転成語尾. ①その語が一般的事実を表わす. ¶기쁘~ 때 うれしい時/잘~ 때 寝る時. ②未来を表わす. ¶파~ 자동차 売る自動車/합격하~ 것이다 合格するだろう. *-을.

-ㄹ걸 어미 ①…すればよかったのに. ¶어제 가~ 昨日行けばよかったのに/책이나 사~ 本でも買ったらよかったのに. ②…かろう; …(する)だろう(な). ¶내가 더 크~ わたしがもっと大きいだろうな/아마 틀리~ たぶん違うだろう(な). *-을걸.

-ㄹ게 어미 …するからね; …するよ. ¶다음에 가~ 後で行くからね〔行くよ〕/곧 나가~ すぐ出掛けるよ.

-ㄹ까 어미 ①…だろう(か); …かしら. ¶왜 이리 추우~ なんでこんなに寒いんだろう/오늘도 비가 오~ 今日もまた雨が降るだろうか. ②…(する)かな. ¶(그럼) 누구에게 부탁하~ (さて)だれに頼もうかな. *-을까.

-ㄹ는지 어미 ①…(する)だろうか; …する〔…である〕かな. ¶비가 오~ 雨が降るだろうか/예쁘~ きれいだろ

うか. ②…(できる)だろうか. ¶그 일은 가능하~ その事は可能だろうか / 빨리 가게 되~ 모르겠다 早く行けるだろうか知ら. *-을는지.

-ㄹ망정 어미 (たとえ) …とも; …でも; …といえども; …とはいえ. ¶나이는 어리~ 年は幼くとも / 돈에 궁하~ 마음은 곧다 金に窮しているとはいえ根は正直だ. *-을 망정.

-ㄹ 바에(야) 구 "どうせそうするからには"の意を表わす語. ¶이왕 떠나~ 곧 떠나시오 どうせ行くからにはすぐ発ちなさい. *-을 바에.

-ㄹ 뿐더러 구 …(する)ばかりでなく; またその上に. ¶비가 오~ 바람도 세다 雨が降る上に風もまた強い / 공부를 잘 하~ 운동도 잘 한다 勉強をよくする上に運動もまたよくする. *-을 뿐더러.

-ㄹ수록 어미 …すればする程; …であればある程. ¶빠르면 빠르~ 좋다 早ければ早い程よい / 가~ 태산(泰山)이라 山また山《困難が増すばかり》. *-을수록.

-ㄹ지 어미 …するか; …であるか; …になるか. ¶웃어야 하~ 울어야 하~ 笑うべきか泣くべきか / 이것이 영이별(永離別)이 되~ 모르겠다 これが長の別れとなるかも知れない / 언제 끝나~ いつ終わるやら. *-을지.

-ㄹ지라도 어미 "(たとえ)…といえども; …とも; …であっても"の意を表わす語. ¶눈이 오~ 雪が降っても / 결과가 어찌 되~ 結果がどうなろうとも / 삼수 갑산을 가~ 後はどうなろうとも / 아무리 가난할~ 도둑질은 안 된다 いくら貧しくても盗みはいけない. *-을지라도.

-ㄹ지어다 어미 "当然…すべきだ"の意を表わす語. ¶나라에 충성을 다하~ 国に忠誠を尽くすべきだ.

-ㄹ지언정 어미 "(たとえ)…しても; …といえども"の意を表わす語. ¶주리~ 도둑질은 안 한다 たとえ飢えるとも盗みはしない / 감사하~ 화낼 일은 아니지 않느냐 感謝こそすれ, 怒る事ではなかろう. *-을지언정.

-ㄹ진대, -ㄹ진댄 어미 ①…するならば; …するからには. ¶공부를 못하~ 돈이나 벌자 勉強が出来ないからには金でも儲けよう. ②…するに. ¶내가 보~ 그는 결코 성공할 위인은 아니다 わたしが見るに彼は決して成功する人物ではない. *-을진대.

-ㄹ테다 미 "…するはずだ; …であろう; …する積りだ"などの意を表わす語《"-ㄹ테면·-ㄹ테야·-ㄹ테지"などにだけ活用する》. ¶자~ 眠るよ / 열시에 자~ 十時に寝る積りだ / 내일 도착할테지 あした着くだろう / 그라면 합격할테지 彼なら受かるはずだ / 할테면 해 봐라 したければしてみろ. *-을테다.

라² 조 [↗라고] …と(言う). ¶민주주의~ 하는 사상 民主主義と言う思想 / 그와 같은 사람을 천재~ 한다 彼のような人を天才と言う.

-라 어미 ①…で(はなくて). ¶밤이 아니~ 마치 대낮 같다 夜でなくてあたかも真昼のようだ / 뜻밖의 일이~ 意外な事なので. ②…よ; …せよ. ¶보~ 見よ / 가~ 行け / 곧 오~ すぐ来い. ③↗-라고②. *-으라.

-라고 어미 ①…せよと. ¶출동하~ 명령하다 出動せよと命令する / 사람 살리~ 소리지르다 助けてくれと叫ぶ. *-으라고. ②…だと; …で(はないと). ¶사람이 아니~ 욕하다 人間ではないとののしる / 무엇이~ 하던가 何と言ってたか. 준 -라.

-라느냐 어미 [↗-라고 하느냐] …(せよ)と言うのか. ¶너보고 가~ お前に行けと言うのか. *-으라느냐.

-라는 어미 …と言う. ¶출두하~ 명령 出頭せよとの命令 / 공부하~ 말을 들었다 勉強せよと言い聞かされた / 잘못된 것이 아니~ 판단 あやまりでないとの判断. *-으라는.

-라니 어미 [↗-라고 하니] ①…(でない)とは. ¶그가 범인이~[아니~] 彼が犯人だとは[でないとは]. ②…せよとは. ¶당장 나가~ 너무 가혹한 처사다 ただちに出て行けとは余りに酷い仕打ちだ. *-으라니.

-라니까 어미 ①…だと言うのに; …だってば; …ではないってば; …ではないのだ. ¶그게 사실이~ それが事実だと言うのに / 네 차례가 아니~ お前の番ではないと言うのに. ②…と言ったら. ¶가~ 싫다고 한다 行けと言ったら嫌だと言う; 行けと言っても聞かない. *-으라니까.

라도 조 終声のない体言に付く助詞: …でも; …だって. ¶차~ 마실까 お茶でも飲もうか / 이런 때 자네~ 있어 줬으면 こんな時君でも居てくれたらなあ / 지금부터~ 늦지 않다 今からでも遅くない / 어린애~ 할 수 있다 子供にだって出来る.

-라도 어미 "이다(=だ)·아니다(=ではない)"の語幹に付く語尾: …で(なくと)も(構わない). ¶내일이~ 와 주게 明日にでも来てくれ / 네가 아니~ 좋다 お前でなくてもよい.

라돈 [radon] 명 〖化〗 ラドン《記号: Rn》. ¶~계 ラドン計.

라듐 [radium] 명 〖化〗 ラジウム《記号: Ra》. ¶~천(泉) ラジウム鉱泉.

라드 [lard] 명 ラード.

-라든지 어미 [↗-라고 하든지] …とか; …ではないとか. ¶쉬~ 계속하~ 무슨 명령이 있을 것이오 休めとか続けろとか何かの命令がある筈だ / 아니~ 그렇다든지 확언을 해라 そうでないとかそうであるとかはっきり言えよ. *-으라든지.

라디에이터 [radiator] 명 ラジエーター.

라디오 [radio] 명 ラジオ. ¶~를 틀다 ラジオをつける; ラジオのスイッチを入れる / ~를 끄다 ラジオを切る[止める] / 어제 ~ 카세트를 샀다 昨日ラジカセを買った.

‖── 드라마 명 ラジオドラマ; 放送劇. ── 방송 명하타 ラジオ放送. ── 체조 명 ラジオ体操.

라르고 [이 largo] 명 〖樂〗 ラルゴ.

라마 [Lama] 명 〖佛〗 ラマ. ¶달라이~ ダライラマ.

ㄹ

‖——-교 명〔宗〕 ラマ教. ＝나마교(喇嘛教). ——-승 명 ラマ僧. ＝나마승(喇嘛僧).
라면〔중 拉麪·老麪〕 명 ラーメン；中華そば.
-라면 어미 ①…(せよ)と言うならば. ¶가~ 가지 行けと言えば行くさ. ②…であれば；…でなければ. ¶돈이 아니~ 무엇이냐 お金でなければ何かね / 비가 오는 것이 아니~ 눈이라도 온단 말이냐 雨が降るのでなければ雪でも降ると言うのか. 준-람.
라서 조 "가(＝が)"の意で"감히(＝敢えて)", または"능히(＝能く)"の意を含む語. ¶뉘~ 나를 탓하리오 誰れぞ(敢えて)我れをとがめん.
-라서 어미 …であるので；…ではないので. ¶아직 학생이~ まだ学生ですので / 프로가 아니~ 못 한다 プロでないので出来ない.
라스트〔last〕 명 ラスト. ¶~ 스퍼트 ラストスパート / ~를 장식하다 ラストを飾る.
‖—— 신 명 ラトスシーン. ¶~이 눈에 선하다 ラストシーンがまぶたにありありと浮かぶ.
라야 조 …でなければ；…こそ. ¶별은 밤에~ 빛을 낸다 星は夜でなければ輝かない / 그~ 할 수 있다 彼でなければ出来ない. *이라야.
라우드-스피커〔loudspeaker〕 명 ラウドスピーカー；スピーカー《준말》.
라운드〔round〕 명 ラウンド. ¶마지막~ 最終ラウンド.
‖—— 테이블 명 ラウンドテーブル；円卓.
라운지〔lounge〕 명 ラウンジ. ¶칵테일~ カクテルラウンジ.
라이너〔liner〕 명 ライナー. ¶~ 코트 ライナーコート.
라이노-타이프〔linotype〕 명〔印〕 ライノタイプ.
라이닝〔lining〕 명 ライニング. ¶브레이크 ~ ブレーキライニング.
라이벌〔rival〕 명 ライバル. ¶~ 의식 ライバル意識 / ~ 회사 ライバル会社.
라이브러리〔library〕 명 ライブラリー.
라이선스〔license〕 명 ライセンス.
라이스〔rice〕 명 ライス. ¶치킨 ~ チキンライス / ~ 카레 カレーライス.
라이온〔lion〕 명〔動〕 ライオン.
라이온스 클럽〔Lions Club←Liberty, intelligence, our nation's safety Club〕 명 ライオンスクラブ.
라이카〔도 Leica〕 명 [↗라이카 카메라] ライカ《준말》.
라이터〔lighter〕 명 ライター. ¶가스 ~ ガスライター / ~돌 ライターの石 / ~를 켜다 ライターを点ける.
라이트〔light〕[1] 명 ライト. ¶자동차의 ~ 車のライト / 룸 ~ ルームライト.
라이트〔light〕[2] 명 ライト.
‖——-급 명 ライト級；ライトウェート. ——-밴 명 ライトバン. ——헤비급 명 ライトヘビー級.
라이트〔right〕 명 ライト. ①右(側). ~ 플라이 ライトフライ / ~의 실수 ライトのエラー / 턱에 강한 ~를 넣다 あごに強いライトを見舞う. ②正義；正当.
‖—— 스트레이트 명 ライトストレート. ——-윙 명〔蹴球〕ライトウィング. —— 필드 명〔野〕 ライトフィールド；ライト《준말》. —— 필더 명〔野〕 ライトフィールダー；ライト《준말》.
라이프〔life〕 명 ライフ. ¶~ 사이클 ライフサイクル / ~ 재킷 ライフジャケット.
라이플〔rifle〕 명 ライフル銃；ライフル《준말》.
라인〔line〕 명 ライン. ¶데드 ~ デッドライン / 스타트 ~ スタートライン.
‖—— 댄스 명 ラインダンス. —— 아웃 명 (ラグビー·野球で)ラインアウト. ——-업 명〔蹴球·野〕ラインアップ. ¶~을 발표하다 ラインアップを発表する.
라인즈-맨〔linesman〕 명 (サッカーなどの)ラインズマン；線審.
라일락〔lilac〕 명〔植〕 ライラック；リラ；すおうぼく；はなはしどい.
라임라이트〔limelight〕 명 ライムライト.
-라지 어미 [↗-라 하지] …してもよい. ¶그만두겠다면 그만두~ 止めたいと言うなら止めてもよい. *-으라지.
라켓〔racket〕 명 ラケット.
라틴〔라 Latin〕 명관 ラテン《音訳：拉丁；羅甸》.
‖—— 민족 명 ラテン民族；ラテン《준말》. —— 아메리카 명 ラテンアメリカ. ——-어 명 ラテン語；ラテン《준말》.
-락 어미 …たり. ¶비가 오~ 가~ 한다 雨が降ったり止んだりする / 얼굴이 붉으~ 푸르~ 하였다 顔が赤くなったり青くなったりした. *-으락.
락타아제〔laktase〕 명 ラクターゼ.
락토오스〔laktose〕 명〔化〕 ラクトーゼ；ラクトース；乳糖.
-란【欄】 미 欄. ¶가정~ 家庭欄.
-란 어미 ①…といった；…という. ¶개~ 놈 犬という奴；犬奴 / 너~ 놈은 お前という奴は / 남자~ 그런 거야 男とはそういうものさ / 아니~ 말이냐 そうではないというのか.
란도셀〔네 ransel〕 명 ランドセル. ¶~을 메다 ランドセルを背負う.
란제리〔프 lingerie〕 명 ランジェリー.
-랄 어미 ↗-라고 할. ¶오~ 것 없이 가보자 呼ぶまでもなく行って見ようや / 신사~ 수 없다 紳士とは言えぬ. *-으랄.
-람 어미 ①"…(せよ)と言うことか；…(せよ)と言うのか(ね)"の意を表わす語. ¶이런데서 어떻게 자~ こんな所でどんなに寝ろと言うのか. ②↗-라면. ¶가~ 가겠다 行けと言うなら行くさ / 그것이 나~ 어떻게 하겠느냐 それが僕だとしたらどうする. ③"…だ〔ではない〕と言うのか"の意を表わす語. ¶이래도 이긴 것이 아니~ これでも勝ったのでないと言うのかね / 그게 무슨 아내의 도리~ それがどうして妻の道理かね.
-랍니다 어미 ①…しなさいと言っています；…ということです；…であります. ¶책을 사~ 本を買えといって

…ます. ②…であります；…ではありません. ¶어제 찾아온 사람들은 바로 저 분들이~ 昨日訪ねて来た人達は正にあのお方達であります／우습게 생각할 게 아니~ 軽軽しく考えるべきではありません.

-랍시고 [어미] …(の)積りで；…を気取って. ¶사장이~ 고압적이다 社長を鼻にかけて高圧的である／제딴에는 천재~ 으스댄다 自分なりには天才を気取っていばる.

-랑 [조] "…と(か)；…や(ら)"の意を表わす語. ¶배~ 밤이랑 많았다 梨やら栗やら多かった.

랑데-부 〔프 rendez-vous〕[명][하자] ランデブー；逢引；密会. ¶~의 상대 ランデブーの相手／두 우주선은 우주에서 ~에 성공하였다 二つの宇宙船は宇宙でランデブーに成功した.

-래 [어미] [↗-라 해] …だってよ；…(せよ)ってよ. ¶그는 전무~ 彼は専務だってよ／학교에 가~ 学校に行けってよ／저 건물은 학교가 아니~ あの建物は学校でないってよ.

-래서 [어미] …(せよ)と言うので；…(せよ)と言って. ¶언니가 오~ 왔습니다 姉が来いと言うので来ました／내 동생이~ 두둔하는 것이 아니다 わたしの弟なのでかば(庇)うのではない. *-으래서.

-래야 [어미] …(せよ)と言わねば(ならない)の意を表わす語. ¶그에게 곧 가~만 한다 彼にすぐ行けと言わねばならない. *-으래야.

-래요 [어미] …とのことです；せよってよ. ¶들어오시~ お上がりくださいとのことです／저 분은 부자가 아니~ あのお方は金持ちではないとのことです. *-으래요.

래커 〔lacquer〕[명] ラッカー. =라카. ¶~를 칠하다 ラッカーを塗る.

램프 〔lamp〕[명] ランプ. ¶알코올 ~ アルコールランプ.

램프 〔ramp〕[명] ランプ. ¶~ 웨이 ランプウェイ.

랩 〔lap〕[명] ラップ.
‖── **타임** [명] ラップタイム. ¶반환점에서의 ~ 折り返し点でのラップタイム.

랩소디 〔rhapsody〕[명] ラプソディー；狂詩曲.

랭크 〔rank〕[명] ランク. =등급.

랭킹 〔ranking〕[명] ランキング. ¶미들급 세계 ~ 제3위 ミドル級世界ランキング第三位.

-랴 [어미] ①理で推して"…するか；…するものか"の反意を表わす語. ¶누굴 탓하~ 誰をとがめるものか《とがめる訳にはいかない》／무엇을 바라~ 何を望むものか《望むものがない》. ②相手に問う意を表わす語：…しようか. ¶언제 가~ 何時行こうか. *-으랴.

-러 [어미] …しに；…に《後に"行く・来る"の意が付く》. ¶꽃 구경하~ 가자 花見に行こうや. *-으러.

러너 〔runner〕[명] ランナー；走者. ¶~를 견제하다 ランナーを牽制する.

러닝 〔running〕[명] ランニング. ¶베이스 ~ ベースランニング／~ 타임 ランニングタイム／~ 슛이 멋있게 골인하였다 ランニングシュートがうまくゴールインした.
‖── **메이트** [명] ランニングメート. ── **셔츠** [명] ランニングシャツ；ランニング《준말》.

러버 〔lover〕[명] ラバー；恋人《特に男の愛人》.

러버 〔rubber〕[명] ラバー；ラバ；ゴム.

러브 〔love〕[명] ラブ. ¶플라토닉 ~ プラトニックラブ.
‖── **게임** [명] (テニスで)ラブゲーム. ── **레터** [명] ラブレター. ── **송** [명] ラブソング；恋歌. ── **스토리** [명] ラブストーリー. ──**신** [명] ラブシーン.

러시 〔rush〕[명][하자] ラッシュ. ¶골드 ~ ゴールドラッシュ.
‖── **아워** [명] ラッシュアワー；ラッシュタイム.

러키 〔lucky〕[명] ラッキー；幸運. ¶~ 펀치 ラッキーパンチ／~존 ラッキーゾーン.
‖── **세븐** [명] ラッキーセブン.

럭비 〔Rugby〕[명] ラグビー.
‖── **풋볼** [명] ラグビーフットボール；ラガー.

럭스 〔lux〕[의명] ルックス.

런 〔run〕[명] ラン. ¶롱 ~ ロングラン／투~ 호머 ツーランホーマー.

런치 〔lunch〕[명] ランチ. ¶~를 먹다 ランチを食べる〔取る〕.
‖── **타임** [명] ランチタイム.

럼 〔rum〕, **럼-주** 【─酒】〔rum〕[명] ラム；ラム酒.

레귤러 〔regular〕[명] レギュラー. ¶~ 멤버 レギュラーメンバー；常連／~ 바운드 レギュラーバウンド.

레드 〔red〕[명] レッド.

레디 〔ready〕[명] レディー.
‖──-**메이드** [명] レディーメード；既成品.

레모네이드 〔lemonade〕[명] レモネード；レモナード.

레몬 〔lemon〕[명]〖植〗レモン. ¶~ 스쿼시 レモンスカッシュ.
‖──-**수** [명] レモン水. ── **주스** [명] レモンジュース. ──-**차**(茶), ── **티** [명] レモンティー.

레미콘 〔remicon←ready mixed concrete〕[명] レミコン.

레버 〔lever〕[명]〖機〗レバー；てこ.

레벨 〔level〕[명] レベル. ¶~이 높다〔낮다〕 レベルが高〔低〕い／~이 높아 지다 レベルが上がる.

레뷔 〔프 revue〕[명] レビュー. ¶~ 걸 レビューガール.

레스비언 〔lesbian〕[명] レスビアン；レス《준말》.

레스터런트 〔restaurant〕, **레스토랑** 〔프 restaurant〕[명] レストラン. ¶시내의~ 町のレストラン.

레슨 〔lesson〕[명] レッスン. ¶피아노의 ~ ピアノのレッスン.

레슬링 〔wrestling〕[명] レスリング.

레이 〔lei〕[명] レイ. ¶~를 목에 걸다 レイを首にかける.

레이더 〔radar〕[명] レーダー；電波探

ㄹ

知機. ¶～망 レーダー網/～기지 レーダー基地.
‖── 관제 명 レーダー管制. ── 기상 관측 명 レーダー気象観測.
레이디 〔lady〕 명 レディー. ¶～퍼스트 レディーファースト/퍼스트～ ファーストレディー.
레이스 〔lace〕 명 レース. ¶～를 달다 レースをつける
레이스 〔race〕 명 レース. ¶보트〔오토바이〕～ ボート〔オート〕レース.
레이-아웃 〔layout〕 명 レイアウト.
레이온 〔rayon〕 명 レーヨン.
레이저 〔laser〕 명 〖物〗 レーザー. ¶～통신 レーザー通信/～디스크 レーザーディスク; LD.
레이트 〔rate〕 명 レート; 割合.
레인 〔rain〕 명 レーン; レイン; 雨.
‖──-코트 명 レーンコート. =비옷.
레인지 〔range〕 명 レンジ. ¶가스～ ガスレンジ.
레일 〔rail〕 명 レール. ¶～웨이 レールウエー/～을 깔다 レールを敷く.
레저 〔leisure〕 명 レジャー.
‖── 붐 명 レジャーブーム. ── 산업 명 レジャ産業.
레지던트 〔resident〕 명 レジダント; インターンを終えた修練医.
레지스탕스 〔프 résistance〕 명 レジスタンス. ¶～문학 レジスタンス文学; 抵抗文学.
레지스터 〔resister〕 명 レジスター.
레커-차 【─車】 〔wrecker〕 명 レッカー(車).
레코드 〔record〕 명 하타 レコード; 音盤; 録音; 記録.
‖── 음악 명 レコード音楽. ── 홀더 명 レコードホールダー; 記録保持者.
레크리에이션 〔recreation〕 명 レクリエーション. ¶～센터 レクリエーションセンター.
레터 〔letter〕 명 レター. ¶러브～ ラブレター.
레테르 〔네 letter〕 명 レッテル; ラベル. ¶～가 붙여지다 レッテルが張られる.
레토르트 〔retort〕 명 〖化〗 レトルト.
레퍼리 〔referee〕 명 レフェリー. ¶～를 보다 レフェリーを勤める.
‖── 타임 명 レフェリータイム.
레퍼토리 〔repertory〕 명 レパートリー.
레프트 〔left〕 명 レフト. ¶～에 플라이를 치다 レフトにフライを打つ.
‖──-윙 명 〖蹴〗 レフトウイング. ── 잽 명 〖拳闘〗 レフトジャブ. ── 필더 명 〖野〗 レフトフィールダー; レフト《준말》.
렌즈 〔lens〕 명 〖物〗 レンズ. ¶오목～ 凹レンズ/볼록～ 凸レンズ.
렌치 〔wrench〕 명 レンチ.
렌터-카 〔rent-a-car〕, **렌털 카** 〔rental car〕 명 レンタカー.
-려, -려고 어미 …しようと; …しに. ¶돌아가～ 했다 帰ろうとした/꽃이 피～ 한다 花が咲こうとしている/떠나～ 했다 出掛けようとした/집에 가～ 한다 家に帰ろうとする.
-려나 어미 …しようとするのか; …するつもりか(ね). ¶언제 오～ 何時 るつもりか. *-으려나.
-려네 어미 …するつもりだ(よ). ¶모레 돌아오～ 明後日帰って来るつもりだ. *-으려네.
-려느냐 어미 …するつもりか(ね). ¶언제 가～ 何時行くつもりか.
-려는 어미 …しようと. ¶당신 일에 간섭하～ 의사는 없다 貴方の事に干渉しようとする考えはない.
-려는가 어미 …しようとするのか; …するつもりか(ね). ¶언제 떠나～ 何時立つつもりか(ね). *-으려는가.
-려는데 어미 …しようとするところ〔する時に〕. ¶외출하～ 그녀가 돌아왔다 出掛けようとする時に彼女が帰って来た. *-으려는데.
-려니 어미 ①"…だろうと"思うことを表わす語. ¶품위 있는 책이～ 생각했다 品のある本だろうと思った/그래도 바보는 아니～ 생각했다 それでもばかではなかろうと思った. ②…しようとしても〔したら〕. ¶막상 자～ 잠이 안 온다 さてと寝入ろうとしても寝付かれない. *-으려니.
-려다가 어미 …しようとしたが. ¶집에 돌아가～ 말았다 家に帰ろうとしたが止めた. *-으려다가.
-려면 어미 …しようとすれば; …したければ. ¶빨리 도착하～ 기차로 가라 早く着こうとすれば汽車で行けよ. *-으려면.
-려무나 어미 …してもよい(よ); …しなさい(よ). ¶가고 싶다면 가～ 行きたければ行きなさい. *-으려무나.
-련다 어미 …しようとする; …するつもりだ. ¶나는 자～ わたしは寝るつもりだ/외국으로 가～ 外国に行く気だ. *-으련다.
-련마는, -련만 어미 …する筈なのに; …するのだが; また"아니다"に付いては, "…ではないのだが"の意を表わす語. ¶오라면 기꺼이 가～ 来いといえば喜んで行くのだが/이것이 인생의 전부는 아니～ これが人生の全部ではなかろうに.
-렵니까 어미 …(しようと)しますか〔なさいますか〕《ていねいな意がある》. ¶어디로 가시～ どちらへお出でになる(つもりな)のですか. *-으렵니까.
-렵니다 어미 …(しようと)しています〔思います〕. ¶의사가 되～ 医者になろうと思っています; 医者になるつもりです. *-으렵니다.
-령 【令】 미 令. ¶총동원～ 総動員令/시행～ 施行令.
-령 【領】 미 領. ¶프랑스～ フランス領.
-례 【例】 미 例. ¶판결～ 判決例.
로 〔law〕 명 ロー; 法. ¶코먼～ コモンロー.
로 〔low〕 명 ロー. ¶～기어 ローギア.
로 조 終声がないか, または"ㄹ"終声の体言に付く副詞格助詞. ①手段・方法を表わす: …で. ¶코～ 냄새를 맡다 鼻でにおいをかぐ/잉크～ 쓰다 インキで書く/배～ 갔다 船で行った. ②原料・材料を表わす: …で; …から. ¶술은 쌀～ 빚

는다 酒は米でかもす / 대~ 만들다 竹で作る. ③ 原因·理由を表わす: …で; …から; …と. ¶ 더위~ 고생하다 暑さで苦しむ. ④ 身分·地位·資格を表わす: …に. ¶ 사위~ 삼다 婿にする. ⑤ 変化の対象を表わす: …に; …と. ¶ 일본어를 영어~ 고치다 日本語を英語に直す / 산이 바다~ 변하더라도 山が海に変わろうとも. ⑥ 根拠·標準を表わす: …で; …と. ¶ 절약을 제일~ 하다 節約を宗とする. ⑦ …(すること)に《名詞形をつくる"-기"につく》. ¶ 학교에 가기~ 했다 学校へ行くことにした. ⑧ 方向を表わす: …へ. ¶ 학교~ 가는 길 学校へ行く道 / 바다~ 가니 海へ行くの. ⑨ 結果を表わす: …と; …に. ¶ 무죄~ 결정하다 無罪と決定する / 헛수고~ 끝나다 むだ骨折りに終わる. ⑩ 時間·経過を表わす: …に. ¶ 시험은 오후~ 연기되었다 試験は午後に延期された. ⑪ ↗로서. ¶ 사과의 산지~ 유명하다 りんごの産地として名高い. ⑫ ↗로써. ¶ 직접 만든 요리~ 대접하다 手料理でもてなす.

-로【路】 [미] 路. ① …ルート. ¶ 항공~ 航空路 / 교차~ 交叉路. ② 通り. ¶ 대학~ 大学路.

로고스 〔그 logos〕 [명] 〖哲〗 ロゴス.

-로구나, -로군 [어미] …(ではないの)だな〔だね〕. ¶ 네가 범인이~ お前が犯人だな / 진짜가 아니~ 本物でないのだな〔だね〕 / 아름다운 산이~ 美しい山だね.

로그 〔log〕 [명] 〖數〗 [↗로가리듬] ログ; 対数. ¶ ~표 対数表.

로는 [조] …では. ¶ 나의 견해~ 私の見解では. ㊟ 론. * 으로는.

로드 〔road〕 [명] ロード. ¶ 실크~ シルクロード.

‖── 쇼 [명] 〖劇〗 ロードショー. ── 워크 [명] ロードワーク.

로마 〔Roma〕 [명] ローマ. ¶ ~는 하루 아침에 이루어진 것이 아니다 ローマは一日にして成らず.

‖── 가톨릭교 [명] 〖宗〗 ローマカトリック教; ローマ教《준말》. ── 교황 [명] 〖宗〗 ローマ教皇〔法王〕. ── 교황청 [명] ローマ法王庁. ── 숫자 [명] ローマ数字.

로마나이즈 〔romanize〕 [명][하타] ローマナイズ.

로마네스크 〔Romanesque〕 [명] ロマネスク. ¶ ~ 건축 ロマネスク建築.

로망 〔프 roman〕 [명] ロマン. ¶ 피가 끓고 가슴이 뛰는 일대 ~ 血湧き胸躍る一大ロマン.

로맨스 〔romance〕 [명] ロマンス. ¶ ~그레이 ロマンスグレー.

로맨티시스트 〔romanticist〕 [명] ロマンチスト; ロマン主義者.

로맨티시즘 〔romanticism〕 [명] ロマンチシズム; ロマン主義.

로맨틱 〔romantic〕 [명][하형] ロマンチック. ¶ ~한 사고 방식 ロマンチックな考え方.

로봇 〔robot〕 [명] ロボット. ¶ ~을 조종하다 ロボットを操縦する / 명색은 시장이나 실은 ~다 名は社長ではあるが実はロボットである.

로-부터 [조] …から; …より. ¶ 친구~ 빌린 책 友より借りた本 / 바다~ 불어 오는 바람 海から吹いて来る風. * 으로부터.

로비 〔lobby〕 [명] ロビー.

로비스트 〔lobbyist〕 [명] ロビイスト.

로서 [조] 身分·資格を表わす語: …として. ¶ 물리학자~ 대성하다 物理学者として大成する. * 으로서.

로션 〔lotion〕 [명] ローション. ¶ 스킨 ~ スキンローション.

로스 [명] ロース《"ロースト(roast)"의 와음(訛音)》.

로스트 〔roast〕 [명][하타] ロースト.

‖── 비프 [명] ローストビーフ; ロースト《준말》.

로써 [조] …で; …を以って. ¶ 현대의 기술~ 한다면 現代の技術をもってすれば / 오늘~ 만 20세가 되었습니다 今日で満二十歳〔丁度はたち〕になりました.

로열 〔royal〕 [명] ローヤル.

‖── 박스 [명] ローヤルボックス. ── 젤리 [명] ローヤルゼリー.

로열티 〔royalty〕 [명] ローヤルティー.

-로이 [미] "-롭다"が付く形容詞を副詞形にする語; …と; …らしく. ¶ 새~ 新しく / 한가~ 지내다 のんびりと暮らす. *-롭다.

로진 백 〔rosin bag〕 [명] 〖野〗 ロージンバッグ.

로카빌리 〔rock-a-billy〕 [명] 〖樂〗 ロカビリー.

로컬 〔local〕 [명] ローカル.

‖── 뉴스 [명] ローカルニュース. ── 컬러 [명] ローカルカラー.

로케이션 〔location〕 [명][하자] ロケーション; ロケ《준말》. ¶ ~하러 가다 ロケ(ーション)に行く.

로켓 〔rocket〕 [명] ロケット. ¶ 우주〔달〕 ~ 宇宙〔月〕ロケット / 역추진 ~ 逆推進ロケット / ~을 쏘아 올렸다 ロケットを打ち上げた.

‖──-포 [명] ロケット砲.

로코코 〔프 rococo〕 [명] 〖建〗 ロココ. ¶ ~식 건축 ロココ式建築.

로큰-롤 〔미 rock'n'roll〕 [명] 〖樂〗 ロックンロール.

로터리 〔rotary〕 [명] ロータリー.

‖── 클럽 [명] ロータリークラブ; ロータリー《준말》.

로테이션 〔rotation〕 [명] ローテーション.

로프 〔rope〕 [명] ロープ.

‖── 웨이 [명] ロープウエー.

로 하여금 [구] …をして; …に. ¶ 나~ 말하게 한다면 わたしをして言わしめれば. *으로 하여금.

록 〔rock〕 [명] ロック. ① 岩; 岩石. ② ロックミュージック.

론 〔loan〕 [명] 〖經〗 ローン. ¶ 주택〔장기〕 ~ 住宅〔長期〕ローン.

론 [조] ↗로는. ¶ 15세~ 숙성한 편이다 15歳にしては大きい方だね.

-론【論】 [미] 論. ¶ 인생~ 人生論.

롤러 〔roller〕 [명] ローラー. ¶ ~로 땅을 고르다 ローラーをかける; ローラーで地均しをする.

ㄹ

‖── 스케이트 명 ローラースケート；スケート《준말》. ── 스케이팅 명 ローラースケーティング.

-롭다 미 ある名詞, または語幹に付いて形容詞を作る語：…らしい；…そうだ. ¶생명이 위태～ 命が危ない／평화～ 平和だ；和やかだ／새～ 新しい. ＊-로이.

롱〔long〕명 ロング. ¶～ 스커트 ロングスカート.

롱-런〔long run〕명 ロングラン. ¶그 영화는 10개월이나 ～을 계속했다 その映画は十個月のロングランを続けた.

롱 슛〔long shoot〕명 ロングシュート.

롱 패스〔long pass〕명 ロングパス.

뢴트겐〔도 Röntgen〕명의명〖物〗レントゲン；X線.

‖── 사진 명 レントゲン写真.

-료【料】미 料. ¶보험～ 保険料／수업～ 授業料.

루머〔rumor〕명 うわさ(噂)；風説.

루브르 박물관【─博物館】〔프 Louvre〕명 ルーブル博物館.

루블〔rouble〕의명 ルーブル(貨).

루비〔ruby〕명 ①〖鑛〗ルビー. ¶～색 ルビー色. ②〖印〗ルビ.

루스〔loose〕명하형 ルーズ. ¶～한 성격 ルーズな性格.

루주〔프 rouge〕명 ルージュ. ¶새빨갛게 ～를 바른 입술 真っ赤にルージュを塗った唇.

루트〔root〕명〖數〗ルート；根.

루트〔route〕명 ルート. ¶밀수 ～ 密輸ルート／특별한 ～로 입수하였다 特別なルートで手に入れた.

루프〔loop〕명 ループ.

루프〔roof〕명 ルーフ.

룰〔rule〕명 ルール. ¶야구의 ～ 野球のルール／슬라이드 ～ スライドルール／～을 정하다 ルールをきめる／～대로 하다 ルールどおりやる／～에 어긋나다 ルールに反する.

룸〔room〕명 ルーム. ¶선～ サンルーム／베드～ ベッドルーム.

‖── 라이트 명 ルームライト. ──-쿨러 명 ルームクーラー.

룸바〔스 rumba〕명〖樂〗ルンバ. ¶～를 추다 ルンバを踊る.

룸펜〔도 Lumpen〕명 ルンペン. ¶～ 생활 ルンペン生活.

-류【流】미 流. ¶자기～ 自己流／영국～ 英国流.

-류【類】미 類. ¶금속～ 金属類／곤충～ 昆虫類.

류머티즘〔rheumatism〕명〖醫〗リューマチ；リウマチ. ¶～성 관절염 リューマチ性関節炎／～으로 고생하다 リューマチで悩む.

륙색〔rucksack〕명 リュックサック；リュック；ルックサック. ¶～에 처넣다 リュックサックに詰め込む／～을 메다 リュックサックを背負う.

-률【律】미 律. ¶황금～ 黄金律／도덕～ 道徳律.

르네상스〔프 Renaissance〕명 ルネサンス. ¶～의 건축 ルネサンスの建築.

르포르타주〔프 reportage〕명 ルポルタージュ；ルポ《준말》.

를 조 終声のない体言に付く 的格助詞. ①…を. ¶명리～ 구하다 名利を求める／학교～ 세 다 学校を建てる. ②…が. ¶주 ～ 알 수 없다 住所が分からない 냉수～ 마시고 싶다 お冷やが飲み い. ③…に. ¶그～ 만나다 彼に会う／기차～ 타다 汽車に乗る.

리【理】의명 "わけ·理由·はず"な の意を表わす語《後に"ない"が く》. ¶있을 ～가 없다 有るわけがな い／이 정도의 일을 못할 ～가 없다 こ れしきのことが出来ないはずがない 그 사람이 그곳에 살 ～ 가 없다 その 人がそこに住むはずがない.

리【里】의명 里. ¶천～ 千里.

-리 미 語幹の終声が"ㄹ·ㅀ"また は"르"である動詞を使役または受 身形にする接尾語. ¶실～다 載せられる；積まれる／놀～다 遊ばせる.

-리 미 形容詞の語幹に付いて副詞を作る接尾語. ¶빨～ 速く／널～ 広く.

-리【裡】미 裏；…のうち. ¶극비～에 極秘裏に；極秘のうちに.

리골레토〔이 rigoletto〕명〖樂〗リゴレット.

리그〔league〕명 リーグ. ¶내셔널～ ナショナルリーグ.

‖──-전 명 リーグ戦.

리더〔leader〕명 リーダー. ¶클럽 활동의 ～ クラブ活動のリーダー.

‖──-십 명 リーダーシップ. ¶～이 결여되었다 リーダーシップに欠けている.

리드〔lead〕명하자타 リード. ¶크게〔많이〕～하였다 大きくリードする／3미터나 ～하다 三メートルもリードした.

리드미컬〔rhythmical〕명하형 リズミカル.

리듬〔rhythm〕명 リズム. ¶왈츠의 ～ ワルツのリズム／경쾌한 ～ 軽快なリズム／～을 타다 リズムに乗る.

리딩 배터〔leading batter〕명〖野〗リーディングバッター〔ヒッター〕.

리리시즘〔lyricism〕명 リリシズム；叙情主義.

리릭〔lyric〕명하형 リリック.

‖── 소프라노 명〖樂〗リリックソプラノ. ── 테너 명〖樂〗リリックテナー.

리모트 컨트롤〔remote control〕명하타 リモートコントロール；リモコン《준말》. ¶이 기계는 ～할 수 있다 この機械はリモートコントロール出来る.

리밋〔limit〕명 リミット；限界；限度；範囲. ¶오프 ～ オフリミット.

리바운드〔rebound〕명 リバウンド. ¶～ 볼 リバウンドボール.

리바이벌〔revival〕명 リバイバル；復古. ¶～ 붐 リバイバルブーム／～송 リバイバルソング.

리버럴리스트〔liberalist〕명 リベラリスト；自由主義者.

리버럴리즘〔liberalism〕명 リベラリズム；自由主義.

리버티〔liberty〕명 リバティー.

리베〔도 Liebe〕명 リーベ；恋愛；恋

人.

베이트 〔rebate〕 명 《經》 リベート；割り戻し金.

벳 〔revet〕 명 リベット；びょう(鋲). ¶ 땅을 울리는 ～ 박는 소리 地を響かすリベット打ちの音.

보솜 〔ribosome〕 명 《生》 リボソーム.

보오스 〔ribose〕 명 《化》 リボース.

보 핵산 【—核酸】 명 《化》 リボ核酸；アールエヌエー(RNA).

본 〔ribbon〕 명 リボン. ¶ 붉은 ～ 赤いリボン.

볼버 〔revolver〕 명 リボルバー.

빙 〔living〕 명 リビング. ¶ ～룸 リビングルーム.

사이틀 〔recital〕 명 《樂》 リサイタル. ¶ 피아노 ～ ピアノリサイタル.

서치 〔research〕 명 하타 リサーチ；研究；調査.

셉션 〔reception〕 명 レセプション.

스 산업 【—産業】 〔lease〕 명 《經》 リース産業.

스크 〔risk〕 명 リスク；危険. ¶ 영업상의 ～ 営業上のリスク.

스트 〔list〕 명 リスト. ¶ 블랙 ～ ブラックリスト.

리시버 〔receiver〕 명 レシーバー.

리시브 〔receive〕 명 하타 レシーブ.

리아스식 해안 【—式海岸】 〔Rias〕 명 《地》 リアス式海岸.

리어-카 〔rear-car〕 명 リヤカー.

리얼 〔real〕 명 하형 リアル；写実的；現実的. ¶ ～한 묘사 リアルな描写.

리얼리스트 〔realist〕 명 リアリスト.

리얼리스틱 〔realistic〕 명 하형 リアリスティック. ¶ ～한 묘사 リアリスティックな描写.

리얼리즘 〔realism〕 명 リアリズム.

리치 〔reach〕 명 《拳鬪》 リーチ. ¶ ～가 길다 リーチが長い.

리케차 〔rickettsia〕 명 《醫》 リケッチア《微生物の一つ》.

리코더 〔recorder〕 명 レコーダー. ¶ 타임 ～ タイムレコーダー / 테이프 ～ テープレコーダー.

리코딩 〔recording〕 명 レコーディング.

리큐어 〔프 liqueur〕 명 リキュール.

리터 〔liter〕 의명 リットル《記号：l》.

리턴 매치 〔return match〕 명 《拳鬪》 リターンマッチ.

리트 〔도 Lied〕 명 《樂》 リート. ¶ 슈베르트의 ～ シューベルトのリート.

리트머스 〔litmus〕 명 《化》 リトマス.

‖— 시험지 명 《化》 リトマス試験紙. —-액 명 リトマス液.

리파아제 〔lipase〕 명 《化》 リパーゼ.

리포터 〔reporter〕 명 リポーター.

리포트 〔report〕 명 リポート. ¶ ～를 작성하다 リポートを作成する.

리프트 〔lift〕 명 リフト. ¶ 스키 ～ スキーリフト.

리피트 〔repeat〕 명 《樂》 リピート. ＝도돌이표.

리허설 〔rehearsal〕 명 リハーサル；練習.

린스 〔rinse〕 명 リンス.

린치 〔lynch〕 명 リンチ. ¶ ～를 가하다 リンチを加える.

릴 〔reel〕 명 의명 リール.

‖— 낚시 명 リール釣り.

릴레이 〔relay〕 명 リレー. ① 交代；中継. ② 継電器. ③ ↗릴레이 경주. ¶ 400미터 ～ 400メートルリレー.

‖— 경주(競走) 명 リレーレース；リレー《준말》；継走.

릴리프 〔relief〕 명 リリーフ.

‖— 피처 명 《野》 リリーフピッチャー.

-림 【林】 미 林. ¶ 보호～ 保護林 / 국유～ 国有林.

림프 〔lymph〕 명 《生》 リンパ. ＝임파(淋巴).

‖—-선(腺) 명 リンパせん. —-액 명 リンパ液.

립-스틱 〔lipstick〕 명 リップスティック；口紅.

링 〔ring〕 명 リング. ¶ 인게이지 ～ エンゲージリング / ～의 중앙에서 リングの中央で.

링거 〔Ringer〕 명 《藥》 リンゲル；リンガー. ＝링게르.

‖—-액 명 リンゲル液；リンガー液；リンゲル《준말》. — 주사 명 《醫》 リンゲル注射.

링귀-폰 〔Linguaphone〕 명 リンガフォン；リンガホン.

링-사이드 〔ringside〕 명 リングサイド. ¶ ～에서 구경하다 リングサイドで見物する.

링크 〔link〕 명 リンク.

‖— 무역 명 リンク貿易. — 제도(制度) 명 《經》 リンク制；リンク《준말》.

링크 〔rink〕 명 リンク；アイスリンク. ¶ 스케이트 ～ スケートリンク.

링키지 〔linkage〕 명 《生》 リンケージ；連鎖.

ㅁ

ㅁ ハングル字母の第五番目の字.

-ㅁ 어미 終声のない語幹に付き名詞形を作る語. ¶ 기쁘～ 喜び / 배우～ 学業；学び.

-ㅁ세 어미 …しよう. ¶ 그렇게 하～ そうしよう / 갖다 주～ 持って来て上げよう. ＊ -음세.

-ㅁ에도 어미 …にも(かかわらず). ¶ 눈이 오～ 불구하고 雪が降るにもかかわらず.

마 명 《植》 長芋.

마【麻】명〔植〕麻. ＝삼[1].
마【魔】명 魔. ¶ ～가 끼다 魔がさす; けちが付く / ～의 건널목 魔の踏切り.
마【碼】의명 ヤード《主に織物の長さの単位に使われる》¶50～ 五十ヤード.
-마【魔】미 "魔"の意. ¶살인～ 殺人魔 / 병～ 病魔.
-마 어미 …してやろう; …しよう. ¶ 도와 주～ 助けてあげよう / 내일 갖다 주～ 明日持って来てやろう.
마가린〔margarine〕명 マーガリン.
마각【馬脚】명 馬脚. ¶ ～을 드러내다 馬脚をあらわす; 化けの皮がはがれる.
마감 명 締め切り《〆切》. ――하다 타 締め切る. ¶ ～날에 신청하다 締め切りの日に申し込む / ～되다 締め切りになる.
마개 명 (瓶などの)栓. ¶코르크 ～ コルク栓 / ～를 하다 栓をさす / 맥주병의 ～를 따다 ビールの栓を抜く.
‖―― 따개, ――-뽑이 명 栓抜き; 口抜き.
마고자 명 "チョゴリ"の上に重ねて着るえりのない上着《短かい胴衣みたいなもの》.
마구【馬具】명 馬具.
마구 부 ①むやみに; やたらに; やみくもに; むこう見ずに. ¶ ～ 돈을 쓰다 むやみに金を使う / 욕을 ～ 해대다 悪口を言いちらす. ②ぞんざいに; でだらめに; いいかげんに. ¶ ～ 쑤셔 넣다 むちゃくちゃに押し込む. ③しきりに; さんざん; じゃんじゃん. ¶ ～ 팔리다 じゃんじゃん売れる / ～ 헐뜯다 さんざんけな(貶)す. 준 막.
마구-간【馬廐間】명 馬屋. 준 마구(馬廐).
마구리 명 物の左右両端の面; 両端; 両わき(脇).
마구-잡이 명 ①理非曲直を問わぬむこう見ずの振る舞い. ②粗悪品.
마굴【魔窟】명 まくつ(魔窟).
마권【馬券】명 馬券.
‖――-세 명 馬券税.
마귀【魔鬼】명 ①魔神; 鬼神; 魔魅. ¶ ～가 들리다, ～가 씌다 悪魔に見込まれる; つ(憑)きもの(物)が付く / ～ 할멈 鬼ばば. 준 마(魔). ②〔天主教〕悪魔; サタン.
마그나 카르타〔라 Magna Charta〕명〔史〕マグナカルタ.
마그네사이트〔magnesite〕명〔鑛〕マグネサイト.
마그네슘〔magnesium〕명〔化〕マグネシウム《記号: Mg》.
마그네시아〔magnesia〕명〔化〕マグネシア; 苦土; 酸化マグネシウム.
‖――-시멘트 명 マグネシアセメント.
마그넷〔magnet〕명〔物〕マグネット; 磁石.
마그마〔magma〕명〔地〕マグマ. ＝암장(岩漿).
마나-님 명 老婦人の敬称.
마냥 부 ①ひたすら; もっぱ(専)ら; 全く. ¶ ～ 그립다 ただ恋しいばか(り)である / ～ 놀기만 한다 もっぱら遊(ん)でばかりいる. ②思いきり; 十分〔(充)分〕; たらふく. ¶ ～ 먹었다 思(い)きり〔たらふく〕食べた.
마네킨〔mannequin〕명 マネキン.
‖―― 걸 명 マネキンガール.
마녀【魔女】명 魔女; ようじょ(妖女); 鬼女.
마노【瑪瑙】명〔鑛〕めのう(瑪瑙).
마누라 명 ①妻; 女房; 細君; かかあ(嚊·嬶)〈俗〉; 山の神〈俗〉; おかみ. ②老女; 年老いたおかみ.
마는 조 …けれども; …けれど; …が. ¶그 책도 사고 싶다～ 돈이 없다 その本も買いたいが金がない / 억울하지～ 참자 くやしいけれど我慢しよう. 준 만.
마늘 명〔植〕にんにく(大蒜).
‖――-모 명 ①(にんにくのかけらのような)三角になっている物. ②(碁で)こすみ. ―― 장아찌 명 にんにく, その茎·とう(薹)などをしょうゆ(醬油)に漬けたお菜.
마니아〔mania〕명 マニア; …狂. ¶재즈 ～ ジャズマニア / 골프 ～ ゴルフ狂.
마닐라〔Manila〕명〔地〕マニラ.
‖―― 로프 명 マニラロープ. ――-삼 명 ①〔植〕マニラ麻. ②マニラ麻から採った繊維.
마님 명〔史〕貴人の奥方を敬って呼ぶ語.
-마님 미〔史〕貴人を敬って呼ぶ語. ¶대감～ 御前 / 영감～ ご主人様.
마다 조 …ごと(毎)に; 度に; 都度. ¶집집～ 家ごと(に) / 밤～ 몰래 찾아오다 夜ごとに忍んで来る / 볼적～ 見る度に / 가는 곳～ 行くさきざき(先先).
마다-하다 타 拒む; いと(厭)う. ¶고생을 마다하지 않고 일하였다 苦労をいとわず働いた.
마담〔프 madame〕명 マダム. ¶유한 ～ 有閑マダム.
마당 ㊀명 ①庭; 広場. ¶널찍한 ～ 広広とした庭 / ～ 빌리다 庭を借りる《花婿が花嫁の家で結婚式を挙げること》. ②事が起こる場合とか事に当たる時機. ¶성업을 완수할 이 ～에 聖業を完遂すべきこのときにおいて / 이왕 이리 된 ～에는 할 수가 없다 どうせこうなったからには致し方がない. ㊁의명 "판소리"を数える単位: 場面.
‖――-발 명 偏平足. ――-질 명 하자 脱穀.
마대【麻袋】명 麻袋.
마도로스〔네 matroos〕명 マドロス.
‖―― 파이프 명 マドロスパイプ.
마돈나〔이 Madonna〕명 マドンナ.
마-들다【魔―】자 ①魔が差す. ②事をあやまる.
마디 명 節. ①枝や葉の付け根. ②(竹·あし(葦)などの)間をおいて隔てている葉と葉の部分. ③関節

…: つが(番)い目. ¶ 손~ 指の節. ④(言葉・歌などの)ひとくだり〔一言〕. =구절(句節). ¶ 한 ~ 두 ~ 一言二言/회장의 한 ~로 결정되었다 会長の一声で決まった/한 ~로 거절했다 言下に〔一言の下に〕はねつけた/한 ~ 부르게 一曲歌えよ. ⑤〔言〕 ☞ 절(節). ——-지다 ㊀형 節がある. ㊁자 節ができる; 節くれ立つ.
——-충(蟲) 명〔蟲〕ずいむし(螟虫).

마디다 형 (無駄がなく)持ちがよい; 長持ちする. ¶ 살림이 ~ 世帯持ちがよい.

마디-마디 명부 節節; 節ごとに. ¶ 몸의 ~가 쑤시다 体の節節がうず(疼)く.

마따나 조 …(言う)ように. ¶ 네 말 ~ お前が言う〔話した〕ように.

마땅-찮다 형 "마땅하지 아니하다"の略語: 適当でない; 不当だ; 気にくわない; いらない. ¶ 마땅찮은 처사 不当な仕打ち.

마땅-하다 형 ①適当だ; ふさわしい; 似つかわしい. ¶ 마땅한 물건 ころあい(頃合)の品/마땅한 집 適当な家. ②当然〔当たり前〕だ; …に値する; (当然)…すべきだ. ¶ 벌받아 ~ 罰せられて当然だ. 마땅-히 부 当然; まさ(当)に; すべか(須)らく. ¶ ~ 죄를 천하에 사과하여야 한다 当然罪を天下に謝すべきである/~ 반성해야 한다 よろ(宜)しく反省すべきである.

마뜩-찮다 형 不満である; 気に入らない. ¶ 마뜩찮게 여기다 不満に思う/그의 태도는 ~ 彼の態度はいただけない.

마뜩-하다 형 満足だ; 気に入る. 마뜩-히 부 満足に; 満足げに. ¶ 그 일을 ~ 여기다 その事を満足に思う.

마라톤 〔marathon〕 명 ↗마라톤 경주.
‖—— 경주 명 マラソン(競走).

마력【馬力】 명의명 馬力. ¶ 10 ~의 모터 十馬力のモーター.

마력【魔力】 명 魔力.

마련 명 準備; 用意; 工面; 都合; 算段. ——-하다 타 用意する; 工面〔都合〕する; 設ける. ¶ 돈을 급히 ~하다 金を急に工面する/임시 열차를 ~하다 臨時列車を仕立てる/술자리를 ~하다 酒席を設ける.

마련 명 "当然そうである"·"そうなるようになっている"の意を表わす語. ¶ 술을 마시면 취하게 ~이다 お酒を飲めば酔うようになっている/여름은 덥기 ~이다 夏は暑いものと決まっている.

마렵다 형 (便意を)催す; (大小便が)したい.

마령-서【馬鈴薯】 명〔植〕 ☞ 감자.

마로니에 〔프 marronier〕 명〔植〕 マロニエ.

마루 명 ①床; 縁側; フロア. ¶ ~ 밑 縁の下/~까지 침수되다 床まで漬かる/~를 깔다 床を張る. ②山の背, または屋根の棟. ¶ 산 ~ 山の端. ③物事の境目や移り目, または絶頂; 山; 山場.
‖——-방(房) 명 板の間. ——-청(廳) 명〔建〕 床板; 敷板; 根太板. ——-터기, ——-턱 명 根太や屋根の尾根. 마룻-바닥 명 (板の間·縁側の)床.

마르다¹ 자 ①乾く. ¶ 옷이 ~ 服が乾く/기둥이 말라서 갈라지다 柱が干割れする. ②か(涸)れる; 干上がる; 乾〔渇〕く. ¶ 바짝 ~ 干からびる/연못이 ~ 池がかれる/논이 말라붙다 田が干上がる〔干からびる〕. ③(草木が)枯れる; 上がる. ¶ 오이 덩굴이 ~ うり(瓜)のつるが上がる. ④(のどが)渇〔乾〕く; 干る. ⑤や(痩)せる. ¶ 요즘 부쩍 몸이 ~ この頃になってぐっと体がやせる/비쩍 마른 개 やせさらばえた犬. ⑥《俗》(金が)切れる. ¶ 주머니가 ~ ふところが寒い.

마르다² 타 裁つ; 裁断する. ¶ 옷을 ~ 着物を裁つ.

마르모트 〔프 marmotte〕 명〔動〕 ☞ 마멋.

마르크 〔도 Mark〕 의명 マルク《"馬克"は音訳》.

마르크스-주의【—主義】 〔Marx〕 명 マルクス主義; マルキシズム.

마르크시스트 〔Marxist〕 명 マルキシスト.

마르크시즘 〔Marxism〕 명 マルキシズム.

마른-걸레 명 干しぞうきん(雑巾). ¶ ~질 干し雑巾がけ.

마른-과자【—菓子】 명 干菓子.

마른-기침 명하자 空せき.

마른-나무 명 枯れ木; 乾いた木.

마른-반찬【—飯饌】 명 干し魚·ほしじし(乾肉)など水けのないおかず.

마른-버짐 명 かんせん(乾癬); はたけ(疥).

마른-번개 명 晴天の稲妻.

마른-빨래 명하자 服の泥をこすりおとしてきれいにすること.

마른-신 명 ①油をひかない革靴. ②晴れた日にはくはきもの.

마른-안주【—按酒】 명 (ビールなどの)つまみ物; おつま(摘)み.

마른-일 명하자 (針仕事·機織など)水仕事でない仕事.

마른-자리 명 乾いた所.

마른-풀 명 干し草; 乾草; 枯れ草.

마른-하늘 명 青天. ¶ ~의 날벼락 《俚》 青天のへきれき(霹靂); 寝耳に水.

마른-행주 명 干しふきん(布巾).

마름¹ 명〔植〕 ひし(菱).
‖—— 모-꼴 명 ひし形. ——-쇠 명 盗賊や敵などを防ぐために地面にまき散らすひし形の鉄片. =능철(菱鐵)·여철(藜鐵).

마름² 명〔史〕 小作管理人; 地頭. =사음(舍音).

마름-질 명하자타 裁断; 服地·材木などを寸法に合わせて裁つこと. ¶ ~판 裁ち台; 裁ち物板/~한 천 裁ち切れ.

마리 의명 けだものや魚を数える語: 匹; 羽; 頭. ¶ 청어 열 ~ にしん(鰊)十匹/병아리 세 ~ ひよこ三

羽/말 세 ～ 馬三頭.
마리아〔Maria〕명〖宗〗マリア. ¶ 성모 ～ 聖母マリア.
마리화나〔marihuana〕명 マリファナ.
마마【媽媽】[1] 명하자 ① 天然痘; とうそう(痘瘡); ほうそう(疱瘡)〈老〉. ¶ ～ 그릇되듯《俚》天然痘がこじれるよう《良くない兆しのたとえ》. ②[↗별성 마마] 天然痘をまんえん(蔓延)させるという女神. ③[↗역신 마마] 疫病神; 疫神. ④ 高官またはそのめかけを敬って呼ぶ語.
‖마맛-자국 명 痘痕; あばた.
마마【媽媽】[2] 명 王·王妃などの尊称. ¶ 상감(上監) ～ 殿下; 王様.
마마-콩 명 [←일 豆] さや(莢)ごと揚げて塩をかけたいんげんまめ(隠元豆).
마멋〔marmot〕명〖動〗マーモット. =마르모트.
마멸【磨滅】명하자 摩滅〔磨滅〕. ¶ 기계가 ～하였다 機械が摩滅した/선로를 ～시키다 線路をすり減らす.
마모【磨耗】명하자 摩耗〔磨耗〕; 摩滅.
마모니즘〔mammonism〕명 マンモニズム; 黄金主義.
마무르다 타 ① へりを取る. ②(物事を)締めくくる. ¶ 이야기를 재치있게 ～ 話をうまく締めくくる〔落とす〕.
마무리 명 締めくく(括)り. ① 仕上げ. ——-하다 자 仕上げる. ¶ 정성들여 ～하다 念入りに仕上げる/～를 서둘다 仕上げを急ぐ/깨끗이 ～되다 きれいに仕上がる. ② 後始末; けり; 結末. ——-하다 자 結末〔けり〕をつける; 締めくくる. ¶ ～를 깨끗이 하다 後始末をきれいにする.
마-바리【馬—】명 ① 荷馬; 馬荷. ② 二百坪の田でもみ(籾)二石の収穫があがること.
‖——-꾼 명 馬方; 馬子.
마법【魔法】명 魔法; 魔術.
‖——-사(師) 명 魔法使い.
마부【馬夫】명 御者; 馬子; 馬丁.
마분【馬糞】명 まぐそ(馬糞); 馬ふん.
‖——-지 명 馬ふん紙; ボール紙.
마비【痲痺】명 まひ(麻痺); しび(痺)れ. ——-하다 자 麻痺する; しびれる. ¶ 심장 ～ 心臓麻痺/～된 양심 麻痺した良心.
마사-회【馬事會】명 馬事会.
마-삯【馬—】명 馬代; 馬の借り賃.
마상【馬上】명 馬上. ¶ ～의 늠름한 모습 馬上の雄雄しい勇姿.
마상이 명 ①(伝馬船のような)小舟. =독목주(獨木舟).
마성【魔性】명 魔性. ¶ ～을 드러내다 魔性をあらわす.
마소 명 牛馬. ¶ ～처럼 혹사당하다 牛馬の如くこき使われる.
마손【磨損】명하자 摩損〔磨損〕.
마수 명하자타 ① 最初の売り物で推し量るその日の商いと運. ② ↗마수걸이. ¶ ～도 못했다 口開けも出来なかった. ——-걸다 자 開業早早またはその日の商い始めに品物を売る.
‖——-걸이 명 はじめて品物を売ること. =개시(開市). ¶ ～ 손님 口開けの客. 준 마수.
마수【魔手】명 魔手; そうが(爪牙). ¶ ～에 걸렸다 魔手にかかった/～를 뻗치다 魔手を伸ばす/색마의 ～에 걸리다 色魔の爪牙にかかる.
마술【馬術】명 馬術. ¶ ～ 경기 馬術競技.
마술【魔術】명 魔術; 魔法; 手品. ¶ ～사 魔術使; 手品師; 手品遣い/～을 걸다 魔術をかける/～을 부리다 魔法を使う.
‖——-쟁이 명 ☞ 요술쟁이.
마스카라〔mascara〕명 マスカラ.
마스코트〔프 mascotte〕명 マスコット.
마스크〔mask〕명 マスク. ¶ 가스 ～ ガスマスク/감기로 ～를 하다 風邪でマスクを掛ける/캐처가 ～를 벗고 볼을 던졌다 キャッチャーがマスクをぬいでボールを投げた.
마스터〔master〕명 マスター. ¶ ～ 코스 マスターコース/밴드 ～ バンドマスター.
‖—— 키 명 マスターキー. —— 플랜 명 マスタープラン.
마스터베이션〔masturbation〕명하자 マスターベーション; オナニー; 自慰.
마스트〔mast〕명 マスト; 帆柱. ¶ 메인 ～ メーンマスト.
마시다 타 ①(水などを)飲む; (汁などを)吸う; (薬などを)のむ; 服する. ¶ 물을 ～ 水を飲む/단숨에 ～ 一息に飲み干す/국물을 ～ 汁を吸う/독약을 ～ 毒を仰ぐ/차를 ～ お茶を飲む〔喫する〕. ②(空気などを)吸う. ¶ 신선한 공기를 ～ 新鮮な空気を吸う.
마신【馬身】명 馬身. ¶ 1～의 차로 이겼다 一馬身の差で勝った.
마애불【磨崖佛】명〖佛〗まがいぶつ(磨崖仏).
마야 문화【—文化】〔Maya〕명 マヤ文化.
마약【痲藥】명〖薬〗① 麻薬; しび(痺)れ薬〈俗〉. ¶ ～ 밀매 麻薬密売. ② ☞ 아편.
‖—— 중독 명 麻薬中毒. ¶ ～자 麻薬常用者.
마왕【魔王】명 魔王; サタン.
마요네즈〔프 mayonnaise〕명 マヨネーズ. ¶ ～ 소스 マヨネーズソース.
마우스-피스〔mouthpiece〕명 マウスピース.
마운드〔mound〕명〖野〗マウンド. ¶ 투수가 ～에 섰다 投手がマウンドに立った.
마을 명 ①〖史〗かんが(官衙); 役所. =관서(官署). ② 村; 村落; 里. =동리(洞里). ¶ ～ 풍속 里の習い/～에서 떨어진 곳 人里離れた所. ③ お隣へ遊びに行くこと. 준 말. ——-가다 자 隣近所へ遊びに行く.
‖——-꾼 명 ① 隣近所へ遊びに行く人

と. ② 家事をほったらかして朝夕出歩く女.

마음 명 心. ① 精神; 気. ¶ ~의 양식 心の糧 / ~이 흐트러지다 気が散る / ~에서 떠나지 않다 念頭から離れない / ~에 걸리다 気になる〔かかる〕/ ~을 고쳐먹다〔잡다〕心を入れかえる / ~ 든든하다 心強い; 気〔心〕丈夫だ / ~이 아프다 心が痛む. ② 気持ち; 考え; 感じ; 思い. ¶ 쓸쓸한 ~ わび(侘)しい気持ち〔思い〕/ ~이 들뜨다 心がはずむ / ~에 맞다〔들다〕心にかなう; 気に入る / ~에 들지 않는다 気に入らない〔食わない〕/ ~에 거슬리다 気にさわる. ③ 思いやり; 情け. ④ 気; 意. ¶ ~을 합하여 心を合わせて / ~이 변(變)하다 心が変わる / 할 ~이 없다 やる気がない / ~이 맞는 친구 気の合う友 / ~에도 없는 말을 하다 心にも無いことを言う / ~을 정하다 心〔意〕を決する / 저 여자에게 ~이 있다 あの女に気がある. ⑤ 真心. ¶ ~을 다하다 (真)心を尽くす / ~을 다한 선물 心尽くしのおくりもの. ⑥ 胸; 腹; 気心. ¶ ~을 털어놓다 胸を打ち明ける / ~을 떠보다 腹を探る; かま(鎌)をかける / ~이 엉큼하다 腹が黒い / 네 ~을 모르겠다 お前の気心が知れない. ⑦ 度量. ¶ ~이 넓은 사람 度量の大きい〔広い〕人. 준 맘. ──(이) 내키다 구 気が向く〔進む〕; 気乗りがする. ¶ 마음이 내킬 때 오시오 気が向いたら来なさい. 준 맘내키다. ──(을) 놓다 구 ① 安心する. ¶ 마음 놓고 하게나 気楽にやれよ / 마음 놓고 갈 수 있다 心置きなく行ける. ② 油断する; 気を許す. ¶ 마음을 놓을 수 없는 사람 気の置けない人. 준 맘놓다. ──(을) 먹다 구 しようと思う; 思い立つ; 思い込む; 心に決める. ¶ 마음을 독하게 먹다 心を鬼にする / 마음 먹기에 달렸다 気の持ちようによる / 마음 먹었으면 곧 실행하라 思い立ったらすぐ実行しろ. 준 맘먹다. ──(을) 쓰다 구 ① 気を使う; 考える; 研究する. ② 気にする〔かける〕; 気遣う; 気を配る. ③ 同情する; 配慮する. 준 맘쓰다. ──(을) 졸이다 구 気をも(揉)む; 気(がかり)になる; 心配する. ¶ 어찌될 것인가 하고 마음을 졸이다 どうなる事かと気をもむ. ¶ 심판의 날을 마음 졸이며 기다리다 審判の日をはらはらしながら待つ. 준 맘졸이다. ──(이) 좋다 구 ① 心がよい; 情け深い; 思いやりがある. ② 良心的だ; 正しい. ③ 寛大だ; 大様だ. 준 맘좋다. ──(이) 죄이다 구 気がもめる; 気(がかり)になる; 心配になる. 준 맘죄이다.

마음-가짐 명 ① 心得; 心掛け; 心構え. ¶ 평소의 ~이 중요하다 ふだんの〔常の〕心掛けが大切である / ~이 좋지 않다 心得がよくない / ~이 다르다 気組みが違う / ~이 확고하다 性根がすわっている. ② 心意気; 意気込み; 決心. ¶ 그러한 ~이 기쁘다 その心意気がうれしい. 준 맘가짐.

마음-결 명 気質; 気立て. ¶ ~이 곱다〔비단 같다〕気立てがやさしい. 준 맘결.

마음 고생【苦生】명 気苦労〔苦悩〕.

마음-껏 부 ① 心を尽くして; 精一杯. ¶ ~ 돕다 心を尽くして助ける. ② 思い切り; 思う存分; 心ゆくまで. ¶ ~ 먹다 腹いっぱい食べる / ~ 일하다 思う存分〔心ゆくまで〕働く. 준 맘껏.

마음-대로 부 思う通りに; かって(勝手)に; 気ままに. ¶ 가든 말든 네 ~다 行こうが行くまいが君のかってだ / ~ 해라 かってにしろ. 준 맘대로.

마음-보 명 (悪い意味での)底意地; 根性; 心根; 性根. ¶ ~가 고약하다 底意地が悪い; 根性が曲がっている. 준 맘보.

마음-성【─性】명 心だて.

마음-속 명 心のうち; 胸のなか; 心底. ¶ ~에 간직하다 腹に収める; 胸に秘める / ~에 품다 腹に抱く / ~으로 웃다 腹の中で笑う. 준 맘속.

마음-씨 명 心立て; 気立て; 心根; 気; 心柄. ¶ ~가 고운 여인 気立て〔心根〕のやさしい女性. 준 맘씨.

마이너스 〔minus〕 명하타 マイナス. ¶ ~와 ~를 곱하면 플러스가 된다 マイナスとマイナスを掛けあわせるとプラスになる / 이 장사는 완전히 ~다 この商売は全くマイナスだ.

마이 동풍【馬耳東風】명 馬耳東風; 馬の耳に念仏. ¶ ~으로 흘려버리다 馬耳東風と聞き流す.

마이신 〔mycine〕 명〖藥〗[↗스트렙토마이신] マイシン.

마이실린 〔mycillin〕 명〖藥〗マイシリン.

마이 카 〔my+car〕 명 マイカー. ¶ ~족 マイカー族.

마이크 명 [↗마이크로폰] マイク. ¶ ~ 앞에서 이야기하다 マイクの前で話す / ~를 잡고 노래하기를 좋아한다 マイクを取って歌うのをよろこぶ.

마이크로 〔micro〕 명관 マイクロ. ¶ ~버스 マイクロバス
‖──-그램 의명 マイクログラム. ──-미터 명 マイクロメーター. ──-밸런스 명 マイクロバランス. ──-웨이브 명 マイクロウエーブ. ──-퀴리 의명 マイクロキュリー. ──-파(波) 명 ☞ 마이크로웨이브. ──-필름 명 マイクロフィルム.

마이크로-폰 〔microphone〕 명 マイクロホン; マイク《준말》.

마일 〔mile〕 의명 マイル《"哩"로 씀은 취음》.

마작【麻雀】명하자 麻雀.

마장【馬場】명 馬場.

마장 의명 一里未満の距離をさすときに用いる語《10마장은 一里》.

마저 ㊀부 (残さずに)全部; みんな(皆); すっかり; 残らず. ¶ 이것도 ~ 먹어라 これもみんな食べなさい / ~ 팔아 치웠다 すっかり売り払って

しまった. ⊟조 …までも；…をも；…さえ；…すら. ¶ 걸음～ 제대로 걸을 수 없다 歩くことすら自由にできない / 이것～ 부정하는가 これをも否定するのか / 남의 것～ 먹다 人のものまで食べる.

마제【馬蹄】 명 ばてい(馬蹄)；馬のひずめ. ＝말굽.

‖——석 명 馬蹄石.

마제 석기【磨製石器】 명 〖考古學〗磨製石器. ＝간석기. ㊟ 마석기.

마젤란-운【一雲】〔Magellan〕 명 〖天〗マゼラン雲.

마-조【一調】 명 〖樂〗ホ調.

마주【馬主】 명 馬主；(競馬で)馬の持ち主.

마주 부 向かい合って. ¶～ 대하다 向き合う；向かい合う；相対する / 무릎을 ～ 대다 ひざを突き合わす.

마주 놓다 타 向かい合わせに物を置く. ㊟ 맞놓다.

마주 보다 자타 向き合う；相対する；差し向かう；面する. ㊟ 맞보다. ¶ 얼굴을 마주 보고 미소짓다 顔を見合わせてにっこりする.

마주 서다 자 面と向かって立つ；立ち向かう. ¶ 마주 서서 춤추다 向き合っておどる. ㊟ 맞서다.

마주 앉다 자 向かい合って〔相対して〕座る；差し向かいに座る. ¶ 마주 앉아서 식사하다 差し向かいで食事をする.

마주 잡다 타 ① 手を取り合う. ¶ 손에 손을 마주 잡고 手に手を取って. ② 物を一緒に持つ. ¶ 책상을 마주 잡고 나르다 机を一緒に持ち運ぶ. ③ 互いに協力する；相携える. ¶ 손을 마주 잡고 일하다 力を合わせて働く. ㊟ 맞잡다.

마주-치다 자 ①(正面から)ぶつかる；衝突する；突き当たる. ② でくわす；行きあう；出合う；突き合わす. ¶ 길에서 친구와 딱 ～ 道で友人にばったりでくわす / 시선이 ～ 視線があう.

마중 명 出迎え；迎え. ——하다 타 出迎える；迎える. ¶ 역까지 ～하러 가다 駅まで出迎えに行く.

마중-물 명 誘い水；呼び水；迎い水. ¶ ～을 붓다 誘い水を差す.

마-지기 의명 田畑の面積を表わす単位；一斗分の種をま(播)くぐらいの広さ《田は百五十-三百坪, 畑は百坪内外》. ＝두락(斗落).

마지막 명 最後；終わり；(お)仕舞い. ¶ ～까지 終わりまで；最後まで / ～이 가까워지다 終わりに近づく / ～을 고하다 終わりを告げる / ～ 숨통을 끊다 息の根を止める / 한 해의 ～ 年の末 / 그 때를 ～으로 못 만났다 あれきり会ってない.

마지-못하다 형 やむを得ない；仕方〔致し方〕ない. ¶ 마지 못해 승낙하였다 しぶしぶ(渋渋)〔いやいやながら, 不承不承〕承諾した.

마지-아니하다 보동 …してや(止)まない；…に堪えない. ㊟ 마지 않다. ¶ 감탄하여 ～ 感嘆おくあた(能)わず / 바라 ～ 願って〔期待して〕やまない.

마진〔margin〕 명 マージン. ¶ ～을 먹다〔붙이다〕 マージンを取る〔つける〕.

마-질 명하타 穀物などを升で量ること.

마차【馬車】 명 馬車. ¶ 짐 ～ 荷馬車 / 쌍두 ～ 二頭だての馬車 / 사두(四頭) ～ しば(駟馬) / 짐 ～로 운반하다 馬力で運ぶ / 짐 ～꾼 馬力屋.

마찬가지 명 [←마치 한가지] 同じこと；同様；同然. ¶ 먹은거나 ～다 食べたも同じである / 늙어도 마음만은 젊었을 때나 ～다 老いても気持ちだけは若い頃と変わりない.

마찰【摩擦】 명하자 摩擦. ¶ 냉수 ～ 冷水摩擦 / ～로 전기가 일어나다 摩擦で静電気が起こる / ～이 없도록 조심하여라 もめ事が起らないように注意しなさい.

‖—— 계수 명 摩擦係数. ——력 명 摩擦力. —— 브레이크 명 摩擦ブレーキ. —— 손실 명 摩擦損失. ——열 명 摩擦熱. ——음 명 摩擦音. —— 전기 명 摩擦電気；静電気.

마천-루【摩天樓】 명 摩天楼.

마취【麻醉】 명 麻酔. ——하다 타 麻酔させる；麻酔をかける. ¶～ 상태 麻酔状態 / ～에서 깨어나다 麻酔から覚める.

‖——약 명 麻酔薬. ——제 명 麻酔剤；眠り薬.

마치[1] 명 ① つち(槌)；金づち；ハンマー. ② ☞ 망치.

‖——질 명하타 つち打ち仕事.

마치[2] 부 まるで；さながら；ちょうど；あたか(恰)も. ¶～ 꿈같다 まるで夢のようだ / ～ 바람에 날리는 나뭇잎 같다 あたかも風に吹かれる木の葉のようだ / 꽃잎 지는 것이 ～ 붉은 비가 내리는 것 같다 花の散るのがさながら紅の雨のようだ.

마치〔march〕 명 〖樂〗マーチ；行進曲.

마치다[1] 자 ①(くぎ(釘)などを打つとき何か)突き当たる. ② ずきずき痛む；うず(疼)く；(くつなどが)当たる；食う. ¶ 이가 ～ 歯がうずく / 이 구두는 발가락이 마친다 この靴は足の指に当たる.

마치다[2] ⊟자 終わる. ⊟타 終える；済ます. ¶ 일생을 ～ 一生を終える；一生がおわる / 최후를 ～ 最後を遂げる / 셈을 ～ 勘定を済ます / 숙제〔학교〕를 ～ 宿題〔学校〕を終える / 볼일을 ～ 用を足す.

마침 부 ① 折〔程〕よく；いいあんばい(塩梅)〔具合〕に；ちょうど；うってつけに. ¶～ 잘 왔다 ちょうどよいところへ来た / ～ 버스가 왔다 折よく〔いい具合に〕バスが来た. ② 折あしく；あいにく；たまたま. ¶～ 갖고 있는 돈이 없다 あいにく持合わせがない / ～ 그가 외출한 뒤였다 折あしく彼が外出した後だった / ～ 그곳을 지나던 사람이 하나 있었다 たまたまそこを通りかかった人が一人いた.

마침-구이 명하타 陶磁器の素焼きにうわぐすり(釉薬)をぬって焼き上

ずる工程.

(마)침-내 㽞 つい(遂)に; 最後に; とうとう(到頭); 結局. ¶~ 완성되었다 ついに完成された / ~ 두 사람은 결혼했다 とうとう二人は結婚した / ~ 심의가 막판에 이르렀다 いよいよ審議が大詰になった.

(마)침-표【─標】명〔言〕終止符; ピリオド.

(마)카로니〔이 maccaroni〕명 マカロニ.
‖── 웨스턴 명 マカロニウェスターン.

(마)케팅〔marketing〕명〔經〕マーケッティング.
‖── 리서치 명 マーケッティングリサーチ. =시장 조사(市場調査).

(마)켓〔market〕명 マーケット. ¶슈퍼~ スーパーマーケット.

(마)크〔mark〕명하자타 マーク. ¶트레이드~ トレードマーク / 제3위를 ~하다 第三位をマーク〔記録〕する / 상대방 선수를 ~하다 相手の選手をマーク〔けんせい(牽制)〕する.

(마)파람 명 はえ; 南風. =마풍(麻風)·앞바람.

마패【馬牌】명〔史〕昔役人が地方出張の際, 駅馬を徴発するに用いた札.

마포【麻布】명 麻布. =삼베.

마필【馬匹】명 馬匹; 馬.

마하〔도 Mach〕명 マッハ《マッハ1は秒速約340メートル》.

마호가니〔mahogany〕명〔植〕マホガニー.

마호메트-교【─教】〔Mahomet〕명 マホメット教; イスラム教; 回教.

마흔 수 四十.

막【幕】幕. ㊀명 ① 仮小屋. ¶~을 치고 밤을 새우다 幕を張り夜を明かす. ② 仕切り; とばり(帳). ¶~을 치다〔늘어뜨리다〕幕を張る〔垂らす〕. ③ 物事の始まり, または終わり. ¶전쟁의 ~은 올랐다 戦争の幕は切り落とされた. ㊁의명〔劇〕演劇の一段落. ¶제2~ 제5장 第二幕第五場.

막【膜】명〔生〕膜. ¶데운 우유에 ~이 덮이다 暖ためた牛乳に膜が張る.

막¹ 부 ① たった今; 今しがた; 今しも. ¶지금 ~ 왔다 今来たばかりだ / 공사는 이제 ~ 착수했을 따름이다 工事はその緒についたばかりだ. ② ちょうど(その時); 将に. ¶~ 전화하려던 참이다 ちょうど電話を入れようと思っていたところだ / ~ 자려는데 깨워서 일어났다 寝際にたたき起こされた.

막² 부 ↗마구. ¶~ 달리다 むちゃくちゃに走る; 突っ走る / 그렇게 ~ 먹지 마라 そうやたらに食べるなよ.

막-가다 자 無法な振る舞いをする; 乱暴する. ¶막가는 놈 ならず者; 無法者.

막간【幕間】명 ①〔劇〕幕合い. ¶~에 여흥을 하다 つな(繋)ぎ〔切れ目〕に余興を入れる. ② 物事の間合い. ‖──극 명 幕合い劇; 〔樂〕インテルメッツォ.

막강【莫強】명하형 屈強.

막-걸리 명 どぶろく; 濁酒; 濁り酒. ¶찹쌀 ~ もちごめ(糯米)のどぶろく.

막-과자【─菓子】명 駄菓子.

막-깎다 타 丸刈りにする.

막내 명 末っ子; 末; 末子. ¶~이기에 한층 귀엽다 末っ子だけにひとしおかわいい.
‖──-둥이 명 "末っ子"の愛称. ──-딸 명 末娘; 末女. ── 아들 명 末息子; 末男; 末子. ── 아우 명 末弟. 막냇-동생(同生) 명 末の弟, または末の妹.

막-노동【─勞動】명 ☞ 막일.

막다 타 ① 仕切る; 隔てる. ¶칸을 ~ 仕切りをする / 담으로 막혀 보이지 않다 塀に隔てられて見えない / 장지로 칸을 ~ 障子で隔てる. ② 止める; 阻む; 食い止める; 防ぐ; 守る. ¶외출을 ~ 外出を止める / 발언을 ~ 発言を遮る / (더 이상의) 피해를 ~ 被害を食い止める / 공격을 ~ 攻撃を防ぐ / 소년의 불량화를 ~ 少年の不良化を防ぐ. ③ (道などを)遮る; 閉ざす; 阻む. ¶길을 ~ 道を遮る〔ふさぐ〕/ 가는 길을 ~ 行く手を阻む / 통행을 ~ 通行を止める. ④ (流れを)せき止める. ¶강물을 ~ 川をせき止める. ⑤ (穴などを)ふさ(塞)ぐ. ¶귀를〔구멍을〕~ 耳〔穴〕をふさぐ / 종이로 틈을 ~ 紙ですきまをふさぐ. ⑥ (周囲を)囲う; 巡らす. ¶뜰을 담으로 ~ 庭を塀で囲う.

막-다르다 형 突き当たる; 行き詰まる; 袋小路になる. ¶막다른 집 突き当たりの家 / 막다른 곳에 다다르다 どん詰まりに突き当たる.

막다른 골, 막다른 골목 명 ① 袋小路. ¶막다른 골목에서 오른쪽으로 구부러지다 ふくろ路地を突き当たって右に曲がる. ② のっぴきならぬ破目; 行き詰まり; 行き止まり; どん詰まり.

막다른 집 명 突き当たりの家.

막대 명 [↗막대기] 棒.
‖── 그래프 명 棒グラフ. ── 자석 명 棒磁石.

막대【莫大】명하형히부 ばくだい(莫大). ¶~한 영향을 미쳤다 莫大な影響を及ぼした / ~한 재산 莫大な財産.

막대기 명 棒; 棒切れ. ㊟막대.

막-도장【─圖章】명 認め印.

막-되다 형 無作法だ; 粗暴だ; 無法だ. ¶막된 말씨 ぞんざいな言葉 / 막된 놈 ならず者; 無法者; 乱暴者.

막-둥이 명《俗》末っ子. ¶~로 태어나다 末っ子に生まれる.

막론【莫論】명하자타 ① 議論を止めること. ② 論ずる余地がないこと. ¶누구를 ~하고 수입은 많은 편이 좋다 だれ(誰)に限らず収入は多い方が良い / 누구를 ~하고 출입을 금한다 だれかれ(誰彼)を問わず出入りを禁ずる.

ㅁ

막료【幕僚】명 幕僚. ¶～를 모아 작전을 짜다 幕僚を集めて作戦を練る.
막막【寞寞】명하형 ①ばくばく(寞寞). ②☞막연(漠然).
막막【漠漠】명하형 漠漠. ¶～한 광야 漠漠たる広野.
‖── 대해(大海) 명 漠漠たる海原.
막-말 명하자 ①(みだ(妄)りに)言い切る言葉; 断言. ②(出任せに言う)ぞんざいなまたは下品な言葉. ¶어른에게 ～로 덤비다 目上に食ってかかる.
막무가내【莫無可奈】명 ①どうしようのないこと; 手のつけようがないこと. ②頑として動かぬさま. =무가내하(無可奈何). ¶～로 받아들이지 않다 頑として受けつけない.
막-바지 명 ①頂上; いただき. ¶고개의 ～ 峠のいただき. ②どん詰まり; 土壇場; 大詰め. ¶～까지 가다 とことんまで行く / 선거도 ～에 접어들었다 選挙は大詰めになった.
막-벌이 명 荒稼ぎ.
‖──-꾼 명 荒稼ぎ労働者.
막사【幕舍】명 ①幕舎; 仮屋; バラック. ②海軍基地に駐屯する海兵隊の一部隊《特殊地域の警備にあたる》.
막-살이 명하자 行き当たりばったりの暮らし.
막상 부 実際に; 現に; 本当に. ¶～ 해보니까 별 것 아니더구나 実際にやって見た所大したものでなかったよ / ～ 해보면 생각보다 쉽다 実際にやってみれば思ったより易いよ / ～ 하려고 들면 할 기분이 사라진다 さてとなると気が失せる.
막상 막하【莫上莫下】명하형 伯仲; 互角; 五分五分. ¶～의 승부 互角の勝負.
막심【莫甚】명하형히부 はなは(甚)だしいこと. ¶불효 ～하다 不孝の窮まりである / ～한 피해 ばくだい(莫大)〔甚大〕な被害.
막아 내다 타 防ぎ止める. ¶적의 공격을 ～ 敵の攻撃を食い〔防ぎ〕止める.
막역【莫逆】명하형히부 ばくぎゃく(莫逆); 極めて親しいこと. ¶～한 친구 莫逆の友.
막연【漠然】명하형히부 漠然. ¶～한 불안 漠然たる不安 / ～한 말을 하다 漠然とした事を言う / 성공할지 어떨지 ～하다 成功するかどうかおぼつか(覚束)ない.
막이 의명 ①(通じないように)ふさ(塞)ぐこと. ¶보～ せき(堰)止め. ②(わざわいなどを)防ぐこと; よ(除)け. ¶액～ 魔よけ; 厄よけ; 厄払い.
막-일 명하자 荒仕事; 手当たり次第にやる力仕事.
‖──-꾼 명 荒稼ぎ労働者; 雑役夫.
막자 명 連木; 乳棒; すりこぎ. ¶～ 사발 すり鉢; 乳鉢.
막장 명하자 〔鑛〕①坑道の突き当たりの面; 切羽; 切り場. 採掘作業.
‖──-일 명하자 切羽での作業.
막중【莫重】명하형히부 (責任などが)ごく重い〔重大な〕こと. ¶～ 책임 重い〔重大な〕責任 / 책임이 ～하 責任が重い.
‖── 대사(大事) 명 きわめて重大なこと.
막질【膜質】명〔生〕膜質.
막-차【—車】명 終列車; 終; 終発. ¶～가 떠난 뒤였다 終列車が出た後だった.
막-치 명 粗製品.
막-판 명 ①[↗마지막판] 終局; どん詰まり; 土壇場. ¶～에 와서 당황하다 土壇場になってあわてる / ～에 와서 그는 손을 뗐다 最後になって彼は手を引いた. ②事がめちゃくちゃな状態.
막후【幕後】명 (特に政治的な)裏面; 裏側; 舞台裏. ¶정계의 ～ 인물 政界の黒幕.
‖── 교섭(交涉) 명 裏面交渉.
막히다 자 ふさ(塞)がる; つか(支)える; 詰まる; 手詰まる. ¶기가 ～ あいた口がふさがらない; あきれ返る / 숨이 ～ 息が詰まる / 말이 ～ 言葉がつかえる; 言いよどむ / 하수구가 ～ どぶがつかえる.
만【卍】명〔佛〕まんじ(卍).
만【滿】명 満. ¶～으로 다섯 살 満で五歳 / ～사흘 동안 아무 것도 안 먹었다 丸三日間何も取っていない / ～탱크 満タンク.
만【灣】명 湾; 入り江. ¶강화～ 江華湾.
만¹ 의명 …目; …ぶり. ¶이틀 ～에 二日目に / 이년 ～에 二年ぶりに / 오랜간 ～에 만났다 久しぶりに会った.
만【萬】수 万; 一万; よろず(万)〈雅〉. ¶～대 よろず代.
만² 조 ①…(に)だけ; …ばかり; …のみ. ¶자네에게～ 이야기한다 君にだけ話す / 남의 일～ 걱정한다 人の事ばかり気にする / …뿐～ 아니라 …のみならず / 돈～ 있으면 金さえあれば. ②…位; …程; …程度. ¶내 키～ 하더라 わたしの背くらいだったよ. ③"わずかそれくらい(位)"の意: …くらい; …しき. ¶요～ 상처 가지고 뭘 그러느냐 これしきの傷で騒ぎたてるなよ / 그～ 돈은 나도 있다 それくらいの金ならわたしにもあるよ.
만³ 조 ↗마는. ¶부탁 드릴 일이 있습니다～ お願いしたいことがあるのですが.
만가【輓歌】명 ばんか(挽歌).
만감【萬感】명 万感. ¶～이 가슴에 복받치다 万感胸に迫る.
만강【滿腔】명하자 まんこう(満腔). ¶～의 경의를 표하였다 満腔の敬意をはらった.
만개【滿開】명하자 満開. =만발(滿發).
만경【萬頃】명 万頃. ①百万の畝. ②地面または水面が物凄

く広いことを指す語.

·경 창파【萬頃蒼波】명 果てしなく広広とした青海原.

·고【萬古】명 万古; 世の久しい間; 永久.

‖── 강산(江山) 명 万古不易の山河. ── 불멸 명하자 万古不滅. ── 불변(不變) 명하자 永久不変. ── 불후(不朽) 명하자 永久に朽ち果てないこと. ── 역적(逆賊) 명 万古に類のない逆賊. ── 잡(雜)놈 명 万古に類なきげす(下種). ── 절색(絶色) 명 かつてなかった美しい容色. ── 천추 명 千万年の長い歳月; 万古千秋. ── 천하(天下) 명 ①遠い昔の天下. ②永遠なるこの世. ── 풍상(風霜) 명 永い年月にわたってなめて来た艱難辛苦.

만곡【灣曲】명하형 湾曲; 湾屈. ¶～부 湾曲部.

만-공산【滿空山】명하자 空山に満ちること. ¶명월(明月)이 ～하니 月空山に満ちれば.

만국【萬國】명 万国.

‖──기 명 万国旗. ── 박람회 명 万国博覧会.

만군【萬軍】명 万軍; 大軍. ¶～을 거느리고 진격하였다 大軍を率いて進撃して行った.

만권【萬卷】명 万巻; 多くの本.

만금【萬金】명 万金; 千金.

만기【滿期】명 満期.

‖──일 명 満期日. ── 제대 명하자〔軍〕満期除隊.

만끽【滿喫】명하타 満喫. ¶산해 진미를 ～하다 山海の珍味を満喫する.

만나다 자타 会う; 遭う. ①顔が合う; 顔を合わせる; 対面する; (偶然に)出会う; でくわす; 巡り合う. ¶길에서 ～ 道で会う / 여느 때와 같은 장소에서 ～ いつもの場所で会う / 만나러 가다 会いに行く / 만나자 이별《俚》会うのもつか(束)の間《すぐ別れることのたとえ》. ②(災い·運などに)出合う; 経験する; 遭遇する; 被る. ¶비를 ～ 雨にあう / 행운을 ～ 幸運に巡り合う / 교통 사고를 ～ 交通事故にあう. ③(時を)得る. ¶영웅이 때를 ～ 英雄が時を得る. ④(因縁などで)結ばれる; 知り合うようになる. ¶아내와는 묘한 인연으로 만났다 家内とは妙な因縁で結ばれた. ⑤人に会って用を足す.

만난【萬難】명 万難. ¶～을 물리치고 万難を排して / ～을 무릅쓰고 万難を冒して.

만-날 부 いつ(何時)も; しょっちゅう; 常に. ¶～ 놀고만 있다 いつもぶらぶらしてばかりいる.

만내【灣內】명 湾内.

만년【晩年】명 晩年. ¶그의 ～은 불우했다 彼の晩年は不遇だった.

만년【萬年】명 万年; 万万年《강조어(強調語)》. ‖──설 명 万年雪. ──필 명 万年筆.

만능【萬能】명하형 万能. ¶이렇게 황금 ～ 시대가 계속된다면 세상은 어떻게 될까 このように黄金万能時代が続いて行く際には一体世の中はどうなるだろうか.

‖── 선수(選手) 명 ①万能選手; オールラウンドプレーヤー. ②あらゆる事にすぐれている人.

만다라【曼茶羅】명〔佛〕まんだら(曼陀羅·曼荼羅).

만단【萬端】명 万端. ¶～의 준비는 다 되어 있습니다 万端の準備ができてあります.

만담【漫談】명 漫談; 落とし話; 落語.

‖──가 명 漫談家.

만당【滿堂】명하자 満堂; 満座; 満場.

만대【萬代】명 万代; 万世; よろず代〔世〕.

만돌린〔mandoline〕명〔樂〕マンドリン.

만두【饅頭】명 まんじゅう(饅頭); パオズ. ¶군～ 焼きまんじゅう.

‖만둣-국 명 まんじゅうを入れたお汁.

만득【晩得】명하타 晩年に子を得ること. =만생(晩生). ¶～자 晩年に得た子.

·만들다 一 타 ①作〔造〕る; こしらえる. ㉠製造する; 作り出す; 仕立てる. ¶옷을 ～ 着物を仕立てる / 보리로 맥주를 ～ 麦でビールを造る / 빵은 무엇으로 만듭니까 パンは何でこしらえますか / 새가 보금자리를 ～ 鳥が巣をかける. ㉡新造する. ¶규칙을 ～ 規則を作る / 신어를 ～ 新語を作る〔作り出す〕/ 적을 ～ 敵を作る. ㉢作成する. ¶초고를 ～ 草稿を作る / 책을 ～ 本を作る / 계약서를 ～ 契約書を作成する. ㉣(人物を)育てる. ¶인간을 ～ 人間を作る. ㉤(ないことなどを)でっちあげる; 作り上げる. ¶이야기를 ～ 話を作る. ㉥(暇·時間を)作る. ②…の状態にならせる; …にする. ¶과장(課長)으로 ～ 課長にする / 제것으로 ～ 自分のものにする / 사람을 도둑놈으로 ～ 人を泥棒にする. ③(傷などを)生じさせる; でかす. ¶부스럼을 ～ はれものをでかす. ④(金などを)工面する. ⑤(事·問題などを)(ひき)起こす. 二 보동 …ようにする. ¶공부를 하도록 ～ 勉強するように仕向ける / 마음에 들도록 ～ 気に入るようにする.

만듦-새 명 出来映〔出来栄〕え; 出来具合; 仕上がり; 作〔造〕り. ¶～가 훌륭한 물건 出来映えのりっぱな品物.

만료【滿了】명하자 満了. ¶내달이면 임기 ～이다 来月が任期満了である.

만루【滿壘】명하자 満塁; フルベース. ¶～ 홈런 満塁ホームラン / 무사 ～ 無死満塁.

만류【挽留】명하타 引き止めること. ¶가려는 손님을 ～하다 帰ろうとする客を引き止める.

만류【灣流】명〔地〕湾流; "メキシ

コ湾流"の称.
만리【萬里】 명 ① 千里. ② 万里; 非常に遠いみちのり. ¶ ~ 길을 멀다 않고 万里の道を遠しとせず.
‖——경 명 千里鏡; 望遠鏡. —— 장성 명 万里の長城.
만만【滿滿】 명하형 満満. ¶ 자신 ~ 自信満満.
만-만세【萬萬歲】 명 万万歳.
만만-찮다 형 見くびられない; 手ごわい; したたかだ. ¶ 만만찮은 사람 手ごわい人; したたか者.
만만-하다 형 ① 柔らかくてしなやかだ. ② くみしやすい; 手ごわくない. <문문하다. ¶ 만만한 사나이 くみしやすい〔甘い〕男 / 나를 만만하게 보는가 おれを甘く見るのか. 만만-히 부 くみしやすく; 甘く. ¶ ~ 보이다 甘く見られる; 鼻毛を読まれる.
만면【滿面】 명하형 満面. ¶ ~에 웃음을 띄우다 満面に笑みをたたえる.
만목【蔓木】 명 〖植〗 まんせい(蔓生)の木.
만무【萬無】 명하형 ぜんぜん無いこと; 絶対に有り得ないこと. ¶ 그럴 리가 ~하다 そんなはずが有り得ない; 万に一つを失わず.
만-물 명하타 その年最後の田の草取り.
만물【萬物】 명 万物. ¶ ~ 박사 生き字引き / ~의 영장 万物の霊長.
‖——-상(相) 명 ①〖地〗 万物相《金剛山にある岩山》. ②《俗》 あばた. ——-상(商) 명 よろず屋.
만민【萬民】 명 万民.
만반【萬般】 명 万般. ¶ ~의 준비 万般の準備.
만발【滿發】 명 満開. ——-하다 자 満開する; 咲きこぼれる.
만방【萬方】 명 万方; 諸方.
만방【萬邦】 명 万邦; 万国.
만-백성【萬百姓】 명 万民; 万姓.
만병【萬病】 명 万病. ¶ 감기는 ~의 근원 かぜは万病のもと.
‖—— 통치(通治) 명 あらゆる病気に利くこと.
만복【萬福】 명 万福. ¶ 소문(笑門) ~래(來) 笑う門に福きたる.
만복【滿腹】 명 満腹; 腹一杯.
만-부당【萬不當】 명하형 不当千万. ¶ ~한 소리 とんでもない話; 不当窮まる話.
‖—— 천부당(千不當) 명하형 'とんでもない'の意.
만-부득이【萬不得已】 부하형 万やむを得ず; よくよく; よっぽど. ¶ ~한 사정 やむを得ない〔よくよくの〕事情.
만분지-일【萬分之一】 명 一万分の一.
만사【萬事】 명 万事; 百事. ¶ ~는 불여(不如) 튼튼《俚》 転ばぬ先のつえ(杖) / ~가 잘 되다 万事上首尾である.
‖—— 여의(如意) 명하형 万事意の如くなること. —— 태평(太平) 명하형 ① 万事に気をかけないこと. ② こせこせせずのんきに構えることを言う語. —— 형통(亨通) 명하자 万事が都合よく運ぶこと. —— 휴의(休矣) 명 万事休す.
만삭【滿朔】 명하자 産み月になること. またはその月; 臨月.
만산【滿山】 명하자 満山. ¶ ~ 홍엽(紅葉) 満山の紅葉.
만상【萬象】 명 万象. ¶ 삼라 ~ 森羅万象.
만생-종【晩生種】 명 晩生種; おくて《벼의 경우는 흔히 "晩生·晩稲", 그 밖의 경우엔 "奥手·晩熟"로 씀》. ㊜ 만종(晩種).
만석【萬石】 명 一万石.
‖——-꾼 명 一万石取りの〔取り入れ高が一万石の〕大地主; 転じて金持ち; 分限者.
만선【滿船】 명 満船.
만성【晩成】 명하자타 晩成. ¶ 대기 ~ 大器晩成.
만성【慢性】 명 慢性.
‖—— 간염 명 慢性肝炎. ——-병 명 慢性病; 持病. =만성 질환(疾患). ——적 실업 명 慢性的失業. —— 전염병 명 慢性伝染病.
만성【蔓性】 명 〖植〗 まんせい(蔓性). ¶ ~ 식물 蔓性植物; つる(蔓)植物. =덩굴 식물.
만세【萬世】 명 万世; 万代; よろず世.
만세【萬歲】 ㊀명 万歳. ㊁감 万歳; フラー; ブラボー. ¶ ~ 삼창 万歳三唱.
‖——-력(曆) 명 万年暦; 百年後までの暦を編集した本. =천세력.
만수【萬壽】 명 寿命の長いこと.
‖—— 무강(無疆) 명하형 寿命が限り無きこと; ご安泰. ¶ ~을 빌다 ご安泰を祈る. ——-향(香) 명 ① 線香の一つ. ② 香の名.
만수【滿水】 명 満水.
만숙【晩熟】 명하자 晩熟.
‖——-종(種) 명 おくての品種.
만시【晩時】 명 手遅〔手後〕れ.
‖——지탄(之歎) 명 時機を逸した嘆き.
만신 명 みこ(巫女)の敬称.
만신【滿身】 명 満身; 全身.
‖——-창(瘡) 명 全身にひろがったできもの. —— 창이(瘡痍) 명 満身そうい(瘡痍). ① 全身きずだらけのこと. ② 物事がめちゃくちゃになること.
만심【慢心】 명하자 慢心.
만안【萬安】 명하형 とても安らかなこと《目上の安否をうかがう手紙などに使う語》; ご安泰.
만안【灣岸】 명 湾岸; 湾の沿岸; ガルフ.
만약【萬若】 명부 万一; もし(も); 仮に. ¶ ~의 일〔사태〕 もしものこと〔事態〕/ ~ 비가 오면 仮に雨なら.
만억【萬億】 명 非常に多い数.
만연【漫然】 명 漫然. ——-하다 형 漫然たり; そぞろだ. ——-히 부 漫然と; そぞろに. ¶ ~ 살아가고 있더라 漫然と暮らしていた.
만연【蔓延】 명하자 まんえん(蔓延).
만-연령【滿年齡】 명 満年齢. =만

萠)나이.

용【蠻勇】명 蛮勇.

우-절【萬愚節】명 四月ばか；エ-プリルフール.

원【滿員】명 満員. ¶연일 ～의 대성황 連日客止め〔満席〕の盛況.

월【滿月】명 ①満月；十五夜の月；もちづき(望月)〈雅〉. ②産み月；臨月. ＝만삭(滿朔).

유【萬有】명 万有.

‖──신-론(神論) 명 汎神論. ──인력 명〘物〙万有引力.

유【漫遊】명하자 漫遊.

인【萬人】명 万人·万人.

인【蠻人】명 (野)蛮人.

일【萬一】一 부 万一；もし(も)；仮に. ＝만약(萬若). ¶～ 내가 너라면 仮に僕が君だったら／～ 자유가 없다면 もしも自由がなかったら. 二 명 もしもの場合. ¶우리는 ～의 경우에 대비하였다 われらはもしもの場合〔まさかの時〕に備えた.

입【灣入】명하자 湾入.

자【卍字】명〘佛〙"まんじ(卍)"の字.

장【萬丈】명 万丈. ¶파란 ～의 생애 波乱万丈の生涯.

만장【滿場】명 満場；満堂. ¶～의 박수 満場の拍手.

‖── 일치 명하형 満場一致. ¶～의 가결은 무효이다 満場一致の可決はこれを無効とする.

만장【輓章·挽章】명 ばんし(輓詩·輓詞)《亡き人の徳をたたえる書で長旗をつくりこし(輿)に従わせる》.

만재【滿載】명하타 満載. ¶짐을 ～하다 荷物を満載する.

만적-거리다 타 いじくりまわす. ¶단추를 ～ ボタンをいじくりまわす. 만적-만적 부하타 しきりにいじくりまわすさま.

만전【萬全】명 万全. ¶～을 기하다 万全を期する.

만점【滿點】명 満点. ¶효과 ～ 効果満点／서비스 ～ サービス満点.

만조【滿潮】명 満潮；満ち潮；上げ潮；差し潮. ¶～가 되다 満ち潮になる.

만족【滿足】명 満足. ──하다 자 형 満足する；満足だ. ¶박봉에 ～해 하다 薄給に甘んずる／이만하면 ～합니다 これでけっこう(結構)です. ──히 부 満足に. ¶～ 여기다 満足に思う. ──스럽다 형 満足である；けっこう(結構)だ.

‖──감 명 満足感.

만종【晩種】명 ①↗만생종(晩生種). ②おくて(晩稲).

만종【晩鐘】명 晩鐘. ¶밀레의 ～ ミレーの晩鐘.

만좌【滿座】명 満座；一座. ¶～의 실소를 사다 満座の失笑を買う.

만주【滿洲】명〘地〙満州.

‖── 문자 명 満州文字. ──인 명 満州人. 준 만인. ──족 명 満州族.

만지【蠻地】명 蛮地.

만지다 타 触る；(手で)触れる；いじ(弄)る；さす(摩)る. ¶마치 종기를 만지듯이 あたかもは(腫)れ物に触るように／책을 ～ 本をいじる.

만지작-거리다 타 いじくりまわす；まさぐる；ひね(捻)り回す〈俗〉. ¶옷을 ～ 服をいじくりまわす. 만지작-만지작 부하타 しきりにいじくりまわすさま.

만질만질-하다 형 滑らかでさわりがよい；つるつるしている. ¶만질만질한 종이 滑らかでさわりのよい紙.

만찬【晩餐】명 ばんさん(晩餐).

‖──회 명 晩餐会.

만천【滿天】명하형 満天；空いっぱい.

만-천하【滿天下】명 満天下. ¶～의 사람들 満天下の人人.

만첩【萬疊】명 万畳；万重. ¶천첩 ～ 千畳万畳.

‖── 청산(青山) 명 幾重も重なり合っている青山.

만청【晩晴】명 夕方に空が晴れること. また, その空.

만초【蔓草】명 つる(蔓)草；つたかずら(蔦葛)；かずら.

만추【晩秋】명 晩秋.

만춘【晩春】명 晩春；暮春. ¶～ 풍경 晩春の風景.

만취【滿醉·漫醉】명하자 泥酔；沈酔. ¶～하여 제 정신을 모르다 沈酔して正体を知らない；酔いつぶれる.

만큼 一 의명 "-ㄹ·-을", または"-ㄴ·-은"の下に付いて, その語とほとんど"同じ数量·程度"あるいは"充分に·うんと"の意をあらわす語：…程；…くらい(位). ¶바늘이 떨어지는 소리가 들릴 ～ 조용하다 針の落ちる音が聞こえるくらい静かである. 二 조 その語とほぼ同じ限度·数量を表わす副詞格助詞；…程；…くらい；…ばかり. ¶어느 ～ 필요하시오 どの位〔どれだけ〕必要ですか.

만태【萬態】명 万態.

만-탱크【滿─】〔tank〕명 満タンク.

만파【晩播】명하타 遅ま(蒔)き.

만파【萬波】명 万波. ¶천파 ～ 千波万波.

만파【萬派】명 ①多数の支流. ②多くの流派.

만판 부 ①十分に；心ゆくまで；思う存分. ¶～ 먹다 たらふく食べる／～ 지껄이다 思う存分しゃべる. ②もっぱら；しょっちゅう. ＝마냥. ¶～ 놀기만 하다 しょっちゅうぶらぶらしてばかりいる.

만패 불청【萬覇不聽】명하자 (碁のこう(劫)争いで)いかなる劫にも応じないこと.

만평【漫評】명하타 漫評；戯評. ¶시사 ～ 時事漫評.

만풍【蠻風】명 蛮風；蛮俗.

만필【漫筆】명 漫筆；漫文.

만하【晩夏】명 晩夏；季夏.

만-하다 보형 語尾の"-ㄹ", または"-을"の下につく語. ①動作·状態の程度を表わす語：…に適する；ほどよい；十分に…できる. ¶

일할 만한 나이 働き頃. ②物事の値打ちや力の程を表わす語: …する価値がある; …に価する; …し得る. ¶칭찬받을 ~ 称賛に値する / 읽을 만한 책 読みごたえのある本 / 그의 노래는 제법 들을 만한데 彼ののどはなかなか聞かせるね.

-만하다 미 ①他の物に比べてその程度に及ぶことを表わす語: …くらいだ. ¶이만한 크기 このぐらいの大きさ / 시름을 달래는 데는 술만한 것이 없다 憂さばらしには酒にしくものはない. ②ある程度を越さないことを表わす語: …どまりだ. ¶병세는 그~ 病勢はまあまあというところだ.

만학【晩學】 명하자 晩学.

만행【萬幸】 명하형 この上なく幸いなこと; 多幸.

만행【蠻行】 명하자 蛮行. ¶~을 규탄하다 蛮行を糾弾する.

만호【萬戶】 명 ①一万戸; 多くの家. ②〔史〕朝鮮朝の各道と鎮に属した武官職のひとつ.

만혼【晩婚】 명하자 晩婚. ¶~의 부부 晩婚の夫婦.

만화【萬化】 명하자 [↗천변만화(千變萬化)] 万化.

만화【滿花】 명 咲き誇ったさまざまな花.

만화【漫畫】 명 漫画. ¶시사 ~ 時事漫画.
‖——가 명 漫画家. —— 영화 명 漫画映画. ——책(冊) 명 漫画の本.

만화-경【萬華鏡】 명 万華鏡.

만회【挽回】 명하타 ばんかい(挽回); 取り返し; 取り戻し. ¶인기를〔세력을〕~하다 人気を〔勢力を〕挽回する / 형세를 ~하다 形勢を立て直す〔盛り返す〕.

많다 형 多い; たくさん(沢山)だ. ¶용도가 ~ 使い道が多い〔たいさんある〕 / 경험이 ~ 経験に富む / 사람의 왕래가 ~ 人通りがはげしい / 인정이 ~ 情け深い.

많이 부 たくさん; うんと. ¶아버지를 ~ 닮은 아이 父に良く似た子 / ~ 마셔요 たんとお飲み(なさい) / 돈을 ~ 벌었다 お金をたんまりもうけた.

맏 명 生まれ順の第一番目. ¶~형 長兄 / ~아들 長男.

맏-딸 명 長女; 総領娘.

맏-물 명 (季節の)初物; 走り; 初なり. ¶~ 수박 初なりのすいか(西瓜) / ~을 먹다 お初を食べる / ~ 가지 なす(茄子)の初物.

맏-사위 명 長女の婿.

맏-상제【一喪制】 명 喪主.

맏-손자【一孫子】 명 初孫.

맏-아들 명 長男; 長子; 総領(息子).

맏-형【一兄】 명 長兄; 伯兄.

말¹ 명〔動〕馬; こま(駒). ¶~을 타다〔달리다〕 馬に乗る〔を駆る〕 / ~을 매다 馬をほだ(絆)す.

말² 명〔植〕藻; 藻草; 玉藻. ¶~이 얽히다 藻がからむ.

말³ 명 ①(将棋などの)こま(駒). ②将棋のこまのひとつ《桂馬にあたる》. =마(馬).

말⁴ ㊀명 (一斗)升. ¶~을 속이 升目をごまかす. ㊁의명 斗. ¶~들이 통 四斗だる(樽) / 두 ~ 반 斗半.

말⁵ 명하타 ①言葉. ㉠話; ロ ¶~을 걸다〔건네다〕 言葉を掛ける 話し掛ける / ~을 꺼내다 話を持ち出す / ~을 잘 한다 口がうまい; ロ 達者だ / ~을 주고받다 言葉を交 す / 건방진 ~을 하다 生意気な口をきく / 혼잣~을 하다 独り言を言う / ~ 한 마디에 천 냥 빚도 갚는 《俚》一言の言葉で千金の借金が免除される《口がうまいとむず しいことでも切り抜けられること たのえ》. ㉡語. ¶쉬운 ~로 바꿔 하다 やさしい語で言い替える. ㉢言語. ¶우리 ~과 중국 ~ 韓国の言葉と中国の言葉. ㉣言語で表わされたもの. ¶추천의 ~ 推薦のことば. ②もめ事; いざこざ; (口の)うるさいこと. ¶~ 많은 집 いざこざの多い家 / ~ 많은 세상이니 口うるさい世の中だから. ③しか(叱)られること; 小言; 文句. ¶아버지한테 ~ 듣다 父から小言を言われる〔食う〕 / 할 ~ 있나 文句があるのか. ④うわさ(噂); 風説. ¶들리는 ~에 의하면 うわさによると; 聞くところによると. ⑤言い分; 話. ¶상대의 ~을 들어보자 相手の言い分を聞いて見よう / 양쪽 ~을 듣다 両方の話に耳をかたむける.

말- 두 ものが大きいことを表わす語. ¶~벌 すずめばち(雀蜂); くまんばち / ~매미 くまぜみ(熊蟬).

-말【末】 미 ①末; 末; 終わり. ¶학기~ 学期末 / 삼월~경 三月の末頃. ②粉. ¶분~ 粉末.

말-갈기 명 (馬の)たてがみ(鬣).

말갛다 형 ①澄んでいる; 清い. ¶냇물이 ~ 小川の水が澄みきっている. ②(汁などが) 水っぽい; 薄い. ¶국물이 ~ おつゆが淡い. <멀겋다.

말개-지다 자 ①(水などが)澄む; 清くなる. ②(汁などが)水っぽくなる; 淡くなる. <멀게지다.

말-거머리 명〔動〕うまびる(馬蛭).

말-결 명 話のついで; 話の弾み. ¶무슨 ~엔가 그 말이 튀어 나왔다 何かの話の拍子にその言葉が飛び出した.

말경【末境】 명 ①老境; 晩年. ②終局.

말고 조 "아니고"の意の補助詞: …でなく. ¶이것~ 저것을 주시오 これでなくあれをください.

말-고삐 명 手綱; 端綱. ¶~를 잡다 手綱を取る.

말-곰 명〔動〕あかぐま(赤熊).

말-공대【一恭待】 명하자 丁寧な言い方.

말-괄량이 명 おてんば(転婆); おはね; おきゃん(俠); フラッパー.

말-구유 명 (馬の)飼い葉おけ(桶); まぐさおけ(秣桶).

말-구종【一驅從】 명 馬丁; 馬方.

말-굽 명 馬のひづめ(蹄); ばてい(馬

蹄). ¶ ~ 소리 馬蹄の音; 馬の足音.

── 자석 명 馬蹄形磁石.

-귀 명 ① 言葉の意味. ¶ ~를 알아듣는 나이 言葉を聞き分ける年. ② ものを聞きわける勘; 飲み込み. ¶ ~가 어둡다 話の勘がにぶい; 飲み込みが遅い.

말기 【末期】 명 末期·末期; 末葉. ¶ 조선조 ~ 朝鮮朝末期 / ~적 증상 末期的症状.

말-꼬리 명 言葉じり(尻). ¶ ~를 잡다 言葉じりを捕える; 揚げ足を取る / ~를 안 잡히게 대답하다 当たらず障らずの返事をする; 揚げ足をとられないように返事をする.

말-꼴 명 まぐさ(秣·馬草); 飼い葉.

말끄러미 부 ☞ 물끄러미.

말끔 부 すっかり; きれい(綺麗)に. ¶ 빚을 ~ 갚았다 借りをすっかり返した.

말끔-하다 형 (ちりひとつなく)きれいだ; すっきり〔さっぱり, 「こざっぱり」〕している. ¶ 말끔한 옷차림 さっぱりした身なり. **말끔-히** 부 きれいに; さっぱりと; すっきり(と); すっかり. ¶ 병이 아직 ~ 낫지 않았다 病気がまだすっきりしない.

말-끝 명 言葉(の終わり); 語尾. ¶ ~을 흐리다 言葉〔語尾〕を濁す.

말-나다 자 ① 話が出る; 話題に上る. ② (秘密が)ばれる; 漏れる; うわさ(噂)になる. ¶ 말나면 곤란해 漏れたら困るよ.

말-내다 타 ① 話題に上らせる. ② (人の秘密などを)漏らす; さらけ出す. ¶ 말내지 말게 漏らすなよ.

말년 【末年】 명 末年; 晩年.

말-놓다 자 使っていた尊敬語をぞんざいな言葉遣いに変える.

말-눈치 명 ものの言いぶり; 口振り; 口裏. ¶ ~로 살펴보면 口裏から察すると.

말다¹ 타 (紙·反物などを)巻く. ¶ 굵게 만 담배 太巻きのタバコ / 발을 말아 올리다 すだれを巻き上げる.

말다² 타 (飯·そばなどに)湯·汁をかける. ¶ 밥을 ~ 飯に湯をかける.

말다³ 타 中断する; や(止)める; よ(止)す. ¶ 먹다 만 사과 食い掛けのりんご / 타다 만 성냥 개비 マッチの燃えさし / 읽다 만 책 読みさし〔読みかけ〕の本.

말다⁴ 보동 ① 動詞の語尾"-지"に付いて, その動作の禁止を表わす語. ¶ 함부로 약속하지 말게 むやみに約束するなよ / 가지 말래 行くなってさ. ② 動詞の語尾"-고"に付いて, その動作が必ず実現するか,または終わったことを表わす語. ¶ 꿈은 실현되고 말았다 夢はついに実現された / 도둑맞고 말았다 盗まれてしまった / 오고 말고 きっと来るよ; 来るとも.

말-다툼 명 言い合い; いさかい; 口げんか; 言い争い; 口論. ──하다 자 言い合う; 口げんかをする; 言い争う. ¶ 동생과 ~하다 弟といさか(諍)いをする.

말단 【末端】 명 末端; 下っ端. ¶ ~ 관리 下っ端役人.
‖── 행정 명 末端行政.

말-대꾸 【─對─】 명 言い返し; 口答え. ──-하다 자 言い返す; 口答えをする. ¶ 부모에게 ~하다 親に向かって口答えをする. 준 대꾸.

말-대답 【─對答】 명 口答え. ──-하다 자 口答えをする; たて突く. ¶ 감히 ~을 하다니 あ(敢)えて口答えをするとは.

말-더듬다 자 ども(吃)る; 口ごもる.

말더듬-이 명 きつおん(吃音); ども(吃)り. ¶ ~ 교정 きつおん(吃音)矯正.

말-동무 명 話相手. ＝말벗. ¶ ~가 되다 話相手になる.

말-되다 자 話しの内容が理屈にかなう. ¶ 말도 되지 않는 소리를 하다 話にならないことを言う.

말-듣다 자 ① おとなしく従う. ② しか(叱)られる. ③ 道具·機械などが操る人の思う通りに動く.

말-떨어지다 자 承諾·命令などの言葉が出る〔落ちる〕.

말-똥 명 まぐそ; ばふん(馬糞).

말똥-말똥 부하형 ① 目をパチパチさせて見るさま: まじまじ; じろじろ. ¶ 남의 얼굴을 ~ 쳐다보다 人の顔をまじまじと見る. ② 目がさ(冴)えるさま. <멀뚱멀뚱.

말뚝 명 棒ぐい(杭); くい(杭). ¶ ~을 박다 くいを打つ.

말뚝-잠 명 座ったままの眠り.

말-뜨다 형 言いよど(淀)む; 言葉がとぎれがちでのろい.

말-뜻 명 言葉の意味; 語意. ¶ ~을 짐작 못하다 語意を計りかねる.

말-띠 명 うま(午)年生まれの称.

말라게냐 〔스 malagueña〕 명 〖樂〗 マラゲーニャ.

말라-깽이 명 《俗》 やせっぽ(ち). ¶ ~ 남자 やせっぽちの男.

말라리아 〔malaria〕 명 〖醫〗 マラリア.
‖──-모기 명 〖蟲〗 マラリア蚊. ＝학질모기. ──-열 명 マラリア熱.

말라-붙다 자 (液体が)干上がる; か(涸)れる. ¶ 못이 ~ 池がかれる.

말라-빠지다 자 やせこける; やせ細る. ¶ 말라빠진 몸 やせ細った体.

말랑-말랑 부하형 やわらかいさま. ¶ ~한 빵 ふかふかのパン.

말랑-하다 형 ① (熟れた柿·トマトなどのように)柔らかだ. ② (性格が)もろ(脆)い; ふにゃふにゃだ. <물렁하다.

말려-들다 자 巻き込まれる. ① 巻かれて中へ入る. ¶ 기계에 ~ 機械に巻き込まれる. ② 掛かり合う; 巻添えを食う. ¶ 사건〔전쟁〕에 ~ 事件〔戦争〕に巻き込まれる.

말로 【末路】 명 末路. ¶ 영웅의 ~ 英雄の末路 / 몰락한 부호의 ~ 落ちぶれた金持ちの成れの果て.

말리다¹ ㊀자 (薄くて平たいものが)くるくると巻かれる. ¶ 종이가 ~ 紙が巻かれる. ㊁피동 巻き込まれる. ¶ 소용돌이 속에 ~ 渦の中に巻き込まれる.

말리다² 타 やめさせる；止〔留〕める；留め立てする；仲裁する. ¶ 싸움을 ～ けんかを止める〔分ける〕/ 쓸데없이 말리지 말라 いらぬ留め立てをするな.

말리다³ 타 ① 乾かす；干す. ¶ 빨래를 ～ 洗濯物を乾かす〔干す〕/ 이불을 햇볕에 ～ ふとんを日干しにする. ② か(涸)らす. ¶ 연못을 ～ 池をからす.

말-마디 명 ① 話；言葉. ¶ ～께나 하는 이 筋を立てて話す語り手. ② 小言. ¶ ～나 듣다 ちょっとした小言を食う.

말-막다 자 人の言葉を止める.

말-막음 명 言い訳；言い逃れ；申し訳. ——-하다 자 言い訳をする；言い逃れる.

말-많다 형 ① 口数が多い；おしゃべりだ. ② もんちゃく(悶着)やもめ事をよく起こして評判が悪い.

말-말아라 구 …たら言ったものじゃない. ¶ 그 이야기는 말도 말아라 その話ったら言ったものじゃないよ.

말-매미 명〔蟲〕くまぜみ(熊蟬).

말-머리¹ 명 馬首. ¶ ～를 돌리다 馬首をめぐらす.

말-머리² 명 話のいとぐち；話題. ¶ ～를 돌리다 話の向きをかえる；話題を転ずる.

말-먹이 명 馬糧〔馬料〕；馬草.

말-몰이 명하자 馬を駆ること.
‖——-꾼 명 馬子；御者.

말-못하다 형 口で言えない；言いあらわせない. ¶ 말못할 사정 話せない事情.

말-문【—門】 명 話の出ばな. ¶ ～이 막히다 物が言えなくなる；二の句がつげない；(あきれて)口がきけない；返事につか(支)える.

말미 명 休暇；暇；いとま. —— 받다 자 休暇を取る. ¶ ～를 받아 고향에 돌아가다 休暇をとってくにへ帰る.

말미【末尾】 명 末尾；終わり. ¶ ～의 문구 末尾の文句.

말미암다 자 ① 経由する；経る. ② よる《"因る"·"縁る"·"由る"로도 씀》；由来する. ¶ 부주의로 말미암은 사고 不注意による事故.

말미잘 명〔動〕いそぎんちゃく(磯巾着)；いしぼたん(石牡丹).

말-발 명 つじつま(辻褄)の合う言葉；筋道の通った話. ——-서다 자 ① 話のつじつまが合う；理筋が立つ. ② 命じた〔話した〕通りによく行なわれる.

말-방울 명 馬の首につける鈴.

말-버릇 명 口癖；きまり文句. = 어투. ¶ ～이 되다 口癖になる.

말-벌 명 すずめばち(雀蜂)；くま(熊)んばち(蜂).

말-벗 명 話し相手；話し友達. ¶ ～이 없다 話し相手がない.

말-본 명 文法.

말-본새 명 言葉の元来の形.

말-붙이다 자 人に話を掛ける.

말-비치다 자 (…の意を)ほのめかす.

말-뼈 명 馬骨；馬の骨.

말사【末寺】 명〔佛〕末寺.

말살【抹殺】 명하타 抹殺. ¶ 이(색)-자를 ～하다 異分子を抹殺する.

말-상【—相】 명 馬面.

말석【末席】 명 末席；下座. ¶ ～을 더럽히다 末席を汚す.

말세【末世】 명 末世. ¶ ～적 현상 末世的現象.

말소【抹消】 명 抹消. ——-하다 타 抹消する；帳消しにする. ¶ 등기를 ～하다 登記を抹消する.

말-소리 명 ① 話し声；声；語声. ¶ ～를 낮추다 声を低める / ～가 들리다 話し声が聞こえる. ② 音声.

말-속 명 言葉のかくれた意味.

말손【末孫】 명 末孫. ¶ 왕가의 ～ 王家のまつえい(末裔).

말-솜씨 명 話術. ¶ 유창한 ～ 流れるような弁舌 / ～가 좋은 口の達者な；口前のいい / ～가 없다 口下手だ.

말-수【—數】 명 口数；言葉数. ¶ ～가 적은 여자 口数の少ない女.

말-술 명 斗酒；大酒. ¶ ～을 사양하지 않다 斗酒をいとわない.

말-시비【—是非】 명 言い合い；言い争い；口げんか. ——-하다 자 言い争う；口げんかする；言い合う.

말-실수【—失手】 명 言い誤り；言い損ない. ——-하다 자 言いあやまる；言いそこなう.

말썽 명 もんちゃく(悶着)；もめ事；問題；物議；紛争；トラブル. ¶ ～을 일으키다 悶着〔問題〕を起こす. ——-부리다 자 言いがかりをつけて事を荒立てる；悶着を起こす.
‖——-거리 명 ① 悶着の種；頭痛〔悩み〕の種. ②《俗》☞ 말썽꾼. ——-꾸러기, ——-꾼 명 悶着〔問題〕を起こす人；厄介者；困り者.

말쑥-하다 형 こぎれいだ；すっきり〔こざっぱり〕している. ¶ 말쑥한 옷차림 こざっぱりした身形. 말쑥-이 부 すっきりと；さっぱりと.

말씀 명 ① 目上の言葉；お話；お言葉. ——-하다 자타 おっしゃる；仰せられる. ¶ ～을 듣다 お話を伺う / 부모 ～에 따르다 親の仰せに従う / 고마운 ～을 듣다 ありがたい仰せをいただく. ② 目上に対する自分の言葉. ——-하다 자타 お話なさる；申す. ¶ 드릴 ～은 申し上げたいお話は / ～을 올리다〔드리다〕…を申し上げる；…を申し述べる.

말-씨 명 言葉遣い；言葉つき. ¶ 공손한 ～ ていねいな言葉づかい〔言い方〕/ 서울 ～ ソウル弁.

말-아니다 형 ① 話が理に合わない；話にならない. ¶ 말아닌 소리 말라 話にもならないことを言うな. ② ひじょうにみじめだ；ひどい. ¶ 처우가 ～ 待遇があまりにもひどい.

말-안되다 형 話にならない；言うことが理に合わない.

말-없이 부 何にも言わず(に)；黙って；黙黙と. ¶ ～ 일하다 黙黙と仕事をする / ～ 결석하였다 無断で欠席した.

엽【末葉】명 末葉. ① 末期. 조선조 ～ 朝鮮朝末期. ② まつい(末裔).
음【末音】명 末音; 終声; 一節の中で終わりに出る音《たとえば"달·낫"においての"ㄹ·ㅅ"音など》.
‖── 법칙 명〘言〙ハングルで末音が本来の音価を出さない法則《"부엌→부억, 높다→놉다, 맛→맏, 젖어머니→전어머니, 첫아들→천아들"など》.
이다 구 体言や用言に付いて, 語調をととのえるため, または聞き手の注意を引くために使うつ言葉. ¶ 오늘 말이야 今日ね / 간단 말이야 行くんだよ / 글쎄 ～ 어쩌면 좋을까 そうだね, どうしたらいいんだろう.
일【末日】명 末日; 三十日.
자【末子】명 末子; 末っ子.
-잠자리 명〘蟲〙こうにやんま.
-재간【─才幹】, 말-재주【─才─】명 弁才; 口才. ¶ 김군은 ～ 있는 사람이다 金君は弁舌巧みな人である.
-쟁이 명 おしゃべり屋.
-전주 명하자 両方に告げ口をして仲を裂くしぐさ(仕草).
‖───꾼 명 (告げ口をして)離間させる人.
말절【末節】명 末節. ¶ 지엽 ～ 枝葉末節.
말-조심【─操心】명하자 言葉を慎むこと.
말좌【末座】명 末座; 下座. =말석(末席).
말-주변 명 言い回し; 弁才; 口才. ¶ ～이 좋은 사람 口達者な人 / 도무지 ～이 없어서 どうも口下手〔口不調法〕で / ～이 좋다 言い回しがうまい.
말직【末職】명 末職; 下役.
말-질 명하자 (人の悪口などを)言い触らすこと; (人のことに)あれこれと口のやかましいこと.
말짜【末─】명 [←말자(末者)] ならず者; また, 低級な物をさす語. ¶ 인간 ～ 人間のくず(屑).
말짱-하다 형 ① 無欠だ; 傷がない; 損なわれていない. <멀쩡하다. ¶ 말짱한 옷 よごれていない着物; 損なわれていない服. ② きれい(綺麗)だ; 清潔だ. ¶ 말짱하게 치우다 きれいに片付ける. 말짱-히 부 ① 損なわれずに. ② きれいに.
말-참견【─參見】, 말-참례【─參禮】명하자 口出し; 口入れ; 差し出口. ¶ 남의 집안 일에 ～하다 内輪の事に口入れする / 곁에서 ～하다 横やり(槍)を入れる; 横〔横合い〕から口を出す.
말-채찍 명 むち(鞭). 준 말채.
말초【末梢】명 末梢.
‖── 신경 명 末梢神経. ──-적 명관 末梢的.
말-총 명 ばす(馬尾毛); す(馬尾).
‖───체 명 ばす(で底を張った)ふるい(篩).
말-치레 명 うわべばかりの言いぐさ(草); 口先. ¶ ～만 번드르르하다 口先ばかりうまい.
말캉-하다 형 (実などが熟れすぎて)ぐにゃぐにゃだ. <물컹하다. 말캉-거리다 자 (柔らか過ぎて)ぐにゃぐにゃする. 말캉-말캉 부하형 ぐにゃぐにゃ.
말-코 명 ① 馬の鼻. ② 馬の鼻に似た(人の)鼻. また, そんな人を指す語.
말타아제〔maltase〕명〘化〙マルターゼ.
말토오스〔maltose〕명〘化〙マルトース.
말-투 명 口振り; ことば付き. =말버릇. ¶ ～가 못마땅하다 口振り〔ことばつき, 言い草〕が気にくわない / 그 ～는 뭐냐 その言い様はなんだ.
말-편자 명 馬のていてつ(蹄鉄).
말-하다 자타 ① 言う; 話す; 語る; 述べる. ¶ 무어라고 말할 수 없는 감격 言うにいわれぬ感激 / 넌지시 ～ それとなく言う / 의견을 ～ 意見を述べる / 심경을 ～ 心境を語る / 영어로 ～ 英語で話す / 비꼬아 ～ 皮肉る / 말하기 어렵다 言いづらい〔難い〕/ …은 말할 것도 없다 …は言うまでもない; …は言うに及ばない. ② (幼児が)片言を言い出す. ③ (小言を)言う; 言い聞かせる; たしなめる. ¶ 아무리 말해도 듣지 않는다 いくら言っても聞かない. ④ 頼む; 依頼する. ¶ 그에게 말하면 무엇이나 들어준다 彼に頼めばなんでも聞いてくれる.
말-하자면 부 言わば; 言い替えれば; たとえて言えば. ¶ ～ 새장 속의 새와도 같다 言わばかごの鳥のようなものだ.
말할 것도 없다 구 当然なので言うに及ばない; 言うまでもない. 말할 것도 없이 구 言うまでもなく.
말항【末項】명 末項.
말향【抹香】명 抹香.
맑다 형 ① 清い. ㉠ 澄んでいる; さ(冴)えている. ¶ 맑은 물 清い水 / 맑은 음색 さえた音色 / 맑고 상쾌한 공기 澄んでさわやかな空気 / 눈이 ～ 目が清い / 달이 ～ 月が澄んでいる / 머리가 맑아지다 頭がさえてくる / 마음이 맑아지다 心が清らかになる. ㉡ 後腐れがない. ㉢ (暮らしが)清い; 役得がない. ¶ 맑은 생애 清い生涯 / 맑은 직장 役得のない職場. ② (天気が)晴れている. ¶ 맑은 하늘 晴れわたった空.
맑디-맑다 형 非常に清らかだ; 澄み切っている. ¶ 맑디 맑은 가을 하늘 澄み切った秋空.
맑은 소리 명 清音. ① 澄んだ音. ② ☞ 무성음(無聲音).
맑은-술 명 清酒. =약주.
맑은 장국【─醬─】명 澄まし汁. ¶ 도미의 ～ たい(鯛)の澄まし汁. 준 장국.
맘 명 ↗마음.
맘보〔mambo〕명〘樂〙マンボ. ¶ ～ 바지 マンボズボン.
맛 명 味. ① (食べ物の)味わい; 舌が触れて起こる感じ. ¶ ～좋은 음식 味のよい食べ物 / 산뜻한 ～ さっぱりした味 / 매운 ～ 辛味 / ～을 보다 味(加減)を見る; 味わう /

～을 살리다 味を生かす. ② うまみ; おもしろ(面白)さ; 物事の趣; 持ち味. ¶ 돈～ 金の味 / 살림 ～을 알다 暮らしのおもしろ味を知る / 원문의 ～을 내다 原文の持ち味を出す. ③ 体験を通じて知った感じ. ¶ 가난의 ～을 모른다 貧乏の味を知らない / 쓴 ～ 단 ～ 다 겪다 酸いも甘いもか(噛)み分ける.

맛-깔 [명] 食べ物の持ち味〔味加減〕. ——-스럽다 [형] ① 味が口に合う; おいしそうである. ② 気に入る.

맛-나다 [一][형] 味がよい; おいしい; うまい. ¶ 맛나는 음식 おいしい食べ物. [二][자] 味が出る; おいしくなる. ¶ 오징어는 씹을수록 맛이 난다 するめ(鯣)はか(噛)めばかむ程味が出る.

맛난-이 [명]《俗》化学調味料. ¶ ～를 치다 調味料をさ(注)す.

맛-대가리, 맛-대강이 [명]《俗》味.

맛-들다 [자] 味が付く; 持ち味が出る; おいしくなる. ¶ 김치가 ～ 漬物の味が付く.

맛-들이다 [一][타] 味をつける. ¶ 술을 ～ 酒をねかせる. [二][자] 味をしめる; 興味を覚える. ¶ 술에 ～ 酒に味をしめる.

맛맛-으로 [부] 気の向くままに; 好きな通りに. ¶ ～ 골라 먹다 気の向くままに選んで食べる.

맛-보기 [명] 味を主にして量を少な目にした食べ物.

맛-보다 [타] 味わう. ① 味見をする. ¶ 김치를 ～ 漬物の味を見る. ② 体験する. ¶ 인생의 비애를 맛본 사람 人生の悲哀を味わった〔な(嘗)めた〕人 / 쓴 맛 단 맛 다 ～ 酸いも甘いもか(噛)み分ける; つぶさに辛酸をな(嘗)める / 참패를 ～ 大敗を喫する. ③《俗》殴られる.

맛-소금 [명] 味付けお塩.

맛-없다 [형] ① まずい; おいしくない. ② おもしろくない; 味気ない. ③ 無粋だ; やぼくさい. 맛-없이 [부] まずく; つまらなく; 無粋に.

맛-있다 [형] ① うまい; おいしい. ¶ 맛있는 음식도 늘 먹으면 싫다《俚》おいしい食べ物でもいつも食べるとうんざりする. ② おもしろい.

망【望】[명] 見張り; 人の動静を探ること. ¶ ～을 보다 見張りをする.

망【網】[명] 網.

-망【網】[미] 網. ¶ 정보～이 넓다 情報網が広い / 통신～ 通信網.

망가-뜨리다, 망가-트리다 [타] (ぶっ)壊す.

망각【忘却】[명] 忘却. ——-하다 [타] 忘却する; 忘れ去る; 忘れる. ¶ 책임을 ～하다 責任を忘れる.

망간〔도 Mangan〕[명]〔化〕マンガン《記号: Mn》.

‖——-강 [명]〔化〕マンガン鋼.

망건【網巾】[명] 頭髪の乱れをふせぐためにまと(纏)うばす(馬尾毛)造りのずきん(頭巾).

망고〔mango〕[명]〔植〕マンゴー.

망구다 [타] 亡ぼす; 壊す.

망국【亡國】[명][하자] 亡国. ① 滅びた国. ② 国を滅ぼすこと. ¶ ㅅ ～론 しゃし(奢侈)亡国論 / ～ㅈ 행동 亡国的な行動.

‖—— 민족 [명] 亡国の民族. ——지-(之民) [명] 亡国の民. ——지-탄(歎), ——지-한(之恨) [명] 亡国の嘆き

망그러-지다 [자] 壊れる; だめになる ¶ 냄비가 ～ なべ(鍋)が壊れる.

망극【罔極】[명][하형] ① 君主または親の恩の極めて大きいこと. ¶ 성 (聖恩)이 ～하다 君恩枯骨に及 ② ↗망극지통.

‖——지-통(之痛) [명] 限りなき悲しみ. ㊟ 망극.

망-꾼【望—】[명] 見張り; 見張り番

망나니 [명] ①〔史〕首切り; 太刀取り. ② あぶれ者; ならず者; よ(与太)者.

망년-회 [명] 忘年会.

망념【妄念】[명] 忘念; 妄執. ＝ 망상(妄想).

망대【望臺】[명] 望楼; 見張り台 (物見)やぐら(櫓). ＝관각(觀閣).

망동【妄動】[명][하자] 妄動. ¶ 그것은 경거 ～이었다 それは軽挙妄動であった.

망둥이 [명]〔魚〕はぜ(沙魚). ¶ 장마다 ～ 날까《俚》市ごとにはぜが出ようか《いつも自分に都合のよい事ばかり有るのではない》.

망라【網羅】[명][하타] 網羅. ¶ 회원은 정계를 거의 ～하고 있다 会員は政界をほとんど網羅している.

망령【亡靈】[명] 亡霊; 亡魂.

망령【妄靈】[명] もうろく(耄碌). ——-되다 [형] ばかげている; 途方もない. ——-되이 [부] ばかげて; 途方もなく. ——-들다 [자] もうろくしてばかげたことをするようになる. ——-부리다 [자] もうろくした行ないをする; 常軌を逸した振る舞いをする. ——-스럽다 [형] もうろくがかっている; もうろくした様子である.

망루【望樓】[명] 望楼. ＝망대(望臺).

망막【茫漠】[명][하형] ぼうばく(茫漠). ① とても広いこと. ¶ ～한 평원 茫漠たる平原. ② はっきりした区別がつかないこと.

망막【網膜】[명]〔生〕網膜.

‖—— 세포 [명]〔生〕網膜細胞.

망망【茫茫】[명][하형] ぼうぼう(茫茫). ¶ ～한 시계 茫茫たる視界. ——-히 [부] 茫茫と.

‖—— 대해 [명] 茫茫たる大海.

망명【亡命】[명][하자] 亡命. ¶ ～자 亡命者 / ～ 정권 亡命政権.

‖——-객 [명] 亡命客. —— 생활 [명][하자] 亡命生活. —— 정부 [명] 亡命政府.

망모【亡母】[명] 亡母; 亡き母.

망발【妄發】[명][하자] ① でたらめな言葉を発すること. ② 妄言; 放言. ¶ 그가 그런 ～을 하다니 彼がそんな放言を吐くとは.

망-보다【望—】[자][타] (人の動作や様子を)見張る.

망부【亡父】[명] 亡父; 亡き父. ¶ ～의 일주기 亡父の一周忌.

망부【亡夫】[명] 亡夫; 亡き夫. ¶

-를 그리다 亡夫を慕う.
부-석【望夫石】명 望夫石《夫の帰りを待ちあぐんだあげく, やつれ死んで化したといわれる石》.
사【網紗】명 小網のように織ったしゃ(紗).
상【妄想】명 妄想. ¶ ~에 빠지다 妄想にふける / 과대 ~ 誇大妄想.
상【網狀】명 網状. ¶ ~ 섬유 網状纖維 / ~ 막 網状膜.
상상-스럽다 형 ① 邪悪だ; 悪がしこい. ② 常軌を逸して軽軽しい.
망석-중이 명 ① 操り人形; 操り《준말》. ② 人の操るままになる人; かいらい(傀儡). ¶ 바보같이 ~ 노릇만 하고 있다 ばかみたいに人に操られてばかりいる.
망설-거리다 자 もじもじする; しりご(尻込)みする; しゅんじゅん(逡巡)する. ¶ 망설거리고 입을 열지 않다 もじもじして口をきかない. 망설-망설 부 하자 もじもじ.
망설-이다 자 ためらう; ちゅうちょ(躊躇)する; 惑う; 二の足を踏む. ¶ 털어놓기를 ~ 打ち明けるのをためらう / 가야할지 어떨지 ~ 行くべきかどうか惑う.
망신【亡身】명 하자 스형 恥さらし; 恥をかくこと; 地位や名誉を汚すこと. ¶ ~당하다 恥をかく〔とる〕; 恥さらしになる / 집안 ~이다 一家の恥さらしである. ——-시키다 타 恥をかかせる; 威信·名誉を傷つける; 辱しめる.
‖——-살(煞) 명 恥辱や汚名を受けるべき厄運. ¶ ~ 뻗치다 恥をさらす厄運が引き続く.
망실【忘失】명 하타 忘失; 忘却. ¶ ~물 落とし物; 忘れ物.
망아【亡兒】명 亡児; 亡き子.
망아【忘我】명 忘我. ¶ ~의 경지에 잠기다 忘我の境に浸る.
망아지 명 小馬; こま(駒)〈雅〉.
망양지-탄【亡羊之歎】명 亡羊の嘆; 学問の道が多岐で, 一つも物にならぬことを嘆くこと.
망양지-탄【望洋之歎】명 望洋の嘆; 力の至らざるを嘆くこと.
망언【妄言】명 하자 妄言; でたらめなことば; 放言.
‖—— 다사 명 妄言多謝.
망연【茫然】명 하형 ① ぼうぜん(茫然); とりとめのないさま. ② ぼうぜん(呆然); 気ぬけしてぼんやりとしたさま. ——-히 부 ① 茫然と. ② 呆然と. ¶ ~ 서 있었다 呆然と立ち尽くしていた.
‖—— 자실 명 하형 茫然自失.
망외【望外】명 望外; 思いのほか. ¶ ~의 기쁨 望外の喜び.
망울 명 ① 小さく円い塊〔こご(凝)り〕. ② [↗꽃망울] つぼみ(蕾). <멍울. ———— 부 하형 牛乳·のり(糊)などが小さくまるく凝結したさま.
망원-경【望遠鏡】명 望遠鏡; 遠眼鏡.
망원 렌즈【望遠—】〔lens〕명 望遠レンズ.
망월【望月】[1] 명 望月; 満月. =보름달.
망월【望月】[2] 명 하자 望月; 月を眺めること.
망은【忘恩】명 하자 忘恩.
망인【亡人】명 亡人; 死者.
망자【亡子】명 亡子; 亡き子.
망자【亡者】명〔佛〕亡者; 死者.
망자 존대【妄自尊大】명 하자 うぬぼ(自惚)れて尊大ぶること.
망정 형명 "-니·-기에"などの用言の副詞形語尾の後に用いて"…だから良かったもののさもなければ"の意を表わす語. ¶ 내가 알려줬기에 ~이지 큰일날 뻔했다 わたしが知らせてあげたからよかったもののさもなければたいへん(大変)なことになるところだった / 차표를 미리 샀기에 ~이지 못 탈 뻔했다 乗車券をあらかじめ買ったからよかったもののさもなければ乗り損なうところだった.
망제【亡弟】명 亡弟; 亡き弟.
망제【望祭】명 他郷で祖先の墓の方を望んで行なうさいし(祭祀).
망조【亡兆】명 [↗망징 패조(亡徵敗兆)] 滅びる兆し.
망종【亡種】명 ならず者の称; 人間のくず(屑).
망중【忙中】명 忙中; 忙しいさなか.
‖—— 유한(有閑) 명 忙中閑あり. —— 한(閑) 명 忙中の閑.
망집【妄執】명 하타 妄執. ①〔佛〕迷妄な執念. ② 常軌外れの執念. ¶ ~에 사로 잡히다 妄執にとらわれる.
망처【亡妻】명 亡妻; 亡室.
망측【罔測】명 하형 히부 えげつないこと; 言語道断なこと; 口にするのも面はゆいほど嫌らしいこと. ¶ 늙은 주제에 짙은 화장이라니 참으로 ~해라 年寄りのくせに厚化粧とはほんとうにいやらしいこっちゃ.
망치 명 つち(槌); ハンマー. ¶ 쇠~ 金づち / ~질 槌打ち.
망치다 타 台無しにする; 滅ぼす. ¶ 일생을 ~ 一生を棒に振る / 신세를 ~ 身上を台無しにする / 나라를 ~ 国を滅ぼす.
망친【亡親】명 亡親; 亡き親. ¶ ~의 기일 亡親の命日.
망태【網—】, 망태기【網—】명 縄やひも(紐)で編んだ荷袋.
망토〔프 manteau〕명 マント; 回しガッパ. ‖——-비비 명〔動〕マントひひ(狒狒). =비비(狒狒).
망판【網版】명 網版. =사진 동판.
망평【妄評】명 하타 妄評; でたらめな批評.
망-하다【亡—】자 滅びる; つぶ(潰)れる. ¶ 나라가 ~ 国が滅びる / 회사가 ~ 会社がつぶれる〔倒れる〕/ 집안이 ~ 家がおちぶれる.
망향【望郷】명 하자 望郷; 思郷. ¶ ~에 사로잡히다 望郷の念にかられる.
망형【亡兄】명 亡兄; 亡き兄.
맞- 두 ① ある語の前に付いて, 相

対する意を表わす語: 相; 互いに(…し合う). ¶ ~서다 相対する / 손을 ~잡다 手を取り合う / ~비틀다〔~꼬다〕 ね(捩)じ合う / ~장구 치다 相づちを打つ. ② 互角の意を表わす語. ¶ ~바둑 相碁; 互い先.

맞-걸리다 자 二つがつな(繋)がり合う; かか(関)わり合う.

맞-고소【—告訴】 명 訴えられた人が訴えた人を訴えること. =대소(對訴).

맞-구멍 명 通し穴; 相通ずる穴.

맞다¹ 자 ① 合う. ㉠ 合う; 正しい; 違わない. ¶ 맞는 답 正しい答 / 이치에 ~ 理屈に合う / 도리에 ~ 道理にかな(適)う. ㉡ 似合う; ふさわしい; 適う. ¶ 분에 맞는 생활 身にかなった暮らし / 신분에 맞지 않은 소지품 身分不相応の所持品 / 너에게 맞는 옷 お前に似合う着物. ㉢ 気に入る; 口に合う. ¶ 마음에 맞는 친구 気が合う友だち / 입에 맞는 음식 口に合う食べ物. ㉣ (体や穴などに)ぴったり合う. ¶ 크기가 꼭 ~ 大きさがぴったりだ / 발에 맞는 구두 足にぴったり合う靴. ㉤ 一致する. ¶ 발이 ~ 足並みがそろ(揃)う / 장단〔의견〕이 ~ 拍子〔意見〕が合う / 말의 앞뒤가 맞지 않다 話のつじつま(辻褄)が合わない. ㉥ 合う; (取り引きが)ひき合う. ¶ 채산이 ~ 採算が取れる / 그것으로는 수지가 안 맞는다 それでは差引きが合わない. ㉦ 相通ずる. ¶ 마음이 ~ 心が合う / 눈이 ~ 目が合う / 배가 맞아 달아나다 目が合って駆け落ちをする. ② 当たる. ¶ 정통으로 ~ まともに当たる / 예상이 들어~ 予想が的中する.

맞다² 타 ① 迎える. ㉠ 人の来るのを待つ. ㉡ 自然に巡って来るのを待つ. ¶ 손님을 ~ 客を迎える / 설을 ~ お正月を迎える. ㉢ 招く. ¶ 전문가를 ~ 専門家を迎える / 의사를 ~ 医者を招く. ㉣ (夫·妻·養子などを)迎え入れる; もら(貰)う. ¶ 아내〔며느리〕를 ~ 妻〔嫁〕を取る〔もらう〕 / 양자를 ~ 養子をむかえる. ② 受ける. ㉠ (雨·風·雪などに)当たる. ¶ 비를 ~ 雨に濡れる / 벼락을 ~ 雷に触れる. ㉡ むちや弾丸に当たる. ¶ 유탄에 맞아 죽다 流弾に当たって死ぬ / 따귀를 ~ びんたを食らう. ㉢ (ある物事に)当面する. ¶ 도둑을 ~ 盗難に遇う. ③ ㉠ (注射などを)打ってもらう. ¶ 침을 ~ はり(鍼)を打ってもらう. ㉡ (点数などを)つけてもらう. ¶ 백점을 ~ 百点をもらう.

-맞다 미 ある語に付いて形容詞をつくる接尾語: …くさい; …しい. ¶ 궁상~ 貧乏くさい / 능글~ (いけ)ずうずうしい.

맞-닥뜨리다 자 でくわす; ぶつかり合う. ¶ 친구와 거리에서 ~ 道で友人にでくわす / 일회전에서 강적과 ~ 一回戦で強敵とぶつかる.

맞-담배 명 (対等に)差し向かいで吸うたばこ(煙草).
‖——질 명하자 (対等に)差し向いでたばこを吸うこと.

맞-당기다 ㊀자 両方から引っ張られる. ㊁타 (互いに)引っ張り合う.

맞-닿다 자 触れ合う; 相接する. ¶ 어깨와 어깨가 ~ 肩と肩が触れ合う / 하늘과 땅이 ~ 天と地が相接する.

맞-대다 타 ① 突き合わせる; くっつける. ¶ 얼굴을 ~ 顔を寄せる / 무릎을 맞대고 이야기하다 ひざを交えて〔突き合わせて〕話し合う. ② 面と向かう; 対面する. ¶ 맞대놓고는 말하기가 어렵다 面と向かってはなかなか言いにくい.

맞-대면【—對面】 명하자 当事者どうしが対面すること.

맞-대하다【—對—】 자 差し向かう; 相対する.

맞-돈 명 現金; 現なま〈俗〉; 即金. ¶ 이것은 ~ 주고 산 물건이다 これは現金で買った品物である / ~으로 부탁합니다 即金で願います.

맞-두다 타 相碁を打つ; (将棋で)平手で差す.

맞-들다 타 ① 両方で持ち上げる. ¶ 책상을 ~ 机をいっしょにもちあげる. ② 協力する.

맞-먹다 자 匹敵する; 釣り合う. ¶ 두 사람의 실력은 맞먹는다 二人の実力は五分五分である.

맞-물리다 자 か(嚙)み合う; 食い合う. ¶ 톱니 바퀴가 ~ 歯車がかみあう〔食いあう〕.

맞-바꾸다 타 (ねだんを問わず)品物と品物を交換する. ¶ 시계와 카메라를 ~ (割増しなしで)時計とカメラを交換する.

맞-바둑 명 相碁; 互い先.

맞-바라보다 자 向かい合う; 相見る.

맞-바람 명 ① 両側から吹き込む風. ② 向かい風. =맞은바람.

맞-받다 타 ① 正面から受ける. ¶ 햇빛을 ~ 日差しをまともに受ける. ② 相手の言葉·歌などを受け継ぐ. ¶ 맞받아 노래하다 引き継いで歌う. ③ ぶつかり合う; 突き当たる. ¶ 벽에 이마를 ~ 壁にひたいをぶっつける.

맞배-지붕 명 切妻屋根; 切妻《준말》.

맞배-집 명 切妻屋根の家.

맞-버티다 자 互いにがんば(頑張)り合う; 互いに譲らない. ¶ 맞버티고 서서 노려보고만 있었다 互いにつっ立ってにらみあってばかりいた.

맞-벌이 명하자 共稼ぎ; 共働き. ¶ ~ 부부 共稼ぎ夫婦.

맞-변【—邊】 명 対辺.

맞-보기 명 ① (めがねの)素通し. ② (碁の)見合い.

맞-보다 타 ↗마주 보다.

맞-부딪뜨리다 타 激しくぶつかり合う.

맞-부딪치다 자타 互いに突き当たる〔突き当てる〕; ぶつかり合う.

-불 명 向かい火. ¶ ~을 놓다 向かい火を放つ.
-불다 자 (両方から)吹き合う. ¶바람이 ~ 風が吹きあう.
-붙다 자 競り合う; 取組む. ¶맞붙어 싸우다 取っ組んでなぐりあう.
맞-붙이다 타 ① くっつける; 張り合わす. ② 互いに対面させる.
맞-붙잡다 타 互いに取り合う; つかみあう. ¶손을 ~ 手を取り合う.
맞비겨 떨어지다 자 棒引きになる; 相殺になる; 帳消しになる.
맞-상【一床】명하자 ☞ 겸상.
맞-상대【一相對】명하자 相対すること. また, そのような状態.
맞-서다 자 ① ↗마주 서다. ② 対立する; 張り合う; 歯向かう. ¶의견이 ~ 意見が対立する.
맞-선 명 見合い. ¶~을 보다 見合いをする.
맞-수【一手】명 [↗맞적수] 好敵手.
맞아-들이다 타 迎え入れる; 招じ入れる. ¶손님을 정중히 ~ お客を丁重に迎え入れる〔招じ入れる〕.
맞아 떨어지다 자 (計算などが)きっかり合う; 的中する.
맞-욕【一辱】명하자 互いに悪口を言い合うこと.
맞은-바람 명 ☞ 맞바람.
맞은-쪽 명 向かい側.
맞은-편【一便】명 ① 向かい側. = 맞은쪽. ② 相手方.
-맞이 미 迎え. ¶봄~ 春の迎え.
맞이-하다 타 迎える. ¶생일을 ~ 誕生日を迎える.
맞-잡다 자 [↗마주 잡다] ① 手を取りあう; もちあう. ¶손을 맞잡고 울었다 手を取り合って泣いた / 책상을 ~ 机をともに持ちあげる. ② 力をあわせる; 協力する. ¶손을 맞잡고 일하다 力を合わせて働く.
맞-장구 명 相づち(槌). ――-치다 자 相づちを打つ; 調子を合わせる.
맞-장기【一將棋】명 対馬; 平手.
맞-절 명하자 互いに差し向かいでおじぎをすること.
맞추다 타 ① 合わせる; 一致させる. ¶옷에 맞추어 구두를 신다 服に合わせて靴をはく / 비위를〔기분을〕 ~ きげんを取る; 気づまを合わす. ② あつら(誂)える; 仕事を頼む; 注文する. ¶옷을 ~ 服をあつらえる / 새로 맞춘 양복 新調の洋服 / 신을 ~ 靴を注文する.
맞춤 명 注文品; あつらえ物. ¶~옷 あつらえ服.
맞춤-법【一法】명〔言〕綴字法; スペリング; 正書法.
맞-혼인【一婚姻】명하자 費用を両家で相持ちする婚姻.
맞-흥정 명하타 直取引.
맞히다¹ 타 言い当てる. ¶답을 알아 ~ 答えを言い当てる / 제비를 뽑아 ~ くじを引き当てる.
맞히다² 사동 ① 当てる; 的中させる; 命中させる. ¶화살을 과녁에 ~ 矢を的に射当てる. ② (むち(鞭)·はり(鍼)などを)打たせる. ¶주사를 ~ 注射をうたせる. ③ (雨·風などに)当たらす; さら(晒)す. ¶빨래를 닷새 동안이나 비를 맞혔다 洗濯物を五日間も雨にさらした.
맡기다 타 任せる. ① ゆだ(委)ねる; 委託する. ¶일은 남에게 맡기고 놀기만 한다 仕事を人任せにして遊んでばかりいる / 뒷일을 ~ 後事を託する. ② 預ける. ¶짐의 운반을 ~ 荷運びを任せる / 가방을 ~ カバンを預ける. ③ 放任する. ¶상상에 ~ 想像に任せる.
맡다 타 ① 引き受ける; 受け持つ. ¶책임을 ~ 責任を取る〔引き受ける〕/ 신입생을 ~ 新入生を受け持つ. ② 預かる; 保管する. ¶짐〔신병〕을 ~ 荷物〔身柄〕を預かる. ③ (許可·注文などを)取る. ¶주문을 ~ 注文を取る. ④ か(嗅)ぐ. ¶킁킁 냄새를 ~ くんくんとにお(臭)いをかぐ. ⑤ (気配などに)気付く. ¶돈 냄새를 맡고 金のある気配に感づいて.
매¹ 명 むち(鞭·笞); むち打ち. ¶~도 먼저 맞는 놈이 낫다《俚》むちは早く打たれるほうがよい《どうせ免れない事なら早目に済ませるほうがましだ》.
매² 명〔鳥〕たか(鷹). ¶~ 사냥 たか狩り.
매【枚】의명 枚. ¶아트지 100~ アート紙百枚.
매³ 부 ひつじ(羊)·やぎ(山羊)の鳴き声: めえー.
매- 두 "結局は同じ"の意を表わす語. ¶~한가지다 同じことさ.
매-【每】두 "ごと(每)(に)·度に·各各"の意; 毎. ¶~주 毎週 / ~인당 一人当たり / ~번 毎度.
-매¹ 미 様子やなり·ふりの意. ¶몸~ 体つき / 눈~ 目付き / 옷~ 身なり.
-매² 어미 …から; …ので. ¶그가 돌아왔다 하~ 마음을 놓았더니 彼が戻って来たと言うので安心したものだが.
매가【買價】명 買価; 買い値.
매가【賣家】명하자 売り家.
매가【賣價】명 売価; 売り値.
매각【賣却】명하타 売却. ¶~ 처분 売却処分.
매개 명 事の成行き. ―― 보다 타 事の成行きを見る.
매개【每個】명부 一個ごと(每)(に); ばらに〔で〕. ¶~당(當) 백 원 一個あたり百ウォン.
매개【媒介】명 媒介. ① 仲立ちすること. ――-하다 타 媒介する; 取り持つ. ② でんぱ(伝播)すること. ――하다 타 媒介する; 伝播する. ‖――-물 명 媒介物. ――-자 명 媒介者. ――-체(體) 명 媒体.
매거【枚擧】명하타 枚挙. ¶일일이 ~할 수 없다 枚挙にいとまがない.
매거진〔magazine〕명 マガジン.
매관 매직【賣官賣職】명하자 売官. =매직 매관. ㊅ 매관.
매국【賣國】명하자 売国. ¶ ~ 행위

ㅁ

売国行為 / ～노 売国奴.
매권【毎巻】 명 부 毎巻.
매그니튜드 〔magnitude〕 명 〖地〗マグニチュード《記号: M》.
매기【毎期】 명 부 毎期.
매기【買氣】 명 買い気. ¶ ～가 없다 買い気がない.
매기다 타 (値段·等級·順序などを)付ける. ¶ 값을 ～ 値をつける / 세금을 ～ 税金をかける. ㊤ 매다.
매기단-하다 타 後始末をきちんと仕上げる.
매-꾸러기 명 むちで打たれどおしの子; いたずらっ子.
매끄럽다 형 なめらかだ; すべすべしている; 滑っこい. <미끄럽다. ¶ 매끄러운 살결 なめらかな肌 / 길이 ～ 道が滑っこい.
매끈-거리다 자 ☞ 미끈거리다. **매끈-매끈** 부 하형 ☞ 미끈미끈.
매끈-하다 형 ☞ 미끈하다.
매-끼【毎―】 명 부 毎食.
매나니 명 ① 素手; 空手; 手ぶら. ¶ ～로 고기를 잡다 素手で魚をとる. ② 素飯; おかずのない飯.
매너 〔manner〕 명 マナー. ¶ 그라운드 ～ グラウンドマナー / 테이블 ～ テーブルマナー.
매너리즘 〔mannerism〕 명 マンネリズム. ¶ ～에 빠지다 マンネリズムに陥る.
매-년【毎年】 명 부 毎年.
매니저 〔manager〕 명 マネージャー.
매니지먼트 〔management〕 명 マネジメント.
매니큐어 〔manicure〕 명 マニキュア.
매다¹ 타 ① 縛る; くく(括)る. ㉠ 結ぶ; 括る. ¶ 넥타이를 ～ ネクタイを結ぶ / 목을 ～ 首をくくる / 끈을 ～ ひもを結ぶ. ㉡ つなぐ. ¶ 말을 말뚝에 ～ 馬をくい(杭)につなぐ. ② つづ(綴)る; と(綴)じる. ¶ 책을 ～ 本を綴じる.
매다² 타 草取りをする.
매-달【毎―】 명 부 毎月; 月月. ¶ ～ 일백만 원의 수입 月月百万ウォンの収入.
매-달다 타 掛ける; つ(吊)る; ぶら下げる; 吊るす. ¶ 귀고리를 ～ 耳輪をぶらさげる / 목을 ～ 首をつる.
매-달리다 一 피동 つ(吊)られる; ぶら下げられる. ¶ 나뭇 가지에 ～ 木の枝にぶら下げられる. 二 자 ① ぶら下がる; 取りすが(縋)る; しがみつく. ¶ 애가 팔에 ～ 子供が腕にぶら下がる / 울며 매달리는 것을 떼치다 泣いて取りすがるのをつっ放す. ② すが(縋)る; くっつく. ¶ 적은 수입에 많은 식구가 ～ 少ない収入に多くの家族がすがる.
매대기-치다 一 타 泥·大便などをなすりつける. ¶ 흙을 바닥에 ～ 泥を床にぬりつける. 二 자 取り乱してしどけなくふるまう.
매도【罵倒】 명 ばとう(罵倒). ――-하다 타 罵倒する; ののし(罵)る. ¶ 입정 사납게 ～하다 口汚なくののしる.
매도【賣渡】 명 売り渡し. ――-하다 타 売り渡す.
‖―― 증서 명 売り渡し証書.
매독【梅毒】 명 梅毒; そうどく(瘡毒); かさ(瘡). ＝창병(瘡病).
매듭 명 結び目. ¶ ～이 풀리다 結(び目)が解ける. ――-짓다 타 ① 結び目をつくる. ② 仕事のけじめをつける; かたをつける; 始末をつける; 事を終える.
매력【魅力】 명 魅力. ¶ ～적인 남성 魅力的な男性.
매련 명 하형 ☞ 미련.
매료【魅了】 명 魅了. ――-하다 자 타 魅了する〔される〕. ¶ 독자를 ～하다 読者を魅了する.
매립【埋立】 명 하타 埋め立て.
‖――-지 명 埋め立て地; 築地.
매-만지다 타 きれいに手入れをする. ¶ 머리를 ～ 髪をな(撫)でつける / 옷을 매만져 손질하다 着物を取り繕う.
매-맞다 자 むち(鞭·笞)で打たれる. ¶ 또 매맞고 싶니 また打たれたいのか.
매매【賣買】 명 하타 売買; 売り買い. ¶ ～ 원장(元帳) 大福帳 / ～ 계약 売買契約 / 위탁～ 委託売買.
매머드 〔mammoth〕 명 マンモス. ¶ ～ 도시 マンモス都市.
매명【賣名】 명 하자 売名; 自分の名を広めようと努めること. ¶ ～ 행위 売名行為.
매몰【埋沒】 명 하타 埋没. ¶ ～ 가옥 埋没家屋.
매몰-차다 형 とても冷酷だ. ¶ 매몰찬 성격 とても冷酷な性格.
매몰-하다 형 冷たく無慈悲だ; 冷酷だ; 薄情だ. **매몰-스럽다** 형 冷酷だ; 無慈悲だ.
매무새 명 衣服を着こなした様子; 身なり.
매무시 명 着こなし; 装い; 身づくろい. ¶ ～를 다듬다 装いを凝らす.
매문【賣文】 명 하자 売文.
‖―― 매필(賣筆) 명 文·筆跡を売ること.
매물【賣物】 명 売り物.
매미 명 〖蟲〗せみ(蟬). ¶ ～ 소리 せみの音〔声〕/ ～채 捕虫網.
매-번【毎番】 명 부 毎度; 度ごと.
매복【埋伏】 명 埋伏; 待ち伏せ. ――-하다 자 埋伏する; 待ち伏せ(す)る.
매부【妹夫】 명 姉妹の夫.
매-부리¹ 명 たか(鷹)匠; たか飼い.
매-부리² 명 たか(鷹)のくちばし.
‖――-코 명 わし(鷲)鼻; かぎ(鉤)鼻.
매-분【毎分】 명 부 毎分.
매사【毎事】 명 부 毎事; 事ごと(に). ¶ ～는 불여(不如) 튼튼 万事は堅固たるにし(如)かず.
매-사냥 명 하자 たか(鷹)狩り. ＝방응(放鷹). ¶ ～꾼 鷹匠.
매상【賣上】 명 ① 売り上げ; 売れ行き. ――-하다 타 売り上げる. ¶ ～이 뜸하다 売れ行きが渋る〔思わしくない〕. ② ↗매상고.
‖――-고(高) 명 売り上げ高. ㊤ 매상.
――-금 명 上げ銭; 売り上げ金.
매석【賣惜】 명 売り惜しみ. ――-하다 타 売り惜しむ. ¶ 매점 ～ 買い占

め売り惜しみ.
설【埋設】명하타 埋設. ¶ ~물 埋設物/ ~ 작업 埋設作業.
섭다 형 (たち(質)·人となりなど)険しい; 鋭い; 手ひどい; 手厳しい. <무섭다. ¶매서운 눈초리 険しい目つき/매서운 공격 手ひどい攻撃/매섭게 꾸짖다 手厳しく〔びしびしと〕叱る.
소【賣笑】명하자 売笑. =매음·매춘.
-수【枚數】명 枚数. =장수.
수【買收】명하타 買収. ¶저 사람은 도저히 뇌물로 ~할 수 없다 あの人はとてもわいろ(賄賂)で買収ができない.
수【買受】명하타 買い受け.
‖——-인(人) 명 買い受け人.
매스〔mass〕명 マス.
‖—— 게임 명 マスゲーム. —— 미디어 명 マスメディア. —— 커뮤니케이션 명 マスコミュニケーション; マスコミ《준말》. —— 프로덕션 명 マスプロダクション. ㊟매스프로.
매스껍다 형 ☞ 메스껍다.
매슥-거리다 자 ☞ 메슥거리다. 매슥-매슥 부하형 ☞ 메슥메슥.
매시【每時】, 매-시간【每時間】명부 毎時; 毎時間. ㊟매시.
매식【買食】명하자 外食.
매실【梅實】명 梅の実. ¶~ 장아찌 梅干し.
‖——-주(酒) 명 梅酒.
매씨【妹氏】명 ①人の妹をさす語. ②自分の姉をさす語.
매암 명 (その場に立って)くるくる回るあそび. ㊟맴. —— 돌다 자 ①(同じ場所で, または円をえがきながら)くるくるまわる. ②(同じ範囲内で)繰り返す. ¶말단에서 매암 돌고 있다 下積みでくすぶ(燻)っている. ㊟맴돌다. —— 돌리다 타 ①くるくるまわす. ②人を方方に回らせる. ㊟맴돌리다.
매암-매암 부 みーんみーん《せみ(蟬)の鳴き声》. ㊟맴맴.
매약【賣藥】명하자 売薬.
‖——-상 명 売薬商.
매양【每—】부 いつも; 常に. ¶~ 놀기만 하였다 いつもぶらぶらしてばかりいた.
매연【媒煙】명 媒煙.
매염【媒染】명 媒染.
‖—— 물감 명 媒染染料. ——-제 명 媒染剤. =매염료.
매우 부 非常に; とても; たいへん; 至って; いとも. ¶~ 춥다 やけに〔とても〕寒い/~ 건강하다 至って元気である.
매우-치다 타〔史〕(ちけい(笞刑)などで)ひどく打つ; ぶったたく. ¶저 놈을 매우 쳐라 そいつをこっ酷く打て.
매운 바람 명 身を切るような寒風.
매운-탕【—湯】명 辛味を利かせた汁物.
매움-하다 형 辛味がある. ¶매움하게 맛을 내다 辛めに味をつける.
매워-하다 자 辛がる; 辛味を感じる.

매원【梅園】명 梅園. 「つき.
매-월【每月】명부 毎月; 月月
매음【賣淫】명 ばいいん(売淫); いんばい(淫売); 売春. ——-하다 자 売淫する; 春をひさぐ.
‖——-굴 명 売淫窟. ——-부 명 売春婦; ばいた〈俗〉. =매소부.
매이다 피동 (人や仕事などに)つな(繫)がれる; 縛られる; 隷属する. ¶은애의 굴레에 ~ 恩愛のきずなにつながる/일에 ~ 仕事に縛られる/직장에 매인 몸 職場に縛られた身.
매-인【每人】명부 毎人; 各人.
‖——-당(當) 부 一人当たり.
매인 목숨 명 人につながれた身の上; (雇われたかよわみをつかれて)ままにならぬ身の上; つながれた身.
매-일【每日】명부 毎日; 日ごと.
매-일반【——般】명 同一; 同じ. =마찬가지. ¶앞으로 가나 뒤로 가나 움직이는 것은 ~이다 前に行こうが後ろに行こうが動くのは同じである.
매입【買入】명 買い入れ; 仕入れ. ——-하다 타 買い入れる; 仕入れる.
매장【每張】명부 一枚ごと(に).
매장【埋葬】명 埋葬. ——-하다 타 埋葬する; 葬る.
‖——-지 명 埋葬地. =장지(葬地).
매장【埋藏】명하자타 埋蔵.
‖——-물 명〔法〕埋蔵物.
매장【賣場】명 売り場.
매절【買切】명하타 買い切り; 商人が売れ残っても返品しない条件でひっくるめて買うこと.
매절【賣切】명하자 売り切れ; 品切れ. =절품(切品). 「いだめ.
매점【買占】명하타 買い占め; 買
매점【賣店】명 売店.
매정-하다 형 不人情だ; 薄情だ; つれない; すげない; そっけない; つめたい. <무정하다. 매정-스럽다 형 不人情だ; 思いやりがない.
매제【妹弟】명 妹の夫; 義弟.
매-주【每週】명부 毎週.
매주【買主】명 買い主; 買い手.
매주【賣主】명 売り主; 売り手.
매지근-하다 형 なまぬる(生温)い; 微温である. <미지근하다. 매지근-히 부 生温く. 「(賣官).
매직【賣職】명하자 売職. =매관
매직〔magic〕명 マジック.
‖—— 글라스 명 マジックガラス. —— 잉크 명 マジックインキ.
매진【賣盡】명하자 売り切れ. ¶책이 모두 ~되었다 本が全部売り切れた.
매진【邁進】명하자 まいしん(邁進).
매-질 명 むち(鞭)打ち. ——-하다 타 むち打つ; むちを加える.
매질【媒質】명〔物〕媒質.
매체【媒體】명〔物〕媒体. =매개체.
매-초【每秒】명부 毎秒.
매초롬-하다 형 すんなりしてこぎれいだ; そそ(楚楚)としている. <미추롬하다. 매초롬-히 부 すんなりと; そそ(楚楚)と.

매춘【賣春】명 売春. ＝매음(賣淫). ——-하다 자 売春する；ばいいん(売淫)する；春をひさぐ. ¶～ 행위 売春行為.
‖——-부 명 売春婦；白首；売女；春婦《준말》. ＝매음녀.
매출【賣出】명 売り出し. ——-하다 타 売り出す. ¶연말 대～ 歳末大売り出し.
매치〔match〕명하자 (競技の)マッチ. ¶타이틀 ～ タイトルマッチ／태그 ～ タッグマッチ.
매콤-하다 형 やや辛い；ひりりとした感じがある.
매크로〔macro〕관 マクロ.
매크로코즘〔macrocosm〕명 マクロコスモス；大宇宙.
매큼-하다 형 やや辛みがある.
매트〔mat〕명 マット.
매트리스〔mattress〕명 マットレス.
매-파【一派】명 たか(鷹)派.
매파【媒婆】명 仲人(婆さん).
매판【買辦】명 買弁. ¶～ 자본 買弁資本.
매표【賣票】명하자 切符を売ること.
매-한가지 명 同じこと；同一であること. ＝매일반.
매-해【每一】명부 毎年；まいとし.
매혈【賣血】명하자 売血.
매형【妹兄】명 ☞ 자형(姉兄).
매호【每戶】명부 毎戸；家ごと(に). ＝각호(各戶).
매-호【每號】명부 毎号；号ごと(に). ＝각호(各號).
매혹【魅惑】명 魅惑. ——-하다 타 魅惑する；魅する；ひきつける.
매화【梅花】명 梅；梅花.
‖——-꽃 명 梅花；梅の花. ——-나무 명〖植〗梅；梅の木.
매-회【每回】명 毎回.
맥【脈】명 ① 脈. ㉠〖生〗↗혈맥. ㉡〖生〗↗맥박. ¶～을 짚다 脈を取る〔見る〕. ㉢〖鑛〗↗광맥. ㉣↗맥락. ㉤〖植〗↗엽맥. ②〖民〗(風水で)竜の生気が躍動する地脈.
맥고 모자【麥藁帽子】명 麦わら帽子.
맥락【脈絡】명 脈絡. ㊟ 맥.
맥류【麥類】명 麦類.
맥맥-이【脈脈—】부 よどみなく. ¶～ 흐르다 よどみなく流れる.
맥맥-하다 형 ① 鼻がつまって息苦しい. ② 思い出せない；当惑する；途方に暮れる；困り果てる. ¶앞일이 도무지 ～ 行く末が実に頼りない. 맥맥-히 부 途方に暮れて；息苦しく.
맥-모르다【脈—】자 ことの筋道〔わけ〕を知らない.
맥-못추다【脈—】자 すっかり参る；弱る. ¶더위에는 ～ 暑さには参る／돈에는 ～ 金には弱い.
맥박【脈搏】명 脈拍；脈《준말》. ——-치다 자 脈打つ.
‖——-계 명 脈拍計. —— 부정 명 脈拍不整.
맥-보다【脈—】자 ① 脈を見る. ② 意中を探る.
맥-빠지다【脈—】자 気抜けする；拍子抜けする；がっかりする. ¶～로 시합이 중지되어 ～ 雨で試合が中止となり拍子抜けした.
맥시〔maxi〕명 マキシ《ロングスカートの別称》.
맥시멈〔maximum〕명 マキシマム. 최대(最大).
맥아【麥芽】명 麦芽. ＝엿기름.
‖——-당 명〖化〗麦芽糖. ＝말토오스(maltose).
맥-없다【脈—】형 元気がない. 맥없이 부 ① しおしおと；しおれて. ～ 돌아가다 しおれて〔すごすごと〕帰る／～ 지다 ころりと参る. ② 理由もなく；わけもなく.
맥주【麥酒】명 ビール；ビヤ.
‖——-병(瓶) 명 ① ビール瓶. ②《俗》泳げない人；かなづち. ——-홀 명 ビヤホール.
맥-줄【脈—】명 脈筋；脈所.
맥진【脈診】명하타 ① 診脈. ＝진맥(診脈). ② 脈を取り病勢を判断する診断法.
맥진【脈盡】명하자 気が抜けること；力が尽きること. ¶기진 ～하다 疲労こんぱい(困憊)する；弓折れ矢尽きる.
맥-풀리다【脈—】자 気〔力〕が抜ける；拍子抜けする.
맨〔man〕명 マン. ¶～투～ マンツマン；一対一／카메라～ カメラマン.
맨[1] 관 もっぱら；全部；ことごとく. ¶～ 장사꾼이었다 みんな商人ばかりだった／그 방은 ～ 책이란다 その部屋はことごとく本ばかりだよ.
맨[2] 관 "一番·最も"の意を表わす語. ¶～ 먼저 먹다 真っ先にたべる／～ 마지막에 가다 最後に行く.
맨- 두 ありのままの意を表わす語；素. ¶～발 素足／～살 素肌.
맨 꼭대기 명 てっぺん；頂上；いただき. ¶저 산 ～ あの山のてっぺん.
맨 꼴찌 명 いちばん終わりの人；びりっこ；どんじり〈俗〉.
맨-꽁무니 명 ① 素手で何かを成すこと；また, そうした人. ¶～로 장가들겠다고 한다 一文なしで嫁をむかえようとする. ② ☞ 맨 꼴찌.
맨 끝 명 一番端；最後；末端；どんじり〈俗〉. ¶～ 페이지 最後のページ／막대기의 ～을 잡다 棒のはしっこをつかむ.
맨 나중 명부 いちばん終わり；最後；最終. ¶그는 ～에 왔다 彼はいちばん後に来た.
맨-눈 명 肉眼；裸眼.
맨둥맨둥-하다 형 ☞ 민둥민둥하다.
맨 뒤 명 最後；最終；びり〈俗〉；けつ〈俗〉. ¶맨 뒷줄 最後の列.
맨드라미 명〖植〗けいとう(鶏頭).
맨-땅 명 ①(何も敷いていない)地面. ¶～에 앉다 地面に座る. ② 施肥していない田.
맨-머리 명 ① 素頭. ② 付けまげ(髷)を用いずに地髪でまげを結った髪.
‖맨머릿-바람 명 無帽のまま.
맨 먼저 명부 最初；真っ先；いの

一番. ¶ 그는 ～ 왔다 彼はいの一番に来た / ～ 술에 곯아떨어졌다 真っ先に飲みつぶれた.

맨-몸 명 ① すっ裸; 丸裸; まっぱだか. ② 空身; 素手. ¶ ～으로 여행하다 空身で旅行する.

맨-몸뚱이 명 "맨몸"の卑語. =알몸뚱이.

맨 밑 명 いちばん下; 最低.

맨-바닥 명 何も敷いていない床. ¶ ～에 자다 敷物なしに寝る.

맨-발 명 素足; はだし(跣). ¶ ～로 걷다 はだしで歩く.

맨-밥 명 素飯.

맨-살 명 素肌; 万年シャツ〈學〉.

맨션 〔mansion〕 명 マンション.

맨-손 명 素手; 空手; 徒手; 手ぶら; 無手. =적수(赤手). ¶ ～ 체조 徒手体操 / ～으로 고기를 잡다 素手で魚を取る / ～으로 돌아오다 手ぶらで戻る.

맨송맨송-하다 형 ① (毛が生えるべき所に)生えていない; つるつるだ. ② (山に草木がなく)は(禿)げている. ③ 酒を飲んでも酔わない; 飲みこたえがない; しらふ(素面·白面)だ. ¶ 술을 마셔도 ～ 飲んでもいっこう酔わない〔へいちゃらだ〕. < 맨숭맨숭하다. **맨송맨송-히** 부 ① つるつると. ② 酔い気なく.

맨숭맨숭-하다 형 "맨송맨송하다"より語感の大きい語. <민숭민숭하다.

맨 아래 명 いちばん下; 最低. ¶ ～ 남동생 (いちばん)末の弟; 末弟 / 아파트의 ～ 층에 살고 있다 アパートのいちばん下に住んでいる.

맨 앞 명 いちばん前; 最前. ¶ ～줄 最前列.

맨-얼굴 명 素顔.

맨 위 명 いちばん上.

맨-입 명 素口. ¶ ～으로 보내다 何も食べさせずに〔素口で〕帰す.

맨-주먹 명 素手; くうけん(空拳); 無一物. ¶ ～으로 싸우다 素手で〔丸腰で〕戦う / ～으로 장사를 시작하다 無一物で商売を始める.

맨 처음 명 いちばん始め; 最初. 준 맨첨.

맨-투-맨 〔man-to-man〕 명 マンツーマン; いち対いち.
‖── **디펜스** 명 マンツーマンディフェンス.

맨틀 〔mantle〕 명 マントル.

맨틀-피스 〔mantelpiece〕 명 マントルピース.

맨홀 〔manhole〕 명 マンホール.

맬서스-주의 【─主義】〔Malthus〕 명 マルサス主義.

맴[1] 명 ↗매암.

맴[2] 부 せみ(蟬)の鳴きやむ声.

맴-돌이 명 ① くるくるまわること. ② 〔數〕回転体.
‖── **전류** 명 〔物〕渦電流. =푸코(Foucault) 전류.

맴-맴 부 ①《兒》子供たちがぐるぐるまわりながらとなえる声. ② [↗매암매암] みんみん.

맵다 형 ① (唐辛子などが)ひりりと辛い. ¶ 산초는 얼얼하게 ～ さんしょう(山椒)はひりりと辛い. ② きびしい. ㉠ (性格などが)きつい. ㉡ (寒さが)ひどい; はげしい. ¶ (추위가) 몹시 ～ (寒さが)きびしい.

맵디-맵다 형 厳しく〔とても〕辛い.

맵살-스럽다 형 ☞ 밉살스럽다.

맵시 명 きこなし; かっこう(格好); みだしなみ. ¶ 옷을 ～있게 잘 입다 着物のきこなしがよい. ──-**내다** 자 かっこうをつける; しゃれ(洒落)る.

맵싸-하다 형 えがらい; えがらっぽい. ¶ 국물이 ～ 汁がえがらい.

맷-가마리 명 むち(鞭)打たれて当たり前な人.

맷-감 명 むち(鞭)打たれて当たり前な振る舞い.

맷-담배 명 少しずつ売るきざみタバコ.

맷-돌 명 ひ(碾)きうす(臼); 石うす(臼). 준 매.
‖──-**질** 명하자 (穀物の)ひ(碾)き仕事. ¶ ～하다 うす(臼)をひく.

맷맷-하다 형 ☞ 밋밋하다.

맹- 【猛】 두 猛. ¶ ～연습 猛練習 / ～공격 猛攻; 猛撃.

맹격 【猛擊】 명하타 [↗맹(猛)공격] 猛撃. ¶ 상대방에게 ～을 가하다 相手に猛撃を加える.

맹견 【猛犬】 명 猛犬.

맹공 【猛攻】 명하타 [↗맹(猛)공격] 猛攻.

맹금 【猛禽】 명 もうきん(猛禽); 猛鳥. ‖──-**류** 명 猛禽類.

맹꽁이 명 ①〔動〕じむぐりがえる(地潜蛙). ②《俗》分からずや; とんま; 背が低く腹のつき出た人をあざける語.

맹도-견 【盲導犬】 명 盲導犬.

맹독 【猛毒】 명 猛毒; 劇毒.

맹랑-하다 【孟浪─】 형 ① (予想外に)でたらめだ; 途方もない. ¶ 맹랑한 이야기 でたらめな話. ② 油断がならない; ばかにできない. ¶ 일이 맹랑하게 되었다 事がややこしくなった / 맹랑한 아이 ばかにできない子. **맹랑-히** 부 でたらめに; ややこしく; ちゃっかり.

맹렬 【猛烈】 명하형 猛烈. ──-**히** 부 猛烈に; 盛んに.

맹모 삼천지교 【孟母三遷之教】 명 孟母三遷の教え. 준 맹모 삼천.

맹목 【盲目】 명 盲目. ¶ ～적인 사랑 盲目的な恋.

맹문 명 (ことの)あらまし; いきさつ; ぜひ(是非). ── **모르다** 자 (事の)ぜひを知らない.
‖──-**이** 명 わからず屋.

맹-물 명 ① 真水; さみず(真水). ② 無粋でやぼ(野暮)な人をあざける言葉.

맹방 【盟邦】 명 盟邦.

맹성 【猛省】 명 猛省. ¶ ～을 촉구하다 猛省を促す.

맹세 명 [←맹서(盟誓)] 誓約; 宣誓; 誓い. ──-**하다** 자 誓う; 誓いを立てる. ──-**코** 부 [↗맹세하고] 誓って; 断然.
‖──-**지거리** 명하자 野卑な言葉で駄目押しをすること《"裏切れば命

は無いぜ"などのことば》.

맹수【猛獣】명 猛獣. ¶～를 길들이다 猛獣をな(馴)らす.

맹습【猛襲】명하타 猛襲.

맹신【盲信】명하타 盲信.

맹아【盲啞】명 もうあ(盲啞).

‖―― 학교 명 盲啞学校.

맹아-기【萌芽期】명 萌芽期.

맹약【盟約】명하자타 盟約.

‖――-국 명 盟約国；同盟国.

맹-연습【―練習】명하타 猛練習.

맹용【猛勇】명하형 勇猛.

맹위【猛威】명 猛威.

맹인【盲人】명 盲人；盲者. ＝소경. ‖―― 교육 명 盲人教育.

맹자【盲者】명 盲者；盲人.

맹장【盲腸】명 盲腸. ＝막창자.

‖――-염 명 盲腸炎；虫垂炎.

맹장【猛將】명 猛将.

맹-장지【盲障―】명 ふすま(襖)；からかみ.

맹장-질【盲杖―】명하자 めった打ち.

맹점【盲點】명 盲点.

맹종【盲從】명하자타 盲従.

맹주【盟主】명 盟主.

맹추 명 ぼやすけ；とんま；まぬけ；ばかもの. ＜멍추.

맹타【猛打】명하타 猛打.

맹탕 명 ①塩気の足りないお汁. ②味気のない無粋な人；野暮くさい人. ――-으로 부 訳もなく；手ぶらで.

맹폭【盲爆】명하타 盲爆.

맹폭【猛爆】명하타 猛爆.

맹호【猛虎】명 猛虎.

맹-활동【猛活動】명하자 猛活動.

맹-활약【猛活躍】명하자 猛活躍.

맹-훈련【猛訓練】명하자 猛訓練.

맹휴【盟休】명 盟休；ストライキ. ①↗동맹 휴교. ②↗동맹 휴업.

맺고 끊은 듯하다 구 事理がはっきりしている；(する事の前後が)はっきりしている. 맺고 끊은 듯이 구 はっきりと；明らかに；瞭然と.

맺다 타 結ぶ. ①ゆわえてつなぐ. ¶구두 끈을 ～ 靴ひもを結ぶ. ②結末をつける. ¶말을 ～ 論を結ぶ/일을 끝～ 仕事をおえる. ③契る. ¶우정으로 맺어지다 友情で結ばれる/부부의 인연을 ～ 夫婦の契りを結ぶ. ④結実する. ¶열매를 ～ 実を結ぶ. ⑤約束する. ¶동맹을 ～ 同盟を結ぶ/계약을 ～ 契約を結ぶ. ⑥持つ；抱く. ¶원한을 ～ 恨みを持つ.

맺음-말 명 結言. ＝결론(結論).

맺히다 一 자 ①結ばれる. ¶꽃망울이 ～ (花が)つぼ(蕾)む. ②(忘れられずに)胸にこびりつく；心に抱く；しこりが残っている. ¶쌓이고 맺힌 정을 고백하다 積もりに積もった思いを打ち明ける/싸운 감정이 아직 맺혀 있다 けんかのあとがまだくすぶ(燻)っている. ③(露・涙などが)滴になる；にじむ. ¶잎에 이슬이 ～ 葉に露が宿る/눈물이 ～ 涙ぐむ. ④(血が)こご(凝)る.

二 피동 結ばれる.

맺힌-데 명 ①血のこご(凝)った部分. ②わだかま(蟠)り. ¶～가 없는 [illegible] 질 こだわらない性格.

머금다 타 含む. ①(口に)含む. ¶물을 입에 ～ 水を口に含む. [illegible] (考えを)抱く；(心に)収める. ¶원한을 ～ 恨みを抱く. ③([illegible]) や笑いなどを)含む；帯びる；[illegible] だよわす. ¶웃음을 ～ 微笑を[illegible] だよわす；笑みをふくむ/눈물을 [illegible] 금고 涙をのんで. ④(水分を)[illegible] む；吸いこむ. ¶봄비를 머금은 버[illegible] 나무 春雨を含んだ柳/비를 머[illegible] 은 구름 雨を帯びた雲/꽃이 함초[illegible] 히 이슬을 ～ 花がしっとり(と)露を含む.

머나-멀다 형 はるかに遠い；非常に遠い. ¶머나먼 고향 하늘 はるか遠くの故郷の空.

머니〔money〕명 マネー；お金.

‖―― 론 명〔經〕マネーローン.

머더〔mother〕명 マザー；ママ；母.

‖―― 컨트리 명 マザーカントリー；母国；祖国.

머루 명〔植〕やまぶとう(山葡萄).

머리¹ 명 頭. ①頭部；こうべ(頭)；つむり；かぶり；かしら；おつむ〈女・児〉. ¶～ 끝에서 발 끝까지 頭のてっぺんから足のつま先まで. ②物のてっぺんや先端. ¶뱃～를 돌리다 へさき(舳先)を変える. ③事のはじまり；最初. ¶첫 ～부터 잡치다 始めっから〔頭から〕しくじる. ④頭；頭領；親分；親方. ⑤頭脳；思考力；精神；脳みそ〈俗〉. ¶～가 잘 돌다 頭がよく回る/～가 둔하다 脳みそが足りない；血の巡りが悪い. ⑥[↗머리털] 髪. ¶～형 髪型/～를 깎다 頭を刈る. ⑦(ある時期の)初め頃. ¶해질 ～ 日が暮れる頃/새벽 ～ 明けがた. ――(를) 감다 구 洗髪する；髪を洗う. ――(를) 얹다 구 ①髪を二本に結って頭の上に巻き上げる. ②童妓やはしため(端女)が成人になって髪をゆい上げる. ③お嫁に行く；嫁ぐ. ――(를) 얹히다 구 ①どうぎ(童妓)を水揚げさせる. ②嫁がせる.

머리² 명 ①ひとかたまりずつかたまった物を数える語. ¶한 ～ 두 ～ 一山二山/계를 한 ～ 들다 たのもしを一口加わる. ②[↗돈머리] 金高. ¶～가 크다 金高が高い.

머리-꼭지 명 頭のてっぺん.

머리-끄덩이 명 束ねた髪の端. ¶～를 잡아 끌어 넘어뜨리다 髪の端をつかんで引きずり倒す.

머리-끝 명 毛先.

머리-말 명 序文；はしがき；まえがき；緒論.

머리-맡 명 まくら許；まくら上.

머리-쓰개 명 (スカーフ・手ぬぐいなど)頭にかぶる物の総称.

머리악 쓰다 자《俗》精一杯もがく；悪あがきする. ＝기쓰다.

머리-채 명 長く垂らした髪. ¶～를 잡아 끌다 髪をつかんで引きずり回す.

리 치장【—治粧】명 髪を美しくそおうこと.
리-카락 명 髪の毛. 준 머리칼.
리-털 명 頭髪; お髪〈女〉; み髪(높임말). 준 머리.
리-통 명 頭部; 頭.
리-핀〔pin〕명 ヘアピン; 毛ピン.
린 코〔Marine Corps〕명〖軍〗マリーコー. =해병대.
릿-골 명 ① ☞ 뇌수(腦髓). ②《俗》頭. 준 골. ③ 油搾り木のさし棒.
릿-기름 명 髪油; びんつけ油.
릿-내 명 髪のにおい.
릿-니 명〖蟲〗頭じらみ.
릿-방【—房】명 奥の間に付いた小部屋.
릿-병풍【—屛風】명 まくらびょうぶ(枕屛風).
릿-살 명 頭の中の神経の筋. ¶ ~ 아프다 (物事などがこじれて)頭が痛い; 頭に来る / ~ 어지럽다 心が乱れている; 気が散っている.
머릿-수【—數】명 頭数; 頭; 金額. ¶ ~를 채우다 頭数〔金額〕をそろえる / ~대로 할당하다 人数割りにする.
머릿-수건【—手巾】명 寒さを防ぐために婦女子が頭にすっぽりかぶる白布.
머릿-장【—欌】명 まくら(枕)もとのたんす.
머무르다 자 留まる. ① 動きをや(止)める. ¶ 기차가 역에서 잠시 ~ 汽車が駅で暫くとどまる. ② その場にとどまる; 居残る. ¶ 한 곳에 오래 ~ しり(尻)を据える / 현직에 ~ 現職にとどまる. ③ 泊まる; とうりゅう(逗留)する. ¶ 여관에 ~ 旅館に泊まる. ④ 停泊する; 駐車する. ¶ 배가 항구에 ~ 船が港に停泊する. 준 머물다.
머무적-거리다 자 ためらう; 渋る; ちゅうちょ(躊躇)する. ¶ 결행할 마당에 ~ 決行を前にしてためらう. 준 머뭇거리다. 머무적-머무적 부하자 もじもじ. ¶ 수줍어 ~하다 はにかんでもじもじする.
머물다 자 ↗머무르다.
머뭇-거리다 자 ↗머무적거리다. 머뭇-머뭇 부하자 もじもじ.
머스터드〔mustard〕명 マスタード; 西洋からし菜.
머슬머슬-하다 형 しっくりしない; すっきりしない; うとうと(疎疎)しい. ¶ 부모 자식간에 ~ 親子の仲がしっくりしない. 머슬머슬-히 부 よそよそしく; しっくりせず.
머슴 명 作男. 준 멈.
‖——살이 명하자 作男暮らし. 준 멈살이. ——애 명 幼い作男.
머시 감 何かの名がはっきり思い出せないときその代わりに使う語 : 何; だれ(誰). ¶ 그 ~ 말이야 その, 何〔だれ〕ね.
머신〔machine〕명 マシン. ¶ 티칭 ~ ティーチングマシン / 피칭 ~ ピッチングマシン.
머쓱-하다 형 ① いやにひょろ長い. ② 鼻白んでいる; しょげている. 머쓱-이 부 ひょろ長く; しょげて.
머위 명〖植〗ふき(蕗).
머줍다 형 薄のろだ.
머-지다 자 (風が強くて)たこ(凧)が切れる.
머츰-하다 형 (しばらく)や(止)む; ひるむ. ¶ 비가 머츰해졌다 雨がしばらくやんだ.
머큐로크롬〔mercurochrome〕명 マーキ(ュ)ロ; 赤チン.
머플러〔muffler〕명 マフラー.
먹 명 ① 墨. ② [↗먹물] 墨汁.
먹-구름 명 黒雲; こくうん. ¶ ~이 하늘을 덮고 있다 黒雲が空をおおっている.
먹-그림 명 墨絵.
먹다¹ 자 ① (耳が)遠くなる. ② 利く. ㉠ 効き目がある. ¶ 말이 잘 먹어 들어가다 話がよく効く. ㉡ (よく)切れる. ¶ 대패가 도무지 먹지 않는다 かんな(鉋)がさっぱり利かない. ㉢ (のり(糊)·染料などが)よく染み入る. ¶ 풀이 잘 ~ のりがよく利く. ③ (ひ(碾)きうす(臼)が)よくひ(碾)ける. ④ (綿繰り車が)よく繰る. ⑤ 金が掛かる. ¶ 양복 한 벌에 40만 원 ~ 洋服一着に四十万ウォンかかる. ⑥ (おしろいなどが)よく乗る; 伸びる. ¶ 잘 먹는 니스 伸びのきくニス / 분이 잘 ~ おしろいの乗りがいい.
먹다² 타 ① 食べる; 食う; は(食)む; 食らう〈俗〉. ¶ 배불리 ~ 腹一杯食べる; たらふく食う / 하루 세 끼 ~ 日に三食を取る / 놀고 ~ むだ飯を食う / 먹기도 바쁘다 食うにも事欠く / 먹느냐 먹히느냐의 싸움이었다 食うか食われるかの戦いであった. ② (酒·タバコなどを)飲む; 吸う; 喫する. ¶ 술을 ~ 酒を飲む / 담배를 ~ たばこを吸う. ③ 着服する; 横取りする. ¶ 공금을 ~ 公金を着服する. ④ (口銭·懸賞金などを)もらう. ¶ 이익의 3할을 ~ 利益の三割をもらう / 구전을 ~ 歩を取る. ⑤ 小言·悪口などを聞く. ¶ 욕을 ~ 悪口を言われる. ⑥ (気持ちを)抱く; 感ずる. ¶ 나쁜 마음을 ~ 悪心を抱く / 마음을 고쳐 ~ 心を入れかえる / 겁을 ~ 恐れる. ⑦ (年を)取る; 年寄る. ¶ 나이 먹은 사람 年取った人; 年寄り. ⑧ (暑気などに)当たる. ¶ 더위를 ~ 暑気当たりをする. ⑨ (液体などを)含む; 染み入る. ¶ 물 먹은 종이 水気を含んだ紙. ⑩ (穀物などを)刈り入れる. ¶ 두 섬 ~ 二石刈り入れる. ⑪ (禄を)取る; は(食)む. ¶ 나라의 녹을 ~ 国の禄をはむ. ⑫ 打たれる; たた(叩)かれる. ¶ 한대 ~ 一発食らう. ⑬ ☞ 먹어 대다. ⑭ (点数を)取られる.
먹다³ 보동 …してしまう. ¶ 팔아 ~ 売り払う / 잊어 ~ 忘れちゃう.
먹-도미 명〖魚〗くろだい(黒鯛). =감성돔. 준 먹돔.
먹먹-하다 형 (耳が)詰まったようだ; よく聞こえない. ¶ 귀가 먹먹해

질 정도의 폭음 耳をつんざくばかりの爆音.
먹-물 명 ① 墨汁; すみじる. ㊟ 먹. ② (墨のように)真っ黒い水. ¶ 문어의 ~ たこ(蛸)の墨.
먹-보 명 食いしん坊.
먹-빛 명 墨色; 黒色; 墨染め.
먹성 명 飲み食いの好き嫌い; 飲み食いの分量. ¶ ~이 좋군 よく食べるね.
먹-실 명 墨を染めた糸. ¶ ~을 넣다 入れ墨をする.
먹어-대다 타 ① 食いつく. ¶ 제 돈 안 드는 것이라고 막 ~ 自分のふところを痛めないものとみてやたらに食べる. ② けな(貶)す; そし(誹·謗)る.
먹음-새 명 ① 食事のたしなみ. ② かっぽう(割烹); 調理法.
먹음직-스럽다 형 おいしそうに見える. ¶ 빵이 매우 먹음직스럽군 パンがとてもうまそうだな.
먹음직-하다 형 (食べ物が)うまそうだ.
먹이 명 ① 食糧. ② え(餌); 飼料; えじき(餌食). ¶ 닭~ にわとり(鶏)のえさ / ~를 찾아 다니다 えさを漁りあるく / 범의 ~가 되다 虎のえじきになる.
먹이다 타 ① 食べさせる; 食わす; 飲ます. ¶ 찬밥을 ~ 冷や飯を食わす / 젖을 ~ お乳を飲ます. ② 飼う; 養う. ¶ 돼지를 ~ 豚を飼う. ③ わいろ(賄賂)をやる; 抱きこむ. ¶ 뇌물〔돈〕을 ~ 賄賂をやる; そで(袖)の下を使う. ④ 非難·とが(咎)を負わせる. ⑤ こわがらせる; おびえさせる. ¶ 아이에게 겁을 먹이지 마라 子供をこわがらせるな. ⑥ 暑気などに当たらせる. ⑦ (のり(糊)·染料·油などを)染み込ませる. ¶ 풀을 ~ のりをきかせる / 마룻바닥에 밀을 ~ 床にろう(蠟)を引く / 검정 물을 ~ 黒色に染める. ⑧ (げんこつなどで)打撃を与える. ¶ 주먹을 ~ パンチを食わす / 한 대 먹여 볼까 一発おみまいするか.
먹자-판 명 ① なんでも先ずは食うべきだという考え. ② 食えや飲めやの集まり; どんちゃん騒ぎ.
먹-줄 명 ① 墨糸; 墨縄. ② 墨糸で引いた線. ¶ ~ 친 듯하다《俚》墨を打ったようだ; まっすぐだ.
먹지【—紙】 명 ☞ 복사지(複寫紙).
먹-통 명《俗》ぼんくら; あほう; 間抜け; とんま.
먹-통【—桶】 명 墨つぼ(壺). =묵두(墨斗).
먹-투성이 명 墨だらけ(の物). ¶ 옷이 ~다 服が墨だらけである.
먹히다 ㊀ 피동 ① 食われる; 飲まれる. ¶ 먹느냐 먹히느냐의 싸움 食うか食われるかの戦い / 술을 마시는 게 아니라 술에 ~ 酒を飲むのでなく酒に飲まれる. ② (金が)かかる. ¶ 노임이 비싸게 ~ 労賃が高くつく / 생각보다 싸게 ~ 思ったより安上がりである. ③ (金を)取られる; 奪われる. ¶ 사기꾼에게 돈을 ~ 詐欺師に金を取られる. ㊁ 자 食べられる; 食欲が盛んになる. ¶ 밥이 잘 ご飯が進む.
먼-곳 명 遠方.
먼-길 명 遠路.
먼-나라 명 遠くの国; 遠国.
먼-눈¹ 명 めくら(盲)の目.
먼-눈² 명 遠くを眺める目; 遠目. ¶ ~이 밝다 遠目がきく. ——팔 자 ぼんやりと遠見をする.
먼-데 명 遠方; 遠い所.
먼-동 명 夜明け頃の東の方; 明け; 明け方; 暁; あけぼ (曙)〈雅〉; 朝ぼらけ〈雅〉. ——트 자 夜明けがする.
먼로-주의【—主義】〔Monroe〕명 モンロー主義.
먼-발치 명 やや離れた所. ¶ ~(에)서 선을 보다 遠目で見合いをする.
먼-빛으로 부 遠目で; 遠方から. ¶ ~ 보다 遠目で見る.
먼-산【—山】 명 遠山.
먼-일 명 遠い先の事. ¶ ~을 예측하다 未来の事を予想する.
먼저 부 先に; ま(先)ず; 前もって. ¶ ~ 갑니다〔실례합니다〕 お先に失礼します / 그가 제일 ~ 왔다 彼がまっ先にやってきた / ~ 차부터 한 잔 まずお茶を一杯 / ~ 꾸어간 돈 さきほど借りていったお金.
먼젓-번【—番】 명 先程; このあいだ; 先般. =지난번. ¶ ~에 갔을 때 このあいだ行ったとき.
먼지 명 ほこり(埃); ごみ; ちり(塵). ¶ ~ 투성이가 되었다 ほこりだらけになった / ~ 떨이 (ちり)はた(叩)き; ちり(塵)払い.
먼-촌【—寸】 명 遠縁.
먼-촌【—村】 명 ぽつんと遠く離れている村.
멀거니 부 ぼうぜん(茫然)と; ぼんやり. ¶ ~ 생각에 잠기다 ぼんやりと考えこむ.
멀겋다 형 ① 濁り気味だ. ¶ 물이 ~ 水が濁り気味だ. >말갛다. ② ひどくうすい; 水っぽい. ¶ 멀건 고깃국물 水くさい肉汁.
멀게-지다 자 ① 澄む. ② (濃度が)薄くなる. >말개지다.
멀고-멀다 형 はるかに遠い.
멀국 명《俗》汁; 吸い物; おつゆ.
멀끔-하다 형 ☞ 말끔하다. **멀끔-히** 부 ☞ 말끔히.
멀다¹ 자 目が見えなくなる. ¶ 한쪽 눈이 ~ 片目が見えなくなる / 돈에 눈이 멀어서 金に目がくら(眩)んで.
멀다² 형 遠い. ① 距離がだいぶ有る. ¶ 만리 길을 ~ 않고 万里の道を遠しとせず / 그리 멀지 않은 곳 程遠からぬ所 / 모습이 점점 멀어지다 姿がだんだん遠のく. ② (時間的に)隔たりが大きい. ¶ 먼 장래 遠い将来 / 머지 않아 봄이 온다 遠からず春が来る. ③ 血縁が近くない; 親しくない. ¶ 멀고도 가까운 것이 남녀의 사이다 遠くて近きは男女の仲である / 먼 친척간 遠縁の間柄だ. ④ (程度などが)かけ離れている. ¶ 천재라기에는 아직 ~ 天才と呼ぶには程遠い.

뚱-멀뚱 부하형 ① きょとんと. >말 말똥. ¶ ~ 쳐다보다 きょとんとして めめる. ② 汁ばかりで水くさいさ .

리 부 遠く; はる(遥)か(に). ¶ 저 보이는 섬 はるかかなた(彼方)の島 / ~서나마 성공을 빕니다 よそながら ご成功を祈ります. ——-하다 타 遠ざける; 退ける; 避ける. ¶ 사 람을 멀리하고 수군대다 人を遠ざけて 人払いして〕ひそひそ話す / 여자 를 ~하다 女〔女色〕を遠ざける. ——-뛰기 명 走り幅跳び.

미 명 ① 酔い; 吐き気. ¶ 배~ 船 酔い. ② 嫌気; いやき. ——-나다 자 嫌気がさす; 吐き気を催す. ¶ 이 제 그의 잔소리는 멀미가 난다 もう彼 の小言には嫌気がさした.

쑥-하다 형 ① (背丈などが)いやに ひょろ長い; ちゃっかりした所が ない. ② 端正だ; さっぱりしてい る; あか(垢)抜けしている. >말쑥하 다. 멀쑥-히 부 ① ひょろひょろと; 水っぽく. ② さっぱりと.

쩡-하다 형 ① 欠ける所がない; 完全だ; 無欠だ. ¶ 사지가 멀쩡한 동안은 足腰が立つ内には / 정신은 ~ 気は確かだ. >말짱하다. ② 厚 かましい; ずうずう(図図)しい. ¶ 멀 쩡한 놈 厚かましいやつ / 멀쩡한 거짓 말 まっかなうそ(嘘). 멀쩡-히 부 欠け る所なく; 厚かましく; 図図しく.

멀찌막-하다 형 ずいぶんかけ離れて いる. 멀찌막-이 부 遠目に; 遠く. ¶ ~ 앉다 いくぶん(幾分)離れて座る.

멀찍-하다 형 やや遠い; 遠目だ. 멀 찍-이 부 遠目に; やや遠く. ¶ 공을 ~ 던지다 球を遠目に投げる. 멀찍-멀찍 부하형 みながいくぶんかけ離 れているさま.

멈추다 자타 ① (雨などが)や(止)む. ¶ 비가 멈춘 사이에 雨の晴れ間に. ② (活動・働きなどを)一時中止 する; 休む; 留める. ¶ 일손을 ~ 仕事の手を休める / 발걸음을 ~ 足を留める.

멈칫 부하자타 (驚いたりして動作 を)はたと中止するさま: ぴたっ と; ぎょっと. ¶ 그를 보자 ~하였다 彼を見るなりぎくりとした. ——-거 리다 자타 もじもじする; たじろぐ. ———— 부하자타 たじろぐ〔もじもじ〕 するさま.

멋 명 ① しゃれ(洒落); いき(粋). ¶ ~내다〔부리다〕 しゃれる; めかす. ② 風流; 風雅; 趣. *멋없다・ 멋있다. ③ 物事の真味; 味; あ じわい. ¶ 시의 ~을 안다 詩の妙味 を知る.

멋-대가리 명《俗》☞ 멋. ¶ ~ 없이 키 만 큰 녀석 いやに背ばかりのびたや つ / ~ 없다 味もそっけもない.

멋-대로 부 勝手に; 気まま(儘)に. ¶ ~ 지껄이다 勝手にしゃべり立て る / 제~다 自分勝手だ; 自ままま だ / ~ 자란 아이 野育ちの子.

멋-들어지다 형 しゃれている; いかす 〈俗〉. ¶ 정말 멋들어진데 (なかなか) いかすじゃないか.

멋-모르다 자 なに(何)も知らない; 当てずっぽうだ. ¶ 밀회하는 자리에 멋모르고 끼어들다 あいびき(逢引)の場 ににべもなく立ち入る.

멋-없다 형 ① いき(粋)でない; 野暮 だ; 俗っぽい. ¶ 멋없는 사람 野暮〔無 粋〕な人 / 멋없는 넥타이 やぼなネ クタイ / 정말 멋없는 이야기로군 なん とも色気の無い話だね. 멋-없이 부 いやに; かっこう(恰好)もなく; や ぼったく. ¶ ~ 길다 いやに長い; 長 ったらしい.

멋-있다 형 ① いき(粋)だ; しゃれ(洒 落)ている. ¶ 멋있는 스타일 いきなス タイル. ② 味がある; 風雅だ; 趣 がある. ¶ 꽤 멋있는 말을 한다 なか なか味なことを言う / 멋있는 정원 趣 のある庭.

멋-쟁이 명 おしゃれ(洒落); しゃれ者; めかし屋.

멋-지다 형 ① ☞ 멋들어지다. ¶ 저 모 자 참 멋진데 あの帽子なかなかいか すね. ② すば(素晴)らしい; すてき(素 敵)だ; みごと(見事)だ. ¶ 멋진 연기 みごとな演技 / 멋진 솜씨 鮮やかな 腕前.

멋-쩍다 형 ① (する事や身なりが)格 に合わない; 野暮ったい. ② ぎこ ちない; 照れ臭い; きまりが悪い; 鼻白む. ¶ 혼자 가기는 좀 ~ 独り で(行くの)はちとばつが悪い.

멍 명 ① あざ(痣). ② 内部の故障・異常; 精神的打撃.

멍게 명〔動〕ほや(海鞘). =우렁쉥이.

멍군 명하자 (将棋で)王手をかけ られて, それに応ずる言葉. ¶ ~ 장 군《俚》どっちもひけを取らぬ意.

멍-들다 자 ① あざ(痣)ができる. ② そ こねる; いたむ; むしば(蝕)む. ¶ 동 심을 멍들게 하다 童心をむしばむ / 오늘 계획은 완전히 멍들었다 今日 のプランは台無しになった.

멍멍 부하자 犬のほ(吠・吼)える声: わんわん. ——-거리다 자 わんわんほ え(吠)る.

‖——-개 명《兒》 わんわんとほえる犬. ——-이 명《俗》犬.

멍멍-하다 형 頭がぼうっとする. ¶ 정신이 ~ 気がぼうっとなる. 멍멍-히 부 ぽかんと; ぼうっと.

멍석 명 むしろ(蓆); わらごも.

멍에 명 くびき(頸木・軛).

멍울 명 ① (牛乳やのり(糊)などの) 凝り. >망울. ②〔醫〕リンパ節しゅ (腫). ——— 부하형히부 こごりの 丸くできたさま. >망울망울. ——-서 다 자 ぐりぐりができる.

멍청-이 명 ばか; あほう(阿呆); まぬ け; 三太郎(さん).

멍청-하다 형 ばかだ; あほうだ; 間 が抜けている. ¶ 멍청한 얼굴 とぼけ た顔 / 멍청한 짓을 하다 まぬけた事 をする. 멍청-히 부 ぼやっと; ぼさ っと; ぽかんと; ぼやぼや. ¶ 뭘 ~ 있는 게야 何をぽかんとしてるんだ.

멍키〔monkey〕명〔動〕モンキー.

‖—— 스패너 명 モンキースパナ.

멍텅-구리 명 とんま; ばか者; ぼん くら; ひょうろくだま(兵六玉); でく

(木偶)の坊. ＝멍청이. ¶나를 ～로 아는가 おれをでくの坊とでも思っておるのか.

멍-하니 부 ぼうぜん(茫然)と; ぽかんと; ぼんやりと; ぽちっと. ¶기가 막혀 ～ 서 있었다 あきれてぽかんと立っていた.

멍-하다 형 ぼやっとしている; ぼんやりしている. ¶처음 당하는 일이라 머리가 ～ 初めての事なので頭がぼうっとする / 멍하게 있으면 남에게 속는다 うかうかすると人にだまされる.

멎다 자 ①(雨·雪などが)や(止)む. ¶바람이 ～ 風がやむ. ②(動いていたものが)止まる. ¶심장이 ～ 心臓が止まる / 여진이 ～ 余震が収まる.

메[1] 명 つち(槌); ハンマー.

메[2] 명 ①(さいし(祭祀)で)いはい(位牌)の前に供える飯. ②《宮》ご飯.

메- 두 穀物などのねばり気がないことの意: うる(粳). ¶～조 うるちあわ(粳粟) / ～벼 うるちいね(粳稲).

ㅁ

메가 〔mega〕 관 メガ.

‖——-사이클 의명 〔物〕 メガサイクル. —— 전자 볼트 의명 〔物〕 メガ電子ボルト《記号: MeV》. ——-톤 의명 〔物〕 メガトン. ——-헤르츠 의명 〔物〕 メガヘルツ.

메가-폰 〔megaphone〕 명 メガホン.

메갈로폴리스 〔megalopolis〕 명 メガロポリス.

메기 명 〔魚〕 なまず(鯰).

‖——-입 명 ①なまずの口. ②なまずの口に似た口. また, そのような口の人.

메기다 타 矢を弓につがえる.

메-꽃 명 〔植〕 ①ひるがお(昼顔). ②ひるがおの花.

메누엣 〔도 Menuett〕 명 〔樂〕 メヌエット.

메뉴 〔menu〕 명 メニュー; 献立.

메다[1] 一자 ふさ(塞)がる; 詰まる. ¶코멘 소리 鼻にかかった声 / 목이 ～ 息が詰まる / 구멍이 ～ 穴がふさがる. 二타 ↗메우다.

메다[2] 타 担ぐ; 担う; か(舁)く. ¶가마를 ～ かご(駕籠)を担ぐ.

메달 〔medal〕 명 メダル. ¶금～ 金メダル.

메달리스트 〔medalist〕 명 メダリスト.

메들리 〔medley〕 명 ①↗메들리 릴레이. ②〔樂〕 メドレー. ¶상송 ～ シャンソンメドレー.

‖—— 릴레이 명 メドレーリレー.

메디안 〔median〕 명 〔數〕 メジアン; 中央値. ＝중앙값.

메디컬 센터 〔Medical Center〕 명 メディカルセンター《国立医療院の前身》.

메-떡 명 うるちもち(粳餅).

메-떨어지다 형 いなか臭い; やぼ(野暮)だ. ¶메떨어진 사나이 もっさりした男.

메뚜기 명 〔蟲〕 ばった; いなご(蝗). ¶～도 유월이 한철이다《俚》ばったも六月が盛り《㉠今を時めくようにのさばる人を皮肉る言葉. ㉡盛りは短くはかな(儚)いものであることのたとえ》.

메-뜨다 형 (憎らしい程)のろくさ

메리-고-라운드 〔merry-go-round〕 メリーゴーラウンド.

메리야스 명 メリヤス.

메리 크리스마스 〔Merry Christmas〕 メリークリスマス.

메리트 〔merit〕 명 メリット.

‖—— 시스템 명 メリットシステム.

메린스 명 [←merinos] メリンス; モリン.

메-마르다 형 干からびている; 不毛だ; ギスギスしている; 薄情だ. ¶메마른 땅 や(瘦)せ地; 不毛の地 / 메마른 세상 潤いのない世情; ギスギスしている世の中.

메모 〔memo〕 명 メモ; 控え. ¶～하다 メモを取る; 控える.

‖——-판 명 メモ板.

메모랜덤 〔memorandum〕 명 メモランダム; メモ. 준 메모.

메밀 명 〔植〕 そば(蕎麦).

‖—— 가루 명 そば粉. —— 국수 명 そば切り; そば. ——-꽃 명 ①そばの花. ②波のしぶき(飛沫). ¶～ 일다 そばの花が咲く; 波しぶきが立つ. ——-묵 명 そばで作ったところてん状の食品.

메부수수-하다 형 田舎じみている あか(垢)抜けしていない; やぼ(野暮)だ. ¶메부수수한 사나이 ごつい〔もっさりした〕男.

메서디스트 교회 【—教會】 〔Methodist〕 명 〔基〕 メソジスト教会. ＝감리(監理) 교회.

메-숲지다 형 山に木がうっそう(鬱蒼)と茂っている.

메스 〔네 mes〕 명 メス. ¶～를 가하다 メスを入れる.

메스껍다 형 吐き気を催す; むかつく; むかむかする; しゃくにさわる. ＞매스껍다. ¶속이 ～ 胸がむかつく / 하는 짓이 죄다 ～ する事なす事みんなしゃくにさわる.

메슥-거리다 자 しきりに吐き気を催す; むかつく. ＞매슥거리다. ¶속이 ～ 胸がむかつく. **메슥-메슥** 부 하형 むかつくさま: むかむか. ¶말만 들어도 ～하다 聞いただけでむかむかする.

메시아 〔Messiah〕 명 〔基〕 メシア; イエスキリスト. ＝구세주(救世主).

메시지 〔message〕 명 メッセージ.

메신저 〔messenger〕 명 メッセンジャー. ¶～ 보이 メッセンジャーボーイ.

메아리 명 山びこ; こだま; エコー. ¶총성이 골짜기에 ～쳤다 銃声が谷間にこだました.

메어-꽂다 타 せおい投げにする; 強く地面にたたきつける; ほうり投げる.

메어-붙이다 타 ☞ 메어꽂다. 준 메붙이다.

메어-치다 타 肩越しに振って地面にたたきつける. ¶상대를 마룻바닥에 ～ 相手を床に投げつける. 준 메치다.

메우다[1] 타 補う; ほてん(補塡)する; うず(埋)める; ふさ(塞)ぐ. ¶시간을

우기 위하여 時間つなぎに / 구멍 ~ 穴をふさぐ〔つぶす〕/ 적자를 ~ 字を補う / 여백을 ~ 余白をうめる. ㊥메다.
우다² 타 ①(おけ(桶)などのたがを)はめる. ¶테를 ~ たがをはめる. ②弓に弦を張る. ㊥메다.
이 데이 〔May Day〕 명 メーデー.
이드 〔maid〕 명 メード.
이드 인 〔made in〕 관 メードイン. ¶~ 코리아 メードインコリア.
이저 〔major〕 명 メージャー.
‖── 리그 명 メージャーリーグ.
이커 〔maker〕 명 メーカー. ¶일류 ~ 一流メーカー.
──-품(品) 명 メーカー物.
이 퀸 〔May queen〕 명 メークィーン.
이크-업 〔make-up〕 명 メーキャップ.
인 〔main〕 관 メーン; 主要.
‖── 로드 명 メーン ロード; 幹線道路. ── 스트리트 명 メーンストリート. ── 이벤트 명 メインイベント; メーンエベント. ── 테이블 명 メーンテーブル.
일 〔mail〕 명 メール; 郵便物. ¶~ 오더 メールオーダ.
저 〔measure〕 명 メジャー; ものさし.
메조 〔이 mezzo〕 명 〖樂〗 メゾ.
‖── 소프라노 명 〖樂〗 メゾソプラノ.
메주 명 みそだまこうじ(味噌玉麴).
‖──-콩 명 みそだまこうじ用の大豆; みそ豆.
메지 명 (物事の)切れ目; くぎ(区切)り; 段落. ¶~를 짓다 くぎりを付ける. ──-나다 자 くぎりが付く. ──-내다 타 一段落つける.
메-지다 형 粘り気がない.
메-질 명하자타 つち(槌)でうつこと.
메추라기 명 〖鳥〗 うずら(鶉). ㊥메추리.
메-치다 타 ↗메어치다.
메카 〔Mecca〕 명 ①〖地〗 メッカ. ②帰依·崇拝の対象になる所.
메커니즘 〔mechanism〕 명 メカニズム.
메케-하다 형 ①煙い. ②かび臭い. >매캐하다.
메탄 〔methane〕 명 〖化〗 メタン. ¶~ 가스 メタンガス.
메탄올 〔methanol〕 명 〖化〗 メタノール. =메틸 알코올.
메탈 〔metal〕 명 メタル; 金属.
메트로 〔프 métro〕 명 メトロ.
메트로놈 〔metronome〕 명 〖樂〗 メトロノーム.
메트로-폴리스 〔metropolis〕 명 メトロポリス.
메티오닌 〔methionine〕 명 〖化〗 メチオニン.
메틸 〔methyl〕 명 〖化〗 メチル.
‖── 알코올 명 メチルアルコール.
멘델 법칙 【─法則】〔Mendel〕 명 メンデルの法則; メンデリズム.
멘셰비키 〔러 Mensheviki〕 명 メンシェビーキ. 「けい.
멘스 명 〔도 Menstruation〕 メンス; 月経
멘쓰 〔중 面子〕 명 メンツ(面子); 面目. ¶~가 서지 않다 メンツが立たない.
멘탈 〔mental〕 명 メンタル.
‖── 테스트 명 メンタルテスト. =지능 검사.
멘톨 〔menthol〕 명 〖化〗 メントール.
멘히르 〔도 Menhir〕 명 〖史〗 メンヒル. =선돌·입석(立石).
멜-대 명 てんびん(天秤)棒.
멜라닌 〔melanin〕 명 メラニン. ¶~ 색소 メラニン色素.
멜랑콜리 〔melancholy〕 명 メランコリー. =우울(증)
멜로드라마 〔melodrama〕 명 メロドラマ. 「율.
멜로디 〔melody〕 명 メロディー. =선
멜론 〔melon〕 명 〖植〗 メロン.
멜빵 명 ①物を担うとき, 両肩にかけるひも(紐). ②(肩にかけるために)小銃に付けたバンド.
멤버 〔member〕 명 メンバー. ¶구성 ~ 構成メンバー / ~가 다 모였다 顔ぶれがそろった.
‖──-십 명 メンバーシップ.
멥-새 명 〖鳥〗 ほおじろ(頰白). =멧새.
멥쌀 명 うる米; うるち(粳)(米).
멧-나물 명 山菜.
멧-돼지 명 〖動〗 いのしし(猪); やちょ(野猪).
멧-부리 명 山頂; 山のいただき.
며 조 …や; …やら; …で; …にして. ¶과자~ 주스를 샀다 菓子やジュースを買った / 배~ 사과~ 많이 먹었다 なし(梨)やらりんごやらたくさん食べた / 학자~ 시인이다 学者にして詩人である.
-며 어미 ①二つ以上の動作または状態を併せて言うときに用いる語. ¶울~ 불~ 뒤쫓아갔다 泣き泣き後を追った / 누구는 놀~ 누구는 일하느냐 だれ(誰)は遊びだれは働くのか. ②[↗-면서] ながら. ¶걸어가~ 읽어라 歩きながら読め / 앞을 보~ 가거라 前を見て歩け.
며느-님 명 人の息子の嫁を呼ぶ語: お嫁さん. ¶댁의 ~께서 お宅のお嫁さんが.
며느리 명 息子の妻. =자부(子婦). ¶~를 맞아들이다 息子に嫁を迎える〔もらう〕/ ~가 될〔되고자 하는〕 사람이 없다 息子の嫁になり手がない / ~가 미우면 손자까지 밉다《俚》 坊主憎けりゃけさ(袈裟)まで憎い.
며느리-발톱 명 ①足の小指のそばに付いている小さいつめ(爪). ②〖動〗 けづめ(蹴爪); かけづめ.
며칟-날 명 その月の或る日; 何日; いつ(何時). ¶오늘이 ~이지 今日は何日かね.
며칠 명 ①↗며칟날. ¶결혼식은 ~이냐 結婚式はいつなの. ②幾日; 数日. ¶~ 안 되어서 여름 방학이야 間もなく夏休みだよ.
멱¹ 명 ①のどくび(喉頸). ②《俗》 のど(喉·咽).
멱² 명 ↗멱서리.
멱 【冪】 명 〖數〗 べき(冪·羃).
멱-감다 명 ↗미역감다.
멱-국 명 ↗미역국.
멱-따다 자타 《俗》 のど(喉)を刺す.

ㅁ

멱-살 명 ①のど(喉)首の下の肉. ②胸ぐら. ¶ ~을 잡다 胸ぐらをつかむ. ——-들다 타 胸ぐらをつかむ.
멱-서리 명 わら(藁)で編んだ穀物入れ; ふご(畚). ㊅ 멱.
멱-차다 자 ①一杯になる; 満ちる. ②(仕事が)終わる; しめ切る. ③仕上がる; 完成する.
멱-통 명 ↗산멱통.
면【面】[1] 명 面. ①つら. ㉠顔. ¶ ~을 가리다 顔をかくす. ㉡[↗체면] メンツ. ②(剣道の)面ぼう(頰). ③表面; 表. ④〖數〗面. ¶ 선과 ~ 線と面. ⑤新聞の紙面. ¶ 사회~ 社会面. ⑥むき; 方向. ¶ 여러 ~으로 가치가 있다 多面にわたって価値がある.
면【面】[2] 명 面; 行政区画の一つ《村にあたる》. ¶ ~ 소유지 面有地.
면【綿】 명 ☞ 솜.
면【麵】 명 めん(麵). =국수.
-면 어미 …と; …たら; …ば; …なら. ¶ 자네가 가~ 환영받을 걸세 君が行くと喜ばれるぜ / 사실대로 말하~ ありのままに言えば / 일이 잘 만 되~ 事がうまく運んだら / 나이가 들~ 기억이 흐려진다 年を取ると記憶が鈍る.
면경【面鏡】 명 小型の鏡.
면계【面界】 명 面界.
면관【免官】 명하타 免官; 免職. ¶ 의원 ~ 依願免官.
면괴【面愧】 명하형스형 ☞ 면구(面灸).
면구【面灸】 명하형스형 面はゆいこと; 気恥ずかしいこと; 照れ臭いこと. ¶ 보기에도 ~스러울 만큼 부부 사이가 좋더라 はた目にも照れるほど夫婦仲が良かった.
면-나다【面—】 자 ①顔が立つ. ②角が立つ.
면내【面內】 명 面内.
면-내다【面—】 자 ①顔を立てる; 体面をつくろう. ②体裁をつくろう.
면담【面談】 명하자 面談; 面会. ¶ ~ 금지 面会禁止.
면도【面刀】 명하자타 ①ひげ(髭)をそること; シェービング. ¶ ~ 자국 そり跡. ②↗면도칼.
‖——-날 명 ①かみそりの刃. ②安全かみそりの刃. ——-질 명하자 そ(剃)ること. ——-칼 명 かみそり(剃刀). ㊅면도.
면류-관【冕旒冠】 명 べんかん(冕冠); 王冠.
면-면【面面】 명 ①面面. ㉠各方面; 諸方面. ㉡めいめい(銘銘); 各自. ¶ 중역의 ~ 重役の面面〔顔ぶれ〕. ②多くの面.
‖——-이 부 ①面ごとに. ②各自; 各人; おのおの(各各).
면면【綿綿】 명하형 綿綿. ——-히 부 綿綿と. ¶ ~ 끊이지 않는다 綿綿として絶えない.
면모【面貌】 명 めんぼう(面貌); ようぼう(容貌); 面目. ¶ ~를 일신하다 面目を一新する.
면모【綿毛】 명 綿毛. =솜털.
면목【面目】 명 面目; 体面; めんぼう(面貌); 見目. ¶ ~이 서 않다 面目が立たない; 面目まるつぶれだ / ~을 일신하다 面目を一新する. ——-없다 형 面目ない; 合わす顔がない. ——-없이 부 面目なく; 不面目に.
‖—— 부지(不知) 명 面識のないこと. ¶ ~의 사나이 見知らぬ男.
면민【面民】 명 面民.
면밀【綿密】 명하형히부 綿密. ¶ ~한 계획 綿密な計画 / ~하게 관찰하다 綿密に観察する.
면-바르다【面—】 형 表面が整っている〔なめらかだ〕.
면박【面駁】 명하타 面と向かって攻撃〔非難〕すること. ¶ ~을 주다 面と向かって非難する.
면방【綿紡】 명 [↗면방적] 綿紡.
면-방적【綿紡績】 명 綿糸紡績; 綿紡《준말》.
면-보다【面—】 자 体面をつくろう; 顔を立てる.
면복【綿服】 명 ☞ 솜옷.
면부【面部】 명 面部; 顔面.
면-비로드【綿—】〔포 veludo〕 명 綿ビロード.
면사【綿絲】 명 綿糸. =무명실.
면-사무소【面事務所】 명 面事務所. ㊅ 면소(面所).
면사-포【面紗布】 명 ①(花嫁の)ベール. ¶ ~를 쓰다 (花嫁が)ベールをかける; 結婚式を挙げる. ②花嫁が花婿の家に始めて行くとき, 全身をおおうベール. =면사보(面紗袱).
면상【面上】 명 ①顔の上. ②顔面. ¶ ~을 후려갈기다 面を張りとばす.
면상【面相】 명 面相; 人相. =용모(容貌).
면서 조 …であり(ながら); …でありまた. ¶ 그는 의사이~ 시인이다 彼は医師でありながら詩人である.
-면서 어미 …しながら; …つつ. ¶ 눈물을 흘리~ 이야기하다 涙ながらに話す / 노래하~ 걷다 歌いながら歩く.
면-서기【面書記】 명 面の書記.
면세【免稅】 명하자 免税. ¶ ~ 조치 免税措置 / ~점 免税点 / ~품 免税品.
면소【免訴】 명하타 〖法〗 免訴.
면수【面數】 명 ①物体の面. ②本のページ数. 「み.
면숙【面熟】 명하자 面熟; 顔なじ
면식【面識】 명 面識; 顔見知り; 知り合い. ¶ 일~도 없는 사람 一面識もない人.
면실【棉實】 명 綿の実.
‖——-유 명 綿実油; 綿油; コットン油.
면-싸대기【面—】 명 《俗》 面; つら構え. 「ひっ
면양【緬羊·綿羊】 명 〔動〕 綿羊; 羊
면역【免疫】 명하타 免疫. ¶ ~학 免疫学 / ~성 免疫性 / ~체 免疫体.
‖——-원(原) 명 ☞ 항원(抗原). ——

면청 명 免疫血清.
면은 어미 …したら；…ならば；…すると. ¶억울하~ 울어라 悔しかったら泣けよ / 그런 일을 하~ 못써 そんなことしてはいけないよ〔だめよ〕. * 으면은.
면장【面長】명 面長《村長に当たる》.
면적【面積】명〔數〕面積. =넓이.
면전【面前】명 面前.
면접【面接】명하자타 ①面接；対面. =면대(面對). ②↗면접 시험.
‖── 시험 명 面接試験；口頭試問；口述試験.
면제【免除】명하타 免除.
면-제품【綿製品】명 綿製品.
면죄【免罪】명하자 免罪.
‖───부 명〔史〕免罪符.
면지【面紙】명〔印〕(本の)見返し.
면직【免職】명하타 免職. ¶직무 태만으로 ~되다 職務怠慢で免職〔首〕になる / 의원 ~되었다 依願免官された.
면직【綿織】, 면직-물【綿織物】명 綿織物；綿織.
면책【免責】명하자 免責. ①責任·債務が消滅すること. ②とが(咎)めを免れること.
‖── 특권 명〔法〕免責特権. ── 행위 명〔法〕免責行為.
면책【面責】명하타 面責；面詰；面前で責めること.
면천【免賤】명하자 せんみん(賤民)を免れて平民になること.
면-치레【面─】명하자 見せかけ.
면탈【免脫】명하타 罪を免れること.
면포【綿布】명 綿布. =무명.
면-하다【免─】타 免れる. ①許される；免除される. ¶책임〔벌〕을 ~ 責任〔罰〕を免れる / 세금을 면해 주다 税をゆるす. ②逃れる. ¶체포를 ~ 逮捕を免れる. ③被らないですむ. ¶죽음을 ~ 死を免れる / 수해를 ~ 水害を免れる.
면-하다【面─】명 面する；向く；臨む. ¶바다에 면한 방 海を向いている部屋 / 위기에 ~ 危機に臨む.
면학【勉學】명하자 勉学.
면허【免許】명하타 免許.
‖───세 명 免許税. ───장 명 免許状；免許証. 준 면장(免狀).
면화【綿花·棉花】명〔植〕綿花. =목화(木花).
‖───씨 명 綿種. ──씨 기름 명 綿実油；コットン油. ── 지대 명〔地〕(米国の)コットンベルト；綿花地帯.
면회【面會】명하자타 面会. ¶~일 面会日 / ~ 사절 面会謝絶.
멸공【滅共】명하자 共産主義(者)を滅ぼすこと.
멸구 명〔蟲〕うんか(浮塵子).
멸균【滅菌】명하자타 滅菌. =살균(殺菌).
멸망【滅亡】명 滅亡. ───하다 자 滅亡する；滅びる.
멸시【蔑視】명 べっし(蔑視). ───하다 타 蔑視する；さげす(蔑)む；見下す；見下げる.
멸실【滅失】명하자 滅失.
멸족【滅族】명하자타 一門·一族を滅すること.
멸종【滅種】명하자타 種を絶やすこと.
멸치 명〔魚〕かたくちいわし(片口鰯)；かたくち(片口)《준말》；ひしこ(鯷)(いわし).
‖───젓 명 ひしこづ(漬)け.
멸칭【蔑稱】명하타 蔑称.
멸-하다【滅─】타 滅する；滅ぼす；絶やす；なくす.
명【明】명〔史〕明《中国王朝の一つ》.
명【命】명 命. ①命；寿命. =목숨. ¶~이 길다 命が長い. ②↗운명. ¶생사에는 ~이 있다 死生命あり. ③↗명령. ¶천자의 ~을 기다리다 天子の命を待つ.
명【銘】명 銘. ¶~을 새기다 銘を刻む；銘を打つ.
명【名】의명 人数を数える語：名. ¶세 ~ 三名.
명-【名】두 名. ¶~투수 名投手 / ~가수 名歌手.
명견【明見】명 ①識見の高いこと. ②賢明な意見；高見.
‖── 만리(萬里) 명하자 遠くの事や未来の事を洞察すること.
명경【明鏡】명 明鏡.
‖── 지수 명 明鏡止水. ¶~의 심경에 도달하였다 明鏡止水の心鏡に達した.
명계【冥界】명 めいかい(冥界)；めいど(冥土·冥途). =명도(冥途).
명곡【名曲】명 名曲.
명공【名工】명 名工；名匠.
명공【名公】명 名相.
‖── 거경(巨卿) 명 高官；顕官.
명과【名菓】명 名菓；名のある菓子.
명과【銘菓】명 銘菓.
명관【名官】명 優れた行政手腕で名高い役人.
명관【明官】명 善政を施す役人. ¶구관이 ~이라《俚》本木にまさるうらき(末木)なし；元のかかあ正直.
명구【名句】명 名句.
명금【鳴禽】명 めいきん(鳴禽).
명기【名技】명 [↗명연기] 名技.
명기【名妓】명 名妓.
명기【名器】명 名器.
명기【明記】명하타 明記.
명기【銘記】명하타 銘記；銘肝. ¶마음에 ~하다 肝に銘ずる.
명-나방【螟─】명〔蟲〕めいが(螟蛾).
명낭【鳴囊】명〔動〕鳴きぶくろ.
명년【明年】명 明年；来年.
명단【名單】명 名簿.
명답【名答】명 名答；りっぱな〔みごとな〕答え.
명답【明答】명 明答；はっきりした答え. ¶~을 회피하다 明答を避ける.
명당【明堂】명 ①明堂；政堂；朝廷. ②墳墓の前の平地. ③↗명당 자리①.
‖── 자리 명 ①風水学でいうすぐれた墓場. 준 명당. ②非常に

ㅁ

いい場所や地位のたとえ.
명도【明渡】[명][하타] 明け渡し. ¶ 집을 ~하다 家を明け渡す.
‖——-령(令) [명]〖法〗明け渡し命令.
명란【明卵】[명] たらこ(鱈子); すけそうだら(助宗鱈)〔めんたい(明太)〕の腹子.
‖——-젓 [명] たらこ; 明太の腹子の塩辛.
명랑【明朗】[명][하형][히부] 明朗; 朗らか.
명령【命令】[명][하타] 命令; 命; 言い渡し; 言いつけ.
‖——-권 [명] 命令権. ——-문 [명] 命令文. ——-법 [명] 命令法. ——-서 [명] 命令書. ——-조 [명] 命令調. —— 하달 [명][하자] 命令下達; 上官の命令を部下に伝達すること. ——-형 [명]〖言〗命令形.
명료【明瞭】[명][하형][히부] めいりょう(明瞭).
명리【名利】[명] 名利; 名誉と利益.
명마【名馬】[명] 名馬.
명망【名望】[명] 名望. ¶ ~이 높다 名望が高い.
‖——-가 [명] 名望家.
명맥【命脈】[명] 命脈. ¶ 적의 ~을 끊다 敵の命脈を絶つ.
명멸【明滅】[명][하자] 明滅.
명명【命名】[명][하자] 命名; 名付け.
‖——-식 [명] 命名式.
명명 백백【明明白白】[명][하형][히부] 明明白白. ¶ ~한 사실이다 明明白白たる事実である.
명모【明眸】[명] めいぼう(明眸).
‖—— 호치 [명] めいぼうこうし(明眸皓歯)《美人の形容》.
명목【名目】[명] 名目. ¶ ~뿐인 사장 名ばかりの社長.
‖—— 임금 [명] 名目賃金.
명문【名文】[명] 名文.
명문【名門】[명] 名門; 名族.
‖—— 거족(巨族) [명] すぐれた家柄と誉れ高い氏族.
명문【明文】[명] 明文. ¶ 법률에 ~이 없다 法律に明文〔条文〕がない.
‖——-화 [명][하타] 明文化.
명문【銘文】[명] 銘文.
명물【名物】[명] 名物. ¶ 그는 이 동네의 ~이다 彼はこの町の名物男である / 대구의 ~은 사과다 大邱の名物はりんごである.
명미【明媚】[명][하형] 明美. ¶ 풍광 ~한 고장 風光明美の地.
명민【明敏】[명][하형] 明敏.
명반【明礬】[명] (alum)〖化〗みょうばん(明礬). ‖——-석 [명] 明礬石. ——-수 [명] 明礬水.
명-배우【名俳優】[명] 名優.
명백【明白】[명][하형] 明白; 明らか. ——-히 [부] 明白に; 明らかに; はっきりと.
명복【冥福】[명] めいふく(冥福). ¶ 고인의 ~을 빌다 亡き人の冥福を祈る.
명부【名簿】[명] 名簿.
명부【冥府】[명]〖佛〗めいふ(冥府).
‖——-전 [명]〖佛〗冥府殿
명분【名分】[명] 名分. ¶ 대의 ~ 大義名分 / ~이 서지 않다 名分が立たない.
명-불허전【名不虛傳】[명] 名声は訳なく伝わるものではないとのこと.
명사【名士】[명] 名士.
명사【名詞】[명]〖言〗名詞.
‖——-구 [명] 名詞句. ——-절 [명] 名詞節. ——-형 [명] "-음" "-ㅁ" "-기" が付いて, 名詞のはたらきをする用言の活用形: 名詞形(《"배움·배기(=学び)", "놂·놀기(=遊び)" など》.
명사【名辭】[명] 名辞.
명사【明沙】[명] 細かくきれいな砂.
명산【名山】[명] 名山. ¶ ~ 영봉 名山霊峰.
‖—— 대찰 [명] 名山とたいさつ(大刹). —— 대천(大川) [명] 名山と大河.
명산【名産】[명] 名産; 名物.
‖——-지 [명] 名産地.
명상【名相】[명] [↗명재상] 名相.
명상【瞑想】[명][하자] めいそう(瞑想).
‖——-곡 [명]〖樂〗瞑想曲. ——-록 [명] 瞑想録.
명색【名色】[명] (ある部類に引っくるめて言う)名·名目. ¶ ~뿐인 임금 形ばかりの賃金.
명석【明晳】[명][하형] めいせき(明晰). ¶ 두뇌 ~ 頭脳明晰 / ~한 문장 明晰な文章.
명성【名聲】[명] 名声. ¶ ~을 떨치다 名声を博する.
명성【明星】[명] 明星; 金星. = 샛별.
명세【明細】[명][하형][히부] 明細.
‖——-서 [명] 明細書.
명소【名所】[명] 名所. ¶ ~ 순례 名所巡り.
명수【名手】[명] 名手. =명인(名人).
명수【名數】[명] 人数.
명수【命數】[명] ① 命数; 運命と財運.
명승【名勝】[명] 名勝. ¶ ~ 고적 名勝古跡.
‖——-지 [명] 名勝地; 勝地.
명승【名僧】[명] 名僧; 高僧.
명시【名詩】[명] 名詩.
‖——-선 [명] 名詩選.
명시【明示】[명][하타] 明示.
명실【名實】[명] 名実. ¶ ~ 공히 名実共に.
‖—— 상부(相符) [명][하자] 名実相伴うこと.
명심【銘心】[명] 銘記; 銘肝; ろうき(牢記). ——-하다 [타] 銘記する; (肝に)銘ずる.
명씨 박이다 [자] (眼病で)ひとみ(瞳)に白い点が生じて視力を失う.
명아주 [명]〖植〗あかざ(藜).
명안【名案】[명] 名案; 良案.
명암【明暗】[명] 明暗.
‖——-등 [명]〖海〗明暗灯.
명야【明夜】[명] 明夜; 明晩.
명약【名藥】[명] 名薬; 良薬.
명-약관화【明若觀火】[명][하형] 火を見るよりも明らかであること.
명언【名言】[명] 名言.
명언【明言】[명][하타] 明言. ¶ ~을 회피하다 明言を避ける.

역【名譯】명 名訳.
연【名演】명 名演.
-연기【名演技】명 名演技. 준 명(名技).
예【名譽】명 名誉；栄誉；誉れ. ¶～ 교수〔박사〕名誉教授〔博士〕/～ 시민 名誉市民/～심〔욕〕名誉心〔欲〕/～를 걸고 名誉にかけて/～를 더럽히다 名誉を汚す；名を傷つける. ——-롭다 형 名誉である；誉れが高い. ¶명예로운 전사 名誉〔栄えある戦死. ——-로이 부 名誉に. ¶～ 여기다 名誉に思う.
‖—— 총재 명 名誉総裁. —— 혁명 명 名誉革命. —— 회복 명 名誉回復. —— 훼손 명 名誉棄損.
명왕-성【冥王星】명〔天〕めいおうせい(冥王星).
명우【名優】명［↗명배우］名優.
명운【命運】명 命運. ＝운명.
명월【名月】명 名月(陰暦八月十五夜の月).
명월【明月】명 明月.
‖—— 청풍 명 明月と清風.
명유【名儒】명 名儒.
명의【名義】명 名義. ¶타인 ～ 他人名義.
‖—— 변경 명하자 名義変更. ——-인 명 名義人.
명의【名醫】명 名医.
명인【名人】명 名人.
명일【名日】명 ①節日. ②祝祭日の通称.
명일【明日】명 明日；あした. ＝내일(來日).
명일【命日】명 命日. ＝기일(忌日).
명작【名作】명 名作.
명장【名匠】명 名匠；名工.
명장【名將】명 名将.
명-재경각【命在頃刻】명 死の間際に至ること.
명-재상【名宰相】명 名相.
명저【名著】명 名著.
명절【名節】명 ①祝祭日. ②節日前後.
명정【酩酊】명 めいてい(酩酊). ——-하다 자 酩酊する；酒にひどく酔う.
명정【銘旌】명 めいせい(銘旌)；銘旗(死者の官位·姓名などを記した弔旗).
명제【命題】명하자〔論·數〕命題.
명조【明朝】¹ 명 明朝；あしたの朝.
명조【明朝】² 명 ミン(明)朝. ①明の朝廷. ②↗명조체·명조 활자.
‖——-체(體) 명 明朝(活字の書体のひとつ). 준 명조(明朝). —— 활자 명 明朝活字. 준 명조.
명주【明主】명 明主；明君.
명주【明紬】명 絹織物；絹(준말)；つむぎ(紬). ＝면주(綿紬).
‖——-실 명 絹糸；つむぎ糸.
명주【銘酒】명 銘酒.
명-줄【命—】명《俗》命；寿命.
명중【命中】명 命中；的中.
——-하다 자타 命中する〔させる〕；当たる；当てる.
‖——-탄 명 命中弾.
명징【明澄】명 明澄. ——-하다 형 明るく澄みわたっている.
명찰【名札】명 名札. ＝명패(名牌).
명찰【名刹】명 めいさつ(名刹).
명창【名唱】명 ①歌われた有名な歌. ②歌の名人.
명철【明哲】명 明哲. ——-하다 형 明哲である.
명추【明秋】명 来年の秋.
명춘【明春】명 明春；来春.
명충【螟蟲】명〔蟲〕①めいちゅう(螟虫)；ずいむし. ＝마디충. ② ☞ 명나방.
명치 명 みずおち；みぞおち.
‖——-끝 명 "명치뼈"の下の部分. ——-뼈 명 胸骨の下の剣状の突起.
명칭【名稱】명 名称；名. ＝호칭.
명-콤비【名—】명 名コンビ.
명쾌【明快】명하형 히부 明快.
명태【明太】명〔魚〕めんたい(明太)；すけそうだら(助宗鱈).
‖——-덕 명 明太を干す棚.
명토【名—】명 わざわざ指摘して述べる名前や説明など. —— 박다 타 指名する；指摘する. ¶명토 박아 말하다 指摘して言う.
명토【冥土】명〔佛〕めいど(冥土·冥途).
명-판관【名判官】명 名裁判官.
명패【名牌】명 ①名前や職名を記して机の上に置く三角状の木札. ② ☞ 명찰(名札).
명편【名篇】명 名編；すぐれた作品. ¶주옥 같은 ～ 珠玉の名編.
명품【名品】명 名品.
명필【名筆】명 名筆.
명-하다【命—】타 ①命ずる；命令する. ¶퇴장을 ～ 退場を命ずる/양심이 명하는 바에 따라서 良心の命ずる所に従って. ②任命する. ¶과장에 ～ 課長に任命する. ③命名する.
명함【名銜】명 名刺. ¶～을 내놓다 名刺を通ずる/～을 내밀다 存在を表向きに出す.
‖——-판 명〔寫〕名刺判.
명해【明解】명하타 明解.
명현【名賢】명 名賢.
명화【名花】명 名花. ¶화류계의 ～ 花柳界の名花.
명화【名畫】명 ①名画. ㉠名高い絵. ¶～ 모나리자 名画モナリザ. ㉡すぐれた映画. ¶～ 감상 名画鑑賞. ②有名な画家.
명확【明確】명하형 明確；明快. ——-히 부 明確に；はっきりと；明らかに. ¶～ 규정하다 明確に規定する.
명후-년【明後年】명 明後年；再来年. ＝내후년.
명후-일【明後日】명 明後日；あさって. ＝모레.
몇 ㊀관 名詞の前に付いて, 数量のはっきりしないことを表わす語：どれくらいかの；幾…. ¶～ 사람 幾人；いくたり/～ 년 幾年；幾とせ. ㊁수 不定の数量を表わす語：いくら；いくつ. ¶모두 ～이나 全部でいくつかね.

몇-몇 ㊀[명] 数量の少ないことを漠然という語：いくら；いくつ；若干。¶그 중 ～은 매우 작다 そのうちのいくつかは〔幾人は〕とても小さい。 ㊁[관] 名詞の前に付いて，少ない数量を漠然という語：幾；若干。¶～ 사람 若干名。
모¹ [명] 苗《特に稲の苗》。¶～를 내다 田植えをする；苗木を植える。
모² [명] かりうち(樗蒲)で，四本のかりがみな伏したときの称。
모³ [명] ①角。 ㉠ 物のとがって突き出た部分。¶～가 난 돌 とがった石。 ㉡(性格・物事が) 円滑でないこと。¶～가 없는 사람 角が取れた人。 ②〔數〕角。¶세～꼴 三角形。
모【母】[명] 母。
모【某】㊀[명] なにがし(某)。＝아무개。¶김 ～ 金なにがし／야마오카 ～ 山岡なにがし。 ㊁[관] 某；とある。¶～ 인사 某氏／～ 공장에 갔다 某工場に行った。
모⁴ [의명] 豆腐などを数える語：丁。¶두부 한 ～ 豆腐一丁。
모【毛】[수] 毛。¶1푼 2리 3～ 一分二厘三毛。
모가지 [명]《俗》首。＝목。①首根っ子；首っ玉。¶～에 매달리다 首っ玉にかじりつく。②解雇。¶～가 잘리다 首になる。
모가치 [명] 分け前；配当分。
모개로 [부] ひっくるめて；まとめて；一括して。¶～ 사면 싸다 ひっくるめて買うと安い。
모개-흥정 [명][하자] 一まとめの取り引き。
모갯-돈 [명] まとまった金；かなりの金。¶푼돈 모아 ～ 만들다 はした金を蓄えてまとまった金をつくる。
모경【暮景】[명] 暮景。
모계【母系】[명] 母系；女系。
‖── 사회 [명] 母系社会。
모계【謀計】[명][하타] 謀計。
모골【毛骨】[명] 毛骨。¶～이 송연하다 身の毛がよだつ。
모공【毛孔】[명] 毛穴。＝털구멍。
모과 [명] [←목과(木瓜)] かりん(花梨)の実。¶～수 かりんの実の甘煮。
모교【母校】[명] 母校。
모국【母國】[명] 母国；祖国。¶～ 방문 祖国訪問。
‖──어 [명] 母国語。
모국【某國】[명] 某国。
모군【募軍】[명][하자타] 募兵。
모권【母權】[명] 母権。¶～ 신장 母権伸張。
모근【毛根】[명]〔生〕毛根。
모금【募金】[명][하자] 募金。¶가두 ～ 街頭募金。
모금 [의명] (水や酒などの)ひと口に満たされる程度の分量。¶한 ～의 물 一口の水／겨우 한～ 마셨다 ほんの一口飲んだ。
모기 [명]〔蟲〕蚊。
‖──장 [명] 蚊帳。 ──향 [명] 蚊取り線香。 모깃-불 [명] 蚊やり火；蚊いぶし。 모깃-소리 [명] ①蚊の羽音。 ②蚊のなくような声；微かな声。¶～만하다 声がかすかである。
모-나다 ㊀[자] 角立つ；角張る。¶모난 얼굴 角張った顔／모난 돌이 정 맞는다《俚》出るくい(杭)は打たれる。 ㊁[형] ①角が立っている。円滑でない。¶말이 ～ 話が角立つ。③ずぬ(図抜)けている；並外れている。¶모난 행동 並外れの行動。
모나미〔프 mon ami〕[명] モナミ。
모-내기 [명][하자] 田植え；(苗の)植え付け。＝이앙(移秧)。¶～부터 추수까지 植え付けから刈り入れまで。
모-내다¹ [자] ①田植えをする。②苗を移植する。
모-내다² [타] 角が立つようにする；角張らせる；角立たせる。¶기둥을 ～ 柱を角張らせる。
모녀【母女】[명] 母と娘。
모년【某年】[명] 某年。¶～ 모월 某年某月。
모노-드라마〔monodrama〕[명]〔劇〕モノドラマ。
모노-레일〔monorail〕[명] モノレール。＝단궤 철도(單軌鐵道)。
모노-타이프〔monotype〕[명]〔印〕モノタイプ。
모놀로그〔monologue〕[명] モノローグ。＝독백(獨白)。
모눈-종이 [명] 方眼紙。
모니터〔monitor〕[명] モニター。
모닝〔morning〕[명] モーニング。
‖── 쇼 [명] モーニングショー。 ── 커피 [명] モーニングコーヒー。 ── 코트 [명] モーニング(コート)。
모다기- [두] "多くのものが一斉に押しよせて来る"の意を表わす語。¶～욕 四方八方から浴びせられる非難〔悪口〕。
모닥-불 [명] た(焚)き火。¶～을 쬐다 たき火に当たる。
모당【母堂】[명] 母堂。＝대부인。
모더니스트〔modernist〕[명] モダニスト。
모던〔modern〕[명] モダン。¶～ 아트 モダンアート／～ 댄스 モダンダンス。
‖── 걸 [부] モダンガール；モガ《준말》。 ── 발레 [명] モダンバレエ。 ── 재즈 [명] モダンジャズ。
모데라토〔이 moderato〕[명]〔樂〕モデラート。
모델〔model〕[명] モデル。¶～ 카 モデルカー／～ 소설 モデル小説。
‖── 스쿨 [명] モデルスクール。 ── 케이스 [명] モデルケース。
모독【冒瀆】[명] ぼうとく(冒瀆)。 ──하다 [타] 冒瀆する；汚す。¶신을 ～하다 神を冒瀆する。
모두 [명][부] 皆；みんな；全部；すべて。¶～ 내 탓이다 みなわたしのせいである／(무엇이든) ～ 털어놓다 何もかも〔洗いざらい〕さらけ出す／～ 반대다 ことごとく〔みんなが〕反対である。
‖──뜀 [명][하자] 一足跳び；両足をそろえてとぶこと。
모두【冒頭】[명] 冒頭；書き出し；言い出し。
‖── 진술 [명] 冒頭陳述。

드〔mode〕명 モード. ¶ ~ 잡지 モード雑誌/톱 ~ トップモード.
든 관 すべての; あらゆる; あるかぎりの. ¶ ~ 사람들 あらゆる人人; もろ(諸)人/~ 점에서 우수하다 すべての点において勝る.
들-뜨기 명 眼球がみな内側に寄った人; 内斜視の人.
듬-냄비 명 寄せなべ(鍋).
-뜨다 타 模する; まねる.
라토리엄〔moratorium〕명〔法〕モラトリアム; モラトリウム. =지급 유예·지급 연기.
락-모락 부 ① 勢いよく伸びるさま: すくすく. ¶ ~ 자라다 すくすくと伸びる. ② (湯気·煙などが)立ちのぼるさま: ゆらゆら. ¶김이 ~ 오르다 湯気がゆらゆらと立ちのぼる. <무럭무럭.
란【牡丹】명〔植〕ぼたん(牡丹).
‖——꽃 명 牡丹(の花). 「ト.
랄리스트〔프 moraliste〕명 モラリス
래 명 砂; いさご(砂)〈雅〉.
‖—— 강변(江邊) 명 (流れに沿った) 砂浜. ——땅 명 砂地. =사지(沙地). ——무지 명〔魚〕すなもぐり(砂潜). ——밭 명 沙場; 砂原. —— 사장(沙場) 명 ☞ 모래톱. —— 시계 명 砂時計. —— 장난 명 砂遊び. —— 주머니 명 砂袋. ——찜 명 砂ぶろ(風呂). ——찜-질 명하자 熱い砂で体を蒸すこと; 砂風呂に入ること. ——톱 명 砂原; 砂浜. ——흙 명 砂土.
모래-집 명〔生〕羊膜.
‖——물 명〔生〕羊水.
모랠리티〔morality〕명 モラリティ.
모략【謀略】명하타 謀略; たくら(企)み. ¶중상 ~ 中傷謀略/~에 걸리다 謀略にかかる.
모럴〔moral〕명 モラル. ¶~이 결여되어 있다 モラルに欠けている.
‖—— 센스 명 モラルセンス.
모레 명 あさって; 明後日.
모로 부 ① 斜めに; はすかいに. ¶토스트를 ~ 자르다 トーストを斜めに切る. ② 横(の方)に. ¶게가 ~ 기다 かにが横ばいをする/~ 가도 서울만 가면 된다《俚》どう行こうが都に行き着けばよい《方法はともかく目的を達すればよいとの意》.
모롱이 명 山の曲まり角.
모루 명〔工〕金敷き; 金床. =철침(鐵砧).
모르다 타 知らない. ① 分からない; 感づかない. ¶그런 줄은 조금도 모르고 そんな事とは露知らず/설마 모를테지 よもや知るまい/어찌 할 바를 ~ 途方に暮れる/추위를 모른다 寒さ知らずだ/모르는 사이에 知らず知らず(のうち)に. ② 悟らない; わきまえない. ¶분수를 ~ 身の程を知らない/예의를 차릴 줄 ~ 礼儀をわきまえない. ③ 記憶がない; 覚えがない. ¶전혀 모르겠는데요 全然記憶がありませんね. ④ 経験がない. ¶아직 여자를 ~ まだ女を知らない. ⑤ 理解できない. ¶말 뜻을 모르겠다 言葉の意味が分からない/무어가 무언지 전혀 모르겠다 何が何やらさっぱり分からない ⑥ かか(係〔関〕)わりがない; 責任を感じない. ¶난 모르겠다 おれの知ったことではない/앞으로 어떻게 되든 모른다 これからどうなろうとも構わない.
모르면 모르되 구 恐らく; 多分; 確か. ¶~ 기혼녀일 것이다 恐らく人の婦人だろう/~ 아마 허탕일 게다 恐らくむだなことだろう.
모르모트 명〔動〕"ギニアピッグ"をフランス産のマーモットと混同して誤用する語.
모르몬-교【—教】〔Mormon〕명〔宗〕モルモン教.
모르타르〔mortar〕명〔化〕モルタル. ¶시멘트 ~ セメントモルタル.
모르핀〔morphin〕명〔化·薬〕モルヒネ; モルフィン. ¶~ 중독 モルヒネ中毒.
모른-체 명하타 知らんぷり; そ知らぬ顔. ¶알고도 ~ 하다 ㉠ 知らんぷりをする. ㉡ しらばっくれる; しらを切る.
모름지기 부 すべからく; 当然. ¶학생은 ~ 공부하여야 한다 学生はすべからく勉強すべきである.
모리【謀利】명하자 不当な利益を図ること.
‖——배(輩) 명 不当な利益を図るやから.
모멘트〔moment〕명 モーメント.
모면【謀免】명하타 (知恵を働かして) 免れること. ¶전재를 ~하다 戦災を免れる.
모멸【侮蔑】명하타 ぶべつ(侮蔑); 軽べつ. ¶~하는 태도 侮蔑の態度.
모모【某某】 某某. 一대 だれそれ. =아무아무. ¶~의 신세를 지다 だれそれのお世話になる. 二관 だれそれの; とある. ¶~ 인사(人士) なにがし; だれ氏/~ 회사 あれこれの会社. ‖——인(人) 명 だれだれ(誰誰); だれがし.
모모-한【某某—】관 名のある; 有力な. ¶~ 사람들은 다 모였다 知名の士はみな集まった.
모물【毛物】명 ① 毛皮. ② 毛皮で作ったものの総称.
모반【母斑】명 ぼはん(母斑).
모반【謀反】명하자타 謀反. ¶~죄 謀反罪/~을 꾀하다 謀反を企む.
모발【毛髮】명〔生〕毛髪.
모방【模倣】명 模倣. ——하다 타 模倣する; 倣う; まねる. ¶남의 것을 ~하다 人のものをまねる/전례를 ~하다 前例に倣う.
‖—— 본능 명〔心〕模倣本能. ——자 명 模倣者.
모범【模範】명 模範; 手本. ¶~적인 청년 模範的な青年/~을 보이다 模範を示す.
‖——생 명 模範生.
모병【募兵】명하자 募兵. ¶~에 응하다 募兵に応ずる.
모브〔mob〕명 モッブ.
‖—— 신 명 モッブシーン.
모빌〔mobile〕명 モビール.
‖——유 명 モビール油; モーターオ

イル；モビール.
모사【毛絲】명 毛糸. ＝털실.
모사【模寫】명하타 模写. ¶원화의 ～ 原画の模写／성대 ～ 声帯模写.
‖――본 명 模本.
모사【謀士】명 謀士；策士.
모사【謀事】명하자 謀事；はかりごと；計略. ¶～는 재인(在人)이요 성사(成事)는 재천(在天)《俚》事を謀るは人に在り, 事の成否は天に在る.
모살【謀殺】명하타 謀殺. ¶～ 한 혐의가 짙다 謀殺の疑いが濃い.
‖―― 미수 명하자 謀殺未遂. ＝살인 미수.
모상【母喪】명 ↗모친상(母親喪).
모새 명 細かい砂.
모색【暮色】명 暮色. ¶～ 창연 暮色そうぜん(蒼然).
모색【摸索】명하타 模索. ¶암중 ～ 暗中模索.
모생-약【毛生藥】명 毛生え薬. ＝양모제.
모서【母書】명 "母書く"の意で手紙の末尾に書く語：母より.
모서리 명 ①(物の)角；端. ¶책상 ～ 机の角. ②〔數〕りょう(稜)；多面体のあい隣る二つの面の交わり.
모선【母船】명 母船；親船；本船.
모성【母性】명 母性. ¶～ 본능 母性本能.
‖――애 명 母性愛.
모세-관【毛細管】명 毛細管. ①〔生〕↗모세 혈관. ②〔物〕毛細管現象が起こる程度の細い管.
‖―― 현상 명 毛細管現象.
모-세포【母細胞】명〔生〕母細胞.
모세 혈관【毛細血管】명〔生〕毛細血管；毛細管《준말》.
모션〔motion〕명 モーション. ¶슬로 ～ スローモーション／～을 걸다 モーションを掛ける.
‖―― 픽처 명 モーションピクチュア；映画.
모소【某所】명 某所. ＝모처(某處).
모순【矛盾】명 矛盾. ¶～되다 矛盾する／～된 말 矛盾した話／～투성이다 矛盾だらけである.
‖―― 개념 명〔哲〕矛盾概念.
모스 부호【―符號】〔Morse〕명 モールス符号；トンツー.
모스크〔mosque〕명〔宗〕モスク. ＝회교 성원(回教聖院).
모슬렘〔Moslem〕명〔宗〕モスレム；ムスリム；イスラム教徒.
모슬린〔프 mousseline〕명 モスリン；メリンス.
모습 명 ようぼう(容貌)；姿；面影. ¶어머니의 ～ 母の面影／～을 감추다 姿をくらます.
모시 명 ①からむし(苧). ＝저포(苧布). ②〔植〕↗모시풀.
‖――조개 명〔貝〕あさり(浅蜊). ――풀 명〔植〕からむし(苧·苧麻)；まお(真麻·苧麻). ―― 항라(亢羅) 명 苧で織ったろ(絽).
모시【某時】명 某時；ある時〔時間〕. ¶모일 ～ 某日某時.
모시다 타 ①仕える. ¶스승으로
師として仕える；師事する／부모
～ 親に仕える；親を養う. ②す
たい(推戴)する；押し頂く；奉
る. ¶회장으로 ～ 会長に奉る.
(さいし(祭祀)·葬儀などを) 挙
る；祭る. ¶신주를 ～ 祖先のい
い(位牌)を祭る. ④案内する. ¶
님을 집으로 ～ お客を家に案内
る／모시고 가다 お供をして行く.
모식【模式】명 模式.
‖――도 명 模式図. ¶지형의 ～ 地形の模式図.
모-심기 명 田植え；植えつけ. ――하다 자 田植えをする.
모-심다 자 田植えをする. ＝모내다.
모씨【某氏】명 某氏；何某；なにがし(某).
모암【母岩】명〔鑛〕母岩.
모애【慕愛】명 愛慕. ――하다 타 愛慕する；恋慕う.
모양【模樣·貌樣】명 ①模様；様子. ㉠形；かた；格好；なりさま；よう；おしゃれ. ¶생긴 ～ なっている形／칫솔 ～의 것 歯ブラシようの物／여러 가지 ～ いろいろな形／～이 좋다 様子〔格好；形〕がいい／머리 ～을 고치다 髪を直す／송구스러운 ～ きょうこう(恐惶)の体. ㉡(物事の)成り行き；有様；事情. ¶사는 ～ 暮らしよう／이 ～으로 나가다가는 こんな様で行けば／일 돼가는 ～을 보다 事の成り行きを見る／일하는 ～을 보다 仕事の様子を見る. ㉢…ように見えること；…するようであること. ¶회사를 그만둘 ～이다 会社を辞めるもようだ／그가 형인 ～이다 彼が兄のようだ／비가 오고 있는 ～이다 雨が降っているらしい. ②体面；面目. ¶～이 아닐세 面目(丸)つぶれである. ――내다 자 めかす；しゃれる； 格好を付ける. ――사납다 형 ①不格好だ；体裁が悪い. ②目にあまって見かねる.
‖――새 명 ①形；格好；容姿. ②体面. ―― 있다 형 形〔様子〕がいい；格好が良い.
모어【母語】명 母語. ①母国語. ②ある言語が地理的または時代的に変化·発展した以前の言語.
모여-들다 자 集まって来る. ¶모여든 사람들 集まって来た人人.
모역【謀逆】명 謀逆. ――하다 자타 謀逆する；謀反をくわだてる.
모옥【茅屋】명 ぼうおく(茅屋)；あばら家.
모욕【侮辱】명하타 侮辱. ¶～적인 말투 侮辱的な言葉つき.
‖――감 명 侮辱感. ――죄 명〔法〕侮辱罪.
모우【暮雨】명 暮雨.
모운【暮雲】명 暮雲.
모월【某月】명 某月. ¶～모일 某月某日.
모유【母乳】명 母乳. ¶～로 자란 아이 母乳で育った子.

으다 타 ① 集める; 合わせる; 募る; まとめる; 集中する; 收集する. ¶ 인재〔우표〕를 ～ 人材〔郵便切手〕を集める / 눈길을 ～ 視線を集める; 人目を引く / 두 손을 ～ 手を合わせる; 手をこまね(拱)る / 의병을 ～ 義兵を募る / 중지를 ～ 衆知を集める / 의견을 하나로 ～ 意見をひとつにまとめる. ② 蓄える; ためる. ¶ 돈을 ～ 金をためる / 막대한 재산을 ～ 巨富を築く. 준 모다.

음【母音】 명〔言〕 母音. ＝홀소리.

‖── 동화(同化) 명〔言〕 母音と母音がつながる場合, 一つの母音が他の母音に同化する現象《母音調和が代表的である》. ── 조화 명〔言〕 母音調和; 母音同化の一つで, 後の音節の母音が前の音節の母音と同じくなるかまたは似た母音になる現象《"보아라·부어라·달달·촐랑촐랑"など》.

모의【模擬】 명하타 模擬.

‖── 국회 명 模擬国会. ── 선거 명 模擬選挙. ── 재판 명 模擬裁判. ──-전 명 模擬戦.

모의【謀議】 명 謀議. ──-하다 타 謀る. ¶ 공동 ～ 共同謀議 / ～에 가담하다 謀議に加わる.

모이 명 え; えさ(餌). ¶ 닭에 ～를 주다 鶏にえさをやる.

‖──-주머니 명 (鳥類の)そのう(嗉嚢). ＝멀떠구니. ──-통(桶) 명 えさおけ(桶). 모잇-그릇 명 えつぼ(餌壺).

모이다 자 ① 集まる; 集う. ¶ 한 달에 한 번 ～ 月に一度集まる / 모였다 하면 그 이야기뿐이다 寄ると触るとその話ばかりである. ② たまる. ¶ 돈이 ～ 金がたまる. 준 뫼다.

모인【某人】 명 某氏; だれがし; 何がし.

모일【某日】 명 某日. ¶ 모월 ～ 某月某日.

모임 명 集まり; 集い; 集会; 会合. ¶ 동급생 ～ 同級生の集い / ～에 나가다 会に出る.

모자【母子】 명 母子·母子. ¶ ～ 위생 母子衛生 / ～가 함께 건강하다 母子共に健康である.

‖── 가정 명 母子家庭. ──-간 명 母子の間柄. ¶ ～에 틈이 생기다 母子の間にひびが入る.

모자【帽子】 명 帽子. ¶ ～를 쓰다〔벗다〕 帽子をかぶる〔脱ぐ〕 / ～를 벗으시오 帽子をとりなさい / ～를 씌우다 帽子をかぶせる / ～를 흔들다 帽子を振る.

‖──-걸이 명 帽子掛け.

모자라다 자형 ① 足りない; 不足する. ㉠ 乏しい. ¶ 손이 ～ 人手が足りない / 식량이 ～ 食糧が乏しい. ㉡ (数量·数値に)及ばない. ¶ 백원 ～ 百ウォン足りない / 키가 모자라서 불합격되었다 身長が足りなくて不合格になった. ② 低能だ; 欠点がある. ¶ 서로 모자라는 점을 보충해서 互いに足りない所を補って / 저 녀석은 좀 모자란다 あいつはちょっと抜けている; あの男は少少おめでたい.

모자이크〔mosaic〕 명 モザイク.

‖── 글라스 명 モザイクグラス. ──-병 명〔植〕モザイク病. ── 유전 명〔生〕モザイク遺伝.

모작【模作】 명하타 模作. ¶ 그것은 외국 기계를 ～한 것이다 それは外国の機械を模作したものである.

모-잡이 명 (田植えで)苗を植え付ける人.

모정【母情】 명 母情.

모정【慕情】 명 慕情. ¶ ～을 품다 慕情をいだく.

모조【模造】 명하타 模造. ¶ ～품 模造品 / ～ 다이아몬드 模造ダイヤモンド.

‖──-지 명 模造紙. ＝백상지.

모조리 부 (ひとつも残さず)全部; 皆; ことごとく; すっかり. ¶ 죄상을 ～ 털어놓다 罪状一切を白状する / ～ 불타버렸다 あます所なく〔ことごとく〕焼かれてしまった / 계획이 ～ 틀어지다 計画が根こそぎだめになる.

모종 명하타 (稲の苗以外の)苗; 苗木. ¶ 토마토의 ～ トマトの苗 / ～을 내다 苗を植える; 移植する.

‖──-비 명 移植にころあいの雨. ──-삽 명 移植ごて(鏝). ──-순 명 苗木の幼い芽. ──-판 명 苗床.

모종【某種】 명 某種; ある種類. ¶ ～의 사건 某種の事件.

모주, 모주-꾼, 모주-망태 명 のんべえ; のんだくれ; (底抜け)上戸.

모지【某地】 명 某地; 某所.

모-지다 형 角い; 角張っている; 角立っている. ¶ 네～ 四角い / 모지게 만들다 角が立つ〔角張る〕ように作る.

모지라-지다 자 ちびる; 先がすれ切れる.

모지락-스럽다 형 乱暴で残酷だ.

모지랑-붓 명 とくひつ(禿筆); ちび筆.

모지랑-비 명 ちびたほうき(箒).

모지랑이 명 先のすり切れた物; ちびた物.

모직【毛織】 명 毛織り.

‖──-물 명 毛織り物; ウール.

모진 목숨 명 死に切れず生きながらえている(苦難の多い)命.

모진 바람 명 悪風; 暴風; 激しい風.

모질다 형 ① 残忍だ; むご(酷)い. ¶ 모진 사람 残酷〔無慈悲〕な人 / 모진 말 酷な言葉 / 모질게 굴다 むごく当たる. ② 根気がある; 粘り強い; よく耐える; がまん強い. ¶ 마음을 모질게 먹다 心を鬼にする. ③ (程度が)激しい; 厳しい. ¶ 모진 바람 激しい風 / 모진 추위 ひどい寒さ.

모집【募集】 명 募集. ──-하다 타 募集する; 募る. ¶ 현상 ～ 懸賞募集 / 학생을 ～하다 学生を募集する〔募る〕.

모-집단【母集團】 명 母集団.

모짝 부 ひっくるめて; 全部; 一斉(に). <무쩍. ¶이번 비에 배추가 ~ 떠내려갔다 今度の雨で白菜が全部流されてしまった.
모쪼록 부 何とぞ; 是非とも. =아무쪼록. ¶~ 잘 부탁합니다 何分よろしくお願い致します.
모착【帽着】 명하자 (碁で)帽子をかぶせること.
모채【募債】 명하자타 募債.
모처【某處】 명 某処〔某所〕. ¶~에서 만났다 某処で会った.
모처럼 부 ①せっかく; わざわざ. ¶~ 찾아 갔더니 없더라 わざわざ尋ねて行ったら居なかった / ~의 호기를 놓쳤다 あたら好機を逸した. ②久し振りに. ¶~의 좋은 날씨 久し振りのすばらしい天気 / ~만입니다 久し振りです.
모체【母體】 명 母体. ¶~의 안전을 도모하다 母体の安全を図る.
‖── 전염 명 母体伝染.
모충【毛蟲】 명 ①毛の生えた動物. ②毛虫.
모측【某側】 명 ある筋. ¶~에서 연행하여 갔다 その筋から連行して行った.
모친【母親】 명 母親; 母. =어머니.
‖──-상(喪) 명 母喪; 母の喪. 준 모상(母喪).
모카 커피 〔Mocha coffee〕 명 モカコーヒー; モカ《준말》.
모태【母胎】 명 母胎. ¶~ 내에서의 발육 부전 母胎内の発育不全.
모터 〔motor〕 명 モーター. ¶십마력의 ~ 十馬力のモーター.
‖──-바이크 명 モーターバイク; バイク《준말》. ──-보트 명 モーターボート. ──-사이클 명 モーターサイクル. ──-카 명 モーターカー. ── 풀 명 モータープール.
모텔 〔motel〕 명 モーテル; モテル.
모토 〔motto〕 명 モットー; 標語; 合い言葉. ¶친절을 ~로 삼다 親切をモットーとする / 서정 쇄신을 ~로 삼다 庶政刷新を合い言葉に掲げる.
모퉁이 명 曲まり角; 隅. ¶길 ~ 町角; 曲り角 / 네 ~ 四隅.
모티프 〔프 motif〕 명 モチーフ.
모-판【─板】 명 苗床; 苗代.
모포【毛布】 명 毛布; ブランケット; ケット《준말》. =담요.
모표【帽標】 명 [↗모자표] 帽章.
모피【毛皮】 명 毛皮. ¶~ 코트 毛皮のコート.
모필【毛筆】 명 毛筆.
‖──-화(畫) 명 毛筆画.
모하메드-교【─教】 〔Mohammed〕 명 マホメット教. =이슬람교.
모함【母艦】 명〔軍〕母艦.
모함【謀陷】 명하타 計略で人をおとし入れること.
모항【母港】 명 母港.
모해【謀害】 명하타 謀略で人を害すること.
모험【冒險】 명하자 冒険. ¶~을 무릅쓰다 冒険をおかす / ~을 즐기는 사람 冒険好きの人.
‖──-가 명 冒険家. ── 사업 명 冒険的事業. ──-성 명 冒険性. ──-주의 명 冒険主義.
모헤어 〔mohair〕 명 モヘア; モヘヤ.
모형【母型】 명〔印〕母型; 字母.
모형【模型】 명 模型; ひな(雛)型. ¶실물 크기의 ~ 実物大の模型.
‖──-도 명 模型図. ── 비행기 명 模型飛行機. ── 지도 명 模型地図.
모호-하다【模糊─】 형 あいまい(曖昧)だ; 分明でない. ¶대답이 ~ 返事があいまい〔あやふや〕だ.
모화【慕華】 명하자〔史〕中国の文物·思想をあが(崇)め慕うこと.
‖── 사상(思想) 명 中国の文物を崇拝する思想.
모-회사【母會社】 명〔經〕親会社.
모후【母后】 명 母后.
모훈【母訓】 명 母訓; 母の教え.
목 명 ①首. ¶~이 잘리다 首になる; 解雇される / ~에 매달리다 首にしがみつく. ②↗목구멍. ¶~을 찌르다 のど(喉)を突き刺す / ~이 마르다 のどがかわく. ③物の首に当たる部分. ¶손~ 手首 / 술병의 ~ とくり(徳利)の首. ④重要な通路の狭い出口. ¶적의 수송로의 ~을 누르다 敵の輸送路ののどを押さえる. ⑤↗목소리. ¶~이 좋다 のど〔声〕がいい.
목【木】 명 [↗목요일] 木.
목【目】 目. ㊀명 ①予算編成の単位《項の下, 節の上》. ②〔生〕生物分類の単位《綱の下, 科の上》. ¶포유강 식육~ 고양잇과 ほにゅうこう(哺乳綱)食肉目猫科. ㊁의명 碁盤の目または石を数える語. ¶백 5~승 白五目勝ち.
목-【木】 두 "木製の"·"木綿の"の意を表わす語. ¶~가스 木ガス / ~바지 木綿のズボン.
목가【牧歌】 명 牧歌. ¶~조 牧歌調 / ~적 풍경 牧歌的風景.
목각【木刻】 명하타 ①木彫; 木彫り. ¶~ 불상 木彫り仏像 / ~ 인형 木偶; でく; こけし(人形). ②↗목각화. ③↗목각 활자. ④〔美〕中国の木版画.
‖──-화(畫) 명 木版画. ── 활자 명 木版活字.
목간【沐間】 명 ①[↗목욕간] 風呂場; 浴室. ②もくよく(沐浴). ──-하다 자 入浴する; 沐浴する.
‖──-통(桶) 명 湯船; 浴槽; ふろ(風呂).
목-걸이 명 ①首巻; 襟巻. ②首飾り; ネックレース. =네크리스. ¶진주 ~ 真珠の首飾り.
목검【木劍】 명 木剣; 木刀.
목격【目擊】 명 目撃. ──-하다 타 目撃する; 実地に見る. ¶범행 현장을 ~하였다 犯行の現場を目撃した.
‖──-자 명 目撃者.
목골【木骨】 명〔建〕木骨; 骨組を木造にする方式.
목공【木工】 명 木工.
‖── 기계 명 木工機械. ── 선반

〕木工旋盤. ——-소 명 木工所.
——-품 명 木工品.
관 악기【木管樂器】명〔樂〕木管楽器.
교【木橋】명 木の橋.
-구멍 명 のど(喉). ㊟목. ¶(겨우) -에 풀칠하다 やっと口をのりする.
금【木琴】명〔樂〕木琴; シロホン.
기【木器】명 木器; 木製の器.
-기러기【木—】명〔民〕木製のがん(雁)《伝統結婚式で生きた雁の代わりに用いる》.
농【牧農】명 牧農.
-놓다 자 大声をはりあげて泣く; 泣き続ける. ¶목놓아 울다 声をはりあげて泣く.
-다리【木—】명 松葉づえ(杖). =협장(脇杖).
대-잡다 타 多くの人を使って仕事をさせる.
대-잡이 명 多くの人を使って仕事をさせる人.
목-덜미 명 襟首; 首筋; うなじ. ㊟덜미. ¶~를 잡다 えりくびをつかむ.
목도 명 差し(担い)のかつぎ棒.
‖——-꾼 명 差し担いで重い物を運搬する労働者. ——-채 명 差し担いの棒. 목돗-줄 명 差し担い用の綱.
목도【木刀】명 木刀; 木剣.
목도【目睹】명하타 もくと(目睹); 目撃. ¶현장을 ~하다 現場を目撃する.
목-도리 명 襟巻; 首巻; マフラー; ショール.
목-도장【木圖章】명 木印.
목-돈 명 まとまったお金. ¶백만 원을 ~으로 치르다 百万ウォン耳をそろえて支払う.
목동【牧童】명 牧童.
‖——-가(歌) 명 牧歌.
목-뒤 명 首の後ろの方.
목련【木蓮】명〔植〕もくれん(木蓮). ¶~ 꽃 木蓮の花.
목례【目禮】명하자 目礼; 目で会釈すること. =눈인사. ¶서로 ~를 나누다 互いに目礼を交わす.
목로【木壚】명 居酒屋の台.
‖—— 술집 명 居酒屋. =목로 주점. ㊟목롯집.
목록【目錄】명 目録; 目次; リスト. ¶재산 ~ 財産目録.
목-마르다 형 ①のどが乾く. ¶목마른 자가 우물 판다《俚》渇して井をうが(穿)つ. ②期待して止まない.
목-말 명 肩車. —— 타다 자 肩車に乗る. —— 태우다 타 肩車に乗せる.
목-매다, 목-매달다 타 首をつ(吊)る; いし(縊死)する. ¶목매달아 죽다 首をつって死ぬ.
목-메【木—】명 きづち(木槌).
목-메다 자 ①(食べ物などがつまって)のど(喉)がふさがる. ②(悲しみや感動で)のどがつまる; むせぶ. ¶목메어 울다 むせび泣く; 涙にむせぶ.
목면【木棉·木綿】명 木綿.
목목-이 부 要所要所に. ¶~ 지키다 要所要所で見張る.
목-물 명 ①首がつかるまでの深さの水. ②背中を流すこと. ——-하다 자 背中を流す. ¶~을 끼얹다 背中を流す.
목민【牧民】명 牧民. ——-하다 자 民を治める.
‖——-관(官) 명 牧民官.
목반【木盤】명 木製の四角いお盆. =목판(木板).
목-발【木—】명《俗》松葉づえ(杖). =목다리. ¶~을 짚다 松葉杖をつく.
목배【木杯】명 木杯.
목본【木本】명 木本; 木.
목부【牧夫】명 牧夫.
목-불인견【目不忍見】명 (気の毒で)見るに忍びないこと. ¶~의 참상 目も当てられない惨状.
목-비 명 田植えのときに一しきり降る雨.
목비【木碑】명 木製の碑.
목-뼈 명〔生〕けいこつ(頸骨).
목사【牧使】명〔史〕牧使; モクサ; 高麗中期以後及び朝鮮朝に観察使の下で各行政区域を治めた正三品の文官.
목사【牧師】명〔基〕牧師.
목산【目算】명 目算. =암산.
목상【木商】명 ①原木や材木·薪などの卸商. ②↗목재상.
목상【木像】명 木像.
목-상자【木箱子】명 木箱.
목석【木石】명 木石. ¶~ 같은 사람 木石みたいな人.
‖—— 간장(肝腸) 명 人情を解しない心.
목선【木船】명 木船. =나무배.
목-성【木姓】명〔民〕五行の木に属する姓《金·高·朴·劉など》.
목성【木星】명〔天〕木星.
목-세공【木細工】명 木細工.
목-세루【木—】〔네 serge〕명 綿セル.
목-소리 명 ①声; 声音; 声色. =음성. ㊟목. ¶타고 난 ~ 地声 / 작은 ~로 말하다 小声でささやく / ~를 가다듬다〔죽이다〕声をつくろう〔潜める〕/ ~가 잠기다 声がつぶれる. ②こうおん(喉音); 声門音.
목송【目送】명 目送. ——-하다 타 目送する; 目で見送る. ¶영령을 ~하다 英霊を見送る.
목수【木手】명 大工. =목공(木工). ¶서투른 ~ たたき大工.
목숨 명 命; 生命; 寿命. ¶~을 건지다 一命を取り留める; 命を拾う / ~을 잃다 命を失う; 落命する / ~을 걸다 命をかける / ~을 바치다 命を捧げる / ~이 붙어 있다 命がある / ~을 아끼다 命を惜しむ.
목-쉬다 자 (のど(喉)が)しわがれる; かれる. ¶목쉰 소리 しわがれ声.
목신【木神】명 木の鬼神.
목신【牧神】명 牧神. =목양신(牧羊神).
목-안 명 のど(喉)のなか.
목야【牧野】명 牧野.

목양【牧羊】명하자 牧羊.
‖——견 명 牧羊犬. ——자(者) 명 羊飼い.
목-양말【木洋襪】명 木綿の靴下.
목요-일【木曜日】명 木曜日; 木曜. (준)목.
목욕【沐浴】명 もくよく(沐浴); 湯あみ. ——하다 자 ふろ(風呂)に入る; 湯あみする; 沐浴する; 入浴する. ¶~값 ふろ代; 湯銭.
‖——물 명 沐浴する水; お湯. ¶~을 데우다 湯をわかす. ——실(室) 명 浴室. —— 재계 명하자 斎戒沐浴; 潔斎; 物忌み. ——탕(湯) 명 風呂場; 風呂屋; 湯屋. (준)욕탕(浴湯). ¶공중 ~ 銭湯/~ 가다 風呂にゆく. ——통(桶) 명 浴槽; 湯船; 風呂. (준)욕통.
목우【木偶】명 木偶; でく. =목인(木人).
목우【牧牛】명하자 牧牛.
목-운동【—運動】명 首の運動.
목이【木耳】명〔植〕①木に生えるきのこ(茸). ②↗목이버섯.
‖——버섯 명〔植〕きくらげ(木耳).
목인【木印】명 木印 =목도장.
목자【牧者】명 ①牧者. ②〔基〕聖職者; 牧師.
목-자르다 자타 ①首を切る. ②首にする〈俗〉; 解雇する. ¶부정 공무원을 ~ 不正役人を首にする.
목-잘리다 피동 ①首を切られる. ②《俗》首になる; 解雇される.
목-잠기다 자 のど(喉)がかれる; のどがしわがれて声が出ない.
목장【牧場】명 牧場・まきば. ¶종축 ~ 種畜牧場.
목재【木材】명 木材; 材木.
‖—— 건류 명 木材乾留. ——상 명 材木商. ——업 명 材木業. —— 펄프 명 木材パルプ.
목적【目的】명하타 目的; 目当て. ¶지참금을 ~으로 결혼하였다 持参金めあての結婚をした/~을 위한 수단 目的のための手段.
‖——격 명 目的格. ——론 명〔哲〕目的論. ——세 명 目的税. ——어 명〔言〕目的語; 客語. ——지 명 目的地; あ(当)てど(所). ¶~에 도달하다 目的地に着く/~도 없이 방황하였다 あてど(も)なくさまよった.
목전【目前】명 目前; 目の前; 目先. ¶~의 이익 目先の利益/위험이 ~에 닥쳤다 危険が目前に迫った/남의 ~에서 옷을 벗다 人の目の前で服をぬぐ.
목정【木釘】명 きくぎ(木釘). =나무못.
목-젖 명 こうがいすい(口蓋垂); のどびこ(喉彦). —— 떨어지다 자 のどをならす; ひどく食いたがる.
목제【木製】명하타 木製. ¶~품 木製品.
목-제기【木祭器】명 木製の祭器.
목조【木造】명 木造; きづくり.
‖—— 건축 명 木造建築.
목조【木彫】명 木彫; 木彫り. ¶~의 인형 木彫りの人形.

목-죽【木竹】명 木と竹.
목지【牧地】명 牧地.
목질【木質】명 木質.
‖——부 명 木質部. =목부(木部
¶식물의 ~ 植物の木部. ——
유 명 木質纖維.
목-찌르다 자 刀でのど(喉)を刺
¶목찔러 죽이다 のどをさし殺す.
목차【目次】명 目次・目録. 「
목책【木柵】명 もくさく(木柵). =
목첩【目睫】명 もくしょう(目睫).
目とまつげ(睫). ②目前. ¶~지
目睫の間/위험이 ~에 닥쳤다 危
険が目前に迫った.
목청 명 ①声を出すのど(喉)の器
官; 声帯. ②声; 声音〈雅〉.
~이 좋다 のどがいい/~을 망치다 声
をつぶす.
목초【牧草】명 牧草. ¶~지가 아주
넓다 牧草地がひどく広い.
목총【木銃】명 木銃.
목축【牧畜】명하자 牧畜.
‖——가 명 牧畜家. ——농 명 牧畜
農. —— 농업 명 牧畜農業. (준)목
농(牧農). ——업 명 牧畜業.
목측【目測】명하타 目測. ¶~ 거리
目測距離.
목침【木枕】명 きまくら(木枕); はこまくら(箱枕).
‖——돌림 명하자 まくら回し《順番に当たった人が歌や話などをする遊戯》.
목-침대【木寝臺】명 木の寝台.
목-타르【木—】〔tar〕명 木タール.
목탁【木鐸】명 ①〔佛〕木魚. ②ぼくたく(木鐸). ¶신문은 사회의 ~이다 新聞は社会の木鐸である.
목탄【木炭】명 木炭・きずみ. =숯.
‖—— 가스 명 木炭ガス. ——지 명 木炭紙. ——화 명 木炭画.
목통 명 ①のど(喉)の広さ. ②気前の良さ.
목판【木板】명 ①木製の四角いお盆. ②☞ 목판(木版).
목판【木版】명 木版. ¶~ 인쇄 木版印刷. ‖——본 명 木版本. ——화 명 木版画.
목편【木片】명 木片; 木切れ.
목표【目標】명 目標; 目当て; ねら(狙)い. ——하다 타 目標にする; 目指す; ねらう. ¶~액 目標額/공격의 ~ 攻撃の的/북극성을 ~로 나아가다 北極星を目当てに進む/~가 서다 めどが付く.
목피【木皮】명 木皮. ¶초근 ~ 草根木皮.
목하【目下】명부 目下; ただいま. ¶~ 고려중 目下考慮中/~의 정세로는 결과를 예측할 수 없다 目下〔即今〕の情勢では結果を予測できない.
목형【木型】명 木型.
목화【木化】명하자〔植〕木化.
목화【木花】명〔植〕綿.
‖——송이 명〔植〕棉花の実がわれてはみ出た綿のふさ. ——씨 명 綿の種.
목-활자【木活字】명 木製の活字.
목회【木灰】명 木灰.

명의명 分; 分け前; 割り前. 한 ~에 삼천 원 一口に三千ウォン / ~이 적다 取り分が少ない / 그 일에 한 ~ 끼다 その仕事に一口乗る / 남의 ~까지 먹다 人の分まで食べる〔取る〕.

몫-이 부 分け前ごとに. ¶ ~ 공평히 나누다 各人分を公平に分ける; 分け前を公平にする.

몬순 〔monsoon〕 명 モンスーン.
‖——-림 명〔地〕モンスーン林. —— 지대 명〔地〕モンスーン地帯.

몰【歿】 명하자 没(“歿”とも書く). =졸(卒). ¶1928년 ~ 1928年没.

몰 〔포 mogol〕 명 モール. ¶금~ 金モール.

몰 〔mol〕 명〔化〕モル.

몰- 두 まとめて; ひっくるめて; 全部. ¶~밀어내다 全部おい出す.

몰-【沒】 두 没; 無いこと. ¶~상식 没常識 / ~취미 没趣味.

몰각【沒却】 명하타 没却. ¶목적을 ~하다 目的を没却する.

몰-경위【沒涇渭】 명하형 理の弁えがないこと.

몰골 명스형 みすぼらしいかっこう; ていたらく. ¶영락한 ~ なれの果ての姿 / 이게 무슨 ~이냐 何というていたらくだ.

몰-교섭【沒交涉】 명하자 交渉のないこと; 没交渉.

몰년【沒年】 명 没年《전에는 “歿年”으로 썼음》. =졸년(卒年).

몰다 타 ①追う; 追いやる. ¶소를 ~ 牛追いやる〔駆る〕. ②人を窮地に押し込む; あお(煽)る. ¶국민을 전쟁으로 몰아 가다 国民を戦争に駆り立てる / 여세를 몰아 余勢を駆って. ③(自動車・自転車を)運転する. ¶자동차를 쏜살같이〔냅다〕 ~ 自動車をぶっ飛ばす / 자동차를 몰아 현장으로 가다 自動車を駆って現場へ行く.

몰두【沒頭】 명하자 没頭. ¶연구에 ~하고 있다 研究に没頭している / 오로지 연구에 ~하다 専ら研究に打ちこむ / 잡담에 ~하다 雑談にふける.

몰라-보다 타 ①見忘れる. ¶몰라볼 만큼 변하였다 見忘れるほど変わった. ②見違える; お見それする《겸손한 말씨》. ¶몰라보리만큼 예뻐졌다 見違える程きれいになった.

몰락【沒落】 명하자 没落. ¶~할 운명에 있다 没落の運命にある.

몰랑-거리다 자 (かき(柿)や桃などがよく熟れて)水気たっぷりに柔かくなる. <물렁거리다. **몰랑-몰랑** 부하형 水気たっぷりに柔かいさま.

몰랑-하다 형 ①(かき(柿)や桃のようなものがよく熟れて)柔かいさま. ②(性格が)柔弱だ. <물렁하다.

몰래 부 こっそり; ひそ(密)かに; 内緒で. ¶~하다 こそこそする / ~ 듣다 こっそり聞く / ~ 알려주다 内内に知らせる / 남 ~ 고민하다 人知れずに悩む.

몰려-가다 자 大勢押しかける; 押しかけて行く. ¶신혼 가정에 우르르 ~ 結婚の家庭へ押しかける.

몰려-나가다 자 群がって出て行く. ¶거리로 ~ 町へ繰り出す.

몰려-나오다 자 群がって出てくる.

몰려-다니다 자 群がって歩き回る.

몰려-들다 자 寄ってたかる; 寄り集まる; 押し寄せる. ¶몰려드는 적의 대군 押し寄せる敵の大軍 / 여럿이 우르르 ~ 大勢でどやどやと乗り込む / 아이들이 ~ 子供らが寄り集まる / 사람이 우르르 ~ わんさと人が詰めかける.

몰려-오다 자 群がって来る. ¶원군(援軍)이 ~ 援軍が群がって来る / 잇달아 ~ 続続と詰めかける.

몰리다 자 ①(一方に片寄って) 集中する. ¶인구가 도시에 ~ 人口が都市に集中する. ②(仕事に)追われる. ¶일년 내내 일에 ~ 一年中仕事に追われる. ③(罪・借金などに)追い込まれる. ¶강도죄로 ~ 強盗罪に追い込まれる〔問われる〕.

몰리브덴 〔도 Molybdän〕 명〔化〕モリブデン. =수연(水鉛).
‖——-강 명 モリブデン鋼.

몰-몰아 부 ひっくるめて; 全部で; 一括して. ¶~ 오만 원에 팔았다 全部五万ウォンで売った.

몰-밀다 타 みんな押しやる; 寄せ集めて押す.

몰-밀어 부 みんなひっくるめて; 一括して; おしなべて.

몰-박다 타 一所に打ち込む.

몰-분수【沒分數】 명하형 愚かで身のほどをわきまえないこと. =몰요량.

몰-비판【沒批判】 명하타 批判しないこと. =무비판.

몰살【沒殺】 명 皆殺し. ——-하다 타 皆殺しにする. ¶일족을 ~하다 一族を皆殺しにする.

몰-상식【沒常識】 명하형 常識のないこと; 没常識; 非常識. ¶~한 사람 没常識な人.

몰수【沒收】 명하타 没収. ¶재산을 ~하다 財産を没収する〔取りあげる〕 / 영지를 ~하다 所領を取りあげる.
‖—— 게임 명하자 没収試合.

몰식-자【沒食子】 명〔韓醫〕もっしょくし(没食子).

몰씬-거리다 자 ☞ 물씬거리다. **몰씬-몰씬** 부 ☞ 물씬물씬.

몰아【沒我】 명 没我. =무아(無我). ¶~지경 没我の境地.

몰아 부 一概に; ひっくるめて; まとめて. ¶오만 원에 ~ 사다 ひっくるめて五万ウォンで買う / ~ 받다 (分割して受けるべきものを, または多くの人が受けるべきものを一人が)まとめて受ける / ~ 사다 (色色なものをまとめて)いっぺんに買う / ~ 주다 (まとめて)一度に与える.

몰아-가다 타 ①追いたてる. ¶바람이 구름을 ~ 風が雲を追いたてる. ②のこりなくさらって行く.

몰아-내다 타 追い出す. ¶침략자를 ~ 侵略者を追い払う.

ㅁ

몰아-넣다 타 追い込む. ¶궁지로 ～ 窮地に追い込む / 막다른 곳으로 ～ 土壇場に追い込む.

몰아-대다 타 駆り立てる; 詰め寄る; 責め立てる. ¶몰이꾼이 토끼를 ～ せこ(勢子)が兎を駆り立てる / 날카롭게 ～ 鋭く詰め寄る / 꼼짝 못하게 ～ ぐうの音も出ぬほど責め立てる.

몰아-들이다 타 ① 追い立てるように入れる. ② 余すところなくさらい入れる.

몰아-붙이다 타 (一方に)寄せつける.

몰아-세우다 타 責め立てる. ¶대단한 기세로 ～ えらい剣幕で責め立てる. ㊎ 몰아세다.

몰아-오다 타 すっかり引きさらって来る.

몰아-치다 타 ① 一所にいっぺんに寄せ付ける. ② 一度に急いでする; いっぺんにかたづける.

ㅁ

몰약【沒藥】명 もつやく(没薬).

몰-염치【沒廉恥】명하형 恥知らず; 厚かましいこと. ㊎ 몰렴(沒廉).

몰-의의【沒意義】명하형 意義がないこと.

몰이 명 駆り立て; 追い立て. ——하다 타 駆り立てる; 追い立てる.
‖——-꾼 명 せこ(勢子).

몰-이해【沒理解】명하형 没理解.

몰-인격【沒人格】명하형 没人格.

몰-인정【沒人情】명하형 没人情; 薄情; 情け知らず; 非人情; 不人情. ¶～한 사람 情け知らずの人 / 그는 내가 ～하다고 말했다 彼はわたしのことを薄情だと言った.

몰입【沒入】명하자타 没入. ¶황홀경에 ～하여 갔다 恍惚の境に没入して行った.

몰-지각【沒知覺】명하형 知覚がないこと. ¶～한 행동 知覚のない行動.

몰-취미【沒趣味】명하형 没趣味.

몰캉-거리다 자 ぐじゃぐじゃする. 몰캉-몰캉 부하형 ぐじゃぐじゃ.

몰토〔이 molto〕명〘樂〙モルト.

몰-풍치【沒風致】명하형 風致〔おもむき・あじわい〕のないこと.

몰-하다【歿—】자 没する; 死ぬ.

몰후【歿後】명 没後; 死後.

몸 명 ① 身. ㉠ 体; 身体. ¶의지할 곳 없는〔사고 무친의〕～ 寄る辺のない身 / 임신한 ～ 身重のからだ / 젊은 ～으로 若い身空で / 온 ～과 마음을 다 바쳐서 身魂を投げうって / ～을 달싹도 않다 身じろぎもしない / ～을 뒤틀다 体をひねる / 강에 ～을 던지다 川に身を投げる / ～을 허락하다 肌を許す. ㉡ 身分; 立場. ¶학생의 ～으로 学生の身で / ～을 망치다 身を滅ぼす; 身を持ちくずす. ㉢ 命; 生命. ¶제 ～을 희생하여 身を捨てて. ② 胴; 胴部; 体. ③ (付属物を除いた)物の本体.

몸-가짐 명 身持ち; 身だしなみ; 態度. =거동·태도. ¶～이 얌전한 여자 身持ちのしとやかな女性 / ～ 좋다〔단정하다〕身だしなみ〔マナー〕よい.

몸-값 명 身の代(金).

몸-꼴 명 体つき. ¶～ 나다 色めく 体つきが美しくなる.

몸-나다 자 (体が)太る; 肥える.

몸-단장【—丹粧】명하자 身支度; 身じまい; 身繕い; 身ごしらえ =몸치장. ¶～에 시간이 걸리다 身支度にひまがかかる.

몸-달다 자 じ(焦)れる; やっきになる; 焦る; 焦慮する. ¶일이 뜻대로 안 되어 ～ 事が思うようにならないので身がじれる.

몸-담다 자 ① 携わる; 勤める. ¶정치에 ～ 政治に携わる / 몸담고 있는 회사 勤めている会社. ② 住む; 身を寄せる. ¶친구 집에 몸담고 있다 友人の家に身を寄せている.

몸-두다 자 身をゆだねる〔寄せる〕; 勤める. ¶몸둘 곳이 없다 寄る辺が無い; 身の置き所がない / 부끄러워 몸둘 바를 모르다 恥ずかしくて身の置き所を知らない.

몸-뚱이 명 体; 身体.

몸-매 명 みなり; 体つき; スタイル. ¶날씬한 ～ すんなり〔すらり〕とした体つき / 균형 잡힌 ～ つりあいの取れた体つき.

몸-무게 명 体重.

몸부림 명 (苦しみまたは眠っているときの)身もだえ; もが(踠)き; あが(足掻)き. ¶살려는 ～ 生きようとするあがき. ——-치다 자 身もだえする; もがく; のたうつ; あがく. ¶음독하고 ～치다 毒を飲んでのたうちまわる / 살려고 ～치다 生きようとあがく / 괴로운 나머지 ～치다 苦しみのあまり身悶え(を)する.

몸살 명 疲労から来る病気; つかれ病. ¶～이 나다 疲れから病気になる.

몸서리 명 (怖くて, または嫌がってする)身震い. ¶～가 나다 ぞっとする; 身の毛がよだつ / ～나는 광경 身の毛のよだつような光景 / 생각만 해도 ～가 난다 考えただけでもぞっとする〔身の毛がよだつ〕/ ～를 치다 ぞっとする; おぞけ(怖気)〔お(怖)じけ(気)〕立つ; (身の毛がよだつ程)嫌気がさす〔いまいましい〕.

몸소 부 自ら; ご自分で; 親しく; じきじきに. ¶～ 손을 대다 じきじきに手を下す / ～ 지도하여 주셨다 親しく指導して下さった.

몸-수색【—搜索】명하타 体を検索すること.

몸-시계【—時計】명 懐中時計.

몸져-눕다 자 病気で寝つく〔倒れる〕. ¶과로로 ～ 過労で倒れる.

몸-조리【—調理】명하자 養生; 摂生; 保養. ¶그저 ～가 제일이다 ひとえに養生が大切である.

몸-조심【—操心】명하자 ① 体を大切にすること. ② 言行を慎むこと.

몸종 명 小間使い.

몸-집 명 たいく(体軀); 体格; な

; 柄; からだつき. ¶ ~이 큰 아이 の大きい子 / 토실토실한 ~ 丸丸としたからだつき.

짓 명하자 身振り. ¶ 과장된 ~ 大げさ〔ぎょうさん〕な身振り / ~ 손짓 振り手振り.

-차림 명하자 ☞ 몸치장. ¶ ~에 무-심한 사람 身なりにむとんじゃく無頓着)な人.

-채 명 母屋; 本館.

-치장【—治粧】명하자 身なり; 装い; 身繕い. ＝몸단장·몸차림. ¶ ~하고 손님을 맞다 身繕いをしてお客をむかえる / ~을 하고 외출하다 身じまいをして出かける.

-통 명 胴体; くかん(軀幹). ＝동부(胴部). ¶ ~ 운동 胴体運動 / ~ 둘레 胴回り.

-풀다 자 ① ぶんべん(分娩)する. ＝ 해산하다. ② くつろぐ.

-피 명 ① 胴回りの太さ. ② 弓身の太さ.

시 부 ひどく; たいへん(大変); たいそう(大層); 非常に; 嫌に. ¶ ~ 더운 날이다 ひどく暑い日である / ~ 춥다 ばかに寒い / ~ 화가 났다 無性に腹が立った / ~ 취하다 したたかに酔う / ~ 재미있다 大変おもしろい.

몹쓸 관 悪い; 良くない. ¶ ~ 놈들 ひどいやつ(奴)ら / ~ 짓 悪行; 悪事.

못[1] 명 くぎ(釘). ¶ ~을 박다 くぎを打つ / ~ 박인 듯이 그 자리에 멈춰 섰다 くぎづけにされたようにその場にたたずんだ.

못[2] 명 たこ(胼胝). ¶ 귀에 ~이 박히도록 듣다 耳にたこができるほど聞く.

못[3] 명 池; ふち(淵). ¶ ~가 池のほとり / ~에서 잉어가 논다 池でこい(鯉)が泳ぐ.

못[4] 부 動詞の前や後に付いて"不可能·制止·よく出来ない"意を表わす語. ¶ ~ 간다 行かれない; 行ってはいけない / ~ 쓰게 만들다 使えなく〔使えないように〕する / ~ 그린 그림 よく出来ていない〔まずい〕絵 / ~생긴 얼굴 醜い〔まずい〕顔.

못-걸이 명 掛けかぎ.

못-나다 형 醜い; 足りない; 不出来だ; 出来ばえが悪い; まずい. ¶ 못난 얼굴 まずい面; 不細工な顔; 不器量な顔立ち / 못난 녀석 같으니라고 愚かなやつめ / 못난 소리 하지 마 弱音を吐くな; ばかなことを言うな.

못난-이 명 愚か者; 愚者; ぼんやり; できそこない; 足りない人.

못내 부 (忘れずに)いつまでも; あきらめ切れずに. ¶ ~ 그리워하다 いつまでも慕ってやまない / ~ 아쉬워하다 いつまでも名残を惜しむ.

못-대가리 명 くぎ(釘)の頭.

못-되다 형 ① (まだ)達していない; 足りない; なっていない. ¶ 일년도 못 되었다 一年にもなっていない / 한 되가 ~ 一升に足りない / 웃을 일이 ~ 笑い事ではない. ② (人が)悪い; あくどい; なっていない. ¶ 못된 녀석 なって(い)ないやつ.

못마땅-하다 형 気にくわない; 不満だ; 心〔気〕に染まない. ¶ 아주 못마땅한 얼굴을 하다 苦虫をかみつぶしたような顔をする. 못마땅-히 부 不満に. ¶ ~ 여기다 不満に思う.

못-박다 자 ① (ものに)くぎ(釘)を打つ. ② 傷心させる. ¶ 여인의 가슴에 못을 박은 사나이 女の心をいためた男. ③ 念〔だめ〕を押す; くぎを打つ〔刺す〕.

못-뽑이 명 釘抜き.

못-생기다 자 醜い; 不器量だ. ¶ 못생긴 여자 醜い女 / 못생긴 얼굴 まずい面.

못-자리 명하자 ① 苗代. ＝묘판(苗板). ¶ ~를 준비할 철 苗代時. ② 田にもみをま(播)くこと.

못-주다 자 くぎ(釘)づけにする.

못-줄 명 間縄.

못지 않다 형 [↗못하지 아니하다] 劣らない; そんしょく(遜色)ない. ¶ 남 못지 않은 성적 人に劣らぬ成績.

못-질 명하자 くぎ(釘)打ち; くぎを打つこと. ¶ 벽에 ~하다 壁にくぎを打ち込む.

못-하다 ㊀ 타 出来ない; なし得ない. ¶ 인사 하나 ~ あいさつひとつ出来ない / 말도 ~ 口もきけない. ㊁ 보동 動詞の語尾"-지"の下に付いて否定をあらわす語. ¶ 가지 ~ 行かれない; 行くことが出来ない / 뛰지 ~ 走れない. ㊂ 형 劣る; 及ばない. ¶ 아들만 ~ 息子に劣る / 형만 ~ 兄に及ばない. ㊃ 보형 形容詞の語尾"-지"の下に付いて否定をあらわす語. ¶ 맑지 ~ 清くない / 좋지 ~ よくない.

몽고【蒙古】명〖地〗蒙古. ‖——말 명〖動〗蒙古馬. ——문자 명 蒙古文字. ——어 명 蒙古語. ——인 명 蒙古人. —— 인종 명 蒙古人種. ＝몽고족. ——족 명 蒙古族. ——풍 ① 명 蒙古風《蒙古のゴビ沙漠から満洲·中国の北方に吹く風》. ② 蒙古式.

몽골〔Mongol〕명〖地〗モンゴル; もうこ(蒙古).

몽그작-거리다 자타 ぐずつく; ぐずぐずする; ためらう. <뭉그적거리다. ㊜ 몽긋거리다. 몽그작-몽그작 부하자타 ぐずぐず; のろのろ.

몽글몽글-하다 형 柔らかくて滑っこい; ぬるぬるしている.

몽긋-거리다 자타 ↗몽그작거리다. <뭉긋거리다. 몽긋-몽긋 부 ぐずぐず; もじもじ; のろのろ.

몽니 명 意地悪; 陰険でよこしま(邪)に欲ばる性格. ㊜ 몽. ——궂다 형 意地悪だ; 陰険で欲深い. ——부리다 자 意地悪(を)する; よこしまに欲ばる. ㊜ 몽부리다. ——사납다 형 とても意地悪だ; ひどく陰険で欲ばりだ.

몽달-귀【—鬼】, 몽달 귀신【—鬼神】명 チョンガー〔未婚の男〕の亡霊.

몽당-붓 명 ちび(禿)筆; とくひつ(禿筆).

몽당-비 명 ちびたほうき(箒); 擦り

切れたほうき.
몽당-치마 명 ひどく短いチマ; つんつるてんのチマ.
몽둥이 명 棒; こん(棍)棒.
‖——맛 명 いやという程こん棒で打たれた体験. 몽둥잇-바람 명 いやという程打ち続けるこん棒の勢い. — 세례(洗禮) 명하타 こん棒でさんざん打つこと. ——찜(질) 명 하타 こん棒でさんざん打つこと.
몽따다 자 しらば(っ)くれる; 白を切る; そしらぬふりをする.
몽땅 부 ①全部; すべて; みんな; ねこそぎ; すっかり. ¶～ 도둑 맞다 すっかりぬすまれる / ～ 먹어 치우다 すっかり食べつくす / 몸에 걸친 것까지 ～ 털리다 身ぐるみはがれる. ②部厚いものを一気に切るさま: ずばり; ばっさり. <뭉떵. ㅆ몽탕. ——— 부 すぱりすぱり; ずばりずばり; すぱすぱ. ¶～ 자르다 すぱすぱと切る.
몽롱【朦朧】 명하형 もうろう(朦朧). ¶취안 ～ 酔眼もうろう / 기억이 ～하다 記憶がもうろうとしている.
몽리【蒙利】 명하자 利益を得ること.
몽매【蒙昧】 명하형 もうまい(蒙昧). ¶무지 ～ 無知蒙昧.
몽매【夢寐】 명 むび(夢寐); 夢を見ること. ¶그는 ～에도 잊을 수 없다 彼のことは夢寐にも忘れられない.
‖——간(間) 명 夢見る間. ¶～에도 잊지 못할 그대 夢にも忘れ得ぬそなた.
몽상【夢想】 명하타 夢想. ¶～가 夢想家; ユートピアン.
몽실-몽실 부하형히부 まるまる太って柔らかい感じのするさま: まるまる; ぽっちゃり; ぼってり. <뭉실뭉실.
몽우리 명 つぼみ(蕾). =망울·꽃망울.
몽유【夢遊】 명하자 夢のなかにさまようこと; 夢見る気持で遊覧すること.
‖——병 명 夢遊病; 夢遊症.
몽정【夢精】 명하자 夢精. =몽설(夢泄).
몽중【夢中】 명 夢中.
‖——몽(夢) 명 この世のはかなさをたとえる語.
몽진【蒙塵】 명하자 もうじん(蒙塵); 王が乱を避けて都から逃げ出すこと.
몽치 명 短くて固いこん棒.
몽클몽클-하다 명 ☞ 뭉클뭉클하다.
몽클-하다 형 ☞ 뭉클하다.
몽타주 〔프 montage〕 명 モンタージュ. ¶～ 사진 명 モンタージュ写真.
몽탕 부 ①全部; すっかり. ②部厚っく切るさま. ㅆ몽땅. ——— 부 ばっさりばっさり; すぱりすぱり.
몽태-치다 타 かす(掠)め取る; 窃取する.
몽혼【曚昏】 명하자 麻酔.
‖——약(藥) 명 ☞ 마취약.
몽환【夢幻】 명 夢幻.
‖——곡(曲) 명 夜想曲; ノクターン.
뫼 명 お墓.

뫼비우스의 띠 〔Möbius〕 명〘數〙メー ウスの帯.
뫼-쓰다 자 墓地に埋葬する; 墓 を設ける.
묏-자리 명 墓を立てるべき場所.
묘【妙】 명하형 妙. ¶조화의 ～ 造 の妙 / 용병의 ～를 얻다 用兵の を得る.
묘【墓】 명 (お)墓; 塚. =뫼. ～지기 墓守り.
묘【廟】 명 [↗종묘(宗廟)·문묘(文廟 びょう(廟).
묘계【妙計】 명 妙計; 妙策. ～를 짜내다 妙計を案じる.
묘구【妙句】 명 妙句.
묘기【妙技】 명 妙技; ファイン レー; 離れ技. ¶～를 부리다 妙技 ふるう.
묘당【廟堂】 명〘史〙①そうびょう(廟). ②びょうどう(廟堂); 朝廷 ③"議政府"の別称.
묘령【妙齢】 명 妙齢; (女の)年ごろ. ¶～의 여인 妙齢の女性.
묘리【妙理】 명 妙理.
묘막【墓幕】 명 (昔, 親の喪に服するため)墓の近くに建てた小屋.
묘명【墓銘】 명 ↗묘지명(墓誌銘).
묘목【苗木】 명 苗; 苗木. =나무 모. ¶～을 심다 苗木を植える.
묘미【妙味】 명 妙味; だいごみ(醍 醐味). ¶낚시의 ～ 釣りの醍醐味 / 이 문체에는 뭐라 말할 수 없는 ～가 있다 この文体には何とも言えぬ妙味が ある.
묘법【妙法】 명 妙法.
묘비【墓碑】 명 ぼひ(墓碑); 墓石. ¶～를 세우다 墓碑を立てる.
‖——명 명 墓碑銘.
묘사【描寫】 명 描写. ——하다 타 描写する; 描く. ¶심리 ～ 心理描写 / 생생한 ～ 生生しい描写.
‖——체 명 描写体.
묘상【苗床】 명 苗床. ①苗を育てる場所. ② ☞ 못자리.
묘생【卯生】 명 う(卯)の年生まれ.
묘석【墓石】 명 墓石. =묘비(墓碑).
묘성【昴星】 명〘天〙すばる(昴). =좀생이. 준 묘(昴).
묘소【妙所】 명 妙所.
묘소【墓所】 명 墓所; 墓場.
묘수【妙手】 명 妙手. ¶바둑에서 ～를 두다 囲碁で妙手を打つ.
묘술【妙術】 명 妙術.
묘시【卯時】 명 う(卯); 卯の刻. 준 묘(卯).
묘안【妙案】 명 妙案. ¶～이 떠오르다 妙案が浮かぶ.
묘약【妙藥】 명 妙薬. ¶두통의 ～ 頭痛の妙薬.
묘역【墓域】 명 墓域.
묘연【杳然】 명하형히부 ①ようぜん(杳然); はる(遥)かに遠いさま. ②久しいあまり記憶がうすれてはっきりしないこと. ③行方が知れないこと. ¶행방이 ～하다 行方が分からない.
묘의【廟議】 명 びょうぎ(廟議); 朝廷の会議.
묘일【卯日】 명 う(卯)の日.

묘전【墓前】명 墓前. ¶꽃을 ~에 바치다 花を墓前に供える.
묘제【墓祭】명 墓祭; おはかまつり.
묘족【苗族】명 苗族·ミャオ.
묘주【墓主】명 お墓の主.
묘지【墓地】명 墓地; 墓場. ¶~에 매장하였다 墓地に埋葬した.
묘지【墓誌】명 墓誌.
‖——-명 명 墓誌銘. ㊄묘명(墓銘).
묘-지기【墓—】명 墓守り. =묘직(墓直).
묘책【妙策】명 妙策; 妙計. ¶~을 짜내다 妙策を案ずる/인플레이션 방지의 ~ インフレ防止の妙策.
묘체【妙諦】명 みょうてい(妙諦)《바르게는 "みょうたい"》; すぐれた真理. ¶정치의 ~를 극하다 政治の妙諦を極める.
묘판【苗板】명 ① 苗代. ② 苗床.
묘포【苗圃】명 びょうほ(苗圃); 苗木を育てる畑.
묘표【墓標】명 墓標; はかじるし.
묘-하다【妙—】형 妙だ. ① すぐれて巧みである. ② おかしい; 変だ; 不思議だ; ふ(腑)に落ちない. ¶묘한 일 妙な事; 異なこと/묘한 사나이 けったい〔奇妙〕な男/묘한 사이가 되다 へんな仲になる.
묘혈【墓穴】명 墓穴·はか. ¶스스로 ~을 파다 みずから墓穴を掘る.
무 명〔植〕大根. ¶~를 채치다 大根を千切りにする/~를 잘게 썰다 大根を小刻みにきざむ.
무【武】명 武. ¶~를 닦다 武を練る.
무【無】명 無. ¶~에서 유를 낳다 無から〔より〕有を生ずる/~로 돌아가다 無に帰する.
무-【無】두 無; 無いの意. ¶~관심 無関心/~일푼 無一文.
무가【武家】명 武家; 武門.
무가-내【無可奈】, 무가-내하【無可奈何】명 どうすることもできなくなること; 施すすべ(術)がなくなること; お手上げになること. =막가내하(莫可奈何). ¶막~로 받아 들이지 않다 頑として受け入れない.
무-가치【無價値】명하형 無価値.
무간【無間】명하형히부 へだたりなく親しいこと. ¶나와는 ~한 사이다 私とは親しい間柄である.
‖—— 지옥 명〔佛〕無間地獄.
무-감각【無感覺】명하형 無感覚. ¶고통에 대해서 ~하다 苦痛に無感覚である.
무-감사【無鑑査】명 無鑑査. ¶~ 작품 無鑑査作品.
무감 지진【無感地震】명〔地〕無感地震「むかんじしん.
무강【無疆】명하형 限りがないこと; 果てしがないこと. ¶만수(萬壽) ~ 寿命が果てしなく長いこと.
무개 화차【無蓋貨車】명 むがい(無蓋)貨車.
무거리 명 ふる(篩)いかす(粕).
무겁다 형 重い. ① 目方が多い. ¶무거운 짐 重荷/쇠는 물보다 ~ 鉄は水より重い. ② 言行が慎重だ. ¶입이 ~ 口が重い. ③ 責任などが重大だ. ¶책임이 ~ 責任が重い. ④(病気·罪が)甚だしい. ¶머리가 납처럼 ~ 頭が鉛のように重い/무거운 죄 重い罪 ⑤(気持ちが)晴れ晴れしない; 浮かない. ¶마음이 ~ 心が重苦しい.
무겁디-무겁다 형 重重しい; とても重い.
무게 명 重さ; 重み. ① 目方; 重量. ¶~를 달다 目方を計る/엄청난 ~다 とてつもない重さだ. ② 言行の沈着性の程度. ¶~ 있는 언행 重みのある言行/~ 있는 사람이다 重みのある人である. ③ 価値や重大性の程度. ¶~ 있는 기사〔작품〕重みのある記事〔作品〕.
‖—— 중심(中心) 명 重心.
무결【無缺】명 無欠. ¶완전 ~ 完全無欠.
무-결석【無缺席】명 無欠席. ¶무지각 ~ 無遅刻無欠席.
무-경위【無涇渭】명하형 むちゃ; 是非の区別が無いこと; 理窟に合わないこと. =몰경위(沒涇渭).
무-계획【無計劃】명하형 無計画.
무고【無故】명하형히부 ① 何らの変わりがないこと. ② 事故が無く平穏であること. =무사(無事). ¶그간 댁내 제절(諸節)이 ~하온지 その間お宅の皆様にはお変わりございませんでしょうか.
무고【無辜】명하형 むこ(無辜); 罪のないこと. ¶~한 백성 無辜の民.
무고【誣告】명하타 ぶこく(誣告).
‖——-죄 명〔法〕誣告罪.
무곡【舞曲】명 舞曲.
무골【無骨】명 無骨.
‖——-충(蟲) 명 ① 骨のない虫けらの総称. ② 骨無し; くらげ. —— 호인(好人) 명 底抜けのお人よし; 善良な人; おめでたい人.
무공【武功】명 武功. =무훈(武勳). ¶~을 세우다 武功を立てる.
‖—— 훈장 명 武功勲章.
무공【無功】명하형 無功.
무과【武科】명〔史〕武科《朝鮮朝で武芸と兵書に通じている人を選抜した科挙》.
무관【武官】명 武官.
무관【無官】명하형 無官; 官職のないこと. ¶무위 ~ 無位無官.
무관【無冠】명 無冠; 無位.
‖——-의 제왕 명 無冠の帝王; 言論人.
무관【無關】, 무-관계【無關係】명 無関係. ——-하다 형 無関係だ; かか(係)わりがない. ¶이것과는 ~한 일이다 これとは無関係の〔な〕事である.
무-관심【無關心】명하형 無関心; むとんじゃく(無頓着). ¶정치에 ~한 사람 政治に無関心な人/옷차림에 ~한 사람 身なりに無頓着な人/~을 가장하다 無関心を装う.
무교회-주의【無敎會主義】명 無教会主義.
무구【武具】명 武具.
무구【無垢】명하형 むく(無垢). ¶청정 ~ 清浄無垢.
무-국적【無國籍】명 無国籍. ¶

～자 無国籍者.

무궁【無窮】 명 하형 無窮；無限. ¶귀사의 ～한 번영을 기원합니다 貴社の絶え間ざるご繁盛をお祈り致します.

‖── 무진 명 하형 히부 無窮無尽；限りのないさま. ──-화(花) 명 むくげ(木槿)(の花). ──화-나무 명〔植〕むくげ. ──화 동산 명 韓国の美称.

무-궤도【無軌道】 명 하형 無軌道. ①軌道がないこと；無軌条. ¶～전차 無軌道電車；トロリーバス. ②非常識. ¶～한 행동〔생활〕無軌道な行動〔生活〕.

무균【無菌】 명 無菌. ¶～실 無菌室.

무극【無極】 명 하형 無極.

무근【無根】 명 無根. ──-하다 형 無根だ；根も葉もない. ¶사실 ～이다 事実無根である.

무급【無給】 명 無給. ¶～보조원 無給副手.

무기【武器】 명 武器；兵器. ¶～를 지니고 있다 武器を持っている／～없이 두 사람을 상대하여 싸우다 丸腰で二人を相手に戦う.

‖──-고 명 武器庫.

무기【無期】 명 [↗무기한] 無期.

‖── 연기 명 無期延期. ── 징역 명 無期懲役. ──-형 명 無期刑；終身刑.

무기【無機】 명 無機. ①生活力をもっていないこと. ②↗무기 화학. ③↗무기 화합물.

‖──-물 명 無機物. ──-산 명 無機酸. ── 염류 명 無機塩類. ──-질 명 無機質. ＝무기물(無機物). ¶～비료 無機質肥料. ── 화학 명 無機化学. ── 화합물 명 無機化合物.

무기【舞妓】 명 舞子；舞姫.

무-기력【無氣力】 명 하형 無気力. ¶～해지다 無気力になる.

무-기명【無記名】 명 無記名.

‖── 예금 명 無記名預金. ── 증권 명〔經〕無記名証券. ── 투표 명 無記名投票.

무-기한【無期限】 명 無期限. ¶～파업 無期限スト. 준 무기(無期).

무기 호흡【無氣呼吸】 명〔生〕無気呼吸.

무꾸리 명 하자 みこ(巫女)または盲目の占い師などに吉凶を占ってもらうこと.

무난【無難】 명 하형 ①無難；取り立てて非難される点がないこと；当たり障りのないこと. ¶～한 인선 無難な人選／이거면 우선은 ～하다 これならまず無難である. ②難のないこと；たやすいこと. ──-히 부 無難に；難なく；たやすく；楽に. ¶～이기다 楽に勝つ.

무남【無男】 명 ①男の子がないこと. ②男がいないこと.

‖── 독녀(獨女) 명 息子のない家の独り娘.

무너-뜨리다 타 ①(取り)崩す；崩壊させる；取り壊す. ¶적진의 일각을 ～ 敵陣の一角を崩す／타… 둑을 ～ 濁流が堤を突き破… ②倒す. ¶조직을 ～ 組織を倒…

무너-지다 자 崩れる；倒れる. ¶…이 ～ 壁が崩れる／방죽이 ～ 堤…切れる／적군은 무너지기 시작했다 …軍は崩れ立った.

무녀【巫女】 명 みこ(巫子·巫女). ＝…당.

무념【無念】 명 하형〔佛〕無念.

‖── 무상 명 하형〔佛〕無念無想.

무-논 명 田；水田.

무능【無能】 명 하형 無能. ¶～한 …람 無能な人〔者〕；能無し／당국…～을 공격하다 当局の無能を攻…撃する.

무-능력【無能力】 명 無能力.

‖──-자 명 無能力者.

무늬 명 模様；文様〔紋様〕；図…；図柄；しま(縞)；あや(綾). ¶…～ 花模様／화려한 ～ 派手な柄／…은 바탕에 흰 국화 ～가 있다 紅地…白菊の模様がある. ──-놓다 자…模様を描いたりししゅう(刺繍)を…る；形を置く；模様を付ける.

무단【武斷】 명 武断.

‖── 정치 명 하자 武断政治.

무단【無斷】 명 하형 히부 無断；断…りがないこと. ¶～ 외출〔결근〕無断外出〔欠勤〕／～ 출입 無断出入り.

무-담보【無擔保】 명 하자 無担保.

무당【巫─】 명 みこ(巫子·巫女)；市子. ¶신령이 ～에게 지폈다 神霊がみこに乗り移った.

무대 명 ①馬鹿者；のろま. ②こっぱい(骨牌)などのとばく(賭博)で札の合計点が十または二十になり零点とされること.

무대【舞臺】 명 舞台. ¶첫 ～를 밟다 初舞台をふむ／외교 ～에서 활약하다 外交の舞台で活躍する.

‖── 감독 명 舞台監督. ── 예술 명 舞台芸術. ── 의상 명 舞台衣裳. ── 장치 명 舞台装置. ── 조명 명 舞台照明. ── 효과 명 舞台効果.

무더기 명 (うずたかく積み重ねたもの)山；たいせき(堆積). ¶시체의 ～ 死体の山／한 ～ 오천원 一山五千ウォン／희망자는 ～로 있다 希望者はわんさ(と)いる.

무더기-무더기 ㊀ 명 山と積まれた物の一つ一つ. ㊁ 부 (積み重ねた物が)あちこち山をなしているさま. 준 무덕무덕.

무-더위 명 蒸し暑さ；暑気.

무던-하다 형 (人柄·程度などが)程よい；無難だ；難がない. ¶무던한 인선이었다 無難な人選であった. 무던-히 부 ①無難に；差し障りなく. ②よほど；かなり. ¶～ 사람의 애를 먹이다 かなりてこずらせる.

무덤 명 お墓；墳墓；塚. ¶연고자 없는 ～ 無縁墓地／～을 파헤치다 墓を暴く／스스로 ～을 파다 みずから墓穴を掘る.

무덥다 형 蒸し暑い；蒸す. ¶무더운 날 蒸し暑い日／몹시 ～ ひどく蒸す.

도【武道】명 武道.
──장 명 武道場.
도【無道】명하형 非道; 無道.
. ¶극악 ~한 패거리 極悪非道なから/대역 ~ 大逆無道.
도【舞蹈】명하자 舞踏; ダンス.
──곡 명 舞踏曲. ＝무곡(舞曲).
──병 명〔醫〕舞踏病. ──장 명 踏場; 踊り場. ＝댄스 홀. ──회 명 舞踏会; ダンスパーティ.
독【無毒】명하형 ①無毒; (害のないこと. ②(性格が)毒毒しくないこと.
두-질 명 ①(皮を)なめ(鞣)すこと. ──하다 자 (皮を)なめす. ②(空腹または病気で)腹がひりひりと痛むこと.
드〔mood〕명 ムード. ¶~를 조성하다 ムードを造る.
── 음악 명 ムード音楽.
-득점【無得點】명 無得点. ¶~으로 끝나다 無得点に終わる.
등【無等】一명하형 無上; 極上. 二부 無上に; この上なく.
등【無燈】명 無灯.
디다 형 ①(刃などが)鈍い; よく切れない; (切れ味が)甘い. ¶무딘 칼〔톱〕鈍い刀〔のこぎり〕/무딘 식칼 なまくら〔甘い〕包丁/주머니칼이 무디어지다 小刀〔ナイフ〕がなまる. ②(勘が)鈍い; のろい. ¶동작이 ~ 動作が鈍い/정신력이〔솜씨가〕무디어지다 精神力〔腕〕が鈍る. ③(言葉が)がさつだ; つっけんどんだ.
무뚝뚝-하다 형 つっけんどんだ; ぶっきらぼうだ; 無愛想だ. ¶무뚝뚝한 사람 むっつりした人.
무뚝-무뚝 부 ①(食べ物を)ぱくぱくかじり取る〔かみ切る〕さま. ②たまたま道理にかな(適)ったことを言うさま.
무람-없다 형 無礼だ; ぶしつけ(不躾)だ; なれなれしい. 무람-없이 부 無礼に; 無作法に; なれなれしく.
무량【無量】명하형 無量. ＝무한량. ¶감개 ~ 感慨無量.
‖──겁(劫) 명〔佛〕無限な時間. ── 상수(上壽) 명 限りなく長い寿命. ＝무량수. ── 세계(世界) 명 限りなく広大な世界. ──수(壽) 명 ①☞ 무량 상수. ②〔佛〕無量寿. ──수-불 명〔佛〕無量寿仏.
무럭-무럭 부 ①勢いよく伸び育つさま: すくすく; めきめき; 伸び伸び. ¶~ 자라다 すくすく(と)育つ. ②(湯気・煙などが)立ち上るさま: ぽっぽ(と); むくむく. ¶~ 김이 오르다 ぽっぽと湯気を立てる. ③(においが)鼻をつくさま: ぷんぷん. ¶맛있는 냄새가 ~ 나다 おいしいにお(匂)いがぷんぷんする.
무럼-생선【─生鮮】명 ①食料としてのくらげ(水母)の称. ②体の虚弱な人. ③骨無しの人をあざけっていう語.
무려【無慮】부 無慮; おおよそ; ざっと. ¶~ 30만을 헤아렸다 無慮三十万を算した.

무력【武力】명 武力; 兵力. ¶~전 武力戦/~을 행사하였다 武力を行使した/~에 호소하다 兵力に訴える.
무력【無力】명하형 無力. ¶~한 사나이 無力な男.
‖── 소치(所致) 명 無力の致す所. ──증 명〔醫〕無力症; アトニー. ¶위~증 胃アトニー. ──화(化) 명하자타 無力化.
무렵 명 ころ(頃); 時分. ¶해질 ~ 日暮れ時; 暮れ方/해마다 이 ~이면 毎年のこのごろには.
무례【無禮】명하형 無礼; ぶしつけ(不躾); 無作法. ¶~한 놈 無礼者; 失敬なやつ(奴)/~한 질문을 하다 ぶしつけな質問をする/~한 말을 하다 無礼なことを言う.
무론【毋論·無論】명 無論; もちろん(勿論).
무뢰-배【無賴輩】명 無頼の徒〔やから(輩)〕; 無頼漢ども.
무뢰-한【無賴漢】명 無頼漢; ならず者.
무료【無料】명 無料. ¶입장 ~ 入場無料/~ 봉사 無料奉仕.
무료【無聊】명하형 ①きまりが悪いさま; 照れ臭いさま. ¶~한 얼굴 きまり悪い〔照れ臭い〕顔. ②ぶりょう(無聊); つれづれ; たいくつ(退屈). ¶~한 나머지 つれづれの余り/~함을 달래기 위해 退屈凌ぎに/~함을 달래다 無聊〔つれづれ〕を慰める/~한 나날을 보내다 無聊の日日を送る. ③付き合わないのでさびしいさま. ──히 부 ①照れ臭く. ②無聊に; つくねんと. ③さびしく.
무루【無漏】一명〔佛〕むろ(無漏). 二부 漏れ無く. ¶~ 참석하시기 바랍니다 漏れ無くご出席願いします.
무류【無類】명하형 無類.
무르녹다 자 ①らんじゅく(爛熟)する; 熟れ過ぎて果肉がくずれる. ¶무르녹은 복숭아 熟しすぎた桃. ②(事・機会などが)熟す; 成熟する. ¶시기가 ~ 時機が熟する. ③木陰が濃い. ¶신록이 무르 녹는 오월 緑したたる五月.
무르다[1] 자 よく熟して〔十分に煮えて〕柔らかくなる.
무르다[2] 타 ①(買い物を返してお金を)戻してもらう. ②相殺する; 帳消しにする. ③(将棋や碁で)待ったをかける; (いったん打ったこま(駒)や石を)打ち直す.
무르다[3] 형 ①柔〔軟〕らかい; 硬くない. ¶무른 사과 柔らかいりんご. ②(質が密でなく)もろ(脆)い; 砕けやすい. ③(心が)もろ(脆)い; のろい; 甘い. ¶여자에게 무른 사나이 女に甘い男/정에 ~ 情にもろい/저 남자는 사람이 ~ あの男はひとが甘い.
무르-익다 형 ①よく熟れる; 熟し切る; らんじゅく(爛熟)する. ¶무르익은 참외 よく熟れたまくわうり(真桑瓜). ②(事・時が)熟する; 成熟する. ¶계획이 ~ 計画が熟す/시기는 바야흐로 무르익었다 時機はま

さに到来した.
무르춤-하다 자 急にたたずむ；しりごみをする；たじろぐ. 준 무춤하다.
무르팍 명《俗》ひざ(膝). 준 물팍.
무른-돌 명 軟石.
무름-하다 형 適当に柔らかい.
무릅쓰다 타 押し切る；冒す. ¶ 반대를 무릅쓰고 강행하다 反対を押してやり通す / 병을 무릅쓰고 출석하다 病を押して出席する / 폭풍우를 무릅쓰고 가다 あらし(嵐)を冒して進む / 눈보라를 무릅쓰고 나아가다 吹雪を突いて進む.
무릇[1] 명〔植〕つるぼ(蔓穂).
무릇[2] 부 およそ. ¶ ~ 사람으로서 부모를 생각지 않는 자는 없다 およそ人として親を思わぬものはない.
무릉 도원【武陵桃源】명 武陵桃源；別天地. 준 도원.
무릎 명 ひざ(膝)；こひざ(小膝)；ひざがしら(膝頭). ¶ 양 ~을 꿇고 사과하다 もろひざ(諸膝)(を)突いて謝る / 부처님 앞에 ~을 꿇다 仏前にひざまずく / 한쪽 ~을 세우고 앉다 立てひざをする / ~을 맞대고 얘기하다 ひざを交えて話し合う. ——-치다 타 (よいことや驚くべきことがあるときに)ひざをたたく〔打つ〕.
‖——-걸음 명 す(擦·磨)りひざ；おひざ送り. ¶ ~치다 小ひざを進める. ——-께 명 ひざあたり. ——-도가니 명 ① 牛のひざ骨とその肉. ②《俗》ひざ骨；ひざ皿. 준 도가니. ——-맞춤 명하자 対質. —— 베개 명하자 ひざまくら(膝枕). —— 장단(長短) 명 ひざ拍子. ¶ ~을 치다 ひざ拍子をとる. ——-치기 명 (相撲で)相手のひざを手ではらう技.
무리[1] 명 群れ；群；群がり；やから(輩)；連中；手合い. ¶ 실업자의 ~ ルンペンの群れ / ~를 짓다〔이루다〕群れを成す / 그런 ~들과는 상대하지 말라 そういう手合いとは相手になるな.
무리[2] 명 ふやかした米をひきうすでひ(挽)きこ(漉)して沈殿させたおり.
‖——-떡 명 "무리"でつくったもち(餅). 무릿-가루 명 "무리"を干した白粉.
무리[3] 명〔天〕(太陽·月などの)かさ(暈)；ハロ(—). ¶ 햇~ 日暈 / 달에 ~가 지다 月にかさがかかる.
무리【無理】명하형 無理. ¶ ~한 부탁 無理なお願い / ~하게 無理に / ~없는 無理のない / 화를 내는 것도 ~는 아니다 怒るのも無理ではない / ~를 하다 無理をする / ~를 해서 병이 났다 無理をして病気になった / ~가 통하지 않는다 無理がきかない.
‖——-수 명〔數〕無理数. ——-식 명〔數〕無理式. —— 함수(函數) 명〔數〕無理関数.
무마【撫摩】명하타 ① な(撫)でさすること. ② (すかし)なだ(宥)めること；いたわりなでること. ¶ 백성을 ~하다 民をいたわる.
무-말랭이 명 大根の千切干し.
무망【無望】명하형 望みのないこと.
무-면허【無免許】명 無免許. ¶ ~의사 潜り医者 / ~ 운전 無免許
무명 명 木綿. ＝면포(綿布). 준
‖——-베 명 木綿織り；綿布. —— 명 木綿糸. ＝면사(綿絲). ——-옷 木綿物.
무명【武名】명 武名. ¶ ~을 떨 武名をあげる.
무명【無名】명 無名；名もないこ
‖——-씨 명 無名氏, 失名氏. — 용사(勇士) 명 無名(の)戦士. — 작가 명 無名作家. ——-지 명 薬 ；紅さし指〈雅〉. ——-지-사(士) 명 無名の士. ——-초(草) 명 名の知られていない草.
무명【無明】명〔佛〕無明.
‖—— 세계 명 無明世界；娑婆.
무모【無毛】명하형 無毛.
‖——-증 명〔醫〕無毛症.
무모【無帽】명 無帽.
무모【無謀】명하형 無謀；向う見ず；無鉄砲. ¶ ~한 계획 無謀な計画 / ~한 용기 向う見ずの勇気 ——-히 부 向う見ずに；無鉄砲に.
무묘【武廟】명 ぶびょう(無廟)；関帝びょう(廟). ＝관왕묘(關王廟).
무문【武門】명 武門.
무문【無門】명〔佛〕無門. ¶ 대도~ 大道無門.
무문【無紋】명하형 無紋〔無文〕.
‖——-근 명〔生〕無文筋.
무문【舞文】명하타 舞文；自分に都合のよいようにたくみに文辞をもてあそぶこと.
‖—— 곡필 명하타 舞文曲筆. ＝무문. —— 농필(弄筆) 명하타 文辞·法規などを勝手に書き改めること.
무물【無物】명 何物もないこと.
무미【無味】명하형 無味. ① 味のないこと. ② 面白みのないこと. ③ 好みのないこと. ④ ↗무의미(無意味).
‖—— 건조 명하형 無味乾燥.
무-반동【無反動】명 無反動. 反動のないこと. ‖——-총 명 無反動銃. ——-포 명 無反動砲.
무-밥 명 [↗무우밥] 大根の千切りを入れて炊いた飯.
무방【無妨】명 妨げのないこと；差支え〔差障り〕のないこと. ——-하다 형 差支えない；…して(も)よい. ¶ 조금쯤의 담배는 ~하다 ちょっとくらいのタバコは差支えない.
무-방비【無防備】명 無防備. ¶ ~상태 無防備状態.
무배【無配】, **무-배당**【無配當】명 無配《준말》；無配当.
무-벌점【無罰點】명 罰点がないこと.
무법【無法】명하형 無法. ¶ ~한 짓을 하다 無法なことをする.
‖—— 천지(天地) 명 ① 無秩序な世〔社会〕；無法地帯. ② 横行する乱暴な行為. ——-자 명 無法者；アウトロー.
무변【武弁】명 武弁. ＝무관(武官).
무변【無邊】명하형 無辺.
‖—— 광야(曠野) 명 果てしのない広野. —— 대해(大海) 명 果てしない

ひろい海. ── 세계(世界) 명 無辺世界.

병【無病】명하형 無病.
── 장수 명하자 無病長寿; 病気にかからないで長生きすること.

-보수【無報酬】명 無報酬; 無給. ¶ ~로 일하였다 無報酬で働いた; 手弁当で働いた.

부【武夫】명 武人; 武士.

-분별【無分別】명하형 無分別. ¶ ~하기 짝이 없는 일이다 無分別極まることである / ~한 짓을 하다 無分別なことをする.

비【武備】명 軍備. =병비(兵備).

비【無比】명 無比; 無類. ── 하다 형 無類だ; 比するところがない. ¶ 통렬 ~ 痛烈無比.

비 (movie) 명 ムービー.
‖── 카메라 명 ムービーカメラ.

-비판【無批判】명하형 無批判. ¶ ~으로 받아들이다 無批判に受け入れる.

사【武士】명 武士; 侍; もののふ〈雅〉. 《예로부터 "武士·物夫"로도 씀》. =무부(武夫).
‖───도 명 武士道.

무사【無死】명〔野〕無死; ノーダン; ノーダウン. ¶ ~ 만루 無死満塁.

무사【無私】명하형히부 無私. ¶ 공평 ~한 태도 公平無私な態度.

무사【無事】명 無事. =무고(無故).
───하다 형 無事だ; つつがない. ¶ ~한 나날을 보내다 無事な日日を過ごす / ~하기를 바랍니다 無事を願います. ───히 부 無事に; つつがなく. ¶ ~ 지내다 無事に暮らす / 공사가 ~ 진척되다 工事がつつがなく進む.
‖── 분주(奔走) 명하형 これと言ったこともなしにいたずらに忙しいこと. ── 안일(安逸) 명 事なく遊んで暮らすこと. ¶ ~주의 無事安逸主義. ── 태평(泰平) 명하형 ① 無事なこと. ② のんきなこと.

무-사고【無事故】명 無事故. ¶ ~ 운전 無事故運転.

무-사마귀 명 いぼ(疣).

무사 분열【無絲分裂】명〔生〕無糸分裂.

무산【無産】명 無産.
‖── 계급 명 無産階級; プロレタリアート. ───자 명 無産者; プロレタリア.

무산【霧散】명하자 霧散.

무산-증【無酸症】명〔醫〕無酸症; 胃酸欠乏症.

무상【無上】명하형 無上; この上もないさま. ¶ ~의 영광〔기쁨〕無上の光栄〔喜び〕/ ~의 명예 此の上もない名誉.

무상【無常】명하형 無常. ¶ ~한 세상 定めなき世 / 인생은 ~하다 人生は無常である; 人生ははかないものだ.
‖── 왕래(往來) 명하자 時かまわずはばかることなしに行き来すること. ── 출입 명하자 いつ(何時)でも自由に出入りすること.

무상【無想】명하형 無想.
‖── 무념 명하형〔佛〕無想無念; 無念無想.

무상【無償】명 無償; ただ.
‖── 교부 명 無償交付. ── 교육 명 無償教育. ── 대부 명 無償貸し付け. ── 배급 명하타 無償配給. ── 원조 명 無償援助. ───주 명 無償株.

무색【一色】명 染め色.
‖───옷 명 色物(の服). =색옷.

무색【無色】명하형 ① 恥じ入って顔向けができないこと. ¶ ~케 하다 顔色なからしめる; (…の)光を失わせる / 꽃도 ~케 할 만한 미인 花を欺く美人 / 어른도 ~할 정도다 大人も顔負けする程だ. ② 無色; 色のないこと. ¶ ~ 투명 無色透明.
‖───계 명〔佛〕無色界. =무색천(無色天).

무생-물【無生物】명 無生物.

무-서리 명 薄い初霜.

무서움 명 恐れ; お(怖)じ気; 恐ろしさ. ㊣무섬. ¶ ~을 (잘) 타다 (よく)怖がる〔恐れる〕.

무서워-하다 타 怖がる; おびえる; 恐れる. ¶ 어둠〔죽음〕을 ~ 暗がり〔死〕を恐れる.

무선【無線】명 無線.
‖── 전신 명 無線電信. ㊣무선(無線)·무전. ── 전화 명 無線電話. ㊣무선·무전. ── 통신 명 無線通信.

무섭다 형 恐ろしい; おっかない. ① 怖い. ¶ 무서운 동물 怖い動物 / 무서운 선생 怖い先生 / 뒤탈이 ~ 後のたた(崇)りが怖い / 무서워서 떨다 怖くて震える. ② すご(凄)い; すさ(凄)まじい. ㉠ 驚くべきだ. ¶ 무서운 솜씨 凄い腕前 / 무서운 속도로 すごいスピードで. ㉡ ひどい. ¶ 무서운 광경 すごい〔恐ろしい〕光景 / 무섭게 덥다 恐ろしく暑い / 무섭게 인색하다 すごくけちである.

무성【茂盛】명하형 繁茂; (生い)茂っているさま. ¶ 풀이 ~하다 草が生い茂っている / 잡초가 ~하다 雑草がはびこっている. ───히 부 (生い)茂って; 繁茂して; ぼうぼうと.

무성【無性】명〔生〕無性.
‖── 생식 명〔生〕無性生殖. =무성 번식. ── 세대 명〔生〕無性世代.

무성【無聲】명 無声. ¶ ~ 영화 無声映画; サイレント / ~음 無声音.

무-성의【無誠意】명하형 誠意のないこと.

무세【無稅】명하형 無税. ¶ ~ 수입 無税収入 / ~품 無税品.

무소 명〔動〕さい(犀). =코뿔소.

무-소득【無所得】명하형 無所得.

무-소부재【無所不在】명하자〔天主教〕天主のひんせい(稟性)の一つとして在らざる所無しということ.

무-소속【無所屬】명 無所属. ¶ ~ 의원 無所属議員.

무-소식【無消息】명하형 ぶさた(無沙汰); 無音.

무-소외【無所畏】명 ① 恐れる所が無いこと. ② 〔佛〕むしょい(無所畏);

むい(無畏).
무속【巫俗】명 ふぞく(巫俗); みこ(巫女)の風俗.
무쇠 명〔鑛〕鋳鉄·いてつ; 銑鉄. ¶ ~도 갈면 바늘 된다《俚》念力岩をも通す.
무수【無水】無水. ㊀명 水気のないこと. ㊁관 ① 結晶水のないこと. ②〔化〕無水物.
‖——물 명〔化〕無水物. ¶ 아황산 ~ 無水亜硫酸. —— 알코올 명〔化〕無水アルコール.
무수【無數】명하형 無数. ¶ ~한 세균 無数の細菌/~한 예를 들다 無数の例を挙げる. ——히 부 無数に; ごまんと. ¶ 공모 기회를 고대하는 젊은이들은 전국에 ~ 있다 公募のチャンスを待つ若手が全国にごまんといる.
무수기 명 潮の干満の差.
무-수리 명〔史〕雑仕女《宮女に手水を運ぶはした女》.
무숙【無宿】명 無宿; 宿無し.
무-순【茍】명 貯蔵の大根から生えため(芽).
무순【無順】명 順序のないこと; 順序不同.
무술【巫術】명 ① ふじゅつ(巫術). ② シャーマニズム.
무술【武術】명 武術.
무슨 관 何; なんの; どの; どういう. ¶ ~ 이유로 どういう訳で/~ 일이 있어도 どうしても; 何がなんでも; 理が非でも; ぜひ(是非)/~ 일이냐 何事か/~ 일이든지 한다 何事でもする〔働く〕/~ 소식이라도 있습니까 何か耳新しい事がありますか.
‖——-짝 명 なんの用; なんたる様.
무-승부【無勝負】명 引き分け; 分け; 相子; (碁などで)持; 相碁; (将棋で)指し分け. ¶ 경기가 ~로 끝나다 試合が引き分けになる/~로 하다 勝負を分ける.
무시-로【無時—】부 随時; いつ(何時)でも.
무시【無視】명하타 無視. ¶ 존재를 ~하다 存在を無視する/~할 수 없다 無視できない; ばかにならない/사람을 ~하다 人を食う.
무시근-하다 형 ぐうたらだ; 締まりがない; はきはきしない. ¶ 무시근한 사람 ぐうたらな人; ぐうたら兵衛.
무시-류【無翅類】명〔蟲〕むしるい(無翅類).
무시무시-하다 형 (ぞっとする程)恐ろしい; すさ(凄)まじい. ¶ 무시무시한 기세 すさまじい剣幕/무시무시한 이야기를 들었다 (怖さで)ぞっとするお話を聞いた.
무-시험【無試驗】명 無試験. ¶ ~ 진학 無試験進学.
‖—— 검정 명 無試験検定.
무식【無識】명하형 無識; 無学; 無知. ¶ 일자 ~ 一文不通; 一文不知.
‖——-꾼, ——-쟁이 명 無学な者.
무신【武臣】명 武臣.
무-신경【無神經】명하형 無神経. ¶ ~한 사나이 無神経な男.
무-신고【無申告】명 無届け.
무신-론【無神論】명 無神論. ~자 無神論者.
무실【無實】명하형 無実. ¶ 끝~을 주장하다 あくまで無実で通す
무-실점【無失點】명 無失点.
무심【無心】명하형 無心. ① 何な考えもないこと. ② 無邪気なこと. ③〔佛〕妄念を離れること. むとんじゃく(無頓着). ¶ 세상 일~해지다 世間のことにむとんじゃになる/옷차림에 ~하다 身なりにとんじゃくである. ——히 부 無心に 何気なく. ¶ ~한 말 何気なく言ったことば.
무심-결【無心—】명부 思わず; うかと; うっかり; 何気なく. ¶ ~에 말 思わず漏らした言葉.
무심-코【無心—】부 何気なく; 思わず; 考えずに. ¶ ~ 비밀을 누설하다 うかうかと秘密を漏らす/~한 말이 상대방의 마음을 상하게 하였다 何気なく言った言葉が相手の心を傷つけた.
무쌍【無雙】명하형 無双; 無二. ¶ 천하 ~ 天下無双/대담 ~한 놈이다 大胆不敵なやつである.
무아【無我】명 無我. ¶ ~의 경지 無我の境地.
‖——-경 명 無我の境. ——-애 명 無我愛.
무악【舞樂】명 舞楽.
무안【無顔】명하형히부 恥じ入って顔向けができないこと; 恥. ¶ ~을 주다 恥をかかせる/~을 당하다 恥をかく.
무-안타【無安打】명 無安打.
무애【無涯】명하형 無涯; はてしのないこと. =무제(無際).
무애【無碍】명하형 むげ(無碍·無礙).
무양【無恙】명 つつがないこと; 無病. ——하다 형 つつがない; 達者である. ——히 부 つつがなく; 達者で.
무어 ㊀대 ↗무엇. 준 머·뭐. ¶ 이 물건은 대체 ~야 これは一体何かね/저 소동은 ~냐 あの騒ぎは何だ/~가 무언지 모르겠다 何が何やらだか分からない/현물을 보지 않고서는 ~라 말할 수 없다 現物を見ないうちはどうとも言えない. ㊁감 ① "何だ"と驚きを表わす語: 何だって; 何(っ). ¶ ~, 죽었다고 何, もう亡くなったって. ② 友または目下から呼ばれて, どうしたのかと問い返す語: 何だ(い). ③ 言う必要がないとの意: まあ. ¶ ~, 세상은 그런 거지 まあ, 世の中はそんなものさ.
무언【無言】명하형 無言. ¶ ~의 저항 無言の抵抗/~의 용사 無言の勇士.
‖——-극 명 無言劇; パントマイム. —— 부답(不答) 명하형 答えるべき言葉がないこと. ——-중(中) 명부 無言のうち. ¶ ~에 서로 양해가 되어 있었다 無言の〔言わず語らずの〕うちに了解がついていた.
무얼 준 何を. ¶ ~ 주더냐 何をくれた

(…)か.

(무)엄【無嚴】명하형 (上の人に)気兼ねや慎みなく振舞うこと；不都合；無礼. ¶ ~한 놈 不都合な〔けしからん〕奴；不届き者. ——히 부 無礼に；不都合に.

(무)엇 대 何；何. (준) 무어·뭐. ¶ ~ 때문 何のために；なぜ；何故に/~하러 何しに/~보다(도) 우선 何よりもまず/~이 ~인지 何が何やら/~인가를 何かを/그게 ~이냐 それは何かね/~보다 중요하다 何より(も)重要だ/~이든 분부만 내리십시오 何なりとお申し付け下さい/~이든지 할 수 있다 何でもできる/~ 하나 불편한 것은 없다 何ひとつ不自由はない/커서 ~이 되지 大きくなったら何になる/그는 늘 ~인가를 하려고 말을 꺼내는 사람이다 彼はいつも言い出しっぺである.

무엇-하다 형 具合の悪いことを適切に形容しにくいときにその言葉の代わりに用いる語：何だ；何だったけ. ¶ 무엇하면 제가 가겠습니다 何ならわたしが行きます/이렇게 말하면 무엇하지만 도저히 자네는 못할걸 こう言っちゃ何だけどとても君には出来まい. (준) 뭣하다·멋하다.

무에 준 何が. ¶ ~ 그리 무서우냐 何がそんなに恐ろしいのか.

무역【貿易】명하타 貿易. =통상(通商). ¶ 대영 ~ 対英貿易/중계 ~ 中継ぎ貿易.

‖——-계 명 貿易界. —— 관리 명 貿易管理. —— 금융 명 貿易金融. —— 대표부 명 貿易代表部. —— 불균형 명 貿易不均衡. ——-상 명 貿易商. —— 수지 명 貿易収支. ——-업 명 貿易業. —— 외 수지 명 貿易外収支. —— 의존도 명 貿易依存度. ——-풍 명 貿易風. ——-항 명 貿易港. =상항(商港). —— 협정 명 貿易協定.

무연【無煙】명 無煙.

‖——-탄 명 無煙炭. —— 화약 명 無煙火薬.

무연【無鉛】명 無鉛. ¶ ~ 휘발유 無鉛ガソリン.

무연【無緣】, 무-연고【無緣故】명하형 縁故のないこと；無縁.

‖무연 분묘(墳墓) 명 無縁塚；無縁の墓.

무염【無塩】명 無塩.

‖—— 간장(醬) 명 無塩しょうゆ(醬油). ——-식, —— 식사(食事) 명 無塩食. ——-식 요법 명 無塩食療法. (준) 무염 요법.

무영【無影】명 影のないこと.

‖——-등 명 無影灯.

무예【武藝】명 武芸. ¶ ~를 닦다 武芸を修める.

무옥【誣獄】명 ふこく(誣告)で人に罪を着せた犯罪事件.

무외【無畏】명 ① 恐れのないこと. ② 〘佛〙 むい(無畏). =무소외(無所畏).

무욕【無慾】명하형 無欲. ¶ ~ 염담 無欲てんたん(恬淡).

무용【武勇】명 武勇.

‖——-담 명 武勇談. =무담(武談).

무용【無用】명하형 無用. =무요(無要). ¶ 문답 ~ 問答無用.

‖——지-물(之物) 명 無用の物.

무용【舞踊】명하자 舞踊；踊り；ダンス. ¶ ~을 배우다 舞踊を習う/민속 ~ フォークダンス.

‖——-가 명 舞踊家. ——-곡 명 舞踊曲. ——-극 명 舞踊劇. ——-단 명 舞踊団. ——-수 명 舞踊手；踊り手.

무우【霧雨】명 霧雨；ぬか雨. =안개비.

무운【武運】명 武運. ¶ ~이 다하였다 武運が尽きた/~ 장구를 빌다 武運長久を祈る.

무운-시【無韻詩】명 無韻の詩.

무원【無援】명 無援. ¶ 고립 ~의 처지 孤立無援の立場.

무위【武威】명 武威. ¶ ~를 떨치다 武威を輝かす.

무위【無位】명 無位. ¶ ~ 무관 無位無官.

무위【無爲】명 無為. ¶ 그것은 이번에도 ~로 끝났다 それは今度も無為に終わった.

‖—— 도식 명하자 無為徒食；無駄飯；無駄食い. —— 무책 명 無為無策.

무위【無違】명하형 たが(違)わないこと.

무음【無音】명 無音.

무의【無義】명하형 ① 意義がないこと；無意義. ② 信義のないこと.

무의 무탁【無依無托】명하형 寄る辺のないこと. ¶ ~한 고아 寄る辺のない孤児.

무-의미【無意味】명하형 無意味. ¶ ~한 일 無意味な仕事/~한 논쟁 無意義な論争.

무-의식【無意識】명하형 無意識. ¶ ~ 상태 無意識状態/~중에 눈물이 나왔다 不覚にも涙がこぼれた.

‖—— 세계 명 無意識世界. ——-적 명관 無意識的. ¶ ~인 행동 無意識的行動/~으로 손을 움츠렸다 無意識(的)に手を引っこめた.

무-의의【無意義】명하형 無意義.

무의-촌【無醫村】명 無医村.

무이【無二】명 無二；二つとないこと. ¶ 유일 ~ 唯一無二.

무-이자【無利子】명 無利息；無利子. ¶ ~로 돈을 빌리다 無利子で金を借りる.

무익【無益】명하형 無益. ¶ ~한 논쟁 無益な論争/백해 ~하다 百害あって一利なし.

무인【武人】명 武人；武夫.

무인【拇印】명 ぼいん(拇印)；つめ(爪)印. =손도장. ¶ ~을 찍다 つめ印を押す.

무인【無人】명 無人.

‖—— 고도, ——-도 명 無人孤島；無人島. —— 비행기 명 無人飛行機. (준) 무인기. —— 절도 명 無人絶島. =무인 고도. ——-지-경 명 無人の境. —— 판매대(販賣臺) 명 自動販売機；無人スタンド.

무-일물【無一物】명 無一物；むいちぶつ.

무-일푼【無一—】명 無一文. ¶

～이 되다 無一文になる；文無しになる.
무임【無賃】명 無賃.
‖── 승차 명하자 無賃乗車；無札乗車；ただ乗り. ¶～권 無賃乗車券.
무임-소【無任所】명 無任所.
‖── 장관 명 無任所長官.
무-자격【無資格】명하형 無資格. ¶～자 無資格者.
무자맥-질 명하자 潜り；水中で浮き沈みしながら動くこと. 준 자맥질.
무-자비【無慈悲】명 無慈悲. ──-하다 형 無慈悲だ；むご(惨)い. ¶～한 사나이 無慈悲な男/～한 처사다 むごい仕打ちである.
무-자식【無子息】명하형 子のないこと. 준 무자(無子). ¶～이 상팔자《俚》子を持てば七十五度泣く；無い子では泣かずあ(有)る子に泣く.
무-자위 명 揚水機.
무-작위【無作爲】명 無作為.
‖── 추출법 명 無作為抽出法；ランダムサンプリング.
무-작정【無酌定】명부하형 もくろみのないこと；むちゃ；がむしゃら；やみくも.
무작-하다 형 粗暴だ；無骨だ.
무장【武裝】명하자타 武装. ¶정신 ～ 精神武装/권총으로 ～하다 ピストルで身を固める.
‖── 간첩(間諜) 명 武装スパイ. ¶～선 武装スパイ船. ── 봉기 명하자 武装ほうき(蜂起). ── 해제 명하자 武装解除.
무장 부 ますます；いよいよ. ¶～더워만 가다 ますます〔日増しに〕暑くなる.
무재【無才】명하형 無才. ¶무학 ～ 無学無才.
‖── 무능 명하형 無能無才.
무-저항【無抵抗】명하자 無抵抗.
‖──-주의 명 無抵抗主義.
무적【無敵】명하형 無敵. ¶천하 ～ 天下無敵.
‖── 함대 명 無敵艦隊.
무적【無籍】명 無籍. ¶～자 無籍者·無籍者.
무적【霧笛】명 霧笛. ¶～ 신호 霧笛信号.
무전【無電】명 〔↗무선 전신·무선 전화〕無電. ¶～기 無電機/～실 無電室.
무전【無錢】명 無銭.
‖── 여행 명 無銭旅行. ── 취식(取食) 명하자 無銭飲食.
무-절제【無節制】명하형 無節制. ¶그는 요즘 ～해졌다 彼はこのごろすさ(荒)み出した/～한 생활 無節制な生活.
무-절조【無節操】명하형 無節操. ¶～한 사람 無節操な人.
무정【無情】명 無情. ──-하다 형 無情だ；つれない. ¶～한 사람 無情な人/～한 말을 하다 つれないことを言う. ──-히 부 無情に；つれなく.
‖── 세월(歲月) 명 はかない歲月.

무-정견【無定見】명하형 無定見. ¶～한 사람 無定見な人/～을 드러내다 無定見をさらけ出す. 「
무정-란【無精卵】명 無精卵. =
무-정부【無政府】명 無政府.
‖── 상태 명 無政府状態. ──-주의 명 無政府主義；アナーキズ. ¶～자 無政府主義者；アナーキト.
무-정형【無定形】명하형 無定形.
‖── 물질 명 無定形物質. =무정질.
무-정형【無定型】명하형 無定型. ¶～시 無定型詩.
무제【無題】명 無題.
무-제한【無制限】명하형 無制限. ¶표를 ～ 발행하다 切符を無制限発行する.
무-조건【無條件】명부하형 無条件. ¶～ 야단치다 頭ごなしにし(叱)る/～ 찬성하다 文句無しに成する.
‖── 항복 명하자 無条件降伏.
무좀 명 〔醫〕水虫. ¶～이 생기다 虫ができる.
무-종교【無宗敎】명 無宗教.
무-종아리 명 かかと(踵)とこむら(腓)との間の部分.
무죄【無罪】명하형 無罪. ¶～ 방면 無罪放免/～ 선고를 받다 無罪の宣告を受ける.
무주【無主】명하형 無主；所有主の無いこと.
‖── 고혼(孤魂) 명 無縁仏. ── 공산(空山) 명 ① 人里離れてひっそりとしたさびしい山. ② 無主の山. ──-물 명 無主物. ¶～의 선점 無主物の先占.
무중【霧中】명 霧中. ¶오리 ～ 五里霧中.
무-중력【無重力】명 無重力. ¶～ 상태 無重力状態.
무지 명 一石足らずの穀物.
무지【拇指】명 ぼし(拇指)；親指.
무지【無地】명 無地. ¶～의 천〔옷〕無地の布地〔服〕.
무지【無知】명하형 ① 無知；知らぬこと. ¶자기의 ～를 드러내다 自分の無知を暴露する. ② 無知；愚かなこと. ¶～ 몽매 無知もうまい(蒙昧). ③ (言行が)荒荒しく粗暴なこと. ¶～한 행동 粗暴な振る舞い. ──-스럽다 형 ① 無知である；愚かだ. ② 粗暴だ.
‖── 막지(莫知) 명하형스형 全く無知にして粗暴なさま. ── 몰각(沒覺) 명하형 無知で思慮分別のないこ；非常識なこと.
무지【無智】명하형 無知；知恵のないこと；愚かなこと. ¶～ 무능 無知無能.
무-지각【無知覺】명하형 無分別；非常識. ¶～한 행동 無分別な行ない.
무지개 명 にじ(虹). ¶～가 서다 虹が立つ〔かかる〕/～ 빛으로 빛나다 虹色に輝く.
무지근-하다 형 ① 便通が悪くて気持ちがさっぱりしない. ② (気分・頭

が)重い; 重苦しい. 무지근-히 重(苦し)く.

러-지다 자 ① (物の端が)す(擦)て減る. ¶ 소매가 무지러졌다 そでち(袖口)がすれてしまった. ② (中程が)真っ二つにすり切れる.

지렁이 명 ① 古くなったりすれたりて不用になったもの. ② 愚か者; 愚かで無学な粗野者. ¶ 시골 無骨な田舎者.

지르다 타 ① 物の一端を切り取る. ② (中程を)まっ二つに切る.

지무지-하다 형 物すごい; 偉い.

직【無職】명 無職; 無産. ¶ -자 無職者 / 그는 ~에다 독신자였다 彼は無職で独り身であった.

직-하다 형 ↗무지근하다.

진【無盡】㊀ 명 하형 ↗무궁 무진. ㊁ 부 ☞ 무진히. ¶ ~ 괴로웠다 とてもつらかった. ——-히 부 ① 尽きることなく; 無尽蔵に. ② 非常に; ずいぶん. ¶ ~ 고생했다 ずいぶん苦労した.

‖——-장 명 하형 無尽蔵. ① 取っても取っても尽きることがないこと. ¶ ~한 광물 자원 無尽蔵の鉱物資源. ② 〖佛〗 徳が広く窮まりないこと.

무-질서【無秩序】명 하형 無秩序.

무-집게 명 つまみやっとこ(鋏); はさみ用金具.

무쩍 부 ひっくる(括)めて; ひと押しに. >모짝. ——— 부 ① 片っ端から順を追って. ② 少しずつす(擦)れるさま. >모짝모짝.

무쭉-같다 형 《俗》 はなはだ不器量だ《特に女にいう》. 무쭉-같이 부 不器量に; へんてこに. ¶ ~ 생겼다 不出来だ; 不器量だ.

무-찌르다 타 ① みな殺しにする; せんめつ(殲滅)さす. ② (容赦なく)攻め込む〔入る〕; (打ち)破る; ひし(拉)ぐ. ¶ 강적을 ~ 強敵を破る / 적진을 ~ 敵陣を切り崩す / 단번에 ~ 一打ちにする.

무-차별【無差別】명 하형 無差別. ¶ ~한 대우 無差別の待遇 / ~급 無差別級 / ~ 폭격 無差別爆撃.

무-착륙【無着陸】명 無着陸; ノンストップ. ¶ ~ 횡단 비행 無着陸横断飛行.

무찰【無札】명 無札; 切符を持たないこと. ¶ ~ 승객 無札の乗客 / ~ 입장 無札入場.

무참【無慘】명 無残〔無惨〕; 残酷. ——-하다 형 無惨だ; むご(惨)(たらし)い. ¶ ~하게도 無残にも / 보기에도 ~하다 見るも無惨である / ~하기 이를 데 없다 酸鼻をきわめる / ~한 짓을 하다 残酷な事をする. ——-히 부 無惨に; むご(たらし)く.

무참【無慚】명 하형 히부 この上なく恥ずかしいこと.

무-채 명 千六本; 千切り.

무-채색【無彩色】명 無彩色《色合いのない白・灰・黒など》.

무책【無策】명 하형 無策. ¶ 속수 ~ 束手無策; どうにもしようがなくて手をこまぬいていること / 무위 ~ 無為無策.

무-책임【無責任】명 無責任. ——-하다 형 無責任だ; いい加減だ. ¶ ~한 답변 無責任〔いい加減〕な答弁.

무척, 무척-이나 부 非常に; たいそう; 甚だしく; と(っ)ても; ひとかた(一方)ならず. ¶ ~ 기쁩니다 とてもうれしいです / ~ 기뻐하다 ひとかたならず喜ぶ.

무척추【無脊椎】명 無脊椎. ¶ ~ 동물 無脊椎動物.

무-첨가【無添加】명 無添加. ¶ ~ 식품 無添加食品.

무-청 명 大根の(茎と)葉.

무청【蕪菁】명 〖植〗 ☞ 순무.

무춤 부 (何かに驚いたりして)急にたたずむさま; ひるみたじろぐさま; へきえき(辟易)〔後じさりを〕するさま. ——-하다 자 ↗무르춤하다.

무취【無臭】명 하형 無臭. ¶ ~ 무색 無臭無色.

무-취미【無趣味】명 하형 無趣味; 没趣味. ¶ ~한 사람 没趣味な人.

무치【無恥】명 하형 無恥. ¶ 후안 ~ 厚顔無恥.

무치다 타 (青菜などを)調味してあ(和)える. ¶ 초에 ~ 酢であえる / 된장에 ~ みそであえる.

무크〔mook〕명 ムック.

무탈【無頉】명 하형 無事; 無病; 「達者.

무턱-대고 부 むちゃに; 向こう見ずに; 無鉄砲に; むやみ(やたら)に; むざと; やたらに. ¶ ~ 찾아 돌아다니다 むやみに捜し回る / ~ 돈을 쓰다 むちゃに金を使う / ~ 상대방에게 덤벼들다 しゃにむに(遮二無二)相手に突っかかる.

무-테【無—】명 縁・たが(箍)・枠などが付いていないこと.

‖—— 안경(眼鏡) 명 縁なし眼鏡.

무통【無痛】명 無痛.

‖—— 분만 명 〖醫〗 無痛ぶんべん(分娩). —— 수술 명 無痛手術.

무-투표【無投票】명 無投票. ¶ ~ 당선 無投票当選.

무트로 부 一度にたくさん; どっさり. ¶ 조금씩 가져 가지 말고 ~ 가져가라 少しずつ持って行かずにどっさり持って行けよ.

무판-화【無瓣花】명 〖植〗 無弁花.

무패【無敗】명 無敗. ¶ ~의 전적을 올리다 無敗の戦績をあげる / ~로 이겨 나가다 無傷で勝ち進む.

무편【無片】명 ↗무편삼.

‖——-거리 명 薬材として用いる小粒の高麗人参. ——-달이 명 はかり(秤)にかけるまでもない小さい高麗人参. ——-삼(蔘) 명 極めて小さい高麗人参. ㊉ 무편.

무-표정【無表情】명 하형 無表情. ¶ ~한 얼굴 無表情な顔; ポーカーフェース.

무풍【無風】명 無風. ¶ ~ 상태의 정계 無風状態の政界.

‖——-대 명 〖地〗 無風帯. —— 지대 명 無風地帯.

무학【無學】명 学が無いこと.

무한【無限】명 하형 無限; 限りがないこと. ¶ ~한 영광 限り無き栄光

えいこう / ～한 기쁨 無限の〔限りない〕喜び. ——-히 부 無限に; 限りなく.
‖—— 궤도 명 無限軌道; キャタピラ. —— 급수 명 〔數〕 無限級数. ——-대 명 無限大. —— 소수 명 〔數〕 無限小数. —— 수열 명 〔數〕 無限数列. —— 책임 명 無限責任. ¶ ～ 사원 無限責任社員.
무-한량【無限量】명 하형 無限; 限りのないこと.
무-한정【無限定】명 하형 無限; 限定のないこと.
무함【誣陷】명 하타 偽って人を陥れること.
무해【無害】명 하형 無害. ¶ 인축에 ～한 약품 人畜に無害の薬品 / 약간의 술은 ～하다 少量の酒は無害である.
‖—— 무득 명 하형 無害無得.
무-허가【無許可】명 不許可; 許可のないこと. ¶ ～ 건축물 許可を得ていない建築物 / ～ 업자 潜りの業者.
무혈【無血】명 無血.
‖—— 점령 명 無血占領. —— 쿠데타 명 無血クーデター. —— 혁명 명 無血革命.
무혐【無嫌】, 무-혐의【無嫌疑】명 하형 嫌疑のないこと.
무형【無形】명 하형 無形. ¶ 지식은 ～의 재산이다 知識は無形(の)財産である.
‖—— 문화재 명 無形文化財. ——-물 명 無形物. —— 자본 명 無形資本. ——-적 명 관 無形的.
무화-과【無花果】명 ① いちじく(無花果)の実. ② ↗무화과나무.
‖——-나무 명 〔植〕 いちじく.
무효【無効】명 하형 無効. ¶ ～로 하다 無効にする / ～가 되다 無効〔ふい〕になる.
‖—— 투표 명 無効投票. ——-화 명 하자 타 無効化.
무후【無後】명 하형 後継ぎ〔跡取り〕のないこと. ＝무사(無嗣).
‖——-총(塚) 명 無縁塚; 跡が絶えてかえりみる人のない墓.
무훈【武勳】명 武勲. ＝무공(武功). ¶ 혁혁한 ～을 세우다 かくかく(赫赫)たる武勲を立てる.
무휴【無休】명 無休. ¶ 연중 ～ 年中無休.
무흠【無欠】명 하형 無欠. ¶ 완전 ～ 完全無欠.
무희【舞姬】명 舞姫; 舞子; 踊り子.
묵 명 そば·文豆·どんぐりなどの粉を沈殿させて煮てかためたゼリー状の食品.
묵객【墨客】명 墨客; 書画をかく人. ¶ 문인 ～ 文人墨客.
묵계【默契】명 하자 默契. ＝묵약(默約). ¶ ～가 성립했다 默契がなった.
묵과【默過】명 하타 默過. ¶ 부정을 ～할 수는 없다 不正を默過することはできない.
묵낙【默諾】명 하타 默諾.
묵념【默念】명 하자 ① 默念; だまって考え込むこと. ② ☞ 묵도(默禱). ¶ 고인에 대한 ～ 故人に対するもくとう(默禱).
묵다 자 ① 古くなる; 古びる; ひる. ¶ 묵은 쌀 古米; ひね米 / 묵은 오이 ひねたきゅうり(胡瓜). ② (宿などに)泊まる; 宿る. ¶ 여관에 ～ 宿屋に泊まる / 친구 집에 ～ 友人の家に泊まり込む. ③ (元の位置·地位などに)とどまる; (学生が)浪人する. ④ (資本·商品などが)寝る. ¶ 돈이 묵고 있다 金が寝ている.
묵도【默禱】명 하자 もくとう(默禱). ＝묵념. ¶ ～를 올리다 默禱をささげる.
묵독【默讀】명 하타 默読.
묵례【默禮】명 하자 默礼. ¶ ～를 누다 默礼をかわす.
묵묵【默默】명 하형 히부 默默. ～히 책을 읽다 默默と本を読む / ～히 일에 힘쓰다 默默と仕事に励む.
‖—— 무언(無言) 명 하형 口をつぐんで話さないこと. —— 부답(不答) 명 하형 默りこんで答えないこと.
묵비【默祕】명 하타 默秘.
‖——-권 명 默秘権. ¶ ～을 행사하다 默秘権を行使する.
묵-사발 명 ① "묵"を盛る磁器製の鉢. ② 《俗》物事がさんざんに荒れたりつぶ(潰)れたりするさま. ¶ 얻어맞아 ～이 되다 くたばる程打たれる.
묵살【默殺】명 하타 默殺. ¶ 발언을 ～하다 発言を默殺する / 의안을 ～하다 議案を握りつぶす.
묵상【默想】명 하자 默想. ¶ 잠시 ～에 잠기다 しばし默想にふける.
묵-새기다 자 用もなく一所にとどまって, いたずらに月日をおくる.
묵시【默示】명 하타 默示.
‖——-록 명 〔基〕 默示録.
묵시【默視】명 하타 默視. ¶ ～할 수 없다 默視できない.
묵약【默約】명 하타 默約. ＝묵계(默契). ¶ ～이 되어 있다 默約が出来ている.
묵언【默言】명 하자 默っていること; 口をきかぬこと.
묵은 세배【一歲拜】명 하자 大みそかの夕方, 目上に送年の礼をすること.
묵은-쌀 명 古米; ひね米.
묵은-해 명 旧年; ふるとし(旧年).
묵음【默音】명 発音されない音; サイレント.
묵인【默認】명 默認. ——-하다 타 默認〔默許〕する; 見逃す. ¶ ～하기 어려운 默認しがたい / ～하에 행하여졌다 默認の下で行なわれた / 과실을 ～하다 過失を見逃してやる.
묵정-밭 명 ほったらかして荒れはてた畑. ＝진전(陳田). ㊟ 묵밭.
묵정이 명 古くなったもの; ひね.
묵주【默珠】명 〔天主教〕 ロザリオ.
‖—— 신공(神功) 명 〔天主教〕 ロザリオのお祈り. ＝매괴(玫瑰) 신공.
묵중【默重】명 하형 히부 口数が少なく態度が重重しいこと.
묵지【墨紙】명 ☞ 복사지(複寫紙).
묵직묵직-하다 형 多くの物が皆重

い．
직-하다 형 やや重い；重たい．＞
직하다．¶묵직한 가방 重たいカバ
．묵직-이 부 やや重く；重めに；
しり(と)．¶묵직이 놓인 자루 どっ
りと置かれた袋．
향【墨香】명 墨香；墨の香り．
화【墨畫】명 墨画；墨絵．——
리다 자 墨絵を描く．
히다 타 ①使わずにおく；(畑な
どを)休ませる；(資本などを)寝か
す．¶밭을 ～ 畑を休める／물건을 묵
혀 두다 物を寝かせておく．②(宿屋
などに)宿らせる；泊める．¶나그
네를 ～ 旅人を宿らせる．
다 타 縛る．①(ばらばらのものを)
一つにくくる(括)る；束ねる；結
わえる．¶장작을 ～ まき(薪)をくく
る／다발로 ～ 束にする．②(動けな
いように)くくる；縛する．¶도둑을
기둥에 묶어 놓다 賊を柱に縛りつけ
る．
묶음 一 명 束；束ね；くく(括)り．二
의명 花·野菜などの束を数える語
：束；束．＝속(束)．¶한 ～ 一束
／나무 한 ～ まき(薪)一束／서
류 한 ～ 書類一とつづ(綴)り．
묶이다 피동 縛られる．①くく(括)ら
れる．¶손발을 ～ 手足を縛られる．
②(情などに)ほだ(絆)される；つな
(繫)がる；(行動の)自由を制限
される．¶시간에 ～ 時間に縛られ
る／정에 ～ 情にほだされる／규칙
에 묶이어 꼼짝 못하다 規則に縛られ
て動きがとれない．
문【文】[1] 명 文．①文字；文章．
②学問·文化を指す語．
문【門】[1] 명 門．①戸；扉；ゲー
ト；ドア．¶～을 열다 門〔戸〕を開け
る／～이 열리다 門〔戸，扉〕が開く／
～을 닫다 戸〔門，扉〕を閉める／～이
닫혀 있다 戸が閉まっている／～에 문패
가 걸려 있다 戸口に表札がある／
～이 반쯤 열려 있다 戸が半開きに
なっている．②経るべき通路；大
事な入り口．¶좁은 ～ 狭い門．
③〘生〙生物の分類上もっとも
大きな分類単位．¶척추 동물～
せきつい(脊椎)動物門．
문【紋】명 紋；あや(綾)；模様．
문【問】명 質問；問題．
문【文】[2] 의명 文；履物などの寸法
を表わす単位．¶10～ 반 十文半．
문【門】[2] 의명 門；大砲を数える
単位．¶야포 3 ～ 野砲三門．
문간【門間】명 門口〔戸口〕の土間
；玄関のたたき．
‖——방(房) 명 玄関わきの部屋
《書生部屋の類》．——채 명 玄
関わきの建物．＝행랑채．
문갑【文匣】명 ふばこ(文箱)；手文庫．
문객【門客】명 門客；門人．¶
～이 줄을 잇다 門客が絶えない．
문경지-교【刎頸之交】명 ふんけい(刎
頸)の交わり．
문고【文庫】명 文庫．
‖——-본 명 文庫本．——-판(版) 명
文庫判；A6判．
문-고리【門—】명 取っ手；引手．
문과【文科】[1] 명〘史〙文科；文官
を選び取った科挙．
‖—— 급제(及第) 명 하자 文科の殿試
に受かること．
문과【文科】[2] 명 文科．¶～계 文科系
／～ 대학 文科大学．
문관【文官】명 文官．
‖—— 우선주의 명 シビリアンファー
スト；文官優先主義．「こと．
문교【文交】명 하자 文で付き合う
문교【文教】명 文教．¶～ 정책 文
教政策／～ 당국 文教当局．
문구【文句】명 文句；語句．¶평범
한 ～ 月並みな文句／편지의 ～ 文言．
문구【文具】명 ①[↗문방 제구(文房諸
具)] 文具．②文飾．
문-구멍【門—】명 障子などの破
れ穴．
문권【文券】명〘史〙土地·家屋など
の所有権を認める文書．＝문
기(文記)．
문-끈【門—】명 (障子の)引き手
のひも(紐)．
문단【文段】명 文段；段落．¶
～으로 나누다 文段に分ける．
문단【文壇】명 文壇；文苑．＝문
림(文林)．¶～의 등용문 文壇の登竜門
／～에 등장하다〔나서다〕文壇に
出る〔乗り出す〕．
‖—— 시론 명 文壇時論．
문-단속【門團束】명 하타 戸締まり．¶
～을 하고 외출하였다 戸締りをして外
出した．
문답【問答】명 하자 問答．¶선～ 禅
問答．
‖——-식 명 問答式．¶～ 교수 問
答式教授．
문대다 타 こする；す(擦)る．
문덕【文德】명 文徳．¶～이 높은 사
람 文徳の高い人．
문덕 부 하자 ふらん(腐爛)したものが
塊になってくずれ落ちるさま．＞몬
닥．ㅆ문턱．——— 부 하자 ぶよぶ
よ．
문-돋이【紋—】명 紋様を浮き出
しにした絹．
문둥-병【—病】명 らい(癩)病；ハン
セン病；レプラ．＝한센병．
문둥-이 명 らい(癩)病患者．
문드러-지다 자 ①腐って崩れ落ち
る．②熟れ過ぎてぐちゃぐちゃにな
る．
문득 부 ある考えが突然浮かぶさ
ま：ふいと；ふと；はっと；つい；
ひょいと．ㅆ문뜩．¶～ 용건을 생각해
내다 ふいと用件を思い出す／～
할 마음이 생겼다 ふとやる気になっ
た／～ 생각났다 ふと思い出した．
——— 부 しきりにある考えが起
こるさま．
문등【門燈】명 門灯．¶～을 달다 門
灯を取り付ける．
문뜩 부 "문득"の強勢語．㊄무
뜩．——— 부 "문득문득"の強勢語．
문-라이트〔moon-light〕명 ムーンライ
ト；月光．

‖—— 소나타 명〔樂〕ムーンライトソナタ.

문란【紊亂】명하형히부 びんらん(紊乱). ¶풍기 ～ 風紀紊乱/풍기를 ～케 하다 風紀を乱す.

문례【文例】명 文例. ¶～를 들다 文例を挙げる.

문루【門樓】명 門楼. ¶～에 오르다 門楼に登る.

문리【文理】명 文理. ①文章の筋道. ②(物事の)筋目; 道理; 決め. ③文科と理科.

‖——과 대학 명 文理科大学. 준 문리대(文理大).

문맥【文脈】명 文脈. ¶～이 통하지 않는 문장 脈絡のない文章/～이 서 있지 않다 文脈が乱れている.

문맹【文盲】명 文盲; 無筆.

‖——-도(度) 명 文盲率. ——-자(者) 명 文盲の人. =까막눈이. ——타파 명 文盲打破. —— 퇴치 명하자 文盲退治. ¶～ 운동 文盲退治運動; 識字運動.

문면【文面】명 文面. =서면(書面). ¶～으로 살피건대 文面で察すると.

문명【文名】명 文名. ¶～을 떨치다 文名をは(馳)せる.

문명【文明】명하형 文明. ¶～ 사회 文明社会/기계 ～ 機械文明/～병 文明病.

‖—— 국가 명 文明国家. —— 비평 명 文明批評. ——-인 명 文明人.

문묘【文廟】명 ぶんびょう(文廟).

문무【文武】명 文武. ¶～를 겸비하다 文武を兼ねる.

‖—— 겸전(兼全) 명하형 文武兼備. ——-관(官) 명 文官と武官. —— 백관 명 文武百官.

문문-하다【問問—】타 人の吉凶禍福に際し, 金品を贈ってお悔みやお祝いをする.

문문-하다 형 ①(物が)柔らかい; もろい. ¶감자를 문문하게 찌다 芋をふかふかに蒸す. ②(人が)御しやすい; 見くびられている. ¶사람을 문문하게 보다 人を見くびる; 人を軽く見る. >만만하다. 문문-히 부 ①やわらかく. ②御しやすく; 軽く; へっちゃらに.

문물【文物】명 文物.

‖—— 제도 명 文物制度.

문-바람【門—】명 透き間風. =문풍(門風).

문-밖【門—】명 ①門外; 門の外. ②都城の外; 郊外; 町外れ. ‖—— 출입(出入) 명하자 門外に出て歩き回ること.

문반【文班】명〔史〕文臣の班列.

문방-구【文房具】명 文具; 文房具. 준 문방(文房). ¶～점 文房具屋/～상 文具商.

문방 사우【文房四友】명 文房四宝.

문-배 명 やまなし(山梨)の実. =문향리(聞香梨).

‖——-나무 명〔植〕やまなし. ——-주(酒) 명 ソウルの郷土焼酎《やまなしの香りがある》.

문벌【門閥】명 門閥; 家柄; 家格; 門地. ¶～이 좋다 門閥がよい/～ 싸움을 하다 門地争いをする.

문법【文法】명 文法. ¶～학 文法学/～상의 해석 文法上の解釈.

문병【問病】명하자타 病気見舞い. ¶～객〔인〕病気見舞い客〔見舞い人〕/～가다 見舞いに行く/환자를 ～하다 病人を見舞う.

문복【問卜】명하자 占ってもらうこと. =문수(問數).

문부【文簿】명 後で参考に供するかきもの.

문비【門扉】명 門扉. =문짝.

문-빗장【門—】명 かんぬき(閂). 준 빗장.

문사【文士】명 文士.

문-살【門—】명 (戸·障子の)桟ほね.

문상【問喪】명하타 弔問; お悔み. =조상(弔喪). ¶～ 받다 弔問を受ける/～객이 찾아오다 弔客が訪れる/～하러 가다 お悔やみに行く.

문서【文書】명 ①文書; 書きもの; 書付け. ¶공～ 公文書/고～ 古文書. ② ☞ 문권(文券).

‖—— 변조 명〔法〕文書変造. ——위조 명 文書偽造. ——-체 명 文書体. ——-화 명하타 文書化.

문-석인【文石人】명 ☞ 문인석(文人石). 준 문석.

문선【文選】명하자 ①〔印〕文選. =채자(採字). ②名文だけを選ぶこと. また, その本.

‖——-공 명〔印〕文選工. =채자공(採字工).

문-설주【門—】명 門柱. 준 설주.

문-소리【門—】명 門などを開け閉めする音.

문-손잡이【門—】명 門·障子などの取っ手〔引き手〕.

문수【文數】명 履き物の寸法.

문수 보살【文殊菩薩】명〔佛〕文殊菩薩; 文殊《준말》.

문신【文臣】명 文臣.

문신【文身】명하자 文身; 入れ墨《"文身·刺青"로도 씀》; 彫り物. ¶～을 넣다 入れ墨をする.

문실-문실 부 草木などが勢いよく伸びるさま: すくすく.

문안【文案】명 ① ☞ 문부(文簿). ②文案; 文書·文章の下書き. ¶～을 작성하다 文案を作る.

문-안【門—】명 ①門内. ②城内. ¶～에 살다 城内〔中心街〕に住んでいる.

문안【問安】명하자 目上のご機嫌をうかがうこと; ご機嫌うかがい; (お)見舞い. ¶복중 ～ 暑中見舞い/～ 편지 ご機嫌うかがいの手紙. ——-드리다 자 ご機嫌をうかがう.

문약【文弱】명하형 文弱. ¶～배 文弱の徒/～한 세상 文弱な世/～에 흐르다 文弱に流される.

문양【文樣】명 ☞ 무늬.

문어【文魚】명〔動〕みずだこ.

문어【文語】명 文語. =문장어(文章語).

‖——-문 명 文語文. ——-체 명 文語体. =문장체.

얼굴【門—】명 かまち(框). =문광(門框). ¶ 창문에 ~을 대다 窓にかまちを付ける.

예【文藝】명 文芸. =예술 문학. ¶ ~면 文芸面 / 대중 ~ 大衆文芸. ——극 명 文芸劇. ——란 명 文芸欄. —— 부흥 명 文芸復興. ①〖史〗ルネッサンス. ② 沈滞していた文芸が再び盛んになること. —— 비평 명 文芸批評. =문예 평론. —— 사조 명 文芸思潮. —— 영화 명 文芸映画. —— 작품 명 文芸作品. ¶ ~ 월평 文芸作品の月評. —— 평론 명 文芸評論. ¶ ~가 文芸評論家. —— 활동 명 文芸活動.

외【門外】명 ① 門外. ㉠ ☞ 문밖. ¶ ~ 불출 門外不出. ㉡ 専門以外. ② 一族〔門中〕の人でないこと. ‖——한 명 門外漢; アウトサイダー.

문의【問議】명하타 問い合わせ; アンケート. ¶ 전화로 ~하다 電話で問い合わせる.

문인【文人】명 文人. ‖—— 묵객 명 文人墨客. ——석(石) 명 陵の前に立てた文臣の像. =문석인(文石人). ——화 명 文人画.

문인【門人】명 門人; 弟子; 門徒. ¶ ~ 중의 준걸 門人中の俊傑.

문자【文字】[1] 명 昔から伝わって来たげんがくてき(衒学的)な難しい語句(《漢文の熟語・格言など》). —— 쓰다 자 難しい語句を用いて話す. ‖——투성이 명 難しい語句をふんだんに用いた文章.

문자【文字】[2] 명 文字・もん. =글자. ¶ 표음 ~ 表音文字 / 상형 ~ 象形文字 / ~ 그대로 文字通り. ‖——반 명 文字盤. —— 언어 명 文字言語; 書きことば; 文字で表わされた言語.

문장【文章】명 ① 文章; 文・もん. =글월・글발. ¶ ~의 뼈대 文章の骨組み. ② [↗문장가] 文章家. ¶ 그는 당대의 ~이었다 彼は当代の文章家であった. ‖——론 명 文章論. ——법 명 文章法. —— 부호 명 文章符号(《"."・","・"?"・"!"など》). ——어 명 文章語; 文語. ——체 명〖文〗文章体. ——화 명하자타 文章化.

문장【紋章】명 紋章.

문재【文才】명 文才; 文藻. ¶ 뛰어난 ~ すぐれた文才 / ~가 있는 사람 文才のある人.

문적 부하자 薄いものや腐ったものがもろく切れたりくずれたりするさま: ぼろりと; くたっと.

문적-문적 부하자 ぶよぶよ; ぐじゃぐじゃ; くたくた; ぼろぼろ. ¶ 물에 불어서 돗자리가 ~해졌다 水につかってござがぶよぶよになった / 차를 엎질러 신문이 ~해졌다 お茶をこぼして新聞がぐじゃぐじゃになった / 옷이 ~해지다 服がくたくたになる.

문전【文典】명 ① 文典. ¶ 신~ 新文典. ② ☞ 문법.

문전【門前】명 門前. ¶ ~ 축객 門前払い. ‖—— 걸식(乞食) 명하자 家家こじき(乞食)をして生き延びること. —— 성시(成市) 명하자 門前市を成すこと. —— 옥답(沃畓) 명 近くにあるひよく(肥沃)な田. —— 옥토(沃土) 명 家付近のよくど(沃土).

문절【文節】명 文節; 文素.

문제【問題】명 問題. ¶ ~의 인물 問題の人物 / 용모는 둘째 ~다 容貌は二の次である / ~가 심각해진다 ゆゆしきことになる / ~를 일으키다 問題を引き起す / ~로 삼지 않다 歯牙にもかけない. ——없다 형 問題(が)ない; 造作ない; 訳無い. ¶ 저 따위 놈에게 이기는건 ~ あんなやつを負かすのは朝飯前だ. ——없이 부 問題なく; 造作なく. ‖——극 명 問題劇. —— 소설 명 問題小説. ——시 명하타 問題視. ——아 명 問題児. =문제 아동. —— 의식 명 問題意識. ¶ ~이 없다〔높다〕 問題意識が無い〔高い〕. ——작 명 問題作. ——점 명 問題点. ——화 명하자타 問題化. 문젯-거리 명 ① 問題となるような要素・事件の核心. ② 面倒な物; わずらわしい物.

문주-란【文珠蘭】명〖植〗はまゆう(浜木綿); はまおもと(浜万年青).

문중【門中】명 一族の者.

문-지기【門—】명 門番; 門衛. =문직(門直).

문지르다 타 す(擦)る; こする. ¶ 수건으로 등을 ~ タオルで背中を擦る / 아픈 데를 문질러 주다 痛い所をも(揉)んでやる.

문-지방【門地枋】명〖建〗敷居; いき(枋); 戸じきみ. ¶ ~ 너머로 敷居越しに / ~이 높다 敷居が高い / ~이 닳도록 드나든다 足しげく通う. ‖——돌 명 石の敷居.

문진【文鎭】명 文鎮; けいさん(卦算・圭算). =서진(書鎭). ¶ 종이 위에 ~을 올려 놓다 紙に文鎮を載せる.

문집【文集】명 文集; 文苑. ¶ 학급 ~ クラス文集.

문-짝【門—】명 (門の)扉; 戸; 門扉. ¶ ~을 열다 扉を開ける.

문-창호【門窓戶】명 門と窓と戸.

문채【文彩・文采】명 ① 文彩; 文飾; 文藻. ② 模様; 紋様. =무늬. ¶ 옷감의 ~가 아름답다 切れ地の紋様が美しい.

문책【問責】명 問責; 責問; とが(咎)め. ——하다 타 問責〔責問〕する; 咎める; なじる. ¶ ~을 받다 とがめを受ける.

문척 부하자 もろくなってちょっと触っただけでもたやすく切れるさま: ぼろりと. ——— 부하자 ぶよぶよ; ぼろぼろ; ぐじゃぐじゃ.

문체【文體】명 文体; 書きぶり. ¶ 독특한 ~ 独特の文体 / 그 ~에는 무어라고 말할 수 없는 묘미가 있다 その文体には何とも言われぬ妙味がある. ‖——론 명 文体論.

문치【門齒】명〖生〗門歯. =앞니.

ㅁ

문치적-거리다 자 仕事をぐずぐずする. ㊟ 문칫거리다. 문치적-문치적 부하자 ぐずぐず.

문칫-거리다 자 ↗문치적거리다. 문칫-문칫 부하자 ↗문치적문치적.

문-턱【門—】명 上りかまち(框). ¶ ~이 높다 入りにくい; 会いにくい / 봄의 ~ 春の入り口 / ~이 닳도록 드나든다 足しげく通う.

문턱 부하자 腐ったものまたはもろいものが塊になって切れ離れるさま: ぼろりと. ¶ ~ 끊어지다 ぼろりと切れる. ———— 부하자 ぼろりぼろり.

문투【文套】명 ① 作文法. ② 文のくせ.

문-틈【門—】명 閉まった門の透き間.

문패【門牌】명 門札; 表札; かどふだ. ¶ ~를 달다〔걸다〕門札をかける; 表札を出す.

문-풍지【門風紙】명 扉などの透き間風をふせぐために枠の回りに張った紙. ㊟ 풍지.

문필【文筆】명 ① 文筆; 文墨. ¶ ~에 종사하다 文筆に携わる. ¶ ~가 文筆家. ② 文と字.

문하-생【門下生】명 門下生; 門弟; 弟子; 門人; 門弟子. ㊟ 문생(門生).

문학【文學】명 文学. ¶ ~을 하다 文学をする / 아동 ~ 児童文学 / 해외 ~의 소개 海外文学の紹介.
‖——-가 명 文学家. =문학인. —— 개론 명 文学概論. ——-계 명 文学界. ——-도 명 文学徒. ——-론 명 文学論. —— 박사 명 文学博士. ——-사 명 文学士. ——-사 명 文学史. ——-상 명 文学賞. —— 소녀 명 文学少女. ——-자(者) 명 文学者. =문학가(家). —— 잡지 명 文学雑誌. ——-적 명관 文学的. ¶ ~ 재능 文学的才能.

문헌【文獻】명 文献. ¶ ~이 발견되었다 文献が発見された / ~을 조사하다 文献を調べる / 참고 ~을 약기하다 参考文献を略記する.
‖——-학 명 文献学; 書誌学.

문형【文型】명 文型; センテンスパタン. ¶ ~ 연습 文型練習.

문호【文豪】명 文豪. =문웅(文雄). ¶ ~의 명작 文豪の名作.

문호【門戶】명 門戸. ① 出入り口. ¶ ~를 닫다 門戸を閉ざす / ~를 개방하다 門戸を開放する〔開く〕. ② 出入り口になる肝要な所. ③ ☞ 문벌(門閥).
‖—— 개방 명 門戸開放.

문화【文化】명 文化. ¶ 높은 ~ 高い文化 / 난숙한 ~ らんじゅく(爛熟)した文化.
‖—— 과학 명 文化科学. —— 국가 명 文化国家. ——-권 명 文化圏. ¶ 아랍 ~ アラブ文化圏. —— 단체 명 文化団体. ——-비 명 文化費. ——-사 명 文化史. —— 생활 명 文化生活. —— 시설 명 文化施設. —— 영화 명 文化映画. —— 유산 명 文化遺産. ——-인 명 文化人. ¶ ~의 긍지 文化人のほこり. ——-재 명 文[化]財. ¶ ~ 보호 文化財(の)保護 / 무[형] ~ 無形文化財 / 매장 ~ 埋蔵文[化]財. ——재 관리국 명 文化財管理[局]. ——재 보호법 명 文化財保護[法]. ——-적 명관 文化的. ¶ ~인 [생]활 文化的な生活. ——-제 명 文[化]祭. —— 주택 명 文化住宅. —— 체육부 명 文化体育部《中央行政機関の一つ》. —— 포장 [명] 文化褒章. —— 혁명 명 文化革命. —— 훈장 명 文化勲章.

문후【問候】명하자 手紙で安否[を]うかがうこと.

묻다[1] 자 (粉・水などが他のものに)付く; くっつく; ひっつく. ¶ 때[가] ~ あか(垢)がつく / 손에 잉크가 ~ [手]にインクが付く / 흙이 ~ 土がつく.

묻다[2] 타 ① (物を)埋める; うず(埋)める. ¶ 쓰레기를 땅 속에 ~ ごみを[土]に埋める / 화로의 불을 재에 ~ 火[鉢]の火をい(埋)ける / 무덤에 ~ 墓に葬る; 埋葬する. ② (事を)隠す; 葬る. ¶ 사건을 비밀로 묻어 두[다] 事件をやみ(闇)に葬る.

묻다[3] 타 ① 問う; 聞く; 尋ねる; ただ(質・糺)す. ¶ 책임을 ~ 責任を問う / 이웃 사람이 물어 왔다 隣の人が問いかけてきた / 죄상을 캐어 ~ 罪状を聞きただ(糺)す / 환자의 병력을 ~ 患者の病歴を聞く / 용건을 ~ 用件を尋ねる. ② うかがう; 見舞う. ¶ 안부를 ~ 安否を問う〔尋ねる〕.

묻히다 ㊀ 사동 付ける; くっ付ける. ¶ 손에 잉크를 ~ 手にインクを付ける / 팥고물을 ~ 小豆のまぶしをつける. ㊁ 피동 うず(埋)められる; うずまる; 葬られる. ¶ 산채로 ~ 生きながら葬られる / 숯불이 묻혀 있다 炭火がいかっている.

물[1] 명 水《찬 것은 "お冷や・冷や水"라고도 하며, 더운 것은 "(お)湯"라 함》. ¶ ~ 고문 水責め / ~ 샐 틈없는 水も漏らさぬ / ~을 타다 水で薄める〔割る〕/ ~을 붓다 水を注ぐ〔さ(注)す〕/ ~을 얻어 쓰다 貰い水をする / ~이 마시고 싶다 水が飲みたい〔欲しい〕/ ~을 통에 채우다 おけに水を張る / ~을 끼얹다〔뿌리다〕水をかける / ~을 빼다 水を抜く / 뜰의 나무에 ~을 주다 庭木に遣り水をする / ~ 쓰듯 한다 湯水のように使う / ~ 밖에 난 고기《俚》水を離れた魚 / ~에 빠진 생쥐 ぬ(濡)れねずみ(鼠) / ~에 빠지면 지푸라기라도 움켜쥔다《俚》溺れる者はわら(藁)をもつかむ / ~ 위에 기름《俚》水に油 / ~이 맑으면 고기가 안 논다《俚》水清ければ魚す(住)まず.

물[2] 명 (物に表われる)色; 染め; よごれ; しみ. ¶ 이 염색은 ~이 곱게 들었다 この染めは色のあがりがいい / 서양 ~이 들다 西洋かぶれをする / 나쁜 ~이 들다 悪に染まる.

물【物】명 〖哲・法〗 物.

물[3] 의명 ① 衣服を洗濯する度. ¶ 한 ~ 빤 옷 一度洗濯した服. ② (野菜・果実・魚類などの)間を

いて出る順序：出. ¶ 만~ 호
かぼちゃの走り / 딸기는 한 ~ 갔
いちご(苺)は盛りを過ぎた.
【物】미 物. ＝물건. ¶ 공유~
有物 / 청과~ 青果物 / 역
(歴史)~ 時代物.
-가 명 水際; 水辺; 岸; 岸辺
; なぎさ(渚·汀); みぎわ; 波打
際. ¶ ~를 따라 가다 岸伝い〔岸沿
い〕に行く / ~에서 많이 놀았다 水辺
で長くあそんだ.
가【物價】명 物価. ¶ ~ 등귀 物価
騰貴 / ~ 상승으로 생활이 궁해졌다
上がりで暮らしがつまって来た /
~ 안정을 꾀하다가 실패했다 物価の安
定を図ったところ失敗した.
——-고 명 物価高; 高物価. ¶
~로 생활이 곤란하다 物価高で暮らし
が苦しい. —— 동태 명 物価の動態.
—— 동향 명 物価の動向. ——
지수 명 物価指数. —— 통제 명 物
価統制.
물-갈래 명 (河などの)支流.
물-갈이 명하자 ① 田に水を入れて
耕すこと. ② (金魚鉢などの)水
をとり替えること. ③ ある事の関係
者を替えること.
물-갈퀴 명〔動〕 みずかき(蹼)·水か
(掻)き. ＝복(蹼)·오리발.
물-감 명 ① 染料; 染め粉《가루
물감》. ＝염료. ② 絵の具. ＝그림 물
감.
물-개 명〔動〕おっとせい(膃肭臍). ＝
올눌(膃肭)·해구(海狗).
물-거름 명 液体肥料; 水肥.
물거리 명 しば(柴).
물-거울 명 水鏡. ¶ ~에 비친 얼굴
水鏡に映った顔.
물-거품 명 水の泡; 水泡; ほうま
つ(泡沫). ＝수포(水泡)·포말(泡沫).
¶ ~이 되다(せっかくの苦心が)水の
泡となる / 잔 ~ 이 인다 小さい泡沫
が立つ / ~처럼 사라져 없어지다 泡沫
のように消え失せる.
물건【物件】명 品物; 物件; 代物
〈俗〉; 品; 物; 物品. ¶ 틀림없
는 ~ 確かな品物 / 아주 싼 ~ 極安
の品 / 까닭이 있는 いわ(曰)く付き
の代物.
‖——-비 명 物件費. * 인건비.
물-걸레 명 ぬ(濡)れ雑巾.
‖——-질 명하자 ぬれ雑巾で拭く〔ぬ
ぐう〕こと; 水拭き.
물-것 명 人を刺す蚊·のみ·しらみ·
なんきんむし(南京虫)などの総称:
吸血虫.
물-결 명 波; はとう(波濤); 波浪.
¶ 사람〔자동차〕의 ~ 人〔自動車〕
の流れ / 시대의 ~ 時代の波 / 밀려
왔다 밀려가는 ~ 寄せては返す波 /
~이 일다 波が立つ / ~이 치다 波打
つ; 波立つ / ~치는 바다 波立つ
海 / ~치는 대로 떠돌다 流れのまま
に漂う.
‖물결-표(標) 명 波形記号; スワ
ングダッシュ《~》.
물경【勿驚】감 驚くなかれ; なん
と. ¶ ~, 5억 원의 손해를 입었다 な
んと五億ウォンの損害を被っ
た.
물고【物故】명하자타 ① 社会に名
のある人の死. ② 罪人の死; 罪
人を殺すこと. ——-나다 자 ① 罪人
が死ぬ. ②《俗》死ぬ. ——-내다 타
① 罪人を殺す. ②《俗》殺す.
물-고기 명 魚; うお. ¶ 작은 ~ 小魚
/ ~는 물을 떠나서는 살 수 없다《
俚》魚は水を放れては生けられぬ《魚
と水》/ ~의 밥이 되다 魚腹に葬
らる; 海の藻くずとなる. ㊟고
기.
물고 늘어지다 타 食い下がる; 食い
ついて放れない. ¶ 끝까지 ~ 最後
まで食い下がる / 요구가 관철될 때
까지 ~ 要求が容れられるまで食
い下がる.
물-고동 명 水道栓.
물-곬 명 排水きょ(渠); 下水溝.
물구나무-서다 자 逆立ちする; 倒立
する.
물-구덩이 명 水たまり. 「ころ.
물-굽이 명 (川の)曲がって流れると
물권【物權】명〔法〕物権. ¶ 용역 ~
用役物権.
‖—— 계약 명 物権契約. ——-법 명
物権法.
물-귀신【—鬼神】명 水鬼; 船幽霊
; 水中の鬼神. ＝수백(水
伯). ¶ ~이 되다《俗》おぼ(溺)れ死
にする / 바다 밑의 ~으로 사라지다 海
底の藻くずと消える.
물-금【—金】명〔鑛〕アマルガム.
물긋물긋-하다 형 非常に薄い〔水
っぽい〕.
물긋-하다 형 薄い; 水っぽい.
물-기【—氣】명 水気; 汁気; 水
分. ¶ ~를 말리다〔빼다, 없애다〕水
気を取〔切〕る / ~가 많다 水っぽ
い. 「水柱があがる.
물-기둥 명 水柱. ¶ ~이 솟다
물-기름 명 水油; 液状の油.
물-긷다 자 水をく(汲)む.
물-길 명 水路; 水程; 水先; 船
路.
물-꼬 명 田の水の出入り口.
물끄러미 부 見すえるさま: じっと;
まじまじ(と). ¶ ~ 바라보다 じっと見
つめる. >말끄러미.
물-나라 명 (雨が多く)大水が出
た地域. ＝수국(水國).
물-난리【—亂離】명 ① 洪水の騒動.
② 水ききん(飢饉)の騒動.
물납【物納】명하타 物納. ¶ 상속세
를 가옥으로 ~하다 相続税を家
屋で物納する.
‖——-세 명 物納税. ——-제 명 物納
制.
물-내리다 자 力が抜けて元気が
なくなる; しお(萎)れる.
물-너울 명 大きく動く波; 大波.
물-놀이 명하자 ① さざ波や波紋を
起こす現象. ② 水遊び;
물다¹ 자 ① (暑さや湿気によって)
発酵して腐る. ② [↗물쿠다] 蒸し
暑い.
물다² 타 払う; 支払う; 納める;
賠償する; 弁償する. ¶ 조세를
~ 税金を納める / 세를 ~ 借料

ㅁ

を払う / 전기료를 ～ 電気料を払う / 벌금까지 물었다 罰金まで取られた.

물다[3] 타 ① か(嚙)む; かみつく; 食いつく. ¶ 개가 ～ 犬がかみつく / 물어 죽이다 かみ殺す / 오늘은 고기가 잘 물지 않는다 今日は魚がさっぱり食わない. ② 刺す. ¶ 모기가 ～ 蚊が刺す / 벼룩이 문 데가 가렵다 のみの刺し口がかゆい. ③《俗》手に入れる; 捕らえる. ¶ 봉을 ～ かもを捕らえる. ④ くわ(喰)える. ¶ 담배를 (입에) 물고 たばこを喰えて. ⑤ かみ合う. ¶ 톱니바퀴가 맞 ～ 歯車がかみ合う.

물-대 명 揚水機の管.

물덤벙-술덤벙 부하자 おっちょこちょいで出しゃばるさま; けいそつでさしでがましいさま.

물-독 명 水がめ.

ㅁ

물동【物動】 명 [↗물자 동원(物資動員)] 物動. ¶ ～과 物動課.

‖── 계획 명 物動計画.

물-동이 명 小さい水がめ.

물-두부【一豆腐】 명 湯豆腐.

물-들다 자 染まる. ① 色づく; 色が付く. ¶ 꺼멓게 ～ 黒く染まる / 나뭇잎〔산〕이 물들기 시작했다 木の葉〔山〕が色づきはじめた. ② かぶれる; (ある)傾向を帯びる; 染みる. ¶ 미국풍에 ～ アメリカにかぶれる / 악에 ～ 悪に染まる / 악습에 ～ 悪習に染まる.

물-들이다 타 染める. ¶ 머리를 검게 ～ 髪を黒く染める.

물-딱총【一銃】 명 ↗물총.

물-때[1] 명 ① 潮合い; 潮時. ¶ 배를 내기에는 지금이 꼭 좋은 ～이다 船を出すには今が丁度よい潮時である. ② さし潮の時間.

‖── 썰때 명 潮時; 潮合い; 物事. ¶ ～를 안다《俚》潮時をわきまえる.

물-때[2] 명 水あか(垢); 湯の花〔華〕; ゆあか(湯垢). ¶ 배의 ～ 舟の水あか / ～를 긁어내다 水あかをかき落とす / ～가 끼다 湯あかが付く.

물-떼새 명〔鳥〕川千鳥; 千鳥. ＝소수찰(小水鴷). ㊜ 떼새.

물똥 싸움 명 水掛あい. ㊜ 물싸움.

물량【物量】 명 物量. ¶ ～ 공격 物量攻撃 / ～으로 압도하다 物量で圧倒する.

물러-가다 자 ① 退く; 去る. ㉠ 立ち去る; 後退する; 遠のく; 遠ざかる. ¶ 적이 ～ 敵が退く / 위기가 ～ 危機が去る / 발소리가 점점 ～ 足音がだんだん遠のく. ㉡ 引きさがる; 引き取る. ¶ 어전에서 ～ ご前から引きさがる / 침실로 ～ 寝間に引きさがる / 그만 물러 가겠습니다 もうおいとま(暇)いたします. ㉢ ひ(退)く; 引退する. ¶ 정계에서 ～ 政界から退く. ② 延期される; のびる. ¶ 결혼 날짜가 ～ 結婚の日取りがのびる.

물러-나다 자 ① ゆるむ; ゆるくなる. ¶ 책상 다리가 ～ 机の足がゆるむ. ② 退く. ㉠ 退く; 後退する. ¶ 적이 성에서 ～ 敵が城から後退した / 이렇게 되면 물러날래야 물러날 없다 こうなれば退くに退かれな ㉡ 引退する. ¶ 현직을 ～ 現職去る / 정계에서 ～ 政界から退く 그 사건에서 ～ その事件から身を く. ③ 引き下がる. ¶ 아버지 앞에 ～ 父の前から退きさがる / 한마 변명도 못하고 ～ 否応なしに引き がる.

물러-서다 자 後ろへの(退)く; 退く; あとへ引く; 引っ込む. ¶ 당해서 핵 ～ あわてて飛びのく / 놀라 ～ 驚いて飛び離れる / 일단 말 꺼내기만 하면, 물러서지 않는다 言い出しが最後, あとへはひかない / 지가 통하면 도리가 물러선다 無理が通れば道理が引っ込む.

물러-앉다 자 ① 後ろに引き込む ② 地位をやめて退く〔去る〕; 退 〔隠退〕する.

물러-지다 자 ① (物が)柔らかく る; 熟する. ② 決心が緩む.

물렁-거리다 자 ぶよぶよする. ＞말랑거리다·몰랑거리다. 물렁-물렁 부하형 どろり; ぶよぶよ.

물렁-뼈 명〔生〕軟骨.

물렁-살 명〔動〕魚のひれ(鰭)の柔らかい筋. ＝연조(軟條).

물렁-팥죽【一粥】 명 ① ひどく柔弱な人. ② ぐしゃぐしゃしてつぶ(潰)れやすい物のたとえ.

물렁-하다 형 ① 水気が多くて柔らかい; 熟している; ぶよぶよしている. ② 優柔不断である. ＞말랑하다·몰랑하다.

물레 명 いとよ(糸撚)り車; 糸繰り車; 糸車. ＝방차(紡車). ¶ ～를 돌리다 つむ(錘)を回す.

‖── 바퀴 명 ① 糸車の車. ② 水車の車. ──-방아 명 水車. ＝수차(水車). ¶ 물레 방앗간 水車小屋. ──-질 명하자 糸車を回して繭から糸を紡ぐこと.

물려-받다 타 引く; 受け継ぐ; (財産などを)引き継ぐ; 襲う. ¶ 재산〔전통〕을 ～ 財産〔伝統〕を引き継ぐ / 3대째의 가계를 ～ 三代目の家系を襲う / 부모로부터 물려받은 재능 親譲りの才能 / 이 양복은 아버지에게서 물려받은 것이다 この洋服は親父の下がりものである.

물려-주다 타 譲る; 伝える; 譲り渡す; 譲渡する. ¶ 조상의 가보를 ～ 先祖の家宝を伝える.

물려-지내다 자 いやいやながらも現状のまま暮らす.

물력【物力】 명 ① 物の力. ② 物品と労力.

물론【勿論】 명부 もちろん(勿論); むろん(無論); もとより. ＝무론(無論). ¶ ～ 가고말고 もちろん行くとも / ～이다 もちろんである; 言をまたない; 言うまでもない / 출석해야 함은 ～이다 出席はもとよりの事だ.

물리【物理】 명 物理.

‖── 요법 명〔醫〕物理療法. ──적 명관 物理的. ¶ ～ 변화 物理的変化. ──-학 명 物理学. ㊜ 물리. ── 화학 명 物理化学.

물리다¹ 자 飽きる；あきあきする；飽き果てる；嫌になる；食い飽きる. ¶ 물리도록 먹다 飽きるほど食べる / 그의 익살도 이제는 물렸다 彼のしゃれにはもう嫌気がさした.

물리다² 타 煮て軟らかくする；うんと煮る.

물리다³ 타 ① ずらす. ㉠ 延期する；のばす. ¶ 날짜를 하루 ～ 日取りを一日ずらす. ㉡ 引く；移しておく. ¶ 책상을 오른쪽으로 ～ 机を右へずらす / 군사를 ～ 兵を引く / 차례를 ～ 順を繰りさげる / 뒤로 ～ 引っ込ます；引きさげる. ② (財産・地位などを人に)譲る；譲渡する. ¶ 재산을〔지위를〕～ 財産〔位〕を譲る.

물리다⁴ 타 (場所を空けるために)片付ける；取り出す；下げる；下ろす. ¶ 밥상을 ～ おぜん(膳)を下げる / 부처님께 올렸던 음식을 ～ 仏様にあげた供え物を下ろす.

물리다⁵ 타 厄払いをする；はら(祓)う. ¶ 악귀를 ～ 悪鬼を追っ払う〔祓う〕.

물리다⁶ ㊀ 피동 か(嚙)まれる；挟まれる. ¶ 독사에 ～ 毒蛇にかまれる. ㊁ 사동 挟ませる；かませる. ¶ 수건으로 재갈을 ～ 手ぬぐいでさるぐつわ(猿轡)をかませる.

물리다⁷ 사동 弁償させる. ¶ 손해를 본 물건값을 ～ 損した品物代を弁償させる.

물리-치다 타 ① くれるものを拒んで受け取らない；退ける；拒む；拒絶する. ¶ 그의 의견을 ～ 彼の意見を退ける / 선물을 ～ 贈り物を拒む. ② (敵を)討ち退ける；排する；ぶっ払う〈俗〉；払いのける；吹き飛ばす；払う；葬る；撃退する. ¶ 사람을 물리치고 밀담하다 人を退けて密談する / 강적을 ～ 強敵を葬る / 만난을 ～ 万難を排する / 침략자를 ～ 侵略者を撃退する.

물림 명 ① (きめた日取りを)延期すること. ②〔建〕母屋前後または左右に継ぎ足した間.

물림-쇠 명 止〔留〕め金；留め具；口金. ¶ 핸드백의 ～ ハンドバッグの口金.

물-마루 명 波頭；波の峰；波の穂〈雅〉. ＝수종(水宗). ¶ 흰 ～가 부서지다 白い波頭が砕ける.

물-만두 【一饅頭】 명 ゆ(茹)でギョーザ(餃子). ＝물교자(餃子).

물만-밥 명 水飯；水かけ飯. ＝물말이.

물-맛 명 水の味.

물망 【物望】 명 嘱望. ¶ 장관의 ～에 오르다 長官に取りざたする.

물망-초 【勿忘草】 명하자 〔植〕 わすれなぐさ(勿忘草).

물-맞이 명하자 効能あらたかな泉の水を飲んだり浴びたりすること.

물-매¹ 명 ひどいむち(鞭)打ち. ¶ 동료에게 ～를 맞다 同僚からさんざんにたたかれる. ＊ 뭇매.

‖――-질 명하자타 ひどい鞭打ち.

물매² 명 傾斜；こう(勾)配；(屋根の)流れ. ¶ 거의 ～가 없는 지붕 ほとんど流れのない屋根；陸屋根 / 지붕의 ～가 싸다〔뜨다〕 屋根の流れがきつい〔緩い〕.

물-먹다 자 ① 水を飲む. ② 植物などが養分として水を吸い込む. ③ (紙・布などに) 水が染みる.

물-멀미 명하자 水酔い.

물-면 【一面】 명 水面.

물명 【物名】 명 物名；物の名.

물-목 명 水の出入り口；水口.

물목 【物目】 명 品目；物品の種目.

물-못자리 명 水が常にた(溜)まっている苗床；水苗代.

물-무늬 명 水紋.

물-문 【一門】 명 ① 水門. ② こうもん「(閘門).

물물 교환 【物物交換】 명하자타 物物交換；物交《준말》.

물-밀다 자 潮がさす. ＊ 물써다.

물-밀듯이 부 水の押し寄せるごとく；一度にどっと；ひたひたと. ¶ 대군이 ～ 밀어닥치다 大軍がひたひたと押し寄せる.

물-밑 명 ① 水底；波底. ＝수저(水底). ② 土地や材木の仕組みを水平に測量するときの水平線下.

물-바가지 명 水く(汲)みに用いるひょうたん(瓢箪)〔ひさご〕. ㊀ 물박.

물-바다 명 (大水による)一面の水海. ¶ 온 마을이 ～가 되었다 村が水に浸された.

물-바람 명 海・川などから吹き寄せる風；水風.

물-받이 명 雨どい(樋)；とい(樋).

물-발 명 水足. ¶ ～이 빠르다 水足が速い.

물-방개 명〔蟲〕 げんごろうむし(源五郎虫)；げんごろう《준말》. ＝말선두리.

물-방아 명 水車.

물방앗-간 【一間】 명 水車小屋.

물-방울 명 水玉；水滴；飛沫；滴り；滴. ¶ ～ 무늬 水玉紋様 / ～이 튀다 しぶく / 노끈을 타고 ～이 떨어지다 ひもを伝って滴が落ちる / 맥주병에 ～이 서리다 ビール瓶が汗をかく / ～을 튀기면서 헤엄치다 飛沫をあげて泳ぐ.

물-배 명 水腹.

물-뱀 명〔動〕 ① 水生蛇類の総称. ② うみへび.

물-벌레 명〔蟲〕 ① 水に住む虫の総称. ② みずむし.

물-베개 명 水まくら(枕).

물-벼 명 乾かしていないもみ(籾).

물-벼락 명 水のどしゃ浴び. ＝물세례. ――-맞다 자 どしゃ浴びの目にあう.

물-병 【一瓶】 명 水差し.

물-보라 명 水煙；しぶき(飛沫)；水しぶき. ¶ 풍덩하고 ～를 일으키면서 뛰어들었다 ざぶんと水煙を上げて飛び込んだ. ――-치다 자 しぶく；しぶきをあげる.

물-부리 명 [↗담배 물부리] シガレットホールダー；吸口.

물-분 【一粉】 명 練りおしろい(白粉).

물-불 명 水火；水と火. ¶ ～을 가

리지 않다 水火をも辞せず.
물-비누 명 水せっけん(石鹸).
물-비린내 명 水のややなまぐさいにお(臭)い.
물-빛[1] 명 水色.
물-빛[2] 명 染料の色; 染め色.
물-빨래 명하타 水洗い.
물-빼다[1] 타 水を抜く.
물-빼다[2] 타 脱色する; 色抜きをする.
물산【物産】명 物産.
물-살 명 流れ; 水の流れる力. ¶ ~이 빠르다 流れが速い.
물상【物象】명 物象. ① 生命のない物の現象. ② 物理学·化学·鉱物学などの総称《生物学を含む場合もある》.
물상【物像】명 物体の像.
물-새 명 水鳥; すいきん(水禽).
물색【物色】명하타 物色. ¶ 후임을 ~하다 後任を物色する.
물색-없다 형 言行が道理に合わない. **물색-없이** 부 (言行が)道理に合わずに. ¶ ~ 잘난 체하다 筋も合わぬ偉物ぶりをする.
물샐틈-없다 형 ① すっかりふさ(塞)がっている; 漏れるところがない. ② 水も漏らさぬほど厳重である; すきがない. ¶ 물샐틈 없는 경계 水ももらさぬ厳重な警戒. ③ 用意周到だ; 抜け目がない. **물샐틈-없이** 부 すきまなく; 水も漏らさぬほど厳重に; 用意周到に.
물성【物性】명 物性.
‖——론 명〔物〕物性論.
물-세【—稅】명 かんがい(灌漑)用水の料金または水道料.
물-세【物稅】명〔法〕物税. =대물세(對物稅).
물-세례【—洗禮】명 ①〔基〕水の洗礼. ② ☞ 물벼락.
물-소 명〔動〕① 水牛. ② インド水牛.
물-소리 명 水音.
물-손 명 ① ぬれ手. ② 練粉·ご飯·もち(餅)などの水加減.
물-수건【—手巾】명 ① ぬ(濡)れ手ぬぐいの総称. ② お絞り.
물수제비-뜨다 자 水切りをする; 水切りの遊びをする.
물-숨 명 噴き出る水の勢い. ¶ ~이 세다 噴き出る水の勢いが強い.
물-시계【—時計】명 水時計; 漏刻.
물실 호기【物失好機】명하자 好機を逸しないこと.
물-심【物心】명 物心. ¶ ~ 양면으로 돕다 物心両面で助ける.
물-심부름 명하자 洗面水や飲み水を運ぶお使い. =물시중.
물-싸움 명하자 ① 水論; 水争い. ② ↗물동 싸움.
물-써다 자 潮が引く; 引き潮になる; 潮が落ちる. * 물밀다.
물쓰듯-하다 하타 (お金や物を)やたらに使う; 物づかいが荒い. ¶ 돈을 ~ 金遣いが荒い.
물씬 부 においが鼻を突くさま: ぷん(と). ¶ 향수 냄새를 ~ 풍기다 香水をぷんとにお(匂)わす.
물씬-거리다 자 柔らかくて触るた[...]にぐなぐなする; ぐにゃぐにゃす[...]ぶよぶよする. >말씬거리다·몰씬거[...]다. **물씬-물씬** 부하형 ぐなぐな; ぐにゃぐにゃ; ぶよぶよ.
물씬-하다 형 ぶよぶよ〔ぐにゃぐに[...]ぐなぐな〕している. >말씬하다·몰[...]하다.
물-아래 명 川下; 川じり(尻).
물-안경【—眼鏡】명 水眼鏡. =[...]중 안경(水中眼鏡).
물-약【—藥】명 水薬; 液剤.
물어 내다 타 ① 内輪話を外に言[...]いふらす. ② こっそり物を持ち出[...]す. ③ 弁償する.
물어 넣다 타 (足らない分や費[...]たお金などを)弁償する.
물어 떼다 타 か(噛)み切る; 食い[...]とる.
물어 뜯다 타 かみちぎる; かじ(齧)る. 준 무뜯다. ¶ 개와 개가 서로 ~ 犬[...]うしがかみ合う.
물어-보다 타 尋ねてみる; 問う; [...]かが(伺)う.
물어-주다 타 弁償してやる.
물역【物役】명 (石·かわら(瓦)·土砂などの)建築材料.
‖—— 가게 명 建築材の小売り店.
물-엿 명 水あめ(飴).
물-오르다 자 ① 草木が水分を吸[...]いあげる; 木が芽ぐむ. ② 貧しい[...]人の暮らし向きがよくなる.
물-오리 명〔鳥〕まがも(真鴨). =청둥오리.
물-외 명〔植〕"참외(=まくわうり)"に対する"오이(きゅうり(胡瓜))"の称.
물욕【物慾】명 物欲.
물-위 명 ① 水の表面; 水面. ¶ ~의 기름《俚》水に(ういた)油《他人と交わらず独りのけ者にされることのたとえ》. ② 川上. =상류.
물윗-배 명 平田舟; 平底舟. =수상선(水上船).
물음 명 問い. ¶ 다음 ~에 답하여라 次の問いに答えよ.
‖——표 명 疑問符; クエスチョンマーク. =의문부.
물의【物議】명 物議; 世間の評判. ¶ ~를 빚어내다〔일으키다〕物議をかもす.
물이-꾸럭 명하타 人の損害·借金などを償ってやること. ¶ 그의 처지가 하도 딱해서 빚을 ~해 주었다 彼の立場が惨めなので借金を代償してやった.
물-이끼 명〔植〕みずごけ(水蘚).
물이-못나게 부 しっこくせがむさま. ¶ 돈 꾸어 달라고 ~ 군다 金貸せとしっこくせがみこむ.
물입【勿入】명 "入るなかれ"の意. ¶ 한인(閒人)~ 無用の者の立ち入りを禁ず.
물-자 명 水尺; 量水標.
물자【物資】명 物資. ¶ ~를 동원하다 物資を動員する.
‖—— 동원 명 物資動員. 준 물동(物動). —— 원조 명 物資援助.
물-자동차【—自動車】명 ① ☞ 살수차(撒水車). ② 給水用の自動車

. ㊕ 물차.

-장구 명 ① 水を入れた器にふくべ(瓢)を伏せて, 調子をとりながらたたくこと. ② ばた足をつきながら泳ぐ. ──치다 자 ① "물장구"遊びをする.

──질 명 (泳ぐとき)足をばたつかせる動作.

-장난 명하자 ① 水遊び. ② 大水による災禍.

-장사 명 《俗》 水商売.

적【物的】명관 物的.

── 증거 명 物的証拠. ㊕ 물증.

── 증명 명 物的証明.

정【物情】명 物情; 物心; 世事; 俗事. ¶ ~에 어둡다 世事にうとい / ~이 밝다 世事に通じている; 世故にたける / ~을 아는 사람 物の分かった人 / ~을 모르는 사람 世に暗い人.

주【物主】명 ① 資本主; ドル箱〈俗〉. ② (ばくちで)親; 胴元; 胴親; 胴取り.

물-줄기 명 ① 水流. ② 水柱; 噴水.

물증【物證】명 [↗물적 증거] 物証; 物的証拠. ¶ 범죄의 ~을 잡다 犯罪の物証を押さえる.

물-지게 명 水を運ぶ背負い子.

물질【物質】명 物質.

‖──계 명 物質界; 物界《준 말》. ㊕ 물계. ── 대사 명 〔生〕 物質代謝. =물질 교대·신진 대사. ── 명사 명 物質名詞. ── 문명 명 物質文明. ── 불멸의 법칙 명 〔物〕 物質不滅の法則. =질량 불변의 법칙. ──적 명관 物質的; フィジカル. ¶ ~인 욕망 物質的欲望. ──주의 명 物質主義.

물-짐승 명 水の中に住む獣《かわうそ·水牛など》.

물-집¹ 명 水膨れ; すいほう(水疱); まめ(肉刺). ¶ 피가 섞인 ~ 血まめ / 화상으로 ~이 생기다 火膨れができる / 발에 ~이 생기다 足にまめができる.

물-집² 명 染め物屋. =염색소.

물쩍지근-하다 형 これと言う変化がなくてたいくつ(退屈)だ. 물쩍지근-히 부 単調に; たいくつに; なまぬる(生温)く.

물쩡물쩡-하다 형 大変柔弱である. >말짱말짱하다.

물쩡-하다 형 (人が)さえない; なまぬるい; 柔弱である. >말짱하다.

물찌-똥 명 ① 水玉; しぶき. ② 液便; げり(下痢)のようなくそ(糞). ㊕ 물똥.

물-차【─車】명 [↗물자동차] ① さっすいしゃ(撒水車). ② 給水車.

물체【物體】명 物体; 物. ¶ ~의 운동에 관한 법칙 物体の運動に関する法則.

물-총【─銃】명 水鉄砲. ¶ ~을 가지고 놀다 水鉄砲で遊ぶ.

물컥 부 にお(臭)いが激しくにおうさま: ぷんと. >몰칵. ¶ 썩은 냄새가 ~ 나다 腐るにおいがぷんと出る. ──── 부 ぷんぷん.

물컹-거리다 자 ぐなぐな〔ぐにゃぐにゃ〕した感じがする. >말캉거리다·몰캉거리다. 물컹-물컹 부하형 ぐなぐな; ぐにゃぐにゃ; どろどろ.

물컹-이 명 ① ぐにゃぐにゃ〔ぐなぐな, ふにゃふにゃ〕した物. ② 虚弱で意志の弱い者; 弱虫.

물컹-하다 형 (熟れ過ぎたり腐ったりして)ひどく柔らかくてつぶれそうだ. >말캉하다·몰캉하다.

물크러-지다 자 腐りくずれる; どろどろになる. ㊕ 물커지다.

물큰 부 ぷんとにお(臭)うさま: ぷんと. >몰큰. ¶ 악취가 ~ 코를 찌르다 悪臭がぷんと鼻をつく. ──── 부 ぷんぷん.

물-통【─桶】명 ① 水槽. ② 水おけ(桶).

물-퍼붓듯 부하자 よどみなく速くするさま: すらすらと; べらべらと; よどみなく.

물표【物標】명 ① 荷札. ② 合符; 合札. ¶ ~를 받다 合符を受ける.

물-풀 명 ☞ 수초(水草).

물품【物品】명 物品; 品物; 物; 品; 代物. =물건. ¶ 약간의 ~ なにがしかの品物 / 귀중한 ~ 貴重な品 / 품질을 알 수 없는 ~ 性の知れない品 / 보잘것 없는 ~ つまらない代物 / ~ 목록을 만들어 상대방에 보냈다 品書きを作って先方に送った.

‖──세 명 物品税. ¶ ~를 물다 物品税を納める.

물-홈 명 敷居などの溝.

물화【物貨】명 物貨.

묽다 형 ① 薄い; 希薄だ; 水っぽい; 緩い. ¶ 묽은 대변 緩い便 / 묽은 죽 緩いかゆ(粥) / 물로 묽게 개다 水で緩く溶く / 물에 타서 묽게 하다 水で伸ばす. ② (人が)がっちりしていない; 締まりがない.

묽디-묽다 형 ① 非常に水っぽい. ② (人が)はなはだ締まりがない.

묽스그레-하다 형 やや希薄だ; やや水っぽい. >맑스그레하다.

뭇¹ 명 魚を捕らえるのに用いる大きなやす(簎).

뭇² 의명 ① 束. ㉠ 一束ずつ小さく束ねたもの: 把. ¶ 장작 두 ~ 薪二束〔二把〕. ㉡ いなつか(稲束). ② 魚を数える単位《十匹を指す》.

뭇³ 관 多くの. ¶ ~ 짐승 多くの獣 / ~ 신(神) ちよろず(千万)の神.

뭇-매 명 袋だたき. ¶ ~를 맞다 袋だたきにされる〔会う〕/ ~를 때리다 袋だたきにする. * 물매.

‖──질 명하타 袋だたき.

뭇-발길 명 大勢の足げ(蹴).

뭇-사람 명 多くの人; 衆人. ¶ ~ 앞에서 大勢の前で / ~의 입에 오르다 衆人の口に乗る.

뭇-소리 명 大勢の話. ¶ ~에 귀를 기울일 수는 없다 あらゆる人の話に耳を貸すことはできない.

뭇-입 명 衆人〔大勢〕の非難; 口口.

뭉개다 타 ① (ねり)つぶす; すりつぶす; にじ(躙)る. ¶ 짓밟아 ~ ふみにじ

ㅁ

る. ②とまどう；まごついてぐずぐずする；しり(後)足を踏む.

뭉게-구름 명 綿雲；積雲；入道雲.

뭉게-뭉게 부 雲·煙などが盛んにわ(湧)き上がるさま：むくむく；もくもく. ¶뭉게구름이 ~ 피어 오르다 入道雲がむくむく(と)盛りあがる／연기가 ~ 솟아 오르다 煙がもくもく(と)出る.

뭉그-대다 타 その場でぐずぐずする；もじもじする.

뭉그러-뜨리다 타 崩しつぶ(潰)してしまう. ㅆ뭉크러뜨리다.

뭉그러-지다 자 崩れ壊れる. >몽그라지다. ㅆ뭉크러지다.

뭉그적-거리다 자타 座り込んだままぐずぐずと身動きする；もじもじする. >몽그작거리다. ㊎뭉긋거리다. **뭉그적-뭉그적** 부하자타 もじもじ.

뭉그-지르다 타 崩壊させる；押しつぶ(潰)す. =뭉기다.

뭉근-하다 형 弱い火がくすぶりながら燃え続ける； ぬる(温)い； とろい. ¶뭉근한 불에 조리다 とろ火で煮詰める. **뭉근-히** 부 ぬるく；とろとろ(と).

뭉글-거리다 자 食べ物が消化されずにかたまって動く；むかつく. **뭉글-뭉글** 부하형 しきりにむかつくさま.

뭉긋-거리다 자타 ↗뭉그적거리다. >몽긋거리다. **뭉긋-뭉긋** 부하자타 ↗뭉그적뭉그적.

뭉긋-하다 형 ①やや傾いている. ¶고개가 ~ 首がやや傾いている. ②ややたわ(撓)んでいる. **뭉긋-이** 부 やや斜めに. ¶막대가 ~ 휘다 棒がやや斜めにたわんでいる.

뭉기다 타 ①揺さぶりおろす. ②(すり)つぶす；こわす. ¶깔고 ~ しり(尻)に敷く《人をばか(馬鹿)にすることのたとえ》.

뭉-때리다 타 ①とぼ(惚)ける；しらばくれる；知らん顔をする；わざとしらを切る. ②するべきことをわざとおろそかにする.

뭉떵 부 大きく一挙に切(れ)るさま：ばっさり. >몽땅. ㅆ뭉텅. ¶떡을 ~ 자르다 もち(餅)をばっさり(と)切る. ——— 부 ばっさりばっさり(と).

뭉뚝 부하형 先がち(禿)びているさま. >몽뚝. ㅆ뭉툭. ¶~한 연필 ちびた鉛筆. ——— 부하형 すべてのものがちびているさま.

뭉뚱-그리다 타 大雑把にまとめ包む；雑に包む；ひっくるめる；たが(縮)ねる；つか(束)ねる；取りまとめる. >몽똥그리다. ¶짐을 ~ 荷物をおおまかにまとめる.

뭉실뭉실-하다 형 ふっくら〔ふっくり，ぽっちゃり〕としている. >몽실몽실하다. ¶뭉실뭉실한 몸매 むっくりしたからだ／찐빵이 뭉실뭉실하게 잘 쪄졌다 おまんじゅう(饅頭)がふっくらと蒸し上がった.

뭉치 명 ①塊；束；包み；巻き. ¶쇠~ 鉄の塊／지폐 ~를 줍다 札束を拾う. ②牛のももにく(腿肉).

뭉치다 ㊀자 (多くが集まって)ひとかたまりになる；団結する. ¶두 사람씩 뭉쳐서 二三人ずつかたまって. ㊁타 多くのものを集めて一にかためる；ひとかためにする. ¶을 ~ 雪を固める／종이를 둥글게 紙を丸める.

뭉칫-돈 명 ①束にした多額のお金. ②まとまった金. =목돈.

뭉크러-뜨리다 타 ☞뭉그러뜨리다.

뭉크러-지다 자 (腐ったりして)元の形が見分けられない程つぶれる；崩れただれる. ㅅ뭉그러지다.

뭉클뭉클-하다 형 中味はやや固いが外は柔らかくて触るたびにすべすべ〔つるつる〕する；どろどろする；ぐなぐなする. >몽클몽클하다.

뭉클-하다 형 ①(食べた物などが)消化できずもた(凭)れ気味である. ②(悲しみ·怒りなどが)胸につかえて解けない. ¶가슴이 ~ 胸にじんと来る. >몽클하다.

뭉키다 자 多くのものが集まって一つにかたまる；(一塊に)凝結する〔固まる〕. >몽키다.

뭉텅 부 ☞뭉떵. ¶생선을 ~ 토막내다 魚をぶつ切りにする. ——— 부 ☞뭉떵뭉떵.

뭉텅이 명 (ひとつにかためた)大きな塊. ¶돈 ~ 札束／~ 돈 つか(摑)み金／한 ~ ひとかたまり.

뭉툭 부하형 先がち(禿)びてずんぐりしているさま. >몽톡. ㅅ뭉뚝.

뭉퉁-뭉퉁 부하형 みんな先がち(禿)びているさま.

뭍 명 ①陸；おか(陸)；くが. ¶~에 오르다 おか(陸)に上がる. ②島の人が"本土の陸地"を指す語. ¶~으로 시집가다 陸地の人に嫁ぐ.

뭍-바람 명 陸風；陸地から海の方に吹く夜風.

뭍-짐승 명 陸地に住む獣.

뭐 대감 [↗무어] 何. ¶그것이 ~냐 それは何かね／그런 것 알게 ~야 そんな事を知るもんか／~가 뭔지 모를 소리를 한다 とんちんかんな事を言う／~니 ~니 해도 何とかかんとかいっても／~, 서울 간다고 何, ソウルに行くって.

뭐-하다 형 ↗무엇하다. ¶가 보기도 좀 ~ 行って見るのもちょっと何だね.

뭘 준 [↗무엇을] 何を. ¶쓸쓸하긴 ~ さびしいものか／~ 그까짓 것 何のそれしきの事／~ 주랴 何をやろうか.

뭣 대 [↗무엇] 何. ¶철학이 ~인가를 배우다 哲学のなんたるかを学ぶ／~에 쓰려고 그러느냐 何に使うつもりなのか.

뭣-하다 형 ↗무엇하다. ¶뭣하면 제가 가겠습니다 何ならわたしが行きましょう.

뭬 준 [↗무엇이] 何が.

뮤 〔M, μ〕 ㊀명 ギリシアの字母の第十二番目. ㊁의명 (長さの単位)ミクロンの記号《μ》.

뮤즈 〔Muse〕 명 ミューズ.

뮤지컬 〔musical〕 명 ミュージカル. ‖── 쇼 명 ミュージカルショー. ── 코미디 명 〔樂〕ミュージカルコメディー. =코믹 오페라.

직 〔music〕 명 ミュージック.
— 드라마 명 ミュージックドラマ.
— 사운드 명 ミュージックサウンド.
— 홀 명 ミュージックホール.
로 어미 終声のない語幹に付く語尾: …(な)ので; …であるから; …事とて; …ものゆえ. ¶ 비가 ~ 나가지 않았다 雨が降るので出かけなかった / 예쁘~ 남의 눈을 끈다 きれいなので人目を引く / 휴일이~ 어디나 사람이 많다 休日の事とてどこも人出が多い.
【美】 명 ① 美; ビューティ; 美しさ. ¶ ~의 여신 美神; ビーナス / 유종의 ~ 有終の美. ②〖地〗[↗미국(美國)] 米. ¶ ~인 アメリカ人; 米人. ③ 成績評点の第三番目《優の下, 良の上》.
- 【未】 두 未. ¶ ~결산 상태 未決算状態 / ~결제 未決済.
가 【米價】 명 米価.
‖— 조절 명 米価調節.
각 【味覺】 명 味覚; 味感. ¶ ~의 가을 味覚の秋 / ~을 돋우다 味覚をそそる.
‖— 기관 명 味覚器官. — 신경 명 味覚神経; 味神経.
미간 【未刊】 명 未刊.
미간 【眉間】 명 [↗양미간] みけん(眉間). ¶ ~에 상처를 입다 眉間を割られる / ~을 찌푸리다 まゆね(眉根)をひそめる.
미간-지 【未墾地】, 미개간-지 【未開墾地】 명 未墾地; 未だ開墾されていない土地. =미경지(未耕地).
미감 【未感】 명하자 まだ感染されていないこと. ¶ ~ 아동 未感染の子供.
미감 【味感】 명 味感. =미각(味覺).
미감 【美感】 명 美感; 美の感覚. ¶ ~이 없다 美感に欠く.
미개 【未開】 명하형 未開. ¶ ~국 未開の国 / ~화 未開花 / ~ 민족 未開民族.
‖— 사회 명 未開社会. —-인 명 未開人. —-지 명 未開地.
미-개발 【未開發】 명 未開発. ¶ ~ 지역 未開発の地域.
미-개척 【未開拓】 명 未開拓. ¶ ~의 황야 未開の荒野 / 생물학의 ~ 분야 生物学の未開分野.
‖—-지 명 未開拓地.
미거 【未擧】 명하형 ふつつか(不束); もうまい(蒙昧). ¶ ~한 사람입니다만 잘 부탁합니다 ふつつかな者ですが, よろしくお願います / ~한 자식입니다 愚昧な息子であります.
미결 【未決】 명하타 未決. ¶ ~ 서류 未決(の)書類 / 판결은 아직 ~이다 判決はまだ未決である.
‖—-감 명 未決監. ㊟미결. — 구금(拘禁) 명 未決拘留. — 사건 명 未済〔未決〕事件. —-수 명 未決囚. ㊟미결.
미경 【美景】 명 美景; 美しい景色.
미-경험 【未經驗】 명 未経験. ¶ ~자 未経験者 / 아무래도 ~이어서 何分未経験なものですから.
미계 【迷界】 명 〖佛〗 迷界.
미곡 【米穀】 명 米穀. ¶ ~ 산지 米産地; 米どころ / ~ 생산 米産; 米の生産 / ~ 창고 米蔵.
‖—-상 명 米穀商; 米商; 米屋. — 연도 명 〖法〗 米穀年度《11月1日から翌年の10月31日までの一年間》.
미골 【尾骨】 명 〖生〗 尾骨.
미관 【美觀】 명 美観. ¶ ~상 좋지 않다 美観上よくない / ~을 더 하다 美観を添える / 도시의 ~을 해치다 都市の美観を損なう.
미관 【微官】 명 微官.
‖— 말직(末職) 명 地位がいたって低い役職. =미말지직(微末之職).
미구 【美句】 명 麗句; 美しい句. =미사 여구.
미구-에 【未久—】 부 間が久しくないこと. ¶ ~ 착공할 예정이다 遠からず〔久しからず(して)〕着工する予定である / 이 꿈도 ~ 실현될 것이다 この夢も遠からず実現するだろう.
미국 【美國】 명 〖地〗 米国; アメリカ(合衆国). ¶ ~ 사람 アメリカン; アメリカ人; ヤンキー〈俗〉; 米人 / ~ 스타일 アメリカンスタイル / 생활 양식이 ~화되었다 生活様式がアメリカナイズされた.
미군 【美軍】 명 米軍.
미궁 【迷宮】 명 迷宮. ¶ ~에 빠지다 迷宮におちいる / 강도 사건 수사가 ~에 빠졌다 強盗事件の捜査が迷宮入りになった.
미귀 【未歸】 명하자 (未だ)帰らないこと.
미그 전투기 【MIG 戰鬪機】 명 ミグ戦闘機.
미급-하다 【未及—】 자 まだ及ばない.
미기 【美技】 명 美技; ファインプレー. ¶ ~상 美技賞 / ~를 겨루다 美技を競う.
미꾸라지 명 〖魚〗 どじょう(泥鰌). =추어(鰍魚). ¶ ~ 용됐다《俚》どじょうが竜となった《取るに足らない卑しい者が大物になったことのたとえ》. ㊟미꾸리.
미꾸리 명 〖魚〗 ↗미꾸라지.
미끄러-지다 자 滑る. ① 滑り倒れる; 転がる. ¶ 죽 ~ つるつる(と)すべる / 비탈길에서 ~ 坂道で滑る / 발이 미끄러져 다쳤다 足が滑ってけがをした. ②《俗》 落第する; しくじる. ¶ 입학 시험에 ~ 入学試験に滑る〔しくじる〕. >매끄러지다.
미끄럼 명 (氷)滑り; (滑り台での)滑り. ¶ (빙판에서) ~ 지치다 氷滑りをする / ~ 타다 滑り台を滑る.
‖—-대 명 滑り台. — 마찰 명 〖物〗 滑り摩擦.
미끄럽다 형 滑らかだ; 滑っこい; すべすべだ; つるつるしている. >매끄럽다. ¶ 미끄러운 비탈길 滑らかな坂 / 마루가 ~ 床がよく滑る / 미꾸라지는 미끄러워 잡기 어렵다 どじょうはぬめって捕えにくい.
미끈-거리다 자 ぬらぬらする; つるつる滑る. >매끈거리다. ¶ 접시가 기름으로 ~ お皿が油でぬらぬらする.
미끈-미끈 부하형 つるつる; ぬるぬ

る；ぬらくら.

미끈둥-하다 형 つるつるしている；すべすべだ. >매끈둥하다.

미끈-하다 형 すんなり〔すらり〕としている；(きず(疵)などがなく)滑らかだ. >매끈하다. ¶미끈한 다리 すらりとした足/미끈한 처녀 すんなりとした娘/미끈한 새 맞춤옷 ぱりぱりの新調服〔仕立ておろし〕.

미끈-히 부 すんなりと；すらりと；滑らかに.

미끼 명 えさ(餌)；え；おとり(囮). ① 釣りえさ. ¶산 ~ 生きえ(餌)/~를 뿌려 고기를 유인하다 えさをまいて魚をおびき寄せる/낚싯바늘에 ~를 꿰다 釣針にえさを付ける. ② 人をおびき寄せる手段；玉；出し. ¶~로 쓰다 出しに使う/여자를 ~로 하여 속이다 女をえにしてだます/~에 걸리다 おとりにかかる/경품을 ~로 하다 景品をおとり〔えさ〕にする/딸을 ~로 해서 못된 짓을 하다 娘を玉にして悪事を働く. ——삼다 타 出しに使う；えさに利用する；えさにする.

미나리 명 〘植〙せり(芹).

미나마타-병【—病】〔일 水俣〕명 みなまた(水俣)病.

미남【美男】, **미-남자**【美男子】명 美男子；美男；ハンサム(ボーイ)；美丈夫；色男. ¶야, 미남자가 왔구나 やあ, 二枚目が来たね/여자로 착각할 만한 ~ 女まがいの美男子.

미납【未納】명하타 未納. ¶세금의 ~ 税金の未納.

미네랄〔mineral〕명 ミネラル. ¶~ 함유 비타민제 ミネラルを含むビタミン剤.

미녀【美女】명 美女；美人；小町；色女. ¶제법 ~다 なかなかの美人〔玉〕だ/~를 옆에 있게 하다 美女をはべらせる.

미농-지【美濃紙】명 みの(美濃)紙. ¶~로 장지를 바르다 美濃紙で障子を張る.

미뉴에트〔minuet〕명〘樂〙ミヌエット.

미늘 명 ① (やじり·釣針などの)あご(顎)；戻り；かかり. ②〔↗갑옷 미늘〕さね(札).

미늘-창【—槍】명 矛；たまぼこ(玉鉾)〈雅〉.

미니〔mini〕명 ミニ. ¶~ 카 ミニカー/~ 카메라 ミニカメラ/~ 스커트 ミニスカート.

미니멈〔minimum〕명 ミニマム.

미니어처〔miniature〕명 ミニアチュア；ミニアチュール. =미니아튀르.

‖——-관 명 ミニアチュア管.

미다[1] 타 張りきった紙などを不注意にふれて穴をあける.

미다[2] 타 の(除)け者にする；そっちのけにする；遠のける.

미-닫이 명 障子；引き戸；やり戸. ¶~를 열다 やり戸を開ける/~를 새로 바르다 ふすまを張り替える/~를 탁 닫다 障子をぴしゃりと閉める.

미달【未達】명하자 まだ達していないこと；未満. ¶정원 ~이다 定員に達していない/체중이 60 ~이다 体重が六十キロ切れ〔未満だ〕.

미담【美談】명 美談；佳話. ¶흐뭇한 ~ 心涼しい美談/~으로서 전해지다 美談として伝えられる.

미답【未踏】명 未踏. ——-하다 まだ踏んで見ない；手をつけてない. ¶인적 ~의 땅 人跡未踏の地/전인 ~의 경지에 이르다 前人未踏の境地に至る.

미-더덕 명〘動〙えぼや(柄海鞘).

미덕【美德】명 美徳. ¶겸양의 ~ 謙譲の美徳/~을 발휘하다 美徳を発揮する.

미덥다 형 頼もしい；信じるに足る. ¶미더운 청년 頼もしい青年/미덥지 못한 인간 頼りない人間/미덥지 않은 희망이다 おぼつかない希望である.

미동【微動】명하자 微動；小揺るぎ. ¶~도 하지 않는다 微動〔小揺るぎ〕もしない.

미두【米豆】명하자〘經〙期米；(米穀の)相場；現物によらず投機的な約束で穀物を取り引きすること. ¶~에 손을 대다 相場に手を出す.

‖——-꾼 명 (米穀の)相場師. ——-장(場) 명 米穀の取引所.

미드-나이트〔midnight〕명 ミッドナイト；深夜. ¶~ 쇼 ミッドナイトショー.

미들〔middle〕명 ミドル.

‖——-급 명 ミドル級. —— 스쿨 명 ミドルスクール. —— 웨이트 명 ミドルウェート.

미등【尾燈】명 尾灯；テールライト.

미등【微騰】명하자 (物価が)ややあがること.

미-등기【未登記】명 未登記.

미디〔middy〕명 ミディ. ¶~ 스커트 ミディスカート.

미디어〔media〕명 メディア. ¶매스 ~ マスメディア.

미라〔포 mirra〕명 ミイラ.

미락【微落】명하자 微落；物価などがやや落ちること.

미란【糜爛】명 びらん(糜爛). ——-하다 자 ただ(爛)れる；びらんする.

‖——성 가스 명 糜爛性ガス.

미래【未來】명 未来. ① 将来. ¶~의 아내 未来の妻/~를 꿈꾸다 未来を夢想する/~는 청년의 양어깨에 달려 있다 未来は青年の双肩にかかっている. ②〘言〙未来を表わす時制《語幹に"-겠-"を付けて"가겠다·먹겠다"などのように使う》. ③〘佛〙来世《三世の一つ》. =미래세.

‖——-사(事) 명 未来の事. ——-상(像) 명 ビジョン. —— 완료 명〘言〙未来完了《現在完了形に"-겠-"を付けて"피었겠다·닫이 떠 있겠다"などのようにする》. ——-주의 명〘美〙未来主義；フューチュリズム. —— 지향 명 未来志向. ——-파 명〘美·文〙未来派. ——-학 명 未来学.

량【微量】명하형 微量; 極少量. ¶～의 염분 微量の塩分.
‖── 분석 명〖化〗 微量分析. ──양소(營養素) 명〖生〗 微量養素. ── 화학 명 微量化学.
러〔mirror〕명 ミラー. ¶백 ～ バックミラー.
러클〔miracle〕명 ミラクル; 奇跡.
려【美麗】명하형 美麗. ¶～하게 보이다 美麗に見える.
력【微力】명하형 微力. ¶～하나마 해 보겠습니다 微力ながらやって見ます.
련 명하형스형 愚鈍. >매련. ¶～하기는 곰일세《俚》愚鈍なることくま(熊)の如し《愚鈍な人のたとえ》.
──-쟁이 명 愚鈍な人. >매련쟁이.
──-퉁이 명 極めて愚鈍な人.
련【未練】명하형 未練; 名残. ¶～이 남다 残り多い; 名残惜しい; 後を引く/～을 남기다 未練を残す; 思い残す/돈에 대한 ～이 남다 金に執心が残る/～없이 떠나다 名残なく去る/～은 조금도 없다 思い残すことは更にない.
미령【靡寧】명하형 (貴人の)病気; 御悩; おんなやみ.
미로【迷路】명 迷路.
미루-나무 명〖植〗 せいようはこやなぎ; ポプラ.
미루다 타 ① 延期する; 延ばす; 持ち越す; 後回しにする; 二の次にする. ¶작년부터 미루어 온 일 去年から持ち越した仕事〔こと〕/이야기를 후일로 ～ 話を他日に延ばす/일을 뒷전으로 ～ 仕事を後回しにする. ② (人に)任せる; 押しつける. ¶남에게 미루지 마라 人に押しつけるな. ③ 推測する; 推す; 推し量る. ¶미루어 생각할 때 推して考えるには/이 일로 미루어 보면 그것이 원인임이 분명하다 この事から推すとあれが原因に違いない.
미루적-거리다 타 ずるずる(と)長びかせる; 延び延びにする. 준미적거리다. 미루적-미루적 부하타 延び延び; しぶしぶと; ずるずるべったりに.
미륵【彌勒】명〖佛〗 ①〔↗미륵 보살〕みろく(弥勒). ② 石仏. →미력.
‖── 보살 명〖佛〗 みろくぼさつ(弥勒菩薩). =미륵 자존(慈尊). ──-불 명 弥勒仏. =미륵 보살.
미리 부 あらかじめ; 前もって; かねて; かねがね. ¶～ 경고해 두다 あらかじめ警告しておく/～ 알리다 前もって知らせる/～ 짜고 집을 나갔다 示し合わせて家出した/～ 말해두지만 그건 안 돼 断っておくがそれはだめだ〔いけない〕. ──── 부 あらかじめ; かねて; 前もって《"미리"を強調する語》.
미림【味淋】명 みりん(味醂).
미립 명 経験から得た妙理; 骨; 要領. ── 나다 자 妙理·要領がわかるようになる. ── 얻다 자 経験によって妙理を悟る; 要領を得る.
미-립자【微粒子】명〖物〗微粒子. ¶～ 현상 微粒子現像.
미만【未滿】명하형 未満. ¶천만 원 ～ 千万ウォン未満/십팔 세 ～ 十八才未満.
미만【彌滿·彌漫】명하자 びまん(瀰漫). ¶반항적인 악풍이 교내에 ～해 있다 反抗的な悪風が校内に広くはびこっている.
미망【迷妄】명하자 迷妄; 迷まい. ¶～의 타파 迷妄の打破/세인의 ～을 깨우치다 世人の迷妄をひらく.
미망-인【未亡人】명 未亡人; 寡婦; やもめ; 後家; ウィドー. ¶전쟁 ～ 戦争未亡人/전쟁은 많은 ～을 낳았다 戦争は多くの未亡人を出した.
미명【未明】명 未明; 夜明け; 明けがた; 暁. ¶8일 ～에 출발했다 八日未明に出発した.
미명【美名】명 美名. ¶자선 사업이란 ～하에 사복을 채우고 있다 慈善事業という美名の下に私腹を肥やしている.
미모【美貌】명 びぼう(美貌). ¶～의 여인 美貌の女; べっぴん(別嬪)/～를 자랑하다 美貌を誇る.
미모사〔mimosa〕명〖植〗 ミモザ. =함수초(含羞草).
미목【眉目】명 びもく(眉目); みめ.
미몽【迷夢】명 迷夢; 心の迷い. ¶～을 깨우다 迷夢をさます/～에서 깨어나다 迷夢より〔から〕さめる.
미묘【美妙】명하형히부 美妙. ¶～한 음악 美妙な音楽.
미묘【微妙】명하형히부 微妙; デリケート. ¶～한 차이 微妙な違い/남녀간의 ～한 관계 男女間の微妙〔デリケート〕な関係/～한 문제다 デリケートな問題である.
미물【微物】명 ① 微物; ごく小さいもの. ② 虫類などのごく小さな生物.
미미-하다【微微─】형 微微たり; 取るに足らない. ¶미미한 존재〔수입〕 微微たる存在〔収入〕.
미백【美白】명하타 美白; 肌を美しく白くすること. ¶～ 크림 美白クリーム.
미-백색【微白色】명 ややかすんでいる白色.
미복【微服】명 微服; 高官が微行する時の忍びの姿.
‖── 잠행(潛行) 명하자 微服をして密かに巡察すること. 준미행(微行).
미봉【彌縫】명하타 びほう(弥縫).
‖──-책 명 弥縫策.
미분【微分】명하타〖數〗 微分.
‖── 방정식 명 微分方程式.
미-분자【微分子】명 微分子.
미불【未拂】명하타 未払い; 不払い. ¶대금이 ～로 되어 있다 代金が未払いになっている.
미불【美弗】명 米貨; ドル. ¶～로 1불 30센트의 가격이다 米貨で1ドル30セントの価格である.
미비【未備】명하형 不備; ; 不完全なこと.
미쁘다 형 ① 頼もしい. =미덥다. ② 真実だ.
미사【美辭】명 美辞.
‖── 여구 명 美辞麗句. ¶～를 늘

어놓다 美辞麗句を連ねる.
미사【彌撒】명〔라 missa〕〖宗〗ミサ.
‖——-곡 명〖樂〗ミサ曲. ¶진혼 ～ 鎮魂ミサ曲.
미사일〔missile〕명 ミサイル. ¶～ 기지 ミサイル基地 / 대공 ～ 対空ミサイル / 지대지 ～ 地対地ミサイル / 공대공 ～ 空対空ミサイル.
‖—— 요격(邀擊) 미사일 명〖軍〗ミサイル迎撃ミサイル《略称: AMM》. —— 탐지 위성 명 ミサイル探知衛星.
미삼【尾蔘】명 こうらいにんじん(高麗人参)の細根; 枝根の多い高麗人参.
미상【未詳】명하형 未詳; 不明; 不詳. ¶성명 ～ 氏名未詳 / 작자 ～의 작품 作者未詳の作品.
미상【米商】명 米商. ① 米屋. ② 米商売.
미상-불【未嘗不】부 言うまでもなく; 果たせるかな; 果たして; なるほど; やっぱり. ¶미스 코리아는 ～ 아름답군 ミスコリアはなるほど美しいね.
미상장-주【未上場株】명〖經〗非上場株. ＝비상장주.
미-상환【未償還】명하타 まだ償還していないこと.
미색【米色】명 ① 米の色. ② 薄い黄色.
미색【美色】명 美色. ① 美しい色. ② 美しい女. ¶～에 빠지다 美色にふける.
미색【微色】명 うすい色.
미생【未生】명하자 (碁で)目が二つ以上になっていないこと.
‖——-마(馬) 명 (碁で)目が二つ以上になっていない石.
미-생물【微生物】명 微生物.
‖—— 검사 명 微生物検査. ——-학 명 微生物学.
미성【美聲】명 美声. ¶～의 소유자 美声の持主.
미-성년【未成年】명 未成年.
‖——-자 명 未成年者. ¶～의 음주를 금한다 未成年者の飲酒を禁ずる.
미세【微細】명하형 微細; 細微; 微. ¶～한 입자 細微な粒子 / ～한 부분까지 미치다 微に入る; 細にわたる; 細をうがつ.
미세기 명 満ち潮と引き潮; 上げ潮と下げ潮.
미세스〔mistress, Mrs.〕명 ☞미시즈.
미션〔mission〕명 ミッション.
‖—— 스쿨 명 ミッションスクール.
미-소【美蘇】명 米ソ; アメリカと旧ソ連.
미소【微小】명하형 微小. ¶～한 생물 微小な生物.
미소【微少】명하형 微少. ¶～한 차이〔금액〕 わずかな差異〔金額〕/ 손해는 ～하다 損害は微少だ.
미소【微笑】명 微笑; 笑み; ほほえみ. ——-하다 자 微笑する; 笑む; ほほえむ. ¶～ 작전〔정책〕 微笑作戦〔政策〕/ 입가에 ～를 띄우다 口元に微笑を浮かべる / 방긋이 ～ 짓다 にっこりとほほえむ / ～ 지으며 맞이하다 ほほえみながら迎える.
미-소년【美少年】명 美少年; 童. ¶홍안의 ～ 紅顔の美少年
미송【美松】명 アメリカ松; 米松
미수【未收】명하타 未収. ¶～금 未収料金.
‖——-금 명 未収金.
미수【未遂】명하타 未遂. ¶살인 殺人未遂 / 방화 ～로 체포되었다 放火未遂で捕えられた.
‖——-범 명〖法〗未遂犯. ——-죄 〖法〗未遂罪.
미수【米壽】명 米寿; よね(米); 十八歳.
‖——-연(宴) 명 米寿; 米の祝い.
미수【微睡】명하자 微睡; まど み; まどろむこと.
미숙【未熟】명 未熟. ——-하다 형 未熟だ; 未熟である; 不熟だ 青臭い. ¶～한 솜씨 未熟な腕前 ～한 글 未熟な文章 / 표현〔기량〕이 ～하다 表現〔腕〕が生である.
‖——-아 명〖醫〗未熟児.
미술【美術】명 美術. ¶～ 대학 美術大学 / ～에 살다 美術に生きる.
‖——-가 명 美術家. —— 감독 명 美術監督; アートディレクター. ——-계 명 美術界. —— 공예 명 美術工芸. ——-관 명 美術館. —— 교육 명 美術教育. ——-사 명 美術史. —— 전람회 명 美術展覧会. ㊟미전(美展). ——-품 명 美術品. ¶～의 목록 美術品のリスト.
미숫-가루 명 焦がし(粉); こうせん(香煎); はったい; い(炒)り粉; みじん(微塵)粉.
미스〔miss〕명 ↗미스테이크. ¶교정 ～를 범하다 校正のミスを犯す.
‖——-캐스트 명 ミスキャスト. ——-프린트 명〖印〗ミスプリント.
미스〔Miss〕명 ミス. ¶～ 조 ミス趙 / ～ 코리아 ミスコリア / ～ 유니버스 ミスユニバース.
미스터〔Mister, Mr.〕명 ミスター; ムッシュ. ＝군(君)·씨(氏). ¶～ 자이언트 ミスタージャイアント.
미스터리〔mystery〕명 ミステリー. ¶～ 스토리〔소설〕 ミステリーストーリー〔小説〕; 推理小説.
미스테이크〔mistake〕명 ミステーク; ミス《준말》.
미시-적【微視的】명관 微視的.
‖—— 경제론 명 微視的経済論. —— 세계 명 微視的世界.
미시즈〔mistress, Mrs.〕명 ミセス. ＝부인(夫人)·여사. ¶～ 고 ミセス高.
미식【米食】명하자 米食.
‖—— 국민 명 米食国民.
미식【美式】명 米(国)式.
‖—— 축구 명 米式蹴球; アメリカンフットボール.
미식【美食】명하자 美食; グルメ. ¶～에 싫증이 나다 美食〔美味〕に飽きる.
‖——-가 명 美食家.
미신【迷信】명하타 迷信. ¶～에 빠지다 迷信におぼれる〔陥る〕/ ～을 타파하다〔근절하다〕 迷信を打破する〔絶滅させる〕.

——-가 명 迷信家; 担ぎ屋; 御幣[illegible]ぎ; 縁起かつぎ.

심【未審】명하형히부스형 ①確実でないので気にかかること. ②不審. ——-쩍다 형 事がしっかりしていないので気にかかる. ¶미심쩍은 생각이 들다 不審の念が起こる.

싱 명 [←sewing-machine] ミシン. =재봉틀. ¶전동 ～ 電動ミシン／～을 밟다 ミシンをふむ／이 회사는 ～ 자수가 전문이다 この会社はミシンししゅうが専門です.

아【迷兒】명 迷子. ¶～를 보호하다 迷子を保護する.

안【未安】명 (人に)済まないと思うこと. ——-하다 형 済まない; (お)気の毒だ. ¶～합니다 (相)済みません／～하게 됐다 済まないことをした／대단히 ～합니다 どうも済みません／～합니다만 불 좀 빌려 주십시오 済みませんが火を貸して下さい／수고를 끼쳐서 ～합니다 厄介をかけてお気の毒でした／오랫동안 기다리시게 하여 ～합니다 長らくお待たせして済みません. ——-스럽다 형 ☞미안하다. ——-쩍다 형 すまない(と思っている).

미안【美顔】명 美顔. ¶～술 美顔術／～사 美顔師／～수 美顔水.

미약【媚藥】명 びやく(媚薬). ①いんやく(淫薬). ②ほれ薬.

미약【微弱】명하형 微弱. ¶～한 지진 微弱な地震.

미어-뜨리다 타 突き破る; 張ってある革や障子などに穴をあける. ¶손가락으로 미닫이를 ～ 指で障子を突き破る.

미어-지다 자 (張ってある紙や革などが)古びて裂ける〔破れる〕. =미이다. ¶장지가 ～ ふすまが破れる.

미역¹ 명 水浴び; もくよく(沐浴). —— 감다 자 水を浴びる; 水浴する. ¶냉수에 ～ 冷水浴をする.

미역² 명〔植〕わかめ(若布·和布). ¶～국 わかめの汁.

미역국 먹다 구《俗》①解雇される; 首になる. ②試験などに落ちる. ③退けられる; 拒絶される. =퇴짜맞다.

미역국 먹이다 구《俗》①首にする. ②不合格にする. ③退ける.

미연【未然】명 未然; まだそうなっていないこと. ¶병〔재난〕을 ～에 방지하다 病〔わざわい〕を未然に防ぐ／사고를 ～에 방지하다 事故を前もって防ぐ.

미열【微熱】명 微熱. ¶～이 나다〔있다〕微熱が出る〔ある〕.

미온【微溫】명 微温.

‖——-적 명관 微温的. =소극적. ¶～이다 微温的だ; なまぬる(生温)い; 弱腰だ／～인 조치 微温的な〔なまぬるい〕処置.

미완【未完】명 未完. =미완성. ¶～의 대기 未完の大器／작자가 갑자기 죽어서 이 소설은 ～인 채이다 作者の急死でこの小説は未完のままである.

미-완성【未完成】명 未完成. =미완. ‖—— 교향악 명〔樂〕未完成交響楽.

미용【美容】명 美容.

‖——-사 명 美容師. ——-술 명 ①美容術. ②美容整形術. ——-식 명 美容食. ——-원 명 美容院. ——체조 명 美容体操.

미욱-스럽다 형 愚かに見える.

미욱-하다 형 愚鈍だ; まぬけで愚かだ. >매욱하다.

미움 명 憎み; 憎さ; 憎しみ; 憎悪. ¶～ 받을 소리를 지껄이다 憎まれ口をたたく／～ 받는 일을 자진해서 맡아 하다 憎まれ役を買って出る.

미워-하다 타 憎む; 憎がる; 忌む; 憎悪する. ¶미워할 수 없는 놈 憎めないやつ(奴)／죄를 미워하되 사람을 미워하지 않는다 罪を憎んで人を憎まず.

미음【米飮】명 重湯; お交じり. =죽. ¶병자에게 ～을 먹이다 病人に重湯〔お交じり〕を飲ます〔食べさせる〕.

미-의식【美意識】명 美意識.

미이다 ㊀자 ☞미어지다. ㊁피동 (張ってある紙や革などが)裂かれる; 突き破られる.

미이라〔포 mirra〕명 ☞미라.

미익【尾翼】명 尾翼. =꼬리날개.

미인【美人】¹ 명 美人; 美女; びき(美姫); 麗人; べっぴん(別嬪)〈俗〉; 弁天. =미희. ¶～ 박명 美人薄命; 器量負け／～ 대회 ビューティコンテスト／호리호리한 ～ ほっそりした美人／가름한 ～ 細面の美人／남장의 ～ 男装の麗人／절세의 ～ 絶世の美人.

‖——-계 명 美人計; 色仕掛け. ¶～로 큰 돈을 우려내다 色仕掛けで大金をまきあげる. ——-도(圖), ——-화(畫) 명 美人画.

미인【美人】² 명 米国人.

미작【米作】명하자 米作; 稲作. =벼농사. ¶～ 지대 米作地帯／금년의 ～ 상황은 어떻소 今年の米作の状況はどうですか.

미장【美匠】명 意匠. =의장.

미장【美粧】명하타 美粧; 美容.

‖——-원 명 美粧院; 美容院; ビューティパーラ.

미장【美裝】명하타 美装. ¶～본 美装本.

미-장이【—匠—】명 左官; しゃかん; 左官屋; 壁塗り. =토공. ¶～를 들여서 집 수리를 하다 左官を入れて家の修理をする.

미적【美的】명관 美的.

‖—— 감정 명 美的感情. —— 관념 명 美的観念.

미적-거리다 타 ①少しずつ前におし出す. ②↗미루적거리다. 미적-미적 부하타 ①少しずつ前におし出すさま. ②ぐずぐずと延ばすさま.

미적-분【微積分】명〔數〕微積分.

미적지근-하다 형 なまぬる(生温)い. ①ぬる(温)い. ¶차가 ～ お茶がぬるい／미적지근한 물 なまぬるい水. ②微温的だ; 煮え切らない. ¶미적지근한 방법 煮え切らないやり方.

>매작지근하다. 미적지근-히 [부] なまぬるく；微温的に.

미점【美點】[명] 美点；長所. ＝장처(長處). ¶남의 ～을 배우다 人の美点を学ぶ.

미정【未定】[명][하타] 未定. ¶아직 행선지는 ～입니다 今の所行く先は未定です / 그것은 ～ 사항이다 それは未定の事項です.

미제【未濟】[명] 未済. ¶결산의 ～분 決算の未済分 / ～ 사건을 해결하다 未済事件を解決する.

미제【美製】[명] 米国製.

미제트 〔midget〕 [명] ミゼット. ＝꼬마. ¶～ 카메라 ミゼットカメラ.

미조【美爪】[명] びそう(美爪).

‖――-술 [명] 美爪術；マニキュア. ――-사(師) [명] つめ(爪)の手入れを業とする人.

미주【米酒】[명] 米で醸した酒.

미주【美洲】[명]〘地〙アメリカ州.

미주【美酒】[명] 美酒；うまざけ；緑酒.

미주 신경【迷走神經】[명]〘生〙迷走神経.

미주알-고주알 [부] 根掘り葉掘り；あれやこれやと. ¶～ 캔다 根掘り葉掘りせんさく(詮索)する.

미즈 〔Ms.〕 [명] ミズ；女性の名の前につける敬称《未婚・既婚を問わない》.

미증-유【未曾有】[명] みぞう(未曾有)；破天荒. ¶고금 ～의 대사건 古今未曾有の大事件.

미지【未知】[명][하타] 未知. ¶～의 세계 未知の世界.

‖――-수 [명] 未知数. ¶그의 실력은 ～다 彼の実力は未知数である.

미지【美紙】[명] 米紙；米国の新聞.

미지【美誌】[명] 米誌；米国の雑誌.

미지근-하다 [형] ぬる(温)い；手ぬるい；なまぬる(生温)い. ¶차가 ～ お茶がぬるい / 미지근한 태도 なまぬるい態度 / 그런 미지근한 꾸지람으로는 소용없다 そんな手ぬるいしか(叱)り方ではだめだ / 오늘 목욕물은 미지근하구나 今日はぬるま湯だね.

미진【微塵】[명] みじん(微塵). ①細かいちり(塵). ②つまらない微細なもの.

미진【微震】[명] 微震.

미진-하다【未盡―】[형] いまだ尽きない. ¶미진한 꿈 見果てぬ夢.

미착【未着】[명][하자] 未着. ¶～의 물품 未着の品物.

미채【迷彩】[명]〘軍〙迷彩；カムフラージュ. ¶탱크에 ～를 하다 タンクに迷彩を施す.

미처 [부] いまだ；かつて；そこまでは. ¶～ 상상도 못 할 일 想像だに付かぬ事 / ～ 생각 못했다 そこまでは考えつかなかった / 돈을 ～ 갚지 못했다 金を(うっかりして)まだ返していなかった / 화재를 ～ 못 피해 타 죽었다 火事に逃げ後れて焼死した.

미천【微賤】[명][하형] びせん(微賤). ¶～한 몸 微賤な〔の〕身.

미추【尾椎】, **미추-골**【尾椎骨】[명] つい(尾椎)；びついこつ(尾椎骨).

미추룸-하다 [형] 精力的で健康がある；つやつやしている. >초롬하다. 미추룸-히 [부] つやつやし健康そうなさま.

미치-광이 [명] 気の狂った人；狂人. ¶～같은 짓 狂気のさた / 취급 狂人扱い.

미치다[1] [자] 狂う. ①気が狂う；気が触れる. ¶미친 개에 물리다 狂犬にか(嚙)まれる. ②(人や物事に)夢中になる；度を越す. ¶미친 짓 狂気のさた / 야구에 ～ 野球に夢中になる / 여배우에 ～ 女優におぼれる / 경마에 ～ 競馬に凝る.

미치다[2] ㊀[자] 及ぶ. ①(ある範囲に)達する；わたる；行き届く. ¶힘이 미치지 못하다 力が及ばない / 손이 못 ～ 手が回らない / 생각이 ～ 気が回る / 조사의 손이 ～ 調査の手が伸びる. ②(災難などが)身に振りかかる. ¶해가 몸에 ～ 害が身に振り掛かる / 화가 가족에게 ～ 災いが家族に及ぶ. ③匹敵する. ¶영어 실력은 그에게 못 ～ 英語の実力は彼に及ばない. ㊁[타] 及ぼす；行き渡らせる. ¶운임 인상은 물가에까지 영향을 미친다 運賃の値上げは物価にまで影響を及ぼす.

미친-개 [명] ①狂犬. ¶～를 때려죽이다 狂犬をぼくさつ(撲殺)する. ②狂人のような振る舞いをする者を卑しめて言う語.

미친-년 [명] "狂女"の卑語.

미친-놈 [명] 精神異常の男の卑語；狂人.

미친-병【―病】[명] 精神病.

미칭【美稱】[명] 美称.

미크론 〔micron〕 [의명] ミクロン.

미타【彌陀】[명]〘佛〙[↗아미타불] みだ(弥陀)；あみだ(阿弥陀). ¶～의 명호 弥陀の名号.

미태【媚態】[명] びたい(媚態)；きょうたい(嬌態)；しな. ¶～를 보이다 媚態を示す.

미터 〔meter〕 ㊀[의명] メートル《記号：m》. ㊁[명] メーター. ¶～를 검침하다 メーターを検針する.

‖――-법 [명] メートル法. ―― 원기 [명] メートル原器. ――-제 [명] メートル制.

미투리 [명] 麻のわらじ(草鞋). ＝마혜(麻鞋)・승혜(繩鞋).

미트 〔meat〕 [명] ミート. ¶콜드 ～ コールドミート；冷凍肉.

미트 〔meet〕 [명] ミート. ¶저스트 ～ ジャストミート.

미트 〔mitt〕 [명] ①〘野〙ミット. ②指なし手袋.

미팅 〔meeting〕 [명] ミーティング. ¶～룸 ミーティングルーム.

미풍【美風】[명] 美風. ¶～ 양속 美風良俗.

미풍【微風】[명] 微風；そよ風. ¶～이 볼을 스치다 そよかぜがほお(頬)をな(撫)でる.

필【未畢】명하타 まだ終えないこと；未了. ¶병역 ~자 兵役を終えない者.

필적 고의【未必的故意】명〔法〕未必の故意.

학【美學】명〔哲〕美学. ＝심미학(審美學).

-해결【未解決】명 未解決. ¶~의 문제 未解決の問題.

행【尾行】명하타 尾行. ¶형사가 ~하다 刑事が尾行する.

행【微行】명［↗미복 잠행(微服潛行)］微行；忍び. ¶변장하고 ~하다 姿を変えて微行する.

혹【迷惑】명 惑い；迷い；げんわく(眩惑). ——하다 자 惑う；迷う. ¶범백의 ~ 凡百の迷い／여색(女色)에 ~되다 女に迷う／마음의 ~ 心の惑い.

혼【未婚】명 未婚. ¶~ 여성 未婚の女性.
‖——모 명 未婚の母. ——자 명 未婚者.

미화【美化】명하타 美化. ¶시가의 ~를 도모하다 市街の美化を図る／현실을 ~해서 생각하다 現実を美化して考える.

미화【美貨】명 米貨；米国の通貨；ドル. ¶~로 삼백 달러 アメリカのお金で三百弗.

미-확인【未確認】명 未確認. ¶~ 보도 未確認の報道／~ 비행 물체 未確認飛行物体；ユーエフオー(UFO).

미흡【未洽】명하형 まだ充分でない〔至らない, 及ばない〕こと. ¶~한 사람입니다만 至らぬ者ですが／~하나마 제가 할 수 있다면 及ばずながらわたしにできるなら.

미희【美姬】명 びき(美姬)；美女. ＝미인.

믹서〔mixer〕명 ミキサー.

믹스〔mix〕명하타 ミックス.

민- 두 ①"何もつけ加えずありのまま"の意を表わす語；素. ¶~물 淡水；真水. ②"凸凹がない·足りない·なめらか"の意を表わす語. ¶~머리 はげ(禿)頭.

-민【民】미 民. ¶피난~ 避難民.

민가【民家】명 民家. ＝민호(民戶). ¶~를 숙사로 삼다 民家を宿舎にする.

민간【民間】명 民間. ¶~ 단체 民間団体／~ 사업 民間事業.
‖—— 방송 명 民間放送. ＊상업 방송. —— 사절 명 民間使節. —— 설화 명 民間説話. —— 신앙 명 民間信仰. ——약 명 民間薬. —— 요법 명 民間療法. ——인 ①명 民間人；シビリアン. ②野人. ¶~의 신분 野人の身. —— 자본 명 民間資本. ㊟민자(民資). —— 주도 명 民間主導. ¶~의 국민 운동 民間主導の国民運動. —— 항공 명 民間航空.

민감【敏感】명하형 敏感. ¶추위에 ~한 사람 寒さに敏感な人.

민국【民國】명 民国. ①民主共和国. ②↗대한 민국. ③↗중화 민국.

민권【民權】명 民権. ¶자유 ~ 自由民権.
‖—— 운동 명 民権運動. ——주의 명 民権主義.

민-꽃식물【—植物】명〔植〕隠花植物.

민단【民團】명［↗재일본 대한 민국 민단(在日本大韓民國民團)］民団.

민도【民度】명 民度. ¶그 나라는 아직 ~가 낮다 その国はまだ民度が低い.

민둥민둥-하다 형 山がは(禿)げていてなめらかだ；つるつるしている. ＞맨둥맨둥하다.

민둥-산【—山】명 はげやま(禿山)；裸山.

민들레 명〔植〕たんぽぽ(蒲公英). ＝포공초(蒲公草). ¶~의 솜털 たんぽぽの種毛.

민란【民亂】명 民乱. ＝민요(民擾).

민망-하다【憫惘—】형 心苦しい；ふびん(不憫)だ.

민망-스럽다【憫惘—】형 心苦しく思う；ふびん(不憫)に思う.

민-머리 명 ①仕官した事のない人. ＝백두(白頭). ②はげ(禿)頭；とくとう(禿頭). ③まげ(髷)を結ってない髪.

민-며느리 명 将来息子の嫁にするための養女.

민-물 명하자 淡水；真水.
‖——고기 명 淡水魚；川魚. ——해면 명〔動〕淡水に住んでいる海綿の総称. ＝담수 해면.

민박【民泊】명하자 民泊；民宿；ホームステイ. ¶~식 호텔 ペンション.

민방【民放】명［↗민간 방송］民放.

민-방위【民防衛】명 民間防衛. ¶~ 훈련 民間防衛訓練.

민법【民法】명 民法. ¶~ 총칙 民法総則. ‖——학 명 民法学.

민병【民兵】명 ①民兵. ＝민군(民軍). ②☞민병대.
‖——대 명 民兵隊.

민복【民福】명 国民の福利. ¶국리 ~ 国家の利益と国民の福利.

민본【民本】명 民本；国民を主とすること.
‖——주의 명 民本主義.

민사【民事】명 民事. ①民間に関すること. ②〔法〕私法上の法律関係において生じる現象. ＊형사(刑事).
‖—— 사건 명 民事事件. —— 소송 명 民事訴訟. —— 소송법 명 民事訴訟法. —— 재판 명 民事裁判. ㊟민재(民裁). —— 지방 법원 명 民事地方裁判所. —— 책임 명 民事責任.

민생【民生】명 民生. ①生ある民. ＝생민(生民). ②国民の生活〔生計〕. ¶~ 문제 民生問題／~의 안정 民生の安定.
‖——고(苦) 명 国民の生活苦.

민선【民選】명하자 民選. ¶~ 의원 民選議員.

민속【民俗】명 民俗.
‖—— 공예품 명 民俗工芸品. ——극 명 民俗劇. —— 무용 명 民俗舞

踊. ──-악 명 民俗楽. =속악. ── 예술 명 民俗芸術. ──-촌 명 民俗村; 昔の民俗を保存して一般に観覧させる村. ──-학 명 民俗学; フォークロア.

민속【敏速】명하형 敏速. ¶～한 행동 敏速な行動.

민수【民需】명 民需; 民間の需要. ¶～품 民需品.

‖── 산업 명 民需産業; 民需物資を生産する産業.

민숭민숭-하다 형 ①(頭や山がは(禿)げて)つるつるしている; すべすべしている. ②(酒を飲んでも)酔わない. >맨송맨송하다.

민심【民心】명 民心; 人心. =민정(民情). ¶～이 동요하고 있다 民心が動揺している.

민약-설【民約説】명 民約説. =사회 계약설.

민어【民魚】명〔魚〕にべ.

민영【民営】명 民営. ¶국영 기관을 ～으로 바꾸다 国営機関を民営に切り替える.

민예【民藝】명 民芸. ¶～품 民芸品; 民具.

민완【敏腕】명 敏腕; 腕利き; らつわん(辣腕). ¶～ 기자 敏腕(な)記者 / ～ 형사 腕利きの刑事.

민요【民謠】명 民謡; 里謡. ¶한국 ～ 韓国民謡.

‖──-곡 명 民謡曲.

민원【民怨】명 国民の恨み. ¶～을 사다 国民の恨みを買う.

민원【民願】명 国民の望みや請願. ¶～ 비서 国民の請願を受け持つ秘書 / ～ 서류 国民の請願書類《一般人が役所に申請する各種の証明·確認など》.

민의【民意】명 民意; 国民の意思. ¶～를 존중하다 民意を尊重する / 투표로써 ～를 묻다 投票で民意を問う.

민자【民資】명 ↗민간 자본. ¶～역 民衆駅.

민적【民籍】명 戸籍.

민정【民政】명 民政. ¶～으로 이관되었다 民政に移管された.

민정【民情】명 民情. =민심(民心). ¶～ 시찰 民情視察 / ～에 정통하다 民情に通ずる.

민족【民族】명 民族. ¶소수 ～ 少数民族 / 유목 ～ 遊牧の民 / ～ 정기 民族の精気.

‖── 국가 명 民族国家. ──-권 명 民族圏. ── 문화 명 民族文化. ── 상잔(相残) 명 民族同士で相争うこと. =동족 상잔. ──-성 명 民族性. ──-시 명 民族詩. ──-애 명 民族愛. ── 운동 명 民族運動. ── 의식 명 民族意識. ── 자결주의 명 民族自決主義. ── 자본 명 民族資本. ──-적 명관 民族的. ── 정신 명 民族精神. ── 종교 명 民族宗教. ──-주의 명 民族主義; ナショナリズム. ──-학 명 民族学; エスノロジー. ──-혼 명 民族の魂.

민주【民主】명 ① 民主. ② ↗민주주의. ¶～ 교육 民主教育.

‖── 공화국 명 民主共和国. ── 정체 명 民主政体. ──-적 명관 民主的; デモクラチック. ── 정치 民主政治. ──-주의 명 民主主義; デモクラシー. ──-화 명하자 民主化.

민중【民衆】명 民衆. ¶～을 선동하다 民衆を扇動する.

‖── 예술 명 民衆芸術. ── 운동 명 民衆運動.

민-짜 명《俗》☞ 민패.

민첩【敏捷】명 敏捷. ──-하다 [illegible] 敏捷だ; 手早い; 手ばしこい; [illegible]早い. ¶～한 동작 敏捷な動作 / [illegible]하게 처리하다 手早く〔しゃきしゃ[illegible](と)〕かたづける. ──-히 부 敏捷に手早く; 素早く; てきぱきと.

민춤-하다 형 愚かだ; まぬけだ.

민치【民治】명하자 民治; 国民を治めること.

민통-선【民統線】명 (韓国の休戦線南側の)民間人の出入りを統制するライン.

민틋-하다 형 凸凹がなく傾斜がなだらかだ; のっぺりしている.

민-패 명 飾りのないもの; でこぼこがなく平らなもの. =민짜.

민폐【民弊】명 (役人の)国民に及ぼす弊害.

민-하다 형 ちょっと愚かだ; 愚かしい.

민화【民話】명 民話; 民間説話.

민활【敏活】명하형 敏活. ¶～한 동작 敏活な動作. ──-히 부 敏活に; すばしこく.

믿다 타 信ずる. ①疑わない; 信用する. ¶그 말은 믿기 어렵다 その話は信じがたい / 믿어 의심치 않는다 信じて疑わない / 정말인 양 믿어버렸다 本当だと思い込んだ / 돌아올 것으로 믿고 있다 帰って来るものと決めている. ②頼る; 頼む; 信頼する. ¶요행을 ～ ぎょうこう(僥倖)に頼る / 믿는 것은 자네뿐이다 頼りとするのは君だけだ / 권력을 믿고 폭력을 자행한다 権力をたて(楯)に暴行を働く / 사나이라고 믿고 부탁하다 男と見込んで頼む / 그녀는 믿을 수 없다 彼女は当てにならない. ③信仰する. ¶불교를 ～ 仏教を信ずる.

믿음 명 ①信ずる心. ②〔宗〕信心; 信仰. ¶～이 깊다 信心深い / ～을 불러일으키다 信心を催す.

믿음-성【—性】명 信頼性. ¶～이 적다 信頼性が少ない; 頼り無い. ──-스럽다 형 頼もしく見える.

믿음직-하다 형, **믿음직-스럽다** 형 頼もしい. ¶믿음직한 청년 頼もしい青年 / 믿음직스러운 활약 頼もしい働きぶり.

밀[1] 명 みつろう(蜜蠟); ろう(蠟).

밀[2] 명〔植〕[↗참밀] 小麦.

밀〔meal〕명 ミール. ¶오트 ～ オートミール / ～ 타임 ミールタイム; 食事時間.

밀-가루 명 小麦粉; うどん粉; メ

ケン粉. ＝맥분(麥粉)·소(小)맥분.
— 반죽 명하자 小麦粉を(水で)こ(捏)ねること. また, そのこねたもの. 준 밀반죽.

밀감【蜜柑】명〔植〕みかん(蜜柑). ＝귤나무. ¶～밭 蜜柑畑.

밀-개떡 명 小麦粉やふすま(麩)をこ(捏)ねて蒸したもち(餅).

밀고【密告】명하타 密告; 告げ口. ¶～자 密告者/탈세를 ～하다 脱税を密告する.

밀교【密教】명 ①〔佛〕解釈·説明のできない経典·じゅもん(呪文)·真言など. ②〔佛〕密教; 密宗. ¶～도 密教徒. ③〔史〕王が王族·重臣などに後事を託してひそかに授けた勅書. ④ 王の密命文書.

밀-국수 명 うどん.

밀-기름 명 す(梳)き油. ¶～을 바르다 すき油をつける.

밀-기울 명 ふすま(麩·麪). ¶닭에 ～을 주다 にわとりにふすまをやる.

밀-깜부기 명 小麦の黒穂. ＝소맥노(小麥奴).

밀다 타 ①(力を加えて)押す; 進ませる. ¶수레를 ～ 車を押す/밀어 넣다 押し込む; 詰め込む/방침을 끝까지 밀고 나가다 方針を押し通す/경쟁 상대를 밀어 내다 競走相手をけ(蹴)落とす. ②(かんな(鉋)·サンドペーパーなどで)なめらかにする; (土地などを)平らにならす. ¶대패로 ～ かんなを掛ける/산을 밀어 길을 닦다 山を切りくずして道を造る. ③(人を)推す; 推薦〔推戴〕する. ¶회장으로 ～ 会長に推す. ④こねた粉をめんぼう(麵棒)で平らに伸ばす. ¶밀가루 반죽을 ～ 小麦のねり粉を伸ばす. ⑤ ↗미루다. ¶책임을 ～ 責任を転嫁する/일을 내일로 ～ 仕事を明日に延ばす.

밀담【密談】명하자 密談; 内緒ばなし. ＝밀화(密話).

밀도【密度】명 密度. ¶인구 ～ 人口密度/～ 높은 이야기 密度の高い話.

‖——-계 명〔物〕密度計.

밀-도살【密屠殺】명하타 (役所の許可なしに)ひそかに家畜をとさつ(屠殺)すること: 密殺. ¶소를 ～하다 牛を密殺する.

밀-떡 명 メリケン粉を蜂蜜や砂糖水でこ(捏)ねたもの《はれ物にはった》.

밀-뜨리다 타 いきなり力強く押す. ＊밀치다.

밀랍【蜜蠟】명 みつろう(蜜蠟). ＝밀·황랍(黃蠟). ¶마루바닥에 ～을 먹이다 床にろう(蠟)を引く.

밀려-들다 자 押し寄せる; なだれこむ; 殺到する. ¶입사 지원자가 이만 명이나 밀려들었다 入社志願者が二万人にも殺到した/우르르 ～ わんさと押しかける.

밀려-오다 자 (押し)寄せる; 寄る. ¶조수가 ～ 潮が差す/파도가 ～ 波が寄る/적병이 ～ 敵兵が押し寄せて来る.

밀렵【密獵】명하자타 密猟. ¶～자 密猟者.

밀리〔milli〕의명 [↗밀리미터] ミリ. ¶8～ 영사기 八ミリ映写機.

밀리-〔milli〕두 ミリ; 1000分の一の意.

‖——그램 의명 ミリグラム《記号: mg》. ——리터 의명 ミリリットル《記号: ml》. ——미터 의명 ミリメートル《記号: mm》. 준 밀리. ——바 의명〔物〕ミリバール《記号: mb》. ——파 명〔物〕ミリ波.

밀리다 ㊀자 (物事が)たまる; 渋滞する; 滞る; つか(支)える. ¶사무가 ～ 事務が渋滞する/기숙사비가 ～ 舎費が滞る/일이 밀려 있다 仕事がつかえている. ㊁피동 押される. ¶인파에 ～ 人波に押される/만원으로 승객의 일부가 밀려났다 満員で乗客の一部がはみ出された/시대의 물결에 밀려나다 時代の波に押し流される.

밀리언〔millon〕수 ミリオン; 百万.

밀림【密林】명 密林; ジャングル. ¶～의 왕자 密林の王者/～ 지대 密林地帯.

밀링〔milling〕명〔機〕ミーリング; フライス盤.

밀-막다 타 口実を設けて断る.

밀매【密賣】명하타 密売. ¶마약을 ～하다 麻薬を密売する.

‖——-품 명 密売品.

밀-매매【密賣買】명하자 密売買.

밀-매음【密賣淫】명하자 密淫売.

밀-무역【密貿易】명하타 密貿易.

밀-문【—門】명 押し開く戸.

밀-물 명 上げ潮; 満ち潮; 差し潮; 潮. ¶～이 들어오다 潮が上がる; 潮がさす/～이 되다 満ち潮になる; 潮が満ちる.

밀-반죽 명하자 ↗밀가루 반죽.

밀-방망이 명 めん(麵)棒.

밀-범벅 명 小麦粉に熟したかぼちゃや枝豆などを混ぜて糊状に炊いたごった煮.

밀-보리 명 ①小麦と大麦. ②〔植〕☞ 쌀보리.

밀봉【密封】명하타 密封. ¶～한 편지 密封した手紙.

‖—— 교육(教育) 명 スパイなどを養成する隔離教育.

밀봉【蜜蜂】명〔蟲〕蜜蜂. ＝꿀벌.

밀사【密事】명 密事; 秘密な事柄.

밀사【密使】명 密使. ¶정보국의 ～ 情報局の密使.

밀살【密殺】명하타 密殺. ＝밀도살. ¶소를 ～하다 牛を密殺する.

밀생【密生】명하자 密生. ¶대나무가 ～하다 竹が密生する.

밀서【密書】명 密書. ①ひそかに送る手紙. ②秘密文書. ¶국왕의 ～ 国王の密書.

밀선【密船】명 密航船.

밀선【蜜腺】명〔植〕みつせん(蜜腺).

밀송【密送】명하타 密送. ¶제삼국에 ～하다 第三国に密送する.

밀수【密輸】명하타 密輸. ¶～품 密

輸品 / ～ 루트 密輸ルート / 세관원과 결탁해서 ～를 하다 税関吏と結んで密輸する.
‖──-단 명 密輸団. ──-선 명 密輸船. ──업-자 명 密輸業者.
밀-수입【密輸入】명하타 密輸入. ¶ 마약을 ～하다 麻薬を密輸入する.
밀-수제비 명 小麦粉をねって薄くのばし, 煮え立つすまし汁にちぎって入れた汁物.
밀-수출【密輸出】명하타 密輸出. ¶ 무기를 ～하다 武器を密輸出する.
밀실【密室】명 密室.
밀약【密約】명하타 密約. ¶ 외국과 ～을 맺다 外国と密約を結ぶ.
밀어【密漁】명하자타 密漁. ¶ 영해 안에서 ～를 하다 領海内で密漁する / ～선 密漁船.
밀어【密語】명하자 密語. ① ☞ 밀담(密談). ②〘佛〙密言.
밀어【蜜語】명 蜜語; 男女のむつごと. ¶ ～를 속삭이다 蜜語をささやく.
밀어-내기 명 押し出し.
밀어-내다 타 ① 押し出す. ② 追い出す.
밀어-닥치다 자 (大勢の人が)押し寄せる.
밀어-붙이기 명 ごり押し; 無理押し.
밀어-붙이다 타 ① 押して隅に置く; (片隅に)押しやる〔追いやる〕. ¶ 침대를 밀어붙이고 장롱을 놓다 ベッドを隅っこに追いやってたんすを置く. ② 力強く押す; 押しつける. ¶ 상대를 코너에 ～ 相手をコーナーに押しつける.
밀어-젖히다 타 ① 押してひっくり返す; 押しのける; 押しやる. ¶ 이불을 ～ かけぶとんをはねのける / 사람을 밀어젖히고 앞으로 나가다 人を押しのけて前に出る. ② 押し開く. ¶ 문을 ～ 戸を押し開く.
밀월【蜜月】명 ① みつげつ(蜜月); ハネムーン. ¶ ～을 보내다 蜜月を過ごす. ② ↗밀월 여행.
‖── 여행 명 蜜月旅行. =신혼 여행. ㊀밀월. ── 시대 명 蜜月時代.
밀의【密議】명하타 密議; ひそかな評議〔相談〕. ¶ ～를 거듭하다 密議を重ねる.
밀-입국【密入國】명하자 密入国. ¶ ～자 密入国者.
밀장【密葬】명하타 密葬; ひそかに葬ること. * 암매장(暗埋葬).
밀장【密藏】명하타 密蔵. ①〘佛〙真言の経典. ② ひそかにたくわえること.
밀-전병【─煎餅】명 小麦粉で作ったせんべい(煎餅).
밀접【密接】명하형히부 密接. ¶ 옆집에 ～하게 집을 짓다 隣家に密接して家を建てる / 그와는 ～한 관계가 있다 彼とは密接な関係にある.
밀정【密偵】명 密偵.
밀조【密造】명하타 密造. ¶ 술을 ～하다 酒を密造する.
밀주【密酒】명 密造酒.
밀지【密旨】명 密旨.
밀집【密集】명하자 密集. ¶ 인가가 ～해 있다 人家が密集している.
‖── 교련 명 密集教練. ── 부[대] 명 密集部隊.
밀-짚 명 麦わら(藁); ストロー.
‖── 모자 명 麦わら帽子. =맥[고](麦藁) 모자.
밀착【密着】명하자타 ① 密着. ～제 密着剤. ② ☞ 밀착 인화.
‖── 인화 명〘寫眞〙密着印画; タ〈俗〉; コンタクトプリント.
밀책【密策】명 密策. =밀계(密計).
밀-초 명 みつろう(蜜蠟)でつくったろうそく(蠟燭). =납촉(蠟燭).
밀-출국【密出國】명하자 密出国.
밀-치다 타 力いっぱい押す; 押しつける; 押しのける. ¶ 사람을 밀치고 나아가다 人を押しのけて進む.
밀치락-달치락 부 押し合いへしあい; 押しつ押されつ. ──-하다 자 押し合う; ひしめく; もみ合う. ¶ 출입구에서 ～하다 出口で押しあいへしあいする〔もみ合う〕.
밀칙【密勅】명 密勅.
밀크〔milk〕명 ミルク.
‖── 셰이크 명 ミルクセーキ. ── 캐러멜 명 ミルクキャラメル. ── 푸드 명 ミルクフード.
밀탐【密探】명하타 ひそかに探ること. ¶ 적정을 ～하다 敵情をひそかに探る.
밀통【密通】명하자 密通; 内通; (男女の)な(馴)れ合い. ¶ 다른 남자와 ～하다 他の男と通ずる.
밀파【密派】명하타 ひそかに派遣すること.
밀-펌프〔pump〕명 押し上げポンプ.
밀폐【密閉】명하타 密閉. ¶ ～한 용기 密閉した容器.
밀항【密航】명하자 密航. ¶ ～선 密航船 / ～을 기도하다 密航をくわだてる.
밀행【密行】명 密行; お忍び. ──-하다 자 密行する; 忍んで行く.
밀화【密畫】명 密画.
밀화【密話】명하자 密話; 密談.
밀회【密會】명하자 密会; ランデブー. ¶ ～를 거듭하다 密会を重ねる.
밉광-스럽다 형 非常に憎らしい.
밉다 형 憎い. ¶ 미운 놈 憎いやつ(奴) / 밉지 않게 여기다 憎からず思う / 주는 것 없이 ～ 虫が好かない / 미운 아이 떡 하나 더 준다《俚》憎い子にはもち(餅)をよけいにやる《うわべだけ可愛がるふりをするとの意》.
밉디-밉다 형 非常に憎らしい; 憎憎しい.
밉살-맞다 형 "밉살스럽다"をさげすんで言う語.
밉살머리-스럽다 형《俗》☞ 밉살스럽다.
밉살-스럽다 형 (言動にかわいげがなく)憎たらしい; 憎憎しい; 憎ていだ. >맵살스럽다. ¶ 밉살스러운 태도 憎憎しい態度 / 밉살스러운 말투 憎ていな物の言いよう.
밉-상【─相】명 ① 憎らしい面; 憎てい面. ② 憎らしい行動.
밋밋-하다 형 ①(でこぼこがなく)のっぺりしている; のっぺらぼうだ. ¶ 밋밋한 얼굴 のっぺり顔 / 밋밋했던 태양

표면 のっぺらぼうだった太陽の面. ② (足などが)すっきりしている; すんなりしている. >맷맷하다.

…밋-이 [부] ① のっぺりと. ② すっきりと; すんなりと.

…근-하다 [형] 少しなまぬるい. >맹근하다. ¶ 밍근한 물 なまぬるい水. 밍근-히 [부] なまぬるく.

…밍-하다 [형] ① (塩気が少なく)味が薄い; 水っぽい. ② (酒·たばこなどの)味が薄い.

…크 〔mink〕 [명]〔動〕 ミンク. ¶ ～ 코트 ミンクコート.

… [부] 並びに; 及び. ¶ 성명 ～ 직업 名並びに職業 / 국어 ～ 영어는 필수 과목이다 国語および英語はひっす(必須)科目である.

… [명] ① 下. ㉠ 上に対する下. ¶ 책상 ～ 机の下 / 발 ～을 조심하라 足もとに気を付けよ / 형보다 세 살 ～이다 兄より三つ下である / 용장 ～에 약졸 없다 勇将の下に弱卒なし / 귀～ 까지 빨개지다 耳の根元まで赤らむ. ㉡ 中; 内部; 底. ¶ 바다 ～ 海の底 / 골짜기 ～으로 떨어지다 谷底に落ちる / ～에 내복을 입다 下に肌着を着る. ㉢ あらましな(為)すこと. また, そのもの. ¶ ～그림 下絵 / ～칠 下塗り. ② (事の)根本; 元(“本·基”로도 씀). ③ ↗밑구멍. ④ ↗밑바닥. ¶ ～ 빠진 독에 물붓기《俚》焼け石に水. ⑤ ↗밑동. ¶ 나무 ～이 썩다 木の根元が腐る. ⑥ ↗밑절미. ⑦〔數〕底. ¶ ～면 底面 / ～변 底辺.

밑-각【—角】[명]〔數〕底角.

밑-거름 [명] 原肥; 基肥; 根肥; 元肥〔基肥〕. ¶ ～을 주다 基肥を施す / 조국 발전의 ～이 되다 祖国発展の捨て石となる.

밑-구멍 [명] ① 物の底穴. ② こうもん(肛門)や陰門を間接的に指す語. ¶ ～을 닦다 しり(尻)をぬぐう. (준) 밑.

밑-그림 [명] 下絵; 下図; エスキス. ＝원화(原畵). ¶ ～을 그리다 下図を描く / ～ 위에 자수하다 下絵の上にししゅう(刺繡)する.

밑-글 [명] 既に学んだ学問; 既に学んだ基本知識.

밑-넓이 [명]〔數〕底面積. ＝밑면적(面積).

밑도 끝도 없다 [구] 訳のわからないことをだしぬけに言いだすので分別がつかない意.

밑-돌다 [자] 下回る. ¶ 예상을 크게 ～ 予想を大きく下回る.

밑-동 [명] 根元. ① 物のいちばん下の部分; 底. ¶ 기둥 ～ 柱の根元. ② (野菜などの)根元. ¶ 나무를 ～에서 자르다 木を根元から切る. (준) 밑.

‖— **부리** [명] 切断した木の根元の部分.

밑-면【—面】[명] 底面. ¶ 원뿔의 ～ えんすい(円錐)体の底面.

밑-바닥 [명] 底. ① 物の底面. ¶ ～ 생활 どん底の暮らし / 강 ～에 가라앉다 川底に沈む / ～이 두꺼운 냄비 底の厚いなべ(鍋). ② 心の奥; 底意. ¶ ～ 드러나는 수작 見えすいたしぐさ. (준) 밑.

밑-바탕 [명] 下地; 素地; 本質; 素質; 天性; 生まれつき. ¶ 법랑의 ～은 금속이다 ほうろう(琺瑯)の下地は金属である / 이미 ～이 되어 있다 既に素地ができている.

밑-반찬【—飯饌】[명] 保ちが良く手数をかけずにすぐ食べられるおかず《しおからなど》.

밑-받침 [명] ① 支え物; 下張りの物. ② 下敷き.

밑-변【—邊】[명]〔數〕底辺.

밑-불 [명] 埋もれている火; 火種.

밑빠진 시루 [구] 底抜け上戸.

밑-씻개 [명] 落とし紙.

밑-절미 [명] 物事の基礎; 素地. (준) 밑.

밑-줄 [명] 下線; アンダーライン. ¶ ～을 긋다 アンダーラインを引く.

밑-지다 [자][타] 損する. ¶ 이 달엔 십만 원 밑졌다 今月は拾万ウォンへこ(凹)んだ / 밑져 봐야 본전이다 失敗して元元である / 밑지고 팔다 元を割って〔切って〕売る.

밑-질기다 [형] しり(尻)が長い. ¶ 밑질긴 사람 長じりの〔長居する〕人.

밑-창 [명] ① 靴の底. ②《俗》どん底.

밑천 [명] 元. ① 資本; 元金; 元手. ¶ ～이 드는 장사 元が要る商売 / 장사할 ～도 없다 商売の元金もない / 한 ～ 만들다〔잡다〕 身上を築く / ～이 떨어지다 元が切れる. ② 原価; 元値. ＝본전(本錢). ¶ ～까지 다 날리다 元も子もなくす / ～이 빠지지 않다 元値が取れない. ③《俗》“男根”; 一物.

밑-층【—層】[명] 下の階; 下の層.

밑-판【—板】[명] 底に当てる板; 底板.

ㅂ

ㅂ ハングル字母の第六番目の字.

-ㅂ니까 [어미] 終声のない語幹に付いて丁寧な問いをあらわす終結語尾: …ますか. ¶ 지금 가～ 今行きますか / 보이～ 見えますか / 학생이 아니～ 学生ではないんですか.

-ㅂ니다 [어미] …です; …であります. ¶ 좋은 영화～ 良い映画です / 여기이～만 ここなんですが / 저것은 우리나라의 명찰 중의 하나～ あれは我が

国の名刹の一つであります / 감사하~ ありがとうございます / 그러하~ さようであります.

-ㅂ디까 [어미] …ましたか; …たですか; …でしたか. ¶ 오늘은 온다고 하~ 今日は来ると言っていましたか / 크~ 大きかった(ん)ですか.

-ㅂ디다 [어미] …ました; …でした; …たです. ¶ 우~ 泣いていました / 무척 예쁘~ とても美しかったです.

-ㅂ시다 [어미] …(し)ましょう. ¶ 놀고 가~ 遊んで行きましょう.

바¹ 〔bar〕 [명] バー. ¶ ~걸 バーの女給; ホステス.

바² [의명] "방법(=方法)" または "일(=事)"の意で使われる語. ¶ 네가 알 ~가 아니다 君の知った事ではない / 전술한 ~와 같이 前述の通り.

바가지 [명] ① ひさご. ㊜ 박. ② ぶったくり. ¶ ~를 쓰다 ぶったくられる; ぼられる〈俗〉/ 술집에서 ~를 썼다 飲み屋でぶったくられた / 되게 ~ 씌우는 가게군 ひどくぼる店だね. ——(를) 긁다 [구] (妻が夫に)ぐちをこぼす; がみがみ言う.

바겐 세일 〔bargen sale〕 [명] バーゲンセール.

바구니 [명] かご(籠); ざる. ¶ 꽃~ 花籠 / 장~ 買い物籠.

바구미 [명] 〘蟲〙 穀象虫; こめむし.

바그르르 [부][하자] 湯などの沸きたつ〔泡立つ〕さま. また, その音: ぐらぐら; ふつふつ; ぶくぶく.

바글-거리다 [자] ① ぐらぐら沸く; ぶくぶくと泡立つ. ② (人·動物·虫などが一ところで)うようよする. **바글-바글** [부][하자] ① ぐらぐら. ② うようよ.

바깥 [명] 外; 外側; 表. ¶ ~ 울타리 外囲い / ~ 치수 外のり / ~으로 나오다 外へ出る. ㊜ 밖.

‖——-문 [명] 外側の門; 表門. —— 바람 [명] 外気. ¶ ~을 쐬다 外気に当たる. —— 사돈(査頓) [명] 男のあいやけ(相舅). ㊜ 밭사돈. —— 소문(所聞) [명] 世間のうわさ; 取り沙汰. —— 소식(消息) [명] 外部の消息; 世間のニュース. —— 심부름 [명][하자] 外へ〔で〕の使い. —— 양반(兩班) [명] 男の主. また, 自分の夫: 宅. *사랑 양반. —— 어른 [명] ☞바깥 주인. ——-일 [명] 屋外の仕事; 家事以外の用事. —— 주인(主人) [명] 亭主; 男の主. ——-쪽 [명] 外側; 表側. ——-채 [명] 外棟. —— 출입(出入) [명] 外出.

바께쓰 〔bucket〕 [명] バケツ.

바꾸다 [타] 変える. ① 交換する; 取り替える. ¶ 원화(貨)를 달러로 ~ ウォンをドルに換える. ② (甲を乙に)代える; 変更する. ¶ 계획을 ~ 計画を変える.

바꿔 말하다 [구] 言い替える; 換言する.

바꿔-치다 [타] すり替える. ¶ 가짜와 (슬쩍) ~ にせ物とすり替える.

바뀌다 [피동] (とり)かえられる; (切り)替〔代〕わる. ¶ 해가 ~ 年が改まる / 대(代)가 ~ 代がかわる.

바나나 〔banana〕 [명] バナナ.

바느-질 [명] 針仕事; お針〈女〉. —하다 [자][타] お針〔縫い物〕をする; 縫いする. ¶ ~감 縫い物 / ~을 잘 다 お針がうまい.

‖——-삯 [명] 針仕事の手間代. —— 품 [명] 賃針仕事.

바늘 [명] 針. ¶ 대~ 竹針 / 시계 時計の針 / 낚시 ~ 釣りばり / ~ 는 데 실이 간다《俚》虚無僧に尺 / ~ 도둑이 소도둑 된다《俚》針 る者の車をとる.

‖—— 구멍 [명] ① 針で開けた穴. 針の耳; 針のような穴. ——-귀 [명] 針の耳; 目処. —— 방석(方席) [명] はりむしろ(針筵). ¶ ~에 앉은 것 다《俚》まるで針筵にすわったようだ

바다 [명] 海. ①〘地〙海洋. ¶ ~ 낚 海づり / 바닷속 海中 / ~로 나 다 海に出る〔乗り出す〕. ② (…が 一面に広がっている状態. ¶ ~ 火の海.

‖——-표(豹)범 [명] 海豹. 바닷-가 [명] 浜; 海辺. 바닷-말 [명] 〘植 ☞ 해조(海藻). 바닷-물 [명] 海水; 潮. 바닷-물고기 [명] 海の魚. 바닷 바람 [명] ☞해풍(海風). ¶ ~을 쐬다 潮風にあたる.

바닥 [명] ① 平らな表面; 平面. ¶ 마룻~ 床の上. ② 底. ¶ 신~ 靴 底. ③ 払底すること. ¶ ~나다 底を払う. ④ (布の)織り目; 生地. ¶ ~이 고운 천 織り目のこまかい生地. ⑤ 広く混雑した所. ¶ 서울 ~ ソウルの巷 / 장~ 市場. —— 나다 [자] 払底する; 品切れ〔種切れ〕になる; 底が見える. ¶ 식량이 ~ 食糧が干る. ——-내다 [타] 使い果たす.

‖—— 첫째 [명] "びり"を笑う語. ——-칠(漆) [명] 下塗り; 粗塗り.

바대 [명] (単衣の背やわきの)当てぎれ; 継ぎ切れ; まち(襠). ¶ ~를 대다 継ぎを当てる.

바동-거리다 [자][타] もがく; ばたつく〈俗〉; じたばたする〈俗〉. <버둥거리다. **바동-바동** [부][하자타] じたばた〈俗〉.

바둑 [명] 碁; 囲碁. ¶ 줄~ ざるご(笊碁) / 비긴 ~ 持碁 / ~을 두다 碁を打つ.

‖——-돌 [명] ① 碁石. —— 무늬 [명] まだら模様; ぶち紋様. ——-이 [명] ぶち犬. —— 장기(將棋) [명] 碁と将棋. ——-판(板) [명] 碁盤. ¶ ~ 무늬 碁盤縞; 市松模様.

바드득 [부][하자] きしきし. ¶ ~ 이를 갈다 悔しまぎれにきしきし(と)歯軋りをする. ——-거리다 [자] きしきし鳴る. ———— [부][하자] きしきし.

바득-바득 [부] ① しきりに強情を張るさま: しつこく. ¶ ~ 우기다 しつこく強情を張る. ② しつこくねだるさま. ¶ ~ 조르다 ねちねちとねだる.

바들-바들 [부] ふるえるさま: ぶるぶる; わなわな. <부들부들. ¶ 추워서 ~ 떨다 寒くてぶるぶるふるえる.

바듯-하다 [형] ① ゆとりがない; きっかりだ. ② やっと間に合う. ㅆ빠듯하다. **바듯-이** [부] ぎりぎりに.

바라【哱囉】명〔佛〕にょうはち(鐃鈸).
——**-춤** 명 法事を営むとき鐃鈸を打ちながらの踊り.

바라-건대 부 願わくは. ¶~ 속히 구원의 손길을 뻗쳐주시길 願わくは速くすくいの手が延べられんことを.

바라다 타 願う; 望む; 請う; 欲する; 仰ぐ. ¶삼가 바랍니다 つつしんで願います / 출세를 ~ 出世を望む.

바라다-보다 타 眺める; 見渡す; 見晴らす. ¶유심히 ~ じっと〔つくづく〕眺める.

바라문【婆羅門】명〔佛〕① 婆羅門. ② ↗바라문교.
——**-교** 명 婆羅門教.

바라-보다 타 ① 眺める; 見晴らす; 望む; 見渡す. ② 傍観する. ¶옆에서 바라보기만 하다 側で見てばかりいる. ③ (ひそかに)望む; 願う. ¶과장 자리를 ~ 課長の椅子をねらう. ④ …に手が届く; 差しかかる. ¶40고개를 ~ 四十の坂に(さし)かかる.

바라-보이다 피동 目に入る; 眺められる.

바라지 명하타 世話; 面倒. ¶해산 ~ お産の世話 / 자식 ~에 눈코 못 뜬다 子等の面倒に明け暮れる.

바라-지다 형 ① 背が低くて横太りしている. ¶딱 바라진 체구의 사나이가 찾아왔더라 がっしりした体の男が訪ねて来たよ. ② (器が)底が浅く縁が広い. ③ 悪擦れしている; こましゃくれている. =되바라지다.

바라크〔프 baraque〕명 バラック.

바락-바락 부 ひどく腹を立てるさま: かっと. ¶~ 악을 쓰다 かっとなってわめきちらす.

바람¹ 명 ① 風. ¶~ 소리 風の音 / ~ 부는 대로 물결 치는 대로《俚》風の吹くまま波の打つまま《成るがままに任せるの意》. ② うわついた行動; 浮気. ¶~난 계집애 浮気娘 / ~을 피우다 浮気をする. ③《俗》中風. ④ おおげさに言うこと; ほら(法螺). =허풍. —— **나가다** 자 (タイヤから)空気が抜ける. —— **나다** 자 心がうわつく; 浮気をする. —— **들다** 자 ① (大根などに)す(鬆)が通る. ¶~든 무 鬆が立った大根. ② うわつく. ——**-맞다** 자 ① 風病〔中風〕にかかる. ② だまされる; すか〔待ちぼうけ〕を食う.
‖——**-개비** 명 ① ☞ 풍향계. ② ☞ 팔랑개비. ——**-결** 명 風のたより; 風の使い. ¶~에 들으니 うわさに聞けば〔よると〕. ——**-기(氣)** 명 浮気心. ¶~가 있다 尻軽だ; 浮気心がある. ——**-막이** 명하자타 ① 風をよ(避)けること. ② 風よけ. ——**-받이** 명 風当たり.

바람² 의명 ① ある出来事のはずみ. ¶달리는 ~에 화분을 깨뜨렸다 走りぎわに植木鉢を割った. ② 身なりをつくろわずに出ること: …掛け. ¶속옷 ~으로 뛰어 나가다 肌着掛けで飛び出す.

바랑 명〔佛〕旅僧の背袋.

바래다¹ ㊀자 (色が)あ(褪)せる; さ(褪)める. ¶사진이 ~ 写真が白ける / 빛이 바랜 옷 色あせた服. ㊁타 さら(晒)す; さわ(醂)す. ¶포목을 ~ 布を晒す.

바래다² 타 見送る. ¶~ 주었다 見送ってやった / 역까지 ~ 드려라 駅まで見送りなさい.

바로 ㊀부 ① 正しく. ¶~ 맞히다 正しく当てる. ② 正確に; まちがいなく; 正しく; 正に. ¶~ 그때에 正しくそのとき. ③ すぐに; 直ちに; 早速. ¶지금 ~ 今すぐに. ④ まっすぐ(に). ㉠ 道草を食わずに. ¶학교가 파하면 ~ 집으로 오너라 学校が引けたらまっすぐ家に帰りなさい. ㉡ 一直線に; 垂直に. ¶~ 맞은편 真向かい / ~ 옆 사람 真横の人. ㊁관 間違いなく; 他ならない. ¶그는 성실 ~ 그것이다 彼は誠実そのものである. ㊂감 (号令で)元へ; 直れ. ¶우로 봐, ~ かしら右, 直れ. ——**-잡다** 타 ① 直す; 矯める. ¶비뚤어진 것을 ~ ゆがみを直す. ② 正す; 矯正する. ¶잘못을 ~ 誤りを正す.

바로-미터〔barometer〕명 バロメータ. ¶건강의 ~ 健康のバロメータ.

바로크〔baroque〕명 バロック. ¶~ 음악〔식〕バロック音楽〔式〕.

바루다 타 正す; 正しくする.

바륨〔barium〕명〔化〕バリウム.

바르다¹ 타 ① 張る. ¶장지를 ~ 障子を張る. ② 塗る; (塗り)付ける. ¶분을 ~ おしろいを塗る / 상처에 약을 문질러 ~ 傷口に薬をすり付ける.

바르다² 타 (皮を)むく; は(剝)ぐ. ¶밤송이를 ~ いがを取り除く.

바르다³ 형 正しい. ① 道理またはやり方にかなっている. ¶바른 행동 正しい行ない. ② まっすぐだ. ¶바른 자세 正しい姿勢.

바르르 부하자 ① 水が急に煮えたつさま, またはその音: ぐつぐつ. ② なんでもないことにかっと怒るさま. ③ 小さなものが寒さにふるえるさま: ぶるぶる.

바르작-거리다 자타 もが(跪)く. <버르적거리다. **바르작-바르작** 부하자타 跪くさま: じたばた.

바른-길 명 ① まっすぐな道. ② 正道.

바른-말 명 正当な言葉; 道理にかなう話.

바리¹ 명 ① 真鍮製の女の食器. ② ↗바리때.
‖——**-때** 명 木製の僧侶の食器. (준) 바리.

바리² 의명 馬・牛の一荷: 駄. ¶장작 여섯 ~ 薪六駄.

바리캉〔프 bariquant〕명 バリカン.

바리케이드〔barricade〕명 バリケード. ¶~를 치다 バリケードをめぐらす.

바리콘 명〔←variable condenser〕〔物〕バリコン.

바리톤〔bariton〕명〔樂〕バリトン.

바림 명 ぼか(暈)し; くまどり. ¶~이 있는 옷 暈しが入った着物.

ㅂ

바바리 〔Burberry〕, **바바리 코트** 〔Burberry coat〕 명 バーバリコート.
바벨 〔Babel〕 명 〖基〗バベル. ¶ ~탑 バベルの塔.
바보 명 あほう；ばかもの；とんま；ぼんくら. ¶ 천치 ~ 大ばか三太郎.
바비큐 〔barbecue〕 명 バーベキュー.
바쁘다 형 ① 忙しい；忙しい. ¶ 손님이 많아 눈코 뜰 새 없이 ~ たくさんの客できりきり舞いをする. ② 急だ；さし迫っている. ¶ 바쁜 볼일 急ぎの用件.
바삐 부 ① 忙しく；せわ(忙)しく. ¶ ~ 일하다 せわしく働く. ② 早く；すばやく. ¶ 한시 ~ 一刻も早く. ── 굴다 자타 急く；せきたてる；せわしく催促する.
바삭-거리다 자타 ① ばさばさ〔かさかさ〕する. ② ばりばりかむ. **바삭-바삭** 부하자타 ① ばさばさ；かさかさ. ② ばりばり.
바소 명 〖韓醫〗 披針《化膿した傷などを裂くはり》. ＝파침(破鍼).
바수다 타 (細かく)砕く. ＜부수다. ¶ 흙을 ~ 土を砕く.
바스락-거리다 자타 かさかさする；かさこそする. **바스락-바스락** 부하자타 かさかさ；かさこそ；がさがさ.
바스러-뜨리다 타 ☞ 부스러뜨리다.
바스러-지다 자 ☞ 부스러지다.
바스켓 〔basket〕 명 バスケット；かご(籠). ¶ ~ 볼 バスケットボール.
바심 명하타 ① 〖建〗 材木を削って均らす仕事. ② 太いものを細かくする仕事.
바싹 부 ① 乾き切るさま, または焦げ付くさま：からりと；からからに. ¶ 입술이 ~ 마르다 唇がかさかさに乾く. ② 間近に詰め寄るかひっつくさま：ぴったり；べたっと. ¶ ~ 다가앉다 ぴったり詰め寄って座る. ③ 締めつけるさま：ぴったり；しっかり；ぎゅっと. ¶ ~ 죄다 ぎゅっと締める. ④ 物事がにわかにふえたりへったりするか, または急によくなるさま：ぐっと；めっきり；目に見えて. ¶ ~ 줄었다 ぐっと減った. ⑤ ひどくやせているさま. ¶ ~ 야위었다 めっきりやせた.
바야흐로 부 今や；今こそ；まさに. ¶ ~ 파산에 직면해 있다 まさに破産せんとしている.
바위 명 岩. ¶ ~산 岩山.
‖──틈 명 ① 岩の裂け目. ② 岩間.
바이 부 全然；まったく. ¶ 빚 갚을 길이 ~ 없다 借金を返すすべが全くない.
바이러스 〔virus〕 명 ビールス；ウイルス；バイラス.
바이-바이 〔bye-bye〕 명감 バイバイ.
바이브레이션 〔vibration〕 명 〖樂〗 バイブレーション.
바이브레이터 〔vibrator〕 명 バイブレーター；振動器.
바이블 〔Bible〕 명 バイブル.
바이스 〔vice, vise〕 명 〖機〗 バイス.
바이올리니스트 〔violinist〕 명 バイオリニスト.
바이올린 〔violin〕 명 バイオリン.
바이트 〔bite〕 명 〖工〗 バイト.
바이-패스 〔by-pass〕 명 バイパス.
바이-플레이어 〔byplayer〕 명 バイプレーヤー. ＝조연 배우.
바인더 〔binder〕 명 バインダー.
바자 명 まがき(籬)；ませがき(籬垣)
‖──울 명 しば垣；籬.
바자 〔bazaar〕 명 バザー.
바작-바작 부 ① 乾き切ったものが燃える音：ぱちぱち. ② 気をもむさま；やきもきするさま. ¶ 입술이 ~ 타다 唇がばさばさ乾く.
바제도-병 【─病】 〔Basedow〕 명 〖醫〗 バセドー病.
바주카-포 【─砲】 〔bazooka〕 명 〖軍〗 バズーカ砲. 준 바주카.
바지 명 ① バジ；(韓服の)男の下衣. ② ↗양복 바지.
‖──저고리 명 ① バジとチョゴリ. ② 木偶の坊；能力・実権のない人. ③《俗》田舎者. **바짓-가랑이** 명 バジのまたした(股下).
바지 〔barge〕 명 バージ. ① 運搬船. ② 遊覧船.
바지라기 명 〖貝〗 しじみ(蜆).
바지락 명 〖貝〗 しおふき(潮吹).
바지랑-대 명 干し棹；物干し竿.
바지런-하다 형 ☞ 부지런하다. **바지런-히** 부 ☞ 부지런히.
바짝 부 ☞ 바싹. ¶ 빨래가 ~ 말랐다 洗い物がからからに乾いた / 허리띠를 ~ 졸라매다 帯をぎりぎりと引き締める / ~ 마른 사람 やせこけた人.
바치다[1] ㊀타 ① (神または目上に)あげる；捧げる；供える. ¶ 신전에 햇곡식을 ~ 神殿に初穂を捧げる. ② 心と体をなげうつ；捧げる. ¶ 목숨을 ~ 命を抛つ. ③ (税金などを)納める. ㊁보동 目上に差しあげるの意を表わす語. ¶ 어른에게 일러 ~ 目上に告げ口をする.
바치다[2] 타 (度を超す程に)好む；ふ(耽)ける. ¶ 색(色)을 ~ 色〔女〕に憂き身をやつす.
바캉스 〔프 vacance〕 명 バカンス；休暇.
바퀴[1] ㊀명 輪；車輪. ¶ 수레 ~ 車の輪. ㊁의명 物の周囲；回り. ¶ 운동장을 한 ~ 돌았다 運動場をひと回りした.
‖──살 명 や(輻)；スポーク.
바퀴[2] 명 〖蟲〗 油虫；ごきぶり(蜚蠊).
바탕[1] 명 ① 質. ¶ ~이 좋다 質が良い. ② 物の材料. ③ 根本を成す部分. ¶ 흰 ~에 빨간 무늬 白地に赤い模様.
바탕[2] 의명 ひとしきり. ¶ 비가 한 ~ 왔다 雨がひとしきり降った.
바터 〔barter〕 명하자 〖經〗 バーター.
‖──제(制) 명 バーター制.
바통 〔프 bâton〕 명 バトン. ① 後の人に引き渡す地位や仕事. ¶ ~을 넘기다 バトンを渡す. ② ☞ 배턴.
바투 부 ① 間近に詰めて；近づいて. ¶ 더 ~ 앉아라 もっと近寄って座れよ. ② 短く. ¶ ~ 깎다 短く刈る.

…-하다 형 (汁が) 煮詰まって濃い.

…티칸 [Vatican] 명 バチカン.

… 명 ①〖植〗夕顔; ふくべ(瓠). ② 바가지.

…【箔】명 はく(箔). ¶은~ 銀箔 / (금·은) ~을 입히다 箔を押す / ~이 벗겨지다 箔が剝げる.

…격-포【迫擊砲】명 迫撃砲; きゅう(臼)砲.

…-꽃 명 夕顔の花.

…다 타 ①(くぎなどを)さしこむ; 打ち込む. ¶못을 ~ くぎを打つ / 온통 보석을 ~ 宝石をちりば(鏤)める. ②(饅頭などに)あん(餡)を入れる. ③印刷する; 刷る. ¶명함에 직명을 ~ 名刺に職名を印刷する. ④写真を取る. ⑤型を押して形を作る. ¶판에 박은 듯이 判で押したように. ⑥縫う.

…달-나무 명〖植〗おのおれ(斧折). ㊜ 박달.

…대【薄待】명하타 ☞ 푸대접.

…덕【薄德】명하형 薄徳.

…두-하다【迫頭—】자 さし迫る; 切迫する. ¶기한이 ~ 期限が押し迫る.

박락【剝落】명하자 はくらく(剝落); らくはく(落剝).

박람회【博覽會】명 博覧会. ¶만국 ~ 万国博覧会.

박래-품【舶來—】명 舶来品.

박력【迫力】명 迫力. ¶~ 있는 연기 迫力のある演技.

박리【薄利】명 薄利. ¶~ 다매 薄利多売.

박멸【撲滅】명하타 撲滅. ¶결핵을 ~하다 結核を撲滅する.

박명【薄命】명하형 薄命; ふしあわせ. ¶미인 ~ 美人薄命.

박물【博物】명 博物. ¶~학 博物学 / ~ 표본 博物標本.
‖——관 명 博物館. —— 군자(君子) 명 博物家; ひろく物事に通じている人.

박-박¹ 부 厚い紙などを引き裂く音: ばりばり. ¶종이를 ~ 찢어 버렸다 紙をばりばりと引き裂いて捨てた.

박박² 부 ①顔がひどくあばた(痘痕)になったさま: ぶつぶつ. ¶~ 얽은 얼굴 あばた顔. ②髪を短く刈ったさま. ㅆ빡빡. ¶머리를 ~ 밀었다 髪を坊主頭にそ(剃)った.

박복【薄福】명하형 薄福; ふしあわせ; 薄幸〔薄倖〕.

박봉【薄俸】명 安月給; 安サラ. ¶~에 견디다 安サラに堪える.

박빙【薄氷】명 薄氷. =살얼음.

박사【博士】명 博士. ¶농학 ~ 農学博士 / 그는 만물〔척척〕 ~이다 彼は物知り博士である.

박살【撲殺】명하타 撲殺; 打ち殺すこと. ——-내다 타 こなごなにこわしてしまう; めちゃくちゃにしてしまう.

박색【薄色】명 醜女; 醜い顔; ぶす〈俗〉; ぶ女.

박-속 명 夕顔の中身.

박수 명 男のみこ(巫); おかんなぎ(覡).

박수【拍手】명하자 拍手. ¶~ 갈채 拍手喝采.

박식【博識】명 博識. ——-하다 형 博識だ. ¶~한 사람 博識な人; 物知り / ~을 자랑하다 博識を誇る.

박아 내다 타 (写真·文字などを)刷り込む. ¶삽화를 ~ さし絵を刷り込む.

박애【博愛】명하타 博愛. ¶~주의 博愛主義.

박약【薄弱】명하형 薄弱. ¶의지 ~ 意志薄弱 / 심신이 모두 ~하다 心身ともに薄弱である.

박은-이 명 印刷者.

박음-질 명하자 返し縫い.

박이다¹ 자 ①くっつく; はまりこむ; 立つ. ¶가시가 ~ とげが立つ. ②(型に)はま(嵌)る. ③心または体にしみ入る; こびりつく. ¶담배에 인이 ~ 煙草のくせがこびりつく.

박이다² 사동 ①印刷させる. ②(写真を)写させる.

박자【拍子】명〖樂〗拍子; タクト. ¶삼~ 三拍子 / ~를 맞추다 拍子〔タクト〕を取る.

박장【拍掌】명하자 拍掌; 拍手.
‖—— 대소(大笑) 명하자 手を打って大笑いすること.

박절【迫切】명하형히부 薄情; 不人情.

박정【薄情】명 薄情. ——-하다 형 薄情だ; 情けない; つれない. ¶~한 말을 하다 つれないことを言う.

박제【剝製】명 はくせい(剝製). ¶~한 꿩 剝製のきじ(雉).

박주【薄酒】명 粗酒.
‖—— 산채(山菜) 명 ①粗酒と山菜. ②自分が持つ酒とさかな(肴)の謙称語.

박쥐 명〖動〗こうもり(蝙蝠); へんぷく; 蚊食い鳥.
‖—— 우산(雨傘) 명 蝙蝠傘; こうもり《준말》. ——-족(族) 명 昼は休み夜に出回る人.

박진【迫眞】명하형 迫真; ヴィヴィッド; ビビッド. ¶~력이 있다 迫真力がある / ~의 연기 迫真の演技.

박차【拍車】명 拍車. ¶~를 가하다 拍車をかける.

박-차다 타 ①蹴飛ばす; 蹴立てる. ¶자리를 박차고 돌아가다 席を蹴立てて帰る. ②撥ね返す; 拒絶する; しりぞける. ¶유혹을 ~ 誘惑をしりぞける.

박치기 명하자 (人やボールなどを)頭で突きとばすこと; 鉢合わせ.

박-타다 자 ふくべを二つに割る.

박탈【剝奪】명하타 はくだつ(剝奪). ¶자유를 ~하였다 自由を剝奪した.

박테리아 [bacteria] 명 バクテリア; 細菌.

박토【薄土】명 やせ地.

박편【剝片】명 はくへん(剝片). ¶~석기 剝片石器.

박편【薄片】명 薄片. ①うすい切れ; うすいかけら. ②顕微鏡で見るために薄くした試料.

박피【剝皮】명하타 皮をむくこと.

ㅂ

박하【薄荷】명〔植〕薄荷；ペパーミント. ¶～ 사탕 薄荷糖.
‖──뇌 명 薄荷脳；メントール. ──유 명 薄荷油. ──정 명 薄荷精.

박-하다【薄─】형 (情が)うすい；薄情だ；出し惜しみをする；けちだ；辛い. ¶인심이 박한 세상이다 世知辛い世の中である.

박학【博學】명하형 博学；博識. ¶～ 다식 博学多識 / ～ 다재하다 博学多才である.

박해【迫害】명하타 迫害. ¶～를 가하다 迫害を加える.

박히다 피동 ①さし込まれる；打ちこまれる；おり込む；刺さる. ¶가시가 ～ とげに刺さる. ②刷られる；印刷される；(写真が)写される. ③黒子・雀斑などがある.

밖 명 ①定まった囲い・仕切りなどを越えた部分：外；外側；外部. ¶씨름판 ～으로 떼밀어 내다 土俵の外へ突き出す. ②表に現われた部分：おもて；外；外面；表面. ¶불만을 ～으로 드러내다 不満をおもてに表わす. ③(その)外〔他〕. ④[↗바깥] 外；戸外；屋外. ¶～에서 저녁 식사를 하다 外で晩飯を食べる.

ㅂ

밖-에 조 …しか；…きり；…外；…ぽっち. ＝뿐. ¶단하나 ～ 없다 たった一つしかない / 기다리는 수～ 없다 待つより外はない.

반【半】명 半. ①半分；二分の一. ¶～사람 몫 半人前. ②なかほど；半ば〈雅〉. ¶시작이 ～이다 はじまりは事の半分である.

반【班】명 班. ①ある共通点によって組織された集団. ¶연극～ 演劇班. ②"통(統)"を分けた国民組織の最下単位. ¶제3통 제5～ 第三統第五班. ③クラス；組. ¶신입생 ～을 맡다 新入生の組を持つ. ④兵営内の部屋の一つまたは小隊をさらに区分した単位. ¶내무～ 생활 内務班生活.

반-【反】두 反. ¶～혁명 분자 反革命分子.

반-【半】두 半；半分；なかば. ¶～식민지 半植民地 / ～농담으로 じょうだん半分(に).

반가워-하다 자타 よろこぶ；うれしく思う；懐かしく思う.

반감【反感】명 反感. ¶～을 가지다〔사다〕 反感を持つ〔買う〕.

반감【半減】명하자타 半減.

반갑다 형 懐かしい；うれしい；よろこばしい. ¶네가 와 주어서 참으로 ～ 君が来てくれてほんとにうれ(嬉)しい. 반가이 부 よろこんで；懐かしく.

반-값【半─】명 半価；半値. ¶～으로 사다 半価〔半値〕で買う.

반-개【半個】명 半個.

반격【反擊】명하타 反撃；反攻；逆寄せ；ロールバック. ¶～ 정책 巻き返し〔ロールバック政策〕/ ～을 당하다 反撃に会う.

반경【半徑】명 半径. ＝반지름. ¶～ 5cm 半径五センチ / 행동 ～ 行動半径.

반-고체【半固體】명 半固体.

반골【叛骨】명 反骨〔叛骨〕；権勢に抵抗する気質. ¶～ 정신 反骨精神.

반공【反共】명하자 反共. ¶～ 세력 反共勢力 / ～ 동맹 反共同盟.

반-공산주의【反共產主義】명 反共産主義；反共.

반-공일【半空日】명 土曜日；半休；半ドン. ¶토요일은 ～이다 土曜は半休である.

반-공중【半空中】명 半空；中空. 준 반공.

반관【半官】명 半官.
‖── 반민 명 半官半民. ¶～의 회사 半官半民の会社.

반구【半句】명 半句. ¶일언 ～ 一言半句.

반구【半球】명 半球. ¶북～ 北半球 / 동～ 東半球.

반-국가적【反國家的】명관 反国家的.

반군【反軍】명하자 反軍. ¶～ 사상 反軍思想.

반군【叛軍】명 ☞ 반란군.

반기【反旗】명 反旗〔叛旗〕. ── 들다 자 叛旗を翻す；謀反を起こす.

반기【半期】명 半期；一期の半分. ¶상～ 上半期.

반기【半旗】명 半旗. ＝조기(弔旗).

반기【叛旗】명 叛旗〔反旗〕.

반기다 자타 喜ぶ；うれしく思う. ¶사람을 ～ 人を見てうれしがる.

반-나마【半─】부 半分以上.

반-나절【半─】명 小半日の半分.

반-나체【半裸體】명 半裸. ¶～의 여자 半裸の女. 준 반라(半裸).

반납【返納】명하타 返納. ¶도서를 ～하다 図書を返納する.

반-년【半年】명 半年；半季. ¶～분 半年分 / ～의 고용살이 半季の奉公.

반농【半農】명 半農. ¶～ 반공 半農半工 / ～ 반어로 꾸려가다 半農半漁で暮らしをたてる.

반-닫이【半─】명 上部だけに扉のあるたんす.

반-달【半─】명 半月；弓張月；片割れ月. ¶～ 모양의 半月形の / ～이 공중에 걸려 있다 半月がかかっている.

반대【反對】명하타 反対. ¶～ 개념 反対概念 / 전혀 ～ 방향 全くあべこべの方向 / ～론 反対論 / ～ 세력 反対勢力. ──로 부 反対に；却って；翻って；引き替え(て). ¶형과는 ～ 동생은 일을 잘한다 兄と(は)反対に弟はよく働く.
‖── 급부 명 反対給付. ── 신문(訊問) 명〔法〕反対尋問. ──어 명 反対語；反意語；対義語；アントニム. ── 운동 명하자 反対運動. ──쪽 명 反対側；向こう側. ──파 명 反対派. ¶～에 붙다 反対派に寝返りを打つ.

반도【半島】명〔地〕半島. ¶발칸 ～

ルカン半島.

도【叛徒】명 叛徒〔反徒〕; 逆徒. ¶ ~ 토벌 叛徒討伐 / ~를 정벌다 叛徒を討つ.

-도체【半導體】명 半導体.

동【反動】명하자 反動. ¶ ~적 경 反動的傾向 / 급브레이크의 ~으 넘어졌다 急ブレーキの反動で倒れた.

——-력 명 反動力. —— 사상 명 反動思想. ——-적 명관 反動的.

드럽다 형 ①つやがあってなめらか. ¶ 반드러운 대리석 なめらかな大理石. ②ちゃっかりして抜け目がない. ¶ 저사람은 너무 ~ あの男はあまりにもちゃっかりしている.

드르르 부하형 つやがあってなめらかなさま: つるつる. <번드르르.

드시 부 必ず(しも); きっと; 絶対; 決まって. ¶ 부자라고 ~ 행복한 것은 아니다 金持ち必ずしも幸福とはいえない / ~ 성공해 보이겠다 誓って〔きっと〕成功してみせる / ~ 성공하게 되어 있다 成功するに決まっている.

반들-거리다 자 ①つるつるする; つやめく. ¶ 반들거릴 때까지 닦아라 つるつるになるまで磨きなさい. ②抜け目なく振る舞う; ちゃっかりしている. ㅆ빤들거리다. 반들-반들 부하형 つるつる; ぬめぬめ; つやつや. ¶ ~ 빛나고 있다 つやつやと光っている.

반듯-하다 형 ①まっすぐだ; 正しい. ¶ 네모 반듯한 유리 正方形のガラス. ②全く欠点がない. ③でき具合がよい; 見かけがよい. ㅆ반뜻하다. 반듯-이 부 まっすぐに; しゃんと. ¶ 상체를 ~ 펴다 上体をしゃんと伸ばす.

반등【反騰】명하자〔經〕反騰. ¶ ~할 기미를 보이다 反騰の気配を示す.

반딧-불 명 蛍の光; 蛍火.

‖——-이 명〔蟲〕ほたる. =개똥벌레.

반뜻-하다 형 きわめてまっすぐだ〔正しい〕. 반뜻-반뜻 부하형 すべてがまっすぐなさま.

반락【反落】명하자 反落. ¶ ~의 기미를 보이다 反落の気配を示す.

반란【叛亂·反亂】명하자 叛乱〔反乱〕. ¶ ~을 일으키다 反乱を起こす.

‖——-군 명 叛乱軍: 叛軍〔反軍〕; 賊軍. ¶ ~을 토벌하다 叛乱軍を征討する. ——-죄 명〔法〕叛乱罪.

반려【返戾】명 返還; 返戻; 返却; 下げ戻し; 返上. ——-하다 타 返戻する; 返上する; 差し戻す. ¶ 서류를 ~하였다 書類を差し戻した.

반려【伴侶】명 伴侶; 供. ¶ 인생의 좋은 ~ 人生の好き伴侶.

‖——-자 명 伴侶者; 道連れ.

반론【反論】명하자 反論. ¶ ~의 입장을 취하다 反論の立場をとる.

반-만년【半萬年】명 五千年.

반-말【半—】명하자 敬語でもなく目下に言う言葉でもない中間的な言葉づかい.

‖——-지거리 명하자 "반말"で勝手にしゃべること. また, その話振り.

반면【反面】명 反面. ¶ 그 ~에 있어서 その反面において / 등산은 유쾌한 ~ 위험도 따른다 登山は愉快な反面危険も伴う.

반-면【半面】명 半面. ①一つの面の半分. ②両面のうちの一方. ③顔の半分; 片面.

반면【盤面】명 盤面; (碁·将棋の)勝負の形勢; 局面.

반목【反目】명하자 反目. ¶ ~ 질시 反目嫉視 / 서로 ~하다 相反目する.

반문【反問】명 反問. ——-하다 타 反問する; 聞き返す; 問い返す. ¶ 질문의 뜻을 ~하다 質問の意味を反問する.

반문【斑文·斑紋】명 斑紋〔斑文〕; まだらの模様.

반-물질【反物質】명〔物〕反物質.

반미【反美】명 反米.

반-미치광이【半—】명 狂人に近い人.

반-민족【反民族】명 反民族; 民族に反逆すること.

반-민주【反民主】명 反民主.

반박【反駁】명 反駁. ——-하다 타 反駁する; 論じ返す; やり返す. ¶ 심한 ~을 당하다 激しい反駁に合う / 의견을 ~하다 意見を駁する.

반-반【半半】명 半半. ①等しく分けた半分と半分; 五分五分. ②↗반의 반. ③半分ずつ; 半半に《부사적》. ¶ 소금과 설탕을 ~씩 넣다 塩と砂糖を半半に入れる.

반반-하다 형 ①なだらかだ; 平坦だ. ②顔立ち〔風采〕がかなりよい; ととのっている. ③(家柄·身分などが)かなりりっぱだ; 相当である.

반발【反撥】명하자 反発. ¶ ~심 反発心 / ~을 느끼다 反発を感ずる.

‖——-력 명 反発力. ¶ ~이 세다 反発力が強い.

반백【半白】명 半白; ごましお; 白髪まじりの髪の毛. ¶ ~의 머리털 半白の髪.

반-병신【半病身】명 ①半不具者. ②☞ 반편(半偏)이.

반-보【半步】명 半歩.

반복【反復】명 反復. ——-하다 타 反復する; 繰り返す. ¶ ~ 연습 反復練習; ドリル.

‖—— 기호 명〔樂〕反復記号.

반-봉건【半封建】명 半封建.

반분【半分】명하타 ①半分; 二分の一. ②折半; 二つに分けること. ¶ 경비를〔이익을〕 ~하다 経費〔利益〕を折半する.

반-비례【反比例】명 反比例; 逆比例. ——-하다 자 反比例をなす.

반사【反射】명하자타〔物·生〕反射. ¶ ~ 작용 反射作用 / 광선이 거울에 ~하다 光が鏡に反射する.

‖——-각 명 反射角. ——-경 명 反射鏡. —— 광선 명 反射光線. ——-등 명 反射灯. ——-열 명 反射熱. —— 운동 명〔生〕反射運動. ——-율

명 反射率. ——-적 명관 反射的. ¶ ~으로 대답했다 反射的に答えた. ——-체 명 反射体.

반-사회적【反社會的】명관 反社会的. ¶ ~ 집단 反社会集団.

반상【班常】명 両班と常民. ＝반상 계급.

반상【飯床】명 ↗반상기.

‖——-기(器) 명 膳立てに用いる一そろいの食器.

반상【盤上】명 盤上.

반색-하다 자 非常に嬉しがる；なつかしさ〔嬉しさ〕に小踊りする.

반생【半生】명 半生. ¶ 교육에 ~을 바쳤다 教育に半生を捧げた.

반석【盤石·磐石】명 盤石；いわお(巌). ¶ ~ 같은 盤石のごとき / ~같이 巌のように.

반성【反省】명 反省. ——-하다 타 反省する；省〔顧〕みる. ¶ ~을 촉구하다 反省を促す.

반소【半燒】명하자 半焼；半焼け. ¶ 한 채는 ~했다 一棟は半焼けした.

반-소매【半—】명 はんそで(半袖). ¶ ~ 셔츠 半袖のシャツ.

반송【搬送】명하타 搬送；はこびおくること. ¶ ~파 搬送波 / 화물을 ~하다 貨物をおくる.

반-송장【半—】명 ひんし(瀕死)の状態にある人；なかば死体.

반수【半數】명 半数. ¶ ~ 교대 半数交替.

반숙【半熟】명하자타 半熟；なまにえ；なまゆで. ¶ ~된 달걀 半熟の卵 / ~으로 하다 半熟にする.

반승【半僧】, **반승 반속**【半僧半俗】명 半僧半俗；半ばは僧に属し半ばは俗人に属している意で, はっきりした名称がつけがたいことのたとえ.

반-시간【半時間】명 半時間.

반신【半身】명 半身. ¶ 하~ 下半身 / ~상 半身像.

반신 반의【半信半疑】명하타 半信半疑. ¶ 아직도 ~의 상태이다 まだ半信半疑の態である.

반신 반인【半神半人】명 半神半人；なかば神である人.

반심【叛心】명 はんしん(叛心).

반액【半額】명 半額；半金；半値. ¶ ~ 할인 半額割引.

반야【般若】명 般若. ①〔佛〕如実を知る知恵. ＝여실지(如實智). ② 形相の恐ろしい鬼女.

‖—— 심경 명 般若心経.

반-양성자【反陽性子】명〔物〕反陽子.

반-양장【半洋裝】명 半洋装；なかば洋風の装丁〔服装〕.

반어【反語】명 反語. ① 前の語の意をうらがえして使う語. ② 逆さ言葉. ¶ 즐겨 ~를 쓰다 好んで反語を使う.

‖——-법 명 反語法.

반역【反逆·叛逆】명하타 反逆. ¶ ~자 反逆者；賊子 / ~죄 反逆罪 / ~의 무리 乱逆の輩 / ~을 일으키다 謀反を起こす.

반영【反英】명 反英. ¶ ~ 운동 反英運動.

반영【反映】명하자타 反映；投影. ¶ 여론의 ~ 世論の反映.

반-영구【半永久】명 半永久. ~적 물건 半永久的な物.

반-올림【半—】명하타〔數〕四捨五入.

반원【半圓】명〔數〕半円.

반원【班員】명 班員.

반원-형【半圓形】명 半円形.

반월【半月】명 半月. ① 弓張り月；弦月. ＝반달. ② 半月.

반음【半音】명〔樂〕半音.

‖—— 음계 명 半音音階.

반-음계【半音階】명 半音階.

반-음정【半音程】명〔樂〕☞ 반음.

반응【反應】명하자 反応；手答え. ¶ 투베르쿨린 ~ ツベルクリン反応 / 읽은 ~ 読みごたえ / ~이 없다 反応がない / ~이 있다 手答えがある.

반의【反意】명하타 ① 意思に反すること. ② 反意；反対の意味. ¶ ~적이다 反意的である.

‖——-어 명 反意語；反義語.

반의【叛意】명 はんい(叛意)；謀反心.

반의-반【半—半】명 半分の半分；四分の一.

반일【反日】명 排日.

반일【半日】명 半日. ¶ ~ 근무 半日勤務.

반입【搬入】명하타 搬入. ¶ 작품을 ~하다 作品を搬入する.

반-입자【反粒子】명〔物〕反粒子.

반자 명 天井板；天井張り.

‖——-지(紙) 명 天井板にはる紙.

반-자성【反磁性】명〔物〕反磁性. ¶ ~체 反磁性体.

반작【半作】명하타 半作；取り入れ高が平年作の半分であること.

반-작용【反作用】명〔物〕反作用. ¶ ~의 원리 反作用の原理.

반-잔【半盞】명 杯で半分の量.

반장【班長】명 班長；級長；組長.

반-장화【半長靴】명 半長靴；半長(준말).

반전【反戰】명하자 反戦. ¶ ~ 사상〔운동〕反戦思想〔運動〕.

‖——-론 명 反戦論.

반전【反轉】명하자 反転. ¶ 상황이 ~됐다 状況が反転した.

반절【半切·半截】명하타 半切〔半截〕；半切り；切半. ¶ ~지 半切りの紙 / 엽서 ~ 크기의 카드 はがき半切大のカード.

반점【斑點】명 斑点；まだら(斑)；ぶち. ¶ ~의 배열 斑点の排列 / 피부의 ~ あざ(痣).

반점【飯店】명 飯店；ファンテン.

반정【反正】명하자타 反正；悪い王を廃して新しい王を立てること.

반-정부【反政府】명 反政府.

반제【反帝】명 反帝. ¶ ~ 반전 운동 反帝反戦運動 / ~ 운동 反帝運動

. ㊟ 반제 운동.

…제【半製】명 半製. ¶ ~품을 처분…였다 半製品を処分した.

…제【返濟】명하타 返済.

…주【伴奏】명하자〔樂〕伴奏. ¶ …악기 伴奏楽器 / 피아노 ~ ピアノ…奏.

…주【飯酒】명하자 食事のとき飲…む少量の酒. ¶ 저녁 ~로 한잔하다 晩酌に一杯やる.

…죽 명 こ(捏)ねること. また, 練りこ…ねた物. ——-하다 타 こ(捏)ねる; 練…る. ¶ 된 ~ 固練り / ~이 덜 되었…다 練りが足りない. —— 좋다 형 人…おじしない; 臆面がない; ふてぶ…てしい.

…-죽음【半—】명하자 半殺し; 生殺し. ¶ ~이 되다 半殺しになる; 生殺しになる.

…증【反證】명하타 反証. ¶ ~을 들다 反証をあげる.

…지【半紙】명 半紙.

…지【斑指】명 指輪; リング. ¶ 약혼 ~ 婚約指輪; エンゲージリング / ~를 끼다 指輪をはめる.

…지랍다 형 なめらかだ; つるつるしている; つやつやしている.

반지르르 부 なめらかなさま: つるつる; つやつや. <번지르르. ——-하다 형 つやつやしている.

반-지름【半—】명〔數〕半径.

반짇-고리 명 [← 바느질고리] 針箱.

빈질-거리다 자 ① つるつるする; すべすべする. ② ずるける; こすい. ㅍ빤질거리다. 반질-반질 부하자형 つるつる; すべすべ.

반-집【半—】명 (碁で)半目《込みのある場合》. =반호(半戶).

반짝 부 かがやく〔かがやかす〕さま. また, ひらめく〔ひらめかす〕さま: きらっと; ちらり; ぴかっと. <번쩍. ——-거리다 자타 きらめく. また, きらめかす. ——-이다 자타 ☞ 반짝거리다. ¶ 밤하늘에 별이 ~ 夜空に星がきらめく. ———— 부하자타 ぴかぴか; きらきら; ちらちら. ¶ ~ 빛나다 きらきら〔ぴかぴか〕ひかる.

반-쪽【半—】명 片方; 半分.

반찬【飯饌】명 おかず; おさい(菜); 総菜. ¶ ~이 싱겁다 おかずが水臭い / …을 ~으로 밥을 먹다 …をおかずにして飯を食べる. ㊟ 찬(饌). ‖—— 가게 명 おかずまたはその材料を売る店. —— 거리 명 おかずの材料.

반창-고【絆瘡膏】명 ばんそうこう(絆創膏). ¶ ~를 떼다 絆創膏をは(剝)がす / 상처에 ~를 붙이다 傷口に絆創膏を張る.

반-체제【反體制】명 反体制. ¶ ~ 운동 反体制運動.

반추【反芻】명하타 はんすう(反芻). ‖—— 동물 명 反芻動物. ——-위 명 反芻胃.

반출【搬出】명 搬出; 持ち出し. ——-하다 타 持ち出す. ¶ 짐을 밖으로 ~하다 荷物を外に持ち出す.

반칙【反則】명하타 反則; ファウル. ¶ ~을 세 번 하면 실격이 된다 三回の反則で失格になる.

반-코트【半—】〔coat〕명 半コート. =하프코트(half-coat).

반탁【反託】명하자 信託統治に反対すること.

반투-막【半透膜】명〔物〕半透膜.

반-투명【半透明】명하형 半透明. ¶ ~체 半透明体.

반편【半偏】명 ① 半分. ② ↗반편이. ‖——-이 명 やや知能の足りない人; 薄ばか; 薄のろ.

반포【頒布】명하타 頒布; 世間に広く知らせて行き渡らせること. ¶ 한글을 ~한 날 ハングルを頒布した日.

반-폭【半幅】명 半幅. ¶ ~띠 半幅の帯.

반-푼【半—】명 [← 반분(半分)] 半文; ごくわずかのお金. ¶ ~어치의 가치도 없다 半文の値打ちもない.

반품【返品】명하타 返品. ¶ 파치를 ~하다 半端を返品する.

반-하다 자 ほ(惚)れる; ほれ込む. ¶ 홀딱 반해 있다 ぞっこんほれ込んで〔参って〕いる.

반-하다【反—】자타 反する; 反対する.

반합【飯盒】명 はんごう(飯盒).

반항【反抗】명 反抗. ——-하다 타 反抗する; 手向〔歯向〕かう; 盾突く; 逆らう. ¶ 부모에게 ~하다 親に逆らう. ‖——-기 명 反抗期. ——-적 명관 反抗的.

반향【反響】명 反響. ——-하다 자 反響する; 響きわたる; とどろく; 響く. ¶ 의외의 ~을 불러 일으키다 意外な反響を呼び起こす.

반-혁명【反革命】명 反革命. ¶ ~적 처사 反革命的措置.

반환【返還】명 返還. ——-하다 타 返還する; 返す; 戻す. ¶ ~점 折り返し点 / 차액을 ~하다 差額を返す / 우승기를 ~하다 優勝旗を返還する.

반-흘림【半—】명 半草書; 草書と行書のなかばぐらいに崩した字体.

받다 一타 ① 受ける. ㉠ (くれる物や渡された物を)(受け)取る; 頂く; もら(貰)う; 授かる. ¶ 선물을 ~ おみやげを頂く / 편지를 ~ 手紙を受け取る / 주문을 ~ 注文〔オーダー〕を受ける; 注文をとる / 팁을 ~ チップをもらう / 명령을 ~ 命令を受ける. ㉡ (ある作用が)加わる; 被る; 浴びる. ¶ 타격을 ~ 打撃を被る / 벌을 ~ 罰を受ける; 罰が当たる / 치료를 ~ 治療を受ける / 혐의를 ~ 嫌疑を受ける; 疑いがかかる. ㉢ (許可・恵みなどを)得る; 与えられる. ¶ 허가를 ~ 許可を得る / 혜택을 ~ 恵みを与えられる. ㉣ (手に)受け止める. ¶ 공을 잘못 ~ ボールを受けそこねる. ㉤ (容器などに)く(汲)み取る; 受け止める. ¶ 물동이에 물을 받아두다 水瓶に水を汲んでおく. ㉥ (仕掛けられたことに)応ずる. ¶ 경례를〔질문을〕~ 敬礼〔質問〕を受ける. ② (お金などを)受け取る; 取る. ¶ 월급을 ~ 月

ㅂ

給を取る / 품삯을 ～ 手間(賃)を取る. ③(商品などを)仕入れる. ¶받아다 팔다 受け売りをする. ④(傘などを)差す；差しかざす. ¶지우산을 ～ 番傘を差す. ⑤(角で)突く. ¶소가 뿔로 ～ 牛が角で突く. ⑥(客などを)迎える；応接する；もてなす. ¶손님을 ～ 客を取り扱う；(売女が)客を取る. ⑦(申し込みなどを)受け付ける. ¶신청은 내일까지 받는다 申し込みは明日まで受け付ける. ⑧助産をする；取り上げる. ¶아이를 ～ 子を取り上げる. ㊁자 ①(食べ物が)口に合う. ¶입에 잘 받는 술 口によく合う酒. ②色合いや格好などが似合う. ¶색깔이 잘 받는다 色がよく似合う.

-받다 미 名詞に付いて受け身の意を表わす語；…される. ¶주목～ 注目される / 지적～ 指摘される.

받-들다 타 ①仰ぐ. ㉠敬う；尊ぶ；崇める；敬いかしずく. ¶부모를 ～ 親にかしずく / 스승으로 ～ 師と崇める；師として仰ぐ. ㉡推戴する；戴く；担ぐ；祭りあげる. ¶총재로 ～ 総裁に仰ぐ〔担ぐ〕/ 회장으로 ～ 会長に戴く. ②奉ずる. ㉠(命令などを)つつしんで承る；…に従う. ¶분부를 ～ 命を奉ずる. ㉡捧げ持つ. ¶교기를 ～ 校旗を奉ずる.

받들어-총【―銃】 명감하자 捧げ銃.

받아-넘기다 타 ①(質問·攻撃などを)受け流す；軽くかわす；い(往)なす. ¶질문을 가볍게 ～ 質問を軽く受け流す〔いなす〕. ②うまく答えかえす.

받아-들이다 타 受け入れる. ①取り入れる；取る. ¶새로운 기술을 ～ 新しい技術を取り入れる. ②承諾する；容〔入〕れる；受け付ける. ¶요구를 ～ 要求を容れる〔受け入れる〕/ 사표를 ～ 辞表を取りあげる.

받아-쓰기 명하타 書き取り.

받아-쓰다 타 書き取る.

받을 어음 명 受取手形.

받치다 타 ①"받다⑨"の強勢語. ¶우산을 ～ かさを差す. ②(つっかい棒などで)支える；(まくらなどを)当てる.

받침 명 ①支え；下敷き；台；まくら. ¶화병 ～ 花瓶の下敷き. ②(ハングルの)終声になる子音.
‖―-대 명 添え木；シールド；突っ張り.

받히다 피동 ①支えられる. ②ぶっつけられる；突かれる；支える. ¶자동차에 ～ 自動車にはねられる.

발¹ 명 ①〖生〗 足；あんよ〈児〉. ¶～등 足の甲 / ～바닥 足の裏 / ～을 뻗다 足を伸ばす / ～이 넓다 (比喩的に)顔が広い / ～ 내키는 대로 걷다 足任せに歩く / ～없는 말이 천리 간다《俚》 囁き千里. ②(机などの)脚.

발² 명 すだれ(簾)；す. ¶구슬 ～ じゅず暖簾 / ～을 치다 簾を掛ける.

발 의명 尋. ¶수심이 열 ～이나 되 水の深さが十尋もある.

발【發】 의명 銃弾などの発射[を] 数える語；発. ¶한 ～의 총알 一発の銃弾.

-발【發】 미 発. ①出発の意. 서울～ 로마행 ソウル発ローマ行[き]. ②発信の意. ¶서울～ A.P. 통신 ソウル発A.P.通信.

발-가락 명 足指.

발가-벗기다 타 ①丸裸にする. お金·財産などを奪い取ったりして文無しにさせる. ㅆ빨가벗기다.

발가-벗다 타 裸になる. ¶발가벗 아이 丸裸の子供.

발각【發覺】 명 発覚. ―-하다 자 発覚する；ばれる〈俗〉. ¶음모가 되다 陰謀が発覚される.

발간【發刊】 명하타 発刊；発行. ¶도서를 ～하다 図書を発行する.

발갛다 형 うす〔ほんのりと〕赤い. <벌겋다. ㅆ빨갛다.

발개-지다 자 赤くなる. <벌게지다.

발-걸음 명 足取り；歩み. ¶～이 빠르다 足が速い / ～을 늦추다 足をゆるめる / ～을 멈추다 足を止める.

발견【發見】 명 発見. ―-하다 타 発見する；見出す；見付ける. ¶신대륙을 ～하다 新大陸を発見する / 재능을 ～하다 才能を見出す.

발광【發光】 명하자 発光.
‖―도료 명 発光塗料. ―-체 명 発光体. ―-충 명 発光虫.

발광【發狂】 명 発狂. ―-하다 자 発狂する；気が狂う. ¶너무나 큰 충격으로 ～했다 余りのショックに発狂した.

발-구르다 자 じだんだを踏む.

발군【拔群】 명 抜群. ¶～의 성적〔공적〕 抜群の成績〔功績〕.

발굴【發掘】 명 発掘. ―-하다 타 発掘する；掘り出す. ¶인재의 ～ 人材の発掘.

발-굽 명 ひづめ(蹄). ¶～ 자국이 많다 蹄の跡が多い.

발권【發券】 명 発券.
‖―은행 명 発券銀行.

발그레-하다 형 ほんのりと〔こぎれいに〕赤い.

발-그림자 명 人影；人け；足. ¶～도 비추지 않다 足を抜く；さっぱり顔を見せない.

발그스름-하다 형 赤みがかっている.

발급【發給】 명하타 発給. ¶여권을 ～하다 パスポートを発給する.

발긋-발긋 부하형 点点と赤く；まだらに赤く. <벌긋벌긋.

발기【勃起】 명하자 勃起. ¶～력 勃起力 / ～ 부전 勃起不全.

발기【發起】 명하타 発起.
‖―-문 명 発起文. ―-인 명 発起人.

발기다 타 切り開く；切り裂く.

발-길 명 足. ①けるかまたは歩く足の力. ¶～을 돌리다 きびす(踵)を返す〔めぐらす〕. ②ゆきき；往来. ¶～이 뜸해지다〔멀어지다〕 足が遠のく / ～이 끊어지다 足がとだえる.
‖―-질 명하자 足蹴. ⓒ발질.

…하 [부] ① 急に腹をたてるかまたは…気がわき出でるさま：かっと；むっと；ぐっと. ② 急にひっくりか…るさま. ¶동네가 ~ 뒤집히다 村が…んやわんやの大騒ぎになる.

…꿈치 [명] かかと(踵)；きびす.

…끈 [부][하자] ☞ 빨끈.

…끝 [명] つま(爪)先；足先. ¶머리…서 ~까지 頭からつまさきまで.

…단【發端】[명][하자] 発端；事の始…り；起こり. ¶사건의 ~ 事件の…端 / 일의 ~은 이러했다 事の起こ…はこうだった.

…달【發達】[명][하자] 発達. ¶심신〔기…〕의 ~ 心身〔技術〕の発達 / 태…이 급속히 ~하다 台風が急速…に発達する.

…돋음 [명][하자] 背伸び；つま(爪)立…つこと. ¶~해서 보다 伸び上がって…見る / 선반의 책은 ~해도 닿지 않는다 …棚の本は爪立っても届かない.

…동【發動】[명][하자타] 発動. ¶엔진…에 ~이 걸리다 エンジンが掛かる.

‖——-기 [명] 発動機；モーター. ¶~선 発動機船.

발-뒤꿈치 [명] かかと(踵)；くびす；きびす. [준] 뒤꿈치.

발-뒤축 [명] かかと(踵)(の隆起した所). [준] 뒤축.

발-들여놓다 [자] 足を入れる. ¶정계에 ~ 政界に身を入れる.

발-등 [명] 足の甲. ¶~에 불이 떨어지다 足下に火がつく.

발딱 [부] ① 急に立ちあがるさま：がばと；すっと. ¶~ 일어나다 がばと起きあがる；飛び起きる. ② 仰むけに〔大の字に〕倒れるさま.

발딱-거리다 [자] ① どきんどきんと脈打つ. ② どきどきする. 발딱-발딱 [부][하자] どきんどきん；どきどき.

발라 내다 [타] 殻を取り去る；さや(莢)をむく；いがをむく.

발라드〔ballad〕[명] バラード.

발라 맞추다 [자] 甘言でだます；へつらう；おべっかを使う；お世辞を言う；ごまをす(擂)る.

발라 먹다 [타] (皮や骨を取り除いて)中味だけを食べる.

발랄【潑剌】[명][하형] 発剌. ¶~하고 멋진 옷차림 きりりしゃんとした身なり / ~한 아가씨 きびきびしたお嬢さん / ~한 젊은이 発剌たる若人.

발랑 [부] 仰むけに引っくりかえるさま. <벌렁.

발레〔프 ballet〕[명] バレー.

발레리나〔이 ballerina〕[명] バレリーナ.

발령【發令】[명][하자타] 発令. ¶4월 1일자로 ~되었다 四月一日付けで発令された.

발로【發露】[명][하자] 発露；現われ. ¶애정의 ~ 愛情の発露.

발리다 [타] (開けて)中味を取り出す. ¶생선의 배를 쪼개 ~ 三枚におろす.

발리-볼〔volley ball〕[명] バレーボール；バレー《준말》.

발림 [명] へつらうこと. ¶~말 お世辞 / 안 하느니만 못한 ~말 有らずもがなのお世辞 / ~말을 하다 お上手をいう；ごまをす(擂)る.

‖—— 수작(酬酌) [명] お世辞；おべっか.

발-맞다 [자] 歩調が合う.

발-맞추다 [자] 歩調を合わせる.

발매【發賣】[명] 発売. ——-하다 [타] 発売する；売り出す. ¶신~의 맥주를 시음하였다 新発売のビールを試飲した.

‖—— 금지 [명][하타] 発売禁止；発禁《준말》. [준] 발금.

발명【發明】[명][하타] ① 発明. ¶~품 発明品 / 대~ 大発明. ② 無罪を弁明すること. ＝변백(辨白).

‖——-가 [명] 発明家. ——-권(權) [명] 発明権. ——-왕 [명] 発明王.

발-모가지 [명]《俗》① 足. ② 足首.

발-목 [명] 足首. ¶~을 잡다 足首をつかむ / ~을 삐다 足首をくじく. ——-잡히다 [자] ① 足かせをかけられる；苦しい羽目におちいる. ② 端緒・弱点などをつかまれる；つけこまれる.

발문【跋文】[명] ばつぶん(跋文)；ばつご(跋語)；ばつ(跋). ¶~을 쓰다 跋文を書く. [준] 발(跋).

발-밑 [명] 足もと；足元. ¶~을 조심하면서 걷다 足もとに気をつけて歩く / ~에도 미치지 못하다 足もとにも寄りつけない.

발-바닥 [명] 足裏. ¶~의 물집 底豆.

발바리 [명] ①〔動〕ちん. ②《俗》おっちょこちょいな者のたとえ.

발발【勃發】[명][하자] 勃発. ¶전쟁이 ~하다 戦争が勃発する.

발발 [부] ① ふるえるさま：ぶるぶる. ② けちけち；こせこせ. <벌벌.

발버둥이-치다 [자] ① じだんだ(を)踏む；あしずり(足摺)りする. ② もが(踠)く；あが(足掻)く；ばたつく〈俗〉；あくせくする；こせつく. ¶이제 와서 발버둥이쳐도 때는 늦었다 今さらじたばたしても手後れである / 파산을 면하려고 ~ 破産を免れようとあがく.

발버둥-질 [명] 足をもがくこと；あが(足掻)き；あしずり(足摺)り. ——-하다 [자] あがく；足をもがく；足ずりする. ¶~하며 분해하다 足ずりして悔しがる.

발벗고 나서다 [구] (積極的に)乗り出す.

발-벗다 [자] ① 素足になる. ② ありったけの才能〔力〕を発揮する.

발-병【—病】[명] 足の病.

발병【發病】[명][하자] 発病. ¶~ 후 사흘 만에 죽다 発病後三日目に亡くなる.

발본【拔本】[명][하자] 抜本；もととなる原因を除くこと.

‖—— 색원 [명][하타] 抜本そくげん(塞源). ¶~적인 개혁 抜本塞源的な改革.

발부【發付】[명][하타] 発付. ¶여권이 ~되었다 パスポートが下りた.

발-부리 [명] つまさき(爪先)；足先. ¶~가 채여서 비슬거리며 넘어지다 つまずいてよろよろと倒れる.

발-붙이다 [자] 取り付く. ¶발붙일 곳도 없다 取り付く島もない.

발-빼다 [자] 身を引く；足を洗う.

¶ 겨우 그 일에서 발뺐다 やっとその事から足を抜いた.
발-뺌 명 逃げ口上〔言葉〕; 言い抜け. ——하다 자 言い逃れる; 言い抜けをする. ¶ ~하려고 하다 逃げ腰になる / 교묘히 ~하다 巧みに言い逃れる.
발사【發射】 명하자타 発射. ¶ 우주선을 ~하다 宇宙船を打ち上げる.
발산【發散】 명하자타 発散. ① 外へ発し散ること. ¶ 정열을 ~시키다 情熱を発散させる. ②〔物〕光線などが末広がりになること. ③〔數〕数列または級数などが収束しないこと.
발상【發祥】 명하자 発祥.
‖——지 명 発祥地; メッカ. ¶ 문명의 ~ 文明の発祥地.
발상【発想】 명 発想; アイデア. ¶ 좋은 ~이다 いいアイデアである.
발-샅 명 足指のまた. =발새. ¶ ~의 때꼽재기《俚》足指のまたのあか(垢)《ごく小さく無価値できたないもののたとえ》.
발-새 명 ☞ 발샅.
발생【發生】 명하자 発生. ¶ 계통 ~ 系統発生 / 콜레라가 ~하다 コレラが発生する.
‖——학 명〔生〕発生学.
발설【發說】 명하자 口に出すこと; 口外すること.
발성【發聲】 명하자 発声. ¶ ~ 기관 発声器官 / ~ 연습 発声練習 / ~이 나쁘다 発声が悪い.
‖——법 명 発声法.
발-소리 명 足音. ¶ ~를 죽이다 足音を忍ばせる.
발송【發送】 명하타 発送. ¶ ~인 発送人; 送り手 / ~지(地) 仕向け先〔地〕.
발신【發信】 명하타 発信. ¶ ~국 発信局.
‖——인 명 発信人. ¶ ~ 불명의 편지 差し出し人不明の手紙.
발심【發心】 명 発心; 発意. ——하다 자 発心する; 発憤する; 奮発する.
발-씨름 명 足相撲.
발아【發芽】 명하자 発芽; 芽生え. ¶ ~기 発芽期 / ~가 늦어지다 発芽が後れる.
발악【發惡】 명하자 前後をわきまえず悪態をついたり暴れたりすること. ¶ 최후의 ~ 最後のあがき.
발안【發案】 명하자타 発案.
‖——권 명 発案権. ——자 명 発案者.
발암【發癌】 명하자 はつがん(発癌).
‖—— 물질 명〔醫〕発癌物質.
발언【發言】 명하자타 発言. ¶ 중대한 ~ 重大な発言.
‖——권 명 発言権. ¶ 옵서버에게는 ~이 없다 オブザーバーには発言権がない.
발연【發煙】 명하자 発煙. ¶ ~통 発煙筒 / ~제 発煙剤.
발열【發熱】 명하자 発熱. ¶ ~체 発熱体 / ~량 発熱量.
발원【發源】 명하자 発源. ¶ ~지 発源地.
발원【發願】 명하자 発願; 願立(て)〈老〉. ¶ 병이 낫도록 ~하다 病気がなおるように願掛けをする.
‖——문 명 発願文; 願文.
발육【發育】 명하자 発育. ¶ 한 ~할 때 発育ざかり.
‖——기 명 発育期; 成長期. —— 부전 명〔醫〕発育不全.
발음【發音】 명하자타 発音. ¶ ~ 똑똑하지 않다 発音がはっきりしない.
‖—— 기관 명 発音器官. —— 기호 —— 부호 명 発音符号.
발의【發議】 명하타 発議. ¶ ~ 発議権.
발인【發靷】 명하자 出棺すること.
‖——제(祭) 명 出棺するときの祭り.
발-자국 명 足跡; 踏み跡. ¶ ~ 리 足音 / 소의 ~ 牛の踏み跡 / ~ 남기다 足跡を残す〔つける〕/ ~을 라가다 足跡をつけて行く.
발-자취 명 足跡. ¶ 위대한 ~ 偉大な足跡 / ~를 남기다 足跡を残す / ~를 더듬어 가다 足跡をたどって〔付けて〕行く.
발작【發作】 명하자 発作. ¶ ~적 고함〔행동〕発作的わめき〔行動〕.
발-장구 명 ばた足. ——치다 자 足をばたつかせる.
발-장단【—長短】 명 足拍子.
발-재봉틀【—裁縫—】 명 足踏み(式)ミシン. =발틀.
발전【發展】 명하자 発展. ¶ ~성 発展性 / 해외로 ~하다 海外に伸びる〔発展する〕.
‖—— 도상국 명 発展途上国.
발전【發電】 명하자 発電. ¶ 원자력 ~ 原子力発電 / 지열〔조력〕~ 地熱〔潮力〕発電.
‖——기 명 発電機. ——량 명 発電量. ——소 명 発電所.
발정【發情】 명 発情; 盛かり. ——하다 자 発情する; 盛りがつく.
‖——기 명 発情期. —— 호르몬 명 発情ホルモン.
발족【發足】 명하자 発足. ¶ 새로 ~하다 新たに発足する.
발주【發注】 명하자 発注. ¶ 상품을 ~하다 商品を発注する.
발진【發疹】 명하자 発疹.
‖——열 명 発疹熱. —— 티푸스 명 発疹チフス.
발진【發振】 명하자 発振. ¶ ~기 発振器.
발진【發進】 명하자 発進. ¶ 기지에서 ~하다 基地で発進する.
발-짓 명하자 足を動かす動作.
발짝 의명 歩; 歩数. ¶ 세 ~ 앞으로 三歩前へ.
발-짧다 형 一足おくれたためごちそう(御馳走)にありつけない.
발찌 명〔韓醫〕[← 발제(髮際)] うなじ(項)にできたはれもの.
발차【發車】 명하자 発車. ¶ ~ 신호 発車信号 / ~ 5분 전에 도착했다 発車五分前に着いた.
발착【發着】 명하자 発着. ¶ 열차의 ~ 시간 列車の発着時間.
발초【拔抄】 명하타 抜き書き.

ㅂ

ㅔ【拔萃】명하자 抜粋. ¶ 규약의 規約の抜粋.
——-곡 명〘樂〙抜粋曲. ——-안 명 粋案.

치 명 (寝るときの)足もと.

발칫-잠 명 人の足もとにうずくまって寝ること.

치【拔齒】명하자 抜歯.
——-술 명〘醫〙抜歯術.

칙-하다 형 ①不作法だ；ぶしつけだ. ②怪しからない；ふらち(不埒)だ.

칵 부 ①元気が急に湧き出るさま. ②急にひっくりかえるさま. ¶ 세상이 ~ 뒤집히다 世の中がてんやわんやの大騒ぎになる. <벌컥.

코니〔balcony〕명 バルコニー.

탁【拔擢】명 ばってき(抜擢)；取り立て；引き立て. ——-하다 타 抜擢する；引き立てる. ¶ 신인을 ~하다 新人を引き立てる.

발-톱 명 足指のつめ(爪).

발파【發破】명 発破. ——-하다 타 発破をかける. ¶ ~ 작업 発破作業.

발-판【—板】명 ①足場；足掛かり. ¶ ~을 놓다 足場をかける / ~을 마련〔구축〕하다 足場を作る〔築く〕/ ~을 굳히다 足場をかためる. ②踏み台；足踏み板. ③立身出世の手立て.

발포【發布】명하타 発布.

발포【發泡】명하자 発泡. ¶ ~제 発泡剤 / ~스티롤 発泡スチロール.

발포【發砲】명하자 発砲. ¶ ~ 명령 発砲命令.

발표【發表】명하자타 発表. ¶ ~회가 있었다 発表会があった / 신곡을 ~하다 新曲を発表する / 성명을 ~하다 声明を発する.

발-하다【發—】㊀자 発する. ①生じる. ¶ 열이 ~ 熱が発する. ②出発する. ＝떠나다. ③(源が)始まる；起こる. ¶ 빛은 태양으로부터 발한다 光は太陽より発する. ㊁타 ①(音・光などを)出す；放つ. ¶ 빛을 ~ 光を放つ. ②公にする；布く. ¶ 법령을 ~ 法令を布く. ③下す. ¶ 명령을 ~ 命令を下す. ＝내리다.

발한【發汗】명하자〘醫〙発汗. ＝취한(取汗). ¶ ~제 発汗剤.

발해【渤海】명〘史〙渤海.

발행【發行】명하자타 発行. ¶ 도서의 ~ 図書の発行.
‖—— 가격 명 発行価格. ——-고 명 発行高. ——-인 명 発行人.

발-헤엄 명하자 立ち泳ぎ.

발현【發現·發顯】명하자타 発現. ¶ 민족 정신의 ~ 民族精神の発現.

발호【跋扈】명하자 ばっこ(跋扈). ¶ 군벌의 ~ 軍閥の跋扈.

발화【發火】명하자타 発火. ¶ 자연 ~ 自然発火 / ~ 지점 発火地点；火の元.
‖——-성 명 発火性. ¶ ~ 물질 発火性物質. —— 장치 명 発火装置. ＝점화(點火) 장치. ——-점 명 発火点.

발효【發效】명하자 発効. ¶ 조약이 ~하다 条約が発効する.

발효【醱酵】명하자 発酵. ¶ ~ 작용 発酵作用 / ~열 発酵熱.
‖——-유 명 発酵乳.

발휘【發揮】명하타 発揮. ¶ 실력을 ~하다 実力を発揮する / 솜씨를〔수완을〕~하다 腕を振るう.

밝기 명 明るさ；明るい程度. ＝광도(光度).

밝다 ㊀형 ①明るい. ㉠(灯・光などが)明らかである. ¶ 달이 ~ 月が明るい. ㉡(性格・表情などが)明朗だ. ¶ 밝은 색 明るい色 / 밝은 성격 明るい性格 / 방안이 ~ 部屋が明るい. ㉢ある物事に詳しい. ¶ 계수에 ~ 数字に明るい / 법률에 ~ 法律に詳しい / 이재에 ~ 理財に長ける. ㉣公明だ. ¶ 밝은 정치 明るい政治；ガラス張りの政治. ②耳がさと(聡)い. ㊁자 (夜が)明ける. ¶ 날이 밝아오다 夜が白白と明ける.

밝을-녘 명 夜明け方.

밝히다 타 明かす. ①明るくする；照らす. ¶ 전등이 방안을 ~ 電灯が室内を照らす. ②はっきりさせる. ¶ 죄를 ~ 罪をただす / 자신의 결백함을 ~ 身の潔白を明かす / 진상을 ~ 真相を究める. ③証明する. ¶ 비밀〔본심〕을 ~ 秘密〔本心〕を明かす. ④夜明けまですごす. ¶ 이야기로 밤을 ~ 語り明かす.

밟다 타 踏む. ①地の上に立つ. ¶ 조국의 땅을 ~ 祖国の土を踏む. ②(物の上を足で)押さえる. ¶ 재봉틀을 ~ ミシンを踏む / 보리를 ~ 麦を踏む. ③(人の)足跡を追う；跡をつける. ¶ 범인의 뒤를 ~ 犯人の跡をつける. ④先人に倣う；踏襲する. ¶ 전철을 ~ ぜんてつ(前轍)を踏む. ⑤順序に従って行なう. ¶ 대학 과정을 ~ 大学の課程を踏む. ⑥経験する. ¶ 무대를 ~ 舞台に立つ；場を踏む.

밟히다 ㊀피동 踏まれる. ㊁사동 踏ます.

밤[1] 명 夜；晩；夜分. ¶ 오늘 ~ 今夜；今晩 / 매일 ~ 毎晩 / ~ 늦도록 夜おそくまで / 하룻 ~ 一晩；一夜 / ~을 틈타서 夜に乗じて / ~을 새우다 夜を明かす / ~ 말은 쥐가 듣고 낮 말은 새가 듣는다《俚》壁に耳(あり).

밤[2] 명 くり(栗)；マロン. ¶ ~송이가 벌어지다 いが栗が笑む / ~을 까다 栗をむ(剝)く.
‖——-나무 명〘植〙くり(栗)の木.

밤-거리 명 夜の街. ¶ 고요한 ~ 静かな夜の街.

밤-공부【—工夫】명하자 夜にする勉強.

밤-글 명 夜の読書.

밤-길 명 夜道. ¶ ~을 걷다 夜道をする / ~은 위험하다 夜道は危ない.

밤-낮 ㊀명 昼夜；日夜. ¶ ~을 가리지 않는 노력 日夜をわかたぬ努力. ㊁부 夜も昼も；朝夕. ¶ ~ 일만 하다 昼夜わかたず仕事ばかりする.

밤-놀이 명 夜遊び. ¶ ~ 하러 나가다

夜遊びに出掛ける.
밤-눈[1] 명 夜目. ¶~에도 분명히 보인다 夜目にもはっきり見える/~이 어둡다 夜目が暗い.
밤-눈[2] 명 夜の雪.
밤-도둑 명 夜盗·夜盗; 夜働き. ¶~ 맞다 夜盗にはいられる.
밤-도와 부 夜あかしで; 徹夜で.
밤-마다 명부 毎晩; 夜毎. ¶~ 나타나는 요괴 夜毎あらわれる妖怪.
밤바 (bumper) 명 ☞ 범퍼.
밤-바람 명 夜風. ¶~을 쐬다 夜風に当たる.
밤-밥 명 くりめし(栗飯).
밤-비 명 夜の雨; 夜雨.
밤-사이, 밤-새 명부 夜の間; 昨夜以来; 夜来. ¶~ 자지 못했다 一晩中眠れなかった/~ 내린 비 夜来の雨.
밤새-껏 부 夜通し. ¶~ 울었다 夜通し泣いた.
밤-새다 자 ↗밤새우다.
밤-새도록 부 夜通し; 一晩中. ¶~ 병구완하였다 夜通し看病した/~ 놀러 다니다 一晩中遊び回る.
밤-새우다 자 夜を明かす; 徹夜する. ¶밤새워 마무리하다 夜明かしで仕上げる. ㊟ 밤새다.
밤-샘 명하자 [↗밤새움] 夜明かし; 徹夜. ¶죽은 친구 집에서 ~하다 なくなった友人の家で通夜をする/섣달 그믐날 ~하다 大みそかに徹夜する.
밤-소경 명 夜盲症; 鳥目の人.
밤-손님 명《俗》"도둑(泥棒)"のもじり.
밤-송이 명 いがくり(毬栗).
밤-안개 명 夜霧. ¶~ 속을 걷다 夜霧につつまれて歩く.
밤-알 명 くり(栗)の実.
밤-이슬 명 夜露. ¶~을 맞다 夜露に当たる.
밤-일 명하자 ① 夜業; 夜なべ. ②《俗》ねやごと(閨事). =방사(房事).
밤-자갈 명 くりいし(栗石).
밤-잠 명 夜のねむり. ¶~도 못 자고 걱정하였다 夜の目も寝ずに心配した.
밤-중【—中】명 夜中. ¶~까지 돌아다니다 夜更けまで出歩く.
밤-차【—車】명 夜間列車.
밤-참 명 夜食. ¶~을 먹고 일을 계속하세 夜食を取って仕事を続けよう.
밤-톨 명 ① くり(栗)の実. ② 栗ほどの大きさの形容. ¶~만하다 栗大だ/~만한 녀석 ちっぽけな奴; ちび.
밤-하늘 명 夜空. ¶~에 별이 반짝이다 夜空に星が輝く.
밥[1] 명 ① 御飯; 飯. ¶비빔 ~ まぜ飯/~이 설다 米が生にえだ/~이 질다 飯が水っぽい/~이 다 되다 飯が炊きあがる/~을 푸다 飯を盛る〔よそう〕. ② 食事. ¶아침 ~ 朝飯/저녁 ~ 晩飯. ③ 動物の飼料の総称. ¶호랑이의 ~이 되다 虎の餌食になる. ④《俗》☞ 미끼. ⑤ 犠牲; いけにえ; かも. ¶악인의 ~이 되다 悪人の食い物になる.
밥[2] 의명 かんなやのこぎりなどのく(屑). ¶톱~ 鋸屑.
밥-값 명 食代. =식비(食費).
밥-공기 명 茶わん(碗); 飯茶わ(碗).
밥-그릇 명 食器; どんぶりばち.
밥-맛 명 ① 御飯の味. ② 食欲. ¶~이 없다 食欲がない.
밥-물 명 飯炊き用の水.
밥-벌레 명 ごくつぶ(穀潰)し; 米食虫. ¶이 ~야, 썩 없어져라 この潰しめ, さっさと消え失せろ.
밥-벌이 명하자 ① 暮らせる程の稼ぎ. ¶~는 된다 どうにか食えるよ ② 口過ぎのための稼ぎ. ¶~를 다 暮らしを立てる.
밥-상【—床】명 しょくぜん(食膳); 膳. ¶~에 올리다 食膳に供する/~을 푸짐하게 하다 食膳をにぎわす.
‖——-머리 명 (お膳をはさんで)向かい側. 「が
밥-솥 명 めしがま(飯釜); 飯炊き釜
밥-술 명 ① いくさじ(幾匙)かの飯. ¶~ 얻어 먹기도 어렵다 食うにもこと欠く. ② さじ(匙). ——을 놓다 구 ① 食事を終える. ② 死ぬ.
밥-알 명 飯粒. ¶~ 크기 飯粒大.
밥-장사 명하자 飯を売る商売; 飯売り.
밥-장수 명 飯売り. 「걱.
밥-주걱 명 飯しゃくし(杓子). ㊟ 주
밥-줄 명《俗》生業; なりわい; すぎわい〈老〉. ¶~이 끊어지다 飯の食いあげになる.
밥-집 명 飯屋; 縄のれん(暖簾).
밥-짓다 자 飯を炊く.
밥-통【—桶】명 ① おひつ(櫃); めしびつ(飯櫃). ②〔生〕胃袋. =위(胃). ③ 能なし; 間抜け.
밥-투정 명하자 食事のときのむずかり.
밥-풀 명 飯粒を練ってつくったのり(糊); そくい(続飯); そっくい.
‖—— 과자(菓子) 명 おこし. ——-질 명하자 そくいではりつける仕事.
밥-하다 자 飯を炊く.
밧-줄 명 綱; 荒縄; ロープ. ¶~을 치다 綱を張る/~을 당기다 綱をたぐる/~을 풀다 綱を解く.
방【房】명 部屋; ルーム. ¶작은 ~ 小間/맨 끝 ~ 突き当たりの部屋/같은〔한〕~을 쓰다 相部屋を使う.
방【榜】명 ↗방문(榜文).
방【放】의명 ① (銃·砲などの)発射を数える語: …発. ¶한 ~ 쏘아 주다 一発お見舞いする. ② へ(屁)の回数を数える語. ¶방귀를 한 ~ 뀌었더니 屁を一発ひ(放)ったところ.
-방【方】미 方·方. ① 方位を表わす語. ¶동남~ 東南の方. ② 手紙で誰かの名前の下に付けてその人の家に住んでいることを表わす語: 気付. ¶박일~ 김열씨 朴一様気付の金烈様.
방가【放歌】명하자 放歌. ¶고성 高声放歌.
방갈로 (bungalow) 명 バンガロー.

ㅐ 명〔蟲〕↗물방개.
ㅔ【傍系】명 傍系.
── 혈족 명 傍系血族. ── 회사
] 傍系会社.
-고래【房──】명 温突の床下の
…気・煙の通る溝.
공【防共】명하자 防共. ¶～ 정
] 防共政策.
공【防空】명하자 防空. ¶～ 훈련
防空訓練.
── 연습 명하자 防空演習. ──
호 명 防空壕.
과【放課】명하자 放課. ¶～후의
일 放課後の仕事.
관【傍観】명하타 傍観. ¶수수(袖手)～ きょうしゅ(拱手)傍観／～할 수 없다 座視出来ない.
‖──적 명관 傍観的. ¶～인 태도를 취하다 傍観的態度を取る.
광【膀胱】명〔生〕ぼうこう(膀胱).
‖── 결석 명 膀胱結石. ──암 명 膀胱がん(癌). ──염 명 膀胱炎. ＝방광 카타르.
방-구들【房──】명 温突. (준) 구들.
방-구석【房──】명 ①部屋の隅. ②"방(＝部屋)"の卑語.
방귀 명 へ(屁); おなら〈口〉. ¶～ 만큼도 여기지 않다 屁とも思わない. ── 뀌다 자 屁をひ(放)る〔たれる〕; おならを出す. ¶～ 뀐 놈이 성낸다《俚》盗人猛猛しい.
방그레 부 にっこり(と). ¶～ 웃었다 にっこりと笑った.
방글-거리다 자 にこにこ笑う. ＜벙글거리다. 방글-방글 부하자 にこにこ.
방금【方今】부 今; ただいま; 今し方. ¶～ 있었던 물건 今程まで有った品物／이제 ～ 돌아왔다 ちょうど今帰った.
방긋 부 にこやかに; にっこり(と). ＜벙긋. ㅆ빵긋. ¶～ 웃다 にっこり笑う. ──이 부 にっこりと. ¶～ 미소짓다 にっこりとほほえむ. ──거리다 자 にこにこ笑う. ──── 부하자 にこにこ.
방긋-하다 형 やや開いている.
방기【芳紀】명 芳紀.
방기【放棄】명하타 放棄.
방끗 부 ☞ 방긋.
방-나다【榜──】자 (科挙・試験の)合格者が発表される.
방년【芳年】명 芳年; 芳紀. ＝방령(芳齢). ¶～ 19세이다 芳年十九歳である.
방념【放念】명하자 放念.
방-놓다【房──】자 温突を作る.
방뇨【放尿】명하자 放尿. ¶도로상의 ～ 금지 道路での放尿禁止.
방담【放談】명하자 放談. ¶신춘 ～ 新春放談／～은 삼갈 것 放談は慎むこと.
방대【厖大・尨大】명하형 膨大. ¶～한 예산 膨大な予算／～한 계획 膨大な計画.
방도【方道・方途】명 方途; 方法; 仕方. ¶이길 ～는 오직 한 가지 勝つ道は唯一つ／어찌할 ～가 없다 為す術が無い.
방독【防毒】명하자 防毒.
‖── 마스크 명 防毒マスク. ──면 명 防毒面. ＝가스 마스크. ──의 명 防毒衣. ──전 명 防毒戦.
방독【訪獨】명하자 訪独; 独逸を訪問すること.
방랑【放浪】명 放浪; さすらい; 浮浪. ──하다 자 放浪する; さすらう; 流れる. ¶～자 流れ者; さすらい人; 放浪者／～벽이 있는 사람 放浪癖のある人／～의 길을 떠나다 放浪〔さすらい〕の旅に上る.
‖── 문학 명 放浪文学. ──시 명 放浪詩.
방략【方略】명 方略; はかりごと.
방론【放論】명하자 放論.
방류【放流】명하타 放流. ¶치어를 ～하다 稚魚を放流する.
방만【放漫】명하형 放漫. ¶～한 생활〔재정〕放漫な生活〔財政〕. ──히 부 でたらめに; 気ままに; やりっぱなしに.
방망이 명 棒; きぬた棒; 棍棒.
‖──질 명하자 棒で打ったりまたはきぬた棒で布を和らげること. ¶가슴이 두～하는 것 같다 胸が早鐘を打つようである.
방매【放賣】명하타 品物を出して売ること; 売却. ＝매출.
‖──가(家) 명 売り家.
방면【方面】명 方面. ①ある方向の地方; 向き; 方角. ¶북쪽 ～ 北の方面／미국 ～으로 수출을 하겠다 アメリカ向けの輸出をするつもりである／여러 ～으로 손을 쓰다 百方手をつくす. ②ある分野; 筋; 道. ¶그는 그 ～에 있어서 상당한 권위자다 彼はその道ではなかなかのつわものである.
방면【放免】명하타 放免. ＝석방. ¶무죄 ～ 無罪放免.
방명【芳名】명 芳名. ¶～을 천추에 남기다 芳名を千載に残す.
‖──록 명 芳名録.
방모【紡毛】명 紡毛.
‖──사 명 紡毛糸; 紡毛《준말》.
방목【放牧】명하타 放牧. ¶소를 ～하다 牛を放牧する.
방문【房門】명 部屋の戸.
방문【訪問】명 訪問; 訪れ. ──하다 타 訪問する; 尋〔訪〕ねる; 訪れる; 伺う《높임말》. ¶친구의 ～을 기다렸다 友人の訪れを待っていた.
‖──객 명 訪客. ──기 명 訪問記.
방문【榜文】명 公示文. (준) 방(榜).
방물 명 女子用の小間物. ¶～가게 小間物屋.
‖── 장사 명 小間物売り.
방미【訪美】명하자 訪米. ¶～ 사절 訪米使節.
방-바닥【房──】명 部屋の床面.
방방 곡곡【坊坊曲曲】명 津津浦浦; 所所方方. (준) 곡곡(曲曲). ¶～에 알려지다 津津浦浦に知れわたる.
방방-이【房房─】부 部屋毎に.
방백【傍白】명 傍白; わきぜりふ.
방범【防犯】명하자 防犯. ¶～ 주간

防犯週間 / ～벨 防犯ベル.
방법【方法】명 方法；しかた；やり方；仕様；手；遣り口〈俗〉；術〈雅〉. ¶전통적인 ～ オーソドックスな方法 / 미적지근한 ～ 煮え切らないやり方 / ～을 바꾸어 해 보자 調子を変えてやってみよう / 고칠 ～이 없다 直し様がない.
‖――-론 명 方法論.
방벽【防壁】명 防壁. ¶조국의 ～이 되다 祖国の防壁となる.
방부【防腐】명하타 防腐.
‖――-제 명 防腐剤.
방불【彷彿·髣髴】명하형히부 彷彿〔髣髴〕；よく似ているさま. ¶지난 날을 ～하게 하다 在りし日〔昔日〕を彷彿させる / 고인의 모습을 ～하게 하는 것이 있다 故人の面影を彷彿させるものがある.
방불【訪佛】명하자 訪仏；フランスを訪問すること.
방비【防備】명하타 防備；固め；守り；備え. ¶성의 ～ 城の固め / 반석같이 튼튼한 ～ 大盤石の備え / 후방의 ～ 銃後の守り / ～를 튼튼히 하다 備えを厳重にする.
방사【房事】명하자 房事；交合；性交. ¶～ 과도 房事過度.
방사【放射】명하자타 放射；〔物〕輻射.
‖――-능(能) 명〔物〕放射能. ¶～ 병기 放射能兵器 / ～ 오염 放射能汚染. ――-상(狀) 명 放射状. ＝방사형. ――-선 명 放射線. ¶～의 조사를 받다 放射線の照射を受ける. ――선-과 명 放射線科. ――선 과학 명 放射線科学. ――선 요법 명 放射線療法. ――성 동위 원소 명 放射性同位元素；放射性同位体；ラジオアイソトープ. ――성 물질 명 放射性物質. ――성 원소 명 放射性元素. ＝방사능 원소. ――-열 명 放射熱. ――-형(形) 명 ☞ 방사상(狀).
방사【放飼】명하타 放し飼い.
방사【紡絲】명하자 紡糸.
방사-림【防沙林】명 防砂林.
방산【放散】명하자타 放散. ¶열을 ～하다 熱を放散する.
방산【防産】명 ↗방위 산업.
방생【放生】명하타〔佛〕放生；功徳をつむために生き物を逃がしてやること.
‖――-회〔佛〕명〔佛〕放生会.
방석【方席】명 座布団. ¶～을 깔다 座布団を敷く / ～을 깔고 앉다 座布団を当てる.
방선【傍線】명 傍線. ¶～을 치다 傍線をつける〔引く〕.
방선-균【放線菌】명 放線菌. ＝방사상균. ¶～증 放線菌症.
방설【防雪】명하자 防雪.
‖――-림 명 防雪林.
방성【放聲】명 声をはりあげること.
‖―― 대곡(大哭), ―― 통곡(痛哭) 명하자 大声で悲しみ泣くこと.
방세【房貰】명 部屋代；家賃；間代；室料. ¶～가 밀리다 間代がた(溜)まる.
방-세간【房―】명 室内の家具.
방송【放送】명하타 放送. ¶～ 합 단 放送合唱団；放唱《준말 ～망 放送網；ネットワーク / 녹음 録音放送 / 생～ 生放送 / 중계 ～ 継放送.
‖――-국 명 放送局. ――-극 명 送劇；ラジオドラマ. ―― 문화 명 送文化. ―― 위성 명 放送衛星 BS. ―― 통신 대학 명 放送大学
방수【防水】명하자 防水. ¶～ 가 放水加工.
‖――-모 명 防水帽. ――-복 명 防 着. ――-제 명 防水剤. ――-포 防水布. ――-화 명 防水靴.
방수【防銹】명하타 さび(錆)止め ぼうせい(防錆). ＝방청. ¶～제 防 剤.
방수【放水】명하자 放水.
‖――-로 명 放水路.
방수【傍受】명하자 傍受. ¶당지에서 ～한 일본 방송에 의하면 当地で傍受した日本の放送によれば.
방술【方術】명 方術. ①方法と技術. ②道術；法術；神仙の術.
방습【防濕】명하자 防湿.
‖――-재 명 防湿材. ――-제 명 防湿剤.
방시레 부 にこやかに；にっこりと. ＝방긋이. ＜벙시레. ㅆ빵시레.
방식【方式】명 方式；遣り方；仕方；遣り口〈俗〉；…振り；…方. ¶영업 ～ 営業振り / 선거 ～ 選挙の遣り方 / 요리 ～ 料理の仕方 / 일정한 ～대로 했다 一定の方式どおりにした / 이런 ～으로 만들게 こんな具合に作れよ.
방식-제【防蝕劑】명〔化〕防食剤〔防蝕剤〕.
방실-거리다 자 にこにこ笑う. ＜벙실거리다. 방실-방실 부하자 にこにこ.
방심【放心】명하자 放心；放念；油断. ¶～은 금물 油断大敵 / ～하여 생각잖은 실수를 하다 油断して不覚を取る.
방아 명 穀物をつ(搗)くうす(臼).
‖――-깨비 명〔蟲〕米搗きばった. 방앗-간(間) 명 ①精米所. ②精粉所. 방앗-공이 명 きね(杵).
방아-쇠 명 引き金. ¶～를 당기다 引き金をひく.
방안【方案】명 方案.
방-안【房―】명 部屋のなか；室内. ¶사람 훈기로 ～이 후텁지근하다 人いきれで部屋がむんむんする.
방안-지【方眼紙】명 ☞ 모눈종이.
방약 무인【傍若無人】명하형 傍若無人；人も無げにふるまうこと. ¶～한 행동 傍若無人のふるまい.
방어【防禦】명하타 防御. ¶～ 체제 防御体制 / 최대의 ～는 공격이다 最大の防御は攻撃である.
‖――-망 명 防御網. ――-선 명〔軍〕防御線. ――-율 명〔野〕防御率. ――-전 명 防御戦；防戦. ―― 진지 명 防御陣地.
방어【放語】명 放語；放言.
방어【魴魚】명〔魚〕ぶり(鰤).
방언【方言】명 方言；なまり(こと

) ; くになま(国訛)り. =사투리.
선【放言】명 放言; 放語. ——-하다 자 放言する; 言い放つ.
역【防疫】명하타 防疫. ¶~에 만전을 기하다 防疫に万全を期する.
역【邦譯】명하타 邦訳.
열【放熱】명 放熱. ¶~하여 방을 덥히다 放熱して室内を暖める / ~장치 放熱装置.
‖——-기 명 放熱器; ラジエーター; ヒーター.
열【防熱】명 防熱. ¶~기를 달다 防熱器を付ける / ~ 장치 防熱装置.
영【放映】명하자타 放映. ¶텔레비전의 ~ テレビの放映.
영【訪英】명하자 訪英. ¶~ 길에 오르다 訪英の途につく.
울 명 ①鈴; すず; ベル. ¶~을 울리다 鈴を鳴らす〔振る〕. ②玉; 滴. ¶이슬 ~ 露の玉〔滴たり〕/ 한 ~의 눈물 一滴・一滴の涙 / 빗~이 떨어지다 雨の滴が落ちる.
‖——-뱀 명〔動〕がらがら蛇. ——-벌레 명〔蟲〕鈴虫. ——-새 명〔鳥〕からふとかくらひわ.
방위【方位】명 方位; 方角. ¶~를 조사하다 方角を調べる / ~를 보다 方位を見る〔占う〕.
‖——-각 명 方位角.
방위【防衛】명하타 防衛. ¶정당 ~ 正当防衛 / 국토를 ~하다 国土を防衛する.
‖—— 산업 명 防衛産業. 준 방산(防産). ——-선 명 防衛線.
방음【防音】명하자 防音. ¶~실 消音室 / 이 방은 ~되어 있다 この部屋は防音してある.
‖—— 장치 명 防音装置.
방인【邦人】명 邦人.
방일【放逸】명하형 放逸. ¶~한 짓이 많았다 放逸なふるまいが多かった.
방일【訪日】명하자 訪日. ¶5일 간의 ~을 마치고 돌아왔다 五日間の訪日を終えて帰国した.
방임【放任】명하타 放任. ¶자유 ~ 自由放任.
‖——-주의 명 放任主義. —— 행위 명 放任行為.
방자 명하타 他人のふしあわせを鬼神に祈ること.
방자【放恣】명하형 放恣〔放肆〕; 横柄; 気まま. ¶~한 녀석 野放図な奴 / 생활이 ~해지다 生活が放恣に流れる.　「も.
방잠【防潛】명 防潜. ¶~망 防潜網.
방장【方丈】명 方丈. ①狭い部屋. ②〔佛〕寺の住職の部屋. ③〔佛〕住職.
방-장【房帳】명 (部屋の)帳; カーテン; 垂れ幕.
방재【防災】명하자타 防災. ¶~ 훈련 防災訓練.
‖—— 설비 명 防災設備.
방적【紡績】명하자 紡績. ¶~ 공장 紡績工場.
‖—— 견사 명 紡績絹糸. —— 공업 명 紡績工業. —— 기계 명 紡績機械; 紡機《준말》. —— 면사 명 紡績綿糸. ——-사 명 紡績糸. —— 회사 명 紡績会社.
방전【放電】명하자 放電. ¶공중 ~ 空中放電 / 불꽃 ~ 火花放電.
‖——-관 명〔物〕放電管. ——-등 명 放電灯. —— 전류 명〔電〕放電電流.
방점【傍點】명 傍点; 圏点. ¶~을 찍다 傍点を打つ.
방정 명스형 軽はずみでちょこまかな仕草. ——-떨다 자 軽はずみでそそっかしく振る舞う. ——-맞다 형 ちょこまかしている.
‖——-꾸러기, ——-꾼 명 軽率者; おっちょこちょい.
방정【方正】명하형 方正; 心や行いが正しいこと. ¶품행이 ~하다 品行が方正である.
방정-식【方程式】명〔數〕方程式. ¶이원 일차 ~ 二元一次方程式 / ~을 풀다 方程式を解く.
방제【防除】명하타 防除. ¶충해를 ~하다 虫害を防除する.
방조【幇助】명하타 幇助. ¶자살 ~죄 自殺幇助罪 / 음모를 ~하다 陰謀を幇助する.
‖——-범 명 幇助犯.
방조-림【防潮林】명 防潮林.
방조-제【防潮堤】명 防潮堤.
방종【放縱】명 放縦《바르게는 "ほうしょう"》; 放恣; わがまま. ——-하다 형 放縦〔わがまま; 放恣〕だ; じだらくだ. ¶~한 여자 ふしだらな女 / ~하게 살다 じだらくに暮らす.
방주【方舟】명 ①箱船. ②〔聖書〕ノアの箱船.
방주【方柱】명 方柱.
방주【旁註·傍注】명 傍注〔旁註〕. ¶~를 달다 傍注をつける.
방죽【防—】명 [←방축(防築)] 土手; 堤防; 堤. ¶천길 ~도 개미 구멍으로 무너진다《俚》千丈の堤もあり(蟻)の穴から崩される.
방중【訪中】명하자 訪中.
방중-술【房中術】명 房事の方法; セックスのテクニック.
방증【傍證】명 傍証. ¶범죄의 ~을 굳히다 犯罪の傍証を固める.
방지【防止】명 防止. ——-하다 타 防止する; 防ぐ. ¶소음 ~ 騒音防止 / ~책을 강구하다 防止策を練る / 사고를 미연에 ~하다 事故を未発に防ぐ.
방직【紡織】명하타 紡織. ¶~공 紡織工.
‖—— 공업 명 紡織工業. —— 기계 명 紡織機械. 준 방직기. ——-업 명 紡織業; 機織り業.
방진【方陣】명 方陣.
방진【防塵】명 防塵.
방책【方策】명 方策; 方略; 策. ¶정직은 최선의 ~ 正直は最善の策 / ~을 강구하다 方策〔方略〕を講ずる.
방책【防柵】명 敵を防ぐためのさく(柵).
방첨-탑【方尖塔】명 方尖塔; オベリスク. =오벨리스크(obelisk).
방첩【防諜】명 防諜; スパイを防

ㅂ

ぐこと. ¶ ~에 만전을 기하다 防諜に万全を期する.

방청【傍聽】 명하타 傍聴. ¶ 국회를 ~하다 国会を傍聴する.
‖──-객 명 傍聴客. ──-권 명 傍聴券. ──-석 명 傍聴席.

방추【紡錘】 명 ① 紡錘; つむ(錘). ② ☞ 북¹.
‖──-형(型) 명 紡錘形.

방축【防縮】 명하타 防縮. ¶ ~ 가공 防縮加工.

방출【放出】 명하타 放出. ¶ 정부 보유미의 ~ 政府保有米の放出.

방충【防蟲】 명하타 防虫.
‖──-제 명 防虫剤.

방취【防臭】 명하자 防臭.
‖── 가공 명 防臭加工. ──-제 명 防臭剤; 臭気どめ.

방치【放置】 명 放置. ──-하다 타 放置する; 見捨てる; ほったらかす; 捨て置く; ほっちらかす〈俗〉. ¶ 병자를 ~하다 病人を放置する / 일을 ~하다 仕事をほったらかす.

방침【方針】 명 方針; 建〔立〕て前. ¶ 시정 ~ 施政方針 / ~을 세우다 方針を立てる / 확대 ~을 취하다 拡大方針を取る.

방탄【防彈】 명하자 防弾; 弾よけ.
‖── 유리(琉璃) 명 防弾ガラス. ──조끼 명 防弾チョッキ; 防弾胴衣.

방탕【放蕩】 명하형히부 ほうとう(放蕩); ゆうとう(遊蕩); 道楽. ¶ ~에 빠지다 遊蕩にふ(耽)ける / ~으로 신세를 망치다 放蕩で身を持ちくずす.
‖──-아 명 放蕩児; 遊び人.

방파-제【防波堤】 명 防波堤; 波除け. ¶ ~를 쌓다 防波堤を築く.

방패【防牌】 명 盾. ¶ ~로 화살을 막다 盾で矢を防ぐ.
‖──-연(鳶) 명 穴のない四角形に尾をつけたたこ(凧).

방편【方便】 명 方便; (目的のための)一時の手段; てだて.

방풍【防風】 명하자 防風; 風防. ¶ ~ 유리 風防ガラス.
‖──-림 명 防風林.

방학【放學】 명하자 学校の休み. ¶ 여름〔겨울〕 ~ 夏〔冬〕休み.

방한【防寒】 명 防寒. ¶ ~ 준비를 하다 防寒の用意をする.
‖──-구 명 防寒具. ──-모 명 防寒帽. ──-복 명 防寒服. ──-화 명 防寒靴.

방한【訪韓】 명하자 訪韓. ¶ 다나카 교수는 ~ 초청을 수락하였다 田中教授は訪韓招請を受諾した.

방해【妨害】 명 妨害; 邪魔; 妨げ. ──-하다 타 妨害する; 邪魔する; 妨げる. ¶ ~자 妨害者; 邪魔者 / ~가 생기다 邪魔が入る / 안면을 ~하다 安眠を妨げる / 쓸데없이 ~하지 마라 いらぬ邪魔立てをするな / ~를 놓다 妨害する; 妨げる.
‖──-물 명 邪魔物. ¶ ~을 없애다 邪魔物を消す. ──-죄 명〔法〕妨害罪.

방향【方向】 명 方向; 向き. =방위(方位). ¶ 바람 부는 ~ 風向き / 전혀 반대 ~이다 全くあべこべの方向である / ~을 바꾸다〔돌리다〕 向きを(か)える.
‖── 전환 명 方向転換. ── 지시(기) 명 方向指示器. ──-타 명 方向舵. =방향키. ── 탐지기 명〔物〕方(向)探知器.

방향【芳香】 명 芳香; よい香り. ¶ ~을 뿜다 芳香を放つ.
‖──-제 명 芳香剤.

방형【方形】 명 方形; 四角. ¶ (~)진 方形陣.

방호【防護】 명하타 防護.

방화【防火】 명하자 防火. ¶ ~ 주(간) 防火週間 / ~ 지역 防火地域 / (~)용수 防火用水.
‖── 도료 명 防火塗料. =내화(耐火) 도료. ──-벽 명 防火壁; 防火壁. ──-사(砂) 명 防火用の砂. ──-수 명 防火水.

방화【邦貨】 명 邦貨.

방화【邦畫】 명 邦画. ¶ ~관이 줄(어)간다 邦画館が減って行く.

방화【放火】 명 放火; 火付け; 付け火. ──-하다 자 放火する; 火を放つ. ¶ ~자 放火者.
‖──-광 명 放火狂. ──-범 명 放火犯. ──-죄 명〔法〕放火罪.

방황【彷徨】 명 さ迷い; 彷徨. ──-하다 자 彷徨する; さ迷う; 迷う; うろつく. ¶ 눈보라 속을 ~하다 吹雪のなかをさ迷う.

밭 명 ① 畑·はた; 陸田. ¶ 무~이 넓다 大根畑が広い / 채종~ 採種畑 / 논~ 田畑 / ~일 畑仕事 / ~을 갈다 畑を耕す / ~이 몹시 황폐해졌다 畑が荒れ果てた. ② 植物が自生して茂っている所. ¶ 솔~ 松原 / 풀~ 草原. ③ (ある物が)いっぱい広がっている所. ¶ 모래~ 砂原 / 자갈~ 砂利場. ④ (将棋·十六むさし·かりうちなどで)駒のおき場.

밭- 두 [↗바깥] 外.

밭-갈이 명하자 畑を耕すこと.

밭-걷이 명하자 畑の収穫.

밭-고랑 명 畝間; 畝合い.

밭-곡【─穀】, 밭-곡식【─穀─】 명 畑の穀物.

밭-농사【─農事】 명하자 畑作.

밭다¹ 자 煮えすぎて水気がなくなる; 煮詰まる.

밭다² 타 ろか(濾過)する; こ(漉)す; した(滴)む. =거르다. ¶ 물을 ~ 水を漉す.

밭다³ 형 ① 物惜しみをする; けちだ. ② せっぱ詰まっている.

밭-도랑 명 畑のへりの溝.

밭-두둑 명 畔. =규반(畦畔).

밭-둑 명 畑のどて.

밭-문서【─文書】 명 畑の所有権を証明する文書.

밭-벼 명 陸稲; おかぼ; 畑稲.

밭은-기침 명 軽い空咳.

밭이다 피동 こ(漉)される.

밭-이랑 명 畑の畝.

밭-일 명하자 畑仕事.

밭-팔다 자《俗》(女が)体を売って暮らす.

배¹ 一명 腹. ① 腹部; おなか; ぽ

しぽん〈児〉; ぽんぽ〈児〉. ¶ ～가 아프다 腹が痛い / ～가 고프다 腹がすく〔へる〕/ ～가 부르다〔불룩해지다〕 腹が張る / ～보다 배꼽이 크다《俚》 提灯より柄が太い / ～를 움켜잡고 웃다 腹をよじらせて笑う / ～가 몹시 고프다 おなかがぺこぺこである. ② 物の中央のふくらんだ部分. ③ 妊娠した人の胎内, 転じて母. ¶ ～가 다르다 産み親が違う. ④ かんがえている事柄; 心; 心中. ¶ 뱃속이 검다 腹が黒い / 뱃속을 들여다보다 腹を読む. 二 의명 動物が子を産んだ回数. ¶ 한 ～ 一腹.

배² 명 船〔舟〕. ＝선박. ¶ ～를 타다 船に乗る / ～를 젓다 船を漕ぐ〔操る〕/ ～를 띄우다 船を浮かす / ～(의 속도)가 빠르다 船足が速い.

배³ 명 なし(梨).

배【胚】 명〔生〕はい(胚).

배【倍】 명 倍. ① 二倍. ② ☞ 곱절.

배【杯】 명 杯. ¶ 일～ 一杯 / 오～ 五杯.

배가【倍加】 명하자타 倍加. ¶ 부담이 ～되다 負担が倍加する.

배갈 명 高粱から造った焼酒.

배겨-나다 자 耐える; 打ち克つ; 辛抱する. ¶ 몸이 배겨나지 못한다 からだが持たない.

배겨-내다 타 耐え忍ぶ; 堪え抜く. ¶ 더 이상 배겨낼 수 없는 기분이다 (これ以上いたたまらない気持ちである.

배격【排擊】 명하타 排擊. ¶ 단호히 ～하다 断固として排撃する.

배경【背景】 명 背景. ① 後景. ¶ ～의 경치 背景の景色. ② 書き割り. ③〔美〕後景. ¶ 바림한 ～ ぼか(暈)した背景. ④ バック. ¶ 정치적 ～ 政治的背景 / 사건의 ～ 事件の背景.

‖── 음악 명 背景音楽.

배-고프다 형 腹がへる; 腹が空く; ひもじい; ひだるい. ¶ 배가 고파서 견딜 수가 없다 ひだるくてたまらない.

배-곯다 자 飢える.

배관【配管】 명 配管. ¶ ～공 配管工 / 수도의 ～ 공사를 하다 水道の配管工事をする.

배교【背教】 명하자 背教.

배구【排球】 명 排球; バレーボール.

배금【拜金】 명 拜金; 金銭を極端に尊重すること. ¶ ～ 사상 拜金思想.

‖──-주의 명 拜金主義.

배급【配給】 명하자타 配給. ¶ ～소 配給所 / ～제 配給制 / ～품 配給品 / 무상 ～ 無償配給.

배기【排氣】 명하자타 排気. ¶ ～구 排気口 / 자동차의 ～ 가스가 심하다 自動車の排気ガスがひどい.

‖──-갱 명〔鑛〕排気坑. ──-관 명 排気管. ──-량 명 排気量. ── 펌프 명 排気ポンプ.

배기다¹ 자 (押されて固さが)身にこたえる.

배기다² 타 (苦痛などを)堪〔耐〕え忍ぶ; 堪える.

배-꼬다 타 皮肉る; あてこする《"비꼬다"をさげすんで言う語》.

배꼽 명 ①〔生〕へそ(臍); ほそ; ほぞ〈老〉. ¶ ～이 빠지도록 웃다 腹筋をよ(縒)らせて笑いこける / ～도 덜 떨어지다 まだ臍の緒も取られていない / ～이 웃다 (仕草などが)おかしくてたまらない. ── 빼다 자《俗》臍で茶を沸かす; 臍が宿がえする.

‖──-춤 명 ベリーダンス.

배-나무 명〔植〕なし(梨)の木.

배낭【背囊】 명 はいのう(背嚢); 背負い袋. ¶ 우편 ～ 郵袋.

배내- 두 "배 안에서부터(＝胎児のときから)"の意を表わす語: 先天的; 生来の. ¶ ～옷 むつき(襁褓); うぶぎ.

‖──-똥 명 胎便; かにばば(蟹屎); かにくそ. **배냇-니** 명 乳歯. **배냇-머리** 명 うぶげ; 胎髪. **배냇-병신(病身)** 명 生まれつきの〔生来の〕不具. **배냇-짓** 명 えいじ(嬰児)がねむりながら笑ったり顔をしかめたりすること.

배-내밀다 자 (人の要求などに)高慢に応じない.

배뇨【排尿】 명하자 排尿.

배니싱 크림〔vanishing cream〕 명 バニシングクリーム.

배다¹ 자 ① ひたる; しみこむ; にじむ; 染みる. ¶ 땀이 ～ 汗が染む; 汗ばむ / 땀이 배어 나오다 汗がにじみ出る. ② 慣れる; 身に付く; なじむ. ¶ 일찍 자고 일찍 일어나는 습관이 몸에 ～ 早寝早起きの習慣が身に付く.

배다² 타 はら(孕〔妊〕)む; みごもる; 宿す; 妊娠する. ¶ 아이를 ～ 子を孕む / 새끼 밴 개 孕んでいる犬.

배다³ 형 密である; きめが細かい; ちゅうみつ(稠密)である. ¶ 그물 눈이 ～ 網の目が細かい.

배-다르다 형 腹ちがいである. ¶ 배다른 형제가 많다 腹ちがいの兄弟が多い.

배-다리 명 ① 舟橋. ＝주교(舟橋). ② 浮き橋. ＝부교(浮橋).

배달【配達】 명하타 配達. ¶ 우편 ～ 郵便配達 / ～ 불능 配達不能.

‖──-원 명 配達夫. ¶ 우유 ～ 牛乳配達夫. ── 증명 우편 명 配達証明郵便.

배달 민족【倍達民族】 명 韓民族の称. ＝배달 겨레.

배당【配當】 명 配当. ──-하다 타 配当する; くばりあてる. ¶ 이익 ～ 利益配当 / 인원수대로의 ～ 頭割りの配当 / 공평하게 ～하다 公平に振り分ける.

‖──-금 명 配当金. ──-락 명 配当落ち. ──-률 명 配当率. ──-부 명 配当付き. ── 소득 명 配当所得.

배덕【背德】 명하자 背徳. ¶ ～자 背徳者 / ～ 행위 背徳行為.

배-돌다 자 仲間にはいらない; 一匹狼になる. ＜베돌다.

배-두렁이 명 腹当て; 腹掛け; 腹帯; 腹巻き. ¶ 아이에게 ～를 채워주다 子供に腹当てをさせる / 젖먹이에게 ～를 입히다 赤ん坊に腹掛けをさせる.

ㅂ

배드민턴 〔badminton〕 명 バドミントン.
배-때기 명 《俗》 ☞ 배¹.
배라-먹다 자타 物乞いをして暮らす. <빌어먹다.
배란 【排卵】 명하자 〔生〕 排卵. ¶ ~기 排卵期.
배럴 〔barrel〕 一 명 たる(樽). 二 의명 体積の単位; バレル.
배려 【配慮】 명 配慮; 心づかい; 気配り; 取り計らい. ——-하다 타 配慮する; 取り計らう; 慮る; 気配りする. ¶ 세심한 ~ 細かい心づかい / ~에 감사드립니다 取り計らいに感謝致します / 잘 ~해 주십시오 よろしく御配慮願います / 이것저것 세세한 데까지 ~하다 あれ(や)これ(や)と細かいことにまで気配りをする.
배령 【拝領】 명하타 拝領. =배수(拝受).
배례 【拜禮】 명 拝礼. ——-하다 자 拝礼する; 拝む. ¶ 신전에 ~하다 神前に拝礼する.
배리다 형 ① 生臭い. ② ちっぽけだ. ③ 気にくわない. <비리다.
배릿-하다 형 やや生臭い. <비릿하다.
배-맞다 자 ① (男女が)不倫な関係を結ぶ. ② ぐるになる; 共謀する. ¶ 배가 맞아서 한 짓 二人がぐるになってやったしわざ.
배면 【背面】 명 背面. =등쪽.
배-밀이 명하자 ① (赤ん坊が)腹ばうこと. ¶ 어린애가 ~하다 赤ん坊が腹ばいで進む. ② 相撲で, 相手を腹で押しのける技の一つ.
배반 【背反·背叛】 명 裏切り; 背反; 返り忠. ——-하다 타 裏切る; 背反する; 背く; 背をむける. ¶ 이율 ~ 二律背反 / 연인에게 ~당하다 恋人に背かれる.
‖——-죄 명 背反罪.
배변 【排便】 명하자 排便.
배본 【配本】 명하타 配本. ¶ 차기 ~ 次回配本.
배부 【配付】 명하타 配付; 頒布. ¶ 무상 ~ 無償配付.
배-부르다 형 ① 満腹である; 腹いっぱいだ. ② 腹が張っている. ③ 充分である. ¶ 배부른 흥정《俚》あせらず意地を張りながらかけひきをすること. また, そういう風に事を処理することのたとえ.
배분 【配分】 명 配分; 振り分け. ——-하다 타 配分する; 振り分ける. ¶ 비례 ~ 比例配分; 案分比例.
배-불뚝이 명 太鼓腹の人.
배-불리 부 満腹に; 腹いっぱいに; たらふく〈俗〉.
배-불리다 一 사동 満腹に〔腹いっぱいに〕食べさせる. 二 자 豊かになる; 私欲をむさぼる.
배-붙이다 자 舟を渡し場または桟橋に着ける.
배상 【拝上】 명하타 拝具《手紙の結び文句》.
배상 【賠償】 명하타 賠償. ¶ 손해 ~ 損害賠償.
‖——-금 명 賠償金; 償金《준말》. ——-액 명 賠償額.

배색 【配色】 명하자타 配色; 彩り.
배서 【背書】 명하자 裏書き.
‖—— 금지 명 裏書禁止. —— 양 명 裏書譲渡. ——-인 명 裏書人
배석 【陪席】 명 陪席. ① 拝席; 上と同席すること. ②〔法〕↗배 판사.
‖—— 판사 명 陪席判事.
배선 【配線】 명 [↗배전선] 配線. ~ 공사 配線工事 / 텔레비전의 ~ レビの配線.
‖——-도 명 配線図. ——-반 명 配盤.
배설 【排泄】 명하타 はいせつ(排泄) 排出.
‖——-강 명 〔動〕 排泄こう(腔). ——기 명 排泄器. ——-물 명 排泄物 しにょう(屎尿).
배소 【配所】 명 配所; 流刑地.
배속 【配屬】 명하타 配属. ¶ ~ 장교 配属将校 / ~을 정하다 配属をきめる. 「送課
배송 【配送】 명하타 配送. ¶ ~과 配
배수 【背水】 명 背水; バックウォーター.
‖——-진 명 背水の陣. ¶ ~을 치다 背水の陣を敷く.
배수 【拝受】 명하타 拝受. ¶ 주문 ~ 注文拝受.
배수 【配水】 명하자 ① 配水; 水をくばること. ② 田に水を引き入れること.
‖——-관 명 配水管. ——-지 명 配水池. ——-탑 명 配水塔.
배수 【倍數】 명 倍数.
‖——-체 명 倍数体.
배수 【排水】 명하자 排水. ¶ ~용의 펌프 排水用のポンプ / ~가 잘 되는 토지 水はけのよい土地.
‖——-관 명 排水管. ——-구 명 排水口; はけ口. ¶ 설겆이통의 ~가 막히다 流しのはけ口が詰まる. ——-량 명 排水量. ——-로 명 排水路. —— 펌프 명 排水ポンプ.
배식 【陪食】 명하타 陪食; 伴食. ¶ ~의 영광을 베푸시다 陪食の栄を賜わる.
배신 【背信】 명 背信; 裏切り; 信義に背くこと. ——-하다 자 裏切る; 背信する. ¶ ~자 背信者.
‖—— 행위 명 背信行為; 裏切り行為. ¶ 용서할 수 없는 ~ 許し難い背信行為.
배신 【陪臣】 명 陪臣. =가신(家臣).
배심 【背心】 명 背心; 叛心.
배심 【陪審】 명하자 陪審.
‖——-원 명 陪審員. —— 재판 명 陪審裁判. —— 제도 명 陪審制度.
배아 【胚芽】 명 〔植〕 はいが(胚芽); 胚. ¶ ~미 胚芽米.
배알 명 《俗》 ① 腸. ¶ 생선의 ~을 뽑다 魚の腸を抜く. ② 心; 内心. ¶ ~이 꼴리다 腹の虫が治まらない / ~이 뒤틀리다 腸が煮えくり返る. 준 밸.
배알 【拝謁】 명 拝謁; 目通り; 見参. ——-하다 타 拝謁する; まみ(見)える. ¶ ~을 허락하시다 拝謁をお

…しになる.
…앓다 자 ① 腹痛を起こす. ②(人を)ねた(妬)む.
…앓이 명 腹痛.
…액【倍額】명 倍額.
…양【培養】명하타 培養. ¶ ~ 검사 培養検査 / 세균을 ~하다 細菌を培養する.
——-액 명〔生〕培養液. ——-토〔…壌〕명 培養土.
…-어루러기 명 腹に斑毛のあるけだもの.
…역【配役】명하타 配役; 役; 役回り; キャスト. ¶ 잘못된 ~ ミスキャスト / 별로 달갑지 않은 ~ あまりありがたくない役回り.
…열【配列·排列】명 配列; アレンジ. ——-하다 타 配列する; 配する. ¶ 글자의 ~이 나쁘다 字並びが悪い / 단어를 가나다순으로 ~하다 単語をイロハ順に配する.
…엽【胚葉】명 はいよう(胚葉).
…영【背泳】명 背泳; 背泳ぎ.
…우【俳優】명 ① 俳優; 役者. ¶ 주연 ~ 主演俳優 / 저 ~는 서투르다 あの役者は未熟である. ②〔民〕☞ 광대.
…우는-이 명 学生.
…우다 타 習う; 学ぶ; 修める; 教わる. ¶ 배움의 길 学びの道 / 인생을 ~ 人生を学ぶ / 열심히 배우고 마음껏 놀아라 よく学びよく遊べ / 요령을 ~ 要領を覚える.
배우-자【配偶子】명〔生〕配偶子.
배우-자【配偶者】명 配偶者; つれあい.
배움 명 学び; 学問.
‖—의 길 명 学びの道; 学問. ——터 명 学びの庭〔園〕; 学校. = 학원(學園).
배웅 명 見送り; 追送. ——-하다 타 見送る; 追送する. ¶ 친구를 ~하러 정거장에 갔다 왔다 友人を見送りに停車場まで行って来た.
배워-먹다 타 "배우다"の卑語.
배유【胚乳】명〔植〕☞ 배(胚)젖.
배율【倍率】명 倍率. ¶ ~이 높은 현미경 倍率の高い顕微鏡.
배은【背恩】명하자 背恩; 恩義にそむくこと.
‖— 망덕(忘德) 명하자 恩知らず; 忘恩.
배일【排日】명하자 排日. ¶ ~ 사상 排日思想.
배임【背任】명하자 背任.
‖——-죄 명 背任罪.
배자【褙子】명 "チョゴリ"の上に重ねて着るそで(袖)なしの短衣.
배전【倍前】명 倍旧. ¶ ~의 성원을 부탁합니다 倍旧のお引き立てを願います.
배전【配電】명하타 配電.
‖——-반 명 配電盤. ——-선 명 配電線. 준 배선(配線). ——-소 명 配電所.
배점【配點】명하자 点数を配りあてること. また, その点数.
배접【褙接】명하타 紙や布または薄板などを幾重にも重ねて張りあわせること.
배정【配定】명하타 割り当てを決めること.
배-젖【胚—】명〔植〕はいにゅう(胚乳). = 배유.
배제【排除】명 排除. ——-하다 타 排除する; おしのける. ¶ 폭력을 ~하다 暴力を排除する.
배종【陪從】명 陪従. ——-하다 타 陪従する; おともをする.
배증【倍增】명하자 倍増; 倍増し. ¶ 소득의 ~ 所得の倍増 / ~ 요금 倍増し料金.
배지〔badge〕명 バッジ; 印. ¶ 회원 ~를 달다 会員の印をつける.
배-지기 명 (相撲で)腰なげ.
배-지느러미 명〔魚〕腹びれ; 尻びれ.
배지-성【背地性】명〔植〕背地性.
배-질 명하자 ① 船を漕ぐこと. ② こくりこくりと居眠りすることをあざける語.
배-짱 명 ①(黒い)腹の中. ¶ 검은 ~ 黒い腹 / 돈을 안 갚을 ~이다 金を踏み倒す算段だ. ② 肝っ魂; 度胸; 腹; 心臓〈俗〉. ¶ ~이 없는 남자 腰の弱い男 / ~이 큰 사람 太っ腹の人 / ~이 없다 腰弱だ; 腹がない / ~이 세다 心臓が強い; 腹が太い / 저 녀석의 똥~에는 놀랐다 あいつのくそ度胸には驚いた.
배차【配車】명하자 配車. ¶ ~계 配車係.
배척【排斥】명 排斥; つま(爪)はじき. ——-하다 타 排斥する; おしのける; しりぞける. ¶ ~ 운동 排斥運動 / 그러니까 모두에게서 ~을 받는다 だから皆からつまはじ(爪弾)きされるのだ.
배추 명〔植〕白菜. ¶ 시든 ~ 萎びた白菜.
‖— 꼬랑이 명 白菜の根. ——-벌레 명〔蟲〕① 白菜の害虫の総称. ② 紋白蝶の幼虫.
배출【排出】명하타 排出. ¶ 불만을 ~할 데가 없다 不満のはけ場がない.
‖——-구 명 はけ口; はけ場. ¶ 감정의 ~ 感情のはけ口.
배출【輩出】명하자 輩出. ¶ 우수한 인재를 ~한 명문교이다 優秀な人材を輩出した名門校である.
배치【背馳】명하자 はいち(背馳). ¶ 이론과 ~되는 행동 理論と背馳する行動.
배치【配置】명 配置. ——-하다 타 配置する; 配する. ¶ 적성에 따라 적소에 ~하다 向き向きに応じて適所にふり分ける.
배큐엄〔vacuum〕명 バキューム; 真空.
배타【排他】명하자 排他.
‖——-심 명 排他心. ——-적 명관 排他的. ¶ ~ 경향 排他的傾向.
배-탈【—頉】명 腹の病気の総称: 腹痛; 腹痛み. —— 나다 자 腹をこわす; 腹痛を起こす.
배태【胚胎】명 はいたい(胚胎).
배터〔batter〕명 バッター.
‖— 박스 명 バッターボックス.
배터리〔battery〕명 バッテリー.
배턴〔baton〕명 バトン. ①リレー競走

ㅂ

きょうそうで次の走者に引き継ぐ木の筒. ②〔樂〕指揮棒.
배토【坏土】명 陶磁器の原料となる土.
배-퉁기다 자 おご(驕)って強情ばる; ごうまんにふるまう.
배트〔bat〕명 バット. ¶ ~가 잘 나가다 バットが振れる.
배팅〔batting〕명〔野〕バッティング.
‖── 오더 명 バッティングオーダー. =타순(打順). 준 오더.
배판【倍判】명 倍判. ¶ 사륙 ~ 四六倍判.
배-편【─便】명 船便. ¶ ~으로 보내다 船便で送る.
배포【配布】명하타 配布. ¶ 광고를 ~하다 広告を配布する.
배포【排布·排鋪】명 肝っ玉; 度胸. ──(가) 유(柔)하다 구 こせこせせずゆったりとしている.
배-표【─票】명 船の切符. =선표(船票).
배필【配匹】명 配偶. ¶ 좋은 ~을 만나다 好配にめぐまれる.
배합【配合】명 配合; 取り合わせ. ───하다 타 配合する; 取り合わせる. ¶ 색의 ~ 色の配合 / 약을 ~하다 薬を合わせる.
‖── 비료 명 配合肥料. ── 사료 명 配合飼料.
배행【陪行】명하타 目上に随行すること.
배화-교【拜火教】명〔宗〕拜火教.
배회【徘徊】명 徘徊. ───하다 자 徘徊する; うろつく; ぶらつく. ¶ 소매치기가 ~하다 すりがうろつく / 집 주위를 ~하다 家の回りをぶらつく.
배후【背後】명 背後; 後ろ. ¶ 이 사건의 ~에는 여자가 있다 この事件の陰には女がいる / ~에서 기습하다 背後から奇襲する.
‖── 관계 명 背後関係. ¶ ~가 복잡하다 背後関係が複雑だ.
백【白】명 ①[↗백색(白色)] 白. ¶ 흑과 ~의 조화 黒と白との調和. ②(碁の)白石. ③ ↗백군.
백【百】수 百; 百〈雅〉. ¶ ~년 百歳 / ~ 가지 물건 百種の品 / ~ 와트의 밝기 百ワットの明るさ.
백〔back〕명 バック. ¶ ~ 넘버 バックナンバー / ~ 미러 バックミラー.
백〔bag〕명 バッグ. ¶ 보스턴 ~ ボストンバッグ / 숄더 ~ ショルダーバッグ.
-백【白】미 "말씀 드린다(=申し上げる)"の意.
백가【百家】명 ① 百家. ② ↗백가서(百家書).
‖───서(書) 명 多くの学者たちの著書. ── 쟁명 명 百家争鳴.
백계【百計】명 百計. ¶ ~가 다하다 百計尽きる.
‖── 무책 명 百計無策.
백곡【百穀】명 多くの穀物.
백골【白骨】명 ① 白骨. ¶ ~이 되다 白骨となる. ② 白木造り.
‖── 난망(難忘) 명 死しても恩を忘れ難いの意.
백-곰【白─】명 白熊. =흰곰.
백과【百果】명 いろいろな果実.
‖───주(酒) 명 いろいろの果実で した酒.
백과【百科】명 百科.
‖── 사전 명 百科事典; エンサ クロペディア. ── 전서 명 百科全 書. ── 총서 명 百科叢書.
백관【百官】명 百官. ¶ 문무 ~ 武百官.
백구【白鷗】명 ☞ 갈매기.
백구【白球】명 白球.
백군【白軍】명 白軍; (競技の 白組. 준 백.
백-그라운드〔background〕명 バック ラウンド.
백금【白金】명〔化〕白金; プラ ナ. ¶ ~ 반지 白金の指輪 / ~은 성이 많다 白金は延性に富む.
백기【白旗】명 白旗·白旗. ¶ ~를 리다 白旗を掲げる / ~를 흔들다 旗をふる.
백-날【百─】명 ① 子供が産まれ 百日目になる日. =백일(百日). ② 多くの日.
백-내장【白內障】명〔醫〕しろそこひ 白內障.
백-넘버〔back number〕명 バックナン バー. =背番号.
백-네트〔back+net〕명 バックネット.
백년【百年】명 百年. ① 百の年. ¶ 사후 ~째 死後百年. ② 多くの年. ¶ 국가 ~지계 国家百年の計. ③ 一生涯; 一生.
‖── 가약(佳約) 명 夫婦の一生の契り. ── 대계(大計) 명 百年の計. ── 전쟁 명〔史〕百年戦争. ── 하청(河清) 명 (百年)河清を待つ. ── 해로 명 百年偕老; 共白髪.
백대【百代】명 百代.
‖──지-친(之親) 명 遠い祖先の代から親しい間柄.
백덕【百德】명 あらゆる徳行.
백도【百度】명 ① 百度; もろもろの法度. ② 温度計·角度計などの百の目盛り.
백동【白銅】명 →백통. ¶ ~전 白銅銭 / ~화 白銅貨.
백두【白頭】명 しらがあたま. =백수(白首).
백-등유【白燈油】명 白灯油.
백-라이트〔back light〕명 バックライト.
백-라인〔back line〕명 バックライン.
백랍【白鑞】명 ハンダ; しろめ. =땜납.
백련【白蓮】명〔植〕① 白蓮·白蓮. ② ↗백목련.
백로【白露】명 白露. ① 二十四気の一つ. ② しらつゆ.
‖───주(酒) 명 高級の清酒.
백로【白鷺】명〔鳥〕しらさぎ(白鷺); さぎ(鷺).
백리지-재【百里之才】명 四方十里ほどの地を治め得る能力.
백마【白馬】명 白馬·白馬.
백만【百萬】수 百万. ¶ ~번 말해도 소용없다 百万遍言ってもだめだ.
‖── 장자 명 百万長者.
백면 서생【白面書生】명 白面の書生

ぃ; 書生っぽ〈俗·蔑〉(《"しょせっぽ" 하고도 함》.

모【伯母】명 伯母; おば.

-목련【白木蓮】명〔植〕白木蓮. ㊟ 백련.

묘【白描】명 白描. ¶ ~화 白描画.

묵【白墨】명 白墨. =분필(粉筆).

문【百聞】명 百聞. ¶ ~이 불여일견(不如一見)《俚》百聞は一見に如かず.

미【白米】명 白米.

미【白眉】명 白眉; ぴか一.

미러 〔back+mirror〕 명 バックミラー.

반【白斑】명 白斑.

‖——-병 명〔農〕白斑病.

반【白飯】명 ① 白飯; 米飯. ② 飲食店で飯に汁·おかずなどを添えて出す一膳飯.

반【白礬】명〔化〕焼きみょうばん(明礬).

백발【白髮】명 白髪. ¶ ~의 머리 白髪頭 / ~의 노신사 白髪の老紳士 / ~ 삼천장 白髪三千丈 / 늙음을 말해 주는 ~ 老いを物語る白髪.

‖—— 노인 명 白髪の老人. —— 성성(星星) 명 白髪がかなり混じっていること.

백발 백중【百發百中】명하자 百発百中.

백방【百方】명 百方. ¶ ~으로 손을 쓰다 百方手をつくす / ~으로 찾다 方方を隈なく捜す.

백배【百倍】명하타 百倍.

백배【百拜】명하자 百拝.

‖—— 사례(謝禮) 명하자 幾度も礼をしながらありがたさを言うこと. —— 사죄(謝罪) 명하자 幾度も腰をまげて謝罪すること.

백병【白兵】명 白兵. ① 短兵. ② 百刃; しらは.

‖——-전 명하자 白兵戦. ¶ ~에서 전사하다 白兵戦の華と散る.

백복【百福】명 百福; 万福.

백-본〔backbone〕명 バックボーン.

백부【伯父】명 伯父.

백분【白粉】명 白粉. ① 白い粉. ② おしろい. ㊟ 분.

백분【百分】명하타 百分.

‖——-법 명〔數〕百分法. ——-비 명 百分比. =백분율. ——-율 명 百分率; パーセンテージ.

백비-탕【白沸湯】명 白湯.

백사【白沙】명 白砂; 白い砂.

‖——-장(場) 명 白い砂原.

백사【白蛇】명 白蛇.

백사【白絲】명 白い糸.

백사【百事】명 百事; 万事.

‖—— 여의(如意) 명하자 すべてのことが意のままに成ること.

백-사기【白沙器】명 白色のせともの; 白磁〔白瓷〕.

백삼【白蔘】명 生の高麗人参.

백상【白象】명 白い象.

백색【白色】명 白色. ① 白い色. ② フランス王権の象徴であった白百合に由来した色. ¶ ~ 테러 白色テロ. ㊟ 백.

‖—— 시멘트 명 白色セメント. —— 인종 명 白色人種. ㊟ 백인종.

백서【白書】명 ① 白書. ¶ 경제 ~ 経済白書. ② 一般的な実情報告書.

백선【白線】명 白線.

백선【百選】명 百選. ¶ 명시〔명곡〕 ~ 名詩〔名曲〕百選 / 명소 ~ 名所百選.

백설【白雪】명 白雪; しらゆき(白雪)〈雅〉. ¶ ~ 공주 白雪姫.

백-설기【白—】명 うるごめ(粳米)の粉で蒸した白いもち(餅). ㊟ 설기.

백-설탕【白雪糖】명 白砂糖.

백성【百姓】명 百姓; 民; 人民; そうせい(蒼生). ¶ 무고한 ~ むこ(無辜)の民 / ~을 무마하다 民をな(撫)でる / ~의 소리를 듣다 国民の声を聞く.

백세【百世】명 百世.

‖——-지-사(之師) 명 百世の師.

백세【百歲】명 ① 百歳. ② 百年.

백송【白松】명〔植〕しろまつ.

백수【白壽】명 白寿; 九十九歳.

백수【百獸】명 百獣. ¶ ~의 왕 百獣の王.

백수 건달【白手乾達】명 文無しののらくら者.

백숙【白熟】명하타 熱湯で煮た食べ物. また, 熱湯に煮ること. ¶ 영계 ~ 水炊きの幼なとり(鶏) / 닭 ~ かしわ(黄鶏)の水炊き.

백-스트로크〔backstroke〕명 バックストローク; 背泳.

백신〔vaccine〕명〔醫〕ワクチン.

백씨【伯氏】명 他人の長兄を指す語.

백악【白堊】명 白亜. ¶ ~의 전당 白亜の殿堂.

‖——-관 명 白亜館; ホワイトハウス. ——-기 명〔地〕白亜紀. ——-질 명 白亜質.

백악【百惡】명 あらゆる悪.

백안【白眼】명 白眼. ①〔生〕白目. ② 冷たい目つき.

‖——-시 명하타 白眼視. ¶ 세인으로부터 ~당하다 世人から白眼視される.

백야【白夜】명 白夜.

백약【百藥】명 百薬. ¶ 술은 ~의 으뜸 酒は百薬の長.

‖—— 무효(無效) 명하형 あらゆる薬がききめのないこと. ——-지-장(之長) 명 酒の異名.

백양【白羊】명 白羊.

‖——-궁 명〔天〕白羊宮.

백양【白楊】명〔植〕① どろのき(白楊); どろやなぎ. ② ☞ 사시나무.

백-업〔backup〕명하타 バックアップ.

백-여우【白—】명 ① 白狐; びゃっこ. ②《俗》ようじょ(妖女).

백연【白鉛】명〔化〕鉛白.

‖——-광 명〔鑛〕白鉛鉱.

백열【白熱】명 白熱. ¶ 의론이 ~화하다 議論が白熱化する.

‖——-등 명 白熱灯. ——-전 명 白熱戦; エクサイティングゲーム.

백옥【白玉】명 白玉. ¶ ~이 진토에 묻힌다《俚》白玉塵土に埋まる

《人材が時を得ず不遇のうちに暮らす》.
백우-선【白羽扇】명 鳥の白い羽でつくった団扇.
백운【白雲】명 白雲.
백-운모【白雲母】명〔鑛〕白雲母.
백의【白衣】명 白衣. ①白い衣服. ¶~의 천사 白衣の天使. ② ☞ 포의(布衣).
‖── 민족 명 韓民族. ── 종군(從軍) 명하자 官位を捨てて一兵卒として従軍すること.
백인【白人】명 ①生まれつき肌が白い人. ②[↗백색 인종] 白人. ¶~종 白人種.
백인【百忍】명 あらゆる苦難を堪え忍ぶこと.
백-인종【白人種】명 [↗백색 인종] 白人種.
백일【白日】명 白日. =대낮. ¶청천 ~ 青天白日/~하(下)에 드러나다 白日のもとにさらされる.
‖──-몽 명 白日夢; 白昼夢.
백일【百日】명 百日.
‖── 기도(祈禱) 명하자 百日参り; 百日もうで. ── 천하 명〔史〕百日天下. ──-해 명〔醫〕百日咳. ──-홍 명〔植〕百日紅; さるすべ(猿滑)り.
백자【白瓷·白磁】명 白磁. =백사기(白沙器).
‖── 청화(青華) 명 白磁に青色で絵を入れたもの.
백작【伯爵】명 伯爵. (준) 백(伯).
백장 명 [←백정(白丁)]〔史〕牛や豚などの屠殺をなりわいとしていた人.
백전 노장【百戰老將】명 百戦老将; 古つわもの.
백전 백승【百戰百勝】명 百戦百勝.
백절 불굴【百折不屈】, **백절 불요**【百折不撓】명하자 百折ふとう(不撓). ¶~의 정신 百折不撓の精神.
백정【白丁】명〔史〕→백장.
백-점토【白粘土】명 白い粘土《陶磁器の原料》.
백조【白鳥】명〔鳥〕白鳥·しらとり.
‖──-자리 명〔天〕白鳥座.
백종【百種】명 百種. ①百の種類. ②もろもろの種類.
백주【白晝】명 白昼; 真昼; 真っ昼間. ¶~의 강도 真昼の強盗. ──-에 부 やたらに; むやみに; わけもなく. (준) 백줴.
백중【百中·百衆】명〔佛〕↗백중날.
‖──-날 명 中元; うら盆の日《陰暦の七月十五日》. ──-맞이 명 うら盆; うら盆会.
백중【伯仲】명 伯仲. ¶양팀의 실력이 ~하여 격전이었다 両チームの実力が伯仲して激戦であった.
백지【白紙】명 ①白紙; しらかみ. ¶~ 한 장도 맞들면 낫다《俚》紙一枚でも相持ちすると軽い《易しいことでも協力すれば能率があがるとの意》. ②↗백지 상태. ¶~로 돌리다 白紙に返す.
‖── 동맹 명 白紙同盟. ── 상태 명 白紙の状態. (준) 백지. ── 우
장 명 白紙委任状. ──-장(張) ①白い紙の一枚一枚. ②ま
しろいもののたとえ.
백-지도【白地圖】명 白地図.
백차【白車】명 白ぬりの警察·憲
兵のパトロールカー.
백척 간두【百尺竿頭】명 百尺竿頭. ¶~에 서다 百尺竿頭に立つ. 간두(竿頭).
백천만-사【百千萬事】명 ありとあらゆる事.
백청【白淸】명 白く品質の上等
なはちみつ(蜂蜜).
백초【百草】명 あらゆる草.
백출【百出】명하자 百出. ¶이
〔의문〕~ 異論〔疑問〕百出.
백치【白痴·白癡】명 白痴; ちほ
(痴呆). ¶~미 白痴美.
백태【白苔】명 ①〔韓醫〕ぜったい(
苔). ②眼病の一種.
백태【百態】명 百態. ¶백인 ~
人百態.
백토【白土】명 白土.
백통【白─】명 白銅.
‖──-돈 명 白銅銭; 白銅貨.
백-파이프〔bagpipe〕명〔樂〕バッグパイプ.
백판【白板】㊀명 白い板きれ. ㊁명 부 どうしようもない状態; ぜんぜん可能性のない状態.
백팔【百八】명 百八. ①〔佛〕人間の煩悩の数. ②1年の12月と24気と72候をあわせていう語.
‖── 번뇌 명〔佛〕百八煩悩. ── 염주(念珠) 명 百八の数珠.
백 퍼센트【百─】〔percent〕명 百パーセント. ¶효과 ~ 効果百パーセント.
백-포도주【白葡萄酒】명 白葡萄酒.
백학【白鶴】명〔鳥〕☞ 두루미.
백합【白蛤】명〔貝〕かがみかい.
백합【百合】명〔植〕ゆり; 小百合〈雅〉; リリー.
‖──-화(花) 명 ゆりの花.
백해【百害】명 百害.
‖── 무익 명하형 百害無益. ¶~하다 百害あって一利なし.
백-핸드〔backhand〕명 バックハンド.
백행【百行】명 百行; あらゆる行ない. ¶효는 ~의 근본 孝は百行の本である.
백-혈구【白血球】명〔生〕白血球.
백혈-병【白血病】명〔醫〕白血病.
백형【伯兄】명 伯兄; 長兄. =맏형. 백씨(伯氏).
백호【白狐】명 白狐; しろぎつね.
백호-주의【白濠主義】명 白豪主義.
백화【白花】명 白い花.
백화【白話】명 白話.
‖──-문 명 白話文. ── 문학 명 白話文学. ── 소설 명 白話小説.
백화【百花】명 百花.
‖── 난만 명 百花らんまん(爛漫).
백화-점【百貨店】명 百貨店; デパート.
밴댕이 명〔魚〕さっぱ(鰳); つなし.
밴드〔band〕[1] 명 バンド; 帯.

드 〔band〕² 명 〔樂〕 バンド. ¶ ~맨 バンドマン / ~마스터 バンドマスター.
조 〔banjo〕 명 〔樂〕 バンジョー.
텀-급 【—級】 〔bantam〕 명 バンタム級.
명 ↗배알. ——-꼴리다 자 腹の虫がおさまらない; 腹にさわる.
런스 〔balance〕 명 バランス.
—— 오브 파워 명 バランスオブパワー.
류 〔value〕 명 バリュー. ¶ 네임 ~ ネームバリュー / 뉴스 ~ ニュースバリュー.
브 〔valve〕 명 バルブ.
명 〔動〕 [↗배암] 蛇. ¶ ~이 목을 쳐들다 蛇がかまくび(鎌首)をもたげる.
-딸기 명 〔植〕 へびいちご(蛇苺).
-띠 명 巳の年の生まれ.
-뱀이 명 しつけ. ¶ ~가 없다 ぶしつけだ; しつけがない.
-장어 【—長魚】 명 〔魚〕 うなぎ(鰻).
-해 명 《俗》 巳の年.
-새 명 〔鳥〕 たるまえなが. ¶ ~가 황새를 따라가면 다리가 찢어진다 《俚》 鵜の真似する鳥(水に溺れる).
‖——-눈 명 細く裂けた目. ——-눈-이 명 細く裂けた目の人.
뱃-가죽 명 《俗》 腹の皮. =뱃살.
뱃-고동 명 船の汽笛.
뱃-길 명 船路·船路; 波路〈雅〉; 海路·海路. ¶ 사흘 걸리는 ~ 三日の船路 / ~ 안내를 부탁하다 水先案内をたのむ.
뱃-노래 명 舟歌〔舟唄〕. ¶ 베니스의 ~ ベニスの舟歌.
뱃-놀이 명 船遊〔舟遊〕び; 遊船. ——-하다 자 船遊びをする.
뱃-놈 명 《卑》 船乗り.
뱃-덧 명 食もたれ. —— 나다 자 食もたれする.
뱃-머리 명 船首; みよし(舳); へさき(舳先). =이물. ¶ 남쪽으로 ~를 돌리다 南に舳先を向ける.
뱃-멀미 명하자 船酔い. ¶ 나는 ~를 잘한다 僕は船に弱い.
뱃-바닥 명 ① けものの腹の肉. ② 船底.
뱃-바람 명 船風.
뱃-사공 【—沙工】 명 船頭; 船方. 준 사공.
뱃-사람 명 船乗り; 船員; 船人〔舟人〕.
뱃-삯 명 船賃. ¶ ~을 내다 船賃を払う.
뱃-살 명 腹の筋肉; 腹筋. ¶ ~을 잡고 웃다 腹のすじをよ(縒)らして笑いこける.
뱃-속 명 ① 腹のなか. ¶ 한 ~ 同腹 / ~이 좋지 않다 腹ぐあいが悪い. ② 《俗》 心のなか; 腹. ¶ ~을 들여다보다 腹を読む / ~이 검다 腹が黒い / ~을 떠보다 腹を探る; 気を引いてみる. 준 속.
뱃-심 명 恥知らずのずぶとさ; 心臓〈俗〉. —— 좋다 형 ずうずうしい; 心臓が強い. ¶ ~ 좋게도 한푼 없이 카페에 들어갔다 心臓にも一文なしでカフェーに入っていった.
뱃-전 명 船端; 船べり(縁); 船側. ¶ ~이 서로 맞닿을 정도로 가까워지다 舷舷相摩す.
뱃-짐 명 船荷. ¶ ~을 싣다 船荷を積む / ~을 풀다〔부리다〕 船荷をあげる; 陸揚げする.
뱅 부 ① ひとまわりするさま: くるっと. ¶ ~ 한 바퀴 돌다 ぐるっと一まわりする. ② 急にめまい(目眩)がするさま: ぐらっと. ¶ 머리가 ~ 돈다 頭がぐらっとする. <빙. ㅆ뺑.
뱅그르르 부 小さいものが滑らかに回るさま: くるりと. <빙그르르. ㅆ뺑그르르. ¶ 한바퀴 ~ 돌다 くるりとひと回りする.
뱅글-뱅글 부 小さいものが滑らかに回り続けるさま: くるくる. <빙글빙글. ㅆ뺑글뺑글. ¶ ~ 돌며 떨어지다 くるくる回りながら落ちる / 팔랑개비가 ~ 돌다 風車がくるくる回る.
뱅뱅 부 小さいものがしきりに回るさま: くるくる. <빙빙. ㅆ뺑뺑. ㅆ팽팽.
뱅어 【—魚】 명 〔魚〕 しらうお(白魚).
‖——-포(脯) 명 しらす(白子)干し.
-뱅이 미 ある習慣·性質·からだ付きなどの持ち主をさげすす(蔑)んで言う語. ¶ 주정~ 酔いどれ / 게으름~ 怠け者.
뱅충-맞다 형 薄のろでおっちょこちょいだ. <빙충맞다.
뱅충-이 명 薄のろのおっちょこちょい. <빙충이.
뱅커 〔banker〕 명 バンカー.
뱅크 〔bank〕 명 バンク.
뱉다 타 ① 吐く. ¶ 침을 ~ つばを吐く / 하늘을 보고 침을 ~ 天に向かってつばを吐く. ② (不正に手に入れたものを)吐き出す.
뱉-듯이 부 相手をさげすむ態度で言うさま. ¶ ~ 말했다 吐き捨てるように言った.
버걱 부하자 かたくて大きい物がきし(軋)る音: きいっ. >바각. ㅆ뻐걱. ——-거리다 자타 しきりに軋る. ——— 부하자타 きいきい.
버겁다 형 ① 手に余る. ¶ 버거운 일 手に余る仕事. ② 手ごわい. ¶ 버거운 상대 手ごわい相手.
버그러-지다 자 外れて透き間ができる.
버그르르 부하자 ① 沸き立つさま: ふつふつ; ぐつぐつ. ② 泡立つさま: ぶくぶく. >바그르르.
버금 명 次. ——-가다 자 次ぐ. ¶ 사장에 버금가는 세력 社長に次ぐ勢力.
버꾸 명 農楽用の小鼓.
‖——-잡이 명 "버꾸"の鼓手.
버너 〔burner〕 명 バーナー. ¶ 가스 ~ ガスバーナー.
버둥-거리다 자타 しきりにもが(踠)く; じたばたする〈俗〉. >바동거리다.
버둥-버둥 부하자타 ばたばた; じたばた.
버둥-질 명하자 ↗발버둥질. ——-치다 자 足をもがく.
버드 〔bird〕 명 バード; 鳥.
버드-나무 명 〔植〕 ① こうらいやなぎ. ② 柳.

ㅂ

버드러-지다 자 ① 出張る. ② かたくなになる. ≒뻐드러지다.

버들 명〔植〕☞ 버드나무②. ¶ ~ 같은 허리 柳腰.
‖——강아지 명 ☞ 버들개지. ——개지 명 こうらいやなぎの実. 준 개지. ——고리 명 柳行李. ——잎 명 こうらいやなぎの葉.

버라이어티〔variety〕명 バラエティー.

버럭 부 いきなり腹を立てる〔いきりたつ〕さま：かっと. ＞바락. ——— 부 盛んに腹をたてる〔いきりたつ〕さま：かっかっと. ¶ ~ 화를 내다 向かっ腹をたてる.

버력¹ 명 神の罰；神罰. ——입다 자 神罰を被る.

버력² 명〔鑛〕(鉱山での)廃石；ぼた〈方〉.

버르장-머리 명《俗》癖；行儀；しつけ. =버릇. ——없다 형《俗》行儀が悪い. ——없이 부 行儀悪く.

버르적-거리다 자타 もが(踠)く；ばたつく〈俗〉；じたばたする. ＞바르작거리다. 버르적-버르적 부하자타 じたばた.

버르-집다 타 ①(すぼんだ物を)伸ばし広げる. ② 暴く. ③ 大袈裟に構える；誇張する.

버름-하다 형 ①透き間があいている. ②(仲が)疎い.

버릇 명 ①癖. ¶손톱을 깨무는 ~ つめをかむくせ/게으른 ~ なまけ癖/나쁜 ~을 고치다 悪い癖を矯める. ②行儀；作法；しつけ. ③凝り性. ¶술~ 酒癖. ——없다 형 ぶしつけ(不躾)だ；ふつつか(不束)だ；無作法だ. ¶버릇없는 놈 不行儀な奴；無遠慮な奴；不束者/버릇없는 행동 無作法なふるまい. ——없이 부 不躾に；無作法に. ¶외아들이라 ~ 자랐다 独り息子でわがままに育った.

버릇-하다 보동 動詞の語尾 "-아·-어·-여"の下に付いてある事が習慣になることを表わす語. ¶먹어 ~ 食べ慣れる/비행기를 타 버릇해서 아무렇지도 않다 飛行機に乗り付けているからなんともない.

버리다 一타 ①捨てる；放〔拋〕る. ¶아주 버릴 것도 아니다 まんざら捨てたものでもない/잡념을 버리고 열심히 공부해라 雑念を去って熱心に勉強しろや/헌 옷을 ~ 古着を捨てる. ②見捨てる；見離〔見放〕す；遺棄する. ¶부모에게 버림받은 아이 親に見捨てられた子供/친구를 버리고 (혼자) 달아나다 友を見捨てて逃げる. ③台無しにする；損なう. ¶과음하면 몸을 버린다 飲みすぎると体をこわす. 二보동 動詞の語尾 "-아·-어·-여"の下に付いて"…してしまう"の意を表わす語. ¶가 ~ 行ってしまう/믿어 ~ 信じ込む/잊어 ~ 忘れ去る/뽑아 ~ 抜きとる/죽어 버리자 死んでしまおう.

버무리다 타 まぜあわす；あ(和)える. ¶된장에 ~ みそで和える.

버석 부 枯れ葉を踏むときの音：ばさっと. ＞바삭. ——거리다 자 ばさつく；がさつく. ——— 부하 かさかさ；ばさばさ.

버선 명 ポソヌ《韓国固有の足袋
‖——발 명 足袋はだし(跣). ¶ ~ 도망치다 足袋跣でにげだす.

버섯 명〔植〕きのこ(茸〔菌〕). ¶ ~ 기 たけ狩り/송이~ まつたけ(松茸

버-성기다 형 ①すきまができている；すきがある. ②仲が疎くなる.

버스〔birth〕명 バース.
‖——데이 명 バースデー. ¶ ~ 케이크 バースデーケーキ.

버스〔bus〕명 バス. ¶시영 ~ 市営バス/~ 정류장 バス停/~편 バス便/~를 놓치다 バスに乗りおくれる/붐비는 ~ 속에서 비비대기쳤다 混んだバスでも(揉)まれた.

버스름-하다 형 すきまがある. 버스름히 부 すきまがあるさま.

버스트〔bust〕명 バスト.

버저〔buzzer〕명 ブザー.

버적-버적 부 ①乾いたものをつ(搗)き砕く音：ばりばり. ②乾いたものがもえる音：ぱちぱち. ③気をも(揉)むさま：じりじり；はらはら. ¶마음을 ~ 태우다 心をじりじりと焦がす. ＞바작바작.

버젓-하다 형 堂堂としている；れっきとしている；相当にいい. ¶버젓한 회사〔가문〕れっきとした会社〔家柄〕/버젓한 남편이 있는 여자 れっきとした夫のある女. 버젓-이 부 堂堂(と)；れっきと. ¶대낮에 ~ 도둑질을 하다 白昼堂堂と盗みを働く.

버진〔virgin〕명 バージン.

버짐 명 はたけ(疥). ¶~이 나다 はたけができる.

버찌 명 さくらんぼう；さくらんぼ. 준 벚.

버캐 명 液体の塩分のかす(滓).

버클〔buckle〕명 バックル.

버클륨〔berklium〕명〔化〕バークリウム《記号：Bk》.

버터〔butter〕명 バター. ¶ ~ 볼 バターボール/~ 나이프 バターナイフ.

버터플라이〔butterfly〕명 バタフライ.

버튼〔button〕명 ボタン. =단추.

버티다 자타 ①しんぼうする；堪える；持ち堪える. ¶탄압에 ~ 弾圧に堪える. ②対抗する；がんばる. ¶떡 버티고 서다 立ちはだかる/입구에 경관이 버티고 있다 入り口に警官ががんばっている/끝까지 ~ 最後までふんばる. ③支える；支えて安定させる. ¶버팀대로 ~ 心張り棒を支かう/오두막을 통나무로 ~ 小屋を丸太でつっぱる.

버팀-목【—木】명 つっかい(棒)；つっぱり；心張り(棒). ¶대문에 ~을 괴다 入口の戸に心張りをする.

벅적-거리다 자 群がる；大勢寄り集まる；うじゃうじゃする. 벅적-벅적 부하자 うようよ；ざわざわ.

벅차다 형 ①手に余る；手ごわい；手に負えない；手一杯である. ¶벅찬 일 手に余る仕事/일이 ~ 仕事が張る. ②あふれんばかりだ.

번【番】一명 ①順番に入れ代わること. ②順番に宿直すること. 二의명 ①順序·等級を表わす語

番ばん. ¶1～ 第一番だいいちばん. ② 回数を表わす語：度ど·たび；回かい；遍へん. ¶ ～ 一度いちど；一回いっかい / 여러 ～의 방문 度たび度たびの訪問ほうもん / 몇 ～인가 いく度たび / 몇 ～이고 幾遍いくへんも / 여러 ～ 들어 귀에 못이 박혔다 何度なんども聞きかされて耳みみにたこができた.

-갈다【番—】자 順番じゅんばんをかえる；交替〔交代〕こうたいする. ¶번갈아 가다 代かわる代がわる行いく.

-갈아【番—】부 交替〔交代〕こうたいに；代かわる代がわる；代かわり代がわり；かわり番ばんこに. ——-들다 자 ① 交替する. ② 宿直しゅくちょくの順番じゅんばんが入いれ替かわる. ——-들이다 사동 交替させる.

개 명 〔物〕 稲光いなびかり；稲妻いなずま〈雅〉；電光でんこう. ¶밤 하늘에 ～가 번쩍이다 夜空よぞらに稲妻がひらめく / ～가 잦으면 천둥을 한다《俚》稲妻が続つづくと雷かみなりが鳴なる《㉠ しきりに前触まえぶれがあれば結局けっきょく実現じつげんする. ㉡ 悪事あくじを重かさねると結局けっきょく酷ひどい目めにあう》. ——-같다 형 稲妻のようにはやい. ——-같이 부 稲妻のように.

번갯-불 명 稲光いなびかり；雷火らいか. ＝전광(電光). ¶～에 담배 붙인다, ～에 콩 볶아 먹겠다《俚》 稲光にたばこの火ひを付つける, 稲光に豆まめを炒いって食くう《動作どうさがきわめて素早すばやいことのたとえ》.

번거-롭다 형 ① 煩わずらわしい；厄介やっかいだ；複雑ふくざつだ；回まわりくどい. ¶번거로운 일 煩雑はんざつな事こと / 몹시 ～ 七面倒しちめんどうだ；七面倒臭くさい / 번거로우시겠지만 はばかりさまですが / 수속이 너무 ～ 手続てつづきがあまりにも複雑である / 번거로움을 끼쳤습니다 お手数てすうをかけました. ② 騒騒そうぞうしい；ごたごたしている. 번거-로이 부 煩わしく.

번-나다【番—】자 非番ひばんになる.

번뇌【煩惱】명하자 煩悩ぼんのう；濁にごり；塵労じんろう. ¶백팔 ～ 百八ひゃくはち煩悩 / 속세의 ～를 떨다 俗世間ぞくせけんの濁にごりを払はらう.

번데기 명〔蟲〕さなぎ(蛹). ㊅ 번데.

번드럽다 형 ① つやつやして滑なめらかだ. ② (人ひとが)抜ぬけ目めがない. ＞반드럽다.

번드레-하다 형 外見がいけんがつや(艶)やかだ. ㅆ뻔드레하다. ¶속은 텅 비어도 겉은 ～ 中味なかみは空からっぽだがうわべはりゅうとしている.

번드르르 부하형 つやつや；つるつる；てらてら. ＞반드르르. ㅆ뻔드르르.

번득 부하자타 ひらめくさま：ぴかっと；ぴかりと. ㅆ번뜩·뻔득.

번득-거리다 자타 ぴかぴかする〔させる〕. 번득-번득 부하자타 ぴかぴか.

번득-이다 자타 ひらめ(閃)かせる；閃く；光ひか(らせ)る；ぴかぴかする〔させる〕. ㅆ번뜩이다.

번들-거리다 자 ① つやつやする. ¶때에 결어 번들거리는 옷 あか光びかりのする服ふく / 대머리가 ～ はげ頭あたまがつるつるしている. ② 抜ぬけ目めなく振ふる舞まう. ＞반들거리다. ㅆ뻔들거리다. 번들-번들 부하형 てらてら；つるつる. ¶～한 대머리 つるつるのはげ頭あたま.

번-들다【番—】자 当番とうばんになる. ¶자네의 번들 차례이다 君きみの回まわり番ばんだ.

번듯-하다 형 まっすぐだ. ＞반듯하다. 번듯-이 부 まっすぐに. 번듯-번듯 부하형 すべてがまっすぐなさま.

번뜩-거리다 자타 ぴかっと光ひからす〔光ひかる〕. 번뜩-번뜩 부하자타 光ひか(らせ)るさま：ぴかぴか.

번뜩-이다 자타 光ひか(らせ)る；ひらめ(閃)かす〔く〕. ㅅ번득이다. ¶번뜩이는 문장 閃きのある文章ぶんしょう / 눈을 ～ 目めを光らせる / 재치가 ～ 才知さいちが閃く.

번뜻-하다 형 ☞ 번듯하다.

번롱【飜弄】명하타 ほんろう(翻弄).

번문 욕례【繁文縟禮】명 繁文はんぶんじょくれい(縟礼). ¶～를 폐지하다 繁文縟礼を廃はいする.

번민【煩悶】명 はんもん(煩悶)；悩なやみ；心こころの煩わずらい. ——-하다 자 煩悶する；悶もだえる. ¶사랑에 ～하다 恋こいに悶える / 밤낮으로 ～하다 日夜にちや煩悶する.

번번-이【番番—】부 毎度まいど；度たびごと(毎)に；いつも. ¶～ 지다 いつも負まける / 사고가 ～ 일어나다 事故じこが頻出ひんしゅつする / ～ 폐를 끼쳐 미안하다 毎度面倒めんどうをかけて済すまん.

번번-하다 형 ① 平たいらだ；なめらかだ. ② (顔付かおつきや外観がいかんが)立派りっぱにみえる. ¶외모는 ～ 見掛みかけは立派だ. ③ (身分みぶんが)相当そうとうである〔かなりだ〕. ¶번번한 집안의 자손이다 相当な家柄いえがらの子孫しそんである. ＞반반하다. 번번-히 부 ① なめらかに. ② きれいに；立派に.

번복【飜覆】명하타 くり返かえし変更へんこうすること.

번-서다【番—】자 当直とうちょくする；番ばんに入いる.

번성【蕃盛】명하자 ① 子孫しそんが繁栄はんえいすること. ② 繁茂はんも；草木くさきが生おい茂しげること.

번성【繁盛】명 繁盛〔繁昌〕はんじょう. ——-하다 자 繁盛する；盛さかんだ；はやる；にぎ(賑)わう. ¶장사가 ～하다 商売しょうばいが栄さかえる.

번수【番手】의명 番手ばんて；製糸せいしまたは紡績糸ぼうせきしの太ふとさを表あらわす単位たんい. ¶60 ～ 六十ろくじゅう番手.

번-수【番數】명 順番じゅんばんの数かず.

번식【繁殖】명하자 繁殖はんしょく. ‖——-기 명 繁殖期き. —— 기관 명 繁殖器官きかん. ——-력 명 繁殖力りょく. ——-률 명 繁殖率りつ.

번안【飜案】명하타 翻案ほんあん. ¶～ 소설 翻案小説しょうせつ / 희곡을 ～해서 상연하다 戯曲ぎきょくを翻案して上演じょうえんする.

번역【飜譯】명 翻訳ほんやく. ——-하다 타 翻訳する；訳やくする. ¶～ 소설 翻訳小説しょうせつ / 동시 ～ 同時どうじ翻訳 / 어색한〔딱딱한〕 ～ 生硬せいこうな翻訳 / 일본어를 영어로 ～하다 日本語にほんごを英語えいごに直なおす. ‖——-가 명 翻訳家か. ——-권 명 翻訳権けん. ——-극 명 翻訳劇げき. —— 기계 명 翻訳機械きかい. —— 문학 명 翻訳文学ぶんがく. ——-물 명 翻訳物もの.

번영【繁榮】명 繁栄はんえい；栄さかえ. ——-하다 자형 繁栄する；栄える. ¶기업의 ～ 企業きぎょうの繁栄 / ～을 가져오다 繁栄

ㅂ

をもたらす.

번의【飜意】 명하자 翻意. ¶ ～를 재촉하다 翻意をうながす.

번잡【煩雜】 명 煩雑(繁雑). ——하다 형 煩雑だ. ¶ 더욱 ～해지다 ますます繁雑になる / 허가를 얻는 데는 ～한 절차가 필요하다 許可を取るには煩わしい手続きを要する. ——스럽다 형 ☞ 번잡하다.

번지【番地】 명 番地; アドレス. ¶ 댁은 몇 ～입니까 お宅はなん番地ですか.

‖——수(數) 명 番地の号数. ¶ ～가 틀리다 とてつもない見当ちがいをすることのたとえ.

번지다 자 ① にじ(滲)む; 散る; 染〔滲〕みる. ¶ 잉크가 종이에 ～ インキが紙に染みる〔滲む〕/ 붕대에 피가 번져 있었다 ほうたいに血が滲んでいた. ② でんぱ(伝播)する; ひろまる. ¶ 산불은 삽시간에 번졌다 山火事は見る見る(うちに)広がった / 전염병이 온 동네에 ～ 伝染病が町中に広がる. ③ (小さい事が)拡大する.

번지르르 부하형 つやつや〔てかてか〕と脂ぎっているさま: つるつる; てらてら. >반지르르. ¶ ～하게 간판을 내다 麗麗しく看板を出す / ～하게 온갖 거짓말을 늘어놓다 麗麗とうそ八百を並べ立てる.

번질-거리다 자 ① つやつやする; つるつるする. ② こうかつ(狡猾)にふるまう; すばしこい. >반질거리다. ㅆ뻔질거리다. 번질-번질 부하자형 つやつや; てらてら; てかてか. ¶ 포마드로 ～한 머리 ポマードでてかてかした髪の毛.

번-째【番—】 의명 順番または回数を表わす語: …番目. ¶ 첫 ～ 一番目 / 나는 세 ～였다 わたしは第三番目であった.

번쩍[1] 부 ① 軽軽とすばやく持ち上げるさま: さっと. ② 物が軽軽と持ち上げられるさま: さっと. ————[1] 부 軽軽と.

번쩍[2] 부 ひらめくさま: ぴかりと; ぴかっと; ちらっと. >반짝[2]. ㅆ뻔쩍. ——하다 자타 ぴかりとする〔させる〕; ぴかっとする〔させる〕. ————[2] 부하자타 ぴかりぴかり; ぴかぴか; ぎらぎら.

번쩍거-리다, 번쩍-이다 자타 ぎらつく〔かせる〕; きらめく〔かせる〕; ひらめく〔かせる〕; ぴかぴかする〔させる〕. ¶ 번쩍거리는 옷차림으로 남의 눈을 끌다 きらめく服装で人目を引く / 가슴에 훈장을 번쩍이며 나타났다 胸に勲章をきらめかして現われた.

번-차례【番次例】 명 交代〔交替〕の順番.

번창【繁昌】 명 繁盛〔繁昌〕. ——하다 형 繁昌する《동사적》; 盛んだ; 栄える. ¶ 여기는 한때 ～했던 거리였다 ここは一頃栄えた町だった / ～하는 상점 はやる店 / 가게가 ～하다 店が繁盛する.

번철【燔鐵】 명 銑鉄製のなべぶたのような形のフライパン. ＝전철(煎鐵).

번트〔bunt〕 명〘野〙バント. ¶ (주자 ～로 보내다 バントで(ランナーを おくる.

번-하다 형 ① ほんのり(と)してい うす明るい. ② わかりきってい 見えすいている. ¶ 번한 거짓말을 다 白白しいうそ(嘘)をつく. ㅆ뻔 다. 번-히 부 わかりきっているさ 見えすいているさま.

번호【番號】 명하자 番号. ¶ 전화 電話番号.

‖——기(器) 명 ナンバリング; 自 動番号器. ——패(牌), ——표(명 番号札; 番号票.

번화【繁華】 명하형 繁華. ¶ ～한 리 繁華な町 / 매우 ～하다 賑賑し い. ‖——가 명 繁華街; 盛り場.

벋-가다 자 外れる; そ(逸)れる; 常 軌を逸する. ㅆ뻗가다. ¶ 요즘 젊 이는 벋가기가 쉽다 近頃の若者 横道へ逸れやすい.

벋-나가다 자 外側にはずれて出る; わき〔横道〕にそ(逸)れる.

벋-니 명 反っ歯; 出っ歯. ＝뻐 렁니.

벋다[1] 자 ① (枝やつるなどが)伸 る; 根が張る. ② (力や影響 が)及ぶ. ㅆ뻗다.

벋다[2] 형 (先が)反っている; 突 出ている. ¶ 이가 ～ 歯が反ってい る.

벋-대다 자 意地を張る; がんばる; 抵抗する; つっぱる. ㅆ뻗대다.

벋-디디다 타 ① しっかり踏む; 踏み 締める. ② (線外に)踏み出す. ㅆ뻗디디다.

벋-서다 자 踏ん張って立ち向か う; 対抗する; てむかう. ㅆ뻗서다.

벋정-다리 명 ① 屈伸のできない脚. ② 固くなって曲げることのできない もの. ㅆ뻗정다리.

벌[1] 명 原; 野原.

벌[2] ㊀명 (衣服や器物などの)そろ(揃)い. ¶ 한 ～로 된 옷 対の服. ㊁ 의명 (衣服や器物などの)揃いを かぞえる語: …着; …具. ¶ 양복 한 ～ 洋服一着 / 갑옷 세 ～ よろ い三具.

벌[3] 명〔蟲〕① はち(蜂). ¶ 여왕～ 女王蜂. ② ↗꿀벌.

벌【罰】 명 罰; ばち. ——하다 타 罰する. ¶ ～받아 마땅하다 罰せられて然るべきである.

벌거-벗기다 타 裸にする. >발가벗기다. ㅆ뻘거벗기다.

벌거-벗다 자 裸になる. >발가벗다. ㅆ뻘거벗다. ¶ 벌거벗고 환도 차기《俚》裸に軍刀《身不相応でぎこちないことのたとえ》.

벌거-숭이 명 裸; 裸ん坊. >발가숭이. ㅆ뻘거숭이.

‖——산(山) 명 はげ山. ＝민둥산.

벌건 관 すっかり・まったくの意. >발간. ㅆ뻘건. ¶ ～ 거짓말 真赤なうそ(嘘).

벌겋다 형 薄赤い.

벌게-지다 자 赤くなる. >발개지다. ㅆ뻘게지다. ¶ 창피하여 얼굴이 ～ はずかしくて顔が赤くなる.

벌과-금【罰科金】명 ☞ 벌금.

벌그데데-하다 형 いやらしく薄赤い; 赤味がかっている. >발그대대하다.

벌그스름-하다 형 やや赤い. >발그스름하다. 쁘빨그스름하다. 벌그스름-히 부 やや赤く.

벌금【罰金】명 罰金. ¶10만원 이하의 ~에 처하다 十万ウォン以下の罰金に処する.
‖——형 명〔法〕罰金刑.

벌긋-벌긋 부하형 赤い点がまだらについているさま. >발긋발긋.

벌꺽 부 ①急に力がでるさま: むくっと; かっと. ¶~ 화를 내다 かっと怒る. ②いきなりひっくり返るさま. >발깍. 쁘벌컥.

벌끈 부하자 すぐ怒るさま: かっと. >발끈. ——거리다 자 かっと腹を立てる. ———— 부하자 しきりにかっと激するさま: かっかと.

벌다¹ 자 透き間ができる; 間がひらく.

벌다² 타 ①もう(儲)ける; 稼ぐ. ¶마구 돈을 ~ じゃんじゃん金を儲ける / 한 밑천 ~ 一山当てる / 견실하게 ~ 地道に稼ぐ. ②悪事を働いて罰を自ら招く. ③利益を得る; 稼ぐ. ¶특급 열차를 공짜로 타고 찻삯을 ~ 特急をただ乗りして汽車賃を稼ぐ.

벌떡 부 いきなり立ち上がったり, 仰向けに倒れるさま: すっくと; がばと; どさっと; ばったりと. >발딱. ¶놀라서 ~ 일어나다 驚いて跳ね起きる; むっくと〔がばと〕起き上がる.

벌떡-거리다 자 ①力強く脈打つ. ②どうき(動悸)が打つ; どきどきする. ③がぶがぶ飲む. 벌떡-벌떡 부하자 どきどき; がぶがぶ.

벌 떼 명 はち(蜂)の群れ. =봉군(蜂群).

벌렁 부 にわかにあおむけに倒れるさま: ころり; ぱたっと; ぱたり.

벌렁-거리다 자 浮ついて動く. 벌렁-벌렁 부하자 ひょこひょこ.

벌레 명 虫. ¶~ 소리 虫の音 / 놈들 따위는 ~나 다를 바 없다 やつらのごときは虫けら同然だ.
‖——잡이 식물 명〔植〕食虫植物. ——충-변(蟲邊) 명 虫偏《蚊・蜂などの"虫"》.

벌룩-거리다 一자타 (ものが)開いたりすぼんだりする. また, そうさせる. 二자 なす事なくぶらつく. >발룩거리다. 벌룩-벌룩 부하자타 ぱくぱく; ぶらぶら.

벌름-거리다 자타 ものがゆるやかに大きく開いたりすぼんだりする. また, そうさせる. ¶코를 ~ 鼻をうごめかす; 鼻をひくひくさせる. 벌름-벌름 부하자타 開いたりすぼんだりするさま.

벌름-하다 형 ものがすぼまないでいくらか開いている. 벌름-히 부 すぼまずいくらか開いて.

벌리다¹ 자 もうかる. ¶벌리는 장사 もうかる商売.

벌리다² 타 ①開ける. ¶입을 ~ 口を開ける. ②ひらいて中身をとり出す. ¶귤껍질을 까서 ~ みかんの皮をむ(剝)く. ③(すぼんだものを)開く; 広げる. ¶양손을 ~ 両手を広げる. ＊벌이다.

벌린-춤 명 行き掛かり上やめられないこと. =기장지무(既張之舞). ¶~이니 물러설 수 없다 乗りかかった船だ.

벌림-새 명 多くの物事をならび立てているさま; 手配の状態.

벌목【伐木】명하자 伐木.

벌-받다【罰—】자 罰を受ける.

벌벌 부 ①ぶるぶる; びくびく; おどおど. ——하다 자 ぶるぶる〔びくびく; おどおど〕する. ¶무서워서 ~ 떨다 こわくてぶるぶる(と)ふるえる / 그는 해고당하지나 않을까 하고 ~ 떨고 있다 彼は首になりはしないかとびくびくしている. ②けちけち. ——하다 자 けちけちする. ¶돈에 ~ 떨다 金にけちけちする. ③地面を這うさま: ずるずる. ——하다 자 ずるずるは(這)う. >발발.

벌써 부 ①すでに; とうに. ¶범인의 잠자리는 ~ 비어 있었다 犯人の寝床はすでにもぬけの殻になっていた / ~ 돌아갔다 とうに帰った. ②早; もはや. ¶~ 아이가 둘이다 はや子供が二人である / ~ 눈치 채였다 早くも気取られた / ~ 10년의 세월이 흘렀다 もはや十年の歳月が流れた.

벌-쐬다 자 はちに刺される.

벌-쓰다【罰—】자 罰をうける; 罰せられる.

벌-씌우다【罰—】사동 罰をうけさせる.

벌어 들이다 자 (金などを)稼いでくる.

벌어 먹다 자 稼いで暮らす.

벌어-지다 자 ①すきまができる. ¶연인의 사이를 벌어지게 하다 恋人の仲を裂く / 옷자락이 벌어져 보기 흉하다 すそ(裾)がはだかって見苦しい. ②開く. ¶꽃봉오리가 ~ つぼみが開く. ③(体が肥えて)横に張る; ずんぐりする. ¶딱 벌어진 어깨 がっしりした肩 / 앞가슴이 ~ 胸がはだける.

벌이 명 もう(儲)け; 稼ぎ. ——하다 자 稼ぐ. ¶~가 되다 もうかる / ~하러 가다 稼ぎに行く / 부부가 함께 ~ 나가다 夫婦ともども働きに出る.
‖벌잇-줄 명 稼ぎぐち. =밥줄.

벌이다 타 ①仕事を始める; 着手する. ¶교섭〔협상〕을 ~ 渡りをつける / 일전을 ~ 一戦を交じえる / 퍼레이드를 ~ パレードをくりひろげる. ②店を開く; 張る. ¶생선 가게를 ~ 魚屋を開く. ③陳列する; 並べる.

벌이-줄 명 ①張り糸; 支え紐. ②たこ(凧)の糸目〔張り糸〕.

벌점【罰點】명 罰点.

벌족【閥族】명 閥族. =벌열(閥閱). ¶~ 정치 閥族政治.

벌주【罰酒】명 罰酒; 罰杯.

벌-주다【罰—】타 罰する; 罰を与

える.
벌-집 명 はち(蜂)の巣. ＝봉소(蜂巢). ¶～을 쑤신 것 같다 蜂の巣をつついたようだ／～을 건드렸다《俚》蜂の巣をいじ(弄)る《やぶをつついて蛇を出す》.
벌쭉-거리다 자타 開いたりすぼんだりする. また, そうさせる. **벌쭉-벌쭉** 부하자타 開いたりすぼんだりするさま.
벌창 명하자 はんらん(氾濫). ① 水があふれ出ること. ② 物がたくさん出まわって満ちあふれること.
벌채【伐採】명하타 伐採. ¶～ 작업 伐採作業.
벌초【伐草】명하자 お墓の雑草を刈りとること.
벌충 명 補充. ——하다 타 補充する；埋め合わせる. ¶결손을 ～하다 欠損を補充する.
벌칙【罰則】명 罰則；ペナルティー. ¶～을 만들다 罰則をつくる.
벌컥 부 ① 急に激するさま. ＞발칵. 쓰벌꺽. ¶점잖은 처지에 ～ 성을 내고 해서 남보기 꼴사납다 年がいもなくかっとなったりして様はない. ② 急にひっくりかえるさま.
벌-통【—桶】명 みつばち(蜜蜂)の巣箱.
벌판 명 野原；原. ＝원야(原野). ¶～에 피는 꽃 野辺に咲く花.
범 명〔動〕虎. ＝호랑이. ¶～ 굴에 들어가야 ～을 잡는다《俚》虎穴に入らずんば虎児を得ず／～도 제소리 하면 오고 사람도 제말 하면 온다《俚》うわさすれば影がさす／～ 없는 골에는 토끼가 스승이라《俚》虎なき里のこうもり／～에게 물려가도 정신을 차려라《俚》 虎に食われても気をしっかり持て《いかなる難儀にでくわしても気をしっかりと持てば切り抜けられるとのたとえ》／～에 날개《俚》虎に翼；鬼に金棒.
범-【汎】두 広く全体の意：汎；パン…. ¶～미(美) 汎アメリカ；パンアメリカ／～게르만주의 汎ゲルマン主義／～국민적 汎国民的／～아시아주의 汎アジア主義.
-범【犯】미 犯行·犯人の意：犯. ¶살해～ 殺害犯.
범골【凡骨】명 凡骨；凡人. ¶～이 할 바가 아니다 凡骨のするところでない.
범-나비 명〔蟲〕なみあげは. ＝호랑나비.
범-띠 명 とら(寅)の年の生まれ.
범람【氾濫】명하자 はんらん(氾濫). ① 水があふれ広がること. ¶큰 비로 하천이 ～했다 大雨で川が氾濫した. ② 望ましくないのが広がりはびこること. ¶외래어의 ～ 外来語の氾濫.
범례【凡例】명 凡例. ＝일러두기.
범류【凡類】명 平凡な人のたぐい.
범미【汎美】명 汎米.
‖——주의 명 汎米主義；パンアメリカニズム. —— 회의 명 汎米会議.
범백【凡百】명 ① 凡百；もろもろ. ¶～의 미혹 凡百の迷い. ② 常軌に副った言行.
범벅 명 ① かぼちゃを主として糊状に煮たごった煮. ② ごたまぜ. ¶～이 되다 ごった返しになる；入り乱れる／～이 되어 싸우다 入り乱れて戦う.
범법【犯法】명하자 触法；法を犯すこと. ¶～ 소년 触法少年.
범부【凡夫】명 凡夫. ¶우리들 ～서는 통 모르겠다 われわれ凡人には さっぱりわからない.
범사【凡事】명 ① すべてのこと. ② 平凡な事.
범상【凡常】명하형히부 凡常；尋常.
범색【犯色】명하자 みだりに性交すること.
범선【帆船】명 帆船.
범속【凡俗】명 凡俗. ——하다 형 俗っぽい. ¶～한 인물 凡俗な人／～한 인간에 끼다 凡俗の間に伍する.
범신-교【汎神教】명〔宗〕汎神教.
범신-론【汎神論】명〔哲〕汎神論.
범실【凡失】명〔野〕凡失.
범안【凡眼】명 凡眼.
범어【梵語】명 梵語. ＝산스크리트(Sanskrit).
범연【泛然】명부 ぞんざいな〔なげやりな〕こと. また, そのさま. ——하다 형 ぞんざい〔なげやり〕だ. ——히 부 ぞんざい〔なげやり〕に.
범용【凡庸】명 凡庸. ——하다 형 凡庸だ；平凡だ.
범위【範圍】명 範囲. ＝테두리. ¶세력 ～ 勢力範囲.
범의【犯意】명〔法〕犯意. ¶～가 없는 행위는 처벌하지 않는다 犯意なき行為は罰せず.
범인【凡人】명 凡人；俗骨.
범인【犯人】명 犯人；星. ＝범죄자. ¶～의 지문 犯人の指紋／～을 포박하다 犯人を捕縛する.
‖—— 은닉죄(隱匿罪) 명 犯人蔵匿罪. ㊜ 은닉죄.
범재【凡才】명 凡才. ¶일생을 ～로 마치다 一生凡才に終わる.
범접【犯接】명하자 接近して犯すこと.
범죄【犯罪】명 犯罪. ¶소년 ～를 방지하다 少年犯罪を防止する.
‖—— 과학 명 犯罪科学. —— 단체 명 犯罪団体. —— 소설 명 犯罪小説. —— 심리학 명 犯罪心理学. ——인 명 犯罪人. ¶～ 인도 犯罪人引き渡し. ——자 명 犯罪者. ＝범죄인. ——학 명 犯罪学.
범주【帆走】명하자 帆走.
범주【範疇】명 はんちゅう(範疇)；カテゴリー. ¶…의 ～에 들다 …の範疇にはいる.
범천【梵天】, **범천-왕**【梵天王】명〔佛〕梵天；梵天王.
범칙【犯則】명하자 犯則.
‖—— 물자 명 犯則物資.
범타【凡打】명하자〔野〕凡打.
범퇴【凡退】명하자〔野〕凡退. ¶삼자 ～ 三者凡退.
범퍼 (bumper) 명 バンパー.
범-하다【犯—】타 犯す. ¶죄를 ～ 罪を犯す／미스를 ～ ミスを犯す／치한이 여자를 ～ 痴漢が女性を犯す.

ㅂ

-해 명 とらどし(寅年)の俗称.
행【犯行】명하자 犯行. ¶~의 동 犯行の動機/~을 인정하다 犯行 認める.
【法】명 法. ① 法律. ¶~의 맹 法律の盲点/~을 어기다 法にそ く/~은 멀고 주먹은 가깝다《俚》法 は遠く拳は近い《理非をあきらか こする前に腕力に訴える》. ② おきてと道理. ¶그런 말을 하는 ~이 있는가 そんな口のきき方があ るか/혼자 살림은 돈이 드는 ~이다 独 り暮らしは金がかかるものだ. ③ 様式と方法. ¶표기~ 表記法/말하는 ~ 話し方.
계【法戒】명 法戒. =율법.
계【法界】명 ①〔佛〕法界. ② 仏教徒の社会. ③ ↗법조계(法曹界).
고【法鼓】명〔佛〕法鼓.
과【法科】명 法科. ¶~ 출신 法科出身.
‖── 대학 명 法科大学. ㊟ 법대.
법관【法官】명 裁判官; 司法官.
법규【法規】명 法規. ¶나라의 ~ 国の定め/~에 비추어 처벌하다 法規に照らして処罰する.
‖── 명령 명 法規命令.
법-규범【法規範】명 法律を構成する個個の規範.
법난【法難】명〔佛〕法難.
법당【法堂】명〔佛〕法堂; 仏堂.
법대【法大】명 ↗법과 대학.
법도【法度】명 法度. ¶~를 어기다 禁を破る.
법도【法道】명 ① 法律を守るべき道理. ② ☞ 불도(佛道).
법등【法燈】명〔佛〕法灯. ¶~을 밝히다 法灯を掲げる.
법랑【琺瑯】명 ① ほうろう(琺瑯). =에나멜. ② ☞ 파란.
‖──-유(釉) 명 琺瑯の上薬. ──-질 명 琺瑯質. ── 철기(鐵器) 명 琺瑯を引いた金属製の器.
법령【法令】명 法令. ㊟ 영(令). ¶~에 따라서 法令によって.
‖── 심사권 명 法令審査権.
법례【法例】명 法例. ¶~집 法例集.
법률【法律】명 法律. ¶~ 위반 法律違反/~은 만인에 평등하다 法律は人を論じない.
‖──-가 명 法律家. ── 고문 명 法律顧問. ── 문제 명 法律問題. ── 사무소 명 法律事務所. ──-안 명 法律案. ¶~ 거부권 法律案拒否権. ──-학 명 法律学. ── 행위 명 法律行為. ──-혼-주의 명 法律婚主義.
법리【法吏】명 司法関係の役人.
법리【法理】명 ① 法理; 法律の原理. ② 法律に内在する事理. ③ 法的な論理. ④〔佛〕仏法の道理.
‖──-학 명 法理学.
법망【法網】명 法網. ¶~을 뚫고 못된 짓을 하다 法網を潜って悪事を働く.

법명【法名】명〔佛〕法名.
법무【法務】명 法務; 司法関係の事務.
‖──-부(部) 명 法務部《法務省に当たる》. ──-사(士) 명 ① 軍法会議の裁判官. ② 司法書士. ── 행정 명 法務行政. ㊟ 법정(法政).
법문【法門】명〔佛〕法門.
법복【法服】명 ① 法服; 判事が法廷で着用する制服. ② 僧衣; 法衣.
법사【法事】명〔佛〕法事. =불사(佛事).
법사【法師】명〔佛〕法師.
법-사상【法思想】명 法思想.
법상【法相】명 ①〔佛〕法相. ② 法相; 法務大臣.
법서【法書】명 法書.
법석 명 わいわい〔がやがや〕と騒ぎ立てるさま. ──-하다 자 わいわい〔がやがや〕騒ぐ. ¶술 마시고 노래 부르고 게다가 춤까지 추기 시작하는 ~ 飲む, 歌う, さては踊り出す騒ぎ/~을 떨다 一騒ぎする. ──-거리다 자 わいわい〔がやがや〕さわぎたてる. ──── 부하자 しきりにさわぎたてるさま: わいわい; がやがや. ──-이다 자 ☞ 법석거리다.
법석【法席】명〔佛〕法座. =법연(法筵).
법술【法術】명 ① 方法と技術. ② 方士の方術.
‖──-사(士) 명 方術を行なう方士.
법식【法式】명 ① 法式. ¶예의 ~ 礼儀法式. ② 方式. ③〔佛〕法要.
법안【法案】명 法案. ¶~이 통과되다 法案が通る.
법어【法語】명 ①〔佛〕法語. ② フランス語.
법언【法言】명 法言.
법열【法悅】명 法悦; エクスタシー. =법락(法樂)·법희(法喜). ¶~에 잠기다 法悦にひたる.
법왕【法王】명 法王. ①〔佛〕釈迦如来. ②〔天主教〕ローマ教皇. =교황(教皇).
법외【法外】명 法外.
법요【法要】명〔佛〕法要.
법원【法院】명 裁判所. ¶하급 ~ 下級裁判所.
‖──-장(長) 명 裁判所長.
법의【法衣】명〔佛〕法衣; 僧衣. =법복(法服).
법-의학【法醫學】명 法医学. =법죄 의학.
법인【法人】명〔法〕法人. =무형인(無形人). ¶학교 ~ 学校法人/재단 ~ 財団法人.
‖──-세 명 法人税.
법-인격【法人格】명 法人格.
법적【法的】명관 法的. ¶~ 근거 法的根拠/~ 의무 法的義務.
법전【法典】명 法典.
법정【法廷】명 法廷. ¶~의 질서 法廷の秩序/~에서 싸우다 法廷で争う.
‖── 모욕죄 명 法廷侮辱罪. ──

투쟁 명 法廷闘争.
법정【法定】명하타 法定. ¶ ~ 득표수 法定得票数 / ~ 상속인 法定相続人.
‖── 가격 명 法定価格. ── 기간 명 法定期間. ── 대리 명 法定代理. ──-수 명 法定数. ── 의무 명 法定義務. ── 이율 명 法定利率. ── 이자(利子) 명 法定利息. ── 전염병 명 法定伝染病. ── 준비금 명 法定準備金. ──-형 명 法定刑. ── 화폐 명 法定貨幣; 法貨《준말》. ── 후견인 명 法定後見人.
법제【法制】명 法制.
‖──-사 명 法制史. ──-처 명 法制処《法律案·命令案などに関する事務をつかさどる中央機関の一つ》.
법조【法曹】명 法曹.
‖──-계 명 法曹界.
법주【法酒】명 法酒《固有の法式で醸造する慶州特産の酒》.
법-질서【法秩序】명 法秩序.
법-철학【法哲學】명 法哲学. ＝법률 철학.
법치【法治】명 法治.
‖── 국가 명 法治国. ──-주의 명 法治主義.
법칙【法則】명 法則. ¶ 만유 인력의 ~ 万有引力の法則.
법통【法統】명〔佛〕法統. ¶ ~을 잇다 法統を継ぐ.
법-하다 보형 語尾"-ㄹ·-을"の後に付いて推量の意を表わす語: …らしい; …(し)そうだ; あり得る. ¶ 그럴 법한 일이다 (さも)ありそうなことだ.
법학【法學】명 法学; 法律学.
‖── 개론 명 法学概論. ── 통론 명 法学通論. ──-사 명 法学士. ──-자 명 法学者.
법호【法號】명〔佛〕法号.
법화【法貨】명 法貨. ＝법정 통화.
법화-경【法華經】명〔佛〕[↗묘법 연화경(妙法蓮華經)] 法華経; 法華《준말》.
법화-종【法華宗】명 法華宗.
법회【法會】명〔佛〕法会.
벗 명 友; 友達; 友人. ¶ 경애하는 ~ 敬愛する友 / ~ 따라 강남 간다《俚》友づれで江南へ行く《友づれならどこでも行くとの意》.
벗-가다 자 ↗벗나가다.
벗겨-지다 자 ↗벗기어지다. ¶ 껍질이 ~ むくれる; 皮がむ(剝)ける / 한 꺼풀 ~ 一皮剝ける / 칠이 ~ 塗りがは(剝)げる.
벗기다 타 は(剝)ぐ. ①(身に着けたものを)脱がせる. ¶ 신〔옷〕을 ~ 靴〔服〕を脱がせる. ②(表皮などを)む(剝)く; 剝がす; へがす〈俗〉. ¶ 껍질을 ~ 皮を剝ぐ / 귤 껍질을 ~ みかん(蜜柑)の皮を剝く / 때를 ~ あか(垢)を落とす. ③(取り)外す; 開ける. ¶ 빗장을 ~ かんぬきを外す / 가면을 ~, 仮面を剝ぐ.
벗기어-지다 자 む(剝)ける; は(剝)げる; 脱げる; 剝がれる; 外れる. 준 벗겨지다.
벗-나가다 자 (規則·常道など(か)ら)逸れる〔逸する〕; (…から)外れる; 邪道に陥る. 준 벗가다.
벗다[1] 자 やぼなところが抜ける; あかぬ(垢抜)けする. ¶ 때가 벗은 여자 垢抜けした女 / 때가 벗어 미끈해지다 垢抜けて来る.
벗다[2] 타 ①(身に着けたものを)脱ぐ. ¶ 동복〔신발〕을 ~ 冬着〔靴〕を脱ぐ / 모자를 ~ 帽子を取る / 안경을 ~ 眼鏡を外す〔取る〕. ②(責任などを)免れる; 晴れる. ¶ 죄를 ~ 罪が晴れる / 오명을 ~ 晴れの身となる. ③(担った)荷を下ろす. ¶ 무거운 짐을 ~ 重荷を下ろす. ④(虫などが)皮を脱ぐ. ¶ 뱀이 허물을 ~ 蛇が皮を脱ぐ.
벗-삼다 타 友とする. ¶ 풍월을 ~ 風月を友とする.
벗어-나다 자타 ①(困難などを)切り抜ける; 逃れる; 免れる. ¶ 난관을 ~ 難関を切り抜ける〔越す〕/ 시험 지옥에서 ~ 試験地獄から免れる / 궁지를 ~ 窮地を脱する. ②脱する; 自由になる. ¶ 속박〔질곡〕에서 ~ 束縛〔桎梏〕から脱する. ③(人に)あいそをつかされる; 疎まれる. ¶ 상사 눈에 ~ 上役に嫌われる; 上役の不興を買う. ④(道理に)外れる; 逸れる; 逸する. ¶ 사리에 ~ 道理に外れる / 코스에서 ~ コースから外れる / 상식을 ~ 常識を外れている / 인륜에 ~ 人倫にもと(悖)る.
벗어-버리다 타 ①(身に着けたものを)脱ぎ捨てる. ¶ 장갑을 ~ 手袋を脱ぎ捨てる. ②(担っていた荷を)下ろす. ③免れる; あかしをたてる. ¶ 누명을 ~ 汚名をすすぐ; 晴れの身となる.
벗어-부치다 자타 勢いよく脱ぎすてる.
벗어-지다 자 ①(身に着けたものが)脱げる. ¶ 신이 좀처럼 벗어지지 않다 くつがなかなか脱げない. ②は(剝)げる; 剝がれる; 取れる; 外れる. ¶ 칠이 ~ 塗りが剝げる. ③(頭が)は(禿)げる. ¶ 벗어진 이마 禿げあがったひたい.
벗-하다 자 ①友とする. ¶ 책을 ~ 書物を友とする. ②(敬語を抜きで)気安く交わる.
벙글-거리다 자 にこにこする. ＞방글거리다. **벙글-벙글** 부하자 にこにこ.
벙긋 부 自然にほほえむさま: にっこり; にこっと. ＞방긋. ──-거리다 자 にこにこする. ──── 부하자 にこにこ.
벙벙-하다 형 あきれて物が言えない; ぼうぜん(呆然)としている.
벙어리[1] 명 口のきけない人; 唖者. ¶ ~ 냉가슴 앓듯《俚》唖者のもだえ苦しむが如し《独りで悩み苦しむの意》.
‖── 장갑(掌甲) 명 ふたまた手袋; ミトン.
벙어리[2] 명 (陶器製の)貯金箱.
벙커-시유【─油】〔bunker C〕명 バンカー重油.

꽃 명 桜花・桜; 桜.
-나무 명〖植〗山桜; 桜.
명 ①麻布・綿布・絹布などの布
地. ¶～를 짜다 機を織る. ②↗
베. 「する.
개 명 まくら(枕). ¶～를 베다 枕を
베갯-머리 명 枕許. 베갯밑-공
(公事) 명 寝床で妻が夫に望
みを願うこと. 베갯-잇 명 枕のカバ
ー; 枕当て.
고니아〔begonia〕명〖植〗ベゴニア.
끼다 타 書き写す; 複写する;
引き写す. ¶참고서를 그대로 베껴쓴
답안 参考書を引き写しにした
答案/보고 ～ 見取る.
니션 블라인드〔Venetian blind〕명
ベネチアンブラインド; ベネシャンブ
ラインド; 板すだれ.
니어〔veneer〕명 ベニヤ.
‖── 합판(合板) 명 ベニヤ板.
다¹ 타 まくら(枕)にする.
다² 타 ①切る《사람은 "斬る", 나무
는 "伐る", 천・종이・판자 따위는 "截る"
로도 씀》; 刈る. ¶벤 자리에서 피가
흐르다 切り口から血が流れる/비
스듬히〔엇〕～ なぞえに切る/베어 넘
기다 切り倒す/벼를〔풀을〕～ 稲
〔草〕を刈る/칼로 목을 ～ 太刀で首
をはねる/거치적거리는 나뭇가지를
베어버리다 邪魔な枝を切り払
う. ②首にする; 解雇する; ほう
り出す.
베-돌다 자 お高くとまる; 仲間は
ずれになる; (物事に熱意を示さ
ず)おいそれと飛び付かない. >배돌
베드〔bed〕명 ベッド. 「다.
‖──-룸 명 ベッドルーム. ── 신 명
ベッドシーン.
베란다〔이 veranda〕명 ベランダ.
베레〔프 béret〕명 ベレー; ベレー帽.
베릴륨〔beryllium〕명〖化〗ベリリウム
《記号: Be》. 「る.
베-물다 타 歯でかみ切る; 食い切
베스트〔best〕명 ベスト. ¶～를 다하다
ベストを尽くす.
‖── 드레서 명 ベストドレッサー.
── 멤버 명 ベストメンバー. ── 셀
러 명 ベストセラー. ── 텐 명 ベス
トテン.
베슬-거리다 자 続けざまに気乗り薄
な様子をする; まじめに取りかか
らない; ずるけて避ける. >배슬거리
베-실 명 麻糸. 「다.
베어-내다 타 切り取る; 刈り取る.
베어링〔bearing〕명 ベアリング.
베어-먹다 타 ①切り取って食べる;
かじる. ②擦り切らす. ㊟ 베먹다.
베어-버리다 타 切り取ってしまう;
刈ってしまう; 切り払う.
베-옷 명 麻布の服.
베이다 피동 切られる; 刈られる.
베이비〔baby〕명 ベビー.
‖── 골프 명 ベビーゴルフ. ──-복
명 ベビー服.
베이스〔base〕명 ベース. ¶임금 ～ 賃
金ベース/～를 올리다 ベースを上
げる/～를 밟다 ベースを踏む.
‖── 러너 명 ベースランナー. ──-
볼 명 ベースボール. ──-업 명 ベース
アップ. ── 캠프 명 ベースキャンプ.
베이스〔bass〕명〖樂〗ベース; バス. ¶
～를 넣다 ㉠低音で伴奏する. ㉡
口添えをする. 「북.
‖── 드럼 명〖樂〗バスドラム. =큰
베이지〔beige〕명 ベージュ; らくだ色
; ベージ.
베이컨〔bacon〕명 ベーコン.
베이클라이트〔bakelite〕명 ベークライ
ト. 「キングパウダー.
베이킹 파우더〔baking powder〕명 ベー
베일〔veil〕명 ベール. ¶～을 쓰다 ベー
ルをかぶる/～을 벗기다 ベールをは
ぐ. 「い《준말》.
베짱이 명〖蟲〗うまおいむし; うまお
베타〔그 β〕명〔beta〕ベータ.
‖── 붕괴 명〖物〗β崩壊. ──-선
명〖物〗ベータ線. 「プ.
베터 하프〔better half〕명 ベターハー
베테랑〔프 vétéran〕명 ベテラン.
베-틀 명 機; 織機.
베풀다 타 ①(宴会・席などを)設け
る; 張る; 催す. ¶잔치를〔주연을〕
～ 宴〔酒宴〕を張る/소연을 ～ 小酌
を催す. ②(恵みなどを)施す;
恵む; (政治を)敷く. ¶자비를
～ 慈悲を施す/선정을 ～ 善政
を敷く/빈민에게 쌀을 ～ 貧民
に米を恵む.
벡터〔vector〕명〖物〗ベクトル.
‖── 공간 명〖數〗ベクトル空間.
벤젠〔benzene〕명〖化〗ベンゼン; ベン
ゾール. =벤졸.
‖── 중독 명 ベンゼン中毒.
벤졸〔benzol〕명〖化〗ベンゾール; ベ
벤치〔bench〕명 ベンチ. 「ンゼン.
벨〔bell〕명 ベル. ¶비상 ～ 非常ベ
ル/요란한 ～ 소리 けたたましいベル
の音/～을 울리다 ベルを鳴らす/
～이 울리다 ベルが鳴る. 「ド.
벨벳〔velvet〕명 ベルベット; ビロー
벨트〔belt〕명 ベルト. ¶그린 ～ グリー
ンベルト.
‖── 컨베이어 명 ベルトコンベヤー.
벼 명 稲. ¶～ 이삭 稲穂/～베기
稲刈り/～를 쓿다 もみを擦る/
～가 익다 稲が実る.
벼-농사【一農事】명하자 稲作.
벼락 명 雷. ¶～이 떨어지다〔내리
다〕雷が落ちる《㉠異変が迫る. ㉡
お目玉をくう》. ──-맞다 자 ①雷
にうたれる. ②《俗》ばちが当たる.
──-치다 타 雷が落ちる.
‖── 감투 명 (資格のない者が)に
わかに得た高位の官職. ── 공
부(工夫) 명 (試験まえの)にわか勉
強; 一夜漬けの勉強; 泥縄
式勉強. ── 부자(富者) 명 成金;
にわか分限; 成り上がり. ¶～ 티
를 내다 成金風を吹かせる. ──-불
명 雷が落ちるときの稲光. ──
출세(出世) 명 成り上がり; 出来星
〈俗〉. ──-치기 명 せっぱつまって
のにわか仕事; 泥縄式の対応策.
벼랑 명 がけ(崖); 断崖; 絶壁. ¶
깎아 지른 듯한 ～ 切り立った崖.
‖──-길 명 桟道; 崖道.
벼루 명 すずり(硯).
‖벼룻-돌 명 硯石. 벼룻-집 명 硯

ㅂ

ㅂ

箱. ＝연갑(硯匣).

벼룩 명 〔蟲〕のみ. ¶ ～을 잡다 のみを取る / ～에 물리다 のみに食われる / ～의 간을 내어 먹는다《俚》餓鬼の物をびんずる《あさましいことのたとえ》.

‖── 시장(市場) 명 のみの市.

벼르다¹ 타 意気込む; (…しようと)決心する; もくろむ. ¶기회를 ～ 機会をねら(狙)う; そうが(爪牙)を研ぐ.

벼르다² 타 配分する; 分配する; 取り分ける. ¶몫대로 ～ 分け前通りに割る / 과일을 접시에 ～ 果物を皿に取り分ける.

벼리, 벼릿-줄 명 網の元綱.

벼리다 타 (古い刃物などを)焼きを入れて刃をたてる; 焼き直して研ぐ; 練〔錬〕ねる; 鍛える.

벼슬 명 官職; 官位. ──-하다 자 官職に就く. ──-살다 자 官職で暮らしをたてる.

‖──-길 명 仕官の道; 官途. ¶ ～에 오르다 官途につく. ──-살이 명 하자 役人生活. ──-아치 명 役人; 官吏.

벼-쭉정이 명 しいな(粃).

벼-훑이 명 稲扱き; さな〈俗〉.

벽【壁】 명 [↗바람벽] 壁. ¶ ～에 금이 가다 壁にひびがはいる / ～에 부딪치다 壁〔どん詰まり〕に突き当たる / 몸을 ～에 기대다 からだを壁に寄せかける.

벽【癖】 명 癖・へき. ¶도～ 盗癖 / 방랑～ 放浪癖.

벽개【劈開】 명 하자 へきかい(劈開). ¶ ～면 劈開面.

벽공【碧空】 명 碧空; あおぞら.

벽-난로【壁煖爐】 명 壁付き暖炉; シュミネ; チムニー. 준 벽로(壁爐).

벽-돌【甓─】 명 れんが(煉瓦). ¶ ～담 煉瓦塀 / 붉은 ～ 赤煉瓦 / ～집 煉瓦造りの家 / ～을 쌓아 올리다 煉瓦を畳みあげる.

‖──-공 명 煉瓦工; 煉瓦師. ──-장이 명《俗》煉瓦工.

벽두【劈頭】 명 へきとう(劈頭); 最初. ¶신년 ～ 新年早早.

벽력【霹靂】 명 へきれき(霹靂); 雷. ¶청천 ～ 青天霹靂. ──-같다 형 (声が)雷のようだ; 耳をつんざくばかりだ; (声が)とどろきわたるように大きい.

벽보【壁報】 명 하자 壁新聞; 張り札; 張り紙. ¶ ～를 내붙이다 張り紙を出す.

벽서【壁書】 명 하자 壁書; 壁書き.

벽설【僻說】 명 正当でない説.

벽성【僻姓】 명 ごく珍しい苗字.

벽-스위치【壁─】〔swich〕명 壁に取り付けたスイッチ.

벽-시계【壁時計】 명 柱時計; 掛け時計; 振り時計.

벽-신문【壁新聞】 명 壁新聞.

벽안【碧眼】 명 碧眼; 青い目.

벽-오동【碧梧桐】 명〔植〕あおぎり(青桐); へきご(碧梧).

벽옥【碧玉】 명〔鑛〕碧玉.

벽자【僻字】 명 あまり使わない字.

벽-장【壁欌】 명 はめ込みの押し
れ. ‖──-문(門) 명 はめ込み押し
れの戸.

벽장-코 명 ししばな(獅子鼻); 平
ったい鼻.

벽지【僻地】 명 僻地; 辺地. ¶
교육 僻地教育 / ～의 촌락 奥地
の村.

벽지【壁紙】 명 壁紙.

벽-지다【僻─】 형 ①へんぴ(辺鄙)だ
②人里離れてさびしい.

벽창-호【碧昌─】 명 ぼくねんじん(
念仁); わからず屋; いっこく者
唐変木.

벽처【僻處】 명 へんぴ(辺鄙)な所.

벽촌【僻村】 명 僻村; かたいなか.

벽토【壁土】 명 壁土. ¶ ～칠 壁
ぬり.

벽파【碧波】 명 青い波.

벽해【碧海】 명 へきかい(碧海); 青
海; 青海原.

‖── 상전(桑田) 명 ☞ 상전 벽해.

벽화【壁畫】 명 壁画.

변 명 隠語; 隠し言葉.

변【便】 명 ↗대변(大便).

변【邊】¹ 명 ①縁; へり; 端. ②〔數〕辺; 多角形の線分. ③辺; (碁で)盤面の四隅の細長い部分. ④漢字の偏.

변【邊】² 명 ↗변리(邊利).

변【變】 명 ①時ならぬ異変; 変事; 事故; 災い. ¶뜻하지 않은 ～을 당하다 とんだ目に合う / 이건 또 무슨 ～인가 これはまた何たる異変ぞ. ②大変なこと.

변격【變格】 명 変格; 変則.

변경【邊境】 명 辺境.

변경【變更】 명 変更. ──-하다 타 変更する; 変える; 改める; 直す; 変ずる. ¶ ～되다 変わる; 改まる / 명의 ～ 名義変更.

변경【邊境】 명 辺境.

변고【變故】 명 変事; 異変. ¶이번의 큰 ～ このたびの異変.

변광-성【變光星】 명〔天〕変光星. ¶맥동 ～ 脈動変光星.

변기【便器】 명 便器; おまる; おかわ. ¶ ～를 대다 便器を当てる.

변덕【變德】 명 스형 むら気; 移り気; 気まぐれ; 気変わり. >밴덕. ¶ ～을 부리다 気まぐれな〔むらのある〕言動をとる / ～스러운 날씨 気まぐれな天気 / ～스러운 사나이 むら気の〔な〕男 / ～이 죽 끓듯 하다《俚》げらげら笑いのどん腹立て.

‖──-꾸러기, ──-쟁이 명 むら気な人; 移り気な人; 気まぐれ者; 風来坊; 七面鳥〈俗〉.

변-돈【邊─】 명 利息金. ＝변문(邊文).

변동【變動】 명 하자타 変動. ¶시세～표 足取り表 / 경기 ～ 景気変動 / 사회의 일대 ～ 社会の地滑り的変動 / 물가 ～ 物価の変動 / 시세가 ～하다 相場が変わる.

변-두리【邊─】 명 ①場末; 町はずれ; 出外れ. ②(ある物の)縁; ふち; はし; アウトスカート.

변란【變亂】 명 変乱.

론【辯論】명하타 弁論; 論弁. ¶ 법정에서의 최종 ～ 法廷での最終弁論.
‖——가 명 弁論家.
리【辨理】명하타 弁理.
‖——사 명〔法〕弁理士.
리【邊利】명 金利; 利子. ㊟ 변(邊). ¶ ～가 비싸다 金利が高い.
말 명 隠語; 隠し言葉.
명【辨明】명하타 弁明; 言い訳. ¶ 구차한 ～ まずい言い分 / 그럴듯한 ～ もっともらしい言い訳 / 어설픈 ～ ぎごちない言い訳 / ～의 여지 없다 弁解の余地がない.
모【變貌】명하자 変貌; 面変わり; 変容. ¶ 근대 도시로 ～했다 近代都市に変貌した.
모-없다 형 ① 無遠慮に振舞う. ② ばか正直だ; 融通がきかない. 변모-없이 부 ① 無遠慮に. ② 愚直に.
방【邊方】명 ①ほとりの方面. ② 辺境.
변변치 않다, 변변치 못하다 형 ① 出来具合がぱっとしない. ②(身分·暮らし·能力などが)人に劣る; 引けを取る; ろくでない. ¶ 변변치 않은〔못한〕사람 ろくでない人. ③ つまらない; 粗末だ; 細やかだ. ¶ 변변치 않은 요리 細やかな料理 / 변변치 못한 옷 粗末な服 / 변변치 못했습니다 お粗末でした; 御草草様でした.
변변-하다 형 かなりよい. ① 成り具合〔出来映え〕がいい. ②(身分·暮らし·能力が)人に劣らない〔引けを取らない〕. ¶ 변변한 살림 しっかりした暮らし / 변변한 대접 十分なもてなし. ③ 物にきずがない. >밴밴하다. 변변-히 부 ろくろく; ろくに; ろくすっぽ〈俗〉. ¶ ～ 잠도 못 잤다 ろくろくねむれなかった / 영어도 ～ 못한다 英語もろくに話せない.
변복【變服】명하자 変装.
변비【便祕】명〔↗변비증〕便秘; 秘結; ふん(糞)詰まり〈俗〉. ¶ ～로 고생하다 便秘になやむ.
‖——증(症) 명 便秘症.
변사【辯士】명 弁士.
변사【變死】명하자 変死.
‖——자 명 変死者.
변사【變事】명 変事.
변상【辨償】명하타 ① 変済; 返済. ② 弁償; 賠償.
변색【變色】명하자타 変色.
변설【辯舌】명 弁舌. ¶ 명쾌한 ～로 弁舌さわやかに / 유명한 ～가 名だたる弁舌家.
변성【變成】명하자 変成; 形が変わってできること.
‖——암 명 変成岩. —— 작용 명 変成作用.
변성【變性】명하자타 変性.
‖—— 알코올 명 変性アルコール.
변성【變姓】명하자 姓〔苗字〕を変えること.
변성【變聲】명하자 変声. ① 声色を変えること. ② 声変わり. ¶ ～할 시기이다 声変わりする年ごろである.
‖——기 명〔生〕変声期.
변-성명【變姓名】명하자 姓名を変えること.
변소【便所】명 便所; はばかり; 手洗い; トイレ(ット). ¶ 수세식 ～ 用水便所 / 공동 ～ 共同〔公衆〕便所.
변속【變速】명하자타 変速. ¶ ～ 장치 変速装置.
변수【變數】명〔數〕変数.
변-스럽다【變—】형 変だ; おかしい. ¶ 그의 행동은 좀 ～ 彼の行動は少少へんてこである.
변-시체【變屍體】명 変死体.
변신【變身】명하자 変身.
변심【變心】명하자 変心; 心変わり; 心移り. ¶ 남자의 ～을 원망하다 男の変心を恨む.
변-쓰다 자 暗号〔合言葉〕で言う.
변압【變壓】명하자 変圧.
‖——기 명〔電〕変圧器; トランス.
변온 동물【變溫動物】명〔動〕変温動物; 冷血動物.
변용【變容】명하자 変容.
변위【變位】명〔物〕変位. ¶ ～ 전류 変位電流.
‖—— 기호 명〔樂〕変位記号.
변음【變音】명 変音.
변이【變移】명하자 変移.
변이【變異】명 変異. ¶ 그것은 희귀한 돌연 ～이다 それはまれ(稀)な突然変異である.
변장【變裝】명하자 変装. ¶ ～을 알아채다 変装を見破る.
‖——술 명 変装術.
변재【邊材】명 辺材.
변재【辯才】명 弁才; 口才.
변전【變轉】명하자 変転. ¶ ～ 무쌍하다 変転きわまりない.
변전-소【變電所】명 変電所.
변절【變節】명하자 変節. ¶ ～한〔자〕変節漢〔者〕.
‖——기 명 ☞ 환절기(換節期).
변제【辨濟】명하타 弁済; 返済.
변조【變造】명하타 変造; 作り替えること.
‖—— 화폐 명〔經〕変造貨幣.
변조【變調】명하자 変調. ¶ 주파수 ～ 周波数変調 / ～를 가져오다 変調をきたす.
‖——기 명〔物〕変調器. ——파 명〔物〕変調波.
변종【變種】명하자 変種. ¶ ～의 나팔꽃 種変わりのあさがお(朝顔).
변주【變奏】명하자타〔樂〕変奏.
‖——곡 명 変奏曲; バリエーション.
변죽【邊—】명 器物のふち. ——울리다 자 遠回しに言う; ほのめかす; 暗示する.
‖——울림 명 暗示; ほのめかし; 思わせ振り.
변증【辨證】명하타 弁証.
‖——법 명 弁証法. ¶ ～적 발전 弁証法的発展 / ～적 유물론 弁証法的唯物論; 唯物弁証法.
변질【變質】명하자 変質. ¶ ～미 腐化米 / 쌀이 묵어 ～하였다 米がふけ

ㅂ

た / 약품이 ~하다 薬品が変質する.
‖——-자 명 〘醫〙 変質者.
변천 【變遷】 명 変遷; 移り変わり; 推し移り. ——-하다 자 変遷する; 移り変わる; 推し移る. ¶시대의 ~ 時代の変遷; 時変.
변태 【變態】 명 変態.
‖—— 성욕 명 変態性欲. —— 심리 명 変態心理. —— 심리학 명 変態心理学; 異常心理学. ——-적 명 관 変態的; アブノーマル. ¶~인 사람 変態的な人.
변통 【便通】 명하자 便通; 通じ.
변통 【變通】 명 都合; 工面; やりくり. ——-하다 타 都合をつける; 都合する; やりくりする. ¶임시 ~의 답변 その場逃れの答弁 / 어떻게든 ~하다 何とか都合する / 돈을 ~하다 金を工面する / ~을 잘 하다 やりくりがうまい.
‖——-성 명 変通性; やりくり(算段).
변-하다 【變—】 ㊀자 変わる. ① 異なる状態になる; 変ずる; 変化する. ¶아주 변해 버린 모습 変わり果てた姿 / 변함없이 相変わらず / 목소리가〔마음이〕 ~ 声〔気〕が変わる. ② (年月が) 改まる. ¶시대가 ~ 時代が変わる. ㊁타 変える; 変ずる; 変化させる. ¶가락을 ~ 調子を変える / 얼굴빛을 ~ 顔色〔血相〕を変える.
변혁 【變革】 명하자타 変革. ¶제도를 ~하다 制度を変える.
변형 【變形】 명하자타 変形. ¶~자재 変形自在 / ~시프트 変形シフト.
변호 【辯護】 명하타 弁護. ¶피고를 ~하다 被告の弁護に立つ / …의 ~를 맡다 …の弁護を引き受ける.
‖——-사 명 弁護士. ¶사선 ~ 私選弁護士 / 엉터리 ~ 三百代言. ——-인 명 弁護人.
변화 【變化】 명 変化. ——-하다 자 変化する; 変わる; 変ずる. ¶심경의 ~ 心境の変化 / 유행의 ~가 심하다 はやりすたりが激しい.
‖——-구 명 変化球; チェンジオブペース. —— 무궁 명하형 変化無窮. —— 무상 명하형 変化無常. —— 불측(不測) 명하형 変化が多くて予測ができないこと.
변환 【變換】 명하자타 変換.
별 명 ① 星. ¶중천에 깜박이는 ~ 半天に瞬く星 / 밤하늘에 ~이 반짝이다 夜空に星が輝く / ~들의 전쟁 〔軍〕 スターウォーズ《SDIの俗称》. ② 星の形をしたもの. ③ 将官の星状の階級章.
별- 【別】 두 "보통과 다른(=普通とちがう)·별난(=変わっている)"などの意: 別…. ¶~문제 別問題 / ~이상이 없다 別状がない.
-별 【別】 미 別. ¶학교~ 学校別.
별갑 【鱉甲·鼈甲】 명 べっこう(鼈甲).
별개 【別個】 명 別個; 別物. ¶~의 문제 別個の問題 / 학문과 상식은 ~의 것이다 学問と常識は別物だ.
별거 【別居】 명하자 別居. ¶~ 생활 別居生活.
별-걱정 【別—】 명 いらぬ心配; り越し苦労.
별건 【別件】 명 別件; 別の件.
별-것 【別—】 명 ① とりたてて珍 いもの; たいしたもの. ¶~이 아 たいしたものではない; ろくなも ない / 그의 영어는 ~ 아니다 彼 語はたいしたものではない / ~은 어도 집에서의 식사가 제일 좋다 何 無くとも家での食事が最も い. ② 別のもの. 준 별거.
별고 【別故】 명 別条; 変わった と. ¶~ 없이 지내다 別条なく〔変 りなく〕過ごす / ~ 없이 건강하십 까 相変わらずお元気ですか.
별관 【別館】 명 別館.
별기 【別記】 명하타 別記.
별-꼴 【別—】 명 無様なようす. ¶ 의 모습은 정말 ~이었다 彼の様は んとに見ていられなかったよ.
별-꽃 명 〘植〙 はこべ.
별-나다 【別—】 형 変だ; 変わっ いる; へんてこだ〈俗〉. ¶별난 놈 へ てこなやつ / 별난 취미 下手物趣味 / 별난 소리를 하다 変な事をいう 맛이 ~ 味が変わっている.
별-나라 명 《兒》 星の世界.
별납 【別納】 명하타 別納. ¶요금 우편 料金別納郵便.
별-놈 【別—】 명 へんてこな〔変わ た〕やつ. =별난 놈.
별-다르다 【別—】 형 特に〔一風〕変 わっている; 並外れている. ¶별 른 생각도 없이 何の気もなしに.
별-달리 【別—】 부 別に; ほかに; とり立てて.
별당 【別堂】 명 離れ(家); 離れ座敷.
별도 【別途】 명 別途. ¶~의 해결책 別途の解決策 / ~ 명령을 기다려 라 別命を待て.
별-도리 【別道理】 명 別段の方法 〔手段〕. ¶~ 없다 術無い; 解決 策が無い.
별동-대 【別動隊】 명 別働隊〔別動隊〕.
별-똥 명 《俗》 いんせい(隕星).
‖——-별 명 《俗》 流星; 流れ星.
별-로 【別—】 부 別に; さほど; たいして; あまり. ¶~ 멀지 않다 たいして遠くない / ~ 달라진 일도 없다 格別変わったこともない / ~ 어렵지 않다 さほどむずかしくない / ~이렇다 할 이유도 없다 別にこれという理由もない.
별-말 【別—】 명하자 ① 意外な話; とんでもない話. =별소리. ② 特別な話.
별-말씀 【別—】 명하자 "별말"の丁寧語.
별명 【別名】 명 別名; 異名; あだ名; ニックネーム. ¶곰이라는 ~이었다 熊と言うニックネームであった.
별명 【別命】 명 別命. ¶~이 있을 때까지는 움직이지 마라 別命あるまでは動くな.
별-무늬 명 星模様.

-무신통【別無神通】명 別にこれといった効き目がないこと; 神妙なことがないこと.
-문제【別問題】명 別問題.
미【別味】명 格別うまい味. ——적다 형 風変わりだ; へんてこだ.
반【別般】 別段. 一명 特別. 三부 とりわけ; さして. ¶～ 달라진 것도 없다 別段変わった事もない / ～ 고생은 없다 さして苦労はない.
별【別別】관 いろいろな; ありとあらゆる(種類の). ¶～ 사람이 다 모였다 いろんな〔あらゆる〕人が皆集まった.
별-빛 명 星の光; 星明かり; 星影〈雅〉. ¶～이 밝은 밤 星明かりの夜 / 반짝이는 ～ またたく星の光.
별-사람【別—】명 へんてこな〔おかしい〕人.
별석【別席】명 別席. ¶～을 마련하다 別席を設ける.
별세【別世】명하자 死ぬこと.
별-세계【別世界】명 別世界; 別天地. ¶～의 인간 別世界の人間.
별-소리【別—】명하자 ☞ 별말①.
별-수【別數】명 ①格別によい運. ②特別の方法. ——없다 형 しかたない; せん方ない. ¶이제 와서 후회해야 ～ 今さら悔んでもせん方ない. ——없이 부 しかた〔せん方〕なく. ¶～ 참다 泣き寝入りする.
별-수단【別手段】명 これといった特別な手段〔方法〕.
별-스럽다【別—】형 おかしい; 変わっている; 変だ. ＝별나다. ¶별스럽게 새침떼다 乙にすます / 별스러운 사람이다 変わった人である.
별식【別食】명 (ふだんはありつけない)特別な食べ物.
별실【別室】명 ①めかけ(の家). ＝작은집. ②別室; 別間. ¶～에 안내하다 別室に通す; 別間に案内する.
별안-간【瞥眼間】부 突然; だしぬけに; にわかに; いきなり; ついと. ¶～ 일어서서 나갔다 いきなり立ち上がって出て行った / ～ 총소리가 울렸다 突然銃声がひびいた.
별의-별【別—別】관 ①非常に異なった; 特異な. ②(ありと)あらゆる; もろもろの. ¶～ 고생을 다했다 ありとあらゆる苦労をなめ尽くした.
별-일【別—】명 別事; 普通と変わった事; 変事; まれなこと. ¶～없이 지내다 別事なく過ごす / ～ 다 보겠다 変なこともあるものだね / 어지간히 꾸중을 들으리라 생각했으나 ～ 없었다 さぞしかられるものと思ったが, 何の事も無かった.
별장【別莊】명 別荘; 別邸. ¶산록의 ～ 山麓の別荘.
‖——-지기 명 別荘の管理人.
별전【別殿】명 別殿.
별정【別定】명 別に定めること.
‖—— 우체국 명 特定郵便局.
별종【別種】명 ①別種; ほかの種類. ②特別な贈り物. ③☞ 별짜②.
별주【別酒】명 ①特殊な秘法で醸した酒. ②☞ 이별주.
별지【別紙】명 別紙.
별-지장【別支障】명 これといった支障; これという差し支え. ¶～은 없습니다 これという差し支えはありません.
별짜【別—】명《俗》①異様なものや事件. ②へんてこな人; 風変わりな人. ＝별사람.
별차【別差】명 特別な差別または差異.
별-채【別—】명 離れ; 離れ座敷. ¶～에서 공부하였다 離れ座敷で勉強した.
별책【別冊】명 別冊. ¶～ 부록 別冊付録.
별-천지【別天地】명 別天地; 桃源. ＝별세계. ¶～에서 노닐다 別天地に遊ぶ.
별칭【別稱】명 別称.
별-표【—標】명 星標.
별표【別表】명 別表. ¶～ 참조 別表参照.
별항【別項】명 別項. ¶～에 게시하다 別項にかかげる.
별행【別行】명 別行.
별호【別號】명 ①別号. ＝호(號). ②別名; あだな.
별후【別後】명 別後; 別れた後.
볍-쌀 명 米穀の称.
볍-씨 명 たねもみ(種籾).
볏 명 とさか(鶏冠). ¶닭의 ～ 鶏のとさか.
볏-가리 명 いなむら(稲叢).
볏-단 명 稲束.
볏-모 명 稲の苗; 早苗; 苗.
볏-짚 명 稲わら. ＝고초(藁草). 준 짚.
병【丙】명 丙. ①十干の第三; ひのえ. ②物事の第三位; 甲·乙の次.
병【病】명 病·病. ①病気; 患い〈雅〉. ¶～이 나다 病にかかる / ～을 고치다 病を癒す / ～ 자랑은 하여라《俚》病は誉れ; かさ(瘡)としらみは隠すとふえる / ～ 주고 약 준다《俚》さすって褒める. ②よくないくせ; 故障; 欠点.
병【瓶】명 瓶. ¶맥주 ～ ビール瓶 / 꽃～ 花瓶 / ～에 넣어서 팔다 瓶詰めで売る.
병가【兵家】명 兵家.
‖—— 상사(常事) 명 勝敗は兵家の常である.
병가【病暇】명 病暇.
병-간호【病看護】명하타 看病. 준 병간(病看).
병결【病缺】명하자 病欠.
병고【病苦】명 病苦; 患い〈雅〉. ¶오랜 ～ 長の患い / ～를 견디어 내다 病苦に耐える.
병골【病骨】명 ひどく病弱な体.
병과【兵科】명〔軍〕兵科. ¶～ 장교 兵科の将校.
병과【併科】명하타〔法〕併科. ¶벌금과 과료를 ～한 경우 罰金と科料とを併科した場合.
병구【病軀】명 病軀; 病体. ¶

~에도 불구하고 病軀をおして.

병-구완【病—】명하타 [←병구원(病救援)] 看病; みと(看取)り; 介抱; 看護. ¶육친보다도 더 알뜰한 ~ 親身も及ばぬ看病 / 밤새워서 ~하다 夜通し看病する.

병권 【兵權】 명 [↗병마지권(兵馬之權)] 兵権. ¶~을 잡다〔쥐다〕 兵権を執る〔握る〕.

병균【病菌】명 病菌; ばいきん.

병근【病根】명 病根. ¶~을 없애다 病根を絶やす.

병기【兵器】명 兵器. ¶~고 兵器庫 / 원자 ~ 原子兵器.

병기【併記】명하타 併記.

병-나다【病—】자 ①病気になる. ¶과로해서 ~ (仕事との)無理で病気になる. ②故障が起こる.

병나발을 불다【瓶喇叭—】구 らっぱ飲みをする.

병-내다【病—】사동 ①病気になるようにする. ②故障を起こす.

병독【病毒】명 病毒. ¶~에 감염됐다 病毒に感染した / ~이 전염하다 病毒が移る.

병동【病棟】명 病棟; 病舎. ¶격리 ~ 隔離病棟.

병-들다【病—】자 病む; 病気にかかる. ¶병든 마음 むしば(蝕)める心 / 병든 어머니를 위로하다 病める母をいたわる.

병란【兵亂】명 兵乱. =병변(兵變). ¶~의 거리로 화하다 兵乱のちまた(巷)と化す.

병략【兵略】명 兵略; 戦略. =군략(軍略).

병량【兵糧】명 兵糧; 軍糧.

병력【兵力】명 兵力. ¶~ 증강 兵力増強 / 적의 잔존 ~ 敵の残存兵力.

병력【病歷】명 病歴. ¶환자의 ~을 묻다 患者の病歴を聞く.

병렬【並列】명하자타 並列.

‖── 회로 명〔電〕並列回路.

병리【病理】명 病理.

‖── 생리학 명〔醫〕病理生理学. =병태 생리학. ──-학 명〔醫〕病理学. ── 해부학 명〔醫〕病理解剖学.

병립【並立】명 並立. ──-하다 자 並立する; 並び立つ.

병마【兵馬】명 兵馬. ¶10년을 ~ 속에서 지내다 十年を兵馬の間に過ごす.

병마【病魔】명 病魔. ¶~에 걸리다 病魔にとりつかれる.

병-마개【瓶—】명 びんの栓; びんの詰め; 王冠. ¶~를 뽑다 栓を抜く.

병명【病名】명 病名.

병-목【瓶—】명 びんの首.

병몰 【病沒】 명하자 病没. =병사(病死). ¶그가 ~한 지 삼 년이 되었다 彼が病没してから三年になる.

병무【兵務】명 兵務.

‖── 소집(召集) 명〔軍〕現役を終えた者の召集. ──-청(廳) 명〔法〕 兵務行政をうけもつ中央行政機関の一つ.

병반【病斑】명 病斑; 病気による斑点.

병발【並發】명하자 併発. ¶감기로부터 폐렴이 ~되다 かぜから肺炎を併発する.

병법【兵法】명 兵法. ¶손자 ~ 孫子の兵法 / ~의 대가 兵法の大家.

병벽【病癖】명 病癖; 病的な癖. ¶거짓말을 하는 것이 그의 ~이다 うそを言うのが彼の病癖だ.

병부【病父】명 病父.

병부【病夫】명 病夫.

병부【病婦】명 病婦.

병비【兵備】명 兵備; 軍備.

병사【兵士】명 兵士; 兵. ¶전의가 드높은 ~들 戦意みなぎる兵士 / ~에게 고함 兵に告ぐ.

병사【兵舍】명 兵舎. =병영(兵營).

병사【兵事】명 兵事. ¶~계 兵事係.

병사【病死】명하자 病死; 病没. ¶동생이 ~한 지 오 년이 되었다 弟が病没してから五年になる.

병살【併殺】명하타〔野〕併殺; 重殺; ダブルプレー; ゲッツー.

병상【病床】명 病床. ¶~에 눕다 病床に伏す / ~의 어버이를 시중들다 病床の親に仕える.

‖── 일지 명 病床日誌.

병상【病狀】명 病状; 病態. ¶~이 악화되다 病状が悪化する.

병색【病色】명 病者の気色〔顔色〕.

병서【兵書】명 兵書.

병석【病席】명 病席; 病床.

병선【兵船】명 兵船.

병설【並設·併設】명하타 併設. ¶~ 중학교 併設中学校.

병세【兵勢】명 兵勢; 軍勢.

병세 【病勢】 명 病勢; 容体〔容態〕. ¶~의 악화 病勢の悪化.

병소【病巢】명〔醫〕病巣. ¶~의 절제 病巣の切除.

병-술【瓶—】명 瓶詰めの酒.

‖──-집 명 瓶詰めの酒を売る店.

병-시중【病—】명하자 病人の介添え.

병신【病身】명 ①身障者; 不具(者). ②知力や才能が遅れている人. ¶이 ~ 같은 놈 このろくでなしめ / ~ 육갑한다《俚》愚かな人が柄にないことをすることをひにくる語. ③病める人〔身〕. ④傷のある物や本来の用をなさない物.

‖── 구실 명하자 とんまな仕業.

병실【病室】명 病室.

병아리 명 ひな(雛); ひよこ; ひなどり(雛鳥). ¶닭이 ~를 까다 鶏がひよこ(雛)をかえ(孵)す.

병약【病弱】명하형 病弱. ¶~한 몸을 채찍질하다 病弱の体に鞭打つ.

병어 명〔魚〕まながつお.

병역【兵役】명 兵役. ¶~에 복무하다 兵役に服する.

‖── 기피 명 兵役忌避. ── 면제 명 兵役免除. ── 의무 명 兵役義務.

병영【兵營】명 兵営; 軍営. =병사(兵舍). ¶~ 생활 兵営生活.

…용【並用·併用】명하타 併用. ¶주…와 내복약을 ~하다 注射と飲み…すを併用する.

…원【兵員】명 兵員; 兵士の数. …~을 늘리다 兵員をふやす.

…원【病院】명 病院. ¶~의 접수 …病院の受付.

——선 명 病院船.

…원【病原·病源】명 病原. =병근…病根).

——균 명〔醫〕病源菌. ——체 명…醫〕病原体.

…인【病因】명 病因. ¶~을 규명…하다 病因を究める.

…자【病者】명 病者; 病人. =…환자. ¶~를 위로하다 病人を慰め…る.

…장【兵長】명〔軍〕兵長《下士の…下, 上兵の上》.

…적【兵籍】명 兵籍.

——부 명 兵籍簿.

…적【病的】명관 病的. ¶~ 성격 …病的性格 / ~으로 좋아하다 病的に…好む.

…정【兵丁】명 兵; 兵隊. ¶~을 모집하다 兵を募る.

‖——놀이 명 兵隊ごっこ. ¶~를 하다 兵隊ごっこをする.

…제【兵制】명 兵制. =군제(軍制). ¶~를 정비하다 兵制を整える.

병-조림【瓶—】명 瓶詰め.

병존【並存】명하자 併存.

병졸【兵卒】명 兵卒; 軍卒. =군사(軍士).

병종【丙種】명 丙種.

병종【兵種】명〔軍〕兵種.

병-주머니【病—】명 多病な人.

병-줄【病—】명 長の患い. ¶~을 놓다 長い病気から快復する.

병중【病中】명 病中.

병증【病症】명 病症. ¶~이 바뀌다 病症が変わる.

병진【並進】명하자 並進〔併進〕.

‖—— 운동 명〔物〕並進運動.

병-집【病—】명 病; よくない癖; 欠点. 준 병(病).

병참【兵站】명〔軍〕へいたん(兵站). ¶~ 기지 兵站基地.

‖——로 명〔軍〕兵站路. ——선 명 兵站線.

병창【並唱】명하타 共に歌うこと. ＊산조(散調).

병처【病妻】명 病妻.

병충-해【病蟲害】명 病虫害. ¶농작물이 ~를 입다 作物が病虫害にやられる.

병치【併置】명하타 併置〔並置〕.

병칭【並稱】명하타 併称〔並称〕.

병탄【併呑】명하타 へいどん(併呑).

병태【病態】명 病態; 病状. ¶~ 생리학 病態生理学.

병폐【病弊】명 病弊.

병풍【屛風】명 びょうぶ(屛風); 屛障. ¶머릿 ~ 枕屛風 / ~을 치다 屛風を立てる / ~에 그린 닭이 홰를 치거든《俚》烏の頭の白くなるまで; 馬の角の生えるまで.

병학【兵學】명 兵学. =군학(軍學).

병합【併合】명하타 併合. =합병.

병해【病害】명〔農〕病害. ¶~가 적어서 풍작이 기대된다 病害が少ないので豊作が期待される.

병행【並行】명하자타 並行. ¶양안을 모두 ~해서 구체화하자 両案とも並行して具体化しよう.

병화【兵火】명 兵火; 戦火. ¶~를 면하다 兵火を免れる.

병화【兵禍】명 兵禍; 戦禍.

병환【病患】명 患い; 目上の病気の敬称. ¶불치의 ~ 不治の患い.

병후【病後】명 病後; 病み上がり. ¶~의 보양 病後の保養 / ~에 무리하지 마라 病み上がりに無理をするなよ.

볕 명 [↗햇볕] 日差し; 日; 照り. ¶~에 타다 日に焼ける / ~이 들다 日がさす / 여름 ~은 따갑다 夏の照りは強い.

볕-들다 자 日が射す.

보【保】명 ① 保証. ¶~를 서다 請けに立つ. ② 保証人.

보【洑】명〔農〕① せき(堰); いせき; 井手. ¶~를 쌓다 せきを築く. ② ↗봇물.

보【補】명하타 補; 役職を与えること.

보【褓】명 ① ふろしき. ② じゃんけんの紙.

보【步】의명 歩. ① 尺度の単位: 歩《曲尺で六尺》. ② 歩数で距離を決める語: 歩. ¶오십~ 五十歩.

-보 미 ある語の下に付いてそれを好む人, またはその程度が甚だしい人を言う語. ¶떡~ もち(餅)を特に好む人 / 울~ 泣き虫.

-보【補】미 補《役職·職責の補佐官の意》. ¶차관~ 次官補.

보각【補角】명〔數〕補角.

보감【寶鑑】명 宝鑑. ¶가정 ~ 家庭宝鑑.

보강【補強】명하타 補強. ¶팀을 ~하다 チームを補強する.

‖——제 명 補強剤. =보강약(藥).

보건【保健】명하자 保健.

‖——림 명 保健林. —— 사회부 명 保健社会部《保健·社会行政を担当する中央行政機関の一つ》. ——소 명 保健所. —— 체조 명 保健体操. —— 행정 명 保健行政.

보검【寶劍】명 宝剣; 宝刀. ¶조상 전래의 ~ 先祖伝来の宝剣.

보결【補缺】명하타 補欠. ¶~ 선수 補欠選手.

‖——생(生) 명 補欠で選ばれた学生. —— 시험 명 補欠試験.

보고【報告】명하타 報告; レポート. ¶경과 ~ 経過報告 / 일방적인 ~를 하다 片手落ちの報告をする.

‖——서 명 報告書. ——자 명 報告者; レポーター; リポーター.

보고【寶庫】명 宝庫. ¶지식의 ~ 知識の宝庫.

보고 조 "더러"の意の副詞格助詞: …に. ¶나~ 하라고요 わたしにやれというのですか / 누구~ 하는 말이요

だれに言う話ですか.

보관【保管】 명 保管；預かり. ——하다 타 保管する；預かる. ¶～인〔자〕預かり人〔主〕/ 귀중품을 ～하다 貴重品を預かる.
‖——-료 명 保管料. ——-증 명 保管証. —— 창고 명 保管倉庫.

보관【寶冠】 명 宝冠. ¶황금빛 찬란한 ～ 金色さんらん(燦爛)たる宝冠.

보국【報國】 명하자 報国.

보국 안민【輔國安民】 명하자 国を助け民を安らかにすること.

보궐【補闕】 명하타 補欠.
‖—— 선거 명 補欠選挙. 준 보선(補選).

보균【保菌】 명하자 保菌.
‖——-자 명 保菌者.

보그르르 부 水が盛んに沸きあがるさま. また, その音：ぐらぐら；ぶくぶく. <부그르르. ——-하다 자 ぐらぐらする；ぶくぶくする.

보글-거리다 자 (水が)ぐらぐら沸く；(泡が)ぶくぶく立つ. <부글거리다. 보글-보글 부하자 ぐらぐら；ぶくぶく.

보금-자리 명 ①ねぐら；巣. ¶～에 돌아가다 ねぐらに帰る/～를 치다 ねぐらを作ってその中に入る. ②安息の場所. ¶사랑의 ～ 愛の巣.

보급【普及】 명 普及. ——-하다 타 普及する；広める. ¶컴퓨터를 ～하다 コンピューターを普及する/학문을 널리 ～시키다 学問を広める.
‖——-판 명 普及版.

보급【補給】 명하타 補給. ¶영양 ～ 栄養の補給/무기의 ～ 武器の補給.
‖—— 기지 명 補給基地. ——-로 명 補給路. ¶～가 끊기다 補給路を絶たれる. ——-선 명 補給船. ——-소 명 補給所. ——-품 명 補給品.

보기 명 ↗본보기. ¶～를 들다 例を挙げる.

보깨다 자 (消化不良で)苦しむ；もたれる.

보나-마나 부하형 見えすいているさま：見るまでもなく；おおよそ；大方.

보내기 번트〔bunt〕명〘野〙送りバント.

보내다 타 送る. ①物を一定の所まで届ける. ¶짐을 ～ 荷を送る/답장을 ～ 返事を差し出す. ②惜しみながら別れる；見送る. ¶친구를 ～ 友を送る/봄을 ～ 春を送る. ③時を過ごす. ¶평온하게 여생을 ～ 平穏に余生を送る/하루하루를 탄식으로 ～ 日日を嘆き暮らす. ④(人に物を)あげる；贈る. ¶축하 선물을 ～ 祝いの品を贈る. ⑤(人を)遣わす. ¶심부름 ～ 使いに出す/사절을 ～ 使節を遣わす/간첩을 ～ スパイを差し回す. ⑥(合図を)送る. ¶신호를 ～ 信号を送る/뜨거운 성원을 ～ 熱い声援を送る/추파를 ～ 色目をつかう. ⑦提供する. ¶전기를 ～ 電気を供給する.

보너스〔bonus〕명 ボーナス；賞与

보다¹ 타 ①見る. ㉠(視覚を通 て)知る. ¶칩떠 ～ 上目で見る/ 는 것과 듣는 것은 다르다 見ると聞 とは別である/영화 보러 가다 映 を見に行く. ㉡(感覚で)とら る. また, それについて判断·評 する. ¶맛을 ～ 味を見る/형편 ～ 都合を見る. ㉢世話をする. 아이를 ～ 子守をする/집을 ～ 留 番をする. ㉣取り扱う；行 う. ¶사무를 ～ 事務を取〔執〕る/ 계를 보고 있습니다 会計を見てい す. ㉤占いをする；占う. ¶운수 ～ 運勢を見る/손금을 ～ 手相 見る. ㉥向かう. ¶거울을 ～ 鏡 見る；鏡に向かう/하늘을 보고 침 뱉다 天に向かってつばを吐く. (得る；…する. ¶장사해서 손해 ～ 商 売で損する/득을 본 것은 저 녀 뿐이다 得したのはあいつだけである ③(試験を)受ける. ④買い物を する. ¶아침 일찍이 장보러 가다 朝 早く市場へ買い物に行く. ⑤値 を踏む；値踏みする. ¶반 값도 안 ～ 半値も踏まない〔つけない〕. ⑥ 大小便をする. ¶뒤를 ～ 用便 をする. ⑦被る. ¶따끔한 맛을 보 게 하다 痛い目に合わせる. ⑧(忍 んで)待ってみる. ¶어디 두고 보자 今に見ろ. ⑨(婿·嫁などを)得 る. ¶손자를 빨리 보고 싶은 걸 孫を 早く得たいものだ/사위를 ～ 婿を 取る/아들을 ～ 子ができる. ⑩ぜ ん(膳)立てをする. ¶아침상을 ～ 朝 の膳立てをする. ——-못해 부 見兼 ねて；見るにしのびず. ¶～ 충고하였다 見兼ねて忠告してやった.

보다² 보동 動詞の語尾"-어·-아"などの次に置かれて試しにやってみる意を表わす語：…みる. ¶먹어 ～ 食べてみる/가 ～ 行ってみる.

보다³ 보형 形容詞·動詞の語尾"-ㄴ가·-ㄹ까·-을까"などの次に置かれて推測や漠然とした意志を表わす語. ¶비가 오는가 ～ 雨が降るようだ/차라리 그만둘까 ～ いっそのことやめておこうかしら.

보다⁴ 一조 比較するときに使われる副詞格助詞：…より. ¶그～ 못하다 彼より〔に〕劣る/소문～ 낫다 聞きしに勝る. 二부 より；もっと；いっそう. ¶～ 나은 생활 よりよい暮らし.

보답【報答】 명 報い；恩返し；つぐない. ——-하다 자 報いる；報ずる；こたえる. ¶～받지 못한 일생 報われぬ一生/노고에 ～하다 労苦に報いる/은혜에 ～하다 御恩に報ずる.

보도【步道】 명 歩道；人道. ¶횡단 ～ 横断歩道.

보도【報道】 명 報道. ——-하다 타 報道する；報ずる. ¶～ 가치 報道価値/현지로부터의 ～에 의하면 現地からの報道によれば/믿을 만한 ～ 信ずべき報道.
‖—— 관제 명하자 報道管制. —— 기관 명 報道機関. ——-진 명 報道

…도【輔導】명하타 補導. ¶직업 ~ …業補導 / ~부 補導部.
…도【寶刀】명 宝刀; 宝剣. ¶전…의 ~ 伝家の宝刀.
…도독 부하자 ←보드득.
…동-보동 부 ふっくら; むっちり. <…둥부둥. ——-하다 형 ふっくらとしている; ふくよかだ. ¶~한 귀여운 처… ぽちゃぽちゃ(と)したかわいらしい娘 / ~한 살갗 ふくよかな肌.
…드득 부 ①きりきり. ②びりびり; びちびち《液状に近い大便を出すときの音》. <부드득. →보도독. ——-거리다 자타 きりきりする; びりびりする. ———— 부하자타 きりきり; びりびり.
…드랍다 형 ①やわらかい; なよやかだ. ¶보드라운 가죽 やわらかい皮. ②(気立てが)やさしい; しなやかだ. <부드럽다.
…드레-하다 형 とてもやわらかそうに見える.
보들보들-하다 형 なめらかだ; やわらかだ; しなやかだ. ¶보들보들한 옷감 なめらかな生地 / 보들보들한 손 しなやかな手.
보디 〔body〕 명 ボディー.
‖——-가드 명 ボディーガード. —— 마사지 명 ボディーマッサージ. —— 블로 명 ボディーブロー. ——-빌딩 명 ボディービルディング; ボディービル《준말》.
보-따리【褓—】명 包み; くるみ.
‖——-장수 명 (ふろしき包みの)担ぎ行商; 振り売り.
보라 명 [↗보랏빛] 紫.
‖보랏-빛 명 紫色; 紫. ㊟ 보라.
보라-매 명〖鳥〗かえして一年足らずの狩用のわかたか(若鷹).
보람 명 やりがい; 利き目; 効. ¶산 ~을 느끼다 生きがいを感ずる / 진력한 ~도 없이 尽力のかいもなく / 꾸짖은 ~이 있었다 しかった利き目があった / 약석의 ~없이 薬石の効なく / 충고해 준 ~도 없었다 忠告してやったしるしもなかった / 애쓴 ~이 있어서 骨折ったかいあって / ~이 뵈다 ある物事の利き目が見え始める. ——-차다 형 やりがいがある; 張合いがある. ¶~찬 일 やりがいの〔張合いの〕ある仕事.
보령【寶齡】명 宝齢; 宝算.
보로통-하다 형 ①は(腫)れている; ふくらんでいる. ②ふきげんだ; ご機嫌斜めである; ぷんと〔むっと〕している; ふくれている. <부루퉁하다. 보로통-히 부 ぷんと; むっと; ふきげんに.
보료 명 分厚く詰め物を入れて作った常用のしきもの.
보루【堡壘】명 堡塁; とりで.
보류【保留】명 保留; お預け; リザーブ. ——-하다 타 保留する; 手控える; リザーブする. ¶발표를 ~하다 発表を保留する / 사원의 승급 계획을 당분간 ~하다 社員の昇給計画をさしあたり棚上げにする / 결혼은 당분간 ~한다 結婚は当分お預けにする / 이 경기는 판정을 ~한다 この勝負は預かりにする / 채용을 ~한다 採用を見送る(差し控える).
보르도 〔프 Bordeaux〕 명 ボルドー《葡萄酒の一種》.
보르-반【—盤】명〔도 Bohrbank〕 ボールバン《"ボール盤"은 취음》; 穿孔機.
보름 명 ①15日間. ②↗보름날. ③↗대보름날.
‖——-날 명 陰暦の15日; 望の日〈雅〉. =망일(望日). ——-달 명 望月; 望〈雅〉; 満月. ¶~이 떴다 十五夜の月が出た.
보리 명〖植〗麦; 大麦. ¶뾰족뾰족 뻗어 나온 ~ 이삭 つんつん伸びた麦の穂 / ~씨를 뿌리다 むぎまき(麦蒔)をする / ~를 타작하다 麦を打つ.
‖——-논 명 麦畑. —— 농사(農事) 명 麦作. —— 누룩 명 麦こうじ. ——-밟기 명하자 麦踏み. ——-밥 명 麦飯. ¶~에는 고추장이 제격이라《俚》 麦飯にはとうがらしのみそ(味噌)が柄に合う《何事にも分相応にするのがよいとのたとえ》. ——-새우 명〔動〕 ぬかえび; あみ. ——-술 명 麦で醸した酒. ——-쌀 명 精麦; 精白した麦. ——-차(茶) 명 麦茶; 麦湯. —— 타작(打作) 명 ①麦落し; 麦打ち. ②《俗》むちでうんと殴られること. ——-피리 명 麦笛. 보릿-가루 명 麦粉. 보릿-가을 명 麦秋. 보릿-고개 명 春の端境期. =맥령(麥嶺). 보릿-자루 명 麦を入れた袋. 보릿-짚 명 麦わら; ストロー. 보릿짚 모자(帽子) 명 麦わら帽子. =밀짚 모자.
보리【菩提】명〔佛〕菩提.
‖——-문 명 菩提門; 仏道. ——-수 명 菩提樹. ——-심 명 菩提心.
보리 바둑 명 でたらめにうつ碁; まずい碁.
보-막이【洑—】명하자 せき(堰)を築くこと.
보매 부 見たところ; 外見; 一見. ¶~ 탐탁지 않다 一見香しくない.
보링 〔boring〕 명 ボーリング.
‖—— 머신 명 ボーリングマシン.
보모【保姆】명 保母; 保育園·養護施設·幼稚園などで児童の保育を受け持つ女性.
보무【步武】명 歩武; 足どり.
‖—— 당당 명하형 歩武堂堂.
보무라지 명 (紙·布などの)端切れ〔屑〕. ㊟ 보물.
보물【寶物】명 宝; 宝物; 宝財. ¶~선 宝船 / 둘도 없는 ~ 無二の宝 / 당나라에서 건너 온 ~ 唐から渡来した宝物 / ~을 가지고도 썩이다 宝の持ち腐れをする.
‖—— 찾기 명 宝捜〔宝探〕し.
보배 명 [←보패(寶貝)] 貴重品; 財宝. ¶어린이는 나라의 ~다 子供は国の宝である. ——-롭다 형 極めて貴重だ. ——-로이 부 極めて大切に.
보병【步兵】명 歩兵. ¶~ 중대 歩兵

ㅂ

中隊.
보복【報復】명 報復；仕返し；返報；しっぺ返し. ——-하다 타 報復する；仕返しをする；返報する；しっぺ返しをする. ¶ ~ 수단 報復手段 / 남편에 대한 ~으로 가출을 하다 夫へのつらあてに家出をする / 상대방의 야유에 즉각 ~하다 相手のやじに直ぐしっぺ返しをする.
‖—— 관세 명 報復関税.
보부-상【褓負商】명 担ぎ行商とせおい商い. =부보상(負褓商).
보비【補肥】명 補肥；追肥.
보빈〔bobbin〕명 ボビン. =북¹.
보삭-보삭 부하형 肌がやや腫れたさま：ぶよぶよ. <부석부석.
보살【菩薩】명 ①〔佛〕ぼさつ(菩薩)；上士. =보리 살타(菩提薩陀). ¶ 지장 ~ 地蔵菩薩. ②〔佛〕年寄りの信女をたかめて言う語. ③ 高僧の尊称. ④ "점쟁이(=うらない師)"の別称.
‖——-계 명〔佛〕菩薩戒. ——-도 명〔佛〕菩薩道.
보-살피다 타 世話する；見る；めんどうを見る；あとを見る；後見する；見守る. ¶ 노약자를 보살펴주었다 老弱をいたわってやった / 환자를 ~ 病人をみる / 노인을 ~ 年寄りを見る / 잘 ~ ねんごろにめんどうを見る.
보상【報償】명하타 報償；損害をつぐなうこと. ¶ ~금 報償金 / 손실을 ~하다 損失をつぐなう.
보상【補償】명하타 補償；償い. ¶ 형사 ~ 刑事補償 / ~ 없는 사랑 無償の愛.
‖—— 가격(價格) 명 補償金額.
보상【褓商】명 担商.
보색【補色】명 ① 補色；余色. ②〔心〕一つの色の消極的残像として現われる色.
보석【保釋】명하타 保釈.
‖——-금 명 保釈金. —— 보증금 명 保釈保証金. ——-원 명 保釈願い.
보석【寶石】명 宝石；宝玉；玉；たま. ¶ ~이 박힌 목걸이 宝玉のはいった首輪 / 반지에 ~을 박다 指輪に宝石を入れる.
‖—— 반지 명 宝石の指輪. ——-상 명 宝石商.
보선【保線】명하자 保線.
‖——-공 명 保線工. —— 작업 명 保線作業.
보선【補選】명하타 ① 補選. ② ↗보궐 선거(補闕選擧).
보세【保稅】명 保税.
‖—— 가공 명 保税加工. —— 공장 명 保税工場. —— 수입 명 保税輸入. —— 창고 명 保税倉庫. —— 화물 명 保税貨物.
보송-보송 부하형 ① 乾ききって水気のないさま：かさかさ；ばさばさ. ¶ 말라서 ~하다 乾いてかさかさする. ② やわらかくなめらかなさま.
보수【步數】명 步数.
‖——-계(計) 명〔物〕步数計；測步器.
보수【保手】명 ☞ 보증 수표.
보수【保守】명 保守.
‖——-당 명 保守党. ——-적 명관 守的. —— 정당 명 保守政党. —— 주의 명 保守主義.
보수【補修】명하타 補修.
‖—— 교육(教育) 명 ある技術や 問を補う教育.
보수【報酬】명 報酬；報い；お れ；返礼；ペイ. ¶ ~를 일당으로 다 報酬を日割りでもらう / (남 ~의 일부를 떼어먹다 人の報酬をピ はねする.
보스〔boss〕명 ボス；親分；ドン 親方；かしら.
‖—— 정치 명 ボス政治.
보스락-거리다 자타 かさつく；ばさ く；ばさばさする. <부스럭거리다.
보스락-보스락 부하자타 かさかさ； さばさ.
보슬-보슬 부 雨・雪などが静かに るさま：しとしと；しょぼしょぼ さらさら. <부슬부슬.
보슬-비 명 小雨；霧雨；ぬか雨.
보습 명 すき(鋤)さき；すきのへら. ¶ 경운기의 ~ 耕運機のつめ(爪).
보습【補習】명하타 補習.
‖—— 교육 명 補習教育.
보시【布施】명하타〔佛〕布施；施行. =포시(布施)・단시(檀施).
‖보싯-돈 명 布施(金).
보시기 명 漬物などを盛るせともの の小さい鉢〔器〕. 준 보.
보신【保身】명하자 保身.
‖——-용 명 保身用. ——지-책(之策), ——-책 명 保身の策.
보신【報身】명〔佛〕報身.
보신【補身】명하자 強壮剤を服用してからだを強健にすること.
보-쌈【褓—】명 不意に誰かにさらわれること.
‖—— 김치 명 塩漬けにした白菜にいろいろな薬味を入れて白菜の葉で包んだキムチ.
보아〔boa〕명〔動〕ボア. =왕뱀.
보아란-듯이 부 これ見よがしに；自慢たっぷりに；誇らしげに.
보아-주다 타 ① 世話する；やっかいを見る；面倒を見てやる. ¶ 집을 ~ 留守番をする. ② 大目に見てやる；(まずい事などを)ないしょにしてやる；見逃してやる；目をつぶる.
보아-하니 부 見た所；察するに；見かけによると. ¶ ~ 돈푼이나 있겠군 見た所懐もあたたかいらしい.
보아-한들 부 見たところ；見なくとも. ¶ ~ 어차피 네가 이길 것 같지도 않다 見なくともどっちみち君が勝てそうでもない.
보안【保安】명하타 保安. ¶ ~ 조치 保安処置.
‖—— 경찰 명 保安警察；治安警察. ——-관 명 保安官. ——-등(燈) 명 路地などにつけてある電灯. ——-림 명 保安林. =보존림(保存林). ——-법(法) 명 ☞ 국가 보안법.
보았자 구 語尾"-아・-어・-여"の下に付いて "…してみても仕方がない"の意を表わす語. ¶ 아무리 충고

～ 한 귀로 듣고 한 귀로 흘린다 いら忠告したって右から左へ筒抜けだ.

약【補藥】 명 強壮剤.

양【保養】 명 保養；養生；休養. ——-하다 타 保養する；養なう；養生する.

—— 도시 명 保養都市. ——-지 명 保養地.

양【補陽】 명하자 薬または食べ物で男の精力を補うこと.

얗다 형 かすんでいる；うすぼんやりしている；ぼやけている. ＜부옇다.

얘-지다 자 かすむ；ぼやける；もやがかかる.

어【補語】 명〔言〕 補語；補足語. =보충어.

옥【寶玉】 명 宝玉. ¶장중(掌中)의 ～ 掌中の玉；とらの子.

온【保溫】 명하자 保温.

‖——-병 명 魔法瓶. ——-재(材) 명 保温材；断熱材.

보완【補完】 명 補完；補い足すこと. ——-하다 타 補完する；補う.

보우【保佑】 명하자타 (天·神が)加護してたすけること.

보위【保衛】 명하타 保衛.

보위【寶位】 명 王位；ほうそ(宝祚).

보유【保有】 명하타 保有. ¶～미 保有米.

보유【補遺】 명하타 補遺；もらしたものを補うこと. また, そのもの.

보유스름-하다 형 薄白い；乳色がかっている；かすんでいる. ＜부유스름하다.

보육【保育】 명하타 保育.

‖——-과 명 保育科. ——-원(院) 명 養護施設(구칭 : 고아원(=孤児院)).

보은【報恩】 명 報恩；恩返し. ——-하다 자 恩返しをする.

보이다 ㊀자 見える； 目にとまる〔つく〕；…らしい. ¶유부녀처럼 보이는 여자 人妻らしい女 / 산이 ～ 山が見える / 눈이 보이지 않다 目が見えなくなる / 간혹 ～ 時たま目につく / 도드라져 ～ 浮き出して見える. ㊟ 뵈다. ㊁타 見せる；示す；呈する. ¶보여 드려라 お目に掛けなさい/ 뛰어난 솜씨를 ～ さえた腕前を見せる / 모범을 ～ 模範を示す / 꼭 해 보이겠다 きっとやって〔やりとげて〕見せる / 의사에게 ～ 医者にかける. ㊟ 뵈다.

보이콧〔boycott〕 명 ボイコット.

보일락-말락 부 目に見えたり消えたりするさま：ちらちら. ——-하다 자 見え隠れする；ちらちらする；ちらつく.

보일러〔boiler〕 명 ボイラー；汽缶.

보-일보【步一步】 부 步一步；一歩ずつ；少しずつ. ¶～ 전진하다 歩一歩前進する.

보임【補任】 명하타 補任. ¶과장에 ～하다 課長に補任する.

보자기【褓—】 명 ふろしき. =보자. ¶옷가지를 ～에 싸다 衣類をふろしきに包む / ～를 펴다 ふろしきを広げる.

보잘것-없다 형 ①見る値打ちがない；見るにたりない；つまらない. ¶보잘것 없는 책이다 つまらない本である. ②けち臭い；しがない；細やかだ；つまらない. ¶보잘것 없는 사내 けち臭い男 / 보잘것 없는 작가 三文文士 / 보잘것 없는 것입니다만 ほんの形だけですが. ③醜い；みっともない；まずい. ¶됨됨이가 ～ 出来具合がなっていない / 인물이 ～ 顔がまずい. 보잘것-없이 부 ①つまらないさま. ②けち臭く. ③みっともないさま.

보장【保障】 명하타 保障. ¶사회 ～ 社会保障 / 생활 ～ 生活保障.

‖——-국 명 保障国. —— 조약 명 保障条約.

보전【保全】 명 保全. ——-하다 타 保全する；保つ；持する. ¶국토의 ～ 国土の保全 / 원형이 ～되어 있지 않다 原形をとどめていない / 몸을 ～하다 身を保つ.

‖—— 소송 명〔法〕保全訴訟. —— 처분 명하타〔法〕保全処分.

보전【補塡】 명하타 ほてん(補塡). =전보(塡補).

보전【寶典】 명 ①貴重な法典. ②宝典. ¶육아 ～ 育児宝典.

보정【補正】 명하타 補正.

‖—— 예산 명 補正予算.

보정【補整】 명하타 補整.

보조【步調】 명 步調；足並み；歩み；足. ¶～를 빨리하다 歩調を早める / ～를 맞추다 足並み〔歩み〕をそろえる / ～가 흐트러지다 足が乱れる.

보조【補助】 명하타 補助.

‖——-금 명 補助金. —— 기관 명 補助機関. —— 단위 명 補助単位. —— 동사 명〔言〕補助動詞. =조동사(助動詞). ——-비 명 補助費. ——-원 명 補助員. —— 형용사 명〔言〕補助形容詞.

보조개 명 えくぼ(笑窪). =볼우물. ¶한쪽 ～ 片えくぼ / 웃으면 ～가 생긴다 笑うとえくぼが出来る.

보족【補足】 명하타 補足.

보존【保存】 명 保存. ——-하다 타 保存する；もちこたえる. ¶～이 안 되다 保存がきかない / 영구히 ～하다 永久に持たせる.

‖—— 등기(登記) 명〔法〕保存登記. ——-림(林) 명 保安林. —— 수역 명 保存水域. —— 행위 명 保存行為. —— 혈액 명 保存血.

보좌【輔佐】 명하타 補佐.

‖——-관 명 補佐官. ——-인 명 補佐人.

보좌【寶座】 명 ①玉座；王位. ②〔佛〕 宝座；蓮座；仏座. ③〔基〕天主の御座.

보증【保證】 명 ①保証；請け合い. ——-하다 타 保証する；請け合う；保する；大鼓判を押す. ¶신원 ～ 身元保証 / 신원을 ～하다 身元を引き受ける / 안전은 ～하기 어렵다 安全は保しがたい. ②担保. *보(保). ——-서다 자 請けに立つ. ㊟ 보(保)서다.

‖——-금 명 保証金. ¶부동산 임대 ～

敷金; しき《준말》. ——-서 명 保証書. —— 수표(手票) 명 保証小切手. ㊟보수(保手). ——-인 명 保証人; 証人. —— 채무 명 保証債務. —— 책임 명 保証責任.

보지 명 女陰; 陰門.

보지【保持】 명하타 保持. =보유(保有). ¶기록을 ~하다 記録を保持する.

보직【補職】 명하타 補職.

보짱 명 肝っ玉; 肝玉; 胆力; きもだましい. ¶~이 크다 腹が太い / ~도 좋게 きもだまよろしく.

보채다 타 むずかる; むつかる; ねだる; だだをこねる. ¶보채는 젖먹이를 달래다 むずかる赤ん坊をあやす.

보청-기【補聽器】 명〔醫〕補聴器; 聴話器. ¶~를 귀에 끼다 補聴器を耳にはさむ.

보체【寶體】 명 貴い体; 御身《手紙に用いる語》.

보초【步哨】 명 ほしょう(歩哨); しょうへい(哨兵). ¶~를 두다 歩哨を置く / ~를 서다 歩哨に立つ.

‖——-병 명〔軍〕歩哨兵; 番兵; 番卒. ——-선 명 歩哨線.

보충【補充】 명하타 補充; 補い; ほてん(補塡); 穴埋め; 継ぎ足し. ¶결원을 ~하다 欠員を補充する〔補う〕/ 손실의 ~을 하다 損失の穴埋めをする.

‖——-대(隊) 명〔軍〕① 補充隊. ② 現地に配属されるまえに収容する部隊. ——-병 명 補充兵. —— 수업 명 補習授業. ——-역 명 補充兵役.

보측【步測】 명하타 歩測; 測歩.

‖——-계 명 歩測計.

보칙【補則】 명 補則. ¶~으로 규정하다 補則で規定する.

보컬〔vocal〕명 ボーカル.

‖—— 뮤직 명 ボーカルミュージック; 声楽.

보컬리스트〔vocalist〕명 ボーカリスト; 声楽家.

보탑【寶塔】 명 ① 貴重な宝でかざった塔. ② 美術的価値の豊かな塔. ③ 宝塔; お寺の塔の敬称.

보태기 명 加法; 足し算. =더하기.

보태다 타 ① 加える; 足す; プラスする. ¶둘에 둘을 ~ 二に二を加える〔足す〕. ② 補う; 付け加える; 増す. ¶아무 보탬도 안 되다 何の足しにもならない.

보토【補土】 명 ① 埋め立て. ——-하다 타 埋め立てる. ② ☞ 객토.

보통【普通】 ㊀명 普通; 並. ¶~ 일 只事 / ~ 사람 普通の人; 只人 / ~이 아닌 고생 並並ならぬ苦労 / 흔한 ~의 물건 並物 / ~의 인간으로는 普通の人間では / ~ 일이 아니다 並大抵の事ではない. ㊁부 [↗보통으로] 一般に. ¶그 물건은 ~ 싸다 その品は一般に安い.

‖—— 감각 명 一般感覚. —— 개념 명 一般概念. —— 거래(去來) 명 普通取り引き. ——-내기 명 只の人; あたり前の人; 徒人; 普通人. =행내기. —— 명사 명〔言〕普通名詞. —— 선거 명 普通選挙; 選《준말》.

보퉁이【褓—】 명 包み; 包み物; ろしき包み. ¶~를 풀다 包みを解く / ~로 만들다 包みにする.

보트〔boat〕명 ボート.

‖—— 레이스 명 ボートレイス; きょうそう(競漕). ——-맨 명 ボートマン; ボートのこぎ手.

보편【普遍】 명 普遍.

‖——-론 명〔哲〕普遍論. ——-성 명 普遍性. ——-적 명관 普遍的. ¶~으로 인정되는 진리 普遍的に認められる真理 / ~인 普遍的な. ——-주의 명 普遍主義. —— 타당성 명 普遍妥当性. ——-화 명하자타 普遍化; 一般化.

보폭【步幅】 명 歩幅; コンパス. ¶~이 크다 コンパスが大きい.

보표【譜表】 명〔樂〕譜表; 五線譜.

보푸라기 명 毛羽. <부푸러기. ¶~를 뜯다 毛羽をむしる / ~가 일다 毛羽が立つ; ほおける.

보풀 명 毛羽; けばけば. ¶천이 닳아서 ~이 일다 生地がすれてけばが立つ.

보풀다 자 毛羽立つ; ほおける; ほける. <부풀다.

보풀리다 ㊀자 毛羽立つ. ㊁타 毛羽立たせる.

보풀-보풀 부하형 一面にけば立っているさま: けばけば; もしゃもしゃ. <부풀부풀.

보필【補筆】 명하타 補筆; 補綴; 入れ筆. ¶학생의 작문에 ~하다 生徒の作文に筆を入れる.

보필【輔弼】 명하타 ほひつ(輔弼).

‖——지-신(之臣) 명 輔弼の臣; 扶翼の臣. ——지-임(之任) 명 輔弼の任. ——지-재(之才) 명 輔弼の才. ——

보-하다【補—】 자타 ① 強壮剤などを使って養生する. ② (役に)補する.

보학【譜學】 명 系譜学.

보합【步合】 명〔數〕歩合; 割合.

‖——-산 명 歩合算; 利息算; 百分算.

보합【保合】 명〔經〕持〔保〕ち合い; 横ばい. ¶요즘의 시세는 ~ 상태이다 この頃の相場は横ばいである.

‖——-세(勢) 명 持ち合い相場.

보행【步行】 명 歩行; お拾い. ——하다 자 歩く. ¶~자 歩行者.

‖——-기 명 歩行器.

보험【保險】 명 保険. ¶~에 들어 있다 保険にはいっている / 이 집은 3억원의 ~이 붙어 있다 この家には三億ウォンの保険が付いている.

‖—— 계약 명 保険契約. ——-금 명 保険金. —— 기간 명 保険期間. ——-료 명 保険料. ——-부 명 保険付き. —— 약관 명 保険約款. —— 외교원 명 保険外交員. —— 증권, —— 증서(證書) 명 保険証券. —— 회사 명 保険会社.

보혈【補血】 명하자〔韓醫〕補血.

‖——-제 명 補血剤. =보혈약(藥).

보호【保護】 명하타 保護. ¶경찰의

를 받다 警察の保護を受ける.
— 관세 명 保護関税. ——-국 명 護国. ——-림 명 保護林. —— 무 명 保護貿易. ¶ ~주의 保護貿易義. ——-색 명 保護色. ——-수 保護樹. —— 수역 명 保護水域. ——-자 명 保護者. ——-조 명 護鳥; 禁鳥.
화【寶貨】명 ☞ 보물(寶物).
명〔魚〕ふぐ(河豚). =하돈(河豚)·생선·복어. ¶ ~요리 ふぐ料理.
【伏】명 ↗복날.
【福】명 福; 幸せ.
-【複】두 複. ¶ ~복선 複複線/ 비례 複比例.
간【復刊】명하타 復刊. ¶ 잡지를 -하였다 雑誌を復刊した.
강【腹腔】명〔生〕ふくこう(腹腔).
— 동맥 명 腹腔動脈. —— 임신 명 腹腔妊娠. =복막 임신.
·개【覆蓋】명하타 ① ふた; おおい. ② ふくがい(覆蓋).
고【復古】명하타 復古. ¶ 군국주의 ~조의 움직임이 보인다 軍国主義復古調の動きが見える/ 왕정 ~ 王政復古.
‖——-주의 명 復古主義.
교【復校】명하자 復校.
구【復舊】명하타 復旧. =복고(復古). ¶ ~시키다 復旧させる/ 피해는 전부 ~될 것이다 被害はすっかり復旧するはずである.
‖—— 공사 명하자 復旧工事. —— 현상 명〔生〕復旧現象.
복권【復權】명하자〔法〕復権. ¶ 재심 결과 ~이 허용되었다 再審の結果復権が許された.
복권【福券】명 宝くじ; 富くじ; 富札. ¶ 운수를 시험하려고 ~을 샀다 運試しに宝くじを買った/ ~으로 일억원을 타다 宝くじで一億ウォンを当てる.
복궤【複軌】명 複軌.
‖—— 철도 명 複軌鉄道.
복귀【復歸】명하자 復帰; 戻り. ¶ 본대에 ~하다 本隊に復帰する/ 원 위치로 ~하다 本位に復する.
복-날【伏—】명 伏日; 盛夏三伏の日; 夏の土用. =복일(伏日). 준 복(伏). ¶ ~ 개 패듯《俚》ひどくたたき立てることのたとえ.
복닥-거리다 자 ごったがえす; もみあう; 雑踏する. 복닥-복닥 부하자 ごったがえすさま: ごたごた.
복대기다 자 ① (多くの人が)こみ合う; ざわつく; ざわめく. ¶ 꽤 복대기는군요 大層こみ合いますね. ② (色色な仕事を)急き立てる. ¶ 이렇게 복대겨서 죄송합니다 こうせき立ててて済みません. ③ (客などが)ごった返す.
복대기-치다 자 目がまわる程ひどくこみあう; 大騒ぎする.
복-더위【伏—】명 ↗삼복(三伏) 더위.
복덕【福德】명 福徳.
‖——-방(房) 명 不動産の周旋屋; 不動産屋.
복도【複道】명 ① 雨をさけるように家と家とのはざまに屋根を設けた通路. ② 廊下. ¶ ~를 따라 욕실에 가다 廊下伝いに浴室へ行く.
복-되다【福—】형 (顔つきなどが)福福しい.
복리【福利】명 福利; 利福. ¶ ~후생 福利厚生/ 국민의 ~ 증진 国民の福利増進.
‖—— 시설 명 福利施設.
복리【複利】명 複利. =복변리(複邊利)·중리(重利).
‖——-법 명 複利法. ——-표 명 複利表.
복마-전【伏魔殿】명 伏魔殿.
복막【腹膜】명〔生〕腹膜.
‖——-암 명 腹膜がん. ——-염 명 腹膜炎. —— 임신 명 腹膜妊娠. =복강 임신.
복면【覆面】명하자 覆面. ¶ ~한 도둑놈 覆面の泥棒.
복멸【覆滅】명하자타 覆滅. ¶ 적의 선진을 ~하였다 敵の先陣を覆滅させた.
복명【復命】명하타 復命; 反命. ¶ 조사 결과를 ~하였다 調査の結果を復命した.
‖—— 복창 명 復命復唱. ——-서 명 復命書.
복-모음【復母音】명 重母音; 二重母音(“ㅑ·ㅛ·ㅘ·ㅐ·ㅔ”など).
복무【服務】명 服務; 在役. ——-하다 자 服務する; 在役する; 服する. ¶ ~ 시간 服務時間/ ~ 규정이 엄하다 服務規程がきびしい/ ~중 服務中; 在役中/ 병역에 ~하다 兵役に服する.
‖—— 연한 명 服務年限.
복문【複文】명 複文.
복-물【伏—】명 夏の土用またはその前後の雨. ——-지다 명 夏の土用を前後して雨が多く降る.
복-받치다 자 ① (中から)盛りあがる. ② (底から)ふき出る; ほとばしる. ③ (感情が)込みあげる. ¶ 복받쳐오르는 슬픔 こみあげてくる悲しみ/ 뜨거운 눈물이 ~ 熱い涙が込みあげる. <북받치다.
복배【伏拜】명 伏拝. ——-하다 자 伏拝する; 伏し拝む.
복배【腹背】명 腹背; 腹と背; まえうしろ.
복-벗다【服—】자 喪が明ける.
복벽【腹壁】명〔生〕腹壁. ¶ ~ 절개 수술 腹壁の切開手術.
복벽【復壁】명〔建〕(物をかくすための)二重壁.
복병【伏兵】명 伏兵; 伏せ勢. ¶ ~을 두다 伏兵を置く; 兵を伏せる/ ~의 손에 걸리다 伏兵の手に掛かる.
복-복 부 ① もろくて柔らかい物の表面をしきりにつよく磨いたりかく音: ごしごし. ② 柔らかくてぶあつい物をしきりに裂く音: ばりばり. <북북.
복본【複本】명 複本; 副本.
복본위-제【複本位制】명〔經〕複本位制度.
복부【腹部】명 腹部. ¶ ~ 운동 腹部運動.

복-부르다【復—】[타] 招魂する.
복-부인【福夫人】[명] 不動産投機を半職業的にする主婦.
복-부호【複符號】[명]〔數〕 複符号; 複号.
복-분해【複分解】[명]〔化〕複分解.
복-불복【福不福】[명] 運と不運.
복-비례【複比例】[명]〔數〕複比例.
복사 [명] ↗복숭아.
‖——-나무 [명] ↗복숭아나무. ——-뼈 [명]〔生〕くるぶし(踝).
복사【伏射】[명][하타] 伏射; 寝射ち.
복사【複寫】[명][하타] 複写; 複写し; 焼き増し; コピー.
‖——-기 [명] 複写器. —— 잉크 [명] 複写用インキ. ——-지 [명] 複写紙; トレーシング〔カーボン〕ペーパー. =탄산지·묵지(墨紙). ——-판 [명] 複写版.
복사【輻射】[명][하자타]〔物〕ふくしゃ(輻射); 放射.
‖——-계 [명] 輻射計. =라디오미터(radiometer). ——-능 [명] 輻射能; 放射能. ——-열 [명]〔物〕放射熱.
복상【服喪】[명] 服喪. ——-하다 [자] 服喪する; 喪に服する.
복상【福相】[명] 福福しい人相.
복상-시【腹上屍】[명] 腹上死をした人の死体.
복색【服色】[명] ①分にふさわしい身なり. ②服色; 服装の色合い.
복색【複色】[명] 複色.
‖——-광 [명]〔物〕複色光.
복-생선【—生鮮】[명]〔魚〕☞ 복.
복서〔boxer〕[명] ボクサー.
복선【伏線】[명] 伏線. ¶ ~을 치다 伏線を張る〔敷く〕/ ~이 드러나다 伏線が浮きでる.
복선【複線】[명] 複線. ¶ 복~ 複複線 / ~으로 하다 複線にする / ~ 공사를 서두르다 複線工事を急ぐ.
‖—— 궤도 [명] 複線軌道.
복설【復設】[명][하타] 廃した物を再び設けること.
복성【複姓】[명] 複姓; 二字からなる姓《南宮·鮮于など》.
복성-스럽다 [형] (顔付きが)ふくぶくしい.
복성 화산【複成火山】[명]〔地〕複成火山; 複合火山. [준] 복(複)화산.
복-소수【複素數】[명]〔數〕複素数.
복속【服屬】[명] 服属. ——-하다 [자] 服属する; 従いつく. ¶ 적국을 ~시키다 敵国を服属させる.
복송【復誦】[명][하타] 復唱.
복수【復讐】[명] ふくしゅう(復讐); 仇討ち; 仕返し; 敵討ち. =앙갚음. ——-하다 [자] 復讐する; 仇を討つ. ¶ ~를 결심하다 復讐を決心する / 오냐 ~하고야 말겠다 今に見ろ, 返報してやるぞ.
‖——-심 [명] 復讐心; 復讐の念. ¶ ~에 불타다 復讐の念に燃える. ——-전 [명] 復讐戦; 弔合戦.
복수【腹水】[명]〔醫〕腹水. ¶ ~가 괴다 腹水がたまる.
복수【複數】[명]〔數·言〕複数. ¶ ~ 환율 複数為替相場.
‖—— 투표 [명] 複数投票. ——-형 [명] 複数形.

복술【卜術】[명] ぼくじゅつ(卜術).
복숭아 [명] もも(桃); ピーチ. ¶ ~ の花 / 올되는 ~ 早熟の桃. 사·복숭.
‖——-나무 [명] 桃(の木).
복-스럽다【福—】[형] ふくぶくしい; ふくよかだ. ¶ 복스러운 얼굴 ふくよか 顔つき.
복슬-복슬 [부][하형] けだものが肥え 毛深いさま: ふくふく. <북슬북
복습【復習】[명][하타] 復習; 温習; おさらい. ¶ 충분한 ~을 하다 分な復習をする / ~이 모자라다 習が足りない.
복식【服飾】[명] 服飾.
‖—— 디자이너 [명] 服飾デザイナー —— 디자인 [명] 服飾デザイン. —— [명] 服飾品.
복식【複式】[명] 複式.
‖—— 경기(競技) [명] 複試合; ダルス. —— 부기 [명] 複式簿記.
복식 호흡【腹式呼吸】[명] 腹式呼
복심【腹心】[명] ①胸と腹. ②胸 ③腹心.
복심【覆審】[명][하타] 覆審; 再審
복-십자【複十字】[명] 複十字. ~실 複十字シール.
복싱〔boxing〕[명][하자] ボクシング. ¶ ~ 선수 ボクシング選手.
‖—— 링 [명] ボクシングリング.
복안【腹案】[명] 腹案. =속배포. ¶ ~을 세우다 腹案を立てる / 다 ~이 서 있다 ちゃんと腹案ができている.
복약【服藥】[명][하타] 服薬; 服用. ¶ ~시키다 薬を飲ませる.
복어【—魚】[명]〔魚〕☞ 복.
복업【復業】[명][하자] 復業; 辞めていた業務にもどること.
복역【服役】[명][하자] 服役; 在役. ¶ ~ 기간 服役期間《徵役の》; 服役年限《兵役の》/ ~의 의무 服役の義務 / 삼년의 ~을 마치다 三年の服役を終える.
복연【復緣】[명][하자] 復縁. ¶ 이혼했지만 곧 ~하였다 離縁していたが程なく復縁した / ~을 강요하다 復縁を迫る.
복엽【複葉】[명] 複葉.
‖——-기 [명] [↗복엽 비행기] 複葉飛行機; 複葉機.
복용【服用】[명] 服用. ——-하다 [타] 服用する; 飲む. ¶ 하루에 세번 ~하다 日に〔一日〕三回服用する.
복원【復元·復原】[명] 復元〔復原〕. ——-하다 [자][타] 復元する; もとにかえる; もとにもどす. ¶ 황폐한 절을 ~하다 すたれたお寺を修復する.
‖——-력 [명] 復元力. ——-성 [명] 復元性.
복원【復員】[명][하자] 復員.
‖——-령 [명] 復員令.
복위【復位】[명][하자] 復位. ¶ 쫓겨난 왕이 ~하였다 追われた王が復位した.
복음【福音】[명] 福音. ①よろこばしい知らせ. ¶ 그들은 그 소식을 천래의 ~이라고 기뻐했다 彼らはその知らせを天来の福音だと喜んだ. ②

基〕ゴスペル. ¶～을 전하다 福音を伝える. ③〔基〕福音書.
—— 교회 명 福音教会. ——-서 명 ①福音書. ②聖書. ——-주의 명 福音主義.
음【複音】명〔樂〕複音; 複合音.
인【福因】명 福因.
—— 복과 명〔佛〕福因福果; 善因善果.
일【卜日】명하타 ぼくじつ(卜日); 日の吉凶をうらなうこと.
일【伏日】명 夏の土用. =복날.
임【復任】명하자 復任.
-입다【服—】자 一週年以下の喪に服する.
자【卜者】명 易者. =점쟁이.
자【福者】명 福者.
자【覆字·伏字】명〔印〕伏せ字. ¶～가 있는 엉터리 책 伏せ字のあるでたらめな本.
-자엽【複子葉】명〔植〕☞ 쌍떡잎.
-자음【複子音】명 二つ以上の子音から成りその発音により前後に異なる音がでる子音《"ㅊ·ㅋ·ㄹ"など》. =중(重)자음.
복작-거리다 자 ①(大勢寄り集まって)ごたつく; 混雑する; 雑踏する. ¶크게 복작거리는 상가 おおいに雑踏する商店街 / 대청소로 ～ 大掃除でごたつく. ②ぶくぶくと沸き立つ〔発酵する〕. <북적거리다. 복작-복작 부하자 ざわざわ; ごちゃごちゃ; ぶくぶく.
복잡【複雜】명하형스형 複雑. ¶～한 사건 複雑な事件 / ～한 일 手の込む仕事 / ～하게 얽힌 사정 込み入った事情 / 이야기는 ～ 해졌다 話は込み入って来た / ～한 문제는 다 해결되었다 こんがらかった問題は解決できた.
‖—— 다단 명하형 複雑多端.
복장 명 ①胸のそこ. =흉당(胸膛). ②心の奥底; 心中; 胸中; 腹. ¶～이 검다 腹が黒い / ～이 크다 腹が太い.
복장【服裝】명 服装. =옷차림. ¶훌륭한 ～ 立派な服装 / 가벼운 ～ 身軽な服装 / 어울리지 않는 ～ 不釣合いな服装 / ～을 단정히 하다 服装を整える.
복적【復籍】명하자〔法〕復籍. ¶～ 절차를 밟다 復籍の手続きを取る.
복제【複製】명하타 複製. ¶사진 ～ 写真複製 / ～물 複製物 / 불허 ～ 不許複製.
‖——-판 명 複製版.
복-조리【福笊籬】명〔民〕福をもたらすといわれる元旦の明け方に売りあるく"조리".
복족-류【腹足類】명 腹足類.
복종【服從】명 服従. ——-하다 자 服従する: 従う. ¶명령에 ～하다 命令に服従する〔服する〕/ 절대 ～을 강요하다 絶対服従を迫る / 권력자에 ～하다 権力者に従う.
복좌【複座】명 複座. ¶～ 전투기 複座戦闘機.
복죄 【伏罪·服罪】 명하자 伏罪〔服罪〕
복중【伏中】명 三伏; 真夏; 盛夏. ¶～ 문안 暑中見舞い.
복중【服中】명 喪中.
복지【服地】명 [↗양복지(洋服地)] 服地; 生地.
‖——-상 명 生地商.
복지【福祉】명 福祉. ¶인류의 ～ 人類の福祉 / 사회 ～의 증진 社会福祉の増進.
‖—— 국가 명 福祉国家. —— 사회 명 福祉社会.
복직【復職】명하자 復職. ¶～은 어렵다 復職はむずかしい / ～이 허락되었다 帰参がかなった.
복창【復唱】명하자 復唱. ¶전령이 명령을 ～하다 伝令が命令を復唱する.
복채【卜債】명 占い料; ぼくせん(卜銭); 見料.
복-치마【服—】명 喪中の女性が着るチマ.
복칭【複稱】명 複称.
복-타다【福—】자 幸運を授けられて生まれる.
복통【腹痛】명하자 ①腹痛. ¶～을 일으키다 腹痛を起こす / 심한 ～을 느끼다 ひどい腹痛をおぼえる. ②ひどく悔しいときにつかう語. ¶참 ～할 노릇이다 実にくやしい〔腹だたしい〕ことだ.
복판 명 真ん中. ¶～을 찌르다 真ん中を突く / 길 ～을 걷다 道の真ん中を歩く / 표적의 ～에 맞다 標的の真ん中にあたる.
복학【復學】명하자 復学; 復校. ¶～시키다 復学させる / ～을 허가하다 復学を許可する.
복합【複合】명하자타 複合.
‖—— 단백질 명 複合たんぱくしつ. —— 대명사 명 複合代名詞. —— 비타민제 명 複合ビタミン剤. —— 사회 명 複合社会. —— 섬유 명 複合繊維. ——-어 명 複合語; 連語. —— 오염 명 複合汚染.
복혼【複婚】명 複婚.
복화-술【腹話術】명 腹話術.
볶다 타 ①い(煎)る. ¶볶은 참깨 煎った胡麻 / 갓 볶아낸 콩 いりたての豆 / 콩을 ～ 豆をいる / 볶은콩 いり豆 / 콩은 아직 덜 볶였다 豆はまだよくいれていない. ②いためる. ③(人を)いびる; いじめる. ¶계모가 전실 자식을 ～ ままははが前妻の子をいびる.
볶아-대다 타 (人をひどく)居たたまれなくする; いじめる; いびる.
볶아-치다 자 ひどく責き立てる.
볶음 명 薬味を入れていためた食べ物. ¶～밥 焼き飯; いり飯.
볶이 명 薬味を混ぜ水を少し入れて煮た食べ物.
볶이다 피동 ①い(煎〔炒·熬〕)られる. ②居たたまれなくなる; せがまれる; いじめられる; いびられる.
본【本】명 ①手本; 法〔則〕. ②↗본보기. ③型紙. ¶양재～ 洋裁の型紙 / 종이로 ～을 뜨다 紙で型をとる. ④☞ 관향(貫鄕). ⑤↗

본전(本錢).

본-【本】[두] 本. ¶ ～집 本家 / ～처 本妻 / ～국 本国 / ～성 本性 / ～인 本人 / ～사건 本事件.

본가【本家】[명] ① 本家; 宗室. ＝본집. ② 里. ＝친정. ③ 母屋·大屋. ＝원(原)채.

‖——댁(宅) [명] ☞ 친정댁.

본-값【本—】[명] 元値; 原価〔元価〕; 仕入れ値段. ＝본가(本價).

본거【本據】[명] ① 本拠; 根拠; 原拠. ¶ ～지 根拠地 / 생활의 ～를 자택에 두다 生活の本拠を自宅に置く. ② 本となる証拠.

본건【本件】[명] 本件. ¶ ～에 대하여 本件に対して.

본격【本格】[명] 本格. ＝본식(本式). ¶ ～파 本格派.

‖—— 소설 [명] 本格小説. ——-적 [명][관] 本格的. ¶ ～으로 일을 하다 本格的に〔本気になって〕仕事をする.

본견【本絹】[명] 本絹; 純絹; 正絹. ¶ ～ 양말 純絹靴下 / ～ 넥타이 正絹ネクタイ.

본-고장【本—】[명] ① 生まれ育った本来の故郷. ＝본고향. ② 本場. ＝본바닥. ㊟ 본곳. ¶ ～의 어물 本場の魚 / 귤의 ～ みかんの本場 / ～에서 익힌 영어 本場仕込みの英語.

본-고향【本故鄕】[명] 生まれ育った「土地.

본과【本科】[명] 本科. ¶ ～에 들어가다 本科に入る.

본관【本官】㊀[명] ①〔史〕自分の郷里の官長をさす語. ② 兼官に対してその人の本来の官職. ㊁[대] 本官; 本職. ¶ ～의 견해로는 本官の見解では.

본관【本貫】[명] 本貫. ＝관향(貫鄕)·본(本). ㊟ 관(貫).

본관【本館】[명] 本館.

본교【本校】[명] 本校. ¶ ～생 本校生 / ～에서는 방침에 따라서 本校では方針に倣い / ～로 전근되었습니다 本校に転勤しました.

본국【本局】[명] 本局; (碁などで)この局. ¶ ～을 호출하다 本局を呼び出す / ～은 졌습니다 この局は負けました.

본국【本國】[명] 本国. ＝본방(本邦). ¶ ～에 송환되다 本国に送還される / ～으로 돌아가다 本国に帰る.

‖——어 [명] 本国語.

본-궤도【本軌道】[명] ① 主なる軌道. ② (物事の)本格的な〔本式の〕段階; 本調子. ¶ 겨우 ～에 올라섰다 やっと本調子に乗った.

본-그림【本—】[명] ☞ 원도(原圖).

본-금【本—】, **본-금새**【本—】[명] 元値; 仕入れ値段. ¶ 워낙 본금새가 비싸서요 何分仕入れ値段が高くつきますので.

본금【本金】[명] 本金. ① 元金. ＝본전(本錢). ② 純金.

본급【本給】[명] 本給; 本俸.

본-남편【本男便】[명] ① 正式の夫; 本夫. ② 再婚する前の夫.

본년【本年】[명] 本年; 今年·当年. ¶ ～도의 예산 本年度の予算.

본능【本能】[명] 本能. ¶ 사회적 ～ 社会的本能 / ～대로 행동하다 本能のままに振る舞う.

‖——설 [명]〔心〕本能説. ——-적 [관] 本能的. ¶ ～인 발작 本能的な発作.

본당【本堂】[명] ①〔佛〕本堂. ②〔天主教〕主任神父が常住する教会堂.

본대【本隊】[명] 本隊. ¶ ～의 지원을 받다 本隊からの支援をうける / ～에 복귀하다 本隊に復帰する.

본댁【本—】[명] ①[←본택(本宅)] 本宅; 本邸. ②《俗》↗본대네.

‖——네 [명]《俗》正室; 嫡妻.

본데-없다 [형] ぶしつけだ; 無作法だ; ぶざまだ. **본데-없이** [부] ぶしつけに; ぶざまに. ¶ ～ 굴다 ぶしつけに振る舞う.

본-동사【本動詞】[명]〔言〕本動詞.

본-듯이 [부] (あたかも)見たごとく見たように. ¶ 실물을 ～ 実物を見たかのように / ～ 말하다 見たかのように話す.

본-등기【本登記】[명]〔法〕本登記.

본디【本—】㊀[명] 根; 根源. ＝본시(本是). ¶ ～는 착한 사람이다 根はいい人である. ㊁[부] 元元; 元来; 本来. ¶ ～ 아는 사람 元元知り合っている人.

본때 [명] 手本になることが出来るもの; みせしめ; 見栄え. ¶ ～를 보이다 範を示す; みせしめに懲らす.

——-있다 [형] ① ならうべき〔みせしめにすべき〕所がある. ¶ ～있는 사람 手本になるような人. ② 見栄えがする; すばらしい; みごとだ. ¶ ～있게 해치우다 みごとにやってのける.

본-뜨다【本—】[타] ① 倣う; 見習う; 手本とする. ¶ 선현의 언행을 ～ 先哲の言行を倣う. ② 型を取る; 模する; かたどる; まねる; なぞる. ¶ 용을 본뜬 조각 竜をかたどった彫刻 / 서체를 ～ 書体を模する.

본-뜻【本—】[명] 本意; 真意; 本義. ¶ ～은 그렇지 않았다 本意はそうでなかった.

본-란【本欄】[명] 本欄.

본래【本來】[명][부] 本来; 元来; 元より. ＝본디. ¶ ～의 사명 本来の使命 / 인간 ～의 성질 人間元よりのさが(性).

본론【本論】[명] 本論; 本筋. ¶ ～에 돌아가서 本論にたち返って / ～에 들어가다 本論に入る.

본루【本壘】[명]〔野〕本塁. ¶ 러너가 ～ 직전에서 분사하다 ランナーが本塁寸前で憤死する / ～를 밟다 本塁を踏む.

본류【本流】[명] 本流; 幹流. ¶ 문학의 ～ 文学の本流.

본-마누라【本—】[명] 本妻.

본-마음【本—】[명] 本心. ㊟ 본맘. ¶ ～으로 돌아가다 本心にたち返る.

본말【本末】[명] 本末; 本と末.

문제의 ~ 問題の本末.
— 전도 명 本末転倒.
-맛【本—】명 本来の味.
명【本名】명 ① 本名; 実名. ②〔基〕洗礼名.
명【本命】명 ① 本命. ② 天命; 天寿.
-무대【本舞臺】명 本舞台.
문【本文】명 本文; 正文. ¶조약의 ~ 条約の本文.
-문제【本問題】명 ① 本来の問題. ② いま話している〔論議中の〕問題.
밑【本—】, 본-밑천【本—】명 元; 元手; 元金.
-바닥【本—】명 ① 昔から住んでいる所. ¶~ 사람 その土地の生え抜きの人. ② 本場. =본고장. ¶~ 영어 本場英語 / 인삼의 ~은 한국이다 高麗人参の本場は韓国である.
본-바탕【本—】명 生地; 本元; 本質; 素質. ¶~은 좋은 사람이다 生地はいい人である.
본-받다【本—】타 模範とする; 倣う; まねる.
본법【本法】명 本法. ¶~에서는 本法では.
본보【本報】명 本報; 本紙. ¶~의 애독자 本紙の愛読者.
본-보기【本—】명 ① 見本; 標本; ひな型; 例. ¶~로 삼다 ひな型にする / 다음 ~를 따라 次の例にならって. ② みせしめ. ¶금후의 ~로 그렇게 한 것이다 今後のみせしめにそうしたのだ. ③ 手本; 模範; きかん(亀鑑). ¶그를 ~로 해라 彼を手本にしなさい. ㊜ 보기·본. — 내다 타 ① 見本〔ひな型〕を作る; 型を取る. ② みせしめにする; こらしめる.
본-보다【本—】타 手本にする; 見習う; 型に取る.
본봉【本俸】명 本俸; 基本給; 本給. ¶~보다 이것저것 수당 쪽이 더 많다 本俸よりはあれこれの手当の方が多い.
본부【本部】명 本部. ¶수사 ~ 捜査本部 / 중대 ~ 中隊本部.
‖— 사령 명 本部司令.
본분【本分】명 本分; 本領. ¶학생의 ~ 学生の本分.
본사【本社】명 本社. ¶~ 근무가 되다 本社詰めとなる.
본-살【本—】명 (ばくちでの)元金; 元《준말》. ¶~도 못 찾다 元を無くす. —-하다 자 なくした元金を取り戻す.
본새【本—】명 ① 原形; 原状. ② 心ばえ; 気立て; 人となり. ¶~는 좋으나 꾀가 모자라다 気立てはいいが知恵が足りない.
본색【本色】명 本色; 本領; 本性. ¶~을 드러내다 本性をあらわす; 馬脚をあらわす; 地を出す.
본서【本書】명 本書. ① 本文. ② 正文. ③ この本〔文書〕.
본서【本署】명 本署. 「내.
본-서방【本書房】명 本夫. =본사
본선【本船】명 本船; 親船. ¶~으로 되돌아가다 本船にかえる.
‖— 인도(引渡) 명〔經〕本船渡し. =에프 오 비(F.O.B.). ¶~ 가격 本船渡し値段.
본선【本線】명 本線; 幹線. ¶경부 ~ 京釜本線.
본선【本選】명 本選. ¶~에 진출하다 本選に進む.
본성【本姓】명 本姓; 旧姓.
본성【本性】명 本性; 天性; 持ち前. =본령(本領). ¶~을 드러내다 地を出す.
본숭-만숭 부하타 いい加減にあしらうさま; 見て見ぬ振りをするさま; 素知らぬふりをするさま. ¶사람을 보고도 ~한다 人を見ても知らん顔をする.
본시【本是】명부 もともと; もとより; 本来; 元来. ¶~ 정직한 사나이다 元来正直な男である.
본-시험【本試驗】명 本試験.
본심【本心】명 本心; 心底. =본마음. ¶~을 밝히다 本心を明かす; 心底を打ち明かす / ~으로 말하다 本心から話す.
본안【本案】명 本案.
‖— 판결 명〔法〕本案判決.
본업【本業】명 本業. =본직(本職). ¶변호사가 그의 ~이다 弁護士が彼の本業である.
본연【本然】명 本然; 生まれつき. ¶~의 모습 本然の姿 / 학자 ~의 자세 学者本然の姿勢.
본-예산【本豫算】명 本予算.
본원【本源】명 本源; 根源.
본월【本月】명 本月.
본위【本位】명 本位. ¶친절〔손님〕~ 親切〔お客〕本位 / 금~로 복귀하다 金本位に復する.
‖— 기호 명〔樂〕本位記号; ナチュラル. — 제도 명〔經〕本位制度. —-화, — 화폐 명〔經〕本位貨幣.
본의【本意】명 本意. ① 本心. ② 真心; まことの意味. ¶~는 아니나 할 수 없다 不本意ながら致し方がない.
본의【本義】명 本義. ¶헌정의 ~ 憲政の本義. =본지(本旨).
본-이름【本—】명 本名; 実名.
본인【本人】명 本人; 当人. ¶~의 자백 本人の自白 / ~으로서는 本人としては.
본적【本籍】명 本籍; 原籍. ① ↗본적지. ② ☞ 원적(原籍).
‖—-지 명 本籍地; 原籍地.
본전【本殿】명 本殿.
본전【本錢】명 ① 元金; 本金. =밑천. ② 元金; 元《준말》. ¶~도 못 찾다 元を無くす / 밑져야 ~ 損はするが元は残る. ③ 元値. =본값. ¶~으로 팔다 元値で売る.
본점【本店】명 本店; 本舗. ¶~ 근무 本店勤務; 本店詰め.
본제【本題】명 本題. ¶이제부터 ~로 들어가서 いよいよ本題に入り.
본존【本尊】명〔佛〕本尊; 主としてあがめる仏.

ㅂ

‖——-상(像) 명 本尊; 本尊仏.
본-줄기 【本—】 명 本筋; 本脈. =본간(本幹). ¶이야기가 ~에서 벗어나다 話が本筋からそれる.
본지 【本旨】 명 本旨. ¶폭력은 민주주의의 ~에 위배된다 暴力は民主主義の本旨に反する.
본지 【本紙】 명 本紙. ¶~의 애독자 本紙の愛読者.
본지 【本誌】 명 本誌.
본직 【本職】 一명 本職. =본업(本業). ¶목수를 ~으로 하는 사람 大工を本職とする人 / ~을 소홀히 하다 本職をお留守にする. 二대 本職.
본진 【本陣】 명 本陣; 本営.
본질 【本質】 명 本質. =본바탕. ¶미의 ~을 탐구하다 美の本質を探究する. 「質的属性.
‖——적 명관 本質的. ¶~ 속성 本
본-집 【本—】 명 本家; 大屋; 我が家. =본가(本家).
본처 【本妻】 명 本妻. ¶첩이 ~로 들어앉다 めかけ(妾)が本妻に直る.
본척-만척 부하타 ☞ 본체만체.
본청 【本廳】 명 本庁.
본체 【本體】 명 本体. ¶꿈의 ~夢の本体 / ~를 모르다 本体を知らない.
본체-만체 부 見て見ぬふりをするさま; 知らん顔をするさま. =본척만척. ——하다 타 見て見ぬふりをする; 知らん顔をする; しらばくれる. ¶남이 고생하는 것을 보고 ~한다 人の苦労を見て知らん顔をする.
본초 【本初】 명 本初; はじめ; 元.
‖—— 자오선 명 〔地〕 本初子午線.
본태 【本態】 명 本態; 実態. ¶~성 고혈압 本態性高血圧.
본토 【本土】 명 本土. ¶영국 ~ 英国本土.
‖——-박이 명 地付き; 生え抜き. ¶~ 서울 사람 生え抜きのソウル人. ——-불(弗) 명 米国の正貨. ——-인 명 [↗본토지인] 本土の人. ——-종 명 本土種. =토종(土種).
본-헤드 〔미 bonehead〕 명 ボンヘッド.
본회 【本會】 명 本会; この会.
본-회의 【本會議】 명 本会議.
볼 명 ①ほお(頰); ほっぺた 〈俗〉. ¶~을 붉히다 ほおを赤める〔染める〕. ②(足などの)はば. ¶발의 ~이 좁다 足の腹がせまい. ③(足袋の底などの前後にあてる)つぎ. ④付け焼き刃.
‖—— 연지(臙脂) 명 ほお紅.
볼[1] 〔ball〕 명 ボール.
‖—— 베어링 명 ボールベアリング. —— 엄파이어 명 〔野〕 ボールカウント. ——-펜 명 ボールペン.
볼[2] 〔ball〕 명 舞踏会.
볼-가심 명하자 口しのぎ.
볼가-지다 자 ①はみ出る; はみ出す; なり出す. ②ふくれあがる; ふくらむ. ③あらわになる; 露出する; むきだしになる; ばれる. <불거지다.
볼각-거리다 타 ①(強い物を口いっぱいふくみ)もぐもぐする. ②(せんたく物などを)こすり付ける; もみ洗う. **볼각-볼각** 부하타 もぐもぐ; こごし.
볼강-스럽다 형 (目上に)無礼だ; 不敬だ. <불경스럽다.
볼-거리 명 〔韓醫〕 お多福風邪.
볼그대대-하다 형 俗っぽく赤みかっている. <불그데데하다.
볼그댕댕-하다 형 見様悪く赤みかっている. <불그뎅뎅하다.
볼그레-하다 형 程よく赤い; ほのあかい. <불그레하다.
볼그무레-하다 형 薄赤い. <불그무레하다.
볼그스름-하다 형 ほんのりと赤い. <불그스름하다. **볼그스름-히** 부 ほんのりと赤く.
볼그족족-하다 형 ややくすんで赤い. <불그죽죽하다.
볼근-거리다 자 固い物を口に入れてしきりにもぐもぐする. <불근거리다. **볼근-볼근** 부하자 もぐもぐ.
볼긋-하다 형 赤らんで見える; やや赤いようだ. <불긋하하다. **볼긋-볼긋** 부하형 あっちこっちがやや赤いさま.
볼기 명 ①しり(尻); でんぶ(臀部). ②《俗》ちけい(笞刑). —— 맞다 자 尻を打たれる; 笞形にされる. —— 치다 타 (刑として)尻を打つ.
‖——-짝 명 尻べた.
볼-꼴 명 見様; 外観; 見た目; 世間体. —— 사납다 형 無様だ; みっともない. ¶볼꼴 사나운 옷차림 ぶざまな身なり.
볼끈 부 ☞ 불끈. ——-거리다 자 むっむっと腹を立てる. ——-—— 부하자 かっかっと; むっむっと.
볼낯 없다 구 合わせる顔がない.
볼-때기 명 《俗》 ☞ 볼①.
볼러 〔bowler〕 명 ボーラー.
볼록-거리다 자타 ふくらんだりへこんだりする. また, そのようにさせる. <불룩거리다. **볼록-볼록** 부하자타 しきりにふくらんだりへこんだりする〔させる〕さま.
볼록-거울 명 〔物〕 凸面鏡.
볼록 렌즈 〔lens〕 명 〔物〕 凸レンズ. =철(凸)렌즈.
볼록-하다 형 ふくらんでいる; ふくれている; 盛りあがっている. ¶볼록한 볼 ふっくらとしたほお(頰).
볼륨 〔volume〕 명 ボリューム; かさ(嵩). =양감(量感). ¶~이 있는 여자 ボリュームのある女 / ~이 있는 목소리 ボリュームのある声.
볼링 〔bowling〕 명 ボーリング.
볼만-하다 형 見物だ; 見応えがある; 見るに足る. ¶볼만한 것이 없다 見るべきものがない.
볼-맞다 자 ①(たがいに)息が合う; うまが合う; 気が合う. ②負けず劣らずだ; 引けを取らない.
볼-맞추다 타 (ぴったり)合わせる; つり合わせる.
볼-메다 형 ふくれている; ふくれっ面をする《동사적》; 不機嫌だ. ¶꾸지람을 들으면 이내 볼멘 얼굴을 한다 しかられるとすぐ膨れっ面をする.
볼멘-소리 명 (腹を立ててする)つっ

…んどんな口ぶり. ¶ ~로 말하다 …っけんどんな口ぶりで話す.
…모 명 ①質草; 抵当; 担保. …집을 ~로 돈을 빌다 家を引きあ…に金を借りる. ②人質; 身の…代. =유질(留質). ¶ ~로 앉았다《俚》人質として居座った《人質に取られた人のように仕事をせず座り込んでいるとの意》/ ~로 잡다〔잡히다〕人質に取る〔取られる〕.
…-썽 명 見様; 格好; 外観; 体裁; 形. ——-사납다 형 不作法だ; 下品だ; 見苦しい; 不体裁だ; 無様だ; みっともない.
…쑥 부 ①だしぬけに突き出すさま; にゅっと; ひょっと; ぽっと. ¶ ~ 나타나다 にゅっと現われる. ②前後をわきまえずみだりに話すさま. <불쑥. ——-거리다 자 ①あっちこっちが盛り上がっている. <불쑥하다. 볼쑥-이 부 にゅっと; ひょっと.
…-일 명 所用; 用事; 用件; 用. ¶ ~이 있는 듯한 얼굴 用ありげな顔 / 별 ~은 없다 別に用は無い / ~을 마치다 用事を済ます; 用を足す.
볼-작시면 부 見てとると; 見た所; 一見するに; 思うに. ¶그 자리의 분위기를 ~ その場の様子を見てとると.
볼장 다 보다 구 ①事が意のままにならぬ; 思わしくならない. ②万事休す; お終いだ.
볼통-볼통 부하형 ①所所ぶざまに突き出たさま: でこぼこ. ②不平がましくぶっきらぼうに口をきくさま: つんつん; つっけんどん. <불퉁불퉁.
볼통-스럽다 형 言葉がつっけんどんだ; ぶっきらぼうだ; ヒステリックだ.
볼통-하다 형 ①(円いものが)突き出ている; 出っぱっている. ②ややふくれている. <불퉁하다. 볼통-히 부 ①(円いものが)突き出ているさま. ②つんとして; ふくれっつらをして.
볼트 〔volt〕 의명 『物』 ボルト.
‖——-미터 명 ボルトメーター; 電圧計. ——-암페어 의명 ボルトアンペア.
볼-품 명 見様; 格好; 体裁; 世間体. ¶ ~이 없다 見た目が悪い / ~이 있다 見栄えがする.
봄 명 春. ¶ ~소식 春の事触れ / ~이 다가오다 春が近づく.
봄-가물 명 春の日照り. =춘한(春旱).
봄-갈이 명하타 春耕; 田打ち; 春の耕作.
봄-날 명 春日; 春の日.
봄-내 부 春じゅう.
봄-눈 명 春雪; 春の雪.
봄-맞이 명하자 春を迎えること; 春景を楽しむこと.
봄-바람 명 春風; 東風; こち.
봄-볕 명 春の日差し; 春日影.
봄-보리 명 春まきの麦. =춘맥(春麦).
봄-비 명 春雨.
봄-빛 명 春色; 春景; 春光; 春ざれ.
봄-철 명 春季; 春月.
봄-추위 명 春寒; 春先の寒さ.
봄-타다 자 春負け〔春やせ〕をする.
봇-논 【洑—】 명 いせき(堰)の水で耕す田. =보답(洑畓).
봇-도랑 【洑—】, 봇-돌 【洑—】 명 いせき(堰)の水を引くようにした〔造った〕溝.
봇-둑 【洑—】 명 せき(堰); 土手; 堤. =보동(洑垌). ¶ ~을 쌓다 堰を築く / ~이 무너지다〔터지다〕 堤が切れる.
봇-물 【洑—】 명 いせきの水. 준 보.
봇-일 【洑—】 명 いせきの仕事.
봇-짐 【褓—】 명 包み(物); ふろしき包み.
‖—— 장수 명 背負い商人.
봉¹ 명 詰め物; ふさぎ物; 当て物. ¶ ~을 박다 あてがう / 충치에 ~을 박다 虫歯につめものをする.
봉 【封】 명 ①封. ②品物の中に別に包んで入れた物. ③結納とは別に花嫁の家に贈るお金.
봉 【蜂】 명 ↗산봉우리.
봉 【鳳】 명 ①ほう(鳳). ㉠ ↗봉황(鳳凰). ㉡ ほうおう(鳳凰)の雄. ②だまされやすい人; えじき(餌食); かも〈俗〉. ¶ ~으로 삼다 かもにする.
봉² 부 ①へをひる音: ぶう. ㅆ뽕¹. ②警笛が一度なる音: ぶう. ③蜂などが飛ぶ音. <붕.
봉건 【封建】 명 封建.
‖—— 국가 명 封建国家. —— 사상 명 封建思想. —— 사회 명 封建社会. —— 시대 명 封建時代. ——-적 명관 封建的. —— 제도 명 封建制度. ——-주의 명 封建主義.
봉-고도 【棒高跳】 명 ☞ 장대높이뛰기.
봉곳-하다 형 ☞ 봉긋하다. 봉곳-이 부 小高く.
봉급 【俸給】 명 俸給. ¶ ~액수 取り高 / ~을 올리다〔내리다〕 俸給を上げる〔引き下げる〕 / ~을 타다 俸給を貰う.
‖—— 생활자 명 俸給生活者; サラリーマン. ——-일 명 俸給日.
봉기 【蜂起】 명하자 蜂起; ¶ 민중의 ~ 民衆の蜂起.
봉납 【奉納】 명하타 献上. =봉상(捧上)·봉입(捧入).
봉당 【封堂】 명 〔建〕 土間. ¶ ~을 빌려주니 안방까지 달란다《俚》 ひさしを貸して母屋までとられる.
봉-돌 명 釣糸につける重り. 준 봉¹.
봉두 【蓬頭】 명 ほうとう(蓬頭). =쑥대강이.
‖—— 난발 명하형 蓬頭乱髪.
봉록 【俸祿】 명 俸禄; 扶持. =녹봉(祿俸).
봉명 【奉命】 명하타 奉命.
‖—— 사신 명 〔史〕 奉命使臣.
봉물 【封物】 명 〔史〕 贈り物《主に都の役人への贈り物》.
봉밀 【蜂蜜】 명 はちみつ(蜂蜜).
봉-박다 자 (器などのあいた穴に)詰め物をする.

봉-박다【封—】자 或る物のなかに別に物を包んで入れる.
봉발【蓬髮】명 蓬髮. ¶폐의 ~ 弊衣蓬髮.
봉변【逢變】명하자 ①人から辱めをうけること. ¶이 무슨 ~인가 これまた何たる恥ぞ. ②意外な災難にあうこと. ¶오늘 크게 ~했다 今日ひどく見舞われた.
봉복 절도【捧腹絶倒】명하자 ☞포복 절도(抱腹絶倒).
봉분【封墳】명하자 土を盛りあげて墓をつくること. また, その盛りあげた部分.
‖——-제(祭) 명 埋葬後, 墓を築いてからの祭り.
봉사【奉仕】명하자 奉仕; サービス. ¶~자 奉仕者/사회 ~ 社会奉仕.
봉사【奉事】명 ①奉事; 目上につかえること. ——-하다 타 奉事する. ②盲人; 失明者. =소경. ¶~ 문고리 잡기《俚》めくらの探り当て/~ 안경 쓰나 마나《俚》めくらに眼鏡.
봉사【奉祀】명하자 祖先のお祭りを取り持つこと. =봉제사·주사(主祀). ‖——-손 명 奉祀孫《祖先の祭祀を受け継ぐ子孫》. =사손(祀孫).
봉살【封殺】명하타 封殺; フォースアウト.
봉상【棒狀】명 棒状.
봉선-화【鳳仙花】명〖植〗ほうせんか(鳳仙花); つまくれない(爪紅); つまべに. =봉숭아.
봉소【蜂巢】명 はち(蜂)の巣. =벌집.
봉송【奉送】명하타 ①奉送. ②遺骨などを丁重に運ぶこと.
봉쇄【封鎖】명하타 封鎖. ¶~를 풀다 封鎖を解く/~를 뚫다 封鎖をくぐる〔破る〕.
봉숭아 명〖植〗☞봉선화(鳳仙花).
봉양【奉養】명하타 奉養.
봉영【奉迎】명하타 奉迎.
봉오리 명 [↗꽃봉오리] つぼみ.
봉욕【逢辱】명하자 侮辱を受けること.
봉우리 명 ↗산봉우리.
봉인【封印】명하자 封印. ¶~을 뜯다 封印を破る.
봉입【封入】명하타 封入.
봉-자석【棒磁石】명 ☞막대 자석.
봉작【封爵】명하타 封爵.
봉정【奉呈·捧呈】명하타 奉呈.
봉제【縫製】명하타 縫製. ¶~품 縫製品/~업 縫製業.
봉-제사【奉祭祀】명하자 ☞봉사(奉祀).
봉지【封紙】명 紙袋; 袋. ¶~에 든 설탕 袋入りの砂糖.
봉직【奉職】명하자 奉職. ¶학교에 ~하고 있다 学校に奉職している.
봉착【逢着】명 ほうちゃく(逢着). ——-하다 자 逢着する; 出会う.
봉창【奉唱】명하타 奉唱.
봉창【封窓】명하자 ①窓を封ずること. また, その窓. ②壁に穴をあけ枠なしに紙で封じた窓.
봉창-질 명하타 (物を)ひそかに隠ためること.
봉창-하다 타 ①(物を)隠しため ②(損害を)埋め合わせる. ¶봉하고도 남는다 埋め合わせても余る
봉축【奉祝】명하타 奉祝. ¶~사 奉祝行事.
봉축【封築】명하타 墓作りのため土を盛ること.
봉충-다리 명 人や物の片ちんば脚.
봉침【蜂針】명 はち(蜂)の針状産卵管.
봉침【鳳枕】명 ほうおう(鳳凰)をしゅうした枕.
봉침【縫針】명 針. =바늘.
봉탕【鳳湯】명 "닭국"をしゃれて言語.
봉토【封土】명하자 ①土を高く盛ること. ②封地; 知行地. =강(封疆).
봉투【封套】명 封筒.
봉패【逢敗】명하자 しくじること; 敗すること.
봉-하다【封—】타 ①封ずる; 封じこめる; かん(緘)する. ¶단단히 ~ 固く封じ込める. ②口をとじる; をとじて語らない. ③墓に土を盛る. ④領地を与えて爵を封ずる. ⑤爵位をあたえる.
봉함【封函】명 封書.
봉함【封緘】명하타 ふうかん(封緘). ¶편지를 ~하다 手紙を封緘する.
‖—— 엽서 명 封緘葉書.
봉합【封合】명하타 封じ合わせること.
봉합【縫合】명 縫い合わせること. ——-하다 타 ぬい合わせる. ¶환부를 ~하다 患部をぬい合わせる.
봉행【奉行】명하타 目上の指図に従って行なうこと.
봉헌【奉獻】명하타 奉献. ¶~자 奉献者.
봉화【烽火】명 のろし. =봉수(烽燧). ¶~를 올리다 のろしを上げる/~를 들다 のろしを上げる.
‖——-둑 명 のろし台. =봉수대(烽燧臺). ——-지기 명 のろし守り. 봉홧-불 명 のろし; 煙火.
봉환【奉還】명 奉還; 目上に返すこと. ——-하다 타 奉還する; お返しする.
봉황【鳳凰】명 ほうおう(鳳凰); ほうちょう(鳳鳥). =봉황새·봉조(鳳鳥). 준 봉.
봐란-듯이 부 [↗보아란 듯이] これ見よがしに; 誇らかに. ¶최신 유행의 옷을 ~ 입었다 最新流行のドレス〔服〕をこれ見よがしに着こんだ.
봐-하니 부 [↗보아하니] 見た所; 見るに; 一見; 見るからに. ¶~ 신사인데 見たところ紳士だな.
뵈 보형 補助形容詞 "보다(=見る)"の活用形. "보이"の略語. ¶곧 ~러 가겠습니다 すぐお訪ね致します; 直ぐお目にかかりに参ります.
뵈다[1] 타 目上に会う; 伺う; お目にかかる. ¶아버지를 만나 ~ 父上にお目にかかる/기꺼이 가 뵙겠습

ㅣ다 喜んで伺い致します.
다² ㊀자 [↗보이다] 見える. ¶산봉우리가 아득히 ～ 峰がかすかに見える. ㊁타 [↗보이다] 見せる. ¶의사에게 ～ 医者に見せる. ㊂보형 補助形容詞"보다(＝見る)"の活用形"보으이다"の略語.
ㅣ 명 裂け目を詰めるか支えること.
ㅣ다 준 [↗뵈옵다] うかがう. ¶만나 ～ お会いする / 찾아 ～ お尋ねする.
부【父】 명 父・ちち. ＝아버지.
부【夫】 명 夫・おっと. ＝남편.
부【否】 명하형 否; いな. ¶가(可)나 ～나 良しかいなか.
부【部】 ㊀명 部. ① 部分. ¶제2 ～ 第二部. ② 会社・役所の組織その一区分. ¶총무～ 総務部. ③ 中央行政機関の名. ¶외무～ 外務部. ㊁의명 新聞・本などを数える単位: 部. ¶신문 한 ～를 샀다 新聞一部を買った.
부【婦】 명 婦. ＝처(妻).
부【富】 명 富.
부【賦】 명 ふ(賦). ¶조춘～ 早春の賦 / 적벽～ 赤壁の賦.
부 부 太く低い汽笛などの音: ぶう; びゅう.
부-【不】 두 不《打ち消し・否定などの意で"ㄷ・ㅈ"で始まる語の前につく》. ¶～도덕 不道徳 / ～자유 不自由 / ～정확하다 不正確である.
부-【副】 두 副. ¶～사장 副社長 / ～관 副官 / ～업 副業.
-부【附】 미 附〔付〕; 付け; 付き. ① 日付け. ¶3월 10일～ 三月十日付け. ② 所属. ¶대사관～ 무관 大使館付武官.
부가【附加】 명 付加; 添加. ――하다 타 付加する; 添加する; つけ加える; そえ加える. ¶～물 付加物 / 더는 ～할 아무 것도 이제는 없습니다 もうつけ加えるべき何ものもありません.
‖―― 가치 명 〘經〙 付加価値. ¶～세 付加価値税.
부각 명 昆布をもち米ののりにひたして乾かし, 油揚げにしたもの.
부감【俯瞰】 명하타 ふかん(俯瞰). ¶～촬영 俯瞰撮影.
‖――-도 명 俯瞰図.
부-갑상선【副甲狀腺】 명 〘生〙 副甲状腺《上皮小体の旧称》.
부강【富強】 명 富強. ――-하다 형 富んでいて強い. ¶나라의 ～을 도모하다 国の富強を図る.
부걱 부 酒などを醸すとき泡立つ音; ぶくっ. >보각. ――-거리다 자 ぶくつく. ―――― 부하자 ぶくぶく.
부검【剖檢】 명하타 剖検. ¶시체 ～을 의뢰하다 死体の剖検を依頼する.
부결【否決】 명하타 否決. ¶～권 否決権 / 증세안은 ～되었다 増税案は否決された.
부계【父系】 명 父系; 父方.
‖―― 가족 명 父系家族. ＝남계(男系) 가족. ―― 제도 명 父系制度. ――-친 명 父系親.
부고【訃告】 명하자 ふほう(訃報); ふいん(訃音); ふ(訃). ¶～에 접하다 訃報〔訃〕に接する.
부-고환【副睾丸】 명 〘生〙 副こうがん(睾丸).
‖――-염 명 副睾丸炎.
부과【賦課】 명 ふか(賦課). ――-하다 타 賦課する; 賦する. ¶～액 賦課額 / ～ 징수 賦課徴収.
‖――-금 명 賦課金; 賦金.
부관【副官】 명 ① 副官. ¶～ 참모 高級副官. ② ↗전속 부관.
부광【富鑛】 명 〘鑛〙 富鉱; 有用で採掘後ご採算があう鉱石.
‖――-대(帶) 명 鉱脈の豊かな地帯. ――-체 명 富鉱体.
부교【浮橋】 명 ① 浮き橋; 船橋; 浮桟橋. ② ☞ 배다리.
부교감 신경【副交感神經】 명 〘生〙 副交感神経.
부-교수【副教授】 명 副教授.
부국【部局】 명 部局. ¶～을 합쳐 하나로 하다 部局を併合して一つにする.
부국【富國】 명 富国.
‖―― 강병 명 富国強兵.
부군【父君】 명 父君.
부군【夫君】 명 夫君《人の夫に対する敬語》. ¶Y여사의 ～ Y女史の夫君.
부군【府君】 명 亡父や男性の祖先に対する敬称.
부권【父權】 명 父権.
부권【夫權】 명 夫権. ¶～ 만능 시대는 지났다 夫権万能時代は去った.
부귀【富貴】 명하형 富貴. ¶～ 공명 富貴功名 / ～ 영화 富貴栄華.
‖―― 재천(在天) 명 富貴在天; 富貴は天に在り.
부그르르 부하자 ① 水が場狭いところで沸きあがるさま. またはその音: ぶくぶく. ② 狭い所で大きく泡だつさま, またはその音: ぶくぶく. >보그르르. ㅆ뿌그르르.
부근【附近】 명 付近〔附近〕; 近所; あたり; かいわい(界隈); ほとり. ¶이 ～ この付近 / ～에서 모르는 사람이 없다 近所で知らぬ者がない / ～에는 사람 그림자 하나 없다 あたりには人影ひとつない.
부글-거리다 자 ① ぐらぐら沸きたつ. ② ぶくぶくと泡だつ. >보글거리다. ㅆ뿌글거리다. **부글-부글** 부하자 ぶくぶく; ぐつぐつ; ふつふつ. ¶～ 끓어오르다 沸沸と煮えたぎる / 물이 ～ 끓다 水が煮え返る.
부금【賦金】 명 賦金. ① 賦課金. ② 掛け金. ¶보험의 ～을 붓다 保険の賦金を払う / 다달이 5만원의 ～을 물다 月月五万ウォンの掛け金をする.
부기【附記】 명하타 付記〔附記〕. ¶감상을 ～하다 感想を付記する.
‖―― 등기 명 付記登記.
부기【浮氣】 명 はれ; ふくれ. ¶얼굴

ㅂ

의 ~가 빠지다 顔のはれが引〔退〕く.

부기【簿記】명 簿記. ¶상업〔공업〕~ 商業〔工業〕簿記 / 단식〔복식〕~ 単式〔複式〕簿記 / ~를 배우다 簿記を習う.

‖——-법 명 簿記法. ——-장(帳) 명 簿記帳簿. ——-학 명 簿記学.

부꾸미 명 熱した鉄板の上に油をひき, こねたもち米などの粉を焼いたせんべい(煎餅).

부끄러움 명 恥; 恥じらい; はにかみ; しゅうち(羞恥); きまり悪さ. >바끄러움. 준 부끄럼.

부끄러워-하다 자 恥ずかしがる; はじらう; きまり悪く思う; はにかむ; 照れる〈俗〉. ¶무식을 ~ 無知を恥じる / 몸을 비비 꼬면서 ~ からだをねじって恥ずかしがる.

부끄럼 명 [↗부끄러움] 恥; 恥じらい; はにかみ. >바끄럼. ¶~을 잘 타는 사람 恥ずかしがり屋 / ~을 무릅쓰고 그 일을 부탁했다 恥を捨ててその事を頼んだ. —— 타다 자 恥ずかしがる; はにかむ.

‖——-성(性) 명스형 恥ずかしがる性格.

부끄럽다 형 恥ずかしい; きまりが悪い; 面映ゆい; 照れくさい; 気恥ずかしい〈雅〉. >바끄럽다. ¶얼굴 내 놓기가 ~ 面出しが恥ずかしい / 좀 부끄럽군 少少てれるね / 얼굴을 바로 보기가 ~ まともに顔を見るのが恥ずかしい / 어쩐지 ~ そら恥ずかしい / 그때는 정말 부끄러웠다 その時はほんとうにきまりが悪かった. **부끄러-이** 부 恥ずかしく; きまり悪く. ¶~ 여기다 恥ずかしく思う.

부낭【浮嚢】명 浮き袋. =부대(浮袋). ¶구명용〔수영용〕~ 救命用〔水泳用〕の浮き袋.

부내【部内】명 部内; 省内. ¶~ 사정에 밝다 部内の事情に明るい.

부녀【父女】명 父と娘.

부녀【婦女】명 [↗부녀자] 婦女.

‖——-자 명 婦女子.

부농【富農】명 富農; 上農. ¶~의 집에 태어나다 富農の家に生まれる.

부닐다 자 人なつこく振る舞う; 愛想よくふるまう.

부닥-뜨리다 자 出くわす; ぶつかる.

부닥치다 자 ぶつかる; 突きあたる. ¶뜻밖의 곤란에 ~ 思いがけない困難にぶつかる / 배는 바위에 부닥쳤다 船は岩に突きあたった.

부단【不斷】명 不断. ——-하다 형 絶え間ない; 絶えない. ¶~한 노력 不断の努力. ——-히 부 絶え間なく; いつも.

부담【負擔】명 負担. ——-하다 타 負担する; 背負いこむ. ¶각자 ~ 割り勘; 兵隊勘定〈俗〉; ダッチペイ / 실비를 ~하다 実費を負担する / 자기 ~으로 내다 自腹を切る.

‖——-금 명 負担金.

부당【不當】명 不當. ——-하다 형 不當だ. ¶~한 요구 不当な要求 / ~한 처분 不当な処分 / ~한 대우를 받다 めちゃな待遇を受ける. ——-히 명 不当に; めちゃに.

‖—— 노동 행위 명 不当労働行. —— 이득 명 不当利得.

부대【附帶】명하타 付帯〔附帯〕. ¶~ 계약〔조건〕付帯契約〔条件〕

‖—— 사건 명 付帯事件. —— 사 명 付帯事業.

부대【負袋】명 袋. =포대(包袋). ¶~ 아가리를 벌리다 袋の口を広る / ~에 넣다 袋に入れる.

부대【浮袋】명 浮き袋. =부낭(嚢).

부대【部隊】명 部隊. ¶전투 ~ 戦部隊 / 정예 ~ 精鋭部隊.

부대【富大】명하형 肥大; 体が太とって大きいさま; でっぷり. ¶~한 몸집 でっぷりしたからだつき.

부대끼다 자 もまれる; さいなまれる; 悩まされる. ¶거리의 소음에 ~ 町の騒音に悩まされる / 사회에 나가(세파에) ~ 世間に出てもまれる.

부대 불소【不大不小】명하형 大きくも小さくもなくて程よいこと.

부덕【不德】명하형 不徳. ¶이 일은 모두 제 ~의 소치입니다 これは皆わたしの不徳の致すところです.

부덕【婦德】명 婦徳. ¶~이 있는 여자 婦徳の女 / ~을 닦다〔쌓다〕婦徳をみがく〔積む〕.

부도【不渡】명 不渡り. ¶~를 내다 不渡りを出す. ——-나다 자 不渡りになる.

‖—— 수표(手票) 명 不渡り小切手. =공수표. ¶~를 발행하다 不渡り小切手を振り出す. —— 어음 명 不渡り手形.

부도【附圖】명 付図〔附図〕. ¶지리 ~ 地理付図.

부도【婦道】명 婦道. ¶~를 다하다 婦道を全うする.

부-도덕【不道德】명하형 不道徳; 不徳. =부덕의(不德義). ¶~한 사람 不道徳な人.

부-도심【副都心】명 副都心.

부-도체【不導體】명 不導体; 絶縁体; 不良導体. ¶열〔전기〕의 ~ 熱〔電気〕の不導体.

부-독본【副讀本】명 副読本.

부동【不同】명하형 不同. ¶순서 ~ 順序不同 / ~ 중량 不同重量.

부동【不動】명하자 不動. ¶~ 자세 不動の姿勢 / ~의 지위를 자랑하다 不動の地位を誇る.

‖—— 명왕 명〔佛〕不動明王.

부동【浮動】명하자 浮動. ¶~ 구매력 浮動購買力 / ~ 인구 浮動人口 / ~하는 시세 浮動する相場.

‖——-성 명 浮動性. ——-주 명 浮動株. ——-층 명 浮動層. ——-표 명 浮動票.

부동-산【不動産】명〔法〕不動産. ¶~에 대한 권리 不動産上の権利 / ~ 대부 不動産貸し付け / ~ 권리 증서 不動産権利証書.

‖—— 중개업 명 宅地建物取引業. —— 취득세 명 不動産取得税. *취득세. —— 투기 억제세(投機抑制税) 명 不動産の譲渡によって生じる差益に課する国税.

부-동심【不動心】명하자 衝動にも

…がゆるがぬこと.

동-액【不凍液】명 不凍液.

동-항【不凍港】명 不凍港.

두【埠頭】명 ふとう(埠頭); 波止場(波戸場). ¶이별의 ～ 別れの波止場/화물선을 ～에 대다 貨物船を埠頭へ横付けにする.

——-꾼 명 沖仲仕; 波止場人夫. 부둣-가 명 波止場のほとり(辺).

둑-하다 형 (水気がほぼ乾き)やや固い. >보독하다. ㅆ뿌둑하다. 부둑-부둑 부하형 水気が乾いて少し固そうなさま.

둥-부둥 부하형 丸丸とふとったさま: ふかふか; ぶくぶく. >보동보동. ㅆ푸둥푸둥.

둥켜-안다 타 抱き締める; 抱き込む. ¶아이를 ～ 子供を抱き締める/부둥켜안고 이내 울음을 터뜨렸다 抱き締めるや泣きだした.

부둥키다 타 (しかと)抱く; (両手で)かいつかむ. ¶목을 ～ 首に抱きつく/소매를 ～ そで(袖)をか(搔)いつか(摑)む.

부드드-하다 형 つかんで放すまいとけちつく; ややけちくさい. ㅆ뿌드드하다.

부드득 부하자 ① 固い物を強くこする音: がりがり; ぎりぎり; ごりごり. ¶이를 ～ 갈다 歯をぎりぎり鳴らす. ② もろいふん(糞)を力んで下す音: びりびり; びちびち. >바드득·보드득. ㅆ뿌드득. ——-거리다 자타 しきりにぎりぎり〔びりびり〕する. ——— 부하자타 がりがり; びりびり.

부드럽다 형 柔らかい. ① 触りがよい; なめらかだ; 柔い〈方〉; ソフトだ. ¶부드러운 감촉 柔らかいタッチ/살결이 부드러운 여자 柔肌の女/풍경화는 부드러운 색조로 그려져 있다 風景画は柔らかい色調で描かれている. ② (振る舞いなどが)和やかだ; しなやかだ; おだやかだ; 物柔らかい. ¶부드러운 행동거지 おだやかな身ごなし/부드러운 분위기 なごやかな雰囲気/부드러운 태도로 남을 대하다 おだやかな〔柔らかい〕物腰で人に接する. >보드랍다. 부드러-이 부 柔らかく; なごやか〔おだやか〕に.

부드레-하다 형 ① (態度が)大変柔らかく見える. ② (ひどく)弱い; もろ(脆)い. >보드레하다.

부득-부득 부 ① しつこく意地を張るさま. ¶～ 우기다 我を張ってやまない. ② うるさくせがむさま. >바득바득. ㅆ뿌득뿌득.

부득-불【不得不】부 ☞ 부득이(不得已).

부득 요령【不得要領】명 不得要領. ¶～의 말을 하다 要領を得ない話をする.

부득-이【不得已】부 仕方なく; やむなく; 余儀無く; せんなく. ——-하다 형 仕方がない; 余儀無い; せん方ない; よんどころない; やむを得ない. ¶～한 경우에는 やむを得ざる場合には/～한 볼일로 よんどころない用事で/～ 단념하다 やむなくあきらめる/～ 퇴진하게 되다 退陣を余儀無くされる/～ 휴간할 수밖에 없게 되었다 休刊のやむなきに至った.

부들기 명 継ぎ目; つなぎ目; つがい目. ¶어깻～ 肩のつがい目.

부들-부들 부 ぶるぶる; わなわな; がくがく. ¶추워서 ～ 떨다 寒くてがくがく震える/덩치 큰 사나이는 그만 ～ 떨기 시작했다 大の男はつい(遂)にわなわなふるえ出した.

부들부들-하다 형 (肌触りが)柔らかい; なめらかだ; すべすべだ. >보들보들하다. ¶부들부들한 피륙 すべすべする織物/감촉이 ～ 手触りが柔らかい.

부듯-하다 형 ① ほどよく合ってぴちっと〔ぴっちり〕している. ② ぎっしり詰まっている. >바듯하다. ㅆ뿌듯하다. 부듯-이 부 ぴったりと; ぎっしりと.

부등【不等】명 不等; 等しくないこと. ——-하다 형 等しくない.

‖——-변 명 不等辺. ——-식 명〖數〗不等式. ——-호 명〖數〗不等号.

부디 부 どうぞ; 是非(とも); なにぶん(何分); 何とぞ; どうか; 曲げて; 平に〈老〉. ¶～ 잘 부탁합니다 何分ともよろしく(お願いします)/～ 승낙해 주십시오 是非うんと言って下さい/～ 몸조심하십시오 くれぐれもお体を大事に/～ 청을 들어 주시기를 曲げてお聞きいれますよう/～ 앓지 마라 どうか病気しないように. ———— 부 くれぐれも; 是非とも.

부딪다, 부딪-치다 자타 ぶつかる; ぶつける; 打つ; 打ち付ける; 当たる; 突き当たる. ¶머리를 문에 세게 ～ 頭をひどく戸にぶつける/물결이 바위에 부딪쳐 산산이 부서졌다 波が岩に当たってこなごなに砕けた/세게 부딪쳐 손이 저리다 ひどくぶつかって手がしび(痺)れる.

부딪-뜨리다 타 強くぶつける.

부딪치-이다 피동 ぶつけられる; 打ち付けられる; つき当てられる.

부딪-히다 피동 ぶつけられる; 衝きあてられる; 打ちつけられる.

부뚜막 명 かまど(竈)(“かま·へっつい”라고도 함). ¶～엣 소금도 집어 넣어야 짜다《俚》かまどの塩も使ってこそ用を足す.

부라리다 타 (目玉を)怒らす; ぎろぎろさせる; (目を)む(剝)く. ¶눈을 부라리고 호통을 치다 目を怒らしてどなりちらす.

부락【部落】명 部落. ＝촌락(村落). ¶산간 ～ 山の中の部落/～ 전체의 경사 全村の祝い事.

부란【孵卵】명하자타 ふらん(孵卵). ‖——-기 명 孵卵器.

부란【腐爛】명하자 腐乱. ¶～ 시체 腐乱死体.

부랑【浮浪】명 浮浪; 流浪. ——-하다 자 浮浪〔流浪〕する; さすらう; さまよう; 流れ歩く. ¶도처를 ～하다 至るところを浮浪する.

‖——-배(輩) 명 浮浪の輩. ——-아 명 浮浪児. ——-자 명 浮浪者〔人〕; 宿無し; ごろつき; ならず者.

부랴-부랴, 부랴-사랴 부 草草; 取

ㅂ

り敢えず；あたふたと．¶재촉하자 ～ 떠났다 せき立てたら草草と立ち去ってしまった／～ 연락을 취하다 とりあえず連絡をとる．

부러 [부] わざと；故意に．¶～ 그렇게 말했다 わざとそういうふうに言った／～ 젠체하다 わざと気取る．

부러-뜨리다 [타] 折る；折ってしまう．¶연필 심을 ～ 鉛筆のしん(芯)を折る／아까운 것을 부러뜨렸구나 惜しい物を折ってしまったね．

부러워-하다 [타] うらや(羨)む；せんぼう(羨望)する．¶남의 행복을 부러워하는 것은 여자의 본능이다 人の幸せを羨むのは女性の本能である／남의 것을 ～ 人のものを羨む．

부러-지다 [자] 折れる．¶소나무 가지가 뚝 부러졌다 松の枝がぽっきりと折れた／부러져도 할 수 없다 折れてもせん方ない／부러진 칼자루에 옻칠하기《俚》折れ柄に漆ぬり．

부럼 [명]〖民〗陰暦正月の十五日の早朝食べるくり(栗)·くるみ·落下生など《出来物の予防のまじない》．

부럽다 [형] うらや(羨)ましい．¶부럽기 짝이 없다 羨ましき至りだ／한가한 사람이 부럽군 閑人が羨ましいね．

부레 [명] ①ふえ(鰾)；浮き袋．＝어표(魚鰾)．②↗부레풀．
‖──-질 [명][하타] にべで張る〔付ける〕こと．──-풀 [명] ふえにべ(鰾膠)．

부려-먹다 [타] こき使う；酷使する．¶싼 월급으로 마구 ～ 安月給でこき使う／부려 먹기만 해서는 안 된다 こき使うだけではいけない．

부력【浮力】 [명]〖物〗浮力．¶～이 작용하다 浮力が作用する．

부력【富力】 [명] 富力．¶～에 의지하다 富力に頼る．

부령【部令】 [명]〖法〗省令；部令．¶외무～ 제 3 호 外務省令第三号．

부록【附錄】 [명] 付録〔附録〕；つけたり；アペンディックス．¶별책 ～ 別冊付録／～을 달다 付録を付ける．

부루퉁-하다 [형] 膨れている．①張れあがっている；盛りあがっている．②膨れっ面をしている；ぷんとしている；お冠だ；とんがる；むくれる〈俗〉．¶부루퉁해서 입술을 삐죽 내밀고 있다 膨れて唇をつき出している／부루퉁해지다 ほお(頰)を膨らす；冠を曲げる．>보로통하다．쓰 뿌루퉁하다．부루퉁-히 [부] ぷんと；むっつりと；ふくれあがって．

부류【部類】 [명] 部類．¶갑과 을을 같은 ～에 넣다 甲と乙を同じ部類に入れる．

부르다¹ [타] ①(声を大きくして)呼ぶ．¶부르면 대답할 거리 呼べば答える距離／누군가가 ～ 誰かが呼んでいる／길가는 사람을 (소리내어) ～ 道行く人に呼び掛ける／지명해서 ～ 名指しで呼ぶ．②呼ぶ；招く；迎える；召す．¶의사를 ～ 医者を呼ぶ〔招く〕／차를 불렀으니까 곧 올 것입니다 車を呼びましたから程なく参りましょう／대단한 사람을 불러오는 모양이군 偉物を迎えるようだね／하께서 부르십니다 殿下がお召し す／기생을 ～ 芸者を買う．③叫ぶ；値を付ける．¶부르는 값 呼び値／터무니 없이 비싼 값을 ～ 途方もない高値を呼ぶ．④呼ぶ；名づける；称する．¶이 근방 일대를 북 프스라고 부릅니다 この辺一帯を北アルプスと呼びます．⑤呼ぶ；叫ぶ；唱える．¶쾌재를 ～ 快哉を叫ぶ／만세를 ～ 万歳を唱える〔叫ぶ〕．⑥(歌を)歌う．¶교가를 ～ 校歌を歌う．

부르다² [형] ①おなかが張る；腹いっぱいである．¶보기만 해도 배가 ～ みただけでもおなかが張る／배 불리 먹다 腹いっぱい食う．②張っている．

부르르 [부] ①(怖じけたり寒くて)おののくさま：わなわな；おどおど；ぶるぶる．¶입술을 ～ 떨며 唇をわなわなさせて／그 소리에 초목도 ～ 떠는 듯했다 その声に草木もぶるぶるふるえるようであった．②燃えあがるさま：ぱちぱち．③沸き立つさま，またはその音：ぐらぐら；くらくら．

부르-쥐다 [타] 握り締める；しかと握る．¶주먹을 ～ こぶしを握り締める．

부르-짖다 [자] ①叫ぶ；わめく；唱える．¶독립을 ～ 独立を叫ぶ．②泣き叫ぶ；泣きわめく．

부르터-나다 [자] 露見する；ばれる〈俗〉．

부르터난-김 [명] 事がばれ出した序で．

부르트다 [자] ①水ぶくれになる；豆ができる．②は(腫)れあがる．(준) 부릍다．

부릅-뜨다 [타] (目を)いからす；(目を)む(剝)く．¶눈을 크게 ～ 大目玉をむき出す．

부리 [명] ①くちばし·はし(嘴)．¶～가 짧다〔길다〕嘴が短い〔長い〕．②物のとがった部分：端．③(瓶などの)口の先．
‖──-망(網) [명] (牛の)口籠．

부리-나케 [부] 急いで；大急ぎで．¶～ 집어넣다 急いで入れる／～ 떠나다 大急ぎで立つ／～ 돌아왔다 宙を飛んで帰って来た／～ 뛰어왔으나 이미 숨진 뒤였다 一目散に駆けて来たがすでに亡くなった後だった．

부리다¹ [타] ①使う．㉠働かせる；仕事をさせる．¶하인을〔소를〕～ 下男〔牛〕を使う／사람을 부리는 것이 거칠다 人使いが荒い．㉡(機械などを)操る；動かす．¶인형을 ～ 人形を操る／요술을 ～ 手品を使う．②行使する；振るう；張る．¶허세를 ～ 見えを張る／권세를 마음껏 ～ 権勢を思うまま振う／고집을 ～ 我を張る／행패를 ～ 乱暴を働く；狼籍を働く／만용을 ～ 蛮勇を振う／응석을 ～ 鼻を鳴らす．③弄する；演ずる．¶재간을 ～ 小才を弄する／꾀병을 ～ 仮病を使う／술책을 ～ 策を弄する／추태를 부리다 醜態を演ずる／애교를 ～ 愛嬌をふりまく．

부리다² [타] ①(荷物を)下ろす；荷おろしをする．②弓弦をはずす．

리부리-하다 형 目がきらつく. ¶부리부리한 눈 きらつく瞳.
림-꾼 명 使われ人; 人夫; 雇い人.
메랑 효과【—効果】〔boomerang〕 명 ブーメラン効果.
면【部面】 명 部面. ¶그는 이 ~에서의 대가이다 彼はこの部面での大家である.
명【父名】 명 父の名.
명【父命】 명 父命.
명【富名】 명 金持ちで知られた名.
모【父母】 명 父母; 親; 両親. ¶~에 효도하다 親孝行をする / 자식을 가져보고서야 (비로소) 아는 ~의 은혜 子を持ってはじめて知る親の恩 / ~의 슬하를 떠나다 親の膝下を離れる / ~보다 잘난 자식은 없다 親勝りの子はない / ~를 소홀히 하다 親をないがしろにする.
‖— 구존(俱存) 명하자 両親が共に生きていること. —-상(喪) 명 父母の喪. =친상(親喪).
부목【副木】 명 副木; 添え木. ¶부러진 팔에 ~을 대다 折れた腕に添え木をあてる.
부문【浮文】 명 うわべ飾りの軽薄な文章.
부문【部門】 명 部門. ¶각 ~에 걸쳐 밝다 各部門にわたって明るい / ~별로 나누다 部門別にわける.
부민【浮民】 명 寄る辺のない民.
부민【富民】 명 富民; 富んでいる民. ¶경제 정책의 요체는 ~에 있다 経済政策の要諦は富民にある.
부박【浮薄】 명 浮薄; 軽薄. ——하다 형 浮薄だ; 軽軽しい. ¶경조~한 행동 けいちょう(軽佻)浮薄な行ない.
부별【部別】 명하타 部別; 部分け.
부보【訃報】 명 ふほう(訃報); ふいん(訃音); ふ(訃). =부고(訃告). ¶~에 접하다 訃報に接する.
부복【俯伏】 명 ふふく(俯伏); 下座; 土下座. ——하다 자 俯伏する; ひれ伏す; ぬかず(額突)く; (土)下座する. ¶불전에 ~하다 仏前にぬかずく / 발 아래 ~하여 용서를 빌다 足元にひれ伏して許しを請う / 납거미처럼 ~하다 ひらぐものようにひれ伏す.
부본【副本】 명 副本; 副書. ¶~을 뜨다 副本をとる〔つくる〕/ ~을 보관하다 控えを保管する.
부부【夫婦】 명 夫婦; 夫妻; 夫婦〈雅〉; 夫婦〈老〉; つれあい. ¶~가 되다 夫婦になる; 連れそう / 신혼의 (앳된) ~ 新婚のほやほや / 오다가다 만난 ~ なれ合いの夫婦 / 인륜은 ~로서 비롯된다 人倫の始まりは夫婦にある / ~ 사이에 분란이 끊이지 않는다 夫婦のもめ事が絶えない / ~의 인연을 맺다 夫婦の契りを結ぶ / ~ 싸움은 칼로 물베기《俚》夫婦げんかは犬も食わぬ.
‖——애 명 夫婦愛. —— 유별(有別) 명 夫婦に別あり. —— 재산제 명 夫婦財産制. —지-약(之約) 명 ☞ 혼약(婚約). —지-정(之情) 명 夫婦の情合い.
부-부 부 しきりに鳴る汽笛の音: ぶうぶう; ぴいぴい.
부분【部分】 명 部分. ¶~으로 전체를 알아내다 部分を以って全体を知り抜く.
‖— 색맹 명 部分色盲. — 월식 명 部分月食〔月蝕〕. ——-적 명관 部分的. ¶이것은 ~인 문제이다 これは部分的な問題である. ——-품 명 部分品; 部品. ¶라디오 ~을 사왔다 ラジオの部品を買って来た.
부빙【浮氷】 명하자 ① 浮き氷. ② 川から氷を採ること.
부사【副使】 명 副使. ¶~ 2명을 대동하다 2名の副使をひきいる.
부사【副詞】 명〔言〕副詞.
‖— 격조사 명 副詞格助詞. ——어 명 副詞語. ——-절 명 副詞節. ——-형 명 副詞形.
부-사장【副社長】 명 副社長.
부산-떨다 자 騒騒しく振る舞う; せわしく立ち回る.
부-산물【副産物】 명 副産物. ¶연구의 ~ 研究の副産物 / ~로서 여러 가지 것이 나왔다 副産物としていろいろのものが出て来た.
부산-하다 형 ① 慌ただしい; 気ぜわしい. ¶부산한 기미가 보이다 慌ただしい気配が見える / 종일 부산하게 돌아다니다 終日せわしく歩きまわる / 연말은 어쩐지 ~ 年末はなんとなく気ぜわしい. ② 騒騒しい; やかましい. ¶한길이 퍽 ~ 大通りがいやに騒騒しい. **부산-히** 부 ① あわただしく; 気ぜわしく. ② 騒騒しく; 騒がしく; やかましく.
부삽【—鍤】 명 十能; 火かき; 火取り.
부상【父喪】 명 父の喪.
부상【負商】 명 背負いあきんど; 担い商人.
부상【負傷】 명 負傷; けが. ——하다 타 負傷する; けがをする; 傷つく; 手おう. ¶머리에 ~을 입다 頭を負傷する / ~은 경미하다 負傷は軽い / ~을 면하다 負傷を免れる.
‖——-자 명 負傷者; けが人. ¶~를 후송하다 けが人を後送する.
부상【浮上】 명 浮上. ——-하다 타 浮上する; 浮かびあがる; 浮きあがる.
부상【副賞】 명 副賞. ¶상금은 30만 원, ~으로는 시계였다 賞金は三十万ウォン, 副賞としては時計であった.
부상【富商】 명 豪商.
부서【父書】 명 父の手紙.
부서【部署】 명 部署; 持ち場. ¶~마다 部署ごとに / ~를 지키다 持ち場を守る.
부서【副書】 명 副書; 副本.
부서【副署】 명〔法〕副署. ¶각 장관의 ~ 各大臣の副書 / 이제 외상의 ~만이 남았다 今や外相の副署だけが残った.
부서-뜨리다 타 ↗부스러뜨리다.
부서-지다 자 ① 壊れる; 砕ける; めげる〈方〉. ¶부서진 것을 모으다 こわれた物を集める / 흰 물마루가 ~ 白

しろい波頭が砕ける / 상자가 ～ 箱がめげる. ② ↗부스러지다.

부석-부석 부 肌がややはれあがったさま; むくんださま: ぶよぶよ. ——-하다 형 ぶよぶよだ. ¶～한 얼굴 腫れぼったい顔; ぶよぶよした顔 / 얼굴이 ～하다 顔がむくんでいる.

부-선거【浮船渠】명 浮きドック.

부설【附設】명하타 付設〔附設〕. ¶사옥에 주차장을 ～했다 社屋にパーキングロットを付設した.

부설【敷設】명 敷設〔布設〕. ——-하다 타 敷設する; 敷く. ¶가장 빨리 철도를 ～했다 最も早く鉄道を敷設した. ‖——-권 명 敷設権. ——-함 명 敷設艦.

부성【父性】명 父性.
‖——-애 명 父性愛.

부세【賦稅】명 賦税; 課税. ——-하다 타 税を賦課する.

부속【附屬】명하자 付属〔附属〕. ¶교회에 ～된 유치원 教会付属の幼稚園 / ～물에 지나지 않다 付属物〔付き物〕にすぎない.
‖——-실(室) 명 ① 付属の部屋. ② 秘書室の役割をする部屋. ——-품 명 付属品. ¶～ 한 벌을 끼워서 付属品一式共に / 카메라의 ～ カメラのアクセサリー. —— 학교 명 付属学校. —— 합의서 명 付属合意書. ——-해 명 付属海.

부수【附隨】명하자 付随〔附随〕. ¶이 사건에 ～해서 일어난 문제 この事件に付随して起こった問題.
‖—— 비용 명 付随費用; つけたりの費用. —— 서류 명 付随書類.

부수【部首】명 部首.

부수【部數】명 部数. ¶신문의 발행 ～는 문화의 척도이다 新聞の発行部数は文化の尺度である.

부수다 타 壊す; つぶ(潰)す. >바수다. ¶집을 ～ 家を壊す / 인형을 만지작거려 ～ 人形をいじ(弄)くりまわして壊す / 쇠메로 바위를 ～ げんのうで岩を砕く.

부수-뜨리다 타 力まかせにぶちこわしてしまう.

부수수 부하형 [↗에부수수] ぼさぼさ; ばさばさ. ¶머리털이 ～한 사람 髪の毛のぼさぼさ(と)した人 / ～한 머리털 ばさばさした髪の毛.

부-수입【副收入】명 副収入; 役得; 余得. ¶이 달에는 ～이 적다 今月は副収入が少ない / ～이 있는 일거리 役得のある仕事.

부숭-부숭 부하형 ① からからに乾いたさま: ばさばさ. ② (顔立ち·振る舞いが)やさしくてこぎれいなさま. >보송보송.

부스-대다 자 じっとしていないで絶えずつまらない事をする. <바스대다.

부스러기 명 くず(屑); 残りかす; 端くれ. >바스라기. ¶빵 ～ パン屑.

부스러-뜨리다 타 ぶちこわす; 押しつぶす. >바스러뜨리다. 준 부서뜨리다.

부스러-지다 자 砕ける; こなごなになる; つぶれる; こわれる. >바스러지다.

부스럭 부하자 (落ち葉などを)踏[cut]だりかきまわす音: ばさっ. >바[cut]락. ——-거리다 자타 ばさつく; か[cut]つく. ———— 부하자타 ばさばさ[cut]かさかさ.

부스럼 명 おでき; 出来物; はれもの. ¶～에 고약을 바르다 出来物に薬を張る / 그런 짓은 긁어 ～이[cut] そんな事はやぶへび(藪蛇)だよ / 긁[cut] ～ 만들다 寝むる子を起こす / 긁[cut] ～은 만들지 마라 さわらぬ神にた[cut]りなし.

부스스 부하형 ① やおら〔おもむ(徐)[cut]に〕起きあがるさま. >바스스. ¶잠자리에서 ～ 일어나다 寝床からやおら起きあがる. ② 髪毛などが乱れたさま: ぼうぼう; もじゃもじゃ. ¶～한 머리 もじゃもじゃした頭. ③ もろ(脆)くくずれるさま.

부슬-부슬 부 雪·雨のまばらに降るさま: さらさら; しとしと; しょぼしょぼ; そぼそぼ. >보슬보슬. ¶비가 ～ 내리다 雨がしとしと降る / ～ 내리는 비를 맞으며 しょぼつく雨にぬれながら. 「微雨. >보슬비.

부슬-비 명 小雨; こぬか(小糠)雨;

부시 명 火打ち金.
‖—— 쌈지 명 火打ち袋. 부싯-돌 명 火打ち石; フリント.

부시다¹ 타 (器などを)ゆす(濯)ぐ. ¶식기를 ～ 食器を濯ぐ.

부시다² 형 まぶ(眩)しい; まばゆい. ¶눈이 ～ 目が眩しい.

부식【扶植】명 扶植. ——-하다 타 扶植する; 植えつける. ¶세력을 ～하다 勢力を扶植する.

부식【副食】명 ↗부식물.
‖——-비 명 副食費.

부식【腐食·腐蝕】명하자〖生〗腐食; さ(錆)びたり腐ったりして形が崩れること.
‖——-성(性) 명 腐食性. ¶～ 동물 腐食性動物.

부식【腐植】명 腐植.
‖—— 작용 명 腐植作用. ——-질 명〖化〗腐植質. ——-토 명 腐植土.

부-식물【副食物】명 副食; 副食物; お菜; おかず.

부신【符信】명〖史〗符節; 割り符. ¶～을 맞추듯이 符節を合わせるが如く. 「こう.

부실 공사【不實工事】명 手抜き工事

부실 기업【不實企業】명 経営が不健実な企業.

부실-하다【不實―】형 ①体が丈夫でない. ②不十分だ; 貧弱だ. ③誠実でない; 不誠実だ.

부심【腐心】명 腐心; 苦心. ——-하다 자 腐心する; 心をいためる. ¶아내의 병으로 ～하다 妻の病に腐心する.

부썩 부 ① 片意地をはるさま. ¶돌아가겠다고 ～ 우기다 帰るといって我をはる. ② にわ(俄)かに増えるか減るさま. ¶근간에 도둑이 ～ 늘었다 近頃どろぼうがうんとふえた. >바싹. ———— 부 いやおう(否応)なしに; ぐんぐん; めっきり.

아 명 ①〔生〕☞ 폐장. ②かんしゃく(癇癪); かん(癇); しゃく(癪). ¶ ~가 나다 癪にさわる / ~가 돋다 癇が高ぶる / ~를 참을 수 없었다 癇癪をおさえきれなかった.
——-통 명 かんしゃく玉. ¶ ~ 터지다 かんしゃく玉が破裂する. 부앗-김 명 腹立ちまぎれ.

부액【扶掖】명하타 ふえき(扶掖). ＝곁부축.

부양【扶養】명 扶養; 養い. —— 하다 타 扶養する; 養う. ¶ 가족을 ~하다 家族を養う.
‖—— 가족 명 扶養家族. —— 의무 명 扶養義務.

부양【浮揚】명하자타 浮揚. ¶ 공중에 ~된 경기구 空中に浮かした軽気球 / ~력 浮揚力; 揚力.

부어【鮒魚】명 ふな(鮒). ＝붕어.

부언【附言】명 付言〔附言〕; 付語. ——-하다 타 付言する; 付け加えて言う. ¶ 다짐하기 위해 ~하거니와 念のために付言するが / 한 마디 ~하건대 一言つけくわえるが.

부언【浮言】명 流言; 浮説.

부업【父業】명 父業. ① 父の職業. ② 祖先伝来の職業. ¶ ~을 이어받다 父業を継ぐ.

부업【副業】명 副業; 内職; サイドビジネス. ¶ ~으로서 양계를 하다 副業として養鶏をする / 생활비에 보태기 위해 ~을 하다 生活費の足しに内職をする.

부업【婦業】명 女性の職業.

부엉-부엉 부 みみずくの鳴き声: ほうほう.

부엉-새 명 ☞ 부엉이.

부엉이 명〔鳥〕みみずく; 木の葉ずく《작은》. ¶ ~ 소리도 제가 듣기에는 좋다고《俚》みみずくの鳴き音も自分には聞きよいとさ《自分の短所はよく知らないことのたとえ》.

부엌 명 台所; だいどこ; 勝手; くりや(厨). ＝취사장. ¶ ~문 台所〔勝手〕口 / ~에 붙은 방 厨付きの部屋 / ~에 가면 더 먹을까 방에 가면 더 먹을까《俚》厨の方が多く食えようか座敷の方が多く食えようか《選びにとまどうさまのたとえ》.
‖——-데기 명《俗》飯炊き; 下女中; おさんどん. ＝식모. ¶ ~를 들이다 飯炊きを雇う / 나는 요즘 아내가 아파서 ~ 노릇을 하고 있다 わたしはこの頃家内が病気でおさんどん役をしている. ——-일 명 台所〔勝手〕仕事; 水仕事. ¶ ~로 손이 거칠어지다 水仕事で手が荒れる. ——-칼 명 包丁. ＝식칼.

부여【夫餘】명〔史〕夫余.

부여【附與】명 付与〔附与〕. ——-하다 타 付与する; (さずけ)あたえる. ¶ 권능을 ~하다 権能を与える / 중대한 임무를 ~받다 重大な任務を申し受ける / 큰 책무가 ~되다 大役をおおせつかる.

부여【賦與】명하타 賦与; 分け与えること. ¶ 재능을 ~받다 才能を賦与される.

부여-잡다 타 つかむ; 握りしめる; とらえる.

부역【附逆】명하자 国家に反逆する行動に加わること.

부역【賦役】명 賦役〔夫役〕《'ふやく'라고도 읽음》. ¶ ~을 과하다 賦役を課する.

부연【敷衍】명하타 ふえん(敷衍). ¶ 설명을 ~하다 説明を敷衍する.

부엽-토【腐葉土】명〔農〕腐葉土.

부-영사【副領事】명 副領事.

부영양-호【富營養湖】명〔地〕富栄養湖; 栄養分が豊富でプランクトンの生存が多い湖沼.

부옇다 형 ぼやけている; ぼけている; あざやかでない; 煙った色だ. >보얗다. ㅆ뿌옇다.

부예-지다 자 ぼやける; ぼける. >보얘지다. ㅆ뿌예지다. ¶ 사진이 ~ 写真がぼやける / 먼지로 신발이 ~ 履物がごみだらけになる.

부왕【父王】명 父王.

부외【部外】명 部外. ¶ ~자는 나가시오 部外者は出て下さい.

부용【婦容】명 女性のみめすがた.

부운【浮雲】명 浮雲; 浮き雲. ¶ ~ 같은 신세 浮き雲の如き身の上.

부원【部員】명 部員. ¶ ~은 어느 정도 필요한가 部員はどの位必要か.

부위【部位】명 部位.

부유【浮遊·浮游】명하자 浮遊.
‖—— 기관 명 浮遊器官. —— 기뢰 명 浮遊機雷. —— 생물 명 浮遊生物; プランクトン. —— 식물 명 浮遊植物.

부유【富裕】명 富裕. ——-하다 형 富裕だ; 富む. ¶ ~한 가정 富裕な〔富んでいる〕家庭.
‖——-층(層) 명 富んでいる階級.

부유【蜉蝣】명 蜉蝣; かげろう(蜉蝣). ＝하루살이.
‖—— 인생 명 蜉蝣人生.

부유【腐儒】명 腐儒; くされ儒者.

부유스름-하다 형 白みがかっている; かすんでいる. >보유스름하다. ㅆ뿌유스름하다. 부유스름-히 부 かすんで; 白みがかって.

부육【腐肉】명 腐肉.

부음【訃音】명 ふいん(訃音); ふほう(訃報); 凶音. ＝부고(訃告). ¶ ~에 접하다 訃音に接する.

부응【副應】명하자 付き従って応ずること.

부의【附議】명하타 付議. ¶ 의안을 위원회에 ~하다 議案を委員会に付議する.

부의【賻儀】명하자 香典; 香料. ¶ ~에 대한 답례 香典返し / ~금 お香料.

부-의장【副議長】명 副議長.

부이〔buoy〕명 ブイ; 浮標.

부익-부【富益富】명 金持ちがますます金持ちになること.

부인【夫人】명 夫人; 奥様; 奥さん. ¶ ~ 동반으로 夫人同伴で.

부인【否認】명하타 否認. ¶ 범행 사실을 ~하다 犯行の事実を否認する. ‖——-권 명 否認権.

부인【婦人】명 婦人. ¶ 숙덕으로 이

ㅂ

름난 ~ 淑徳の誉れ高い婦人 / ~네들 ご婦人方.
‖——-과 명〔醫〕婦人科. ——-병 명 婦人病. ——-복 명 婦人服. ——-용 명 婦人用. ——-회 명 婦人会.
부인【副因】명 副因. ¶그 건의 ~으로 생각할 수 있는 점은 その件の副因として考えられる点は.
부임【赴任】명 赴任. ——-하다 자 赴任する; 赴く. ¶임지에 ~하다 任地に赴く / 새로 ~해 온 선생님 新しく赴任して来た先生.
부자【父子】명 父子.
‖—— 상전 명 父子相伝; 父子相承. =부전 자승(父傳子承). —— 유친(有親) 명하형 父子親あり.
부자【夫子】명 夫子; 徳行の高い人の敬称. ¶공~ 孔夫子.
부자【富者】명 金持ち; 長者; 物持ち. ¶~ 몸조심《俚》金持ちけんか(喧嘩)せず; 金持ち身が大事 / ~는 망(亡)해도 삼 년 먹을 것이 있다《俚》長者の跡は三年の味噌.
‖부잣-집 명 金持ちの家. ¶~ 가운뎃자식《俚》 金持ちの次男坊(のように遊んでばかりいる人) / ~ 맏며느리《俚》 金持ちの総領嫁; 顔つきの福福しいむすめ / ~ 외상보다 비렁뱅이 맞돈이 좋다《俚》金持ちの掛けより乞食の現なま.
부-자연【不自然】명 不自然; アーティフィシャル. ——-하다 형 不自然だ; わざとらしい; 作為的だ. ¶~한 자세 不自然な姿勢 / ~한 연기〔웃음〕不自然な演技〔笑い〕. ——-스럽다 형 ☞ 부자연하다. ¶부자연스러운 간살을 부리다 わざとらしいお世辞を言う / 옷차림이 ~ 身なりが取って付けたようだ.
부-자유【不自由】명 不自由. ——-하다 형 不自由だ. ¶~한 생활 不自由な生活 / 여러 가지로 ~하다 何か(と)不自由である.
부-자지 명 きんたまとちんぽ.
부-작용【副作用】명 副作用. ¶~이 없다 副作用がない / ~을 일으키다 副作用を起こす.
부-작위【不作爲】명〔法〕不作為.
‖——-범 명 不作為犯. —— 채무 명 不作為債務. —— 추출법(抽出法) 명 任意抽出法.
부장【部長】명 部長.
부장【副長】명 副長.
부재【不才】명 不才. ¶자신의 ~를 돌보지 않고 그 일에 손을 댔다 我が身の不才を顧みずその事に手をつけた.
부재【不在】명하자 不在; 留守.
‖——-자 명 不在者. ——-자 투표 명 不在者投票; 不在投票〈俗〉. —— 주주 명 不在株主. ——-중(中) 명 不在中; 留守. —— 증명 명 不在証明. =알리바이(alibi). —— 지주 명 不在地主.
부재【部材】명 部材.
부저【一箸】명 ↗부젓가락.
부적【不適】명 [↗부적당] 不適. ——-하다 형 不適である.
부적【符籍】명 じゅふ(呪符); お札; 護符; お守り; 肌守り. ¶~ 태우다 呪符を焚く / ~을 몸에 니다 お守りを身に付ける.
부-적당【不適當】명 不適当. 부적. ——-하다 형 不適当である.
부전【不全】명 不全. ——-하다 형 不全である; 不完全だ; 部分的だ. ¶발육 ~ 発育不全 / ~ 골절 全骨折.
부전【不戰】명 不戦.
‖——-승 명 不戦勝. —— 조약 명 不戦条約. ——-패 명 不戦敗.
부전【附箋】, **부전-지**【附箋紙】명 ふせん(付箋); はりがみ; 添書; 添え状; 用箋.
부전 자승【父傳子承】, **부전 자전**【父傳子傳】명하타 父子相伝.
부절【不絶】명하자 不断; 絶えないこと. ¶연락(連絡) ~ ひんぱんに連絡があること.
부절【符節】명 符節; 割り符; 割符. ¶~을 맞춘 듯하다《俚》符節を合するがごとし.
부-절제【不節制】명하자 不節制.
부접 명하자 ① 人なつっこい性格や態度. ② 人にたよること. —— 못하다 구 ① 近よれない; なつけない. ② 落ち着かない; 浮き腰である; じっとしておられない. ≒부쩝 못하다.
부-젓가락 명 ひばし(火箸). 준 부저.
부정【不正】명 不正; いんちき〈俗〉; ごまかし〈俗〉. ——-하다 형 不正だ; 邪まだ. ¶~ 행위를 힐난하다 不正行為を詰る / ~한 짓을 하다 不正を働く; いんちきをする / ~ 사건을 얼버무려 치우다 不正事件をもみ消す / ~한 생각 邪まな考え / ~하게 얻은 재물은 오래 못 간다 悪銭〔あぶく銭〕身につかず.
‖—— 선거 명 不正選挙. —— 처분 명 不正処分. —— 축재 명 不正蓄財. ¶~를 추궁하다 不正蓄財を追及する. —— 투표 명 不正投票.
부정【不定】명 不定. ——-하다 형 不定である. ¶주소 ~ 住所不定 / 노소 ~〔佛〕老少不定.
‖—— 관사 명〔言〕不定冠詞. ——-형 명 不定形.
부정【不貞】명 不貞. ——-하다 형 不貞である. ¶~한 아내를 내쫓다 不貞の妻を追い出す / ~한 짓을 하다 不貞を働く.
부정【不淨】명 ① 不浄; けがれ. ——-하다 형 不浄である; けがらわしい. ② 物忌みのときに出産または人が亡くなること. ——(을) 타다 구 不浄のために祟る.
‖——-풀이 명하자〔民〕喪家で, みこ(巫女)をして悪鬼を払わせること.
부정【否定】명 否定. ——-하다 타 否定する; 否む. ¶일언지하에 ~하다 言下に否定する / ~할 수 없는 사실 争われぬ事実.
‖—— 명제 명 否定命題. ——-적 명 관 否定的; ネガチブ. ¶~인 견해 否定的〔ネガチブ〕な見解. ——-적 개념 명 否定的概念. =소극적 개념.
부-정기【不定期】명 不定期.

——-선 명 不定期船. ——-형 명 〔法〕 不定期刑.

정-맥【不整脈】명 不整脈.

-정직【不正直】명하형 不正直. ¶~한 남자 不正直な男.

-정확【不正確】명하형 不正確. ¶~한 정보 不正確な情報.

제【副題】명 副題；傍題；サブタイトル. =부제목(副題目). ¶논문에 ~를 붙이다 論文に副題をつける.

제【部制】명 部制.

‖—— 운행 명 間引き運行. ¶승용차의 ~을 시행하였다 乗用車の間引き運行を施行した.

부조【父祖】명 父祖.

부조【不調】명하형 不調；天気や健康が思わしくないこと.

부조【扶助】명 ① 祝儀や香典をおくること. ¶~는 않더라도 제상이나 치지 마라《俚》 香典はないにしてもかみだな(神棚)はこわしてくれるなよ《助けてくれなくてもいいからじゃまだけはしないでくれとの意》. ② 扶助；力を添え助けること. ——-하다 타 扶助する. ¶상호 ~ 相互扶助.

‖——-금 명 祝儀；香典. 부조-술 명 香典として贈る酒.

부조【浮彫】명 浮き彫り；彫り上げ；リリーフ. =돋을새김·양각(陽刻).

부-조리【不條理】명하형 不条理；背理. ¶사회의 ~ 社会の不条理.

부-조화【不調和】명하형 不調和. ¶~한 빛깔 不調和な色.

부족【不足】명 不足. ——-하다 형 不足である；足りない. ¶실력 ~ 実力不足 / 수면 ~ 睡眠不足 / 아무 ~도 없는 생활 何の不足もない生活 / 식량 ~으로 굶어 죽을 지경이다 食糧不足で干ぼしになりそうだ / 아직 연구가 좀 ~하다 まだ一工夫足りない / 자원이 ~한 나라 資源に乏しい国 / (지출의) ~액이 생겼다 足が出た / 어딘가 ~한 점이 있다 どこか物足りない点がある.

‖——-감 명 不足感. ——-분 명 不足分. ¶~을 채우다 不足分を満たす. ——-수 명 不足数.

부족【部族】명 部族. ¶~ 대이동 部族大異動.

‖—— 국가 명 部族国家. —— 사회 명 部族社会.

부존【賦存】명하자 賦存. ¶~ 자원 天然資源.

부종【浮腫】명 ふしゅ(浮腫)；むくみ；すいしゅ(水腫). =부증(浮症).

부-주교【副主教】명 〔天主教〕 司教の下の聖職.

부-주의【不注意】명하자 不注意；手落ち. ¶너의 ~탓으로 생긴 일이다 君の不注意のせいでおこった事柄である / ~로 인한 사고 不注意による事故 / 나의 ~로 실패로 끝났다 僕の不注意で失敗に終わった / ~해서 죄송합니다 不届きで申し訳ありません.

부중-어【釜中魚】명 ふちゅう(釜中)の魚《命があぶないことを指す語》.

부증【浮症】명 ☞ 부종(浮腫).

부지【不知】명하타 不知；知らないこと.

‖—— 거처(去處) 명 行方を知らないこと. —— 기수(其數) 명 数を知らぬ程多いこと；無数. ¶그 따위 일은 ~다 そんな事はいくらでもある. ——-불식-간(不識間) 명 知らず知らずの間. ——-중(中) 명 知らぬ間に；思わぬ間に. ¶~에 눈물을 흘리다 覚えず涙を流す. —— 하세월(何歲月) 명 何時になったら成るやら(その時を)さっぱり知らぬこと.

부지【敷地】명 敷地；敷. ¶건축 ~ 建築敷地 / ~ 안에 증축하다 屋敷内に建て増す.

부지깽이 명 ひか(火搔)き(棒).

부지런 명 勤勉；手まめ. ——-하다 형 手まめだ；勤勉だ. ¶~한 부자는 하늘도 못 막는다《俚》 稼ぐに追いつく貧乏なし. ——-히 부 手まめに；つとめて；いそしんで. ¶하녀가 ~ 일하다 女中が手まめに働く / ~ 논문을 쓰다 筆まめに論文を書く / ~ 돈을 모으다 せっせと金を貯める / 젊었을 때 ~ 벌어라 若いうちにせっせと稼げ. ——-스럽다 형 ☞ 부지런하다.

부지지 부하형 ① 熱した鉄などが水に当たって出す音：じゅっ；じじっ. ② 生木などが焼けるときの音：じじっ. >바지지. ㅆ뿌지지. ¶~ 타다 ぶすぶすと燃える.

부지직 부하자 ① じじっ〔ぶすぶす〕とした音が急にとまるさま. ② 便を力んで出すときの音：びちびち. >바지직. ㅆ뿌지직.

부직【副職】명 副職.

부진【不振】명 不振；振るわないこと. ——-하다 형 不振である；ふるわない；はかばかしくない. ¶장사가 ~하다 商売が振わない / 공사는 미미 ~하다 工事は微微として振わない / 성적이 ~하다 成績が振わない.

부진【不進】명하자 不進.

부진【不盡】명하형 不尽；つきないこと.

부질-없다 형 つまらない；しがない；余計だ. ¶부질없는 걱정 余計な心配 / 부질없는 일에 구애되다 しがない事にかかずらう / 부질없는 일에 신경 쓰지 말고 つまらぬ事にとんちゃく(頓着)せずに. 부질-없이 부 つまらなく.

부집게 명 ひばし(火箸)；ひかき棒.

부쩍 부 ① 片意地をはるさま；我を押しとおすさま. ¶돌아가겠다고 ~ 우기다 帰ると言って退かない. ② 物事がにわかにふえたりへったり，またはぶっ通すさま：うんと；とみ(頓)に. ¶시세가 ~ 올랐다 相場がとみに上がった. >바짝. ———— 부 ぐんぐん；どんどん. ¶~ 살이 찌다 ぐんぐんと肉付く〔肥える〕/ ~ 실력이 늘다 もりもり(と)実力がつく.

부쩝-못하다 자 ① 近よれない；なつけない. ② 落ち着かない；そわそわする. ㅅ부접못하다.

부차【副次】명 副次. =제이차.

‖——-적 명관 副次的. ¶~인 것은

ㅂ

뒤로 돌리다 副次的なことはあとまわしにする.

부착【附着】 명 付着〔附着〕. ——하다 자타 付着する; ひっつく. ¶~물을 씻어내다 付着物を洗い落とす.
‖——근 명〔植〕付着根. ——력 명〔物〕付着力. ——어 명 付着語. =첨가어(添加語).

부창 부수【夫唱婦隨】 명 夫唱婦随. ¶~의 가풍 夫唱婦随の家風.

부채 명 扇; うちわ(団扇); 扇子. =선자(扇子). ¶접~ 扇; 扇子; 末広(がり) / ~를 펴다 扇を開く / ~로 부치다 扇であおぐ.
‖—— 꼭지 명 扇のしり(尻). ——꼴 명 ① 扇形; おうぎなり. =선상(扇状). ②〔數〕扇形. ——질 명 하자타 ① 扇ぐこと. ¶~로 파리를 쫓다 扇いではえを追おう. ② 扇動すること; そそのかすこと. ¶경쟁심을 ~하다 競争心をあおる / 싸움을 ~하다 けんかを焚きつける. 부챗-살 명 扇の骨; 扇骨.

부채【負債】 명 負債; 借金; 負い目. ¶~를 상환하다 負債を返す / ~로 꼼짝 못하였다 負債で動きがとれなかった.

부처 명〔佛〕仏. ¶지옥에서 ~를 만나다 地獄で仏(に会う) / ~를 배례하다 仏を拝む.
‖——님 명 仏様; お釈迦さま. ¶~의 가르침 仏陀の教え / ~한테 설법《俚》釈迦に説法 / ~께 기원하다 仏様に信心する / ~ 가운데 토막《俚》① 仏のような人. ②〈俗〉お人好し.

부처【夫妻】 명 夫妻; 夫婦.

부-처【部處】 명 韓国の政府組織体の“部”と“処”の総称.

부쳐-지내다 자 居候をする; 寄食する.

부촌【富村】 명 暮らしの裕かな村.

부-총리【副總理】 명 副総理.

부-총장【副總長】 명 副総長.

부-총재【副總裁】 명 副総裁.

부추 명〔植〕にら(韮).

부추기다 타 そそのかす; けしかける; た(焚)きつける. ¶부추겨 죄를 짓게 하다 そそのかして罪を犯させる / 개를 ~ 犬をけしかける / 싸우라고 ~ けんかをけしかける.

부축 명하타 ☞ 부액(扶掖).

부츠〔boots〕명 ブーツ; 深靴.

부치다[1] 자 手に〔力に〕余る; 手に負えない. ¶힘에 부치는 일 手に余る仕事.

부치다[2] 타 ① 送る; とどける; 出す. ¶편지를〔돈을〕~ 手紙〔金〕を送る / 댁에 부쳐드릴까요 お宅にお届け致しましょうか / 소포를 ~ 小包みを出す. ② 付〔附〕する; 回す. ¶공판에 ~ 裁判に付す / 이번 일은 불문에 부치겠다 今度のことは不問に付する. ③ なぞら(準)える; 寄せる; 頼らせる. ¶달에 부쳐 읊은 노래 月に寄せて詠んだ歌.

부치다[3] 타 耕す; 培う. ¶밭을 ~ 畑を耕す.

부치다[4] 타 (フライパンなどに油を引いて)焼く; 油揚げにする.

부치다[5] 타 あお(煽)る; あお(扇)る. ¶부채로 ~ 扇であおる / 숯불을 炭火を扇る.

부칙【附則】 명 付則〔附則〕. ¶~로 보완하다 付則で補う.

부친【父親】 명 父親. =아버지.

부침【浮沈】 명하자 浮沈; 浮き沈み. ¶~이 심한 세상 浮き沈みの激しい世の中.

부침-개 명 フライパンなどで焼いた食べ物の総称; 油焼き.

부케〔프 bouquet〕명 ブーケ; 花束. =꽃다발.

부탁【付託】 명 付託; 頼み; 依頼; (お)願い. ——하다 타 頼む; 依頼する; 願う; 言付ける; 託する; 請う. ¶실례인 줄 알면서도 ~합니다 失礼とは知りつつもお願いします / ~을 퇴짜 놓다 願いをつっぱねる〔はねつける〕/ 잘 ~합니다 どうぞよろしく(願います) / 꼭 오시기를 ~합니다 是非お出でを願います / 앞으로도 잘 ~합니다 今後ともよろしく(願います) / 뒷일을 ~하다 後事を託する.

부탄〔도 Butan〕명〔化〕ブタン.
‖——가스 명 ブタンガス.

부터 조 初めを表わす特殊助詞: …から; …より. ¶첫째〔처음〕~ 끝까지 ピンからキリまで / 이제~가 본론이다 これからが本題である / 이제~ 출발하려는 참이다 今から出かける所である / 자네~가 그런 짓을 하면 곤란하다 君からしてそんなことをしては困る / 퇴학 처분은 처음~ 각오한 바이다 退学処分はもと(固)より覚悟の上である.

부토【腐土】 명 腐土. =부식토(腐植土).

부토【敷土】 명하자 土·砂をまくこと. また, その土.

부-통령【副統領】 명 副統領; 副大統領.

부패【腐敗】 명 腐敗. ——하다 자 腐敗する; 腐る. ¶정치의 ~ 政治の腐敗 / ~하기 쉬운 물건 腐敗しやすい物 / ~를 막다 腐敗を防ぐ / 정계의 ~를 개탄하다 政界の腐敗を嘆く / ~하여 악취를 풍기다 腐敗して悪臭を放つ.
‖——균 명 腐敗菌. ——상 명 腐敗相. ——열 명 腐敗熱.

부평-초【浮萍草】 명〔植〕浮き草. =개구리밥.

부표【否票】 명 (票決における)反対票.

부표【附表】 명 付表〔附表〕.

부표【浮漂】 명하자 浮漂.
‖—— 수뢰 명 浮漂水雷. —— 식물 명 浮漂植物.

부표【浮標】 명 浮標; 浮き. =부이(buoy). ¶항로 ~ 航路浮標 / ~를 달다 浮標を付ける.

부푸러기 명 毛羽の一つひとつ. >보푸라기. ¶~가 일다 けばが立つ.

부풀 명 毛羽. >보풀. ¶~이 일다 毛羽が立つ / ~을 뜯다 毛羽をむしる.

부풀다 자 ① けば立つ. ¶부푼 천 け

布. ②は(腫)れあがる; 膨れあがる. ¶살(갗)이 ~ 皮膚がはれる/물집이 ~ すいほう(水疱)ができる. ③膨れる; 膨らむ. ¶빵이 부풀었다 パンが膨らんだ/풍선이 ~ 風船が膨れる. ④膨れる; 膨らむ; 大きくなる. ¶희망에 부푼 가슴 希望に満ちた胸/부푼 꿈을 안고 大きな夢を抱いて.

-풀리다 타 膨ら(ま)す; 膨らめる. ¶빵을 ~ パンを膨らます.

-풀-부풀 부하형 けば立ったさま: けばけば.

풀어-오르다 자 膨れあがる; 膨らむ; 盛り上がる. ¶풍선이 ~ 風船が膨らむ/벌에 쏘인 곳이 ~ はち(蜂)に刺された所がはれあがる.

품【部品】 명 部品. ¶텔레비전의 내부 ~ テレビの内蔵部品.

부프다 형 ①かさは大きいが〔かさばっているが〕軽い. ②せっかちだ; 気がみじかい.

부픈-짐 명 かさばってはいるが軽い荷物.

부풋-하다 형 ①かさばっている. ②おおげさだ. 부풋-부풋 부하형 かさばっているさま.

부피 명 ①かさ(嵩). ¶짐의 ~가 크다 荷物のかさが大きい/~가 큰 물건 かさばる品/짐의 ~가 커지다 荷がかさになる. ②〔數〕体積.

‖── 팽창 명〔物〕体膨張. ¶~계수 体膨張係数.

부하【負荷】 명하타 負荷.

‖── 시험 명 負荷試験. ──-율 명〔電〕負荷率.

부하【部下】 명 部下; 手下; 手先; 下役; 子分; 家来. ¶심복 ~ 腹心の部下/~를 통솔하다 部下を統率する〔率いる〕/~를 이끌고 나타나다 手勢を率いて現われる/~가 되어 일하다 手先になって働く/~로선 제격이다 子分としては申し分ない.

부-하다【附─】 타 ①(紙・布などを)重ねて張る. ②木切れなどを当てる.

부-하다【富─】 형 ①肥えている; 太っている. ¶몸이 ~ 体が太っている. ②金持ちである.

부합【附合】 명하타 付合〔附合〕.

부합【符合】 명 符合; 契合. ──하다 자 符合する; 契合する; かなう. ¶의견이 ~하다 意見が合う/이것은 전일 네가 말한 것과 ~된다 これは先日君が話した事と符合する/현실이 예상과 ~한다 現実が予想と合致する/입지 조건에 ~하는 땅이 없다 立地条件にかなう土地がない.

부형【父兄】 명 父兄.

‖── 자제(子弟) 명 父兄の教えの下で育った子弟.

부호【負號】 명〔數〕負号. =음호(陰號).

부호【符號】 명 符号; しるし. ¶모스 ~ モールス符号/보조 ~ 補助符号.

부호【富豪】 명 富豪; 長者; 金持ち; 金満家. ¶~ 행세를 하다 金満家振る.

부화【附和】 명하자 付和〔附和〕.

‖── 뇌동 명하자 付和雷同.

부화【浮華】 명하형 浮華. ¶~ 경조 浮華けいちょう(軽佻).

부화【孵化】 명 ふか(孵化). ──-하다 자타 孵化する; かえ(孵)る. ¶인공 ~ 人工孵化/병아리를 ~시키다 ひよこを孵化させる/병아리가 ~하다 ひよこがかえ(孵)る.

‖───기 명 孵化器. ───장 명 孵化場.

부활【復活】 명 復活. =소생(蘇生). ──-하다 타 復活する; よみがえる. ¶패자 ~전 敗者復活戦/그리스도의 ~ キリストの復活/원안을 ~시키다 原案を復活させる.

‖───절 명 復活節.

부황【浮黃】 명 飢えて肌が黄色くむくむ病気.

부회【部會】 명 部会. ¶전문 ~ 専門部会/총무부의 ~ 総務部の部会/~를 열다 部会を開く.

부회【附會·傅會】 명 付会〔附会〕. ¶견강 ~ けんきょう(牽強)付会.

부-회장【副會長】 명 副会長.

부흥【復興】 명하자타 復興. ¶문예 ~ 文芸復興/겉뿐인 ~ 形だけの復興/경제가 급속도로 ~하다 経済が急速に復興する.

‖───상(相) 명 復興したありさま. ───회(會) 명〔基〕信仰復興伝道集会; リバイバル伝道集会.

북[1] 명 ①ひ(杼〔梭〕); シャットル. =방추(紡錘). ②ミシンのボビン.

북[2] 명〔樂〕大鼓; 鼓; ドラム. ¶작은 ~ 小鼓/~을 치다 大鼓を打つ/~은 칠수록 소리가 난다《俚》大鼓は打つ程音がでる《㉠悪事はつづくほど悪化する. ㉡悪者とは争うほど損をするとのたとえ》.

북[3] 명 草木の根元を盛っている土. ¶~을 주다 草木の根元の土寄せをする.

북【北】 명 北. =북쪽. ¶~유럽 北欧/~풍 北風.

북 부 ①柔らかい物の表面を強くこするかまたはか(掻)く音. ②厚くもろい物を一気に裂く音: ばりっ. ¶종이를 ~ 찢다 紙をばりっと裂く.

북경【北京】 명〔地〕ペキン.

북관【北關】 명〔地〕咸鏡南北道地域の別称. =관북(關北).

북괴【北傀】 명 ほっかい(北傀); 北韓かいらい(傀儡)政権. ¶~의 만행 北傀の蛮行.

북구【北歐】 명〔地〕[↗북구라파] 北欧; 北ヨーロッパ. ¶~ 신화 北欧神話.

북국【北國】 명 北国.

북극【北極】 명 北極. ¶~의 빙원 北極の氷原.

‖───계 명〔生〕北極界. ───곰 명〔動〕北極熊; 白熊. ───광 명 北極光. ───권 명〔地〕北極圏. ───성 명〔天〕北極星. ───점 명〔地〕北極点. ── 지방 명〔地〕北極地方

ㅂ

ちほう. ── 항공로 명 北極航(空)路. ──-해 명〔地〕北極海.

북-녘【北─】명 北の方; 北方. ¶ ～ 하늘 北の空.

북단【北端】명 北端. ¶ 유럽의 최～ 欧州の最北端 / 갑(岬)의 ～ 岬の北端.

북대서양 조약【北大西洋條約】명 北大西洋条約.
‖── 기구 명 北大西洋条約機構. ＝나토(NATO).　「塊

북데기 명 (草·わらなどの)もつれた

북도【北道】명 ① 京畿道以北の道. ② ☞ 북관(北關). ③ (大倧教で)白頭山以北の地方. ④ 北の"도(道)".

북-돋다, 북-돋우다 타 ① 植物の根元に土寄せをする; 培う. ② 励ます; 鼓舞する. ¶ 용기를 ～ 勇気を奮いたたせる / 사기를 ～ 士気を鼓舞する / 기운을 ～ 気を引き立てる.

북-돋움 명 培う〔励ます〕こと.

북동【北東】명 北東.
‖──-풍 명 北東風.

북두【北斗】명 [↗북두 칠성] 北斗.
‖──-성 명 [↗북두 칠성] 北斗星. ── 칠성 명〔天〕北斗七星. ¶ ～이 앵돌아졌다《俚》北斗七星がおへそ(臍)を曲げた《事がおじゃんになったとの意》.

북로【北路】명 ①〔史〕ソウルから咸鏡道に通ずる道. ② 北の方の道.

북로【北虜】명 北虜; 北のえびす.
‖── 남왜 명〔史〕北虜南倭《北の蒙古族と南のわこう(倭寇)》.

북록【北麓】명 北麓; 北の麓.

북류【北流】명하자 北流; 北に流れること.

북망-산【北邙山】명 ①〔地〕ほくぼうさん(北邙山). ② 北邙; 墓場; 人が死後に行く所.

북망 산천【北邙山川】명 ほくぼう(北邙); 墓場.

북면【北面】명하자 北面. ① 北の面. ② 北方に面すること. ③ 君主に仕えること.

북문【北門】명 北に面した門.

북미【北美】명〔地〕北米; 北アメリカ.

북-반구【北半球】명 北半球.

북-받치다 자 ① 底〔下〕から突きあがる; わきあがる. ② (感情などが)こみあげる. ¶ 북받치는 증오〔슬픔〕こみあげる憎悪〔悲しみ〕/ 분노가 ～ 憤り〔怒り〕が込みあげる. ＞복받치다.

북방【北方】명 北方.
‖── 외교 명 北方外交. ── 정책 명 北方政策.

북벌【北伐】명하자 北伐.

북변【北邊】명 北辺.

북부【北部】명 ① 北部. ¶ ～ 지방 北部地方. ②〔史〕ソウルを五つの部に分けたその一つ.

북-북 부 ① 物を強くこする音: ごしごし. ¶ 마룻바닥을 ～ 문질러 씻다 床をごしごし洗う / 엉덩이를 ～ 긁다 おしり(尻)をごしごしかく / 무를 씻다 大根をごしごし洗う. ② ぶ[厚]い物を裂きつづける音: ばりばり. 종이를 ～ 찢다 紙をばりばりと裂く.

북-북동【北北東】명 北北東.

북-북서【北北西】명 北北西.

북빙-양【北氷洋】명 北氷洋. ＝북극해(北極海).

북상【北上】명하자 北上. ¶ ～는 태풍 北上する台風.

북새 명 ① 大勢のもみ合い; 大騒ぎ; 雑踏; ごったがえし. ② 人の事をじゃますること. ──-놓다 자 ① もみあう; 込み合う; 雑踏する; 騒ぎ立てる. ② じゃまをする.
‖──-질 명하자 大騒ぎをすること; ごった返し; も(揉)みあうこと. ¶ ～치다 ひどく込み合う; ごったがえす; 騒ぎまくる. ──-통 명 込み合う〔も(揉)みあう〕はずみ; どさくさまぎれ. ──-판 명 ごったがえしている所; 騒ぎ場.

북-서【北西】명 北西.
‖──-풍 명 北西風.

북선【北鮮】명 [↗북조선] 北鮮.

북슬-개 명 毛むくじゃらの犬.

북슬-북슬 부하형 動物が太って毛むくじゃらなさま.

북-십자성【北十字星】명〔天〕北十字星.　「くあ(北阿).

북아【北阿】명〔地〕[↗북아프리카] ほ

북-아메리카주【北─洲】〔America〕명〔地〕北アメリカ州.

북안【北岸】명 北岸.

북양【北洋】명 北洋. ＝북해(北海).
‖── 어업 명 北洋漁業.

북어【北魚】명 干し明太. ＝건명태. ¶ ～ 껍질 오그라들 듯《俚》干し明太の皮が縮まるごとく《㉠ だんだんと縮まる. ㉡ 財産がだんだん減ることのたとえ》/ ～ 뜯고 손가락 빤다《俚》干し明太ちぎ(千切)って指をなめる《偽ったりほらを吹くことのたとえ》.
‖──-구이 명 干し明太焼き. ──-쾌 명 干し明太二十匹を一筋につないだもの.

북위【北緯】명 北緯. ¶ ～ 38도 北緯三十八度.

북-유럽【北─】〔Europe〕명〔地〕北ヨーロッパ.　「こしゅ; ドラマー.

북-잡이 명 太鼓たた(叩)き; 鼓手

북-장구 명 太鼓と鼓.

북-장지【─障─】명 両面を紙で張った障子; ふすま(襖)(障子); 太鼓張りの障子.

북적-거리다 자 ① (大勢がより集まって)ごった返す; わいわい騒いでいる; 込み合っている. ② (酒などが)発酵してぶくぶく泡が立つ. ＞복작거리다. 북적-북적 부하자 わいわい; ごたごた; ぶくぶく.

북정【北征】명하자 北征. ＝북벌(北伐).

북-조선【北朝鮮】명 北韓; 北朝鮮. ㊜ 북선(北鮮).

북-주다 자 根元を培う; 差し土をする.

북진【北進】명하자 北進.

쪽【北—】명 北(の方); 北極指す方. ㊇ 북(北).
창【北窓】명 北窓.
— 삼우(三友) 명 "琴·酒·詩"の
천【北天】명 北天.
촌【北村】명 ① 北の村. ② ソウル北寄りにある町の総称.
춤 명 太鼓踊り.
측【北側】명 北側.
치【北—】명 北部地方の産物または生物.
-통【—筒】명 太鼓の胴. —— 같다 형 太鼓腹(のよう)だ.
-틀 명 太鼓の台.
풍【北風】명 北風; さくふう(朔風). ¶ ~을 정면으로 받다 北風をまともに〔もろに〕受ける.
——-받이 명 北風を受ける方.
-한【北韓】명 北韓. ＝북조선.
-한대【北寒帶】명〔地〕北寒帯.
-행【北行】명하자 北へ行くこと.
-향【北向】명 北向き. ——-하다 자 北を向く.
‖——-집 명 北向きの家. ——-판 명 北向きの敷地.
화【北畫】명 [↗북종화(北宗畫)] 北画.
-회귀선【北回歸線】명〔地〕北回帰線.
분【分】¹ 명 [↗분수(分數)] 分. ¶ ~에 넘치는 영광 分に余る栄光 / ~에 맞는 처신 分に応じたふるまい / ~에 만족하다 分に安んずる.
분【扮】명하자 ↗분장(扮裝).
분【忿】명 [↗분심(忿心)] 怒る心. ¶ ~에 못 이겨서 怒り〔腹立ち〕まぎれに / ~을 삭이다 怒りをしずめる.
분【盆】명 盆; 鉢; 植木鉢. ¶ ~에 심다 鉢に植える / ~에 심어 놓으면 못된 풀도 화초라 한다《俚》鉢に植えるとつまらない草でも花に見える《環境の善し悪しによって貴くも卑しくもなるとの意》.
분【粉】명 ① 粉; 粉末. ② [↗백분(白粉)] おしろい(白粉). ¶ ~이 잘 먹다 おしろいが乗る. ③〔美〕白い彩色. ＝진채(眞彩).
분【糞】명 ふん·くそ(糞). ＝똥.
분 의명 他人を敬っていう語: 方; お方; …さん; …様. ¶ 여자~ 女の方 / 여러~ 皆様; あなた方 / 여러 ~의 협력에 의해서 皆さんのご協力によりまして / 이~ こなた(此方); この方; こちら / 저쪽~ 向こうさま; あちらさま / 이웃~ お隣さん / 어느 ~이십니까 どなた様ですか / 다른 ~에게도 안부를(전해주십시오) 他の方にもよろ(宜)しく願います / 일행이신 ~이 기다립니다 お連れさまがお待ちです / 희망하시는 ~에게는 싸게 드립니다 ご希望の方には安く差しあげます / 어디에 사는 어느 ~인지는 모르나 どこのどなた様かは知りませんが.
분【分】² ㊀수 分《十分の一》. ㊁ 의명 ① 時間の単位: 分. ¶ 한 시 오 ~ 전 一時五分前. ② (角度などの)分. ③ 分: 一割の十分の一. ¶ 3할 5~ 三割五分.
-분【分】미 …分. ① 全体をいくつかに分けたある部分. ¶ 3~의 1 三分の一 / 10등~한 것 十等分したもの. ② 分け前の分量. ¶ 5인~의 식사 五人前の食事 / 일 년~의 수입 一年分の収入. ③ 物質の成分. ¶ 알코올~ アルコール分 / 지방~ 脂肪分.
분가【分家】명 分家; 新家; 別家. ——-하다 자 分家する; かまど(竈)を分ける. ¶ ~하신 숙부 分家の叔父.
분-가루【粉—】명《俗》☞ 분(粉).
분간【分揀】명 ① 見分け; 見境; 分別. ——-하다 타 見分ける. ¶ 좋은지 나쁜지 ~을 못 하겠다 良し悪しの見分けがつかない / ~이 서다 見分けがつく. ② 勘弁. ——-하다 타 勘弁する.
분-갑【粉匣】명 おしろい入れ.
분개【分介】명하자타〔經〕仕訳け.
‖——-장(帳) 명 仕訳帳.
분개【憤慨】명 憤慨. ——-하다 자타 憤慨する; 憤る〈雅〉. ¶ ~하여 마지 않다 憤慨にたえない / 연인의 변심에 ~하였다 恋人の心変わりに憤った.
분거【分居】명하자 分居.
분견【分遣】명하타 分遣.
‖——-대 명 分遣隊.
분-결【憤—】명 ☞ 분김. ¶ ~에 달려들다 悔しまぎれに飛びかかる.
분결-같다【粉—】형 (肌が)白く美しい; 雪のように白い. ¶ 분결같은 살결 雪のように白い肌. 분결-같이 부 雪のように白く.
분경【分境】명 ☞ 분계(分界).
분계【分界】명 分界. ＝분경(分境).
‖——-선 명 分界線.
분골 쇄신【粉骨碎身】명하자타 ① 粉骨砕身; 身を粉にすること. ㊇ 쇄신. ② 無残に死ぬ〔殺す〕こと.
분과【分科】명하타 分科.
‖—— 위원회 명 分科委員会. ㊇ 분위(分委).
분관【分館】명 分館. ¶ 도서관의 ~ 図書館の分館.
분광【分光】명하자〔物〕分光.
‖——-계 명〔物〕分光計. ＝파장(波長) 분광계. ——-기 명〔物〕分光器. —— 분석 명 分光分析. —— 사진 명 分光写真. —— 쌍성(雙星) 명〔天〕分光連星. —— 측광 명〔天〕分光測光. ——-학 명〔物〕分光学. —— 화학 명〔化〕分光化学.
분광【分鑛】명하자 鉱主に料金を納めて一定期間採掘権を持つ鉱業.
분광【粉鑛】명 粉鉱.
분교【分校】명 分校. ¶ 벽지의 ~ へきち(僻地)の分校.
분-교장【分教場】명 分教場. ¶ ~의 선생 分教場の先生.
분구【分區】명 ① 地域を等しく分けた区域. ② 区をいくつかに分けた小区域.
분국【分局】명 分局.
분권【分權】명하자 分権. ¶ 지방 ~

地方分権.
‖——-주의 명 [↗지방분권주의] 分権主義.
분규【紛糾】명 紛糾; もつれ; ごたごた; もめ事. ¶ ~가 일다 もつれが生じる; ごたごたが起こる / ~를 거듭하다 紛糾を重ねる / ~에 결말을 짓다 紛糾〔もめ事〕に結末をつける / ~가 끊이지 않다 ごたごたが絶えない.
분근【分根】명〔植〕分根; 根分け. ——-하다 자 根分けをする.
분급【分給】명 分与. ——-하다 타 分与する; 分け与える.
분기【分岐】명 分岐.
‖——-선 명 分岐線. ——-점 명 分岐点; 分かれ目. ¶ 인생의 ~ 人生の分かれ目.
분기【憤氣】명 憤気.
‖—— 충천 명하자 憤気沖天.
분기【奮起】명 奮起. ——-하다 자 奮起する; 奮い立つ. ¶ 시합을 앞두고 전원이 ~하였다 試合を前に全員が奮い立った.
분-김【忿—·憤—】명 腹立ち〔悔し〕紛れ. ¶ ~에 때렸다 腹立ちまぎれに殴った.
분-꽃【粉—】명〔植〕おしろいばな(白粉花).
분납【分納】명하타 分納.
분-내【粉—】명 おしろいのにお(匂)い.
분네 의명 ①"분(=お方)"の形式ばった表現. ¶ 이 ~가 김씨입니다 このお方が金さんです. ② 皆様; お方達.
분노【忿怒·憤怒】명 憤怒; 怒り. ¶ ~가 폭발하다 憤怒が破裂する / ~가 치밀다 怒りが燃え立つ / 그의 눈은 ~로 불타고 있었다 彼の目は怒りに燃えて〔ぎらついて〕いた.
분뇨【糞尿】명 ふんにょう(糞尿). ¶ ~ 처리 糞尿処理.
분단【分段】명하타 ① 分段. ② 文章をその意によりいくつかに分けること.
분단【分團】명 分団.
‖—— 학습 명〔教〕分団学習.
분단【分斷】명하타 分断; 寸断. ¶ 조직을 ~하다 組織を分断する.
분-단장【粉丹粧】명하자 お化粧.
분담【分擔】명하타 分担; 手分け. ¶ 책임을 ~하다 責任を分担する / 비용을 ~하다 費用を分担する / ~해서 일을 처리하다 手分けして仕事を片づける.
‖——-금 명 分担金. =부담금(金).
분당【分黨】명하자타 分党.
분대 명하자 ↗분대질.
‖——-꾼 명 もんちゃく(悶着)を起こす人. ——-질 명하자 もんちゃくを起こすこと. ¶ ~ 치다 悶着を引き起こす.
분대【分隊】명하자〔軍〕分隊. ¶ ~장 分隊長.
분-독【粉毒】명 おしろい(白粉)中毒〔焼け〕. ¶ ~이 오르다 おしろい焼けになる.
분동【分洞】명하타 広過ぎる洞をいくつかの洞に分けること.
분동【分棟】명하자 ① いくつかの に分けること. ② 主病棟所在地以外の地に病棟を分設す こと. また, その病棟.
분동【分銅】명 分銅. ¶ ス 에 ~을 얹다 はかり(秤)に分銅を 載せる. 「こ
분등【分等】명하타 等級を分け
분란【紛亂】명하형 紛乱. =분요(擾). ¶ ~을 일으키다 紛乱を起こ
분량【分量】명 分量. 준 양(量). 아주 적은 ~ 有るか無きかの分量 ~을 줄이다 分量を減らす.
분력【分力】명〔物〕分力.
분류【分流】명하자 分流. ¶ 이 에서 ~하여 태평양으로 흘러 들어간 ここで分流して太平洋に注ぐ.
‖——-기 명〔物〕分流器; シャント
분류【分類】명 分類; 部分け. — 하다 타 分類する. ¶ 종류별로 ~하 種類別に分類する / 같은 것끼 ~하다 同じ物どうしに色分け る / 크기에 따라 ~하다 大きさによ て分ける.
‖——-학 명 分類学.
분류【奔流】명하자 奔流. ¶ ~ 따라서 奔流に沿って / ~에 휩쓸리 奔流にまきこまれる.
분리【分離】명하자타 分離. ¶ 물과 기름을 완전히 ~하다 水と油を完全に分離する.
‖—— 공판 명〔法〕分離公判. —— 과세 명 分離課税. ——-기 명 分離器.
분립【分立】명하자타 分立. ¶ 삼권 ~ 三権分立.
분만【分娩】명하자타 ぶんべん(分娩); 出産. =해산.
‖—— 휴가(休暇) 명 出産休暇; 産休《준말》.
분만【憤懣·忿懣】명하형 ふんまん(憤懣·忿懣). =분울(憤鬱). ¶ ~을 풀 길이 없다 忿懣やるかた無い / ~을 달래다 忿懣を鎮める / ~을 터뜨리다 忿懣を漏らす.
분말【粉末】명 粉末; 粉.
‖——-약(藥) 명 ☞ 가루약. —— 주스 명 粉末ジュース.
분망【奔忙】명 奔忙; 多忙. ——-하다 형 忙しい; せわしい. ——-히 부 忙しく; せわしく. ¶ ~ 돌아다니다 忙しく歩きまわる.
분매【分賣】명하타 分売. ¶ 토지를 ~하다 土地を分売する / ~도 합니다 分売も致します.
분면【粉面】명 ① いはい(位牌)の前面. ② 粉面; おしろい(白粉)をぬった顔. ¶ 유두(油頭) ~ おしろいをぬりたて髪に油をつけること.
분명【分明】명 分明. ——-하다 형 分明だ; 明らかだ. ¶ ~한 사실 分明な事実 / 뜻이 ~하지 않다 意味がはっきりしない / 사정은 ~하다 事情は明らかだ. ——-히 부 確かに; 分明に; はっきりと; あきらかに; 確と. ¶ ~ 말하지만 はっきり言うが〔言っておくが〕/ ~ 말씀드릴 수는 없지만 はっきりとは申し兼ねますが / 훔친 놈은 ~ 그다 盗んだ奴

は正しく彼である / ~ 그러나 確と ようか / ~ 이 눈으로 지켜 보았습니 確かにこの目で見届けました / 그런 이야기였습니다 確かそんな 話でした / 용건은 이러이러하다고 말하시오 用件は然然とはっき 言いなさい. ——히-하다 타 明ら かにする; はっきりさせる. ¶ 셈을 ~ 勘定を明らかにする.

모【分母】명 分母. ¶ ~를 없애다 떨다】分母を払う.

묘【墳墓】명 墳墓. =무덤.

무【噴霧】명 噴霧. ——-하다 자 霧吹きをする. ¶ 농후 ~ 濃厚噴 霧 / 살충 ~액 殺虫噴霧液.

—— 건조 명 噴霧乾燥. ——-기 명 噴霧器; 霧吹き. =뿜이개.

-물【粉—】명 おしろいを溶かす水 . =분수(粉水).

-바르다【粉—】자 おしろいをつけ る.

반【分半】명 半分; 折半. ——-하다 타 二つに分ける. =반타다.

반【分班】명하타 いくつかの班に 分けること. また, その分かれた班.

반【噴飯】명하자 噴飯; (おかし くて) 笑いを押さえられないこと. ¶ ~ 거리 噴飯物.

분-받침【盆—】명 陶磁器の植木鉢 台. =분대(盆臺).

분발【奮發】명 奮発. ——-하다 타 奮発する; 頑張る; 気張る; 奮い 〔勇み〕立つ. ¶ 더욱 ~하였다 一層 奮発した / 모욕을 당하고 그도 ~했 다 侮辱されて彼も奮起した.

분방【奔放】명하형 奔放. ¶ 자유 ~한 생활 自由奔放な生活.

‖—— 자재 명 奔放自在.

분배【分配】명 分配. =배분(配分). ——-하다 타 分配する; 分ける. ¶ 이 익의 ~ 利益の分配 / ~를 받다 分配 に与かる / 전원에게 다같이 ~하다 全員に平等に分配する / 식량을 빈민에게 ~하다 食糧を貧民に分 配する.

분백【粉白】명 ① 粉白; おしろいの ように白いこと. ② 白粉のように 白い紙.

분벽【粉壁】명 白壁.

분별【分別】명 分別; 見境; み わけ. ——-하다 타 分別する; みわけ る; わきまえる. ¶ ~없는 사나이 無分 別な男 / ~있는 처신 分別ある ふるまい / 선악을 ~하다 善悪をわ きまえる / ~이 들다 分別が付く / 그 는 취하면 ~이 없어진다 彼は酔うと 見境がなくなる / ~있는 사람의 분노를 사다 心ある人の怒りを買う.

분병-나다【忿病】자 憤りのあまり病 につく.

분복【分福】명 うまれつきの福. ¶ ~대로 살다 身の程に暮らす.

분봉【分蜂】명하자타 はち(蜂)が巣分 けをすること. またそうさせること.

분부【分付·吩附】명 仰せ; 御用命; ご沙汰; 言い付け. ——-하다 타 仰せつける; 言い付ける. ¶ ~대로 仰せの通り / 지당하신 ~ ごもっとも な仰せ / 단단히 ~하시다 しかと申し 〔言い〕渡す / 무엇이든지 ~만 내리 십시오 なんなりとお申し付けくださ い / ~를 받들다 命を奉ずる / ~는 무엇인지요 ご用命はなんでございます か / 모쪼록 ~를 기다리겠습니다 何分 ご沙汰をお待ちします.

분부【分賦】명하타 分割払い.

분분-설【紛紛雪】명 渦を巻いて降 る雪.

분분-하다【紛紛—】형 紛紛として いる. ① 物騒でさわがしい. ② 多 くの事が入りまじって乱雑だ. ③ 意見がまちまちだ. ¶ 제설이 ~ 諸説 が紛紛としている / 의론이 ~ 議論 がまちまちだ. ④ もめ事が多い.

분비【分泌】명하타 〖生〗分泌·ぶんぴ. ¶ 위액의 ~ 胃液の分泌.

‖——-물 명 分泌物. ——-선 명 分泌腺. —— 세포 명 分泌細胞. ——-액 명 分泌液.

분사【分詞】명 分詞. ¶ 과거 ~ 過去 分詞.

분사【憤死】명하자 憤死.

분사【噴射】명하타 噴射.

‖—— 추진식 비행기 명 噴射推進式飛 行機.

분산【分散】명하자 分散. ¶ ~시키 다 散らせる / 전원이 ~했다 全員が 分散した / 프리즘에 의해서 빛이 ~하 다 プリズムによって光が分散する.

분상【粉狀】명 粉状·こなじょう.

분서【焚書】명하자 ふんしょ(焚書).

‖——갱유 명 〖史〗焚書こうじゅ(坑 儒).

분석【分析】명하타 分析. ¶ 정세 ~ 情勢分析 / 약물〔정량〕~ 薬物 〔定量〕分析 / 개념 ~ 概念分析 / ~ 철학 分析哲学.

‖—— 비평 명 分析批評. —— 화학 명 分析化学.

분석【糞石】명 腸内の結石.

분선【分線】명하타 分線.

분설【粉雪】명 粉雪·こなゆき·こゆき; ささ め(細)雪. =가랑눈.

분-세수【粉洗手】명하자 ① 洗面し ておしろいを塗ること. ② かたまり のおしろいを練り塗った後にする 洗面.

분소【分所】명 分所. ¶ ~ 근무를 명 령받다 分所勤務を命ぜられる.

분쇄【粉碎】명하타 粉砕. ¶ 상대 팀 을 ~했다 相手のチームを粉砕した.

‖——-기 명 粉砕機.

분수【分水】명하자 分水.

‖——-계 명 分水界. =분수선. ——-령 명 〖地〗分水嶺.

분수【分數】[1] 명 ① わきまえ; 程; 分 別; 分際. ¶ ~도 없이 날뛴다 わ きまえもなく出しゃばる / 농담도 ~가 있다 冗談にも程がある / 그런 ~는 못된다 そんな分別のある柄では ない. ② 分; 分限; 分際; 身分; 身の程. ¶ ~를 모르는 놈 身の 程を知らぬ者〔奴〕/ ~에 맞게 살다 分に応じて暮らす / ~를 지키다〔알 다〕身の程を知る. ——-없다 형 程 〔分〕をわきまえない; 分別がない. ¶ 분수없는 여자 分別のない女性. ——-없이 부 程も知らず; わきまえもな

ㅂ

く；無分別に. ¶ ～ 말하다 分別なく話す；わきまえもなくしゃべる.
분수【分數】² 명 分数.
‖―― 방정식 명 分数方程式. ――-식 명 分数式.
분수【噴水】 명 噴水；吹上げ〈雅〉. ¶ ～ 장치가 되어 있다 噴水仕掛がしてある.
‖――-기 명 噴水器. ――-탑 명 噴水塔.
분숙【分宿】 명하자 分宿. ¶ 다섯 여관에 ～했다 五軒の宿屋に分宿した.
분승【分乘】 명하자 分乗. ¶ 몇 대의 차에 ～하다 何台かの車に分乗する.
분식【粉食】 명하자 粉食. ¶ ～을 장려하다 粉食を奨励する.
분식【粉飾】 명 粉飾. ¶ 사실을 ～하다 事実を粉飾する.
‖―― 예금 명 粉飾預金.
분신【分身】 명 分身. ¶ 자기의 ～인 아이 自分の分身である子供.
분신【焚身】 명하자 ふんしん(焚身)；焼身. ¶ ～ 자살 焼身自殺.
분실【分室】 명 分室. ¶ ～장 分室長.
분실【紛失】 명하타 紛失. ¶ ～물 紛失物；落とし物 / ～ 신고 紛失届.
분심【忿心】 명 ふんしん(忿心)；いかる心. ㊀ 분(忿).
분야【分野】 명 分野；領域；フィールド. ¶ 성과가 많은 연구 ～ 実りの多い研究分野 / 새로운 ～를 개척하다 新分野を開く / ～가 다르다 フィールドが違う.
분양【分讓】 명하타 分譲. ¶ 주택을 ～하다 住宅を分譲する.
‖――-지 명 分譲地.
분업【分業】 명하타 分業. ¶ 의약 ～ 医薬分業 / ～을 함으로써 능률을 올리다 分業によって能率をあげる.
‖――-화 명하자 分業化.
분연【憤然·忿然】 부하형히부 憤然〔忿然〕. ¶ ～한 자세 憤然たる構え / ～히 자리를 뜨다 憤然と席を立つ.
분연【奮然】 부하형히부 奮然. ¶ ～히 싸우다 奮然と(して)戦う.
분열【分列】 명하자타 分列. ¶ ～ 행진 分列行進.
‖――-식 명 分列式.
분열【分裂】 명하자 分裂. ¶ 핵～ 核分裂 / ～된 것을 모으다 分裂したものを集める / 당이 ～되다 党が割れる / 세포 ～ 細胞分裂.
‖――-법 명 〔植〕 分裂法. ――-성-핵 명 分裂性核. ―― 조직 명 分裂組織.
분외【分外】 명 分外. ¶ ～의 영광입니다 分外の光栄であります / ～의 소망 分に余る望み.
분원【分院】 명 分院. ¶ 대학 병원의 ～ 大学病院の分院.
분위-기【雰圍氣】 명 雰囲気. ¶ ～가 마음에 들지 않다 雰囲気が気に入らない / 부드러운 ～가 감돌다 和やかな雰囲気がただよ(漂)う.
분유【粉乳】 명 粉乳；粉ミル[ク]. ¶ 탈지 ～ 脱脂粉乳.
분음【分陰】 명 分陰；分秒. ¶ ～을 아끼다 分陰を惜しむ.
분의【紛議】 명 紛議. ¶ ～가 끊이[지] 않다 紛議が絶えない.
분임【分任】 명하자 分任.
‖―― 출납원(出納員) 명 分任出納[員].
분자【分子】 명 分子. ¶ 분모와 ～[를] 약분하다 分母と分子を約分する / 물질 구성 단위로서의 ～ 物質構成単[位]としての分子 / 반동 ～ 反[動]分子.
‖―― 구조 명 分子構造. ――-량 명 分子量. ――-력 명 分子力. ――-선 명 分子線. ――-설 명 分子説. ――-열 명 分子熱. ―― 운동 명 分[子]運動.
분잡【紛雜】 명하형 ごたごたとこみ[合]っていること. ――-히 부 ごたご[た]と.
분장【分掌】 명하타 分掌.
분장【扮裝】 명 扮装；装い. ㊀ 분(扮). ――-하다 자 扮装する；よそお[う]. ¶ ～에 능하다 扮装がうまい.
분재【盆栽】 명하자 盆栽. ¶ ～를 만[들다] 盆栽を作る.
분쟁【紛爭】 명하자 紛争. ¶ 국제간의 ～ 国際間の紛争 / ～이 종결되다 紛争が治まる / 노사의 ～ 労使の紛争 / 유산을 둘러싸고 ～이 일어나다 遺産をめぐって小競りあいが起こる / ～이 끊이지 않다 もめごとが絶えない.
분전【奮戰】 명하자 奮戦. ¶ 과감하게 ～하다 果敢に奮戦する.
분절【分節】 명 分節.
‖――-음 명 分節音.
분점【分店】 명 分店；支店；出店. ¶ 각지에 ～을 차리다 各地に支店を張る.
분주【奔走】 명하형히부 忙しいこと；あわただしいこと. ¶ ～하여 틈이 없다 いそがしくて暇がない / ～히 돌아다니다 いそがしく歩きまわる. ――살-스럽다 형 非常にいそがしい.
‖―― 다사(多事) 명 仕事が多くて忙しいこと. ―― 불가(不暇) 명 いそがしくて暇がないこと.
분지【分枝】 명 分枝.
분지【盆地】 명 〔地〕 盆地.
분지【粉脂】 명 脂粉.
-분지【分之】 미 …分の. ¶ 십～ 칠 十分の七.
분책【分册】 명하타 分冊；一つの書物を何冊かに分けること. また, その分けたもの. ¶ 상중하의 3～으로 나왔다 上中下の三分冊で刊行された.
분철【分綴】 명하타 (書類などを)分けてつづ(綴)ること.
분첩【分貼】 명하타 薬材を調薬して包むこと. また, そうした物.
분첩【粉貼】 명 ① 白粉たたき；パフ. ② 厚紙をびょうぶ(屛風)折りにして, おしろいを油にねって染しみこませた物《子供の習字用》.
분초【分秒】 명 分秒. ¶ ～를 다투[다]

分秒を争う / ～를 아끼다 分秒を
しむ.
【噴出】명하자타 噴出. ¶ 석
가 ～하다 石油が噴出する.
【粉炭】명 粉炭.
【焚蕩】명하자 財産を使い果たすこと.
——-질 명하자 財産を使い果すおこい.
토【墳土】명 墓の寄せ土.
토【糞土】명 ふんど(糞土). ¶ 세상
부귀 등은 주를 믿는 나에게는 ～만
못하다 主を信じるわたしには世
の富貴など糞土にも劣るものであ
.
통【憤痛】명하형 悔しさのあまり
心のいたむこと. ——-터지다 자 憤りが爆発する.
투【奮鬪】명하자 奮闘. ¶ ～ 노력
하다 奮闘努力する / 고군 ～하였다
孤軍奮闘した.
파【分派】명하자타 分派. ¶ ～적
행동 分派的行動.
패【憤敗】명하자 惜敗.
-포【分布】명하자타 分布. ¶ 식물
의 ～ 상태 植物の分布状態.
——-도 명 分布図. ——-율 명 分布率.

분-풀이【忿—·憤—】명 うっぷん晴らし; はらい(腹癒)せ. =설분(雪憤). ——-하다 자 腹いせをする; うっぷんをはらす. ¶ ～로 개를 때리다 腹いせに犬をうつ.

분필【粉筆】명 白墨; チョーク.

분-하다【扮—】자 扮する.

분-하다【忿—·憤—】형 くやしい; 惜しい; 残念だ; 忌忌しい. ¶ 지다니 정말 ～ まけるとは全くくやしい / 분해하다 くやしがる. 분-히 부 くやしく; 惜しく; 残念に; いまいましく. ¶ ～ 여기다 くやしく思う.

분한【分限】명 分限; 身のほど. ——-없다 형 ① たくさんの物でも惜しげなく使えばなくなりやすい. ② 見かけは多くても使うにはとるに足りない. ——-없이 부 分限なく. ——-있다 형 ① 限りがある. ② 少ないけれども多方面に分けて有用に使える.

분할【分割】명하타 分割. ¶ 영토 ～ 領土分割 / 토지를 ～하여 팔다 土地を分割して売る.
‖—— 상속 명하타 分割相続. ——지도 명 分割地図.

분합【粉盒】명 おしろい箱.

분-항아리【粉—】명 おしろいつぼ.

분해【分解】명 分解. ——-하다 타 分解する; ばらす〈俗〉; ばらばらにする. ¶ 시계를 ～ 소제하다 時計を分解掃除する.
‖——-능 명 分解能. ——-열 명 分解熱.

분향【焚香】명하자 焼香. ¶ 불전〔영전〕에 ～하다 仏前〔霊前〕に香をたく.

분홍【粉紅】명 ↗분홍빛.
‖——-빛, ——-색 명 桃色; 薄紅; ピンク. ㊜ 분홍. —— 치마 명 ① 桃色のチマ. ② 上は白く下は桃色のたこ(凧).

분화【分化】명하타 分化. ¶ 공정의 ～ 工程の分化 / 기관이 ～하다 器官が分化する / 사회 계급의 ～ 社会階級の分化.

분화【噴火】명하자 噴火.
‖——-구 명 噴火口. =화구(火口).
——-산 명 噴火山. =화산(火山).

분회【分會】명 分会. ¶ ～장 分会長.

분획【分劃】명하타 分画; いくつかの区画に分けること.

붇다 자 ① 水膨れする; ふやける; 潤びる. ¶ 물에 젖어서 손이 ～ 水につかって手がふやける / 콩이 물에 불었다 豆が水にふくれた / 국수가 불었다 そばが伸びた. ② 増加する; ふえる; 増す. ¶ 재산이 ～ 財産がふえる〔増す〕/ 인구가 ～ 人口が増す.

불¹ 명 火; 灯; あかり; ライト; 火災; 火事. ¶ ～을 끄다 火〔火事〕を消す / ～ 속에 던지다 火の中に投げる / ～이 붙다 火がつく / ～이 났다 火事が起こった / ～을 피워라 火を起こせ / ～을 내다 火を出す / ～장난을 하다 火遊びをする / ～을 켜다 火を灯す / ～을 쬐다 火にあたる / ～이 비치다 あかりがさす / 자동차의 ～ 車のライト / ～조심을 하다 火の用心をする / ～이 오래 가다 火保ちがいい / 물～을 가리지 않다 火水をいとわない / ～같은 정열 火のような情熱 / ～없는 화로 딸 없는 사위《俚》火のない火鉢, 娘なき婿《無用な物》/ ～ 안 땐 굴뚝에 연기날까《俚》物がなければ影ささず / ～에 놀란 놈 부지깽이만 보아도 놀란다《俚》あつもの(羹)に懲りてなます(膾)を吹く; へびにかまれて朽縄におじる.

불² 명 ① きんたまの袋. =음낭. ② [↗불알] 玉. ¶ ～깐 소 玉抜きの牛.

불【佛】¹ 명 〔佛〕[↗불타(佛陀)] 仏.

불【佛】² 명 [↗불란서] 仏. ¶ ～문학 仏文学.

불【弗】의명 ドル(dollar)のあて字. ¶ 십만～ 十万ドル.

불-【不】두 不《打消しの意》.

불가【不可】명 不可. ——-하다 형 不可だ; いけない; よくない. ¶ 가도 없고 ～도 없다 可も(なく)不可もない.
‖——-결 명하형 不可欠. ¶ 이는 ～의 조건이다 これは不可欠の条件である. ——-근(近) 명하형 近くすべきでないこと. —— 부득(不得) 부하형 仕方なく; 余儀なく; やむを得ず. ¶ ～한 일이 아니어든 갈 것 없다 止むを得ぬ事でなければ行くに及ばぬ. ——-분 명 不可分. ¶ ～의 관계 不可分の関係. ——-불 부 止むをえず. =부득불(不得不). ¶ ～ 안 할 수가 없다 やむ無くしなければならない; やむなく(…)せざるを得ない.
——-사의 명하형 不可思議; 不思議; 謎. ¶ ～한 사건〔이야기〕不可思議な事件〔話〕/ 우주의 ～ 宇宙の不可思議.

불가【佛家】명 〔佛〕① 仏家. =불문(佛門). ② ☞ 절.

‖——-서 명 仏書; 仏典.
불가【佛歌】명 仏を称える歌.
불-가능【不可能】명 不可能. ——-하다 형 不可能だ; 仕兼ねる. ¶실현 ~한 계획 実現不可能な計画.
불-가래 명 十能.
불-가물 명 ひどい日でり.
불가사리[1] 명 鉄を食い悪夢と邪気をはらうと言う奇怪な形相をした想像上の動物.
불가사리[2] 명〔動〕ひとで(海星·海盤車·人手).
불가시 광선【不可視光線】명〔物〕不可視光線.
불가입-성【不可入性】명〔物〕不可入性.
불-가지【不可知】명 知り得ないこと. ‖——-론 명〔哲〕不可知論.
불-가침【不可侵】명 不可侵.
‖—— 조약 명 不可侵条約.
불-가피【不可避】명하형 不可避; 避けられぬこと; 必至. ¶내각의 해산은 ~하다 内閣の解散は必至〔不可避〕である.
불가항-력【不可抗力】명 不可抗力. ¶당국은 이 참사를 ~이라고 말하고 있다 当局はこの惨事を不可抗力と称している.
불-가해【不可解】명 不可解.
불각【佛閣】명 仏閣. =불당(佛堂).
불간【不干】명하자 ①係わらないこと. ②↗불간섭.
불-간섭【不干涉】명하자 不干渉. ¶~주의 不干渉主義 / 내정 ~ 内政不干渉.
불감【不敢】명하형 敢えてしない〔出来ない〕こと.
‖—— 생심(生心), —— 생의(生意) 명하타 力がたりないため, やる気が生じないこと. —— 앙시(仰視) 명하타 恐れて敢えて仰ぎ見ることもできないこと. —— 출두(出頭) 명하자 敢えて頭を上げ得ないこと. —— 출성(出聲) 명하자 敢えて声を出せないこと.
불감【不堪】명하타 ①堪えきれないこと. ②[↗불감당(不堪當)] 堪えられないこと.
불감【不感】명하타 感じることが出来ないこと.
‖——-증(症) 명 不感症.
불-개입【不介入】명하자 不介入. ¶~ 방침 不介入方針.
불거-지다 자 ①食み出す; 出ばる; 突き出る. ¶무릎이 ~ ひざ(膝)がはみでる / 돌이 불거진 길 石で凸凹の道. ②ふくれあがる; ふくらむ. ¶힘줄이 불거진 손 血筋が盛りあがった手. ③ばれる; 顕になる. >불가지다.
불걱-거리다 자 ①(口いっぱいふくんで)がりがり〔ごりごり〕かむ. ②(せんたく物を)ごしごしす(擦)る. 불걱-불걱 부하자 がりがり; ごしごし.
불-건전【不健全】명하형 不健全. ¶~한 사람 不健全な人 / ~한 사상 不健全な思想.
불겅-거리다 자 口の物がか(嚙)みにくくてあっちこっちにはみ出る. 불겅-
불겅 부하자 口の中の物がよ
かまれないであっちこっちに動
ま.
불결【不潔】명하형히부 不潔. ~한 주위 환경 不潔な周囲環境.
불경【不敬】명하형 不敬. ¶~죄
敬罪. ——-스럽다 형 不届きで
る.
불경【佛經】명 仏経; (お)経. ¶~을 읽다 お経を読む.
불-경기【不景氣】명 不景気. ¶
런 ~에서는 차라리 회사를 해산해
리는 편이 낫다 このような不景気て
むしろ会社を解散する方がよ
ぽどましだ.
불계【不計】명하타 ①是非や利害
にとらわれないこと. ②事情に
だわらないこと. ③(碁で勝負
きまり)目数をかぞえる必要が
いこと; 中押しで勝つこと.
‖——-승(勝) 명하자 (碁で)中押し
ち.
불계【佛戒】명 仏戒.
불계【佛界】명 仏界; 浄土.
불고【不告】명하타 不告; 告げ
いこと.
불고【不顧】명하타 顧みないこと. ¶체면을 ~하고 体面を顧みず.
불-고기 명 焼き肉; ブルゴギ.
불공【不恭】명하형 不恭; ふそ
(不遜).
불공【佛供】명하자〔佛〕供養. ¶~을 드리다 供養する.
불공대천지-수【不共戴天之讐】명 ふく
たいてん(不俱戴天)の仇.
불-공정【不公正】명하형 不公正.
불-공평【不公平】명하형 不公平. ¶~한 인사 이동 不公平な人事異動.
불과【不過】부 ほんの; わずか; ものの. ——-하다 형 (…に)過ぎない. ¶~ 하루 차이 ほんの一日の差異 / ~ 1분이면 됩니다 ものの一分もすればできます〔充分です〕/ 사견〔사안〕에 ~한 것이다 私見〔私案〕に過ぎないものである.
불관【不關】명하자타 かかわ(関)らないこと.
불교【佛敎】명〔宗〕仏教.
‖——-도 명 仏徒; 仏弟子. ¶~로서의 수행을 하다 仏弟子としての修行に努める. —— 문학 명 仏教文学. —— 미술 명 仏教美術.
불구【不具】명 不具. ①体のある部分に障害があること. ②不備; 不一.
불구【佛具】명 仏具.
불-구속【不拘束】명 不拘束. ——-하다 타 不拘束する; 拘束しない.
‖——-기소 명 不拘束起訴; 在宅起訴.
불구-하다【不拘—】자 かかわらない《"불구하고"としか活用しない》. 불구-하고 구 …かかわらず; …こだわらず. ¶병에도 ~ 잘 견디어 냈다 病気にもかかわらずよくがんばった / 우천임에도 ~ 외출하다 雨天にもかかわらず外出する.
불국【佛國】명 ①仏国. ②フラン

; 仏国. =불란서.
굴【不屈】명하자 不屈. ¶불요의 정신 不撓不屈の精神.
(불)칙【不軌】명 不軌. ①おきてを守らぬこと. ②謀反をくわだてること.
(불)귀【不歸】명하자 不帰; 帰らぬこと; 転じて, 死ぬこと. ¶~의 객이 되다 不帰の客となる.
——-객(客) 명 死せる人.
-규칙【不規則】명 不規則; 変則. ——-하다 형 不規則だ. ¶~한 생활 不規則な生活 / ~하게 공부하다 不規則に勉強する.
—— 동사 명 変格活用動詞.
— 용언 명 変格活用用言. —— 형용사 명 変格活用形容詞.
-균형【不均衡】명 不均衡; 不釣り合い; 凸凹; アンバランス. ——-하다 형 不釣り合いである.
불그데데-하다 형 やや卑しく赤みがかっている. >볼그대대하다.
불그뎅뎅-하다 형 不格好に赤みがかっている; いやらしく赤い. >볼그댕댕하다.
불그레-하다 형 程よく赤みがかっている. >볼그레하다.
불그무레-하다 형 薄赤い. >볼그무레하다.
불그숙숙-하다 형 淡く赤らんでいる. >볼그속속하다.
불그스름-하다 명 やや赤い. 준 불그름하다. 불그스름-히 부 やや赤く.
불그죽죽-하다 형 むらがありしかもくすんで赤い. >볼그족족하다.
불근【不近】명 近くないこと. ——-하다 형 近くない; 縁遠い.
불근-거리다 자 (固い物が)口の中であっちこっちに寄ってよくかまれない. >볼근거리다. 불근-불근 부 하자 固いものがよくかまれないさま.
불금【不禁】명 不禁; 禁じないこと. ——-하다 타 禁じない.
불급【不及】명 하형 及ばぬこと.
불급【不急】명 不急. ——-하다 형 不急である; 急を要しない. ¶불요~한 공사에 예산을 쓰다 不要不急の工事に予算を使う.
불긋-하다 형 やや赤いようだ. >볼긋하다. 불긋-불긋 부 하형 あっちこっちがやや赤いさま.
불-기【—氣】명 火の気; 火気. ¶~ 가신 방 火の気の失せた部屋.
불기【不起】명 하자 不起; 病気がなおらないで世をさること.
불기【不羈】명 하자 ふき(不羈〔不覊〕); 拘束させられないこと. ¶~지재(之才) 不羈の才.
불기【佛器】명 〖佛〗 仏器.
불-기둥 명 火柱. ¶~이 솟구치다 火柱が噴き上がる.
불-기소【不起訴】명 〖法〗 不起訴. ¶~ 처분 不起訴処分.
불-기운 명 火の気. ¶~이 없는 火の気のない.
불-길 명 炎; 火の手; 火脚〔火足〕; 火. ¶분노의 ~ 憤怒の炎 / ~이 오르다〔세어지다〕火の手があがる〔強くなる〕/ 요원의 ~ りょうげん(燎原)の火.
불길【不吉】명 不吉. ——-하다 형 不吉だ; 禍禍しい; えんぎが悪い. ¶~한 꿈〔예감〕不吉な夢〔予感〕/ ~한 느낌이 들었다 いとわしい感じがした.
불-꽃 명 火花. =스파크. ¶~이 튀다 火花が散る〔飛ぶ〕. ——-같다 형 物事の広がり〔勢い〕が盛んだ; はげしい.
‖——-놀이 명 花火あそび. —— 반응(反應) 명 〖化〗 炎色反応. —— 방전 명 火花放電.
불끈 부 ①急に上がる〔浮かぶ·のぼる〕さま: ぱっと; ぽっと; ぬっと. ¶아침 해가 바다 위로 ~ 솟아 오른다 朝日が海上にぬっと浮かび出る. ②高くそびえたつさま. ③拳をつよく握るさま: ぐっと. ¶주먹을 ~ 쥐고 拳をぐっと握って. ④急に怒るさま: かっと; むかっと; むっと. ¶툭하면 ~ 성을 낸다 ややもすればかっといかる. >볼끈. ——-거리다 자 しきりにかんしゃく(癇癪)を起こす. ——-—— 부 하자 かっかっと; むっむっと.
불-나다 자 火事が起こる〔出る〕. ¶불난 집에 키들고 들어간다; 불난 집에 부채질한다《俚》 火に油を注ぐ; 薪に油をそえる.
불-나방 명 〖蟲〗 火取りが; ひとりむし.
불-난리【—亂離】명 火事場騒ぎ.
불-놀이 명 하자 提燈·鉄砲などでにぎやかに祝うあそび. =화희(火戲).
불-놓다 자 ①火をつける〔放つ〕; 放火する. ②〖鑛〗 ダイナマイトの導火線に点火する.
불능【不能】명 不能. ①能力のないこと. ②↗불가능. ——-하다 형 出来ない. ¶재기 ~ 再起不能 / ~을 한탄하다 不能を嘆く.
불다[1] 자 (風が)吹く; 起こる. ¶바람이 세차게 ~ 風が強く吹く.
불다[2] 타 ①口から呼気をだす. ㉠吹く. ¶불어서 불을 피우다 火を吹いておこす / 더운 물을 불어서 식히다 湯を吹いてさます / 불고 쓴 듯하다《俚》 赤貧洗うが如し / 불면 꺼질까 쥐면 터질까《俚》 吹けば消えやしないか, にぎれば潰れやしないか(と)《子供を大切に育てることのたとえ》/ 호각을 ~ 呼び子を鳴らす. ㉡(笛などを)吹き鳴らす. ¶피리를〔나팔을〕~ 笛〔ラッパ〕を吹く. ②白状する; 泥を吐く. ¶자기 죄를 모두 ~ 自罪をつぶさに吐く.
불단【佛壇】명 仏壇.
불당【佛堂】명 仏堂; 仏殿. =불전(佛殿).
불-더위 명 酷暑.
불-덩어리 명 火の玉. ¶몸이 ~같이 뜨겁다 体が火の玉のようにあつい.
불-덩이 명 (炭·木の)火の塊; 火達磨. ¶온 몸이 ~가 되어서 全身火達磨になって.
불도【佛徒】명 [↗불교도] 仏徒.
불도【佛道】명 仏道. ¶~에 정진하

다 仏道に精進する / ～에 귀의하다 仏道に帰依する. ＝법도(法道).
‖―― 수행(修行) 명 仏道修業.

불-두덩 명 ちきゅう(恥丘).
‖――-뼈 명 恥骨. ＝치골(恥骨).

불등【佛燈】명 仏燈.

불-등걸 명 激しく燃える炭火.

불-때다 자 (たき口に)薪をくべる.

불-똥 명 ① 燃えさしの灯心. ② 火花; 火の粉. ¶～을 튀기다 火花を散らす.

불뚝 부 にわかに怒るさま: むっと. ――-거리다 자 むっとする. ―――― 부하자 むっむっと.

불뚝-하다 형 つき出ている; ふくれあがっている.

불뚱-거리다 자 しきりにかんしゃく(癇癪)を起こす; 当たり散らす. ＞볼뚱거리다. 불뚱-불뚱 부하자 しきりにかんしゃくを起こすさま.

불뚱-이 명 かんしゃく(癇癪); 癇癪持ち. ――-나다 자 癇癪が起こる. ――-내다 자 癇癪を起こす.

불란【不亂】명하형 不乱; 乱れないこと. ¶일사 ～ 一糸不乱.

불란서【佛蘭西】명 "프랑스(＝フランス)"の音訳.
‖―― 자수 명 フランスししゅう(刺繡).

불량【不良】명하형 不良. ¶～품 不良品 / 영양〔성적〕 ～ 栄養〔成績〕不良 / ～한 짓을 하여서 골치가 아프다 不良を働くので頭が痛い.
‖―― 도체 명〔物〕不良導体. ＝부도체(不導體). ――-배 명 不良輩; ならず者; ごろつき; 与太者; やくざ; ぐれん隊〈俗〉; 兄ちゃん〈俗〉. ¶～에게 강탈당하다 不良輩にたかられる / ～처럼 되어가다 不良輩じみてくる. ―― 소녀 명 不良少女; ズベ公. ――-아 명 不良児. ――-증(症) 명 正常でない症候.

불러-내다 타 呼び出す; 召し出す. ¶친구를 ～ 友達を呼び出す / 전화로 ～ 電話で呼び出す.

불러-들이다 타 呼び入れる; 召しあげる; 呼び付ける. ¶손님을 ～ お客を呼び入れる〔呼び込む〕/ 상사가 ～ 上役が呼び寄せる.

불러-오다 타 ① 呼んで来る. ¶의사를 ～ 医師を招く / 전보로 ～ 電報で呼び寄せる. ② 呼んで持ってこさせる.

불러-일으키다 타 呼び起こす. ① (呼んで)目をさませる. ¶모두를 ～ 皆を呼び起こす. ② 隠されたものを現わせる; 催す. ¶여론을 ～ 世論を呼び起こす.

불려-가다 자 呼ばれて行く; 召される. ¶선생님에게 ～ 先生に呼ばれて行く / 천국에 ～ 天国に召される.

불력【佛力】명 仏力. ¶병의 치유를 ～에 의지하다 病気の治癒を仏力に頼む.

불령【不逞】명 ふてい(不逞); 不平を抱き無法を働くこと.
‖―― 분자 명 不逞分子.

불로【不老】명 不老. ――-하다 자 年をとらぬこと; 老いないこと. ¶신로(身老) 심(心)～ 身は老えども心はなお老いぬ.
‖―― 불사 명하자 不老不死. ―― 소(不少) 명 老いも若くもないこ… ―― 장생 명하자 不老長生. ―― 초(草) 명 不老草.

불로 소득【不勞所得】명 不労所得.

불룩-거리다 자타 (はずみのよい… が)ふくれたりへこんだりする. ま… そうさせる. ＞볼록거리다. 불룩-불… 부하자타 しきりにふくれたりへこ…だりするさま.

불룩-하다 형 ふくらんでいる; ふく…ている; 盛りあがっている. ¶배… ～ 腹がふくれている. 불룩-이 부 …くれて; ふくらんで; ふっくらと.

불륜【不倫】명하형 不倫; 破倫… ¶～의 행위 不倫の行為 / ～의 사… 不倫の恋.

불리【不利】명 不利. ――-하다 형 …利だ; 利(に)あらず. ¶～한 처지 …利な立場 / …에게 ～하다 …に不利…である / …에게 ～한 짓을 하다 …に…利なことをする / 전세는 ～하다 戦…いは芳しくない.

불리다[1] 타 (腹を)みたす. ¶술로 배를 잔뜩 ～ 酒で腹をうんとみたす.

불리다[2] 타 ① (金属を)練る; 焼き…きたえる. ¶칼을 ～ 刀を練る / 쇠를 ～ 鉄を鍛える. ② (穀物をあおい…で)ひる; ふるう.

불리다[3] 타 ① (水にひたして)ふやかす. ¶콩을 ～ 豆をふやかす. ② 殖やす. ¶50만 원을 백만 원으로 ～ 五十万ウォンを百万ウォンに殖やす.

불리다[4] 피동 呼ばれる; 称される. ¶선생이라 ～ 先生と呼ばれる / 의학계의 쌍벽(雙壁)으로 ～ 医学界の双壁と並び称される.

불림 명 (鉄を焼いて)鍛えること.

불만【不滿】명하형 [↗불만족] 不満. ¶～을 호소하다 不満を訴える / ～이 쌓이다 不満がかさなる / ～을 품다 不満を抱く / ～을 토로하다 不満をこぼす. ――-히 부 不満に. ――-스럽다 형 不満そうだ.

불-만족【不滿足】명하형 不満足. ――-스럽다 형 不満足なようである.

불망【不忘】명하타 忘れないこと.
‖――-기(記) 명 念のために記した書きもの.

불매【不買】명 不買. ――-하다 타 不買する; 買わない. ¶～ 운동 不買運動.

불매【不賣】명 不売. ――-하다 타 売らない.

불면【不眠】명 不眠.
‖―― 불휴 명하자 不眠不休. ――-증 명 不眠症.

불멸【不滅】명 不滅. ――-하다 자 滅びない. ¶～의 이름을 남기다 不滅の名を残す / 물질 ～의 법칙 物質不滅の法則 / 천고 ～의 작품 千古不磨の作品.

불멸【佛滅】명 仏滅; 釈迦が死ぬこと.

불명【不明】명하형 不明. ① ↗불분명. ¶출처 ～ 出所不明 / 원인

의 사망 原因不明の死亡 / 발신 ～의 편지 差し出し人不明の手紙. ② 筋道に疎いこと. ¶ ～함을 끄러히 여기다 不明を恥じる.

명료【不明瞭】명하형 不明瞭. ～한 발음 不明瞭な発音. ＝불분.

-명예【不名譽】명하형 不名誉; 折れ. ——-스럽다 형 不名誉であ. ¶ 불명예스러운 이야기 不名誉な話.

-명확【不明確】명하형 確かでないこと; 不確しか. ¶ ～한 태도 不確かな態度.

모【不毛】명 ① 不毛. ② ↗불모지. ——-지 명 不毛の地; 荒れ地.

-목 명 オンドル部屋の最もっとも暖かい所.

목【不睦】명 むつまじくないこと. ——-하다 형 むつまじくない; 不和である.

불목-하니 명〖佛〗寺の炊事·雑役をする人; 寺男.

불무【不無】명하형 無きにあらずのこと; あるには有ること.

불문【不問】명 不問; 問わぬこと. ——-하다 타 不問にする; 問わぬ. ¶ 허물을 ～에 부치다 過ちを不問に付する; 前罪を問わぬ / 직종을 ～하고 職種を問わず / 연령〔노소〕를 ～하다 年齢〔老少〕を問わぬ.

‖—— 가지(可知) 명 問わずして知ること. —— 곡직(曲直) 명하타 理非曲直を問わぬこと. ¶ ～하고 正否も問わず; 遠慮会釈もなく.

불문【佛文】명 ① 仏文. ② ↗불문학.

불문【佛門】명 仏門. ¶ ～에 들어가다 仏門に入る; 僧になる.

불문-법【不文法】명 不文法.

불-문학【佛文學】명 仏文学. ¶ ～과 학생 仏文学科の学生.

불미【不美】명하형스형 美しからぬこと; まずいこと; よくないこと. ¶ ～스러운 소문 良からぬうわさ.

불민【不敏】명하형 不敏; 不束. ¶ ～합니다만 할 수 있는 한 해 보겠습니다 不敏〔不束〕ながら出来るだけやってみます.

불민【不憫】명하형 ふびん(不憫).

불-바다 명 火の海; 大火. ¶ 삽시간에 사방은 ～가 되었다 たちまち一面は火の海と化した.

불발【不發】명하자 不発. ¶ (일이) ～로 끝나다 不発に終わる.

‖——-탄 명 不発弾.

불-밤송이 명 熟れずに落ちたいがぐり(毬栗).

불벌【佛罰】명 仏罰.

불법【不法】명 不法. ——-하다 형 不法である; 法にそむいている. ¶ ～감금 不法監禁 / 총기를 ～ 소지한 혐의로 기소되다 銃器を不法所持したかどで起訴される. ＝비법(非法).

‖—— 점유 명하타 不法占有. —— 행위 명 不法行為. ——-화 명하타 不法化.

불법【佛法】명 仏法; みのり(御法); のり(法·則). ＝불교.

‖——-계(界) 명 ☞ 불가(佛家). ——-승 명 仏法僧.

불-벼락 명 烈火の如き怒り; 大目玉. ¶ ～을 맞다 大目玉をくう / ～이 내리다 雷が落ちる.

불변【不變】명 不変. ——-하다 자타 不変である; 変わらない. ¶ 영구 ～이다 永久不変である.

‖——-색 명 不変色.

불-병풍【—屛風】명 風当たりの火鉢を囲うびょうぶ(屛風).

불-볕 명 かんかんに照りつける陽差し. ¶ 오뉴월 ～ (陰暦)五六月ごろの暑い陽差し. ——-나다 자 陽差しがかんかんと照りつける.

불-보살【佛菩薩】명 仏菩薩.

불복【不服】명하자타 不服. ¶ 명령에 ～하다 命令に不服する.

‖—— 상고(上告) 명〖法〗☞ 상고(上告). —— 신청(申請) 명하자 (行政処分や原判決に対する)不服申し立て.

불-복종【不服從】명하자 不服; 服従しないこと. 준 불복.

불-부채 명 火をあおぐうちわ.

불분 동서【不分東西】명하자 東西を弁ぜぬこと.

불-분명【不分明】명하형 不分明; はっきりしないこと. 준 불명①.

불-붙다 자 火が付く. ¶ 논쟁이 다시 ～ 論争が再燃する / 불붙는 데 키질하기《俚》 火を救うに薪を投ず《事態をさらに悪くすることのたとえ》.

불-붙이다 자 火を付ける. ¶ 난로에 ～ ストーブに火を付ける.

불비【不備】명하형 (主に手紙の末尾に書く)不備; 不具.

불-빛 명 ① 火の光; 火影; 火影〔燈影〕. ¶ 창문으로 ～이 새다 窓から明かり〔灯光〕が漏れる / 저 멀리 ～이 보이다 遠くに火影が見える. ② 火色; 赤; 紅. ¶ ～ 스웨터 火色のセーター.

불사【不仕】명하자 官職につくことをすすめても仕えないこと.

불사【不死】명하자 不死.

‖—— 불멸 명하자 不死不滅. ——-신 명 不死身. ——-약 명 不死の薬; 仙薬. —— 영생 명하자 不死永生. ——-조 명 不死鳥. ＝피닉스.

불사【不辭】명하타 辞さないこと; 辞退しないこと. ¶ 탈퇴도 ～하다 脱退をも辞さない / 경우에 따라서는 죽음도 ～하겠다 場合によっては死をも辞さない.

불사【佛寺】명 仏寺. ＝절.

불사【佛事】명 仏事; 法事; 法会.
(ほうえ).

불사【佛師】명 仏師.

불-사르다 타 燃やす. ¶ 옛 편지를 ～ 昔の手紙を燃やす / 죄다 불살라 버렸다 のこらず燃やしてしまった.

불-사리【佛舍利】명 仏舎利.

불상【不祥】명 不祥; 不吉. ——-하다 형 不吉である.

‖——-사 不祥事. ¶ 근래 보기 드문 ～ 近来まれに見る不祥事.

불상【不詳】명 不詳. ＝미상(未

詳). ——-하다 형 不詳である; くわしくない.
불상【佛相】명 仏相.
불상【佛像】명 仏像. ¶ ~을 안치하다 仏像を安置する.
불-상놈 명 (根っからの)げす(下種).
불-상동【不相同】명하형 同じくないこと.
불-상용【不相容】명하형 互いに相容れないこと.
불-상응【不相應】명하형 不相応.
불생【不生】명〔佛〕不生《如来の異称》.
‖— 불멸 명 不生不滅. — 불사 명 不生不死.
불-생일【佛生日】명 陰暦四月八日. =불탄일.
불서【佛書】명 仏書.
불선【不善】명 不善. ——-하다 형 善くない. ¶ 소인 한거 위(爲) ~ 小人は閑居して不善をなす.
불-선명【不鮮明】명 不鮮明. ¶ ~한 빛〔인쇄〕不鮮明な色〔印刷〕.
불설【佛說】명 仏説.
불-섭생【不攝生】명 不摂生. ——-하다 자 摂生を怠る. ¶ ~으로 건강을 해치다 不摂生で健康を害する.
불성【不成】명하자 不成; 成就しないこと.
불성【不誠】명하형 ↗불성실.
불성【佛性】명〔佛〕仏性.
불성【佛聖】명 ぶつだ(仏陀)をうやまって言う語.
불-성공【不成功】명 不成功. ——-하다 타 不成功になる.
불-성립【不成立】명 不成立. ——-하다 자 成立しない.
불-성문【不成文】명 不成文; 不文.
불-성설【不成說】명 ↗어불성설(語不成說).
불-성실【不誠實】명 不誠実; ふまじめ. ——-하다 형 不誠実である; ふまじめだ. ¶ 저 사나이는 ~하다 あの男はふまじめである.
불-세례【一洗禮】명〔基〕聖霊の充満により心の罪とけがれを残らず燃やし清めること.
불-세출【不世出】명 不世出. ——-하다 형 世に稀だ. ¶ ~의 영웅 不世出の英雄.
불소【不少】명하형 少なくないこと.
불-소급【不遡及】명하타 ふそきゅう(不遡及). ¶ ~의 원칙 不遡及の原則.
불-속 명 火中; 火の中. ¶ ~에 뛰어들다 火の中に飛び込む.
불손【不遜】명하형 ふそん(不遜). ¶ ~한 말을 하다 不遜な言を吐く.
불수【不隨】명 不随. ¶ 반신 ~ 半身不随.
불-수의【不隨意】명 不随意.
‖——-근 명〔生〕不随意筋. 준 불수근(不隨筋).
불-수일【不數日】명 二三日もかからないこと.
불순【不純】명하형히부 不純. ¶ ~물 不純物.
불순【不順】명하형히부 不順. ¶ 일기 ~ 天候不順/ 월경 ~ 月経不順.

불-순종【不順從】명하자 おとな 従わないこと.
불-승인【不承認】명하타 不承認
불시【不時】명 不時. ¶ ~의 방 不時の訪問客. ——-로 부 不に; 不意に. ——-에 부 だしぬけ ひょいと; 抜き打ちに.
‖— 검사 명 抜き打ち検査. — 찰 명 抜き打ち査察. ——-착, — 륙 명하자 不時着; 不時着陸.
불-시계【—時計】명 火時計.
불식【不食】명 不食. ——-하 타 食べものを食わない.
불식【不息】명하자 休まぬこと.
불식【佛式】명 仏式.
불식【拂拭】명하타 ふっしょく(拭). ¶ 구폐를〔불안을〕~하였다 旧弊〔不安〕を払拭した.
불신【不信】명 不信. ——-하다 信じない. ¶ ~감 不信感/ ~하는 각을 품다 不信の念を抱く.
‖——-자 명 不信者; 不信の人. — 행위 명 不信行為.
불신【佛身】명〔佛〕仏身.
불신【佛神】명〔佛〕仏神.
불-신용【不信用】명 不信用. — 하다 타 信用しない.
불-신임【不信任】명하타 不信任. ¶ ~안 不信任案.
‖— 결의 명 不信任決議.
불실【不失】명하타 失わぬこと.
‖— 기본(基本) 명하자 本分を失わないこと. — 본색(本色) 명하자 本色を失わないこと.
불실【不實】명하형 不実. ¶ ~한 행위 不実な行ない.
불심【佛心】명 仏心.
불심 검문【不審檢問】명 職務質問; みとが(見咎)めること. ¶ 경관에게 ~당하다 警官に見咎められる.
불쌍-하다 형 かわいそうだ; 気の毒だ; あわれだ. ¶ 불쌍한 고아 かわいそうな孤児/ 불쌍한 노릇이다 あわれな事である. 불쌍-히 부 かわいそうに; 気の毒に; あわれに. ¶ ~ 여기다 気の毒に思う; 哀れむ.
불-쏘시개 명 たき付け; 付け木; 燃え種. ¶ 대팻밥을 ~로 하다 かんな屑をたき付けにする. 준 쏘시개.
불쑥 부 ① だしぬけにつき出したり現われるさま: 突然; ぬ(う)っと; にゅっと. ¶ ~ 칼을 내밀다 だしぬけに刀をつき出す/ 도깨비가 ~ 나타났다 化物がぬっとあらわれた/ ~ 얼굴을 내밀다 ひょっと顔を出す/ 개구멍에서 ~ 머리를 내밀다 くぐり穴からにゅっと首を出す. ② 前後のわきまえもなくしゃべるさま: いきなり; 出放題に. ¶ 놈이 ~ 한다는 소리가 やつの出まかせの言い草が/ 그런 말을 ~ 꺼내면 곤란하다 だしぬけにそんな事を言い出しては困る. >볼쏙. ——-거리다 자 ① ひき続きだしぬけにつき出る〔現われる〕. ② 出まかせにしゃべる. ———[1] 부하자 ① にゅっにゅっと. ② しきりに出放題にしゃべるさま.
불쑥-하다 형 突き出ている. >볼쏙하다. 불쑥-이 부 突き出ているさま;

りあがっているさま. 불쑥-불쑥²
一面に突きでているさま.
씨 명 ① 火種; 種火. ¶ ～를 잘 수하다 火種をよく保つ / ～를 얻어 다 貰い火をする. ② 種; きっか
¶ 싸움의 ～ けんかの種.
안【不安】명 不安. ——-하다 형 安だ; 心細い. ¶ ～한 지위 不安 地位 / ～해서 못 견디겠다 心細くて まらない / ～을 떨쳐버리다 不安を払 いのける / 아이들만으로는 어쩐지 하다 子供だけではなんとなく心 もとない / ～을 느끼다 不安を覚え . ——-히 부 不安に; 心細く.
——-감 명 不安感. ——-기(期) 명 不安期.
안【佛眼】명〖佛〗仏眼.
-안전【不安全】명하형 不安全.
¶ 그것만으로는 ～하다 それだけでは不安全である.
-안정【不安定】명하형 不安定.
¶ ～한 상태 不安定な状態.
-알 명 金玉; ふぐり〈雅〉; へのこ〈俗〉; ホーデン. ＝고환(睾丸). 준 불.
¶ ～을 긁어주다 へつらう; こ(媚)びる.
불-야 감 ↗불이야.
‖——— 감 ↗불이야 불이야.
불야-성【不夜城】명 不夜城. ¶ 밤에는 온 거리가 ～을 이룬다 夜は全市街が不夜城をなす.
불어【不漁】명 不漁. ＝흉어(凶漁).
불어【佛語】명 ① 仏語; フランス語. ②〖佛〗仏語; ほとけのみ言葉.
불어-나다 자 増す; ふえる. ¶ 물이 ～ 水かさが増す / 인구가 해마다 ～ 人口が年年ふえる.
불어-넣다 타 吹き入れる; ふき込む. ¶ 정계에 새바람을 ～ 政界に清風を吹き込む.
불어-오다 자 (風が)吹いて来る. ¶ 산들바람이 ～ そよかぜが吹いて来る.
불어-제치다 자 吹きまく(捲)る; 吹きすさぶ.
불어-터지다 자 (そばなどが)食えなくなるほど伸びる.
불언【不言】명 不言. ——-하다 자 (口に出して)言わない.
‖—— 가지(可知) 명 言わなくても知り得ること. —— 실행 명하자타 不言実行.
불언【佛言】명〖佛〗ほとけの言葉.
불여-귀【不如歸】명 ほととぎす(杜鵑). ＝두견이.
불-여우 명 ①〖動〗きよまさぎつね(狐). ②《俗》妖婦《悪賢い女》.
불-여의【不如意】명 不如意.
불역【不易】명 不易. ——-하다 자 타 変わらない; 変えられない. ¶ 만고 ～의 진리 万古不易の真理.
불역【佛譯】명하타 仏訳. ¶ 근간의 ～ 소설 近刊の仏訳小説.
불연【不然】명하형 そうでないこと; 然らず. ¶ 자유를 달라, ～이면 죽음을 달라 自由を与えよ, 然らずんば死を与えよ.
불연【不燃】명 不燃. ¶ ～ 주택 不燃住宅 / ～성 필름 不燃性フィルム.

불연【佛緣】명 仏縁. ¶ ～으로 맺어진 부부 仏縁で結ばれた夫婦.
불-연속【不連續】명 不連続.
‖——-면 명 不連続面. ——-선 명 不連続線.
불온【不穩】명 不穏. ——-하다 형 不穏だ; 穏やかでない; さわがしい. ¶ ～한 태도 不穏な態度 / ～ 문서〔사상〕 不穏文書〔思想〕.
불-완전【不完全】명하형 不完全. ¶ ～한 답안 不完全な答案.
‖—— 동사 명 不完全動詞. —— 중립국 명 不完全中立国. —— 타동사 명 不完全他動詞.
불완-품【不完品】명 不完全な品物.
불요【不要】명 不要. ——-하다 형 不要である; いらない. ¶ ～ 불급의 시설 不要不急の施設.
불요【不撓】명 ふとう(不撓). ——-하다 형 たわ(撓)まない.
‖—— 불굴 명하형 不撓不屈. ¶ ～의 정신 不撓不屈の精神.
불용【不用】명 不用. ——-하다 타 用いない; 役にたたない. ¶ ～물 不用物 / ～품 不用品.
불용【不容】명하타 容赦できないこと.
불우【不遇】명하형 不遇. ¶ ～함을 한탄하다 不遇をなげく / ～한 생애 不遇な生涯.
불운【不運】명하형 不運. ¶ ～아 不運児 / ～의 나락에 빠지다 不運のどん底におちいる.
불원【不遠】一 명하형 遠くないこと. 二 부 遠からず; 近く; 近近. ¶ ～ 떠나겠소 遠からず発ちます.
‖——-간(間) 一 명 遠くない〔近い〕あいだ. 二 부 遠からず. ¶ ～ 완쾌할 것이다 遠からず全快するだろう. —— 천리(千里) 명하타 千里を遠く思わぬこと. ¶ ～하고 달려 왔으나 千里を遠くと思わずは(馳)せて来たが.
불원【不願】명하타 願わぬこと.
불-유쾌【不愉快】명 不愉快. —— 하다 형 不愉快だ.
불은【佛恩】명 仏恩.
불음【不飮】명하타 飲まないこと. ¶ ～ 불식(不食)하여 모은 돈 飲まず食わずに貯えた金.
불응【不應】명하자 応じないこと. ¶ 이에 ～할 경우에는 これに応じない場合には.
불의【不意】명 不意. ¶ ～의 사고 不意の事故 / ～의 습격을 받다 不意打ちを食う; やみ打ちを食う.
불의【不義】명하형 不義. ¶ ～의 씨 不義の子〔種〕 / 사욕에 눈이 어두워 ～에 빠지다 邪欲に目がくらみ不義に陥る.
불-이야 감 火事だ; 火だ. ¶ ～ 하는 소리에 모두가 뛰어나왔다 火事との叫びに皆が飛び出して来た / ～ 하고 달려 갔다 それ火事だと駆け出した. 준 불야.
‖——— 감 火事だ火事だ.
불-이익【不利益】명하형 不利益. ¶ ～을 각오하고 不利益を覚悟して.
불-이행【不履行】명하자 不履行.

¶ 계약 ~ 契約不履行.
불인【不人】명 人でなし；非人.
불인【不仁】명하형 不仁.
불인【不忍】명 不忍；耐え忍べないこと.
‖——견(見) 명 見るに忍びないこと. =목불인견(目不忍見). ——문(聞) 명 聞くに忍びないこと. —— 정시(正視) 명 まともから見るに忍びないこと.
불인【佛人】명 仏人；フランス人. ¶ ~ 신부 仏人神父.
불-인가【不認可】명하타 不認可.
불-인정【不人情】명하형 不人情；非人情.
불일【不一】명하형 ① 一致しないこと. ② 等しくないこと. ③ 不一《手紙の結び言葉》.
불일【不日】명부 [↗불일내] 近日中(に)；近近.
‖——간(間), ——내(內) 一명 不日；数日内. 二부 間もなく；日ならず. ¶ ~ 뵈오려 갈 작정입니다 近近お目にかかりに参るつもりでおります.
불일-듯하다 형 火が燃え立つように盛んだ. 불일-듯이 부 燃え立つように盛んに.
불-일치【不一致】명 不一致. 준 불일(不一). ——하다 형 一致しない. ¶ 언행 ~ 言行不一致.
불임【不妊】명하자 不妊.
‖——법 명 不妊法. ——증 명 不妊症.
불임【不稔】명하자 実らないこと.
불입【拂入】명〖經〗☞ 납입(納入).
불-잉걸 명 (燃え盛った)真赤な炭. 준 잉걸.
불자【佛子】명 仏子.
불자【佛者】명 仏者. =불제자.
불-자동차【—自動車】명 消防自動車.
불-잡다 자 ① 火を消す. ② 火をとも(点)して持つ.
불장【佛葬】명 仏葬.
불-장난 명하자 火遊び. ¶ 아이들의 ~ 子供達の火遊び/(남녀간의) 한때의 ~ (男女の)一時の火遊び.
불전【佛典】명 仏典. =불경.
불전【佛前】명 仏前. ¶ ~에 분향하고 仏前に焼香して.
불전【佛殿】명 仏殿. ¶ ~을 건립하다 仏殿を建立する.
불전【佛錢】명 さいせん(賽銭).
불-제자【佛弟子】명 仏弟子；仏子. ¶ ~로서의 수도에 힘쓰다 仏弟子としての修行に励む.
불조【佛祖】명 仏祖.
불-조심【—操心】명 火の用心. ——하다 자 火の用心をする.
불-종【—鐘】명 半鐘. =화종(火鐘).
불좌【佛座】명 仏座.
불지【佛智】명〖佛〗仏智.
불-지르다 자 火を放つ；放火する.
불-지피다 자 (ストーブなどに)火を付ける；た(焚)く；くべる. ¶ 난로에 ~ ストーブに火をたく.

불-질 명하자 ① (かまどなどに)たけること. ② 発砲〔発射〕すること.
불-집 명 危険の多い所. ¶ ~ 건드리다《俚》火の元をつつく.
불-집게 명 ☞ 부집게.
불쩍-거리다 자 (洗濯物を勢よく)(ごしごしと)もみ洗う. 불쩍불쩍 부하자 勢いよくごしごしともみ洗うさま.
불-쬐다 자 火にあたる. ¶ 추우니 불쬐어라 寒いから火にあたれよ.
불착【不着】명하타 不着. ① 到着しないこと. ② 着用しないこと.
불찬【不贊】, 불-찬성【不贊成】명하 不賛成.
불찰【不察】명 手落ち；不覚. ¶ 의 ~입니다 わたしの手落ちです/ ~이다 君の不覚である.
불찰【佛刹】명 仏刹. =절.
불참【不參】명 不参. ¶ ~자 不参者/ ~의 뜻을 전하였다 不参の旨を伝えた.
불-참가【不參加】명하자 不参加.
불-채용【不採用】명하타 採用しないこと.
불-철저【不徹底】명하형 不徹底. ¶ ~한 수사 不徹底な捜査.
불철주야【不撤晝夜】명부히부 昼夜を分かたず. ¶ ~ 공부하다 昼夜の別なく〔昼も夜もなく〕勉強する.
불청【不聽】명하타 ① 聴かないこと. ② 聞き入れないこと.
불청-객【不請客】명 招かざる客.
불체【佛體】명 ① ☞ 불신(佛身). ② ☞ 불상(佛像).
불초【不肖】명 不肖. ——하다 형 父祖に似ず愚かだ. ¶ ~ 소생 不肖小生/ ~ 자식 不肖であるわたし/ ~ 제가 말씀드린 바와 같이 不肖わたしが申しあげましたように.
‖——남(男) 대 親に対する自称. ——손(孫) 대 祖父母に対する自称. ——자(子) 대 ☞ 불초남. —— 자제(子弟) 명 不肖な子孫.
불-총명【不聰明】명하형 聡明でないこと.
불출【不出】명 ① 愚か者；できそこない. ¶ ~ 자식 出来損いの子. ② 不出；外へ出ないこと. ——하다 자 外へ出ない. ¶ 두문(杜門) ~ 門外不出/ 문외 ~의 비보 門外不出の秘宝.
불출【拂出】명하타 (金品を)払うこと.
불-출마【不出馬】명하자 出馬しないこと.
불충【不忠】명하형 不忠. ¶ ~ 불의 不忠不義/ ~한 신이 나라를 어지럽히다 不忠の臣が国を乱す.
‖—— 불효 명하자 不忠不孝.
불-충분【不充分】명 不十分〔不充分〕. ¶ 설명이 ~하다 説明が不十分である/ ~하나마 (제가) 도와드리겠습니다 及ばずながらお手伝い致します.
불-충실【不充實】명하형 充実でないこと.

충실【不忠實】명하형 忠実でないこと.
측-하다【不測―】형 ① 測り難い; 測し難い. ② 陰険だ; 腹ぐろ; よこしまだ.
치【不治】명하자 ① 不治; (病気が)治らないこと. ② 政治が正しく行なわれないこと.
-친절【不親切】명하형 不親切. ¶ 손님에게 ~한 가게는 망한다 客に不親切な店は潰れる.
친화-성【不親和性】명 不親和性; 種類の異なる物質とは化合できない性質.
-침【一針】명 眠る人の肌にマッチの燃えさしを据えるいたずら.
침【不侵】명하자 不侵.
침-번【不寢番】명 不寝番; 寝ずの番. ¶ ~을 서다 不寝番に立つ.
컥-거리다 타 (粉を水でこ(捏)ねたものや粘土などを)しきりに捏ねたり踏んだりする. >볼칵거리다. 불컥-불컥 부하타 ぐちゃぐちゃ.
-켜다 자 あかりをともす.
쾌【不快】명하형히부 不快. ¶ ~한 일 不快な事 / ~한 빛을 나타내다 不快な色をあらわす.
‖――감 명 不快感. ¶ 내심 ~을 느꼈다 内心不快を覚えた. ―― 지수 명 不快指数.
불타【佛陀】명 仏陀. =부처. 준 불(佛).
불-타다 자 燃える. ¶ 집이 ~ 家が燃える / 향학심에 ~ 向学心に燃える.
불-탄일【佛誕日】명〖佛〗仏生日; ぶっしょうび《陰暦四月八日》.
불탑【佛塔】명 仏塔.
불토【佛土】명 仏土.
불통【不通】명하자타 不通. ① 通じないこと. ¶ 철도가 ~이 되다 鉄道が不通になる. ② まじわりを断つこと; 互いに行き来のとだえること. ③ 世事にうといこと; 気の利かないこと. ¶ 소식 ~이다 世事にうとい; 気が利かない. ④ 未熟なこと.
불퇴【不退】명하자 ① 退かないこと; 立ち退かないこと. ② 退けないこと; 拒まないこと; 拒絶しないこと. ¶ 일수(一手) ~ 待った無し. ③〖佛〗不退. =불퇴전.
불-퇴전【不退轉】명하자〖佛〗不退転. ¶ ~의 용기 不退転の勇気.
불-투명【不透明】명 ① 不透明. ――하다 형 不透明である; 透き通っていない. ¶ ~한 액체 不透明な液体 / ~ 렌즈 つや消しレンズ. ②〖經〗時価の見通しが確実でないこと. ――하다 형 見通しがつかない.
불퉁그러-지다 자 節目が突き出ている; ふしこぶ(節瘤)ができている.
불퉁-불퉁 부하형 ① ぶざまに起伏があって平らでないさま: 凸凹. ¶ ~한 길 凸凹の道. ② 怒りっぽくてぶっきらぼうに口出しをするさま: ずけずけ; つけつけ; がみがみ.
불퉁-스럽다 형 (言い方が)ぶっきらぼうだ; 無愛想だ. >볼통스럽다.
불퉁-하다 형 ① (円い物がぶざまに)突き出ている; 出っぱっている. ② ちょっとの事ですぐ膨れやすい性質だ. >볼통하다. 불퉁-히 부 ① (円い物がぶざまに)突き出ているさま. ② ふくれっ面をして.
불-특정【不特定】명 不特定. ¶ ~ 다수 不特定多数.
불-티 명 火の粉; 小さい火花. ――같다 형 (売れ行きが)羽のはえたように盛んだ. ――나게 부 飛ぶ〔羽が生えた〕ように売れるさま.
불패【不敗】명 不敗. ――하다 자 負けない. ¶ ~의 기록을 남기다 不敗の記録を残す.
불-펜〔bull pen〕명 ブルペン.
불편【不便】명하형 ① 不便; 不便利. ――하다 형 不便だ. ¶ 교통이 ~한 곳 交通の不便な所 / (쓰기에) ~한 방 勝手の悪い部屋 / 휴대하기에 ~하다 携帯に不便である. ② 体の具合が悪いさま. ――하다 体の具合が悪い; 健康が勝れない.
불편【不偏】명하자 不偏; かたよらないこと.
‖―― 부당 명하자 不偏不党. =무편 무당(無偏無黨).
불평【不平】명 ① ☞ 불편(不便)②. ② 不平. ――하다 자 不平を言う; ぶつぶつ言う; ぼやく. ¶ ~을 늘어놓다 不平を鳴らす.
‖――가, ――객(客) 명 不平家. ――분자 명 不平分子. ―― 불만 명 不平不満.
불-평등【不平等】명하형 不平等. ¶ ~ 조약 不平等条約 / ~한 처우 不平等な待遇.
불-포화【不飽和】명하자 不飽和.
‖―― 용액 명〖化〗不飽和溶液. ――증기 명〖物〗不飽和蒸気. ―― 폴리에스테르 수지 명 不飽和ポリエステル樹脂. ―― 화합물 명〖化〗不飽和化合物.
불-피우다 자 火を起こす.
불-필요【不必要】명하형 不必要. ¶ ~한 물건 不必要な品物.
불하【拂下】명하타 払い下げ. ¶ ~품 払い下げ品; お払い物.
불학【不學】명하형 不学. =무학(無學).
‖―― 무식(無識) 명하형 不学無識.
불학【佛學】명 ① 仏学; フランスの学問. ②〖佛〗仏教学.
불한【佛韓】명 仏韓. ① 仏語と韓国語. ¶ ~ 사전 仏韓辞典. ② フランスと韓国.
불한-당【不汗黨】명 盗賊の群れ; ならずものグループ.
불합【不合】명하형 不合(《"ぶあい・ふあい"라고도 함》). ① 物事が気に入らないこと. ② 気が合わないこと; 不和.
불-합격【不合格】명 不合格; 落第; ぺけ〈俗〉. ――하다 자 不合格になる; 落第する. ¶ ~품 不合格品 / 시험은 보기좋게 ~이다 試験は見事に落第である.
불-합당【不合當】명 不適当. ――하다 형 不適当である.
불-합리【不合理】명 不合理; 理不

尽. ——-하다 형 不合理だ; 理不尽である. ¶ ~한 제도〔가격〕 不合理な制度〔価格〕/ ~한 요구를 하다 理不尽な要求をする.

불-합의【不合意】명하자 不合意; 意見が合わないこと.

불행【不幸】명하형히부 不幸; 不仕合わせ. ¶ 잇따른 ~ 打ち続く不仕合わせ / ~한 태생 因果な生まれつき / 자신의 ~을 한탄하다 我が身の不幸をかこつ〔嘆く〕/ ~하게 되다 不幸〔不仕合せ〕になる / ~을 당하다 不幸に会う.

‖──중(中) 다행(多幸) 명 不幸中の幸い.

불허【不許】명 不許. ——-하다 타 許さない. ¶ 낙관〔예측〕을 ~하다 楽観〔予測〕を許さない.

‖── 복제 명 不許複製.

불-허가【不許可】명하타 不許可.

불현-듯, 불현-듯이 부 にわか(俄)に; いきなり; だしぬけに; 突然. ¶ ~ 집에 가고 싶은 생각이 나다 俄に家に帰りたくなる / ~ 못된 마음을 일으키다 むらむらと悪心を起こす.

불협화 음정【不協和音程】명〔樂〕不協和音程. =안어울림 음정.

불호【不好】명하타 好まないこと.

불-호령【一號令】명 大声でする叱責.

불혹【不惑】명 不惑; 四十歳. ¶ ~의 나이를 넘다 齢不惑をすぎる.

불화【不和】명 不和. ——-하다 형 不和である; 仲が悪い. ¶ ~한 사이 不和な〔の〕仲 / ~의 씨를 뿌리다 不和の種をまく.

불화【弗貨】명 ドル貨.

불화【佛畫】명 仏画; 仏教に関する絵画.

불화-변【一火邊】명 火偏《"炳·炊"などの"火"の称》.

불-확대【不擴大】명 不拡大. ¶ ~ 방침을 취하다 不拡大方針を取る.

불-확실【不確實】명 不確実; 不確か; あやふや. ——-하다 형 不確実である; あやふやだ. ¶ ~성의 시대 不確実性の時代 / ~한 정보〔요소〕 不確実な情報〔要素〕/ 그쪽 태도는 언제나 ~하다 そち〔そっち·そちら〕の態度はいつもどっちつかずである / 글쎄 아직은 ~하지만 そうだね, 今の所は当てにはならないが.

불-확정【不確定】명 不確定. ¶ ~ 요소 不確定要素.

‖── 기한 명〔法〕不確定期限. ──성 원리 명〔物〕不確定性原理. ── 채무 명 不確定債務.

불황【不況】명〔經〕不況. =불경기. ¶ ~이 닥치다 不況が迫る / ~이 회복되어 가고 있다 不況が回復しつつある.

불효【不孝】명 (親)不孝. ——-하다 ㊀자 不孝をする. ㊁형 不孝である. ¶ ~한 짓을 하다 不孝を働く.

‖──-자(子) 명 ① 不孝者. ② 親あての手紙に自分を指す語.

불후【不朽】명하자 不朽. ¶ ~의 명작을 남기다 不朽の名作を残す.

불휴【不休】명 不休. ——-하다 자 休まない. ¶ 불면 ~ 不眠不休.

붉다 형자 赤い; 赤くなる. ¶ 붉은 ... 지 赤い標識 / 붉은 사상 赤い思... / 붉게 물들이다 赤く染める / ... 서 눈에 띄기 쉽다 赤いので目につ... やすい / 얼굴이 붉다 顔が赤い. ... 다.

붉디-붉다 형 真赤だ.

붉어-지다 자 赤くなる; 赤らむ; ...ばむ. ㅆ뿕어지다. ¶ 아련히 ~ ほん...り(と)赤らむ.

붉으락-푸르락 부하자 興奮で顔...ろが赤くなったり青くなったりす...さま.

붉은-팥 명 赤小豆; 赤. ¶ ~밥 ...飯.

붉히다 타 赤くする; 赤らめる. ¶ ...굴을 확 ~ 顔をぽっと赤らめる / 빨... ~ ほお(頰)を染める〔紅潮さ...る〕.

붐〔boom〕명 ブーム; にわか景気. ¶ 건축 ~ 建築ブーム / ~을 타... ブームに乗る.

‖── 타운 명 ブームタウン; 新興都... 市.

붐비다 형 込む; 雑踏する; 込み合う; 立て込む. ¶ 붐비는 기차 込み合う汽車 / 장내가 붐비고 있다 場内が立て込んでいる / 버스가 ~ バスが込む.

붐-하다 형 [↗희붐하다] (夜があけ...て)薄明るい. ¶ 날이 붐해지자 떠났... 다 明らむやいなや出かけた. **붐-히** 부 薄明るく.

붓 명 筆. ① ☞ 털붓. ¶ ~글씨에 익숙해지다 筆書きに慣れる. ② 毛筆·船筆·ペンなどの総称. =필봉(筆鋒).

붓다[1] 자 ① は(腫)れる; むくむ. ¶ 울어서 퉁퉁 부은 눈 泣きはらしたまぶた(瞼) / 림프선이 ~ リンパ腺がはれる / 얼굴이 조금 부었다 顔が少しむくんでいる / 각기로 다리가 부어 있다 脚気で脚がむくんでいる. ②《俗》ふくれる; むくれる; ふて(くさ)る. ¶ 아침부터 잔뜩 부어 있다 朝からいやにふくれている.

붓다[2] 타 ① 注ぐ; そそぐ; 差す. ¶ 꽃병에 물을 ~ 花瓶に水をそそぐ. ② (透き間なく)種をま(播)く. ③ 掛け金を払い込む. ¶ 월부로 ~ 月払いをする.

붓-대 명 筆軸; 筆づか(柄). =필관(筆管).

붓-두겁 명 筆のさや.

붓-방아 명 (文章がすすまず)筆をとんとん(と)つつくこと. ——-찧다 자 (しきりに)筆をとんとん(と)つつく.

‖──-질 명하자 筆をつつく仕種.

붓-질 명하자 筆で描くこと.

붕 부 ① へ(屁)をひる音: ぶう. ㅆ뿡. ㅆ풍. ② 飛行機·はち(蜂)などが飛ぶ音: ぶうん; ぶん. ③ 警笛の音: ぶう. >봉[4]. ④ 物を惜しげなく無くすかまたは捨ててしまうさま: すってんてん.

붕괴【崩壞】명 崩壊. ——-하다 자 崩壊する; 崩れる. ¶ ~에 직면한 조직을 재건하다 崩壊に直面し

ㅂ

…組織を立て直す / 전선은 모조리 …되었다 戦線は総崩れとなった. ——-열 명〔物〕崩壊熱. —— 직 명 崩壊寸前.

…-하다 형 ① (器に入れた物などが)小高い；盛りあがっている. …(多く食べて)腹が張っている. …(張り物などが)ぴったり付かず…くれがある. 붕긋-이 부 小高く；ふくれて. 붕긋-붕긋 부하형 こぞって小高く〔ふくれて〕.

…당【朋黨】명 朋党.

…대【繃帶】명 包帯. ¶ ~를 감다〔풀다〕包帯を巻く〔解く〕.

…락【崩落】명하자 崩落. ① 崩壊. ② 暴落.

…-붕 부 ぶんぶん；ぶうぶう. ① へ(屁)をつづけざまにひる音. ② 飛行機・大きな昆虫などが飛ぶ音. ③ 警笛などがしきりに鳴る音.

…사【硼砂】명〔化〕ほうしゃ(硼砂)；ボラックス.

…-새【鵬—】명 ほう(鵬)；大鳥.

…어 명〔魚〕ふな(鮒).

—— 낚시 명 ふな釣り.

…어【崩御】명하자 崩御.

…우【朋友】명 朋友.

—— 유신(有信) 명하형 朋友信あり.

…정【鵬程】명 ほうてい(鵬程).

—— 만리 명 鵬程万里.

붙다 ㊀자 ① 付く. ¶ 붙어 있다 付いている / 달라붙어서 떨어지지 않다 くっ付いて離れない. ② 頼る. ¶ 형한테 붙어 살다 兄に頼って暮らす. ③ 従う；付き従う. ¶ 비서가 붙어 다니다 秘書が従う / 호위가 ~ 護衛が付く. ④ (火が)燃える；燃え移る. ¶ 불이 ~ 火が付く / 불을 붙이다 火を付ける. ⑤ 合格する；受かる. ⑥ 付く；増す. ¶ 영어 실력이 ~ 英語の力が付く. ⑦ (税金などが)かかる. ¶ 세금이 ~ 税金がかかる. ㊁자타 つが(番)う；つるむ；かかる；交尾する.

붙-당기다 타 引っ張る.

붙-동이다 타 縛り〔括り〕付ける.

붙-들다 타 ① つかむ. ¶ 손목을 ~ 手首をつかむ / 꽉 붙들고 놓치지 마라 しっかりつかんで離すな. ② 捕らえる；つかまえる. ¶ 달아나는 도둑을 ~ 逃げる泥棒を捕らえる / 범인을 ~ 犯人をつかまえる. ③ 引き止める. ¶ 소매에 매달려 ~ そで(袖)にすがって引きとめる. ④ わきから助ける.

붙들-리다 피동 ① つかまる；捕らわれる；取り押さえられる. ¶ 관헌의 손에 ~ 官憲の手に捕らわれる / 얼마 뛰지 못해서 붙들리고 말았다 いくらも走らずにつかまってしまった. ② 引き止められる.

붙-따르다 타 付き従う.

붙박아 놓다 타 据え付ける；固定させる.

붙-박이 명 くぎ(釘)づけ；据え付け；作り付け. ¶ ~ 조리대 据え付けの調理台 / ~ 책장 作りつけの本棚.

——-별 명 ☞ 항성(恒星). ——-장(欌) 명 作りつけのたんす(箪笥).

——-창(窓) 명 はめ込みの窓.

붙-박이다 자 くぎ(釘)づけになる.

붙-안다 타 抱きしめる. ¶ 꽉 ~ しっかと抱きしめる.

붙어 살다 자 寄生する.

붙은-돈 명 額面が大きくて分けることのできない金.

-붙이 미 同族・同系の意. ¶ 일가 ~ 親類 / 쇠~ 金属；鉄類.

붙이다 타 ① (くっ)付ける；張る；張り付ける. ¶ 우표를 ~ 切手を張る〔張り付ける〕/ 반창고를 ~ ばんそうこうを張る. ② くっ付ける；寄せる. ¶ 책상을 벽에 ~ 机を壁に寄せる / 배를 ~ 舟を寄せる. ③ (身・食事などを)頼る；寄せる；世話になる. ¶ 몸붙일 곳도 없는 노인 寄る辺のない老人 / 밥을 붙여 먹다 (実費を出して)食事の世話になる. ④ 仲立ちをする；引き合わせる；取り持つ；くっつける. ¶ 싫어하는 두 사람을 억지로 붙여 주다 いやがる二人を無理にくっつける / 흥정을 ~ 取り引きの仲立ちをする；(売買を)取り持つ；口を利く. ⑤ 交尾させる；掛け合わせる；つがわせる. ¶ 수말과 암말을 ~ 雄馬と雌馬を掛け合わせる. ⑥ (火を)移らせる；つ(点)ける. ¶ 불을 ~ 火を点ける / 담뱃불을 ~ タバコに火を点ける. ⑦ 人をそばにおく；付ける. ¶ 경호원을 ~ 護衛を付ける. ⑧ (かけ(賭)に)金をかける. ⑨ (かりうち(樗蒲)で)こまを置く. ⑩ (ある事に)自分の意見をはさむ；付ける；添え加える. ¶ 단서를 ~ 但し書きを付ける / 조건을 ~ 条件を付する. ⑪ 心を引き付ける；寄せる. ¶ 외아들에 정을 ~ 独り子に愛情を寄せる. ⑫ 名を付ける. ⑬ (ぴんたを)食わせる〔はる〕. ¶ 한대 올려 ~ ぴんたを一発はる.

붙일-성【—性】명 愛想；つき；人付き；人当たり；当たり. ¶ ~이 있어서 좋다 愛想があっていい.

붙임-성【—性】명 ☞ 붙일성. ¶ ~이 좋은 사람 愛想の良い人.

붙임-틀 명 板をはるときに用いる台.

붙임-판【—板】명 木片などを接着させる際に用いる鉄板.

붙-잡다 타 ① つか(摑)む；つかまえる. ¶ 양손으로 ~ 両手〔両の手〕でつかむ / 밧줄을 ~ ロープ〔綱〕をつかむ / 꽉 붙잡고 있어라 しっかりつかまっておれ. ② 捕らえる；引っとらえる. ¶ 범인을 ~ 犯人を(引っ)とらえる〔押さえる〕/ 도망가는 놈을 ~ 逃げる奴を取りおさえる. ③ 引き止める. =붙들다. ¶ 가지 못하게 ~ 行かない〔帰らぬ〕ように引き止める / 붙잡아 두기 위한 방책으로 급료를 올리다 足留め策として給料を増す. ④ (職に)ありつく. ⑤ 我物にする.

붙잡아 주다 타 ① (倒れぬように)支えてやる；支える. ② 助けて保護する；力をかしてやる.

붙-잡히다 피동 つかまる；捕らわれる. ¶ 용의자가 ~ 容疑者がつかまる /

ㅂ

경찰의 손에 붙잡히고 말았다 警察の手に捕らわれてしまった.
불-장【一欌】명 据えつけの戸棚.
뷔페〔프 buffet〕명 ビュッフェ.
브로콜리〔broccoli〕명 ブロッコリー《キャベツの品種の一つ》.
브롬〔도 Brom〕명〖化〗ブロム；臭素《記号；Br》.
비[1] 명 雨. ¶～ 오는 날 雨の日 / ～가 오다 雨が降る / ～가 개다 雨が上がる〔晴れる〕/ ～가 억수처럼 쏟아지다 どしゃ降りである / ～를 무릅쓰고 시합을 계속하다 雨をついて試合を続ける / ～에 젖다 雨にぬれる / ～가 그치다 雨がやむ / ～를 만나다 雨にあう / 드디어 ～가 오기 시작했다 とうとう雨になった / ～가 새는 곳을 고치다 雨漏りを直す / ～가 한 차례 올 것 같다 一雨来そうだ / ～ 온 뒤에 땅이 굳어진다《俚》雨降って地固まる.
비[2] 명 ほうき(箒). ¶～로 마당을 쓸다 箒で庭を掃く.
비【比】명 ①〖數〗比. ¶A와 B의 ～를 구하라 AとBの比を求めよ. ② ↗비례(比例). ③〖地〗[↗비율빈(比律賓)] 比《준말》; フィリピン.
비【妃】명 妃. ¶왕～ 王妃 / 황태자～ 皇太子妃.
비【非】명 非. ¶시와 ～를 논하다 是非を論ずる.
비【碑】명 碑. ¶～를 세우다 碑を立てる.
비-【非】두 否定の意味を表わす語：非. ¶～과학적 非科学的 / ～논리적 非論理的.
-비【費】미 費用の意：費. ¶교통～ 交通費 / 하숙～ 下宿費.
비가【比價】명 比価. ¶금은의 ～ 金銀の比価.
비가【悲歌】명 悲歌；エレジー.
비각 명 互いに相いれないこと.
비각【碑閣】명 碑閣；碑亭.
비감【悲感】명하형 悲感.
비강【鼻腔】명〖生〗びこう(鼻腔).
비걱 부하자타 固いものどうしが触れ合ってなる音：ぎいっ. >배각. ㅆ삐걱. ¶～하고 대문이 열리다 ぎいっと門が開く. ——거리다 자타 ぎいっときし(軋)る〔きしらせる〕. ¶바람 부는 날이면 더욱 비걱거린다 風の日には一しお軋る. ——— 부하자타 続けてきし(軋)る〔きしらせる〕さま：ぎいっぎいっ.
비겁【卑怯】명하형 卑怯. ¶그는 ～한 사나이다 卑怯な男である.
비게-질 명하자 牛馬が木や石などに体をこすること.
비견【比肩】명 比肩. ——하다 자 比肩する；(立ち)並ぶ；肩を並べる. ¶～할 만한 자가 없다 並ぶ者がない.
비견【鄙見】명하자 卑見. ¶～을 말하다 卑見を開陳する.
비결【秘結】명〖醫〗 秘結. =변비(便祕).
비결【秘訣】명 秘訣. ¶장수〔성공〕의 ～ 長寿〔成功〕の秘訣.
비경【秘境】명 秘境. ¶～을 탐색하다 秘境を探る.
비경【悲境】명 悲境.
비계[1] 명 脂身〔脂肉〕.
비계[2] 명〖建〗足場.
‖——-목(木) 명 足場を組む丸太.
비계【祕計】명 秘計. =비모(祕謀). ¶～를 꾸미다 秘計を策する.
비고【備考】명 備考. ¶～란 備考欄.
비곡【悲曲】명 悲曲；エレジー. 비조(悲調). ¶승방 ～ 僧房悲曲.
비골【腓骨】명〖生〗ひこつ(腓骨). 종아리뼈.
비골【鼻骨】명〖生〗鼻骨.
비공【鼻孔】명 鼻孔. =콧구멍.
비-공개【非公開】명 非公開. ¶회의 非公開会議.
비-공식【非公式】명 非公式. ¶회담 非公式会談.
‖——-적 명관 非公式的.
비관【悲觀】명하타 悲観. ¶～주의 悲観主義；ペシミズム / 세상을 ～하다 世を悲観する〔はかなむ〕.
‖——-론(論) 명 悲観論. ¶～자 悲観論者；ペシミスト / ～을 펴다 悲観論を述べる. ——-적 명관 悲観的. ¶～ 견해 悲観的見方 / ～으로 생각하다 悲観的に考える.
비관세 장벽【非關稅障壁】명〖經〗非関税障壁.
비교【比較】명 比較. ——-하다 타 比較する；比べる. ¶～수 比較数 / ～가 안 된다 比べ物にならない.
‖——-급 명 比較級. —— 문학 명 比較文学. —— 생리학 명 比較生理学. —— 연구 명하타 比較研究. ——-적 명관 比較的；割合. ¶～ 쉬운 문제가 나왔다 比較的やさしい問題が出た / ～ 싸다 割合に安い / ～ 건강했기 때문에 안심했다 割合元気だったので安心した.
비-교인【非敎人】명 非教徒.
비교전 상태【非交戰狀態】명 非交戦状態.
비-교전자【非交戰者】명 非交戦者《従軍記者など》.
비구【比丘】명〖佛〗比丘.
‖——-니 명 比丘尼；尼. ——-승(僧) 명 比丘.
비-구름 명 ①雨と雲. ②雨雲.
비-국민【非國民】명 非国民. ¶～이라고 지탄받다 非国民とつまはじ(爪弾)きされる.
비-국사범【非國事犯】명 非国事犯.
비굴【卑屈】명하형하부 卑屈. ¶～한 태도 卑屈な態度 / ～하게 굴다 卑屈に振る舞う.
비극【悲劇】명 悲劇. ¶인생의 ～ 人生の悲劇 / 햄릿은 세익스피어의 삼대 ～의 하나이다 ハムレットはシェークスピアの三大悲劇の一つである.
‖——-적 명관 悲劇的. ¶～인 생애를 마친 천재 悲劇的な生涯を終えた天才 / ～인 광경 悲劇的な光景 / 매우 ～이다 非常に悲劇的である.
비근【卑近】명하형 卑近. ¶～한 예 卑近な例 / ～한 예는 어제도 보았지 身近な例はきのうも見たろう.
비근-거리다 자 継ぎ目などがゆるんでがたがた〔ぐらぐら〕する. 비근-비근

)하자 がたがた；ぐらぐら.
금【飛禽】명 ひきん(飛禽). ＝날짐
. ‖── 주수 명 飛禽走獣.
금비금-하다 형 似たりよったりで
ある. ¶비금비금한 솜씨 似たりよった
の手際.
-금속【非金屬】명 ①非金属.
) ☞ 비금속 원소.
── 광택 명 非金属光沢. ── 원소
〖化〗非金属元素.
-금속【卑金屬】명〖物〗卑金属(
鉄・亜鉛など).
기【祕記】명 ①秘記. ②吉凶禍福
の予言書.
기다¹ 자타 ①引き分ける；引き分
けになる. ¶시합은 서로 비겼다 試合
は引き分けになった／이것으로 서로
비겼다 これでおあいこ(相子)になっ
た. ②相殺する. 준 빅다.
기다² 자 ①例える；なぞらえる. ¶
무엇에다 비길 수가 없다 何にもたと
えようがない／부모의 은혜를 바다에
～ 親の恩を海に例える／비길 만한
것이 없다 類いがない／가지의 눈을
꽃에 ～ 枝の雪を花に見立てる. ②
比べる；比肩する. ¶비길 데 없는
호인 無類のお人好し／형에 비기
면 아우가 못하다 兄に比べて弟が
劣る／비길 자가 없다 並ぶ者がな
い. ③(何かに)よりかかる；もた
(凭)れる. ¶기둥에 비겨 서다 柱に
凭れて立つ.
비기다³ 타 あてがう；あてはめる；(あ
いた穴を)埋める.
비김-수【─手】명 ①将棋の千日手
. ②囲碁の持. 준 빅수.
비-꼬다 타 ひねる. ①よ(縒)る；よじ
(捩)る；ねじる. ¶실을 비꼬아 노끈을
만들다 糸を縒ってひもを作る／몸을
비꼬면서 웃다 からだを捩って笑う／
팔을 ～ 腕をひねる. ②皮肉る；あ
てこする. ¶비꼬는 말투 ひねった言い
方／사람을 비꼬아대다 人を皮肉る.
준 꼬다.
비-꼬이다 자 ①よ(縒)れる；よじ(捩)
れる；ねじれる. ¶실이 ～ 糸が縒〔捩
じ〕れる／넥타이가 ～ ネクタイが縒れ
る. ②ひねくれる；す(拗)ねる；こじ
(拗)れる. ¶마음이 비꼬인 아이 ひね
くれた〔拗けた〕子供／비꼬여서 말
을 듣지 않는다 拗ねて〔ひねくれて〕言
うことをきかない.
비-꾀다 자 ↗비꼬이다.
비꾸러-지다 자 ①ひどくねじれる〔ね
じける〕. ¶문짝이 비꾸러져 맞지 않는
다 戸わくがねじれては(嵌)まらない.
②はずれる；それる. ¶문제의 핵심
에서 비꾸러진 이야기 問題の核心
から逸れた話. ③食い違う；(手
はず・予想が)狂う. ¶계획이 ～ 計
画が狂う／의견이 ～ 意見が食い違
비끄러-매다 타 縛りつける. しう.
비끗 부하자 ①はめ合うべきものがよ
く合わないさま. ②誤って食い違
いが生ずるさま；手筈が狂うさ
ま. ＞배끗. ㅆ삐끗. ──-거리다 자 ①
なかなかよく合わない. ¶문이 ～ 戸
がきしむ. ②いまにもできそうででで
きない. ¶일이 노상 비끗거리기만 한
다 事が狂ってばかりいる. ──
부하자 できそうでなかなか出来ない
さま；合いそうでなかなか合わない
さま.
비끼다 자 ①(光が)横から斜めに
射す. ②斜めに置かれている〔垂れ
ている〕.
비나리-치다 자 へつら(諂)う；ごま(胡
麻)をす(擂)る.
비난【非難】명하타 非難. ¶～의 대
상 非難の的／～을 퍼붓다〔받다〕非難
を浴びせる〔浴びる〕／비행을 ～하다
非行を責める〔なじる〕／그의 행위
는 세상의 ～을 면치 못한다 彼の行為
は世の非難を免れない.
비녀 명 かんざし(簪). ＝잠.
비-농가【非農家】명 非農家.
비뇨-기【泌尿器】명〖生〗泌尿器.
¶～의 질병 泌尿器の病気.
‖── 결핵 명 泌尿器結核. ──-과
명 泌尿器科.
비누 명 せっけん(石鹼)；シャボン. ¶
～ 방울 シャボン玉／～ 거품 石鹼の
泡／가루 ～ 粉石鹼.
‖──-질 명하자 石鹼で洗うこと.
──-통(桶) 명 粉石鹼を入れる器.
──-화 명〖化〗鹼化. 비눗-갑(匣)
명 石鹼箱. 비눗-기 명 石鹼の気.
비눗-물 명 石鹼水.
비늘 명 うろこ(鱗).
‖── 무늬 명 鱗模様；鱗形.
비-능률적【非能率的】명관 非能率的
. ¶～ 작업 방식 非能率的作業方
式.
비닐 〔vinyl〕명 ビニール；ビニル. ¶～
하우스 ビニールハウス／～ 수지 ビ
ニール樹脂.
비다¹ 타 ↗비우다.
비다² 형 ①空である；すいている；
明〔空〕いている. ¶빈 차 空き車／
빈 자리 空席／호주머니가 비었다 懐
が空である／방이 비어 있다 部屋
が空いている／뱃속이 ～ お腹が空
いている／그를 빈 손으로 돌려 보냈
다 彼をてぶらで帰した／모두 나가
고 집이 ～ 皆な出払って家が空く.
②空虚だ；空〔虚〕ろだ；空っぽ
だ. ¶마치 마음 속이 텅 빈 것 같다 あ
たかも心が空ろになったようだ／
빈 말만 늘어놓다 空虚な言葉ば
かり並べる／골이 ～ 頭が空っぽ
だ／손이 ～ 手が空く. ③足りな
い；不足する；欠ける. ¶정원에서
두 사람이 ～ 定員より二人が足り
ない／만 원에서 이천 원이 ～ 一万
ウォンから二千ウォン欠ける.
비단【飛湍】명 早瀬. ＝급류.
비단【緋緞】명 絹；絹織物；錦
. ¶～과 같은 촉감 絹のような肌ざ
わり／～ 양말 純絹の靴下／～
장수 絹物商.
‖──-결 명 絹の織目. ¶～ 같다
㉠物の表面が非常にきれいで
柔らかだ. ㉡温順で気だてがや
さしい. ──-신 명 表を絹で張っ
た履物. ──-옷 명 絹物. ＝금의
(錦衣). ¶～ 입고 밤길 걷기《俚》錦
を着て夜行くが如し.
비단【非但】부 ただ(啻)に；単に. ¶

ㅂ

~ 개인의 문제일 뿐만 아니라 ただに個人の問題であるばかりでなく / ~ 그 사람뿐 아니라 単にその人だけでなく.
비대【肥大】명 하형 肥大. ¶ 심장 ~ 心臓肥大 / 몸집이 ~하다 体つきが太って大きい.
비-대다 타 人の名をかた(騙)る.
비도【非道】명 하형 非道.
비-도덕적【非道德的】명 관 非道徳的. ¶ ~인 처사 非道徳的な仕打ち.
비-동맹국【非同盟國】명 非同盟国. ¶ ~ 회의 非同盟国会議.
비동맹-주의【非同盟主義】명 非同盟主義.
비둘기 명〔鳥〕はと(鳩). ¶ ~의 삼지례 鳩に三枝の礼あり.
‖——-장(欌) 명 鳩舎. ——-파 명 はと派.
비듬 명 ふけ. ¶ ~ 투성이의 머리 ふけだらけの頭.
비듬-하다 형 ↗비스듬하다. >배듬하다. 비듬-히 부 斜めに.
비등【比等】명 하형 似通っていること；優劣があまりないこと. ¶ 두 사람의 성적은 ~하다 二人の成績はほぼ同じ位である.
비등【沸騰】명 하자 ふっとう(沸騰). ¶ 여론이 ~하다 世論が沸騰する.
‖——-점 명 ☞ 끓는점.
비등비등-하다【比等比等—】형 大部分が似たり寄ったりだ.
비디오〔video〕명 ビデオ. ¶ ~ 게임 ビデオゲーム.
‖—— 디스크 명 ビデオディスク. —— 카메라 명 ビデオカメラ. —— 테이프 리코더 명 ビデオテープレコーダー. ＝브이 티 아르(VTR).
비딱-하다 형 (一方に) 傾いている. >배딱하다. ㅆ삐딱하다. 비딱-거리다 자 (あちらこちらに)よろめく；ふらつく. >배딱거리다. ㅆ삐딱거리다. 비딱-비딱 부 하자형 ふらふら；よろよろ.
비뚜로 부 やや傾むいて；やや斜めに. >배뚜로. ㅆ삐뚜로.
비뚜름-하다 형 やや傾いている. >배뚜름하다. ㅆ삐뚜름하다. 비뚜름-히 부 やや傾いて；やや曲がって.
비뚝-거리다 자 ① 一方が傾いてふらつく〔ぐらつく〕. ② ふらふら〔よろよろ〕と歩く. >배뚝거리다. ㅆ삐뚝거리다. 비뚝-비뚝 부 하자 ふらふら；ぐらぐら；よろよろ.
비뚤-거리다 자 ① あちらこちらに傾き揺れ動く；よろめく；ふらつく；ぐらつく. ¶ 술에 취해서 발걸음이 ~ 酔って足元がよろめく〔ふらつく〕/ 비뚤거리는 책상 다리에 못질을 하다 ぐらつく机の脚にくぎ(釘)を打つ. ② 曲がりくねる. ¶ 나무가 비뚤거리며 자랐다 木が曲がりくねって伸びた. >배뚤거리다. ㅆ삐뚤거리다. 비뚤-비뚤 부 하자형 真っ直ぐでないさま：くねくね. ¶ 일학년생이 ~하게 서 있다 一年生がくねくねと並んでいる.
비뚤다 형 曲がっている；ゆが(歪)んでいる. ¶ 비뚠 근성 ひがみ根性 / 사물을 비뚤게 보다 物事を歪めてみる. >배뚤다. ㅆ삐뚤다.
비뚤어-지다 자 ゆが(歪)む；曲が ① 一方に傾く. ¶ 얼굴이 비뚤어게 비치는 거울 顔が歪んで映る鏡 / 비뚤어진 견해를 갖다 歪んだ見方をする / 목이 ~ 首が曲がる. ② ひねくれる；ひが(僻)む；ねじ(拗)る. ¶ 비뚤어진 성격 ひねくれた性格 / 이상하게 비뚤어진 아이 妙にねじけた子供 / 어머니가 죽고 나서 비어지기 시작했다 母が亡くなってからぐれ始めた / 상급 학교에 갈수록 뚤어진 학생이 많다 上級学校へ進めば進むほどねじけた学生が多い. ③ すねる；へそが曲がる. ¶ 아부터 기분이 비뚤어져 있다 朝からむじが曲がっている.
비뚤-이 명 ① 体の一部分が曲がった人. ② つむじ曲がり；へそ曲がり. ③ 傾斜地. ㅆ삐뚤이.
비라리-치다 자 けちくさく物ごいする.
비래【飛來】명 하자 飛来. ¶ 메뚜의 대군이 ~하다 いなご(蝗)の大群が飛来する.
비량【比量】명 하타 比量.
‖——-적 명 관 比量的；論証的. ＝개념적·추론적.
비량【鼻梁】명 びりょう(鼻梁)；鼻筋. ＝콧마루.
비럭-질 명 하타 物乞い.
비렁-뱅이 명《俗》乞食；物もらい. >배랑뱅이. ¶ ~ 근성 乞食根性.
비련【悲戀】명 悲恋. ¶ ~에 울다 悲恋に泣く.
비례【比例】명 하자타 比例. ¶ 정~ 正比例 / 반~ 反比例.
‖—— 계수 명〔數〕☞ 비례 상수(常數). —— 대표제 명〔政〕比例代表制. —— 배분 명 比例配分. ＝안분 비례. —— 상수 명〔數〕比例定数；比例常数.
비례【非禮】명 非礼；無礼. ¶ ~를 사과하다 非礼をわびる.
비로드〔포 velodo〕명 ビロード；ベルベット. ＝우단(羽緞).
비로소 부 始めて. ¶ 집을 떠나 ~ 부모의 고마움을 알다 家を離れて始めて親のありがたさを知る.
비록【秘錄】명 秘録. ¶ 태평양 전쟁 ~ 太平洋戦争秘録.
비록 부 たとえ；よしんば. ¶ ~ 그것이 정말이더라도 너는 나쁘다 たとえそれが本当にしても君は悪い.
비롯-하다 자 타 始める；始まる. ¶ 전설에서 비롯된 풍속 伝説から始まった風俗 / 아버지를 비롯하여 お父さんを始めとして.
비료【肥料】명 肥料. ¶ 화학 ~ 化学肥料 / 인분 ~ 下肥.
‖—— 작물 명 肥料作物.
비루【悲淚】명 悲涙.
비루【鄙陋】명 品性·行為などが下劣なこと. ——-하다 형 野卑だ；下劣だ.
비류【比類】명 比類；たぐい.
비릇다 타 産気づく.

리【非理】명 ① 非理. ¶ ~인 줄 알서 非理を知りながら. ② 非道と理.

리다 형 ① 生臭い. ¶ 이 생선은 별게 ~ この魚はいやに生臭い. ② みみっちい; けち臭い; しみったれている. ¶ 비린 사내 みみっちい男. ③ 振る舞いが)目ざわりになる; ゃくにさわる. >배리다.

리-비리 부하형 やせこけているさま. >배리배리. ¶ ~한 아이 やせこけている子供.

리척지근-하다 형 少し生臭い. >배리착지근하다. ㊟ 비리치근하다·비척지근하다·비치근하다.

린-내 명 生臭いにおい. ¶ 피~ 血生臭いにおい.

릿-비릿 부하형 ① 人に物を求めるときに感ずるいやしさ〔気まずさ〕. ② 人がくれるものがちゃちでけち臭いさま. >배릿배릿.

릿-하다 형 やや生臭い.

마【肥馬】명 肥馬; 肥えた馬.

마【飛馬】명 ① 飛馬. =준마(駿馬). ②(碁で) 桂馬.

만【肥滿】명 肥満. ——-하다 형 こえふとっている. ¶ ~형 肥満型/~아 肥満児.

‖——-증 명 肥満症.

비말【飛沫】명 ひまつ(飛沫); しぶき. ¶ ~ 감염 飛沫感染.

비망【備忘】명 備忘.

‖——-록 명 備忘録; メモ.

비매-품【非賣品】명 非売品.

비명【非命】명 非命; 非業. ¶ ~의 죽음 非業の死.

‖—— 횡사(橫死) 명하자 変死; 非命の死.

비명【悲鳴】명하자 悲鳴. ¶ 즐거운 ~ 嬉しい悲鳴 / ~을 지르다 悲鳴をあげる.

비명【碑銘】명 碑銘.

비목【費目】명 費目. ¶ 지급 전표에 ~을 써 넣다 支払い伝票に費目を書き入れる.

비몽 사몽【非夢似夢】명 夢うつつ. ¶ ~ 간에 夢うつつに.

비-무장【非武裝】명 非武装; 丸腰. ¶ ~ 지대 非武装地帯.

‖—— 도시 명 非武装都市.

비문【秘文】명 秘文. ① 秘密のじゅもん(呪文). ② ↗비밀 문서.

비문【碑文】명 碑文.

비-문화적【非文化的】명관 非文化的.

비밀【秘密】명하형 秘密. ¶ ~ 이야기 内緒話; ひそひそ話 / ~로 하다 秘する; 内緒にする. ——-히 부 秘密に; 内緒に.

‖—— 결사 명 秘密結社. —— 경찰 명 秘密警察. ——-리 명 秘密裏. ¶ ~에 모스크바를 방문했다 秘密裏にモスクワを訪問した. —— 문서 명 秘密文書. ㊟ 비문(秘文). —— 선거 명 秘密選挙. —— 외교 명 秘密外交.

비-바람 명 雨風; あらし. ¶ 온종일 ~이 심했다 一日中あらしがひどかった.

비방【秘方】명 ① 秘法; 切り札; きめ手. ¶ 최후의 ~을 쓰다 最後の切り札を出す. ② 秘方; 秘密っとされている処方. ¶ ~약 秘方薬.

비방【誹謗】명 ひぼう(誹謗); そし(謗)り. ——-하다 타 誹謗する; 謗る; けなす. ¶ 남을 ~하다 人を誹謗する〔謗る〕/ 까닭 없는 ~을 받다 訳のわからぬ誹謗〔謗り〕を受ける.

비버〔beaver〕명〔動〕ビーバー; かいり(海狸).

비번【非番】명 非番.

비범【非凡】명하형 非凡. ¶ ~한 솜씨 非凡な腕前 / ~한 재주를 가지고 있다 非凡の才を抱いている.

비법【非法】명 非法; 違法; 不法. ——-하다 형 不法である.

비법【秘法】명 秘法; 極意; 秘伝; 奥の手. =비방(秘方)①. ¶ ~을 전수받다 秘伝を授かる.

비보【飛報】명하타 飛報.

비보【秘報】명하타 秘かに知らせること.

비보【秘寶】명 秘宝.

비보【悲報】명 悲報. ¶ ~에 접하다 悲報に接する.

비복【婢僕】명 ひぼく(婢僕).

비본【秘本】명 秘蔵本.

비분【悲憤】명 悲憤. ——-하다 형 悲しみ憤る. ¶ ~의 눈물을 흘리다 悲憤の涙を流す.

‖—— 강개 명하형 悲憤こうがい(慷慨).

비비 꼬다 타 ①(ひもなどを)よりによ(縒)る. ②(身体を)くねらせる〔ねじりまわす〕. ③ 皮肉る. ¶ 비비 꼬아서 말하다 当てこすりを言う. >배배 꼬다.

비비 꼬이다 자 ① 何度もね(捻)じれてよれる; ねじれてからむ. ¶ 실타래가 비비 꼬여서 못쓰게 됐다 かせ糸がよれて駄目になる / 그넷줄이 ~ ブランコのつながからむ. ② 事がからんでうまくいかない.

비비 꾀다 자 ↗비비 꼬이다.

비비다 타 ① こす(擦)る; す(擦)る; も(揉)む. ¶ 두 손을 ~ 両手を揉む〔擦る〕/ 비벼 빨다 揉み洗う / 담뱃불을 비벼 끄다 煙草を揉み消す. ②(きりなどで)揉む. ¶ 송곳으로 비벼 구멍을 뚫다 きり(錐)で揉んで穴をあける. ③(両の掌に挟んで)もみ固める. ¶ 경단을 ~ 団子を丸める. ④(飯にお菜などを)交ぜ合わせる. ¶ 기름을 많이 넣어 밥을 ~ 飯を油たっぷりに交ぜ合わせる. ⑤ ☞ 비집다. ¶ 군중 속을 비비고 들어가다 群衆の中をわけ入る. >배비다.

비비대기-치다 자 ① 押し合いへし合う; 混み合う; も(揉)み合う. ¶ 버스 속에서 ~ バスの中でもみ合う. ② 忙しく動きまわる; きりきり舞いをする. ¶ 결혼식으로 한동안 비비대기쳤다 結婚式のことで一時きりきり舞いをした.

비비-대다 타 (しきりに)こす(擦)りつける. ¶ 고양이가 코를 ~ 猫が鼻をこすりつける / 두 손을 ~ 両手をもみつづける.

비비-배배 부 ひばりなどの鳴き声:

ㅂ

ぴいちくぴいちく.
비비적-거리다 타 す(擦)り〔もみ〕つづける. (준) 비빚거리다. >뱌비작거리다.
비비적-비비적 부하타 しきりにすり〔もみ〕つづけるさま.
비비 틀다 타 何度なんども ね(捻)じる.
비비 틀리다 피동 何度もよじれる.
비빔-밥 명 五目飯ごもくめし; 加薬飯かやくめし; 交まぜ飯めし. =골동반(骨董飯).
비사【秘史】 명 秘史ひし. ¶외교 ~ 外交がいこう秘史 / 궁정 ~ 宮廷きゅうてい秘史.
비사【秘事】 명 秘事ひじ; 秘ひめ事ごと; ないしょごと.
비산【飛散】 명 飛散ひさん. ——-하다 자 飛散する; 飛とび散ちる.
비산【砒酸】 명 〖化〗ひさん(砒酸). ¶~납 砒酸鉛えん.
비산【悲酸】 명하형 [↗비도 산고(悲悼酸苦)] 悲酸ひさん.
비상【非常】 명하형히부 非常ひじょう. ¶정치에 ~한 관심을 갖다 政治せいじに非常な関心かんしんを持もつ / ~한 머리 素晴すばらしい頭あたま.
‖—— 경계 명 非常警戒けいかい. —— 경보 명 非常警報けいほう. ——-구 명 非常口ぐち. ——-금 명 非常用ひじょうようの金かね. ——-선 명 非常線せん. ¶~을 치다 非常線を張はる.
비상【飛翔】 명하자 ひしょう(飛翔). ——-하다 자 飛翔する; 翔かける. ¶하늘 높이 ~ 空高そらたかく翔ける.
비-상근【非常勤】 명 非常勤ひじょうきん. ¶~ 위원 非常勤委員いいん.
비-상식적【非常識的】 명관 非常識的ひじょうしきてき.
비-상임【非常任】 명 非常任ひじょうにん. ¶~ 근무 非常任勤務きんむ / ~ 이사국 非常任理事国りじこく.
비색【比色】 명 比色ひしょく.
‖——-계 명 比色計けい.
비-생산적【非生産的】 명관 非ひ生産的せいさんてき. ¶~인 사업 非生産的事業じぎょう.
비서【秘書】 명 秘書ひしょ.
비석【碑石】 명 碑石ひせき; 碑ひ.
비설【飛雪】 명 飛雪ひせつ.
비설【秘說】 명 秘説ひせつ.
비소【卑小】 명하형 卑小ひしょう.
비-소설【非小說】 명 非小説ひしょうせつ; ノンフィクション.
비속【卑俗】 명 卑俗ひぞく; 下品げひん; 低俗ていぞく. ——-하다 형 卑俗だ; いやしい.
비속【卑屬】 명 卑属ひぞく. ¶직계 ~ 直系ちょっけい卑属.
비손 명하자 両手りょうてをもみながら神かみに祈いのること.
비숍 〔bishop〕 명 ビショップ.
비수【匕首】 명 ひしゅ(匕首); 合あい口くち《匕首로도 씀》. ¶~를 들이대다 合い口をつきつける.
비수【悲愁】 명 悲愁ひしゅう. ¶~에 잠기다 悲愁にとざされる.
비술【秘術】 명 秘術ひじゅつ. ¶~을 다하다 秘術を尽つくす.
비스듬-하다 형 やや傾かたむいている; ななめだ. >배스듬하다. (준) 비듬하다. ¶그림이 비스듬하게 걸려 있다 絵えがななめにかけてある. 비스듬-히 부 ななめに.
비스러-지다 자 ゆが(歪)む; 曲まがる.
비스름-하다 형 やや似にている. 비스름-히 부 似通にかようように; 似せて.
비스무트 〔도 Wismut〕 명 〖化〗ビスマス(bismuth); そうえん(蒼鉛)《記号き Bi》.
비스코스 〔viscose〕 명 〖化〗ビスコース
‖—— 스펀지 명 ビスコスーススポ ジ. —— 인조 견사 명 ビスコース人絹糸じんけんし.
비스킷 〔biscuit〕 명 ビスケット. 「ジョ
비스타 비전 〔Vista Vision〕 명 ビスタ
비슥-거리다 자 ① 骨惜ほねおしみをする. ② 前まえに近寄ちかよらない; 尻しりごみする.
비슥-하다 형 一方いっぽうに傾かたむいている. >배슥하다. 비슥-이 부 一方に傾いて; 片かたよって.
비슬-거리다 자 よろめく; よろける; ふらつく. >배슬거리다. 비슬-비슬 부하자 ひょろひょろ.
비슷-하다¹ 형 一方いっぽうにやや傾かたむいている. >배슷하다. 비슷-이¹ 부 一方にやや傾いて.
비슷-하다² 형 似にている; 似通にかよっている. ¶그와 비슷한 이야기를 들은 적이 있다 それに似た話はなしを聞きいたことがある. 비슷-이² 부 似て; 似通って.
비슷비슷-하다 형 似たり寄よったりだ. ¶비슷비슷한 물건〔실력〕 似たり寄ったりの物もの〔実力じつりょく〕.
비실-비실 부하자 よろめくさま: よろよろ; ひょろひょろ; ふらふら. ¶~ 일어서다 よろめき立たち上あがる / ~ 도망가다 そそくさと逃にげる.
비-실용적【非實用的】 명관 非ひ実用的じつようてき.
비싸다 형 ① (値ねが)高たかい; 値が張はる. ¶값이 ~ 値段ねだんが高い / 비싸게 치이다 高く付つく / 비싸게 사다 高く買かう / 공짜보다 비싼 것은 없다 只ただより高いものはない / 이 요금은 뱃삯으로는 비싼 감이 있다 この料金りょうきんは船賃ふなちんにしては割高わりだかな感かんじがする. ②《俗》ごうまん(傲慢)だ; 尊大そんだいだ. ¶비싸게 굴다 お高たかくとまる; 尊大ぶる / 비싸게 굴지마라 高たかぶるな / 비싼 아가씨 傲慢なお嬢じょうさん.
비싼-흥정 명하자 ① (値段ねだんが)高たかい駆かけ引ひき. ¶~을 하다 高い駆け引きをする. ② 分ぶが悪わるい駆け引き. ¶상대방의 약점을 잡아 ~을 하였다 相手あいての弱点じゃくてんを捕とらえて高飛車たかびしゃに出でた.
비쌔다 자 ① 心こころなげな振ふりをする. ¶비쌔지 말고 말해라 すねずに腹はらを割わって話はなせ. ② かかわり〔仲間入なかまいり〕を避さける.
비쓱-거리다 자 ふらつく; よろける; よろめく. >배쓱거리다. 비쓱-비쓱 부하자 よろよろ; ふらふら; ひょろひょろ.
비아【非我】 명 〖哲〗非我ひが.
비아냥-거리다 자 小憎こにくらしくふるまう; にくまれ口ぐちをきく.
비아냥-스럽다 형 小憎こにくらしい; 小こざかしい; 生意気なまいきだ.
비악 부 ☞ 삐악. (준) 뱍.
비-안개 명 雨あめでぼうっとかすんで見みえる現象げんしょう.
비애【悲哀】 명 悲哀ひあい. ¶인생의 ~ 人生じんせいの悲哀.

약【飛躍】명 하자 飛躍. ¶논리의 ~ 論理の非躍 / 대~을 이루다 大飛躍を遂げる.
——-적 명 관 飛躍的. ¶~인 발전을 이루었다 飛躍的な発展を遂げた.
약【秘薬】명 ① 秘薬. ② 妙薬.
양【飛揚】명 하자 飛揚. ① 偉がること. ② 飛騰. ③ 高い地位につくこと.
어【飛魚】명 ☞ 날치.
어【卑語·鄙語】명 卑語〔鄙語〕.
어【秘語】명 秘語; 秘め言.
어【蜚語·飛語】명 飛語〔蜚語〕. ¶유언 ~ 流言飛語.
어-지다 자 ① 食み出す. ¶솜이 비어진 이불 綿の食み出したふとん. ② ばれる; あらわになる; 露出する.
비언【飛言】명 飛言; ひご(蜚語).
비언【鄙言】명 ひげん(鄙言); ひご(鄙語).
비역 명 하자 男色; けいかん(鶏姦); おかま(釜); ホモ. ㊟ 벽. ¶~질을 하다 お釜を堀る.
비열【卑劣】명 卑劣; 下劣. ——하다 형 卑劣だ; 下劣だ; あさましい; さもしい; 汚い. ¶~한 근성 卑劣な根性 / 품성이 ~하다 品性が下劣である.
비염【鼻炎】명 鼻炎; 鼻カタル.
비영비영-하다 형 (病気で)よろよろする.
비오-판【B5判】명 B5判.
비옥【肥沃】명 하형 肥沃. ¶~한 땅 肥沃な〔肥えた〕土地.
비-옷 명 雨着; 雨ガッパ.
비용【費用】명 費用; 入費; ものいり. ¶~의 분담 費用の分担 / ~은 싸게 먹혔다 入費は安く上がった / ~이 늘다 費用がかさ(嵩)む.
비우다 타 空ける. ①(中味を)空にする. ¶술잔을 ~ 杯を乾す. ②(家を)空ける; 留守にする. ¶집을 (잠깐) ~ 家を留守にする. ③(占めていた所を)空ける; ゆずる; 明け渡す. ¶방을 ~ 部屋を空ける / 집을 기한까지 ~ 家を期限までに明け渡す. ㊟ 비다.
비운【非運】명 非運; 不運.
비운【悲運】명 悲運.
비웃다 타 あざ笑う; あざけ(嘲)る; ちょうしょう(嘲笑)する. ¶남의 실패를 ~ 人の失敗を笑う / 남을 비웃지 말라 人を嘲るなかれ.
비웃음 명 あざ(嘲)笑い. =조소(嘲笑). ¶~을 샀다 ちょうしょう(嘲笑)を買った; 笑いを招いた.
비웃적-거리다 타 人をあざわらって皮肉る.
비원【秘苑】명 ① 禁苑〔禁園〕. ② 秘苑《ソウルの昌徳宮内にある宮苑》.
비원【悲願】명 悲願. ¶국토 통일은 민족의 ~이다 国土統一は民族の悲願である.
비위【非違】명 不正. ¶~ 공무원 不正公務員 / ~를 감추다 非を覆う.
비위【脾胃】명 ①〖生〗ひぞう(脾臓)と胃. ②(食べ物・物事に対する)好悪の気分; 機嫌; きげんきづま(気褄); 好み. ¶~를 맞추다 機嫌を取る; 取り入る / 남의 ~를 건드리다 人の機嫌を損ねる / 어쩐지 ~에 거슬리는 사람 どうも気にくわない人; 何故か虫の好かない人 / 음식이 ~에 안 맞는다 食べものが口に合わない / 윗사람의 ~를 거스르다 目上の不興を買う / ~가 사납다 にえかえる; 胸がむかつく / ~가 상하다 へど(反吐)が出るほどむかつく; しゃくに障る. ③ 厭なまたは目ざわりなことに耐える腹. ¶~가 좋다 神経が太い; 太腹だ / 창피한 줄도 모르고 ~ 좋게 앉아 있다 恥も知らずよくもおさまっている. 비위(가) 틀리다 구 むなくそ(胸糞)が悪くなる; 不愉快になる.
비-위생적【非衛生的】명 관 非衛生的.
비유【比喩·譬喩】명 ひゆ(比喩)〔譬喩〕; たと(譬)え; アレゴリー. ——하다 타 比喩する; 譬〔喩〕える; 準える. ¶미인을 꽃에 ~하다 美人を花にたとえる / ~를 들어 설명하다 なぞらえて説明する.
‖——-적 명 관 比喩的. ¶~으로 말하다 比喩的に言う.
비육【肥肉】명 肥肉.
비육【肥育】명 하타 肥育.
비육지-탄【髀肉之嘆】명 ひにく(髀肉)の嘆.
비육-판【B6判】명 B6判.
비율【比率】명 比率.
비음 명 하자 晴れ着または晴れ着を着ること. ¶설~ 元旦の晴れ着. ㊟ 빔.
비음【鼻音】명〖言〗鼻音《"ㅁ·ㄴ·ㅇ"など》. =콧소리.
비읍 명 ハングルの字母"ㅂ"の称.
비-이슬 명 ① 雨と露. =우로(雨露). ②(雨の後の)草葉などにたまった水玉.
비-인간【非人間】명 非人間. ¶~적인 사람 非人間的な人.
비-인도적【非人道的】명 관 非人道的. ¶~ 처사 非人道的処置.
비-인정【非人情】명 非人情.
비일 비재【非一非再】명 하형 ① 一度や二度でないこと. ¶그런 일은 ~하다 そんなことは一度や二度でない. ② たくさんあること; 数多くあること. ¶그런 예는 ~하다 そんな例はたくさんある.
비-자금【秘資金】명 裏金; 秘密資金. ¶~을 조달하다 裏金を調達する.
비장【秘蔵】명 하타 秘蔵. ¶~의 서화 秘蔵の書画.
비장【悲壮】명 하형 悲壮. ¶~한 각오 悲壮な覚悟.
‖——-미 명〖哲〗悲壮美.
비장【腓腸】명 ふくらはぎ; こむら.
비장【脾臓】명〖生〗ひぞう(脾臓). =지라.
비재【菲才】명 非才〔菲才〕. ¶천학 ~ 浅学非才.
비적【匪賊】명 ひぞく(匪賊); ひと(匪徒).

ㅂ

비적-비적 [부] 包んであるものが(ところどころ)はみだすさま. ¶솜이 ~ 비져 나온 헌 이불 綿があちこちはみ出ている古ぶとん.
비전【秘傳】 [명][하타] 秘伝. ¶~의 묘약 秘伝の妙薬.
비전 〔vision〕 [명] ビジョン. ¶장래에 대한 ~ 将来に対するビジョン.
비-전문적【非專門的】 [명][관] 非専門的.
비점【沸點】 [명]〔物〕☞ 끓는점.
비정【非情】 [명][하형] 非情.
비정【秕政】 [명] ひせい(秕政〔粃政〕); 悪政.
비-정규군【非正規軍】 [명] 非正規軍; ゲリラ軍.
비조【飛鳥】 [명] 飛鳥. ¶~와 같은 날랜 솜씨 飛鳥の(ような)早業.
비조【悲調】 [명] 悲調.
비조【鼻祖】 [명] 鼻祖; 元祖. =시조(始祖).
비-조직적【非組織的】 [명][관] 非組織的.
비족【卑族】 [명] 卑族.
비-좁다 [형] 狭苦しい; 手狭だ; 窮屈だ. ¶비좁은 방 窮屈な部屋.
비주룩-하다 [형] (物の先が) ややつき〔はみ〕出ている. >배주룩하다. ㅆ삐주룩하다. ㊀비죽하다. **비주룩-이** [부] にょきっと. ¶주머니의 칼이 ~ 나왔다 ポケットの刀がにょきっとつきでた/새싹이 ~ 얼굴을 내밀다 新芽がにょきっと顔を出す. **비주룩-비주룩** [부][하형] にょきにょき. ¶풀밭의 풀이 ~ 나오고 있다 草原の草がにょきにょき芽を出している.
비죽-거리다 [자][타] (嘲笑うかまたは泣こうとして)唇がぴくぴくする. また, そうさせる. >배죽거리다. ㅆ삐죽거리다. **비죽-비죽¹** [부][하자타] ぴくぴく.
비죽-하다 [형] ↗비주룩하다. **비죽-이** [부] ↗비주룩이. **비죽-비죽²** [부][하형] ↗비주룩비주룩. ¶바위 모서리가 ~ 튀어나왔다 岩角がにょきにょきつき出ている.
비준【批准】 [명][하타] 批准. ¶강화조약을 ~하다 講和条約を批准する. ‖── 교환 [명][하타] 批准交換.
비중【比重】 [명]〔物〕比重. ‖──-계 [명] 比重計. ── 천칭 [명] 比重てんびん(天秤).
비즈니스 〔business〕 [명] ビジネス. ‖──-맨 [명] ビジネスマン.
비지 [명] おから; う(卯)の花; きらず(雪花菜); 豆腐殻. ‖──-껍질 [명] 皮膚の面. ──-땀 [명] 脂汗. ──-떡 [명] おからに米粉やメリケン粉をまぜてフライパンで平たく焼いたもち(餅). **비짓-국** [명] おからで作った汁.
비-질 [명][하자타] 掃き掃除. ¶마루를 ~하다 床を掃く.
비집다 [타] ①こじあける; ねじあける. ¶문을 비집어 열다 門をこじあける. ②かきわけて入る; 割り込む. ¶군중 속을 비집고 들어가다 群衆をかきわけて入る/좁은 방에 비집고 들어가다 狭い部屋に割り込む. ③目をこすりながら開ける.
비쭉 [명][하자타] ①怒るとか不平 ましいとき下唇をつんと突き出 してゆが(歪)めるさま. ¶입을 ~하 口を歪める. ②ほんの短い間 あらわれて消えるさま: ひょっこり. 얼굴만 ~ 내밀다 顔だけちょっとの かせる〔出す〕. ③物の先がぴょ んとつき出るさま. >배쭉. ㅆ삐쭉 ──-거리다 [자][타] ①しきりに口を がめる. ②ちょいちょい顔をの (覗)かせる. ③(物が)突き出てその 先をのぞ(覗)かせる. ──── [부][하자타] ①しきりに口を歪めるさま. ②顔を ちょいちょい覗かせるさま. ③(物 が)しきりに突き出てその先をのぞ かせるさま.
비참【悲慘】 [명] ひさん(悲惨); 惨め. ──-하다 [형] 悲惨だ; 惨めだ; 惨い. ──-히 [부] 悲惨に; 惨めに.
비창【悲愴】 [명][하형] ひそう(悲愴). ¶~한 얼굴 悲愴な顔.
비책【秘策】 [명] 秘策.
비척-걸음 [명] 千鳥足.
비천【飛泉】 [명] ①噴泉; いずみ. ②飛泉; 滝.
비천【卑賤】 [명][하형] ひせん(卑賤). ¶~한 몸 卑賤の身.
비-철【非──】 [명] 季節はずれ.
비추다 [타] ①照らす. ¶전등이 방안을 ~ 電灯が室内を照らす/호수 위를 비추는 달 湖を照らす月. ②映す. ¶거울에 몸을 ~ 鏡に姿を映す. ③照らす; かんが(鑑)みる. ¶그의 무죄는 사실에 비추어 명백하다 彼の無実は事実に照らして明らかだ. ④ほの(仄)めかす; にお(匂)わせる. ¶사의를 ~ 辞意を仄めかす.
비추이다 [피동] ①照らされる; 照らし出される. ¶전등불에 비추인 방안의 광경 電灯に照らし出された室内の光景. ②映される. ¶거울에 비추인 얼굴 鏡に映された顔. ㊀비취다.
비축【備蓄】 [명][하타] 備蓄. ¶~미 備蓄米.
비취다 [피동] ↗비추이다.
비치【備置】 [명] 備えること. ──-하다 [타] 備える; 備え付ける.
비치다 [자] ①照る; (光が) 差す; 射す. ¶햇빛이 ~ 日が差す/동쪽 하늘에 서광이 비치기 시작하다 東の空に曙光が差し始める. ②映る; 映ずる. ¶장지에 비친 그림자 障子に映る影/외국인의 눈에 비친 한국 外人の目に映じた韓国. ③透ける. ¶살이 비치는 옷 肌が透ける服/속셈이 환히 비치는 말 心が見え透けることば.
비치적-거리다 [자][타] よろよろする〔させる〕; よたよたする〔させる〕; よろめく; よろめかせる. >배치작거리다. ¶술에 취해 ~ 酒に酔ってよろよろ〔よたよた〕する. ㊀비척거리다. **비치적-비치적** [부][하자타] よろよろ; よたよた.
비칠-거리다 [자][타] (やや)よろよろする〔させる〕; よたよたする〔させる〕; よろける. >배칠거리다. ¶무거운 짐을 짊어지고 ~ 重荷を背負ってよろけ

る. 비칠-비칠 [부][하자타] よろよろ; よたよた.
칭【卑稱】[명] 卑称.
ㅣ-컨대【比—】[부] ① 比較すると; 比較してみれば. ② たと(譬)え(て言え)ば.
켜-나다 [자] 身をよける.
키니 〔bikini〕[명] ビキニ《수영복》. ¶ ～ 스타일 ビキニスタイル.
키다 [一][자] (身を)避ける; かわす; の(退)く. ¶ 한쪽으로 ～ 一方に寄る / 당황해서 비켜 서다 あわてて身をかわす / 재빨리 길섶으로 비켜 서다 素早く道のわき(脇)に身をかわす / 자 비켜라 비켜 さあ, どいたどいた. [二][타] よ(避)ける; 取り除く; (位置を)移す. ¶ 장애물을 비키도록 하다 障害物を除くようにする / 잠자코 자리를 ～ 黙って席を外す / 앞에서 오는 차를 ～ 前からくる車をさける / 물구덩이를 비켜서 지나가다 水たまりをさけて通る.
비타민 〔vitamin〕[명] ビタミン. ¶ ～ 비 복합체 ビタミンB複合体 / ～이 ビタミンE.
‖—— 결핍증 [명] ビタミン欠乏症. ——-제 [명] ビタミン剤.
비-타협적【非妥協的】[명][관] 非妥協的.
비탄【悲嘆】[명][하자타] 悲嘆; 愁傷; 嘆き. ¶ ～에 잠기다 悲嘆にくれる; 嘆きに沈む; 愁傷にくれる.
비-탄성체【非彈性體】[명]〖物〗非弾性体.
비탈 [명] 斜面; こうばい(勾配). ¶ 산～ 山の斜面. ——-지다 [형] 斜面〔勾配〕になっている; (急に)傾斜している. ¶ 비탈진 언덕길 急な坂道.
‖——-길 [명] 坂; 坂道. ¶ ～에서 굴러 떨어지다 坂道でころげ落ちる.
비탕【沸湯】[명] 沸騰した湯. ¶ 백～ 白湯.
비토【肥土】[명] 沃土.
비토 〔veto〕[명][하타] ビート.
비통【悲痛】[명][하형][히부] 悲痛. ¶ ～한 표정 悲痛な表情.
비트적-거리다 [자] よろめく. >배트작거리다. ㅆ삐트적거리다. 비트적-비트적 [부][하자] よろめきながら歩くさま: よろよろ; ふらふら.
비틀 [부][하자] 力が尽きるかまたはめまいがして倒れそうなさま: よろよろ; ふらふら. >배틀. ——-거리다 [자] よろめきながら歩く; よろける; たじろぐ; よろめく; ふらつく; ひょろつく. ¶ 발걸음이 ～ 足元がふらつく. <배틀거리다. ㅆ삐틀거리다. ——-—— [부][하자] よろよろ; ふらふら; ひょろひょろ.
비틀-걸음 [명] 千鳥足.
비틀다 [타] ひね(捻)る; よじ〔ねじ〕(捩)る. >배틀다. ¶ 철사를 비틀어 끊다 針金を捩り切る / 팔을 ～ 腕を捻る / 자물쇠를 비틀어 열다 錠をこじ〔ねじ〕あける.
비틀리다 [피동] ねじ(捩)れる; よ(縒)れる; ね(拗)じ(く)れる. >배틀리다. ¶ 비틀린 철사 拗じ(く)れた針金.
비틀어-지다 [자] ① よじれる; ねじくれる〔ける〕. ② (間柄が) こじれる; もつれる. ¶ 두 사람 사이가 ～ 二人の仲がもつれる / 무엇에 비틀어졌는지 말도 안 한다 何でこじれたのか口もきかない. >배틀어지다.
비틀-하다 [형] ややなまぐさくこってりした味だ. >배틀하다.
비틈-하다 [형] (遠回しの言葉が) もっと(尤)もらしい. 비틈-히 [부] 遠回しに. ¶ ～ 귀뜸해 주다 遠回しに耳打ちする.
비파【琵琶】[명]〖樂〗びわ(琵琶).
비판【批判】[명][하타] 批判.
‖——-주의 [명] 批判主義. ——-적 [명][관] 批判的. —— 철학 [명] 批判哲学.
비-판【B判】[명] B判.
비평【批評】[명][하타] 批評.
‖——-가 [명] 批評家; 評論家. ——-안 [명] 批評眼. —— 예술 [명] 批評芸術. ——-주의 [명] 批評主義.
비품【備品】[명] 備品. ¶ ～ 대장 備品台帳.
비하【卑下】[명] ① 地面が低いこと. ② 地位が低いこと. ③ 卑下; みずからを卑しめること. ——-하다 [자타] 卑下する; へりくだる.
비-하다【比—】[타] [↗비교하다] 比する; 比べる. ¶ 비할 데 없는 재능 比する所のない才能 / 나이에 비해 몸이 크다 年の割に体が大きい.
비-합리【非合理】[명]〖哲〗非合理.
‖——-적 [명][관] 非合理的. ——-주의 [명] 非合理主義.
비-합법【非合法】[명] 非合法.
‖—— 운동 [명] 非合法運動. ——-적 [명][관] 非合法的. ——-주의 [명] 非合法主義.
비-합헌성【非合憲性】[명] ☞ 위헌성(違憲性).
비핵-화【非核化】[명][하타] 非核化. ¶ ～ 공동 선언 非核化共同宣言.
비행【非行】[명] 非行. ¶ ～ 소년 非行少年 / ～을 저지르다 非行をやらかす〔仕出かす〕.
비행【飛行】[명][하자] 飛行.
‖——-기 [명] 飛行機. ¶ ～ 사고 飛行機事故. —— 기지 [명] 飛行基地. ——-사 [명] 飛行士.
비-현실적【非現實的】[명][관] 非現実的.
비호【庇護】[명] ひご(庇護). ——-하다 [타] 庇護する; かば(庇)う. ¶ 신의 ～ 神の庇護.
비호【飛虎】[명] ① 飛ぶように走る虎. ② 動作が非常に素早く勇敢なことのたとえ. ——-같다 [형] 動作が非常に素早い〔素早く勇敢だ〕.
비화【飛火】[명][하자] 飛び火. ¶ ～를 막다 飛び火を防ぐ.
비화【飛禍】[명] 人の事で蒙る禍.
비화【秘話】[명] 秘話.
비화【悲話】[명] 悲話. =애화(哀話).
비효【肥効】[명] 肥効.
‖——-율 [명] 肥効率.
비후【肥厚】[명][하형] 肥厚. ¶ ～성 비염 肥厚性鼻炎.
비훈【秘訓】[명] 秘密な訓令.
비회【悲喜】[명] 悲喜. =희비(喜悲).

ㅂ

빅-수【一手】㊔ ↗비김수.

빈객【賓客】㊔ 賓客.

빈곤【貧困】㊔㊕㊖ 貧困；貧窮；貧苦. ¶～한 생활 貧困な生活.

빈국【貧國】㊔ 貧国.

빈궁【貧窮】㊔㊕㊖㊗ 貧窮.

빈농【貧農】㊔ 貧農.

빈대 ㊔〔蟲〕 なんきんむし(南京虫)；とこじらみ(床蝨). ¶～미워 집에 불 놓는다《俚》 ねずみ(鼠)を治めてりりょ(離間)を壊る.

빈도【頻度】㊔ 頻度. ¶～가 높다 頻度が高い.

빈둥-거리다 ㊘ ぶらぶらする；ごろつく. >밴둥거리다. ㅆ삔둥거리다. ㅆ핀둥거리다. ¶일꾼이 빈둥거리며 게으름만 피운다 作業員がぶらぶら怠けてばかりいる. **빈둥-빈둥** ㊗㊕㊘ ぶらぶら(と)；のらくら；ぬらくら；のんべんだらり；ごろごろ.

빈들-거리다 ㊘ 厚かましくも遊んでばかりいる. >밴들거리다. ㅆ삔들거리다. ㅆ핀들거리다. **빈들-빈들** ㊗㊕㊘ ぶらぶら(と)；のらりくらり. ¶염치없이 ～ 놀고만 있다 厚かましくもぶらぶら遊んでばかりいる.

빈-말 ㊔㊕㊘ 空世辞；実のない言葉；口先だけの言葉. ¶～로 약속하다 口先だけで約束する.

빈모【鬢毛】㊔〔生〕 びんもう(鬢毛)；びん(鬢)の毛；もみ上げ；びん(鬢)；後れ毛. ＝살쩍.

빈미주룩-하다 ㊖ 先がはみ出ようとしてややつき出ている. >반미주룩하다. **빈미주룩-이** ㊗ 先が少しはみ出ているさま.

빈민【貧民】㊔ 貧民. 「窟.

‖——가 ㊔ 貧民街. ——굴 ㊔ 貧民

빈발【頻發】㊔㊕㊘ 頻発. ¶사고가 ～하다 事故が頻発する.

빈-방【一房】㊔ 空き間；空き部屋.

빈번【頻繁·頻煩】㊔㊕㊖ 頻繁. ¶～한 출입 頻繁な人出入り. ——히 ㊗ 頻繁に；しき(頻)りに. ¶～ 왕래하다 盛んに往来する.

빈부【貧富】㊔ 貧富.

빈사【賓辭】㊔ 賓辞.

빈사【瀕死】㊔ ひんし(瀕死).

빈상【貧相】㊔ 貧相. ＝빈국.

빈소【殯所】㊔ かりもがりの部屋；喪屋.

빈소【嚬笑】㊔ しか(顰)め笑い.

빈-속 ㊔ ①すき腹. ②浅はかな心.

빈-손 ㊔ 手ぶら；徒手. ＝맨손. ¶～으로 사업을 시작했다 素手で事業を始めた／～으로 돌아왔다 手ぶらで帰って来た. 「そう.

빈승【貧僧】㊔ 学問や徳の浅い僧

빈약【貧弱】㊔㊕㊖ 貧弱.

빈영양-호【貧營養湖】㊔〔地〕 貧栄養湖.

빈자【貧者】㊔ 貧者；貧乏人. ¶～의 일등(一燈) 貧者の一灯.

‖—— 소인(小人) ㊔ 貧すれば鈍すること.

빈-자리 ㊔ 空席. ①空いている座席. ¶만원으로 ～가 없다 満員で空席がない. ②欠員. ¶～가 생기 欠員が生じる.

빈정-거리다 ㊙ 皮肉る；当てこ(擦)る. ¶걸핏하면 빈정거린다 ともれば皮肉る. **빈정-빈정** ㊗㊕㊙ ねちちと皮肉る〔当て擦る〕さま.

빈-주먹 ㊔ 素手；徒手；裸一

빈-집 ㊔ 空き家. 「しか

빈-창자 ㊔ すき腹.

빈천【貧賤】㊔㊕㊖㊗ 貧賤.

빈촌【貧村】㊔ 貧村.

빈-총【一銃】㊔ 弾抜きの銃.

빈축【嚬蹙】㊔㊕㊘ ひんしゅく(嚬蹙). ¶～을 사다 ひんしゅくを買う

빈-탕 ㊔ ①(くるみ(胡桃)·落花生などの)中身が無いもの. ②中身のない物事のたとえ.

빈-털터리 ㊔ 文なし；すっからかん. >빈탈타리. ㊥털터리. ¶화재로 ～가 됐다 火事ですっからかんになった.

빈-틈 ㊔ 透き. ①透き間. ¶～없이 들어 찬 관중 すきまもなく詰めかけた観衆. ②油断；気のゆるみ. ¶감시의 ～을 타서 탈주했다 監視のすきをねらって脱走した. ③抜け目. ¶～ 없는 사람 抜け目〔すき〕のない人.

빈한【貧寒】㊔ 貧寒. ——하다 ㊖ 貧寒である；貧しい. ——히 ㊗ 貧しく.

빈혈【貧血】㊔〔醫〕 貧血.

‖——증 ㊔ 貧血症.

빌다 ㊙ ①物乞いをする. ¶빌어먹다 乞食をする. ②祈る. ¶자네의 성공을 비네 君の成功を祈るよ. ③謝る；わ(詫)びる；(許しを)請う. ¶손이 닳도록 ～ 平謝りに謝る.

빌딩〔building〕 ㊔ ビルディング；ビル《준말》.

빌라〔villa〕 ㊔ ビラ；別荘.

빌리다 ㊙ ①借りる；借る〈関西方文〉. ¶무이자로 돈을 ～ 無利子でお金を借りる／남의 손을 ～ 人手を借りる. ②貸す. ㉠あとで返してもらう約束で人に金品を与える. ¶읽고 싶으면 빌려 주겠네 読みたいなら貸してあげよう. ㉡(家などを)賃借りする. ¶집을 빌려 주었다 家を貸してやった.

빌며-빌며 ㊗ 拝み倒して. ¶～ 얻어내다 拝み倒して貰い受ける.

빌미 ㊔ たた(祟)り；のろ(呪)い. ¶～붙다 (…が)祟る；(…に)呪われる／죽은 사람의 원령이 ～ 붙다 亡者の怨霊が祟る. ——잡다 ㊙(災い·病気などを)悪霊が祟ったせいにする.

빌-붙다 ㊘ おもね(阿)る；へつらう；取り入る. ¶권력에 ～ 権力に阿る.

빌어-먹다 ㊘㊙ 乞食をする；物乞いで口過ぎをする. >배라먹다.

빌어-먹을 ㊚㊛ しゃくに障ったり意のままにならないときに言う語：くそ(糞)；くそ食らえ；畜生. ¶～ 놈 こん畜生；糞垂れめ／～ 또 비야 畜生また雨か.

명 くし(櫛).
-- 부 "まっすぐでなく・ななめに・かたむいて"の意味の語. ¶~나가다 逸れる; やりそこなう/~맞다 それて当たる.
-가다 자 ↗빗나가다.
-금 명 斜線.
기다 타 人の髪をくしけず(梳)ってやる.
-꽂이 명 斜めにさす挿し木の仕方.
-나가다 자 外れる; そ(逸)れる; 狂う; ぐれる; 堕落する. 준빗가다·빗나다. ¶빗나간 대답 とんちんかんな答え/빗나간 화살 逸れ矢/만사가 ~ 万事がぐれる/예측이 ~ 予測が逸れる/이야기가 ~ 話が逸れる/학업 중도에 ~ 学業半ばにぐれだす.
빗다 타 くしけず(梳)る; とく; す(梳)く.
빗-대다 타 ①当ててこす(擦)る; 当て付ける; つらあてを言う; 遠回しに言う. ¶들으란 듯이 ~ 聞きえよがしに当て付ける. ②事実と異なる告白をする.
빗더-서다 자 方向をかえて立つ. 준빗서다.
빗-돌【碑—】명 石碑.
빗-듣다 타 聞き違える; 聞き誤る.
빗-디디다 타 踏み誤る. ¶빗디더서 발밑이 흔들리다 踏み誤って足元がぐらつく.
빗-뚫다 타 そ(逸)れて穴をあける.
빗-뛰다 자 斜めに走る.
빗-뜨다 타 横目でにら(睨)む. ¶빗뜨면 어쩔 테냐 横目を使ってどうする積りか.
빗-맞다 자 ①そ(逸)れて他の所に当たる. ¶화살이 ~ 矢が逸れて他の物に当たる. ②意思に逸れて事が成る. ¶예상이 ~ 予想が逸れた.
빗-물 명 雨水.
빗-밑 명 雨上がりぎわ(際).
빗-발 명 雨脚〔雨足〕. ¶~이 굵다 雨脚が太い. ——치듯 부하형 容赦なくせきたてるさま: あめあられ(雨霰)のように. ¶~날아오는 탄환 あめあられと降る弾丸/빗쟁이의 ~ 한 독촉 債権者の矢のような催促.
빗-방울 명 雨粒; 雨のしずく(雫). ¶굵은 ~ 이 후두둑 떨어지기 시작했다 大粒の雨がばらばらと降り出した.
빗-보다 타 見誤る; 見間違う. ¶사람을 ~ 人を見誤る.
빗-빠지다 자 踏み誤って落ちる.
빗-살 명 くし(櫛)の歯. ——창(窓) 명 桟をひし形〔はすかい〕に組んだ窓.
빗-소리 명 雨の音.
빗-속 명 雨中; 雨の中.
빗-솔 명 くし(櫛)のあか(垢)を掃除するブラシ.
빗장 명 掛けがね; かんぬき(閂). =문빗장. ¶대문에 ~을 지르다 門に掛けがねをかける〔かんぬきを渡す〕.
빗-접 명 くしげ(櫛笥); くしばこ(櫛箱).
빗-줄기 명 ①雨脚〔雨足〕. ②にわかあめ(俄雨)の一降り.
빗-질 명 (髪を)くしけずること. ——하다 자타 (髪を)くしけずる; す(梳)く. ¶머리를 곱게 ~하다 髪をきれいに撫でつける.
빗-천장【—天—】명 かさ(笠)のように傾いている天井.
빗-치개 명 けすじ立て; けすじぼう; 毛筋《준말》.
빙 부 ①一回り歩くさま: ぐるりと. ¶한 바퀴 ~ 돌다 ぐるりと一回りする. ②回りを取り囲むさま: ぐるりと. ¶~ 둘러앉다 ぐるりと輪になって座る/적의 성을 ~ 둘러 싸다 敵の城をぐるりと取り囲む. ③めまいがするさま. ¶한대 맞았더니 정신이 ~ 돌더군 一撃食ったところ気が遠くなったよ. ④急に涙が浮かぶさま. ¶눈물이 ~ 돌다 じいんと目がしらが熱くなる. >뱅. ㅆ삥. ㅆ핑.
빙결【氷結】명하자 氷結.
빙고【氷庫】명 氷室; 氷倉.
빙과【氷菓】명 氷菓; 氷菓子.
빙괴【氷塊】명 氷塊.
빙구【氷球】명 ☞아이스 하키(ice hockey).
빙그레 부 口を少し開けてにっと笑うさま: にっこり. >뱅그래. ㅆ삥그레.
빙그르르 부 滑らかに一回りするさま. >뱅그르르. ㅆ삥그르르. ㅆ핑그르르. ¶무용수가 선 자리에서 가볍게 한 바퀴 ~ 돌다 踊り子が立ったまま軽く一回りする.
빙글-거리다 자 口を少し開けて笑い続ける; にこにこする. >뱅글거리다. ㅆ삥글거리다. 빙글-빙글[1] 부하자 にこにこ.
빙글-빙글[2] 부 つづけて滑らかに回るさま: くるくる; きりきり. >뱅글뱅글[2]. ㅆ삥글삥글. ¶회전 목마가 ~ 돌다 回転木馬がくるくる(と)回る.
빙긋 부 口をそっと開けて笑うさま: にんまり. >뱅긋. ㅆ삥긋. ——거리다 자 にやにやする; にたにたする. ——— 부하자 にやにや; にたにた.
빙기【氷技】명 氷技; スケート. =스케이팅.
빙기【氷期】명 氷期. =빙하기.
빙당【氷糖】명 氷砂糖.
빙낭【氷囊】명 ひょうのう(氷囊).
빙렬【氷裂】명 氷のひびわれ.
빙모【聘母】명 ☞ 장모(丈母).
빙무【氷霧】명 氷霧.
빙반【氷盤】명 ☞ 얼음판.
빙벽【氷壁】명 氷壁. ①氷山の壁. ②氷・雪に覆われた絶壁.
빙부【氷膚】명 氷のような肌.
빙부【聘父】명 ☞ 장인(丈人).
빙-빙 부 ①しきりに回るさま, または回すさま: ぐるぐる. >뱅뱅. ㅆ삥삥. ㅆ핑핑. ¶자전거로 광장을 ~ 돌다 自転車で広場をぐるぐるまわる. ②な(為)すことなくぶらつくさま: ぶらぶら.

ㅂ

빙산【氷山】명 氷山. ¶～의 일각 氷山の一角.
빙상【氷上】명 氷上. ¶～ 경기 氷上競技.
빙설【氷雪】명 氷雪；雪氷.
빙수【氷水】명 氷水·氷水；欠氷.
빙시레 부 口を少し開いてなごやかに笑うさま：にこっと. >뱅시레. ㅆ삥시레.
빙실【氷室】명 氷室·氷室.
빙실-거리다 자 にこにこ笑う. >뱅실거리다. ㅆ삥실거리다. **빙실-빙실** 부하자 にこにこ.
빙심【氷心】명 清く澄んだ心.
빙싯 부하자 口をそっと開いて和やかに笑うさま：にこっと.
빙어 명〔魚〕わかさぎ(若鷺·公魚).
빙옥【氷玉】명 ① 氷と玉. ② 清純なこと.
빙원【氷原】명〔地〕氷原. ＝빙야(氷野).
빙자【憑藉】명 事寄せること；かこつけること；しゃこう(藉口). ――하다 타 事寄せる；かこつける；かこつ；藉口する. ¶병을 ～하여 결석하다 病気にかこつけて欠席する/사무가 바쁨을 ～하여 늦게 돌아오다 事務多忙に託しておそく帰宅する.
빙장【聘丈】명 岳父；妻の父. ＝악장(岳丈).
빙점【氷點】명〔物〕氷点. ＝어는점. ‖――하 명 氷点下.
빙정【氷晶】명 氷晶.
‖――석 명〔鑛〕氷晶石. ――점 명〔物〕氷晶点.
빙주【氷柱】명 ① つらら. ② 氷柱.
빙질【氷質】명 氷質.
빙충-맞다 형 愚かではにかみ屋だ；臆病だ. >뱅충맞다.
빙충-맞이, 빙충-이 명 臆病者.
빙침【氷枕】명 氷枕·氷枕.
빙탄【氷炭】명 氷炭.
‖――간 명 相容れぬ間柄. ――불상용(不相容) 명 氷炭相容れず.
빙퉁그러-지다 자 ①(する事が)ねじれる. ②(性格が)ひねくれている；ゆがんでいる. ¶빙퉁그러진 녀석이다 つむじ曲がりな奴である.
빙판【氷板】명 凍りついた道端.
빙하【氷河】명 氷河. ¶～ 작용 氷河作用.
‖―― 계류 명 氷河渓流. ――곡 명 氷河谷. ――기 명〔地〕氷河期. ＝빙기(氷期). ―― 시대 명 氷河時代. ――토 명 氷河土.
빙-하다 형 酒に酔って頭がぼやっとする.
빙해【氷海】명 氷海.
빙해【氷解】명하자 氷解；氷釈.
빙화【氷花】명 (植物などの)水分が氷結して白い花のようになる現象.
빚 명 借金；負い目；借財. ＝부채(負債).
빚-거간【―居間】명하자 貸し付けの口利き.
빚-내다 자 金を借りる.
빚-놓다 자 (利子を取る約束で)金を貸す.
빚다 타 ①(酒を)かも(醸)す. ¶술 ～ 酒を醸す. ②(粉をこねてま[んじゅう](饅頭)などを)こしらえる. ¶[만]두를 ～ 饅頭をこしらえる. ③ 造成する；醸す；ある結果をもたらす. ¶가난이 빚은 비극 貧困のもたら[し]た悲劇/물의를 ～ 物議を醸す.
빚-돈 명 ① 借金. ② 貸し金.
빚-물이 명하자 人の借金を代わ[り]って返済すること.
빚-받이 명하자 人に貸した金をと[り]立てること.
빚-쟁이 명《俗》借金取り；債鬼. ＝채권자. ¶～에게 시달리다 債鬼に責められる.
빚-주다 타 (利子を取る約束で)金を貸す. ¶빚주고 뺨 맞기《俚》酒盛りして尻切られる.
빚-지다 자 ① 借金する；負債を負う. ¶빚진 죄인《俚》敵の前より借金の前. ②《俗》人の恩を被る.
빛 명 ① 光. ㉠〔物〕光線. ¶햇～ 日の光/～이 투과하다 光が透過する. ㉡ 希望；光明. ¶～은 동방으로부터 光は東から. ㉢〔基〕真理の能力；光明. ② 色. ㉠ 色彩. ¶장밋～ 인생 ばら色の人生/～ 좋은 개살구《俚》見掛け倒し；食わせもの. ㉡ 顔色. ¶근심의 ～ 憂いの色/불쾌한 ～ 不快の色. ③ 栄光；名誉. ¶～나는 훈장 栄えある勲章. ④ きらめき；せんこう(閃光). 「まわり.
빛-깔 명 色彩；色；いろどり；色
빛-나다 타 輝く. ① 光る；きらめく. ¶별이 빛나는 밤 星が輝く夜/그의 눈이 이상하게 빛났다 彼の目が異様に輝いた. ② 公明正大で立派だ. ¶빛나는 업적 輝かしい業績.
빛-내다 타 輝かす. ¶국위를 ～ 国威を輝かす.
빛-보다 자 (世間に)知れるようになる；公開される.
빛-살 명 光線. ＝광선.
빛-없다 형 面目がない. **빛-없이** 부 面目なく.
빠각 부하자 固い物やこわばったものがすれ合って出す音：きしきし；ぎちぎち. <삐걱. ㅗ바각. ――거리다 자타 しきりにぎちぎち〔きしきし〕する. ―――― 부하자타 ぎちぎち；きしきし.
빠개다 타 ①(堅い物を)割る；裂く. ¶장작을 ～ 薪を割る. ②(仕事を)台無しにする；こわす. ③(うれ(嬉)しさの余り)口をほころ(綻)ばす. ＝뻐개다.
빠개-지다 자 ①(堅い物が)割れる；裂ける. ② こわれる；台無しになる. ¶계획이 빠개지고 말았다 計画が台無しになってしまった. ③(うれしくて)口がほころ(綻)びる. <뻐개지다.
빠그라-지다 자 ① 割れてしまう. ② こわれてしまう. >뻐그러지다.
빠그르르 부하자 泡が広がりながら勢いよく沸きあがるさま〔音〕：ぐ

らぐら〔くらくら〕(と). <뻐그르르. ㅅ바그르르. ¶～ 끓어오르다 ぐらぐらと沸きあがる.

-근-하다 형 けだるい. <뻐근하다.

-글-거리다 자 (少ない水や小さい泡が)ひろがりながら勢いよく沸きあがる; ぐらぐら沸く; ぶくぶく泡立つ. <뻐글거리다. ㅅ바글거리다.

빠글-빠글 부하자 しきりにぐらぐらと沸きあがるさま.

빠기다 자 ☞ 뻐기다.

빠꾸 명하자타 〔back〕 ① (車などの)バック; 後進. ② 退けること; ひじでっぽう(肘鉄砲). ¶납품이 ～되다 納品が返される.

빠끔-거리다 자 ☞ 뻐끔거리다.

빠끔-빠끔[1] 부 ① すぱすぱ. ¶담배를 ～ 피우다 タバコをすぱすぱと吸う. ② ぱくぱく. ¶금붕어가 입을 ～ 벌리다 金魚が口をぱくぱくさせる. <뻐끔뻐끔.

빠끔-하다 형 ぱっくり〔ぽっかり〕開いている. <뻐끔하다. **빠끔-히** 부 ぱっくり; ぽっかり. ¶상처가 ～ 벌어지다 傷口がぱっくり開く. **빠끔-빠끔**[2] 부하형 ぽっかりぽっかり.

빠닥-빠닥 부하형 乾き切っているさま: からから; ざらざら. <뻐덕뻐덕. ¶너무 ～해서 먹을 수가 없다 あんまりからからして食べられない.

빠닥빠닥-하다 형 (紙幣などが)ぱりぱりしている.

빠드득 부하자 ① 固い物をひどくも(揉)むときに出る音; はぎし(歯軋)りするときの音: ぎしぎし. ② 柔らかい大便を力んで出すときの音. <뿌드득. ㅅ바드득. ㅆ파드득. ――거리다 자 ① ぎしぎしする. ② びりびりする. ――― 부하자 ① ぎしぎし. ② びりびり.

빠득-빠득 부 無理に強情を張るさま; しつこく口説くさま: ねちねち. >뿌득뿌득. ㅅ바득바득.

빠득빠득-하다 형 ① 意地っぱりである; 従順でない. ② (目が)けだるい. ③ 渋味がある.

-빠듯 미 数量が少し足りないことを表わす語: ぎりぎり. ¶한 되 ～ 一升ぎりぎり.

빠듯-하다 형 ① ぎりぎりだ; きゅうきゅうだ〈俗〉. ¶예산이 ～ 予算がきゅうきゅうだ. ② 透き間がない; ぴったりあてはまる; ぴっちりだ. <뿌듯하다. ㅅ바듯하다. **빠듯-이** 부 ぎりぎりで〔と〕; きちきちで〔と〕. ¶～ 시간에 대었다 時間ぎりぎりで間に合った.

빠-뜨리다 타 ① 陥(おとし)れる. ¶계략에 ～ 計略に陥れる / 함정에〔죄에〕 ～ わなに〔罪に〕落とす / 남을 함정에 ～ 人をおとしあなにはまらす. ② 漏らす; 見落とす; 見逃す; 抜〔脱〕かす; 取り落とす. ¶빠뜨리고 말하다 言い漏らす / 명단에서 ～ 名簿から取り落とす / 한 사람도 빠뜨리지 않고 체포하다 一人残らず捕らえる / 글자 하나를 빠뜨리고 보다 一字を見逃す / 다소 빠뜨리는 것은 불가피하다 多少の見落としは免れない. ③ 落とす; 失う. ¶지갑을 ～ 財布を落とす.

빠르기-말 명 〔樂〕 速度標語《구용어: 속도 표어》.

빠르기-표 【―標】 명 〔樂〕 速度記号《구용어: 속도 기호》.

빠르다 형 ① 速い. ¶물발이 ～ 水足が速い / 곡이 빨라지다 曲が走る / 시계가 2분 쯤 ～ 時計が二分ほど進む. ② (期間が)短い. ¶기일이 빨라지다 期日が早まる. ③ (時が)早い. ¶꽃철에는 아직 ～ 花時にはまだ早い. ④ 先だ; 前だ. ¶일년쯤 빨리 시작했다 一年程先に始めた. ⑤ 敏速だ; す早い. ¶이해가 ～ 分かりが速い; 通じが速い / 말이 빨라서 알아들을 수 없다 早口でよく聞き取れない. ⑥ 楽だ; 容易だ; 近道だ. ¶직접 이야기하는 것이 ～ じかに話すのが早い.

빠르작-거리다 자타 しきりにもがく. ¶개미가 도망치려고 ～ あり(蟻)が逃げようとしてしきりにもがく. <뻐르적거리다. ㊌빠릇거리다. **빠르작-빠르작** 부하자타 しきりにもがくさま.

빠이-빠이 감 〔bye-bye〕《兒》バイバイ; さよなら. ＊ 바이바이.

빠지다[1] 자 ① おぼ(溺)れる. ㉠ (水に)沈む. ¶바다에 ～ 海に溺れる. ㉡ ふ(耽)ける; たんでき(耽溺)する. ¶주색에 ～ 酒色に溺れる〔耽ける〕/ 인기 탤런트에 ～ 人気タレントにのぼせる. ② 陥る; は(嵌)まる. ㉠ (穴などに)落ち込む. ¶도랑에 ～ 溝にはまる / 수렁에 ～ 泥沼にはまりこむ. ㉡ 計略にかかる; だまされる. ¶못된 계략에 ～ 悪だくらみに陥る / 못된 친구의 꾐에 빠져 못된 길로 ～ 悪友に誘われてわき道にそれる. ㉢ よくない状態になる. ¶혼란에 ～ 混乱に陥る / 딜레마에 ～ ジレンマに陥る / 죄악의 구렁에 ～ 罪悪のふち(淵)に沈む. ③ 抜ける. ㉠ 外れる. ¶단추가 ～ ボタンが抜ける / 못이 ～ くぎ(釘)が抜ける / 손잡이가 ～ 取っ手が取れる / 의치가 ～ 入れ歯が抜ける / 칼의 이가 ～ 刃こぼれする / 밑이 ～ 底が抜ける. ㉡ 落ちる; 欠ける. ¶명부에서 ～ 名簿から落ちる / 필요한 조문이 ～ 必要な条文が欠ける. ㉢ なくなる; 消えう(失)せる. ¶뼈빠지게 번 돈 骨折って稼いだ金 / 힘이 ～ 力が抜ける; へこたれる〈俗〉/ 맥이 ～ 気が抜ける / 김빠진 맥주 気の抜けたビール / 때가 ～ あか(垢)抜けする. ㉣ (仲間から)離れる; 離脱する. ¶동맹에서 ～ 同盟から抜ける / 단체에서 빠졌다 団体から脱した. ㉤ 抜け出る; すり抜ける. ¶뒤로 ～ 裏へ抜ける / 포위에서 빠져 나오다 包囲から抜け出る / 울타리 밑으로 빠져 나가다 垣根をくぐる / 샛길로 빠져 앞지르다 わきみち(脇道)を通って先まわりをする / 붐비는 속을 달려서 빠져 나가다 雑踏のなかを走り抜ける. ④ 漏れる. ¶선발에서 ～ 選に漏れる; 選から外れる. ⑤ (他のものより)劣る; 引けを取る. ¶남보

다 빠지는 느낌이 들다 引け目を感ずる / 이 물건은 다른 물건보다 빠진다 この品は他のものより劣る. ⑥ やせる; 引く; 減る; (顔が)やつれる. ¶ 체중이 ~ 体重が減る / 부기가 ~ は(腫)れが引く. ⑦ (たまった水が)流れ出る; 引く. ¶ 물이 잘 ~ みずは(水捌)けがよい; 水の切れがいい / 조수가 ~ 潮が引く. ⑧ よくできる; 立派に成る. ¶ 제품이 잘 빠졌다 製品がよくできた.

빠지다² 보동 動詞や形容詞に付いて程度のひどいことを表わす語: …(して)しまう. ¶ 늙어 ~ 老いぼれる / 썩어 ~ 腐りはてる.

빠지지 부하형 焼けた金物に水玉などが落ちて出る音: じじっ. <뿌지지. ㅗ바지지.

빠지직 부하자 ① "빠지지"の音が急に止まるさま. ② 急いでふん(糞)をたらす音. <뿌지직. ㅗ바지직. ——거리다 자 続けざまに"빠지직"と音を出す. ———— 부하자 しきりに"빠지직"するさま: ぷすぷす. ¶ 생나무가 ~ 타다 生木がぷすぷす(と)燃える.

빠짐-없이 부 漏れなく; 手落ちなく. ¶ ~ 기입하다 漏れなく書き入れる / ~ 구비하다 つぶさに取りそろえる / ~ 참가해 주십시오 漏れなく参加してください.

빠짐-표 【—標】 명 字が抜けた個所にしるす符号《"□"の符号》.

빡빡¹ 부 ① ひどいあばたになったさま. ② 頭を坊主刈りにしたさま. ¶ 머리를 ~ 밀다 髪を坊主頭にそる. ㅗ박박.

빡빡² 부 煙草をしきりに吸うさま: ぱっぱと; すぱすぱ. <뻑뻑.

빡빡-이 부 確かにそうであるとの意を表わす語. >뻑뻑이. ㅗ박박이.

빡빡-하다 형 ① (水分が少なく)かさかさだ; 強い. ② ぴったりとくっついて窮屈だ. ③ 滑らかに回らない. ④ 融通がきかない; ゆとりがない. ¶ 빡빡하지 않은 사람 融通のきく人. <뻑뻑하다.

빡작지근-하다 형 ☞ 뻑적지근하다.

빤둥-거리다 자 ☞ 뻔둥거리다. **빤둥-빤둥** 부하자 ☞ 뻔둥뻔둥.

빤드럽다 형 ☞ 반드럽다.

빤드르르 부하형 ☞ 반드르르.

빤득-이다 자타 ☞ 뻔득이다. **빤득-거리다** 자타 ☞ 뻔득거리다. **빤득-빤득** 부하자타 ☞ 뻔득뻔득.

빤들-거리다¹ 자 ① つるつるする. ② 抜け目なく行動する; すばしこく振る舞う. <뻔들거리다. **빤들-빤들¹** 부하형 ① つるつる. ② すばしっこく.

빤들-거리다² 자 ☞ 뻔들거리다². **빤들-빤들²** 부하자 ☞ 뻔들뻔들².

빤빤-스럽다 형 ☞ 뻔뻔스럽다.

빤빤-하다 형 ☞ 뻔뻔하다. **빤빤-히** 부 ☞ 뻔뻔히.

빤작 부하자타 光がひらめくさま: ちらっ(と); きらっ(と); ぴかっ(と). <뻔적. ㅗ반작. ㅛ빤짝. ——거리다 자타 ちらちら(と)ひらめく. ———— 부하자타 きらきら; ちらちら. ——이다 자타 ひらめく.

빤지르르 부하형 (油や水気などが ついて)なめらかに滑るさま: つる る. <뻔지르르. ㅗ반지르르.

빤질-거리다 자 ① すべすべしてつや ある; すべすべする; つるつるする ② 悪がしこく振る舞う. <뻔질거리다. ㅗ반질거리다. **빤질-빤질** 부하자형 ① すべすべ; つるつる. ② 悪がしこいさま.

빤짝 부하자타 輝くさま: ちらっと きらっ; ぴかっ. <뻔쩍. ㅗ반작·반짝 빤작. ——거리다 자타 きらきらきら めく. ———— 부하자타 きらきらと ちらちら. ——이다 자타 きらめく.

빤-하다 형 ① 一筋の光が差して 少し明るい. ② 見え透いている 空空しい. ¶ 빤한 거짓말 空空しい嘘; 見え透いた嘘 / 그건 빤한 일이야 それは分かり切った事だ. ③ (忙しいうちに)少しひまがある. ¶ 요즈음은 조금 ~ この頃はちょっと暇がある / 병세가 ~ 病勢がややよくなる. <뻔하다. **빤-히** 부 ① 見す見す. ¶ ~ 알고도 손해 보다 見す見す損をする / ~ 보고도 도둑을 놓쳤다 泥棒を見す見す逃がした. ② じろじろ. ¶ 남의 얼굴을 ~ 쳐다보다 人の顔をじろじろと見る.

빨가-벗기다 타 丸裸〔真っ裸·素裸〕にする. ㅗ발가벗기다.

빨가-벗다 자 丸裸〔真っ裸·素裸〕になる. <뻘거벗다.

빨가-숭이 명 真っ裸; すっ裸; 裸体. <뻘거숭이. ㅗ발가숭이. ¶ ~가 되다 真っ裸になる.

빨간 관 全く(の); 真っ赤な. <뻘건. ¶ ~ 거짓말 真っ赤な嘘.

‖——딱지 명 《俗》 ① 売約済の赤札. ② 徴集令状または召集令状. ③ 差押物にはる札.

빨강 명 赤; 赤色. <뻘겅. ㅗ발강.

빨강-이 명 赤色の物. <뻘겅이.

빨갛다 형 赤い. <뻘겋다. ㅗ발갛다. ¶ 빨간 때때옷 赤いべべ / 빨간 바탕에 파랗게 그린 무늬 赤地に青く描いた模様 / 혹은 빨갛고 혹은 검다 あるいは赤くあるいは黒い.

빨개-지다 자 赤む; 赤らむ; 焼ける. <뻘게지다. ¶ 얼굴이 ~ 顔が赤らむ / 하늘이 ~ 空が焼ける.

빨갱이 명 《俗》 共産主義者; 赤. ¶ 그는 ~다 彼は赤だ.

빨그스름-하다 형 やや赤い; 赤みがかっている. <뻘그스름하다. ㅗ발그스름하다.

빨긋-빨긋 부하형 赤い斑点が美しくあちこちに散らばっているさま. <뻘긋뻘긋. ㅗ발긋발긋.

빨깍 부 ① 元気が急に沸き出るさま: ぐっと; むくっと. ② 急にひっくり返るさま; にわかにごった返しになるさま. <뻘꺽. ㅗ발깍. ¶ 온 동네가 ~ 뒤집혔다 村中がごったがえしになった.

빨끈 부하자 ① ちょっとしたことでよく怒るさま: かっと(なって). ¶ ~ 성을 내다 かっと腹を立てる. ② 騒

騒々しいさま: がやがや; わいわい. ¶회의장이 ~ 뒤집혔다 会議場ががやがやとごった返しになった. <뻘끈. ㅗ발끈. ——-거리다 [자] ① かっかと腹を立てる. ② どんちゃん騒ぎをする. ——— [부하자] ① かっかと. ② がやがや; わいわい.

빨다[1] [타] ① 吸う; しゃぶる. ¶생피를 ~ 生血を吸う / 젖〔손가락〕을 ~ 乳〔指〕をしゃぶる. ② (機械などの力で)吸いあげる. ¶빨펌프 サクションポンプ. ③ 吸い込む. ¶탈지면은 물을 잘 빨아들인다 脱脂綿は水をよく吸い込む.

빨다[2] [타] 洗う; 洗濯する. ¶갓 빤 셔츠 洗い立てのシャツ / 비벼 ~ も(揉)み洗いをする.

빨다[3] [형] 先がだんだんとが(尖)っている.

빨-대 [명] ストロー. ¶~를 대다 ストローを差す.

빨딱 [부] ① 急に立ちあがるさま: すっと; がばと. ② 仰向きに倒れるさま: ばったり. <뻘떡. ㅗ발딱.

빨딱-거리다 [자] ① どくどくと脈打つ. ② (胸が)どきどきする. ③ がぶがぶ飲む. ④ (元気があふれ過ぎて)じたばたする. <뻘떡거리다. ㅗ발딱거리다. 빨딱-빨딱 [부하자] ① どくどく. ② どきどき. ③ がぶがぶ. ④ じたばた.

빨랑-거리다 [자] びんしょう(敏捷)に動く. <뻘렁거리다. ㅗ발랑거리다. 빨랑-빨랑 [부하자] さっさと; きりきり. ¶~ 걸어라 さっさと歩け / ~ 나가 버려 とっとと出て行け.

빨래 [명] ① 洗濯. ——-하다 [자] 洗濯する; 洗う. ¶애벌 ~ 下洗い / 잿물로 ~하다 あくで洗い物をする. ② 洗い物; 洗濯物. ¶~ 장대 物干しざお(竿) / ~가 많이 밀리다 洗い物がたくさんたまる.

‖——-꾼 [명] 洗濯する人. ——-터 [명] 洗濯場. ——-판(板) [명] 洗濯板; もみ板. ——-품 [명] 洗濯のかせぎ; 洗濯賃. 빨랫-간(間) [명] 洗濯間. 빨랫-돌 [명] 洗濯石. 빨랫 방망이 [명] 洗濯棒. 빨랫-비누 [명] 洗濯せっけん(石鹼). =세탁 비누. 빨랫-줄 [명] 洗い物の干しひも.

빨리 [부] 速く; 早い事〔とこ〕; とく〈雅〉. ¶~ 오면 좋으련만 早く来ればいいものを / ~ 달리다 速く走る / ~ 하여라 速くしろ / ~ 보고 싶은 걸 速く見たいものだ / ~ 떠나자꾸나 早く出かけようぜ / ~ 부탁하네 早いとこ頼むよ / ~해 주게 早いとこやってくれ / ~ 해 치워라 早い事やってしまえ. ——-하다 [타] 早める; 速くする. ——— [부하자] 早く早く; さっさと; とくとく〈雅〉. ¶~ 비켜 주게 さっさとどいてくれ.

빨리다 ㊀ [피동] 吸われる. ㊁ [사동] 吸わせる; (乳を)飲ませる. ¶아이에게 젖을 ~ 子供に乳を飲ませる.

빨-병【—瓶】[명] 水筒.

빨빨 [부] ① 忙しくかけずりまわるさま: せかせか; うろちょろ. ② 汗を盛んにかくさま: だくだく. <뻘뻘.

빨아 내다 [타] 吸い出す. ¶고름을 ~ うみ(膿)を吸い出す.

빨아-당기다 [타] 吸い付ける; 吸い寄せる.

빨아-들이다 [타] 吸い込む; 吸引する. ¶해면이 물을 ~ 海綿が水を吸う.

빨아-먹다 [타] ① 吸う; すする. ② しゃぶる. ③ 絞りあげる. ¶고혈을 ~ 膏血を吸い取る.

빨아-올리다 [타] 吸い上げる.

빨쭉-거리다 [자타] 開いたり閉まったりして中のものが見えたり見えなくなったりする. また, そうさせる. <뻘쭉거리다. ㅗ발쭉거리다. 빨쭉-빨쭉 [부하자타] ぱくぱく.

빨쭉-하다 [형] ややほそめに開かれてもたげている. <뻘쭉하다. ㅗ발쭉하다. 빨쭉-이 [부] やや細長く開いて.

빨치산〔러 partizan〕[명] パルチザン; 遊撃隊.

빨-판 [명]〘動〙吸盤; いぼ(疣).
‖——-상어 [명]〘魚〙こばんさめ(小判鮫); こばんいただき.

빨-펌프〔pump〕[명] 吸いあげポンプ; サクションポンプ.

빳빳-하다 [형] ① 強ばっている; こちこちだ. ¶빳빳한 시체 強ばった死体 / 내놓은 지폐마다 ~ 取出す紙幣ごと皆ぱりっとしている. ② 強い. ¶빳빳한 옷 のり(糊)の利いた着物. 빳빳-이 [부] ① 硬直して; こちこちと; ぱりっと. ② 強く; ぴんと.

빵〔포 pão, 스 pan〕[명] パン. ¶사람은 ~을 위해서만 사는 것이 아니다 人はパンがために生くるにあらず.

빵 [부] ① 急に裂ける音: ぱん; ぱりっ. ② ボールを蹴飛ばすさま: ぽん. <뻥. ㅆ팡.

빵글-거리다 [자] (かわいらしく)にこにこ笑う. <뻥글거리다. ㅗ방글거리다. 빵글-빵글 [부] にこにこ.

빵꾸 [명]〔puncture〕《俗》☞ 펑크. ——-나다 [자]《俗》☞ 펑크나다.

빵끗 [부하자] かわいらしく微笑むさま: にこり; にっこり; にこやかに. <뻥끗. ㅗ방긋. ——-거리다 [자] しきりににこにこする. ———[1] [부하자] にこにこ.

빵끗-하다 [형] やや開いている. <뻥끗하다. ㅗ방긋하다. 빵끗-이 [부] やや開いて. 빵끗-빵끗[2] [부하형] 皆幾分か開いているさま.

빵-빵 [부] ① 続けて破裂する音: ぱんぱん; ぽんぽん. ¶총을 ~ 쏘다 鉄砲をぽんぽん撃つ. ② しきりになる警笛の音: ぱんぱん. ③ ボールなどを続けざまに強くける音: ぽんぽん. ④ 穴が方方あいているさま: ぽこぽこ. <뻥뻥. ㅆ팡팡.

빵시레 [부] にっこり(と). <뻥시레. ㅗ방시레.

빵실-거리다 [자] にこやかに笑う; にこにこする. <뻥실거리다. ㅗ방실거리다. 빵실-빵실 [부] にこにこ.

빵-점【—點】[명]《俗》零点; ゼロ.

빵-집 [명] パン屋; パンを売る〔つくる〕店; ベーカリー.

빻다 타 砕く; つ(搗)く.
빼 부 ① 子供の泣く声: ああん. ② 笛などを吹く音: ぴい. <삐.
빼각 부 頑丈なものがきしる音: ぎしっ; きい. <삐걱. ㅗ배각. ——-거리다 자타 しきりにきいきいする. また, そうさせる. ——— 부하자타 きいきい.
빼기 명〔數〕減法; 引き算. =감산(減算).
빼끗 부하자 ① 物が互いに食い違いになるさま. ② (物の成り行きが)出来そうでできないさま. <삐끗. ㅗ배끗. ——-거리다 자 ① 食い違う. ② 今にもできそうでできない. ——— 부하자 ① 続けざまに食い違うさま. ② いまにもできそうでできないさま.
빼-나다 형 ↗빼어나다.
빼-내다 타 ① 抜き取る; 抜き出す. ㉠ 抜く. ¶가시를 ~ とげを抜き取る/생선의 내장을 ~ 魚の腸を抜き取る. ㉡ 選び出す. ¶좋은 것을 ~ よいものを抜き取る/자료를 ~ 資料を抜き取る. ㉢ くすねる. ¶짐 속에서 ~ 荷物からくすねる〔抜き取る〕. ② おびきよせる. ③ 拘束された身を放してやる; 請け出す. ④ (たこ(凧)揚げの勝負で)相手の攻撃からたこを引き寄せる.
빼-놓다 타 ① 漏らす; 飛ばす. ¶크고 작은 것을 빼놓지 않고 모조리 조사하다 細大漏らさず調べあげる/제2장을 빼놓고 읽었다 第二章を飛ばして読んだ. ② 抜いて置く. ¶책꽂이에서 책을 ~ 書棚から本を抜いて置く. ③ 選び出す.
빼다 ㊀타 ① 抜く. ¶칼을 ~ 白刃を抜く/힘을 ~ 力を抜く/충치를 ~ 虫歯を抜く. ② 差し引く; 除ける; 除く. ¶인건비를 ~ 人件費を差し引く/이 일을 빼고는 말이 안 된다 この事を除いては話にならない. ③ (余計な物を)なくす; 落とす. ¶얼룩을 ~ 染みをなくす/때를 ~ あか(垢)を落とす/명부에서 이름을 ~ 名簿から名前を落とす. ④ よそおう. ¶점잔을 ~ 威厳をよそおう; 尊大ぶる. ⑤ (責任などから)身を引く. ¶꽁무니를 ~ しっぽを巻く/빼도 박도 못 하다 二進も三進も行かない; 抜き差しがならない. ㊁자 ① ↗내빼다. ②《俗》めかし立てる. ¶쪽 ~ 粋にめかし立てる.
빼-돌리다 타 こっそり引き抜いて隠す; おびきだしてよそ(余所)に送る.
빼뚜로 부 ☞ 삐뚜로.
빼뚜름-하다 형 ☞ 삐뚜름하다. 빼뚜름-히 부 ☞ 삐뚜름히.
빼뚝-거리다 자 ① 片方に傾いてやや揺れ動く; ぐらつく. ② よろよろと歩く. <삐뚝거리다. ㅗ배뚝거리다. 빼뚝-빼뚝 부하자 ① 傾いてややゆれるさま. ② よろよろと歩くさま.
빼뚤-거리다 자 ① やや傾いてゆらゆらする: ふらつく; ぐらぐらする. ② 曲がりくねる; うねる. <삐뚤거리다. ㅗ배뚤거리다. 빼뚤-빼뚤 부하자 ① ふらつくさま: ぐらぐら. ② 曲が[り]くねるさま: くねくね.
빼뚤어-지다 자 ① 傾く. ② ゆが(歪)む. ③ ひねくれる. <삐뚤어지다. ㅗ[배]뚤어지다.
빼-먹다 타 ① 抜き取って食べる. ② 漏らす; 抜かす; 落とす. ¶[빼]먹고 듣다 聞き漏らす/그만(나도 [모]르게) ~ うっかりして抜かす. ③ く[す]ねる; こそどろをする.
빼-물다 자타 [←빼어 물다] ① (高[慢]な態度で, または怒って)口を[と]がらせる. ② (へこたれて)舌を垂[ら]す.
빼빼[1] ㊀부 やせこけたさま: がりが[り]. <삐삐[1]. ㊁명《俗》やせこけた人; やせっぽち. =말라깽이.
빼-빼[2] 부 ① 赤児の泣き叫ぶこえ: ぴいぴい; ぎゃあぎゃあ. ② 笛などを騒がしく吹く音: ぴいぴい. <삐삐[2].
빼-쏘다 타 そっくり似る; 生き写しだ; うり(瓜)二つだ. ¶어머니를 ~ 母に生き写しである.
빼-앗기다 피동 取られる; 奪われる. 준 뺏기다. ¶돈을 ~ お金を奪われる/목숨을 ~ 命を取られる.
빼-앗다 타 ① 奪う; 取る; ひったくる; ぶんどる; 取りあげる. ② 巻きあげる; 乗っとる. ¶남을 속여 돈을 ~ 人をたぶら(誑)かして金を巻きあげる/회사를 가로채 ~ 会社を乗っとる. ③ (貞操などを)踏みにじる. ④ (人の心を)捕らえる; 魅了する. 준 뺏다·앗다.
빼어-나다 형 秀でる; ずば抜ける. 준 빼나다. ¶빼어난 공적 ずば抜けた功績.
빼주룩-하다 형 (生え出る物などの先が)やや突き出ている. <삐주룩하다. ㅗ배주룩하다. 준 빼죽하다. 빼주룩-빼주룩 부하형 みんな先が突き出ているさま: にょきにょき. 빼주룩-이 부 にょきっと.
빼죽-거리다 자타 口先をとがらす; ふくれっ面をする. <삐죽거리다. ㅗ배죽거리다. 빼죽-빼죽[1] 부하형 しきりに口先をとがらすさま.
빼죽-하다 형 ↗빼주룩하다. 빼죽-빼죽[2] 부하형 ↗빼주룩빼주룩. 빼죽-이 부 ↗빼주룩이.
빼쭉-하다 형 先が鋭い; 先がとがっている. <삐쭉하다. ㅗ배쭉하다.
빼쭉 부하자타 ① 口先をとがらせるさま: つんと. ② 軽軽しく怒りをあらわすさま. ③ 先がそっとあらわれているさま. <삐쭉. ㅗ배쭉. ——-거리다 자타 口を突き出してつんつん〔ひくひく〕する. ——— 부하자타 つんつん; ひくひく.
빼치다 타 ① 抜け出るようにする; 振りほどく. ¶잡은 손을 빼치고 달아났다 押さえた手を振りほどいて逃げ出した. ② 先をとがらす.
빼트작-거리다 자 ややよろける. <삐트적거리다. ㅗ배트작거리다. 빼트작-빼트작 부하자 よろよろ.
빼틀-거리다 자 よろめく; よろよろ歩く. <삐틀거리다. ㅗ배틀거리다. 빼

-빼틀 [부][하자] よろよろ；よたよた.
[명] 〔back〕《俗》① 縁故；コネ. ② 後で企む不正な工作. ③ ☞ 백(back).
[부] 鋭く叫ぶ声：きゃっ. <삑.
[부] 樹木などがすきまなく茂っ さま：ぎっしり；こんもり. <삑.
-빽 [부] ① しきりに鋭く叫ぶ声：きゃあきゃあ；ぴいぴい. ② 汽笛・鳥などがしきりに出す鋭い声や音：ぴいぴい. <삑삑.
빽-하다 [형] ① ちゅうみつ(稠密)である；ぎっしりだ. ¶ 상자에 빽빽하게 담다 箱にぎっしり詰め込む / 집이 빽빽하게 들어서다 びっしり(と)家が建つ. ② 心がせまい. ③ 詰まりそうで窮屈だ. <삑삑하다. 빽빽-이 [부] ぎっしり；きちきち；こんもり. ¶ 나무가 ~ 들어찬 산림 こんもりと生い茂った森.
-지르다 [타] きゃっと叫ぶ. <삑지르다.
밴둥-거리다 [자] ぶらぶら怠ける. <삔둥거리다. ⊥밴둥거리다. 뺀둥-뺀둥 [부][하자] ぶらぶら.
뺀들-거리다 [자] 怠けて遊んでばかりいる. <삔들거리다. ⊥밴들거리다. ㅆ팬들거리다. 뺀들-뺀들 [부][하자] のらくら.
뺀질-거리다 [자] ☞ 빤질거리다.
뺄-셈 [명][하자] 引き算；減法. ¶ ~표 減号.
뺏기다 [피동] ↗빼앗기다.
뺏다 [타] ↗빼앗다.
뺑 [부] ① 一回回るさま：ぐるっと. ¶ ~ 돌다 ぐるっと回る. ㅆ팽. ② 取り囲むさま；取り囲まれたさま：くるりと. ¶ ~ 둘러싸다 くるりと取り囲む. <삥. ⊥뱅.
뺑그르르 [부] ☞ 뱅그르르.
뺑글-거리다 [자] つづけざまにほほえむ；にこにこする. <삥글거리다. ⊥뱅글거리다. 뺑글-뺑글[1] [부][하자] にこにこ.
뺑글-뺑글[2] [부] 続けざまに滑らかに回るさま：くるくる. <삥글삥글[2]. ⊥뱅글뱅글. ㅆ팽글팽글.
뺑긋 [부] ちょっとほほえむさま：にっこり. <삥긋. ⊥뱅긋. ——-하다 [자] (ちょっと)ほほえむ. ——-거리다 [자] にこにこ笑う. ———— [부][하자] にこにこ. ——-이 [부] にっこりと.
뺑당-그리다 [자] 頭をかたむけて嫌がる. <삥둥그리다.
뺑-뺑 [부] 続けざまに速く回るさま：くるくる. <삥삥. ⊥뱅뱅. ㅆ팽팽.
뺑뺑-이 [명] (街頭とばくの)ぶんまわし；伝助〈俗〉；伝助とばく. ¶ 길가에 ~를 차려놓다 道端に伝助を据える.
뺑소니 [명] 逃走；(車の) ひき逃げ. ¶ ~ 사건 ひき逃げ事件 / ~치다 逃走する；トンズラする〈俗〉/ 저 택시가 바로 아까의 ~차입니다 あのタクシーがまさしくさっきのひき逃げ車であります.
뺑시레 [부] ☞ 뱅시레.
뺑실-거리다 [자] 続けざまにかわいらしくほほえむ. <삥실거리다. ⊥뱅실거리다. 뺑실-뺑실 [부][하자] しきりにかわいらしくほほえむさま：にこにこ.
빠드득 [부][하자타] ☞ 삐드득. ——-거리다 [자][타] ☞ 삐드득거리다. ———— [부][하자타] ☞ 삐드득삐드득.
빤죽-거리다 [자] 外見だけを飾って憎らしく振る舞う. ⊥반죽거리다.
빤-하다 [형] ① ほんのりと明るい. ② 見え透いている. ⊥반하다.
뺨 [명] ① ほほ・ほお(頬)；ほっぺた〈俗〉. ¶ ~을 어루만지다 ほおをな(撫)でる. ② 物の両側の幅.
뺨-따귀 [명]《俗》☞ 뺨. (준) 따귀.
뺨-때리다 [자] びんたを食わす. ＝뺨치다.
뺨-맞다 [자] ほおをぶたれる；びんたを食う.
뺨-치다 [자][타] ① びんたを食わす. ② (…に)劣らない. ¶ 가수 뺨치는 노래 솜씨 くろうともそっちのけの歌いっぷり.
뻐개다 [타] ① 割る；裂く；断ち割る. ¶ 생목을 ~ 生木を裂く / 장작을 ~ まき(薪)を割る. ② 台無しにする. ③ 喜びで口をほころ(綻)ばす. >빠개다.
뻐걱 [부][하자타] きしる音：きいっ(と). >빠각. ⊥버걱. ——-거리다 [자][타] しきりにきしる. ———— [부][하자타] きしきし.
뻐그러-뜨리다 [타] 割る；こわす.
뻐그러-지다 [자] 割れて〔こわれて〕しまう. >빠그라지다.
뻐그르르 [부] ① 水が煮え立つさま. またはその音：ぐらぐら；ふつふつ. ② 泡立ちながら沸くさま：ぐつぐつ；ぶくぶく. ⊥버그르르.
뻐근-하다 [형] けだるい感じがする；重苦しい；きつすぎる. ¶ 어깨가 ~ 肩が凝る〔張る〕/ 허리의 뻐근함이 좀처럼 가시지 않는다 腰の凝りがなかなかとれない. 뻐근-히 [부] じいんと. ¶ 등이 ~ 아프다 背中がじいんと痛む.
뻐글-거리다 [자] ① ぐらぐら沸く. ② ぶくぶく泡立つ. ⊥버글거리다. 뻐글-뻐글 [부][하자] ① ぐらぐら. ② ぶくぶく.
뻐기다 [자] 高振る；威張る；容体ぶる. ¶ 너무 뻐기지 마라 あまり威張るなよ / 뻐기며 걷다 容体ぶって歩く. >빠기다.
뻐꾸기 [명]〖鳥〗かっこう(郭公)；よぶこどり(呼子鳥)；かんこどり(閑古鳥). ＝뻐꾹새.
뻐꾹 [부] かっこう(郭公)の鳴く声：かっこう.
‖——-새 [명] かっこう(郭公). ——-종(鐘) [명] かっこう時計.
뻐끔-거리다 [자] ① たばこをすぱすぱ吸う. ② 魚がぱくぱくする. ¶ 붕어가 입을 ~ ふな(鮒)が口をぱくぱくする. >빠끔거리다. 뻐끔-뻐끔[1] [부][하자] ① すぱすぱ；ぷかぷか. ② ぱくぱく.
뻐끔-하다 [형] ぽっかり開いている. ¶ 상처가 ~ 傷口がぽっかり開いている. >빠끔하다. 뻐끔-히 [부] ぽっかりと. 뻐끔-뻐끔[2] [부][하형] すべてぽっかり開いているさま：ぽっかりぽっかり.
뻐덕뻐덕-하다 [형] 水気が足りなく

て滑らかでない; こちこちになっている. >빠닥빠닥하다.

뻐드러-지다 [자] ① でっぱる; (先の方が)反る; 先が曲がる. ② 硬直する; こちこちになる. ㅗ버드러지다.

뻐드렁-니 [명] 反っ歯; 出っ歯.

뻐드렁-이 [명] 《俗》出っ歯の人.

뻐득뻐득-하다 [형] ① 不従順だ; 無骨だ. ② 口の中がしぶい. ③ (目が)険しい; 荒っぽい. >빠득빠득하다.

뻐르적-거리다 [자][타] しきりにもがく. >빠르작거리다. ㅗ버르적거리다. **뻐르적-뻐르적** [부][하자타] しきりにもがくさま: ばたばた.

뻐세다 [형] 強ばって荒い.

뻐젓-하다 [형] ☞ 버젓하다. **뻐젓-이** [부] 公然と; 堂堂と.

뻐쭈-하다 [형] にゅっと出っ張っている.

뻑-뻑 [부] ① ぷかぷか; すぱすぱ. ¶ 담배를 ~ 피우다 たばこをぷかぷか(と)〔すぱすぱ(と)〕吹かす. ② ばりばり. ¶ 종이를 ~ 찢어 버렸다 紙をばりばりひき裂いてしまった. ③ ごしごし; ぼりぼり. ¶ 할아버지는 장딴지를 ~ 긁어댔다 祖父はふくらはぎをぼりぼりと引っかいた. >빡빡. ㅗ벅벅.

뻑뻑-이 [부] ☞ 빡빡이.

뻑뻑-하다 [형] ① (水気が足りなくて)かさかさしている; こってりしている. ② ゆとりがなくきつい; はまりにくい. ③ こせこせしている; ぎこちない. ④ 強情で融通が利かない. >빡빡하다. **뻑뻑-히** [부] ① こってり. ② きつく. ③ こせこせ; ぎこちなく. ④ 融通性なく.

뻑적지근-하다 [형] ずきずき痛む; うずく. >빡작지근하다. **뻑적지근-히** [부] ずきずき(と).

뻔둥-거리다 [자] ぶらぶら怠ける. ㅗ번둥거리다. ㅆ펀둥거리다. **뻔둥-뻔둥** [부][하자] ぶらぶら; のらくら.

뻔드럽다 [형] ① つやがあって滑らかだ. ② 抜け目がない; そつがない. >빤드럽다. ㅗ번드럽다.

뻔드레-하다 [형] 外見だけは立派だ. >빤드레하다. ㅗ번드레하다.

뻔드르르 [부] 滑らかでつやのあるさま: つやつや(と); つるつる(と). >빤드르르. ㅗ번드르르. ──-하다 [형] つやつやしている; つるつるしている. ¶ ~하게 닦다 つるつるに磨く.

뻔득-이다 [자][타] ① きらめく; ちらめく; ぴかぴかする. ② ちらめかす; きらめかす. >빤득이다. ㅗ번득이다. **뻔득-거리다** [자][타] きらきらする; ちらちらする. また, そうさせる. **뻔득-뻔득** [부][하자타] きらきら; ちらちら.

뻔들-거리다¹ [자] ① つるつるする; つやつやする. ② 抜け目がない. >빤들거리다¹. ㅗ번들거리다¹. **뻔들-뻔들¹** [부][하자형] つるつる; つやつや.

뻔들-거리다² [자] いやに怠けてばかりいる. >빤들거리다². ㅗ번들거리다². ㅆ펀들거리다. **뻔들-뻔들²** [부][하자형] 憎らしく怠けてばかりいるさま: のらくら.

뻔뻔-스럽다 [형] 横着だ; ずうずう(図図)しい; ふてぶてしい; 図太い; 厚かましい. ¶ 뻔뻔스러운 사나이 ふぶてしい男 / 뻔뻔스러운 소리를 다 図図しい事を言う / 뻔뻔스럽게 돈을 꾸러 왔다 厚かましくもまた金を借りに来た / 일도 안 하고 돈 받다니 뻔뻔스럽기 짝이 없다 仕事もせずに金を貰うとは厚かましい限である / 당찮은 이야기를 뻔뻔스럽 지껄이다 大それた事をぬけぬけ言う / 뻔뻔스럽게 거들먹거리고 있다 くぬくとのさばっている. >빤빤스다. **뻔뻔-스레** [명] 図図しく; 厚かましく.

뻔뻔-하다 [형] 横着だ; 厚かましい; ずうずう(図図)しい. ¶ 뻔뻔한 놈이다 厚かましいやつだ / 지나치게 뻔뻔한 은 마라 あこぎ(阿漕)なまねをするな / 뻔뻔한 거짓말을 한다 白白しい嘘をつく. >빤빤하다. **뻔뻔-히** [부] ずうずうしく; 厚かましく; ぬくぬく(と); ぬけぬけ(と).

뻔적 [부] きらめくさま: ぱっと; ちらっと; ぴかっと. >빤작. ㅗ번적². ㅆ뻔쩍. ──-하다 [자][타] ぱっとする; ちらっとする; ぴかっとする. ──-거리다 [자][타] ぴかぴかする; きらめく; ちらめかす. ──── [부][하자타] ちらちら; ぴかぴか. ──-이다 [자][타] きらめく; きらめかす; ぴかぴかする.

뻔죽-거리다 [자] だらだらと嫌味などを並べる; なぶる; からかう.

뻔지르르 [부] 油ぎって見掛けのいいさま: てらてら; つやつや. >빤지르르. ㅗ번지르르. ──-하다 [형] つやつやする; てらてらする.

뻔질-거리다 [자] ① 油ぎっててらてらする. ② こうかつ(狡猾)に振る舞う. >빤질거리다. ㅗ번질거리다. **뻔질-뻔질** [부] ① 狡猾に振る舞うさま. ② 油ぎってつやつやするさま: てらてら.

뻔질-나게 [부] しげしげ(繁繁)と; 足しげ(繁)く. ¶ ~ 다니다 足しげく通う / 그는 ~ 다방에 드나들고 있다 彼は足しげくティールームに通っている. ㅆ뻔찔나게.

뻔쩍 [부][하자타] ひら(閃)めくさま; ひらめかすさま: ぴかっと; ちらっと. ¶ ~ 빛나다 ぴかっと閃めく. >빤짝. ㅗ번적²·번쩍. ──-거리다 [자][타] ぴかぴかする; きらめく; 閃めく. また, そうさせる. ──── [부][하자타] ぴかぴか; きらきら. ──-이다 [자][타] きらめく; 閃めく. また, そうさせる.

뻔쩍-하면 [부] ややもすれば; ともすれば; (少しでも)動きさえすれば. ¶ ~ 사고를 일으킨다 ややもすれば事故を起こす. ㊟ 쩍하면.

뻔찔-나게 [부] ☞ 뻔질나게.

뻔-하다¹ [형] ① 薄明るい; ほんのりしている. ② 確かだ; 判然としている; 知れた事だ. ¶ 뻔한 일이야 知れた事さ〔よ〕/ 뻔한 일이다 高が知れている / 우리가 이길 것은 ~ どうせわれわれが勝つのは確かだ. >빤하다. ㅗ번하다. **뻔-히¹** [부] ① ほんのりと. ② 確かに.

뻔-하다² [보동] 語尾 "-ㄹ·-을" の後に付いて "ひょっとしたら…したかも知

しない"の意を表わす語. ¶ 큰일 뻔했다 ひょっとすれば大変な事になる所だった / 하마터면 죽을 뻔하였다 まさに死ぬ所だった.

-히² 부 物事がひっきりなしに続くさま: ぞろぞろ. ── 떴다 구 (並んでいるように)引き続いている.

-가다 자 常軌を逸する; 逸脱する; それる; 外れる. ⊥번가다.

다 ㊀자 ① 伸びる. ¶ 가지가 ~ 枝が伸びる / 덩굴이 ~ つるがはう〔張る〕/ 뿌리가 ~ 根が張る / 길이 동서로 ~ 道が東西に走る / 담쟁이 덩굴이 담을 타고 뻗어가다 つたが壁をは(這)いのぼる / 뻗어 가는 칡도 한이 있다《俚》伸び放題のくず(葛)も果てがある《何事にも限りがあるとのこと》. ⊥번다². ②《俗》死ぬ; くたばる. ③ 繁昌する. ¶ 사업이 ~ 事業が繁昌する. ㊁타 (手や足などを)伸ばす; 出す. ¶ 촉수를 ~ 触手を伸ばす / 두 팔을 위로 ~ 上肢を上へ伸ばす.

뻗-대다 자 ① 抵抗する; 意地を張る; 頑張る. ② ☞ 뻗서다. ⊥번대다.

뻗-디디다, 뻗-딛다 타 ① 踏ん張る. ¶ 질질 미끄러졌으나 중도에서 뻗딛어 섰다 ずるずる滑ったが中途で踏みとど(止)まった. ② (線や範囲の外に)踏み外す. ⊥번디디다·번딛다.

뻗-서다 자 対抗する; 手向かう. ⊥번서다.

뻗정-다리 명 ① 屈伸ができない足. また, そのような足の人. ② 硬直したもの. ⊥번정다리.

뻗-지르다 타 (向こうの端まで)さし渡す; 差し伸べる; 差し伸ばす.

뻗-질리다 피동 差し伸べられる.

뻗쳐-오르다 자 噴出する. ⊥번쳐오르다.

뻗치다 자타 "뻗다"の強勢語. ¶ 국위가 해외에 ~ 国威が海外に伸びる.

뻘 의명 親戚の間柄; 続き柄; 筋; 分. ¶ 형~ 兄貴分 / 동생~이 된다 弟筋に当たる / 저 분은 나의 일가 ~이 된다 あの人はわたしの親類筋です.

뻘거-벗기다 타 真っ裸にする. >빨가벗기다. ⊥벌거벗기다.

뻘거-벗다 자 真っ裸になる. >빨가벗다. ⊥벌거벗다.

뻘거-숭이 명 真っ裸. >빨가숭이. ⊥벌거숭이. ¶ ~가 되다 真っ裸になる / ~산 はげやま(禿山).

뻘건 관 真っ赤な; 全然. =빨간. ¶ ~ 거짓말 真っ赤なうそ(嘘).

뻘겅 명 濃い赤色. またはその染料. >빨강. ⊥벌겅.

뻘겋다 형 非常に赤い. >빨갛다. ⊥벌겋다.

뻘게-지다 자 真っ赤になる.

뻘그스름-하다 형 やや赤い. >빨그스름하다. ⊥벌그스름하다.

뻘긋-뻘긋 부하형 点点と(まだらに)やや赤いさま. >빨긋빨긋. ⊥벌긋벌긋.

뻘끈 부 ① すぐ怒るさま: かっと. ② (ひどく)そうぞうしいさま: がやがや. >빨끈. ⊥벌끈. ──-하다 자 ① かっと腹を立てる. ② がやがやと騒ぎたてる. ──-거리다 자 かっかっと腹を立てる. ──-뒤집다 타 騒動を起こす. ──-뒤집히다 자 騒動が起こる. ──── 부하자 ひんぱんにかんしゃく(癇癪)を起こすさま.

뻘떡 부 ① 急に立ちあがるさま: むっくり; さっと; かばっと. ② 急に後ろに倒れるさま: ぱったり; ぱたっと. >빨딱. ⊥벌떡.

뻘떡-거리다 자 ① 強く脈打つ. ② (胸が)どきどきする. ③ がぶがぶ飲む. ④ (元気があふ(溢)れて)暴れる. >빨딱거리다. ⊥벌떡거리다. **뻘떡-뻘떡** 부하자 ① 脈拍が勢いよく打つさま. ② どきどき. ③ がぶがぶ. ④ じたばた.

뻘렁-거리다 자 ☞ 벌렁거리다. **뻘렁-뻘렁** 부하자 ☞ 벌렁벌렁.

뻘뻘 부 ① 忙しくかけまわるさま: あたふた(と). ② 汗がしたたるさま: だらだら. ¶ 땀을 ~ 흘리다 汗をだらだら流す. ──-거리다 자 忙しくかけまわる. ¶ 뻘뻘거리며 나돌아다니다 あたふたと出回わる.

뻘쭉-거리다 자타 勢いよく閉まったり開いたりする. また, そうさせる; (口を)ぱくぱくする; ぱくぱくさせる. >빨쭉거리다. ⊥벌쭉거리다. **뻘쭉-뻘쭉** 부하자타 ぱくぱく.

뻘쭉-하다 형 細目に〔細長く〕開かれている. >빨쭉하다. **뻘쭉-이** 부 細目に〔細長く〕開かれて.

뻣뻣-하다 형 ① こわ(強)い; ごわつく; こわばっている. ¶ 뻣뻣한 천 こわごわした布 / 두툼한 감이라서 ~ 厚手の生地なのでごわつく / 와이셔츠의 풀기가 많아 ~ ワイシャツののりが利きすぎてこわい. ② 柔順でない; 頑強だ. >빳빳하다. **뻣뻣-이** 부 ① 強く; 硬直に. ② 頑強に.

뻣-세다 형 こわ(強)ばって荒い.

뻥¹ 명 ① ↗뻥짜. ②《俗》うそ(嘘).

뻥² 부 ① 穴の開いたさま: ぽっかり; ぽかっと; どっかり. ¶ 구멍이 ~ 뚫렸다 穴がぽかっと開いた. ② 急に裂ける音: ぱん; ぽん. >빵. ㅆ 펑.

뻥글-거리다 자 ☞ 빵글거리다. **뻥글-뻥글** 부하자 ☞ 빵글빵글.

뻥-까다 자《俗》うそをつく; ほらをふく; 大ぶろしきを広げる.

뻥끗 부 口を開けただけでほほえむさま: にこっと. >빵끗. ⊥벙긋. ──-거리다 자 しきりにほほえむ. ──── 부하자 にこにこ.

뻥끗-하다 형 (戸などが)細目に開いている. >빵끗하다. ⊥벙긋하다. **뻥끗-이** 부 (戸などが)細目に開いているさま.

뻥-놓다 타《俗》秘密を暴露する; ばらす. >뽕놓다.

뻥-뻥 부 ① 穴が広く開いたさま: ぽんぽん; ぽかりぽかり. ② 続けざまに裂ける音: ぱんぱん. ③ ボールなどを続けざまに強くけ(蹴)る音: ぼ

んぽん．＞빵빵．ㅆ펑펑．④続けざまに大きなことを言うさま．

뻥뻥-하다 형 ①どうすべきか迷う；処理に困る．②断言しえない．뻥뻥-히 부 ①処理しにくくて．②断言できずに．

뻥시레 부 なごやかにほほえむさま：にっこり．＞빵시레．ㅗ벙시레．

뻥실-거리다 자 続けざまににこやかにほほえむ．＞빵실거리다．ㅗ벙실거리다．뻥실-뻥실 부하자 にこにこ．

뻥짜 명 だいなしになった物事．준 뻥[1].

뻰찌 명〔pinchers〕ペンチ．＝펜치．

뼈 명 ①骨．¶가느다란 ～ 細い骨／～와 가죽 骨と皮／가슴～ 胸骨／～를 잇다 骨を継ぐ／～에 사무치다 骨身にしみる；骨に徹する．②骨の役割をするもの．③中心；核心．¶～만 추려서 말한다면 かいつまんで言えば．④底意；下心．¶～ 있는 말 底意のある話／～없이 좋은 사람 底無しのお人好し．⑤気概；気骨．¶～ 있는 사람 骨っ節のある人．

뼈-끝 명 ①骨の先．②骨についた堅い肉．

뼈-다귀 명 個個の骨．

뼈-대 명 ①骨格；骨組み．¶～가 실하다 がっちりした骨組みである．②筋．¶～있는 집안 이다 由緒ある家柄である．

뼈-마디 명 ①骨っ節．¶～가 쑤신다 骨っ節がうずく．②個個の骨．

뼈-바늘 명 骨でつくった編み針．

뼈-아프다 형 骨身にしみる．¶뼈아픈 손실 骨身にしみる損失．

뼈-저리다 자 骨髄にしみる；痛切に感ずる．¶뼈저리게 느끼다 痛く身にしみる／세상살이가 어렵다는 것을 뼈저리게 느꼈다 世渡りの辛さを骨身に感じた．

뼈-지다 형 ①充実して骨が通っているようだ；骨っぽい；みっちりしている．②言葉にしっくりした所がある．

뼘 명 ①親指と人差し指または親指と中指を広げた長さ：指幅；指尺．¶～으로 재다 指尺ではかる．②↗장뼘．

뼛-골 명〔生〕骨髄．¶～ 빠지게 일하다 骨身を惜しまず働く／～에 사무치다 骨髄に徹する．

뼛-성 명 かんしゃく(癇癪)；かんしゃく玉．――내다 자 癇癪を起こす．

뽀그르르 부하자 水が小さい器のなかで盛んに煮え立つか泡立つさま．また，その音：ぐらぐら；ぶくぶく．＜뿌그르르．ㅗ보그르르．

뽀글-거리다 자 しきりにぐつぐつ煮え立つ〔ぶつぶつ泡立つ〕．＜뿌글거리다．ㅗ보글거리다．뽀글-뽀글 부하자 ぐつぐつ；ぶつぶつ．

뽀도독 부하자 ☞ 뽀드득．――거리다 자 ☞ 뽀드득거리다．―――― 부하자 ☞ 뽀드득뽀드득．

뽀독-하다 형 (水気がほとんど乾いて硬そうだ；ばさばさする．＜뿌둑하다．ㅗ보독하다．뽀독-뽀독 부하형 ばさばさ．

뽀드득 부 ①固くてつやつやした物を強くこするときの音：きいきい．②柔らかい便を力んで出す時の音：びりっ．＜뿌드득．ㅗ보드득．――거리다 자 ①続けざまにきいきい音を出す．②びりびり〔びちびち〕する．―――― 부하자 ①きいきい．②びりびりっ．

뽀로통-하다 형 ①は(腫)れあがっている；膨れあがっている．②ぷん〔むっと〕している；膨れっ面だ；不気嫌だ．¶뽀로통한 얼굴 膨れ面／뽀로통하게 부어 있다 膨れあがっている．＜뿌루퉁하다．

뽀얗다 형 かすんでいる；ぼやけている；ぼんやりしている．＞뿌옇다．ㅗ보얗다．

뽀얘-지다 자 かすむ；ぼんやりする；ぼやける．＜뿌예지다．ㅗ보얘지다．

뽀유스름-하다 형 乳色ぎみである；ややかすんでいる；濁りぎみだ．＜뿌유스름하다．ㅗ보유스름하다．뽀유스름-히 부 ややかすんで；乳色がかって；濁りぎみに．

뽈긋-뽈긋 부하형 ☞ 뿔긋뿔긋．

뽐-내다 자 ①威張る；のさばる；えらぶる；もったいぶる．¶뽐내며 걷다 もったいぶって歩く／너무 뽐내지 말아라 あまり威張るなよ／꽤 뽐내는군 ずいぶん背負っているね．②誇る；てら(衒)う．¶승리를 ～ 勝利を誇る／재능을 ～ 才をてらう．

뽑다 타 ①抜く；引き抜く．¶칼을 ～ 刀を抜く／무를 ～ 大根を引き抜く／제비를 ～ くじを引く／잡초를 ～ 雑草を取る〔抜く〕．②選る；選抜する；選ぶ．¶국회 의원으로 ～ 代議士に選ぶ／우수한 자를 ～ 優秀な人を選び出す．③長くする；伸ばす．¶목을 길게 뽑고 기다리다 首を長くして待つ．④取り返す；取る．¶밑천을 ～ 元を取る．⑤《俗》募集する；取る．¶사원을 ～ 社員を取る．⑥《俗》硬貨を投入して自動販売機からコーヒーなどの飲み物を取り出す．

-뽑이 미 栓などを抜く道具を指す語．¶마개～ 栓抜き；オープナー／못～ くぎ(釘)抜き．

뽑히다 ㊀자 ①抜かれる．¶못이 쉽게 ～ くぎ(釘)がたやすく抜ける．②選ばれる．¶반장으로 ～ 班長に選ばれる．㊁사동 抜かせる．¶동생에게 가시를 ～ 弟にとげを抜かせる．

뽕[1] 명［↗뽕잎］くわ(桑)の葉．

뽕[2] 부 へ(屁)をならす音：ぽん．＜뿡．

뽕-나무 명〔植〕くわ(桑)の木；桑．

뽕-밭 명 くわばたけ(桑畑)；桑田．

뽕-빠지다 자 すっからかんになる；一文無しになる．

뽕-뽕 부 ①続けざまにきついへ(屁)をひる音：ぽんぽん．②自動車のクラックションが鳴る音：ぶうぶう．

뽕-잎 명 くわ(桑)の葉．준 뽕．

뾰로통-하다 형 つんとしている．¶금방 뾰로통하는 여자 すぐつんとする女．＜쀼루퉁하다．

뾰롱-뾰롱 부하형 気短かで辺り構

ず当たり散らすさま.
ㅡ지 명 吹き出物.
…조록-하다 형 先がとが(尖)ってや…突き出ている. 뾰조록-이 부 と…がって突き出ているさま.
…족 부하형 先がとが(尖)っているさ…. ＜삐죽. ㅍ뾰쭉. ――-이 부 とがっ…. ――― 부하형 等しく先がと…(尖)っているさま: つんつん. ¶～…어 나온 보리 이삭 つんつん伸びた…の穂.
――-구두 명 ハイヒール. ――-집 명 ①屋根の先がとが(尖)っている洋館…. ②《俗》(天主教の)聖堂.
…쭉 부하형 先がとが(尖)っているさ…ま. ㅍ뾰쭉. ――― 부하형 一様にとがったさま: つんつん. ――-이 부 つんと; とがって.
…그르르 부 ①水が盛んに沸きあがるさま; ぐらぐら〔ぐつぐつ〕. ②(盛んに)泡立つさま; ぶくぶく. ＞뽀그르르. ㅍ부그르르.
…글-거리다 자 ☞ 뽀글거리다. 뿌글-뿌글 부하자 ☞ 뽀글뽀글.
…다구니, 뿌다귀 명 (物の)突き出た部分.
뿌덕뿌덕-하다 형 こちこちしている.
뿌둑-하다 형 (水気が)ほとんど干からびたようだ; かさかさする. ㅍ부둑하다. 뿌둑-뿌둑 부하형 かさかさ.
뿌드드-하다 형 ①手に入れたが最後手放さないけちな態度がある. ㅍ부드드하다. ②↗찌뿌드드하다.
뿌드득 부 ①固い物などをもみ合わす音: きりきり; かりかり. ②やわらかい大便を力んで出す音: びりびり. ㅍ부드득. ――-거리다 자 ①続けざまにかりかり鳴らす. ②びりびりと音がする. ――― 부하자 ①かりかり. ②びりびり.
뿌득-뿌득 부 ①意地を張るさま: 頑固と; 強情に. ②しきりにねだるさま: しつこく; うるさく. ＞빠득빠득. ㅍ부득부득.
뿌듯-하다 형 ①きっちりは(嵌)まっている. ②ぎっしり詰まっている. ＞빠듯하다. ㅍ부듯하다. 뿌듯-이 부 ①きっちり. ②ぎっしり.
뿌루퉁-하다 형 ①膨れている. ②ぷんと〔むっと〕している; 膨れっ面だ. ＞뽀로통하다. ㅍ부루퉁하다.
뿌르르 부 ふるえるさま: ぶるぶる. ㅍ부르르.
뿌리 명 ①〖植〗根. ¶～를 자르다 根を切る/～를 뻗다 根を張る/뜰의 나무를 ～째 뽑다 庭の木を根こそぎにする/～를 내리다 根を下ろす. ②根元. ¶이가 썩어 ～만 남았다 歯がくさって根ばかりになった. ③(物事の)根本; 本. ¶악의 ～를 뽑다 悪の根を絶つ/사건의 ～ 事件の本. ―― 깊다 형 根深い; 根強い. ¶뿌리 깊은 원한〔습관〕 根深い恨み〔習慣〕. ―― 박다 자 ①根付く; 根差す. ¶나무가 뿌리를 박다 木が根付く. ②定着する. ¶농촌에 뿌리 박고 살다 農村に定着して暮らす.
뿌리다 一자 (雨などが)ぱらつく. ¶때때로 가랑비가 ～ ときどき小雨がぱらぱら降る. 二타 ①振りまく; (水や種などを)まく; 注ぐ. ¶물을 ～ 水をまく/모판에 볍씨를 ～ 苗代にもみ(籾)をまく/많은 눈물을 ～ ばんこく(万斛)の涙を注ぐ/소금을 훌훌 ～ 塩を振りかける. ②ばらまく; まき散らす. ¶물쓰듯이 돈을 ～ 湯水のように金をまき散らす.
뿌리-치다 타 ①振り切る; 振り放す; 払い除ける. ¶손을 ～ 手を振り放す. ②拒む; 拒絶する. ¶요구를 ～ 要求を拒む.
뿌옇다 형 (不透明に)ぼうっとしている; かすんでいる; 白みがかっている; (水などが)やや濁っている. ＞뽀얗다. ㅍ부옇다.
뿌예-지다 자 ぼうっとなる; 白ばんでくる; うす明るくなる. ¶김이 서려 거울이 ～ 湯気で鏡がかすむ. ＞뽀얘지다. ㅍ부예지다.
뿌유스름-하다 형 白ばんでいる; 濁ったようにかすんでいる. ＞뽀유스름하다. ㅍ부유스름하다. 뿌유스름-히 부 白ばんで; 濁ったようにかすんで.
뿌지지 부하형 や(焼)けた金物などを水に浸したときの音: じじっ; じっ. ＞빠지지. ㅍ부지지.
뿌지직 부하자 ①"뿌지지"する音が急に止まるさま. また, その音: じじっ. ②軟らかい大便をするときの音: びりびり; びちびち. ＞빠지직. ㅍ부지직. ――-거리다 자 ①続けざまにじじっと音を立てる. ②続けざまにびちびち音を出す. ――― 부하자 ①じじっ. ②びちびち; びりびり.
뿍 부 短いへ(屁)の音.
뿍-뿍 부 短いへ(屁)を続ける音.
뿐 의명 用言の語尾"-ㄹ·-을"の下に付いて"だけ·のみ"の意を表わす語: …だけ; …のみ; …ばかり; …まで. ¶들었을 ～이다 聞いただけである/사명을 다했을 ～이다 使命を果たしただけである.
-뿐 미 体言の下に付いて"それのみ"の意を表わす語. ¶어찌 그 사람～이리오 何で彼だけであろうか/가진 돈은 모두 그것～이었다 有り金はそれきりだった/그저 사람이 좋다는 것～이다 ただお人好しというだけのことである/모자～만 아니라 옷까지도 帽子だけでなく服までも.
-뿐더러 미 体言(特に代名詞)に付いて"それ以外にも"の意を表わす語: …のみならず; …だけでなく; …ばかりか. ¶그～ それだけでなく.
뿐만 아니라 부 …だけでなく; …のみならず. ¶비가 내릴 ～ 천둥까지 울리기 시작했다 雨が降るばかりでなく雷まで鳴り出した.
뿔 명 ①角. ¶쇠～ 牛の角/～로 받다 角で突く/～ 뺀 쇠상(相)이라《俚》角を抜かれた牛みたいだ《位は高くとも実権のないことのたとえ》. ②物の上や外に突き出た部分の称.
뿔그스름-하다 형 ☞ 불그스름하다.

뿔긋-뿔긋 부 하형 まだらに赤いさま. >뽈긋뽈긋. ㅗ불긋불긋.
뿔-나다 자《俗》 腹が立つ; しゃく(癪)にさわる; 怒る.
뿔-다귀 명《俗》 角.
뿔-면【一面】 명〔數〕錐面.
뿔뿔-이 부 ばらばら; てんでんばらばら; 別れ別れ; 散り散り. ¶도구를 ~ 흩어 놓다 道具をばらばらにして置く / 한 집안이 ~ 흩어지다 一家が離ればなれになる / ~ 제멋대로 행동하다 てんでんばらばらに勝手な行動をとる.
뿔-잔【一盞】 명 角で作った杯.
뿜다 타 ① 噴き出す; 噴く; 吐く. ¶연기를 뿜는 굴뚝 煙を吐き出す煙突. ② 吹き掛ける; 霧吹きする. ¶옷에 물을 뿜어 다리다 服に霧をふいてアイロンを掛ける.
뿜어-내다 타 吹き出す; 噴出する. ¶물을 ~ 水を噴き出す / 연기를 ~ 煙を吐く.
뿡 부 大きなへ(屁)の音: ぷん; ぷう. >뽕. ㅗ붕.
뿡-뿡 부 ① 続けざまにへ(屁)を大きく放る音: ぷんぷん; ぷうぷう. ② 続けざまに鳴る警笛の音: ぴいぴい; ぶうぶう. ¶~ 경적을 울리면서 달리다 ぶうぶう警笛をならしながら走る. >뽕뽕. ㅗ붕붕.
쀼루퉁-하다 형 膨れっ面をしている; むっとしている. >뾰로통하다.
쀼주룩-하다 형 先がややするどく突き出ている. >뾰조록하다. **쀼주룩-이** 부 ☞ 뾰조록이.
쀼죽-하다 형 先がだんだんにとが(尖)っている. >뾰족하다. **쀼죽-이** 부 先がだんだんとがって. **쀼쭉-쀼쭉** 부 하형 つんつん.
삐 부 ① 子供の泣き声: ぎゃあ. ② 笛の音: ぴい. >빼.
삐걱 부 하자타 固い物のきし(軋)む音: きいっ. >빼각. ㅗ비걱. ¶문이 ~ 열리다 戸がきいっと開く. **——-거리다** 자타 きいきい音を出す; きいっきいっきしむ. **——-빼각** 부 太くきしる音の"삐걱"と細くきしる音の"빼각"が入り混ってきしる音: きいきい. **————** 부 하자타 きいきい; きいっきいっ; みしみし; きしきし.
삐꾸러-지다 자타 ① ひどくねじれる. ② よこ道にはずれる. ㅗ비꾸러지다.
삐끗 부 ①(あてはめた物が)食い違うさま. ② 物事の手はずが狂うさま. ¶자칫 ~하는 날이면 큰 일 난다 万が一にも事に狂いが生じたら大変なことになる. **————** 부 하자 "삐끗"の畳語.
삐다[1] 자 (溜まり水などが)引く. ¶물이 ~ 水が引く.
삐다[2] 一 타 くじ(挫)く. ¶발을 ~ 足を挫く. 二 자 (関節が)はずれる.
삐드득 부 하자타 ① 固い物が透き間できし(軋)る音: きいきい. ② おもちゃの笛の音: ぴいぴい. >빼드득. **—— 거리다** 자타 ① きいきいきしる〔きしらせる〕. ② ぴいぴいする〔させる〕. **————** 부 하자타 きいきい; ぴいぴい.
삐딱-하다 형 傾いている. ¶모자를 삐딱하게 쓰다 帽子を横っちょにかぶる. >빼딱하다. ㅗ비딱하다. **삐딱-이** 부 傾きかげんに.
삐딱-거리다 자 しきりにぐらつく. **딱-삐딱** 부 하자 ぐらぐら.
삐뚜로 부 ゆが(歪)めて; 曲げて; ななめに. >빼뚜로. ㅗ비뚜로.
삐뚜름-하다 형 やや傾いている. 빼뚜름하다. ㅗ비뚜름하다. **삐뚜름-이** 부 やや傾いて.
삐뚝-거리다 자 ① ぐらつく. ¶책상이 ~ 机がぐらつく. ② ふらつく; よろける. ¶삐뚝거리며 걷다 よろよろ(と)歩く. >빼뚝거리다. ㅗ비뚝거리다.
삐뚝-삐뚝 부 하자 ① ぐらぐら. ② ふらふら; よろよろ.
삐뚤-거리다 자 ① ぐらぐらする; よろめく. ②(道などが)くねる. ¶삐뚤거린 고갯길 曲がりくねったとうげ. 빼뚤거리다. ㅗ비뚤거리다. **삐뚤-삐뚤** 부 하자 ① よろよろ. ② くねくね.
삐뚤어-지다 자 ① 傾く. ② 曲がる. ③ ひねくれる. ④(怒って)むっとする. >빼뚤어지다. ㅗ비뚤어지다.
삐뚤-이 명 ① 身体の一部分, または心がゆが(歪)んでいる人; 身体障者;ひがみ屋. ② 傾斜地. >빼뚤이.
삐-삐 부 ① 赤ん坊のかん高い泣き声: ぎゃあぎゃあ; ぴいぴい. ② 草笛などの音: ぴいぴい. >빼빼.
삐삐[1] 부 ひどくやせたさま: がりがり. ¶~ 마른 사람 がりがりやせた人. >빼빼[1].
삐삐[2] 부 ① 赤ん坊のかん高い泣き声; ぴいぴい. ② 草笛などの音: ぴいぴい. >빼빼[2]. *삐빼.
삐악 부 ひよこのな(啼)き声: ぴよ. (준)빽. **————** 부 ぴよぴよ. ¶병아리가 ~ 울다 ひよこがぴよぴよなく.
삐주룩-하다 형 はみ出した物がちょっと突き出ている. >빼주룩하다. ㅗ비주룩하다. (준)삐죽하다. **삐주룩-이** 부 ちょっと突き出ているさま: にょっと. **삐주룩-삐주룩** 부 하형 あっちこっちに物がはみ出ているさま.
삐죽-거리다 자타 ① あざけ(嘲)って皮肉る. ② 泣き出そうと口をぴくぴくさせる〔する〕. >빼죽거리다. ㅗ비죽거리다. **삐죽-삐죽[1]** 부 하자타 ① しきりにあざける〔皮肉る〕さま. ② しきりに口をぴくぴくする〔させる〕さま.
삐죽-하다 형 ↗삐주룩하다. **삐죽-이** 부 ↗삐주룩이. **삐죽-삐죽[2]** 부 하형 ↗삐주룩삐주룩.
삐쭉 부 하자타 ①(怒って)下唇をとが(尖)らすさま: つんと. ¶입을 ~ 내밀다 口をつんと尖らす. ② ちょっと顔を出す〔現われる〕さま: ひょっこり. ¶얼굴만 ~ 내밀고 사라졌다 顔だけひょいと見せて去った. >빼쭉. ㅗ비쭉. **——-거리다** 자타 ① 口を尖らせる. ② ひょっこり現われてはなくなる. **————[1]** 부 하자 ① つんつん. ② ひょっこり.
삐쭉-하다 형 突き出た先が非常に鋭い. >빼쭉하다. **삐쭉-이** 부 先が鋭く(とがって). **삐쭉-삐쭉[2]** 부 하형 あちこちに鋭い物が突き出てい

さま.
다 타 (書法で)筆をはねる.
침 명 漢字の画の一つ; 久·乃などの"ノ"の称.
트적-거리다 자 よろめく; よちよち歩く. >빼트작거리다. ㅗ비트적거리다. 삐트적-삐트적 부하자 よちよち.
틀-거리다 자 ふらふら歩く; よろめく. ¶술에 취해 ～ 酒に酔ってふらふら歩く. >빼틀거리다. ㅗ비틀거리다. 삐틀-삐틀 부하자 ふらふら.
부 ① 鋭く叫ぶ声: ぴい. ② 甲高い汽笛の音: ぴいっ. >빽[1].
[2] 부 ぎっしり入りこんださま. >빽[2].
-삑 부 ① 続けざまに出る甲高い汽笛の音: ぴいぴい. ② 続けざまに鋭く叫ぶ声: きゃあきゃあ. >빽빽.
삑-하다 형 ① ぎっしり詰まっている; こんもりしている. ¶삑삑하게 들어선 나무 こんもりと生い茂った木. ② (穴などが)詰まっている. ③ 心が狭い. ④ (食物が)しつこい. >빽빽하다. 삑삑-이 부 ぎっしりと; こんもりと.
삑-지르다 타 ☞ 빽지르다.
삔둥-거리다 자 ☞ 빈둥거리다. 삔둥-삔둥 부하자 ☞ 빙둥빈둥.
삔들-거리다 자 ☞ 빈들거리다. 삔들-삔들 부하자 ☞ 빈들빈들.

삥 부 ① 取り囲んださま: ぐるりと. ¶난로 가에 ～ 둘러 앉다 ストーブをぐるりと囲んで座る. ② まわりを一回りするさま: ぐるりと; ぐるっと. ③ 頭がふらつく〔めまいがする〕さま: くらっと. ④ 急になみだぐむさま: じいんと. >빵. ㅗ빙. ㅛ핑.
삥그레 부 にっこり笑うさま: にんまり. >빵그래. ㅗ빙그레.
삥그르르 부 滑らかに一回りするさま: ぐるっと. >빵그르르. ㅗ빙그르르.
삥글-거리다 자 声を出さずになごやかに笑う; にやにや笑う. >빵글거리다. ㅗ빙글거리다. 삥글-삥글[1] 부하자 にやにや(と).
삥글-삥글[2] 부 ☞ 빙글빙글[2].
삥긋 부 にっこり笑うさま: にこっと. >빵긋. ㅗ빙긋.
삥긋-거리다 자 続けざまにこっと笑う; にこにこする. 삥긋-삥긋 부하자 にこにこ. 삥긋-이 부 にこっと.
삥등-그리다 자 ☞ 빵등그리다.
삥-삥 부 物が続けざまに回るさま: ぐるぐる. <빵빵. ㅗ빙빙.
삥시레 부 なごやかににったり笑うさま: にんまり. <빵시레. ㅗ빙시레.
삥실-거리다 자 なごやかににったり笑う. >빵실거리다. ㅗ빙실거리다. 삥실-삥실 부하자 にこにこ; にたりにたり.

人

ㅅ

ㅅ ハングル字母の第七番目の字.
ㅅ받침 불규칙【—不規則】명 語幹の終わりの"ㅅ"が語尾の母音の前で略される形式(("낫다"が"나아서·나으면"のようになること)).
사[1] 명 ぼたんの穴などのふちを(糸で)かが(縢)ること.
사[2] 명 〔樂〕 ト((八音階で第五番目の音)). ¶～조 ト調.
사【士】명 士. ① ☞ 선비. ② (韓国式将棋の)王将を護衛する二つのこま(駒)の名.
사【死】명 死. ＝죽음.
사【私】명 私(("わたくし·わたし"라고도 함)). ¶공(公)과 ～의 구별을 분명히 하자 公私の別をはっきりしよう.
사【紗】명 しゃ(紗); うすぎぬ. ¶줄무늬가 있는 ～ しまろ(縞絽).
사【四】수 四·よん; 四つ. ＝넷.
-사【士】미 士; ある仕事に携わる人や資格のある人を表わす語. ¶기관～ 機関士 / 운전～ 運転士 / 문학～ 文学士.
-사【史】미 史; "歴史"の意. ¶동양～ 東洋史 / 경제학～ 経済学史.
-사【寺】미 寺; 寺の名の下につける語. ¶조계～ 曹渓寺.
-사【舍】미 舍; "家"の意を表わす語. ¶기숙～ 寄宿舍.
-사【事】미 事; "事"の意を表わす語. ¶중대～ 重大事.
-사【師】미 師; ある部門の専門家や模範的な人を表わす語. ¶이발～ 理髪師 / 전도～ 伝道師 / 사진사 写真師.
-사【辭】미 辞; 言葉や文章を表わす語. ¶개회～를 말하다 開会の辞をのべる.
사가【史家】명 史家; 歴史家.
사가【私家】명 私家. ＝사삿집.
‖사갓-집 명 ☞ 사삿집.
사각【四角】명 四角. ＝네모. ¶～의 정글 四角のジャングル.
‖——-기둥 명 〔數〕 四角柱. —— 모자 명 角帽. ＝사방 모자. ——-뿔 명 〔數〕 しかくすい(四角錐). ——-형 명 四角形. ＝사변형·네모꼴. ㈜ 사각.
사각【死角】명 死角. ¶～ 지대 死角地帯.
사각【射角】명 射角.
사각【斜角】명 〔數〕 斜角. ＝빗각.
‖——-근 명 〔生〕 斜角筋.
사각【寫角】명 写角; カメラアングル.
사각-거리다 자타 ① (果物·菓子などを)さくさくかむ音が〔を〕する〔た

てる〕. ② あし(葦)などが触れ合って音が〔を〕する〔出す〕; かさかさする. <서걱거리다. ≒싸각거리다. 사각-사각 부하자타 さくさく; かさかさ.
사간-원【司諫院】명〖史〗朝鮮朝の"삼사(三司)"の一つで王にかんげん(諫言)をした官庁.
사감【私感】명 私感. ¶~을 말하다 私感を述べる.
사감【舍監】명 舎監; 寮長.
사개 명 (箱などの四隅の)ありざ(蟻差)しの部分.
사갱【斜坑】명〖鑛〗斜坑.
사거【死去】명 死去; 死亡. ——하다 자 死去する; 亡くなる.
사-거리【四—】명 ☞ 네거리.
사-거리【射距離】명 射距離; 射程距離.
사건【事件】명 ① 事件. ¶돌발 ~ 突発事件 / 살인 ~ 殺人事件 / 뜻밖의 ~ 意外の出来事. ② ↗소송(訴訟) 사건.
사격【射擊】명하타 射撃. ¶~ 연습 射撃演習 / ~의 명수 射撃の名手 / ~에는 자세가 중요하다 射撃には身構えが大切である.
‖—— 경기 명 射撃競技. ——-수 명 射撃手. ——-술 명 射撃術. ——-장 명 射撃場. —— 통제(統制) 장치 명 〖軍〗 射撃管制装置. —— 훈련 명 射撃訓練.
사견【私見】명 私見; 私考. ¶~에 불과하다 私見に過ぎない / ~을 말하다 私見を述べる.
사견【邪見】명 邪見.
사경【四更】명 四更《およそ午前二時の前後》; 丁夜.
사경【死境】명 死境; 死地.
사-경제【私經濟】명 私経済.
사계【四戒】명〖佛〗四戒.
사계【四季】명 四季.
‖——-도(圖) 명 四季(の)絵; びょうぶ(屏風)などに春夏秋冬の風景をえがいた絵.
사계【四界】명 四界. ① 天·地·水·陽の四つの世界. ②〖佛〗地·水·火·風の総称. =사대(四大).
사계【射界】명 射界. ¶~를 넓히다 射界を広げる.
사계【詐計】명 悪がしこい計策.
사계【斯界】명 斯界. ¶~의 권위〔대가〕斯界の権威〔大家〕.
사고【四苦】명〖佛〗四苦.
‖—— 팔고 명〖佛〗四苦八苦. ¶~의 고통을 겪다 四苦八苦の苦しみをする〔経る〕.
사고【史庫】명〖史〗史庫; 朝鮮朝の歴代の実録や重要文書を保存するために設けた書庫.
사고【四顧】명하자 ① あたりを見まわすこと. ② 付近.
‖—— 무인 명하형 四顧無人; あたりに人気なく寂しいさま. —— 무친(無親) 명하형 全然たよるべき人のないこと.
사고【死苦】명 死苦. ①〖佛〗人の死ぬという悩み. ② 死ぬときの苦しみ. ③ 死ぬほどの苦痛.
사고【社告】명 社告. ¶신문에 ~를 내다 新聞に社告を出す.
사고【事故】명 事故. ¶교통 ~ 交通事故 / 충돌 ~ 衝突事故.
‖——-사 명 事故死. =변사(變死).
사고【思考】명하타 思考.
‖—— 방식(方式) 명 考え方. ¶ 속적인 ~ 通俗な考え方 / 어른 ~으로 아이들을 다루어서는 안된다 人の頭で子供を律してはな ない.
사-고기【私—】명 ① 密殺の牛肉. =사육(私肉). ② 公の物を当に独り占めにすることのたと
사고-무【四鼓舞】명 古典舞踊の一つ《四つの太鼓を四方にかけたたきながら踊る》.
사골【四骨】명 牛の四つ脚の骨《薬材にも使う》.
사골【死骨】명 死骨; 死体の骨.
사공【沙工】명 ↗뱃사공. ¶~이 많으면 배가 산으로 올라간다《俚》船頭多くして舟山に登る.
사과【沙果】명 りんご(林檎); アップル. ¶지금은 ~가 한창 쏟아져 나올 다 今はりんごの出盛るときである.
‖——-나무 명 りんごの木. ——-산 명〖化〗りんごさん(酸). =말산(酸). ——-주 명 りんご酒. ——-즙(汁) 명 りんごの汁. ——-참외 명 果肉が 非常に柔らかくて水分が多いまくわうり.
사과【謝過】명 過ちやまちがいを謝ること; 謝罪; わ(詫)び. ——하다 타 あやまる; 詫びる. ¶~문 謝り証文 / 손을 짚고〔양무릎을 꿇고〕~하다 手を突いて〔両膝を突いて〕あやまる / 손이 닳도록 ~하다 平謝りにあやまる / 격조하였음을 ~하다 無沙汰を詫びる / 잘못을 ~하다 あやまちを詫びる.
사관【士官】명 士官; 将校. ¶주번 ~ 週番士官.
‖—— 학교 명 士官学校. ¶육군 ~ 陸軍士官学校. —— 후보생 명 士官候補生.
사관【仕官】명하자 ① 仕官; 官につくこと. ② 下役が毎月上役を伺うこと.
사관【史官】명〖史〗史官《歴史を編修する役人》.
사관【史館】명〖史〗歴史編修の役所.
사관。【四關】명〖韓醫〗かくらん(霍乱)の際に四肢の関節にはり(鍼)をうつ部位. ——-트다 자타 かくらんのため四肢の関節にはり(鍼)を打つ.
사관【史觀】명 史観.
사광【砂鑛】명〖鑛〗砂鉱.
사교【邪教】명 邪教; 邪宗.
‖——-도 명 邪教徒.
사교【社交】명하자 社交.
‖——-계 명 社交界; ソサイエティ. ——-댄스 명 社交ダンス. =사교춤. ——-성 명 社交性. ——-적 명관 社交的.
사교【詐巧】명하타 うまく欺くこと.
사구【四球】명〖野〗四球; フォアボール.

人

…【死球】 명 〔野〕 死球.
…【砂丘】 명 砂丘; 砂山.
…군자【四君子】 명 四君子《東洋で梅·菊·蘭·竹の称》.
…【私掘】 명하타 他家の墓をひそかに掘ること.
…【私權】 명 〔法〕 私権.
…귀다 자타 付き合う; 交わる; 交際する; 親しむ. ¶사귀기 어려운 사람 親しみにくい人 / 여러 해 동안 長年付き合う.
…귐 명 まじわり; 交際; 付き合い; 人付き.
——-성(性) 명 人付き; 人当たり.
…그라-뜨리다 타 ①さび(錆)たり朽ちたりして形を崩す. ②(怒り·はれ物などを)なだめる; 散らす. ¶종기를 ~ はれ物を散らす / 분을 ~ 怒りをなだめる.
…그라-지다 자 ①さびたり朽ちたりしてなくなる; 朽ち果てる. ②(怒り·はれ物などが)鎮まる; おさまる.
사그랑-이 명 (さび(錆)ついたりまたは朽ちて)使えないもの.
사그랑-주머니 명 中身が崩れ果てて形ばかりになった物のたとえ.
사극【史劇】 명 ↗역사극(歷史劇).
사근사근-하다 형 ①やさしい; 愛想がいい. ¶사근사근한 여자 愛想がいい女性. ②柔らかい; 歯ざわりがいい. <서근서근하다. 사근사근-히 부 心やさしく; 愛想よく; 柔らかく; 歯ざわりよく.
사글-세【一貰】 명 借り家の月払い家賃. =월세(月貰). ¶사글셋방 月払いの間借り.
사금【私金】 명 私金; 私有の金.
사금【砂金】 명 砂金.
‖——-석 명 砂金石.
사금-파리 명 瀬戸物〔陶器〕のかけら.
사기【士氣】 명 士気. モラール.
‖—— 왕성 명하형 士気旺盛.
사기【四氣】 명 四気; 四季の気.
사기【史記】 명 史記. =사서(史書)·사승(史乘).
사기【死期】 명 死期. ①死にぎわ; 臨終. ②亡くなる時期.
사기【沙器·砂器】 명 陶器; 磁器; 瀬戸物. =사기 그릇.
‖—— 그릇 명 陶器; 磁器; 瀬戸物; 石焼き. =사기·자기(瓷器). —— 대야 명 陶器の洗面器. —— 대접 명 陶器のお鉢. 준 사대접. ——-장(匠) 명 せともの屋; 陶工. ——-질(質) 명 ☞ 법랑질(琺瑯質). ——-흙 명 陶器用の土. 사깃-물 명 上薬; ゆうやく(釉薬).
사기【社旗】 명 社旗.
사기【詐欺】 명 詐欺. ——-하다 타 詐欺を働く.
‖——-꾼, ——-사 명 詐欺師; 山師; ぺてん師《俗》. ——-죄 명 〔法〕 詐欺罪. ——-한(漢) 명 ☞ 사기꾼. —— 횡령 명하타 〔法〕 詐欺横領. ¶~죄 詐欺横領罪.
사-기업【私企業】 명 私企業.
사나-나달 명 三·四日, または四·五日. ¶~ 걸릴 것이다 三·四日かかるだろう.
사나이 명 男. ¶몸집이 작은 ~ 小作り〔小柄〕の男 / 순진한 ~ 純な男 / 미덥지 못한 ~ たより無い男 / ~ 중의 ~ 男の中の男 / ~ 마음 男心 / 덩치가 큰 ~ 大の男 / 낯선 ~ 見知らぬ男 / 분수를 모르는 ~ 身知らずの男. 준 사내. ——-답다 형 男らしい; 雄雄しい. ¶~다운 풍채 男振り. 준 사내답다.
사날¹ 명 三·四日.
사날² 명 勝手気ままなふるまい; わがまま; 気まま. ¶~ 좋게 굴다 勝手気ままにふるまう.
사납다 형 ①荒荒しい; 荒っぽい; たけだけ(猛猛)しい; どうもうだ. ¶사나운 짐승 猛猛しい獣 / 사나운 얼굴 猛猛しい顔 / 눈초리가 ~ 目つきがけわしい. ②悪い. ㉠(運·縁起などが)よくない. ¶일진이 ~ 日柄が悪い. ㉡(人情などが)きびしい. ¶인심 사나운 세상 きびしい〔世知辛い〕世の中. ㉢(日和·波などが)荒れている. ¶사나운 파도 荒れ狂う波 / 사나운 비바람 すさまじい雨風 / 날씨가 사나워지다 天気が荒れる.
사낭【砂囊】 명 さのう(砂嚢); 砂袋.
사내 명 ①↗사나이. ②《俗》 夫; 情夫. ¶딴 ~를 보다 男をこしらえる. ③↗사내아이. ——-답다 형 ↗사나이답다.
‖—— 대장부(大丈夫) 명 "대장부(=大丈夫)"の強調語. ——-새끼 명 《俗》 ① ☞ 사나이. ② ☞ 사내아이. ——-아이 명 幼い男の子. 준 사내. ——-자식(子息) 명 《俗》 ①男. ②息子; 男の子.
사내【社內】 명 社内. ¶~ 교육 社内教育.
사냥 명 狩り; 狩猟. ——-하다 타 狩る; ハンティングする. ¶몰이 ~ 巻き狩り / 맹수 ~ 猛獣狩り / ~ 가다 狩りに行く / ~감을 놓치다 獲物を逃がす.
‖——-개 명 ①猟犬. ②《俗》 まわしもの; いぬ. =염탐꾼. ——-꾼 명 かりゅうど(狩人); 猟師. ——-질 명하자 狩りをすること. ——-철 명 ☞ 수렵기. ——-총(銃) 명 猟銃. ——-터 명 狩り場.
사념【邪念】 명 邪念. ¶~을 떨어 버리다 邪念を払いのける.
사-농-공-상【士農工商】 명 士農工商.
사느랗다 형 ①(気温や気候が)冷え冷えする. ¶날씨가 ~ お天気が冷え冷えする. ②(にわかに驚いて)ぞっとする; ひやっとする. <서느렇다. ㅆ싸느랗다.
사늘-하다 형 ①やや寒い感がある; 冷え冷えする; ひやっこい. ②(驚いて)ひやっとする; ぞっとする. ¶간담이 ~ 肝がひやっとする. ③(性格·態度などが)冷たい. ¶사늘한 표정 ひややかな表情. <서늘하다. ㅆ싸늘하다.
사다 타 ①(物)を買う; あがな(購)

う〈雅〉. ¶ 살 사람 買い手 / 싸게 잘 산 물건 買い得の品 / 반값으로 ～ 半値で買う / 헌 책을 사 모으다 古本を買い漁る / 월부로 양복을 ～ 月払いで洋服を買う / 사두어라 買って置きなさい / 대놓고〔단골로〕 ～ 取りつける. ② (恨み·反感などを)買う; 招く. ¶ 웃사람의 역정을 ～ 目上の不興を買う / 세인의 빈축을 ～ 世人のひんしゅく(顰蹙)を買う / 환심을 ～ 歓心を買う / 미움을 ～ 憎まれる / 의심을 ～ 疑われる. ③ 穀物を売って金に替える. ¶ 쌀을 ～ 米を売る.

사다리 명 [↗사닥다리] はしご(梯子). ¶ 줄～ 縄梯子.
‖——꼴 명〔數〕梯形. ——뽑기 명 あみだくじのようなかけの一つ. ——차 명 梯子車.

사다-새 명〔鳥〕ペリカン; がらんちょう(伽藍鳥).

사닥-다리 명 はしご(梯子). ㊥ 사다리.

사단【事端】 명 事端; 事柄のいとぐち; 事件の端緒.

사단【社團】 명〔法〕社団.
‖—— 법인 명 社団法人.

사단【師團】 명〔軍〕師団. ¶ ～장 師団長 / ～ 사령부 師団司令部.

사담【私談】 명하자 個人的な話.

사당 명〔民〕群れをなして各地を巡りながら歌と踊りを売る女《"寺黨·社黨"は当て字》. ＝사당패.

사당【私黨】 명 私党.

사당【祠堂】 명 いはいどう(位牌堂); ほこら(祠); (お〔み〕)霊屋. ＝사우(祠宇)·가묘(家廟). ¶ ～을 짓다 祠を建てる.

사대【私大】 명 [↗사립 대학(私立大學)] 私大.

사대【事大】 명하자 事大.
‖—— 사상 명 事大思想. ——주의 명 事大主義.

사대【師大】 명 ↗사범(師範) 대학.

사-대문【四大門】 명 ソウルにあった四つの城門《東の興仁門, 西の敦義門, 南の崇礼門, 北の肅靖門》. ㊥ 사문(四門).

사-대부【士大夫】 명 士大夫《両班の称》.

사대 성인【四大聖人】 명 四聖.

사도【私道】 명 私道. ¶ ～를 내다〔만들다〕 私道を設ける.

사도【邪道】 명 邪道. ① よこしまな道. ＝사로(邪路). ② 邪教.

사도【使徒】 명 使徒. ¶ 평화의 ～ 平和の使徒.

사도【師道】 명 師道. ¶ ～가 땅에 떨어졌다 師道すたれて地に堕ちた.

사도【斯道】 명 しどう(斯道). ¶ ～의 대가 しどう(斯道)の大家.

사독【蛇毒】 명 蛇の毒.

사돈【査頓】 명 ① あいやけ(相舅)どうしの呼称. ② いんせき(姻戚); いんしん(姻親).
‖——댁(宅) 명 "사돈집"の尊称. ＝사가댁(査家宅)·사댁(査宅). —— 도령(道令) 명 あいやけ(相舅)の家の婚前の息子に対する尊称. ——의 팔촌(八寸) 구 ① 他人と変わらないほど遠いいんせき(姻戚). ② 余り[…]くない他人. ——집 명 あいやけ[…]家; 縁家. ＝사가(査家).

사-동사【使動詞】 명〔言〕☞ 사역[…]사(使役動詞).

사-들이다 타 仕込む; 仕入れる; [買]い込む; 買い受ける; あがな[…]う〈雅〉. ¶ 싸게 ～ 安く仕込む.

사-등분【四等分】 명하타 四等分[…]

사디즘 〔sadism〕 명〔心〕サディズム. [↔] 학대 음란증(虐待淫亂症).

사또 명〔史〕[←사도(使道)] ① 部下[の]卒が その主将を高めて[呼]んだ語. ② 庶民や下官が郡[の]長を呼んだ語. ¶ ～ 덕분에 나팔 분[다]《俚》 人のお陰で自分の仕事[を]成すこと / ～ 떠난 뒤에 나팔 분[다]《俚》 けんか過ぎての棒千切り.

사-뜨다 자타 かが(縢)る. ¶ 사뜨기 [...] かがり / 단춧구멍을 ～ ボタン穴[を]かがる.

사뜻-하다 형 さっぱりしている; こ[ぎ]れい(小綺麗)だ. 사뜻-이 부 こぎれい[に].

사라센 〔Saracen〕 명 サラセン. ¶ ～ [문]화 サラセン文化.

사라지다 자 消える; 消えうせる. ¶ 거품같이 ～ 泡と消える / 형장의 이슬로 ～ 刑場の露と消える / 완전히 ～ 消え失せる / 연기처럼 ～ 煙と消える / 희망은 모두 사라졌다 希望はすべて消え去った / 아픔이 ～ 痛みが去る.

사람 명 人; 人間. ¶ 이 ～ こなた; こちら(のお方) / 붙임성이 있는 ～ 人付きのよい人 / 분수를 모르는 ～ 身の程を知らぬ人 / ～을 부리다 人を使う / 의중의 ～ 意中の人 / ～이 부족하다 人が足りない / ～을 얕잡아 보다 人を甘く見る / 받을 ～은 있는데 줄 ～이 없다 貰い手はあるが遣り手がいない / ～이 새까맣게 모여들다 黒山のように人がだかる / ～을 잘 따르다 人なつこい / ～은 죽으면 이름을 남기고 범은 죽으면 가죽을 남긴다《俚》 虎は死して皮を留め人は死して名を残す / ～의 마음은 하루에도 열 두 번《俚》 人の心は日にも十二度(変わる); 変わりやすきは人心. ——답다 형 人がましい; 人間らしい. ——좋다 형 人柄がいい.
‖——-됨 명 人となり; 人柄. ¶ ～이 영특하다 人となりが英明だ. —— 멀미 명 人いきれに酔うこと. ——— 명 ① 各人. ② 人人.

사랑 명 愛. ① かわいがり; いつくしむ暖かい心; いたわりの心; 愛情. ——하다 타 愛する; かわいがる; 慈しむ; 愛でる; 哀れむ〈雅〉. ¶ 자식에게 쏟는 ～ 子にそそぐ愛 / 어머니의 ～ 母の愛. ② (男女間の)恋; 愛情; 情け. ——하다 타 愛する; 恋する. ¶ ～의 고백 愛の告白 / ～하는 사람 恋する人 / 열렬히 ～하는 사이 熱熱の仲 / ～으로 맺어지다 愛で結ばれる / ～을 맹세하다 愛を誓う. ③ 親切にもてなす心. ¶ ～의 손길을 뻗치다 愛の

人

てをさしのべる. ——-하다 타 愛す. ¶이웃을 ~하다 隣りを愛する. ④教的な愛. ——-하다 타 愛す; 慈しむ. ¶~이 많으신 하느님, 마음의 괴로움을 덜게 하여주옵소서 にみち給う神よ, 我が心の苦みを取り去り給え. ——-스럽다 愛らしい; かわいらしい. ¶~스러 꽃 かわいい花.

——니 명 [←사랑이] 親知らず歯; 知恵歯. —— 싸움 명하자 (夫婦の)愛によって起こるけんか(喧嘩); 愛のいさかい; 痴話げんか.

랑【舍廊】 명 客間に用いる主の居間; 出居の間.

——-놀이 명 広間で料理と妓楽を設けて遊ぶこと. ——-문(門) 명 客間の出入り口. ——-방(房) 명 座敷; 主人の居間; 出居. —— 양반(兩班) 명 ①人の夫をさしていうことば; (あなたの)御主人. ②下人に主人をさしていうことば. ——-채 명 主人の居間〔出居・座敷〕に使う棟《普通表の別棟にある》.

사래 명 墓守りや小作管理人が耕作する田畑.

사래-질 명하타 み(箕)で穀物をふり分けること.

사레 명 むせび. ——-들리다 자 むせぶ; むせる. ¶급히 마시다가 사레들렸다 急飲みでむせんだ.

사려【思慮】 명하타 思慮; 思念. ¶~ 분별 思慮分別 / ~있는 행동 思慮のある行動.

사력【死力】 명 死力. ¶~을 다하여 싸웠다 死力を尽くして戦った.

사력【沙礫】 명 されき(砂礫).

‖—— 단구 명 されき段丘. ——-지(地) 명 ☞ 모래밭.

사력【社歷】 명 ①会社の歴史. ②入社後の年数.

사련【邪戀】 명 邪恋; 横恋慕; 道ならぬ恋. ¶유부녀와 ~에 빠졌다 人妻と邪恋に陥った.

사령【司令】 명하타 ①司令. ②連隊級以上の単位部隊の日直・週番勤務の将校.

‖——-관 명 司令官. ——-부 명 司令部. ——-선(船) 명 旗艦. ——-탑 명 司令塔.

사령【使令】 명하자 使令. ①〔史〕役所の召使い; 小役人. ②命令して人を使うこと.

사령【辭令】 명 辞令. ¶외교 ~ 外交辞令.

‖——-서(書), ——-장 명 辞令状; 辞令. ¶~을 수여하다 辞令を授ける.

사례【四禮】 명 冠婚喪祭.

사례【事例】 명 事例. ¶전형적인 ~ 典型的な事例; モデルケース / 이 같은 ~는 드물다 このような事例は稀である.

‖—— 연구 명〔心〕事例研究. ¶~법 ケーススタディー.

사례【謝禮】 명 謝礼; お礼. ——하다 자 謝する; 謝礼する; お礼を述べる. ¶~로 오만 원을 싸주다 謝礼に五万ウォンをつつむ.

‖——-금 명 謝礼金; 礼金.

사로-잡다 타 ①生け捕る; 生け捕りにする. ¶범을 ~ 虎を生け捕る / 간첩을 ~ スパイを生け捕る. ②とりこ(虜)にする; 捕らえる; (心を)奪う. ¶대중의 마음을 사로잡는 음악 大衆の心を捕らえる音楽 / 독자의 마음을 ~ 読者を魅了する.

사로-잡히다 피동 ①生け捕られる. ¶범이 ~ 虎が生け捕られる. ②捕らわれる; とりこ(虜)にされる; 駆られる; 襲われる. ¶망집〔물욕〕에 ~ 妄執〔物欲〕に捕らわれる / 미모에 ~ 美貌のとりこになる / 호기심〔충동〕에 ~ 好奇心〔衝動〕に駆られる / 강박 관념에 ~ 強迫観念に襲われる / 선입관에 ~ 先入見に捕らわれる.

사론【邪論】 명 邪論. ¶~으로 남을 미혹하다 邪論で人を惑わす.

사뢰다 타 申し上げる; 言上する. ¶선생님께 ~ 先生に申し上げる.

사료【史料】 명 史料. =사재(史材). ¶~를 수집하다 史料を収集〔蒐集〕する.

‖——-학 명 史料学.

사료【思料】 명하타 思量〔思料〕.

사료【飼料】 명 飼料; かいば; えさ; え; 飼い料.

‖—— 식물 명 飼料食物. —— 작물 명 飼料作物.

사류【士類】 명 士類; 士林; 士人〔儒学徒〕のなかま.

사륙 반절【四六半切】 명〔印〕四六半切; 四六半裁.

사륙 배판【四六倍判】 명〔印〕四六倍判.

사륙-판【四六判】 명〔印〕四六判. ¶~으로 낸 시집 四六判で出した詩集. 준 사륙(四六).

사륜【四輪】 명 ①四輪. ¶~거 四輪車 / ~구동 四輪駆動. =사더블유디(4WD). ②〔佛〕四輪.

사르다¹ 타 ①燃やしてなくす; 燃やす; 焼却する. ¶묵은 서류를 불에 ~ 古い書類を焼却する. ②(た(焚)き口などに)火を付ける; 火を起こす. ¶아궁이에 불을 ~ 焚き口に火を起こす.

사르다² 타 (み(箕)などで穀物の)殻やごみをふる(篩)い分ける.

사르르 부 ①結び目やぶらさがっているものが自然にほどけるか落ちるさま: はらりと; そろと; するりと. ¶꽃잎이 ~ 떨어지다 花びらがはらりと落ちる. ②氷や雪が自然に解けるさま: そろりと. ③目を静かに閉じるか開くさま: そろりと. ¶눈을 ~ 감다 目をそろりと閉じる. <사르르.

사리 명의명 めんるい(麵類)・縄・糸などをとぐろ巻きにした一巻き. または, それを数える単位: 束; 球〔玉〕. ¶국수 세 ~ うどんの玉三つ / 새끼 한 ~ 縄一巻き.

사리【私利】 명 私利; 我利. ¶~를 도모하다 私利をはかる / ~를 꾀하다 腹を肥やす.

‖── 사복(私服) 명 ☞ 사리 사욕. ── 사욕 명 私利私欲.

사리【事理】 명 事理；物事のすじみち. ¶ ～를 분별 못 하는 사람 事理をわきまえぬ人 / ～가 맞는 이야기 筋が通る話.

사리【舍利】 명〖佛〗舍利. ①仏舎利. ②仏陀の法身の遺蹟である経典. ③死体を火葬して残った骨. ＝사리골(舍利骨).

‖──-탑 명 舍利塔.

사리다 타 ①(糸·なわなどをこんがらからないように)ぐるぐる巻く；とぐろ巻きにする. ②突き出たくぎ(釘)の先を折り曲げて打ち付ける. ③骨を惜しむ；身を入れない. ④注意する；気をくばる；手控える. ¶ 말참견하기를 ～ 口を出すのを手控える.

사리-사리¹ 부 煙が細くあがるさま：ゆらゆら. ¶ 연기가 ～ 오르다 煙がゆらゆら立ちのぼる.

사리-사리² 부 めんるい(麵類)·縄·糸などを幾重にもとぐろ巻きにしたさま. または, あっちこっちにとぐろ巻き〔渦巻き〕にしておいたさま：ぐるぐる. <서리서리.

사린-교【─轎】 명 ← 사인교(四人轎).

사립 명 ↗사립문.

‖──-문(門) 명 しお(枝折)り戸；しば(柴)の戸；しおり. ＝시문(柴門). ──-짝 명 柴の扉. ㊁ 삽짝.

사립【私立】 명 私立. ¶ ～ 탐정 私立探偵 / 그 학교는 ～입니다 その学校は私立です.

‖── 대학 명 私立大学. ㊁ 사대(私大). ── 학교 명 私立学校.

사마【死魔】 명 ①〖佛〗死魔. ②死に神；死の魔物.

사마귀¹ 명 いぼ(疣). ＝흑자(黑子). ¶ ～ 같이 돋아난 것이 있다 いぼのようなぽつぽつがある.

사마귀² 명〖蟲〗かまきり(鎌切)；とうろう(螳螂).

사마륨〔samarium〕명〖化〗サマリウム《記号：Sm》.

사마리아-인【─人】〔Samaria〕명〖史〗サマリア人.

사막【沙漠·砂漠】 명 砂漠. ¶ 사하라 ～ サハラ砂漠 / 타는 듯한 ～ 燃えるような砂漠.

‖── 기후 명 砂漠気候. ── 지대 명 砂漠地帯.

사막-하다 형 ①かこく(苛酷)である；ひどすぎる. ②苛酷で少しも容赦がない. <심악하다. 사막-스럽다 형 すごくきびしいところがある.

사망【死亡】 명하자 死亡. ¶ ～ 통지 死亡通知 / 이 사고로 다수의 ～자를 냈다 この事故で多数の死亡者を出した.

‖──-률 명 死亡率. ¶ 한국인의 ～ 韓国人の死亡率 / 암 ～ がん(癌)死亡率. ── 신고서 명 死亡届け；死亡申告. ── 진단서 명 死亡診断書.

사매【私─】 명 (権勢ある者が庶民に対する)私刑〔私罰〕のむち. ＊ 린치·사형(私刑).

‖──-질 명하타 私刑のむち打ち.

사면【四面】 명 四面. ¶ ～체 四面体 / ～이 바다다 四面が海である.

‖── 초가 명 四面楚歌.

사면【赦免】 명하타 赦免.

‖──-장 명 赦免状；赦状.

사면【斜面】 명 斜面. ¶ 언덕 ～에 을 만들다 丘の斜面に畑を作る

사면-발이 명 ①〖蟲〗けじらみ(毛蝨 虱]). ②おべっかを使う人をあさ る語.

사멸【死滅】 명하자 死滅. ¶ 빙하 에 ～한 파충류의 화석 永河期に 滅したはちゅうるい(爬虫類)の化石.

사명【社名】 명 社名. ¶ ～을 짓다 名を作る.

사명【社命】 명 社命. ¶ ～을 띠고 장가다 社命を帯びて出張する.

사명【使命】 명 使命. ¶ ～감 使命 / 본래의 ～ 本来の使命 / ～ 다하다 使命を全うする.

사-명산【四名山】 명 白頭山か 派生した四つの名山《東の金 山·西の九月山·南の智 山·北の妙香山》.

사-명일【四名日】 명〖民〗韓国の 大祝日《お正月·端午·仲 ·冬至》. ＝사명절(四名節).

사-명절【四名節】 명 ☞ 사명일.

사모【思慕】 명 思慕. ──-하다 타 思 慕する；思〔想〕う；慕う. ¶ ～하는 사람 思う人 / ～하는 마음 想望の念 / 돌아가신 어머니에 대한 ～의 정 亡き母を思う情.

사모【師母】 명 先生の夫人.

‖──-님 명 ①"사모(師母)"の尊称. ②《俗》目上の夫人の尊称.

사모【紗帽】 명 黒い紗類で作った礼帽《今は旧式の婚礼で花むこがかぶる》.

사몰【死沒】 명하자 死没；没；死亡. ¶ 1931年 ～, 향년 65세 一九三一年没, 享年六十五歳.

사무【社務】 명 社務. ¶ ～로 출장 가다 社務で出張する.

사무【事務】 명 事務. ¶ ～실 事務室 / ～ 용품 事務用品 / ～를 대행〔총괄〕하다 事務を代行〔総括〕する / ～를 보다 事務を取〔執〕る.

‖──-가 명 事務家. ──-관 명 事務官. ── 관리 명 事務管理. ──-국 명 事務局；ビューロー. ¶ 위원회에 ～을 두다 委員会に事務局を置く. ──-복 명 事務服；ビジネスウェア. ──-소 명 事務所. ¶ 현장 ～원 現場事務所員. ──-용 기계 명 事務用機器. ── 인계(引繼) 명하자 事務引き継ぎ. ¶ 전임자로부터 ～를 받다 前任者から事務を引き継ぐ. ──-장 명 事務長. ──-적 명관 事務的；ビジネスライク. ¶ ～인 대답 事務的な返答.

사무치다 자 (身に)しみる；しみ通る；応える；(心に)徹する. ¶ 마음 속에 사무쳐 心肝に徹して / (마음에)깊이 ～ 深く身にしみる / 뼈에 ～ 骨身に応える；骨に徹する / 가슴

깊이 ~ しみじみ胸にこたえる / 원이 뼈에 ~ 恨み骨髄に徹する.
문【死文】명 死文. ① 役にたたない法令や規則; 空文. ¶ ~화하다 死文と化す. ② 内容のない文章.
문【査問】명하자 査問. ¶ ~ 위원 査問委員会 / 사건의 관계자를 소환해서 ~하다 事件の関係者を呼び出して調べる.
문【蛇紋】명 蛇紋. ¶ ~ 대리석 蛇紋大理石.
‖──-석 명〖鑛〗蛇紋石.
-문서【私文書】명 私文書.
‖── 위조죄 명 私文書偽造罪. ── 훼기죄 명 文書毀棄罪.
물【私物】명 私物. =사유물(私有物). ¶ ~화하다 私用にあてる / 그것은 나의 ~이다 それは僕の私物だ.
물【事物】명 事物; 物事. ¶ ~의 정취를 아는 사람 物の哀れを解する人.
‖── 대명사 명 指示代名詞. =지시 대명사.
물-놀이【四物─】명〖樂〗サムルノリ; 꽹과리(=どら)·징(=しょう(鉦))·장구(=鼓)·북(=太鼓)の四種の打楽器でけたたましい音響のなかに色色なリズムを交錯させる民俗音楽.
사뭇 부 ① いちずに; おかまい無く; もっぱら; 思いきり. ¶ ~ 퍼먹다 たらふく食べる. ② すっかり; 全く. ¶ 예상과는 ~ 다르다 予想とは全く違う. ③ 続けて; ひたすら. =줄곧. ¶ ~ 열흘을 놀았다 続けざまに十日も休んだ.
사미【沙彌】명〖佛〗沙弥.
‖──-승(僧) 명 ☞ 사미(沙彌).
사민【四民】명 四民.
‖── 평등 명 四民平等.
사바【娑婆】명 娑婆. ①〖佛〗俗世間; 現世. =속세계. ②《俗》自由を束縛された状態から外の自由な世界をいう語.
‖── 세계 명 ☞ 사바(娑婆).
사박-거리다 자 ① なし(梨)·りんごなどをか(嚙)むような音が続けざまに出る; さくさくする. ② 砂原を歩くときの音が続けざまに出る. また, 出す; しきりにさらさらする. <서벅거리다. 사박-사박 부하자 さくさく; ざくざく. ¶ 모래밭을 ~ 걷다 砂場をさくさく歩く.
사-박자【四拍子】명〖樂〗四拍子·よんびょうし.
사반-기【四半期】명 ☞ 사분기(四分期).
사발【砂鉢】명 (陶器の)鉢; どんぶりばち(丼鉢); どんぶり《준말》. ¶ ~에 밥을 담다 どんぶりに飯を盛る.
‖── 막걸릿집 명 どぶろくをどんぶりで売る居酒屋. ── 시계(時計) 명 (鉢状の)置き時計. ── 통문(通文) 명 主謀者を隠すために関係者の姓名を(鉢状に)円まく書いた回状; 傘連判.
사방【四方】명 四方; よも〈雅〉. ¶ 석 자 ~ 三尺四方 / ~을 살피다 あたりをうかがう / 위세가 ~에 떨치다 威勢あたりを払う / ~에 빚이 있다 方方〔あちこち〕に借金がある / ~에서 모여들다 諸方から寄って来る.
‖──-침(枕) 명 ひじかけ. ── 탁자(卓子) 명 (茶菓をのせる)四角の小テーブル. ── 팔방 명 四方八方; 百方. ¶ ~으로 연락하다 四方八方に連絡する / ~으로 손을 쓰다 百方手をつくす.
사방【砂防】명 砂防.
‖── 공사 명하자 砂防工事. ──-댐 명 砂防ダム. ──-림 명 砂防林.
사-방위【四方位】명 四方位.
사배【四拜】명하자 四拝.
사백【舍伯】명 舎兄; 家兄; 人に対する自分の長兄の謙称.
사범【事犯】명 事犯. ¶ 경제 ~ 経済事犯 / 폭력 ~ 暴力事犯.
사범【師範】명 師範. ¶ 검도 ~ 剣道師範 / 대리 ~ 師範代.
‖── 교육 명 師範教育. ── 대학 명 師範大学. 준 사대(師大). ── 학교 명 師範学校《教育大学の前身》.
사법【司法】명〖法〗司法. ¶ ~ 연수생 司法修習生.
‖── 경찰 명 司法警察. ──-관 명 司法官. ──-권 명 司法権. ── 기관 명 司法機関. ──-부 명 司法府. ── 시험 명 司法試験. ── 연수원(院) 명 司法研修所. ── 재판 명 司法裁判. ── 제도 명 司法制度. ── 처분 명 司法処分. ── 행정 명 司法行政.
사법【私法】명 私法. ¶ 국제 ~을 전공하다 国際私法を専攻する.
‖──-학 명 私法学.
사-법인【私法人】명 私法人.
사벨〔네 sabel〕명 サーベル.
사변【四邊】명 四辺. ¶ ~형 四辺形; 四角形.
사변【事變】명 事変. ¶ 만주 ~ 満州事変 / 예측할 수 없는 ~ 不測の事変.
사변【思辨】명하자 思弁.
‖──-적 명관 思弁的. ── 철학 명 思弁哲学.
사변【斜邊】명〖數〗斜辺. =빗변.
사별【死別】명하자타 死別; 死に別れ. ¶ 아내와의 ~ 連れ合いとの死別 / 양친과 ~했다 両親に死別した / 오년 전에 어버이를 ~하였다 五年前に親に死に別れた.
사병【士兵】명 兵卒; 兵士.
사병【私兵】명 私兵. ¶ ~을 기르다 私兵を養う / ~화하다 私兵化する.
사병【詐病】명하자 仮病; 詐病. =꾀병.
사보【社報】명 社報; 社内報.
사보【私報】명 私報. ① 内密なしらせ. ② 官報や局報以外の電報.
사보타주〔프 sabotage〕명하자타 サボタージュ. =태업(怠業).
사보텐〔포 sabão〕명〖植〗☞ 선인장(仙人掌).
사복【私服】명 私服.
‖── 형사 명 私服刑事. ¶ 요소에

人

～를 배치시키다 要所に私服刑事を張り込ませる. ㊟사복.

사복【私腹】명 私腹. ¶～을 채우다 腹〔私腹〕を肥やす.

사-복음【四福音】명〔基〕四福音《新約聖書のうち, マタイ·マルコ·ルカ·ヨハネの福音をいう》.

사본【寫本】명하자 写本. ¶원본과 ～ 原本と写本.

사부【四部】명 四部. ①四つに分けた部類. ②〔樂〕↗사부 합창·사중창·사중주·사부 합주.
‖── 합주 명〔樂〕四部合奏. ¶～곡 四部合奏曲. ── 합창 명〔樂〕四部合唱.

사부【師父】명 師父. ¶～의 은혜 師父の恩 / ～로 추앙(推仰)하는 사람 師父と仰ぐ人.

사부랑-거리다 자 ぺちゃくちゃしゃべりまくる; むだ口をたたく. <시부렁거리다. 사부랑-사부랑¹ 부하자 ぺちゃくちゃ; ぺらぺら.

사부랑-삽작 부 軽く飛び越えたり跳ねるさま: はしこく; 身軽く; すばやく. <서부렁섭적.

사부랑-하다 형 束ねた物または積んだ物などがしまりなくなっている. <서부렁하다. 사부랑-사부랑² 부하형 ふわりふわり; ゆるゆる; だらりだらり.

사-부인【査夫人】명 "사돈댁"の夫人の尊称.

사부작-사부작 부하자 力を入れずにそうっと行動するさま: 静静と; こっそり. <시부적 시부적.

사분【四分】명하타 四分. ¶～의 일 四分の一.
‖──-기(期) 명 四半期. ── 오열 명하자 四分五裂. ¶～의 상태 四分五裂の状態. ──-음 명〔樂〕四分音. ── 음표(音標) 명〔樂〕四分音符.

사분-거리다 자 ①ときどきお世辞を述べながらしつこくねだる; ちゃらけりねだる. ②ささやく; ひそひそとしゃべる; そっと言う. 사분-사분 부하자 そっと; ひそひそ; しずしず.

사분사분-하다 형 心柄が和やかでやさしい. <서분서분하다.

사붓 부 足を軽やかに早く踏むさま: そっと; 軽軽と. <서붓. ㅆ사뿟. ──── 부 そっと; かるがると; しずしずと. ──-이 부 そっと; かるがると; しずしずと; ふわりと. ¶～ 걷다 しずしずと歩く.

사-붙이【紗─】명 しゃ(紗)のたぐい; 薄絹の類. ＝사속(紗屬).

사브르〔프 sabre〕명 サーブル.

사비【私費】명 私費. ¶～로 유학하다 私費で留学する.
‖──-생 명 私費生.

사비【社費】명 社費. ¶～를 절약하다 社費を節約する.

사뿐 부 足音が出ないように軽く踏む様やその音; そっと; 軽軽(と); 身軽に; しずしず(と). <서뿐. ¶～ 뛰어 내리다 ふわりと飛び下りる. ──── 부 身軽に; しずしずと; そっと; 軽軽(と). ¶～ 걷다 しずしずと歩く / ～ 걸어오다 しずし 歩い来る. ──-히¹ 부 身軽に; そ と; ふんわりと.

사뿐-하다 형 心身共にさわやか 快い. 사뿐-히² 부 (心身が)爽快 に.

사뿟 부 足を軽く踏み出す様や の音: そっと; しずしずと; かる ると; さっさと. <서뿟. ──── しずしずと; かるがると; さっさと.

사사【私事】명 私事; わたくしご ¶공사와 ～ 公事と私事.

사사【事事】명 事事; あれこれ 事.
‖── 건건(件件) 一명 すべての事 事事; あるゆる事件. 二부 事ごとに; 事に触れ. ¶～ 간섭(干涉)다 事毎に干渉する / ～ 싸우다 事に争う.

사사【師事】명하타 師事. ¶그에 ～하여 성악 지도를 받았다 彼に師 して声楽の指導を受けた.

사사【賜死】명하자타〔史〕(死刑に処すべきの人を待遇して)死薬を下し自決を命ずること.

사사 단체【私私團體】명 非公式な団体.

사사-롭다【私私─】형 私的である. ¶사사로운 일에 참견 마라 個人的な事におせっかいするな. 사사-로이 부 私的に; 個人的に; 密かに.

사사 오입【四捨五入】명하타〔數〕☞ 반올림.

사산【死産】명하자타〔醫〕死産.
‖───아 명 死産児.

사살【射殺】명하타 射殺. ¶실수로 ～되었다 誤って射殺された.

사삿-일【私私─】명 私事; わたくしごと. ¶남의 ～에 간섭마라 人の私事に口を入れるな / ～을 들추어 내다 私事をあばく.

사삿-집【私私─】명 私家; 個人の家.

사상【史上】명 史上. ¶～ 보기 드문 예 史上稀な例 / ～ 공전의 대사업 史上空前の大事業.

사상【四象】명 四象.
‖───의(醫) 명 人間の体質を太陽·少陽·太陰·少陰に分けてその体質に合うように病を治す韓医術. また, その医者.

사상【死相】명 死相. ¶～이 나타나다 死相が現われる.

사상【死傷】명하자 死傷.
‖───병 명 死傷兵. ──-자 명 死傷者. ¶～는 무려 수천명이었다 死傷者は無慮数千人であった.

사상【私傷】명 私傷.
‖───병 명〔社〕私傷病.

사상【事象】명 事象; 事柄.

사상【砂上】명 砂上; 砂の上.
‖── 누각 명 砂上の楼閣.

사상【思想】명 思想. ¶～가 思想家 / 반전 ～ 反戦思想 / ～의 빈곤 思想の貧困 / ～의 자유 思想の自由 / ～극 思想劇 / 나쁜 ～을 불어넣다 悪い思想を吹き込む.
‖───계 명 思想界. ──-범 명 思想犯. ── 불온 명하형 思想不穏. ──-전 명 思想戦.

상【捨象】명하자〔心〕捨象しゃしょう.
상【絲狀】명 糸状しじょう.
——균 명〔植〕糸状菌きん. ——균-증 〔醫〕真菌症しんきんしょう; 糸状菌症しょう.
상【寫像】명 写像しゃぞう.
색【四色】명 ① 四よっつの色いろ. ②〔史〕 鮮朝チョソンちょうにおける四よっつの党派とうは《老論ノロン·少論ソロン·南人ナムイン·北人プクイン》.
—— 잡(雜)놈 명 ①みだ(淫)らな 浪ろうの徒と. ② 変かわった様様さまざまの浮 の徒. ——-판 명〔印〕四色版よんしょくばん.
색【死色】명 死色しょく; 死しにかかった人ひとの顔色かおいろ.
색【思索】명하자 思索しさく. ¶ ~의 계절 思索の季節きせつ / ~에 잠기다 思索に耽ふける / 골똘히 ~하였다 思索をこらした.
——-가 명 思索家か.
생【死生】명 死生しせい·しょう; 生死せいし. ¶ ~을 달관하고 있다 死生しせいに達観たっかんしている.
‖—— 결단(決斷) 명하자타 死しをかけて決断けつだんすること. ¶ ~을 하자 いのちをかけてやろう.
사생【私生】명하자타 私生しせい.
‖——-아, ——-자 명 私生児じ; 私生子し; ててなし子ご〈俗〉. ¶ ~를 낳다 私生児〔私生子〕を産うむ.
사생 【寫生】명하타 写生しゃせい; スケッチ. ‖——-문 명 写生文ぶん. ——-화 명 写生画が.
사-생활【私生活】명 私生活しせいかつ. ¶ ~에 간섭하다 私生活に立たち入いる.
사서【司書】명 司書ししょ. ¶ ~관 司書官かん / 도서관에는 ~가 두 사람 있다 図書館としょかんには二人ふたりの司書がいる.
사서【史書】명 ① 史書ししょ; 史籍しせき. ¶ ~를 펴서 읽다 史書をひもと(繙)く. ② 史官しかんの書体しょたい.
사서【四書】명 四書ししょ.
‖—— 삼경 명 四書三経さんけい. —— 오경 명 四書五経ごきょう.
사서【私書】명 ① 私書ししょ. ②〔法〕司法上しほうじょうの権利けんりを表あらわすために作成さくせいする文書ぶんしょ《手形てがたなど》.
‖——-함(函) 명 [↗우편 사서함] 私書箱ばこ.
사서【辭書】명 辞書じしょ. =사전(辭典).
사석【私席】명 私席しせき.
사석【捨石】명 捨すて石いし. ¶ ~을 이용하다 (囲碁ごで)捨すて石いしを利用りようする / 둑을 쌓기 위해 ~을 던져 넣다 堤防ていぼうを築きずき上あげるために捨て石を投なげ入いれる.
‖—— 방파제 명 捨て石防波堤ぼうはてい.
사선【死線】명 死線しせん. ¶ ~을 넘다 死線を越こえる / ~을 헤매다 死線をさまよう.
사선【私選】명 私選しせん.
‖—— 변호인(辯護人) 명〔法〕 私選弁護士べんごし.
사선【射線】명〔軍〕射線しゃせん.
사선【斜線】명 斜線しゃせん. ¶ 탈퇴자의 성명을 ~을 그어서 지우다 脱退者だったいしゃの氏名しめいに斜線を引ひいて消けす.
사설【私設】명하타 私設しせつ.
‖—— 묘지 명 私設墓地ぼち. —— 전화 명 私設電話でんわ. —— 철도 명 私設鉄道てつどう. 준 사철(私鐵). —— 탐정 명 私設探偵たんてい.
사설【社說】명 社説しゃせつ. ¶ 신문의 ~ 新聞しんぶんの社説.
‖——-란 명 社説欄らん.
사설【辭說】명하자 ① 歌詞かし. ② 小言こごとをならべたてること. またはその小言こごと. >사살.
사성【四聲】명〔言〕四声しせい·しょう.
사성【四聖】명 四聖しせい. ①(中国ちゅうごくで)伏羲氏ふっきし·文王ぶんおう·周公しゅうこう·孔子こうしの四人よにんの聖人せいじんを指さす語ご. ②〔佛〕四聖ししょう.
사성 장군【四星將軍】명〔軍〕四よっつ星ほしの将軍しょうぐん; 大将たいしょう.
사세【社勢】명 会社かいしゃの伸のびゆき.
사세【事勢】명 事ことの成なりゆき.
‖—— 부득이(不得已) 부하형 情勢じょうせいやむなく. ¶ ~하여 기권하였다 情勢やむを得えず棄権きけんした. 준 세부득이(勢不得已).
사소【些少】명 さしょう(些少). ——하다 형 些少だ; 些細ささいだ; 僅わずかだ. ¶ ~한 일로 다투다 些少な〔僅かな〕事ことで争あらそう / ~한 일이 원인이 되어 ふとした事ことが原因げんいんで / ~한 실패로 일생을 망쳤다 ちょっとしたつまずきから一生いっしょうを棒ぼうに振ふった.
사손【嗣孫】명 あとつぎの孫まご.
사수【死守】명하타 死守ししゅ. ¶ 진지를 ~하다 陣地じんちを死守する.
사수【射手】명 射手しゃしゅ·いて; 撃うち手て. ¶ 기관총 ~ 機関銃きかんじゅうの射手.
‖——-궁(宮) 명 騎射宮きしゃきゅう; 人馬宮じんばきゅう. ——-자리 명〔天〕射手座いてざ.
사숙【私淑】명하자타 私淑ししゅく. ¶ 내가 ~하고 있는 A선생님 わたしが私淑しているA先生エーせんせい.
사숙【私塾】명 私塾しじゅく. =글방. ¶ ~을 열어 소년을 교육하다 私塾を開ひらいて少年しょうねんを教育きょういくする.
사숙【舍叔】명 自分じぶんの叔父おじを人ひとに言いうことば.
사순【四旬】명 四十代よんじゅうだいの年とし.
사순-절【四旬節】명〔基〕四旬節しじゅんせつ; 四旬祭しじゅんさい.
사술【射術】명 射術しゃじゅつ.
사술【詐術】명 詐術さじゅつ. ¶ ~을 부리다 詐術を弄ろうする.
사슬 명 [↗쇠사슬] 鎖くさり.
‖—— 고리 명 鎖くさりのついた掛かけ金がね. ——-돈 명 ばら(散)銭せん. —— 모양 화합물 명〔化〕鎖式さしき化合物かごうぶつ.
사슴 명〔動〕しか(鹿).
사시【四時】명 四時しじ·しいじ.
‖—— 가절 명 四時しじ佳節かせつ; 四時の節日せちにち. ——-도(圖) 명 四季絵しきえ. ——장청(長靑) 명 松まつ·竹たけのごとく年中ねんじゅう青青あおあおとしていること. —— 장춘(長春) 명 ① 一年中いちねんじゅう春はるのような日和ひより. ② いつも裕福ゆうふくに暮くらすこと.
사시【社是】명 社是しゃぜ. ¶ 말끝마다 ~를 내세우다 二言目ふたことめには社是を持もち上あげる.
사시【斜視】명〔醫〕斜視しゃし; 斜眼しゃがん.
사-시절【四時節】명 四時しじ; 四季しき.
사식【私食】명 差さし入いれの食事しょくじ.
사식【寫植】명〔印〕[↗사진 식자(寫眞植字)] 写植しゃしょく. ¶ ~기 写植機き.

사신【私信】명 私信. ¶남의 ~을 공개하다 人の私信を公開する.
사신【死神】명 死に神. ¶~이 들리다 死に神につかれる.
사신【使臣】명 使臣; 使者. ¶외국의 ~을 초대하다 外国の使臣を招く/~을 보내다 使臣をつかわす.
사실【史實】명 史実. ¶신화는 ~이 아니다 神話は史実でない.
사실【私室】명 私室. ¶원장의 ~ 院長の私室.
사실【事實】명 事実. ¶~인즉 其の実; 実の所/~상의 부부 事実上の夫婦/~대로 말하면 有り体に言えば/~을 숨기다 事実をかくす.
‖── 무근 명하형 事実無根. ¶~한 소문 事実無根のうわさ. ──-심 명〔法〕事実審. ── 심리 명〔法〕事実審理. ──-혼 명〔法〕事実婚.
사실【寫實】명하타 写実.
‖── 소설 명 写実小説. ──-적 명관 写実的. ¶~인 묘사 写実的〔リアリスティック〕な描写. ──-주의 명 写実主義; リアリズム. ──-파 명 写実派.
사심【私心】명 私心. ¶~을 버리다 私心を捨てる.
사심【邪心】명 邪心. ¶~을 품다 邪心をいだく.
사십【四十】수 四十・よんじゅう. =마흔. ¶~대의 사람 四十代の人.
‖──구-일 명〔佛〕四十九日. ──구일-재 명〔佛〕四十九日(の法事); しちしちにち. =칠칠재(七七齋).
사악【邪惡】명하형 邪悪. ¶~한 생각을 품다 邪悪な考えをいだく.
사안【私案】명 私案. ¶~에 불과하다 私案にすぎない.
사안【事案】명 事案; 法律的に問題になっている事.
사안【斜眼】명 斜眼; 横目.
사암【砂岩】명〔鑛〕砂岩.
사액【賜額】명하자〔史〕賜額; 王がほこら(祠)または書院などに命名すること.
‖── 서원 명 賜額書院; 王が命名した書院.
사약【死藥】명 死薬.
사약【賜藥】명하자〔史〕死罪の臣下に王が毒薬を下すこと.
사약【瀉藥】명 下し薬; 下し; 下剤.
사양【斜陽】명 斜陽; 夕日. ¶~ 산업 斜陽産業.
‖──-족 명 斜陽族.
사양【飼養】명하타 飼養. =사육(飼育). ¶~법 飼養法.
사양【辭讓】명 辞譲; 遠慮. ──하다 타 辞譲する; 遠慮する; 気兼ねする. ¶사례를 굳이 ~하다 謝礼を固辞する/~하는 마음이 없음은 사람이 아니다 辞譲の心無きは人にあらず.
사양-토【砂壤土】명 砂壌土.
사어【死語】명〔言〕死語. ¶라틴어는 ~이다 ラテン語は死語である.
사업【社業】명 社業.
사업【事業】명하자 事業. ¶~가 事業家/~을 확장시키다 事業を広げる/~이 커지다 事業が拡が…/~에 실패하다 事業につまずく/새 ~을 시작하다 一旗揚げる.
‖── 소득 명 事業所得. ── 연… 명 事業年度. ── 자본 명 事業資本. ──-장 명 事業場. ──-주 명 事業主; 業主.
사에이치 클럽【四H─】〔club〕명 四Hクラブ; 四H. ¶~ 운동 四H運動.
사역【使役】명 ①使役. ──하… 타 使役する; 役する. ¶~병 使役兵. ② ☞ 사환(使喚).
‖── 동사(動詞) 명〔言〕使役動詞《"놀리다(=休ませる·遊ばせる)·…이다(=食わせる)"など》. =사동… (使動詞).
사연【事緣】명 事由; 理由; 訳. ¶무슨 ~이 있는 사이 訳のある仲/사랑의 복잡한 ~ 恋の諸訳/~을 말하다 訳を話す.
사열【査閱】명하자 ①査閲; 閲兵. ¶군대를 ~하다 軍隊を査閲する. ② ↗사열식.
‖──-대 명 査閲台. ──-식 명 査閲式; 観閲式; 閲兵式.
사영【私營】명하타 私営. ¶~ 철도 私営鉄道.
사영【斜影】명 斜影; ななめにうつる影. ¶포플러의 ~이 비쳐 있다 ポプラの影が映っている.
사-오【四五】수관 四五. ¶~차 四五度/~월 四五月.
사-오십【四五十】수 四五十.
-사오이다 어미 "-으오이다"の丁重なことば: …でございます.
사옥【史獄】명 歴史に関する大きな犯罪事件.
사옥【社屋】명 社屋. ¶~을 신축하다 社屋を新築する.
-사옵니까 어미 …でございますか; …られますか. ¶그렇지 안~ そうでございませんか.
-사옵니다 어미 …ます; …(で)ございます. ¶그렇~ そうでございます.
사외【社外】명 社外. ¶인재를 ~에서 구하다 人材を社外に求める.
사욕【沙浴·砂浴】명하자 砂浴. ①砂浴び. ②海水浴場などで熱い砂に身を埋めてあたたまること. ③砂ぶろ(風呂); 砂湯. =모래찜.
사욕【私欲】명 私欲〔私慾〕. ¶사리 ~ 私利私欲/~에 눈이 어두워졌다 私欲に目がくらんだ.
사욕【邪慾】명 邪欲. ¶~에 빠지다 邪欲に陥る/~에 미혹되어 불의에 빠지다 邪欲に迷って不義に陥る.
사용【私用】명하타 私用. ¶~으로 외출하다 私用で出かける/공물을 ~하다 公物を私用する.
‖──-물(物) 명 私用にする物.
사용【社用】명 社用. ¶~으로 출장가다 社用で出張に行く.
사용【使用】명 使用; 使〔遣〕い. ──하다 타 使用する, 使う; 用いる. ¶~법 使用法; 使い道/~을 금하다 使用を禁ずる.

— 가치 명 使用価値. ——-권 명 用権. ——-료 명 使用料. ¶ ~를 르다 使用料を払う. ——-인 명 使人. ——-자 명 使用者.
우【社友】명 社友. ¶ ~회를 열었 社友会を持った.
우【絲雨】명 糸雨；こさめ；きり雨.
우나〔sauna〕명 サウナ.
우스-포〔sauthpaw〕명 サウスポー.
운【社運】명 社運. ¶ ~을 건 사업 社運をか(賭)けた事業.
운드〔sound〕명 サウンド；音.
— 박스 명 サウンドボックス. — 테이프 명 サウンドテープ. — 트랙 명 サウンドトラック.
사원【寺院】명 ①〖佛〗寺院；寺や庵. ② 道教などの教堂.
사원【私怨】명 しえん(私怨). ¶ ~을 품는 일은 좋지 않다 私怨をいだくのはよくない.
사원【社員】명 社員. ¶ 평~ 平(の)社員 / ~의 집무 상태를 보다 社員の執務振りを見る.
사월【四月】명 四月.
‖— 파일(八日) 명〖佛〗釈迦誕生日の陰暦四月八日. ＝초파일(初八日). — 혁명(革命) 명 1960年4月, 李承晩大統領の自由党政府を倒した学生中心の民主革命.
사위¹ 명하자 わざわいをい(忌)み恐れてはばかること. ——-스럽다 형 忌忌しい；縁起が悪いような気がする.
사위² 명 婿；女婿；むすめ婿. ¶ ~를 얻다 婿をもらう / ~를 보다 婿を取る / ~ 사랑은 장모《俚》婿ひいきはしゅうとめ(姑).
‖사윗-감 명 婿にふさわしい人.
사유【私有】명하타 私有.
‖——-권 명〖法〗私有権. ——-림 명 私有林. ——-물 명 私有物. — 재산 명 私有財産. ¶ ~제 私有財産制. ——-지 명 私有地.
사유【事由】명 事由；理由；事訳. ¶ 어떠한 ~가 있어도 회의장에 들어감을 불허함 何等の事由あるも議場に入ること許さず / 따로 깊은 ~는 없다 別に深い訳はない.
사유【思惟】명하타 しい(思惟). ¶ 논리적 ~ 論理的思惟.
‖— 법칙 명〖哲〗思惟法則.
사육【飼育】명하자 飼育；飼養. ¶ ~비 飼育費；飼い料 / 가축을 ~하다 家畜を飼育する〔飼う〕.
사육-제【謝肉祭】명〖基〗謝肉祭；カーニバル.
사은【謝恩】명하자 謝恩.
‖— 숙배 명하자 謝恩粛拝. ——-회 명 謝恩会.
사음【寫音】명하자 写音；音の出る通りに書き表わすこと. また, その音.
‖— 문자 명〖言〗写音文字；表音文字.
사의【私意】명 私意. ¶ 이 부분은 ~에 의하여 고쳐 썼다 この部分は私意によって書き改めた.
사의【私誼】명 個人間の情誼.
사의【謝意】명 謝意. ¶ 심심한 ~를 표하다 深甚な謝意を表する.
사의【辭意】명 辞意. ¶ 의장은 ~를 표명하였다 議長は辞意を明かにした.
사이 명 間. ① 間隔；隔たり；間. ¶ 육지와 섬 ~ 陸地と島との間 / 1미터씩 ~를 두다 一メートルずつ間を置く. ② 一続きの時間；期間；間. ¶ 눈 깜짝할 ~에 瞬く間に. ③ ある事にかかる時間的空白または余裕；間；暇. ¶ 잠잘 ~도 없다 寝る間もない. ④ 互に結んでいる関係；間柄；仲. ¶ 친한 ~ 親しい間柄. ⑤ 交わりの深さ；仲. ¶ 그와는 깊은 ~다 彼とは深い仲である / 친한 ~ 親しい間柄. ⊜ 새. — 뜨다 형 ① かけ離れている. ② 久しい. ③ 仲が疎い. ⊜ 새뜨다. — 먹다 자 (農夫などが)間食いをする. — 좋다 형 親しい；睦まじい.
‖——— ㊀명 間間；すきますきま. ¶ 옷 ~에 좀약을 넣다 着物の間間にナフタリンを入れる. ⊜ 새새. ㊁부 暇暇に；すきすきに；合間合間に. ＝틈틈이. ¶ 공부하는 ~에 심부름도 한다 勉強の合間合間に手伝いもする. ⊜ 새새. ——-시옷 명〖言〗終声のある名詞と他の名詞からなる複合詞に使われて発音現象を表わす記号としての"ㅅ"《この下の初めの字は硬音になる. "봄ㅅ바람(＝春風)·강ㅅ가(＝川辺)"など》. ——-참(站) 명 間食い；間食；おやつ. ⊜ 새참.
사이〔일 さい〕의명 才. ① 木材の体積の単位《一寸角で二間の長さの材積》. ② 石材の体積の単位《四方二尺》.
사이나 명〖化〗[←cyanid] シアン化物.
사이다〔cider〕명 サイダー.
사이드〔side〕명 サイド. ¶ ~ 비즈니스 サイドビジネス.
‖— 드럼 명〖樂〗サイドドラム. — 라인 명 サイドライン. — 스로 명〖野〗サイドスロー. — 스텝 명 サイドステップ. — 스트로크 명 サイドストローク. ＝횡영(横泳). — 아웃 명 サイドアウト.
사이렌〔siren〕명 サイレン. ¶ ~을 울리다 サイレンを鳴らす.
사이버네틱스〔cybernetics〕명 サイバネティックス. ＝인간 기계론.
사이보그〔cyborg〕명 サイボーグ；改造人間.
사-이비【似而非】명하형 似て非なること；えせ；まやかし. ¶ ~ 학자 えせ学者.
사이즈〔size〕명 サイズ. ¶ 모자의 ~는 얼만가 帽子のサイズはいくらかね.
사이클〔cycle〕명 サイクル. ¶ ~ 레이스 サイクルレース.
사이클링〔cycling〕명 サイクリング.
사익【私益】명 私益；私利. ¶ ~을 꾀하다 私益を図る.
사인【死因】명 死因.

ㅅ

사인【私人】명 私人.
‖── 기관 명 私人機関. ── 소추(訴追) 명〔法〕私人が行う刑事訴訟.
사인【私印】명 私印.
‖── 도용 명 私印盗用. ── 위조 명 私印偽造.
사인【社印】명 社印. ¶～을 찍은 서류 社印を押した書類.
사인〔sign〕명하자 サイン.
‖──-북 명 サインブック. ── 펜 명 サインペン.
사인〔sine, sin〕명〔數〕サイン; 正弦.
사인-교【四人轎】명 四人かつぎのかご〔輿〕. →사린교.
사인 여천【事人如天】명 (天道教で)天を敬うが如く人に対せよとする倫理行為.
사일런트〔silent〕명 サイレント.
‖── 픽처 명 サイレントピクチャー. =무성 영화.
사일로〔silo〕명 サイロ. ¶시멘트 ～ セメントサイロ / 사료 ～ 飼料サイロ.
사임【辭任】명 辭任. ──-하다 타 辭任する; 辞する.
사자【死者】명 死者. =사인(死人).
사자【使者】명 ① 使者; 使〔遣〕い; メッセンジャー. ¶～를 보내다 使者を立てる. ②〔佛〕死者の霊を捕らえて行くという幽界の鬼; 死の使者.
‖사잣-밥 명 喪家で, 招魂のときえんま(閻魔)庁の使者に食べさせるという戸外に出しておく飯.
사자【嗣子】명 嗣子; 嫡子. =맏아들. ㊟사(嗣).
사자【獅子】명〔動〕しし(獅子); ライオン. ¶～ 없는 산에 토끼가 왕 노릇한다《俚》鳥なき里のこうもり(蝙蝠); たか(鷹)がないとすずめ(雀)が王になる.
‖──-궁 명〔天〕獅子宮. ──-무(舞) 명 ☞사자춤. ──-자리 명〔天〕獅子座. ──-춤 명 しし(獅子)舞い. ──-코 명 しし(獅子)鼻; しっぱな〈俗〉. ──-탈 명 獅子の仮面. ──-후 명하자 獅子吼.
사장【死藏】명하타 死蔵; 退蔵.
사장【私藏】명하타 私蔵. ¶～의 자기 私蔵の磁器.
사장【社長】명 社長.
사장【社葬】명 社葬.
사장【査丈】명 目上のあいやけの尊称.
사장【射場】명 射場; 的場.
사장【寫場】명 写場. ① 写し場. ② 写真館; スタジオ.
사장【謝狀】명 謝状; 礼状; わ(詫)び状.
사-장석【斜長石】명 斜長石.
사재【私財】명 私財; 私産. =사자(私資). ¶～를 털어 자선 사업을 하다 私財を投じて慈善事業をする.
사-재기 명하타 買いだ(溜)め.
사-재다 타 買いだ(溜)めをする.
사저【私邸】명 私邸.
사적【史的】명관 史的. ¶～ 고찰 史的考察.
‖── 유물론 명 史的唯物論.
사적【史蹟】명 史蹟〔史跡〕. ¶～ 보존하다 史跡を保存する.
사적【史籍】史籍; 史書. =사…(史記).
사적【私的】명관 私的; プライベ…ト. ‖── 제재 명 私的制裁. =사…(私刑).
사적【事績】명 事績; 業績.
사적【事蹟·事跡·事迹】명 事跡. 역사상의 ～ 史上の事跡.
사적【射的】명 射的.
사전【史傳】명 史伝.
사전【寺田】명 寺田; 寺院所有…の田畑.
사전【私田】명〔史〕私田.
사전【私錢】명 にせがね(贋金).
사전【事典】명 事典; じい(事彙). ¶백과 ～ 百科事典.
사전【事前】명 事前. ¶～ 협의 事前協議; 下打ち合わせ; 根まわし / 그 건을 ～에 의논하다 その件に付き根まわしをする.
사전【辭典】명 辞典; 辞書. ＊사전(事典).
‖──-학 명 辞典学.
사절【使節】명 使節. ¶친선 ～ 親善使節.
‖──-단 명 使節団; ミッション.
사절【謝絶】명 謝絶. ──-하다 타 謝絶する; 断る.
사-절기【四節氣】명 四節気《春分·夏至·秋分·冬至》.
사정【司正】명하타 誤ちを正すこと.
사정【私情】명 私情. ¶～에 끌리다 私情に引かれる〔こだわ(拘)る〕.
사정【事情】명 ① 事情; わけ. ¶～이 있어 결석했다 事情があって欠席した / 무슨 ～이 있는 듯한 얼굴로 의논하고 있다 仔細顔に相談しあっている. ② 都合; 具合; 様子. ¶현지 ～ 現地の様子 / ～에 따라서는 次第によっては / 이 고장의 ～에 밝다 この土地の様子に明るい. ③ 思いやり; 頼み. ──-하다 자타 頼む; 事情を訴える. ──-없다 형 ① 思いやりがない; 無情である. ② 容赦がない. ¶인정 ～ 情け容赦ない. ──-없이 부 ① 思いやりなく; 無情に. ② 容赦なく. ¶시간은 ～ 흐른다 時は容赦なく過ぎ行く.
사정【査定】명하타 査定. ¶～액 査定額.
사정【射程】명〔軍〕射程. ¶～ 거리 射程距離; 射距離.
사정【射精】명하자〔生〕射精.
사제【司祭】명〔基〕司祭; 司教と神父〔修道司祭〕の総称.
사제【私製】명하타 私製. ¶～ 폭탄 私製爆弾 / ～ 엽서 私製はがき.
사제【師弟】명 ① 師弟. ¶～ 관계 師弟関係. ②〔佛〕首座より年下の僧侶.
사조【四祖】명 父·祖父·曽祖父·外祖父の総称.
사조【思潮】명 思潮. ¶문예 ～ 文芸思潮.

-조직【私組織】명 私的組織. ¶ 사 내에서의 ~은 이를 엄금한다 会社内での私的組織はこれを厳禁する.

족【士族】명 士族.

족【四足】명 四足. ① 獣の四つの足. また, その獣; よつあし. ②《俗》四肢; 手足. ¶ ~을 못쓰다 手足がきかない; 何事かに(惑わされて)のぼせあがって〔夢中になって〕いる / 술이라면 ~을 못쓴다 酒に目がない.

족【蛇足】명 [↗화사 첨족(畫蛇添足)] 蛇足. ¶ ~을 달다 蛇足を加える.

졸【士卒】명 士卒; 兵士.

종【四從】명 十親等の間柄の兄弟姉妹.

죄【死罪】명 死罪.

죄【謝罪】명 謝罪; わ(詫)び; 謝り. ——하다 자 謝罪する; わびる; 謝る. ¶ ~의 말 おわびの言葉 / ~의 뜻을 표하다 謝罪の意を表す.

주【四柱】명 ① 生まれた年·月·日·時の四つのえと(干支)《結婚や運勢などを占う根本資料にする》. * 팔자. ② ☞ 사주 단자. ——보다 자 運を占う. ——세다 형 運勢が悪い.

‖—— 단자(單子) 명 結婚前の新郎の家から新婦の家に送る新郎の生年月日時を記した書状. 준 주단(柱單). —— 쟁이 명 運勢を占う人; 占い師. ——-점(占) 명 生年月日時による運勢の占い. —— 팔자(八字) 명 ① 生年月日時の干支の八つの字. ② もちまえの運·運命. ¶ 기박한 ~ 数奇な運命.

사주【社主】명 社主.

사주【使嗾】명 [←사수] しそう(使嗾·指嗾); けしかけ. ——하다 타 しそうする; けしかける; 唆す.

사주【砂洲】명〔地〕砂州.

사중【四重】명 四重. ① 四つに重なること. また, 四つに重ねたもの. ②〔佛〕四重禁; 四重罪.

‖——-주 명〔樂〕四重奏. ¶ 관현악의 ~ 管弦楽の四重奏. ——-창 명〔樂〕四重唱; カルテット. ¶ 혼성 ~ 混声四重唱.

사중【社中】명 社中; 社内.

사증【査證】명하타 査証; ビザ. ¶ 입국 ~ 入国ビザ / 여권에 ~을 받다 旅券を査証してもらう.

사지【四肢】명 四肢. =사체(四體).

사지【死地】명 死地. ¶ ~로 향하다 死地に赴く / ~로 몰아 넣다 死地に追いこむ.

사지【沙地】명 砂地.

‖——-식물 명〔植〕砂地植物.

사지【邪智】명 邪知; 悪知恵.

사지〔serge〕명 サージ; セル. ¶ 감색 ~ 학생복 紺セルの学生服.

사직【司直】명 司直. ¶ ~의 손이 뻗치다 司直の手が伸びる.

사직【社稷】명 しゃしょく(社稷). ①〔史〕朝鮮朝で王が祭った土地の神と穀物の神. ② 国家; 朝廷. ¶ ~을 걱정하다 社稷を憂える.

‖——-단 명 社稷の壇《王が土地の神と穀物の神を祭った祭壇》. 준 사단(社壇)·직단(稷壇). ——지-신(之臣) 명 社稷の臣; 国の重臣. =주석지신(柱石之臣). ——지-신(之神) 명 社稷の神.

사직【辭職】명하자 辞職. ¶ ~원을 내다 辞職を願い出す / 일제히 ~하다 たもと(袂)をつらねて辞職する.

사진【寫眞】명 写真. ¶ 자외선 ~ 紫外線写真 / ~을 찍다 写真をとる〔写す〕/ ~이 잘 안 받는 얼굴 写真うつりのよくない顔 / ~을 확대하다 写真を引き伸ばす.

‖—— 건판 명 写真乾板; 乾板《준말》. ——-관 명 写真館. ——-기 명 写真機; カメラ. —— 동판 명 写真銅版; 網版. ——-술 명 写真術. —— 식자 명하자 写真植字; 写植《준말》. —— 식자기 명 写真植字機; 写植機《준말》. —— 요판 명 写真凹版. =그라비어. —— 원판 명 写真の原板; 種板. ——전송 명하타 写真電送. * 전송 사진. ——제판 명 写真製版. ——-첩 명 写真帖; アルバム. —— 측량 명 写真測量. ——-틀 명 額縁. ——-판 명 写真版. —— 판독 명 写真判読.

사차 방정식【四次方程式】명〔數〕四次方程式.

사-차원【四次元】명 四次元.

‖—— 공간 명〔物〕四次元空間. ——세계 명〔物〕四次元の世界; 時空世界.

사찬【私撰】명 しせん(私撰); 個人がえら(撰)び編集すること. また, そのえら(撰)んだもの.

사찰【寺刹】명 寺.

사찰【査察】명하타 査察. ¶ 공중 ~ 空中査察 / 핵~에 응하다 核査察に応ずる.

사창【私娼】명 ししょう(私娼). ¶ ~을 단속하다 私娼を取り締まる.

‖——-굴 명 私娼窟.

사채【私債】명 個人間の借金.

사채【社債】명〔法〕社債. ¶ ~를 모집하다 社債を募る.

사천 명 [←사전(私錢)] ① 女のへそくり(がね). ¶ ~ 저금 へそくり貯金. ② 個人所有の金.

사-천왕【四天王】명〔佛〕四天王.

‖——-문 명 四天王門.

사-철【四一】㊀명 春夏秋冬の四時; 四季. =사절(四節)·사시(四時). ¶ ~ 피는 꽃 四季咲きの花. ㊁부 常に; いつも; 時なしに. ¶ 높은 산에는 ~ 눈이 쌓여 있다 高い山には時なしの雪が積っている.

‖——-나무 명〔植〕まさき(正木·柾). ——-쑥 명〔植〕かわらよもぎ(河原艾). =더위지기·인진(茵蔯).

사철【私鐵】명 [↗사설 철도] 私鉄.

사철【砂鐵】명〔鑛〕砂鉄.

사체【四體】명 四体. ① ☞ 사지(四肢). ② 手足と頭と胴; 全身.

사체【死體】명 死体; 死骸. ¶ ~ 유기 死体遺棄.

‖— 검안 명하자 死体検案. —유기죄 명 死体遺棄罪.
사체【斜體】명 ☞ 이탤릭(italic).
사초【史草】명〔史〕史官が記録した史記の草本.
사초【莎草】명 ①〔植〕☞ 잔디. ② 墓を芝で覆うこと. —-하다 자 墓を芝で覆う.
사촌【四寸】명 いとこ(従兄弟·従姉妹). ¶ ~ 누이 いとこ(従姉) / ~ 매부(妹夫) いとこ(従姉妹)の夫 / 이웃 ~《俚》(遠くの親類より)近くの他人 / ~이 땅을 사면 배가 아프다《俚》いとこが土地を買えば腹が痛む《しっと(嫉妬)深いことのたとえ》.
‖— 형제(兄弟) 명 ☞ 사촌.
사춘-기【思春期】명 思春期. ¶ ~의 소녀 思春期の少女.
사출【射出】명하자타 射出. ¶ 탄환을 ~하다 弾丸を射出する.
‖—-기 명 射出機. =캐터펄트.
사취【詐取】명하타 詐取; だまし取ること. ¶ 어음을 ~당했다 手形をぱくられた.
사치【奢侈】명 しゃし(奢侈); きょうしゃ(驕奢); おご(奢)り; ぜいたく(贅沢). ¶ ~를 극하다 ぜいたくを極める / ~를 다하다 ぜい(贅)をつくす. —-하다 ㊀자 おごる; ぜいたくをする. ㊁형 ぜいたくだ. —-스럽다 형 ぜいたくである; おごっている. ¶ 사치스러운 생활 ぜいたくな生活.
‖— 관세 명 奢侈関税. —품 명 奢侈品; 贅沢品.
사칙【社則】명 社則. ¶ ~에 따르다 社則に従う.
사친【事親】명하자 親に仕えること.
사친【師親】명 先生と生徒の父母
‖—-회(會) 명 ピーティーエー(P.T.A.).
사칭【詐稱】명 詐称; 偽称. —-하다 타 詐称する; かた(騙)る. ¶ 관명을 ~하다 官名を詐称する / 남의 이름을 ~하다 人の名をかたる / 유족이라고 ~하여 금품을 사취하다 遺族と称して金品をだまし取る.
사카린〔saccharine〕명〔化〕サッカリン.
사타구니 명《俗》また(股)ぐら. ㊅ 사타귀.
사탄〔ユ Satan〕명〔基〕サタン. =마귀(魔鬼).
사탑【斜塔】명 斜塔. ¶ 피사의 ~ ピサの斜塔.
사탕【砂糖】명 ①〔化〕砂糖. ㉠ 蔗糖の通称. ㉡ ☞ 설탕. ② あめだま(飴玉)·ドロップス·キャンデーなど砂糖を煮つめて作った菓子.
‖— 가루 명 (粉状の)砂糖. =설탕. —-무 명 砂糖大根; てんさい(甜菜); ビート. —-밀 명 砂糖蜜. =당밀(糖蜜). —-발림 명하타 甘言でおもねたり欺くこと. —수수 명〔植〕砂糖きび; かんしょ(甘蔗). =감자(甘蔗). —-옥수수 명〔植〕砂糖もろこし. —-절이 명 砂糖漬.

사태 명 牛のすねの後部の肉.
사태【沙汰】명 ① 地滑り; 土砂くずれ; 雪崩; 山崩れ. ¶ 산~ 山崩れ; 山津波 / 눈~ 雪崩 / ~로 열차가 불통이다 山崩れで列車不通である. ② 人·品物が一度にどっとなだれこむこと. ¶ 사람 ~ 人のなだれ.
사태【事態】명 事態. ¶ 긴급 ~ 緊急事態 / ~를 수습하다 事態を収拾する.
사택【私宅】명 私宅; 自宅. ¶ 방문 自宅訪問.
사택【社宅】명 社宅. ¶ ~에 사 사원 社宅に住む社員.
사토【沙土·砂土】명 砂土.
‖—-질 명 砂土質.
사통【四通】명하자 四通.
‖— 오달(五達) 명하자 四通八達. ¶ ~로 편리한 곳 四通八達の地.
사통【私通】명하자 私通; 密通; 姦通.
사퇴【辭退】명 辞退. —-하다 자타 辞退する; 辞する. ¶ 위원을 ~하다 委員を辞する / 내각의 ~를 요구하다 内閣の退陣を迫る.
사투【死鬪】명하자 死闘. ¶ ~를 거듭하다 死闘を繰り返す.
사투【私鬪】명하자 私闘. ¶ ~를 거듭하여 나라를 망치다 私闘を繰り返して国を滅ぼす.
사투리 명 なまり(訛); 俚言〔里言〕; 方言. ¶ 순 시골 ~로 말하다 いなかなまり丸出しで話す.
사파이어〔sapphire〕명 サファイア.
사팔-눈 명 斜視; 斜眼; 寄り目〈俗〉.
사팔-뜨기 명 斜視〔斜眼〕の人.
사포【砂布】명 サンドペーパー. ¶ ~로 닦다 サンドペーパーでみがく.
사표【師表】명 師表; 師範. ¶ 선철을 ~로 해서 인격을 연마하다 先哲を師表として人格を磨く / 후세의 ~로서 추앙받다 後世の師範と仰がれる.
사표【辭表】명 辞表; 辞職願い. ¶ ~를 수리하다 辞表を受理する.
사푼 부 軽やかに踏む様子や音: そっと. <서푼. ㅿ사뿐. ——— 부 軽やかに踏むさま. また, その音. ¶ ~ 걸어가다 軽やかに歩いて行く.
사품 명 間合い; 透き(間); 間; 機会. ¶ 이 ~에 この間に.
사풋 부 足を軽やかに踏み出す様子や音: そっと. <서풋. ㅿ사뿟. ——— 부 足を軽やかに踏むさま. また, その音. ¶ ~ 걸어가다 軽やかに歩いて行く.
사풍【士風】명 士風; 士の気風.
사필【史筆】명 史筆; 史官が直言で記録する筆法.
사-필귀정【事必歸正】명하자 事は必ず正理に帰するということ.
사-하다【賜—】타 下賜する; 賜る. ¶ 작위를 ~ 爵位を下賜する.
사-하다【謝—】타 謝する. ① 感謝する; 礼をいう. ② あやまる; わびる; 謝罪する. ③ ことわる; 謝絶

る.
학【史學】명 [↗역사학] 史学. ¶ 과〔가〕 史学科〔家〕/ ~ 연구에 몰 하다 史学研究に没頭する.
학【私學】명 私学. ¶ ~의 경영 私 の経営 / ~의 명문 私学の名門.
한【私恨】명 私恨; 私怨; 個人 的なうらみ.
한【私翰】명 私書; 個人の手紙.
할린〔러 Sakhalin〕명〘地〙サハリン; からふと(樺太). ¶ ~ 잔류 한국인 サハリン残留の韓国人.
항【事項】명 事項; 事柄. ¶ 중요 ~ 重要事項 / 결의 ~ 決議事項 / ~이 미묘하다 事柄が微妙である / 수험상의 주의 ~을 듣다 受験の心得を聞く.
해【四海】명 四海. ¶ ~ 형제 四海兄弟 / ~지내 개형제(之內皆兄弟) 天下の人はみな兄弟である.
‖── 동포 명 四海同胞. ── 형제 명 四海兄弟.
사행【射倖】명하자 しゃこう(射倖·射幸). ¶ ~심을 조장하다 射倖心を助長する.
‖── 행위 명 射倖行為.
사행【蛇行】명하자 蛇行. ¶ ~성 蛇行性 / ~ 하천 蛇行河川.
사행-시【四行詩】명〘文〙一節が四行からなる詩; 四行詩.
사행정 기관【四行程機關】명〘機〙四行程機関; 四サイクル機関.
사향【麝香】명 じゃこう(麝香).
‖──-낭 명 麝香嚢; 香嚢. ──-내 명 麝香のにおい. ──-수(水) 명 麝香の香水. ──-유 명 麝香油.
사혈【瀉血】명하자 しゃけつ(瀉血); しらく(刺絡). ¶ 뇌일혈 환자의 ~을 실시하다 脳溢血患者の瀉血をする.
사형【死刑】명하타 死刑; 死罪; 仕置き. =생명형(生命刑)·극형. ¶ ~을 집행하다 死刑を執行する.
‖──-수 명 死刑囚; 死囚《준말》. ──-장(場) 명 刑場; 仕置場. ── 집행인 명 死刑執行人.
사형【私刑】명 私刑; リンチ. ¶ ~을 가하다 リンチを加える.
사형【舍兄】명 舍兄. ① 人に自分の兄を指す語. ② 弟に対する兄の自称.
사형【詞兄】명 詞兄.
사호【社號】명 社号. ¶ ~를 고치다 社号を改める.
사화【士禍】명〘史〙士禍《朝鮮朝に起こった一連の士林の惨禍. 正論を主張する士人が奸臣の謀略によって被った大獄》.
사화【史話】명 史話; 史談.
사화【史禍】명〘史〙史禍; 歴史を書いたために受ける筆禍.
사화【私和】명하타 ① 和解; 和談; 内済; 双方が表沙汰にせず示談で事をすますこと. ② 恨みを解き仲直りをする.
‖사홧-술 명 和解の杯を交わす酒.
사-화산【死火山】명〘地〙死火山; 消火山.

사환【使喚】명 用務員.
사활【死活】명 死活. ¶ ~에 관계되는 死活にかかわる / 그것은 나에게는 ~ 문제이다 それは僕にとって死活問題である.
사회【司會】명 司会. ¶ ~를 맡아 보다 司会をつかさどる.
‖──-자 명 司会者.
사회【社會】명 社会. ¶ 지역 ~ 地域社会 / 상류 ~ 上流社会 / 그는 ~의 비난의 대상이 되었다 彼は社会の非難の的となった / ~에 내보내다 世に送り出す / 신문은 ~의 목탁이다 新聞は社会の木鐸である.
‖── 경제 명 社会経済. ¶ ~ 구성체 社会経済構成体. ── 계약설 명 社会契約説; 民約説. ㊟ 계약설. ── 과학 명 社会科学. ──관 명 社会観. ── 교육 명 社会教育. ¶ ~ 활동 社教活動. ── 교화 사업 명 社会教化事業. ── 구조 명 社会構造. ── 규범 명 社会規範. ──-당 명 社会党. ──-면 명 社会面. ── 문제 명 社会問題. ¶ ~에 언급하다 社会問題に言及する. ── 민주주의 명 社会民主主義. ── 보장 명 社会保障. ¶ ~비 社会保障費. ── 복지 명 社会福祉. ¶ ~사업 社会福祉事業. ── 사업 명 社会事業. ¶ 전재산을 ~에 쏟아 넣다 全財産を社会事業に注ぎ込む. ── 생활 명 社会生活. ──-성 명 社会性. =사교성(社交性). ──-악 명 社会悪. ¶ ~을 제거하다 社会悪を除去する. ── 운동 명 社会運動. ── 의식 명 社会意識; 集団意識. ──-인 명 社会人. ── 인류학 명 社会人類学. ── 자본 명 社会(間接)資本. ──장 명 社会葬. ──-적 명관 社会的. ¶ 인간은 ~ 동물이다 人間は社会的動物である / ~ 지위 社会的地位 / ~ 풍토 社会的風土 / ~ 환경 社会的環境. ── 정책 명 社会政策. ── 제도 명 社会制度. ── 조직 명 社会組織. ──-주의 명 社会主義; ソシアリズム. ¶ ~자 ソシアリスト / ~ 체제 社会主義体制 / ~ 사상을 부어 넣다 社会主義思想を植え付ける. ── 질서 명 社会秩序. ¶ ~가 문란해지다 社会秩序が乱れる. ── 집단 명 社会集団. ── 체제 명 社会体制. ── 통계 명 社会統計. ¶ ~학 社会統計学. ── 통념 명 社会通念. ── 통제 명 社会統制. ──-학 명 社会学. ── 현상 명 社会現象. ──-화 명하자타 社会化.
사후【死後】명 死後; 没後. ¶ ~ 백년 死後百年 / ~ 세계 死後の世界 / ~를 걱정하다 後を案ずる / ~ 약방문(藥方文)《俚》後の祭り.
‖── 강직 명 死後強直〔硬直〕.
사후【事後】명 事後. ¶ ~에 승인하다 事後に承認する.
‖── 강도 명〘法〙居直り強盗. ── 승낙 명하타 事後承諾.
사훈【社訓】명 社訓.
사훈【師訓】명 師訓; 師の教訓.

사흘 명 ①三日(間). ¶～이 멀다하고 三日にあげず/～을 가지 않다 三日と続かない. ②↗초사흘. ¶정월 ～ 正月三日.
‖——-돌이 명 三日毎; 毎三日. ¶병을 ～로 앓다 三日毎に病む.
삭【朔】㊀명 さく(朔). ㊁의명 月数を表わす語. ¶수삼 ～ 二三個月/사오～ 가량 四五個月ほど.
삭감【削減】명 削減. ——-하다 타 削減する; 削る. ¶예산을 ～하다 予算を削る.
삭과【蒴果】명〖植〗さくか(蒴果).
삭뇨-증【數尿症】명 頻尿症.
삭다 자 ①(古くなって)すり切れる; すり減る; 腐る; 朽ちる. ¶옷이 ～ 服がすり切れる/쇠가 녹슬어 ～ 鉄が腐る. ②(濃いものが)水っぽくなる; 糖化される; 柔らかくなる. ¶죽이 ～ 粥が水っぽくなる. ③(食べた物が)消化される; こなれる. ④(恨みや怒りが)ほぐれる; 和らぐ; 静まる; 冷える. ¶분노가 ～ 怒りがほぐれる. ⑤(漬物などが)味がつく; 漬かる.
삭도【索道】명 索道. =가공(架空)삭도.
삭마【削磨】명하타 削磨〔削摩〕; 削り磨くこと. ¶～ 작용 削磨作用.
삭막【索莫·索漠】명 索漠. ①よく想い出せないこと; 度忘れすること. ②荒れはててものさびしいこと. ——하다 형 索漠としている. ¶～한 인생 索漠たる人生/～한 풍경 索漠たる風景.
삭망【朔望】명 ①さくぼう(朔望); 陰暦の一日と十五日の並称. ②↗삭망전(朔望奠).
‖——-전(奠) 명 喪中の家で朔望に行なう祭祀. ㊜삭망(朔望).
삭-모【削毛】명하자 毛をそること.
삭박【削剝】명하타 さくはく(削剝); 削ってはぎ取ること.
‖—— 작용 명〖地〗削剝作用.
삭발【削髮】명하자타 削髮; ていはつ(剃髮). ①落髮; 髮をそること. ②木や青物をむやみに切りとることのたとえ.
‖——-례(禮) 명〖天主教〗剃髮式.
삭-삭[1] 부 ①紙·布などをはさみ(鋏)で続けざまに切る音. また, そのさま; ちょきちょき; しゃきしゃき. ②続けざまに掃くさま; さっさっと. ③余す所なく; 全部; すっかり. ¶～ 긁어모으다 すっかりかき集める. <석석. ㅆ싹싹. ——-거리다 자타 ちょきちょきする; しゃきしゃきする〔させる〕. <석석거리다. ㅆ싹싹거리다.
삭-삭[2] 부 謝るとか乞い願うときに手を合わせてこするさま. ¶～ 빌다 手を合わせて謝る; 平謝りにあやまる.
삭신 명 筋肉と骨節. ¶～이 쑤시다 全身が(ずきずき)痛む.
삭은-코 명 鼻血のよく出る鼻.
삭이다 타 ①(食べた物を)消化させる; こなす. ②(怒りや悔しさを)静める; 和らげる. ¶분을 삭이지 못하다 悔しみを和らげられない.
삭일【朔日】명 さくじつ(朔日); つたち.
삭정-이 명 木の枯れ枝. ¶불쏘시감으로 ～를 줍다 たきつけに枯れ枝拾う.
삭제【削除】명 削除. ——-하다 削除する; 削る; 落とす. ¶명부서 ～하다 名簿から落とす/쓸데는 문장을 ～하다 冗文を削る.
삭탈【削奪】, 삭탈 관직【削奪官職】 하타〖史〗ちだつ(褫奪)《罪人の官と階級をとりあげ名簿から落とすこと》. ㊜삭직(削職).
삭풍【朔風】명 さくふう(朔風); 北
삯 명 賃; 賃金; 労賃; 報酬 ¶심부름～ 駄賃/～일 賃仕事 차～ 車代/뱃～ 船賃·ふな賃; 船
삯-돈 명 賃金〔賃銀〕; 報酬; 労賃; 賃銭. =삯전.
삯-말 명 賃借りの馬. =삯마.
삯-메기 명하자 食事抜きで労賃だけを貰ってする仕事.
삯-바느질 명하자 賃針仕事.
삯-일 명하자 賃仕事; 賃労働; 手間仕事. ¶～을 해서 살아가다 賃仕事で暮らす.
산【山】명 山. ①山岳. ¶높은 ～ 高い山/험준한 ～ 険しい山/～에 가야 범을 잡는다《俚》虎穴に入らずんば虎子を得ず/～ 넘어 ～이라《俚》山また山; 一難去ってまた一難. ②↗산소(山所).
산【酸】명〖化〗酸. ¶성질이 ～에 가깝다 性質が酸に近い.
-산【産】미 産. ¶외국～ 外国産/한국～ 韓国産.
산-가지【算—】명 算木; 算. ¶～를 놓다 算を置く.
산간【山間】명 山間; やまあい. =산골. ¶～ 동네 山間の村.
‖—— 벽지 명 山間僻地.
산개【散開】명하자타 散開. ¶대열을 ～하다 隊列を散開する.
‖—— 대형 명〖軍〗散開隊形. —— 성단 명〖天〗散開星団.
산경【山景】명 山景. ¶아름다운 ～ 美しい山景.
산계【山系】명 山系. ¶히말라야 ～ ヒマラヤ山系.
산고【産苦】명 生みの苦しみ.
산골 명〖韓醫〗骨接薬として服用する自然銅.
산-골【山—】명 山奥; 山里. =두메. ¶～ 사람 山里の人/～에서 살다 山奥に住む.
산-골짜기【山—】명 谷; 谷間; 山峡; 山かい. =산곡(山谷). ㊜산골짝. ¶～의 경치 山峡の景色.
산과【山果】명 山から出る果物.
산과【産科】명〖醫〗産科.
‖—— 병원 명 産科病院〔医院〕; 産院《준말》. —— 의사 명 産科医〔医師〕. ㊜산과의. ——-학 명〖醫〗産科学.
산광【散光】명〖物〗散光. ¶～ 성운 散光星雲.

-국화【山菊花】명〔植〕 あぶらぎく
油菊).
금【産金】명하자 産金. ¶ ～ 지대
産金地帯.
기【産氣】명 産気；虫気〈雅〉.
¶ ～가 들〔돌〕다 産気〔虫気〕づく.
기【産期】명 胎児を産む時期.
기【酸基】명〔化〕酸基.
-기슭【山—】명 山のふもと(麓)；山
すそ；山脚. ¶ ～에 있는 집 山の麓
にある家 / ～에 있는 별장 山麓
の別荘.
-길【山—】명 山道；山径；
山路〈雅〉. ¶ 험한 ～을 가다 険し
い山道を行く / 가파른〔험한〕 ～ そば
みち(岨道).
산-꼭대기【山—】명 山の頂；山頂
；さんてん(山顚)；尾の上〈雅〉.
¶ ～의 소나무 山頂の〔尾の上の〕松 /
～까지 오르다 山頂に登り詰める；
山頂を窮める.
산-나물【山—】명 山菜. ¶ ～ 요리
山菜料理；精進料理.
산-너머【山—】명 山の向こう.
산-놓다【算—】명하타 算を置く；算
木で計算する.
산-누에【山—】명〔蟲〕 やままゆ(山
繭)；野蚕.
‖——-나방 명〔蟲〕 やままゆが(山繭
蛾)；さくさん(柞蚕). ＝산잠아(山蠶
蛾)·야잠아(野蠶蛾).
산달【産—】명 産月；産み月. ¶
～이 가까왔다 産月が近づいた.
산대【山臺】명〔民〕大通りの道端
や空地で芝居〔劇〕を演ずる仮
の舞台. →산디.
‖——-놀음 명하자〔民〕高麗·朝鮮
朝を通じてはやった代表的
仮面劇. ＝산대극(山臺劇)·산대도
감극(山臺都監劇)·나례(儺禮). —— 도
감(都監) 명〔民〕"산대놀음"を演ずる
人の集団. ——-탈 명 "산대놀음"
に使う面〔仮面〕. ——-판 명 "산
대놀음"をする場.
산-더미【山—】명 山と積まれたも
ののたとえ；山. ¶ 재목을 쌓아서
～가 되다 積み木の山が出来る / 돈
이라면 ～만큼 있다 金なら山ほどあ
る / 책을 ～처럼 쌓다 本を山と積む.
산도【酸度】명〔化〕酸度.
산독-증【酸毒症】명〔醫〕酸毒症.
산-돌배【山—】명 ちょうせんやまなし
(朝鮮山梨)の実.
산-돼지【山—】명〔動〕☞ 멧돼지.
산들-거리다 자 ①(涼しい風が)そよ
そよと吹く；そよぐ. ②気性がさ
わやかで柔らかい. <선들거리다. 산
들-산들 부하자형 そよそよ；さわさ
わ. ¶ 봄바람이 ～ 불다 春風がそよ
そよと吹く.
산들-바람 명 そよ風；軽風；涼風
；微風. <선들바람.
산-등【山—】, 산-등성【山—】, 산-등성
이【山—】명 尾根；おねすじ；稜線
；峰すじ. ¶ ～을〔를〕 타고 가다
尾根伝いに進む.
산-등성-마루【山—】명 山の尾根；
山の脊. 준 산마루.
산디 명〔民〕←산대(山臺).

산-딸기나무【山—】명〔植〕くまいちご.
산뜻 부 軽くさわやかなさま；さっ
と；すっと.
산뜻-하다 형 こざっぱりしている；
あっさりしている；すかっとしている；
さらりとしている；さわやかだ. ¶ 산
뜻한 옷차림 こざっぱり〔さっぱり〕(と)
した身なり / 산뜻한 맛 あっさり
〔さっぱりと〕した味. 산뜻-이 부 こ
ざっぱりと；あっさりと；すかっと；
さらりと；さっぱりと；鮮やかに；さ
わやかに.
산란【産卵】명하자 産卵. ¶ ～기 産
卵期 / ～관〔蟲〕産卵管.
산란【散亂】명 散乱. ——-하다 형
取り乱す；散る. ¶ ～해진 마음을
가라앉히다 取り乱した心を落ち着
ける / 마음이 ～해지다 気が散る；
そわつく.
‖——-파 명〔物〕散乱波.
산령【山嶺】명 山嶺. ＝산봉(山峰).
산록【山麓】명 山麓. ＝산기슭.
‖——-대 명〔地〕 山麓帯. —— 빙하
명〔地〕山麓氷河.
산-류【酸類】명〔化〕酸類.
산림【山林】명 山林. ① 山と林.
また, 山にある林. ¶ ～ 보호 山林保護
. ② 学徳に優れながら官職に
つかず田舎で読書にふける儒者
. ¶ 은서(隱棲)하는 ～ 山林に交わ
る儒者.
‖—— 녹화 명 山林緑化. ¶ ～ 운
동 山林緑化運動. ——-업 명 山林業
. —— 조합 명 山林組合. —— 지
대 명 山林地帯. ——-청 명 山林庁
. ——-학 명 山林学；林学.
산-마루【山—】명 ↗산등성마루.
산-마루터기【山—】명 山の端の突
出部；山の鼻.
산만【散漫】명하형 散漫.
산-말 명 生きた言葉.
산망-스럽다 형 言動が軽率でこせ
こせしている；そそっかしくてみみっ
ちい.
산매【散賣】명하타 小売り. ＝소매.
‖——-상 명 小売商. ——-점 명 小
売店·小売り店. ＝소매점.
산맥【山脈】명〔地〕山脈；山並
み. ＝산줄기.
산명 수려【山明水麗】명하형 山水の
景色の美しいこと. ＝산명 수자
(山明水紫)·산명 수청(山明水清).
산모【産母】명 産婦. ¶ ～와 갓난 아
기는 건강하다 産婦と赤ん坊は健康
である.
산-모룽이【山—】명 山すその突き
出た曲がり角.
산-목숨 명 生きている命.
산문【山門】명 山門. ① 山の登り
口. ② 寺. ＝절[1]. ③ 寺の正門.
산문【散文】명 散文. ＝줄글.
‖——-시 명 散文詩. —— 작가 명 散
文作家. ——-적 명관 散文的. ¶
～ 필치 散文的筆致. ——-주의 명
〔文〕散文主義. ——-체 명 散文体.
산물【産物】명 産物；産出物.
산미【山味】명 山菜などの味.
산미【酸味】명 酸味；すっぱい味
；すっぱみ.

人

산-밑【山—】명 山の下; 山のふもと. ¶ ~의 집 山のふもとにある家.
산-바람【山—】명 山風.
산발【散發】명하자 散発.
‖——-성 명〔醫〕散発性. ——-적 명 관 散発的.
산발【散髮】명 散髪; ちらし髪; さば(捌)き髪; 乱れ髪.
산방【産房】명 産室; 産屋.
산법【算法】명 算法.
산-벚나무【山—】명〔植〕おおやまざくら(大山桜); やまざくら(山桜). ¶ 향기 높은 ~ かおり高い山桜.
산별 노조【産別勞組】명 [↗산업별 노동 조합] 産別労働組合.
산병【散兵】명〔軍〕散兵.
‖——-선 명 散兵線. ——-호 명 散兵壕.
산보【散步】명하자 散歩. =산책(散策).
산-보살【—菩薩】명〔佛〕生き仏.
산복【山腹】명 山腹. =산요(山腰).
산봉【山峰】명 峰. =산봉우리.
산-봉우리【山—】명 峰; 高嶺; 山嶺. 준 봉(峰)·봉우리. * 멧부리.
산부【産婦】명 産婦. =산모(産母).
산-부리【山—】명 山のある部分がくちばしのように突き出た所.
산-부인과【産婦人科】명 産婦人科.
산-부처 명 生き仏. ① 道を極めた高僧. =산보살. ② 非常に善良な人.
산-불【山—】명 山火事; 山火. ¶ ~ 방지 山火防止.
산-비둘기【山—】명〔鳥〕しらこばと(白子鳩); やまばと(山鳩); きじばと(雉鳩).
산-비탈【山—】명 山すその急斜面; 山岸; がけ.
산-뽕나무【山—】명〔植〕やまぐわ(山桑). =산상(山桑).
산사【山寺】명 山寺.
산-사람【山—】명 山人; さんか(山窩); さんわ.
산-사태【山沙汰】명 山崩れ; 山津波.
산 산-이【散 散—】부 散散と〔に〕; ばらばらと〔に〕; ちりぢりと; 木端みじん(微塵)に. ¶ ~ 깨어진 꿈 散散にこわれに夢 / ~ 흩어지다 ちりぢりばらばらになる.
산산-조각【散散—】명 木葉みじん(微塵); ちりぢりばらばら; ばらばら. ¶ ~으로 깨지다 木葉みじんに砕ける / ~이 나다 ちりぢりになる.
산산-하다 형 さわやかに涼しい; やや冷える. ¶ 산산한 바람 さわやかに涼しい風. <선선하다.
산삼【山蔘】명 深山に野生する高麗人参《効力が栽培種よりも優れる》.
산상【山上】명 山上. ¶ ~의 경치 山上の景色.
‖—— 수훈 명 山上の垂訓.
산새 명 山鳥.
산성【山城】명 山城.
산성【酸性】명〔化〕酸性.
‖——-도 명 酸性度. —— 반응 명 酸性反応. —— 백토 명 酸性白土. =표포토(漂布土). ——-비 명 酸性雨. —— 비료 명 酸性肥料. ——-식품 명 酸性食品. ——-암 명 酸性岩. ——-염 명〔化〕酸性塩. ——-염료 명 酸性染料. ——-천 명 酸性泉. ——-토, —— 토양 명 酸性土; 酸性土壌.
산세【山勢】명 山勢. ¶ ~가 험하다 山が険しい.
산소【山所】명 ① 墓の敬称. ② 墓のある所. =영역(塋域).
산소【酸素】명〔化〕酸素.
‖——-땜 명 酸素熔接. —— 마스크 명 酸素マスク. ——-산 명 酸素酸. —— 아세틸렌염 명 酸素アセチレン炎. —— 요법 명 酸素療法. —— 호흡 명 酸素呼吸.
산-소리 명 痩せがまん. ——-하다 자 痩せがまんを言う〔張る〕.
산-속【山—】명 山中; 山奥; 山内. ¶ ~에 있는 열 놈의 도둑은 잡아도 제 맘속에 있는 한 놈의 도둑은 못 잡는다《俚》山中の賊を破るは易く心中の賊を破るは難し.
산-송장 명 生けるしかばね(屍).
산수【山水】명 ① 山水. =경치. ② ↗산수화.
‖——-도(圖) 명 ① 山水の地勢を描いた略図. ② ☞ 산수화(山水畫). ——-화 명 山水画. 준 산수.
산-수유【山茱萸】명 さんしゅゆ(山茱萸)の実. また, その実を乾かしたもの《解熱剤·強壮剤》.
산술【算術】명 算術; 算法.
‖—— 급수 명〔數〕算術級数; 等差級数. —— 평균 명〔數〕算術平均. =상가 평균(相加平均).
산식【算式】명〔數〕算式.
산신【山神】명 山神; 山の神. =산신령.
‖——-제 명 山神祭. =산제(山祭).
산-신령【山神靈】명 山神; 山の神; やまつみ(山祇); 山霊.
산실【産室】명 産室; 産屋; 産所. =산방(産房).
산실【散失】명하자 散失.
산-쑥【山—】명〔植〕やまよもぎ(山艾). =사재발쑥.
산아【産兒】명하자 産児.
‖—— 제한 명 産児制限. 준 산제(産制). —— 조절 명 産児調節; 産調《준말》.
산악【山嶽·山岳】명 山岳.
‖——-국 명 山岳国. —— 기상 명 山岳気象. —— 기후 명 山岳気候. =고산(高山) 기후. ——-림 명 山岳林. —— 문학 명 山岳文学. ——-병 명〔醫〕山岳病. =고산병(高山病). —— 빙하 명〔地〕山岳氷河. —— 숭배 명 山岳崇拝. ——-전 명 山岳戦. 준 산전(山戰). —— 철도 명 山岳鉄道. ——-회 명 山岳会.
산액【産額】명 産額; 生産高; 産出高.
산-앵두【山櫻—】명〔植〕① ☞ 산앵두나무. ② にわうめ(庭梅)の実. =산이스랏·울리(鬱李).
‖——-나무 명〔植〕にわうめ(庭梅)の木. =산이스랏나무.
산양【山羊】명〔動〕① 山羊. =염소.

①) ☞ 영양(羚羊).
——-자리 명 〔天〕山羊座. ——-피 명 山羊の皮.
-언덕【山—】명 山になっている丘. また, 平地よりやや高い地帯.
-언저리【山—】명 山辺.
업【産業】명 産業.
——-계 명 産業界. —— 공해 명 産業公害. —— 공황 명 産業恐慌. —— 교육 명 産業教育. —— 기계 명 産業機械. —— 도시 명 産業都市. —— 박람회 명 産業博覧会. —— 스파이 명 産業スパイ. ——용 상품 명 産業用商品. —— 입지 명 産業立地. —— 자금 명 産業資金. —— 자본 명 産業資本. —— 재해 보상 보험 명 産業災害補償保険. (준) 산재(産災) 보험. —— 채권 명 産業債券. —— 합리화 명 産業合理化. —— 혁명 명 産業革命. ——-화 명 하자타 産業化.
산역【山役】명 墓造りの仕事.
‖——-꾼 명 墓づくりの労働者.
산열【散熱】명하자 散熱. ¶ ~ 반응 散熱反応 / ~ 분해 散熱分解.
산영【山影】명 山影; 山の影.
산-올벼 명〔植〕早稲の一つ.
산욕【産褥】명 さんじょく(産褥). ¶ ~에 눕다 産褥につく.
‖——-열 명〔醫〕産褥熱.
산용【山容】명 山容; 山のかたち.
산용 숫자【算用數字】명 算用数字; アラビア数字.
산-우렁이【山—】명〔動〕やまたにし(山田螺).
산-울림【山—】명 山鳴り.
산-울타리 명 生け垣.
산원【産院】명 産院.
산월【産月】명 産み月; 臨月. = 산삭(産朔).
산의【産衣】명 産衣; 産着.
산인【山人】명 山人; 山中に住む僧や道士.
산일【散佚·散逸】명하자 散逸. ¶ 문집이 ~되었다 文集が散逸した.
산입【算入】명하타 算入. ¶ 예산에 ~하다 予算に算入する.
산자【糤子·饊子】명 もち米の粉をこねてあられに切り油で揚げた後, 蜜をまぶしてい(炒)った飯粒を着せた菓子.
‖——-밥풀 명 "산자·강정"などに着せる油で揚げた飯粒.
산자 수명【山紫水明】명하형 山紫水明.
산-자전【—字典】명 生き字引き. ¶ 저이는 어학의 ~이다 あの方は語学の生き字引きである.
산장【山莊】명 山荘.
산재【散在】명하자 散在; 点在. ¶ 별장이 ~해 있다 別荘が散在している.
산-재목【—材木】명 伐採したままの材木.
산재 보험【産災保險】명 ↗산업 재해보상 보험.
산적【山賊】명 山賊; 野伏せり. ¶ ~의 소굴 山賊の巣窟〔すみか〕; さんさい(山塞) / ~질을 하다 山賊を働く.
산적【山積】명하자 山積; 山積み. ¶ ~한 화물 山積みの荷物 / 어려운 사건이 ~해 있다 むずかしい事件が山程ある.
산적【散炙】명 くし(串)焼き; 田楽焼き.
산전【山戰】명 山岳戦.
‖—— 수전(水戰) 명 海千山千; 海千河千. ¶ ~ 다 겪은 사람 つぶさに辛苦をなめ尽くした人; 海千山千(の人); 老練な人.
산전【産前】명 産前.
산정【山亭】명 山亭; 山に建てたあずまや(東屋).
산정【山頂】명 山頂; さんてん(山顚); 嶺〈雅〉; 尾の上〈雅〉.
산정【算定】명하타 算定. ¶ 가격 ~ 価格算定.
산제【山祭】명 山祭り.
산제【散劑】명 散剤; 粉薬·こぐすり.
산제【産制】명 [↗산아 제한] 産制.
산조【散調】명〔樂〕民俗音楽の一つ.
산주【山主】명 ① 山の主. ② "산대탈"を保存する人.
산-줄기【山—】명 山の連なり; 山並み; 山脈; 山の線.
산중【山中】명 山中·山なか; 山奥. =산속. ¶ 깊은 ~ 奥山 / 인가가 드문 ~ 人煙〔人家の〕まれな山中.
‖—— 호걸(豪傑) 명 山にある豪傑の意で, 虎をさすことば. また, その気性.
산-중독【酸中毒】명〔醫〕☞ 산독증(酸毒症).
산증【疝症】명 せんき(疝気). ¶ ~ 환자 疝気持ち.
산지【山地】명 ① 山地. =산달. ② 墓地に適する地.
산지【産地】명 産地. ¶ 보리의 ~ 麦の産地.
산-지기【山—】명 山守り; 山番; 森番; 墓守り. =산직(山直).
산지 사방【散之四方】명하자 四方八方に散らばること.
산-지식【—知識】명 生きた知識.
산-지옥【—地獄】명 ☞ 생지옥.
산-짐승【山—】명 山に住む獣; 野獣.
산채【山菜】명 山菜. =산나물. ¶ ~ 요리 山菜料理; 精進料理.
산채【山寨·山砦】명 さんさい(山塞·山砦).
산책【散策】명하자 散策; 散歩; しょうよう(逍遙); そぞろ歩き〈雅〉. ¶ 공원을 ~하다 公園を散策する / 저녁 거리를 ~하다 夕方の町を散歩する.
산천【山川】명 ① 山川·山かわ; 山河; 山と川. ¶ 고향 ~ 故郷の山河. ② ☞ 자연.
‖——-어 명〔魚〕やまめ. —— 초목 명 ① 山川草木. ② ☞ 자연.
산촌【山村】명 山村; 山里; 遠山里〈雅〉. =두메.
산출【産出】명 産出. =생산(生産). ——-하다 자타 産出する; 産す; 出す. ¶ ~고 産出高 / ~액 産額

/ 철을 ～하는 산 鉄を出す山.

산출【算出】명 算出; 割り出し. ——-하다 타 算出する; 割り出す. ¶ 원가를 ～해 내다 原価を割り出す.

산-치성【山致誠】명 山の神に祈ること. ¶～ 드리다 山の神に祈る.

산타 마리아 〔Santa Maria〕 명〖基〗サンタマリア. ＝성모 마리아.

산타 클로스 〔Santa Claus〕 명 サンタクロース; サンタ《준말》. ¶～ 할아버지 サンタ(クロース)のおじいさん.

산탄 【散彈】명 ① 散弾; ばらだま. ＝산탄(霰彈). ② 一発ずつ撃つ弾丸.

산태【山汰】명 山崩れ. ＝산사태.

산-턱【山—】명 山腹にやや小高くもり上がった所.

산-토끼【山—】명〖動〗野うさぎ(兎); やと(野兎). ＝산토(山兎).

산통【産痛】명〖醫〗陣痛. ＝진통.

산통 【算筒】명 ぼくぜい(卜筮)に用いる算木〔籤〕を入れる筒. —— 깨다 구 ある事を成り立たないように妨げる; おじゃんにする.

산파【産婆】명 産婆《助産婦の旧称》; とりあげばば〈老〉. ＝조산원(助産員).

‖——-역 명 産婆役.

산판【山坂】명 木を伐り出す所. ¶～에서 갓 나온 재목 山出しのままの材木.

산패【酸敗】명하자〖化〗酸敗.

산포【散布】명하자타 散布. ¶비라를 ～하다 ビラ〔ちらし〕を散布する〔まく〕.

산표【散票】명 散票.

산하【山河】명 山河; せんが.

산하【傘下】명 傘下. ¶～ 단체 傘下団体.

산학【産學】명 産学. ¶～ 제휴 産学連携.

‖—— 협동 명 産学協同.

산학【算學】명 算学; 数学.

산해【山海】명 山海.

‖—— 진미 명 山海の珍味; 山幸海幸. ＝산진 해미. ¶～를 맛보다 山海の珍味をあじわう.

산행【山行】명하자 山行. ① 山歩き. ② 山遊び. ③ 登山; 山登り.

산-허리【山—】명 ① 山腹; 山腰. ② 尾根のくぼんだ所; あんぶ(鞍部).

산혈【山穴】명 ① 山に開いている穴. ② 山の精気が集まっている墓場.

산호【珊瑚】명 ① さんご(珊瑚). ¶～ 기둥에 호박 주추라《俚》珊瑚の柱にこはく(琥珀)の礎《きわめて豪華な生活のたとえ》. ②〖動〗☞ 산호충.

‖——-도 명〖地〗珊瑚島. ——-수 명 珊瑚樹. ——-잠(簪) 명 珊瑚製のかんざし. ——-주 명 珊瑚珠. ——-초 명〖地〗珊瑚礁. ＊환초(環礁). ——-충 명〖動〗珊瑚虫.

산화【山火】명 ☞ 산불.

산화【散華】명하자 散華; 戦死.

산화【酸化】명하자〖化〗酸化. ¶～ 작용 酸化作用 / 쇠가 ～해서 녹이 슬었다 鉄が酸化してさび(錆)が生じた.

‖—— 구리 명〖化〗酸化銅. —— 마그네슘 명〖化〗酸化マグネシウム. ＝고토(苦土)·마그네시아. ——-물 명 酸化物. —— 바륨 명 酸化バリウム. ＝중토(重土). —— 방지제 명 酸化防止剤. —— 수소 명 酸化水素. —— 수은 명 酸化水銀. —— 아연 명 酸化亜鉛. ＝아연 화(華)·아연 백(白). —— 알루미늄 명 酸化アルミニウム. —— 염료 명 酸化染料. ——-은 명 酸化銀. ——-제 명 酸化剤. —— 질소 명 酸化窒素. ——-철 명 酸化鉄. —— 칼슘 명 酸化カルシウム. ＝생석회(生石灰). —— 크롬 명 酸化クロム. —— 탄소 명 酸化炭素. —— 환원 반응 명 酸化還元反応.

산회【散會】명하자 散会. ¶ 위원회는 6시에 ～할 예정이다 委員会は六時に散会する予定である.

산후【産後】명 産後. ¶～의 회복 産後の肥立ち.

살[1] 명 ① 肉; 動物の皮膚におおわれた, やわらかな物質. ¶～이 찐 소 肉付きのよい牛 / ～이 붙다 肉がつく / ～이 빠지다 肉が落ちる / ～이 되다 身になる. ② (食用の)肉; 鳥獣または魚の肉. ¶～을 베어내다 肉を切り取る. ③ (貝·かに(蟹)などの)肉; 中味. ④ ↗살붙이. ⑤ 肌; 皮膚; 肌身. ¶～빛 肌色; 肉色 / ～결이 곱다 肌がきれいだ / ～을 섞다 肌を交える《夫婦生活〔性行為〕をする》. ⑥ 果肉; 実.

살[2] 명 ① (戸·障子などの)桟; 格子; (団扇などの)骨. ¶～문 格子戸 / 우산 ～ 傘の骨. ② (車輪などの)や(輻). ③ (くし(櫛)の)歯. ¶빗～ 櫛目. ④ ↗어살. ⑤ ↗화살. ¶～은 쏘고 주워도 말은 하고 못 줍는다《俚》射た矢は拾えるが, 一度出した言葉は取り戻せない《言葉を慎めとの意》. ⑥ (はち(蜂)の)針. ⑦ (日·流れなどの)勢い. ¶햇～을 받다 日ざしを受ける / 물～이 세다 流れが速い. ⑧ もち(餅)に模様押しで打ち出したあや.

살[3] 명 (ばくち(博打)で)かけ金に更にかけ添える金.

살 【煞】명 ① 人や物などを害する悪毒な妖気; 悪鬼のしわざ; たた(祟)り. ② 親類がいがみあうこと.

살[4] 의명 年齢を数える語; 歳. ¶여섯 ～ 六歳.

살-가다【煞—】자 ちょっとしたことがたた(祟)ってよくない結果を招く.

살-가죽 명 皮膚.

살갑다 형 ① 見掛けによらず中が広い. ¶살갑기는 평양 나막신《俚》見掛けによらず広さがまるで平壌の木履のようだ《小柄なくせに大食する者のたとえ》. ② 度量が広くて頼もしい. ＜슬겁다.

살강-거리다 자 (半煮えの豆や栗などが)かりかりする. ＜설겅거리다.

살강-살강 부하자 かりかり.

살갗 명 肌; 肌え〈雅〉; 皮膚. ¶～이 거칠어지다 肌が荒れる / ～이 트다 ひ

(輝)が切れる / 가슬가슬한 ~의 여 さめはだ(鮫肌)の女.

-같이 [부] 矢の如く. ¶ ~ 흐르는 세월 矢の如く流れる年月〔歳月〕.

-결 [명] 肌; きめ(肌理); 地. ¶ 흰 ~ 白肌 / 바닷바람에 탄 ~ 潮焼けの肌 / ~이 부드러운 여자 柔肌の女 / ~이 거칠어지다 地が荒れる.

-구 [명] まんしゅうあんず(満州杏子). また, その実. =육행(肉杏). ¶ ~ 씨 きょうにん(杏仁).

——-꽃 [명] あんず(杏)の花. ——-나무 [명]〔植〕あんず(杏)の木.

균【殺菌】[명][하자] 殺菌. ¶ 저온 ~ 低温殺菌.

‖——-력 [명] 殺菌力. ¶ ~이 강하다 殺菌力が強い. ——-유 [명] 殺菌乳. ——-제 [명] 殺菌剤.

살그머니 [부] ひそ(密)かに; こっそり; そっと. <슬그머니. ¶ ~ 숨어들다 ひそかに忍び込む / ~ 안을 엿보다 こっそり中をのぞく.

살근-거리다 [자] 物がしきりに軽く擦れ合う. <슬근거리다. **살근-살근** [부][하자] 軽く擦れ合い続けるさま.

살금-살금 [부] 人目を盗んでひそかにするさま; こっそり; こそこそ. <슬금슬금. ¶ ~ 다가서다 忍び足で近寄る / ~ 도망치다 こそこそ逃げ出す. [준] 살살.

살기【殺氣】[명] 殺気. ¶ ~를 띠다 殺気立つ / ~가 가득차다 殺気がみなぎる.

‖——-등등(騰騰) [명][하형] 殺気がみなぎること. —— 충천 [명][하형] 殺気衝天; すさまじく殺気立っていること.

살-길 [명] 暮らしの道.

살-깃 [명] 矢羽(根).

살-날 [명] ① 余命; 残りの命. ¶ ~이 얼마 남지 않았다 余命いくばくもない. ② 裕福に暮らせる日.

살-내 [명] 体のにおい; 体臭.

살-내리다 [자] 肉が落ちる.

살-내리다【煞—】[자] ① 人を害する邪鬼がはら(祓)われてたた(祟)らなくなる. ② 親族間のいがみあいがなくなる.

살다¹ [一][자] 生きる. ① 生存する. ¶ 죽느냐 사느냐의 절실한 문제 死ぬか生きるかの切実な問題 / 백살까지 ~ 百まで生きる / 살 의욕을 잃다 生きる張りを失う / 명대로 ~ 生を全うする. ② 暮らす; 生活する. ¶ 검소하게 ~ 約やかに暮らす / 건실〔착실〕하게 ~ 手がたく暮らす. ③ 住む. ¶ 살기 좋은 고장 住みよい土地 / 시내에 살고 있다 市内に住んでいる. ④ 生き生きとしている; 生きている. ¶ 산 그림 生きた絵. ⑤ (碁や将棋で) 石や駒が死をまぬかれる. ¶ (바둑에서) 돌이 ~ 石が生きる. ⑥ 役に立つ; 効き目がある. ¶ 이 법률은 아직 살아 있다 この法律はまだ生きている.
[二][타] 官職·職務を勤める. ¶ 머슴을 ~ 作男として働く / 벼슬을 ~ 官職に就く; 仕官する.

살다² [형] ある標準をやや越すようだ. ¶ 한 근이 좀 ~ 一斤強である.

살-담배 [명] 刻みタバコ; 刻み《준말》. =각(刻)연초·절초(切草).

살-대 [명] 支柱; ささえ柱; つっかい棒.

살-덩어리, 살-덩이 [명] 肉の塊; ししむら(肉叢).

살뜰-하다 [형] ① つま(倹)しい. ¶ 살뜰한 살림 倹しい暮らし〔生活〕. ② (心が) あたたかい; 愛情深い. ¶ 살뜰한 아내의 애정 あたたかい妻の愛情. **살뜰-히** [부] 倹しく; あたたかく.

살라미〔salami〕[명] サラミ.

살랑-거리다 [자] ① (やや寒気を〔涼しい感じを〕催すほど) 風がそよそよと吹く. ② 軽く両手を振りながら歩く. <설렁거리다. **살랑-살랑** [부][하자] ① そよそよ. ¶ 바람이 ~ 불다 風がそよそよ吹く. ② 軽く風を切って歩くさま.

살랑-하다 [형] ① 薄ら寒い; ややひえびえする. ¶ 살랑한 날씨 肌寒い日和. ② ひやっとする; ぞっとする. ¶ 가슴이 ~ 胸がぞっとする. <설렁하다.

살래-살래 [부] 体の一部分を軽く続けて横に振るさま. ¶ 머리를 ~ 젓다 頭を振る. <설레설레.

살려 내다 [타] ① 救い出す; 助ける. ¶ 물에 빠진 사람을 ~ おぼ(溺)れる人を救い出す. ② 生き返らせる; よみがえ(蘇·甦)らせる.

살려 두다 [타] 生かしておく; 生かす. ¶ 살려 둘 수 없다 生かしておけない.

살려 주다 [타] 助けてやる; 救ってやる.

살롱〔프 salon〕[명] サロン; サルーン. ¶ 뷰티 ~ ビューティサロン.

‖—— 문학 [명] サロン文学. —— 비평 [명] サロン批評. —— 음악 [명]〔樂〕サロン音楽.

살륙【殺戮】[명][하타] →살육.

살리다 [一][타] 生かす. ① 物に手加減を加えるかまたはそのままにして置く. ¶ 맛을 살린 요리 味を生かした料理 / 지웠던 글자를 ~ 消した字を生かす. ② 活用する. ¶ 경험을 ~ 経験を生かす. [二][사동] ① 生き返らせる. ② 生き長らえさせる; 助ける; 救う. ¶ 살려 둘 수 없는 놈 生かしておけぬ奴 / 목숨을 ~ 命を助ける. ③ (家族を)養う; 食わす. ¶ 식구들을 먹여 ~ 家族を食わしていく.

살림 [명][하자] (一家をなして暮らして行く)生活; くらし(向き); 所帯. ¶ 가난한 ~ 貧乏暮らし / 혼자 ~ ひとり所帯 / 여자만의 ~ 女所帯 / ~을 차리다 所帯を張る〔持つ〕; かまど(竈)を持つ / ~을 나다 新たに所帯を持つ〔構える〕/ ~을 맡다 所帯を受け持つ; 暮らしを背負う / ~이 쪼리다 暮らしに窮する.

‖——-꾼 [명] ① 所帯を持つ人. ② 所帯持ち〔家持ち〕のよい人; 家事の切り盛りのうまい人. ——-때 [명] 所帯やつれ. ¶ ~가 묻다 所帯染みる. ——-방(房) [명] 生活を営む部屋;

住み部屋. ——-살이 명하자 生活(すること); 暮らし(向き). ¶ ~가 넉넉하다 暮らし向きがよい. ——-집 명 住み家. ——-터 명 生活の場.

살-맛 명 世間暮らしの楽しみ; 生きがい(甲斐). ¶ ~ 나다 生きがいを感ずる.

살-맞다【煞—】 자 (喪家などを訪ねたことがたた(祟)って)悪鬼に取り付かれて病気などになる.

살며시 부 そっと; こっそり(と); こそっと; ひそ(密)かに. <슬며시. ¶ ~ 문을 열고 들여다보다 そっと戸を開けてのぞきこむ / ~ 찾아드는 봄의 기색 忍びやかに訪ずれる春の気配.

살모넬라-균【—菌】〔라 Salmonella〕 명〔醫〕サルモネラ菌.

살무사 명〔動〕まむし(蝮). =복사〔蝮蛇〕·살모사(殺母蛇).

살-문【—門】 명〔建〕格子戸.

살-박다 자 もち(餅)などに打ち出し模様をつける.

살벌【殺伐】 명하형타 ① 殺伐; すぐ乱闘でも起こりそうなあらあらしいようす. ¶ 인심이 ~해지다 世の中が殺伐になる / ~한 분위기 殺伐とした雰囲気. ② 攻め殺すこと.

살-별 명 ☞ 혜성(彗星)①. ¶ ~의 꼬리 すいせい(彗星)の尾.

살-붙이 명 ① 近い血縁の者〔親類〕; 身内. ② 獣肉.

살-빛 명 肌色; 肉色.

살-빠지다 자 ☞ 살내리다.

살살[1] 부 ① 温突が一様に暖まるさま. ¶ 방바닥이 ~ 더워진다 床がぽかぽか暖まって来る. ② こまた(小股)で軽やかに歩くさま; そろそろ. ¶ ~ 걸어가다 そろそろ(と)歩く. ③ 静かにかぶり(頭)を振るさま. <설설. —— 기다 자 怖じける; びくびくする; しりごみする. ¶ 상관앞에서 ~ 上役の前でびくびくする.

살살[2] 부 ① 足音を忍ばせて歩くか, または人目を忍ぶようす: こっそり(と); 人目を忍んで; しずしず(と). ¶ ~ 피해 다니다 人目を忍ぶ. ② (雪·砂糖などが)溶けるさま. ③ 人を巧みになだ(宥)めるか, またはだま(騙)し込むようす: 巧みに; うまく. ¶ ~ 꾀다 巧みに誘い掛ける〔口車に乗せる〕/ ~ 구슬리다 うまく丸め込む. ④ 軽くさすったりこするさま. ¶ 배를 ~ 문지르다 軽く腹をさする. ⑤ 風が軽く吹くさま: そよそよ. ⑥ ↗살금살금. <슬슬.

살살[3] 부 腹が少しずつ刺すように痛むさま: ちくちく. ¶ 배가 ~ 아프다 腹がちくちく(と)痛む.

살살이 명 ずるいお調子者.

살상【殺傷】 명하타 殺傷. ¶ 인마를 ~하다 人馬を殺傷する.

살생【殺生】 명하자 殺生. ¶ 무익한 ~을 하다 無益な殺生をする.
‖——-계 명〔佛〕殺生戒.

살서-제【殺鼠劑】 명〔藥〕殺鼠剤; 猫いらず.

살-세다【煞—】 형 親類間の情誼がない.

살수【撒水】 명하자 さっすい(撒水 散水《관용음》.
‖——-기 명 撒水器. ——-차 명 撒 車.

살신 성인【殺身成仁】 명하자 身を ころして仁を成すこと.

살아-가다 자 ① 生きて行く; 生 る; 生き抜く. ¶ 이 다난한 시대 살아가기란 쉽지 않다 この多難な 代に生き抜くのは容易でない / 없는 세상을 ~ 無常の世に生きる ② 暮らして行く; 暮らす; 世を たる. ¶ 그날그날 살아가는게 고작일 日日を暮らして行くのが精一杯だ よ / 학문으로 ~ 学問で世に立つ

살아-나다 자 ① 生き返る; よみが え(蘇·甦)る; 蘇生する. ¶ 죽었다 ~ 絶後によみがえる / 죽은 사람이 ~ 死人が生き返る / 사흘만에 ~ 三日目によみがえる. ② 助かる; 苦境を切り抜ける. ¶ 가까스로 ~ 危く助かる. ③ (消えかけた火が)再び燃えあがる. ④ (勢いなどが)盛り返される; 再び盛んになる. ⑤ へこんだ部分が再び盛りあがる.

살아 생이별【—生離別】 명 "생이별(=生き別れ)"を強めた言葉.

살아 생전【—生前】 명 生きている間; 命の〔世に〕あるうち. ¶ 그의 ~의 모습 彼の在りし日のおもかげ / ~ 잊을 수 없다 生きているうちは忘れられない.

살아-오다 자 ① 暮らして来る; 生活して来る. ② 苦境を乗り越えて来る. ③ 官職に仕えて来る.

살-얼음 명 薄氷. ¶ 오늘 아침 연못에 ~이 얼었다 今朝池に薄氷が張った / ~을 밟는 느낌 薄氷を踏む思い.
‖——-판 명 今にも何か起きそうな危い局面のたとえ.

살없는-창【—窓】 명 格子なき窓.

살-여울 명 早瀬.

살-오르다 자 ☞ 살찌다.

살-오르다【煞—】 자 ① (人を害したり, 物をこわすなどの)悪鬼の邪気がとりつく. ② 親族どうしがいがみあうようになる.

살육【殺戮】 명하타 [←살륙(殺戮)] さつりく(殺戮). ¶ 대~전 大殺戮戦.

살의【殺意】 명 殺意. ¶ ~을 품다 殺意をいだく.

-살이 미 何かに従事したり, またはどこかに住んで暮らして行くことを表わす語; …住まい; …暮らし. ¶ 시골~ 田舎住まい / 셋방~ 間借り住まい / 머슴~를 하다 作男暮らしをする.

살인【殺人】 명하자 殺人; 人殺し; 荒仕事〈俗〉. ¶ ~ 사건이 나다 殺人事件が起こる / ~ 혐의로 검거했다 殺人の疑いで検挙した / ~ 현장 殺しの現場.
‖——-귀 명 殺人鬼. =살인마(殺人魔). —— 미수 명〔法〕殺人未遂. ——-범 명〔法〕殺人犯. ——-적 명관 殺人的. ¶ 금년의 더위는 ~이다 今年

しの暑さは(まさに)殺人的である.
-잡히다 자 ①しわがよる. ②薄氷が張る.
-점【—點】명 (大きな塊から切り取った)肉切れ.
-지르다 자 (賭博で)かけた金に付け添えて更にかける.
-집 명 肉付き; しし(肉)付き. ¶~이 좋은 사나이 しし付きのゆたかな男; 肉付きのよい男 / ~이 좋은 여자 太りじしの女性.
살짝 부 ①こっそり; そっと; 密かに《"私かに·窃かに"로도 씀》. ¶~ 귀엣말을 하다 そっと耳打ちをする / ~다가가(오)다 そっと忍び寄る. ②たやすく; 軽く; うまく. ¶~ 뛰어 내리다 ふわりと飛び下りる.
살짝-살짝 부 そそと; こっそりこっそり.
살쩍 명 びん(鬢); 揉み上げ; (女性の)後れ毛.
살-찌다 자 肥える; 太〔肥〕る; 肉がつく. =살오르다. ¶맥주통같이 ~ ビールだる(樽)のように太る / 뒤룩뒤룩 살찐 사람 ぶくぶく〔ぽってり(と)〕太った人 / 살찐 놈 따라 붓는다《俚》太った奴に倣ってふくれあがる《己の力量を顧みないでいたずらに人をまねることのたとえ》.
살-찌우다 사동 肥やす; 太らす. ¶가축을 ~ 家畜を肥やす.
살-창【—窓】명 格子窓; れんじまど(櫺子窓). =살창문.
살-촉【—鏃】명 ↗화살촉.
살충【殺蟲】명하자 殺虫.
‖——제 명 殺虫剤.
살캉-거리다 자 (生煮えのくり·いもなどが)口のなかでこりこり〔ぽりぽり〕と音を出す. <설컹거리다. 살캉-살캉 부하자 かりかり; こりこり; ぽりぽり.
살-코기 명 精肉.
살-쾡이 명〔動〕やまねこ(山猫); つしまやまねこ; ベンガル山猫. 준 삵.
살팍-지다 형 肉付きがよくて締まっている.
살판-나다 자 ①(金やいい職などにありついて)暮らし向きがよくなる. ②気楽に暮らせるようになる.
살펴-보다 타 (注意して)見る; よく見る; (様子などを)探る. ¶주변을 ~ あたりを見回す.
살포【撒布】명하타 さっぷ(撒布); 散布. ¶소독제를 ~하다 消毒剤を撒布する.
‖——제 명 撒布剤.
살포시 부 軽く; やんわり; そっと; 静かに. =살며시.
살-풀이【煞—】명하자 持って生まれた, 悪い命数を避けるためみこ(巫女)をさせて行なう厄払い.
살-풍경【殺風景】명하형 殺風景. ¶~한 경치 殺風景な景色.
살피다 ①見る; 調べる; (ようすなどを)探る. ¶추세를 ~ 成行きを見る / 원인을 ~ 原因を調べる / 적정을 ~ 敵情を探る / 주변을 ~ あたりを見回す / 평소의 언행을 ~ 平素の言行を見る. ②察する; うかが(窺)う. ¶마음속을 ~ 心中〔胸中〕を察する / 기색을 ~ 顔色を窺う.
살해【殺害】명하타 殺害. ¶정부를 ~하다 情夫を殺害する.
‖——범 명 殺害犯.
삵 명〔動〕☞ 살쾡이.
삵-피【—皮】명 山猫の皮.
삶 명 生·しょう; 生きている現象. =생(生). ¶~을 즐기다 生を楽しむ / ~ 을 영위하다 生を営む.
삶다 타 ①煮る; ゆ(茹)でる; 蒸す. ¶통째로 ~ 丸のまま煮る / 덜 ~ 煮え足りない / 삶은 달걀 煮抜き卵; ゆで卵 / 푹 ~ 煮こむ. ②説き伏せる; たら(誑)す; 丸め込む; 取り込む. ¶누나를 삶아서 용돈을 타다 姉にうまくとりこんで小遣いをせしめる. ③田畑の土をまぐわ(馬鍬)でかきならす; 代掻きをして練る.
삼¹ 명〔醫〕目星; 星. ¶눈에 ~이 생기다 目に星ができる.
삼² 명〔植〕麻; 大麻.
삼【蔘】명〔植〕①栽培または野生のこうらいにんじん(高麗人参)の総称. ②↗인삼.
삼【三】㊀수 三; 三つ. =셋. ㊁관 三. ¶~등분 三等分 / ~차원 三次元.
삼가 부 [←삼가아] 慎〔謹〕んで. ¶~ 말씀 드립니다 謹しんで申しあげます / ~ 신년을 축하하나이다 謹しんで新年を賀し奉ります.
삼가다 자타 慎〔謹〕む; 遠慮する; (差し)控える; 手控える. ¶말을 ~ 言葉をつつしむ / 술을 ~ 酒をつつしむ / 음식을 ~ 食べ物に気をつける / 몸을 ~ 身を持する / 주제넘은 말참견을 ~ さしで口を差し控える.
삼각【三角】명 三角.
‖——건 명 三角きん(巾). —— 관계 명 三角関係. —— 기둥 명 三角柱; 三角とう(壔). —— 동맹 명 三角同盟. —— 무역 명 三角貿易. —— 방정식 명 三角方程式. ——-법 명〔數〕三角法. ——-비 명〔數〕三角比. ——-뿔 명 三角すい(錐). ——-자 명 三角定規. ——-점 명〔地〕三角点. ——-주 명 三角州; デルタ. —— 측량 명 三角測量. ——-파 명 三角波. —— 함수 명〔數〕三角関数. —— 함수표 명〔數〕三角関数表. 준 삼각표. ——-형 명 三角形. ¶~의 땅 三角形の土地. 준 삼각.
삼각-가【三脚架】명 三脚架.
삼-거리【三—】명 さんさろ(三叉路), 三つまた(叉); 三つつじ(辻). =세거리.
삼겹-살【三—】명 豚のあばら(肋)肉で, 脂身と肉が層をなしている部分; 三枚肉; ばら肉.
삼겹-실【三—】명 三つよ(縒)りの糸. =삼합사(三合絲).
삼경【三更】명 三更《午後の十一時から翌日の午前一時までの間; 子の刻》.

삼고【三考】명하타 三考. ¶ 재고～하다 再考三考する.
삼고【三顧】명 三顧.
‖── 초려(草廬) 명〔史〕三顧；蜀の劉備が諸葛孔明のいおり(廬)を三度訪れて軍師に迎えたこと.
삼골【三骨】명〔史〕新羅時代の骨品制度による聖骨・真骨・第二骨.
삼관-왕【三冠王】명 三冠王.
삼교【三校】명〔印〕三校；三度目の校正.
삼국【三国】명 三国. ①三つの国. ¶～간 무역 三国間貿易. ②〔史〕新羅・百済・高句麗. ③〔史〕中国, 後漢末の魏・呉・蜀.
‖── 협정 명 三国協定.
삼군【三軍】명 三軍. ①陸・海・空軍の総称. ¶～의 총수가 되다 三軍の総帥になる. ②〔史〕軍隊の左翼・中軍・右翼の総称.
삼권【三權】명 三権.
‖── 분립 명 三権分立.
삼-꽃 명 ①麻の花《韓方薬》. ②乳児の皮膚に出来る赤いぶつぶつのはんてん(斑点).
삼-끈 명 麻ひも；麻縄.
삼남【三男】명 ①第三男；第三子；三郎. ②三人兄弟.
삼남【三南】명 忠清道・全羅道・慶尚道の三道.
삼년【三年】명 ①三年；三年〔三歳〕〈雅〉. ¶～ 구병에 불효 난다《俚》親の看病三年に及べば遂に不孝者になる《何事においても一二度であって, その度数が重なれば一様に待遇し難いとの意》. ②(学校などの)第三学年.
‖──-상(喪) 명 三年間の喪〔忌服〕. 준 삼상(三喪).
삼-노, 삼-노끈 명 麻縄；麻ひも.
삼농【蔘農】명 こうらいにんじん(高麗人参)の農作.
삼다【三多】명 ①三多；文を作るのに必要な三つの要件《多く読む, 多く作る, 多く考えること》. ②(済州道で)風・女性・石の多いことの称.
‖──-도(島) 명 済州道の異称.
삼다¹ 타 …にする. ①(関係を)結ぶ〔持つ〕；迎える. ㉠(縁を)組む. ¶며느리로～ 嫁に迎える / 벗을 ～ 友にする / 친척집 아이를 양자로 ～ 親戚の子を養子にする. ㉡…を…になるようにする. ¶거울로 ～ 手本にする / 낚시질을 낙으로 ～ 釣りを楽しみにする / 축산업을 업으로 ～ 畜産を業とする. ②みなす；取る. ¶장난삼아 慰め半分に / 전혀 문제로 삼지 않는다 物ともしない；歯牙にも掛けない / 큰 문제로 ～ 大きな問題とみなす / 구실로 ～ 口実に取る；盾に取る / 화제로 ～ 話題に取る.
삼다² 타 ①(わらじ・ぞうりなどを)編む〔こしらえる；つくる〕. ②麻やからむし(苧麻〔苧〕)などの繊維をよ(縒)りあざなう.

人

삼-단 명 麻の束. ¶～ 같은 머리 さふさしたゆたかな髪.
삼단【三段】명 三段.
‖── 논법 명〔論〕三段論法. ── 뛰기 명 三段跳び.
삼-당숙【三堂叔】명 父の八親等の兄弟；おじ. ＊당숙・재당숙.
삼-대 명 麻の茎；麻幹.
삼대【三代】명 三代.
‖── 독자(獨子) 명 三代ひきつづき の独り子.
삼-대양【三大洋】명 三大洋.
삼대 영양소【三大榮養素】명 三大栄養素《炭水化物・脂肪・蛋白質》.
삼덕【三德】명 (儒教・キリスト教・仏教の)三徳.
삼도-내【三途―】명〔佛〕三途の川. ＝삼도천(川).
삼독【蔘毒】명 こうらいにんじん(高麗人参)が体にあわないとかまたは服用しすぎて出す熱. ＝삼열(蔘熱).
삼-돌이【三―】명 "감돌이"(＝利にさとい人)・"베돌이"(＝つきあいの悪い人)・"악도리"(＝執念深く喧嘩好きの人)の総称.
삼동【三冬】명 ①冬季の三か月間. ②三回の冬；三年.
삼두 육비【三頭六臂】명 三頭六臂；ひどく力の強い人.
삼등【三等】명 三等. ¶～ 승차권 三等乗車券.
삼-등분【三等分】명하타 三等分.
삼라【森羅】명하형 森羅.
‖── 만상 명 森羅万象.
삼루【三壘】명〔野〕三塁.
‖──-수 명 三塁手. ──-타 명 三塁打.
삼류【三流】명 三流. ¶～ 문사 三流文士 / ～ 기자 三流記者.
삼륙-판【三六判】명 三六判.
삼륜차【三輪車】명 三輪車.
삼림【森林】명 森林；森；林.
‖── 공원 명 森林公園. ──-대 명 森林帯. ── 지대 명 森林地帯. ── 철도 명 森林鉄道. ──-학 명 森林学. 준 임학(林學).
삼매【三昧】명〔佛〕三昧. ＝삼매경(三昧境).
‖──-경 명〔佛〕三昧境. ──-당 명〔佛〕三昧堂. ＝삼매 도량.
삼면【三面】명 三面. ①三つの方面. ②〔數〕三つの平面. ③新聞の社会面.
‖──-각 명 三面角.
삼-명절【三名節】명〔史〕王の誕生日・元日及び冬至. ＝삼명일.
삼모-작【三毛作】명 三毛作.
삼목【杉木】명〔植〕すぎ(杉). ＝삼송(杉松).
삼무【三無】명 三無；無声の楽と無体の礼と無服の喪.
‖──-도(島) 명 (盗人・乞食・門がない島の意で)"済州道"を指す語.
삼문【三門】명 ①〔佛〕三門. ②王宮・かんが(官衙)の三つの門《正

…と東西のわきもん(脇門)》.

문【三文】명 三文; 値うちのないこと. ¶~ 문사 三文文士 / ~ 문… 三文文学 / ~ 소설 三文小説.

민-주의【三民主義】명〔政〕三民主義.

바〔samba〕명〔樂〕サンバ.

박 부하자 鋭どい刃物でうまく切るさま: ばっさり. <섬벅. ——[1] 부하자 ばっさりばっさり.

-박-거리다 자 目や肌が軽く刺されるように感ずる. また, しきりに刺されるようにうずく. <슴벅거리다.

삼박-삼박[2] 부하자 うずうず; むずむず.

-박자【三拍子】명 三拍子.

-발-이 명 ①五徳. ②三脚; 三脚台; 三脚架.

삼-밭 명 麻畑. ¶~에 쑥대《俚》麻の中のよもぎ(蓬).

삼배【三拜】명하자 ①三拝; 三礼; 三度礼すること. ②〔佛〕三度ひざまずいて拝礼すること.

삼배【三盃】명 三杯.

삼배【三倍】명하타 三倍.

‖——-체 명〔生〕三倍体.

삼백예순 날【三百—】명부 年中(毎日).

삼백-초【三白草】명〔植〕どくだみ(蕺草); 十薬.

삼범-선【三帆船】명 三本マストの帆船.

삼-베 명 麻布; 麻; 麻織り. ㊟ 베. ¶~ 안감 麻裏.

‖—— 길쌈 명하자 麻布の機織り.

삼복【三伏】명 三伏. ①初伏·中伏·末伏. ②(夏の)極暑.

‖—— 더위 명 三伏の暑さ. ㊟ 복더위. ——-중 명 三伏中; 暑中.

삼봉 낚시【三鋒—】명 三つまた(叉)かぎ(鉤)の釣針; 三爪碇針.

삼부【三部】명 三部.

‖—— 합주 명〔樂〕三部合奏. ¶~곡 三部合奏曲. —— 합창 명〔樂〕三部合唱.

삼분【三分】명하타 三分. ¶천하를 ~하다 天下を三分する.

‖—— 오열(五裂) 명하자 四分五裂; ばらばらになること. —— 정립(鼎立) 명하자 三分ていりつ(鼎立). —— 천하 명하자 三分天下.

삼-불외【三不畏】명 喪中の人が恐れない三種のもの《雨·盗賊·虎》.

삼-불혹【三不惑】명 三不惑; 惑いおぼ(溺)れてはならない三種《酒·色·金銭》.

삼-불효【三不孝】명 三つの不孝《親を不義に陥らせること, 親が老いて貧しいのにもかかわらず役職につかぬこと, 子孫がなくて祭祀を絶つこと》.

삼-불후【三不朽】명 三つの不朽; いつまでも朽ちない三種《徳·功·言語》.

삼빡 부하자 鋭どい刃物にたやすく切られるさま. また, その音; ばっさり; ずばり. <섬뻑. ——— 부하자 ばっさりばっさり; ずばりずばり.

삼사【三四】명 三四. =서넛. 서너.

‖——-월 명 三四月. ¶~ 긴긴 해《俚》三四月の長い日《陰暦の三月や四月の日が長いこと》.

삼-사반기【三四半期】, 삼-사분기【三四分期】명 三四半期.

삼사-하다 형 似合わない; 釣り合わない; そぐわない. ¶그런 빛깔은 중년에겐 ~ そんな色あい〔カラー〕は中年には似合わない. <섬서하다.

삼삼 오오【三三五五】부 三三五五. ¶~ 떼지어 가다 三三五五連れ立って行く.

삼삼-하다 형 ①食べ物の味がやや甘いようでおいしい. <심심하다[1]. ②(玉突きで玉が散らばっているかまたは重ね合っていて)打ち様がない. ③忘れえず目の前にちらつく; まぶた(瞼)にありあり浮かぶ. ¶고향 산천이 눈에 ~ 故郷の山川がまぶたにありありと浮かぶ.

삼상【蔘商】명 高麗人参の商い. また, その商人.

삼상 교류【三相交流】명〔電〕三相交流.

삼색【三色】명 ①三色; 三つの色. ¶~털 고양이 三毛ねこ. ②↗삼색 과실. ③〔佛〕三色.

‖——-과(果), —— 과실(果実) 명 さいし(祭祀)に用いる三種の果物. =삼색 실과(三色實果). ㊟ 삼색. ——-기 명 三色旗. —— 분해 명〔印〕三色分解. ——-판 명〔印〕三色版.

삼-서다 자 目に星ができる; 星眼になる.

삼선【三選】명 三選. ¶~ 의원 三選議員.

삼성【三省】명하타 三省. ¶일일 ~ 一日三省.

삼성【三聖】명〔史〕三聖. ①韓国上古時代の三人の聖人《桓因·桓雄·桓儉》. ②世界の三聖《釈尊·孔子·キリスト》. ③古代ギリシャの三聖《ソクラテス·プラトン·アリストテレス》.

삼성 장군【三星將軍】명 中将の異称.

삼세【三世】명 三世. ①三世; 三代. ②過去·現在·未来; 三界.

삼-세번【三—番】명 ちょうど三度目; かっきり三回. ¶~만에 성공했다 かっきり三度目に成功した.

삼-세판【三—】명 ちょうど三度きりの勝負. ¶~으로 승부를 결정하다 三回戦で勝負を決める.

삼수【三壽】명 上寿(=百歳)·中寿(=八十歳)·下寿(=六十歳)のこと.

삼수【滲水】명 しんすい(滲水); にじんだ水.

삼수-변【三水邊】명 三水偏《汗·池·汽などの"氵"のこと》.

삼순【三旬】명 ①三旬. ㉠月の上旬·中旬·下旬. ㉡三十日(間). ②三十歳.

삼승【三乘】명 ①〔佛〕三乘. ② ☞ 세제곱.

삼시【三時】명 三時. ①朝·昼·夕の三食. ②過去·現在·未来. ③耕す春とくさぎ(耘)る夏と収穫する秋.
삼식【三食】명 三食. ¶하루에 ~을 하다 一日に三食を取る.
삼-신 명 生麻で粗く編んだ履物.
삼신【三神】명 ①韓国の国土を開いたという三神《桓因·桓雄·桓儉》. ②〔民〕子を授けるという三柱の神霊. ＝삼신령.
‖── 상제(上帝) 명 出産をつかさどる三神の敬称. ＝삼신 제석(帝釋)·삼신 제왕(帝王). ──-풀이 명 하자 三神に捧げるお祈り. ── 할머니 명《俗》三神.
삼-실 명 麻糸; 麻.
삼심 제도【三審制度】명〔法〕三審制度.
삼십【三十】수 三十. ＝서른.
‖──육-계 명 ①当てた人に元手の倍を払うかけごと(賭事). ②三十六計. ③☞ 삥소니. ¶~에 줄행랑이 제일《俚》三十六計逃ぐるに如かず. ──팔도-선 명〔地〕三十八度線. 준 삼팔선(三八線).
삼-씨 명 麻の実《韓方で難産·恐水病·便秘などに使う》. ＝마인(麻仁)·마자(麻子).
‖── 기름 명 麻の実の油. ＝마자유(油).
삼악【三樂】명〔樂〕雅楽·郷楽《＝国楽》·唐楽の総称.
삼언-시【三言詩】명〔文〕三言詩《一句が三字から成る漢詩》.
삼엄【森嚴】명 ものものしいこと. ──-하다 형 森厳だ; ものものしい; いかめしい; 重重しい. ¶~한 경계 きびしい警戒. ──-히 부 森厳に; ものものしく; いかめしく; 重重しく.
삼업【蔘業】명 こうらいにんじん(高麗人参)の栽培業.
삼엽-충【三葉蟲】명 三葉虫.
삼오-야【三五夜】명 三五夜; 三五《준말》; 十五夜; 良夜. ＝십오야(十五夜). ¶중추 ~ 中秋の十五夜.
삼오-판【三五判】명〔印〕三五判《幅は三寸, 長さ五寸》.
삼용【蔘茸】명 こうらいにんじん(高麗人参)とろくじょう(鹿茸).
삼우【三友】명 三友. ①詩·酒·琴. ②松·竹·梅. ③山水·松竹·琴酒.
삼우【三虞】명 葬式後の祭祀と墓参り. ＝삼우제(祭).
삼-원색【三原色】명 三原色.
삼월【三月】명 三月.
‖── 삼질(三─) 명 ☞ 삼짇날.
삼위【三位】명〔宗〕三位.
‖── 일체 명 三位一体.
삼-이웃【三─】명 (向う)三軒両隣. ¶~이 의좋게 지낸다 両隣むつまじく暮らす.
삼인 성호【三人成虎】명 三人虎を成す《うそ(嘘)も大勢の人がいえば信じるようになる》.
삼인-칭【三人稱】명〔言〕三人称.
‖── 소설 명 三人称小説.
삼일【三日】명 三日. ＝사흘.
‖── 기도회(祈禱會) 명〔宗〕水曜日の夜の祈禱会. ＝삼일 예ㅂ
── 신행(新行) 명 結婚後三日目に新郎が新婦の里に行く
新婦が新郎の家に行くこと. ──
(葬) 명 死後三日目に行なう葬
──-주(酒) 명 醸して三日目
飲む酒. ── 천하 명 三日天下.
삼일 운동【三一運動】명〔史〕三一独
運動. ＝기미(己未)운동.
삼일-절【三一節】명 三一独立運
を記念する国慶日《3月1
》.
삼일 정신【三一精神】명 三一精神《民族が団結して, 祖国の独立·自由·平和を勝ち取ろ
とした韓国の民族精神》.
삼자【三者】명 第三者. ①対話者または当事者以外の人. ＝제삼자. ②三人の人. ¶~ 회담 三者会談.
삼-잡이【三─】명 鼓手と笛吹きと横笛吹きの三者.
삼장【三章】명 三章; 簡明な規則. ¶공약 ~ 公約三章 / 약법 ~ 約法三章.
삼재【三災】명〔民〕①不吉な星まわりの一つ. ②水·火·風による災い. ③兵難·疾疫·飢饉.
삼절【三絶】명 하자 三絶. ①聖人が修道すること; 学問を熱心に修めること. ②三つのすぐれたものごと. ③三首の絶句.
삼정【蔘精】명 こうらいにんじん(高麗人参)のエキス.
삼조【三朝】명 三朝. ¶~를 섬긴 원로 三朝に仕えた元老.
삼족【三族】명 三族. ¶~을 멸하는 중죄 三族を滅する大罪.
삼존【三尊】명 三尊. ①三尊仏. ②君·師·父の三人.
삼-주기【三周忌】명 三周忌.
삼중【三重】명 三重. ¶~고로 허덕이다 三重苦であえぐ.
‖── 결합 명〔化〕三重結合. ── 수소 명〔化〕三重水素; トリチウム《記号; T·^3H》. ──-주 명〔樂〕三重奏; トリオ. ＝트리오(trio). ──-창 명〔樂〕三重唱; トリオ. ── 협주곡 명〔樂〕三重協奏曲.
삼지-사방【─四方】명 あらゆる方向; 四方八方. ¶~으로 찾아 헤매다 四方八方探し廻る.
삼진【三振】명 三振; ストラックアウト. ¶세 타자를 ~으로 막아 내다 三者を三振に打ち取る.
삼짇-날 명 上巳; 桃の節句; 陰暦の三月三日のこと. ＝중삼(重三). 준 삼질.
삼-질【三─】명 ☞ 삼짇날.
삼차【三叉】명 さんさ(三叉); 三つまた(叉).
‖── 신경통 명〔醫〕三叉神経痛; 顔面神経痛. ＝안면 신경통.
삼차【三次】명 三次; 三回. ¶~에 걸친 선거 三次にわたる選挙.
‖── 곡선 명〔數〕三次曲線. ──

[삼차 방]정식 명〔數〕三次方程式. ——[산]업 명 第三次産業.

삼-차원【三次元】명 三次元.

‖—— 세계 명〔物〕三次元世界.

삼창【三唱】명하타 三唱. ¶ 만세 ~ 万歳三唱.

삼채【三彩】명 三彩; 緑·黄·白など彩色した陶器. ¶ 당~ 唐の三彩.

삼척 동자【三尺童子】명 三尺の童「子」; 幼子.

삼천【三遷】명하자타 三遷. ① 三度移すこと. ¶ 맹모 ~ 孟母の三遷. ② ↗삼천지교.

‖——지-교(之教) 명 (孟母の)三遷の教え.

삼천【三千】三千. 一수 一千の三倍. ¶ ~ 명 三千名 / ~ 그루의 나무 三千本の木. 二관 比喩的に多くの数量をあらわす語.

‖—— 궁녀 명〔史〕三千宮女. ——리 명 ① 三千里. ② 韓国の称. ¶ ~ 금수 강산《三千里にわたる錦のような国土; 韓国の称》. ——리 강산(江山) 명 韓国の山川; 韓国の国土. ——리 강토(疆土) 명 韓国の国土. ——-만 명 三千万; 過去韓国の人口を三千万と見て言った語; 韓国の国民全体.

삼청【三請】명하타 三度目のアンコール.

‖——-좌(座) 명 結婚に際して新婦の家から新郎を三回招くこと.

삼촌【三寸】명 叔父〔伯父〕《父の兄弟》. ¶ ~께서 오시다〔계시다〕おじがいらっしゃる.

‖——-댁(宅) 명 ①《俗》伯母〔叔母〕. ② おじの家.

삼추【三秋】명 三秋. ¶ 하루가 ~ 같다 一日が三秋の思いだ.

삼출【滲出】명하자 しんしゅつ(滲出); にじみでること.

‖——-물 명 滲出物. ① にじみでた物質. ②〔醫〕滲出してまわりの組織に入った血液のなかの液体と細胞の成分. ——성 결핵 명〔醫〕滲出性結核. ——-액 명 滲出液. ① 滲出法により抜き出した液体. ②〔醫〕炎症で血管外病巣に集まった物質.

삼취【三娶】명하자 三度めと(娶)ること. また, その妻. =삼실(三室).

삼층-장【三層欌】명 三段作りのたんす(簞笥).

삼치 명〔魚〕さわら(鰆).

삼친【三親】명 三親; 親子·夫婦·兄弟のこと.

삼칠-일【三七日】명 三七日《出産後二十一日目の祝い》. =세이레.

삼-칼 명 麻の葉を切り取る木製の刃物.

삼키다 타 ① 飲み下す; 飲〔呑〕む. ¶ 침을 ~ つば(唾)を飲み込む; かたず(固唾)を飲む / 약을 ~ 薬を飲み下す / 군침을 ~ なまつば(生唾)を飲む / 원한의 눈물을 ~ 無念の涙を呑む / 무엇이든지 통째로 ~ 何でも丸のみにする. ② 人の物をわがものとする; 横領する. ¶ 남의 돈을 ~ 人の金を着服する / 공금을 ~ 公金を横領する.

삼태기 명 あじか(簣).

삼투【滲透】명〔物〕浸透. ——-하다 자 浸透する; 染みる; 染み込む. ¶ ~성이 강하다 浸透性が強い.

‖——-압 명〔物〕浸透圧.

삼파-전【三巴戰】명하자 三つ巴戦; 三者がからみ合って争うこと.

삼판【杉板】명 杉板.

삼판 양승【三一兩勝】명하타 三回勝負で二勝すること. ¶ ~으로 내기를 하다 三回勝負のかけ(賭)をする.

삼팔 따라지【三八一】명 ① 賭博場での三と八を合わせた一点《無用の数》. ②《俗》北緯三十八度線を越えて南下した人の称.

삼팔-선【三八線】명 ↗삼십팔도선.

삼포【蔘圃】명 こうらいにんじん(高麗人参)畑. =삼장(蔘場).

삼-하늘소 명〔蟲〕あさかみきり. =마천우(麻天牛).

삼-하다 형 子供の質が荒い. ¶ 삼한 아이 質の荒い子.

삼한【三韓】명〔史〕三韓; 古代朝鮮の南にあった馬韓·辰韓·弁韓の総称.

삼한 사온【三寒四溫】명〔氣〕三寒四温. ¶ 한국의 겨울은 ~이다 韓国の冬は三寒四温である.

삼-할미 명 助産をする老婆.

삼합-사【三合絲】명 ☞ 삼겹실.

삼항-식【三項式】명〔數〕項が三つある多項式の一つ.

삼-화음【三和音】명〔樂〕三和音.

삼-회장【三回裝】명 女のチョゴリの襟·りょうそで(両袖)·りょうわき(両脇)にあてる縫い飾り.

삼-희성【三喜聲】명 三つの喜ばしい声《きぬた(砧)を打つ音, 読書の声, 赤子の泣き声》.

삽【鍤】명 シャベル; ショベル; スコップ. ¶ ~으로 석탄을 푸다 シャベルで石炭をすくい出す.

-삽- 어미 ↗-사옵-. ¶ 먹~고 お召しなされて.

삽-괭이 명 幅が狭く柄が長いかなぐわ(金鍬).

삽구【挿句】명하타 挿句. また, その句.

삽도【挿圖】명 挿絵. =삽화(挿畫)·커트.

삽목【挿木】명 挿し木. =꺾꽂이. ¶ 아버지는 뜰에서 ~을 하고 있다 父は庭で挿し木をしている.

삽사리 명 ① むく犬. ②〔蟲〕なきいなご.

삽살-개 명 むく毛の犬; むく犬.

삽삽-하다【澁澁一】형 ① 滑らかでなくかさかさ〔がさがさ〕する. ② 味がひどく渋い. ③ 語文が不明瞭で理解しにくい.

삽시【挿匙】명하자 祭祀でお供えの飯にさじ(匙)を挿す儀式.

삽시-간【霎時間】명 一瞬; またたく間; 束の間. ¶ 산불은 ~에 번졌

다 山火事は見る間に広がった / ~에 일어난 일이었다 またたく間のできごとであった.

삽입【挿入】명 하타 挿入. ¶ ~구 挿入句.

‖——-부 명〔樂〕挿入部.

삽지【挿枝】명 挿し木. =꺾꽂이.

삽지【挿紙】명 하자 印刷で機械に紙を挿入すること.

삽-질【鍤—】명 하자 シャベルですくうこと.

삽화【揷花】명 하자 挿花; 生花.

삽화【揷話】명 ①挿話; エピソード. ② 逸話.

삽화【揷畫】명 挿絵; 挿画. =삽도. ¶ ~를 그리다 挿絵を描く.

삿갓 명 ① 竹やあし(蘆)で粗く編んだ笠. ¶ ~을 쓰다 みのがさ(蓑笠)をつける. ②〔植〕きんさん(菌傘).

‖——-구름 명 笠雲. ——-조개 명〔貝〕うのあしがい(鵜足貝). ——-집 명〔建〕(屋根が)笠状の家.

삿대 명 [↗상앗대] さお(竿·棹).

‖——-질 명 하자 ↗상앗대질. ¶ 흐르는 물에 ~하다 流れに竿〔棹〕をさす.

삿-되다【私—】형 私的だ.

삿-자리 명 あし(蘆)で編んだ敷物.

상【上】명 ① ↗상감. ② 上·う. ㉠ 上部. ㉡ 最も秀でていること. ¶ ~등 上等.

상【床】명 おぜん(膳)·机などの総称. ¶ ~을 차리다 お膳をととのえる; 膳立てをする.

상【相】명 相. ① 面相; 人相. ¶ 귀인의 ~ 貴人の相 / 말~ 馬面. ② 物事のありさま·事情や態度. ¶ 사회~ 社会相. ③ その時その時に表われる表情. ¶ 울~을 짓다 泣きっ面をする.

상【喪】명 喪·そう. ① ↗거상(居喪). ¶ ~중 喪中. ② 親族の死を哀悼する礼. ¶ ~을 입다 喪に服する.

상【想】명 想.

상【像】명〔物〕像; 形態.

상【賞】명 賞; 褒美. ¶ 노벨~을 타다 ノーベル賞を貰う / 여러 가지 ~을 받았다 諸諸の賞を受けた / ~을 타다 褒美を貰う.

-상【上】미 "…に関して"·"…において"の意を表わす語: 上. ¶ 관습~ 慣習上 / 그는 사업~ 교제가 넓다 彼は商売柄交際が広い.

-상【狀】미 すがた·ありさま·形の意: 状. ¶ 연쇄~ 구균 連鎖状球菌 / 관~ 동맥 冠状動脈.

-상【相】미 閣僚の意: 相·しょう. ¶ 국방~ 国防相 / 외~ 外相.

-상【商】미 あきない·あきんどの意: 商. ¶ 잡화~ 雑貨商 / 무역~ 貿易商.

상가【商家】명 商家. ¶ ~의 태생 商家の生まれ / 시중의 ~ 町の商家.

상가【商街】명 商店街; アーケード. ¶ ~ 아파트 下駄履き住宅 / ~를 거닐다 商店街を歩く.

상가【喪家】명 喪家. ① 喪中の家. ② 喪主の家.

‖상갓집 개 명 喪家の犬.

상가 평균【相加平均】명〔數〕相加平均. =산술 평균.

상각【償却】명 하자타 償却. ① ぐないかえすこと. ②[↗ 감가 상각] 減価償却.

상간【相姦】명 하자 相姦. ¶ 근친 近親相姦; 畜生道.

상감【上監】명 上; お上《王の尊称》.

‖——-마마(媽媽) 명《宮》☞ 상감.

상감【象嵌】명 象眼.

‖—— 청자(青瓷) 명 貝殻の内殻などで象眼細工をほどこした青磁.

상-갑판【上甲板】명 上甲板.

상강【霜降】명 霜降; 二十四気の一つで十月二十四日頃.

상객【上客】명 上客; 正客; 地位の高いお客; 大切なお客.

상-거래【商去來】명 商取引. ¶ ~를 하다 商取引を行なう.

상견【相見】명 하자 相見; あい見ること.

‖——-례(禮) 명 ① 公式的に見合う礼. ② 相見の礼; あい向かって礼を交わすこと. ¶ 신랑 신부의 ~ 新郎新婦相見の礼.

상경【上京】명 하자 上京. ¶ 상용으로 ~하다 商用で上京する / ~할 때마다 우리 집에서 머문다 上京の都度わたしの所で泊まる.

상계【上界】명 [↗천상계] 上界.

상계【上計】명 上計; 上策.

상계【相計】명 하타〔法〕相殺.

상고【上古】명 上古. ① 大昔. =상세(上世). ②〔史〕歴史上の時代区分の一つ《文献にあらわれた最古の時代》.

‖——-대(代) 명 ↗상고 시대. ——-사 명 上古史. —— 시대 명 上古時代. ㊀ 상고대(上古代).

상고【上告】명 하타 ① 上の人に告げること. ② 上告. ¶ 피고측에서는 즉시 ~하였다 被告側は直ちに上告した.

‖—— 기각 명〔法〕上告棄却. =상고 각하(却下). —— 법원 명〔法〕上告裁判所. ——-심 명〔法〕上告審. ——-장 명 上告状.

상고【詳考】명 하타 詳細に参考すること.

상공【上空】명 上空.

상공【商工】명 [↗상공업] 商工.

‖——-부(部) 명 商工部. ——-업 명 商工業. ¶ ~ 지대 商工業地帯. —— 회의소 명 商工会議所.

상과【商科】명 商科. ¶ ~ 출신의 수재였다 商科出の秀才であった.

‖—— 대학 명 商科大学.

상관【上官】명 上官; 上役. ¶ ~의 명령 上官の命令 / ~에 아첨하다〔빌붙다〕 上役の気嫌を取る / ~을 모욕하다 上官を侮辱する.

상관【相關】명 하자타 相関. ① 相互に関係を持つこと. ② 人の事に干渉すること. ¶ 남의 일에 ~말라 人のことにかまうな / 나 따위가 ~할 바가 아니다 わたしなどのかかわり知る所ではない. ③ 男女が交

こうすること. ——-없다 형 ①互いかかわり合いがない. ¶그것과는 관없는 일이다 それとはかかわりないとである. ②心配無用である; し支えない; 大事ない. ¶그것은 ~없다 それくらいは差しつかえい / 어떻든 ~없다 どうでもかまわな. ——-없이 부 ①互いに関係なく.)心配なく; かまわなく; かかわら; 差し支えなく; 大事なく.
—— 계수 명〔數〕相関係数. ——계 명 相関関係.
관【商館】명 商館; 商業を営む家.
-관습【商慣習】명 商慣習.
——-법 명〔法〕商慣習法.
구【喪具】명 葬具.
국【上國】명 小国から朝貢を受ける大国.
궁【尙宮】명〔史〕朝鮮朝の正五品の女官.
권【上卷】명 上巻. ¶그의 저서는 ~ 하권 두 권으로 되어 있다 彼の著書は上巻下巻の二冊からなっている.
권【商圈】명〔經〕商圈.
권【商權】명〔法〕商権. ¶~을 장악하다 商権を掌握する.
궤【常軌】명 常軌. ¶~를 벗어나다 常軌を逸する.
규【常規】명 常規. ①常例. ②変わらぬ規則.
상그레 부하자 かわいらしくほほえむさま; にこっと. <성그레. ㅆ쌍그레. ¶~ 웃는 귀여운 소녀 にこっと笑うかわいい少女.
상극【相剋】명 相克. ①五行が互いに克つこと. ②両者が互いに相争うこと. ¶감정의 ~으로 괴로워하다 感情の相克に悩む / 게와 꿀은 ~이다 かに(蟹)とはちみつ(蜂蜜)は食い合わせが悪い.
상글-거리다 자 さりげなくいつもにこにこする. <성글거리다. ㅆ쌍글거리다. 상글-상글 부하자 にこにこ. ¶~ 웃다 にこにこ笑う.
상글-방글 부하자 うれしそうにかわいらしく笑うさま; にこにこ. <성글벙글. ㅆ쌍글빵글.
상금【賞金】명 賞金. ¶~을 걸다 賞金をかける.
상금【尙今】부 いまなお; いまに至るまで. ¶~ 오지 않는다 いま(未)だに来ない.
상급【上級】명 上級. ¶~생 上級生.
‖—— 관청 명 上級役所. —— 법원(法院) 명〔法〕上級裁判所. ——-심 명〔法〕上級審. ——-자 명 上級者.
상긋 부하자 にこやかに笑うさま; にこっと; にっこり. <성긋. ㅆ쌍긋. ¶그 여자는 무심코 ~ 웃었다 彼女は思わずにっこりした. ——-거리다 자 にこにこする. ———— 부하자 にこにこ. ——-이 부 にっこりと; にこっと.
상긋-방긋 부하자 うれしそうに笑うさま; にこにこ. <성긋벙긋. ㅆ쌍긋빵긋.
상기【上記】명하타 上記. ¶~와 같이 上記の如く.
상기【上氣】명하자 上気; 逆上. ¶몹시 ~하다 のぼせ上がる / ~된 얼굴 上気した顔; 熱っぽい顔.
상기【詳記】명하타 詳記. ¶사건의 전말을 ~하다 事件のてんまつ(顚末)を詳記する.
상기【想起】명 想起. ——-하다 타 想起する; 浮かべる; 思い起こす; 思い出す. ¶지난 날을 ~하다 過ぎし日を思い起こす / 대전을 ~하다 大戦を思い起こす / 어머니의 모습을 ~하다 母の面影を浮かべる.
상-길【上—】명 上質; 上等な品. =상질(上秩).
상끗 부 かるく笑うさま; にこっと; にっこり. ㅅ상긋. ——-거리다 자 やさしくにこにこする. ———— 부하자 にこにこ. ——-이 부 にこっと; にっこりと.
상납【上納】명하타 上納. ①税金を納めること. ②役得のある役人が上司に金品をあげること.
‖——-금(金) 명 ☞ 상납전(上納錢). ——-미(米) 명 税金として納める米. ——-전(錢) 명 税金として納める金. =상납금.
상냥-하다 형 優しい; きさくである; にこやかだ. ¶상냥한 눈매 やさしい目つき / 그녀는 ~ 彼女はやさしい. 상냥-히 부 やさしく; にこやかに.
상-년【常—】명《卑》①身分の低い女性を指す卑語: 女郎. ②無作法な女性をののしる語: ふしだら女. =쌍년.
상념【想念】명 想念. ¶걷잡을 수 없는 ~이 자꾸 떠오르다 とりとめもない想念が次から次へと浮かぶ.
상노【床奴】명 おぜん(膳)運びや小間使いをした子供.
‖——-아이 명 小間使い.
상-놈【常—】명《卑》①身分の低い男を指す卑語: えせ者; 下種〔下衆〕; 下郎. ②教養がなく無礼な男: やつ(奴); やっこ; 野郎. =쌍놈.
상-늙은이【上—】명 長上の老人.
상-다리【床—】명 おぜん(膳)の脚.
상단【上段】명 上段.
상단【上端】명 上端.
상달【上達】명하타 上達; 言文で目上に伝えること. ¶하의 ~하다 下意上達する.
상담【相談】명하자타 相談. ¶인생 ~ 人生相談 / 예비 ~에 응하다 下相談に乗る.
‖——-소 명 相談所. ——-역 명 相談役; コンサルタント.
상담【商談】명하자 商談.
상답【上畓】명 [↗상등답(上等畓)] 上田.
상당【相當】명 相当. ①つりあうこと; 当てはまること. ——-하다 자 相当する. ¶그의 죄는 죽음에 ~하다 彼の罪は死に相当する. ②匹敵す

ること；当たること. ——-하다 자 相当する；当たる. ¶월급에 ~하는 돈 月給に相当する金額/중역에 ~하는 대우 重役に相当する待遇. ③かなりの程度であること. ——-하다 형 相当だ；かなりだ. ¶~한 재산〔가정〕相当な身代〔家庭〕/~한 솜씨 相当のできばえ/~한 인물 一角の人物. ——-히 부 相当に；かなり；よほど. ¶~ 멀다 かなり遠い.
‖——-수(數) 명 ①かなり多い数. ②ある基準数に相当する数. ——-액(額) 명 ①かなりの金額. ②ある基準量に相当する金額.

상대【相對】 명 ①相対；相対すること；向かい合わせ. ——-하다 자 相対する；向き〔向かい〕合う. ¶~하여 앉다 相対して〔向かい合って〕座する. ②相手. ㉠競い合うこと. ㉡[↗상대자] 相手方；仲間；相棒；敵手. ——-하다 자타 相手に〔を〕する. ¶말 ~ 話相手/~팀 相手のチーム/하찮은 ~ もろい相手/~하지 않다 相手にしない/…을 ~로 …を相手に/~가 안 된다 相手にならない/~조차 안 하다 鼻も引っかけない/신예를 ~하여 싸우다 新鋭を向こうに回して戦う/웃고 ~하지 않다 笑って取りあわない. ③〔哲〕相対；他の事物の制約を受けること.
‖—— 가격 명 相対価格；財貨の比較率. —— 개념 명 相対概念. ——-방 명 相手方；向こう側；お先；先方. =상대편. ¶~의 기세에 질려서 물러서다 相手の剣幕にへきえき(辟易)して退く/~의 페이스에 말려들다 相手のペースに巻きこまれる/~의 약점을 잡다 先方の弱点を握る/~을 납작하게 만들다 相手を凹ます/~이 취할 태도 여하에 달렸다 先方の出ようひとつだ. ——성 원리 명〔物〕相対性原理. ——-어(語) 명〔言〕対語；意味が相対することば. ——-자 명 相対者；相手；相棒. ¶결혼 ~ 結婚の相手. ——-적 명관 相対的. ——-편(便) 명 ☞ 상대방.

상대【商大】 명 [↗상과(商科) 대학] 商大. ¶~ 출신 商大出.

상도【常道】 명 常道；常軌. ¶헌정의 ~ 憲政の常道/~를 벗어나다 常道をふみはずす；常軌を逸する.

상도【商道】 명 商道. ¶~가 땅에 떨어졌다 商道が地に落ちた.

상동【上同】 명 同上.

상동【相同】 명하형 ①相等；あい等しいこと. ②〔生〕相同.

상등【上等】 명 上等. ¶~ 제품 上製品/~ 백미 上白；上米/~ 백설탕 上白.
‖——-병 명 上等兵. ㊅ 상병(上兵). ——-석(席) 명 上等席；よい座席. ——-품 명 上等品；上玉.

상등【相等】 명하형 相等；同等.

상란【上欄】 명 上欄.

상람【上覽】 명하타 上覧. =어람(御覽).

상람【詳覽】 명하타 詳覧.

상략【上略】 명 上略.

상략【商略】 명〔商〕商略；商業のかけひき. ¶그 정도의 일(?)~상 부득이하다 それくらいの事は略上止むを得ない.

상량【上樑】 명하타〔建〕棟上げ；棟. ¶~이 끝나다 棟上げが終(わる).
‖——-문(文) 명 棟上げを祝う文. ——-식(式) 명〔建〕上棟式.

상량【爽涼】 명하형히부 そうりょう(爽涼)；さわやかな涼しさ. ¶~한(?)운 爽涼の気.

상련【相憐】 명 そうれん(相憐)；互いに哀れみ同情すること. ¶동(병)~ 同病相哀れむ.

상례【上例】 명 上例. ¶~와 같(이) 上例の如く.

상례【相禮】 명하자 互いに礼を(守)って相対すること.

상례【常例】 명 常例. =항례(恒例). ¶~ 작업 常例作業.

상례【喪禮】 명 喪礼；喪中の礼節. =흉례(凶禮).

상로【霜露】 명 霜露. ¶~병 霜露の病.

상록【常綠】 명 常緑.
‖——-수 명 常緑樹；常磐木；青木. —— 활엽수 명 常緑闊葉樹；常緑広葉樹.

상론【相論】 명하타 互いに相談すること. =상의(相議).

상론【常論】 명 常論.

상론【詳論】 명하타 詳論；細論. ¶~할 여지가 없다 細論の余地なし.

상류【上流】 명 上流. ①川上；水上；上手. ¶~로 거슬러 올라가다 上流にさかのぼる/배로 ~로 가다 舟で上に行く. ②身分·地位·生活の程度が高いこと. ¶~ 사회 上流社会/~ 생활 上流生活.

상륙【上陸】 명 上陸；揚陸. ——-하다 자 上陸する；揚陸する；上がる. ¶~지 上陸場〔地〕/~거점 上陸拠点/적전에 ~하다 敵前に上陸する/태풍은 부산에 ~했다 台風は釜山に上陸した.
‖——-군 명 上陸軍. ——용 주정 명 上陸用舟艇；エルエスティー. ——작전 명 上陸作戦.

상막-하다 형 記憶がおぼろげである. ¶정신이 상막하여 통 생각이 안 난다 頭がぼうっとして少しも思い出せない.

상-말【常—】 명하자 ①下品なことば. =쌍말. ②下世話. =이언(俚諺). ¶~에 "늙어서는 자식에 따르라"고 말한다 下世話に"老いては子に従え"と言う.

상-머리【床—】 명 おぜん(膳)のわきや前. ¶~에 앉다 おぜん(膳)の前に座する.

상면【上面】 명 上面；うわべ.

상면【相面】 명하자타 ①対面. ②初めて互いにあいさつすること.

상-목【上—】 명 川の上流の方.

상-목【上木】 명하타 ①上質の綿布. ②良木；上質の木. ③上木；じょうし(上梓).

상무【尙武】 명하자 尚武. ¶근검

勤倹尚武 / ～의 기풍을 기르다 尚武の気風を養う.

무【常務】명 ① 常務; 日日の業務; 通常の業務. ② ↗상무 위원. ③ ↗상무 이사.

‖── 위원 명 常務委員. 준 상무(常務). ── 이사 명 常務理事; 常務取締役. 준 상무.

무【商務】명 商務. ¶ ～에 쫓기다 商務に追われる.

‖──-관 명 商務官.

문【尚文】명하자 尚文.

문【詳問】명하타 詳しく質問すること. また, その質問.

미【上米】명 上米. ¶ ～로 지은 밥 上米で炊いた飯.

미【嘗味】명하타 しょうみ(嘗味); なめ味わうこと.

미【賞味】명하타 賞味; 食べ物をほめ味わうこと.

미【賞美】명하타 賞美; ほめたたえること. ¶ 경치를 ～하다 景色を賞美する.

상민【常民】명 平民; 庶民. ＝상(常)사람.

상박【上膊】명〖生〗じょう はく(上膊); 二の腕. ＝상완(上腕). ¶ ～부 上膊部 / ～근 上膊筋.

‖──-골(骨) 명〖生〗上膊骨. ＝상완골(上腕骨).

상박【相撲】명하자 ① 相打つこと. ¶ 용호 ～하다 竜虎相打つ. ② 相撲. ＝씨름.

상반【上半】명 上半. ¶ ～신 上半身.

상반【相反】명하자 相反すること. ¶ ～된 입장 相反する立場 / 이해가 ～되다 利害が相反する.

상반【相半】명 相半ば. ¶ 공과(功過)가 ～하다 功罪相半ばする.

상반【相伴】명 相伴; 互いに連れ立つこと; いっしょにすること. ──-하다 자 相伴う; 伴う.

상-반기【上半期】명 上半期; 上期《준말》. ¶ ～ 결산 上半期の決算.

상-반부【上半部】명 上半部; 上部.

상-반신【上半身】명 上半身.

상밥【床—】명 いちぜんめし(一膳飯). ＝상반(床飯).

‖──-집 명 一膳飯屋.

상방【上方】명 上方; 上の方. ¶ ～으로 뻗다 上方に伸びる.

상배【賞盃·賞杯】명 賞杯〔賞盃〕; 優勝カップ. ¶ 우승자에게 ～가 수여되다 優勝者に賞杯が贈られる.

상-벌【賞罰】명 賞罰. ① 賞と罰. ¶ ～ 없음 賞罰なし. ② 善はほめ罪は罰すること. ¶ ～을 분명히 하다 賞罰を明らかにする.

상법【商法】명 商法. ① 商売の仕方. ②〖法〗商事について規定した法.

상병【上兵】명〖軍〗↗상등병.

상병【傷兵】명 傷兵; 負傷兵; 戦傷兵.

상병【傷病】명 傷病. ¶ ～병 傷病兵 / ～자 傷病者.

상-보【床褓】명 おぜん(膳)かけ; 卓布; テーブルクロス〔掛け〕.

상보【相補】명하자타 相補; 補いあうこと. ¶ ～ 관계 相補関係.

상보【詳報】명하타 詳報; 細報. ¶ 현지에서 ～가 도착했다 現地からの詳報が届いた.

상-보다【床—】자 おぜんだて(膳立)てをする; おぜん(膳)の支度をする. ＝상배(床排)보다.

상-보다【相—】자타 相する; うらなう; なりだちや地勢をみて運命・吉凶をうらなう.

상복【常服】명 常服; ふだん着.

상복【喪服】명 喪服. ¶ ～을 입다 喪服を着る. 「と.

상봉【相逢】명하자타 互いに逢うこ

상부【上部】명 ① 上部. ¶ 화면의 ～ 画面の上部. ② より上の地位や役所; 上司. ¶ ～의 지시 上のお達し.

‖── 구조 명 上部の構造.

상부【相扶】명하자 相扶; 相互に助け合うこと.

‖── 상조(相助) 명하자 お互いに助けあうこと.

상부【相符】명하자 あい一致すること; 互いに符合すること.

상비【常備】명하타 常備. ¶ ～금 常備金 / ～미 常備米.

‖──-군 명 常備軍. ──-약 명 常備薬; 置き薬.

상사【上士】명 ①〖佛〗上士. ＝보살. ②〖軍〗陸・海・空軍の下士官の一つ《一曹に当たる》.

상사【上司】명 上司; 上役. ¶ ～의 명령 上司の命令 / ～의 기분을 맞추다 上役の機嫌をとる / ～에게 잘 붙어서 출세하다 上役に付け入って出世する.

상사【相似】명하형〖生·數〗相似.

‖──-형 명 相似形. ＝닮음꼴.

상사【相思】명하타 相思; 相愛.

‖──-병 명 相思病; 恋やみ; 恋患〔恋煩〕い. ¶ ～으로 여위다 恋煩いでやつれる. ── 불망(不忘) 명하타 思いしたって忘れぬこと. ── 일념(一念) 명 相思の一念.

상사【商社】명 ① 商社. ¶ 외국 ～와 거래하다 外国の商社と取り引きする. ② ↗상사 회사(商事會社).

상사【商事】명 商事. ¶ ～로 출장가다 商事で出張する.

‖── 회사 명 商事会社; 商社《준말》.

상사【常事】명 [↗예상사(例常事)] 常事; 常. ¶ 승패는 병가의 ～ 勝敗は兵家の常.

상사【喪事】명 喪にあうこと. ＝상고(喪故)·상변(喪變).

상사【想思】명하타 思うこと; 考えること.

상사디야 감 歌の終わりのはやしことば(囃子詞)の一つ.

상-사람【常—】명 朝鮮朝の中葉以後両班が平民を指したことば. ＝상인(常人)·상민(常民).

상상【上上】명 上上; 最上. ¶ 물건의 만듦새가 ～이다 物の出来映

ㅅ

できばえが上上である.
‖——-봉(峰) 명 最高峰. ——-치, ——-품 명 上上品; 最良品; 最上品.

상상【想像】 명하자 想像. ¶용이란 ~의 동물이다 竜とは想像上の動物である / 멋대로 ~하다 想像をたくましゅうする / ~에 맡기다 想像に任せる / ~이 가다 想像がつく.
‖——-력 명 想像力. —— 임신 명〔醫〕想像妊娠. ——-적 명관 想像的. ——-화 명 想像画.

상서【上書】 명하자 上書; 目上に書状を上げること. またその書状. ¶아버님전(前)〔부주전(父主前)〕~ 父上に申し上げます.

상서【祥瑞】 명 しょうずい(祥瑞); ずいしょう(瑞祥). ——-롭다 형 縁起がよさそうだ. ——-로이 부 めでたく.

상석【上席】 명 上席; 上座; 上座〈老〉. ¶~이라 송구스럽습니다 高上がりで恐縮であります.

상석【床石】 명 墓前に供え物を並べる石台.

상선【商船】 명 商船. ¶~단 商船団.
‖——-기 명 商船旗. —— 학교 명 商船学校. —— 회사 명 商船会社.

상설【常設】 명하타 常設. ¶~란 常設欄 / ~ 기구 常設機構. ¶위원회를 ~하다 委員会を常設する.
‖——-관 명 常設館.

상설【詳說】 명하타 詳説; 細説; 詳述. ¶지면 관계상 ~을 생략한다 紙面の都合で細説を省く.

상세【詳細】 명 詳細; つまびらか; 事細か. ——-하다 형 詳細だ; 事細かだ; 詳しい. ¶~한 것은 아직 보고가 없다 詳細な〔詳しい〕ことはまだ報告がない / ~한 것은 사무소에 조회하여 주십시오 詳細は事務所宛に御照会願います / ~한 것은 후에 이야기한다 詳しい事はあとで話す. ——-히 부 詳細に; 事細かに; 詳しく. ¶사건의 경과를 ~ 이야기하다 事件の経過を事細かに話す.

상소【上疏】 명하자 じょうそ(上疏); そうそ(奏疏); 上書; 上表.

상소【上訴】 명하자〔法〕上訴. ¶상급 기관에 ~하다 上級機関に上訴する.
‖——-권 명 上訴権. ——-권-자 명 上訴権者. —— 법원(法院) 명 上訴裁判所. ——-심 명 上訴審.

상-소리【常—】 명 ① 卑語. ㅛ 쌍소리. ② 俗謡.

상속【相續】 명하타 相続; 家継ぎ. ¶유산 ~ 遺産相続 / 가독 ~ 家督相続.
‖——-권 명〔法〕相続権. —— 능력 명 相続能力. ——-분 명 相続分. ¶~이 적다 相続分が少ない. ——-세 명 相続税. ——-인 명 相続人; 家継ぎ; 跡目. —— 재산 명 相続財産.

상쇄【相殺】 명하타 相殺. ¶이것과 저것은 ~된다 これとあれは相殺される〔帳消しになる〕.
‖—— 관세 명 相殺関税.

상-쇠【上—】 명〔民〕(農楽隊などで)どら(銅鑼)の打ち手のなかでの楽隊を指揮する音頭取り.

상수【上手】 명 上手·うわて; うでき. ¶~에게 맞두다 上手に平手… 差す.

상수【上水】 명 上水.
‖——-도 명 上水道; 水道.

상수【常數】 명 定数; 常数.

상수리 명 どんぐり(団栗).
‖——-나무 명〔植〕くぬぎ(櫟).

상순【上旬】 명 上旬; 初旬. ¶내달 ~ 来月の上旬 / 이달 ~께〔… 今月の上旬頃.

상-술【床—】 명 さかな(肴)を添え売る酒.

상술【上述】 명하타 上述. ¶~… 바와 같이 上述の通り.

상술【商術】 명 商術. ¶~이 능… 하다 商術に長けて〔長じて〕いる.

상술【詳述】 명하타 詳述; 詳… ¶원인을 ~하였다 原因を詳… した.

상-스럽다【常—】 형 言動が下卑て… いる; 下品だ; はしたない. ¶상스러운 이야기 下がかった話 / 말하는 것이 ~ 言葉づかいが下品だ / 상스러운 행동 はしたない振る舞い.

상습【常習】 명 常習. ¶~ 도박… 常習ばくち打ち.
‖——-범 명〔法〕常習犯. ——-자 명 常習者. ——-적 명관 常習的. ¶~인 나쁜 버릇 常習的な悪いくせ. ——-화 명하자 常習化. ¶범죄가 ~하다 犯罪が常習化する.

상승【上昇】 명하자 上昇; アップ. ¶인기 ~중 人気上昇中 / ~ 일로의 선수 上り坂の選手 / 인건비의 ~ 人件費のアップ / 물가 ~으로 생활이 궁해졌다 物価の値上がりで暮らしがつまって来た.
‖—— 기류 명〔氣〕上昇気流. ¶~를 타다 上昇気流に乗る. ——-력 명 上昇力.

상승【相乘】 명하타〔數〕相乗. ¶~ 작용 相乗作用.
‖—— 효과 명 相乗効果.

상승【常勝】 명하자 常勝. ¶~ 가도를 달리다 常勝街道を走る.
‖——-군 명 常勝軍. —— 장군 명 常勝将軍.

상시【常時】 명 常時; 日ごろ; ふだん; 平時. ¶~에 먹은 마음 취중(醉中)에 난다《俚》酔って本性を顕わす.

상식【上食】 명 朝夕霊前に供える食事. ¶~을 올리다 霊前に食事を供える.

상식【常食】 명하타 常食. ¶쌀을 ~으로 하다 米を常食にする.

상식【常識】 명 常識. ¶~을 벗어난 행위 常識外れの行い / ~만 앞세운다 常識一点張りである.
‖——-적 명관 常識的. ¶~인 해석 常識的な解釈. ——-화 명하자 常識化.

상신【上申】 명하타 上申; 上告. ¶~서 上申書; 申し文. ¶장관에게 ~하다 長官に上申する.

상실【喪失】 명하타 喪失. ¶자격〔기…

～ 資格〔記憶〕喪失 / 전의를 …하다 戦意を失う.

…【傷心】명하자 傷心〔傷神〕; …をいためること. ¶～한 끝에 傷心…余り / 자식의 병으로 ～하다 子の…で傷心する.

…【象牙】명 象牙.

‖—-색 명 象牙色. —-질 명〔生〕…牙質. —-탑 명 象牙の塔.

…악【上顎】명〔生〕じょうがく(上…); うわあご. =위턱.

‖—-골 명〔生〕上顎骨.

…앗-대 명 竿. 준 삿대.

‖—-질 명하자 ①竿で漕ぐこと. ¶…을 하다 竿をさす. ②口げんかでこ…し·指·棒などを相手に突き付…けること. 준 삿대질.

…애【相愛】명하타 相愛; 愛しあ…うこと. ¶～하는 사이 相愛の仲.

…어 명〔魚〕さめ(鮫); ふか(鱶).

…업【商業】명 商業; 商い; 商…売. ¶그들은 ～상(上)의 경쟁자이…다 彼らは商売敵である / ～상…의 밀담을 하다 商売上の内談を交…わす.

‖— 고등 학교 명 商業高等学校. 준 상고(商高). — 교육 명 商業教育. — 금융 명 商業金融. — 도덕 명 商業道徳. —-문 명 商業文. — 미술 명 商業美術. =광고 미술. — 방송 명 商業放送. — 부기 명 商業簿記. — 어음 명 商業手形. — 영어 명 商業英語. — 은행 명 商業銀行. 준 상은(商銀). — 자본 명 商業資本. — 증권 명 商業証券. — 지역 명 商業地域. — 통신 명 商業通信.

상여【喪輿】명 棺のみこし(神輿·御輿); きゅうしゃ(柩車). =영여(靈輿)·행상(行喪).

‖—-꾼 명 みこしをかつぐ人. =상두꾼. 상엿-소리 명 ばんか(挽歌).

상여【賞與】명하타 賞与. ¶～금 賞与金; ボーナス.

상역【商易】명 商易; 商業と貿易.

상연【上演】명하타 上演; 上場. ¶～ 프로 上演番組 / 연극이 ～되다 芝居が掛かる.

‖—-료 명 上演料.

상영【上映】명하타 上映. ¶현재 ～ 중인 영화 目下上映中の映画 / 이 나라에서 처음으로 ～되는 영화 本邦初映の映画.

상오【上午】명 午前. ¶～ 열 시 午前十時.

상온【常溫】명 常温; 恒温.

‖—-층 명〔地〕常温層.

상완【上腕】명〔生〕上腕.

‖—-골 명〔生〕上腕骨. — 삼두근 명 上腕三頭筋. =삼두 박근(三頭膊筋). — 이두근 명〔生〕上腕二頭筋. =이두 박근(二頭膊筋).

상완【賞玩】명하자 しょうがん(賞玩); 賞味すること. ¶그림을 ～하다 絵を賞玩する.

상왕【上王】명 [↗태상왕(太上王)] 上王.

상용【常用】명하타 常用. ¶～하는 만년필 常用の万年筆.

‖— 대수 명〔數〕常用対数. —-어 명〔言〕常用語; 話し言葉. —-자 명 常用者.

상용【商用】명 商用. ¶～ 서식 商用書式 / ～ 가치 商用価値 / ～으로 상경하다 商用で上京する.

‖—-문 명 商用文. —-어 명 商用語.

상운【商運】명 商運. ¶～이 트이다 商運に恵まれる.

상원【上院】명 上院. ¶～ 의원 上院議員.

상위【上位】명 上位. ¶～ 타자 上位打者 / 여성 ～ 女性上位 / ～를 차지하다 上位を占める.

상위【相違】명하자 相違; 相異; 違い. ¶의견의 ～가 크다 意見の相違が甚だしい / 신분의 ～ 身分の相違.

상위【常委】명 ①↗상임 위원. ②↗상임 위원회.

상응【相應】명하자 相応; ふさわしいこと. ¶그에게 ～한 역 彼にふさわしい役 / 신분에 ～한 생활을 하다 身分相応な暮らしをする.

상의【上衣】명 ①上衣; 上着. ②チョゴリ.

상의【上意】명 上意. ¶～ 하달이 된다 上意下達ができる.

상의【相議·商議】명하타 相談; 商議. ¶이마를 맞대고 ～하다 額を寄せて相談する / ～한 뒤에 결정합시다 御相談の上決めましょう / 더불어 ～할 만하다 共に話すに足りる / 부모와 ～하다 親に計る.

상이【相異】명 相異〔相違〕. —-하다 형 相異なっている; 相違する《동사적》.

‖—-점 명 相異点.

상이【傷痍】명 しょうい(傷痍); きず; けが. ¶～ 군인〔용사〕傷痍軍人〔の勇士〕.

상인【常人】명 ☞ 상사람.

‖— 계급 명 常人階級. ①庶民層. ②(両班に対し)平民階級.

상인【商人】명 商人; あきんど. =장수. ¶대～ 紳商 / ～ 근성 商人根性 / ～ 기질 商人かたぎ / 가두(街頭) ～ つじ商人.

상-일 명하자 技術を要しない労働; 荒仕事.

‖—-꾼 명 したっぱの労働者; 人夫; 雑役夫.

상일【祥日】명 二周忌の忌日.

상임【常任】명하타 常任.

‖— 고문 常任顧問. — 위원 명 常任委員. — 위원회 명 常任委員会. — 이사 명 常任理事.

상자【箱子】명 箱; ケース; キャビネット. ¶～들이 箱づめ / ～에 넣다 箱に仕舞う / 빈 ～ 空箱.

상-자성【常磁性】명〔物〕常磁性.

‖—-체 명〔物〕常磁性体.

상작【上作】명 上作; 豊作. ¶금년 농사는 ～이다 今年の農事は上作である.

상잔【相殘】명하자 互いに争い害

がいすること; 相争うこと. ¶동족 ～하다 同族相争う.

상장【上場】 명하타 〔經〕上場.

‖——-주 명 〔經〕上場株; 建株. —— 회사 명 上場会社; 建株の会社.

상장【喪章】 명 喪章. ¶～을 달다 喪章を付ける.

상장【賞状】 명 賞状. ¶우등 ～ 優等賞状 / ～을 수여하다 賞状を与える.

상재【上梓】 명하타 [←상자(上梓)] じょうし(上梓); 出版.

상재【商才】 명 商才. ¶～가 뛰어난 사람 商才に長けた人.

상재【霜災】 명 作物の霜枯れ.

상쟁【相爭】 명하자 互いに争うこと; 相争うこと.

상적【相敵】 명 匹敵. ——-하다 형 匹敵〔伯仲〕する《동사적》; 負けず劣らずである. ¶그에게 ～할 사람은 없다 彼に匹敵するものはない.

상적【商敵】 명 商売がたき. ¶～을 쓰러뜨리다 商売がたきを倒す.

상전【上田】 명 上田; 地味の肥えた田地.

상전【上典】 명 (どひ(奴婢)の)主人の称.

상전【相傳】 명하타 相伝. ¶부자 ～의 비법 父子相伝の秘法 / 의술을 가업으로 ～하다 医を家業として相伝する.

상전【桑田】 명 桑田; 桑ばたけ. ＝상원(桑園).

‖—— 벽해(碧海), —— 창해(滄海) 명 滄海桑田; 桑田滄海; 滄桑の変. ＝창상(滄桑). (준) 상해(桑海).

상전【賞典】 명 賞典.

상점【商店】 명 商店; 店; たな. ＝상전(商廛)·상포(商鋪). ¶～가 商店街; アーケード / 늘 가는〔단골〕～ 行きつけの店.

상접【相接】 명하자 相接すること. ¶피골(皮骨)이 ～하다 骨と皮ばかりである.

상정【上程】 명하타 上程. ¶국회에 선거법 개정안을 ～하다 国会に選挙法改正案を上程する.

상정【常情】 명 常情. ¶인지～이다 人情のつねである.

상정【想定】 명하타 想定. ¶…라는 ～하에 …という想定のもとに.

‖——-량 명 想定量.

상제【上帝】 명 上帝.

상제【喪祭】 명 喪祭; 喪礼と祭礼. ¶관혼 ～ 冠婚喪祭 / ～ 비용 喪祭料.

상조【尙早】 명 [↗시기 상조(時機尙早)] 尚早.

상조【相助】 명하자 互助. ¶～의 정신 互助の精神 / ～회 互助会.

상존【尙存】 명하자 尚存; なお存在していること.

상존【常存】 명하자 常在.

상종【相從】 명하자 相従; 親しく交わること. ¶저런 사람과는 ～하지 마라 あんな人とは付き合うな.

상좌【上座】 명 上座·上座; 上席. ¶손님을 ～에 앉히다 客を上座に直す / 식탁의 ～에 앉히다 食卓の上席に座らせる.

‖——-승(僧) 명 上座につく僧;

상주【上奏】 명 上奏. ——-하다 上奏する; 奏する.

‖——-문 명 上奏文.

상주【上酒】 명 高級酒.

상주【常住】 명하자 常住. ① 常住むこと; 常在すること. ¶밤 없이 그 곳에 ～하고 있다 昼夜なそこに常詰めしている. ②〔佛〕상주물.

‖——-물 명 〔佛〕常住物; 寺院に属する財産の総称. —— 불 명하자 常住不滅.

상주【常駐】 명하자 常駐. ¶파출소엔 경관이 ～하고 있다 交番所には警官が常駐〔常詰め〕している.

상주【喪主】 명 喪主.

상주【詳註】 명 詳しい注解.

상주【賞酒】 명 賞として与える. * 벌주(罰酒).

상-주다【賞—】 타 賞を与える.

상중【喪中】 명 喪中; 忌中. 선친의 ～ 亡父の喪中.

상-중-하【上中下】 명 上中下. ¶～로 나누다 上中下に分かつ〔分ける〕.

상지-상【上之上】 명 (詩文を評する等級の一つで)一等級のうちの一位; 最もすぐれたもの.

상직【上職】 명 上職; 上位の職員; または, 職位.

상질【上質】 명 上質. ¶～지 上質の紙 / ～품 上質品.

상징【象徵】 명 象徴; シンボル. ——-하다 타 象徴する; 現わす. ¶비둘기는 평화의 ～ はと(鳩)は平和の象徴 / 이름은 실체를 ～한다 名は体を現わす.

‖——-극 명 〔劇〕象徴劇. ——-시 명 象徴詩. ——-적 명관 象徴的. ——-주의 명 象徴主義; シンボリズム. ——-파 명 象徴派. ——-화 명하자 象徴化.

상-차례【床次例】 명 おぜんだ(膳立)ての順序.

상찬【上饌】 명 すてき(素適)なおかず.

상찬【常饌】 명 ふだんのしょくぜん(食膳).

상찬【賞讚】 명하타 賞賛. ¶～할 만하다 賞賛に価する / 세인의 ～을 받다 世人の賞賛を得る〔博す〕.

상찰【詳察】 명하타 詳察.

상책【上策】 명 上策. ＝상계(上計). ¶도망치는 것이 ～이다 三十六計逃ぐるに如かず.

상책【商策】 명 商策; 商略.

상처【喪妻】 명하자 妻に死なれること. ＝상배(喪配).

상처【傷處】 명 傷; 傷口; 痛手. ¶～를 입다 怪我をする; 痛手を負う / ～에 반창고를 붙이다 傷口にばんそうこう(絆創膏)を張る / 옛 ～를 들추다 古傷をあばく / 마음에 입은 ～ 心に受けた傷.

상체【上體】 명 上体. ¶～ 운동 上体の運動.

상추 명 〔植〕ちしゃ(萵苣); レタス.

춘【常春】명 常春. ¶ ～의 나라 常春の国.
춘【賞春】명하자 春をほめたたえること; 春をめ(賞)でること.
‖——객(客) 명 春の行楽の人; 見客.
충【相衝】명하자 かちあうこと; 相はんすること.
층【上層】명 上層. ¶ ～부 上層ぶ / 대기의 ～ 大気の上層 / ～ 계급 上層階級.
‖── 구조 명 上部構造. ── 기 명 上層気流. ——-류 명 上層流. ── 사회 명 上流社会. ——운 명 上層雲.
-치【上—】명 同種の物のなかで上質の物.
치【上齒】명 ☞ 윗니.
치【常置】명하타 常置. ¶ ～ 신호기 常置信号機.
친【相親】명하자 互いに親しくすること.
‖——-간(間) 명 互いに親しい仲.
칭【相稱】명 ① 互いに称すること. ②〔物〕相称. ¶ 좌우 ～ 左右相称.
쾌【爽快】명 そうかい(爽快); さわやか. ——-하다 형 爽快だ; さわやかだ; さばさばする〈俗〉. ¶ ～한 아침 爽快な朝 / 오월의 ～한 산들바람 五月の爽やかな〔快い〕そよ風 / ～한 기분이 되다 清清しい〔晴れ晴れとした〕気持ちになる. ——-히 부 さわやかに; 清清しく.
상큼 부 おおまた(大股)に軽く歩くさま: さっと. <성큼. ———— 부 かっぽ(闊歩)するさま: さっさと; すたすたと. ¶ ～ 걷다 さっさと歩く.
상큼-하다 형 上体に比べて下肢が不釣り合いに長い. <성큼하다.
상-타다【賞—】자 褒美をもらう; 受賞する.
상탁 하부정【上濁下不淨】명 川上が濁れば川下も清くないこと.
상탄【賞嘆】명하타 賞嘆.
상태【狀態】명 状態; 調子; 具合〔工合〕; 体〔態〕; 様子; 様; 有り様〔有り様〕. ¶ 무방비 ～ 無防備状態 / 실신 ～ 失心〔喪心〕状態 / 기계의 ～ 機械の調子 / 맥의 ～가 이상하다 脈の具合〔工合〕が変だ / 이런 ～라면 걱정할 필요가 없다 この分なら心配はいらない / 아직도 반신반의의 ～다 まだ半信半疑の態だ / 저런 ～로는 곤란하다 あんな風では困る / 몸의 건강 ～가 좋다 からだの加減がよい / 지금의 ～로는 매우 불안하다 今の有り様ではおぼつかない / 건강 ～가 나빠서 누워 있다 からだの具合が悪くて寝ている.
상태【常態】명 常態. ¶ ～로 복귀되다 常態に復する.
상토【上土】명 真土; 耕作にもっとも適した土壌.
상통【相—】명《俗》面付き; 顔つき; 面構え; 面. ¶ ～이 괴상한 사나이 変な面付きをした男.
상통【相通】명하자 相通ずること. ¶ 일맥 ～하다 一脈相通ずる.

상퇴【上腿】명〔生〕じょうたい(上腿).
상투 명 結婚した男の結い上げたまげ(髷). ¶ ～를 자르다 髪をおろす; 出家する.
‖——-쟁이 명 “상투”の頭の人. 상투-고 명 “상투”を結んだ部分. 상투-바람 명 冠をしていないすまげ(素髷)のなり.
상투【相鬪】명하자 あい闘うこと.
상투【常套】명 じょうとう(常套); お決まり. ¶ ～ 수단 常套手段 / 남의 뒷다리를 잡는 것이 저 자의 ～ 수단이다 人の揚げ足をとるのがあいつの常套手段だ.
‖——-어 명 常套語; 決まり文句; 口癖. ——-적 명관 常套的; お決まり(の). ¶ ～인 문구 お決まりの文句 / ～인 인사말 決まり文句のあいさつ.
상판【相—】명《俗》↗상판대기.
상-판대기【相—】명《俗》面付き; 面構え; 顔つき; 面. ㊅ 상판. ¶ 보기 싫은 ～다 面憎い顔つきだ.
상-팔자【上八字】명 最高の幸運.
상패【上牌】명 花札·カードなどの良い札.
상패【賞牌】명 賞牌. ¶ ～ 수여식 賞牌授与式.
상편【上篇】명 上編. ¶ ～과 하편 두 권으로 되어 있다 上編と下編の二冊になっている.
상포【喪布】명 葬儀用の反物.
‖——-계(契) 명 葬式費をこしらえるための頼母子講. ＝초상계.
상표【商標】명 商標; トレードマーク; レベル; レッテル; マーク. ¶ 등록 ～ 登録商標 / ～를 도용하다 商標を盗用する.
‖——-권 명 商標権.
상품【上品】명 上品. ① ひんのよいこと; 気品のあること. ② 品柄のよいこと; 上質の品. ¶ 그의 작품 중에서는 ～인 편이다 彼の作品のうちでは上作の方である.
상품【商品】명 商品; 品; 代物〈俗〉. ¶ ～ 견본 商品の見本 / ～의 구색을 갖추다 いろいろな商品を取りそろえる.
‖── 경제 사회 명〔經〕商品経済社会. ——-권(券) 명 商品券. ── 목록 명 商品目録. ── 유통 명 商品流通. ── 진열관 명 商品陳列館. ── 진열창 명 ショーウィンドー. ——-화 명하자타 商品化.
상품【賞品】명 賞品. ¶ ～을 수여하다 賞品を授与する.
상피【上皮】명〔生〕上皮·うわかわ. ＝윗가죽.
‖── 세포 명〔生〕上皮細胞. ── 조직 명 上皮組織.
상피【相避】명 ① 親族の間柄であるという理由などで同じ任地の官職·聴聞·試官などを互いに避けること. ② 近親相姦. ——-하다 자 相避ける. ——-나다 자 “상피(相避)”事が生ずる. ——-붙다 자 (近親)相姦する.
상-하【上下】명 上下·うえした·しょうか. ¶ ～ 두 권 上下二巻 / 인권에는

~의 구별이 없다 人権には上下の区別なし.
‖——-권 명 上下巻; 上巻と下巻. ——-동 명하자 上下動; 地震動などの鉛直の動き. —— 화목(和睦) 명하자 上下むつ(睦)み合うこと.
상하【常夏】명 常夏. ¶ ~의 나라 常夏の国.
상-하다【傷—】자타 傷〔痛〕む. ① 傷つく; こわれる; 破れる; 朽ちる; 腐る. ¶ 상하기 시작한 고기 傷みかかった肉 / 접시가 ~ 皿が傷つく / 사람을 상하게 하다 人を傷つける / 이를 ~ 歯を傷つける / 상하기 쉽다 腐りが早い / 사과가 ~ りんごが痛〔傷〕む / 짐이 ~ 荷物が痛む. ② 心が痛む. ¶ 마음이 ~ 心が痛む; 心を痛める; 心が傷つく / 아버지의 기분을 상하게 하다 父の機嫌を損ねる〔損なう〕/ 감정을 상하게 하다 感情を害する; 気に触れる〔障る〕.
상학【上學】명하자 学校でその日の授業を始めること.
‖——-종(鐘) 명 授業開始の鐘.
상학【相學】명 相学; 人相を研究する学問.
상학【商學】명 商学. =상업학. ¶ ~부 商学部 / ~사 商学士.
상한【上限】명 上限. ¶ ~선 上限線 / ~을 정하다 上限を設ける.
‖——-가(價) 명〖證〗ストップ高.
상항【上項】명 上の項目.
상항【商港】명 商港.
상해【傷害】명하타 傷害. ¶ ~ 보상 傷害補償 / ~를 입히다 傷害を与える.
‖—— 보험 명 傷害保険. ——-죄 명 傷害罪. ¶ ~로 고발당하다 傷害罪で訴えられる. —— 치사 명하타 傷害致死. ¶ ~죄 傷害致死罪.
상해【詳解】명하타 詳解.
상해【霜害】명 霜害; 霜による農作物の被害.
상행【上行】명하자 ① 上京; 地方から都に上ること. ② ↗상행 열차. ‖—— 열차 명 上り列車; 上り《준말》.
상-행위【商行爲】명 商行為; 取り引き. ¶ ~로 인정하다 商行為と認める.
상향【上向】명 上向き.
상현【上弦】명 上弦《新月から満月に至る間の半月》.
‖——-달 명 上弦の月.
상형【象形】명 ① 象形. ② ↗상형 문자. ‖—— 문자 명 象形文字; 形象文字. ㊜ 상형.
상호【相互】명부 相互; 交互. = 호상(互相). ¶ 회원 ~간의 친목을 도모하다 会員相互のしんぼく(親睦)を計〔図〕る / ~ 비방 중지 相互ひぼう(誹謗)中止.
‖—— 관계 명 相互関係. —— 보험 명 相互保険. —— 부조 명 相互扶助. —— 신용 금고 명 相互信用金庫. —— 안전 보장 명 相互安全保障. —— 작용 명 相互作用; 交互作用. —— 조약 명 相互条約. 호혜(互惠) 조약. ——-주의 명 相互主義. —— 회사 명 相互会社; 相保険会社.
상호【商號】명 商号.
‖——-권 명 商号権.
상혼【商魂】명 商魂. ¶ 억척스 ~ たくましい商魂.
상화【相和】명하자 相和.
상화【霜花】명 霜花; 花のような 柱.
상환【相換】명 引き替〔換〕え. —— 하다 타 引き替える. ¶ 대금과 ~으 물건을 내주다 代金と引き替えに物を渡す.
‖——-권(券) 명 引換券.
상환【償還】명하타 償還. ¶ 부 를 ~하다 負債を返す.
‖—— 공채 명 償還公債. —— 기 명 償還基金.
상황【狀況】명 状況〔情況〕; 様; ありさま. ¶ ~에 따라 판단하 状況によって判断する / 한눈으로 곳의 ~을 알아차리다 一目でその場の様子を見て取る.
‖—— 판단 명 状況〔情況〕判断. ¶ ~을 잘못 하다 状況判断を誤る.
상황【商況】명 商況; 商状. ¶ 최근의 ~은 활발하지 않다 最近の商況〔商状〕は活発でない.
상회【上廻】명하자 上回ること. ¶ 수확이 예상을 ~하다 収穫が予想を上回る.
상회【商會】명 商会.
상훈【賞勳】명 賞勳. ① 賞と勲章. ② 勲功を賞すること.
상흔【傷痕】명 しょうこん(傷痕); きずあと. ¶ ~을 남기다 きずあとを残す.
샅 명 ① またぐら(股座); また(股)のつけね; こかん(胯間). =고간(股間). ② 物と物の間〔すき〕.
샅-바 명 相撲取りがふともも(太股)に掛ける木綿製の帯; 回し; 締め込み. ¶ ~를 다시 졸라매고 덤비다 回しを締め直してかかる / ~를 질끈 조르다 ふんどし(褌)をしかっと締める. —— 지르다 자 足を回して括る. —— 채우다 자 罪人の足を縄で括る.
‖—— 씨름 명 ふともも(太股)に回しを掛けてする相撲.
샅샅-이 부 ① 透き間ごとに. ② くま(隈)なく〈雅〉; 漏れなく; 隅隅まで全部. ¶ ~ 찾아 보았다 隈なく探して見た / 이전의 신분·경력을 ~ 조사하다 前身を洗う / ~ 뒤지다 草(の根)を分けて探す / 이 잡듯이 ~ 뒤졌다 しらみつぶ(虱潰)しに調べた / 국내를 ~ 조사하다 国内をまんべん(満遍)なくしらべる.
새[1] 명〖植〗① かや(茅〔萱〕)·ちがや(茅草〔茅〕)などの総称. ¶ ~ 지붕의 농가 かやぶ(茅葺)きの農家 / 샛바리 짚바리 나무란다《俚》めくそ(目糞)はなくそ(鼻糞)をわらう. ② ↗억새.
새[2] 명 [↗사이[1]] 間. ¶ 눈깜짝할 ~ あっという間 / 자리에 붙어 있을 ~가 없다 席の暖まるいとまがない.

명 ① 鳥類の総称；鳥；小鳥. ¶ ~가 조를 쪼아 먹다 鳥があわ(粟)をつつく / ~가 요란하게 지저귀다 鳥が鳴き頻る / ~발의 피《俚》 …の涙；すずめ(雀)の涙. ② ↗참새.

관 新しい；新；あら；新；ニュー. ¶ ~ 양복 新しい洋服 / ~얼굴 新顔；新人；ニューフェース / ~ 한국 건설 新しい韓国の建設.

— 두 色彩が非常に鮮やかで濃いことを表わす語；真っ…；真っ…. <시-. ¶ ~빨갛다 真っ赤である / ~빨간 거짓말이다 真っ赤なうそである / ~하얗다 真っ白い. ＊샛-.

새 미 様子·形·すがた·格好·気味などの意をあらわす語. ¶ 모양~ 様子 / 생김~ 様体；生まれつき / 만듦~ 出来栄え.

새-가슴 명 はとむね(鳩胸).

새겨-듣다 타 ↗새기어 듣다.

새-고기 명 ① 鳥肉. ② すずめ(雀)の肉.

새곰-하다 형 少し酸い；ややすっぱい. <시굼하다. ¶ 김치맛이 ~ キムチの味がややすっぱい. **새곰-새곰** 부 하형 ややすっぱいさま.

새-그물 명 鳥網；かすみ網；しゃくら(雀羅). ¶ ~을 치다 鳥網を張る.

새근-거리다[1] 자 ① 食い過ぎて腹一杯のときまたは腹立たしさで息をはずませる；あえ(喘)ぐ；息切れする；息づく；息せく. ② (幼児などが)眠りこんですやすやと息をする. <시근거리다[1]. ㅆ쌔근거리다. **새근-새근**[1] 부 하자 すやすや. ¶ 어린 애가 ~ 자고 있다 子供がすやすやねている.

새근-발딱 부 하자 ひどくあえ(喘)ぐさま：あえぎあえぎ；はあはあ. ——**-거리다** 자 忙しく喘ぐ；あえぎあえぎする；はあはあする. ——— 부 하자 せわしくあえぐさま：あえぎあえぎ；はあはあ.

새근-하다 형 骨っ節がややずきずきする. ¶ 발목이 ~ 足首がずきずきする. <시근하다. ㅆ새큰하다. **새근-거리다**[2] 자 ずきずきする. **새근-새근**[2] 부 하형 ずきずき.

새금-하다 형 ややすっぱい；少し酸味がある. <시금하다. ㅆ새큼하다. ¶ 김치 맛이 ~ キムチ(の味)がややすっぱい. **새금-새금** 부 하형 ややすっぱいさま.

새기다[1] 타 刻む. ① (物に)刻みつける；彫る；彫りつける；彫り込む；印する；切りつける；刻する. ＝조각하다. ¶ 칼로 ~ 刻を入れる / 불상을 ~ 仏像を刻む. ② (心に)刻みつける；記す；銘ずる. ¶ 아버지의 가르침을 마음에 ~ 父の教えを胸に刻む / 마음에 ~ 心に刻みつける；心に記す / 마음속 깊이 ~ 肝に銘ずる.

새기다[2] 타 ① ことばや文を分かりやすく解釈する. ¶ 책의 내용을 잘 새겨라 本の内容をか(噛)みこなせ. ② 翻訳する；訳する. ¶ 한문을 ~ 漢文を訳する.

새기다[3] 타 (牛·羊などのはんすう(反芻)動物が)反芻する.

새기어 듣다 타 ① 言葉の意味をか(噛)みこなす；聞きわける. ¶ 스승의 가르침을 ~ 師の教えを噛みこなしながら聞く. ② 忘れないように注意を傾ける；心に刻みつける. 준 새겨듣다.

새김 명 ① 文意をわかりやすくときあかすこと. ② (文字·絵などを)木·石などに刻むこと. また, その物. ③ 漢字を国語にあてて読むこと；訓.

‖——**-질** 명 하자타 ① 木·石などに文字·絵などを刻むこと. ② 牛などのはんすう(反芻). ＝되새김·반추(反芻). ——**-칼** 명 彫刻刀. ＝각도(刻刀).

새-까맣다 형 ① 真っ黒だ. ¶ 새까만 머리 真っ黒い髪 / 피부색이 새까만 흑인 肌色の真っ黒い黒人 / 사람이 새까맣게 모여들다 黒山のように人が集まる. <시꺼멓다. ② 先がおぼつかない.

새까매-지다 자 真っ黒になる. ¶ 햇볕에 타서 ~ 日に焼けて真っ黒になる. <시꺼메지다.

새끼[1] 명 縄. ¶ ~를 꼬다 なわをな(綯)う；あざな(糾)う.

‖——**-줄** 명 縄；縄手. ¶ ~에 발이 걸리다 なわに足をとられる / ~을 치다 なわを打つ；なわを張る. ——**-틀** 명 縄(を綯う)機械.

새끼[2] 명 ① 生まれてまもない, またはまだ産んでいない動物の子〔仔〕；ひな(雛). ¶ ~를 배다 仔をはらむ / 날짐승의 ~ ひなどり(雛鳥) / ~를 낳다 子を産む. ② 《俗》 子供；せがれ(倅). ③ 《卑》 野郎；やつ(奴). ¶ 이 개~ こん畜生 / 이놈의 ~ この野郎. ④ 《俗》 (元金·もときんに対する)利子；子. ¶ 돈이 ~를 치다 金に利子がつく. ——**-치다** 자 動物が子·卵を産んで繁殖する. ¶ 범이 ~ 虎が子を産む / 제비가 ~ つばめがひな(雛)をかえす.

‖——**-발가락** 명 (足の)小指. ——**-손** 명 ↗새끼손가락. ——**-손가락** 명 (手の)小指. ¶ ~을 걸고 약속하다 指切り〔げんまん〕をして約束する. ——**-집** 명 動物の子袋〔子宮〕.

새-나다 자 秘密が漏れる. ¶ 말이 ~ 話が漏れる.

새다[1] 자 ① 夜が明ける；白む. ¶ 날이 ~ 明け放される / 날새기를 기다리다 夜明けを待つ. ② 漏れる. ¶ 물이 ~ 水が漏る〔漏れる〕/ 불빛이 새지 않게 해라 明かりを漏らすな / 가스가 ~ ガスが漏れる. ③ ☞ 새나다. ¶ 비밀이 ~ 秘密が漏れる. ④ 《俗》 (ある所から)そっと抜け出る〔はなれる〕. ¶ 회의 도중에 ~ 会議の途中に抜け出る.

새다[2] 타 ↗새우다[1]. ¶ 밤을 샌 주연 長夜の宴 / 밤을 ~ 夜を明かす.

새-달 명 来月；次の月. ¶ ~ 그믐께 来月の末頃.

새-댁 【—宅】 명 ① "새 집(＝新宅)"

ㅅ

の敬称. ② 結婚で婚家が互いを呼びあう語. ③ ☞ 새색시. ¶ 이웃집의 ~ 隣の新妻.

새-되다 형 (声が)甲高い; 甲走る. ¶ 새된 목소리 甲走った声; 甲声; 黄色い声; 絹を裂くような声 / 여자가 새된 소리를 내다 女が金切り声を立てる.

새득-새득 부하자 やや枯れてしな(萎)びているさま: ざらざら; がさがさ. ¶ 참외가 ~ 말랐다 まくわうり(真桑瓜)がこちこちになった.

새들-새들 부하자 少しずつしお(萎)れる〔しな(萎)びる〕さま, またはしおれたさま: しなしな. <시들시들. ¶ 채소가 ~해지다 野菜がしなびかける.

새뜻-하다 형 さっぱりしている〔すがすがしい〕; 新鮮である. ¶ 새뜻한 차림 こざっぱりした身なり.

새로 부 [↗새로이] 新しく; 新たに. ¶ ~ 들여온 물건 新たに仕入れた品物 / ~ 온 사람 新参の人.

새록-새록 부 意外のことが続出するさま: 続続と; 次次と; 相次いで. ¶ ~ 골칫거리만 생긴다 相次いで頭の痛いことばかり起こる / ~ 일이 벌어지다 次次と事がおこる.

새롭다 형 ① 過去の思い出が新ただ; 生新しい. ¶ 추억도 새로운 思い出も新たな / 기억에 ~ 記憶に生生しい. ② 前に見たものが今更感じられる. ¶ 볼수록 눈에 새로운 풍경 見るほどに目新しい風景. ③ 新しい状態にある. ¶ 이것은 언제 보아도 ~ これはいつ見ても新しい. ④ 今までにない; 新しい. ¶ 이건 좀 새로운 도안이다 これはちょっと目新しい図案である. **새로-이** 부 新しく; 新たに; 改めて; 更に. ¶ 단장도 ~ 装いも新たに / 옛정을 ~ 하다 旧交を〔旧情を〕暖める / 기분을 ~ 하다 気を取り直す.

새롱-거리다 자 ① ふしだらにぺちゃくちゃしゃべりまくる. ② (男女が)ふざける; 戯れる; ちちくる〈俗〉; いちゃつく〈俗〉. ¶ 남의 면전을 가리지 않고 ~ 人前もはばからずふざける / 사내와 ~ 男と戯れる. <시룽거리다. **새롱-새롱** 부하자 ① ぺちゃくちゃ. ② ふざける〔たわむれる; ちちくる〕さま; いちゃつくさま.

새마을 운동【—運動】 명 セマウル運動《勤勉·自助·協同精神を基とする地域社会の運動》.

새-말 명 新語; 新造語.

새-말갛다 형 真っ白で清い.

새말개-지다 자 真っ白で清くなる.

새무룩-하다 형 ① 心中不満でむっつりしている; 膨れっ面をする; すねている. ¶ 꾸지람을 들으면 이내 새무룩해진다 叱られるとすぐふくれっつらをする. ② どんより曇っている. ¶ 새무룩한 하늘〔날씨〕どんよりした空. <시무룩하다.

새-물 명 ① (果物·魚などの)初物; 走り. ¶ ~ 가지 なす(茄子)の初物. ② 洗い立ての服.
‖**——-내** 명 洗い立てた服のにおい. **—— 청어(青魚)** 명 ① にしんの初物; 初出のにしん. ② 新前; し[…]い; 新入り.

새발 장식【—裝飾】 명 扉につける[…]足模様の金具.

새발톱-표 【—標】 명 引用符号[…]「“ ”」の名称. =작은따옴표.

새-밭 명 かや(茅〔萱〕)の生い茂っ[…]所; かや原.

새벽 명 暁; 夜明け; あけが[…]あけぼの(曙)〈雅〉; 有り明け; 早[…]暁. ¶ 아직 어슴푸레한 ~이다 まだ[…]の暗い明け方である. **——-같이** 朝早く; 朝っぱら〈俗〉; 明け方早く. ¶ ~ 웬일인가 朝っぱらからど[…]したんだい.
‖**——-녘** 명 暁(の頃); 夜明け頃[…] 夜明け方; 朝明け; 明け方; 払[…]暁. ¶ ~에야 잠이 들었다 夜明け頃[…]寝入った. **——-달** 명 残月; 有[…]明け〔暁〕の月. ¶ ~이 서쪽 하늘[…] 걸려 있다 残月が西空にかかってい[…]る. **—— 바람** 명 暁に吹く冷たい[…]風. **——-밥** 명 早朝炊いて食べ[…]飯. **——-잠** 명 夜明け頃のふかい眠[…]り; 朝寝.

새-보다 자 のらに干してある穀物[…]に近づく鳥を見張る.

새-봄 명 新春; 初春.

새-빨간 관 とんでもない; 真っ赤[…]な. ¶ ~ 거짓말 真っ赤なうそ.

새-빨갛다 형 真っ赤だ. <시뻘겋다. ¶ 새빨간 불꽃 紅蓮の炎.

새빨개-지다 자 真っ赤になる. ¶ 부끄러워서 얼굴이 새빨개졌다 恥ずかしくて顔が真っ赤になった.

새-뽀얗다 형 色が鮮やかに灰色がかっている.

새뽀애-지다 자 鮮やかに灰色がかる.

새-사람 명 ① 新人; 新進. ¶ ~을 맞이하다 新人を迎える. ② 目上が息子の嫁などを指していう語. ③ 重病から回復した人. ④ 生活態度を改めた人. ¶ ~이 되었다 人が生まれ変わった.

새-살 명 肉芽(組織). ¶ ~이 돋아나다 肉芽が盛りあがる.

새살-거리다 자 にこにこしながらおもしろげにしゃべる. <새실거리다·시설거리다. **새살-새살** 부하자 わらいふざけるさま: ぺちゃくちゃ.

새살-궂다 형 尻軽で騒騒しい.

새살-떨다 자 むやみにはしゃぐ〔ふざける〕.

새-살림 명하자 新所帯. ¶ ~을 차리다 新所帯を持つ.

새살-스럽다 형 尻軽で騒騒しい; そそかしくはしゃぎたがる. <새실스럽다·시설스럽다.

새삼-스럽다 형 ① 今更のようだ; こと新しい. ¶ 고향에 오니 어린 시절이 ~ 故郷に帰ると幼時のことが今更のようだ. ② 事新しい; 今更でもない. ¶ 새삼스레 이러니저러니 해보았자 소용없다 今更どうのこうのと言ってもしようがない / 새삼스레 설명할 것까지도 없다 ことさら(殊更)(に)説明するまでもない.

새-새 명부 ↗사이사이. ¶ 공부하는

운동도 하다 勉強の合間に運動もする. ——-틈틈 부 あいまあい; すきますきま; ひまひま.
H-거리다 자 やたらに笑いはしゃ〔ふざける〕.
색시 명 花嫁; 新婦.
서방【—書房】명《俗》①新郎; 婿. ②新たに迎えた夫.
-소리 명 鳥の鳴き声.
-순【—荀】명 新芽; 若芽. ¶ 이 나다 新芽が出る. * 새싹.
-신랑【—新郎】명 花婿; 新郎.
실-거리다 자 にこにこしながらおもしろくしゃべる. <시설거리다. >새살거리다.
실-새실 부하자 笑いふざけるさま. ㊟ 샐샐.
-싹 명 ①新芽; 若芽. ¶ ~이 움트는 계절 新芽の季節; 木の芽どき / 차의 ~을 따다 茶の若芽を摘む. ②物事の始まり. ¶ 어린이는 나라의 ~이다 子供は国の若芽である. * 새순.
새-아기 명 しゅうとが新婚ほやほやの嫁を言う語.
새-아기씨 명 新婦の尊称. ㊟ 새아씨.
새-아씨 명 ↗새아기씨.
새-아주머니 명 新婚ほやほやの兄嫁や弟嫁または叔母にあたる人の称.
새-알 명 ①鳥卵; 卵. ②すずめ(雀)の卵. ¶ ~ 꼽재기만하다《俚》雀の涙ほどである.
‖—— 사탕(砂糖) 명 雀の卵くらいのあめだま(飴玉). ——-심(心) 명 汁粉の中の, 雀の卵くらいの白玉. ㊟ 샐심. ——-콩 명 まだらな点がある豆の一種. ——-팥 명 まだらな点がある小豆の一種.
새앙 명〔植〕しょうが(生姜〔生薑〕); はじかみ(薑)〈古〉. ㊟ 생.
‖——-뿔 명 ①生薑の角状の部分. ②短い牛の角. ——-손이 명 指が切られてその部分が生薑のようになった人; 生薑手.
새옹【塞翁】명 さいおう(塞翁); 辺境のとりで(砦)に住む老人.
‖——-마(馬), ——-지-마(之馬) 명 塞翁が馬. ¶ 인간 만사 ~ 人間万事塞翁が馬.
새우 명〔動〕えび(蝦). ¶ ~로 잉어를 낚는다《俚》えびでたい(鯛)を釣る / ~ 싸움에 고래 등 터진다《俚》えびのけんか(喧嘩)でくじら(鯨)の脊が裂ける《目下の誤りが我が身に及ぶことのたとえ》.
‖——-등 명 ①えびごし(蝦腰). ②猫背. ¶ ~지다 猫背になる. ——-잠 명 丸くなって寝る眠り. ¶ ~자다 猫背になって眠る. ——-젓 명 (小)えびの塩辛. ㊟ 새젓.
새우다¹ 타 (夜を)明かす. ¶ 뜬눈으로 하룻밤을 ~ まんじりともしないで一夜を明かす. ㊟ 새다.
새우다² 타 ねた(妬)む; そね(嫉)む; 焼きもちをやく.
새-장【—欌】명 鳥の巣箱; 鳥かご.
새-점【—占】명〔民〕鳥占い《鳥がくちばし(嘴)でつまみ出すけ(卦)で吉凶を判断する占い》.
새-중간【—中間】명 '중간'の強調語.
새-집¹ 명 ①新築した家; 新宅. ②新たに縁を結んだあいやけ(相舅). ③花嫁をなじんで指す語.
새-집² 명 鳥の巣.
새-참【—站】명 ↗사이참.
새척지근-하다 형 食べ物がす(饐)えてややすっぱい. <시척지근하다. >새치근하다.
새-총【—銃】명 ①鳥打ち用の空気銃. ②ぱちんこ.
새치 명 若白髪.
새-치기 명하자 ①横取り; 割り込み. ¶ ~하지 마라 横取りをするな. ②たまに本業以外の仕事をすること.
새치름-하다 형 つんと取り澄ましている; 何食わぬ顔をしている. <시치름하다. ㊟ 새침하다.
새치-부리다 자 遠慮するふりをする; けんそん(謙遜)ぶる.
새침-데기 명 澄まし屋; お澄まし; かまとと〈俗〉. ¶ ~ 아가씨 かまとと令嬢 / 자네 누이동생은 ~야 君の妹はお澄ましやだね / ~ 골로 빠진다《俚》すまし屋谷に落ちる《おとなしい人ほど道をあやまれば取り返しのつかぬようになることのたとえ》.
새침-하다 형 ↗새치름하다.
새-카맣다 형 真っ黒だ. <시커멓다. ㅆ새까맣다. ¶ 해수욕으로 새카맣게 타다 海水浴で真っ黒に焼けた.
새콤-하다 형 ややすっぱい. <시쿰하다. 새콤-새콤 부하형 ややすっぱいさま. <시쿰시쿰.
새큰-거리다 자 骨節がしび(痺)れてしきりにうず(疼)く. 새큰-새큰 부하자 骨節が痺れずきずきするさま.
새큰-하다 형 骨節がしび(痺)れてややずきずきする. <시큰하다. ㅗ새근하다.
새-털 명 鳥のはね; 羽毛.
새퉁-이 명 そそっかしい行ない. また, その人. ——-부리다 자 憎らしく軽はずみなふるまいをする.
새-파랗다 형 ①真っ青だ. ¶ 새파란 하늘 真っ青な空. ②青い; 蒼白だ. ¶ 얼굴이 새파래지다 顔が真っ青になる / 두려운 나머지 얼굴이 새파랗게 질리다 怖さのあまり顔が青ざめる. ③若若しい. ¶ 새파랗게 젊은 놈이 青二才のくせに. <시퍼렇다.
새-판 명 ①新たな場; 新局面. ②か(賭)け·勝負などのやりなおし. ¶ ~을 벌이고 다시 해보자 もう一度やり直そうぜ.
새-하얗다 형 真っ白だ. <시허옇다. ¶ 새하얀 눈 真っ白な雪.
새하얘-지다 자 真っ白になる.
새-해 명 新年. ¶ ~ 벽두 新年早早 / ~를 맞(이하)다 新年を迎える / ~가 되다 年が明ける / ~ 들어 25세 明けて二十五才 / ~ 복 많이 받으세요 新年おめでとうございます.
‖—— 문안(問安) 명 新年を迎えて目

上にするあいさつ. ── 차례(茶禮) 명〔民〕元旦の祭礼.

색【色】명 ①色·. ＝빛. ¶～연필 色鉛筆／바탕～ 下色／수수한 ～ じみな色／～이 짙다〔엷다〕色が濃い〔浅い〕／～이 곱게 물들다 色が上がる. ②同じ部類を指す語. ¶좀 ～다른 차림이었다 ちょっと風変わりな身形であった. ③〔史〕事務の一分掌. ＝빗. ④[↗색사] 色事; 色. ¶～을 즐기다 色を好む. ⑤[↗여색] 色; 女色. ¶～에 빠지다 色におぼれる.

색-갈이【色─】명하타 春窮期に旧穀を貸与し, とり入れ時になって新穀で返してもらうこと.

색감【色感】명 色感.

색계【色界】명 ①〔佛〕色界. ②花柳界.

색골【色骨】명 色好み; すけ(助)べえ. ＝호색(好色)꾼.

색광【色狂】명 色気違い; 色情狂.

색깔【色─】명 色; 色彩. ＝빛깔. ¶～이 곱다 色がきれいだ.

색-노끈【色─】명 ①美しい色染めのひも(紐). ②色紙のこより.

색-다르다【色─】형 風変わりだ; 異様だ; 目新しい. ¶색다른 복장 変わった服装／색다른 사람 風変わりな人; 毛色の変わった人／색다른 물건 毛並みの変わったもの.

색덕【色德】명 女性の美貌と美徳.

색도【色度】명〔物〕色度.
‖──-계 명 色度計.

색동【色─】명 多くの色しま(縞)を入れた子供用チョゴリのそでじ(袖地).
‖── 마고자 명 "색동"で袖をあてた"마고자". ── 저고리 명 袖に"색동"をあてた子供のチョゴリ.

색-떡【色─】명 色とりどりにそめて作ったもち(餠). ＝색병(色餠).

색량-계【色量計】명〔物〕色量計.

색마【色魔】명 色魔; 女たらし. ＝색광(色狂).

색맹【色盲】명〔生〕色盲.

색-무늬【色─】명 色模様.

색-무명【色─】명 色染めの木綿.

색별【色別】명하타 色分け. ¶지도를 나라별로 ～하다 地図を国別に色分けする.

색상【色相】명 色相; 色あい. ＝색조(色調).

색색【色色】명 色色. ──-이 부 色色に〔と〕; 色とりどりに. ¶～ 물들이다 色とりどりに染める.

색 색 부하자 細い息の音: すうすう; すやすや. ＜식식. ㅆ쌕쌕. ──-거리다 자 細い息をつ(吐)く; すうすうする.

색소【色素】명 色素.
‖── 결핍증 명 色素欠乏症. ── 세포 명〔生〕色素細胞. ──-체 명〔生〕色素体.

색소-폰〔saxophone〕명〔樂〕サキソホン; サックス.

색쇄【色刷】명〔印〕色刷り. ¶～ 만화 色刷り漫画／삽화를 ～로 하다 画を色刷りにする.

색시 명 ①未婚の処女〔乙女 ¶참한 ～ 気立てのよいむすめ. ②場などのホステス. ③↗새색시. ～로 데려갈 상대가 없다 嫁に貰い手がない.
‖색싯-집 명 ①《俗》☞ 처가(妻家 ②ホステスのある飲み屋.

색-실【色─】명 色染めの糸; 色糸; 染め糸.

색-쓰다【色─】자 ①射精する. 性交に熱中する. ③〈俗〉性交テクニックを使う.

색-안경【色眼鏡】명 色眼鏡. ¶ 을 쓰고 보다 色眼鏡で見る／～을 다 サングラスをかける.

색약【色弱】명〔生〕色弱.

색-연필【色鉛筆】명 色鉛筆; ラーペンシル.

색욕【色慾】명 色欲; 色情 ¶～에 빠지다 色欲におぼ(溺)れる.

색원【塞源】명하자 そくげん(塞源) ¶발본 ～ 抜本塞源.

색-유리【色瑠璃】명 色ガラス.

색인【索引】명 索引; インデッ ス. ¶～을 붙이다〔매기다〕見出し〔索引〕をつける.

색전【塞栓】명〔醫〕そくせん(塞栓).
‖──-증 명 塞栓症.

색정【色情】명 色情; 情欲. ＝색욕. ¶～에 빠지다 色恋にうき身をやつす.
‖──-광 명 色情狂. ＝색광(色狂). ── 도착증 명 色情倒錯症.

색조【色調】명 色調; 色合い; 色相. ¶화려한 ～ はなやかな色合い／부드러운 ～ 柔らかい色調.

색-종이【色─】명 色紙. ¶～ 한 장 色紙一葉.

색주-가【色酒家】명 売春を兼ねた飲み屋.

색즉-시공【色卽是空】명〔佛〕色即是空.

색지【色紙】명 色紙. ＝색종이.

색지움 렌즈【色─】〔lens〕명〔物〕色消しレンズ.

색채【色彩】명 色彩. ①色; いろどり. ＝빛깔. ¶선명한 ～ 鮮やかな色彩. ②色とあや〔模様〕. ③傾向. ¶야당적 ～가 짙다 野党的な色彩が濃い.
‖──-감 명 色彩感. ── 감각 명 色彩感覚. ＝색각(色覺).

색-채움【色─】명하자 見ばえをよくするために色色な物を取りそろ(揃)えること. (준) 색챔.

색출【索出】명하타 探し出すこと; くまなく探すこと.

색-칠【色漆】명하자 色を塗ること. また, その塗り. ¶벽을 엷은 노랑으로 ～하다 壁を薄い黄に塗る.

색판【色板】명 ①色塗りをした板. ②〔印〕色板; いろばん; 色刷りに用いる原版.

색판【色版】명 色刷りの印刷物.

색한【色漢】명 ①好色漢. ②痴漢. ¶거리의 ～ 街の狼.

ㅅ

향【色鄕】명 美人または芸妓をおく排出する地.
님 명 ①おとなしい人の別称. ②保守的で頑固な人.
드〔sand〕명 砂; サンド.
——백 명 サンドバッグ. ——페이퍼 명 サンドペーパー. ㊟페이퍼.
드위치〔sandwich〕명 サンドイッチ. ¶ 햄~ ハムサンド.
——맨 명 サンドイッチマン; サンドイッチ《준말》; ちんどん屋.
들〔sandal〕명 サンダル.
그러-뜨리다 타 (物を) 一方に傾かせる; ゆが(歪)ませる. <실그러뜨리다. 쓰쌜그러뜨리다.
그러-지다 자 一方に傾く〔ゆがむ〕. <실그러지다.
긋-하다 형 物が一方にややゆがむ〔傾いている〕; 斜めだ. <실긋하다. 쓰쌜긋하다. 샐긋-거리다 자타 しきりにゆがむ〔傾く〕; 続けざまにゆがめる〔傾ける〕. 샐긋-샐긋 부 하자타 続けざまにゆがむ〔傾く〕さま; 続けざまに傾けて動かすさま.
샐기죽-거리다 자타 続けざまにゆがみ傾いて動く〔傾けて動かす〕. 샐기죽-샐기죽 부하자타 続けざまにゆが(歪)み傾き動くさま; 続けざまに傾けて動かすさま.
샐-녘 명 夜明け頃; 明け方.
샐러드〔salad〕명 サラダ. ¶ 야채 ~ 野菜サラダ.
‖—— 드레싱 명 サラダドレッシング. ——유 명 サラダ油; サラダオイル.
샐러리〔salary〕명 サラリー; 俸給; 給料; 月給; サラ〈俗〉.
‖——맨 명 サラリーマン; 月給取り.
샐룩 부하자타 筋肉または皮膚の一部分が〔を〕急に動く〔動かす〕さま: ぴくっ; ぴくり. <실룩. 쓰쌜룩. ——거리다 자타 続けざまにぴくぴくする; ぴくぴくさせる. ——— 부하자타 ぴくぴく.
샐비어〔salvia〕명〘植〙サルビア.
샐-샐 부하자 ↗새실새실. <실실. ¶ 얄밉게 ~ 웃다 小憎らしく笑う.
샐쭉-거리다 자타 ①物がひず(歪)むように続けて動く〔動かす〕. ②(口などを)ゆがめる〔とがらす〕; ふくれっ面〔仏頂面〕をする. <실쭉거리다. 샐쭉-샐쭉 부하자타 ①続けざまにゆがむ〔ゆがめる〕さま; 続けざまにすねるさま; 顔をふくらすさま.
샐쭉-하다[1] 자타 す(拗)ねる; いやな顔をする; ふくれっ面をする. <실쭉하다[1]. ¶ 입을 ~ 口をとが(尖)らす.
샐쭉-하다[2] 형 ①いやになり避けたいさまである; す(拗)ねて〔むくれて〕いる; ふくれている. ②(物が)ゆが(歪)んでいる; 傾いている. <실쭉하다[2].
샘[1] 명 ①泉. ¶ 이야기의 ~ 話の泉 / ~이 솟다 泉が湧く. ②↗샘터. ③〘生〙腺. ¶ 땀~ 汗腺.
샘[2] 명 ねた(妬)み; そね(嫉)み; うらや(羨)み; 焼きもち. ——하다 타 ねた(妬)む; そね(嫉)む; うらや(羨)む. ¶ ~을 부리다 焼きもちを焼く / ~아 날 정도로 문장이 훌륭하였다 憎らしい程文章がうまかった / 그의 명석한 두뇌가 ~이 난다 彼の頭の良さがねたましい.
샘-구멍 명 ①泉が湧き出る穴; 噴泉口. ②汗腺.
샘-나다 자 ねた(妬)ましくなる; 焼ける. ¶ 너무 인기가 있어 ~ あまりもてるので焼ける.
샘-내다 자타 ねた(妬)む; うらや(羨)む; 焼きもちを焼く.
샘-물 명 泉の水; 泉水.
샘-바르다 형 ねた(妬)み深い.
샘-받이 명 ①田に泉の水を引き入れる所. ②泉が湧きでる田.
샘-솟다 자 湧く; ほとばし(迸)る.
샘-터 명 泉のある場所; 泉のほとり. ㊟샘.
샘플〔sample〕명 サンプル; 見本.
‖—— 카드 명 サンプルカード.
샘플링〔sampling〕명 サンプリング. ¶ ~ 조사 サンプリング調査.
샛- 두 色彩が極めて鮮やかで濃いことを表わす語; 真っ…. <싯-. ¶ ~노랗다 真っ黄色い. ＊ 새-.
샛-강【—江】명 川の支流.
샛-길 명 抜け道; わきみち(脇道); 間道; 近道. ＝간로(間路). ¶ 숲속의 ~ やぶの抜け道 / ~로 가다 抜け道を通る / ~로 빠져 앞지르다 脇道を通って先まわりする.
샛-노랗다 형 ひどく黄色い; まっ黄色い. <싯누렇다.
샛노래-지다 자 真っ黄色になる; 濃い黄色になる.
샛-눈 명 閉じている振りをしてそっと開けて見る目: うす目.
샛-돔 명〘魚〙いぼだい(疣鯛).
샛-문【—門】명 正門のわき(脇)の通用門; わきど(脇戸). 「ご」.
샛-바람 명 こち(東風)《船乗りの語
샛-밥 명 ① ☞ 곁두리. ②間食; 間食い.
샛-벽【—壁】명〘建〙壁と壁との間を区切った壁.
샛-별 명 (明けの)明星; 啓明; 金星. ＝계명성(啓明星).
‖——눈 명 明星のように清く澄んだ眼.
샛-서방 명 間男; 情夫; 間夫〈俗〉. ¶ ~을 두다 男をこしらえる.
생【生】명 生; 生〈老〉. ¶ ~을 받다 生をうける / ~과 사 生と死.
생-【生】두 ①生. ㉠果実などがまだ熟していないのを表わす語. ¶ ~쌀 生米 / ~밤 生ぐり. ㉡加工していないのを表わす語. ¶ ~가죽 生皮 / ~굴 生がき(牡蠣) / ~계란 生卵 / ~방송 生放送; ライブ / ~맥주 生ビール. ㉢草木などがまだ乾いていないことを表わす語. ¶ ~나무(를 때다) 生木(を焚く) / ~가지 生木の枝. ②生; さら(晒)したり練ったりしていない布. ¶ ~모시 生平. ③無理・曖昧・不必要なことを表わす語. ¶ ~트집 無理ないいがかり / ~걱정 いらない心配.

-생【生】미 ① 姓の下に付けて若者であることを表わす語：…生. ¶이(李)～ 李生. ② 干支·年数などの下に付けて生まれ年などを表わす語：…生まれ. ¶3월～ 三月生まれ / 1975년～입니다 一九七五年生まれです.

생가【生家】명 ① 本生；養子の生家. ② 生家；実家；親里.

생-가슴【生—】명 よけい〔むだ〕な心配；取り越し苦労. ¶～을 앓다 取り越し苦労をする. —— 뜯다 구 無理な事またはいらぬ〔よけいな〕事に気をも(揉)む.

생-가죽【生—】명 生皮；粗革.

생-가지【生—】명 生木の枝.

생각 명 思い；考え. ——-하다 자 타 考える；思う. ¶잘못 ～ 思い〔考え〕違い；勘違い / 옛～ 昔の思い / ～지 않은 수입 思いがけない収入 / 좁은 ～ 狭い料簡 / 시대에 뒤떨어진 ～ 時代遅れの考え / 지나친 ～ 思い過ごし / 인간은 ～하는 갈대이다 人間は考えるあしである / ～ 밖 思いの外 / ～건대 思〔惟〕うに / 아무 ～도 없이 何の気もなしに；何心もなく / ～대로 되다 思い通りに運ぶ / 내 ～으로는 わたしの考えでは / ～에 잠기다 考え込む；思いにふける〔沈む〕；思案にくれる / ～이 미치다 思い至る / 좋은 ～이 떠오르다 いい考えが浮かぶ / 다시〔고쳐〕 ～하다 思い〔考え〕直す；思い返す / 할 ～이 없다 やる気がない / 마음 든든하게 ～하다 心丈夫に思う / 그것은 ～해 볼 일이다 それは考え物だ / 자네가 싫다면 내게도 ～이 있다 お前がいやだと言うならわたしにも考えがある. ——-나다 자 (心に)浮かぶ；思い出せる；考え付く；気付く. ¶굉장한 계획이 ～ すばらしい計画が考え付く. ——다 못해 부 思いあぐんで；思い余って. ¶～ 부모에게 고백했다 思い余って親に打ち開けた. ——-되다 자 思える；思われる. ¶범인으로 생각되는 남자 犯人と思しい男. ——해 내다 타 思い起こす；思い出す；考え出す；ひね(捻)り出す. ¶지난 일을 ～ 過ぎし日の事を思い起こす.

생강【生薑】명 〔植〕 しょうが(生姜·生薑)；ジンジャー. ＝새앙.
‖——-주 명 生姜酒. ——-차 명 生姜茶. ——-초(醋) 명 生姜酢.

생-거름【生—】명 充分に腐っていない堆肥.

생-걱정【生—】명하자타 いらぬ〔つまらない〕心配.

생-것【生—】명 生の物；なま物.

생견【生絹】명 生絹·すずし.

생경【生硬】명하형 生硬. ¶～한 태도 生硬な態度 / ～한 솜씨 生硬な手並み〔腕前〕. ——-히 부 生硬に.

생계【生計】명 生計；家計；暮らし. ¶문필로 ～를 유지하다 文筆で生計を立てる / 수입이 적어서 ～가 어렵다 収入が少なくて暮らしがむずかしい / ～가 어렵다 生計〔勝手〕が苦しい / ～가 넉넉하다 家計が豊かである.
‖——-비 명 生計費.

생-고기【生—】명 ☞ 날고기.

생-고무【生—】명 生ゴム；ラテッ ス. ＝천연 고무. 「労

생-고생【生苦生】명하자 よけいな

생-고집【生固執】명 無理な固執. ¶～을 부리다 いらぬ我を張る.

생-과부【生寡婦】명 夫と別居している女；離婚した女. 「ズ

생-과자【生菓子】명 生菓子. ＝진

생-굴【生—】명 生がき(牡蠣).

생그레 부하자 声を出さないで眼め笑うさま：にこっと. <싱그레. ㅆ그레.

생글 부하자 声を出さないでにこ かに眼で笑うさま：にこやかに. <싱글. ㅆ쌩글. ——-거리다 자 にこに こする；にこやかに笑う. ¶～거리 얼굴 にこやかな顔. ——-뱅글 부하자 にこにこするさま. ———— 부하자 にこにこ；にこやかに.

생급-스럽다 형 ① むちゃだ；とっぴ だ；とんでもないことだ. ② とてつも ないことを言う.

생긋 부하자 声を出さずにちょっとばかりあいそうよく眼で笑うさま：にこっと；にっこり(と). <싱긋. ㅆ쌩긋·생끗·쌩끗. ——-거리다 자 にこにこ笑う. ——-뱅긋 부하자 にこっと親しげにほほえ(微笑)むさま：にこにこ. ———— 부하자 にこにこ. ——-이 부 にこっと；にっこりと.

생기【生氣】명 生気；生色. ＝활기(活氣). ¶～ 발랄 生気発剌 / ～가 없다 生気がない / ～가 없는 눈 どんよりした目 / ～를 되찾다 生気を取りもどす.

생기다 一 자 生ずる. ① 今まで見えなかったものが表われるようになる；出来る；発生する. ¶내성(耐性)이 ～ 耐性が出来る / 여드름이 ～ にきびが出来る / 혹이 ～ こぶ(瘤)が出来る / 이익이 ～ 利益が生ずる / 효력이 ～ 効力が生ずる / 새 회사가 ～ 新しい会社が生まれる / 애인이〔친구가〕 ～ 恋人〔友達〕が出来る / 아이가 ～ 子供が出来る. ② (物事が)起こる；発生する. ¶사건이 ～ 事件が起こる / 특별한 사정이 ～ 特別の事情が起こる / 고장이 ～ 故障が生ずる / 까다로운 문제가 ～ ややこしい問題が起こる / 무슨 일이 생겼는가 何が起こったのか. ③ (手に)入れる〔入る〕. ¶돈이 ～ 金が入る / 책이 한 권 ～ 本が一冊入る. 二 보형 語尾 "-게"の下に付いて, "…ように見える"の意に用いる語. ¶험상궂게 ～ 顔付きが険しい / 예쁘게 ～ 顔がきれいだ.

생김-새 명 ① 様体；出来具合. ② 顔付き；顔；顔立ち；見掛け. ¶～와는 달리 마음이 옹졸하다 見掛けによらず気が小さい.

생김-생김 명 ☞ 생김새.

생-김치【生—】명 生漬け；青菜で漬けた漬物. ＝날김치·풋김치.

생-나무【生—】명 生木. ¶～를 때다 生木を焚く.

ㅅ

남【生男】명하자 男の子を生むこと. =득남(得男).
——례(禮) 명하자 男の子を得て振る舞うこと. =득남례·생남턱. ——주(酒) 명 男の子を得た振る舞い酒. ——턱 명 ☞ 생남례.
녀【生女】명하자 女の子を生むこと. =득녀(得女).
년【生年】명 生年; 生まれ年.
-년월일【生年月日】명 生年月日「がっぴ.
-니【生—】명 丈夫な歯.
-담배【生—】명 ひとりで燃え続けるタバコ.
도【生徒】명 生徒. ¶ ~ 수첩 生徒手帳.
-돈【生—】명 無駄な金.
동【生動】명하타 生動. ¶ ~감이 넘치는 그림 生彩にあふれる絵.
동생동-하다 형 いきいきしている; ぴんぴん〔きびきび〕している. <싱둥싱둥하다.
-되다【生—】형 素人である; (仕事に)不慣れだ.
생득【生得】명 生得; 生まれつき. ¶ 그의 음악 재능은 ~의 것이다 彼の音楽の才能は生得のものである.
생-딴전【生—】명 突拍子もないこと〔ことば〕; 空っとぼけ.
생-땅【生—】명 一度も掘り返したことのない土地; 更地(“新地”로도 씀).
생때-같다【生—】형 丈夫だ; 元気だ; 達者だ. ¶ 생때같던 사람이 별안간 죽어버렸다 あたら元気な人が突然亡くなってしまった.
생-떼(거리)【生—】명 横車; ない物ねだり. ¶ ~ 같은 억지 へ理屈. ——쓰다 자 無理を言う; 減らず口をたたく; 横車を押す; 無い物ねだりをする.
생래【生來】명 生来; 生まれつき. ¶ ~의 게으름뱅이 生来の怠け者.
생략【省略】명 省略. ——하다 타 省略する; 略する; 省く. ¶ 이하 ~ 以下省略 / 경칭 ~ 敬称略 / ~하지 않고 省略せずに / ~할 수 있는 省略し得る / 군말〔설명〕을 ~하다 冗語〔説明〕を省く.
‖——법 명 省略法.
생력【省力】명 省力; 機械化などによって人手をはぶくこと.
‖—— 농업 명 省力農業. —— 재배 명 省力栽培. ——화 명하자타〔經〕省力化.
생령【生靈】명 生霊.
생-로-병-사【生老病死】명〔佛〕生·老·病·死の四苦.
생률【生栗】명 生ぐり. =날밤.
생리【生理】명 生理. ① 生物が生きてゆく原理. ¶ ~ 현상 生理現象. ②〔生〕↗생리학. ③ 月経.
‖——일 명 生理日. —— 작용 명 生理作用. ——적 식염수 명 生理的食塩水. ㊟ 식염수. ——학 명 生理学. ㊟ 생리. —— 휴가 명 生理休暇.
생리 사별【生離死別】명 生き別れと死別.

생-매장【生埋葬】명하타 ① 生き埋め. ② 社会的に葬ること. ¶ 사회에서 ~되다 社会から葬り去られる. 「《준말》.
생-맥주【生麥酒】명 生ビール; 生
생면【生面】명하자 ①［↗생면목(生面目)］生面(の人); 初対面. ② 面目が立つこと.
‖—— 부지(不知) 명 一度も会ったことのない人; 全く見知らぬ人.
생멸【生滅】명하자 生滅.
생명【生命】명 生命; 命; 息の緒〈雅〉. ¶ 정조는 여자의 ~이다 操は女の生命である / ~이 위태롭다 命が危ない / ~의 은인 命の親 / ~을 헛되이 버리다 命を棒にふる.
‖——감 명 生命感. ——력 명 生命力. ——록(錄) 명〔基〕信者の名簿. —— 보험 명 生命保険; 生保《준말》. ——선 명 生命線. ——소(素) 명 生命を保つのに必要な要素. ——수 명 生命の水. ——수(樹) 명〔宗〕生命の樹; 禁断の木の実. ——철학 명 生の哲学. ——체(體) 명 生命のある物体.
생-명주【生明紬】명 生絹; 素絹; すずし(生絹). ㊟ 생주(生紬).
‖——실 명 生糸; 絹糸.
생모【生母】명 生母; 生みの母; 実母.
생-모시【生—】명 生平; 練っていないからむし(苧麻)の布.
생목【生—】명 (消化されず)吐き戻した食べ物.
생-목숨【生—】명 ① (生ける)命. ② 無実の人の命.
생몰【生沒】명 生没; 生まれることと死ぬこと.
생-무지【生—】명 (ずぶの)素人. =생수(生手)·생꾼.
생물【生物】명 生物; 生き物; 生類. ¶ ~계 生物界.
‖—— 시대 명〔地〕生物時代. —— 지리학 명 生物地理学. ——체(體) 명 生体. ——학 명 生物学. ¶ ~ 병기 生物兵器. —— 화학 명〔生〕生物化学; 生化学.
생-밤【生—】명 生ぐり. =날밤.
생-방송【生放送】명 生放送; 生番組; ライブ.
생배 앓다【生—】자 ① くだらないことでおなかをこわす. ② 人のよくなるのをねた(妬)む.
생-벼락【生—】명 晴天のへきれき(霹靂). =날벼락. ① 落雷に当たること. ② 思わぬ災難. ——맞다 자 思わぬ災いを被る.
생별【生別】명하자［↗생(生)이별］生別; 生き別れ.
생-병【生病】명 無理や心配事でおこる病気; 過労病.
생부【生父】명 生父; 生みの父.
생-부모【生父母】명 生みの親.
생불【生佛】명〔佛〕① 生仏; 生き仏; 高徳の僧. ②《俗》数日間飢えた人.
생사【生死】명 生死; 死生; 生き死に; 死活. ¶ ~ 불명 生死不明 / ~의 간두 生死のせとぎわ / ~를

人

같이하다 生死を共にする / ～를 초월하다 生死を超越する.
생사【生絲】명 生糸; 蚕糸.
생-사람【生—】명 ① むこ(無辜)の人; 無実な人. ¶～ 잡다 無辜の人を責める. ② 何らかかりあいのない人.
생산【生産】명 生産; プロダクション; 産出. ——하다 타 生産する; 産する; 作〔造〕り出す. ¶～량 生産量; 出来高/～ 실적 生産の実績/～이 실수요에 따르지 못하다 生産が実需に追い着かない.
‖——-가 명〔經〕生産価. —— 가격 명 生産価格; 生産コスト. 준 생산가. —— 과잉 명 生産過剰. —— 관리 명 生産管理. —— 기간 명 生産期間. —— 기관 명 生産機関. —— 도시 명 生産都市. ——-력 명 生産力. ——-비 명 生産費. ——-성 명 生産性. ¶～ 향상 운동 生産性向上運動. —— 수단 명 生産手段. —— 수준 명 生産水準. ——-업 명 生産業. —— 연령 명 生産年齢. ——-자 명 生産者. ¶～ 가격 生産者価格. ——-재 명 生産材. ——-적 명관 生産的; 建設的. ¶～인 사고 生産的な思考. ——-지 명 生産地.
생-살【生—】명 ① 肉芽. ② 炎症のない健康な皮膚.
생살【生殺】명하타 生殺; 活殺.
‖——-권, ——-지-권 명 生殺(与奪)の権. —— 여탈 명 生殺与奪.
생-삼【生蔘】명 なまの〔乾いていない〕高麗人参.
생색【生色】명 面目を立てること; 面目が立つこと; 手柄顔. ¶～을 내다 自分の手柄にする; 顔を立てる; 恩着せがましくふるまう/～을 쓰다 恩着せがましく何かを施す.
생생-하다【生生—】형 生き生きしている; 生生しい. ¶생생한 표현 生き生きした表現/생생하게 자라는 풀 生き生きと育つ草/생생한 기억 生生しい記憶/세태를 생생하게 그려 내다 世相を活写する. <싱싱하다. 쓰쌩쌩하다. 생생-히 부 生き生きと; 生生しく.
생-석회【生石灰】명〔化〕生石灰; きいしばい〈俗〉; 酸化カルシウム.
생선【生鮮】명 生魚; 魚; 鮮魚. ¶싱싱한 ～ 生きのよい魚/조린 ～ 煮魚/싱싱한 ～의 날살 魚の生身/날～ 生の魚/～ 토막 魚の切り身/～에 중독되다 魚に酔う.
‖—— 가게 명 魚屋. ——-국 명 魚汁. =어탕(魚湯). ——-회(膾) 명 刺し身; なます(膾〔鱠〕).
생성【生成】명하자 生成. ¶지구의 ～ 과정 地球の生成過程.
생소【生疎】명 疎いこと. ——하다 형 ① 疎い; 見知らない. ¶～한 얼굴 見知らない顔. ② 不慣れだ; 不案内だ. ¶～한 목소리 聞きなれない声/～한 고장 不案内の土地/이 방면에 대해서는 아주 ～합니다 この方面ではずぶの素人であります.
생-소나무【生—】명 ① 生きている松の木. ② 切り取ったままの松.
생-소리【生—】명하자 ① 理屈に合わない話; 理不尽な話. ② 今さらのような話.
생-손【生—】명 ↗생인손.
생-솔【生—】명 ☞ 생소나무.
생수【生水】명 ① 泉から湧き出て清い水; 生水. ②〔基〕生命水. =생명수(生命水).
생-숙【生熟】명 生熟; 生ものと熟したもの.
생시【生時】명 ① 生時; 生まれ時. ② 生きている間; 在りし日. ③ 寝ていない間. ¶～나 꿈이 夢かうつ(現)つか.
생식【生食】명하타 生食.
생식【生殖】명하타 生殖.
‖——-기 명〔生〕生殖器. ¶～ 숭 生殖器崇拝. —— 기능 명 生殖機能. —— 본능 명 生殖本能. —— 불능 명 生殖不能. ——-선 명 生殖腺. —— 세포 명 生殖細胞. ——-소 명 生殖巣; 性巣.
생신【生辰】명 誕生日; せいしん(生辰). ¶～을 축하드립니다 ご誕生日をお祝い申しあげます.
생심【生心】명하자 なそうとする心を起こすこと. =생의(生意).
생-쌀【生—】명 なま米.
생애【生涯】명 生涯. ① 一生(の間). ② 生計.
생-야단【生—】명하자 ① やたらに騒ぎ立てること. ② 怒り散らすこと.
생약【生藥】명 生薬《"しょうやく·きぐすり"라고도 함》.
생-억지【生—】명 片意地; 横車.
생업【生業】명 生業; なりわい; 身過ぎ; 渡世. ¶～에 힘쓰다 生業〔稼業〕に精を出す.
생-욕【生辱】명 とんでもない恥; 思いもよらぬ侮辱.
생-우유【生牛乳】명 生牛乳. 준 생유(生乳).
생월【生月】명 生月; 生まれ月.
생육【生肉】명 生肉.
생육【生育】명하타 生育.
생-으로【生—】부 ① 生で; 生のままで. ② 無理じいに.
생이 명〔動〕ぬまえび(沼蝦).
생-이별【生離別】명 生き別れ《主に夫婦の間柄に使う》; 生別. ——하다 자타 生き別れになる; 生別する.
생인【生因】명 生ずる原因.
생인-발 명 足の指先にできるはれ物.
생인-손 명 手の指先にできるはれ物; ひょうそ(瘭疽). 준 생손.
생일【生日】명 誕生日; 生まれ日; 誕辰.
‖——-날 명 誕生日. ——-맞이 명하자 誕生日に供え物をしてみこ(巫女)に福を祈らせること. —— 잔치 명하자 誕生祝い.
생자【生者】명 ① 生者; 生きている人. ②〔佛〕生者.
‖—— 필멸 명〔佛〕生者必滅.
생장【生長】명하자 生長.

——-점 명 〔植〕 生長点.
장【生葬】명 生き埋め. ——-하다 타 生き埋めにする.
-장작【生長斫】명 生のまき(薪).
전【生前】㊀명 生前；在りし日；歿前. ¶ 살아 ~의 모습 在りし日の面影 / 어머님 ~에 母の生前に. ㊁부 いくらやって見ても；いつまでも.
존【生存】명 生存；生残. ——하다 자 生存する；生残する；生き長らえる. ¶ 적자 ~ 適者生存 / 부친 ~시에는 생활에 어려움을 겪지 않았다 父の存命中には生活に困らなかった / 할머님은 아직 ~하고 계십니다 祖母はまだ存生しております.
‖—— 경쟁 명 生存競争. ——-권 명 生存権. ——-자 명 生存者.
생-죽음【生—】명 非命の〔非業の〕死.
생쥐 명 〔動〕 二十日ねずみ(鼠).
생즙【生汁】명 果物などをす(擂)り潰して搾り出した液体.
생-지옥【生地獄】명 生き地獄.
생질【甥姪】명 姉妹のむすこ；おい(甥).
‖——-녀(女) 명 姉妹の娘；めい(姪). ——-부(婦) 명 姉妹のむすこの妻. ——-서(壻) 명 姉妹の娘のむこ(婿).
생-짜【生—】명 生のもの.
생채【生彩】명 生彩；生気.
생채【生菜】명 青菜のあえもの.
생-채기 명 か(掻)き傷；擦り傷. ¶ 굴러서 ~가 났다 ころんで擦り傷をこしらえた.
생철【—鐵】명 ブリキ. ＝양철.
‖——-장(匠)이 명 ブリキ屋. ——-통(桶) 명 ブリキ缶. ＝양철통.
생체【生體】명 生体.
‖—— 반응 명 生体反応. —— 염색 명 生体染色.
생태【生態】명 生態.
‖—— 변화 명 生態の変化. ——-학 명 〔生〕 生態学.
생-트집【生—】명 いわ(謂)れのない〔無理な〕言い掛かり；無理難題；むちゃな難癖. ¶ ~을 잡다 因縁〔謂れのない言い掛かり〕をつける；無理難題をふっかける / 취하면 그는 ~을 건다 彼は酔うと絡み付く / 불량배에게 ~을 잡히다 不良にぐずられる.
생판 부 まったく(の)；途方もなく；無理に. ¶ ~ 다르다 まったく違う / ~ 남이다 赤の他人である.
생포【生捕】명 生け捕り. ——-하다 타 生け捕る. ¶ 적을 ~하다 敵を生け捕る.
생-피【生—】명 生血；生き血. ＝생혈(生血). ¶ ~를 빨다 生血を吸う.
생피【生皮】명 生皮.
생-필름【生—】〔film〕명 生フィルム.
생필-품【生必品】명 [↗생활 필수품] 生活必需品.
생-합성【生合成】명 生合成.
생-호령【生號令】명하자 いわれのないおしか(叱)り〔お目玉〕.
생화【生花】명 生花・生花. ¶ 영전에 ~를 바치다 霊前に花を供える.
생-화학【生化學】명 〔化〕 生化学；生物化学.
생환【生還】명하자 生還. ¶ ~자가 많았다 生還者が多かった / 무사히 ~하다 無事に生還する.
생활【生活】명하자 生活；身過ぎ；暮らし；世過ぎ. ¶ 검소한 ~ 質素な暮らし / 월급으로 ~하다 月給で食べる / 사회 ~ 社会生活 / 자취 ~을 하다 自炊生活をする / 수입에 따라 ~하다 収入に応じて暮らす / 여간 절약하지 않으면 ~할 수가 없다 よほど締まらないと暮らしが立たない / ~을 같이하다 寝起きを共にする / 그는 지금 실직(失職)해서 ~이 어렵다 彼は今失業して食い兼ねている / 이럭저럭 ~해 나갈 수 있다 何とか食える / 물가 상승으로 ~이 궁해졌다 値上がりで暮らしがつまって来た.
‖——-감 명 生活感. —— 감정 명 生活感情. ——-고 명 生活苦. —— 공간 명 〔心〕 生活空間. —— 교육 명 生活教育. ——-급 명 生活給. —— 기능 명 生活機能. ——-난 명 生活難. —— 대국 오개년 계획 명 生活大国五か年計画. ——-력 명 生活力. ¶ ~이 강하다 生活力が強い. —— 방식 명 生活の方式；生き方. ——-비 명 生活費；食い扶持. ¶ ~를 보내다 仕送りする. ——-사 명 〔生〕 生活史. ——-상(相) 명 生活振り；生活状態. —— 수준 명 生活水準. ——-인 生活人. —— 임금 명 生活賃金；生活給. —— 필수품 명 生活必需品；生必《준말》. —— 현상 명 生活現象. ——-화 명하자타 生活化.
생후【生後】명 生後；出生後；生まれて以来. ¶ ~ 5개월의 아이 生後五か月の赤ん坊.
생-흙【生—】명 掘りかえしたことのない土；なま土；未開墾地の土.
샤머니즘〔shamanism〕명 シャーマニズム.
샤쓰〔shirts〕명 ☞ 셔츠.
샤워〔shower〕명 シャワー.
샤프〔sharp〕명하형 シャープ. ① 鋭いさま. ¶ ~한 사람 シャープな人. ②〔樂〕 ☞ 올림표.
‖——-펜슬 명 シャープペンシル；シャープ《준말》.
샴페인〔프 champagne〕명 シャンパン；シャンペン. ¶ ~을 터뜨리다 シャンパンを抜く.
샴푸〔shampoo〕명하타 シャンプー.
샷〔shot〕명 ①《俗》ウィスキーなど強い酒の一口. ②〔映〕 ショット；カット. ¶ 롱 ~ ロングショット.
샹들리에〔프 chandelier〕명 シャンデリア.
샹송〔프 chanson〕명〔樂〕 シャンソン.
섀도〔shadow〕명 シャドー.
‖—— 캐비닛 명〔政〕 シャドーキャビネット.
서【西】명 ↗서쪽.
서【序】명 序. ① 文章形態の一つ《事跡の要旨を書いた文》.

ㅅ

② ↗서문(序文).
서 【署】 명 署. ① 官署; 役所. ② ↗경찰서. ③ ↗세무서(稅務署).
서¹ 관 "ㄷ·ㅁ·ㅂ·ㅍ"などを初声に持つことばの前に用いられる"세(=三つ; さん)"の特別用法. ¶~ 돈 三匁 / ~ 말 三斗 / ~ 발 三尋 / ~ 푼 三文.
서² 조 ① ↗에서. ¶서울~ 부산까지 ソウルから釜山まで. ② …(し)て; …(し)てから. ¶먹고~ 食べてから / 속아~ だまされて / 돈이 없어~ 못 간다 お金がなくて行けない.
서-【庶】 두 庶; めかけ腹を表わす語. ¶~동생 めかけ腹の弟.
서가【書架】 명 書架; 書棚; 本棚. ¶책을 ~에 꽂다 本を書棚にさしておく.
서가【書家】 명 書家.
서가【庶家】 명 めかけ腹の家; 庶流の家.
서각【書閣】 명 書閣. ① 書架; 書棚. ② 書斎.
서간【書簡·書柬】 명 書簡; 手紙; 手簡. =편지.
‖——문 명 書簡文. —— 문학 명 書簡文学. ——전 명 書簡箋. ——집 명 書簡集. ——체 명 書簡体.
서거【逝去】 명하자 逝去.
서걱-거리다 자 りんご(林檎)や菓子などをかじ(齧)るような音がする: さくさくする; かりかりする. >사각거리다. ㅆ써걱거리다. 서걱-서걱 부 하자 さくさく; かりかり.
서경【西經】 명〔地〕西経.
서경【書經】 명 書経; 三経または五経の一つ.
서고【書庫】 명 書庫; 文庫; 書物ぐら. ¶~에 책을 넣다 書庫に本を入れる.
서곡【序曲】 명〔樂〕序曲; プレリュード; オーバーチュア; 序奏; イントロダクション.
서관【書館】 명 書館; 書店.
서광【書狂】 명 書狂; ビブリオマニア.
서광【曙光】 명 曙光. ¶평화의 ~ 平和の曙光.
서교【西郊】 명 ① 西の郊外. ② ソウルの西大門の外.
서교 【西教】 명 西教《キリスト教》.
서구【西歐】 명 西欧. =서유럽.
‖—— 문화 명 西欧文化. —— 연합(聯合) 명 西ヨーロッパ連合.
서그러-지다 형 度量が広くて優しい.
서그럽다 형 度量が広くて物腰の柔らかい.
서근서근-하다 형 ① りんご(林檎)や梨をかじ(齧)るようにさくさくする. ② 柔和であいそがよくさばさばしている. >사근사근하다.
서글서글-하다 형 性格がおおらかでこだわらない; 度量が広く優しい; 思いやりがあってうち解けやすい. ¶서글서글한 성격 大らかな性格.
서글프다 형 もの悲しい; 切ない; やるせない; 物哀れだ; はかない; うら悲しい; なごりおしい. ¶서글픈 얼굴을 짓다 物悲しい顔をする.
서기【西紀】 명 [↗서력 기원] 西紀
서기【書記】 명 書記. ① 書き役 ¶법원의 ~ 裁判所の書記. ② 所の八級公務員.
‖——관 명 書記官《四級公務員の一つで副理事官の下, 事務官の上》. ——국 명 書記局. —— 명 書記長.
서기【暑氣】 명 暑気.
서기【瑞氣】 명 ずいき(瑞気). ——다 자 瑞気を出す
서까래 명 垂木.
서껀 조 …も一緒に; …まで(も) …やら. ¶동생~ 함께 왔다 弟まで(も)一緒にやって来た / 밤~ 떡~ 컷 먹었다 くり(栗)やらもち(餅)やら 分に食べた / 얼굴~ 등~ 온통 처투성이다 顔といわず背中といわずみな傷だらけである.
서낙-하다 형 いたずらが甚だしい; 手に負えないほど腕白である. 준 선하다. 서낙-히 부 いたずらも甚だしく.
서남【西南】 명 ① 西南. ② ↗서남간(西南間).
‖——간(間) 명 西と南との間の方位. 준 서남. ——방(方) 명 西南側. ——서 명 西南西. ——아시아 명〔地〕西南アジア. ——쪽 명 西南側. ——풍 명 南西風. ——향(向) 명 西南向き.
서낭 명〔民〕[←성황(城隍)] ① "서낭신(=村の守護神)"が乗り移っているという木. ② ↗서낭신.
‖——당(堂) 명 "서낭"を祭ってあるほこら(祠); 村社. ——신(神) 명 村の守護神として祭る神; 氏神. 준 서낭. ——제(祭) 명 "서낭"をまつるお祭り.
서너 관 三つか四つの意: 三四. ‖——너덧 명 三四または四五; しご.
서넛 명 三つか四つ; 三四.
서녀【庶女】 명 めかけ腹の娘.
서녘【西—】 명 西の方; 西がわ(側); 西方.
서늘-하다 형 ① やや冷たい; 冷ややかだ; 涼しい. ② ひやりと寒気がする《동사적》. >사늘하다. ㅆ써늘하다. ¶등이 ~ 背中が冷える / 간담을 서늘하게 하다 心胆を寒からしめる / 간담이 서늘해지다 肝を冷やす; ひやりとする.
서다 자 ① 立つ. ㉠ (足で身を)まっすぐにささえている. ¶산상에 ~ 山上に立つ / 일렬로 (늘어)~ 一列に立ち並ぶ / 거울 앞에 ~ 鏡に向かう / 순서대로 서 주십시오 ご順に願います. ㉡ (物·草木が)生えている; (柱·棒などが)地にさしこまれている. ¶우체통이〔전주가〕 서 있다 ポスト〔電柱〕が立っている / 나무가 서 있다 木が立ち並んでいる. ㉢ (高く)そび(聳)える. ¶산이 우뚝 서 있다 山がそび(聳)え立っている. ㉣ (座ったり寝たりしていたものが)立ち〔起き〕あがる. ¶불쑥 일어 ~ つっと立ちあがる. ㉤ ある場所に

建立される〔立つ〕. ¶ 학교가 ~ 学校が立つ / 빌딩이 ~ ビルが建つ. ㉥ 上方に)伸びる. ¶ 머리털이 (일어)~ 髪の毛が立つ. ㉦ (…の位置・立場に)置かれる. ¶ 우위에 ~ 優位に立つ / 수세에 ~ 守勢に立つ / 보초 ~ 歩哨に立つ / 중매〔중간에〕~ 仲に立つ / 미국편에 ~ アメリカ側に立つ. ㉧ (青筋が)立つ; 血走る. ㉨ (市が)開かれる. ㉩ (政府などが)樹立される. ㉪ (名誉・体面などが)損なわれずに保たれる. ¶ 면목이 ~ 面目〔顔〕が立つ. ㉫ (名分が)立つ; 筋道が通る. ¶ 대의 명분이 ~ 大義名分が立つ / 이론이 ~ 理論が立つ / 조리가 서지 않는 이야기 筋(道)の立たない〔つじつま(辻褄)の合わない〕話. ② (動いていたものが)止〔停〕まる; たたず(佇)む; 立ち止まる. ¶ 행진이 ~ 行進が止まる / 시계가 ~ 時計が止まる. ③ (にじが)かかる; 出る. ④ 妊娠する. ¶ 아이 ~ 身ごもる; はらむ. ⑤ (掛け合いで)値が決まる. ⑥ (命令・規律が)守られている; (威厳・権威が)保たれる. ⑦ (決心などが)つく; (策などが)(成り)立つ. ¶ 계획이 ~ 計画が立つ / 분간이 ~ 見分けがつく. ⑧ のり(糊)がきき過ぎる.

서당【書堂】 명 書堂; 寺子屋(《"寺小屋"로 씀은 잘못》); 寺(《준말》); 村塾. ¶ ~식 교육 寺子屋式の教育 / ~ 개 삼년에 풍월한다《俚》門前の小僧習わぬ経をよむ.

서-대문【西大門】 명 ソウルの"돈의문(敦義門)"の通称.

서도【西道】 명 黄海道と平安南北道地方の通称. =서관(西關).

서도【書道】 명 書道. =서예. ¶ ~계의 중진이다 書壇で重きをなしている.

서독【西獨】 명 〖地〗西ドイツ.

서두【序頭】 명 (順序の)初め; 冒頭; 前口上; 書き出し. ¶ 소설의 ~ 小説の書き出し / ~가 길다 前口上が長い / 연설 ~에 논어의 구절을 인용하다 演説の冒頭に論語の一句を引く.

서두르다 타 急ぐ; せ(急)く; せき立てる; あせる; せきこむ. ¶ 서두를 필요는 없다 急ぐ事はない / 공연히 ~ むやみに急ぐ / 서둘러 쓰다 急いで書く / 완성을 ~ 完成を急ぐ / 길을 ~ 道を急ぐ / 서둘러 주십시오 急いでください / 서두르면 일을 망친다 急いては事を仕損じる / 승리를 서둘러 자멸하다 勝ちを焦って自滅する / 서둘러 손을 쓰다 急いで手を施す.

서둘다 타 ↗서두르다.

서라벌【徐羅伐】 명 新羅の古称.

서랍 명 [←설합] 引き出し(《"抽出・抽斗"로도 씀》). ¶ ~을 열다〔닫다〕 引き出しをあける〔しめる〕.

서랑【壻郞】 명 人の婿の敬称.

서러움 명 悲しみ. =설움.

서러워-하다 자타 [←설워하다] 悲しむ. ¶ 죽음을 ~ 死を悲しむ.

서럽다 형 [←섧다] 悲しい; 悲痛だ; 恨めしい.

서력【西曆】 명 西曆; 西紀.
‖── 기원 명 西曆紀元. 준 서기(西紀).

서로 부 共に; お互いに; 相; 相互いに. ¶ ~ 의논하다 互いに話し合う / ~ 기뻐하다 互いに喜び合う / ~ 몹시 다투다 互いにしのぎをけずる. ──── 부 相互いに; 互いに; 共共. ¶ ~ 격려하다 互いに励まし合う.

서록【書錄】 명 書錄; 記錄.

서론【序論】 명 序論; 緒論; 序説〔叙説〕; 前書き; 前置き; はしがき; イントロダクション; 緒言. ¶ ~이 길다 前置きが長い.

서론【緒論】 명 緒論.

서류【書類】 명 書類; 文書; かきつけ. ¶ 중요 ~ 重要書類 / ~ 한 묶음 書類一つづ(綴)り / ~를 철하다 書類をつづ(綴)る; 文件をファイルする.
‖──-철 명 書類つづ(綴)り.

서른 수 三十.

서름-하다 형 ① (関係などが)疎い. ¶ 서름한 사이 疎い仲. ② 不慣〔不馴〕れだ; 手慣れない. 서름서름-하다 형 親しくない; 疎い; 不案内だ; 水臭い. ¶ 그런 서름서름한 짓은 그만두자 そのような水臭いまねはやめよう.

서리[1] 명 霜. ① (氷結した)霜. ¶ 첫~ 初霜 / ~를 제거하다 しもとりをする / ~가 내리다 霜が降りる. ② 打撃; 大損害. ── 맞다[1] 자 ① 霜枯れる. ② 霜枯れのように(打ち)しお(萎)れる; 被害を被〔蒙〕る. ¶ 서리 맞은 꽃 霜焼けした花 / 서리 맞지 않도록 정원수에 짚을 덮어〔감아〕주다 庭木に霜囲い〔霜除け〕をする / 꽃이 서리를 맞아 말랐다 花が霜枯れた.
‖──-꽃 명 ガラスの窓などに水蒸気が氷結した花模様. 서릿-김 명 霜が降りた気. 서릿-바람 명 霜風. 서릿-발 명 ① 霜柱. ¶ ~이 서다〔치다〕 霜柱が立つ. ② (断罪・権威などの)きびしくおごそかなこと. ¶ ~ 같은 호령 秋霜のごとき号令〔しった(叱咤)〕.

서리[2] 명하타 群れをなして鶏・すいか(西瓜)などを盗み取るいたずら. ── 맞다[2] 자 畑などを荒らされて被害を被る.
‖──-꾼 명 人の畑を荒らす者.

서리【署理】 명하타 代理; 職務を代理すること. また, その人. ¶ 학장 ~ 学長代理.

서리다[1] 자 ① 気がくじける. ② (湯気が)立ちこめる; 曇る. ¶ 유리창에 김이 서려 있다 窓ガラスが湯気で曇っている.

서리다[2] 타 (渦状に)巻きくるめる. >사리다. ¶ 뱀이 몸을 ~ 蛇がとぐろを巻く〔蟠る〕/ 새끼를 ~ 縄を巻きくるめる.

서리-서리 부 ひも(紐)・縄などが渦状に巻かれてあるさま. >사리사리.

ㅅ

서림【書林】명 書林；書店.
서막【序幕】명 序幕. ¶오페라의 ～ オペラの序幕.
서머-하다 형 面目ない；顔向けできない；きまりが悪い. 서머서머-하다 형 面目ない.
서먹-하다 형 気まずい；疎い；隔てがましい；不慣れだ. ¶인사하기가 어쩐지 ～ あいさつ(挨拶)するのが何だか気まずい. 서먹서먹-하다 형 疎疎しい；よそよそしい；気まずい；他人行儀だ；水臭い. ¶서먹서먹한 태도 よそよそしい態度.
서면【書面】명 書面. ¶～으로 통지하다 書面で知らせる.
‖── 결의 명〔法〕書面決議. ── 계약 명〔法〕書面契約. ── 심리 명〔法〕書面審理. ──-주의 명〔法〕書面主義.
서명【書名】명 書名. ¶～ 목록 書名目録.
서명【署名】명하자 署名；サイン. ¶계약서에 ～하다 契約書に署名する.
‖── 날인 명 署名捺印. ── 대리 명 署名代理. ── 운동 명 署名運動.
서모【庶母】명 庶母.
서목【書目】명 書目.
서몽【瑞夢】명 ずいむ(瑞夢).
서무【庶務】명 庶務. ¶～계 庶務係り / ～과 庶務課.
서무【署務】명 署務；署の事務.
서문【西門】명 西の門.
서문【序文】명 序文；序詞；前書き；端書き. ¶～을 쓰다 序文を書く.
서문【誓文】명 ☞ 서약문(誓約文).
서민【庶民】명 庶民；平民. ¶～적인 취미 庶民的な趣味.
‖── 계급 명 庶民階級. ── 금융 명 庶民金融. ── 문학 명 庶民文学. ── 은행 명 庶民銀行. ──-층 명 庶民の階層.
서-반구【西半球】명〔地〕西半球.
서반아【西班牙】명〔地〕"스페인(=スペイン)"の音訳.
서방【西方】명 西方.
‖── 국가 명 西側国家. ── 극락 명〔佛〕西方極楽. 준 서방. ── 세계 명 ① ☞ 서방 국가. ②〔佛〕西方世界. ── 정토 명〔佛〕西方浄土. ──-측(側) 명 西側. ¶～ 진영 西側陣営.
서방 ㊀명《俗》夫〔良人〕. ¶～을 얻었다 夫を迎えた；嫁ぐ. ㊁의명 官職を持たない人の名字の下につけて呼ぶ語. ¶박～ 朴さん.
──-맞다 자 夫を迎える.
‖──-님 명 ①"서방"の敬称；旦那(様). ②夫の弟に対する呼称. ③官職のない若い儒生を常民が呼ぶ語. ──-질 명하자 間男と密通すること.
서벅-거리다 자타 さくさくする. ①りんご·なし(梨)などの果物をか(嚙)むような音がする. また, その音をつづけざまに出す. ②砂地を歩くような音がする. また, その音をつづけざまに出す. >사박거리다. 서벅
서벅 부하자타 さくさく.
서벅-돌 명 もろ(脆)い石.
서법【書法】명 書法.
서벽【書癖】명 書癖；読書を好む癖.
서변【西邊】명 西側のほとり；西の外れ.
서부【西部】명 西部. ¶～ 개척 시대 西部開拓時代.
‖──-극 명 西部劇；ウエスターン. ── 활극(活劇) 명 ☞ 서부극.
서부렁-섭적 부 身軽に跳〔飛〕び越えるか, または飛び上がるさま；ひょいと；ひらり；身軽に. >사부랑삽작.
서부렁-하다 형 くく(括)るかまたは積み重ねたものが締まらずゆるんでいるさま；締まりがない；緩いぎっしりしない. >사부랑하다. 서부렁서부렁 부하형 非常にゆるいさま.
서북【西北】명 西北·北西. ① 西側と北側. ② ↗서북간.
‖──-간(間) 명 西と北の間；西北. ──-풍 명 北西風. ──-향(向) 명 西北向き.
서분서분-하다 형 心がやさしく親切だ；あいそがいい. >사분사분하다.
서분-하다 형 やや緩い；やや締まりがない；ぎっしりしない. >사분하다.
서붓 부 軽やかにす早く踏み出すさま. またはその音：そっと；さっと. >사붓. 서붓-서붓 부 つづけざまに軽やかに歩くさま.
서브〔sub〕명 サブ.
‖──-노트 명 サブノート. ──-머린 명 サブマリン；潜水艦. ──-웨이 명 サブウェー；地下鉄. ──-타이틀 명 サブタイトル.
서브〔serve〕명하자 サーブ. =서비스. ¶～를 들이다 サーブをやる.
서브젝트〔subject〕명 サブジェクト.
서비스〔service〕명하자 サービス. ¶～ 상품 サービス品 / ～가 좋은 가게 サービスのいい店.
‖── 공장(工場) 명《俗》自動車の修理工場. ── 산업 명 サービス産業. ──-업 명 サービス業.
서뿐 부 音のしないように軽く踏み出すさま. また, その音：そっと；軽やかに. >사뿐. 서뿐-서뿐 부 軽やかに歩いていくさま.
서뿟 부 足音がしないようにす早く踏み出すさま：そっと；さっと；軽やかに. >사뿟. 서뿟-서뿟 부 軽やかに歩くさま.
서사【序詞】명 序詞.
서사【敍事】명하자 叙事.
‖──-곡 명〔樂〕叙事曲. ──-문 명 叙事文. ──-시 명 叙事詩. ──-체 명 叙事体.
서사【書士】명 書士；代書人；代筆業者.
서사【書史】명 書史.
서산【西山】명 西山；西の山.
‖── 낙일(落日) 명 ① 西の山に沈む日. ② 権力や形勢が傾いて滅亡の憂き目を見るに至った状態を表わす語.

상【瑞相·瑞祥】명 ずいそう(瑞相)；いしょう(瑞祥)；しょうずい(祥瑞)；めでたいしるし. ＝서조(瑞兆).
생【書生】명 ① 書生；人の家で仕事を手伝いながら勉強する人. ② 世事に疎い人.
생【庶生】명 庶生；めかけ腹. ＝서출(庶出).
-생원【鼠生員】명 ねずみ(鼠)を擬人化した語.
서-히【徐徐—】부 徐徐に；ゆっくり；おもむろに；やおら；じわじわと. ¶～ 움직이다 おもむろに動く/～ 물이 불어나다 徐徐に水量が増す.
설【序說】명 序説.
설【瑞雪】명 ずいせつ(瑞雪).
성【書聖】명 書聖；書道の名人.
성-거리다 자 ぶらつく；うろつく；ぶらぶらする；うろうろする. ¶번화가를 ～ さかり場をうろつく. 서성-서성 부하자 ぶらぶら；うろうろ.
서-소문【西小門】명〔地〕ソウルの"昭義門"の通称.
서손【庶孫】명 庶孫. ① 庶子の子孫. ② 子の庶子.
서수【序數】명〔數〕序数. ＝순서수.
‖——-사 명〔言〕序数詞.
서숙【書塾】명 ☞글방.
서숙【庶叔】명 祖父の庶子. ＝서삼촌.
서술【敍述】명하타 叙述. ¶사건을 있는 그대로 ～하다 事件をありのままに叙述する.
‖——-격 명 叙述格. ——-격 조사 명〔言〕叙述格助詞. ——-법 명 叙法. ——-어 명 叙述語. ＝술어(述語). ——-형 명 叙述形.
서스펜스〔suspense〕명 サスペンス. ¶스릴과 ～ スリルとサスペンス.
서슬 명 ① 刃物などの鋭い部分. ¶～이 푸른 칼날 鋭い刃先. ② けんまく(見幕·剣幕). ¶～이 시퍼렇다 すご(凄)い見幕である/～이 푸른 얼굴로 노려보다 恐ろしい見幕でにらむ.
서슴-거리다 자타 (言行を)ちゅうちょ(躊躇)する；ためらう；もじもじする. 서슴-서슴 부하자타 もじもじ.
서슴다 타 ちゅうちょ(躊躇)する；ためらう. ¶서슴지 않고 들어오다 ためらわずに入って来る.
서슴-없다 형 ちゅうちょ(躊躇)しない；ためらわない. 서슴-없이 부 躊躇しないで；ためらいなく；あっけらかんと；ずけずけと. ¶～ 말하였다 あっけらかんと話した.
서식【書式】명 書式. ＝서례(書例). ¶결석 신고의 ～ 欠席届けの書式.
서식【棲息】명하자 生息. ¶물속에 ～하다 水中に生息する.
서신【書信】명 書信；手紙；便り. ¶～을 받다 書信を受け取る.
서실【書室】명 書室；書斎.
서안【西岸】명 西岸. ¶태평양 ～ 太平洋西岸.
서안【書案】명 書案. ① 机. ② 文書の下書き.
서약【誓約】명 誓約. ——-하다 타 誓約する；誓う. ¶비밀을 지키겠다고 ～하다 秘密を守ると誓約する.
‖——-문(文) 명 誓文. ——-서 명 誓約書；誓書；誓紙.
서양【西洋】명 西洋.
‖—— 가구 명 西洋家具；洋家具. ——-식 명 西洋式；洋式. ¶～ 부엌 洋式の台所. —— 요리 명 西洋料理. —— 음악 명 西洋音楽；洋楽. ——-인 명 西洋人；洋人. ＝서양 사람. —— 장기 명 西洋将棋；チェス. ——-춤 명 洋舞. ——-풍 명 西洋風；洋風. ——-화 명 西洋画；洋画. ¶～가 洋画家.
서-양자【壻養子】명하자타 婿養子をとること. また, その養子.
서언【序言·緖言】명 序言；序文；前書き；前置き；緒言；はしがき. ＝머리말. ¶～을 붙이다 序言をのせる/책의 ～ 本の序言. 「ことば.
서언【誓言】명 誓言；誓いの言葉
서역【西域】명〔史〕西域.
서열【序列】명 序列. ① 順序に従って立ち並ぶこと. ② 順序. ¶연공 ～ 年功(の)順序〔序列〕/～이 위다 序列が上である.
서예【書藝】명 書道. ¶～ 학원 書道塾/～에 대한 소양이 있다 書道のたしな(嗜)みがある.
서우【瑞雨】명 ずいう(瑞雨). ＝자우(慈雨). ¶～가 내리다 瑞雨が降る.
서운【曙雲】명 あけぼのの雲.
서운-하다 형 物足りない；名残惜しい. ¶한없이 ～ 名残が尽きない/서운한 마음 物足りない心. 서운-히 부 物足りなく；名残惜しく.
서울 명〔地〕ソウル. ① 韓国の首都. ¶～발 AP 통신 ソウル発AP通信. ② 首都；首府；京；都；京師. ¶～을 떠나 산촌에 숨어 살다 都を去って山里にいんせい(隠棲)する.
‖—— 깍쟁이 명 ソウル住まいの人のがめついさまをいう言葉. ——-내기 명 ソウル生まれの人. ——-뜨기 명 ソウル生まれをあざける語.
서원【書院】명〔史〕書院.
서원【署員】명 署員. ① 署に勤める人. ¶세무 ～ 税務署員. ② 警察署員をちぢめて言う語.
서원【誓願】명하타 誓願. ¶～서 誓紙/미타의 ～ みだ(弥陀)の誓願.
서위【敍位】명 叙位. ——-하다 자 叙する.
서-유럽【西—】〔Europe〕명〔地〕西ヨーロッパ.
서음【書淫】명 読書を過度に楽しむこと. また, その人.
서이 ㊀명 三人. ㊁부 三人で.
서인【庶人】명 庶人；庶民.
서임【敍任】명하타 叙任.
서자【書字】명 簡単な手紙.
서자【庶子】명 庶子；しょうふく(妾腹)の子. ＝얼자(孼子). ¶호적에 ～로서 입적하다 戸籍に庶子として入籍する.

서-자녀【庶子女】명 しょうふく(妾腹)の息子と娘.
서장【書狀】명 書状; 手紙.
서장【誓狀】명 誓状; 誓約書.
서장【署長】명 署長. ①署の長. ②↗경찰서장(警察署長).
서재【書齋】명 書斎. ¶~에 틀어 박히다 書斎にこ(籠)もる.
서적【書籍】명 書籍; 書物; 本. ¶~상 書籍商 / ~ 목록 書籍目録 / 중각한 ~ 重刻した書物 / 고금 동서의 ~을 섭렵하다 古今東西の書籍を渉猟する.
서전【書典】명 典籍; 書籍.
서전【書傳】명 書伝《書経の注釈書》.
서전【緖戰】명 緒戦. ¶~의 대승리 緒戦の大勝利 / ~을 장식하다 緒戦を飾る.
서점【書店】명 書店; 本屋; しょし(書肆). =서관(書館)·책방·책사.
서정【抒情·敍情】명하자 叙情.
‖──-문 명 叙情文. ── 소곡(小曲) 명〔樂〕幻想的でロマンチックな小曲; ノベレット. ──-시 명 叙情詩; リリック. ──-적 명관 叙情的; リリカル. ¶~인 문장 叙情的な文章. ──-주의 명 叙情主義; リリシズム.
ㅅ
서정【庶政】명 庶政. ¶~ 쇄신 庶政刷新.
서제【序題】명 序文; 序言.
서제【庶弟】명 庶母が生んだ弟.
서족【庶族】명 庶族.
서중【書中】명 書中.
서중【暑中】명 暑中.
서증【書證】명〔法〕書証; 文書の内容を証拠とすること.
서증【暑症】명〔韓醫〕①暑気. =더위. ②暑気の症状.
서지【書旨】명 書旨; 書面の趣旨.
서지【書誌】명 書誌.
‖──-학 명 書誌学.
서지〔serge〕명 サージ.
서진【書鎭】명 文鎮.
서질【書帙】명 しょちつ(書帙). ①ちつ(帙). ②書物; 書籍.
서-쪽【西─】명 西方; 西. ¶해가 ~으로 지다 日が西に沈む / ~ 방향에서 불길이 보인다 西方に火の手が見える / 기수를 ~으로 돌리다 機首を西に向ける.
서찰【書札】명 書札; かきつけ; 書状; 手紙.
서책【書册】명 書冊; 書物; 書籍.
서천【西天】명 西天. ①西の空. ②↗서천 서역국.
‖── 서역국(西域國) 명〔史〕印度の古称. 준 서천.
서첩【書帖】명 有名な人の字を集めてつづ(綴)った本. =묵첩(墨帖).
서체【書體】명 書体. =글씨체. ¶명조(明朝)의 ~ 明朝の書体.
서촌【西村】명 ソウルの西の町.
서축【書軸】명 書軸.
서출【庶出】명 庶出; しょうふく(妾腹); めかけ腹; めかけ(妾)の子こ. =서생(庶生)·측출(側出).
서치-라이트〔searchlight〕명 サーチライト; 探照灯.
서커스〔circus〕명 サーカス. ¶~ サーカス団.
서캐 명〔蟲〕しらみの卵. ¶~ 훑한다《俚》しらみつぶ(潰)しにする.
서클〔circle〕명 サークル. ¶~ 활 サークル活動 / 문학 ~ 文学サークル.
서킷〔circuit〕명 サーキット. ¶아시 ~ 골프 アジアサーキットゴルフ.
‖── 브레이커 명〔電〕サーキットブレーカー. ── 트레이닝 명 サーキットトレーニング.
서털-구털 부하형 言行のそそっかしく出たら目なさま. ¶~ 지껄이다 任せに言う; 口任せにしゃべる.
서통【書通】명하자 書通; 文通.
서통【書筒】명 封筒.
서투르다 형 下手だ; 不〔無〕器用だ; まずい; 不得手だ; 未熟だ; 不案内だ; 不慣れだ; 稚拙だ; ぎこちない; なじまない. ¶서투른 솜씨 不器用な手付き; 下手な腕 / 서투른 일 不慣れな仕事 / 서투른 연극 猿芝居 / 계산이 ~ 計算が下手だ / 서투른 영어로 말하다 下手な英語で話す.
서편【西便】명 西側; 西方.
서평【書評】명 書評; ブックレビュー. ¶~란 書評欄.
서포터〔supporter〕명 サポーター.
서폭【書幅】명 書幅; 書軸. ¶~이 걸려 있다 書幅が掛かっている.
서표【書標】명 しお(枝折)り; 挟み紙. =표지(標紙). ¶책에 ~를 끼우다 本にしおりを挟む.
서-푼【─分】명 三文. ①一文の三倍. ②値うちのない取るに足らないもの.
서푼 부 足音がしないように軽軽と踏み出すさま. ㅆ서뿐. ──── 부 足音がしないように軽軽と速く.
서품【序品】명〔佛〕序品; 経典の概論の部分.
서품-식【敍品式】명〔天主教〕叙階式.
서풋 부 足音がしないように軽く踏み出すさま. >사풋. ㅗ서붓. ㅆ서뿟. ──── 부 足音がしないように軽軽と早く.
서풍【西風】명 西風·にしかぜ. ¶~이 불다 西風が吹く.
서풍【書風】명 書風; 書体. ¶자유 분방〔호탕〕한 ~이다 自由奔放な書風である.
서핑〔surfing〕명 サーフィン.
서학【西學】명 ①西洋の学問. =신학(新學). ②カトリック教.
서한【書翰】명 手紙; 書翰〔書簡〕; 書状; 文〈雅〉.
‖──-문 명 書簡〔書翰〕文. ── 문학 명 書簡文学. =서간 문학. ──-지(紙) 명 書簡箋. ──-체 명 書簡体.
서함【書函】명 ① ☞ 편지. ②書函.
서해【西海】명 ①西海; 西の海.

〔地〕黄海を指す語.
행【徐行】명하자 徐行. ¶~ 구간 徐行区間 / 건널목 앞에서 ~하다 踏み切りの前まで徐行する.
향【西向】명 西向き. ──-하다 자 西に向く.
──-집 명 韓国式の家屋で板間が西側を向いている家. ──-터 명 西に面した敷地.
형【庶兄】명 庶兄; 庶母が生んだ兄.
화【書畫】명 書画.
──-가 명 書画にすぐれた人. また, それを業とする人. ── 골동 명 書画こっとう(骨董). ──-상 명 書画を売買する人.
훈【敍勳】명하자 叙勳.
【石】의명 石. =섬¹. ¶백 ~ 百石.
¹ 관 数冠形詞 "세"の特別用法《"ㄴ·ㄷ·ㅅ·ㅈ"などを初声とする語に使われる》; 三. ¶~ 냥 三両 / ~ 달 三月. *⇨서·세.
² 부 ① 紙や大根などを一気に切る音〔さま〕: ずば(っ)と; ざくっと. ¶무를 ~ 자르다 大根をざくっと切る. ② ためらわず一気に押し進めるさま: さっと; すっと. ¶한 걸음 앞으로 ~ 나가다 一歩前にっと〔さっと·すっと〕進み出る. ③ 少しも残さず全部. >삭. ㅆ썩.
-석【席】미 席. ¶부인~ 婦人席 / 내빈~ 来賓席.
석가【釋迦】명 しゃか(釈迦).
‖── 모니 명 しゃかむに(釈迦牟尼); 釈迦《준말》. ── 모니불 명 釈尊; 釈迦牟尼仏. 준 모니불. ── 모니 여래 명 釈迦牟尼如来. 준 석가 여래. ── 삼존 명 釈迦三尊. ── 세존(世尊) 명 釈迦牟尼の尊称. 준 석존(釋尊)·세존. ── 여래 명 [↗석가 모니 여래] 釈迦如来. ──-탑 명 釈迦塔.
석-가산【石假山】명 築山. ¶~을 쌓다 築山を築く.
석각【石刻】명하타 石刻.
‖──-본 명 石刻本.
석간【夕刊】명 [↗석간 신문] 夕刊. ¶그 신문은 ~뿐이다 その新聞は夕刊だけである.
‖── 신문 명 夕刊新聞.
석간-수【石間水】명 石清水.
석검【石劍】명 石剣.
석경【夕景】명 夕景.
석경【石鏡】명 ① ガラスの鏡. ② 手鏡. =면경(面鏡).
석계【石階】명 石階. =섬돌.
석고【石膏】명〔鑛〕せっこう(石膏).
‖── 붕대(繃帶) 명 ギプス. ──-상 명 石膏像.
석고 대죄【席藁待罪】명하자 むしろの上に伏して処罰を待つこと.
석공【石工】명 石工; 石屋; 石大工. =석수(石手).
석관【石棺】명 石棺.
석교【石橋】명 石橋.
석굴【石窟】명 せっくつ(石窟); がんくつ(岩窟); いわや.
석권【席卷·席捲】명하타 席巻〔席捲〕. ¶유럽 전토를 ~하다 欧州全土を席巻する.
석기【石器】명 石器.
‖── 시대 명 石器時代.
석남【石南】명〔植〕しゃくなげ(石南).
석녀【石女】명 産まず女; 石女《"うまずめ(石女·不生女)"로도 씀》. =돌계집.
석다 자 ① 積もった雪が溶ける; 雪解けする. ② かも(醸)した酒や"식혜"などが発酵するとき生じた水玉が消えてなくなる.
석단【石壇】명 石壇.
석-달 명 三個月.
석대【石臺】명 石の台.
석돌 명 ↗푸석돌.
석두【石頭】명 石頭. =돌대가리.
석등【石燈】명 ☞ 석등롱(石燈籠).
석등롱【石燈籠】명 いしどうろう(石灯籠). =장명등(長明燈).
석란【石蘭】명〔植〕いわらん(岩蘭); こちょうらん(胡蝶蘭). =나비난초.
석랍【石蠟】명〔化〕せきろう(石蠟); パラフィン.
석류【石榴】명 ① ざくろ(石榴)の実. ②〔韓醫〕せきりゅうひ(石榴皮). ③ 飾りもちの一種.
‖──-꽃 명 ざくろの花. ──-나무 명〔植〕石榴(の木). ──-석 명〔鑛〕ざくろ石. ──-잠(簪) 명 ざくろの花をかたどったかんざし(簪).
석리【石理】명 石理.
석마【石馬】명 石馬; 陵などの前に立てる石作りの馬.
석면【石綿】명〔鑛〕石綿. =돌솜·석융(石絨).
‖── 도기 명 石綿陶器. ── 슬레이트 명 石綿スレート.
석명【釋明】명하타 釈明.
‖──-권 명〔法〕釈明権. ── 의무 명 釈明義務.
석묵【石墨】명〔鑛〕石墨. =흑연(黑鉛).
석문【石文】명 石文; 石碑·れんが(煉瓦)·かわら(瓦)などに刻まれた文.
석문【石門】명 石門. ① 石の門. ② 門の形をしている自然岩石.
석문【石紋】명 石の紋様.
석문【釋門】명〔佛〕釈門. =불가(佛家).
석물【石物】명 墓の前に立てる石像のもの《石人·石獣など》.
석반【石盤】명 石盤〔石板〕. =석판(石板).
석방【釋放】명하타 釈放. =방면(放免). ¶용의자를 ~하였다 容疑者を釈放した / 신병을 ~하다 身柄を釈放する.
석벽【石壁】명 石壁. ① 石垣. ② 岩壁; 切り岸.
석별【惜別】명하자타 惜別; 名残り. ¶~의 정 惜別の情.
‖──-연 명 명 惜別の宴.
석불【石佛】명 石仏. =돌부처.
석비【石碑】명 石碑. =돌비.
석-빙고【石氷庫】명 新羅時代の氷室《慶州にある》.
석사【碩士】명 ① 官職の無い名望

めいぼうの士. ② 修士. ¶~ 과정 修士課程 / ~ 학위 修士学位 / 문학 ~ 文学修士 / ~ 코스 マスターコース.
석산【石山】명 石山.
석-삼년【―三年】명 三度重なる三年; 九年.
석상【石像】명 石像. ¶~을 세우다 石像を立てる.
석상【席上】명 席上; 席; 坐〔座〕上. ¶공개 ~에서 公開席上で / 위원회 ~에서 발표했다 委員会の席上で発表した / 연회 ~에 나가다 宴会の席へ出る.
석-석 부 ① 紙や布などを続けざまに切るさま〔音〕: さくさく. ② 一気にも(揉)んだり, または掃くさま. >삭삭. ――-거리다 자타 続けざまにさくさく音がする.
석송【石松】명〔植〕石松; ひかげのかずら(日陰蔓).
석쇠 명 [←적쇠] 焼き網.
석수【石手】명 石屋; 石工.
‖――-장(匠)이 명 "석수"をさげすんで言う語.
석-수【石數】명 (穀物の)石数.
석수【石獸】명 石獣《墳墓の前に立てる》.
석순【石筍】명〔鑛〕せきじゅん(石筍).
석순【席順】명 席順. =석차(席次). ¶~을 정하다 席順をきめる.
석실【石室】명 石室.
‖――-분(墳) 명〔史〕石室; 石室古墳.
석양【夕陽】명 夕陽. ① 斜陽; 夕日〔夕陽〕; 入り日. ¶호상에 비치는 ~ 湖に映ずる夕日 / ~이 들이비치다 夕日が射す. ② 夕暮れ; 夕方; 夕刻. ¶~에 돌아오다 夕陽に帰る.
‖――-녘 명 夕暮れ(時); 日暮れ(時); 夕方; 夕刻. ――-판 명 ☞ 석양녘.
석-얼음 명 ① 水晶の中に見える細かい筋. ② 水に浮いている氷. ③ 窓ガラスに凍りついた氷.
석연-하다【釋然―】형 釈然としている; 割り切っている; (気分が)すっきりする. ¶석연치 않은 얼굴 釈然としない顔〔割り切れない顔〕/ 기분이 ~ 気分がすっきりする. 석연-히 부 釈然と; すっきりと.
석영【石英】명〔鑛〕石英. =차돌.
‖―― 유리 명〔化〕石英ガラス.
석영【石癭】명〔醫〕石のように固くなったこぶ(瘤).
석유【石油】명〔鑛〕石油; オイル.
‖――-갱 명 石油坑; 油田. ―― 기관 명 石油機関; オイルエンジン. ―― 난로(暖爐) 명 石油ストーブ. ――-등 명 石油灯. ―― 램프 명 石油ランプ. ――-업 명 石油業. ――-통(桶) 명 石油缶. ―― 풍로(風爐) 명 石油焜炉. ―― 피치 명 石油ピッチ. ―― 혈암(頁岩) 명 石油頁岩. ―― 화학 명 石油化学. ―― 화학 공업 명 石油化学工業.
석유【碩儒】명 せきじゅ(碩儒); 大儒. =거유(巨儒).
석음【惜陰】명하자 惜陰; 時間を惜しむこと.
석의【釋義】명하타 釈義; 文章などの意義を解きあかすこと. ¶말의 ~가 분명하지 않다 この語の義がはっきりしない.
석이다 사동 ① あたたかい天気が雪を解かせる; 雪解けさせる. ② 酒などを発酵させる.
석인【石人】명 石人; 人の石像. ¶~ 석수 石人石獣.
석인【石印】명 ① 石印; 石の印 ② ↗석판 인쇄.
석인【碩人】명 徳の高い人.
석일【昔日】명 昔日; 昔. ¶~ 추모하다 昔日を追慕する.
석임 명하자 発酵すること.
석장【錫杖】명〔佛〕しゃくじょう(錫杖); かいじょう(戒杖).
석재【石材】명 石材. ¶~상 石材商 / 건축에 쓰는 ~ 建築用の石材.
석조【石造】명 石造; 石造り. ¶~ 주택 石造(の)住宅.
‖――-전(殿) 명 石造殿.
석조【石彫】명 石彫り.
석-종유【石鍾乳】명〔鑛〕せきじゅん(石筍). =돌고드름.
석주【石柱】명 石柱. =돌기둥.
석질【石質】명 石質.
석차【席次】명 席次. ① 座席の順. ¶~를 정하다 席次を決める. ② 成績の順位. ¶~가 떨어졌다 席次が下がった.
석천【石泉】명 石泉; 岩清水〔石清水〕. =석간수(石間水).
석청【石清】명 深山の木や岩間のはちみつ(蜂蜜). =석밀(石蜜).
석촉【石鏃】명 せきぞく(石鏃).
석축【石築】명 石積み; 石垣.
석탄【石炭】명 石炭. ¶~을 때다 石炭をたく / ~을 지피다 石炭をくべる / ~을 싣다 石炭を積み込む / ~을 파내다 石炭を掘り出す.
‖―― 가스 명 石炭ガス. ――-고 명 石炭庫. ㊟ 탄고(炭庫). ――-광 명 石炭鉱. ――-기 명〔地〕石炭紀. ―― 화학 공업 명 石炭化学工業.
석탑【石塔】명 石塔. =돌탑.
석판【石板】명 石盤.
‖――-석 명 石盤石.
석판【石版】명 石版.
‖――-술 명 石版術. ―― 인쇄 명 石版印刷; 石版《준말》; 石印. ――-책 명 石印本. ――-화 명 石版画.
석패【惜敗】명하자 惜敗.
석편【石片】명 石片.
석학【碩學】명 せきがく(碩学).
석호【石虎】명 陵のまわりに立てたとら(虎)の石像.
석화【石火】명 石火. ¶전광 ~ 電光石火. ‖―― 광음(光陰) 명 石火の如き歳月.
석화 작용【石化作用】명 石化作用.
석회【石灰】명〔化〕石灰.
‖―― 모르타르 명 石灰モルタル. ――-분(分) 명 石灰の成分. ―― 비료 명 石灰肥料. ――-석 명 石灰石. ――-암 명 石灰岩. ――-질(質)

] 石灰質. ¶ ~ 도기 石灰質陶器; 石質の陶器.

다 타 交〔混·雑〕ぜる; 混ぜ合わせる. ¶ 술에 물을 ~ 酒に水を割る / 에 간장을 ~ 酢にしょうゆ(醤油)を合わせる / 야채를 이것저것 섞어 만들 野菜を取り合わせて作る / 파랑에 빨강을 ~ 青に赤を掛ける / 프랑스어를 섞어서 이야기하다 フランス語を交ぜて話す.

-바꾸다 자타 交換する; 交代する. ①まじえて取り替える; 取り違える. ②交互に替える.

-바뀌다 피동 ①まざって換えられる. ②交互に替わる.

-사귀다 자 身分·環境の異なる者どうしが付き合う.

이다 피동 まぜられる; まざる. ¶ 피가 섞인 사람 血が交ざった人 / 물과 기름은 섞이지 않는다 水と油は交じらない / 군중 속에 섞여 들어가다 群衆の中に紛れ込む.

선 명 見合い; 顔見せ. ¶ 맞~을 보다 見合いする / 신입 사원이 첫 ~을 보였다 新入社員が顔見せをした.

선【先】명하자 先. ①先番; 前. ②先手. ③親; 花札などで札を配る人.

선【善】명 善. ¶ 인간의 진성은 ~이다 人間の真性は善である / 이것이 즉 ~의 악에 대한 승리이다 これが即ち善の悪に対する勝利である.
* 선(善)하다.

선【線】명 線; ライン; 筋. ¶ 니크롬~ ニクロム線 / ~이 굵은 정치가 線の太い政治家 / ~을 긋다〔치다〕線を引く / ~을 넘다 線を越える.

선【選】명 選; えらぶこと. ¶ ~에서 빠지다 選に漏れる.

선【禪】명〔佛〕禅.

선〔sun〕명 サン.
‖――글라스 명 サングラス. ――룸 명 サンルーム.

선- 두 "未熟·生"の意を表わす語. ¶ ~잠 仮寝; うたたね / ~과일 未熟な果物 / ~대답을 하다 生返事をする.

-선【船】미 船. ¶ 수송~ 輸送船.

선가【仙家】명 仙家.

선가【禪家】명〔佛〕禅家.

선각【先覺】명하자타 先覚. ¶ 시대의 ~자 時代の先覚者 / ~의 가르침 先覚の教え.

선개-교【旋開橋】명 旋開橋.

선객【先客】명 先客.

선객【船客】명 船客. ¶ 2등 ~ 二等船客.

선거【船渠】명 せんきょ(船渠); ドック. =독.

선거【選擧】명하타 選挙. ¶ 공명 ~ 公明選挙 / 보궐 ~ 補欠選挙 / ~지반 選挙地盤 / ~로 민의를 묻다 選挙で民意を問う.
‖―― 관리 위원회 명 選挙管理委員会; 選管委. ―― 관리 중립 내각 명 選挙管理中立内閣. ――구 명 選挙区. ――권(權) 명 選挙権. ――법 명 選挙法. ―― 소송 명 選挙訴訟. ―― 운동 명 選挙運動. ―― 위원 명 選挙委員. ―― 위원회 명 選挙委員会. ――일 명 選挙日. ――전 명 選挙戦.

선-걸음 명 そのまま立ち行く歩み; 行きかけたついで. ¶ ~으로 돌아왔다 折り返し引き戻った.

선견【先見】명 先見. ¶ ~이 없다 目先がきかない.
‖――지-명(之明) 명 先見の明. ¶ ~이 있는 사람 読みが深い人 / ~이 있다 先見の明がある.

선견【先遣】명하타 先遣. ¶ ~ 부대 先遣部隊.

선결【先決】명하타 先決.
‖―― 문제 명 先決問題. ¶ 돈의 변통이 ~이다 金の工面が先決問題である.

선경【仙境】명 仙境〔仙郷〕. =선계(仙界)·선향(先鄕).

선계【仙界】명 仙界. =선경(仙境).

선계【善計】명 いいはかりごと.

선고【宣告】명 宣告. ――하다 타 宣告する; 言い渡す. ¶ 사형을 ~받다 死刑の宣告を受ける / 불치의 병임을 ~받다 不治を宣告される.
‖―― 유예 명〔法〕宣告猶予. ――형 명 宣告刑.

선고【船庫】명 船蔵; 船小屋.

선고【選考】명하타 選考.

선곡【選曲】명하자 選曲.
‖――집 명 選曲集.

선골【船骨】명 竜骨; キール.

선공【先攻】명하자 先攻. ¶ 경기는 A팀의 ~으로 시작되었다 試合はAチームの先攻で開始された.

선공【船工】명 船工; 船大工. =선장(船匠).

선공 후사【先公後私】명 公の事を先にし私事は後にまわすこと.

선과【善果】명〔佛〕善果. =선보(善報). ¶ 선인 ~ 善因善果.

선과【選科】명 選科.

선관【仙官】명 ①仙郷〔仙境〕の役人. ②みこ(巫女)の別称.

선광【選鑛】명하자〔鑛〕選鉱.

선교【宣教】명하자 宣教.
‖――사 명 宣教師.

선교【船橋】명 ①船橋. =배다리. ②船橋; ブリッジ.

선교【善交】명 善交. ――하다 자 善くまじわる.

선교【禪教】명〔佛〕①禅宗と教宗. ②禅学と教法.

선구(-자)【先驅(者)】명 先駆; 先駆け; 先駆者; パイオニア. ¶ 봄의 ~자인 매화 春の先駆けの梅 / 시대의 ~ 時代の先駆者 / ~자적인 역할을 완수하다 先駆的な役割を果たす.

선구【船具】명 船具.
‖――상 명 船具商.

선구【選球】명하자 選球.
‖――안 명 選球眼; バッティングアイ. ¶ ~이 날카롭다 選球眼が鋭い.

선구【線區】명 線区; 鉄道の線路の区間.

선국【選局】명하자 選局; チューニング.

선-굿 명〔民〕みこ(巫女)の立ち舞うお祈り.

ㅅ

선금【先金】명 前金. ¶～을 받다 前金をもら(貰)う/～으로 거래하다 前金で取り引きをする.
선급【先給】명 前払い; 前勘定; 先渡し. ——-하다 타 前払い〔前勘定·先渡し〕をする.
선급【船級】명 船級.
선기【船旗】명 船旗.
선남【善男】명 善男; 善男子. ¶～ 선녀 善男善女.
선납【先納】명하타 前納.
선내【船內】명 船内.
‖—— 하역 명 船内荷役.
선녀【仙女】명 仙女; 天女. =선아(仙娥).
선녀【善女】명 善女. ¶선남 ～ 善男善女.
선년【先年】명 先年.
선다-형【選多型】명 多肢選択法《出題方式の一つ》. ¶～ 시험 マルチョイ.
선단【仙丹】명 仙丹. =선약(仙藥).
선단【先端】명 先端; 先; 端. =끝.
선단【船團】명 船団. ¶수송 ～ 輸送船団/포경 ～ ほげい(捕鯨)船団/～을 이루고 船団を組んで.
선대【先代】명 先代; 前代.
선대【先貸】명하타 前貸し; 先貸し.
선대【船隊】명 船隊. ¶수송 ～ 輸送船隊.
선-대부인【先大夫人】명 人の亡母に対する敬称.
선-대왕【先大王】명 崩御された先王の敬称.
선-대인【先大人】명 目上または上品な人に対する自分の亡父の敬称.
선-대칭【線對稱】명 線対称.
선덕【善德】명〔佛〕善徳; 正しくて善い徳行.
선데이〔Sunday〕명 サンデー.
‖—— 스쿨 명 サンデースクール. =주일 학교.
선도【先渡】명 先渡し. ¶상품의 ～ 商品の先渡し.
선도【先導】명 先導. ——-하다 타 先導する; リードする. ¶～차 先導車.
선도【善導】명하타 善導. ¶사상 ～ 思想善導.
선도【鮮度】명 鮮度. ¶～ 높은 생선 鮮度の高い魚; 生きのいい魚.
선도【禪道】명〔佛〕禅道.
선-도표【線圖表】명 線図表.
선-돌 명〔史〕メンヒル.
선동【仙童】명 仙童.
선동【煽動】명 扇動; 後押し; アジテーション. ——-하다 타 扇動する; アジる; あおる; おだてる; つつく; そそのかす. ¶～자 扇動者; アジテーター/～죄 扇動罪/～ 삐라 アジびら/～적인 연설 扇動的な演説/쟁의를 뒤에서 ～하다 争議の後押しをする/민중을 ～하다 民衆〔人心〕をあおる.
선두【先頭】명 先頭. ¶～ 타자 先頭打者/～에 서다 先立つ; 先頭を切る/국기를 ～로 입장하다 国旗 先頭に入場する/～를 다투다 先 を争う/남보다 ～에 서서 일하다 に先立って働く.
선두【船頭】명 へ先; みよし.
선-두르다 타 へり(縁)に何かを描 たり作る.
선드러-지다 형 着こなしが良く軽 だ; さらっとしている; あっさり ている. >산드러지다. ¶선드러지 걷다 かっこう(恰好)良く歩く.
선득 부하형 (寒くなるか驚いた きに)寒気を感ずるさま: ひやり ひやっと; ぞうっと. >산득. ㅆ선뜩 ——-거리다 자 ひやっとする; ひや とする; ぞうっとする. ——— 하형 ひやりひやり.
선들-거리다 자 ① 涼しい風がそよ よ吹く. ② (性格が)明快·さっ りしている. >산들거리다. 선들-선 부하자 そよそよ. ¶～ 부는 바람 そ そよと吹く風.
선들-바람 명 そよ風; 涼風. 산들바람.
선등【船燈】명 船灯.
선-떡 명 なま蒸しのもち(餅). ¶～ 가지고 친정에 가다《俚》なま蒸しのもち(餅)をもって里に帰る《お土産 が粗末なことのたとえ》.
선-똥 명 よく消化されないままくだる大便.
선뜩 명하형 (寒くなるか驚いたときに)体に寒気を感じるさま: ひやっと; ぞうっと; ひやりと. >산뜩. ㅅ선득. ——-거리다 자 ひやっとする. 선뜩-선뜩 부하형 ひやひや.
선뜻 부 気軽に. >산뜻. ¶～ 응하다 気軽に応じる.
선뜻-하다 형 清潔ですんなりしている. >산뜻하다. 선뜻-이 부 さらりと.
선량【善良】명하형 善良. ¶～한 사람 善良な人.
선량【選良】명 ① 選良; エリート. ② 国会議員の別称.
선려【鮮麗】명하형 鮮麗.
선령【先靈】명 ① 祖先の霊. ② 国のために亡くなった人の霊魂.
선령【船齡】명 船齢.
선례【先例】명 先例; ため(例)し. =전례(前例). ¶～를 만들다 先例をひらく/～에 따르다 先例にならう.
선로【船路】명 船路. =뱃길.
선로【線路】명 線路; 軌道; レール. ¶～ 공사 線路工事/～공(工) 線路工員; 線路工手/～를 따라 線路伝いに.
선류【蘚類】명〔植〕せんるい(蘚類).
선린【善隣】명 善隣. ¶～ 우호 善隣友好.
‖—— 정책 명 善隣政策.
선망【羨望】명 せんぼう(羨望). ——-하다 타 羨望する; うらやむ. ¶～의 대상 羨望の的.
선매【先賣】명 先売り. =예매(豫賣). ——-하다 타 先売りをする. ¶입도 ～ 青田売り.
선매-권【先買權】명 先買権利.
선-머리【先—】명 先頭; はじめ.
선-머슴 명 腕白; 悪太郎; 悪た

…小僧; いけず子供.

(선)명【船名】명 船名.

(선)명【鮮明】명 鮮明. ——하다 형 鮮明だ; 鮮やかだ; さ(冴)える. ¶ (~)한 색채 鮮明な〔鮮かな〕色彩 / (~)한 빛깔 さ(冴)えた色. ——히 부 鮮明に; 鮮かに; くっきり(と). ¶ 갠 하늘에 ~ 나타나다 晴れた空にくっきりと浮かぶ.

선모【旋毛】명 旋毛; つむじげ; つむじ. =가마.

선묘【先墓】명 祖先の墓. =선산(先山).

선묘【線描】명하타 線描; 線描き; デッサン. ¶~화 線描画.

선무【宣撫】명하타 せんぶ(宣撫).

‖—— 공작 명 宣撫工作.

선-무당 명 へぼみこ(巫女). ¶~이 사람 죽인다《俚》へぼ巫女の人殺し; 生兵法の大怪我.

선문 놓다【先文—】구 あらかじめ知らせる; 前もって知らせる.

선문【線紋】명 線模様; しま(縞)模様. =줄무늬.

선문【禪門】명〖佛〗禪門.

선물【先物】명 ① ☞ 맏물. ②〖經〗先物. ¶ ~ 거래 先物取引 / ~ 매입 先物買い.

선물【膳物】명하자 贈り物; プレゼント; (お)土産; 御礼《사례 의》; お持たせ《상대방 선물의 높임 말》; ギフト. ¶ 새해 ~ お年玉 / 좋은 ~ 結構なおみやげ / 크리스마스 ~ クリスマスプレゼント / 정이 담긴 ~이다 情のこもった贈り物である / ~을 받다 おみやげを戴く.

선미【船尾】명 船尾; とも(艫)〈雅〉. =고물.

‖——등 명 船尾灯.

선미【善美】명하형 善美.

선민【選民】명 選民. ¶ ~ 사상 選民思想.

선-바람 명 着ているままの格好〔姿〕.

선바람 쐬다 자 不慣れな土地に旅行する; 異郷を回る.

선박【船舶】명 船舶; 船. =배. ¶ ~ 검사 船舶検査 / ~ 회사 船舶会社 / ~의 출입을 감시하다 船舶の出入りを監視する.

‖—— 공학 명 船舶工学. —— 등기 명 船舶登記. —— 보험 명 船舶保険. —— 억류 명 船舶抑留.

선반【—盤】명 棚. ¶~을 매〔달〕다 棚をつる / ~에 얹다 棚に上げる.

‖——턱 명 載せた物が落ちないように棚の縁に付けた板.

선반【旋盤】명〖工〗旋盤. =레이드(lathe). ¶ ~공 旋盤工 / ~에 걸다 旋盤にかける.

선-발 명 (家で)一日中の立ち働き.

선발【先發】명하자 先発; 先行き. ¶ ~ 투수 先発投手.

‖——대 명 先発隊.

선발【選拔】명 選抜; 選り抜き; よりぬき; 粒より; ドラフト. ——하다 타 選抜する; 抜く; すぐる. ¶ ~ 시험 選抜試験 / ~팀 選抜チーム / 미스 월드 ~ 대회 ミスウオールド選抜大会 / ~된 선수들이다 選り抜きの選手たちである.

선방【善防】명하타 善く防ぐこと.

선방【禪房】명〖佛〗禅房. =禪室.

선배【先輩】명 先輩; 先達. ¶ 대학 ~ 大学の先輩 / ~연하다 先輩づらをする / ~를 능가하다 先輩をしの(凌)ぐ / ~를 형으로 모시다 先輩に兄事する / ~에게 힘입은 바 많다 先輩に負う所が多い.

선번【先番】명 先番.

선번【線番】명 ↗선번호.

선-번호【線番號】명 線番号; 線番《준말》.

선변【先邊】명 天引き利息. =선리(先利).

선별【選別】명 選別. ——하다 타 選別する; えり分ける. ¶ 석탄을 ~하다 石炭を選別する.

‖—— 융자(融資) 명 資金が少ない際に該当者を選んでする融資.

선병【腺病】명 せんびょう(腺病).

‖——질 명 腺病質.

선-보다 타 見合いをする.

선-보이다 ㊀타 お目見えする. ㊁사동 見合いをさせる. ㊟ 선뵈다.

선복【船腹】명 船腹.

선봉【先鋒】명 せんぽう(先鋒); 先手; 先陣; 先備え; 先駆け. ¶ 급~ 急先鋒 / 반대파의 ~ 이다 反対派の先鋒である.

‖——군(軍) 명 先鋒に立つ軍隊. —— 대장 명 先鋒大将.

선-뵈다 타 사동 ↗선보이다.

선부【先夫】명 先夫; 前夫.

선부【先父】명 先父; 先考; 亡父.

선부【船夫】명 船夫. =뱃사공.

선분【線分】명 線分. ¶ ~ AB를 점 P로써 내분하다 線分ABを点Pにて内分する.

선분【選分】명하타 選分. =선별(選別).

선-불 명 的はずれの弾丸·たま. ¶~ 맞은 호랑이 뛰듯《俚》的はずれの弾丸に当たった虎があばれる如く《怒気衝天して荒荒しく暴れることのたとえ》. ——걸다 자 ① うかつに手を出す. ② 関係ない事に干渉して損害を被る. ——놓다 자 ☞ 선불걸다.

‖——질 명하자 下手な射撃をすること.

선불【先拂】명 先払い; 前払い; 前勘定; 先渡し; 前渡し. ——하다 타 前払〔先払〕いする; 先渡〔前渡〕しする. ¶ 반액 ~ 半金前払い / 월급을 ~하다 月給を前払いする / ~로 사다 前勘定で買う.

선비 명 士人; 士. ① 仕官していない学者. ② 学徳を兼ねた人の敬称. ¶ 고학 역행의 ~ 苦学力行の士 / 세상 물정에 어두운 ~ 学者ばか / 글을 좋아하는 ~ 好学の士. ③ 礼儀正しく温厚な人.

선비【船費】명 ① 船賃. ② 船舶運行にかかる経費.

선사 명 하타 人に贈り物をすること.
선사【先史】명 先史; 史前.
‖── 시대 명 先史時代. ──-학 명 先史学. ＝사전학(史前學).
선사【善事】명 하타 ① 善事; いいこと. ② 神仏に供養すること. ③ 善く仕えること.
선산【先山】명 祖先の墓地. ＝선롱(先壟)·선영(先塋).
‖──-밑 명 祖先の墓地の下のあたり. ──-발치 명 祖先の墓地のふもと.
선상【扇狀】명 扇状. ＝선형(扇形). ‖──-지 명〔地〕扇状地.
선상【船上】명 ① 船上; 船の上. ② "航海中にある"という意味を表わす語.
선상【線上】명 線上. ¶기아 ~에 있는 사람들 飢餓線上の人人 / 수사 ~에 떠오르다 捜査線上に浮ぶ.
선상【線狀】명 線状.
선생【先生】명 先生. ① 教師の尊称. ¶음악 ~ 音楽の先生 / ~님 밑에서 배우다 先生に就いて習う. ② 師範; 師匠〈老〉. ¶검도 ~ 剣道師範 / 꽃꽂이 ~ 生け花の師匠. ③ 人の尊称《苗字·職責の下につける》. ¶김 ~ 金先生 / 의사 ~ 医者先生.
‖──-님 명 先生の尊称. ──-질 명 하자《俗》学生を教えること.
선서【宣誓】명 宣誓. ──-하다 타 宣誓する; 誓う. ¶~문 宣誓文 / 취임 ~를 하다 就任宣誓を行う / ~를 어기다 宣誓を破る.
선선-하다 형 ①(天気が)さわやかだ; 涼しい. ＞산산하다. ②(性格が)あっさりして快活だ. 선선-히 부 気軽く; 気持ちよく; 快く. ¶돈을 ~ 내놓다 お金を快く出す / 돈을 ~ 내놓지 않다 金を出し渋る.
선세【先貰】명 賃借人が賃借料金の支払い及びその契約の担保として貸主に与える金.「かんじょう」
선-셈【先─】명 하타 先払い勘定
선-소리[1] 명 五六人が円陣を作って, ひとりが歌い手となり他の者ははやし(囃子)を入れる俗謡の一種. ＝입창(立唱).
선-소리[2] 명 理にあわない話; つまらない話; へ理屈.
선소리-치다【先─】자 先頭に立って声を張り上げる.
선속【船速】명 船の速度; 船足.
선-손【先─】명 ① 先手; 先駆け. ② 先に手出しをすること. ＝선수(先手). ──-걸다 자 先に手出しをする. ──-쓰다 자 先手を打つ.
‖──-질 명 하자 先に手をかけてなぐる行為. ¶~ 후방망이《俚》先に手出しをして後で棒でなぐられる《人を先に損なえば後でこっぴどい仕返しを受けるとのたとえ》.
선수【先手】명 先手. ① ☞ 선손. ② 機先を制すること. ¶~를 치다 機先を制する; 先手を打つ. ③ 先番. ¶~를 잡다 先手を取る / ~를 빼앗기다 後手になる.
선수【船首】명 船首; へさき(舳); みおし. ＝이물. ¶~를 남으로 돌리다 船首を南にまわす.
선수【選手】명 選手. ¶만능 ~ 万能選手 / 현역 ~ 現役選手 / 보결 補欠選手 / ~단 選手団.
‖──-권 명 選手権. ¶~ 보유자 選手権保持者.
선술【仙術】명 仙術.
선술-집 명 居酒屋; 縄のれん.
선승【先勝】명 하자 先勝.
선승【禪僧】명 禅僧.
선실【船室】명 船室; ケビン; キャビン. ¶일등 ~ 一等船室.
선심【善心】명 善心. ① 善良な心. ② 人を助けようとする心. ¶~을 쓰다 気前を見せる / ~ 공… 気前よく相手の気嫌を取る… 度.
선-심판【線審判】명 線審; ラインズメン.
선악【善惡】명 善悪. ¶~을 분별하다 善悪をわきまえる.
‖──-과(果) 명 ① 禁断の木の実; 禁断の果実. ②〔佛〕善果と悪果. ── 과(果) 나무 명〔宗〕知恵の木. ＝선악수(善惡樹).
선약【仙藥】명 仙薬. ＝선단(仙丹).
선약【先約】명 하타 先約; 先口. ¶~이 있어서 사절했다 先約があるので断わった.
선양【宣揚】명 하타 宣揚. ¶국위를 ~하다 国威を宣揚する.
선어【鮮魚】명 鮮魚; 活魚. ＝생선. ¶~ 수출 鮮魚輸出.
선어말 어미【先語末語尾】명〔言〕語末語尾に先行する活用語尾《"-시-·-옵-·-오-·-았-·-더-·-겠-"など》.
선언【宣言】명 하타 宣言. ¶~문 宣言文 / ~서 宣言書 / 개회를 ~하다 開会を宣する.
선언-적【選言的】명 관〔論〕選言的.
‖── 개념 명〔論〕選言的概念. ── 명제 명〔論〕選言的命題. ── 판단 명 選言的判断.
선열【先烈】명 先烈.
선영【先塋】명 せんえい(生塋); 先祖の墓地. ＝선산(先山).
선왕【先王】명 先王.
선외【選外】명 選外. ¶아깝게도 ~가 되었다 惜しくも選外になった.
‖── 가작 명 選外佳作.
선용【善用】명 하타 善用. ¶여가 ~ レジャーの善用.
선우 후락【先憂後樂】명 하자 先憂後楽; 人より先に憂え人より後に楽しむこと.
선운【船運】명 하타 船で人·貨物を運搬すること.
선-웃음 명 つくり笑い; お世辞笑い; から笑い.
선원【船員】명 船員; 船方; 船乗り; 船人〔舟人〕; 海員.
‖── 수첩 명 船員手帖. ──-실(室) 명 船員室.
선월【先月】명 先月.
선위【船位】명 船の位置.
선위【選委】명 ① ↗선거 위원회(選擧委員會). ② ↗선거 관리 위원회(選擧管理委員會).

ㅅ

유【船遊】명하자 船遊〔舟遊〕び. ＝뱃놀이.
율【旋律】명〔樂〕旋律；節. ＝멜로디.
음【先蔭】명 祖先の恩徳.
의【船醫】명 船医.
의【善意】명 善意. ＝호의(好意).
의-권【先議權】명〔法〕先議権.
-이자【先利子】명 天利；天引きの利子. ＝선변(先邊).
선인【仙人】명 仙人；道士.
‖——-장(掌) 명〔植〕サボテン.
선인【先人】명 ①亡父. ＝선친(先親). ②前代の人.
선인【善人】명 善人.
선인【善因】명〔佛〕善因.
‖—— 선과 명〔佛〕善因善果.
선일【先日】명 先日；先ごろ；前日；このあいだ；過ぎし日. ＝지난날·전일(前日).
선임【先任】명 先任. ¶～ 과장 先任の課長.
‖——-자 명 先任者. —— 하사관 명 先任下士官.
선임【船賃】명 船賃. ＝뱃삯.
선임【選任】명하타 選任.
선입-관【先入觀】명 先入観；先入見；ひが目；成心. ＝선입감(先入感). ¶～에 사로잡히다 先入観にとらわれる / 그것은 너의 ～이다 それは君のひが目だ / ～을 가지고 사람을 대하다 成心をもって人に臨む.
선자【選者】명 選者；えらび手.
선-잠 명 うたたね；仮寝. ——-깨다 자 うたたねから目覚める.
선장【船長】명 船長. ¶～실 船長室.
선장【船檣】명 せんしょう(船檣)；帆柱；マスト.
선장【禪杖】명〔佛〕禅杖.
선재【船材】명 船を造る材木.
선저【船底】명 船底.
선적【先蹟】명 先人の事跡.
선적【船積】명하타 船積み.
‖——-항(港) 명 船積み港.
선적【船籍】명〔法〕船籍.
‖—— 불명 명 船籍不明. —— 원부 명 船籍原簿.
선전【宣傳】명 宣伝；プロパガンダ；プロ《준말》. ——-하다 타 宣伝する；触れ込む；言い触らす. ¶대대적인 ～ 鳴り物入りの宣伝 / 재미있는 구경거리라고 ～하다 おもしろい見物であると触れ込む.
‖—— 광고업 명 宣伝広告業. —— 도안 명 看板ポスターなどに宣伝の趣旨を描いた図案. ——-문 명 宣伝文. —— 삐라 명 宣伝ビラ. ——-술 명 宣伝術. ——-전 명 宣伝戦.
선전【宣戰】명하자 宣戦.
‖—— 포고 명하자 宣戦布告.
선전【善戰】명하자 善戦；よく戦うこと. ¶～도 헛되이 패하였다 善戦も空しく敗れた.
선점【先占】명하타 先占.
선정【善政】명하자 善政. ¶～을 펴다 善政を敷く.
‖——-비 명 善政碑.
선정【煽情】명 扇情.
‖——-적 명관 扇情的.
선정【選定】명하타 選定. ¶부지를 ～하다 敷地を選定する.
선정【禪定】명하자〔佛〕禅定；寂念；定. ¶～에 들다 禅定〔定〕に入る.
선제【先制】명하자 先制；機先を制すること. ¶～ 공격 先制攻撃.
선제【先帝】명 [↗선황제(先皇帝)] 先帝；皇考.
선조【先祖】명 先祖；先人；祖先.
선조【線條】명〔物〕繊条〔線条〕；フィラメント.
선종【禪宗】명〔佛〕禅宗.
선종【選種】명하자 種を選ぶこと.
선주【先主】명 先主. ①先代の君主. ②前の主人；前主.
선주【先週】명 先週. ＝전주(前週)·지난 주일.
선주【船主】명 船主；網元.
선-주민【先住民】명 先住民.
선주 민족【先住民族】명 先住民族.
선중【船中】명 船中；船の中.
선지 명 (獣の)鮮血；生き血《牛の凝った血で食品の材料にする》.
‖——-피 명 ① ☞ 선지. ②傷口からほとばしり出る鮮血. 선짓-국 명 牛の凝り固まった血を入れて煮た汁.
선지【先知】명 先知. ①先んじて知っていること. ②人よりも先に道を悟ること. ③〔基〕↗선지자.
‖——-자 명〔基〕予言者. —— 후행설 명〔哲〕先知後行説.
선진【先陣】명 先陣；先手.
선진【先進】명 先進.
‖——-국 명 先進国.
선집【選集】명 選集.
선착【先着】명하자 先着. ①先に到着すること. ②↗선착순.
‖——-순 명 先着順.
선착【船着】명하자 船が着くこと.
선창【先唱】명하타 先唱. ①真っ先に主張すること. ②音頭；発声；まっ先に唱えること. ¶～을 하다 音頭を取る / 사장의 ～으로 만세를 부르다 社長の発声で万歳を唱える.
선창【船窓】명 船窓.
선창【船艙】명 ①ふとう(埠頭)；波止場〔波戸場〕；船着き(場)；桟橋. ¶～이 완비된 항구 船着きの完備した港 / 배를 ～에 가로대다 船を桟橋に横付ける. ㊟ 창(艙). ② ☞ 배다리①.
선책【善策】명 善策.
선처【先妻】명 先妻；前妻.
선처【善處】명 善処；おもんぱかり；取り計らい；最もいい方法で処置すること. ——-하다 자 善処する；取り計らう.
선천【先天】명 先天.
‖—— 면역 명〔醫〕先天免疫. ——-병 명 先天病. ——-성 명 先天性. ¶～ 질환 先天性疾患. ——-적 명관 先天的；アプリオリ.

선철【先哲】명 先哲; 前哲; 先賢; 昔の哲人.
선철【銑鐵】명 銑鉄. ＝무쇠.
선체【船體】명 船体.
선축【先蹴】명 하자 (サッカー・ラグビーなどで)せんしゅう(先蹴); キックオフ.
선출【選出】명 하타 選出.
선충-류【線蟲類】명〘動〙線虫類; ネマトーダ. ＝원충류(圓蟲類).
선취【先取】명 하타 先取; 先取り. ‖──-점 명 先取点.
선-취득【先取得】명 하타 人より先に手に入れること.
선측【船側】명 船側.
선치【善治】명 하타 善治.
선친【先親】명 亡父; 人に対し自分の亡くなった父をいう語.
선-키 명 背丈; 身丈.
선탁【宣託】명 宣託; 託宣; 神のお告げ. ＝신탁(神託).
선탄【選炭】명 選炭.
‖── 작업 명 選炭作業. ──-장(場) 명 選炭作業場.
선태【鮮太】명 生のめんたい(明太)魚
선태【蘚苔】명〘植〙せんたい(蘚苔); こけ(苔). ＝이끼.
‖──-류 명 蘚苔類. ── 식물 명 蘚苔植物.
선택【選擇】명 ① 選択; 選ぶこと. ──-하다 타 選択する; 選える; よる; 選ぶ. ¶ 배우자를 ～하다 配偶者を選択する. ㊟ 택하다. ②〘生〙とうた(淘汰). ¶ 자연 ～ 自然選択.
‖── 과목 명 選択科目; 選択(준말). ──-권 명 選択権. ── 반응 명 選択反応. ── 배양법 명 選択培養法(品種改良法の一つ).
선투【善投】명 하타 (ピッチャーが)良く投げること.
선편【船便】명 船便. ＝배편. ¶ ～이 좋다 船便がよい.
선평【選評】명 하타 選評.
선포【宣布】명 하타 宣布.
선폭【船幅】명 船幅; 船の幅.
선표【船票】명 船の切符; 乗船券. ＝배표.
선풍【旋風】명 旋風. ① つむじかぜ; つむじ. ＝회오리바람. ② 突発的に社会に大きな動揺を起こす事件. ¶ 검거 ～ 検挙の旋風 / 정계에 ～을 일으키다 政界に旋風をまきおこす.
선풍-기【扇風機】명 扇風機; ファン.
선하【船荷】명 船荷.
‖──-주(主) 명 船の荷物の主人. ── 증권 명 船荷証券.
선-하다 형 ありありと思い浮かぶ; 目にちらつく. ¶ 모습이 눈에 ～ 面影がまぶた(瞼)に浮かぶ / 고향 산천이 눈에 ～ 故郷の山川が目に浮かぶ. 선-히 부 ありありと; 目に見えるように.
선-하다【善─】형 善良だ; おとなしい. ＝착하다.
선-하품 명 生あくび. ¶ ～을 (억지로) 참다 生あくびをかみ殺す.
선학【禪學】명〘佛〙禅学.

ㅅ

선한【先限】명〘經〙先ぎり(限); かぶの買売契約をし清算は次の末にすること.
선행【先行】명 하자 先行. ① 先… 立って行くこと. ② 他の事に先… んじて行なうこと. ¶ ～시키다 先… たせる / ～ 문제 先行問題 / 시… 에 ～하다 時代に先行する.
‖── 조건 명 先行条件. ① 先行… る条件. ②〘法〙権利移転の前… に生じた条件.
선행【旋行】명 하자 旋行. ① 回… て行くこと. ②〘樂〙一つの音から 他の音に移り行くこと.
선행【善行】명 善行.
선향【仙鄕】명 仙郷. ＝선경(仙境).
선향【線香】명 線香.
선험【先驗】명〘哲〙経験に先き立って認識を規定する根拠となる原理.
‖──-론 명 先験論. ＝선험주의. ──-적 명 관 先験的; アプリオリ. ¶ ～ 방법 先験的方法 / ～ 의식 명 先験的意識. ──-주의 명 先験的なるものの存在を主張しそれを哲学の原理とする立場. ── 철학 명 先験哲学. ＝비판 철학.
선-헤엄 명 立ち泳ぎ.
선현【先賢】명 先賢; 先哲.
선혈【鮮血】명 鮮血.
선형【扇形】명 扇形. ① 扇の形状. ②〘植〙葉の形の一つ(手で持つ扇のような形をしたいちょうの葉など). ③〘數〙一つの円弧とその両端に引いた半経で囲まれた平面図形. ＝부채꼴.
선형【船型·船形】명 船型.
선형【線形】명 線形〔線型〕.
‖── 가속기 명 線形加速器. ＝리니어 액셀러레이터. ── 공간 명〘數〙線形空間. ── 동물 명〘動〙線形動物.
선호【船號】명 船号; 船の名.
선호【選好】명 하타 えり好み; より好み.
선홍-색【鮮紅色】명 鮮紅色.
선화【船貨】명 船に積みこむ貨物. ＝선하(船荷).
선화【線畫】명 線画.
‖── 철판 명 線画凸版(写真製版の一つ).
선화【禪話】명〘佛〙禅話.
선화 후과【先花後果】명 先に女の子を産み後に男の子を産むこと.
선황【先皇】, 선-황제【先皇帝】명 先皇; 先皇帝.
선회【旋回】명 하자 旋回. ¶ 급～ 急旋回 / ～ 운동 旋回運動.
선후【先後】명 하자 先後. ① 前後. ② 先に進むことと後に立つこと.
‖── 당착 명 하자 先後どうちゃく(撞着). ── 도착 명 하자 先後倒錯.
선후【善後】명 善後.
‖──-책 명 善後策.
선-후배【先後輩】명 先輩と後輩.
선후-평【選後評】명 選後評.
섣달 명 陰暦の十二月; 極月; 師走; ろうげつ(臘月). ¶

~이 둘이라도 시원치 않다《俚》陰暦の十二月が二つあっても尚足りない《歳月をいくら延ばしても事の成功を望めないというたとえ》.

‖── 그믐 명 大みそか; 大つごもり; 大年〔大歳〕.

설-부르다 형 手並みが未熟である; 不器用である.

설-불리 부 下手に; おろそかに; ゆるがせに; いたずらに; なまじっか; なまじいに; うかつに; うっかり. ¶ ~ 건드리지 마라 うっかりさわるなよ / ~ 손대서는 안 되겠는걸 下手に手出しはできないぞ.

설 명 ① お正月; 元旦; 年始; 年頭. =세수(歳首). ② 正月の初旬. =연시·정초. ③ ↗설날. ¶ ~ 기분 正月気分 / 거리는 ~ 기분으로 대단히 흥성대고 있다 町は正月で大にぎわいである.

설【說】 명 説. ① 意見; 主義; 学説. ¶ 그의 ~에는 반대이다 彼の説には反対である / ~을 갑자기 바꾸다 説をひるがえ(翻)す. ② 風説.

설- 두 生; 動詞または動詞から転成した名詞の前に付いて"不充分な·未熟な"などの意を表わす語. ¶ ~익다 半生である; 未熟である / ~ 말리다 生干しにする / ~굽다 生焼けにする / ~구워진 고기 生焼けの肉 / ~삶다 生煮えにする.

설거지 명하자 (食後の)皿洗い; 食器洗い. ¶ 부엌에서 ~를 하다 台所で皿洗いする / ~대 流し台; 流し《준말》.

설겅-거리다 자 ☞ 설컹거리다. >살강거리다. 설겅-설겅 부하자 ☞ 설컹설컹.

설경【雪景】 명 雪景; 雪景色.

설계【設計】 명하타 設計; デザイン.

‖──-도 명 設計図.

설교【說教】 명하자 説教; 談義.

설-구이 명하타 素焼き. =애벌구이.

설기 명 米の粉を蒸しがま(釜)に幾層に敷いて蒸したもち(餅). ¶ 백~ 白米粉の蒸し餅.

설-날 명 がんたん(元旦); 元日; さいたん(歳旦). ¶ ~의 아침 해 初日の光.

설농-탕【雪濃湯】 명 "설렁탕"の当て字.

설다 一자 半熟する; 生煮えする; 生半熟する. ¶ 밥이 ~ 飯が生煮えである. 二형 慣れない; 未熟だ. ¶ 선 무당 へぼみこ(巫女) / 산도 설고 물도 ~ 山河が皆不慣れである《他郷にいることのたとえ》/ 귀선 소리 耳慣れぬ音.

설-다루다 타 おろそかに扱う.

설단【舌端】 명 舌端. =혀끝.

‖──-음 명 舌端音《"ㄹ"·"ㄷ"など》. =혀끝소리.

설단-증【舌短症】 명〔醫〕舌が短かくなる病症.

설대¹ 명 [↗담배 설대] ラオ(羅宇)(の竹管); ラウ. ──-같다 형 まっすぐである.

설대² 명〔植〕矢竹.

설-데치다 타 生ゆでにする. ¶ 설데친 야채 生ゆでの野菜.

설득【說得】 명 説得. ──-하다 타 説得する; 説く; 説きつける; くどく. ¶ ~력 説得力 / 장가를 들도록 ~하다 嫁をもら(貰)うよう説得する / 남을 잘 ~시키는 사람 くどき上手(な人) / ~하여 납득시키다 くどき落とす / 계속 ~하다 くどき立てる / 여자를 ~하다 女をくどく.

설-듣다 타 生聞きする.

설랑 조 助詞の"서"と"ㄹ랑"が重なった補助詞: …では. ¶ 여기~ 놀지 마라 ここでは遊ぶなよ.

‖──-은 조 "설랑"の強勢語.

설렁 명 軒先につ(吊)って呼びりんの役をする鈴.

‖──-줄 명 "설렁"の引きひも.

설렁-거리다 자 ① (やや涼しく)そよ吹く. ② 腕を軽く振りながら歩く. >살랑거리다. 쓰썰렁거리다. 설렁-설렁 부하자 "설렁"の畳語.

설렁설렁-하다 형 そよそよ風が吹く天気だ; ひやひやする.

설렁-탕【—湯】 명 飯に牛の頭·足·ひじ肉·内臓などを煮た汁をかけた食べ物.

설렁-하다 형 ひやっとする; ぞっとする. >살랑하다. 쓰썰렁하다.

설레 의명 騒ぎ回る勢い. ¶ 아이들~에 정신을 못 차리겠다 子供達の腕白振りに頭が痛む.

설레다 자 はやる; そわつく; ときめく; 高鳴る. ① 心が浮つく. ¶ 가슴 ~ 胸騒ぎする; 胸が高鳴る / 설레는 가슴을 누르며 高鳴る胸を押さえて / 기쁨에 가슴이 ~ 喜びで胸がときめく / 어쩐지 가슴이 설렌다 何だか胸騒ぎがする. ② 一所に居たたまらなくなる. ¶ 설레지 말고 앉거라 そわそわしないで座りなさい / 마음이 ~ 心が逸る.

설레-설레 부 かぶり(頭)を軽く振るさま. >살래살래. 쓰썰레썰레.

설령【雪嶺】 명 せつれい(雪嶺).

설령【設令】 부 たとえ; かりに; よしんば. ① "それはそうだとしても"の意を表わす接続副詞. ② "가령"·"설사"·"설약"·"설혹"の意を表わす接続副詞. ¶ ~ 내가 잘못했다손치더라도 たとえわたしが誤ったとしても / ~ 그가 사과를 한다 하더라도 よしんば彼が謝るとしても.

설립【設立】 명하타 設立. ¶ 회사를 ~하다 会社を設立する.

설마 부 まさか; よもや; よも. ¶ ~ 그럴라구 まさかそうだろうか / ~ 모를 테지 하고 생각했으나 잘 알고 있었다 よもや知るまいと思ったがよく知っていた / ~가 사람 죽인다《俚》まさかと思うことが人殺しになる.

설-마르다 자 生乾きである.

설-맞다 자 ① 的がはずれる. ¶ 설맞은 총알 的がはずれた弾. ② ひどくは殴られない.

설멍-설멍 부 細長い足で歩くさま; ひょろりひょろりと. >살망살망.

설멍-하다 형 ① 脚が不似合に細長い. ② 着物が不似合に短い. >살망하다.
설면-하다 형 ① 顔なじみが薄い. ② 面識が浅い; 親しくない.
설명【說明】 명 説明. ——-하다 타 説明する; 説き明かす; 説く. ¶ 자세히 ~하다 詳しく説明する / 누누이 ~하다 重ね重ねて説明する.
‖——-문 명 説明文. ——-서 명 説明書. ——-어 명 説明語. ——적 과학 명 説明的科学.
설문【設問】 명하타 設問. ¶ ~의 뜻을 잘 생각해서 대답하라 設問の意味をよく味わって解答せよ.
설미지근-하다 형 なまぬる(生温)い.
설백【雪白】 명 雪白; まっしろ.
설법【說法】 명 説法; 法話; 談義; 法談; 引導. ——-하다 자 説法する; 談義する.
설-보다 타 いい加減に見る.
설복【說伏·說服】 명 説服. ——-하다 타 説服する; 説き付ける〔伏せる〕; 言い負かす〔伏せる〕.
설봉【舌鋒】 명 ぜっぽう(舌鋒).
설봉【雪峰】 명 雪におおわれた峰.
설부【雪膚】 명 雪肌; 雪のような肌.
‖—— 화용(花容) 명 雪のように白い肌と花のように美しい顔.
설분【雪憤】 명하자 憤りをはらすこと. =분풀이.
설비【設備】 명 設備. ① 設け備えること; 取り付け. ——-하다 타 設備する; しつらえる; 取り付ける. ② 建築物の附帯物. ¶ ~가 좋은 학교 設備の良い学校 / 이 공장의 ~는 불완전하다 この工場の設備は不完全である.
‖—— 자금 명 設備資金. —— 자본 명 設備資本. —— 투자 명 設備投資.
설-빔 명하자 お正月の晴れ着; 正月の晴れ装束. ¶ ~ 차림 初姿.
설사【泄瀉】 명 げり(下痢); 腹くだし; くだりばら. ——-하다 자 下痢をする; 腹を下す. ¶ 찬물을 너무 마셔서 ~를 했다 生水を飲み過ぎて下痢をした.
‖——-약 명 下し薬; 下剤.
설사【設使】 부 たとえ; かりに; よしんば; よしや. =설령(設令). ¶ ~ 그렇다 치더라도 たとえそうであろうと / ~ 실패한다 해도 よしんば失敗したとて.
설산【雪山】 명 ① 雪山. ② 雪山; ヒマラヤ山の異称.
‖—— 대사(大師) 명〔佛〕釈迦の尊称. —— 성도 명 雪山成道.
설-삶기다 자 生煮える; 半熟する.
설-삶다 타 生煮えにする; 半熟にする. ¶ 설삶은 말대가리《俚》生煮えの馬の頭《頑なで野暮な人のたとえ》.
설상【舌狀】 명 舌状.
‖——-화 명〔植〕舌状花; 舌状花冠の花《菊·たんぽぽなど》.
설상【雪上】 명 雪上.
‖—— 가상(加霜) 명 弱り目にた(祟)り目; かかあ天下にからっかぜ; 泣き面にはち(蜂). ——-차
雪上車. 「さび形
설상【楔狀】 명 けつじょう(楔狀);
설선【雪線】 명 雪線.
설설 부 ① 水が沸くさま. ② オンド(温突)の部屋が等しく暖かいさま ぬくぬく; ほかほか. ③ 長い脚で ゆっくりは(這)うさま: ほうほう. ④ 頭をゆっくり振るさま. ⑤ おびえ ておどおどするさま: たじたじ; こわ ごわ; おそるおそる. >살살. ㅆ썰썰.
——-기다 자 たじたじとたじろぐ; 恐 れては(這)いつくば(蹲)う〔ちぢみ上がる〕.
설-쇠다 자 新年を迎える.
설암【舌癌】 명〔醫〕ぜつがん(舌癌).
설야【雪夜】 명 雪夜.
설염【舌炎】 명〔醫〕舌炎.
설영【設營】 명하자 設営.
설왕설래【說往說來】 명하자 言葉のやりとり; 言い争い.
설욕【雪辱】 명하자 雪辱. =설치(雪恥). ¶ ~전 雪辱戦 / A 교에 ~하였다 A校に雪辱した.
설움 명 悲しさ; 悲しみ.
설워-하다 자 [↗서러워하다] 悲しむ.
설원【雪冤】 명하자 せつえん(雪冤).
설유【說諭】 명하타 説諭; 諭し.
설음【舌音】 명 舌音《"ㄴ·ㄷ·ㄸ·ㅌ"など》. =혓소리.
설음【舌瘖】 명〔韓醫〕舌が硬直して言語障害を起こす病症.
설-음식【—飮食】 명 (正月の)お節料理.
설-익다 자 生煮えになる. ¶ 설익은 감자 生煮えのいも(芋).
설-자리 명 ① 弓を射るときに立つ場所. ② 立つ瀬.
설-잡다 타 不充分につかむ.
설전【舌戰】 명 舌戦; 口論; 口争い. =말다툼. ——-하다 자 舌戦〔口論〕する; 言い争う.
설전-음【舌顫音】 명 舌先を上の歯茎に転がして出す音《"사람·구름"の"ㄹ"音など》. =굴림 소리.
설정【設定】 명하타 設定. ¶ 문제 ~ 問題の設定 / 저당권을 ~하다 抵当権を設定する.
설주【—柱】 명 [↗문설주] (戸口の)わき柱; だき; 門柱.
설죽【雪竹】 명〔植〕かんちく(寒竹). =자죽(紫竹).
설-죽다 자 完全に死んでいない.
설중【雪中】 명 雪中.
‖——-매(梅) 명 雪中梅. —— 사우 명 雪中四友.
설-취하다【—醉—】 자 生酔う. ¶ 설취한 사람 生酔いの人.
설측-음【舌側音】 명〔言〕舌側音; 舌先を上の歯茎につけて両側の空き間から息を流して出す音《"달·물"などの"ㄹ"音》.
설치【雪恥】 명하자 恥をそそ(雪)ぐこと. =설욕(雪辱).
설치【設置】 명 設置; 据え付け; 取り付け. ——-하다 타 設置する;

…おく；設ける；備え付ける；据え付ける；張る．¶대학 ～ 기준 大学設置基準／도서관을 ～하다 図書館を設ける．

…치다¹ 자 横行する；はびこる；暴れる；のさばる．¶악이 ～ 悪がはびこる／무뢰한들이 ～ 無頼漢どもが横行する／불량배가 멋대로 ～ 不良がのさばる．

…치다² 타 充分に満たせないでやめる；やりそこなう．¶잠을 ～ 寝そびれる；寝はぐれる．

…치-류【齧歯類】명〘動〙げっしるい(齧歯類)．＝쥐목(目)．

…컹-거리다 자 (口の中で)がりがりする．ㅗ설겅거리다．¶감자가 덜 물러 ～ 芋が半煮えしてがりがりする．설컹-설컹 부하자 がりがり．

…탕【雪糖】명 砂糖．① 粉砂糖．② 白砂糖．

…태【舌苔】명〘醫〙ぜったい(舌苔)．

…파【説破】명 説破．——하다 타 ① 事物の内容を明かして話す．② 説破する．

설편【雪片】명 雪片．＝눈송이．

설피다 형 織り目が粗い．

설핏-하다 형 織り目が粗気味である．설핏-설핏 부하형 織り目が粗いさま．

설한【雪寒】명 雪が降った後の寒さ．¶엄동 ～ 雪が降ってひどく寒い冬．

‖——-풍(風) 명 ① ☞ 눈바람．② 雪が降る時吹く寒い風．

설-하다【説—】타 ① 説明する．② (道理などを)説く．

설해【雪害】명 雪害．

설형 문자【楔形文字】명 せつけいもじ(楔形文字)；けつじょうもじ(楔状文字)；くさび形文字．

설혹【設或】부 ☞ 설령(設令)．

설화【舌禍】명 舌禍．

설화【雪花·雪華】명 雪の花；雪花．① ☞ 눈송이．② 木の枝の雪．

설화【雪禍】명 雪禍．

설화【説話】명 説話；物語．¶불교 ～ 仏教説話．

‖—— 문학 명 説話文学；説話物語．

섧다 형 くやしく悲しい；恨めしい．

섬¹ 一 명 俵・ひょう．¶쌀～ 米俵／너말들이 ～ 四斗俵／쌀 한 ～ 米一俵．二 의명 (穀量の)石(一斗の十倍)．＝석(石)．

섬² 명 島．¶～나라 島国．

섬-거적 명 俵むしろ．

섬-곡식【—穀—】명 一石ぐらいの穀物．

섬광【閃光】명 せんこう(閃光)．¶어둠을 뚫고 번쩍이는 ～ やみ(闇)をつらぬいてひらめく閃光．

‖——-등 명 閃光灯．—— 신호 명 閃光信号．—— 전구 명 閃光電球；フラッシュバルブ．

섬기다 타 仕える．¶남편을 잘 ～ 夫によく仕える／충신은 두 임금을 섬기지 않는다 忠臣は二君にまみ(見)えず．

섬-나라 명 島国．¶～ 근성 島国根性．

섬도【纖度】명 纖度．

섬-돌 명 踏み石；くつぬぎ石．

섬뜩-하다 형 ひやっとする；ぎょっとする；ひやりとする．¶밤길에 느닷없이 부르는 바람에 섬뜩했다 夜道で不意に呼びかけられてぎょっとした／꾸지람 들을까봐 섬뜩했다 叱られるものと思ってひやりとした．

섬망【譫妄】명〘醫〙せんもう(譫妄)．

섬멸【殲滅】명하타 せんめつ(殲滅)．¶적을 ～하다 敵を殲滅する．

‖——-전 명 殲滅戦．

섬모【纖毛】명 ① 纖毛．② ☞ 섬유．

‖——-류 명〘生〙纖毛虫類．—— 상피 명 纖毛上皮．—— 운동 명 纖毛運動．——-충 명 纖毛虫．

섬-밥 명 米一石で炊いた飯．

섬벅 부하자 切れ味のよい刃物で素早く切るさま：ずばりと；さっくりと．¶～ 베어지다 ずばりと切れる；さっくりと切れる．>삼박．ㅆ섬뻑·썸벅·썸뻑．섬벅-섬벅 부하자형 さっくりさっくりと．

섬-벼 명 俵に入れたもみ(籾)．

섬뻑 부하자 ☞ 섬벅．——— 부하자형 ☞ 섬벅섬벅．

섬-사람 명 島人．

섬서-하다 형 よそよそしい；親切でない．>삼사하다．

섬섬【閃閃】명하형 ひらめ(閃)くこと．

섬섬【纖纖】명하형 纖纖；か弱いこと．

‖—— 약골 명 纖纖弱骨．—— 약질 명 纖纖弱質．—— 옥수 명 纖纖玉手．

섬세【纖細】명 纖細；デリケート；デリカシー．——하다 형 纖細だ；デリケートだ．¶～한 공예품 纖細な工芸品／～한 감정 纖細な感情／～한 신경 デリケートな神経／～한 몸 デリケートなからだ．——-히 부 纖細に．

섬수【纖手】명 か細い手．

섬약【纖弱】명 纖弱；しなやかでか弱いこと．——하다 형 纖弱だ；弱弱しい．¶～한 체질 か弱い体質．

섬유【纖維】명 纖維；ファイバー．¶비단 같은 ～ 絹のような纖維／인조 ～ 人造纖維．

‖—— 공업 명 纖維工業．——-소 명 纖維素；セルロース．—— 식물 명 纖維植物．——-업 명 纖維業．¶～의 유력자 纖維業の大所．—— 제품 명 纖維製品．—— 조직 명 纖維組織．——-질 명 纖維質．

섬조【纖條】명 纖条；フィラメント．＝선조(線條)．

섬-지기 의명 一石のもみ(籾)を植えるだけの田の面積(一"마지기"の二十倍の広さ)．

섬찍지근-하다 형 怖さが消えない；恐れで胸がどきどきする．

섬-통 명 穀物を入れた俵のかさ(嵩)．

섭금-류【渉禽類】명〘鳥〙しょうきんるい(渉禽類)．

섭동【攝動】명 摂動．

섭렵【渉獵】명하타 渉猟．¶고금동서의 서적을 ～했다 古今東西の書籍を渉猟した．

섭리【攝理】명 ① 病気の養生．

② 摂理. ¶ 누구도 신의 ~에 거역하지는 못한다 何びとも神の摂理に逆らうことはできない.

섭-새기다 타 透かし彫りにする.

섭-새김 명 透かし彫り. ——-하다 타 透かし彫りにする.

‖——-질 명하자 透かし彫りの仕事.

섭생【攝生】명하타 摂生; 養生. ¶ 병후의 ~ 病後の養生 / ~에 힘쓰다 摂生に努める / ~하면 장수한다 養生すれば長生きする.

섭섭-하다 형 名残惜しい; 寂しい; 残念だ; 恨めしい; 物足りない; 残り多い; 惜しい. ¶ 섭섭하지만 이것으로 작별하겠습니다 (お)名残惜しいことですが, これでお別れいたします / 친구와 헤어져서 ~ 友と別れて寂しい / 이대로 헤어지기는 ~ このまま別れるのは残り多い. 섭섭-히 부 名残惜しく; 寂しく; 惜しく(も). ¶ ~ 여기다 名残惜しがる.

섭수【涉水】명하자 渉水; 水を渡ること.

‖——-금(禽), ——-조(鳥) 명 しょうきんるい(渉禽類)の鳥.

섭씨【攝氏】명 摂氏; セ氏. ¶ ~ 이십도 摂氏二十度.

‖—— 온도계 명 摂氏〔セ氏〕温度計〔寒暖計〕.

섭양【攝養】명하타 摂養; 保養. =양생(養生).

섭외【涉外】명 渉外.

‖——-부 명 渉外部.

섭정【攝政】명하자타 摂政. ¶ ~에 임명되다 摂政に任じられる.

섭-조개 명〔貝〕むらさきいがい(紫貽貝).

섭취【攝取】명 摂取. ——-하다 타 摂取する; 取る; 取り入れる. ¶ 영양의 ~ 栄養の摂取 / 외국 문화의 ~ 外国文化の摂取 / 칼로리의 ~량 カロリーの摂取量.

섭호-선【攝護腺】명〔生〕摂護せん(腺). =전립선(前立腺).

섰다 一명 花札二枚でするとばく(賭博)の一種. 二준 [↗서 있다] 立っている.

성 명 怒り; 憤り; かんしゃく(癇癪); 立腹. ¶ 사소한 일로 ~을 내다 些細なことで腹を立てる / 대단히 ~이 나 있다 大変怒っている; 大変なお冠だ.

성【姓】명 姓; 名字. ¶ 딴 ~으로 행세하다 姓を冒す / ~을 갈겠다《俚》神に誓う; 腹を切ろう.

성【性】명 性; セックス. ¶ ~전환 수술 性転換手術.

성【城】명 城; 城郭; じょうさい(城塞). ¶ 견고한 ~ 堅固な城 / ~안 城内 / 옛 ~터 城のきゅうし(旧址) / ~을 쌓다 城を築く.

성【聖】명 聖. ① ひじり. ② 一つの道で抜きんでた人. ¶ 시~ 詩聖. ③ ↗신성(神聖). ④ ↗성인(聖人).

성-【聖】두〔基〕聖; サンタ; セント. ¶ ~바울 聖パウロ / ~만찬 聖ばんさん(晩餐).

-성【性】미 性. ¶ 사회~ 社会性 / 자동~ 自動性.

성가【聖架】명〔基〕イエス・キリ… がくぎ(釘)打ちされた十字架…

성가【聖家】명 聖家族《幼児… ス・聖母マリア及び聖ヨセフの… 人家族》.

성가【聖歌】명 聖歌. =찬송가. ~대 聖歌隊.

성가【聲價】명 声価; 名声; … ムバリュー. ¶ ~를 높이다 声価を… ためる / ~를 떨어뜨리다 声価を失… 失する.

성-가극【聖歌劇】명〔樂〕オラトリ…

성가시다 형 煩わしい; 面倒で… る; うるさい; やかま(喧)しい; お… くう(億劫)だ; 迷惑だ. ¶ 성가신 〔문제〕面倒なこと〔問題〕/ 성가시… 여기다 めんどうがる / 아주 ~ めん… (う)臭い / 성가신 녀석이다 うるさ… 奴だ / (참) 성가신 제의로군 厄介な… ことを持ち込んだものだね.

성-가정【聖家庭】명〔基〕聖家族…

성간 가스【星間—】(gas) 명 星間… ス. =우주 가스.

성간 물질【星間物質】명 星間物…

성감【性感】명 性感. ¶ ~대 性感…

성게 명〔動〕うに.

성격【性格】명 性格; 性; 質… 〈口〉; キャラクター. ¶ 밝은 ~ 明る… い性格 / 흐리멍텅한 ~ 生温い性格 / 줏대가 없는 ~ ふにゃふにゃした性格 / 차분한 ~ 物静かな性格 / 중후한 ~ 重厚な〔重重しい〕性格 / 비뚤어… 진 ~ ひねくれた性格 / ~이 맞다 性… が合う / ~이 다른 단체 性格が異… なる団体.

‖—— 묘사 명 性格描写. —— 배우 명 性格俳優. —— 유형 명 性格類型. —— 이상 명 性格異常.

성-결【性—】명 気立て. ¶ ~이 좋은 아가씨 気立てのいい娘.

성결【聖潔】명하형히부스형 神聖で清いこと.

‖——-교 명〔基〕ホーリネス教会.

성경【聖經】명 聖書; バイブル.

성계 제도【姓階制度】명 カースト; 姓階制度《印度の四姓の類》.

성공【成功】명하자 成功; 当たり; サクセス. ¶ 실패는 ~의 어머니 失敗は成功の母 / ~할 가망이 없다 成功の見込みがない / ~은 기대하기 어렵다 成功はおぼつかない / ~한 축에 든다 成功の部類に入る / ~을 의심〔걱정〕하다 成功を危ぶむ / ~이냐 그렇지 않으면 죽음이냐 成功か然らずんば死か / 노력이 ~에 결부되다 努力が成功に結び付く / 애쓴 보람이 있어 ~했다 苦心のかい(甲斐)あって成功した / 정말 훌륭하게 ~했다 ものの見事に成功した / 기대 이상의 ~이었다 望外の成功であった / ~은 틀림없습니다 成功は請け合いです / 연극이 ~을 거두다 芝居が当たる.

‖——-적 명관 成功的.

성-공회【聖公會】명〔基〕聖公会.

성과【成果】명 成果; 実り; 出来具合. ¶ ~가 많은 연구 분야 実りの多い研究分野 / 다대한 ~를 올리다 多大な成果をあげる / 시험 ~가 어떠냐 試験の出来具合はど

かね.
——급 명 出来高給.
…【城郭】명 城郭. ¶ ~을 구축하다 城郭を構える.
— 도시 명 城郭都市.
…【盛觀】명 盛観.
…【星光】명 星光. =별빛.
…교【性交】명 性交; 交合; 交わり. =방사(房事). ——-하다 자 性交する; 交わる.
…-교육【性教育】명 性教育. ¶ ~을 실시하다 性教育を施す.
…구【成句】명 成句; プレーズ; 慣用句. ¶ 고사 ~ 故事成句.
…구【聖句】명 聖句; 聖書の文句.
…군【星群】명〔天〕星群.
…군【聖君】명 聖君; 聖主.
…그레 부 優しく目笑するさま: にこっと. >상그레. ㅆ썽그레.
…극【聖劇】명 聖劇; オラトリオ.
…글-거리다 자 続けざまに微笑する〔目に笑いを浮かべる〕; にこにこする. >상글거리다. ㅆ썽글거리다.
성글-성글 부하자 にこにこ.
…글-벙글 부 目や口に笑いを浮かべるさま: にやにや; にこにこ. >상글상글. ㅆ썽글썽글.
…금【誠金】명 誠から進んで出す「金.
…-금요일【聖金曜日】명〔天主教〕聖金曜日.
성급-하다【性急—】형 性急だ; 気早だ; せっかちだ; 気忙しい; 気が短い. ¶ 성급한 사람 気早な〔せっかちな; 気短な; 性急な〕人 / 성급한 재촉 性急な催促 / 성급하게 걷다 せかせかと歩く / 성급한 사람이군 せっかちな人だね / 성급한 놈 술값 먼저 낸다《俚》短気は損気. 성급-히 부 性急に; 気早に; 気短く; せっかちに; せかせかと; 気忙しく. ¶ ~굴다 性急に事をする; 早まった事をする; せ(急)き立てる.
성긋 부 軽く目笑いをするさま: にやっと; にこっと. >상긋. ㅆ썽긋. ——거리다 자 にこにこする. ——— 부하자 にこにこ. ——-이 부 にやっと; にこっと.
성긋-벙긋 부하자 "にこにこ"と笑うさま. >상긋방긋. ㅆ썽긋뻥긋.
성기【性器】명 性器; 生殖器.
성기다 형 きめが粗い; 透く; まば(疎)らだ. >상기다. ¶ 눈이 성긴 대바구니 目の粗いたけかご(竹籠) / 가지가 ~ 枝が透いている.
성깃-하다 형 まば(疎)らなようだ; きめが粗いようだ. 성깃-성깃 부하형 ややまばらなさま.
성-깔【性—】명 ① 根性. ¶ ~있는 사나이 根性のある男. ② 鋭く険しい性質; 一癖. ¶ ~이 있다 一癖も二癖もある / ~이 있어 보인다 一癖ありそうだ.
‖——-머리 명《俗》☞ 성깔.
성-나다 자 ① 腹が立つ; 怒る. ② 興奮して荒荒しくなる. ¶ 성나 바위 치기《俚》腹立ちまぎれに岩をけ(蹴)る《愚かなことをして自分だけ損することのたとえ》. ③ か(掻)いたりいじくったりしてはれもの(腫物)が悪化する.
성내【城内】명 城内. =성안.
성-내다 자 ① 腹を立てる; 怒る; 怒る〈雅〉; 憤る. ② 興奮して荒くなる. ¶ 불같이 ~ 火のように怒る.
성냥 명 マッチ(燐寸). ¶ 불이 잘 붙지 않는 ~ 付きの悪いマッチ / ~을 긋다 マッチを擦する.
‖——-갑 명 マッチ箱. ¶ ~ 같은 집 マッチ箱のような家. ——개비 명 軸木; マッチ棒.
성녀【聖女】명〔基〕聖女.
성년【成年】명〔法〕成年.
‖——-식 명 成年式.
성년【盛年】명 若盛り(の人).
성능【性能】명 性能. ¶ ~이 좋은 기계 性能のいい機械.
성단【星團】명〔天〕星団. ¶ 플레이아데스 ~ プレアデス星団.
성단【聖壇】명 聖壇. ① 神をまつ(祀)る壇. ② 神聖な壇.
성단【聖斷】명 聖断. ¶ ~을 삼가 바라다 聖断を仰ぐ.
성담-곡【聖譚曲】명〔樂〕せいたんきょく(聖譚曲); オラトリオ.
성당【聖堂】명 聖堂; カトリック教の教会堂.
성대【盛大】명 盛大. ——-하다 형 盛大だ; 盛んだ. ¶ ~하게 거행하다 盛大に行なう / ~한 축전을 거행하다 盛大な祝典を挙げる / ~하게 전송하다 盛大に見送る / 어젯밤의 모임은 ~했습니다 昨夜の会は盛んでした / ~한 환영을 하다 盛んな歓迎をする. ——-히 부 盛大に.
성대【聖代】명 聖代; 御代(御世). =성세(聖世). ¶ 태평 ~ 太平聖代 / ~에 태어나다 聖代に生をう(享)ける.
성대【聲帶】명〔生〕声帯.
‖—— 모사 명 声帯模写.
성덕【聖德】명 聖徳. ¶ ~ 송가 聖徳頌歌.
성도【成道】명하자 ① 道を修め成就すること. ②〔佛〕成道. ¶ 사신 ~ 捨身成道.
성도【星圖】명 星図. ¶ ~를 의지하여 항해하다 星図を頼りに航海する.
성도【聖徒】명〔基〕聖徒; セント; サンタ.
성도【聖都】명 聖都. =영도(靈都).
성도【聖道】명 ① 聖道; 聖人の道. ②〔佛〕聖道.
성-도착【性倒錯】명 性倒錯; 色情倒錯症.
성량【聲量】명 声量. ¶ ~이 부족하다 声量に乏しい / ~이 풍부하다 声量が豊かである.
성령【聖靈】명〔基〕聖霊. =성신(聖神). ¶ ~을 더럽히다 聖霊を汚す / ~이 내리다 聖霊が降る.
성례【成禮】명하자 結婚の儀式を行なうこと.
성례【聖禮】명 ① 神聖な儀式. ②〔基〕礼典.
성루【城樓】명 城楼; やぐら(櫓).

성루【城壘】명 城塁.
성률【聲律】명 声律. ①〔樂〕声の調子; 音律. ②四声の規律.
성리【性理】명 性理.
‖——-학 명〔哲〕性理学.
성립【成立】명 成立. ——-하다 자 成立する; 成り立つ; 成る; まと(纏)まる. ¶계약이 ~하다 契約が成立する / 다음의 정리가 ~된다 次の定理が成り立つ / 양해를 ~시키다 了解を取り付ける / 교섭은 ~ 안된 채 끝났다 交渉は不調に終わった / 혼담이 ~되다 縁談がまとまる / 교섭을 ~시키다 交渉をまとめる.
‖—— 조건 명 成立条件.
성-마르다【性—】형 度量が狭く性急だ; 気忙しい. ¶성마른 사람 怒りっぽい人 / 성마른 짓을 하면 손해다 短慮を起こしては損だ.
성-만찬【聖晩餐】명〔基〕せいばんさん(聖晩餐); せいさん(聖餐).
성망【星芒】명 せいぼう(星芒); 星のこうぼう(光芒)〔光〕.
성망【聲望】명 声望. ¶~가 声望家 / ~이 높다 声望が高い.
성명【姓名】명 姓名; 氏名; 名. ¶~을 밝히다 姓名を名乗る.
‖——-부지(不知) 명 姓名を知らないこと. —— 철학(哲學) 명 陰陽説に基づいて姓名判断に関して研究する学問. =성명학. —— 판단 명 姓名判断.
성명【性命】명 性命. ①天から授かったそれぞれの性質と運命. ②生命; 命.
성명【聲名】명 評判; 名声.
성명【聲明】명하타 声明. ¶중외에 ~하다 中外に声明する / 탈퇴 ~을 내다 脱退声明を出す.
‖——-서 명 声明書; コミュニケ.
성모【聖母】명 ①国母のこと. ②聖母. ㉠〔基〕マリア. ¶~ 마리아의 자애로운 얼굴 聖母マリアの慈顔. ㉡聖人の母.
성묘【省墓】명하자 墓参; 墓参り; 墓もう(詣)で. =간산(看山). ¶~하러 고향에 내려가다 墓参りにくにへ帰る.
성묘【聖廟】명 せいびょう(聖廟). =문묘(文廟).
성무【星霧】명 星霧. =성운(星雲).
성문【成文】명하자타 成文.
‖——-계약 명 成文契約. ——-법 명 成文法. ——-율 명 成文律. =성문법. ——-화 명 成文化. ¶~를 서두르다 成文化を急ぐ.
성문【城門】명 城門.
성문【聲門】명〔生〕声門.
성문【聲紋】명 声紋.
성문【聲聞】명 ①名声. ②〔佛〕声聞.
성미【性味】명 性格と趣味; 気性. ¶까다로운 ~ 難しい性格 / 급한 ~ 短気 / 대쪽같이 곧은 ~ 竹を割ったような気性 / 번잡한 것을 아주 싫어하는 ~ 七面倒臭いことが大嫌いなたち / ~가 맞지 않다 性が合わない / ~가 맞다 肌が合う / ~가 고약하다 性が悪い.
성미【誠米】명 神仏に捧げる米
성-바지【姓—】명 いろいろの姓. 여러 ~ 色色の姓の人だち / ~ 同じ姓の人だち.
성-밖【城—】명 城外.
성배【聖杯】명 聖杯.
성벽【性癖】명 性癖; 癖.
성벽【城壁】명 城壁. ¶~에 오르다 城壁によじ登る.
성별【性別】명 性別. ¶병아리 ~을 감별하다 ひなの性を鑑別す
성별【聖別】명하자〔基〕聖別; 祝聖.
성병【性病】명〔醫〕性病; 花柳病. ¶~에 걸리다 性病にかかる.
성보【城堡】명 とりで(砦).
성복【成服】명 喪に当たり喪服を着ること. ¶~ 뒤에 약방문〔俚〕後の処方箋; 葬儀帰りの医者話; 死んだ後の祭り.
성부【成否】명 成否. =성불성(成不成). ¶~의 고비에 서다 成否の剣が峰に立つ.
성부【聖父】명〔基〕父なる神; 三位一体のうちの第一位.
성부【聲部】명〔樂〕声部; パート音の高低により占める位置.
성부지 명부지【姓不知名不知】명 姓も知らなければ名も知らぬこと. =성명 부지(姓名不知).
성분【成分】명 成分; エレメント成り立ち. ¶약의 ~ 薬の成分 / 문장의 ~ 文の成分 / 시약을 써서 요오드 ~의 유무를 조사하다 試薬を使ってヨードの有無を調べる.
‖——-비 명〔化〕成分比.
성불【成佛】명하자 成仏. ¶방황하지 말고 ~하기를 迷わず成仏せよ.
성-불성【成不成】명 成不成; (事の)成否. ¶~을 묻지 않다 成否を問わない. ——간(間)-에 부 事の成否に関係なく.
성비【性比】명〔生〕性比.
성사【成事】명하자 成事; 事を成すこと; 事を達成すること.
‖—— 재천(在天) 명 事の成ると成らざるは天運によるということ. ——-후(後) 명 事を成した後.
성사【盛事】명 盛事; 盛大な事柄. ¶대관식의 ~ 戴冠式の盛事.
성사【聖史】명〔天主教〕キリストの四つの福音書, またはこれを書いた四人の史家.
성사【聖事】명 ①聖なる事. ②〔天主教〕サクラメント; 堅振礼; 秘跡.
성산【成算】명 成算; なしとげる見込み. ¶~ 없이 사업을 시작하다 成算なしに事業を始める.
성상【性狀】명 性状.
성상【性相】명〔佛〕性相; 森羅万象の本体と現相.
‖——-학 명 性相学.
성상【星狀】명 星状; 星の形. ¶~체 星状体.
성상【星霜】명 星霜; 年月; 歳月. ¶10개 ~이 흐르다 十年の星霜を経る / 몇 개 ~을 거듭하다

く星霜を重ねる.
상【聖上】명 聖上; 今の王. ~ 폐하 聖上陛下.
상【聖像】명 聖像.
색【聲色】명 声色. ① 歌と女色. ② 音声と顔色.
-생활【性生活】명 性生活.
서【聖書】명 聖書; バイブル. ¶ 구약 ~ 旧約聖書 / ~의 문구 聖書の文句.
―― 공회(公會) 명 聖書協会. ――학 명 聖書学.
석【聖石】명〖基〗聖石; ミサ祭具の一種.
선【性腺】명〖生〗せいせん(性腺). =생식선(生殖腺).
‖―― 자극 호르몬 명〖生〗性腺刺激ホルモン.
성선-설【性善說】명〖哲〗性善説.
성설【性說】명 性説.
성성【聖性】명 神聖な性質.
성성-이【猩猩―】명〖動〗しょうじょう; オランウタン.
성성-하다【星星―】형 ごま塩頭である; 白髪まじりである.
성세【成勢】명하자 勢力を成すこと.
성세【盛世】명 盛世.
성세【城勢】명 城勢; 城の中の状態.
성세【聖世】명 聖世; 聖代.
성세【聖洗】명〖天主教〗☞ 영세(領洗).
성-세포【性細胞】명 性細胞. =생식 세포.
성소【性巢】명〖生〗性巣.
성쇠【盛衰】명 盛衰; はや(流行)ることと廃ること; 消長; 隆替. ¶ 흥망 ~ 興亡盛衰〔隆替〕/ 영고 ~는 세상의 정한 이치 栄枯盛衰は世の習い.
성수【成數】명하타 一定の数を成すこと.
성수【星宿】명 星宿; 星のやどり.
성수【聖水】명〖天主教〗サクラメント用の祝聖した水.
성수-기【盛需期】명 盛需期.
성숙【成熟】명하자 成熟. ¶ 심신이 함께 ~하다 心身ともに成熟する.
‖――란 명〖生〗成熟卵. ――아 명 成熟児.
성-스럽다【聖―】형 かしこ(畏)く恐れ多い; 神聖である.
성시【成市】명하자 ① 市場が立つこと. ② 市場を成すこと.
성시【城市】명 城市; 城下町.
성시【盛市】명 にぎわう市場.
성시【盛時】명 盛時; 盛り時.
성신【星辰】명 せいしん(星辰); 星. =별². ¶ 일월 ~ 日月星辰.
‖―― 숭배 명 星辰崇拝.
성신【誠信】명 誠信.
성신【聖神】명〖基〗聖霊.
‖―― 강림절 명〖基〗ペンテコステ; 聖霊降臨節〔祭〕.
성실【誠實】명하형 誠実; 生まじめ; まじめ(真面目); まめ(忠実); まとも. ¶ ~한 사람 誠実な人 / ~한 태도 まじめな態度 / 융통성이 없이 ~하기만 하다 律儀一点張りだ / ~성이 없다 誠実性を欠く / ~하게 일〔공부〕하다 まめ〔まじめ〕に働く〔勉強する〕/ ~하게 살다 まともに暮らす. ――히 부 誠実に.
성심【聖心】명 ① 神聖な心. ②〖宗〗キリストとマリアの心.
성심【誠心】명 誠心; 丹念; 真心; 誠意. ¶ ~ 성의 誠心誠意 / ~으로 일에 대처하다 至心をもって事に当たる. ――껏 부 誠心〔誠意〕を尽くして; 真心をもって.
성-싶다 보형 用言の語尾 "-ㄴ·-은·-는·-ㄹ·-을" の後に用いて主観的·推理的推測を表わす語; …(の)ようである. ¶ 한 번 본 ~ 一度見たようである / 그것이 좋을 ~ それが良いようだ.
성씨【姓氏】명 姓氏; 名字.
성악【性惡】명하형 性悪(불교에서는 "しょうあく"). ① 人の本性は悪であること. ② 性質が悪いこと.
‖――설 명〖哲〗性悪説.
성악【聖樂】명〖基〗聖楽.
성악【聲樂】명〖樂〗声楽.
‖――가 명 声楽家.
성안【成案】명하타 成案. ¶ 계획의 ~을 공개하다 計画の成案を公開する.
성-안【城―】명 城内.
성안【聖顔】명 聖顔; 竜顔. =천안(天顔).
성애【性愛】명 性愛; エロス.
성야【星夜】명 星夜; 星月夜.
성야【聖夜】명 聖夜; クリスマスイブ.
성약【成約】명하자 成約.
성약【聖藥】명 不思議な効き目のある薬.
성어【成魚】명 成魚.
성어【成語】명하자 成語. ① 語を成すこと. ② 既に作られた語; 成句. ¶ 고사 ~ 故事成語. ③ ☞ 숙어(熟語).
성어-기【盛漁期】명 盛漁期. ¶ ~를 맞다 盛漁期を迎える.
성언【聖言】명 聖言.
성업【成業】명하타 成業.
성업【盛業】명 盛業. ¶ ~ 중인 사업 盛業中の事業.
성업【聖業】명 聖業. ① 神聖な事業. ② 王の業績.
성에² 명 ① 厳寒の冬, 窓ガラスや煙突に水蒸気が白く凍りついたもの; 霜紋. ② ↗성엣장.
‖성엣-장 명 流氷. ㊜ 성에.
성역【聖域】명 聖域. ¶ ~을 더럽히는 일은 허용되지 않는다 聖域をけがすことは許されない / 사건에 관련된 자는 ~ 없이 문책한다 事件に関かる者は聖域なしに責任を問う.
성역【聲域】명〖樂〗声域. ¶ ~이 넓다 声域が広い.
성연【盛宴】명 盛宴. ¶ ~을 베풀다 盛宴を催す.
성염【盛炎】명 酷暑. =한더위.
성-염색체【性染色體】명〖生〗性染色体.
성오【省悟】명하타 省悟.
성왕【聖王】명 聖王. =성군(聖君).

人

¶ ~의 은덕 聖王の恩徳.
성외【城外】명 城外. =성밖.
성욕【性慾】명 性欲; 肉欲. ¶ ~이 일어나다 性欲が起こる.
‖── 묘사 명 性欲描写. =관능 묘사. ── 이상 명〖醫〗性欲異常.
성우【聲優】명 声優. ¶ 방송국의 ~ 放送局の声優.
성운【星雲】명〖天〗星雲. ¶ 오리온 ~ オリオン星雲.
성웅【聖雄】명 偉大な英雄.
성원【成員】명 成員. ¶ ~ 미달이었다 成員不足であった.
성원【聲援】명하타 声援. ¶ 열렬한 ~을 보내다 熱烈な声援を送る.
성월【星月】명 星月; 星と月.
성유【聖油】명〖天主教〗聖油.
성육【成育】명하자 成育.
성은【聖恩】명 聖恩. ¶ ~의 고마움에 감읍했다 聖恩のありがたさに感泣した.
성음【聲音】명 声音. =목소리. ¶ ~학 声音学 / ~ 문자 声音文字.
성읍【城邑】명 ☞ 고을.
성의【聖意】명 聖意.
성의【誠意】명 誠意; 誠; 真心; 心尽くし. ¶ 성심 ~ 誠心誠意 / ~를 다한 선물 心尽くしの贈り物 / 자그마한 ~ ささやかな心尽くし / ~가 없는 사람 実のない人 / ~를 의심하다 誠意を疑う / ~가 없다 誠意を欠く. ──-껏 부 誠意を尽くして; 誠をもって; 誠意の限り.
성인【成人】명 成人; おとな. =어른. ¶ ~이 되다 大人になる; 成人する.
‖── 교육 명 成人教育. ──-병 명〖醫〗成人病.
성인【成仁】명하자 仁を成すこと; 徳を備えること.
성인【成因】명 成因. ¶ 신기루의 ~ しんきろう(蜃気楼)の成因.
성인【聖人】명 ①聖人; 聖; セント; サンタ. ¶ ~ 군자 聖人君子 / ~품(品)〖天主教〗聖列 / ~도 시속을 따른다《俚》聖人も時の世に従う. ②〖佛〗聖人.
성일【聖日】명〖基〗聖日; 主の日《日曜日のこと》.
성-자【姓字】명 姓を表わす文字.
성자【聖子】명〖基〗御子. ¶ ~ 예수 그리스도 神の御子イエスキリスト.
‖── 신손(神孫) 명 聖君の子孫.
성자【聖者】명 ①聖者. ②〖佛〗聖者; 聖人.
성장【成長】명 成長〔生長〕; 生い育ち; 育ち. ──-하다 자 成長する; 生い立つ; 生い育つ; 育つ; 長ずる. ¶ 경제 ~ 経済の伸び / ~함에 이르러 長ずるに及んで / ~이 늦다 育ちが悪い / 어린이의 ~을 지켜보다 子供の生長を見守る.
‖──-기 명 成長期. =발육기(發育期). ──-소 명 成長素. ①〖植〗オーキシン; 植物成長ホルモン. ② ☞ 성장 호르몬. ──-점 명〖生〗生長点. ──-주 명 成長株. ── 호르몬 명〖動〗生長ホルモン.
성장【盛粧】명하자 盛粧; 厚化粧.
성장【盛裝】명 盛装. ──-하다 盛装する; 華やかに着飾る. ¶ ~ 여자들 盛装した女たち / ~한 여 晴れ着の女性 / ~하고 외출하 着飾って外出する.
성적【成績】명 成績; 出来映え; 功科; 出来. ¶ ~이 나쁜 학생 成績の〔できの悪い〕生徒 / 한심스 ~ 情けない成績 / 훌륭한 ~ 立派な成績 / 판매 ~은 썩 좋다 販売成績は上上だ / ~을 올리다 成績をあげる / ~이 나쁘다 成績が悪い; ほしが悪い.
‖──-표 명 成績表; 功科表; 知表. ¶ 제1학기 ~ 第一学期の通知表.
성적【性的】명관 性的; セクシュアル. ¶ ~ 충동 性的衝動 / ~으로 른〔헤픈〕 여자 性的にルーズな女 ~ 매력 セックスアピール; 色気 イット〈俗〉/ ~ 매력이 있다 性的〔セケシュアルな〕魅力がある; あだっぽい; セックスアピールする; 色気がある.
성전【成典】명 成典. ①定められた法則. ②定められた儀式. ③成文化した法典.
성전【性典】명 性典.
성전【盛典】명 盛典; 盛儀. ¶ 헌법 제정 기념의 ~이 거행됐다 憲法制定記念の盛典が行なわれた.
성전【聖典】명 聖典. =성경(聖經).
성전【聖殿】명 聖殿. ①神聖な殿堂. ②〖佛〗礼拝堂;〖基〗礼拝堂; 聖堂.
성전【聖戰】명 聖戦. ¶ ~을 수행하다 聖戦を遂行する.
성-전환【性轉換】명 性転換. ¶ ~ 수술 性転換手術.
성정【性情】명 性情. =성품(性稟). ¶ ~을 고치다 性情を矯める.
성제【聖帝】명 ①聖帝; 聖君. ② ☞ 성제님.
‖──-님 명 みこ(巫女)が崇める関羽の霊. ── 명왕(明王) 명 徳が高く知恵のすぐれた君主.
성조【聲調】명 声調; ふしまわし.
성조-기【星條旗】명 星条旗.
성좌【星座】명〖天〗星座; 星宿; 座. =별자리.
‖──-도 명 星座図.
성주 명 家の守護神. ──-받다 자 "성주받이"を行なう.
‖──-굿 명 ☞ 성주받이. ── 받이 명하자 新築または引っ越してから守り神を迎え入れるみこ(巫女)の儀式. =성주굿. ──-풀이 명하자 みこ(巫女)が"성주받이"をするときの歌. また, その儀式.
성주【城主】명 城主.
성-주간【聖週間】명 聖週間《キリスト教で復活祭の前の一週間》. =성칠일.
성-주기【性週期】명 性周期; 発情周期.
성-즉리【性卽理】명〖哲〗性即理; 朱子学の根本命題.
성지【聖地】명 聖地. ¶ ~ 팔레스티나 聖地パレスチナ.

— 순례 명 聖地巡礼.
지【聖旨】명 聖旨；王の思召し. =성충(聖衷).
직【誠直】명하형 誠直.
직【聖職】명 聖職.
——-자 명 聖職者.
질【性質】명 性質. ①心のもと；こち；性格. ¶온유한 ~ 柔和なたち / 타고난 ~ 持って生まれた性格 / 변덕스러운 ~ むらのある性格 / ~이 비뚤어진 사람 ねじ(拗)けた〔素直でない, ひねくれた〕人 / ~이 급하다〔거칠다〕気が短い〔荒い〕. ②物事の本質.
징【性徵】명 性徴.
찬【盛饌】명 素晴らしいごちそう.
찬【聖餐】명 ①〔基〕せいさん(聖餐). ②〔佛〕佛前に供える食べ物.
찰【省察】명하타 省察.
성채【城砦】명 じょうさい(城砦)；とりで(砦). ¶산정에 ~를 쌓다 山の上にとりでを築く.
성책【城柵】명 じょうさく(城柵).
성체【成體】명〔生〕成体；おや.
성체【聖體】명 聖体；キリストの体.
‖— 강복 명〔天主教〕聖体降福. — 거동(擧動) 명〔天主教〕聖体行列. — 배수(拜受) 명〔天主教〕聖体拝領. =성찬(聖餐). — 성사(聖事) 명 聖体の秘跡《カトリックの七つのサクラメントの一つ》.
성총【聖寵】명 聖寵. ①王の恩寵. ②〔基〕神のめぐみ；ガラサ.
성충【成蟲】명〔蟲〕成虫.
성충【誠忠】명 誠忠；忠誠.
성취【成娶】명하자 妻をめと(娶)ること. =성가(成家).
성취【成就】명하타 成就. ¶염원 ~ 念願の成就 / 큰 소원이 ~되었다 大願が成就した.
성층【成層】명하타 成層.
‖——-권 명 成層圏. ——-암 명〔鑛〕成層岩. =수성암(水成岩). — 화산 명〔地〕成層火山.
성큼 부 足を軽くて高く上げて歩くさま. >상큼. ——— 부 おおまた(大股)に歩くさま；のっしのっし. ¶~ 걷다 大股に歩く.
성큼-하다 형 (上体に比べて)不釣り合いに足が長い. >상큼하다.
성탄【聖誕】명 ①聖誕. ②〔基〕↗성탄절.
‖——-목(木) 명 クリスマスツリー. ——-일 명 ①聖人の誕生日. ②クリスマス. ——-절 명 聖誕祭；クリスマス.
성-터【城—】명 じょうし(城址).
성토【聲討】명하타 人が集まって過ちを討論し糾弾すること.
성패【成敗】명 成敗. ¶~ 여하에 불구하고 成敗いかんにかかわらず / ~는 시운(時運)에 달려 있다 成敗は時の運にかかっている. ——-간(間) 부 成敗いかんにかかわらず. ¶~에 해보자 のるか反るか〔一か八か〕やってみよう.
성-풀이 명하자 怒りを晴らすこと.
성품【性品】명 性格と品格；気性；性分. ¶타고난 ~ 生まれつきの性分 / ~이 우락부락하다 気性が荒荒しい.
성하【城下】명 城下.
성하【盛夏】명 盛夏；真夏. =한여름. ¶~의 계절 盛夏の季節.
성-하다 형 ①元のままである；損われて〔痛んで〕いない. ¶성한 접시 きず(疵)のない皿 / 성한 옷 痛んでいない服. ②健やか〔元気〕である；丈夫である. ¶성한 사람 元気〔達者〕な人. 성-히 부 健やかに；元気に. ¶몸 ~ 지내다 元気に〔まめに〕暮らす；元気でいる.
성-하다【盛—】형 ①勢いや元気が盛んだ. ¶야구가 ~ 野球が盛んである / 이 나라는 불교가 ~ この国には仏教が盛んである. ②(草木が)生い茂っている. 성-히 부 盛んに.
성함【姓銜】명 "성명(=姓名)"の敬称：お名前.
성합【聖盒】명〔天主教〕聖体器.
성행【性行】명 性行. ¶~을 조사하다 性行を調べる.
성행【盛行】명하자 盛行. ¶내셔널리즘의 ~ ナショーナリズムの盛行.
성향【性向】명 性向；気質；たち. ¶그의 ~은 명랑한 편이다 彼のたちは明るい方だ.
성현【聖賢】명 聖賢. ¶~의 가르침 聖賢の教え.
성혈【聖血】명〔基〕聖血；キリストの血になぞらえるぶどう酒.
성형【成形】명하타 成形〔成型〕.
‖— 수술 명 成形手術. ——-품 명 成型品.
성형【星形】명 星形.
‖— 도법 명 星形図法.
성호【聖號】명〔天主教〕信仰のあかしとして, 祈りの際に手で胸もとに描く十文字. ¶~를 긋다 十字を切る.
성-호르몬【性—】〔hormone〕명〔生〕性ホルモン.
성혼【成婚】명 成婚.
성홍-열【猩紅熱】명〔醫〕しょうこうねつ(猩紅熱).
성화【成火】명하자 ひどくもだ(悶)えること；ひじょうに気をも(揉)むこと. ¶~가 나다 ひどく気をもむ.
성화【星火】명 ①〔天〕いんせい(隕星). ②隕星〔流星〕の光. ③きわめて急な〔差し迫った〕こと. ④火の粉；火花.
성화【聖火】명 聖火. ¶~ 릴레이 聖火リレー；トーチリレー.
‖——-대 명 聖火台. — 주자 명 聖火をリレー式に聖火台まで運ぶ走者.
성화【聖化】명하자 聖化.
성화-같다【星火—】형 非常に急である. ¶성화 같은 재촉 矢の催促. 성화-같이 부 きわめて急に〔急いで〕；矢のように.
성화【聖畫】명 聖画；宗教画.
성황【盛況】명 盛況. ¶~을 이루다 盛況を呈する / 대단한 ~이다 大変なにぎ(賑)わいである.

ㅅ

‖——-리(裡) 명 盛況裏. ¶ ~에 끝났다 盛況裏に終わった.

성회【成會】 명하자 会議の成立.

섶¹ 명 添え木; ささえ; 手. ¶ 나팔꽃에 ~을 대어주다 あさがおに手を与える.

섶² 명 チョゴリのおくみ(衽). ¶ ~을 대다 おくみ(衽)を縫いつける.

섶³ 명 ↗섶나무. ¶ ~을 지고 불로 들어가려 한다《俚》みの(蓑)を着て火事場へ入る; 飛んで火に入る夏の虫.

섶⁴ 명 ①(蚕の)まぶし(簇). ②魚が集まりやすいように川に仕掛けた木の枝など.

섶-나무 명 しば(柴)·枯れ草などの通称. 준 섶.

세【貰】 명 ①借り賃; 貸し賃; 貸し料; 借料. ¶ ~를 물다 借料を払う. ②賃貸し; 賃借り. ¶ ~낸 자동차 賃借りの自動車.

세【稅】 명 税. ①〔史〕私田の収穫物を一定の比率で国家に納めた年貢. ②↗조세(租稅).

세【勢】 명 ↗세력.

세【歲】 의명 歳《漢字の数詞の下に付いて年齢を表わす語》. ¶ 방년 십팔 ~ 芳年十八歳.

세 관 三(の意). ¶ ~ 사람 三人 / ~ 가지 나쁜 버릇 三つの悪い癖 / ~ 살 적 버릇 여든까지 간다《俚》三つ子の魂百まで; 雀百まで踊り忘れず.

-세【世】 미 世·せ. ①世間; 世の中の意. ¶ 인간~ 浮き世. ②〔地〕紀を細分する地質時代の単位. ¶ 홍적~ 洪積世. ③父子相伝または同系·同名の王号の前後関係を表わす語. ¶ 나폴레옹 3~ ナポレオン三世.

-세 어미 (一緒に)…しよう. ¶ 집으로 가~ (一緒に)家に帰ろう / 밥을 먹~ 飯を食べよう / 차를 타~ 車に乗ろう.

세가【貰家】 명 貸家; 借り家. =셋집.

세가【勢家】 명 ①勢家; 権勢のある家柄. ¶ 권문 ~ 権門勢家. ②↗세력가.

‖—— 자제(子弟) 명 勢家の子弟.

세간 명 所帯道具; 調度. ¶ ~이 많다 所帯道具〔調度〕が多い. ——-나다 자 分家する; 一緒に暮らしていた人が別に所帯を構える. ——-내다 타 分家させる; 所帯を構えさせる.

‖——-차지 명 人の家の所帯道具を管理する人. —— 치장(治粧) 명하자 ①所帯道具に磨きを掛けること. ②所帯道具に凝ること.

세간【世間】 명 世間; 世の中. =세상. ¶ ~의 비난을 받다 世の非難を浴びる.

‖——-인(人) 명 世の中の人.

세계【世系】 명 世系.

세계【世界】 명 世界. ¶ ~ 지도 世界地図 / ~ 신기록 世界新記録 / 문학〔동물〕의 ~ 文学〔動物〕の世界 / 젊은이의 ~ 若者の世界.

‖——-관 명〔哲〕世界観. —— 국 世界国家. —— 대전 명 世界大戦. —— 문학 명 世界文学. ¶ ~ 전집 界文学全集. —— 보건 기구(機 명 世界保健機関; WHO. ——-사 명 世界史. ¶ ~적인 사건 界史的な事件. ——-어 명 世界 ; 国際語. ——-인 명 世界人. —— 인권 선언 명 世界人権宣言. ——-적 명관 世界的. ¶ ~인 음악 世界的な音楽家. —— 정책 명 界政策. —— 종교 명 世界宗教.

세곡【稅穀】 명 租税として納め 穀物.

세공【細工】 명 細工. ¶ ~품 細工品 / 죽~ 竹細工 / 상감 ~ 象眼細工.

세공【細孔】 명 小さな孔.

세관【細管】 명 細管; 細い管. ¶ 모~ 毛細管.

세관【稅關】 명 税関. ¶ ~원 税関員 / ~이 까다롭다 税関がやかましい.

‖—— 면장 명〔法〕税関免状. —— 보세 구역 명 税関保税区域.

세광【洗鑛】 명하타〔鑛〕洗鉱. ¶ ~장 洗鉱場.

세궁【細窮】 명하형 非常に貧しいこと. ‖——-민(民) 명 貧民.

세궁 역진【勢窮力盡】 명하자 勢いきわまって力尽きること.

세권【稅權】 명 税権.

세균【細菌】 명 細菌; 菌; ばいきん. =박테리아. ¶ ~을 배양하다 細菌を培養する〔植える〕/ 광합성 ~ 光合成細菌.

‖—— 병기 명 細菌兵器. ——-전 명 細菌戦; 細菌戦争. ——-학 명 細菌学.

세근【細根】 명 細根; 細い根.

세금【稅金】 명 税金. ¶ ~을 되돌려주다 税金を払い戻す / ~이 붙다 税金がかかる / ~을 물다 税金を納める〔払う〕.

세기【世紀】 명 世紀. ¶ ~의 대결 世紀の対決 / 몇 ~에 걸쳐서 幾世紀にわたって.

‖——-말 명 世紀末. ¶ ~적 사건 世紀末的事件. ——-적 명관 世紀的.

세-끼 명 三度の食事. ¶ ~의 식사 三食 / ~분의 식사를 가지고 갈 것 三食携行の事.

세-나다 자 物が飛ぶようによく売れる; たいへん人気がある.

세-나절 명 簡単に済ます事をわざと長引かせる手間をあざけ(嘲)る言葉. ¶ ~이나 걸리다 一日中かかる; ぐずついてひどく手間どる.

세납【稅納】 명하자 納税.

세-내다【貰—】 타 賃借りする; 雇う. ¶ 배를 ~ 船を雇う.

세농【細農】 명 ①小規模農業. ②↗세농가.

‖——-가(家) 명 零細農. 준 세농.

세-놓다【貰—】 타 賃貸しする. ¶ 방을 ~ 部屋を賃貸しする; 間貸しをする.

세뇌【洗腦】 명하타 洗脳. ¶ ~ 공작 洗脳工作.

다¹ 자 ① 髪が白くなる. ¶ 머리가 ~ 髪が白くなる; 白髪になる. ② (顔の)血の気を失なう; 青白くなる.

다² 타 数える; 数を取る. ¶ 멋진 솜씨로 지폐를 ~ あざやかなてさば(手捌)きで紙幣〔札〕を数える / 죽은 자식 나이 세기《俚》 死んだ子の年を数える.

다³ 형 ① (力·勢いが)強い. ¶ 힘이 ~ 力が強い / 씨름에 ~ すもうが強い / 바람이 ~ 風が強い / 화력이 ~ 火力が強い / 불길이 세어지다 火の手が強くなる / 물살이 센 내를 건너다 流れの速い川を渡る / 세게 맞다 強かに〔激しく〕打たれる. ② (酒に)強い. ¶ 술이 ~ 酒に〔が〕強い; 大酒飲みだ. ③ (心が)強い; 頑強だ. ¶ 고집이 ~ 強情だ / 억지가 ~ 押しが強い / 배짱이 ~ 心臓が強い; 度胸がある. ④ (のり付けが)こわ(強)い. ¶ 셔츠의 풀이 ~ シャツののりが強い. ⑤ 悪い星の下に生まれている; 不運だ; 縁起が悪い; 不吉だ. ¶ 집터가 ~ 家相が悪い.

세대【世代】 명 世代. ① 親·子·孫と続くおのおのの代. ② 約30年を一くぎりとした年齢層. ¶ 한 ~ 뒤진 사람들 一世代おくれた人たち. ③ 世(の中). ¶ ~가 달라지다 世が変わる. ④ 同じ時代に生まれた人人; ある年齢層; ゼネレーション. ¶ 젊은 ~ ヤングゼネレーション.

‖— 교번 명〔生〕世代交代; 世代交番. — 교체 명하자타 世代交代. ① 世代交番. ② 若い人が年寄りに代わって事を受け持つこと.

세대【世帯】 명 所帯; 世帯. =가구(家口). ¶ 몇 ~나 같이 살고 있다 何所帯も同居している.

‖—-주 명 所帯〔世帯〕主. =가구주(家口主).

세대-박이 명 三本マストの大船.

세도【世道】 명 ① 世の中を治める道理. ② 世間の道義.

‖— 인심 명 世のなかの人情.

세도【勢道】 명 政治上の権力を握ること. また, その権力; 権勢. —-부리다 자 権力を振るう; 権力を振り回す.

‖—-가(家) 명 政治上の権力を握った人. また, その家. — 재상(宰相) 명 政権を握って政治を左右する宰相. — 정치(政治) 명〔史〕朝鮮朝の正祖以後, 一部勢力家によって左右された政治.

세레나데〔도 Serenade〕명 セレナーデ; 小夜曲.

세력【勢力】 명 勢力; 勢い. =세(勢). ¶ ~ 다툼 勢力争い / ~ 범위 勢力範囲; 縄張り / ~을 만회하다 勢力を盛り返えす / ~을 뻗치다〔펴다〕勢力を張る / ~을 떨치다 勢いを振るう.

‖—-가 명 勢力家. =세가(勢家). —-권 명 勢力圏; 縄張り. ¶ 남의 ~을 침범하다 人の領分を侵す.

세련【洗鍊】 명하타 洗練〔洗錬〕; リファイン. ¶ ~된 몸가짐〔취미〕洗練された身持ち〔趣味〕/ ~된 작품 あかぬ(垢抜)けした作品 / ~되지 않은 옷차림 やぼったい服装.

세례【洗禮】 명 洗礼. ①〔基〕キリスト教で信者になるための儀式. ¶ ~명 洗礼名 / ~를 받다 洗礼を受ける / ~를 주다 洗礼を施す. ② 浴びせられる攻撃·非難など. ¶ 찬물〔주먹〕~를 받다 冷や水〔げんこつ〕の洗礼を浴びる / 원폭 ~를 받다 原爆の洗礼を受ける.

‖—-자 명〔基〕洗礼者. ¶ ~ 요한 洗礼者ヨハネ.

세로 명부 縦(に). ¶ ~ 9센티 縦九センチ / ~ 쓰다 縦に書く / ~ 줄지어 서다 縦に並ぶ.

‖— 글씨 명 縦書きに書く字. —-금 명 縦に引いた線; 縦の筋; 縦線. —-띠 명 縦に長く帯びた帯. =종대(縱帶). —-무늬 명 長い縦の紋様. —-쓰기 명 縦書き. —-줄 명 縦の線; 垂線.

세록【世祿】 명 世禄; 世襲の家禄. ‖—-지-신(之臣) 명 世禄の臣; 譜代の臣.

세론【世論】 명 世論; よろん(輿論). ¶ ~에 귀를 기울이다 世論に耳を傾ける.

세륨〔cerium〕명〔化〕セリウム《記号: Ce》.

세마【貰馬】 명 貸し馬.

세-마치 명 ① かじ屋で鉄を鍛えるとき三人が代わる代わる振り回すハンマー. ②〔樂〕速い三拍子の民俗音楽の調子の一つ.

‖— 장단(長短) 명 "세마치"に合わせて打つ調子.

세말【細末】 명 細かい粉.

세말【歲末】 명 歳末; 年末; 歳暮. =세밑. ¶ 어수선한 ~ 풍경이었다 あわただしい歳末風景であった / ~에 팔리다 歳末になって(はじめて)売れる《誰からも嫌われることのたとえ》.

세망【勢望】 명 勢力と人望.

세맥【細脈】 명 細脈. ① 細い脈. ②〔植〕細かい葉脈.

세면【洗面】 명 洗面. =세수. —-하다 자 顔を洗う; 洗面する. ¶ ~실 洗面室.

‖—-구 명 洗面具. —-기 명 洗面器. —-대(臺) 명 洗面台. — 도구 명 洗面道具.

세-모 명 三角; 三角形のおのおのの角. —-지다 형 三角になっている.

‖— 기둥 명 三角柱. —-꼴 명 三角形. =삼각형. —-끌 명 三角のみ. —-뿔 명 三角すい(錐). — 송곳 명 三つ目ぎり(錐). —-줄 명 三角のやすり(鑢).

세모【細毛】 명 ① 細い毛. ②〔植〕まふのり. =참가사리.

세모【歲暮】 명 歳暮; 年末; 年の瀬〔暮れ〕. =세밑. ¶ ~를 넘기다

年末〔年の瀬〕を越す.
세-모시【細―】명 織り目が細かくて薄いからむし(苧).
세목【細木】명 織り目の細かい木綿.
세목【細目】명 細目. ¶ ~으로 나누다 細目に分ける.
세무【税務】명 税務. ¶ ~ 관리 税務官吏.
‖――사 명 税理士. ―― 사찰 명 税務査察. ――서 명 税務署. ――행정 명 税務行政; 税政《준말》.
세문【勢門】명 勢門; 権勢のある家柄. =세가(勢家).
세-문안【歳問安】명하자 新年に御機嫌をうかがうこと. また, そのあいさつ(挨拶).
세물【貰物】명 賃貸しする物.
‖――전(廛) 명 婚礼または葬式用品を賃貸しする店.
세미【細微】명하형 細微.
세미【税米】명 年貢米.
세미【歳米】명〔史〕年の初めに国から老人に与えた米.
세미-〔semi-〕두 セミ.
‖―― 다큐멘터리 명 セミドキュメンタリ. ―― 콜론 명 セミコロン. ――파이널 명 セミファイナル. ――프로 명 セミプロ. ―― 프로페셔널 명 セミプロフェッショナル; セミプロ《준말》.
세미나〔seminar〕명 セミナー; ゼミナール. ¶ 경영 ~ 経営セミナー.
세민【細民】명 貧民. =세궁민.
‖――층(層) 명 貧民の属する社会層. =빈민층.
세밀【細密】명하형히부 細密; ちみつ(緻密); 精密; 綿密. ¶ ~한 주의 細密な注意 / ~한 지도 詳しい地図 / ~히 조사하다 精細に調べる.
세-밑【歳―】명 年の暮れ; 歳末; 年末. =세모(歳暮).
세발【洗髮】명하자 洗髪; 髪洗い. ¶ ~료 洗髪料.
세발 자전거【―自轉車】명 (子供用の)三輪車.
세배【歳拜】명하자 新年のあいさつ(挨拶); 年始回り. ¶ ~하러 다니다 年始回りをする.
‖――꾼 명 年始回りの人. ――상(床) 명 年始回りの客をもてなすしょくぜん(食膳). 세뱃-값, 세뱃-돈 명 お年玉.
세법【税法】명 税法. =조세법. ¶ ~을 개정하다 税法を改正する.
세보【世譜】명 世譜; 系譜.
세부【細部】명 細部. ¶ ~에 걸쳐서 설명했다 細部にわたって説明した.
세-부득이【勢不得已】명부하형 ↗ 사세(事勢) 부득이. ¶ ~하여 퇴각했다 やむを得ず〔やむなく〕退却した.
세분【細分】명하타 細分. ¶ 표본을 강목별로 ~하다 標本を綱目別に細分する.
세븐〔seven〕명 セブン. ¶ 럭키 ~ ラッキーセブン.
세비【歳費】명 歳費. ¶ ~ 인상을 가결하다 歳費の引上げを可決する.
세사【世事】명 世事.
‖―― 난측(難測) 명 世の中の事は変化が多くてあらかじめ推し量れないとのこと.
세사【細事】명 細事; ささい(些細)な〔細細しい〕事柄.
세사【細査】명하타 精査.
세살 부채【細―】명 骨の細い扇.
세살-창【細―窓】명 格子の密な窓.
세상【世上】명 ① 世. ㉠ 世間; 世の中; 社会. ¶ ~의 소문 世間のさた(沙汰); 世のうわさ(噂) / 어수선〔시끄러운〕 ~ 物騒がしい〔物騒な〕世の中 / 각박한 ~ きびしい世の中 / 황금 만능의 ~ 黄金万能の世の中 / ~을 떠들썩하게 하다 世間を騒がす / ~을 살아 가다 世を渡る / 이 ~을 떠나다 この世を辞する / ~에 알려지다〔알려지지 않다〕世に知られる〔知られない〕/ ~을 꺼리다 世〔世間〕をはばか(憚)る / ~을 놀라게 하다 世を驚かす; 世間をあっと言わせる / ~과 인연을 끊다 世間と縁を断つ / ~에 얼굴을 들 수가 없다 世間に顔向けできない. ㉡ 一生; 生涯. ¶ 이렇게 한 ~을 보내다 この様に一生〔生涯〕を送る. ㉢ 世情; 物情; 世間. ¶ 차가운 ~ 冷たい世の中 / ~을 모르다 世〔世間〕を知らない. ㉣ 時代; 時世; 世(の中). ¶ 실력의 ~ 実力の世 / ~에 뒤지다 世に遅れる / 벌써 ~은 변했다 もう世の中は変わった. ㉤ 思いのままに振る舞える(独り)舞台; 天下. ¶ 이제부턴 우리 ~이다 これからはおれたちの天下だ. ② (刑務所など)制約された社会で言う外の世界; 外部社会. ―― 없어도 부 何事があっても必ず; 何が何でも. ¶ ~ 가겠다 何事があっても必ず行く. ――없이 부 世にまたと無い程; いくら. ¶ ~ 좋은 사람 世にまたとない程いい人. ――에, ―― 천지(天地)에 부 そんな事があり得るかと驚き呆れる意味で用いる語: 何とまあ; 全く; 本当に.
‖――맛 명 世の中の苦さと甘さ; 生きて行く面白味. ―― 물정(物情) 명 世情; 物情; 世故. ¶ ~에 밝다 世情に通じている; 世故にたける / ~에 어둡다 世情に暗い〔疎い〕. ――사(事) 명 世事; 世務. ――살이 명하자 世渡り; 処世; 世過ぎ.
세상【世相】명 世相. =세태(世態).
세석【細石】명 さざれ石; くり(栗)石.
세선【細線】명 細い線.
세설【世說】명 世間のうわさ. =세평(世評).
세설【細雪】명 ささめ(細)雪; 粉雪「こゆき・こなゆき.
세설【細說】명하타 細説; 詳説.
세세【世世】명 世世; 代代.
‖―― 상전(相傳) 명하타 代代相伝わること.
세세【歳歳】부 歳歳; 年年.
‖―― 연년(年年) 명 年年歳歳; 毎年.
세세-하다【細細―】형 細細しい. ① きわめて詳しい. ¶ 세세한 점에 이르

까지 細かい点に至るまで / 세세한 것은 약하다 細細しい〔詳しい〕ことは略する. ② 細かくてつまらない.

세세-히 副 細細しく; 細細と. ¶ ~ 주의를 주다 細細と注意を与える.

세소【細小】명하형 細小. =세미(細微).

세속【世俗】명 世俗. ¶ ~에 영합하다 世俗にこ(媚)びる / ~에 따르다 流俗に従う / ~에 때묻다 こうじん(黄塵)にまみれる.

——-적 명관 世俗的; 世間的. ¶ 너무나 ~인 사람 あまりにも世間的な人 / ~인 사고 방식 世俗的な考え方.

세손【世孫】명 ↗왕세손(王世孫).

세수【洗手】명 洗面. ——-하다 자 洗面する; 顔を洗う. ¶ 세숫대야 洗面器 / ~ 수건 タオル; てぬぐ(手拭)い / 세숫물을 떠 오너라 手水を持って来い.

‖——-간(間) 명 洗面所. 세숫-비누 명 化粧せっけん(石鹼).

세수【歲首】명 がんたん(元旦); 年始; 年頭. =설·세초(歲初).

세슘〔cesium〕명 〘化〙 セシウム《記号; Cs》.

세습【世習】명 世の風習.

세습【世襲】명하타 世襲. ¶ ~적 世襲的.

‖—— 군주국 명 世襲君主国. —— 재산 명 世襲財産.

세시【歲時】명 ① 歲時. ② がんたん(元旦); 年始.

‖——-기 명 歲時記; 年中行事を記した本.

세심【細心】명하형 細心. ¶ ~한 사람 細心な人. ——-히 부 細心に; 注意深く.

세안【洗眼】명하자 洗眼. ¶ ~약을 다 썼다 洗眼薬を使い尽くした.

세안【細案】명 詳細案.

세-안 【歲—】 명 年が明ける以前. =세전(歲前).

세액【稅額】명 稅額.

세어 보다 타 数えて見る. 준 세보다.

세업【世業】명 世業; 祖業. =가업(家業). ¶ ~을 잇다〔계승하다〕 祖業を継ぐ.

세열【細裂】명하자타 細裂; 細かく裂けること; 裂くこと.

세우【細雨】명 細雨; ぬかあめ(糠雨); 小雨. =가랑비.

세우다 타 ① 立てる. ㉠ まっすぐに起こす. ¶ 무릎을 ~ ひざを立てる / 기둥을 ~ 柱を立てる. ㉡ (刃を)鋭くする. ¶ 칼날을 ~ 刀の刃を立てる. ㉢ (心を)起こす. ¶ 뜻을 ~ 志を立てる. ㉣ (建物などを)建てる. ¶ 집을〔학교를〕 ~ 家〔学校〕を建てる. ㉤ 目だたせる; 成し遂げる. ¶ 공을 ~ 手柄〔功〕を立てる. ㉥ (ある地位などに)つかせる. ¶ 후보자를 ~ 候補者を立てる / 보증인을 ~ 保証人を立てる. ㉦ つくりだす; 定める; 決める. ¶ 대책〔예정〕을 ~ 対策〔予定〕を立てる / 법〔계획〕을 ~ 法〔計画〕を立てる / 원칙을 ~ 原則を立てる / 새 학설을 ~ 新学説を立てる. ㉧ 成り立たせる. ¶ 생계를 ~ 生計〔暮らし〕を立てる. ㉨ 損なわれないように保つ. ¶ 면목을 ~ 面目〔顔〕を立てる. ㉩ 樹立する; 作る. ¶ 나라를 ~ 国家を立てる / 전통을 ~ 伝統を打ち立てる. ② 止める. ¶ 차를 ~ 車を止める. ③ 我を立て通す; 我を張ってまげない. ¶ 고집을 ~ 強情を張る.

세원【稅源】명 稅源. ¶ ~을 찾아내다 稅源を捜し出す.

세월【歲月】명 歲月; 年月; 月日; 光陰. =성상(星霜). ¶ ~의 흐름 年月の流れ / 긴 ~을 함께 지낸 부부 長年連れそった夫婦 / ~은 사람을 기다리지 않는다 歲月は人を待たず / 오랜 ~이 지나다 長い年月を経た / ~이 가다 年月がたつ / 빈둥빈둥 ~을 보내다 便便と日を送る / ~ 가는 줄 모른다 時がたつのを忘れる / ~은 화살과 같다 光陰矢の如し.

——-없다 형 ① (商いが)うまくいかない; (人気などが)さっぱり奮わない. ② (仕事などが)のろのろとしていつ成るやら見当がつかない.

세율【稅率】명 稅率. ¶ 사치품에는 ~이 높다 ぜいたくひん(贅沢品)の稅率は高い.

세의【世誼】명 (祖先)代代の情宜.

세-이레 명〘民〙 出産後の三七日.

세이프〔safe〕명 セーフ. ¶ 심판이 ~를 선언하다 審判がセーフを宣言する.

세이프티〔safety〕명 セーフティ; 安全.

‖——-번트 명〘野〙 セーフティーバント. —— 존 명 セーフティーゾーン. —— 퍼스트 명 セーフティーファースト; 安全第一.

세인【世人】명 世人. ¶ ~의 이목을 꺼리다 世人の目を忍ぶ / ~의 주목을 받다 世人の注目をあびる / ~의 주의를 끌다 世人の注意を呼ぶ.

세일〔sale〕명 セール; 販売. ¶ 바겐 ~ バーゲンセール.

세일러〔sailor〕명 セーラー.

‖——-복 명 セーラー服; セーラ《준말》. ¶ ~의 소녀 セーラー服の少女.

세일즈-맨〔salesman〕명 セールスマン.

세입【稅入】명 稅収入.

세입【歲入】명〘經〙 歲入. ¶ ~의 증가를 도모하다 歲入の増加をはかる.

세자【世子】명 [↗왕세자] 世子.

‖——-궁(宮) 명〘史〙 東宮.

세자【細字】명 細字. ¶ ~용 모필 細字用毛筆.

세재【世才】명 世才; 俗才.

세전【世傳】명하타 世伝.

‖——지-보(之寶) 명 世伝の宝物.

세전【貰錢】명 ☞ 셋돈.

세전【歲前】명 歲暮; 歲末; 年の暮れ. =세(歲)안.

ㅅ

세정【世情】명 世情. ¶～에 밝은 사람 世慣れた人 / ～에 밝다 世情に通じている.
세정【洗淨】명하타 洗浄.
‖——-제(劑) 명 洗浄剤; 洗剤.
세정【稅政】명 税政.
세제【洗劑】명 洗剤. ¶중성 ～ 中性洗剤.
세제【稅制】명 税制. ¶～ 개혁을 꾀하다 税制改革を図る.
세-제곱 명 ① 三乗. ② 立方.
‖——-근(根) 명〖數〗立方根; 三乗根. ——-비(比) 명〖數〗立方比. ＝상승비(三乘比).
세족【世族】명 世族; 代代続いて来た一族.
세족【洗足】명하자 足を洗うこと.
세족【勢族】명 権勢のある家門.
세존【世尊】명 [↗석가 세존] 世尊.
세-주다【貰—】타 賃貸しする. ¶방을 ～ 間貸しをする.
세지【世智】명 世知. ¶～에 능하다 世知にたける.
세진【世塵】명 世塵; 世の中の俗事. ¶～을 피하다 世塵を避ける.
세진【細塵】명 細塵; 微塵.
세차【洗車】명하타 洗車. ¶～장 洗車場; 洗車屋.
세차【貰車】명 賃貸しの車.
세차【歲差】명〖天〗歳差.
세-차다 형 強い; 激しい; 強烈だ. ¶물살이 ～ 流れが速い / 비가 세차게 쏟아지다 雨が激しく降る / 바람이 세차게 부는 곳에서 일하다 風が吹き付ける所で働く.
세찬【歲饌】명하자 お正月のごちそう.
세척【洗滌】명하타 洗浄. ¶위를 ～하다 胃を洗浄する.
‖——-기 명 洗浄器. ——-제 명 洗浄剤.
세초【歲初】명 年始; がんたん(元旦); 正月. ＝설.
세출【歲出】명 歳出. ¶～ 초과액 歳出超過額 / 금회계 연도의 ～ 今会計年度の歳出 / ～입이 많았다 歳出入が多かった.
세칙【細則】명 細則. ¶～에 따를 것 細則に従うこと.
세칭【世稱】명 いわゆる(所謂); 世〔俗〕にいう. ¶～ 일류교 いわゆる一流の学校.
세컨드〔second〕명 セカンド.
세탁【洗濯】명 洗濯; 洗い. ——-하다 타 洗濯する; 洗う. ¶～소 洗濯屋; ランドリー / ～소에 보내다 洗いに出す / ～해도 줄지 않는다 洗濯しても縮まない.
‖——-기 명 洗濯機. ¶전기 ～ 電気洗濯機. ——-물 명 洗濯物. —— 비누 명 洗濯せっけん. ＝빨랫 비누.
세태【世態】명 世態; 世相; 世柄. ¶격동하는 전후의 ～ 激動する戦後の世相 / ～는 어지럽다 世相は乱れている.
‖—— 소설 명 世態小説. —— 인정 명 世態と人情.
세트〔set〕명하자 セット. ¶커피 ～ コーヒセット / 텔레비전 ～ テレビセット / 오픈 ～ オープンセット / ～한 리 セットした髪.
‖—— 올 명 セットオール. —— 포인 명 セットポイント. —— 포지션 セットポジション.
세파【世波】명 世の荒波. ¶～ 싸우다 世の荒波と闘う / ～에 시 리다 世の荒波にも(揉)まれる.
세편【細片】명 細片; 細やかなき れ〔かけら〕.
세평【世評】명 世評; 世間のうわさ〔取りざた(沙汰)〕. ¶～이 좋 世評が良い; 気受けがいい / ～에 경을 쓰다 世評を気にする.
세평【細評】명하타 細評. ¶시 답안을 ～하다 試験の答案を細 する.
세포【細胞】명 細胞. ¶～의 식 細胞の増殖 / 공산당의 ～ 共産 の細胞 / 신경 ～의 괴멸 神経 細胞の壊滅.
‖——-막 명 細胞膜. ——-액 명 細胞液. —— 조직 명 細胞組織. ——-질 명 細胞質. ——-핵 명 細胞核.
세필【細筆】명하타 細筆. ① 細書. ② 細い筆.
세한【歲寒】명 歳寒; 寒い季節.
‖—— 삼우 명 歳寒の三友《松・竹・梅》.
세화【細畵】명 繊細に描いた絵.
세후【歲後】명 正月が過ぎた後.
섹스〔sex〕명 セックス.
‖——-어필 명 セックスアピール.
섹시〔sexy〕명 セクシー; 性的魅力. ——-하다 형 セクシーなところがある. ¶～한 여자 セクシーな女.
섹트〔sect〕명 セクト.
‖——-적 명관 セクト的; 分派的. ——-주의 명 セクト主義.
센-말 명 強勢語; 同じ意味の語感の強い語.
센-머리 명 白髪. ＝백발.
센-물 명 硬水.
센-박【—拍】명〖樂〗強拍.
센서스〔census〕명 センサス. ¶농업 ～ 農業センサス.
센세이셔널〔sensational〕명하형 センセーショナル. ¶～한 사건〔기사〕センセーショナルな事件〔記事〕.
센세이셔널리즘〔sensationalism〕명 センセーショナリズム.
센세이션〔sensation〕명 センセーション. ¶일대 ～을 불러일으켰다 一大センセーションを巻き起こした.
센스〔sense〕명 センス. ¶～가 없는 사람 センスの無い人.
센치 명 センチ《センチメンタルの略語》. ¶～한 편지 センチな手紙 / ～하게 되다 おセンチになる.
센터〔center·centre〕명 センター. ¶비즈니스 ～ ビジネスセンター / 암 ～ がん(癌)センター / ～ 플라이 センターフライ.
‖——-라인 명 センターライン. —— 서클 명 センターサークル. —— 플라이 명 センターフライ. —— 필더 명 センターフィルダー. —— 하프 명 センターハーフ.

링 〔centering〕 명하자타 センタリング; センターリング.
스 〔sentence〕 명 センテンス.
〔cent〕 セント.
트럴 히팅 〔central heating〕 부 セントラルヒーティング.
-〔centi〕 두 センチ.
—미터 의명 センチメートル; センチ《준말》.
멘털 〔sentimental〕 명하형 センチメンタル; センチ《준말》.
멘털리스트 〔sentimentalist〕 명 センチメンタリスト.
멘털리즘 〔sentimetalism〕 명 センチメンタリズム.
렌 〔도 Selen〕 명 〔化〕 セレン《記号: Se》. =셀레늄.
로판 〔cellophane〕 명 〔化〕 セロハン; セロファン.
——지 명 セロハン紙. ¶ ~로 싸다 セロハン紙で包む.
룰로오스 〔cellulose〕 명 セルロース. =섬유소.
룰로이드 〔celluloid〕 명 〔化〕 セルロイド. ¶ ~의 완구 セルロイドのおもちゃ.
프 〔self〕 명 セルフ.
——서비스 명 セルフサービス. ——컨트롤 명 セルフコントロール. ——타이머 명 セルフタイマー.
셈 명 ① 計算; 数え; 算数. ——하다 타 数える; 計算する. ¶ ~에 어둡다 計算に暗い / ~에 넣다 計算に入れる / 주판으로 ~하다 算盤を置く. ② 勘定; 算用; 算. ——하다 타 勘定する; 算用する. ¶ 월말에 ~을 끊다 月末で仕切る / ~이 맞지 않다 算用が合わない / ~이 맞다 / 算が合う / ~은 ~이다 勘定は勘定どおりにすべきである / 거스름 돈을 잘못 ~하다 おつりを間違える. ③ ↗셈판. ¶ 어찌된 ~인지 どうしたわけか. ④ ↗속셈. ¶ 떼어먹을 ~으로 돈을 꾸다 踏み倒すつもり〔気〕で金を借りる. ⑤ 物心; 分別; 判断力; 物分かり. ¶ 어찌할 ~이냐 どうするつもりなのか.
셈-나다 자 分別〔物心〕がつく.
셈-들다 자 ☞ 셈나다.
셈-속 명 ① 物事の内幕. ② 心算; 心づもり; 胸算用. ¶ 무슨 ~인지 도무지 모르겠다 どうした腹なのかとんと分からない; 内幕がまるきり知れない.
셈-어족 【—語族】 〔Sem〕 명 〔言〕 セム語族.
셈-자 명 計算尺.
셈-족 【—族】 〔Sem〕 명 セム族.
셈-치다 ㊀ 타 計算する; 数える. ㊁ 보동 動作·事実などを既定のものと仮定していう語: …したつもりである; …した事にする. ¶ 먹은 셈치고 자다 食べたつもりで寝る / 죽은 셈치고 일하다 死ぬ思いで働く.
셈-판 명 事物の事情 または訳; 訳合い. ¶ 어찌된 ~인지 통 알 수가 없다 どうしたことなのかさっぱりわけがわからない. ㊟ 셈.
셈-평 명 打算的内容. —— 펴이다 구 ふところが暖まる; 暮らしがやや豊かになる. ㊟ 셈펴이다. ¶ 셈평 펴일 날이 없다 浮かぶ瀬がない.
셋 수 三〔参〕; 三つ; 三.
셋-갖춤 명 三つぞろ(揃)い. =셋붙이.
셋-돈 【貰—】 명 貸し賃; 借り賃. =세전(貰錢).
셋-방 【貰房】 명 貸間〈老〉; 借間. ¶ ~을 들다 間借りをする.
‖——살이 명 間借り暮らし. ¶ ~를 하다 間借り暮らしをする.
셋-잇단음표 【—音標】 명 〔樂〕 三連音符.
셋-집 【貰—】 명 貸家; 借家. =세가(貰家). ¶ ~살이 借家〔貸家〕住まい; 宿借り / ~ 주인 家主; 大家 / 가스, 수도가 붙어 있는 ~ ガス, 水道付きの貸家 / ~에서 쫓겨나다 店立てを食う.
셋-째 수 三番目. ¶ ~ 형 三兄 / ~ 아들 三男 / ~ 딸 三女.
셔벗 〔sherbet〕 명 シャーベット.
-셔요 어미 ↗-시어요. ¶ 이것 보~ これ見てよ / 솔직히 말씀하~ 正直におっしゃってよ / 저것 사 주~ あれ買ってよ.
셔츠 〔shirts〕 명 シャツ. ¶ 속~ アンダシャツ.
셔터 〔shutter〕 명 シャッター. ¶ ~를 내리다 シャッターをおろす《문》/ ~를 누르다 シャッタを切る《카메라》.
셔틀 버스 〔shuttle bus〕 명 シャトルバス.
셧-아웃 〔shutout〕 명하타 シャットアウト. ¶ ~당하다 シャットアウトを食う.
셰르파 〔Sherpa〕 명 シェルパ.
셰리 〔sherry〕 명 シェリー(酒).
셰어 〔share〕 명 〔經〕 シェアー. ¶ 20% ~의 시장을 점유하고 있다 二十パーセントのシェアーを占有している.
셰이빙 〔shaving〕 명하자 シェービング.
‖—— 브러시 명 シェービングブラシ. —— 크림 명 シェービングクリーム.
셰퍼드 〔shepherd〕 명 〔動〕 セパード.
소¹ 명 〔動〕 牛. ¶ 황~ 雄牛 / ~를 몰다 牛を追う / ~를 잡다 牛をほふ(屠)る / ~같이 먹는다 牛のように食べる / ~ 같이 벌어서 쥐같이 먹어라《俚》 牛のように稼いでねずみ(鼠)のように食べろ《苦労して稼いだものを節約して使えとのこと》/ ~도 언덕이 있어야 비빈다《俚》 牛も小坂があればこそ擦すれる《頼む所があってこそ何事も成されるとの意》/ ~ 잃고 외양간 고친다《俚》 証文の出しおくれ; 盗人を見てなわをな(綯)う.
소² 명 ① あん(餡); あんこ. ¶ 으깬(팥)~ つぶし餡 / 흰 ~ 白餡. ② 丸漬などの中に入れるいろいろのスパイス.
소 【小】 명 小. ¶ 대는 ~를 겸한다 大は小を兼ねる.
소 【素】 명하자 素. ① 白絹. ② 白色. ¶ ~복 素服. ③ 無地; 飾りがない生地のままの布. ¶ ~묘 素描. ④ もと. ⑤ 肉·魚が入らない食べ物.
소 【訴】 명 〔法〕 訴; 訴え.

소【蘇】명 ↗소련. ¶미～ 공동 위원회 米蘇共同委員会.
소-【小】두 小. ¶～문자 小文字/～규모 小規模.
-소【所】미 所. ¶연구～ 研究所/사무～ 事務所.
-소 어미 "하게 하다"を使うべき場合に終声のある語幹に付いて答えや質問を表わす終結語尾. ¶먹었～ 食べました(か)/적～ 少ないです(か).
소-가족【小家族】명 ①小家族. ②核家族.
소가지 명《俗》根性; 心立て.
소각【消却】명하타 消却. ¶명부에서 그의 이름을 ～하다 名簿から彼の名を消却する.
소각【燒却】명하타 焼却. ¶서류를 ～하다 書類を焼却する.
‖——로 명 焼却炉. ——소독 명 焼却消毒. ——장(場) 명 焼き場.
소간【所幹】, 소간-사【所幹事】명 用事; 用務.
소갈-딱지, 소갈-머리 명《俗》☞심지(心志). ¶～ 없다 愚かだ.
소-갈이 명하타 牛で田畑を耕すこと.
소감【所感】명 所感. ¶연두 ～ 年頭所感/～을 말하다 所感を語る.
소강【小康】명하형 小康. ¶휴전으로 ～을 얻다 休戦によって小康を得る/병은 ～을 유지하고 있다 病気は小康を保っている.
소강【遡江】명하자 そこう(遡江); 河をさかのぼること.
소개【紹介】명 紹介; 引き合わせ. ——하다 타 紹介する; 引き合わせる. ¶아저씨의 ～로 입사하다 おじの手引きで入社する/방금 ～받은 K올시다 只今御紹介にあずかりましたKでございます.
‖——장 명 紹介状; 添書. ¶～을 한 줄 써주시기 바랍니다 紹介状を一筆お願いします.
소개【疎開】명하타 疎開. ¶～령 疎開命令/강제 ～ 強制疎開.
소-개념【小概念】명 小概念.
소거【消去】명하타 消去.
‖——법 명〔數〕消去法.
소-걸음 명 牛の歩み.
소견【所見】명 所見. ¶천박한 ～ 浅はかな考え/～을 말하다 所見を述べる/～을 묻다 所見をうかがう.
‖——머리 명《俗》所見. ＊소갈머리. ——표 명 所見表《学生の学業などに関する意見書》.
소결【燒結】명하자〔化〕焼結.
‖—— 합금 명〔工〕焼結合金.
소경 명 盲人; 盲者. ＝맹인. ¶눈 뜬 ～ 文盲/반 ～ 半盲/～이 뱀을 무서워할까《俚》盲へび(蛇)におじず; めくらへび(盲蛇)《준말》.
소계【小計】명 小計.
소고【小考】명 小考; 体系的でない簡潔な考察.
소고【小鼓】명 ①小鼓; 小太鼓. ②→소구.
‖——무(舞) 명 小鼓をもって舞う踊り.

소-고기 명 ☞쇠고기.
소고의 명《宮》婦女子の短… チョゴリ.
소곡【小曲】명〔樂〕[↗소품곡] 小… 曲. ¶～을 연주하다 小曲を演奏する.
소곤-거리다 자타 ささや(囁)く; さ… めく; ひそひそと話す. <수군거… 다. ¶소곤거리는 이야기 ひそひそ話… 작은 소리로 ～ 小さい声でささ… く/귓전에 대고 ～ 耳もとでささ… く. 소곤-소곤 부하자타 ひそひそ; そぼそ. ¶～ 이야기하다 ひそひそと… はなす/방 구석에서 ～ 이야기하다 へ… のすみでぼそぼそ話す.
소곳-하다 형 ①ややうつ向きかげ… だ. ②興奮がちょっと静まった… うだ. <수굿하다. ¶간곡히 말하니 소곳해지더군 懇懇と話したら静… まるようだった.
소공【小功】명 小功. ①五種… 喪服の一つ. ②小さな功.
소관【小官】명 小官; 小職.
소관【所管】명 所管; 所轄. ¶… 업무 所管業務/～청 所管庁.
소관【所關】명 関係する所; 関… 連のある部署. ¶팔자 ～ 運命… 致す〔然らしめる〕ところ.
‖——사(事) 명 関係のある事.
소-괄호【小括弧】명〔數〕小括弧.
소구 명〔樂〕[←소고(小鼓)] 農楽器の一種《小さい鼓に柄がつい… ている》.
‖——잡이 명 農楽の小鼓手.
소구【訴求】명하타〔法〕訴訟で請… 求権を行使する事.
소구【遡求】명하타〔法〕そきゅう(遡… 求). ¶～권 遡求権.
소-구분【小區分】명하자 小さく区分すること. また, その区分.
소국【小局】명 ①狭い考え. ②小さい局面. ¶너무나 ～적이다 余りにも小乗的である.
소국【小國】명 小国. ¶남양 군도의 ～ 南洋群島の小国.
소굴【巢窟】명 巣窟; 巣; 魔窟. ＝소혈(巢穴). ¶밀수단의 ～을 급습하다 密輸団の巣窟を急襲する/불량배(不良輩)가 ～을 만들다 与太者が巣くう.
소권【小圈】명 小圏.
소권【訴權】명〔法〕訴権. ¶국민은 ～이 있다 国民は訴権がある.
소-규모【小規模】명 小規模. ¶～의 공장 小規模工場.
소극【消極】명 消極. ¶～책 消極策/～적인 태도 消極的〔控え目〕な態度/～적인 외교로 파국을 가져왔다 軟弱外交で破局を呼んだ.
소극【笑劇】명 笑劇; ファース. ¶～을 상연하다 笑劇を上演する.
소금 명 塩; 食塩. ¶～절이 塩づけ/～에 절인 대구 塩だら/～ 물로 양치질하다 塩水でうがいする/～을 훌훌 뿌리다 ばらっと〔ぱらぱらと〕塩をまく/절인 연어의 ～을 빼다 塩鮭の塩出しをする.
‖——가마 명 しおがま(塩釜). ——구

명 塩焼き. ——-기 명 塩気；
末. ＝염분. ¶～가 적다《싱겁다》
があまい；塩気が足りない／～가
은 음식《짭짤한 음식》塩気の多い食
べ物. ——-밥 명 ① ↗소금엣밥. ②
水に漬けて固めた握り飯. ③
を混ぜた飯《農村で炎症に付
る》. ——-버캐 명 塩のかたまり.
-엣-밥 명 おかずの粗末な食事
く. ——-쟁이 명〔蟲〕あめんぼ(水
)；みずすまし(水澄). ——-절이 명
漬け(の物).
급【遡及】명 そきゅう(遡及). ——
-다 타 遡及する；さかのぼ(遡)る.
월급을 ～ 인상한다 月給を遡及し
て引き上げる.
기【沼氣】명〔化〕沼気；メタン.
기【所期】명 所期. ¶～의 목적을
이루다 所期の目的を達する／～의
성과를 거두다 所期の成果をあげる.
기【笑氣】명〔化〕笑気；《俗》亜
酸化窒素.
-기업【小企業】명 小企業.
꿉 명 飯事のおもちゃ.
——-놀이 명하자 飯事(遊び). ¶
～하고 놀다 飯事をして遊ぶ. —— 동
무 명 竹馬の友；幼友達. ¶
그녀는 나의 ～였습니다 彼女はわた
しの幼なじみでした. ——-질 명
하자 ままごと遊び.

소나기 명 夕立；にわか雨；しゅう
う(驟雨)；村雨. ¶～를 만나 절로
뛰어 들어갔다 夕立にあってお寺へ駆
け込んだ／～가 올 것 같다 夕立が来
そうだ／～ 삼형제《俚》夕立は三人兄
弟《夕立は必ず三筋で降り
注ぐとの意》.
‖——-구름 명 入道雲；積乱雲.

소-나무 명〔植〕松；松の木；赤松.
¶～ 가지 松の枝；松が枝／어린
～ 若松／작은 ～ 小松；姫松.

소나타〔sonata〕명〔樂〕ソナタ；奏鳴
曲. ¶피아노 ～ ピアノソナタ.
‖—— 형식 명〔樂〕ソナタ形式.

소나티나〔이 sonatina〕명〔樂〕ソナチ
ナ. ＝소주명곡(小奏鳴曲).

소낙비 명 ☞ 소나기.

소난【小難】명 小難.

소납 명 ある事にそれぞれ用いられ
る物.

소납【笑納】명하자 笑納.

소낭【嗉囊】명〔鳥〕そのう(嗉囊). ＝
멀떠구니. 「행시(行詩).

소네트〔sonnet〕명〔文〕ソネット. ＝14

소녀【小女】㊀명 小女；こむすめ.
㊁대 目上に対する女性の謙称；わたし.

소녀【少女】명 少女；乙女.
‖——-단(團) 명 ガールスカウト.

소년【少年】명 少年. ¶～ 시절 少
年時代／～ 고생은 사서 하랬다《俚》
若い時の苦労は買うてもせよ.
‖——-단 명 少年団；ボーイスカウ
ト. —— 범죄 명 少年犯罪. ——-원
명 少年院.

소농【小農】명 小農；小百姓.
¶～은 항상 빈궁하다 小農はいつも貧
窮している.

소-농가【小農家】명 小農家.

소뇌【小腦】명〔生〕小脳.

소다〔soda〕명〔化〕ソーダ. ① ↗가성
소다. ② 炭酸ソーダ.
‖—— 공업 명 ソーダ工業. —— 비
누 명 ソーダせっけん(石鹼). —— 석
회 명 ソーダ石灰. ——-수 명 ソー
ダ水. ——-회 명 ソーダ灰.

소-달구지 명 牛車.

소담【小膽】명하형 小胆；小心.

소담【笑談】명하자 笑談；笑い話.

소담-스럽다 형 風雅に見える.

소담-하다 형 ① 食べ物が心持多
く風味がありそうだ. ② 風雅な
所がある；ほどよく整って見目
がよい. 소담-히 부 風雅に.

소대【小隊】명〔軍〕小隊. ¶삼 개
～였다 三個小隊であった.
‖——-장 명 小隊長.

소-대상【小大祥】명 いっきさい(一朞
祭)とにきさい(二朞祭).

소댕 명 かま(釜)のふた. ＝솥뚜껑.
‖——-꼭지 명 釜の蓋のつまみ.

소도【小刀】명 小刀；わきざし. ¶
～를 허리에 차다 小刀を差す.

소도【小島】명 小島.

소도【小盜】명 小盗人；こそ泥
〈俗〉. ＝좀도둑.

소-도구【小道具】명 小道具. ＝소
품(小品).

소-도둑 명 牛泥棒.

소도록-하다 형 山盛りである；どっ
さりと盛り上がっている. <수두룩
하다. 소도록-이 부 どっさりと.

소독【消毒】명하타 消毒. ¶자비
～ 煮沸消毒／소각〔일광〕～ 을 하다
焼却〔日光〕消毒をする.
‖——-기 명 消毒器. ——-약 명 消毒
薬. ——-의 명 消毒衣. ——-저 명
割りばし(箸). ——-제 명 消毒剤.
＝소독약.

소동【騷動】명하자 騷動；そうじょ
う(騷擾)；騒乱；騒ぎ. ¶쌀 ～ 米
騒動／이혼 ～ 離婚騒ぎ／～을 일
으키다 騒動を起こす／～의 열기가 식
다 騒動のほとぼりがさめる／임금 인상
으로 ～을 일으키다 賃金の値上げ
で騒ぐ.

소두【小斗】명 五升入りのます
(枡)《10リットル入れ》.

소-두목【小頭目】명 小頭.

소두-증【小頭症】명〔醫〕小頭症
《頭蓋が異常に小さい症状.
大概精神薄弱を伴う》.

소듐〔sodium〕명〔化〕ソジューム. ＝
나트륨.

소득【所得】명 所得；実入り. ¶국민
～ 国民所得／～액 所得額／～이 많
다 実入りが多い／모두 같이 나누면
일인당 ～은 적어진다 みんなで分ける
と一人当たりの取り高は少なく
なる／～이 많은 이야기 実りの多い
話. ‖——-세 명 所得税.

소득-소득 부하형 草木のひどくしお
(萎)れて乾いたさま；かさかさ；く
なくな；しなしな.

소들-소들 부하형 草木が適当にし

人

お(萎)れて乾いたさま：しなくな；しなやか.

소등【消燈】 명하자 消灯；ブラックアウト.

‖——-나팔 명 消灯ラッパ. ¶～을 불다 消灯ラッパを吹く.

소띠 명 うし(丑)の年の生まれ. ＝축생(丑生).

소라 명 ①〔貝〕さざえ(栄螺). ¶～의 빈껍데기 さざえの貝殻. ②〔樂〕ほらがい(法螺貝)；陣貝. ¶～를 불다 貝を吹く.

소란【騷亂】 명 騒乱；人騒がせ. ——-하다 형 騒乱だ；騒がしい. ¶～죄 騒乱罪 / ～을 진정시키다 騒ぎを鎮〔静〕める / ～을 피우다 立ち騒ぐ〔騒ぎ立てる〕/ 뜻하지 않은〔엉뚱한〕～을 피워서 죄송합니다 とんだ人騒がせをしてすみません. ——-스럽다 형 物騒がしい.

소래기 명 皿のような広い素焼き.

소략【疏略】 명하형히부 疎略〔粗略〕；おろそか；ぞんざい；なげやり.

소량【小量】 명 小量；狭量.

소량【少量】 명 少量；(取引での)小口. ¶～의 거래 小口の取引 / 그것은 극약이지만 ～이면 무해하다 それは劇薬だが少量なら無害である.

소량【素量】 명〔物〕素量.

소련【蘇聯】 명 ソ連《준말》；ソビエト連邦.

소렴【小殮】 명하타 死体を衣服とふとんで包むこと.

소령【少領】 명 少領《三佐に当たる》.

소로【小路】 명 小道；小路.

소록【小祿】 부 小禄.

소록-소록 부하자 ①赤子が安らかに寝入るさま：すやすや. ②小雨がしめやかに降るさま：しとしと.

소론【小論】 명 小論；短い論説〔論文〕.

소론【所論】 명 所論. ＝지론(持論). ¶그의 ～은 의심스럽다 彼の所論は疑わしい.

소뢰-정【掃雷艇】 명 掃海艇.

소루-쟁이 명〔植〕ぎしぎし. ㊜ 솔쟁이.

소르디노〔이 sordino〕명〔樂〕弱音器；ミュート.

소르르 부 ①もつれたものが解けるさま：すらすら；するする. ¶허리띠가 ～ 풀어지다 帯がするする解ける. ②柔らかい風がそろりと吹くさま：そよそよ. ¶바람이 ～ 불다 風がそよそよと吹く. ③水や粉が静かに流れたり崩れたりするさま：さらさら. ¶모래가 ～ 무너지다 砂がさらさらと崩れる. ④眠気がさすさま：うとうと；とろとろ. ＜수르르.

소름 명 鳥肌；寒さや恐さのため肌があわだ(粟立)つこと. —— 끼치다 자 総毛だつ；身の毛がよだつ. ¶오싹오싹 ～이 끼치다 ぶるぶるっと寒気だつ / ～ 끼치는 무서운 광경을 보았다 身の毛がよだつ光景を見た.

소리 명하자 ①音. ¶바람 ～ 風の音 / 총 ～ 銃声 / ～없는 고양이 쥐 잡듯 音無き猫ねずみ(鼠)を捕る如く《能あるたか(鷹)はつめ(爪)か[illegible]す》. ②声；音. ¶목～ 人の声 / ～가 들리다 鳥の音が聞こえる / [illegible]가 고요히 ～도 없다 万座せき(寂[illegible]して声もなし. ③音；声；こと[illegible]はなし；音声. ¶～를 높이다 声を[illegible]たかめる / 흥 깨는 ～는 하지 말라 つや[illegible]しな事は言うなよ. ④歌. ¶～하[illegible] 춤추다 歌い踊る. ⑤声；ちまた([illegible]のうわさ(噂)や世論. ¶국민의 ～[illegible] 民の声 / 솟구치는 비난의 ～ ほう[illegible]い(澎湃)たる非難の声. ⑥訪[illegible]便り. ¶～ 없이 찾아가다 前触れ[illegible]なく尋ねて行く / 떠난 후 아무 ～도 없다 発ったあと何の便りも[illegible]い. ——— 부 激しく大声をあ[illegible]るさま：わあわあ；がんがん. ¶～[illegible]르다 がんがんどなり立てる. ——[illegible]르다 자 ①大声を出す. ②大声[illegible]呼ぶ. ——-치다 자 ①声を張り[illegible]あげる. ②気勢をあげる.

‖——-꾼 명 歌のうまい人. ——-[illegible]이 명 歌手；歌い手.

소리【小吏】 명〔史〕小吏；小役[illegible]人. ＝아전(衙前).

소리【小利】 명 小利. ¶～에 눈[illegible] 어두워 小利に目がくらんで.

소리개 명〔鳥〕とび(鳶)；とんび. ¶～도 오래면 꿩을 잡는다《俚》鳶も日[illegible]が立てばきじ(雉)を捕える《無能[illegible]な人でも時がたてば何事かを為[illegible]しうるようになる》/ ～를 매로 보았[illegible]《俚》とび(鳶)をたか(鷹)と見間違[illegible]った《よくないものをよいものと見間違う》.

소립【小粒】 명 小粒.

소-립자【素粒子】 명 素粒子.

‖——-론 명〔物〕素粒子論.

소마-소마 부하형 恐がるさま：びくびく；おどおど.

소-만두【素饅頭】 명 肉抜きのまんじゅう(饅頭).

소말-소말 부하형 あばたの跡がうすく点点と散らばっているさま.

소망【所望】 명 本望；所望〈老〉. ¶～을 이루다 本望を遂げる / ～이라면 드리겠습니다 所望とあれば差しあげます. ——-스럽다 형 望ましい.

소망【素望】 명 素望；平素からの望み.

소매 명 そで(袖). ¶～를 당기다 袖を引く / ～ 끝이 해어지다 そでぐち(袖口)がほつれる.

‖——-치기 명하타 すり(掏摸)；きんちゃくぎ(巾着切)り；箱師. ¶～ 주의 すり御用心 / ～하는 순간을 카메라가 포착하다 財布をする瞬間をカメラがとらえる. ——-통 명 そで(袖)(の)幅. 소맷-귀 명 袖口の縁. 소맷-부리 명 袖口. 소맷-자락 명 袖；たもと(袂).

소매【小賣】 명하타 小売り. ＝산매(散賣).

‖—— 물가 지수 명 小売物価指数. ——-상 명 小売商. —— 시장 명 小売市場. ——-업 명 小売業. ——-점 명 小売店.

소맥【小麥】 명 小麦. ＝참밀.

‖——-분 명 小麦粉；メリケン粉.

-밀가루.

-면【素麵】명 薬味を入れてない -んるい(麵類).

-멸【消滅】명하자 消滅. ¶권리 -ㅣ ～ 権利の消滅／그의 죄는 모조리 -되었다 彼の罪はことごとく消滅し -た. ‖── 시효 명〘法〙消滅時効.

-멸【掃滅】명하타 掃滅; 滅ぼしつくすこと. ¶～ 작전 掃滅作戦.

-멸【燒滅】명하자타 焼滅. ¶귀중한 서류가 ～해 버렸다 大事な書類 -が焼滅してしまった.

-명【召命】명 召命. ①(王の)臣下を呼ぶ命令. ②〘宗〙キリスト教での神の召し.

-명사【小名辭】명〘論〙小概念を表わす名辞.

-모【消耗】명하자타 消耗. ¶병력의 ～ 兵力の消耗／기계의 ～가 적다 機械の消耗が少ない. ‖──-전 명 消耗戦. ──-품 명 消耗品.

소모【梳毛】명 梳毛. ‖──-사 명 梳毛糸.

소목【小木】명 ↗소목장이. ‖──-장(匠)이 명 指物師; 家具師.

소-몰이 명 牛追い; 牛方.

소묘【素描】명 素描; 素描き.

소문【小門】명 小門. ①小さい門; 通用門. ②《俗》陰門.

소문【所聞】명 うわさ(噂); 世評; 風説; 評判. ¶～이 나다 噂が立つ／마을은 온통 그 ～으로 자자하다 町はその噂で持ち切っている／항간의 ～이 좋지 않다 世評がよくない／～난 잔치에 먹을 것 없다《俚》名物にうまいものなし.

소-문자【小文字】명 小文字.

소밀【疏密】명하형 粗密; まばらなことと密なこと. ¶인구의 ～ 人口の粗密. ‖──-파 명〘物〙疎密波. ＝종파(縱波).

소-바리 명 牛で荷物を運ぶこと. また, その荷.

소박【素朴】명하형 素朴; 質朴. ¶～한 사람 素朴な人／～한 인심 素朴な人心. ‖──-미(美) 명 飾りやいつわりのない純粋な美.

소박【疏薄】명하타 さいしょう(妻妾)を冷遇すること. ──-맞다 자 (夫に)疎んじられる; 疎まれる. ‖──-데기 명 夫に疎んじられている女; 出戻り.

소-박이 명 ①↗오이 소박이 김치. ②薬味のあんを入れた食べ物の総称.

소반【小盤】명 おぜん(膳).

소반【素飯】명 魚や肉のない食事. ＝소(素)밥.

소방【消防】명하타 消防. ¶～기 消防器. ‖── 공무원 명 消防公務員; 消防官. ── 본부 명 消防本部《都・府の消防庁に当たる》. ──-서 명 消防署. ──-선 명 消防船. ──-수 명 消防手; 火消し. ──-자동차 명 消防自動車. ＝불자동차. ──-차 명 [↗소방 자동차] 消防車. ── 펌프 명 消防ポンプ.

소배【小輩】명 小輩; 年の若い人; 若い後輩.

소변【小便】명 小便; 尿〈雅〉; 小用〈老〉; (お)しっこ〈児〉. ＝오줌. ¶～을 보다 小用をたす／～을 보러 가다 小用に立つ. ──보다 자 小便をする.

소변【小變】명 小変. ①小さい変化. ②小さな事変.

소병【笑病】명 訳もなく笑いこける精神病.

소복【素服】명 白装束; しろむく(白無垢); 素服. ①白い服; 白衣. ②白い喪服. ＝상복. ‖── 담장(淡粧) 명하자 白い服を着て薄化粧すること. また, その身なり.

소복-하다 형 ①どっさりある; こんもりと盛ってある; うずたかく山盛りになっている. ②むっちりと肉づいている; どっちりとしたさまだ. <수북하다. 소복-이 부 どっさりと; うずたかく; むっちりと. 소복-소복 부하형 どっさりと; うずたかく; むっちりと. ¶눈이 ～ 쌓이다 雪がどっさり積もる.

소-부르주아【小―】〔프 bourgeois〕명 小ブルジョア; プチブルジョア.

소분【小分】명하타 小別; 小分け; こまかく分けること. また, その部分. ¶약품을 용도별로 ～하다 薬品を使い途に依り小分けする.

소비【所費】명 入費; 所要の費用.

소비【消費】명하타 消費. ①費やしなくすこと. ¶～ 절약 消費節約／시간을 ～하다 時間を消費する／이년이라는 세월을 ～했다 二年と言う歳月を費やした. ②〘經〙欲望を充たすため財貨を費やす行為. ¶～량 消費量／～액 消費額. ‖──-경기 명 消費景気. ── 경제 명 消費経済. ── 금융 명 消費金融. ── 도시 명 消費都市. ── 사업 명 消費事業. ── 성향 명 消費性向. ──-세 명 消費税. ──-자 消費者. ──자 가격 명 消費者価格. ──자 금융 명 消費者金融. ──자 보호 운동 명 消費者保護運動. ── 자본 명 消費資本. ──-재 명 消費材. ── 조합 명 消費組合.

소비에트〔러 Soviet〕명 ソビエト. ‖── 문학 명 ソビエト文学. ── 연방 명 [↗소비에트 사회주의 공화국 연방] 旧ソ連邦.

소사【小史】명 小史; 簡略に記録した歴史.

소사【小事】명 小事.

소사【掃射】명하타 掃射. ¶기총 ～ 機銃掃射.

소사【疏食】명 疎食; 粗末な食べ物.

소사【燒死】명하자 焼死. ¶불을 미처 피하지 못해 ～하였다 火事に逃げ後れて焼死した／아슬아슬하게 ～를 면했다 危うく焼死を免れた.

소사이어티〔society〕명 ソサイエティー; 社会.

ㅅ

소산【所産】명 所産. ①産みだしたもの. ②↗소산물. ¶노력의 ~ 努力の所産 / 연구의 ~ 研究の所産.
‖——-물 명 所産物.
소산【消散】명하자 消散.
소산【燒散】명하타 焼き散らしてしまうこと.
소상【小祥】명 小祥；一周忌. ＝소기(小朞).
소상【塑像】명 塑像；粘土で造った像. ¶~을 만들다 塑像を造る.
소-상인【小商人】명 小商人.
소생【所生】명 所生；生みの子. ¶본처 ~ 嫡出の子 / 첩의 ~ わきばら(脇腹)の所生；しょうふく(妾腹)の子.
소생【蘇生·甦生】명하자 そせい(蘇生)；よみがえること；いきかえること. ¶~시키다 蘇生させる.
소생【小生】인대 小生；わたくし；拙者；やつがれ.
소서【小暑】명 小暑；二十四節気の一つ.
-소서 어미 …なさい；…ませ；…し給え. ¶드시옵~ お上がりなさいませ / 신이여 저의 죄를 용서하~ 神よ我が身の罪をゆるしたまえ / 영령이시여 고이 잠드~ 英霊よ安らかにめいい(冥)せよ.
소-석고【燒石膏】명 しょうせっこう(焼石膏).
소-석회【消石灰】명 消石灰；水酸化カルシウム.
소선【小善】명 小善.
소선【素扇】명 絹張りの扇.
소-선거구【小選擧區】명〔政〕小選挙区.
소설【小雪】명 小雪；二十四節気の一つ.
소설【小說】명 ①小説；物語. ¶장편 ~ 長編小説 / 재미있는 ~ おもしろい小説. ②↗소설책.
‖——-가 명 小説家；作家；文士. ——-책(册) 명 小説の本.
소설【所說】명 所説.
소성【塑性】명 塑性；可塑性.
‖—— 가공(加工) 명하자 物体の塑性を利用して変形させ一定の形に造ること.
소성【燒成】명하타 焼成；陶土を高温で焼き出して陶磁器を造ること.
‖—— 인비(燐肥) 명 燐鉱石を反応させてセメントの塊のように作った燐酸肥料.
소-세계【小世界】명 ①☞ 소우주 ②狭い世界.
소셜〔social〕명 ソシアル；ソーシャル. ¶~ 댄스 ソーシャルダンス.
소소리-바람 명 早春の冷え冷えした風.
소소-하다【小小—】형 こまごましい. ¶소소한 일 こまごましい事. 소소-히 부 こまごましく.
소소-하다【小少—】형 ①小柄で若い. ②わず(僅)かだ.
소속【所屬】명하자 所属. ¶대학에 ~된 건물 大学所属の建物 / 네 ~ 부대는 어디냐 君の所属部隊はどかね.
소손【燒損】명하자타 焼損；焼てこわすこと. ¶변압기의 ~ 変圧の焼損.
소송【訴訟】명하타 訴訟；訴え ¶~을 일으키다 訴訟をおこす / 형 ~ 刑事訴訟.
‖—— 관계인 명 訴訟関係人. —— 기록 명 訴訟記録. —— 능력 명 訴訟能力. —— 당사자 명 訴訟当事者. —— 대리인 명 訴訟代理人. ——-법 명 訴訟法. —— 비용 명 訴訟費用. —— 사건 명 訴訟事件. 준 소건(訴件)·소송건. —— 요건 명 訴訟要件. ＝소송 조건. —— 자료 명 訴訟資料. ——-장 명 ☞ 소장(訴状). —— 행위 명 訴訟行為.
소쇄【掃灑】명하자 掃洒；ごみを掃き水をまくこと.
소수【小數】명 小数. ①小さい数. ②〔數〕1より小なる数. ¶순환 ~ 循環小数.
‖——-점 명〔數〕小数点；ポイント；コンマ. ¶~ 이하는 사사오입한다 小数点以下は四捨五入する.
소수【少數】명 少数；数の少ないこと. ¶~의 의견을 존중하다 少数の意見を尊重する.
‖——-당 명 少数党. —— 민족 명 少数民族. —— 정예주의 명 少数精鋭主義. —— 집단 명 少数集団.
소수【素數】명〔數〕素数.
소수-나다 자 その地の農産物が増える. 준 숫나다.
소수-성【疏水性】명〔化〕水に対して親和力を持っていない性質.
소-수술【小手術】명〔醫〕簡単な手術.
소술【所述】명 所述；述べるところ.
소스〔sauce〕명 ソース.
소스〔saurce〕명 ソース. ①源〔原〕泉；源. ②出処；根拠. ¶~를 밝히지 않는 기사 ソースを明かさない記事.
소스라-뜨리다 자타 びっくり仰天する；驚いて身をひき起こす.
소스라-치다 자타 びっくりして身をふるわせる.
소슬-하다【蕭瑟—】형 しょうさつ(蕭殺)とした秋風がうすら寒く物寂しい. 소슬-히 부 うらさびしく.
소승【小僧】대 小僧；拙僧；山僧；愚僧.
소승【小乘】명〔佛〕小乘. ¶~ 불교 小乘仏教.
소승【少僧】명 年若の僧.
소시【少時】명 少時；幼少の時.
‖소싯-적 명 幼い時. ¶그건 ~의 일일세 それは幼い時の事だったよ.
소-시민【小市民】명 小市民. ¶~적인 사고 방식 小市民的な考え方 / 가련한 ~ 근성 哀れむべき小市民根性.
소시지〔sausage〕명 ソーセージ.
소식【小食】명하타 小〔少〕食. ¶~가 小食の人.
소식【素食】명 肉や魚のない食事. ＝소밥.

식【消息】명 消息; 便り; 音信; さた(沙汰); おとさた(音沙汰).)手紙. ② 動静; 事情; 状況. ¶그후 딱 ~이 없다 その後ぷっつり音沙汰がない / 곧 ~을 알리겠다 追って沙汰する / ~을 끊다 消息を絶つ / 요즈음의 그의 ~을 알 도리가 없다 この頃の彼の消息をわかりようがない.

——-란 명 消息欄. —— 불통 명 音信〔消息〕不通. ① 互いに消息が通じないこと. ② 便りがなく全くわからないこと. ③ ある事柄を全然知らないこと. ——-자 명〔醫〕消息子. ——-통 명 消息通. ¶그 방면의 ~의 말에 의하면 その筋の消息通のことばによれば.

소신【小臣】대 小臣; 臣下の王に対する自称.

소신【所信】명 所信; 所思. ¶ ~을 굽히지 않다 所信を曲げない / ~의 일단을 피력하다 所信の一端を披歴する.

소실【小室】명 めかけ(妾). ¶ ~댁 しょうたく(妾宅).

소실【消失】명하자타 消失. ¶ 권리가 ~되다 権利が消失する.

소실【燒失】명하타 焼失. ¶ 보물을 ~하다 宝物を焼失する.

소심【小心】명하형 小心; 小胆. ① 注意深いこと. ¶ ~한 인간 小心な人; 小心者. ② 度量がせまいこと. ③ 臆病なこと. ——-히 부 注意深く.

소아【小我】명 小我.

소아【小兒】명 小児; 幼子.

‖——-과 명 小児科. ¶ ~ 의사 小児科医者. —— 마비 명 小児麻痺; ポリオ. ——-병 명 小児病. ¶ ~적 이상주의 小児病的理想主義.

소악【小惡】명 小悪.

소액【少額】명 少額; 小口. ¶ 예상보다 ~이다 予想より少額だ.

‖—— 지폐 명 少額紙幣.

소액【訴額】명〔法〕訴額.

소야-곡【小夜曲】명〔樂〕小夜曲; セレナーデ.

소양【素養】명 素養; たしな(嗜)み; 心得. ¶ 음악의 ~ 音楽の素養 / 서예에 대한 ~이 있다 書道の嗜みがある.

소양【搔痒·搔癢】명 そうよう(搔痒); かゆいところをか(搔)くこと.

‖——-증 명 搔痒症.

소양배양-하다 형 まだ幼いので気負うばかりで分別がない.

소어【小魚】명 小さい魚.

소어【笑語】명 笑語. ① 笑い話. ② 笑いながら語る言葉.

소역【小驛】명 小駅.

소연【小宴】명 小宴; ささやかな宴. ¶ ~을 베풀다 小宴を張る〔小酌を催す〕.

소연【騷然】명하형히부 騒然.

소염-제【消炎劑】명 消炎剤.

소엽【小葉】명 小葉.

소옥【小屋】명 小屋·こや.

소외【疏外】명하타 疎外; うとんじてよそよそしくすること. =소원(疏遠)·소척(疏斥). ¶ 인간 ~ 人間疎外 / ~감 疎外感 / 친구에게 ~당하다 友人に疎外される.

소요【所要】명하자 所要. ¶ ~ 경비 所要の経費 / ~ 시간 所要時間.

소요【逍遙】명하자 しょうよう(逍遥); そぞろ歩き; 散歩. ¶ 숲속을 ~하다 森を逍遥する.

‖——-학파 명〔哲〕逍遥学派.

소요【騷擾】명하자 そうじょう(騒擾); 騒ぎ乱れること.

‖——-죄 명〔法〕騒擾罪.

소욕【小慾·少慾】명 少〔小〕欲. = 과욕(寡慾).

소용【小用】명 小用. ① ちょっとした用事. ② 小用; 小便.

소용【小勇】명 小勇.

소용【所用】명하자 所用; 入用. ① 用いるところ; 使いみち. ¶ 그런 건 ~없다 そんなものは要らない; そんなのは役に立たない / 이제 와서 말해 본들 ~없는 일이지만 今更言ったって始まらない事だが / 아무리 충고해도 ~없다 いくら忠告しても無駄だ / 아무리 발버둥이 쳐도 ~없다 いくらあがいてもだめだ. ② 使われるもの. ¶ ~되는 물건 入用な物 / 지금 ~되는 것은 돈이다 今入用なのはお金である / 그것이라도 충분히 ~이 된다 それでも結構役に立つ.

소용-돌이 명 渦; 渦巻. ¶ ~ 무늬 渦巻紋様 / 분쟁의 ~ 속에 말려 들다 紛争の渦中に巻き込まれる. ——-치다 자 渦巻く; たぎ(滾)る; 逆巻く. ¶ ~치는 큰 파도 さかまく大波 / 탁류가 ~치다 濁流が渦巻く / ~치며 흐르는 물 たぎ(滾)り流れる水.

소-우주【小宇宙】명〔哲·物〕小宇宙; ミクロコスモス.

소원【小圓】명 小円. ① 小さい円. ②〔數〕☞ 소권(小圈).

소원【所願】명하타 所願; 念願; 所望; 願い. ¶ 간절한 ~ 切なる願い / ~이 이루어졌다 念願がかな(叶)った.

‖——-성취 명하자 念願成就; 念願を成し遂げること. ¶ ~를 빕니다 念願がかな(叶)えられるようお祈り致します.

소원【疏遠】명하형히부 疎遠; 疎隔. ¶ 그와의 사이가 ~해졌다 彼との間が疎遠になった.

소원【訴冤】명하타 無実を訴えること.

소원【訴願】명하타 訴願; 訴え願いでること. ¶ ~의 취하 願い下げ / 부당한 행정 처분의 취소를 ~하다 不当な行政処分の取り消しを訴願する.

소위【少尉】명 少尉. ¶ 육군 ~ 陸軍少尉.

소위【所爲】명 所為; 仕業. ① なすこと; ふるまい. ¶ 사람의 ~라고는 생각되지 않는다 人間の仕業とは思われない. ② ☞ 소행(所行).

소위【所謂】부 いわゆる(所謂); 世に言う. ¶ ~ 학자라는 사람들이 いわゆる学者と言う人たちが / 이것이 ~ 민주주의다 これがいわゆるデモクラ

人

シーである.
소유【所有】명 하타 所有; 持っていること. また, その物. ¶우리의 ~로 돌아오다 我等の所有に帰す / 토지를 ~하다 土地を所有する.
‖——-권 명 所有権. —— 대명사 명〔言〕所有代名詞. ——-물 명 所有物. ①持ち物. ②〔法〕所有権の目的物. ——-욕 명 所有欲. ——-자 명 所有者. ①持ち主; 主. ¶토지의 ~ 土地の所有者 / 미모의 ~ びぼう(美貌)の主 / 그는 뛰어난 시재의 ~다 彼はすぐれた詩才の持ち主である. ②〔法〕☞ 소유주(所有主). ——-주 명 所有主; 所有権の持ち主. =소유자. ——-지 명 所有地. ¶황실의 ~ 皇室の御料地.
소음【消音】명 하자 消音. ¶~ 장치 消音装置.
‖——-기 명 消音器. =머플러.
소음【騷音】명 騒音. ¶도회의 ~ 都会の騒音 / 거리의 ~에 짜증이 나다 町の騒音にいらいらする.
‖——-계 명 騒音計.
소-이 명〔蟲〕うししらみ.
소이【小異】명 하형 小異; 少しの違い. ¶대동 ~ 大同小異.
소이【所以】명 ゆえん(所以); いわれ; わけ. =까닭. ¶사람이 사람다운 ~는 人の人たるゆえんは / 학문의 학문다운 ~는 学問の学問たるいわれは.
‖——-연(然) 명 そのようになったいわれ〔わけ〕.
소이【燒夷】명 하타 しょうい(焼夷); やきはらうこと.
‖——-탄 명 焼夷弾. ¶~을 투하하다 焼夷弾を投下する.
-소이다 어미 [↗-사오이다] …です; …であります. ¶좋~ よろしいです / 작~ 小さいです.
소인【小人】㊀ 명 ①小人; 子供; 幼児. ②小人·小人; 背丈の低い人. ③小人; 小人物. ¶~ 상대로 말을 마라 小人相手に話をするな. ④学識がなく身分の卑しい者. =서민(庶民). ㊁ 대 小生; 目上に対する自分の謙称. ——-스럽다 형 よこしまで悪がしこい.
‖——-배 명 小人のやから.
소인【素人】명 素人; アマチュア.
‖——-극 명 アマチュア劇; 素人劇.
소인【消印】명 하타 消印. ¶~을 찍다 消印を押す.
소인【素因】명 素因. ①根本の原因. ¶그것이 불량화의 ~이 되어 있다 それが不良化の素因をなしている. ②ある病気にかかりやすい素地.
소인【訴因】명〔法〕訴因; 公訴事実を法的に構成するもの.
소인【燒印】명 焼き印. =낙인(烙印).
소-인물【小人物】명 小人物; 小器.
소일【消日】명 하자 ①する事もなく日を過ごすこと. ②その事に気慰みして日を暮らすこと. ¶화초의 손질로 ~하다 草木の手入れで日を暮らす.
‖——-거리 명 暇つぶしの仕事. ~로 그림을 그리다 手慰みに絵をかく / 노후의 ~로 그림을 그리다 老後の手すさびに絵をかく.
소임【所任】명 ①任; 役目; 役; 受けもった職責. ¶~을 완[수]하다 任を全うする. ②下級の[役]員. =색장(色掌).
소자【小子】대 小子; 親に対する自称.
소자【小字】명 小字; 小文字.
소자【素子】명〔電〕素子.
소-자본【小資本】명 小資本.
소작【小作】명 하타 小作.
‖——-권 명 小作権. ——-농 명 小[作]農. ——-료 명 小作料; 年貢. ——-인 명 小作人; 小前. =작[인](作人). —— 쟁의 명 小作争議. ——제도 명 小作制度. ——-지 명 小作地.
소장【小腸】명〔生〕小腸.
소장【少壯】명 하형 少壮.
‖——-파 명 少壮派.
소장【少將】명 少将.
소장【所長】명 所長.
소장【所藏】명 하타 所蔵. ¶황실의 ~품 皇室の所蔵品; 御物.
소장【消長】명 하자 消長. ¶세력의 ~ 勢力の消長.
소장【訴狀】명 訴状.
소재【所在】명 所在; 在り処. ¶책임의 ~를 명백히 하다 責任の所在を明らかにする.
‖——-지 명 所在地; 所番地.
소재【素材】명 素材. ①題材; 原拠. ②原料.
소저【小著】명 ①ページ数の少ない著書. ②自分の著書の謙称.
소-전제【小前提】명〔論〕小前提.
소절【小節】명 ①小節; 小さな礼節. ②取るに足りない節義. ③〔樂〕小節. =마디. ¶첫째 ~ 第一小節.
소정【小艇】명 小艇; 小舟.
소정【所定】명 所定. ¶~의 양식 所定の様式.
소-정자【小正字】명 小文字; アルファベットの印刷活字体の一種; スモールレター.
소제【掃除】명 하타 掃除. =청소.
소조【塑造】명 하타 塑造.
소졸【小卒】명 ①力のない兵卒. ②"小学校卒業"の意.
소주【小註】명 小注; 細かく解いた注釈.
소주【燒酒】명 しょうちゅう(焼酎). ¶밀조 ~ 密造焼酎; 爆弾〈俗〉.
소-주명곡【小奏鳴曲】명〔樂〕小奏鳴曲; ソナチネ.
소중-하다【所重—】형 極めて大切〔貴重·大事·重要〕だ; 貴〔尊〕い〈老〉. ¶소중한 체험 尊い体験 / 여자는 몸가짐이 ~ 女性は身持ちが大事だ / 소중한 내 자식 掛け替えのないわが子. 소중-히 부 大切に; 大事に. ¶몸을 ~ 하다 体を大事にする; わが身をいとおしむ / 청춘을 ~ 하다 青春を大事にする / 고객을

~ 하다 常客を大切にする / 이것은 말야 ~ 해야 하는 거다 これはな(あ)、大切にせにゃいかんよ.

소지【小指】명 小指.

소지【小智】명 小知.

소지【小誌】명 ① 小さな雑誌. ②自分の関与している雑誌の謙称.

소지【沼地】명 沼地.

소지【所持】명 所持; 持ち. ——하다 타 所持する; 持つ; 携える. ¶ ~인 所持人 / ~품 所持品; 持ち物; 御物 / ~금 所持金; ざいのう(財嚢); ポケットマネー / ~한 돈 手元金《略して"てもと"》/ ~금을 털다 財嚢をはたく / 많은 돈을 ~하다 大枚の金銭を所持する.

소지【素地】명 素地; 下地. ¶ 능히 그럴 ~가 있다 充分にそんな素地がある.

소지【燒紙】명하자 神霊に祈る意味で祝詞の紙を燃やすこと, またはその紙. —— 올리다 자 神霊に祈る意味で祝詞の紙を筒状に丸めて燃やす.

소직【小職】명 小職; 小官.

소진【消盡】명하자 消尽. ¶ 정력이 ~했다 精力が消尽した.

소진【燒盡】명하자 焼尽.

소질【素質】명 素質; 下地; 手筋《서화·예능의》; 筋. ¶ 시인의 ~ 詩人の素質 / 그림의 ~이 있다 絵の下地がある / ~이 좋다 手筋がいい / 기예에 ~이 있다 芸の筋がいい.

소집【召集】명하타 召集. ¶ 비상 ~ 非常召集.

‖——령 명 召集令. —— 영장 명 召集令状; 赤紙〈俗〉.

소쩍-새 명〖鳥〗① ほととぎす(杜鵑). =두견이. ② このはずく. =부엉이.

소찬【素饌】명 そぜん(粗膳); 粗末な料理.

소채【蔬菜】명 そさい(蔬菜); 青物.

소-책자【小冊子】명 小冊子; 小冊; パンフレット.

소-천지【小天地】명 小天地; 狭い社会〔世界〕. ¶ ~에 국척하다 小天地にきょくせき(跼蹐)する.

소철【蘇鐵】명〖植〗蘇鉄.

소첩【小妾】㊀명 若いめかけ(妾). ㊁대 婦女らが自分を卑下して言う語: わらわ(妾); 自分.

소청【所請】명 頼み事; 願い事.

소청【訴請】명하타 請願.

소청【疏請】명하타 王にじょうそ(上疏)して願うこと.

소체【小體】명 小体.

소체【消滯】명하타 食あたりをなおすこと.

소총【小銃】명 小銃; 鉄砲. ¶ ~ 사격 小銃射撃 / ~탄 小銃弾 / ~을 메다 鉄砲をかつぐ.

소추【小秋】명 早秋. =첫가을.

소추【訴追】명하타〖法〗訴追; 追訴.

소춘【小春】명 小春; 小六月; 陰暦十月の異称.

소출【所出】명 (田畑からの)上がり物; 作物.

소치【所致】명 至り; せい. ¶ 젊은 혈기의 ~ 若気の至り / 무식한 ~로 無識の至すところで.

소침【小針】명 時針; 短針.

소침【消沈】명 消沈. ——하다 자 消沈する; 打ちしお(萎)れる. ¶ 의기 ~하다 意気消沈する.

소켓〔socket〕명 ソケット. ¶ 쌍~ ふたまた(二股)ソケット.

소쿠라-지다 자 急流が逆巻く.

소쿠리 명 ざる(笊); かご(籠).

소탈【疏脫】명 疎達; らいらく(磊落). ——하다 형 気軽だ; 磊落だ. ¶ ~한 사람 磊落な人 / ~한 인품 無造作な人柄 / ~하고 빡빡하지 않은 사람 砕けた人.

소탐 대실【小貪大失】명하자 小をむさぼ(貪)って大を失うこと.

소탕【掃蕩】명하타 掃討. ¶ 공비 ~ きょうひ(共匪)掃討.

‖——전 명 掃討戦.

소태 명〖植〗① ↗소태나무. ② にがき(苦木)の樹皮. =소태 껍질. ——같다 형 ひどく苦い.

‖——나무〖植〗苦木. =소태.

소택【沼澤】명 沼沢.

‖——지 명 沼沢地.

소테〔프 sauté〕명 ソテー. ¶ 포크 ~ ポークソテー.

소통【疏通】명하자타 疎通. ¶ 의사 ~이 없다 意思の疎通に欠く.

소파【小波】명 小波; さざ波.

소파【搔爬】명〖醫〗そうは(搔爬).

‖—— 수술 하타〖醫〗搔爬手術. ¶ ~을 받다 搔爬手術を受ける.

소파〔sofa〕명 ソファー; 長椅子.

소편【小片】명 小片; かけら.

소편【小篇】명 小編; 短編.

소포【小包】명 小包. ① 小さい包み. ② ↗소포 우편·소포 우편물. ¶ ~를 부치다 小包を出す.

‖—— 우편 명 小包郵便. —— 우편물 명 小包郵便物.

소품【小品】명 小品. ① ↗소품문(文). ② ↗소품물(物). ③ ちょっとした制作品. ④ 粗品. ⑤ 小道具《무대용》.

‖——곡(曲) 명〖樂〗小曲; 小規模の曲. ——문 명 小品文; 小文. ——물(物) 명 小品; ちょっとした絵や彫刻品など.

소풍【逍風】명하자 ① 遠足; ピクニック. ¶ 가족이 다 함께 ~을 나가다 家族そろ(揃)ってハイキングに出かける / 오늘은 ~가기 퍽 좋은 날씨다 今日はピクニックには上天気である. ② 散策; 散歩.

소프〔soap〕명 ソープ; せっけん. =비누.

소프라노〔이 soprano〕명〖樂〗ソプラノ.

소프트〔soft〕명하형 ソフト.

‖—— 드링크 명 ソフトドリンク. —— 모자(帽子) 명 ソフト帽; ソフト《준말》. ——볼 명 ソフトボール. ——웨어 명 ソフトウェア.

소피【所避】명 小便; 小用. ¶ ~를 보다 小便する; 小用を足す.

소하【遡河】명하자 川をさかのぼる

ㅅ

こと. ‖——-어 명 遡河魚.
소한【小寒】명 小寒; 寒の入り.
소한【小閑】명 小閑; 小暇.
소할【所轄】명 所轄; 管轄.
소항【溯航】명하자 そこう(遡航).
소-해 명 うしどし(丑年). ＝축년(丑年).
소해【掃海】명 掃海.
‖——-정 명 掃海艇.
소행【所行】명 所作; 所為; 所業〈老〉; 仕業; ふるまい. ¶ 괘씸한 ~ けしからぬ所業 / 그의 ~에 틀림없다 彼の仕業に違いない.
소행【素行】명 素行. ¶ 그놈의 ~ そいつの素行 / ~을 조사하다 素行を調べる.
소행【溯行】명 そこう〔溯行〕. ——-하다 자 遡行する; さかのぼ(溯)る. ¶ 강을 ~하다 川を溯る.
소향【燒香】명하자 焼香. ＝분향(焚香).
소형【小形】명 小形.
소형【小型】명 小型; トランジスター〈俗〉; ベビー; ミニアチュア. ¶ ~ 자동차 小型自動車; 豆自動車; 軽自動車; ミニカー / ~ 비행기 小型飛行機.
소혼【消魂】명하자 消魂; 心配で気を失うこと.
소홀【疏忽】명 そこつ(粗忽); 疎か; 疎略〔粗略〕; 疎漏〔粗漏〕; ずさん; 不〔無〕調法; 如才; ぬかり; ゆるが(忽)せ; そそっかしいこと. ——-하다 형 そでにする; 粗忽だ; 疎かだ; 疎略だ; 不〔無〕調法だ; 如才だ; 怠る. ¶ 담이 없어서 경계가 ~한 집 塀がない不用心な家 / ~한 관리 ずさんな管理. ——-히 부 粗忽に; 疎かに; なおざりに; ずさんに. ¶ 잠시도 이를 ~ 하지 않다 暫くもこれをおろそかにしない / ~ 하지 말라 忽せにするなよ / 조금도 ~ 하지 않다 みじん(微塵)もゆるがせにしない / 공부를 ~ 하고 놀러가다 勉強をよそ〔そで〕にして遊びに行く / ~ 다루다 そでにする.
소화【消火】명하자 消火.
‖——-기 명 消火器. ——-전 명 消火栓.
소화【消化】명하자타 消化. ¶ 잘 ~되지 않는 음식 食もたれする食べもの / ~되지 않은 지식 不消化な知識 / ~하기 어렵다 消化しにくい.
‖——-관 명 消化管. ——-기 명 消化器. —— 불량 명 消化不良 ——-선 명 消化せん(腺). ＝소화샘. ——-액 명 消化液. ——-제 명 消化剤. ——효소 명 消化酵素.
소화【笑話】명 笑い話; 笑話.
소-화물【小貨物】명 小荷物.
소환【召喚】명하타〔法〕召喚. ¶ ~장 召状 / ~에 응하다 召喚に応じる.
소환【召還】명하타 召還; リコール. ¶ 어제 대사가 본국에 ~되었다 昨日大使が本国に召還された.
소회【所懷】명 所懐; 心にいだく思い. ¶ 평소의 ~의 일단을 말하다 日ごろの所懐の一端を述べる.

속 명 ① 中. ㉠ 内部; 内. ¶ ~ 山のなか / 서랍 ~에서 꺼내다 ひき出しの中から取り出す / 상 ~에 넣다 箱の中へ入れる. ㉡ 込合う中. ¶ 군중 ~에 사라지다 群の中に消える / 숨막힐 듯한 군 ~에서 むせ返るような人込みの で / ~빈 강정《俚》見掛け倒し. 奥; 奥底; 底. ¶ 장의 깊숙한 たんすの底 / 물 ~에서 자라다 水の に生える. ㉣ なかみを成す有形 無形の事物: 心; 詰め物; 内 幕; 裏面. ¶ 만두 ~ まんじゅう (饅頭)のなかみ / 이불 ~ ふとんの詰め 物 / 사과의 ~《씨가 있는 부분》りんご (林檎)の心. ㉤ …の最中. ¶ 비바람 ~을 마구 달리다 あらしの中を突っ 走る. ② ↗뱃속. ¶ ~이 편치 않다 腹ぐあいが悪い; 気持ちが安らか でない / ~이 뒤틀리는 것 같다 腹の 中が煮え返るようだ《울분을 참을 수 없다》. ③ 心; 腹(の中); 胸. ¶ ~ 각각 말 각각《俚》口と腹が違う / ~으로 운다 忍び泣く / ~으로 人知れず; ひそかに / ~이 울컥거리다 胸がむかつく / ~을 털어 놓고 이야기하다 底を割って話す / ~을 떠보다 腹をさぐる.
속【屬】명〔生〕属; 生物の分類単位.
속【贖】명하타 贖; 罪をあがなうために物を納めること.
속【束】의명 束. ＝뭇·묶음.
속【續】관 続; 書名などの上に付けて前の書物のつづきであることを表わす語. ¶ ~미인곡 続美人曲.
속가【俗家】명 俗家. ① 俗人の家. ② 僧の生家.
속가【俗歌】명 俗歌; 世俗のはやり歌. ¶ ~를 부르다 俗歌を歌う.
속-가량【—假量】명하타 心積もり; 胸算用. ¶ 모두 10만원은 될 것이라고 ~해 보았다 皆で拾万ウォンにはなるだろうと胸算用をして見た.
속-가죽 명 内皮.
속간【續刊】명하타 続刊.
속강【續講】명하자 続けて講義すること. また, その講義.
속개【續開】명하타 続開. ¶ 경기를 ~하다 競技を続開する.
속-겨 명 ぬか(糠); こぬか(小糠); しろぬか(白糠).
속결【速決】명하타 速決. ¶ 이 의안은 ~을 요한다 この議案は速決を要する.
속계【俗界】명 俗界. ① 俗人の世界. ② 世俗の事にこだわる市井.
속-고갱이 명 しん(芯); 白菜などのしんぶ(芯部)〔髄〕.
속-고의【—袴衣】명 "고의"の下に重ねてはくしたば(下穿)き.
속곡【俗曲】명 俗曲; 雑歌; 端歌; 世間に流行する歌曲. ¶ ~의 명수 俗曲の名手.
속곳 명 女性のチマの下にはく"속속곳"と"단속곳"の総称.

——-바람 명 チマをまとわないなり.
공【速攻】명하타 速攻. ¶ 즉전 ~ 即戦速攻.
관【屬官】명 属官.
구【速球】명〔野〕速球；ペース；スイフト. ¶ ~ 투수 速球投手.
국【屬國】명 属国；属邦.
기【俗氣】명 俗気. ¶ ~가 많다 俗気が強い / 불문에 들어가서도 ~가 가시지 않다 / 仏門に入っても俗気が抜けない.
기【速記】명하타 速記.
——-록 명 速記録. ——-법 명 速記法. ——-사(士) 명 速記者. ——-술 명 速記術.
-꺼풀 명 外皮に覆われた内皮.
-껍질 명 内皮；渋皮；甘皮. ¶ 귤의 ~ みかんの袋 / ~이 벗겨지다 渋皮がむける.
-끓이다 자 心を焦がす.
-나깨 명 そば(蕎麦)のふすま.
속내, 속-내평 명 内情；内幕. ＝속내.
속념【俗念】명 俗念；俗慮. ¶ ~을 버려라 俗念を去れ.
속-눈 명 つぶったふりをしてちょっと開いた目；薄目. ¶ ~을 뜨다 薄目をあける.
속-눈썹 명 まつげ(睫〔睫毛〕).
속다 자 だま(騙)される；欺かれる；乗る；トリックにかかる〔やられる〕. ¶ 사기꾼에게 ~ 詐欺師にだま(騙)される / 계략에 ~ 計略に乗る / 감언에 ~ 口車に乗る / 멍하고 있으면 남에게 속는다 うかうかすると人に騙される / 감쪽같이 속았다 一杯食わされた〔うまく担がれた〕.
속-다짐 명 胸算用. ＝속셈.
속닥-거리다 자 ひそひそ話をする. 속닥-속닥 부하자 ひそひそ.
속닥-이다 자 ささやく；ひそひそと話す. <숙덕이다.
속단【速斷】명하자 速断；早(呑)み込み. ¶ ~하고 뛰어나갔다 早のみ込みして飛び出した / 혼자 ~하다 独り合点する；独りのみ込みをする.
‖—— 불허 명하자 "速断は禁物だ"の意.
속달【速達】명 ① 速達. ② ↗속달우편.
‖—— 우편 명 速達郵便.
속달-거리다 자 多くの者が気を配りながらひそひそと話をする. <숙덜거리다. 속달-속달 부하자 多くの者が気を配りながらひそひそと話すさま.
속-달다 자 気をも(揉)む；やきもきする；いらいらする.
속담【俗談】명 ① ことわざ(諺)；ぞくげん(俗諺)・りげん(俚諺)・げんご(諺語). ② 俗説；世間話.
속답【速答】명하자 速答. ¶ ~을 바랍니다 速答を願います.
속-대¹ 명 野菜のしんぶ(芯部)の葉.
‖——-쌈 명 白菜の芯部の葉で包んで食べる飯. 속댓-국 명 白菜の芯部の葉を入れたお汁.
속-대² 명 竹の内側の部分.

속대【束帶】명하자 束帯. ¶ 의관 ~ 衣冠束帯.
속-대중 명 推量；推測.
속도【速度】명 速度；速さ. ¶ ~ 위반 速度違反 / 배의 ~가 빠르다 船足が速い / 배의 ~가 떨어지다 船の足がにぶる.
‖——-계 명 速度計；タコメータ；タコグラフ. —— 기호 명〔樂〕"빠르기말"の旧称. —— 표어 명〔樂〕"빠르기 표어"の旧称.
속도【屬島】명 属島；陸地に附属している島.
속독【速讀】명하타 速読. ¶ ~술 速読術.
속-돌 명〔鑛〕軽石；浮き石.
속-되다【俗—】형 俗っぽい；野卑だ；通俗だ. ¶ 속된 유행가 俗っぽい流行歌 / 속된 말씨 俗っぽい言い方 / 속되게 말하면 俗に言えば.
속등【續騰】명하자 続騰. ¶ 물가가 ~하다 物価が続騰する.
속-뜨물 명 米などを二三回研いだあとの研ぎ水〔白水〕.
속-뜻 명 ① 心に秘められた深い志. ② 文の底に流されている意味.
속락【續落】명하자 続落. ¶ 시세가 ~하다 相場が続落する.
속력【速力】명 速力；スピード. ＝빠르기. ¶ 제한 ~ 制限速力 / ~을 올리다 速力をあげる / ~이 빠른 공 速力のついた球；熱球.
속령【屬領】명 属領.
속례【俗例】명 世間の慣例.
속례【俗禮】명 俗礼；風俗から来た礼儀.
속론【俗論】명 俗論. ¶ ~과 싸우다 俗論と戦う.
속료【屬僚】명 属僚；属吏のなかま；したやく.
속립【粟粒】명 ぞくりゅう(粟粒)；あわつぶ.
속-마음 명 内心；本心；奥底；腹中；気心；下心；内意. 준 속맘. ¶ 저 사람의 ~은 알 수 없다 あの人の心は底が知れない / ~을 떠보다 腹を探る / ~을 털어놓다 腹を打ち明ける / ~을 알 수 없다 気〔気心〕が知れない / 그의 ~을 알았다 彼の下心を見抜いた / ~을 물어보다 内意を聞いて見る.
속-말 명 本音.
속-맘 명 ↗속마음.
속명【俗名】명 俗名.
속문【俗文】명 俗文. ① 通俗的な文. ② つまらない文.
속물【俗物】명 俗物. ¶ 그는 보기와는 달리 ~이다 彼は見かけによらない俗物である.
속물【贖物】명 しょくぶつ(贖物).
속-바지 명 ☞ 속고의.
속-바치다【贖—】타 罪をあがなうために金を出す.
속박【束縛】명 束縛；ほだし；きずな(絆). ——-하다 타 束縛する；ほだ(絆)す. ¶ 자유를 ~당한 생활 自由を縛られた生活 / ~에서 벗어나다 束縛から脱する / 상대를 돈으로 ~하다 相手を金縛りにする.

속발【束髮】명하자 束髮. ① 髪を束ねること；束ね髪. ② 男のまげ(髷)を結うこと.
속발【續發】명하자 続発.
속-발톱 명 足のこづめ(小爪).
속-밤 명 いが(毬)の中身のくり(栗).
속방【屬邦】명 属邦；属国.
속배【俗輩】명 俗輩；俗流.
속-배포【—排布】명 心算；腹案.
속-벌 명 外衣のなかに着る衣服の一そろ(揃)え《チョゴリ·パジ·チョッキなど》.
속-병【—病】명 《俗》長患い；持病《胸焼け·胃腸病など》.
속보【速步】명 速足；速歩.
속보【速報】명하타 速報.
‖——판 명 速報板.
속보【續報】명하타 続報. ¶ ~가 현지에서 들어왔다 続報が現地から着いた.
속-보이다, 속-뵈다 자 腹を見抜かれる；本心を読まれる.
속-뽑히다 피동 本心を見抜かれる.
속사【俗事】명 俗事；俗用. ¶ ~에 쫓기다 보니 격조(隔阻)했습니다 俗用に追われて御無沙汰しました.
속사【速射】명하타 速射.
‖——포 명 ① 速射砲. ② 機関銃の俗称.
속삭-이다 자 ささや(囁)く；ささめく；ひそひそ話す. ¶ 귓전에 대고 ~ 耳元でささやく / 사람들은 서로 속삭이고 있었다 人人はささめき合っていた / 속삭이는 목소리가 나다 ひそひそ声〔忍び音〕がする.
속삭-거리다 자 ひそひそとささやく.
 속삭-속삭 부하자 ひそひそ.
속산【速算】명하타 速算. ¶ ~표 速算表.
속-살 명 ① 衣服でかくされた肌. ¶ 엷은 옷에 ~이 비쳐 보였다 薄着をすかして肌が見えた. ② 見掛けより充実した中身. ③ 牛の口内の肉. ——찌다 형 ① 肥えて太る. ② (見掛けによらず)中身が充実している.
속살-거리다 자 ひそひそと話し合う. <숙설거리다. **속살-속살** 부하자 ひそひそ.
속-살다 형 表は穏やかであるが心中は逆らっている；心は勝気である.
속-살이 명 〔動〕かくれがに. =조갯속게.
속-상하다【—傷—】자 ① 悩み苦しむ；気を病む. ② しゃく(癪)にさわる；気がくさる；気にさわる. =화나다. ¶ 속상해서 짜증이 나다 癪にさわってむしゃくしゃする.
속새 명 〔植〕とくさ(木賊).
속-생각 명하자 心であれこれと考えて見ること.
속-생활【俗生活】명 ① 俗っぽい暮らし. ② 日常生活.
속서【俗書】명 ① 俗書；俗本. ② 〔宗〕仏典·聖書でない本.
속설【俗說】명 ① 俗説. ¶ ~에 의하면 俗説によると. ② ☞ 속담.
속성【速成】명하자타 速成. ¶ 영회화 ~ 英会話早わかり / 영어 ~으로 배울 수는 없다 英語を速成習うことは出来ない.
‖——과 명 速成科.
속성【屬性】명 属性. ¶ 여러 가 ~을 갖고 있다 いろいろの属性を持っている.
속세【俗世】명 俗世·俗世；世間 浮き世；俗世間. ¶ 출가하 ~를 등진 몸 出家しとんせい(遁世)身 / ~의 더러움 浮き世のちり(塵) / ~를 등진 한적한 생활 とんひ(遁避)生活 / ~를 떠난 사람 世捨て人 / ~를 살아가다 俗世を渡る.
속-셈 명 ① 懐勘定；胸算 ；下心；つもり(算)；心算 ——하다 자 胸算用をする. ¶ ~ 어긋나다 懐勘定がはずれる / ~을 간 당하다 手の内を見すかされる / 별 로 ~이 있는 것은 아니다 別に下心が あるわけではない / 그의 ~을 알았다 彼の下心が分かった. ② ☞ 암산 (暗算).
속-셔츠 〔shirt〕 명 肌着；下着 シャツ.
속소그레-하다 형 幾多のやや小さいものがそろ(揃)っている. <숙수그레하다.
속속【續續】부 続続(と)；陸続(と). ¶ 사람들이 ~ 밀어닥친다 人人が続続押しかけて来る.
속속-들이 부 奥の奥まで；すみずみ；すっかり. ¶ ~ 아는 사람 知り尽くしている人 / ~ 캐묻다 根ほり葉ほり聞きただす / ~ 젖다 ずぶぬれになる / 학교 경영의 이면을 ~ 알다 学校経営のからくりを知り抜く.
속속-히【速速—】부 早早(と)；非常にはやく.
속-손톱 명 こづめ(小爪).
속수【束數】명 束の数.
속수 무책【束手無策】명 途方に暮れること；術が尽きること；お手上げ；万歳〈俗〉. ¶ ~이다 どうしようもない / 이제는 ~이다 もうお手上げだ.
속스 〔socks〕 명 ソックス.
속습【俗習】명 俗習.
속신【俗信】명 俗信.
속심【俗心】명 俗心.
속-쌀뜨물 명 米を一二回研いだ後のきれいな研ぎ水《吸い物などに用いる》.
속-썩다 자 心を痛める；気がくさる.
속씨 식물【—植物】명 〔植〕被子植物. =피자 식물.
속아 넘어가다 자 まんまとだまされる；手盛りを食う. ¶ 이번에는 그한테 감쪽같이 속아넘어갔다 今度は彼にしてやられた / 계략에 속아 넘어갔다 いっぱいは(嵌)められた.
속악【俗惡】명하형 俗悪；大俗. ¶ ~한 음악 俗悪な音楽.
속악【俗樂】명 俗楽.
속어【俗語】명 ① 俗語；俗言. ② りげん(俚言). ③ ☞ 상말.
속-어림 명 ☞ 속짐작.

언【俗言】명 俗言; 俗語.
-없다 형 ① 定見がない; 中身がない. ② 悪意がない. 속-없이 부 ① しまりなく. ② 悪意がなく.
여-먹다 타 人を欺いて利を取る; たぶらかす.
연【俗緣】명 俗縁.
연【續演】명하타 続演.
영【續映】명하타 続映. ¶후편은 차주에 ~함 後編は次週続映.
-옷 명 肌着; 下着; シャツ. =내복·내의. ¶촉감이 부드러운 ~ さわりのいい肌着 / ~을 입다 シャツを着る.
요【俗謠】명 俗謡; 里謡.
용【俗用】명 ☞ 속사(俗事).
유【俗儒】명 俗儒.
음【俗音】명 俗音.
음【續音】명〘言·樂〙[↗지속음(持續音)] 続音.
속음【屬音】명〘樂〙属音. =딸림음.
속읍【屬邑】명 大きい町に属している小さい町.
속이다 타 うそを信じさせる; さば(鯖)を読む; 偽〔詐〕る; ごまかす; だま(騙)す; 欺く; ちょろまかす〈俗〉; たら(誑)す〈俗〉; たぶら(誑)かす〈俗〉. ¶남을 ~ 人を偽る〔人をちょろまかす〕/ 좋은 물건인 것처럼 ~ よい品のようにごまかす / 저울눈을 ~ 目方を盗む / 감쪽같이 ~ いっぱい食わす / 남의 눈을 속이고 도망치다 人の目をくら(晦)まして逃げる / 감쪽같이 속았다 まんまとだまされた〔計られた〕/ 감쪽같이 ~ うまくだま(騙)し込む / 달콤한 말로 ~ 口車に乗せる.
속인【俗人】명 俗人.
속인【屬人】명 属人.
‖——-법 명〘法〙属人法. ——-주의 명 属人主義.
속임-수【—數】명 きけい(詭計); 手管; 手練; ごまかし; トリック; まやかし〈俗〉; ぺてん〈俗〉. ¶~를 쓰다 詭計をめぐらす / ~에 걸리다 トリックにかかる / ~에 걸다 ぺてんにかける / ~가 드러나다 化けの皮がはげる / 그럴듯한 ~로 남을 구슬려삶다 手練手管で人を丸め込む / 그의 ~에는 조심해라 彼の手品には気をつけろ.
속-잎 명 (草や木の)若葉.
속자【俗字】명 俗字. ¶일본의 당용한자는 ~를 모체로 하여 제정되었다 日本の当用漢字は俗字を母体として制定された.
속-잠방이 명 下にはくももひき.
속-장 명 (本の)とびら; タイトルページ.
속-재목【—材木】명 心材.
속-저고리 명 中に着る女用のチョゴリ.
속-적삼 명 チョゴリの中に着るひとえ. =한삼(汗衫).
속전【俗傳】명하타 俗伝. ¶이 사료는 ~과 일치한다 この史料は俗伝と一致する.
속전【贖錢】명 罪をあがなうために出す金.
속전 속결【速戰速決】, 속전 즉결【速戰即決】명하자 速戦即決. ¶~주의 速戦即決主義.
속절-없다 형 どうしようもない; 断念せざるを得ない; はかない; やるせない. ¶속절없는 세월은 유수같이 흘러 やるせない歳月は水の如く去りて. 속절-없이 부 致し方なく; やるせなく.
속정【俗情】명 ① 世俗的な考え. ② 世間の人情.
속조【俗調】명 ① 俗世の歌. ② 卑しい歌. ③ 平凡な歌.
속죄【贖罪】명하자 しょくざい(贖罪); 罪滅ぼし. ¶그리스도는 전인류의 ~자 キリストは全人類の贖罪者 / 죽음으로써 ~하다 死をもって罪を贖う / 출가하여 ~하였다 出家して罪をつぐな(償)った.
‖——-금(金) 명 ☞ 속전(贖錢). ——-론(論) 명〘基〙贖罪論.
속-주다 자 心を許す; 心を打ち明ける.
속지【屬地】명 属地.
‖——-주의 명〘法〙属地主義.
속진【俗塵】명 俗塵.
속-짐작 명 当て推量; 心あたり; 推測.
속-창 명 靴の底革.
속출【續出】명하자 続出; 続生. ¶사고의 ~ 事故の続出 / 희망자가 ~했다 希望者が続出した.
속취【俗臭】명 俗臭.
속취【俗趣】명 俗趣.
속-치레 명하자 内部の装い.
속-치마 명 下には(穿)くチマ.
속-치장【—治裝】명하자 内部の飾り〔装い〕.
속칭【俗稱】명하타 俗称. ¶경찰관을 ~ "순경"이라고 한다 警察官のことを俗称"おまわり"という.
속-타다 자 焦れ込む; 焦れる; 気をもむ; 胸を焦がす. ¶남의 속 타는 줄도 모르고 人が心を焦がすのも知らずに.
속-탈【—頉】명 消化不良.
속태【俗態】명 俗っぽいさま.
속-태우다 사동 焦らす; いらだたせる. ¶속태우지 말고 제발 말 좀 들어라 言うことをよく聞いてどうか人をもますなよ.
속토【屬土】명 属土. =속지(屬地).
속판【續版】명하타 引き続いて出版すること; またはその出版物.
속편【續編·續篇】명 続編.
속-표지【—表紙】명 (本の)扉. ¶~ 그림 扉絵.
속풍【俗風】명 世俗の風習.
속필【速筆】명 速筆; 早書き.
속-하다【速—】형 早〔速〕い. ¶효력이 ~ 効力〔ききめ〕が速い. 속-히 부 速く. ¶매진되기 전에 ~ 구입하십시오 売り切れないうちに早くお求め願います / ~ 더운 방 쉬 식는다《俚》熱し易くさめ易い.
속-하다【屬—】자 属する. ¶로맨티시즘에 속하는 작품 浪漫主義に属する作品 / 인간은 포유류에 속한다 人間は哺乳類に属する.

속항【續航】명 하자 続航. ¶ ~ 불능 続航不能.
속행【續行】명 하타 続行. ¶ 경기를 ~하다 競技を続行する.
속행【速行】명 하자타 速く行くこと; 速く行なうこと.
속화【俗化】명 하자타 俗化.
속-화음【屬和音】명〔樂〕属和音; ドミナント. =딸림화음.
속회【續會】명 하자 続会.
속효【速效】명 速効. ¶ ~성 비료 速効性肥料.
솎다 타 間引きする; うろ(疎)抜く. ¶ 솎아낸 채소 間引きな(菜)/무를 솎아내다 大根を間引きする〔間引く〕/야채를 ~ 野菜を間引く.
솎음 명 間引き; うろ抜き. ——하다 타 間引く; うろ(疎)ぬく. ¶ ~무 うろぬき大根.
‖—— 배추 명 間引き白菜. ——-질 명 하타 間引きすること.
손¹ 명 手. ①(人の)手. ¶ ~을 대다 手を触れる; 手を出す/~에 땀을 쥐다 手に汗を握る/~을 깨끗이 하다 手をきれいにする/두 ~을 비비다 両手を揉む/~에 ~을 잡고 手に手を取って/두 ~을 모으다 両手を合わせる/~이 곱다 (寒さで)手がこごえる; 手がかじかむ. ② 手と腕の通称. ③ 人手; 働き手. ¶ ~이 모자란다 手〔人手〕が足りない/~이 비어 있다 手が空いている/~이 열 두개라도 모자랄 지경이다 猫の手も借りたい. ④ 交際; 関係. ¶ 친구와 ~을 끊다 友達と手を切る/계약에서 ~을 떼다 契約から手を引く. ⑤ 手腕; うでまえ; 手段. ¶ ~을 쓰다 手を打つ〔回す〕/~을 쓸 수가 없다 手の施しようも〔打ちようが〕ない. ⑥ 周旋; 助力; 世話. ¶ 친구의 ~을 빌리다 友の手を借りる. ⑦ 所有. ¶ ~에 들어오다 手にはいる/~에 넣다 手に入れる.
손² 명 客. ① 来客. ②(店の)顧客.
손³ 명〔民〕日にちによって四方を回りながら人間の活動をさまたげると言う魔物《方位祥·三隣亡のたぐい》. ¶ 어디를 가나 ~이 있다 八方塞がりである/음력 초하룻날과 이튿날은 동쪽에 ~이 있다 陰暦の一日と二日は東側に厄神がある.
손【孫】명 ↗후손(後孫). ¶ ~이 끊기다 代が尽きる.
손⁴ 의명 野菜などの一つかみの数量.
손-가락 명 指. ¶ 나긋나긋한 가는 ~ すんなりした細い指/~을 빨다 指をしゃぶる.
‖——-질 명 하타 指差し. ① 指で示すこと. ② 後ろ指. ¶ ~을 하다 指を差す/(뒷)~을 받다 後ろ指を差される.
손-가마 명 手車; ふたりが両手を差し違えに組み合わせその上に人を乗せる遊び.
손-가방 명 手提げかばん; ハンドバック. ¶ 작은 ~ 小さい手提げかばん
손-거스러미 명 逆むけ; ささく ¶ ~가 일다 逆むけが出来る.
손-거울 명 手鏡.
손-겪다 자 客をもてなす.
손-겪이 명 하자 客をもてなすこと.
손-결 명 手ざわり.
손괴【損壞】명 하타 損壊.
손-구구【—九九】명 하자타 指折 (計算).
손-궤【—櫃】명 手箱; 手文庫. ¶ ~에 넣다 手箱にしまう.
손-그릇 명 身近において使う器具《裁縫箱など》; 手道具.
손-금 명 てのひらの線; 手筋; 手相. ¶ ~을 보다 手相を見る〔見て らう〕. ‖——-쟁이 명 手相見.
손금【損金】명 損金.
손기【損氣】명 하자 強い刺激を受けて気を損なうこと.
손-기계【—機械】명 手動機械.
손-길 명 (さしのべる)手. ¶ 구원의 ~을 뻗다 救援の手をさしのべる ~을 잡다 手を取り合う.
손-꼽다 자 ① 指折り数える. ¶ 손꼽아 기다리다 指折り数えて待つ. ②(多くの中で)特にすぐれる. ¶ 손꼽는 부자 屈指の金持ち.
손-끊다 자 手を切る.
손-끝 명 ① 指先; 手先. ¶ ~이 떨리다 手先がふるえる. ② 手でいじくったために生じる悪い結果. ¶ ~이 맵다 手先がきつい為手をつけた結果が悪い〔好ましくない〕. ③ 手際; 手並み. ¶ ~이 무디다 手先が不器用だ/~이 여물다 手先が器用だ; 手ぎわ〔手並み〕に抜け目がない.
손녀【孫女】명 孫娘.
‖——-딸 명 孫娘の愛称.
손-놓다 타 ① 手放す. ② 仕事を止める; 手を切る〔引く〕.
손-누비 명 (手縫いの)刺し縫い.
손님 명 ① "손²"の敬称; 客; 来客; お客さん. ¶ 단골 ~ なじみの客/푸대접 받는 ~ 持てない客/~을 맞아들이다 客を迎え入れる/~을 대접하다 客をもてなす/~이 끊이지 않다 来客が絶えない/(가게의)~이 늘다〔줄다〕客足がつく〔落ちる〕. ② ↗손님마마.
‖—— 마마(媽媽) 명《俗》天然痘. (준) 마마·손님. ¶ ~를 하다 天然痘を病む.
손대-내리다 자 読経でみこ(巫)のぜいちく(筮竹)に死霊が乗り移る. (준) 대내리다.
손-대다 자 ① 手を付ける; 手で触る〔触れる〕. ¶ 서류에 ~ 書類に手を付ける/손대지 마시오 触るべからず; 手を触れるな《게시》. ② 手を出す. ㉠(仕事などを)始める; 着手する; 手を下す; 手を染める. ¶ 두 가지 일에 ~ 二つの仕事に手を着ける. ㉡ 関係する; 手〔指〕を染める. ¶ 정치〔주식〕에 ~ 政治〔株式〕に手を出す/여자에 ~ 女に手を付ける. ㉢ 手出しする; 殴る. ¶ 먼저 손(을) 대다 先に手を出す.

손-대야 명 小さい洗面器.
손-대중 명하타 手加減；手心. ¶～을 알 수 없다 手心がわからない/～으로 잘 맞춘다 手加減がうまい.
손-덕【一德】 명 偶然にうまく当たる運. ¶～이 좋다 勝ち運がつよい.
손-도끼 명 ておの(手斧)；なた(鉈).
손-도장【一圖章】 명 ぼいん(拇印)；つめいん(爪印)；つめばん(爪判).
손-독【一毒】 명 (はれものなどを)いじってこじ(拗)らせた毒気. ——-오르다 자 "손독"のために悪化する. ——-올리다 자 "손독"のために悪化させる.
손-득【損得】 명 損得.
손-들다 자 手をあげる；閉口する；降参する；参る. ¶저 고집장이에겐 정말 손들었다 あの頑固屋には全く閉口した/이 문제에는 손들었다 この問題には参った.
손-등 명 手の甲.
손-때 명 てあか(手垢)；手沢. ¶～묻은 책 手垢に汚された本；手沢本. ——-먹이다 타 ①つや(艶)が出るようにする. ②使い慣らす. ③手塩に掛ける.
손-떼다 一자 関係を断つ；手を引く〔切る〕. ¶그 사건에서 손떼라 その事件から身〔手〕を引け. 二타 (仕事を)し終える；仕上げる.
손료【損料】 명 損料. ¶～를 물다 損料を払う.
손모【損耗】 명하자타 損耗. ¶기계의 ～ 機械の損耗/～를 초래하다 損耗を来たす/체력의 ～를 막다 体力の損耗を防ぐ.
손-모가지 명《俗》①手. ②手首.
손-목 명 手首；腕首. ¶～을 삐다 手首をくじく/～을 비틀다 手首をね(捩)じる.
‖——-뼈 명 腕骨. —— 시계 명 腕時計.
손-바구니 명 てかご(手籠).
손-바꿈 명하타 ①手〔腕前〕を替えて仕事をすること. ②人手替え.
손-바느질 명하자타 手縫い.
손-바닥 명 手の平；手の内；たなごころ(掌)；平手；手の裏. =수장(手掌). ¶～만한 마당 猫の額ほどの庭/～을 뒤집다 たなごころを返す；手のひらをひるが(翻)えす/～에 침칠(을)하다 手につばきする/～을 뒤집듯이 たなごころを返すように/～으로 때리다 平手を食わす.
손-바람 명 手並み；腕前；技量. ¶～이 나기 시작하다 手並みがさ(冴)え始める.
손-발 명 手足. ¶남의 ～이 되어서 일하다 人の手足になって働く/～을 단단히 묶다 手足をふん縛る. —— 걷다 타 死体が硬直する前に手足を整える. ——-치다 타 自分が発見したものを多くの人に知らせる.
손-버릇 명 手癖. ¶저애는 ～이 사납다 あの子は手癖が悪い/그는 ～이 나쁘다 彼は手長だ.
손-보기 명 手入れ. =손질. ¶기계의 ～ 機械の手入れ.
손-보다 타 手入れをする. ¶남의 문장을 ～ 助筆する.
손봐 주다 타 人の仕事を手伝う.
손부【孫婦】 명 孫の妻. =손자 며느리.
손-부끄럽다 형 (差し出した)手がはずかしい；面目が立たずきまりが悪い.
손-빌리다 자 手を借りる；手伝ってもらう.
손뼉 명 手のひら；たなごころ. ¶～을 치며 감탄하다 横手を打って感心する. ——-치다 자 ①拍手する. ②(喜んで)手をたたく.
손상【損傷】 명 損傷；損ない傷つくこと. ——-하다 자타 損傷する；損う. ¶체면을 ～하다 面目を損う〔つぶ(潰)す；傷つける〕/학교의 명예를 ～시키다 学校の名を傷つける.
손색【遜色】 명 そんしょく(遜色). ¶외국 제품과 비교하여 조금도 ～이 없다 外国製品と比べて少しも遜色が無い. ——-없다 형 劣らない. ——-없이 부 劣る所なく.
손서【孫壻】 명 孫娘の夫.
손-속 명 (ばくちで)よく当たる運. ¶～이 좋다 とばく(賭博)の運がよい.
손수 부 手ずから. ¶～ 쓴 편지 親書の手紙/여왕은 ～ 묘목을 심었다 女王は手ずから苗木を植えられた.
손-수건【一手巾】 명 てぬぐ(手拭)い；ハンケチ；ハンカチ. ¶～으로 얼굴을 가리다 ハンカチで顔を覆う〔覆い隠す〕.
손-수레 명 手車；手押し車.
손-쉽다 형 たやすい；容易だ. ¶손쉽게 할 수 있다 手も無く〔楽に〕できる/손쉽게 풀 수 있는 문제이다 楽楽と解ける問題である/손쉽게 큰 이득을 보다 ぬ(濡)れ手であわ(粟)をつかむ/손쉽게 해 치우다 手軽に仕上げる/손쉽게 이기다 楽に〔手もなく〕勝つ.
손-시늉 명 てまね(手真似).
손실【損失】 명하자타 損失；損亡. ¶～을 보다 損失を被る/～의 보충을 하다 損失の穴埋めをする.
손-심부름 명 身の回りのこまごました使い；小間使い.
손-싸다 형 手早〔手速〕い；手ばしこい.
손-아귀 명 手中；掌中. ¶～에 넣다 手の内に入れる/～에 쥐다 手の内に握る.
손-아래 명 目下. =수하.
‖——-뻘 명 目下になる間柄を表わす語. 손아랫 사람 명 目下(の者).
손-어림 명하타 手加減；手ばかり；手心. ¶～을 할 수 없다 手心がわからない/～으로 알 수가 없다 手加減でわからない.
손-위 명 目上.
‖손윗-사람 명 目上(の人)；上長；年上；長上.
손익【損益】 명 損益；損得. ¶～을 도외시하고 하는 일 損得を抜きでする仕事/～을 생각하지 않다 損

得を考えない.
‖── 계산 명 損益計算. ¶ ~서 損益計算書. ── 계정(計定) 명 損益勘定.
손-익다 형 手慣れる.
손자【孫子】 명 孫. ¶ 첫~ 初孫 / ~는 아들보다 귀엽다 孫は息子よりかわいい.
손-자귀 명 小さいておの(手斧).
손-작다 형 けちだ; しみったれだ.
손-잠기다 자 手が抜けられないほど忙しい.
손-잡다 타 ① 互いに手をにぎる〔取り合う〕. ② 協力して物事を成す.
손-잡이 명 取手; 握り手; つま(抓)み; 柄; ハンドル. ¶ 문의 ~ ドアの取手〔ノブ〕/ 국자의 ~ ひしゃくの柄.
손-장난 명 手遊び; 手でするつまらないいたずら. ──-하다 자 手遊びをする.
손-장단【—長短】 명 手拍子. ¶ ~ 발장단 手拍子足拍子 / ~을 맞추다 手拍子をそろえる.
손-재봉틀【—裁縫—】 명 手回しミシン. ㊜ 손틀.
손재-수【損財數】 명 散財の運.
손-재주【—才—】 명 手ぎわ; 手のわざ; 小手先. =수재(手才). ¶ ~가 있다 手性がいい; 小手がきく.
손-저울 명 てばかり(手秤).
손-전등【—電燈】 명 懐中電灯; フラッシュライト.
손-젓다 자 手を振る.
손-질 명 手入れ. ──-하다 타 手入れをする. ¶ 문장의 ~ 文章の手入れ / 틈을 보아서 뜰의 ~을 하다 暇を見て庭の手入れをする / 피부를 ~하다 はだを磨く.
손-짐작 명하타 手加減.
손-짓 명하타 手まね; 手振り. ¶ 몸짓 ~ 身振り手振り / ~해서 부르다 手招く / 외국인이 ~으로 말하다 異人さんが手まねで話す.
손-찌검 명하자 手出し; 手で殴ること. ¶ 먼저 ~한 쪽이 나쁘다 先に手出しをした方が悪い.
손-치다 자 料金をとって客を泊まらせる.
손-치르다 자 多くの客をもてなす.
손-크다 형 ① 気前がよい; おおまかだ. ② 手利きだ.
손-톱 명 つめ(爪). ¶ ~을 깎다 爪を切る / ~으로 할퀴다 爪で引っか(掻)く / 저 남자에게는 성의란 ~만큼도 없다 あの男には誠意のかけらもない / ~ 밑에 가시 드는 줄은 알아도 염통에 쉬 스는 줄은 모른다《俚》爪の下に刺がささるのは知っても心臓にうじ(蛆)がたかるのは知らずにいる《ささい(些細)な事や利益には明るいが大きな事には暗いことのたとえ》.
‖──-깎이 명 つめき(爪切)り. ──-눈 명 つめはんげつ(爪半月). ──-독(毒) 명 爪でか(掻)いたりして生ずる毒気. ¶ ~ 오르다 爪の毒気が生じる.
── 자국 명 つめあと(爪痕); つめがた(爪形). ¶ 팔에 ~을 내다 腕に爪あをつける.
손-틀 명 ① 手動機械. =손기계 ② [↗손재봉틀] 手回しミシン.
손-풍금【—風琴】 명 手風琴; アコーディオン.
손해【損害】 명 損害; 損; 損亡. ¶ 시간을 허비할수록 ~다 時間を費やすだけ損である / ~를 대신 변상하다 損害を代弁する / 큰 ~를 입다 痛手を負う / ~를 보상하다 損害を補償する / 오만 원 ~보다 五万ウォン損する.
‖── 배상 명 損害賠償. ¶ ~금 損害賠償金. ── 보험 명 損害保険; 損保《준말》.
솔¹ 명 松. =소나무. ¶ ~뿌리 松の根 / ~ 심어 정자라《俚》松を植えてあずまやを建てる《成功がようえん(遥遠)であることのたとえ》.
솔² 명 はけ(刷毛); ブラシ. ¶ 칫~ 歯ブラシ / 양복 ~ 洋服ブラシ.
솔〔이 sol〕명〖樂〗ソ《七音音階の五番目の音》.
솔가【率家】 명하자 家族を連れて行くこと.
솔-가리 명 ① 枯れ落ちた松葉. ¶ ~를 긁다 松の枯れ葉をかき集める.
솔-가지 명 薪用の松枝.
솔개 명〖鳥〗↗소리개.
솔기 명 縫い目; 縫い山. ¶ ~가 거칠다 縫い目があらい / ~가 해진 띠 山の切れた帯 / 옷의 ~를 뜯어서 빨다 着物の縫い目をほどいて洗う.
솔깃-하다 형 (心が)傾く; 気が向く. 솔깃-이 부 乗り気になって.
솔다¹ 자 (こごとを聞いて)耳が痛い; 耳にたこが出来る. ¶ 귀가 ~ 耳にたこができる.
솔다² 형 むずがゆい.
솔다³ 형 (広さ·幅が)狭い.
솔라 하우스〔solar house〕명 ソーラーハウス. =태양열 주택.
솔로〔이 solo〕명〖樂〗ソロ. ① 独唱. ② 独奏. ¶ 피아노 ~ ピアノソロ. ③ 独りですること.
솔리드-스테이트〔solid-state〕명 ソリッドステート.
솔리스트〔프 soliste〕명〖樂〗ソリスト.
솔-문【—門】 명 (慶祝·歓迎の意を表わすために)松葉で飾って立てた門; 門松. 「り.
솔-방울 명 松かさ(笠); まつぼっくり.
솔-밭 명 松林; 松原.
솔-뿌리 명 松の根.
솔선【率先】 명하자 率先; さきだち. ¶ ~수범 率先垂範 / ~해서 처리했다 率先して片付けた.
솔솔 부 ① (水·粉末などが)つづけざまにもれ出るさま: ちょろちょろ. ② ぬか雨が音もなく降るさま: しとしと. ③ (糸やひも(紐)などのもつれが)たやすくほどけるさま: すらすら. <술술. ④ 話をりゅうちょう(流暢)にするさま: すらすら. <술술. ⑤ 風がさわやかに吹くさま: そよそよ; すうすう; そそ. <술술. ¶ 틈새기 바람이 ~ 들어오다 すきま風がすうす

(と)吹き込む / ～ 부는 바람 そよそよ吹く風; そそ吹く風.
——바람 명 そよ風.
솔-이 부 縫い目ごとに.
-숲 명 松林.
-이끼 명〔植〕すぎごけ(杉蘚).
-잎 명 松葉.
솔직【率直】명하형 率直. ¶ ～한 대답 率直な答え. ——히 부 率直に. ¶ ～ 자백하다 率直に白状する / ～ 말하다 率直に言う; 歯に衣着せぬ / ～ 말해서 난처하다 正直困っているんだ.
솔-질 명하자 ブラシをかけること.
솔-포기 명 葉が茂った小松.
솜 명 綿; 木綿. ¶ 이불에 ～을 두다 ふとんに綿を入れる / ～을 타다 綿打ちをする.
솜-몽둥이 명 つや出しやペンキぬりに用いる綿棒.
솜-방망이 명 綿を金棒の先に丸めて結び付けたもの《油につけて松明にする》.
솜-버선 명 綿入れのボソヌ.
솜-사탕【—砂糖】명 綿菓子; 綿あめ; 電気あめ.
솜씨 명 ① 手で物をつくる才能; 手ぎわ; 手並み; 手の内. ¶ ～ 자랑 腕自慢 / ～를 보여주다 手の内を見せる / ～가 나쁘다 不手際である / ～가 있다 手性が良い. ② 手腕; 腕前. ¶ 훌륭한 ～에 완전히 탄복하였다 みごとな腕前にすっかり敬服した.
솜-옷 명 綿入れ(服).
솜-털 명 綿毛; うぶげ; にこ毛. ¶ 민들레의 ～ たんぽぽの綿毛.
솜-틀 명 綿打ち機.
솜-화약【—火藥】명 綿火薬.
솟구다 ㊀자 飛ぶように跳ねあがる. ㊁사동 体を跳ねあがらせる.
솟구-치다 자 (勢いよく)跳ねあがる; 突きあがる; ほとばし(迸)る. ¶ 불이 솟구치며 타오르다 火を噴いて燃えあがる.
솟다 자 ①(下から上に, または中から外に)力強く出る; 湧く; 飛び出す; 突き出る. ¶ 지하수가 ～ 地下水が湧く / 용기가〔자신이〕～ 勇気〔自信〕が湧く / 흥미가 ～ 興味が湧く / 못이 ～ くぎ(釘)が突き出る / 하늘에서 떨어졌나 땅에서 솟았나 天から降ったのか地から湧いたのか. ② そばだ(峙)つ; そび(聳)え立つ. ¶ 우뚝 솟은 산 高く峙つ山 / 구름 위에 우뚝 ～ 雲の上にそびえたつ / 외연히 ～ ぎぜん(巍然)として聳える.
솟아-나다 ㊀자 わ(湧)き出る; 噴き出る. ¶ 눈물이 ～ 涙があふ(溢)れ出る / 희망이 ～ 希望がわ(湧)く / 물이 힘차게 ～ 水が勢いよく湧き出る〔走る〕/ 석유가 ～ 石油が噴き出る. ㊁형 (多くのものの中で)浮き出る; 秀でる; すぐれる.
솟아-오르다 자 (内から外に, 下から上に)勢いよく出る〔上がる〕; 湧きあがる; 盛りあがる; 燃えあがる; ほとばし(迸)る. ¶ 불길이 ～ 火の手があがる / 솟아오르는 열정 ほとばしる熱情.
솟을-대문【—大門】명 両側にある建物の屋根よりも門柱を高くした正門.
솟을-무늬 명 反物に施した浮彫り紋様. ＝솟을문(紋).
솟-치다 타 高くあげる; 飛びあがらせる; わ(湧)きあがらせる.
송【宋】명〔史〕宋.
송【頌】명 しょう(頌); 功徳をたたえる文.
송〔song〕명 ソング. ¶ 히트 ～ ヒットソング / 시엠 ～ シーエムソング.
송가【頌歌】명 しょうか(頌歌). ¶ 성덕 ～ 聖徳頌歌.
송경【誦經】명하자 じゅきょう(誦経). ① 盲人の占い師が経文を暗唱すること. ②〔佛〕仏経を暗唱すること.
송고【送稿】명하자 送稿.
송골【松鶻】명 ☞ 송골매.
‖——매 명 ☞ 매. ㊟ 골매.
송골-송골 부 汗・鳥肌などが一斉にあらわれるさま.
송곳 명 きり(錐). ¶ 네모꼴 ～ 四目錐 / ～도 끝부터 들어간다《俚》錐も先から入る《何事にも順序がある》/ ～ 박을 땅도 없다《俚》りっすい(立錐)の余地もない.
‖——눈 명 鋭い目つき. ——니 명〔生〕[←송곳이] 糸切り歯; 犬歯; きば(牙). ¶ ～가 방석니가 된다《俚》犬歯が(すり減って)奥歯になる《恨み骨髄に徹する》.
송구【送球】명하자 送球. ¶ 야수에게 ～하다 野手に送球する. ② ハンドボール.
송구【悚懼】명 しょうく(悚懼); 恐縮. ——하다 형 恐れ多い. ——스럽다 형 恐縮である. ¶ ～스러워 하는 모양 きょうこう(恐惶)の態 / 송구스러워 어찌할 바를 모르다 かんぱい(感佩)おくあた(能)わず / 송구스럽습니다만 恐れ入りますが; はばか(憚)りながら / 입밖에 내기도 ～ 口に出すのも恐れ多い.
송구 영신【送舊迎新】명하자 旧年を送り新年を迎えること. ㊟ 송영(送迎).
송근-유【松根油】명 松根油.
송금【送金】명하자타 送金. ¶ ～인 送金人 / 화물이 도착하는 즉시 ～하겠다 荷が着き次第送金致します.
‖—— 수표 명 送金小切手. ——환(換) 명 送金為替. ——환 어음 명 送金手形. ＝송금 어음.
송기【送氣】명 送気. ¶ ～관 送気管 / ～통 送気とう(筒).
송기【松肌】명 松の内皮.
‖——떡 명 松の内皮をうるち(粳)の粉と混ぜて作ったもち(餅). ＝송기병(餠).
송년【送年】명 送年.
‖——사(辭) 명 送年の辞. ——호 명 送年号.
송달【送達】명하타 送達. ¶ 공시 ～ 公示送達 / 결정 사항은 후에 ～한다

決定事項は追って送達する.
‖——-리 명 〔法〕 送達吏.
송당-송당 부 ①(白菜·大根などを)粗く切るさま: ざくざく. ②針目を粗く縫うさま: とびとび. <숭덩숭덩. ㅆ쏭당쏭당.
송덕 【頌德】 명하타 しょうとく(頌德); 表德.
‖——-문 명 頌德文. ——-비 명 頌德〔表德〕碑.
송독 【誦讀】 명 しょうどく(誦読); どくじゅ(読誦). ——-하다 타 誦読する; しょう(誦)する. ¶ 시를 ~하다 詩を誦読する / 낭랑하게 ~하다 朗朗と誦する.
송두리-째 부 根こそぎ; 全部; ことごと(悉)く; すっかり; 丸ごと. ¶ 노름으로 재산을 ~ 없애다 博打で身代を根こそぎ無くする.
송료 【送料】 명 送料. ¶ 소포 ~ 小包送料.
송림 【松林】 명 松林.
송무 【訟務】 명 〔法〕 訴訟に関する事務.
송문 【誦文】 명하자 じゅもん(呪文)を唱えること.
송배 【送配】 명하타 送配. ¶ 전력 ~가 시원치 않다 電力送配が思わしくない.
송별 【送別】 명하타 送別.
‖——-사 명 送別の辞; 別辞; 送行の辞. ——-연(宴), —— 잔치 명 送別の宴; 別宴; 立ち振る舞い. ——-회 명 送別会. ¶ ~를 열다 送別会を開く.
송부 【送付】 명하타 送付. ¶ 서류를 ~하다 書類を送付する.
송사 【訟事】 명하자타 訟事. ①〔史〕 訴え事. ②《俗》 訴訟.
송사 【頌辭】 명 しょうじ(頌辞); しょうし(頌詞). ¶ ~를 올리다 頌詞を呈上する〔呈する〕.
송사리 명 ①〔魚〕 めだか(目高). ②つまらないやから(輩); ちんぴら; 雑魚. ¶ 체포된 것은 ~뿐이었다 逮捕されたのは雑魚ばかりだった / 단속에 ~만 걸려 들었다 取り締りにちんぴら〔小物〕ばかりかかった.
송삼 【松蔘】 명 開城産の高麗人参.
송상 【送像】 명하자 送像.
‖——-기 명 送像器.
송송 부 ①(野菜などを)細かく切るさま. ②小さい穴が透き間なく開いているさま: ぽつぽつ. <숭숭.
송수 【送水】 명하자 送水.
‖——-관 명 送水管.
송수 【送受】 명 送受. ①送ることと受けること. ②送信と受信.
송시 【頌詩】 명 しょうし(頌詩); ほめたたえる詩. ¶ ~를 바치다 頌詩を捧げる.
송신 【送信】 명하자 送信; 発信. ¶ ~소 送信所.
‖——-기 명 送信機.
송실 【松實】 명 松の実.
송아리 명의명 (花または実の)房. <숭어리. *송이.
송아지 명 子牛. ¶ ~ 못된 것은 엉덩이에 뿔이 난다《俚》 ならずものの子はしり(尻)から角が出る《なってない奴ほどとんだ事をしでかす》.
송알-송알 부 ①酒·しょうゆ(醬油)などが発酵するさま: ぷくぷく. ②あせ·しずくなどが玉のように, にじみ出るさま: ぽつりぽつり.
송어 【松魚】 명 〔魚〕 ます(鱒).
송연 【竦然·悚然】 명하형히부 しょうぜん(悚然〔竦然〕); おそれてぞっとするさま.
송영 【送迎】 명하자 ①送迎; 送り迎え. ¶ ~대 送迎デッキ; フィンガー / ~용 버스 送迎用バス / 외국 사절을 ~하다 外国使節を送迎する. ②↗송구 영신(送舊迎新).
송영 【誦詠】 명하타 しょうえい(誦詠).
송유 【松油】 명 ①松の木から採った油. ②〔化〕 テレビン油.
송유-관 【送油管】 명 油送パイプ.
송이 명의명 房; 輪. ¶ 눈~ 雪片 / 꽃~ 花房 / 매화 한 ~ 梅一輪 / 포도 ~ ぶどうの房. *송아리.
‖——-밤 명 いが(毬)のままのくり(栗); いが栗.
송이-송이 부 房ごと(毎)に; ふさふさと; 鈴な(生)りに.
송이 【松栮】 명 〔植〕 まつたけ(松茸).
‖——-밥 명 松茸飯. ——-버섯 명 まつたけ. ¶ ~ 따기 まつたけ狩り.
송자 【宋瓷】 명 宋代に焼かれた陶磁器.
송장 명 しかばね(屍〔尸〕); しがい(死骸); なきがら; 死体. ¶ 산 ~ 生ける屍 / ~ 때리고 살인 났다《俚》 死体をなぐって殺人のとが(咎)を受ける《つまらぬ手出しをしたばかりに大きな責任を問われる》.
송장 【送狀】 명 ①送り状; 仕切り状; 仕切り書. =송증. ②インボイス.
송전 【送電】 명하자 送電. ¶ 무제한 ~ 無制限送電.
‖——-선 명 送電線. —— 손실(損失) 명 送電ロス.
송정-유 【松精油】 명 テレビン油.
송조 【宋朝】 명 宋朝. ①宋の朝廷. ②↗송조체.
‖——-체 명 宋朝体; かいしょたい(楷書体)の一種. —— 활자 명 〔印〕 宋朝活字.
송죽 【松竹】 명 松竹.
‖——-매 명 松竹梅.
송진 【松津】 명 松やに.
송청 【送廳】 명하타 〔法〕 送検. ¶ 서류 ~ 書類送検 / 범인을 ~하다 犯人を送検する.
송축 【頌祝】 명하타 慶事を祝うこと.
송춘 【送春】 명하자 送春.
송충 【松蟲】 명 〔蟲〕 ☞ 송충이.
‖——-나방 명 〔蟲〕 まつかれは. ——-이 명 〔蟲〕 まつけむし(松毛虫); まつむし(松虫). =송충. ¶ ~가 갈 잎을 먹으면 떨어진다《俚》 松毛虫がかしわ(柏)の葉を食うと落ちる《身分に合わないことをしたらえらい目にあうとの意》.
송치 【送致】 명하타 送致. ¶ 범인을

검찰에 ～하였다 犯人を検察に送
致した.
판【松板】명 松の板.
편【松—】명 米の粉を湯で練ってあんを入れ松葉を敷いて蒸したもち(餅). ＝송병(松餠).
송풍-관【送風管】명 送風管.
송풍-기【送風機】명 送風機；ブロワー.
송화【送話】명하자 送話.
‖——-기 명 送話器.
송환【送還】명하타 送還. ¶포로 ～ 捕虜送還／～자 送還者／본국에 ～하다 本国に送還する.
솥 명 かま(釜). ¶한 ～의 밥을 먹다 同じ釜の飯を食う／～ 안에 든 고기 釜の中の魚《死が目前に迫る》／～을 걸다 かま(釜)をかまど(竈)にかける／～에 넣은 팥이라도 익어야 먹지《俚》 釜の中の小豆も煮えねば食えぬ《いそがば回れ》.
솥-귀 명 かま(釜)の取っ手.
솥-물 명 新しいかま(釜)を洗うときに出る鉄分の水.
솨 부 ① 木の枝や物の透き間から吹く風の音：ひゅう；びゅう. ② 風雨の音：ざあ；びゅう. ③ 水·液体が勢いよく流れる音： ざあ；しゃあ；じゃあ. ㉳쏴. ¶수돗물이 ～ 쏟아진다 水道水がざあとほとばしり出る.
솨솨 부 つづけて出る"솨"の音：ひゅうひゅう；ざあざあ；しゃあしゃあ；じゃあじゃあ. ㉳쏴쏴. ¶～ 바람소리가 난다 びゅうびゅうと風が鳴る／비가 ～ 온다 雨がざあざあふる.
솰솰 부 ① 水が勢いよく流れるさま：ざあざあ；じゃあじゃあ. ② ふるい(篩)の穴から粉が盛んに落ちるさま：ざあざあ. ③ 髪をす(梳)いたりブラシを掛けるさま：すうすう.
쇄【刷】명〖印〗[↗교정쇄]校正刷り；ゲラ刷り. ¶공장에서 ～가 나오다 工場からゲラが出る.
쇄골【鎖骨】명〖生〗鎖骨.
쇄광【碎鑛】명하자 砕鉱. ¶～기 砕鉱機.
쇄국【鎖國】명하자 鎖国.
‖—— 정책 명 鎖国政策.
쇄도【殺到】명하자 殺到. ¶주문이 ～하다 注文が殺到する.
쇄빙【碎氷】명하자 砕氷.
‖——-선 명 砕氷船.
쇄상【鎖狀】명 鎖状.
‖—— 화합물 명〖化〗鎖式化合物. ＝사슬 (모양) 화합물.
쇄석【碎石】명하자 砕石.
쇄설【瑣屑】명 がらくた；くず(屑).
쇄신【刷新】명하타 刷新. ¶관기 ～ 官紀刷新／정계의 ～을 도모하다 政界の刷新をはかる.
쇄신【碎身】명하자 ↗분골 쇄신.
쇄창【鎖窓】명 鎖もようが刻まれた窓.
쇄편【碎片】명 砕片.
쇄항【鎖港】명하자 鎖港.
쇠 명 ① 鉄；真金〈雅〉. ¶바탕～ 地金. ② 金属の総称. ¶죔～ 締め金／～단지 かなつぼ(金壺)／～갈퀴 熊手／～대야 かなだらい(金盥)／～녹물 金渋／～주걱 かなべら(金篦)／～부스러기 くずてつ(屑鉄)／～부처 金仏. ③ [↗열쇠] かぎ(鍵)；キー. ④ [↗자물쇠] 錠；ロック. ¶～를 채우다 錠をかける. ⑤《俗》お金. ¶～가 없다 おあしがない.
쇠- 투 "牛の"の意. ¶～가죽 牛皮／～고기 牛肉／～머릿살 牛の頭の肉.
쇠-가죽 명 牛皮；牛の皮. ¶～ 무릅쓰다 厚顔無恥〔鉄面皮〕なこと.
쇠-간【—肝】명 牛の肝臓.
쇠-갈고리 명 てかぎ(手鉤).
쇠-고기 명 牛肉. ¶～ 전골 ぎゅうなべ(牛鍋)／～ 통조림 牛缶.
쇠-고랑 명《俗》手錠. ¶～을 채우다 手錠を掛ける. ㊄고랑.
쇠-고리 명 鉄輪；金輪.
쇠-골 명 牛の脳髄.
쇠-공이 명 鉄製のきね(杵).
쇠-구들 명 火を入れても温まらない冷たい温突.
쇠-귀 명 牛の耳. ¶～에 경 읽기《俚》牛に経文；馬の耳に念仏. ＝우이 독경.
‖——-나물 명〖植〗くわい.
쇠금-변【—金邊】명 金偏；漢字の偏の一つ《"銀"·"銅"などの"金"の称》.
쇠-기름 명 牛脂；ヘット(vet).
쇠-기침 명 こしつ(痼疾)となったせき(咳).
쇠-꼬리 명 牛尾；牛後. ¶～보다 닭 대가리가 낫다《俚》鶏口となるも牛後となるなかれ.
쇠-꼬챙이 명 かなぐし(金串).
쇠-나다 자 ① 食べ物に金臭いにおいがする；金気が生ずる. ② できものが悪化する.
쇠년【衰年】명 衰えていく年齢.
쇠다[1] 자 ① (野菜などの盛りが過ぎて)柔らか味がなくなる. ¶무가 ～ 大根のとう(薹)が立つ. ② 度を越してますますひどくなる. ③ 病気が重くなる. ¶감기가 ～ 風邪がひどくなる.
쇠다[2] 타 誕生日や祝祭日などを祝って過ごす. ¶추석을 ～ 中秋を過ごす；お盆を過ごす／설을 ～ 正月を送る.
쇠-다리 명 牛の脚.
쇠-달구 명 鉄製の胴突き.
쇠-등 명 牛の背中〔背〕.
쇠-똥[1] 명 (鉄をたんや(鍛冶)する際に出る)鉄粉；鉄片. ＝철설(鐵屑)·철소(鐵梢).
쇠-똥[2] 명 ぎゅうふん(牛糞).
쇠락【衰落】명하자 衰えて行くこと.
쇠-막대기 명 鉄の棒.
쇠망【衰亡】명하자 衰亡. ¶로마 제국의 ～ ローマ帝国の衰亡.
쇠-망치 명 かなづち(金槌)；ハンマー.
쇠-머리 명 牛の頭.
쇠-먹이 명 牛の飼料.
쇠-메 명 鉄製のおおづち(大槌).
쇠멸【衰滅】명하자 衰滅.
쇠-못 명 かなくぎ(金釘).
쇠-몽둥이 명 金棒；鉄棒.

ㅅ

쇠-뭉치 명 鉄のかたまり.
쇠미【衰微】명하형 衰微. ¶ 국력의 ~ 国力の衰微.
쇠-발 명 牛の足.
쇠-발고무래 명 鉄製のくまで(熊手); さでか(掻)き.
쇠-백장 명 牛の屠殺を業とする人.
쇠-불알 명 牛のこうがん(睾丸).
쇠-붙이 명 ① 金属. ② 鉄類.
쇠-뿔 명 牛の角. ¶ ~도 단김에 빼랬다《俚》 牛の角は一気に抜け《善は急げの意》.
쇠-사슬 명 金鎖; 鉄鎖; 鎖; 連環. ¶ ~에 묶인 죄수 鎖につながれた囚徒. 준 사슬.
쇠-살문【—門】명 鉄格子; よろいど(鎧戸). ¶ ~을 내리다 鎧戸を下ろす.
쇠-서 명 ①(食用としての)牛の舌. ②〔建〕↗쇠서받침.
‖——-받침 명〔建〕殿閣の柱に付けた牛の舌の模様の飾り.
쇠-숟가락 명 しんちゅう(真鍮)製のさじ(匙). 준 쇠숟.
쇠-스랑 명 鉄製のくまでくわ(熊手鍬).
쇠시리 명〔建〕柱などの角を丸めること.
쇠-심 명 牛の筋.
‖——-떠깨 명 筋まじりの牛肉. 준 심떠깨.
쇠안【衰眼】명 衰眼; 衰えた視力.
쇠약【衰弱】명하형 衰弱. ¶ 신경~ 神経衰弱 / 시력이 ~해지다 視力が衰える / 몸이 ~해지다 体が弱る〔な(萎)える〕.
쇠양배양-하다 형 思慮分別がなく軽軽しい.
쇠-여물 명 牛の飼料.
쇠-오줌 명 牛の尿.
쇠-옹두리 명 牛の膝蓋骨.
쇠운【衰運】명 衰運. ¶ ~의 징조 衰運のきざし / ~의 길을 걷다 衰運をたどる.
쇠잔【衰殘】명하자 衰残. ¶ ~한 몸 衰残の身.
쇠-잡이 명〔樂〕農楽でどら(銅羅)やかね(鉦)を鳴らす人.
쇠-죽【—粥】명 わら(藁)を刻み大豆をまぜて煮込んだ牛の飼料.
‖—— 가마 명 牛の飼料を煮るかま(釜). ——-물 명 牛の飼料を煮るのに用いる米の研ぎ水.
쇠-줄 명 鉄線; 針金.
쇠-지레 명 かなてこ(鉄梃).
쇠진【衰盡】명하자 衰えてすっかりなくなること.
쇠-창살【—窓—】명 鉄格子.
쇠-코 명 牛の鼻.
‖—— 잠방이 명 農夫の作業服.
쇠-코뚜레 명 鼻木; 鼻輪; はながい. 준 코뚜레.
쇠태【衰態】명 衰態.
쇠-털 명 牛の毛.
쇠-테 명 鉄製の枠〔縁〕. =철고.
쇠-톱 명 鉄物用ののこぎり(鋸).
쇠-통【—桶】명 鉄のおけ(桶). =철통(鐵桶).
쇠퇴【衰退·衰頽】명 衰退; 退潮; 廃り. ——하다 자 衰退する; 退潮する; 廃れる; 衰える. ¶ ~로를 걷다 衰退の一途をたどる / ~의 조짐 退潮のきざし / 유행이 ~하다 流行が廃れる / 나라가 ~하다 国が衰える / 환락가가 ~하다 歓楽街が寂れる.
쇠-파리 명〔蟲〕うしばえ.
쇠-푼 명 わずかなお金; びた銭. ¶ ~이나 벌었다 ちょっとばかりもう(儲)けた.
쇠-하다【衰—】자 衰える; 白らむ. ¶ 힘이 ~ 力が衰える / 경영은 쇠하여가고 있다 経営は先細りになりつつある.
쇤-네 대 [←소인네] 主人に対する下男·下女の自称; 手前ども.
쇳-가루 명 鉄粉.
쇳-내 명 金臭いにおい. ¶ ~ 나다 金臭い.
쇳-독【—毒】명 鉄の毒気.
쇳-물 명 金渋; 金気.
쇳-소리 명 ① 金属の音. ② 金切り声.
쇳-조각 명 ① 鉄片. ② 冷淡で軽はずみな人を指す語.
쇳-줄 명〔鑛〕鉱脈.
쇼〔show〕명 ショー. ¶ 패션~ ファッションショー / 나이트~ ナイトショー / 비즈니스~ ビジネスショー / 뮤지컬~ ミュージカルショー.
‖——-걸 명 ショーガール. ——-룸 명 ショールーム. —— 윈도 명 ショーウィンドー.
쇼크〔shock〕명 ショック. ¶ ~를 받다 ショックを受ける.
‖——-사 명 ショック死. =충격사.
쇼킹〔shocking〕명 ショッキング. ——하다 형 ショッキングである. ¶ ~한 뉴스 ショッキングなニュース.
쇼트〔short〕명 ショート. ① 短いこと. ¶ ~ 스커트 ショートスカート. ②〔野〕↗쇼트스톱. ③(ピンポンで)ボールが高くバウンドする前にとらえて短く打つ打法. ④[↗쇼트서킷]〔電〕短絡. ¶ 전선이 ~하다 電線がショートする. ⑤ ↗쇼트컷.
‖——-스톱 명〔野〕ショートストップ; 遊撃手. —— 컷 명 ショートカット. ¶ 머리를 ~하다 髪をショートカットにする. —— 타임 명 ショートタイム. ① 短い時間. ②〔經〕操業短縮. —— 패스 명 (サッカーなどでの)ショートパス.
쇼트닝〔shortening〕명 ショートニング.
쇼핑〔shopping〕명하자 ショッピング. ¶ ~ 센터 ショッピングセンター.
‖—— 백 명 ショッピングバッグ.
숄〔shawl〕명 ショール; 肩掛け.
숍〔shop〕명 ショップ. ① 商店; 小売店. ¶ 커피~ コーヒーショップ. ② 工場; 作業場. ¶ 워크~ ウォークショップ.
수¹ 명두 雄. ¶ ~컷 雄 / ~탉 おんどり.
수【手】명 ①(碁·将棋·相撲などの)手; 技. ¶ 그보다 한 ~ 위다 彼

とり一枚上手である / 한 ~ 늦다 手遅れる / 그것이 결정적인 ~였 それが決め手だった / ~를 걸다 わざをかける / ~를 겨루다 技を競う.) 手段; 知恵; 策略. ¶ 그에는 안 넘어간다 その手には乗らい / 무슨 ~가 있을 텐데 何か妙案がありそうなものだが.

【水】 명 水; 五行の一つ.

【秀】 명 秀; 成績評点の最高.

【壽】 명 寿. ① 長く生きること. ¶ ~를 누리다 寿を保つ. ② 年. ¶ 80의 ~ 八十の寿. ③ 寿命. ¶ ~를 다하였다 寿命を全うした.

【數】¹ 명 ① [↗운수] 運. ¶ ~가 나쁘면 運が悪いと. ② いい運勢; 幸運. ¶ ~가 나다〔터지다〕運がむく.

【數】² 명 ① 数·数. ¶ ~의 관념 数の観念 / ~ 많은 작품 数ある作品 / ~를 세다 数をかぞえる; 数を読む / ~에 있어 우세하다 数において勝る. ② ☞ 숫자. ③ ↗수학(數學).

수【繡】 명 しゅう(繡); ししゅう(刺繡). ¶ ~놓다 繡を取る; 刺繡する.

수² 의명 ① "方法·仕方·仕様"の意. ¶ 그렇게 할 ~ 밖에 없다 そうするより外仕方がない / 왕명이라면 어쩔 ~ 없다 君命とあらば致し方ない / 게으름뱅이라 하는 ~ 없다 怠者で仕様がない / 만들 ~가 없다 作り様がない / 안 볼 ~는 없다 見ない訳にはいかない. ② "場合"の意. ¶ 제4호실은 비어 있는 ~가 많다 第四号室は空いている場合が多い / 그럴 ~도 있다 そんな事もありうる. ③ "能力·可能"の意. ¶ 있을 ~ 없는 일 有り得ないこと / 자식을 대학에 보낼 ~도 없다 子を大学にやることもできない / 누구라도 할 ~ 있다 誰にでもできる.

수【首】 의명 ① 詩や歌の単位: 首. ¶ 시조 한 ~를 짓다 時調一首を詠む〔ひねる〕. ② 匹. ¶ 오리 한 ~ あひる一匹.

수-【數】 두 数; "多くの"·"いくらか"の意. ¶ ~백만 数百万 / ~차례 数度; 数回.

-수【手】 미 ある名詞の下に付いて, それに従事する人をあらわす語: 手. ¶ 운전~ 運転手.

-수【囚】 미 ある名詞の下に付いて, 囚人をあらわす語: 囚. ¶ 미결~ 未決囚 / 사형~ 死刑囚.

수간【數間】 명 家のいくつかの間. ‖── 두옥(斗屋) 명 間数の少ない小さい家. ── 초옥(草屋) 명 くさぶ(草葺)きのみすぼらしい小屋.

수간【樹幹】 명 樹幹; 樹木の幹.

수간 【獸姦】 명하자 じゅうかん(獸姦).

수-간호사【首看護師】 명 看護婦長; 婦長. =수간호원.

수감【收監】 명하타 収監.

수갑【手匣】 명 手錠. ¶ ~을 채우다 手錠を掛ける.

수강【受講】 명하자 受講. ¶ ~자 受講者 / ~료 受講代.

수-개【數箇】 명 数個. ¶ ~의 달걀 数個のたまご.

수개-월 【數個月】 명 数個月. ¶ 완성까지 ~ 걸릴 것이다 完成まで数個月かかるだろう.

수갱【竪坑】 명 〖鑛〗 縦坑〔竪坑〕.

수거【收去】 명 収去. ──-하다 타 収去する; 取り去る. ¶ 분뇨를 ~하다 ふんにょう(糞尿)を収去する.

수건【手巾】 명 てぬぐ(手拭)い; てふ(手拭)き; タオル. ¶ ~감 手拭い地; タオル地.

수검【受檢】 명 受検. ──-하다 자 受検する; 検査を受ける.

수검【搜檢】 명하타 禁制品などを捜索して検査すること.

수결【手決】 명 花押; 書き判. = 수압(手押). ──-두다 자 花押を書く.

수경【水莖】 명 〖植〗 ↗수중경.

수경【水耕】 명 水耕; 栄養分を溶かした水で植物を栽培すること. =물재배. ¶ ~ 농장 水耕農場.
‖──-법 명 〖農〗 水耕法; 水中培養; 水栽培. =물재배.

수계【水系】 명 〖地〗 水系. ¶ 아마존 ~ アマゾン水系.
‖── 전염 명 水系伝染; 飲料水の汚染が原因で伝染病が流行ること.

수계【水界】 명 水界. ① 水圏. ② 水陸のさかい.

수계【受戒】 명하자 〖佛〗 受戒.

수고 명하자 苦労. ¶ ~ 좀 끼칠까 一苦労願おうか / ~를 마다〔아끼지〕않다 労をいとわない / ~스럽습니다만 이 편지를 부쳐주시지 않겠습니까? お手数ながらこの手紙を出して下さいませんか. ──-롭다 형 大儀である. ──-로이 부 ご苦労なことに. ──-스럽다 형 ☞ 수고롭다.

수고【手鼓】 명 〖樂〗 手鼓; でんでん太鼓に似た民俗楽器.

수고【樹高】 명 木の高さ.

수-고양이 명 猫の雄. 준 수괭이.

수-곰 명 くまの雄.

수공【手工】 명 手工. ‖──-업 명 手工業. ──-품 명 手工品. ¶ 정교한 ~ 精巧な手工品.

수공【水攻】 명 水攻め.

수과【瘦果】 명 〖植〗 そうか(瘦果).

수과【樹果】 명 樹果; 木の実.

수관【水管】 명 水管. ‖──-계 명 〖動〗 水管系.

수관【樹冠】 명 〖植〗 樹冠; クローネ.

수-관형사【數冠形詞】 명 〖言〗 名詞などの前に付いて数量を表わす冠形詞(《"세 사람(=三人)·다섯 척(=五隻)"などの三·五》).

수괴【首魁】 명 しゅかい(首魁).

수교 【手交】 명 手交; 手渡し. ──-하다 타 手交する·手渡す. ¶ 항의문을 ~하다 抗議文を手渡す.

수교【修交】 명하자 修交. ‖── 포장 명 修交褒章. ── 훈장 명 修交勲章.

ㅅ

수교【垂教】명하자 垂教.
수구【水口】명 ① 水口. ②〔民〕"風水"で, 得の流れ去った所.
‖――-문(門) 명 城内の水口にある門.
수구【水球】명 水球.
수구【守舊】명하자 守旧; 保守.
‖――-당(黨) 명 朝鮮朝末期の保守派.
수구레 명 牛の皮からは(剝)ぎ取った肉くず.
수국【水國】명 水国. ① 海の世界. ② ☞ 물나라.
수국【水菊】명〔植〕あじさい.
수군【水軍】명 水軍. ①〔史〕朝鮮朝の海上の守備軍隊; 水師. ② 海軍.
‖―― 절도사 명〔史〕水軍節度使; 朝鮮朝の各道の水軍鎮守府である水営の提督.
수군-거리다 자타 ささやく; (低い声で)ひそひそと話す. >소곤거리다. ㅆ쑤군거리다. 수군-수군 부하자타 ひそひそ. ¶어디선가 ~하는 소리가 들려온다 どこかでひそひそ話が聞こえてくる.
수굿-하다 형 下がり気味だ; やや下がっている. >소곳하다. 수굿-이 부 下がり加減に.
수궁【水宮】명 竜宮; 竜宮城.
수권【水圈】명〔地〕水圏.
‖――-학 명 水圏学.
수권【授權】명〔法〕授権. ¶~설 授権説.
‖―― 자본 명〔經〕授権資本. ―― 행위 명 授権行為.
수귀【水鬼】명 水鬼.
수그러-지다 자 下がる; 垂れさがる. ¶머리가 ~ 頭が下がる / 불길이 ~ 火の手がさがる.
수그리다 타 下げる; 垂れる. ¶머리를 ~ 頭をさげる.
수근【水根】명 ① 田に引く水のわ(湧)く所. ②〔植〕水中根.
수근【水芹】명〔植〕☞ 미나리.
수근【樹根】명 樹根; 木の根.
수금【水禽】명 ☞ 물새.
수금【收金】명하자 収金; 集金. ¶~원 集金員.
수급【受給】명하자 受給.
수급【首級】명 首級; しるし(首). ¶~을 올리다 首級をあげる.
수급【需給】명 需給. ¶~ 계획 需給計画 / ~의 균형 需給の見合い.
수긍【首肯】명하자타 首肯; うなず(肯)くこと. ¶내 말에 ~하였다 わたしの話に肯いた.
수기【手技】명 ☞ 손재주.
수기【手記】명 手記. ¶조난자의 ~ 遭難者の手記.
수기【手旗】명 手旗.
‖―― 신호 명 手旗信号.
수기【隨機】명하자 ① 機に従う〔応ずる〕こと. ②〔佛〕随機.
‖―― 응변(應變) 명하자 機に応じて事を処理すること.
수-꽃 명〔植〕雄花.
수-꽃술 명 おしべ(雄蕊). =수술·웅예(雄蕊).

수-꿩 명 きじ(雉)の雄.
수-나귀 명 ↗수탕나귀.
수-나다【數―】자 幸運にめぐまる; 思いがけぬもう(儲)け口にありつく.
수-나사【―螺絲】명 雄ネジ.
수난【水難】명 水難. ¶~의 상이다 水難の相がある.
수난【受難】명하자 受難. ¶~ 시(대) 受難時代.
‖――-곡(曲) 명〔樂〕受難曲. ――-극 명〔劇〕受難劇. ――-기 명 受難記. ――-일 명〔基〕受難日. ―― [illegible] 명〔天主教〕受難節.
수납【收納】명하타 収納.
‖――-장 명 収納帳. ―― 전표 명 収納伝票.
수납【受納】명하타 受納.
수낭【水囊】명 すいのう(水嚢).
수냉-식【水冷式】명 水冷式. ¶~ 발동기 水冷式発動機.
‖―― 기관 명 水冷式機関.
수녀【修女】명〔天主教〕修道女.
‖――-원 명 修道院; 尼僧院〈俗〉.
수-년【數年】명 数年.
‖――-래(來) 명 数年来.
수-노루 명 ノロの雄.
수-놈 명 "수컷(=雄)"の愛称.
수-놓다【繡―】자 ししゅう(刺繡)する; 縫い取る.
수뇌【首腦】명 首脳. ¶~ 회담 首脳会談.
‖――-부 명 首脳部.
수뇨-관【輸尿管】명〔生〕輸尿管.
수다 명 口数の多いこと; 無駄口; おしゃべり. ¶씩둑씩둑 ~만 피우고 있다 ぺちゃぺちゃとおしゃべりばかりしている. ――-스럽다 형 口数が多く, おしゃべりだ. ¶수다스런 여자 おしゃべり女. ――-떨다 자 おしゃべりをする. ――-부리다 자 無駄口をたたく; しゃべりたてる.
‖――-쟁이 명 おしゃべり(屋).
수다【數多】명하형히부 あまた(数多); たくさん; 多いこと. ¶~한 사람들 数多の人たち.
수단【手段】명 手段; てだて. ¶~과 목적을 혼동하다 手段と目的を取り違える / 온갖 ~을 다 써보다 百計をめぐらしてみる / 보통 ~으로는 안 된다 一筋縄ではいかない / 온갖 ~을 다 쓰다 手段を尽くす.
수달【水獺·水㺚】명〔動〕かわうそ(川獺·獺). ‖――-피 명 川獺の皮.
수담-관【輸膽管】명〔生〕輸胆管; 胆管《준말》.
수당【手當】명 (報酬として与える)手当; あてがい(宛行). ¶숙직 ~ 宿直手当 / 주인으로부터 매월 적당한 ~을 받다 主人から毎月宛行扶持を貰う.
수대【樹帶】명 樹帯.
수대【獸帶】명〔天〕獣帯; 黄道を中心とする18度の区間.
수더분-하다 형 (性格が)純朴だ; 素朴だ.
수도【手刀】명 テクォンド(跆拳道)のチョップ; 手刀.
수도【水都】명 水都; 水の都.

~ 베니스 水都ベニス.
수도【水道】명 水道. ¶ 한려 ~ ハンリョ(閑麗)水道 / ~료 水道料.
‖——-관 명 水道管. —— 꼭지 명 水道の栓; 蛇口. ¶ ~를 틀다 蛇口をねじる. 수돗-물 명 水道水.
수도【水稻】명 水稲.
수도【受渡】명하타 受け渡し.
수도【首都】명 首都; 首府.
‖——-권 명 首都圏. ¶ ~ 방위 首都圏防衛.
수도【修道】명하자 修道. ¶ ~승 修道僧.
‖——-사(士) 명〔天主教〕☞ 수사(修士). ——-원 명 修道院.
수동【手動】명 手動; 手回し. ¶ ~식 펌프 手動式ポンプ / ~식 믹서 手回しミキサー.
수동【受動】명 受動; 受け身. ¶ ~의 자세가 되다 受け身になる.
‖——-사(詞) 명〔言〕☞ 피동사(被動詞). ——-성 명 受動性. ——-태 명 受動態; 受け身.
수두【水痘】명〔醫〕水痘; みずぼうそう(水疱瘡). =작은마마.
수두룩-하다 형 おびただ(夥)しい; ありふれている. >소도록하다. 수두룩-이 부 夥しく; ざらに.
수득【收得】명하타 収得.
‖——-세 명 収得税.
수득-수득 부하형 根などがひどくしなびて乾いた様. >소득소득.
수들-수들 부하형 根などがややしぼ(萎)んで乾いたようす.
수-때우다【數—】자 厄逃れをする.
수-땜【數—】명하자 厄逃れ.
수떨-하다 형 騒騒しい; やかましい.
수-띠【繡—】명 ししゅう(刺繡)で飾った帯.
수라【水刺】명《宮》王様にさし上げる食事; 供御.
‖——-간(間) 명 王の食べ物を調理するところ; おくりや(御厨). ——-상(床) 명 王のしょくぜん(食膳).
수라【修羅】명〔佛〕修羅. ¶ ~의 망집 修羅の妄執.
‖——-장 명 修羅場. ¶ ~이 되다 修羅のちまた(巷)と化す.
수락【受諾】명하타 受諾; 承知; 承諾. ¶ 제의를 ~하다 申し出を受諾する.
수란【水卵】명 卵を割って沸く お湯に半熟させたもの. ——-뜨다 자 半熟の卵をこしらえる.
수란-관【輸卵管】명〔生〕☞ 나팔관.
수량【水量】명 水量; みずかさ(水嵩). ¶ ~계 水量計 / ~이 늘다 水嵩が増す.
수량【數量】명 数量. ¶ 알맞은 ~ 適当な数量.
‖—— 경기(景氣) 명〔經〕数量景気.
수량【收量】명 収量; 収穫の分量.
수럭-수럭 부하형 言行のはきはきとして元気のある様.
수럭-스럽다 형 快活だ; 陽気だ.
수런-거리다 자 (大勢の人が)ざわめく; 騒立つ. 수런-수런 부하자 がやがや; ざわざわ.
수렁 명 泥沼. ¶ ~에 빠졌다 泥沼にはまりこんだ / 비 갠 뒤의 ~길 雨上がりの泥道.
‖——-논 명 泥田.
수레 명 車. ¶ ~ 위에서 이를 간다《俚》車に乗って歯ぎしりする《あとの祭りの意》.
‖——-바퀴 명 車輪. ¶ ~의 굴대 車輪の軸.
수려【秀麗】명하형 秀麗. ¶ 미목 ~ 眉目秀麗 / ~한 용모 秀麗な容貌.
수력【水力】명 水力. ¶ ~ 터빈 水力タービン / ~을 이용하다 水力を利用する.
‖—— 발전 명 水力発電. ¶ ~소 水力発電所. —— 전기 명 水力電気.
수련【修鍊·修練】명하타 修練. ¶ ~을 쌓다 修練を積む.
수련-하다 형 すなおで優しい. 수련-히 부 優しく.
수렴【收斂】명하타 ① しゅうれん(収斂). ㉠〔物·數〕収束. ㉡ 収縮する〔させる〕こと. ¶ 혈관의 ~ 血管の収斂. ㉢ 穀物などをとりおさめること. ㉣ 収税. ② しゅつえんきん(出捐金)を取り集めること. ③ ほうとう(放蕩)をやめてまじめ(真面目)になること.
‖——-제 명 収斂剤.
수렴【垂簾】명〔史〕↗수렴 청정.
‖—— 청정(聽政) 명〔史〕すいれん(垂簾)の政; 垂簾《준말》.
수렵【狩獵】명 狩猟. =사냥. ——-하다 자 狩猟する; 狩りをする.
‖——-기 명 狩猟期. —— 면허 명 狩猟免許. ——-문 명〔文〕狩猟文. —— 민족 명 狩猟民族. —— 시대 명 狩猟時代. ——-조 명 狩猟鳥.
수령【守令】명〔史〕朝鮮朝の地方官《観察使·牧使·府使·郡守など》.
수령【受領】명하타 受領. ¶ ~자 受領人.
수령【首領】명 首領; 頭. ¶ ~의 명령 頭の命令.
수령【樹齡】명 樹齢. ¶ ~ 백년 樹齢百年.
수로【水路】명 水路. ¶ 장~ 長水路.
‖—— 도지(圖誌) 명〔海〕水路図誌. =수로 도서지(圖書誌). —— 만리(萬里) 명 水路万里. —— 안내 명 水先案内. =도선(導船). —— 측량 명 水路測量. ——-학 명 水路学.
수록【收錄】명하타 収録. ¶ 초기의 작품을 전집에 ~하다 初期の作品を全集に収める.
수뢰【水雷】명〔軍〕水雷. ¶ ~정 水雷艇 / ~에 걸리다 水雷にかかる.
수뢰【收賂】명하자 収賄. ¶ ~죄 収賄罪.
수료【修了】명하타 修了. ¶ ~증(證) 修了証書.
수류【水流】명 水流. ¶ ~를 거스르다 水流をさからう.
‖—— 펌프 명〔物〕水流ポンプ.
수류-탄【手榴彈】명〔軍〕手榴弾

人

しゅりゅうだん·てりゅうだん.

수륙【水陸】명 水陸. ¶ ~ 양면 작전 水陸両面作戦.
‖── 만리 명 水陸万里. ── 양용 전차 명 水陸両用戦車. ──-전 명 水陸戦.

수르르 부 ① 固まったものやもつ(縺)れたものがうまくほぐ(解)れるさま: するする. ¶ 실이 ~ 풀리다 糸がするする解される. ② 粉·風などがよく漏れるさま: さらさら.

수리 명〔鳥〕 わしたかか(鷲鷹科)のもうきん(猛禽)の俗称.

수리【水利】명 水利. ¶ ~ 공사 水利工事 / ~의 편이 나쁘다 水利の便が悪い.
‖──-권 명〔法〕 水利権. ── 조합 명 水利組合.

수리【水理】명 水理. =수맥(水脈).
‖──-학 명 水理学.

수리【受理】명하타 受理. ¶ 사표가 ~되었다 辞表が受理された.

수리【修理】명하타 修理; 修繕. ¶ 집을 ~하다 家を修理する〔直す〕.

수리【数理】명 数理. ¶ ~ 통계학 数理統計学 / ~적인 두뇌가 모자라다 数理的な頭が足りない.
‖── 경제학 명 数理経済学. ── 지리학 명 数理地理学. ── 철학 명 数理哲学. ──-학-파 명 数理学派.

수리-먹다 자 くり(栗)·どんぐりなどの実の一部が傷んでくずれる.

수리-수리 부 熱で視力がもうろう(朦朧)とするさま: ぼんやり; 朦朧.

수림【樹林】명 樹林.

수립【樹立】명하타 樹立. ¶ 정권을 ~하다 政権を樹立する / 계획을 ~하다 計画を立てる.

수마【水魔】명 水魔. ¶ ~에 휩쓸리다 水魔に襲われる.

수마【睡魔】명 睡魔. ¶ ~에 사로 잡히다 睡魔に襲〔とら〕われる.

수마-석【水磨石】명 波に磨かれて丸くなった石.

수막【髄膜】명〔生〕 髄膜. ¶ ~염이 심하다 髄膜炎がひどい.

수-만【数萬】명 数万. ¶ ~명의 인파 数万人の群れ.

수-많다【数—】형 数多い; おびただ(夥)しい. ¶ 수많은 군중 夥しい群衆 / 수많은 신들 万の神神 / 수많은 고생을 하다 幾多〔あまた〕の辛苦を重ねる.

수-말 명 おすうま(雄馬).

수매【水媒】명〔植〕 水媒.
‖──-화 명〔植〕 水媒花.

수매【收買】명 収買. ──-하다 타 収買する; 買い収める. ¶ 하곡 ~ 麦の収買.

수맥【水脈】명 水脈; 水筋. ¶ ~을 찾아내다 水脈を当てる.

수면【水面】명 水面. ¶ 때때로 ~에 떠오르다 時時水面に浮かび上がる. ‖──-계 명 水面計.

수면【睡眠】명하자 睡眠. ¶ ~ 시간 睡眠時間 / ~ 학습 睡眠学習.
‖──-병 명〔醫〕 睡眠病. ── 부족 명 睡眠不足; 寝不足. ¶ ~으로 머리가 멍하다 睡眠不足で頭が やっとしている. ── 상태 명 睡眠 態. ──-제 명〔藥〕 睡眠剤.

수면【獸面】명 獣面.

수명【水明】명 水明. ¶ 산자 ~의 山紫水明の地.

수명【受命】명하자 受命.

수명【壽命】명 寿命. 준 수(壽). 天寿; よわい. ¶ ~이 길면 욕되 일이 많다 命の長ければ恥多し. 物が痛まずに保たれる期間. 이 시계의 ~은 몇년 쯤일까? この時計の寿命は何年ぐらいだろうか.
‖── 장수(長壽) 명 寿命の長久あること《幼子の長寿を祈るときに使う語》.

수모【受侮】명하자 侮られること; さげすみ(蔑)まれること. ¶ 살아 ~를 을 바에야 차라리 죽는 편이 낫다 生きて蔑まれるよりはむしろ死ぬ方がましである.

수목【樹木】명 樹木.

수몰-지【水没地】명 水没地.

수묵【水墨】명 薄い墨汁. ¶ ~ス 다 (墨絵や字の画に)墨が淡くにじみでる / ~치다 (まちがった部分などを)墨で塗りつぶす.
‖──-색(色) 명 墨汁の色合い. ──-화 명 水墨画; 墨絵.

수문【水文·水紋】명 水紋.

수문【水門】명 水門. ¶ 댐의 ~ ダムの水門; ゲート / ~을 열다 水門を開ける.

수문-장【守門將】명〔史〕宮殿や城門を守る武官.

수미【秀眉】명 しゅうび(秀眉).

수미【首尾】명 首尾.

수미【愁眉】명 しゅうび(愁眉). ¶ ~를 펴다 愁眉を開く; 安心する.

수밀-도【水蜜桃】명 すいみっとう(水蜜桃); すいみつ《준말》.

수-바늘【繡—】명 ししゅう(刺繡)に使う針.

수박 명〔植〕すいか(西瓜〔水瓜〕). ¶ ~ 겉 핥기《俚》 こしょう(胡椒)のまる飲み.

수반【水盤】명 水盤; 水盆. ¶ ~에 꽃을 꽂다 水盤に花を活ける.

수반【首班】명 首班. ¶ ~ 지명 首班指命 / 신내각의 ~이 되다 新内閣の首班となる.

수반【随伴】명하자 随伴. ¶ 장관을 ~하여 출장가다 長官に随伴して出張する / 이 문제에 ~해서 일어난 사건 この問題に伴って起きた事件.

수-반구【水半球】명〔地〕水半球.

수방【水防】명 水防. ¶ ~ 훈련 水防訓練 / ~ 공사 水防工事.
‖──-림 명 水防林. =수해 방비림.

수-방석【繡方席】명 ししゅう(刺繡)を施した座布団.

수배【手配】명 手配; 手配り; 手当て. ──-하다 타 手回しをする. ¶ 지명 ~ 指名手配 / ~자 手配者; お尋ね者 / 범인은 ~ 중이다 犯人は手配中である / 구조의 ~가 끝났다 救助の手配りが終わった.

수배【受配】명하자 受配. ¶ ~자 受

者.

백【數百】명 数百. ¶ ~의 구경 数百の見物人.

버선【繡—】명 ししゅう(刺繡)を施した乳飲み子の足袋.

범【首犯】명 主犯. ¶ ~을 체포하 主犯をとらえる.

범【垂範】명하자타 垂範. ¶ 솔선 率先垂範.

법【手法】명 手法. ① 手口; 仕方. ¶ 노련한 ~ 老巧なやり口 / 죄 ~이 비슷하다 犯罪の手口が似かよっている / 장사의 새 ~을 생각하 商売の新手を考える. ② 手際. ¶ 그의 ~은 멋지다 彼の手際は鮮やかである.

병【水兵】명 水兵.

병【守兵】명 守兵.

병【繡屛】명 ししゅう(刺繡)入りのびょうぶ(屛風).

복【收復】명하타 収復; 失った土地をとり戻すこと.

복【修復】명하타 ① 修復·しゅうふく. ¶ 신라 시대의 황폐한 절을 ~하다 新羅時代のすたれた寺を修復する. ② 返書を書くこと.

복【壽福】명 寿福.
—— 강녕 명하형 寿福康寧. ¶ ~을 빌다 寿福康寧を祈る.

수본【繡本】명 ししゅう(刺繡)を施すべくあらかじめ模様を画いた布地.

수부【水夫】명 水夫.

수부【首府】명 ① 首府. =수도(首都). ②〖史〗各道の監営があった町.

수-부족【手不足】명 ① 手不足. ② (碁·将棋などで)手劣り.

수북-하다 형 ① うず高く盛られている. ¶ 책상 위에 먼지가 ~ 机にごみがうず高い. ② むく(浮腫)んでいる. >소복하다. 수북-이 부 ① うず高く; 山盛りに. ¶ 밥을 ~ 담다 飯を山盛りにする. ② 浮腫んでいるさま. 수북-수북 부하형 ① どっさり; うず高く. ② 浮腫んでいるさま.

수분【水分】명 水分. =물기.

수분【受粉】명하자〖植〗受粉.

수분【授粉】명하자 授粉; めしべにおしべの花粉を付着させること. ¶ 인공 ~ 人工授粉.

수불【受拂】명하타 受払い. ¶ ~을 명백히 하다 受払いを明らかにする.

수비【水肥】명 水肥. ¶ ~를 주다 水肥をほどこす.

수비【守備】명하타 守備; 守り. ¶ ~대 守備隊 / ~가 단단하다 守りが堅い.

수-빠지다【數—】자 言行を誤って人に弱みを握られる.

수사【修士】명〖基〗修道士.
‖——원 명 修道院の別称.

수사【修史】명하자 修史; 歴史をへんさんすること.

수사【修辭】명하자 修辞.
‖——법 명 修辞法. ——학 명 修辞学.

수사【搜査】명하타 捜査; 手当て〈俗〉. ¶ ~관 捜査官 / ~ 범위를 좁히다 捜査範囲を絞る / ~ 선상에 떠오르다 捜査線上に浮かぶ.
‖——망 명 捜査網. ¶ ~을 뚫다 捜査網を破る. —— 본부 명 捜査本部. ——진 명 捜査陣.

수사【數詞】명〖言〗数詞.

수-사납다【數—】형 運が悪い.

수-사돈【—査頓】명 男のあいやけ(相舅).

수산【水産】명 水産. ¶ ~물의 수출 水産物の輸出.
‖—— 가공업 명 水産加工業. —— 대학 명 水産大学. —— 시험장 명 水産試験場. ——업 명 水産業. ——업 협동 조합 명 水産業協同組合. ——청 명 水産庁. ——학 명 水産学.

수산【授産】명하자 授産.
‖——장(場) 명 授産所.

수산-화【水酸化】명〖化〗水酸化.
‖—— 나트륨 명〖化〗水酸化ナトリウム. ——물 명 水酸化物. —— 바륨 명〖化〗水酸化バリウム. —— 암모늄 명〖化〗水酸化アンモニウム. ——철 명〖化〗水酸化鉄. —— 칼륨 명〖化〗水酸化カリウム. —— 칼슘 명〖化〗水酸化カルシウム. =소석회.

수삼【水蔘】명 掘り出したままのこうらいにんじん(高麗人参).

수-삼배【數三杯】명 (酒の)二·三杯.

수-삼차【數三次】명 再三; 二三回. ¶ ~의 독촉에도 불구하고 再三の督促にもかかわらず.

수상【水上】명 水上. ① 水の上. ¶ ~ 교통 水上交通. ② 川上; 川の上流.
‖—— 경기 명 水上競技. —— 경찰 명 水上警察. ——기(機) 명 ↗수상 비행기. ——목 명 水上木; 上流からいかだ(筏)に組んで下った材木. —— 비행기 명 水上飛行機. 준 수상기. —— 스키 명 水上スキー.

수상【手相】명 ① ☞ 손금. ② 手相. ¶ ~쟁이 手相見 / ~을 보다 手相を見てもらう.

수상【受像】명하자〖物〗受像. ¶ ~이 비뚤어지다 受像がゆがむ.
‖——관 명 受像管. ——기 명 受像機.

수상【受賞】명하자타 受賞. ¶ ~의 영광 受賞の栄光.

수상【首相】명 内閣の長; 首相; 内閣総理大臣; 国務総理. ¶ ~ 관저 首相官邸.

수상【殊常】명 きな臭いこと; 怪しげなこと; いかがわしい〔いぶかしい〕こと; 疑わしいこと. ——하다 형 怪しい; いかがわしい; 疑わしい; きな臭い. ¶ 거동이 ~하다 素振りが怪しい / 그의 언동에 ~한 점이 있다 彼の言動にはいぶかしい節がある. ——히 부 いかがわしく; いかがわしげに; いぶかしく; 疑わしく. ——쩍다 형 いぶかしい; 疑わしい; いかがわしい; 怪しい. ¶ 수상쩍은 사람 いかがわしい人 / 수상쩍은 일 疑わしい事.

수상【授賞】명하자타 授賞. ¶ 노

벨상 ～식 ノーベル賞授賞式.
수상【樹上】명 樹上；木の上. ¶～ 생활 樹上生活.
‖— 식물 명〔植〕樹上植物《地衣類など》.
수상【随想】명 随想.
‖——-록 명 随想録.
수상【穂状】명 穂状.
‖— 꽃차례〔화서〕명〔植〕穂状花序. ——-화 명〔植〕穂状花.
수-새 명 雄鳥；鳥の雄.
수색【水色】명 水色；水の色.
수색【捜索】명하타 捜索. ¶간첩～ 작전 スパイ捜索作戦／조난자를 ～하다 遭難者を捜索する.
‖——-대 명 捜索隊. — 영장 명〔法〕捜索令状. ——-원 명 捜索願い.
수색【愁色】명 愁色；かなしげな顔色. ¶깊은 ～이 담긴 얼굴 深い愁色をたた(湛)えた顔.
수생【水生】명하자 水生.
‖——-균 명 水生菌. — 식물〔동물〕명 水生植物〔動物〕.
수서【手書】명 手書；手ずから書いた文章や手紙. ＝수한(手翰). ¶친구의 ～를 받다 友人の手書を受け取る.
수서【水棲】명하자 すいせい(水棲)；水中で生活すること.
‖— 동물 명〔動〕☞ 수생 동물.
수석【水石】명 水石. ① 水と石. ② 水と石の景色. ③ 水中にある石. ④ ☞ 수석(壽石).
수석【首席】명 首席；首位；上席. ¶～ 전권 首席全権／～ 검사 上席検事／～으로 졸업하다 首席で卒業する.
수석【壽石】명 水石；観賞用の自然石. ＝수석(水石).
수선 명 けんそう(喧噪)；騒がしいこと；気ぜわ(忙)しいこと. ——-스럽다 형 喧噪だ；騒がしい；ざわざわしい；気忙しい. ¶수선스럽게 떠들다 気忙しく騒ぎ立てる. ——-거리다 자 騒つく；騒めく；騒ぎ立つ. ① 目まぐるしく騒ぐ. ② 騒騒しくて頭がぼうっとなる. ¶갑자기 객석이 수선거리다 急に客席がそよめく. ——— 부하자 騒つく〔騒めく〕さま：ざわざわ. ——-떨다 자 騒つく；騒めく. ——-부리다 자 騒ぎ立てる.
‖——-쟁이 명 そうぞうしい者.
수선【水仙】명 水仙. ① 水中の仙人. ② ↗수선화.
‖——-화 명〔植〕水仙.
수선【垂線】명〔數〕垂線. ¶～을 긋다 垂線を引く.
수선【修繕】명하타 修繕；直し；繕い；ほてつ(補綴). ¶구두 ～공 くつ直し／구두를 ～하다 くつを直してもらう.
수선-장【修船場】명 船を直すところ.
수성【水性】명 水性.
‖— 도료 명 水性塗料.
수성【水星】명〔天〕水星.
수성【守成】명하타 父祖の業を守ること.
수성【守城】명하자 城を守ること.
‖——-군(軍) 명 城を守る軍隊.
수성【獣性】명 獣性.
수성-암【水成岩】명 水成岩.
수세【水洗】명하타 ① 水洗；水あらい. ② ↗수세식.
‖——-식 명 水洗式. ——-식 변소 水洗式便所.
수세【水勢】명 水勢.
수세【收稅】명하자 収税.
‖— 관리 명 収税官吏.
수세【守勢】명 守勢；受け太刀. ¶그 동안 ～로 시종했다 その間守勢に終始した／～에 몰리다 受け太刀に回る.
수-세공【手細工】명 手細工；手で作る細工. ¶～의 담뱃갑 手細工のたばこ入れ.
수-세다【手—】형 手ごわ(強)い. ① ひどく手強い. ② 碁や将棋の手が強い.
수세미 명 たわし(束子).
‖——-외 명〔植〕へちま(糸瓜).
수-소 명 雄牛. ＝모우(牡牛)·황소.
수소【水素】명〔化〕水素. ¶중～ 重水素／～와 화합하다 水素と化合する.
‖— 이온 명〔化〕水素イオン. — 이온 농도 명〔化〕水素イオン濃度. — 지수 명〔化〕水素指数. ——-탄(彈), — 폭탄 명 水素爆弾；水爆《준말》.
수소【受訴】명하자 受訴.
수-소문【捜所聞】명타자 世間の風説をつきとめること.
수속【手續】명하타 ☞ 절차(節次).
수속【收束】명하타 収束. ① 集めて束にすること. ② とりいれておさまりをつけること.
수송【輸送】명하타 輸送. ¶～ 열차 輸送列車／～선 輸送船；モンスタータンカー／～을 담당하다 輸送を受け持つ.
‖——-기 명 輸送機. ——-력(力) 명 輸送力. ——-업 명 輸送業.
수-쇠 명 ① ひきうす(碾臼)のおうす(雄臼)についた突起. ② 錠前の穴にある突起. ③ ちょうつが(蝶番)いのはめこむ部分；ひじがね(肘金). ＝수톨쩌귀.
수수 명〔植〕もろこし；もろこしきび《"とうきび·たかきび·カオリャン·コーリャン"이라고도 함》；きび(黍).
‖— 경단(瓊團) 명 きびだんご(黍団子). ——-깡 명 きび(黍)の茎. ——-떡 명 きびもち(黍餅). ——-밥 명 きびめし(黍飯). ——-밭 명 きびばたけ(黍畑). ——-쌀 명 きび(黍)の実の殻をむ(剝)いた中身. ——-엿 명 きびあめ(黍飴).
수수【收受】명하타 収受. ¶금품을 ～하다 金品を収受する.
수수【袖手】명하자 しゅうしゅ(袖手)；きょうしゅ(拱手)；腕をこまね(拱)くこと.
‖— 방관 명하타 拱手傍観.
수수【授受】명하타 授受；やりとり；受け渡し. ¶정권의 ～ 政権の授受／금전의 ～ 金銭のやりとり／상품의 ～ 商品の受け渡し.

수께끼 명 なぞ(謎). ①なぞなぞ(謎謎)合わせ; 当て物〈俗〉; 判じ物〈俗〉. ¶~를 풀다 謎を解く. ②迷宮. ¶~의 여자 謎の女性 / 우주의 ~ 宇宙の謎.

수-꾸다 타 たわ言で人を恥かしめる; 冷やかす; からかう.

수-료【手數料】명 手数料; 歩合い; 上前; プレミアム; リベート. ¶판매 ~ 販売手数料; 売り上げの歩合 / 일할의 ~를 물다 一割の歩合を払う / ~를 받다 リベートを取る / ~를 가로채다 上前をはねる.

수-하다 형 ①装い·態度·性格などが普通である; 地味だ. ¶수수한 취미 地味な〔渋い〕好み / 인물은 ~ きりょうはまあまあである. ②品質が特に良くも悪くもない. ¶수수한 색 地味な色.

수-술 명〔植〕↗수꽃술.
‖——-대 명 おしべ(雄蕊)の茎. ——머리 명 おしべ(雄蕊)の上の部分.

수술【手術】명〔醫〕手術. ——하다 手術する; メスを入れる. ¶무통 ~ 無痛手術 / ~을 받다 手術を受ける / ~의 결과가 좋지 못하다 施術の結果が良くない.

수술-수술 부하형 とうそう(痘瘡)などが少し乾いたさま.

수습【收拾】명하타 収拾. ¶사태를 ~하다 事態を収拾する / 그 자리를 잘 ~하다 その場をうまく取り成す / 분쟁을 ~하다 紛争を取りさばく(捌く) / 동맹 파업이 ~되다 ストライキが治まる / 민심을 ~하다 民心を収拾する.
‖——-책 명 収拾策.

수습【修習】명하타 修習. ¶사법~생 司法修習生.
‖—— 변호사 명 弁護士試補. —— 행정관 명 行政官試補.

수시【隨時】명부하자 随時. ①時に従って成すこと. ②その時その時; いつでも. ¶~ 입학을 허가 随時入学を許可.
‖—— 변통(變通) 명하타 その時その時の事情に従って処理すること. —— 순응(順應) 명하자 何事も時と事情に照らして成すこと. —— 응변(應變) 명하자 その時その時の事情の移り変わりに従ってすること.

수식【水蝕】명〔地〕水食. ¶~ 작용 水食作用.
‖——-곡 명〔地〕水食谷. ——-산 명〔地〕水食山.

수식【修飾】명하타 修飾.
‖——-사(詞), ——-어, ——-언 명〔言〕修飾語. =꾸밈말.

수식【數式】명〔數〕数式.

수신【水神】명 水神; 水の神.

수신【受信】명하자 受信. ¶~인 受信人; 名宛人; 宛名; 宛先 / ~인 불명 宛先不明 / ~ 장치 受信装置 / ~ 상태가 고르지 않다 受信状態が良くない.
‖——-관 명 受信管. ——-기 명 受信機. ——-소 명 受信所.

수신【修身】명하자 修身.
‖—— 제가 명하자 修身斉家.

수신【獸身】명 獣身; けだものの身. ¶인두 ~ 人頭獣身.

수-신【繡—】명 ししゅう(刺繡)を施した絹物でふちをとった履き物.

수신-사【修信使】명〔史〕朝鮮朝末期に日本に遣わした使節.

수실【壽室】명 生前にあらかじめ決めておいた自分の墓.

수심【水心】명 水心; 川·湖などの中央.

수심【水深】명 水深.

수심【愁心】명하자 物案じ; 物思い. ¶~에 잠기다 物思いに沈む.
‖——-가(歌) 명 平安道地方の民謡のひとつ.

수심【獸心】명 獣心. ¶인면 ~ 人面獣心.

수십【數十】명 数十.

수압【水壓】명 水圧; 水の圧力. ¶~을 높여야 되겠다 水圧をあげなければならない.
‖——-관 명 水圧管. ——-기 명 水圧機.

수액【水厄】명 水による災難.

수액【樹液】명 樹液.

수양【收養】명하타 人の子を引き受けて養い育てること.
‖——-녀, ——-딸 명 養女. —— 아들 명 里子. —— 아버지 명 里親; 仮親; 養父. —— 어머니 명 里親; 仮親; 養母.

수양【修養】명하자 修養.

수양-버들【垂楊—】명〔植〕しだれやなぎ; いとやなぎ(糸柳).

수어지-교【水魚之交】명 水魚の交わり; 殊に親しくて離れることのできない間柄.

수업【受業】명하타 受業.

수업【修業】명하자타 修業; 手習い. ¶~ 연한 修業年限 / ~에 힘쓰다 手習いに励む.
‖—— 증서 명 修業証書.

수업【授業】명하자 授業. ¶~ 시간 授業時間 / 학교에서 ~을 받다 学校で授業を受ける.
‖——-료 명 授業料. ¶~ 미납 授業料未納.

수-없다【數—】1 형 運がない; 運が悪い.

수-없다【數—】2 형 数えきれないほど多い. 수-없이【數—】부 数えきれなく; 数限りなく.

수여【授與】명하타 授与. ¶학위가 ~되다 学位が授与される.

수역【水域】명 水域. ¶위험 ~ 危険水域.

수연【水煙】명 水煙. ①みずけむり. ②〔佛〕仏塔の九輪の上部にある火炎形の飾り.

수연【垂涎】명하자 すいぜん(垂涎); よだれ(涎)を垂れること. ¶~의 대상 垂涎の的.

수연【壽宴】명 寿宴; 長寿祝いの宴.

수열【數列】명〔數〕数列. ¶등차 ~ 等差数列.

수염【鬚髥】명 ①しゅぜん(鬚髯); ひげ(髭). =나룻. ¶~을 기르다 ひげ

(髭)を生やす / ~을 꼬다 髭を捻る / ~이 대 자라도 먹어야 양반이다《俚》衣食足りて礼節を知る / 흰~이 나다 しらひげ(白髭)が生える / ~을 깎다 髭をそ(剃)る ②(稲·とうもろこし(玉蜀黍)などの)実の先に生える毛. ③動物の口の辺の毛; ひげ(髭).
‖——-뿌리 명 〔植〕ひげ根. =수근(鬚根).
수엽【樹葉】명 樹葉.
수영【水泳】명 水泳. ——-하다 자 水泳をする; 泳ぐ. ¶~ 경기 競泳 / ~복 水泳服; 水着.
‖——-모 명 水泳帽. ——-장 명 水泳場; プール.
수영【水營】명 〔史〕朝鮮朝の水軍節都使の軍営.
수예【手藝】명 手芸.
‖——-품 명 手芸品.
수온【水溫】명 水温.
수완【手腕】명 ① 手首のくびれたところ. =손회목. ② 手腕; 腕前; 才腕; 腕; 技量. ¶승진은 ~ 여하에 달렸다 昇進は腕次第である / ~을 발휘하다 技量を発揮する; 腕前を見せる.
‖——-가 명 手腕家; 腕利き; 利け者; 利き手; やり; 政治家〈俗〉. ¶우리 교장은 상당한 ~이다 うちの校長はなかなかの政治家だ.
수요【需要】명 需要. ¶~자 需要者 / ~지 需要地 / 국내 ~ 国内需要; 内需.
‖—— 공급의 법칙 명 〔經〕需要供給の法則.
수요-일【水曜日】명 水曜日.
수욕【水浴】명하자 水浴; 水浴び.
수욕【受辱】명하자 人から辱められること.
수욕【獸慾】명 獣欲; 肉欲. ¶~을 채우다 獣欲を満たす.
수용【收用】명하타 収用. ¶토지 ~법 土地収用法.
수용【收容】명하타 収容. ¶포로 ~소 捕虜収容所 / 피난민을 ~하다 避難民を収容する.
수용【受用】명하타 受用.
수용【受容】명 受容. ——-하다 타 受容する; 受け入れる. ¶문화의 ~력 文化の受容力 / ~성 受容性. ‖——-기 명 〔生〕受容器.
수용【愁容】명 愁容; 憂いに満ちた顔.
수용【需用】명하타 需用.
‖——-자 명 需用者.
수용-성【水溶性】명 〔化〕水溶性.
수용-액【水溶液】명 水溶液. ¶식염의 ~ 食塩の水溶液.
수운【水運】명하타 水運. ¶~의 편의 水運の便.
수원【水源】명 水源; 水の源. ¶~을 규명하다 水源を窮める.
‖——-지 명 水源地.
수원【受援】명하자 援助を受けること.
수월【水月】명 水月; 水と月; 水に映じた月.
수월【數月】명 数箇月.
수월-내기 명 扱いやすい人.
수월-찮다 형 [↗수월하지 아니하다] やすくない; ないがしろにできな 扱いにくい; むずかしい. 수월-찮 부 たやすくなく; むずかしく.
수월-하다 형 やす(易)い; 易し たやすい; 容易だ; 楽だ. ¶그 수월한 일이 아니다 それは容易な ではない / 수월한 문제다 楽な問題 である. 수월-히 부 易く; 易し たやすく; 容易に; 楽に. 수월- 월 부하형 やすやすと〔に〕; 楽楽 と〔に〕.
수위【水位】명 水位; みずかさ(嵩). ¶~는 경계선을 넘었다 水位 警戒線を越えた.
수위【守衛】명하타 守衛. =경비(備). ¶~실 守衛室 / ~장 守衛長
수위【首位】명 首位. ¶단연 ~를 지하다 断然首位を占める.
수유【授乳】명하자 授乳. ¶~ 간 授乳時間.
‖——-기 명 授乳期.
수육 명 [←숙육(熟肉)] 煮た牛肉.
수육【獸肉】명 獣肉.
수은【水銀】명 〔化〕水銀.
‖—— 기압계 명 水銀気圧計. —— 등 명 水銀灯. —— 온도계 명 水銀 温度計. —— 전지 명 水銀電池. =수은 건전지. ——-제 명 水銀剤. ——-주 명 〔物〕水銀柱. —— 중독 명 〔醫〕명 水銀中毒.
수은【受恩】명하자 恩をうけること.
수-은행나무【—銀杏—】명 〔植〕雄花だけ咲くいちょう(銀杏)の木.
수음【手淫】명하자 しゅいん(手淫); じとく(自瀆); オナニー; マスターベーション.
수음【樹蔭】명 樹陰; 木陰. ¶~에서 잠시 쉬다 樹陰にしばし憩う.
수응【酬應】명하자 人の要求に応ずる.
수의【壽衣·襚衣】명 きょうかたびら(経帷子); 死に装束.
수의【隨意】명 随意; 心まかせ.
‖—— 계약 명 随意契約. ——-근 명 〔生〕随意筋.
수의【繡衣】명 しゅうい(繡衣). ① ししゅう(刺繡)を施した衣服. ② "암행 어사(暗行御史)"の別称.
‖—— 사또 명 [←수의 사도(繡衣使道)] 〔史〕"어사(御使)"の尊称. = 어사또.
수의【獸醫】명 獣医. ¶~에게 병든 개를 진찰받다 獣医に病犬を診てもらう.
‖——과 대학 명 獣医科大学. —— 대 명 [↗수의과 대학] 獣医大. —— 학 명 獣医学.
수의【囚衣】명 囚衣; 獄衣.
수익【收益】명 収益. ¶~성 収益性 / ~은 전부 학교에 기부하였다 収益はすっかり学校に寄付した.
‖—— 가치 명 収益価値. ——-세 명 収益税. —— 자산 명 収益資産. ——-재 명 収益財. —— 체감 명 収益逓減.
수익【受益】명 受益.
‖——-권 명 受益権. ——-자 명 受益者. ——자 부담 명 受益者負担. ¶

금 受益者負担金. ── 증권 명 益証券.
-익다 자 手慣れる; 熟練する.
인【手印】명 手印. ①手の形押した印. ②自筆の署名また文書.
인【囚人】명 囚人. =죄수(罪人).
인【數人】명 数人; 二三人または五六人. ¶~이 공모하다 数人が通謀する.
-인사【修人事】명하자 ①日常の礼儀作法; 日常行なうあいさつ. ②人事を修めること.
‖── 대천명(待天命) 명하자 人事を尽くして天命を待つこと.
일【數日】명 数日; 二三日または五六日.
임【受任】명하자타 受任. ¶~ 사항을 처리하다 受任事項を処理する. ‖──-자 명 受任者.
입【收入】명하타 収入. ¶하반기의 ~ 下半期の収入/~액 収入額; 上がり高; 取り高.
‖── 인지 명 収入印紙.
입【輸入】명하타 輸入. ¶~품 輸入品; 舶来品; 渡来品/외국으로부터 보리를 ~하다 外国から麦を輸入する.
‖── 관리 명 輸入管理. ── 금제품 명〔法〕輸入禁制品. ── 면장 명 輸入免状. ──-세 명 輸入税. ── 신용장 명 輸入信用状. ── 의존도 명 輸入依存度. ── 초과 명 輸入超過. ── 할당 제도 명 輸入割当制度.
수-있다【數─】형 運がいい; 縁起がいい.
수-자원【水資源】명 水資源.
‖── 개발 명 水資源開発.
수자-폰〔sousaphone〕명〔樂〕スーザフォン; 金管楽器の一つ.
수작【酬酌】명하자 ①しゅうさく(酬酢); 杯をかわすこと. ②言葉のやりとり. ③ばかげた言動〔まね(真似)〕. ¶허튼 ~ 마라 ばかげた真似をするな.
수작【秀作】명 秀作. ¶근래에 보기 드문 ~이다 近来まれに見る秀作である.
수장【水葬】명하타 水葬. ¶~되다 水葬にされる.
수장【收藏】명하타 収蔵; 取り入れて深くおさめておくこと.
수장【首長】명 首長; かしら.
수장【袖章】명 (制服の)そでしょう(袖章).
수장【授章】명하자타 授章.
수재【水災】명 水災; 水害. ¶~민 水害罹災民/~를 입다 水災〔水害〕を被る.
수재【秀才】명 ①秀才. ¶~ 교육 秀才教育/천하의 ~가 구름 떼처럼 모이다 天下の秀才が雲の如く群がり集まる. ②未婚男子の敬称.
수재-식【樹栽式】명 連作式《桑·茶·果樹などの栽培方式》.
수저 명 ①"숟가락"の敬称. ②さじ(匙)とはし(箸).
수저【水底】명 ☞ 물밑.
‖──-선 명 水底線.
수적【水滴】명 水滴; しずく(雫).
수전【水田】명 水田; 田.
수전【守戰】명하자 守戦. ¶~으로 돌다 守戦に回る.
수전-노【守錢奴】명 守銭奴; しみったれ; シャイロック.
수전-증【手顫症】명 しび(痺)れてしきりに手が震える症状.
수절【守節】명하자 守節; 節義を守ること; 婦人が操を守り通すこと.
수정【水亭】명 水亭; 水上や水辺のあずまや.
수정【水晶】명〔鑛〕水晶; はり(玻璃); じょうはり(浄玻璃).
‖──-궁 명 水晶宮. ── 시계 명 水晶時計; クオーツ時計. ── 유리(瑠璃) 명 水晶ガラス. ──-체 명〔生〕水晶体.
수정【水精】명 水精. ①水の精. ②月の別称.
수정【受精】명하자〔生·植〕受精〔授精〕. ¶체외 ~ 体外受精/인공 ~ 人工授精/자방이 ~해서 과실이 된다 子房が受精して果実となる.
‖──-란 명〔生〕受精卵. ──-막 명〔生〕受精膜.
수정【修正】명 修正. ──-하다 타 修正する; ふえつ(斧鉞)を加える. ¶의안을 ~하다 議案を修正する.
‖──-안 명 修正案. ── 자본주의 명 修正資本主義. ──-주의 명 修正主義.
수정【修訂】명하타 修訂; 校正.
수정【修整】명하타 修整. ¶사진의 ~에 시간이 걸리다 写真の修整に時間がかかる.
수-정과【水正果】명 せん(煎)じたしょうがじる(生薑汁)に砂糖かはちみつ(蜂蜜)を入れ干しがき(柿)·松子·にっけい(肉桂)を漬けた飲み物.
수정-관【輸精管】명〔生〕輸精管; 「精管」.
수제【手製】명하타 手製; 手づくり. ¶~품 手製品.
수제【水劑】명 液剤; 水に溶かすかまぜた薬剤.
수제【首題】명 首題; 公文書の初めに書く題目. ¶~의 건에 관하여 首題の件に関し.
수제비 명 こ(捏)ね返した小麦粉を適度の大きさにも(捥)ぎ取りすまし汁に入れて煮た食べ物; すいとん. ── 뜨다 자 ①こ(捏)ねた小麦粉をもぎ取ってたぎ(滾)るすまし汁に入れる. ②↗물수제비 뜨다.
수-제자【首弟子】명 大勢の弟子の中で一番の弟子.
수조【水鳥】명 ☞ 물새.
수조【水槽】명 水槽; 水船. ¶~에 물을 담아 두다 水槽に水をためる.
수조【水藻】명 水藻.
수족【手足】명 手足. ①手と足. ¶~이 차다 手足が冷たい. ②手足のように思うままに使う人. ¶~이

되어 일하다 手足となって働く.
수족【水族】명 水族; 水中にせいそく(棲息)する動物.
‖──-관 명 水族館.
수종【水腫】명〔醫〕すいしゅ(水腫).
수종【數種】명 幾種.
수종【隨從】명하타 随従. ① お供をして使いをする僕. ②→시중.
──-들다 자 →시중들다.
수좌【首座】명 首座. ① ☞ 수석(首席). ②〔佛〕国師の尊称.
수죄【首罪】명 首罪; 犯罪の中でもっとも重いもの.
수주【水柱】명 水柱·水ばしら. ¶ ~가 솟다 水柱が立つ.
수주【受注】명하자타 受注. ¶ ~ 생산 受注生産.
수-주머니【繡—】명 ししゅう(刺繡)を施した絹織物のきんちゃく(巾着).
수준【水準】명 水準. ① 標準. ¶ ~이 높다〔낮다〕 水準が高い〔低い〕/ ~을 높이다〔낮추다〕 水準を高める〔低める〕/ 외국 ~에 따라 붙다 外国の水準に追い付く. ② ↗수준기.
‖──-기 명〔物〕水準器. ── 원점 명〔地〕水準原点. ──-의 명 水準儀. ──-점 명 水準点.
수줍다 형 内気だ; つつ(慎)ましい; 恥ずかしがり〔はにかみ〕屋だ.
수줍어-하다 자 恥ずかしがる; 恥じらう; はにかむ; 照れる〈俗〉. ¶ 수줍어서 머뭇머뭇하다 はにかんでもじもじする.
수줍음 명 恥じらい; はにかみ; 内気. ¶ ~을 잘 타다 はにかみ屋だ; よく恥じらう.
수중【水中】명 水中. ¶ ~ 음향기 水中音響器 / ~에 서식하다 水中にせいそく(棲息)する.
‖──-경 명〔植〕水中茎. =물속줄기. ── 안경 명 水中眼鏡; 水眼鏡. ──익-선 명 水中翼船.
수중【手中】명 手中. ① 手のうち; 掌中; 手の裏. ¶ ~의 돈 手元金; 手元《준말》/ ~에 넣다 手に入れる; 手にする / ~에 들어 오다 手に入る / ~에 있는 물건이라도 넘겨 주게 手持ちの品でもいいから譲れよ / ~의 돈을 몽땅 털어서 사다 有り金をはたいて買う. ② 権力をふるうことのできる範囲; 手の内. ¶ 그는 내 ~에 있다 彼は僕の手の内にある.
수중-다리 명〔醫〕[←수종(水腫) 다리] 病でぶくぶくはれ上がった脚.
수증【受贈】명하타 受贈. ¶ ~자 受贈者 / ~ 잡지 受贈雑誌.
수-증기【水蒸気】명 水蒸気. ¶ ~를 내다 水蒸気を発する〔出す〕.
수지【手指】명 手指. =손가락.
‖──-침(鍼) 명〔韓醫〕手指·手のひら·手の甲に施す針術《正式名は"고려(高麗) 수지침"》.
수지【收支】명 収支; 出入り; そろばん(算盤). ¶ ~가 맞다 引き合う / ~가 안맞다 収支が償わない; 出入りが合わない; 算盤が立たない / ~ 안 맞는 장사 引き合わない商売. ── 맞다 자 収支が償う; 引き合う; 割に合う.
‖── 결산 명 収支決算. ── 계 명 収支計算.
수지【樹枝】명 樹枝; 木の枝.
‖──-상(狀) 명 木の枝のように幾すじにものびたさま.
수지【樹脂】명 樹脂; 木の脂. ~ 가공 樹脂加工 / 합성 ~ 合成樹脂 / ~ 공업 樹脂工業. 「防
수지【獸脂】명 獣脂; 獣類の
수직【手織】명 手織り. ──-하다 手で織る. ¶ ~천 手織りの布.
‖──-기 명 手織り機.
수직【垂直】명 垂直. ¶ ~으로 하하다 垂直に落下する.
‖── 거리 명〔數〕垂直距離. ── 면 명 ☞ 연직면(鉛直面). ── 분 명〔植〕垂直分布. ──-선 명〔數〕☞ 수선(垂線).
수진【受診】명하자 受診.
수진(-본)【袖珍(本)】명 しゅうちんほん(袖珍本); しゅうちん(袖珍)《준말》 そで(袖)に入るほどの小さい本.
수질【水質】명 水質. ¶ ~ 검사 水質検査.
수집【收集】명하타 収集. ¶ 폐품 ~ 廃品収集; 廃品回収.
수집【蒐集】명하타 収集; コレクション. ¶ 우표 ~ 切手収集.
‖──-광 명 収集狂; コレクトマニア. ¶ 서적 ~ 書籍収集狂; 書狂; ビブリオマニア. ──-벽 명 収集癖.
수차【水車】명 水車·みずぐるま. ¶ ~가 돌다 水車が回る.
‖── 발전기 명 水車発電機.
수차【收差】명〔物〕収差. ¶ 이 렌즈는 ~가 적다 このレンズは収差が少ない.
수차【數次】명 数次; 数度; 数回; 何度. ¶ ~의 회담 数次の会談 / ~ 타일렀으나… 何度〔幾度〕も言ってきかせたが….
수찬【修撰】명하타 しゅうせん(修撰); 本を編集してせんじゅつ(撰述)すること.
수찰【手札】명 ☞ 수서(手書).
수창【首唱】명하타 ① 首唱; 頭となって主唱すること. ¶ ~자 首唱者 / 정계 쇄신을 ~하다 政界刷新を首唱する. ② 座中でまっさきに詩を吟ずること.
수채 명 下水道; 溝; どぶ; 流し. ¶ ~가 막히다 どぶが詰まる〔つかえる〕/ ~를 치다 下水を掃除する.
‖──-통(筒) 명 下水管. 수챗-구멍 명 下水の出口.
수-채우다【數—】자 ① 一定の数に至るまで加える. ② (数が不足して)それに近い替え玉で間に合わせる.
수-채움【數—】명하자 数をうめること; 数を補うこと. 준 수챔.
수채-화【水彩畫】명 水彩画.
수처【數處】명 数箇所; いくつかの所.
수척【瘦瘠】명하형 や(瘠)せること; やつ(窶)れること; やせほそること.

~한 사람 おや(痩)せ / 얼굴이 ~해이다 (面)やつれが見える / 병후에 해 지다 病後でやつれている.

첩【手帖】명 手帳. ¶경찰 ~ 警察手帳 / 교사 ~ えんまちょう(閻魔)〈俗〉/ ~에 메모를 하다 手帳にメモする.

청【守廳】명〔史〕けんじゅう(傔). ① 高官にかしず(傅)くこと. ② ☞ 청지기. ——들다 자 官妓が地方長官の寝室に侍る.

초【水草】명 水草.

축【收縮】명하자 収縮. ¶근육 ~하다 筋肉が収縮する.

축【修築】명하타 修築; 修造. ¶건물을 ~하다 建物を修築する.

출【輸出】명하타 輸出. ¶~ 산업의 육성 輸出産業の育成.
—— 관세 명 輸出関税. —— 금제품 명 輸出禁制品. —— 면장 명 輸出免状. —— 보상 제도 명 輸出補償制度. —— 송장 명 輸出インボイス. —— 신용장 명 輸出信用状. —— 자유 지역 명 輸出自由地域. —— 초과 명 輸出超過. ㊟출초(出超).

수-출입【輸出入】명 輸出入.
‖—— 은행 명 輸出入銀行.

수취【受取】명 受取; 受け取り. ——하다 명 受け取る. ¶~함 受取箱.
‖—— 어음 명 ☞ 받을 어음. ——-인 명 受取人.

수치【羞恥】명스형 しゅうち(羞恥); 恥; 辱め; おじょく(汚辱). ¶~를 모르다 恥を知らない / ~를 당하다 恥をかく; はずかしめを受ける / ~심이 없다 羞恥の念がない / 살아서 ~를 당하다 生きて恥をさら(晒)す / 가문의 ~다 家の面汚しである.

수치【數值】명〔數〕数値. ¶다음 식의 X의 ~를 구하라 次の式のXの数値〔値〕を求めよ.
‖—— 예보 명〔氣〕数値予報.

수-치질【—痔疾】명 いぼじ(疣痔); じかく(痔核).

수칙【守則】명 守るべき規則; 心得.

수-캉아지 명 雄の小犬.

수-캐 명 雄の犬.

수-컷 명 動物の雄.

수-키와 명 おがわら(男瓦); 筒がわら(瓦).

수탁【受託】명하타 受託. ¶~물 受託物.
‖—— 매매 명 受託売買. —— 판매 명 受託販売.

수탄【愁嘆】명하타 愁嘆. ¶~에 잠겨 지내다 愁嘆に明け暮れる.

수탄【獸炭】명 獣炭; 動物質を乾留して得られる炭化質物質の総称《脱色剤用》.

수탈【收奪】명하타 収奪. ¶독점자본의 ~ 独占資本の収奪 / 지대를 ~하다 地代を収奪する.

수-탉 명 おんどり(雄鶏).

수탐【搜探】명하타 調べ探すこと.

수-탕나귀 명 雄のろば(驢馬). ㊟수나귀.

수태【受胎】명하자 受胎. ¶인공 ~ 人工受胎 / ~시키다 受胎させる.
‖—— 조절 명 受胎調節.

수토【水土】명 水土. ① 水と土. ② 陶磁器の原料となる土の一種.

수통【水筒】명 水筒.

수-퇘지 명 豚の雄.

수-틀【繡—】명 ししゅう(刺繡)の枠〔台〕.

수판【數板】명 ☞ 주판(籌板).
‖——-셈 명 珠算.

수평【水平】명 ① 水平. ¶~을 유지하다 水平を保つ. ② ↗수평봉.
‖——-각 명〔數〕水平角. —— 거리 명 水平距離. —— 곡선 명〔地〕水平曲線. =등고선(等高線). ——-기 명 水平器. =수준기. ——-동 명 水平動. ——-면 명 水平面. ——-봉 명 水平棒. ——-선 명 水平線. ¶~은 끝이 없다 水平線は果てしない. —— 운동 명 水平運動. =형평(衡平)운동.

수-평아리 명 ひよこの雄. ㊟수평.

수포【水泡】명 水泡; みなわ. ① ☞ 물거품. ② 空しい結果. ¶~로 돌아가다 水泡に帰す / 그의 노력도 ~로 돌아갔다 彼の努力も水の泡となった〔空振りに終わった〕.
‖——-석 명 水泡石. =속돌.

수포【水疱】명〔醫〕すいほうしん(水疱疹).
‖——성 가스 명 水疱性ガス. ——-진 명〔醫〕水疱疹. =수포.

수폭【水爆】명 ↗수소(水素) 폭탄.

수표【手票】명 小切手. ¶부도 ~ 不渡り小切手 / 연~ 延べ(払い)小切手 / ~를 발행하다 小切手を振り出す.

수표【數表】명〔數〕数表.

수풀 명 茂み; おどろ(棘・荊棘). ① 木の茂っている所. ② 草木・木・いばら(棘)などがあい乱れてからまっている所. ¶뜰의 ~에 작은 새가 와서 지저귀고 있다 庭の茂みに小鳥がとまってさえず(囀)る.

수프〔soup〕명 スープ.

수피【樹皮】명 樹皮.

수피【獸皮】명 獣皮.

수필【隨筆】명 随筆; 漫筆; エッセー. ¶~ 문학 随筆文学.
‖——-가 명 随筆家. ——-집 명 随筆集.

수하【手下】명 ① ☞ 손아래. ② 手下; 子分.

수하【誰何】㊀인대 だれ(誰). ¶~를 막론하고 誰を問わず. ㊁명하타 すいか(誰何). ¶보초가 ~하다 歩哨が誰何をする.

수하-인【受荷人】명 荷受人.

수학【受學】명하타 学問を受けること. ¶그 하고는 동문 ~의 사이이다 彼とは同門受学の間柄である.

수학【修學】명하타 修学; 手習い; 学修. ¶~하기 위해 상경했다 修学のため上京した.
‖—— 여행 명 修学旅行. ¶~은 즐겁다 修学旅行は楽しい.

수학【數學】명 数学. ㈜수(數). ¶~적인 풀이 数学的な解釈 / ~ 문제를 풀다 数学の問題を解く.
수해【水害】명 水害.
수해【樹海】명 樹海. ¶한없이 넓은 ~가 이어지다 見渡す限りの樹海が続く.
수행【修行】명하자 修行; 行. ¶쓰라린 ~ つらい修行 / 검도를 ~하다 剣道を修行する.
‖——-자 명〔佛〕修行者; 修験者. ¶~가 고행을 하다 修験者が荒行をする.
수행【遂行】명 遂行. ——-하다 타 遂行する; 成し遂げる. ¶임무를 ~하다 任務を遂行する.
수행【随行】명하타 随行; お供; お付き. ¶수명의 부하가 ~하다 数名の部下が随行する.
‖——-원 명 随行員; 随員; 供人; 供. ¶그는 대사의 ~ 이다 彼は大使の随行員である.
수험【受驗】명하자 受験. ¶~의 요령 受験のこつ / ~을 단념하다 試験を投げる.
‖——-료 명 受験料. ¶~가 너무 비싸다 受験料があまり高い. ——-생 명 受験生. ¶~ 이 많다 受験生が多い.
——-표 명 受験票.
수혈【竪穴】명 たて穴.
수혈【輸血】명하자 輸血. ¶~ 준비를 서둘다 輸血の準備を急ぐ.
수형【受刑】명하자 受刑. ¶~자 受刑者.
수호【守護】명하타 守護; 守り. ¶~신 守護神; 守り神 / 나라를 ~하다 国を守る.
수호【修好】명하자 修好〔修交〕.
‖—— 조약 명 修好条約.
수화【水火】명 水火; 水と火. ¶~도 불사하다 水火も辞せず.
‖—— 상극 명 水火相克. ①水と火が互いに相容れないこと. ②互いにかたき(仇)のように過ごすこと.
수화【水化·水和】명하자타〔化〕水化; 水和.
‖——-물 명〔化〕水和物. —— 작용 명 水和作用.
수화【手話】명하자 手話.
‖——-법 명 手話法.
수화【受話】명하자 受話.
‖——-기 명 受話器. ¶~를 들다 受話器を取る.
수확【收穫】명하타 収穫; 取り入れ; 刈り入れ; 出来; 実入り. ¶~기 収穫の時期 / 논밭의 ~ 田畑の上がり / 금년 농작물의 ~은 좋았다 今年の(作物の)出来はよかった.
‖——-고 명 収穫高; 出来高; 取れ高. ¶단당 ~ 反当たり収穫高.
수황-증【手荒症】명 病的に人のものを盗む手くせ.
수회【收賄】명하자 収賄; わいろ(賄賂)を受けること.
‖——-죄 명 収賄罪. =수뢰죄(受賂罪).
수회【數回】명 数回; 二三度.
수효【數爻】명 物事の数.
수훈【垂訓】명 垂訓. ¶산상의 ~ 山上の垂訓.
수훈【受勳】명 受勲; 勲章をうけること. ¶~자 受勲者.
수훈【殊勳】명 殊勲. ¶~을 세- 殊勲を立てる.
숙고【熟考】명하타 熟考; 黙考 熟慮; 深慮. ¶심사 ~ 沈思 熟考 / 일의 성부를 ~하다 事の成否を熟考する / ~한 뒤에 결정하다 慮の上決定する / ~하여 일을 처 하다 熟慮して事を処理する.
숙군【肅軍】명하자 粛軍.
숙녀【淑女】명 淑女; レディー. ¶신사 ~ 紳士淑女 / ~ 여러분의 건 을 빕니다 諸姉の御健康を祈ります.
숙다 자 傾く. ¶기둥이 ~ 柱が傾く.
숙달【熟達】명하자 熟達; 熟練; 上達. ¶~된 일 熟達した事 / ~함을 기뻐하다 上達をよろこぶ.
숙당【肅黨】명하자 粛党. ¶~ 착수하다 党の粛正に着手する.
숙덕-거리다 자타 ひそひそと話す. 숙덕-숙덕 부하자타 ひそひそ.
숙덕-공론【—公論】명하자타 こうせつ(巷説); 秘かに話し合う議論; せけんのとりざた.
숙덕-이다 자타 (大勢集まって)ひそひそと話す; ひそかに相談する. >속닥이다.
숙독【熟讀】명하타 熟読; 慣れるまで読むこと. ¶명작을 ~ 완미하다 名作を熟読がんみ(玩味)する.
숙람【熟覽】명하타 熟覧.
숙련【熟練】명하자 熟練. ¶~된 솜씨로 熟練した手ぎわで / 세공에 ~되다 細工に熟練する / 일에 ~되다 業に熟練する〔熟す·練れる〕.
‖——-공 명 熟練工.
숙망【宿望】명 宿望. ①かねてから抱いていた望み. ¶~을 이루다 宿望を遂げる. ②久しい名望.
숙맥【菽麥】명 しゅくばく(菽麦). ①豆と麦. ②［↗숙맥 불변(不辨)］(豆と麦の区別ができないとのことから)ぐまい(愚昧)な人のたとえ.
숙면【熟面】명 熟面.
숙면【熟眠】명하자 熟眠. ¶~의 덕으로 피로가 풀렸다 熟眠のおかげでつかれが直った.
숙명【宿命】명 宿命. ¶~의 대결이었다 宿命の対決であった.
‖——-관(觀) 명 宿命観. ——-론 명 ☞ 운명론. ——-적 명관 宿命的.
숙모【叔母】명 叔母. ¶친척이라고는 ~ 한 사람뿐이다 身寄りと言えばおば一人だけである.
숙박【宿泊】명 宿泊; 宿·やど; 泊まり; 宿り. ——-하다 자 宿泊する; 泊まる; 宿る. ¶~객 泊まり客 / ~료 宿泊料; 宿銭; 宿賃; 宿料 / ~부 宿帳 / ~지 宿泊地; 宿許 / ~시키다 宿泊させる; 泊める / 할 수 없이 농가에 ~하다 しかたなく農家に泊まる.
‖—— 신고(申告) 명 旅館などで泊と

り客の名簿を警察に提出すること. また, その書類. ——-업(業) 명 宿泊業.

배【肅拜】명 肅拜《手紙の末尾に用いることば》.

병【宿病】명 宿病; 宿疾; こつ(痼疾).

부【叔父】명 叔父; 父の弟.

-부드럽다 형 ①善良だ; おだやかだ. ②おとなしくておっとりしている. ¶참하고 숙부드러운 몸가짐 善良でおだやかな身持ち.

사【宿舍】명 宿舍; 宿る家. ¶민가로 ~를 정하다 民家を宿舍に定める.

사【熟絲】명 練り糸.

설-거리다 자타 小声でひそひそと話す. >속살거리다. 숙설-숙설 부 하자타 ひそひそ.

성【夙成】명하형 しゅくせい(夙成); 早熟; 年に比べて早く知覚を持つか背が高いこと; 大人びていること. ¶어린 놈이 ~하구나 年の割りに大きいね / 그 여자는 열여섯 살치고는 ~한 편이다 彼女は十六歳の割りには大人びた方である.

숙성【熟成】명하자 熟成.

숙소【宿所】명 宿所; 宿. ¶한적한 ~ 静寂な宿 / ~를 옮기다 宿をかえる.

숙수【熟手】명 ①料理人; 賄い方; 板前; ほうじん(庖人). ②料理をよくこしらえる人.

숙수【熟睡】명하자 熟睡; 深い眠り.

숙수그레-하다 형 多くの物がほとんど同じだ; 平均している; そろ(揃)っている. >속소그레하다.

숙식【宿食】명하자 ①寝泊まりして食べること; 寝食. ¶~ 제공 寝食提供. ②食べてから一夜が過ぎても消化されない食べ物. ¶~의 탓인지 뱃속이 불안하다 食もたれのせいか腹の工合がわるい.

숙씨【叔氏】명 人の三番目の兄または弟を指す敬称.

숙어【熟語】명〔言〕熟語. ①二つ以上の単語が結合してある意味をあらわす語. =복합어. ¶단어와 ~ 単語と熟語. ②一定の言いまわしで特有の意味をあらわす成句. =관용어. ¶영어의 ~를 연구하다 英語の熟語を研究する.

숙어-지다 자 ①前に傾く; うつむく; 前に垂れる; 下がる. ¶고개가 ~ 頭が下がる. ②力がなくなる; 気が弱る; 元気がなくなる; おとろえる. ¶전염병의 기세가 ~ 伝染病の勢いがおとろえる. * 수그러지다.

숙연【宿緣】명〔佛〕宿緣; 宿世の因緣. ¶이것도 무슨 ~이겠지요 これも何かの宿緣でしょうね.

숙연【肅然】명하형 肅然. ①つつしんでかしこまるさま. ②おごそかで静かなさま. ¶~한 자세로 肅然たる姿で / ~하여 소리도 없다 肅として声もなし. ——-히 부 肅然と.

숙영【宿營】명하자 宿営; ビバーク. ¶~지 宿営地 / 야외에 ~하다 野外に宿営する.

숙원【宿怨】명 しゅくえん(宿怨); 積年の恨み. ¶~을 풀었다 宿怨を晴らした.

숙원【宿願】명 宿願; 本懐; かねてからの願い. ¶~을 이루다 宿願を果たす; 本懐をとげる.

숙은【肅恩】명하자 恩に厚くお礼をすること.

숙의【熟議】명하타 熟議; 凝議. ¶~에 ~를 거듭하다 熟議に熟議を重ねる.

숙이다 타 傾ける; うつむく; うなだれる; 下げる; 伏せる; 前にうつむくか傾ける. ¶고개를 숙이고 흐느껴 울다 顔をうなだれてむせ返る / 부끄러운 듯이 머리를 ~ 恥かしそうに頭を下げる.

숙자【熟字】명 二つ以上の漢字が合して一つの意味をあらわす文字《"林"・"明"など》.

숙적【宿敵】명 宿敵. ¶~을 쓰러뜨리다 宿敵を倒す / ~을 물리치다 宿敵を退ける.

숙정【肅正】명하타 肅正; 厳重に取り締まること. ¶관기를 ~ 하다 官紀を肅正する.

숙제【宿題】명 宿題. ①予め課して解決してくるように命じた問題. ¶여름 방학의 ~ 夏休みの宿題 / ~를 마치고 놀아라 宿題を終えて遊びなさい. ②後日の解決に残された問題. ¶이것은 후일의 ~가 될 것이다 これは後日の宿題になるだろう.

숙죄【宿罪】명 宿罪.

숙주, 숙주-나물 명 文豆も(萌)やし.

숙주【宿主】명 宿主; 寄生生物が宿っている生物. =기주(寄主). ¶중간 ~ 中間宿主.

숙지【熟知】명하타 熟知. ¶~의 사이 熟知の仲 / 이 부근의 지리는 ~하고 있다 このあたりの地理には明るい.

숙지다 자 衰える; 弱る; 現象や勢いなどが次第に減っていく.

숙직【宿直】명하자 宿直. ¶~ 수당 宿直手当 / ~실 宿直室 / ~을 끝내다 宿明けする.
‖——-원 명 宿直員.

숙질【宿疾】명 ☞ 숙병(宿病).

숙질【叔姪】명 おじ(伯父・叔父)とめい(姪).

숙청【肅清】명하타 肅清. ¶반대파에 대해 일대 ~을 단행하다 反対派に対して一大肅清を断行する.

숙체【宿滯】명 永い間の食もたれ症.

숙취【宿醉】명 宿醉; 二日酔い. ¶~ 뒤의 해장술 二日酔いの迎え酒.

숙친【熟親】명하형 大変親しい間柄.

숙폐【宿弊】명 宿弊. ¶~의 뿌리를 뽑다 宿弊の根を切る.

숙항【叔行】명 おじにあたる系列.

숙환【宿患】명 宿病; 長患い;

ㅅ

長病み. ¶ ~으로 죽다 長患いでなくなる.
순【旬】 명 旬. ①一か月を三つに分けた十日の称. ¶9월 중순 ~ 九月中旬. ②十年を一期とした称. ¶칠~ 노인이다 七旬の老人である. 「のこ.
순【筍】 명 植物の芽. ¶대~ たけ
순 관 全く; 実に; まことに; 悪口を言うとき"本当に"の意味で使う語. ¶~ 못된 놈 全くけしからん奴.
순【純】 관 純: 他の物がまじらぬこと; 純粋なこと. ¶~거짓말 真赤なうそ.
-순【順】 미 順; ある語の語尾に付いて順序·順番をあらわす語. ¶가나다~ イロハ順 / 선착~으로 접수합니다 先着順に受け付けます.
순간【旬刊】 명하타 旬刊; 十日ごとに刊行すること. また, その刊行物. ¶~ 잡지 旬刊雑誌.
순간【瞬間】 명 瞬間; とっさ; つかのま; 瞬時; 弾み; モーメント; またたく間. ¶~ 풍속 瞬間風速 / ~적 기지로 とっさの機転で / 됐다고 생각한 것도 ~ しめたと思ったのもつかのま / ~적으로 瞬間的に / 그~ 아슬아슬하게 몸을 피했다 その瞬間危うく身をかわした.
순검【巡檢】 명하타 巡検. ¶관내를 ~하다 管内を巡検する.
순견【純絹】 명 純絹; 本絹.
순결【純潔】 명하형 純潔. ¶~한 정신 純潔な精神 / ~을 지키다 純潔を守る.
‖── 교육 명 純潔教育. ── 무구 명하형 純潔むく(無垢).
순경【巡警】 명 巡査; お巡り〈俗〉. ¶기마 ~ 騎馬巡査.
순경【順境】 명 順境.
순계【純計】 명〔經〕純計; 重複した分をさしひいた純粋の総計. ¶~ 예산 純計予算.
순교【殉教】 명하자 殉教. ¶~자 殉教者 / ~한 사람들 殉教の徒.
순국【殉國】 명하자 殉国. ¶~ 정신 殉国精神.
‖── 선열(先烈) 명 国のために命を捧げた烈士.
순금【純金】 명 純金·きんむく(金無垢); 焼き金; 二十四金. ¶~ 목걸이 純金の首飾り / ~의 불상 金無垢の仏像.
순난【殉難】 명 殉難; 国難のために命を投げ出すこと. ¶~자 殉難者.
순년【旬年】 명 旬年; 十年.
순당【順當】 명하형 順当. ¶그렇게 하는 것이 ~한 일일 것이다 そうするのが順当なことであろう.
순대 명 豚のはらわた(腸)に米·豆腐·文豆も(萌)やしなどを詰めて蒸した食べ物.
순도【純度】 명 純度. ¶~가 높은 결정이다 純度の高い結晶である.
순동【純銅】 명 純銅.
순-되다【順—】 형 人柄が素直でまじめだ.
순-두부【—豆腐】 명 圧し固めてないままの豆腐. =수두부(水豆腐
순량【純良·醇良】 명하형 純良. ~한 것 純良なもの.
순량【純量】 명 正味; ネット.
순량【順良】 명하형 順良. ¶~ 인물 順良な人物.
순례【巡禮】 명하타 巡礼; 巡 巡拝. ¶~자 巡礼者 / 각지의 을 ~하다 各地の寺を巡拝する.
순로【順路】 명 順路. ①平坦な道. ②物事の順調な道筋.
순록【馴鹿】 명〔動〕じゅんろく(馴鹿 トナカイ.
순리【純理】 명 純理; 純粋な理または理論. ¶~에 따라서 행 하다 純理に基づいて行動する / ~를 배우다 純理を学ぶ.
‖──-론 명〔哲〕純理論. ──-적 명관 純理的.
순리【順理】 명하자 順理; 道理に従うこと; 妥当な道理.
‖──-적 명관 順理的.
순면【純綿】 명 純綿. ¶~의 하복 純綿の夏服.
순모【純毛】 명 純毛. ¶~의 옷감 純毛の服地.
순-무 명〔植〕かぶら(蕪菁); かぶ(蕪).
순-문학【純文學】 명 純文学. ¶~ 잡지 純文学雑誌 / ~을 지향하다 純文学を指向する.
순미【純味】 명 純粋の味.
순박【淳朴·醇朴】 명하형 淳朴. ¶~한 시골 노인 淳朴な村老.
순방【巡訪】 명하타 順順に訪ずれること.
순배【巡杯】 명하자 順杯; 宴席で杯を次次に回すこと. また, その杯.
순백【純白】 명 純白; 真っ白. ¶~의 유니폼 純白のユニホーム.
‖──-색 명 純白.
순번【順番】 명 順番. ¶~이 돌아왔다 順番がまわってきた.
순사【殉死】 명하자 ①殉難. =순절(殉節). ②殉死. ¶선군을 좇아서 ~하다 先君を追って殉死する.
순산【順産】 명하타 安産.
순색【純色】 명 純色.
순서【順序】 명 順序; 順; 手順; 手はず; 段取り. ¶~에 따라서 順にしたがって / 당일의 ~를 정하다 当日の段取りをきめる / ~를 정하고 일에 착수하다 手はず〔手順〕をきめて仕事に掛かる / ~를 밟아서 청원하다 筋道を踏んで願い出る.
‖──-수 명 順序数; 序数.
순성【馴性】 명 ①な(馴)れる動物の性質. ②言いなりになる性質.
순-소득【純所得】 명 ①純所得. ②社会的生産物の価値となった国民所得の一部分.
순-손해【純損害】 명 純損失.
순수【純粹】 명하형 純粋; 生; ちゃきちゃき. ¶~한 증류수 純粋な蒸留水 / 저런 사람이 ~한 군인이다 あのような人が生粋の軍人である / 호의를 ~하게 받아들이다 好意

を素直に受け入れる. — 경제학 명 純粋経済学. —— 험 명 純粋経験. —— 문학 명 純文学.

순-하다【順順—】형 ①素直だ; 妙だ; おとなしい; 温順だ; さしい. ②味が口に合う. ¶술맛 ~ 酒の味がころあいである / 순순 성격 やさしい性格 / 순순한 행동 となしいふるまい. 순순-히 부 素直; 神妙に; おとなしく. ¶~ 자백하 素直に白状する / 이대로 ~ 물러 수는 없다 おめおめと引き下がる けにはいかない.

순-히【諄諄—】부 じゅんじゅん(諄諄)と; 懇ろに. ¶방탕한 아들을 ~ 이르다 ほうとう(放蕩)むすこを諄諄と諭す.

시【巡視】명하타 巡視; 巡察; 巡見. ¶지방 관청을 ~하다 地方官庁を巡視する.

식-간【瞬息間】명 一瞬の間; 瞬く間. ¶~에 사라지다 瞬く間に消え失す / ~에 모두 팔리다 たちまち売り切れる / ~의 사건이었다 一瞬間の出来事であった.

순애【純愛】명 純愛. ¶~를 바치다 純愛を捧げる.

순양【巡洋】명하타 巡洋; 海洋を巡察すること.

‖——-함 명 巡洋艦.

순업【巡業】명하타 巡業. =순회공연(巡廻公演).

순-역【順逆】명 順逆. ①恭順と反逆. ②順理と逆理. ¶~의 이치를 그르치다 順逆の理を誤る.

순연【巡演】명하타 巡演. =순회공연(巡廻公演).

순연【順延】명 順延; 繰り延べ. ——-하다 타 順延する; 繰り延べる. ¶우천 ~ 雨天順延 / 다음 주로 ~하다 次の週に繰り延べる.

순열【順列】명 順列. ①順序よくならべること. ②〔數〕順列.

순위【順位】명 順位; 順. ¶~를 정하다 順位を決める / ~를 매기다 順をつける.

순은【純銀】명 純銀. =정은(正銀). ¶~제의 식기 한 벌 純銀(製)の食器一そろ(揃)え.

순음【脣音】명 しんおん(唇音); 上下の唇の間で発音される音(《"ㅁ·ㅂ·ㅃ·ㅍ"など》). =순성(脣聲).

순응【順應】명하자 順応. ¶~성 順応性 / 대세에 ~하다 大勢に順応する / 명암에 대한 눈의 ~성 明暗に対する目の順応性.

순-이익【純利益】명 純利. ¶하루에 5만 원의 ~을 올리다 日に五万ウォンの純利をあげる.

순익【純益】명 [↗순이익] 純益.

‖——-금 명 純益金.

순장【殉葬】명하타〖史〗王や夫の弔いに臣下や妻をいっしょに生き埋めにしたこと.

순전【純全】명하형 純然. ¶~한 예술품 純然たる芸術品 / 이것은 ~한 개인적인 문제이다 これは純然たる〔全く〕個人的問題である. ——-히 부 純然と.

순절【殉節】명하자 忠節・貞節を守って死ぬこと.

순정【純正】명하형 純正. ¶~ 식품 純正食品 / ~한 중립을 지키다 純正な中立を守る.

‖—— 화학 명 純正化学.

순정【純情】명 純情. ¶~ 가련한 처녀 純情かれん(可憐)な娘.

순정【順正】명하형 順正; 事理にたが(違)わず正しいこと. ¶~한 행위 事理にかなった行為.

순조【順調】명 順調〔順潮〕; 好調. ——-롭다 형 順調だ. ¶~로운 날씨 順調な天気 / ~롭게 회복되다 順調に回復する / 일이 ~롭게 진행되다 仕事がとんとん拍子に運ぶ / 교섭이 ~롭지 못하다 交渉がはかばか(捗捗)しくない / ~롭게 끝냈다 首尾よく終えた. ——-로이 부 順調に. ¶의사가 ~ 진행되다 議事が滑らかに進む.

순종【順從】명하자 順従; 随順. ¶아버지의 가르침에 ~하다 父の教えに従う / 정부의 지시에 ~하다 政府の指示に従う.

순종【純種】명 純血.

순증【純增】, 순-증가【純增加】명 純増. ¶소득의 ~ 所得の純増.

순직【純直】명하형 純直.

순직【順直】명하형 順直; おとなしく素直なこと. また, そのさま. ¶~한 아이 素直な子供.

순직【殉職】명하자 殉職. ¶~자 殉職者 / 과로로 교단에서 ~하다 過労のため教壇で殉職する.

순진【純眞】명 純真; 無邪気; 無心; 純. ——-하다 형 純真〔無邪気, 純〕だ; あどけない. ¶~한 농촌 처녀 純真な農村の娘 / ~한 질문 無邪気な質問 / ~한 어린이 あどけない子供.

순차【順次】順次. ㊀명 順. ㊁부 順順; 逐次. ¶아는 대로 ~적으로 발표하여 가다 解り次第逐次発表して行く.

순찰【巡察】명 巡察; 巡警; 見回り. ——-하다 타 巡察する; 見回る. ¶~대 巡察隊; 見回り組 / 밤거리를 ~하다 夜の町を見回る.

‖——-함 명 巡察箱.

순천【順天】명하자 順天.

순치【脣齒】명 しんし(唇歯); 唇と歯.

‖——-음 명 唇歯音; 下唇と上歯を接して出す音(《"v·f"など》).

순치【馴致】명하타 じゅんち(馴致).

순-치다【筍—】자 摘芽する.

순탄【順坦】명하형 ①気むずかしくないこと; おとなしいこと. ¶됨됨이가 ~한 사람 人柄がおとなしい人. ②道が平坦なこと; たんたん(坦坦); たんぜん(坦然). ¶~한 반생 坦坦たる半生. ——-히 부 坦坦と.

순풍【醇風】명 じゅんぷう(醇風·淳風). ¶~ 미속 淳風美俗.

순풍【順風】명 ①和風; おだやかに

吹く風. ②順風; 追い風. ¶ ~에 돛을 달다 順風に帆をあげる.

순-하다【順―】형 ①おとなしい; 素直だ; (性格が)おだやかだ. ¶순한 아이 おとなしい子. ②淡白だ; 味がきつくない; 口に合う. ¶이 술은 ~ この酒は淡白だ〔あたりがやわらかい〕. ③(物事が)やさしい; たやすい.

순항【巡航】명하자 巡航. ¶삼대양을 ~하다 三大洋を巡航する.

‖── 미사일 명〔軍〕クルーズミサイル. ── 속도 명 巡航速度.

순행【順行】명하자 順行. ¶명령에 ~하다 命令に順行する.

순형【楯形】명 盾形.

순화【純化】명하자타 純化; じゅんか(醇化). ¶국어의 ~ 国語の純化 / 학생의 기풍을 ~하다 学生の気風を純化する.

순화【馴化】명하자 順化. ¶살벌한 기질을 ~시키다 殺伐な気質を順化さす.

순화【順和】명하형 たんたん(坦坦)としてなごやかなこと. ──롭다 형 たんたん(坦坦)としてなごやかだ. ──로이 부 坦坦としてなごやかに.

순화【醇化】명하자타 じゅんか(醇化·淳化); 純化. ¶언어 생활의 ~ 言語生活の醇化 / 선생님의 덕분으로 많이 ~됐습니다 先生のおかげでずっと醇化されました.

순환【循環】명하자타 循環. ¶혈액 ~이 아주 좋아졌다 血液循環が大変良くなった.

‖── 계통 명〔生〕循環系. ── 급수 명〔數〕循環級数. ──기 명 循環期. ──기 명〔生〕循環器. ── 논법 명〔論〕循環論法. =순환 논증.

순회【巡廻】명하타 巡回. ¶명소를 ~하다 名所を巡回する.

‖── 공연 명 巡回公演; 巡演; 巡業; 旅回り. ¶지방 ~에 나서다 どさ回りに出る. ── 대사 명 巡回大使. ── 도서관 명 巡回図書館. =순회 문고(文庫).

순후【淳厚·醇厚】명하형 じゅんこう(醇厚). ¶~한 풍속 醇厚な風俗.

숟-가락 명 さじ(匙). ㊀ 숟갈.

‖──질 명하자 匙を使うこと.

숟-갈 명 ↗숟가락.

술¹ 명 酒; 御酒; おさけ〈女〉; 気付け〈俗〉; お神酒〈俗〉. ¶그 고장 ~ 地酒; いなか酒 / 데운 ~ かんざけ(燗酒) / 독한 ~ 強い酒 / 찬 ~ 冷や酒 / ~에 취하다 酒に酔う / ~에 젖다 酒びたりになる / ~을 (따끈히) 데우다 酒のかん(燗)をする; かんをつける / ~살이 오르다 酒太りする / ~을 따르다 酒を注ぐ; お酌をする / 그는 ~에 약하다 彼は酒に弱い / ~을 과음하다 酒をやり過ごす.

술² 명 房. ¶~ 모양 房状 / ~ 장식 房飾り.

술【戌】명 いぬ(戌); 十二支の十一番目.

술³ 의명 一さじ(匙)の分量.

-술【術】미 術. ¶최면~에 능하다 催眠術に長けている.

술가【術家】, **술객**【術客】명 占い; 陰陽家・おんようけ(陰陽家 おんようじ(陰陽師).

술-값 명 酒代; 飲み代; 酒. ¶~보다 안주 값이 비싸다《俚》灯より柄が太い.

술-고래 명《俗》大酒飲み; 大酒; 底抜け上戸; 飲んだれ; のんべえ(呑兵衛); 飲み助〈俗

술-국 명 酒屋でさかな(肴)として すみそしる(味噌汁).

‖──밥 명 "술국"をかけた飯.

술-기【―氣】명 酒気. ¶~가 다 酒気を帯びている.

술-기운 명 酒の勢い. ¶~이 오다 酒が回る / 한창 젊은 나이에 ~ 곁들여서… 若盛りに酒の勢いも手つだって….

술-김 명 酒に酔ったついで; 酔いまぎれ; 酒の上(で). ¶~에 저지른 수 酔いまぎれに犯した落度 / ~ 다 털어놓다 酔ったあげくすっかりうち明ける.

술-꾼 명 酒飲み; 酒好き; 酒客; 飲み手; 上戸; 辛党; 左党. ¶멋진 ~이다 いい酒飲みだ.

술-내 명 酒気; 酒のにおい. ¶~ 나다 酒臭い / 입에서 ~가 풍기다 口に酒気がする.

술년【戌年】명〔民〕いぬどし(戌年).

술-대접【―待接】명 さかあいさつ(酒挨拶); 酒のもてなし. ──하다 타 酒挨拶をする; 酒を振る舞う.

술-도가【―都家】명 酒の卸屋.

술-독 명 ①さかがめ(酒甕). ②大酒飲みを指す語.

술-독【―毒】명 酒焼け. =주독(酒毒). ¶~이 올라 코끝이 빨갛다 酒焼けが高じて鼻が赤い.

술래 명[↗순라(巡邏)](隠れんぼうでの)鬼. ¶이번엔 네가 ~다 今度はお前が鬼だよ.

‖──잡기 명하자 隠れん坊; 鬼ごっこ. ¶~를 하고 놀다 隠れん坊をして遊ぶ.

술렁-거리다 자 ざわめく; どよ〔色〕めく; ざわつく. ¶동료의 죽음을 듣고 ~ 同僚の死を聞いてどよめく / 청중이 ~ 聴衆がどよめく〔ざわつく〕. 술렁-술렁 부하자 ざわざわ. 술렁-이다 자 ☞ 술렁거리다.

술-망나니 명 酔いどれ.

술먹은-개 명 酔いどれをさげすむ語.

술명-하다 형 地味で格好よく似合う. 술명-히 부 ふさわしく.

술-밑 명 酒母; もと(こうじ(麴)をかきまぜた酒強飯).

술-밥 명 ①酒こわいい(強飯). ②酒·しょうゆ(醤油)·砂糖をまぜて炊いた飯.

술법【術法】명 陰陽に関する理. また, その実現方法.

술-병【―病】명 酒病.

술-병【―甁】명 さかつぼ(酒壺); 徳利; ちょうし(銚子).

술부【述部】명〔言〕述部.

술사【術士】명 ① ☞ 술가(術家). ② 術士.

술-상【―床】명 しゅこう(酒肴)のおぜ

(膳). ＝주안상(酒案床).

생【戌生】명 いぬどし(戌年)うまれ.

서【術書】명 陰陽・ぼくじゅつ(卜術)に関する本.

수【術數】명 術数. ① 陰陽・ぼくぜい(卜筮)などに関する理. ＝술법(術法). ② 術策；策略. ¶ 권～에 능한 사람 權謀術数に長けた人.

술 부 ① 水・粉などがしきりに漏るさま：さらさら. ¶ 모래가 ～ 새어나온다 砂がさらさらこぼれる. ② 小雨などが細かに降るさま：そぼそぼ；しとしと；しょぼしょぼ. ③ 問題またはからんだ糸などがほぐれるさま：すらすら；するする. ¶ 답이 ～ 나오다 答えがすらすらと出る／일이 ～ 진행되다 事がすらすらと運ぶ. ④ ことばがよど(淀)みなく出るさま：すらすら；べらべら. ¶ 편지를 ～ 써 내려가다 手紙をすらすら書き流す／그는 영어를 ～ 잘 한다 彼は英語がべらべらだ. ⑤ 風がおだやかに吹くさま：そよそよ；すうすう. ¶ 봄바람이 ～ 불다 春風がそよそよ(と)吹く.

술-안주【—按酒】명 さかな(肴・酒菜)；しゅこう(酒肴). ¶ ～가 아무 것도 없다 さかなが何もない.

술어【述語】명 述語.

술-자리 명 酒席. ¶ ～를 마련하다 酒席を設ける.

술-잔【—盞】명 ① 杯；酒杯. ¶ ～을 기울이다 杯を傾ける／～을 비우다 杯を乾す／～을 돌리다 飲み回す／(윗사람으로부터) ～을 받다 お流れをちょうだい(頂戴)する. ② 幾杯かの酒.

술-잔치 명 酒宴；酒盛り；宴；酒事. ¶ 축하의 ～를 베풀다 お祝いの酒盛りをする.

술-집 명 酒屋；酒場. ＝주점. ¶ 선～ 居酒屋.

술-찌기 명 さけかす(酒粕・酒糟). ＝재강.

술책【術策】명 術策；策；はかりごと(謀)；策略. ¶ ～을 꾸미다 術策をめぐらす／～을 부리다 (術)策をろう(弄)する／～에 빠지다 術中に陥る；わな(罠)にはま(嵌)る.

술-청 명 居酒屋の酒台.

술-추렴【—出斂】명 [←출렴] ① 割り勘定で酒を飲むこと. ¶ ～이나 할까 割り勘で一杯やろうか. ② 代わり番で酒をおごること.

술-친구【—親舊】명 飲み仲間. ＝주붕(酒朋).

술-타령【—打令】명하자 ① 酒浸り. ¶ 아침부터 ～이다 朝から酒浸りである／밤낮으로 ～만 하다 朝な夕な酒浸りでいる. ② 酒が欲しいと口癖のようにいうこと.

술탄〔Sultan〕명 サルタン；スルタン.

술-통【—桶】명 酒だる.

술파-제【—劑】〔sulfa〕명〘藥〙スルファ剤.

술회【述懷】명하자 述懐. ¶ 지난날을 ～하다 過ぎし日を述懐する.

숨 명 ① 息；呼吸；息吹〈雅〉. ¶ ～이 끊어질 듯이 息も絶えんばかりに／～이 끊어지다 息が絶える〔切れる〕／～이 가빠지다〔차다〕息が急く〔切れる〕／～을 쉬다 息をする／～을 거두다 息を引き取る／～을 죽이다 息を凝らす〔殺す〕；固唾をのむ／～을 돌리다 息を抜く；息をふきかえす／～을 내쉬다〔들이쉬다〕息を吐く〔吸う〕／～을 헐떡이다 息をはずませる〔切らす〕；あえ(喘)ぐ. ② (野菜の)生き生きした勢い. ¶ ～죽인 배추(塩をかけて)しお(萎)らせた白菜.

숨-결 명 息遣い；息吹〈雅〉. ¶ ～이 거칠다 息遣いが荒い／봄의 ～이 몸 가까이 느껴진다 春の息吹が身近に感じられる.

숨-구멍 명 気管；気孔.

숨-기【—氣】명 息をする勢い.

숨기다 타 隠す；包み隠す；かくま(匿)う；潜める；秘める；秘する；覆う. ¶ 숨김없이 隠さずに；明け透けに／나무 그늘에 몸을 숨겼다 木陰に身を隠した／본성(本性)을 ～ 猫をかぶる／생각한 바를 숨기지 말고 말하라 思った事を包みなく言え／범인을 숨겨 두다 犯人を匿う／몸을 숨기고 기회를 노리다 身を潜めて折りをうかがう.

숨-넘어가다 자 息が絶える；息をひきとる；死ぬ.

숨다 자 隠れる；潜る；潜む；忍ぶ. ¶ 숨은 장소 隠れ場／지하에 ～ 地下に潜る／달이 구름 속으로 ～ 月が雲間に隠れる／숨은 인재를 찾다 隠れた人材を探す.

숨-돌리다 자 ① 息切れを鎮める；息をつく. ② 息を抜く；息抜きをする；息を継ぐ.

숨-막히다 자 息籠もる；息詰まる；むせ(咽〔噎〕)ぶ；む(噎)せる. ¶ 숨막히는 장면 息詰まるような場面／숨막힐 듯이 덥다 息詰まるように暑い.

숨바꼭-질, 숨박-질 명 ① 隠れんぼう(坊)；鬼ごっこ. ——하다 자 隠れん坊〔鬼ごっこ〕をする. ② 泳ぎで水に潜り隠れる技；潜り(込み). ——하다 자 潜り込みをする.

숨-소리 명 息(をする音). ¶ ～를 죽이다 息を殺す／～가 거칠다 息づかいが荒い.

숨숨 부 顔にあばた(痘痕)などがまば(疎)らにあるさま. ——하다 형 (くぼみ・あばたなどが)疎らにある. ＞솜솜.

숨-쉬다 자 呼吸する；息をする.

숨-죽다 자 ① しお(萎)れる；しな(萎)びる. ② 塩漬けにした野菜がしおれる.

숨-죽이다 자 ① 息を殺す〔止める〕；息を凝らす；息をのむ. ② (塩などで)野菜をしおらす；しおも(塩揉)みする. ¶ 오이를 ～ きゅうり(胡瓜)を塩揉みする.

숨-지다 자 事切れる；息を引き取る；死ぬ. ¶ 조용히 ～ 静かに息を引き取る.

숨-차다 자 息切れがする；息が切れる〔せ(急)く〕；息苦しい. ¶ 숨차서 더는 못 달리겠다 息切れしてもう走れない.

숨-통【—筒】명〘生〙息の根〔緒〕；

玉の緒; のどぶえ(喉笛). =기관(氣管). ¶ ~을 끊다 息の根を止める.
숨-표【—標】명〖樂〗休止符のない所で息をする符号《記号: “,” または“∨”》.
숫- 두 混じり気または汚れなどがないきっすいの意; 生. ¶ ~처녀 生娘 / ~내기 純な人.
숫-값【數—】명 ☞ 수치(數値).
숫-구멍 명 ひよめき(顋門); おどりこ〈俗〉; =정문(頂門).
숫-기【—氣】명 (活発で)はにかまないこと. ——-없다 형 よく恥ずかしがる; はにかみ屋だ. ——-없이 부 はにかんで; もじもじして. ——-좋다 형 (はにかみ屋でなく)快活だ; 少しも恥じらわない.
숫-돌 명 といし(砥石); とし(砥). ¶ 거친 ~ あらと(粗砥) / 다듬질 ~ 仕上げ砥石 / ~에 갈다 砥石で研ぐ.
숫-되다 형 初初しい; うぶ(初)だ; なまっちょろい. ¶ 숫된 사람 生直な人 / 숫된 처녀 初な〔おぼこ〕娘 / 숫된 신부의 모습 初初しい花嫁すがた.
숫-실【繡—】명 ししゅう(刺繡)糸.
숫-양 명 雄の羊; 雄羊.
숫-염소 명 雄のやぎ(山羊).
숫자【數字】명 数字. ¶ 로마 ~ ローマ数字 / ~에 밝다 数字に明るい.
숫-접다 형 素直でまじめだ.
숫제 부 ① いっそ(のこと); むしろ. ¶ 앓느니 ~ 죽지 病むよりはいっそのこと死ぬがましだ. ② (うそ(嘘)でなく)ほんとうに; どうしても. ¶ ~ 죽겠단다 ほんとうに死にたいそうだ.
숫-쥐 명 雄のねずみ.
숫-지다 형 人情厚くて淳朴だ.
숫-처녀【—處女】명 生娘; 手入らず.
숫-총각【—總角】명 生息子; 生男.
숫-하다 형 うぶ(初)だ; なまっちょろい.
숭고【崇高】명하형 崇高. ¶ ~한 이념 崇高な理念 / 아군을 승리로 이끈 ~한 희생 味方を勝利に導いた崇高な犠牲.
숭굴숭굴-하다 형 気立てがおおようで円満だ; 顔立ちがひとなつ(人懐)っこく柔和だ. ¶ 숭굴숭굴한 성격 柔和な性格.
숭늉 명 めしがま(飯釜)のお焦げ湯.
숭덩-숭덩 부 ① (大根などを)ぶつ切りにするさま. ② (針仕事で)粗く縫うさま. >송당송당.
숭배【崇拜】명하타 崇拝. ¶ 영웅 ~ 英雄崇拝 / 우상 ~ 偶像崇拝.
숭불【崇佛】명하자 仏・仏道をあがめること.
숭상【崇尚】명하타 あが(崇)め尊ぶこと.
숭숭 부 ① 物をぶっ切るさま. ② やや大きい穴がたくさん明いているさま: ぷつぷつ; すかすか. ¶ 구멍이 ~ 뚫린 수박 (水分が少ない)すかすかのすいか(西瓜). >송송.
숭앙【崇仰】명하타 崇敬; あがめ敬うこと.
숭어 명〖魚〗ぼら(鯔). ¶ ~가 뛰니까 망둥이도 뛴다《俚》がん(雁)がたてばはと(鳩)もたつ; こい(鯉)が躍ればどじょう(泥鰌)も躍る.
‖——-뜀 명 とんぼがえり.
숭어리 명 実や花が太く集まっているかたまり. >송아리.
숭조【崇祖】명하자 祖先をあがめること.
숯 명 炭; 木炭. ¶ ~을 굽다 炭を焼く / 불이 오래 가지 않는 ~ 火持ちの悪い炭.
숯-가마 명 すみがま(炭竈); どがま(土窯).
숯-검정 명 炭のすす(煤).
숯-내 명 炭火のにおい.
숯-등걸 명 すみがま(炭竈)で焼けのこった炭のかけら.
숯-막【—幕】명 炭焼き小屋.
숯-먹 명 松の油煙でつくった墨. =송연묵(松烟墨).
숯-불 명 炭火. ¶ ~을 피우다 炭火をおこす.
숯-장수 명 ① 炭屋; 炭あきんど(商人). ② 顔が黒い人のあだ名.
숯-장이【—匠—】명 炭焼き(人).
숱 명 物のかさ(嵩)や分量. ¶ 머리~이 많다 髪の毛が多い.
숱-하다 형 物のかさ(嵩)や分量が多い. ¶ 숱한 돈을 벌다 多くのお金をもう(儲)ける.
숲 명 林; 森; 茂み; そうりん(叢林). ¶ 소나무 ~ 松林 / 나무 ~ 立木の茂み / ~ 속을 헤매다 森の中をさまよう.
숲-길 명 森路; 森道; 林道.
숲-정이 명 村近くの林.
쉬, 쉬이 감 鶏やすずめ(雀)を追う声.
쉬[1] 명 はえ(蠅)の卵.
쉬[2] 부 ↗쉬이.
쉬[3] 감 ① “騒ぐな”と言う意味で出す声: しっ. ¶ ~, 누가 온 것 같다 しっ, 誰か来たらしい. ②《兒》幼い子にしっこをさせるときに出す声: しい; しし; しっこ. ¶ ~하다 おしっこする.
쉬다[1] 자 す(饐)える. ¶ 밥이 쉬어서 버렸다 飯が饐えて捨てた.
쉬다[2] 자 か(嗄)れる; しわがれる; しゃがれる; かす(掠)れる. ¶ 목이 ~ 声が嗄れる / 목이 쉬도록 소리소리 응원하다 声を嗄らして応援する.
쉬다[3] 자타 休む. ① 休める; いこ(憩)う; 休息する. ¶ 쉬어 休め / 잠시 ~ 一休みする; 小休みする / 내일은 휴일이니 푹 쉬십시오 明日はお休みですからゆっくりしていらっしゃい / 쉴 사이가 없다 休む間がない. ② 止める; 止まる. ¶ 일손을 쉬고 한대 피우자 肩休めに一服しよう. ③ 寝る; 眠る. ¶ 편히 쉬셔요 お休みなさい. ④ 欠勤する; 欠席する. ¶ 감기로 학교를 하루 쉬었다 風邪で学校を一日休んだ. ⑤ 泊まる; とど(留)まる. ¶ 잠시 쉬었다가 가게 しばら(暫)く休んで行けよ.
쉬다[4] 타 呼吸する; 息をする; 息をつく. ¶ 깊이 숨을 ~ 深く呼吸する / 한숨을 ~ ため息をつく.
쉬쉬-하다 타 (物事を)内密〔内緒・内聞〕にする; もみ消す; 口止

やめをする. ¶ 사건을 ~ 事件をもみ消す.
-슬다 자 はえ(蠅)が卵を産みつける.
엄-쉬엄 부 休み休み; 休みながらするさま. ¶ 서둘지 말고 ~ 하시오 急かずに休み休みしなさい.
이 부 ① 簡単に; 容易に; たやすく; 訳なく. ¶ ~ 될까 たやすくできるかな. ② 遠からず; 近いうちに; そのうち; 間もなく. ¶ ~ 또 찾아 뵙겠습니다 そのうちまたおうかがい致します.
-파리 명 〔蟲〕 あおばえ(青蠅〔蒼蠅〕); きんばえ(金蠅).
-하다 자 《兒》おしっこする.
一수 五十. ¶ ~ 길 물 속은 알아도 한 길 사람 속은 모른다《俚》測り難きは人の心; 人は知れぬもの. 二명 五十歳.
-내 명 (す(饐)えた食べ物の)すっぱい臭い.
-둥이 명 五十代に産んだ子.
-표【一標】명〔樂〕休止符.
게 여기다 구 みくび(見縊)る; 軽んじる; 侮る; 甘く見る. ¶ ~가 혼났다 見くびってひどい目にあった.
다 형 易い. ①たやすい; 容易だ; やさしい; 造作ない; 難しくない. ¶ 쉬운 문제 やさしい〔たやすい〕問題 / 쉽게 달구어지는 금속 熱し易い金属 / 그렇게 하면 일이 쉬워진다 そうすれば仕事がたやすくなる / 일을 쉽게 보아서는 안돼 事を甘く見てはいけない. ②…し易い; 可能性が多い. ¶ 깨지기 ~ こわれ易い / 눈에 띄기 ~ 目につき易い.
쉽-사리 부 楽楽と; たやすく; 難なく; むざむざと; おいそれと; 順調に. ¶ ~ 풀 수 있는 문제 楽楽と解ける問題 / ~ 돌파하다 難なく突破する.
슈거 〔sugar〕 명 シュガー; 砂糖.
슈미즈 〔프 chemise〕 명 シュミーズ.
슈-샤인 〔shoeshine〕 명하자 シューシャイン; 靴磨き.
슈즈 〔shoes〕 명 シューズ. ¶ 레인 ~ レーンシューズ.
슈 크림 〔프 chou à la crème〕 명 シュークリーム.
슈트 〔shoot〕 명하자 〔野〕 シュート.
슈트 〔suit〕 명 スーツ.
‖——케이스 명 スーツケース.
슈팅 〔shooting〕 명 シューティング. ¶ 절묘한 중거리 ~이었다 絶妙の中距離シューティングであった.
슈퍼 〔super〕 명 ① スーパー. ② ↗수퍼마켓.
‖——-마켓 명 スーパーマーケット; スーパー《준말》. ——-맨 명 スーパーマン. ——-스타 명 スーパースター.
슛 〔shoot〕 명하자타 (バスケットボール·サッカーなどの)シュート. ¶ 다섯 번째의 ~이 겨우 골인했다 五回目のシュートがやっとゴールインした.
스내치 〔snatch〕 명 スナッチ. =인상(引上).
스낵 바 〔snack bar〕 명 スナックバー. ¶ 철야 ~ 終夜スナックバー.
스냅 〔snap〕 명 スナップ.
‖——숏 사진 명 スナップショット写真. 준스냅 사진.
스님 명 和尚·和上; お寺様. ① 僧がその師を呼ぶ語. ② 僧の敬称.
스라소니 명 〔動〕 おおやまねこ(大山猫).
스란-치마 명 は(穿)くと足が見えなくなる程の長いチマ.
스러지다 자 消え失せる; (雲·はれ物などが)散り失せる. >사라지다.
-스럽다 미 名詞の後に付いて形容詞をつくることば: …らしい; …気味だ; …がわしい; …のようだ. ¶ 불안~ どうも不安だ / 난잡~ みだりがわしい.
-스레 미 "-스럽게"の意: …らしく; …そうに; …(し)げに. ¶ 자랑~ 自慢らしく; 誇らしげに; 自慢そうに.
스르르 부 ① 結ばれていたものがひとりでほどけるさま: するりと; するするる(と). ¶ 허리띠가 ~ 풀리다 帯がするする(と)解ける. ② 氷や雪が解けるさま. ③ 眠気がさして目の皮がたる(弛)むさま: とろりと; うつらうつらと. ¶ ~ 잠이 온다 とろりと眠気がする.
-스름-하다 미 色や形を表わす語に付いてそういう気味であることをあらわす言葉: …っぽい; …がかっている; …帯びている. ¶ 가느~ やや細気味である / 거무~ やや黒味がかっている / 둥그~ 丸味を帯びている / 불그~ 赤っぽい. -스름-히 부 …っぽく; …く; …らしく.
스릴 〔thrill〕 명 スリル. ¶ ~ 넘치는 スリル溢れる.
스릴러 〔thriller〕 명 スリラー.
스마일 〔smile〕 명 スマイル.
스마트 〔smart〕 명하형 スマート. ¶ ~한 옷맵시 スマートな〔りゅうとした〕着こなし.
스매시 〔smash〕 명하타 スマッシュ.
스멀-거리다 자 肌に虫がはうような感じだ; むずむずする; むずがゆい; もぞもぞする. ¶ 온몸이 ~ 体じゅうがもぞもぞする. 스멀-스멀 부하자 むずむず; もぞもぞ.
스며-들다 자 [↗스미어 들다] し(染)みる; しみ入る; しみこむ; しみわたる. ¶ 마음에 스며드는 외로움 心にしみわたるわびしさ.
스모그 〔smog〕 명 スモッグ. ¶ ~ 공해 スモッグ公害.
스모크 〔somke〕 명 スモーク.
스모킹 〔smoking〕 명 スモーキング.
스무 관 二十をあらわす語.
‖——-고개 명 二十の扉.
스무드 〔smooth〕 명하형 スムース.
스물 수 二十.
스미다 자 液体が入り込む; にじ(滲)む; し(染)みる. ¶ 빗물이 땅에 ~ 雨水が地に染みる/스며나오다 滲み出る.
스산-하다 형 ① うら寂しい. ¶ 거리가 ~ 街がうらさびしい. ② 冷風が吹きすさぶ. ¶ 스산한 바람 冷たく吹きすさぶ風. ③ (心·気分が)ひど

く落ち着かない；いらだつ．¶마음이 ～ 心がひどく落ち着かない．

스스럼-없다 형 親密だ；心安い；へだたりがない；こんい(懇意)である；気兼ねがない．¶스스럼 없는 상대 心安い相手． 스스럼-없이 부 心安く；気兼ねなく．¶그와는 ～ 지내고 있다 彼とは心安くつきあっている．

스스럽다 형 ①うち解けない；よそよそしい；気兼ねする；ひかえめがちだ．¶스스럼없는 이야기 気兼ねのない話／스스럼없는 사이 遠慮のない間柄／스스러워 말게 気兼ねをするなよ；気楽にしたまえ．②はじらう；はにかむ．¶혼자 찾아가기는 ～ 独りで訪ねて行くのは気兼ねがする．

스스로 ㊀부 おのずから；ひとりでに；自ら；手ずから；すすんで；我と；自分の力で．¶꽃은 ～ 핀다 花はおのずから咲く／～ 자기를 의심하다 我と我をうたがう．㊁명 自分；自己；自身．¶～도 이상하다고 생각했다 自分でもおかしいと思った／～를 높이다 自分自身を高める．

스승 명 師；師匠；師範．¶～님 師の君；お師匠様／왕자의 ～ 師保／～의 가르침을 가슴에 새기다 師の教えを肝に銘ずる．

스웨터 〔sweater〕 명 セーター．¶어머님의 정성어린 이 ～ 母のまごころこもるこのセーター．

스위밍 〔swimming〕 명하자 スイミング．

‖――-풀 명 スイミングプール．

스위치 〔switch〕 명 スイッチ．

‖―― 무역 명 スイッチ貿易；三角貿易の一種． ――-보드 명 スイッチボード． ―― 아웃 명 スイッチアウト． ―― 인 명 スイッチイン．

스위트 〔suite〕 명 〘樂〙 組曲．

스위트 〔sweet〕 명하형 スイート．

‖―― 걸 명 スイートガール． ―― 멜론 명 〘植〙 スイートメロン． ―― 피 명 〘植〙 スイートピー．

스윙 〔swing〕 명 スイング．

스쳐-보다 타 流し目で見る；横目で見る；ぬすみ見る．¶슬쩍 ～ ちらっと横目で見る．

스치다 자 かす(掠)める；触れる；す(擦)れる．¶나뭇잎이 스치는 소리 木の葉が擦れあう音／퍼뜩 불길한 느낌이 머리를 스치고 지나갔다 ふと不吉な感じが頭をかすめた／옷 스치는 소리가 와삭거리다 衣擦れの音がさわさわする／총탄이 머리를 ～ 銃弾が頭を掠める．

스카우트 〔scout〕 명 スカウト．

스카이 〔sky〕 명 スカイ．

‖――-다이빙 명 スカイダイビング． ――-라인 명 スカイライン． ――-웨이 명 スカイウェー．¶～를 달리다 スカイウェーを走る．

스카치 〔Scotch〕 명 スコッチ．

‖―― 위스키 명 スコッチウィスキー． ―― 테이프 명 スコッチテープ．

스카프 〔scarf〕 명 スカーフ．

스칼라-십 〔scholarship〕 명 スカラシップ．

스캔들 〔scandal〕 명 スキャンダル．¶～이 끊이지 않는 여배우 スキャンダルの絶え間がない女優／정계의 政界のスキャンダル．

스커트 〔skirt〕 명 スカート．¶미니 ミニスカート／플레어 ～ フレヤスカート／～가 퍼지다 スカートが広がる

스케이터 〔skater〕 명 スケイター．

스케이트 〔skate〕 명 スケート．¶～ スケート場．

스케이팅 〔skating〕 명하자 スケーティング．

‖―― 링크 명 スケーティングリンク．

스케일 〔scale〕 명 スケール．¶～이 인물 スケールの大きい人物．

스케줄 〔미 schedule〕 명 スケジュール．

스케치 〔sketch〕 명하타 スケッチ．¶가을의 풍경을 ～하다 秋の風景をスケッチする．

‖――-북 명 スケッチブック．

스코어 〔score〕 명 スコア；得点．¶타이 ～ タイスコア／큰 ～ 차 大きなスコアの差

‖――-보드 명 スコアボード．

스콜 〔squall〕 명 〘氣〙 スコール．¶이 지방에는 하루 세 번의 ～이 있다 この地方には日に三回のスコールがある．

스콥 〔네 schop〕 명 スコップ．

스쿠너 〔schooner〕 명 スクーナー．

스쿠버 〔scuba〕 명 スキューバ；水中肺．

스쿠터 〔scooter〕 명 スクーター．

스쿠프 〔scoop〕 명하타 スクープ．¶이건 ～가 되겠는 걸 この事件はスクープになるぞ．

스쿨 〔school〕 명 スクール．¶모델 ～ モデルスクール／～ 버스 スクールバス．

‖――-걸 명 スクールガール． ――-메이트 명 スクールメイト；学友． ――-보이 명 スクールボーイ．

스퀘어 〔square〕 명 スクェア．

‖―― 댄스 명 スクェアダンス．

스퀴즈 플레이 〔squeeze play〕 명 〘野〙 スクイズプレー．¶～로 한 점을 추가하였다 スクイズプレーで一点を追加した．

스크램블 〔scramble〕 명 スクランブル．¶～ 방식 スクランブル方式．

스크랩 〔scrap〕 명 スクラップ．

‖――-북 명 スクラップブック．¶～을 만들었다 スクラップブックをつくった．

스크럼 〔scrum〕 명 スクラム．¶～을 짜고 행진하다 スクラムを組んで行進する．

스크루 〔screw〕 명 スクリュー．

‖――-드라이버 명 スクリュードライバー． ―― 볼 명 スクリューボール．

스크린 〔screen〕 명 スクリーン．

스크립터 〔scripter〕 명 スクリプター．¶이번 현지 촬영의 ～를 맡다 今度の現地ロケのスクリプターを受け持つ．

스크립트 〔script〕 명 スクリプト．¶～ 라이터 スクリプトライター／～ 걸 スクリプトガール．

스키 〔ski〕 명하자 スキー． ――-하다 자 スキーをする．¶～의 비약 경기 スキーの飛躍競技／샌드 ～ サンドス

ー.
키어 〔skier〕 명 スキーヤー. ¶ 내노라는 ~들이 모였다 我と思うスキーヤーらが集まった.
키트 사격【—射擊】〔skeet〕 명 スキート射撃.
킨 〔skin〕 명 スキン; 肌; 皮膚. ¶ ~ 로션 スキンローション / ~십 スキンシップ.
‖—— 다이빙 명 スキンダイビング; 眼鏡·みずかき(蹼)·アクアラングなどの道具を着けてする潜水法.
킵 〔skip〕 명하자 スキップ.
타 〔star〕 명 スター.
‖—— 플레이어 명 スタープレイヤー; 花形選手.
타디움 〔라 stadium〕 명 スタジアム. ¶ ~을 꽉 메운 대관중 スタジアムをぎっしり埋めた大観衆.
타우트 〔stout〕 명 スタウト《イギリス風の黒ビール》.
타일 〔style〕 명 スタイル. ¶ ~ 만점 スタイル満点 / 뉴 ~ ニュースタイル / 아메리칸 ~을 본 따다 アメリカンスタイルを真似る.
‖——-북 명 スタイルブック. 「ト.
스타일리스트 〔stylist〕 명 スタイリス
스타킹 〔stocking〕 명 ストッキング. ¶ 팬티 ~ パンティストッキング.
스타터 〔starter〕 명 スターター. ¶ 이번 경주의 ~는 누구냐 今度の競走のスターターは誰かね / 내 차의 ~가 망가졌다 僕の自動車のスターターがこわれてしまった.
스타트 〔start〕 명하자 スタート. ¶ 신호와 함께 일제히 ~했다 信号と同時に一斉にスタートした.
‖—— 라인 명 スタートライン. ¶ 여섯 선수가 ~에 늘어 섰다 六人の選手がスタートラインに立ちならんだ.
스타팅 〔starting〕 명 スターティング. ¶ ~ 포인트 スターティングポイント.
‖—— 멤버 명 スターティングメンバー.
스태그-플레이션 〔stagflation〕 명 〖經〗 スタッグフレーション.
스태미나 〔stamina〕 명 スタミナ. ¶ ~ 부족 スタミナ不足.
스태프 〔staff〕 명 スタッフ. ¶ 편집 ~ 編集スタッフ.
스탠더드 〔standard〕 명 スタンダード. ¶ ~ 테스트 スタンダードテスト.
‖—— 넘버 명 〖樂〗 スタンダードナンバー. ¶ 이 곡은 ~에 들어 간다 この曲はスタンダードナンバーに入る.
스탠드 〔stand〕 명 スタンド. ¶ ~ 레슬링 スタンドレスリング / ~를 메운 관중 スタンドをうずめた観衆.
‖—— 바 명 スタンドバー. ——-인 명 スタンドイン. —— 플레이 명 スタンドプレー.
스탠-바이 〔stand-by〕 명 スタンバイ.
스탠스 〔stance〕 명 スタンス. ¶ 오픈 ~ オープンスタンス.
스탬프 〔stamp〕 명 スタンプ.
‖—— 잉크 명 スタンプインキ.
스터프 〔stuff〕 명 スタッフ.
스턴트 〔stunt〕 명 スタント.
‖——-맨 명 スタントマン. —— 카 명 スタントカー.
스테레오 〔stereo〕 명 ステレオ. ¶ ~ 인쇄 ステレオ印刷 / ~ 영화 ステレオ映画.
‖—— 방송 명 ステレオ放送; 立体放送. ——-타입, ——-판(版) 명 ステレオタイプ.
스테로이드 〔steroid〕 명 〖化〗 ステロイド.
스테이션 〔station〕 명 ステーション. ¶ ~ 빌딩 ステーションビル / 서비스 ~ サービスステーション / ~ 왜건 ステーションワゴン.
스테이지 〔stage〕 명 ステージ. ¶ 에이프런 ~ エプロンステージ / ~에 서다 ステージをふむ.
스테이츠-맨 〔statesman〕 명 ステーツマン. ¶ 그는 위대한 ~이었다 彼は偉大なステーツマンだった.
스테이크 〔steak〕 명 ステーキ. ¶ 비프 ~ ビーフステーキ.
스테이트먼트 〔statement〕 명 ステートメント; 声明.
스테인리스 스틸 〔stainless steel〕 명 ステンレススチール.
스텐실 〔stencil〕 명 ステンシル.
‖—— 페이퍼 명 ステンシルペーパー.
스텝 〔step〕 명 ステップ. ¶ ~을 밟다 ステップを踏む.
스텝 〔steppe〕 명 〖地〗 ステップ.
‖—— 기후 명 ステップ気候.
스토리 〔story〕 명 ストーリー. ¶ 애절한 ~에 가슴이 뭉클했다 哀切なストーリーに胸をうたれた.
스토브 〔stove〕 명 ストーブ.
‖—— 리그 명 ストーブリーグ.
스토아 철학【—哲學】〔Stoa〕 명 ストア哲学.
스토어 〔store〕 명 ストア. ¶ 체인 ~ チェーンストア.
스톰 〔storm〕 명 ストーム.
스톱 〔stop〕 명하자타 ストップ. ¶ 논 ~ ノンストップ / 버스 ~ バスストップ.
‖—— 워치 명 ストップウォッチ; タイマー.
스툴 〔stool〕 명 スツール; ストゥール; 背当てのない腰掛け.
스튜 〔stew〕 명 シチュー. ¶ ~ 요리를 즐기다 シチュー料理を好む.
스튜던트 〔student〕 명 スチューデント.
‖—— 파워 명 スチューデントパワー.
스튜디오 〔studio〕 명 スタジオ.
스튜어디스 〔stewardess〕 명 スチュワーデス.
스트라이크 〔strike〕 명 ① ストライキ; スト《준말》. ¶ ~를 불사하다 ストライキを辞せず. ② 〖野〗 ストライク. ¶ ~ 존 ストライクゾーン.
스트라이프 〔stripe〕 명 ストライプ. = 줄무늬.
스트럭 아웃 〔struck out〕 명하자 ストラックアウト.
스트레스 〔stress〕 명 ストレス. ¶ ~가 해소됐다 ストレスが取れた / ~ 해소를 꾀하다 ストレス解消を図る.
스트레이트 〔straight〕 명 ストレート. ¶ ~로 마시다 ストレートで飲む / ~로 이기다 ストレートで勝つ / ~ 볼

人

ㅅ

을 던질 것이다 ストレートボールを投げるだろう.
‖── 코스 명 ストレートコース.
스트렙토-마이신〔streptomycin〕명〘藥〙ストレプトマイシン; ストマイ《준말》.
스트로〔straw〕명 ストロー.
‖── 해트 명 ストローハット.
스트로보〔Strobo〕명 ストロボ.
스트로크〔stroke〕명 ストローク. ¶한 ~의 차로 이겼다 ワンストロークの差で勝った.
스트론튬〔strontium〕명 ストロンチウム《記号: Sr》.
스트리킹〔streaking〕명 ストリーキング.
스트리트〔street〕명 ストリート. ¶메인 ~ メーンストリート.
‖── 걸 명 ストリートガール.
스트리퍼〔stripper〕명 ストリッパー.
스트립〔strip〕명 ストリップ. ── 쇼 명 ストリップショー. ㊟스트립.
스티롤〔styrol〕명〘化〙スチロール; スチレン. ¶발포 ~ 発泡スチロール.
‖── 수지 명 スチロール樹脂.
스티치〔stitch〕명 スティッチ.
스티커〔sticker〕명 ステッカー. ¶개업 안내의 ~를 붙이고 다니다 開業知らせのステッカーを張って歩く.
스틱〔stick〕명 ステッキ.
스틸〔steal〕명 スチール. ¶홈~에 성공하였다 ホームスチールに成功した.
스틸〔steel〕명 スチール. ¶스테인레스 ~ ステンレススチール.
스틸〔still〕명 スチール. ¶영화 배우의 ~ 映画俳優のスチール.
스팀〔steam〕명 スチーム. ¶~을 갖추다 スチームをそなえる.
‖── 엔진 명〘工〙スチームエンジン. ── 해머 명〘工〙スチームハンマー.
스파게티〔이 spaghetti〕명 スパゲッティ.
스파르타 교육【─教育】〔Sparta〕명 スパルタ教育.
스파링〔sparring〕명 スパーリング. ¶공개 ~을 하다 公開のスパーリングをする.
스파이〔spy〕명 スパイ. ¶~의 행방을 캐다 スパイの行くえを見極める.
‖──-망 명 スパイ網. ──-전 명 スパイ戦.
스파이스〔spice〕명 スパイス. =양념.
스파이크〔spike〕명 スパイク. ¶강 ~를 넣었다 強スパイクを打ち込んだ.
‖── 슈즈 명 スパイクシューズ; スパイク《준말》.
스파이커〔spiker〕명 (バレーボールで) スパイカー.
스파크〔spark〕명 スパーク. ¶~ 플러그 スパークプラグ.
스패너〔spanner〕명 スパナ.
스퍼트〔spurt〕명 スパート. ¶라스트~ ラストスパート.
스펀지〔sponge〕명 スポンジ.
‖──-볼 명 スポンジボール. ── 케이크 명 スポンジケーキ.
스페어〔spare〕명 スペア; 予備品.
‖── 캔 명 スペアカン. ── 타이어 명 スペアタイヤ.
스페이드〔spade〕명 スペード.
스페이스〔space〕명 スペース. ¶~ 좁혀 써 넣다 スペースを詰めて書き入れる.
스펙터클〔spectacle〕명 スペクタクル
‖── 영화 명〘映〙スペクタクル映画.
스펙트럼〔spectrum〕명〘物〙スペクトル. ¶햇빛의 ~ 日光のスペクトル
‖── 광도계 명 スペクトル光度計. ── 분석 명 スペクトル分析.
스펠〔spell〕, **스펠링**〔spelling〕명 スペル; スペリング.
스포츠〔sports〕명 スポーツ. ¶~형 머리(로 치켜 깎기) 角刈り; スポーツ刈り / 겨울 ~ ウインタースポーツ / ~ 뉴스 スポーツニュース.
‖──-맨 명 スポーツマン. ──-맨십 명 スポーツマンシップ. ── 센터 명 スポーツセンター. ── 의학 명 スポーツ医学. ── 카 명 スポーツカー.
스포티〔sporty〕명하형 スポーティー. ¶~한 차림새로 참가하다 スポーティーな身なりで参加する.
스포크스맨〔spokesman〕명 スポークスマン.
스포트-라이트〔spotlight〕명 スポットライト. ¶~를 비추다 スポットライトを当てる.
스폰서〔sponsor〕명 スポンサー. ¶새 프로의 ~ 新しい番組のスポンサー.
스폿 뉴스〔spot news〕명 スポットニュース.
스푸트니크〔러 Sputnik〕명 スプートニク.
스푼〔spoon〕명 スプーン. ¶티 ~ ティースプーン / ~으로 뜨다 スプーンですくう.
스프레이〔spray〕, **스프레이어**〔sprayer〕명 スプレー; スプレーヤー; 噴霧器.
스프린터〔sprinter〕명 スプリンター. ¶그는 뛰어난 ~였다 彼はすぐれたスプリンターだった.
스프린트〔sprint〕명 スプリント.
스프링〔spring〕명 スプリング.
‖──-보드 명 スプリングボード. ── 코트 명 スプリングコート.
스피드〔speed〕명 スピード. ¶하이 ~ ハイスピード / 풀 ~ フルスピード.
‖── 스케이팅 명 スピードスケーティング. ──-업 명 スピードアップ.
스피디〔speedy〕명하형 スピーディー. ¶~한 동작 スピーディーな動き / ~하게 일을 처리하다 スピーディーに事を運ぶ.
스피릿〔spirit〕명 スピリット. ¶파이팅 ~ ファイティングスピリット.
스피치〔speech〕명하자 スピーチ. ¶테이블 ~ テーブルスピーチ.
스피커〔speaker〕명 スピーカー.
스핑크스〔sphinx〕명 スフィンクス.
슬개-골【膝蓋骨】명〘生〙しつがいこつ(膝蓋骨); ひざざら. =종지뼈.
슬개 반사【膝蓋反射】명 しつがい(膝

…)反射; ひざがしらを打つと下脚が前方に伸びる反射.

겁다 형 ① 見かけより内部が広い. ② 心が寛大で頼もしい.

-관절【膝關節】 명〖生〗ひざ(膝)関節. ¶ ~ 결핵 膝関節結核 / ~ 탈구 膝関節だっきゅう(脱臼).

그머니 부 ひそかに; こっそりと; そっと. ¶ ~ 빠져나가다 こっそりとぬけ出る.

그미 부 ↗슬그머니.

슬근-거리다 자 物と物が軽く擦れ合う; 擦れる; 触れる. ＞살근거리다. 슬근-슬근 부하자 物と物が軽く擦れ合うさま.

슬금-슬금 부 こそこそ; こっそり. ¶ ~ 도망간다 こそこそ逃げ出す. ＞살금살금.

슬기 명 知恵. ¶ ~가 나다 知恵がつく. ——-롭다 형 賢い; さと(聡)い; そうめい(聡明)だ. ¶ 슬기로운 사람 聡明な人 / 슬기롭게도 유혹을 물리쳤다 賢くも誘惑をしりぞ(斥)けた. ——-로이 부 賢く; 聡く; 聡明に. ¶ ~ 행동했다 賢くふるまった.

슬다¹ 자 ① (野菜などが油虫などに堪えられず)黄色く枯れる; 傷む. ② 体に吹き出たはれ物や肌のよだちが無くなる; い(癒)える; 治まる.

슬다² 一타 虫や魚が卵を産みつけておく; 産みつける. ¶ 나방이가 나뭇잎에 알을 ~ が(蛾)が木の葉に卵を産みつける. 二자 鉄にさび(錆)が生ずる; さ(錆)びる. ¶ 빨간 녹이 ~ 赤いさび(錆)が吹く.

슬라브-족【—族】〔Slav〕 명 スラブ族. ¶ ~이 세운 나라 スラブ族が建てた国.

슬라이딩〔sliding〕 명 スライディング. ¶ 모래 먼지를 일으키는 맹렬한 ~이었다 砂けむりをあげる猛烈なスライディングであった.

‖—— 시스템 명 スライディングシステム.

슬래그〔slag〕 명〖鑛〗スラグ; こうさい(鉱滓).

슬래브〔slab〕 명〖建〗スラブ. ¶ ~지붕의 이층집이 있다 スラブ屋根の二階建ての家がある.

슬랙스〔slacks〕 명 スラックス.

슬랭〔slang〕 명 スラング; 卑語; 俗語.

슬러거〔slugger〕 명 (野球で) スラッガー. ¶ 그는 이름난 ~이다 彼は名だたるスラッガーである.

슬럼〔slum〕 명 スラム; 貧民くつ(窟). ¶ ~가의 뒷길을 걷다 スラム街の裏道を歩く.

슬럼프〔slump〕 명 スランプ. ¶ ~에 허덕이다 スランプにあえ(喘)ぐ.

슬레이트〔slate〕 명 スレート. ¶ ~ 지붕의 집 スレートぶ(葺)きの家.

슬로〔slow〕 명 スロー. ¶ 절묘한 ~커브를 던지다 絶妙なスローカーブを投げる.

‖——-다운 명 スローダウン. ¶ 노동자들이 ~에 들어가다 労働者がスローダウンに入る. ——-모션 명 スローモーション. ¶ 고속도 영화로 ~을 보이다 高速度映画でスローモーションを見せる.

슬로건〔slogan〕 명 スローガン. ¶ 멋진 ~을 내걸다 すばらしいスローガンを掲げる.

슬로프〔slope〕 명 スロープ. ¶ 가파른 ~를 기어오르다 けわしいスロープをよじのぼる.

슬롯 머신〔slot machine〕 명 スロットマシン.

슬리퍼〔slipper〕 명 スリッパ. ¶ 가죽제 ~ 皮のスリッパ / ~를 신다 スリッパを履く.

슬립〔slip〕 명하자 スリップ.

‖—— 다운 명 スリップダウン.

슬며시 부 そっと; ひそかに; こっそりと; それとなく; なにげなく. ¶ ~ 다가가다 そっと近寄る / ~ 일어서다 ひそかに立ちあがる / ~ 숨어 들다 こっそりと忍び込む. ＞살며시.

슬몃-슬몃 부 (引き続き)そっと; こっそり(と). ＞살몃살몃.

슬미지근-하다 형 生ぬるい; 手ぬるい; 煮え切らない. ¶ 슬미지근한 대답 煮え切らない返事 / 하는 짓이 슬미지근하여 보고 있을 수 없다 する事がなまぬるくて見てはいられない.

슬슬 부 ① ゆっくり軽やかに動くさま: ゆっくり(と); そろそろ; ぼつぼつ; のろのろ; ゆるゆる. ¶ ~ 걷다 のろのろ(と)歩く / 자, ~ 돌아 갈까 さあ, ぼつぼつ帰ろうか / ~ 일을 시작해 볼까 そろそろ仕事を始めるとするか. ② (雪などが)溶けるさま. また, (あめだま(飴玉)などが)口の中でとろけるさま. ③ 人をうまくだまし込んだり言いくるめたり, または, すかすさま: うまく; 言葉たくみに. ¶ ~ 꾀다 それとなく誘う. ④ 風の静かに吹くさま: かすかに; そよそよ. ¶ 봄바람이 ~ 불다 春風が吹きそよぐ. ⑤ 軽くこす(擦)ったりか(掻)くさま: (続けて)軽く; そろそろ. ⑥ ↗슬금슬금. ＞살살.

슬쩍 부 ① (人の気づかないうちに)すばやく; こっそり; ちょろり; するりと. ¶ ~ 감추다 こっそりかくす / 남의 돈을 ~하다《俗》人の金をちょろまかす〈俗〉. ② たやすくやってのけるさま: すっと; さっと; たやすく手なれて. ¶ ~ 지나가다 すっと通り過ぎる. ＞살짝. ——— 부 (続けて) すばやく; こっそり; そっと; 軽く. ¶ ~ 집어가다 ちょいちょいとかす(掠)めとる.

슬퍼-하다 형 悲しむ; 嘆く; 悼む. ¶ 이별을 ~ 別れを嘆く / 그의 죽음을 ~ 彼の死を悼む.

슬프다 형 悲しい. ¶ 그의 죽음이 무엇보다 ~ 彼の死が何よりも悲しい / 어쩐지 ~ 何となく物悲しい

슬픔 명 悲しみ; 哀れ; 悲嘆. ¶ 어쩐지 ~이 느껴지는 계절 物の哀れを感ずる季節 / ~에 잠기다 悲嘆に暮れる / ~을 못 견디다 悲しみに堪えられない.

슬피 부 悲しく; 傷ましく. ¶ ~ 흐느껴 울다 悲しくすすり泣く.

ㅅ

슬하 【膝下】 명 ひざもと(膝元). ¶ 부모 ~를 떠나다 親の膝元を離れる / ~에 자녀는 몇 분인지요 お膝元のお子様は何人でしょうか.

슴벅-거리다 자 ① (目や肌が)続けざまに刺すようにうずく. >삼박거리다. ② (目にごみなどが入ったりして)しきりにまばたく〔ぱちぱちする〕; しょぼつく. **슴벅-슴벅** 부하자 ① うずうず; むずむず. ② ぱちぱち; しょぼしょぼ.

슴벅-이다 자 目ばたきをする; 目がしょぼつく.

습베 명 (刀・くわなどの)込み; 刀心; 中子.

습격 【襲擊】 명 襲撃. ——-하다 타 襲撃する; 襲う. ¶ 적진을 ~하다 敵陣を襲う / …에 ~당하다 …に襲われる.

습곡 【褶曲】 명 〔地〕 しゅうきょく(褶曲・皺曲).

‖——-곡 명 〔地〕 褶曲谷. —— 산맥 명 褶曲山脈.

습관 【習慣】 명 習慣; 習わし; しきたり; 慣れ; 決まり. ¶ 일찍 일어나는 ~ 早起きの習慣 / 조혼의 ~ 早婚の習わし / …하는 ~이 있다 …する習慣がある / ~을 붙이다〔버리다〕 習慣をつける〔捨てる〕 / ~을 고치다 習慣を直す.

‖——-법 명 ☞ 관습법. ——-성 명 習慣性. ① 慣れる性質. ¶ ~ 마약에 중독되다 習慣性麻薬に中毒を起こす. ② 〔物〕 慣性. ——-화 명하자 習慣化.

습기 【濕氣】 명 湿気; 湿り(気). ¶ ~찬 공기 湿った空気 / ~(가) 차다 しめる; しける.

-습니까 어미 …でございますか; …ですか. ¶ 높~ 高いですか / 작~ 小さいですか.

-습니다 어미 …でございます; …です. ¶ 같~ 同じです.

습도 【濕度】 명 〔物〕 湿度. ¶ ~가 높다 湿度が高い.

‖——-계 명 湿度計. ¶ 모발 ~ 毛髪湿度計.

습득 【拾得】 명 拾得. ——-하다 타 拾得する; 拾う. ¶ ~자 拾得人.

습득 【習得】 명하타 習得; 覚え. ¶ 언어 ~기 言語習得期 / ~이 빠르다 覚えが早い.

-습디까 어미 …でしたか; …でありましたか. ¶ 많~ 多かったですか / 작~ 小さかったですか.

습랭 【濕冷】 명 〔韓醫〕 湿気のために腰から下が冷える病気.

습량 【濕量】 명 湿量.

습벽 【習癖】 명 習癖. =버릇.

습-선거 【濕船渠】 명 湿船きょ(渠); 湿ドック; はっきょ(泊渠).

습성 【習性】 명 習性. ¶ 밤샘하는 ~ 夜明かしの習性 / 장사〔직업적〕 ~(으로) 商売柄 / 동물의 ~을 연구하다 動物の習性を研究する.

습성 【濕性】 명 湿性.

‖—— 늑막염 명 〔醫〕 湿性ろくまくえん(肋膜炎).

습속 【習俗】 명 習俗. ¶ 지방 ~을 조사하다 地方の習俗を調査する.

‖—— 규범 명 習俗規範; 習俗にのった社会の規範.

습식 【濕式】 명 湿式; 溶液・溶融などの液体を使う方式. ¶ 야금 湿式やきん(冶金).

‖—— 정련 명 湿式精錬. ——-폭[illegible] 명 湿式爆弾.

습용 【襲用】 명하타 襲用. ¶ 옥[illegible]를 ~하다 店の名〔のれん〕を襲用する.

습유 【拾遺】 명하타 ① 拾遺. ¶ [illegible]문 ~ 古文拾遺. ② 拾得. ¶ ~[illegible]을 신고하다 拾得物を届け出る.

습윤 【濕潤】 명 湿潤. ——-하다 [illegible] 湿潤だ; 湿っている. ¶ ~한 땅 湿潤の地.

‖—— 기후 명 〔氣〕 湿潤気候; 降雨量が蒸発量より多い気候.

습의 【襲衣】 명 死体に着せる経かたびら.

습자 【習字】 명하자 習字; 手習い; 書き方. ¶ ~지 習字紙.

습작 【習作】 명하자 習作. ¶ ~을 출품하다 習作を出品する.

습증 【濕症】 명 湿気による病気.

습지 【濕地】 명 湿地. ¶ ~대 湿地帯.

‖—— 식물 명 湿地植物.

습진 【濕疹】 명 〔醫〕 しっしん(湿疹).

습토 【濕土】 명 湿土.

습포 【濕布】 명하자 湿布.

습-하다 【襲—】 타 死体を清めて経かたびらに着替えさせること.

습-하다 【濕—】 형 じめじめする; しめっている. ¶ 공기가 ~ 空気がしめっている.

승 【乘】 명하타 乗. ① 〔↗승법(乘法)〕 乗法. ② ある数や式を掛けること.

승 【僧】 명 〔佛〕 ① 僧; 僧侶; 坊主. ② 尼; 比丘尼.

승 【升】 의명 升. =되. ¶ 10~은 한 말이다 十升は一斗である.

승강 【昇降】 명하자 昇降; 登降; のぼりくだり; あがりおり; のぼりおり; あがりくだり.

‖——-구 명 昇降口. ——-기 명 昇降機; エレベーター; リフト. ——-이 명 いざこざ; いさかい; 押問答; もめ事. ——-장 명 昇降場.

승개-교 【昇開橋】 명 昇降橋.

승객 【乘客】 명 乗客; 乗り手. ¶ 무임 ~ 無賃乗客 / 버스의 ~ バスの乗客.

승격 【昇格】 명 昇格; 格上げ.

승경 【勝景】 명 勝景.

승계 【承繼】 명하타 承継; 継承.

‖——-인 명 承継人. —— 취득 명하타 承継取得.

승공 【勝共】 명하자 共産主義に打ち勝つこと.

승급 【昇級】 명하자 昇級.

승급 【昇給】 명하자 昇給.

승낙 【承諾】 명 承諾; 応諾; 承知; 諾; 了承. ——-하다 타

承諾する；承知する；了承する.
——서 명 承諾書.
승냥이 명〔動〕山犬.
승니【僧尼】명 僧尼；僧と尼.
승단【昇段】명하자 昇段.
승당【僧堂】명 僧堂. ＝운당(雲堂).
승도【僧徒】명 僧徒.
승도(-복숭아)【僧桃—】명〔植〕桃の木の一種.
승려【僧侶】명 僧侶；僧；坊主；釈門. ＝중.
승률【勝率】명 勝率.
승리【勝利】명 勝利；勝ち. ——하다 자 勝利する；勝つ. ¶대~ 大勝利/~자 勝者.
승마【乘馬】명하자 乗馬.
‖——대 명 乗馬隊.
승명【僧名】명 法名. ＝법명(法名).
승무【僧舞】명 舞の一つ《山形の笠をかぶり僧衣をつけて舞う》.
승무-원【乘務員】명 乗務員；乗組員；クルー. ¶배에 ~을 배치하다 船に乗務員を配置する.
승문【僧門】명〔佛〕僧門；仏門；仏家. ＝불가(佛家).
승-법【乘法】명〔數〕乗法；掛け算. ＝곱하기.
‖—— 기호 명 乗算記号《「×」の称》. ＝곱하기표.
승벽【勝癖】명 勝気；きかん気；負けん気；きがさ(気嵩).
승병【僧兵】명 僧兵；衆徒. ＝승군(僧軍).
승복【承服】명하자 承服. ①納得すること. ¶그는 마지 못해 ~했다 彼はしかた(仕方)なく承服した. ②罪を白状すること.
승복【僧服】명 僧服；僧衣. ＝승의(僧衣).
승-부【勝負】명 勝負；勝ちと負け. ¶단판 ~ 一本勝負/~가 나다 勝負がきまる/~를 내다 勝負をつける/~ 차기 PK戦.
승산【乘算】명 乗算；掛け算.
승산【勝算】명 勝算；勝ち目；勝ちみ. ¶~이 있다〔없다〕勝ち目〔勝ちみ〕がある〔ない〕/~이 희박하다 勝算が薄い.
승상【丞相】명 じょうしょう(丞相).
승선【乘船】명하자 乗船. ¶~표 乗船切符.
승세【勝勢】명 勝勢；勝ち色. ¶~를 타서 적에게 맹공을 가하다 勝勢に乗じて敵に猛撃を加える.
승소【勝訴】명하자 勝訴.
승수【乘數】명 乗数.
승승 장구【乘勝長驅】명하자 戦いに勝った余勢を駆って一気に追いこむこと.
승용-차【乘用車】명 乗用車.
승운【勝運】명 勝運；勝ち運.
승의【僧衣】명 僧衣.
승인【承認】명하타 承認.
승인【勝因】명 勝因. ①勝った原因. ②〔佛〕特にすぐれた善因.
승자【勝者】명 勝者. ＝승리자.
승적【僧籍】명 僧籍. ¶~에 들다 僧籍に入る；坊主になる.
승전【承前】명하자 前に続くこと.
승전【勝戰】명하자 勝ち戦. ＝승첩(勝捷). ¶~가 勝ち戦の歌.
‖——고 명 勝ち鼓. ——비 명 戦勝碑.
승제【乘除】명〔數〕乗除；掛け算と割り算. ¶가감 ~ 加減乗除.
‖——법 명〔數〕乗除法.
승지【勝地】명 勝地；景勝の地.
승직【昇職】명하자 昇任.
승진【昇進】명하자 昇進.
승차【乘車】명하자 乗車. ¶~ 거부 乗車拒否/~권 乗車券.
승천【昇天】명하자 昇天.
‖—— 입지(入地) 명하자 天に昇り地に入ること；跡形もなく姿をかくすこと.
승-패【勝敗】명 勝敗；勝ち負け；雌雄. ¶~가 결정되다 勝敗が決まる/~를 도외시하고 선전하다 勝敗を度外において善戦する.
승하【昇遐】명하자 崩御.
승-하다【乘—】타 かける；乗ずる. ＝곱하다.
승-하다【勝—】㊀타 勝つ. ㊁형 勝れている；秀でている.
승-하선【乘下船】명하자 乗船と下船.
승함【乘艦】명하자 乗艦.
승합【乘合】명 ①乗り合い；相乗り. ＝합승. ②↗승합 자동차.
‖—— 자동차 명 乗り合い自動車；乗り合い《준말》. ＝버스.
승화【昇華】명하자 昇華.
‖——성 로켓 추진제 명 昇華性ロケット推進薬. ——압 명〔物〕昇華圧. ——열 명〔物〕昇華熱.
승후【承候】명하자 目上の起居安否を伺うこと.
시【市】명 ①市. ＝시장(市場). ②市. ㉠まち. ＝도시(都市). ㉡市の自治団体.
시【矢】명 矢. ＝화살.
시【是】㊀명 是. ①正しいこと. ¶~와 비를 가리다 是非を弁える. ②道理にかな(適)うこと. ㊁대 ①これ(是)；この. ②ここ.
시【時】명 ①時. ㉠時間の単位. ㉡時；刻《一昼夜の区分》. ¶자 ~ 子の刻. ②人の生まれた時刻《"자시(子時)"などと表わす》. ¶인~에 태어났다 とら(寅)の刻に生まれた.
시【詩】명 ①詩. ②☞ 한시(漢詩). ③〔基〕旧約聖書の詩篇の文.
시【諡】명 し(諡)；しごう(諡号)；おくりな；死んだ人に贈る名.
시〔이 si〕명〔樂〕シ；長音階の一番おわりの音.
시 감 不満やとるに足らない意を表わすときに出す語：ちぇ；なんだ. ¶~ 그까짓걸 가지고 ちぇ，それくらいの事で.
-시- 어미 …になる；…でいらっしゃる《尊敬の意を表わす》. ¶주무~다 お休みになる/할아버님이 돌아오~다 祖父がお帰りになる/보~겠습니까 ご覧になりますか.
시- 두 色の濃いことを表わす語：

真っ. >새-. ¶ ~꺼멓다 真っ黒い / ~빨갛다 真っ赤である.
시-【媤】 [두] 嫁入りした家をさす語. ¶ ~가 婚家 / ~누이 夫の姉妹; 義姉; 義妹.
시가【市街】 [명] 市街; 町; 通り. ¶ ~지 市街地 / 맹렬한 불길이 ~를 태워 버렸다 猛火が市街をな(舐)め尽くした.
‖——-전 [명][하자] 市街戦. —— 행진 [명][하자] 市街行進.
시가【市價】 [명] 市価. =시장 가격(市場價格).
시가【時價】 [명] 時価.
‖—— 발행 [명] 時価発行.
시가【媤家】 [명] 婚家; 嫁ぎ先; 嫁入り先の家. =시(媤)집.
시가【詩歌】 [명] 詩歌.
시가〔cigar〕 [명] シガー; 巻き煙草; 葉巻.
시가레트〔cigarette〕 [명] シガレット. =궐련.
‖—— 케이스 [명] シガレットケース.
시각【時刻】 [명] 時刻; 時; タイム. ¶ 마감 ~ はね時 / 출범 ~ 出船の時刻 / ~표 時刻表.
시각【視角】 [명]〔物〕視角.
시각【視覺】 [명]〔生〕視覚. ¶ ~을 잃다 視覚を失う.
‖—— 교육 [명] 視覚教育. —— 언어 [명] 視覚言語. ——-형 [명] 視覚型. ——-화 [명][하자타] 視覚化.
시간【時間】 [一][명] 時間. ① 時; タイム. ¶ ~은 돈이다 時は金なり / 어느덧 ~이 흘렀다 いつしか時間がすぎた / ~이 남아 돌다 時間をもて余す / 마감 ~이 됐다 時間切れになった / ~을 내다 時間を割く / ~이 걸리다 手間を取る / A팀은 막판에 ~끌기 인상을 주었다 Aチームは終わり頃には時間かせぎの印象を与えた. ② ☞ 시각(時刻). ¶ ~ 엄수 時刻厳守. ③〔哲〕 過去から現在·未来と無限に続くもの. [二] 時間; 六十分間. ¶ 두 ~의 강의 二時間の講義.
‖—— 강사 [명] 時間講師. —— 관념 [명] 時間の経過を意識する観念. ——-급 [명] 時間給. [준] 시급(時給). —— 문제 [명] 時間の問題. ① 時間に関する問題. ② いつ現実化するかは不確実であるが遅かれ早かれ現実化することが確実な問題. ——-밥 [명] 毎日定刻に食べるように炊く飯. ——-외 근무 [명] 時間外勤務. =잔업(殘業). ——-적 [명][관] 時間的. ——-표 [명] 時間表.
시감【時感】 [명] 流行性感冒; はやりかぜ. =돌림 감기.
시감【詩感】 [명] 詩的感興.
시객【詩客】 [명] 詩客; 詩を作る人. =시인(詩人).
시거에 [부] ① とりあえず; まずもって; すぐさま. ¶ ~ 이것을 가져가라 とりあえずこれを持って行きなさい. ② 直ちに; (ためらわずに)今すぐ. ¶ 이 길로 ~ 가거라 これからすぐ行きなさい.
시-건드러지다 [형] 小生意気だ; こしゃく(小癪)だ; こましゃくれている. ¶ 시건드러진 소리만 한다 小生意気なことばかり言っている.
시-건방지다 [형] 生意気だ; こしゃく(小癪)だ; 差し出がましい; しらくさい. ¶ 어딜 가나 시건방진 녀석이 있다 どこへ行っても小癪な奴がいるものだ.
시게 [명] 市場で取引される穀物; またその相場. ¶ 쌀~는 어떤가 米の相場はどうかね.
‖——-전(廛) [명] 市場で穀物を売る露店. 시겟-금 [명] 市場での穀物の相場.
시격【詩格】 [명] 詩格. ① 詩の格式. ② 詩の風格.
시계【時計】 [명] 時計. ¶ ~ 바늘 時計の針 / 수정 ~ 水晶時計; クオーツ時計 / 벽~ 柱時計 / 전기 ~ 電気時計 / ~추 時計の振り子 / ~탑 時計台 / ~포(鋪) 時計屋 / 해~ 日時計.
‖—— 공업 [명] 時計工業. —— 불알 [명]《俗》 時計の振り子. ——-자리 [명] 時計座《星座の一つ》.
시계【視界】 [명] 視界; 眼界. =시야(視野).
시-고모【媤姑母】 [명] 夫の父の姉妹.
시-고모부【媤姑母夫】 [명] 夫の父の姉妹の夫.
시골 [명] 田舎. ① 村里; 村; 里; 在方〈老〉. ¶ ~길 田舎道; 村路 / 순박한 ~ 처녀 純朴な村娘 / ~사람 田舎者; 田夫 / ~ 부자 田舎大尽 / ~에는 드문 미인 田舎には稀な美人. ② ☞ 고향.
‖—— 구석 [명] 片田舎. ——-내기 [명] 田舎育ち; 田舎者. ——-뜨기 [명]《俗》 いなかっぺ(え); いなかっぽ; おのぼりさん; 山家者. ¶ 무지렁이 ~라고 업신여기지 마라 無骨ないなかっぺだからといってばかにするな. ——-말 [명] 田舎言葉. ——-집 [명] ① 村家; 田舎家. ② 故郷にある自分の家. ——-티 [명] 田舎風; 山出し風情. =촌티. ¶ ~가 배다 田舎染みる / ~가 나다 田舎びる.
시공【施工】 [명] 施工.
‖——-법 [명] 施工法.
시공【時空】 [명] 時空. ¶ ~을 초월하다 時空を超越する〔超える〕.
‖—— 세계 [명] 時空世界; 四次元世界.
시교【示教】 [명][하타] 示教. =교시(教示).
시구【市區】 [명] 市区. ① 市と区. ② 都市の区域.
시구【詩句】 [명] 詩句.
시구【始球】 [명] 始球.
시국【市國】 [명] 市国; 都市国家. ¶ 바티칸 ~ バチカン市国.
시국【時局】 [명] 時局. ¶ ~ 강연회 時局講演会.
‖——-담 [명] 時局談; 時言.
시굴【試掘】 [명][하타]〔鑛〕 試掘.
‖——-권 [명]〔法〕 試掘権. ——-정 [명]〔鑛〕 試掘井.
시굼-하다 [형] やや酸っぱい. >새곰하다.

굼시굼-하다 형 かなりすっぱい.
궁 명 どぶ(溝); 汚水の溜まり.
── 구멍 명 下水口; 溝口.
──-쥐 명 〖動〗 どぶねずみ(溝鼠).
──-창 명 下水の溜まり; 汚水がよど
定)んでぬかるんだところ. ¶ ～ 냄새
난다 下水が臭おう.
권【時圈】명〖天〗時圈. =시각권
時角圈).
권【試券】명〖史〗科挙で文を作
って出した紙.
그널〔signal〕명 シグナル. ① 信号
. ② 信号機.
── 뮤직 명 シグナルミュージック.
그러-지다 자 しお(萎)れる; (気
が)弱まる〔衰える〕; 伸びていた
力が弱くなって消える.
그마〔ユ Σ, σ, ς〕명 シグマ. ① ギリ
シアの十八番目の字母. ②
〖數〗総和記号(Σ).
그무레-하다 형 少しすっぱい. >새
그무레하다.
극【詩劇】명 詩劇.
시근-거리다¹ 자 (満腹またはくやし
さで)息を急かせる; あえ(喘)ぐ; 息
をはずませる; 息を切らす. >새근
거리다. ㅆ씨근거리다. 시근-시근¹ 부
하자 しきりに息をはずませるさま:
はあはあ.
시근-거리다² 자 (骨の節などが)うずく;
痛む; ずきずきする. 시근-시근² 부
하자 ずきずき; ずきんずきん.
시근-벌떡 부하자 ひどくあえ(喘)ぐさ
ま: あえぎ. >새근발딱. ¶ ～ 뛰어왔
다 あえぎあえぎ駆けつけた. ──-거
리다 자 ひどくあえ(喘)ぐ. ────
부하자 しきりにあえぐさま: あえぎ
あえぎ.
시근-하다 형 うずく: ずきずき痛む.
>새근하다. ㅆ시큰하다.
시글-시글 부하자 群がってうごめく
さま: うようよ; うじゃうじゃ.
시금【試金】명하타 試金.
‖──-석 명 試金石. ①〖化〗けいさん
(硅酸)を主成分とする硬度の高
い黒色の石《金属の品位・純
度を判定する》. =층(層)돌. ②
価値・能力などを試験して判定
する機会や物事.
시금떨떨-하다 형 ☞ 시금털털하다.
시금씁쓸-하다 형 (味が)すっぱくて
にがい.
시금치 명〖植〗ほうれんそう.
시금털털-하다 형 すっぱくて渋い. ㅆ
시금떨떨하다.
시금-하다 형 かなりすっぱい味がす
る. >새금하다. ㅆ시큼하다. 시금-시
금 부하형 かなりすっぱいさま.
시급【時急】명 急; 時がさし迫っ
ていて猶予のないこと. ──-하다 형
急だ; 急を要する. ¶ ～을 요하는 문
제다 急を要する事柄である. ──-히
부 急に. ¶ ～ 처리해야 한다 事を急
に片付けなければならない.
시기【時期】명 時期; 時; 折り. ¶
수확의 ～ 収穫の時期 / 꽃놀이 ～
花見時 / 초목이 서리를 맞아 시드는
～ 霜枯れ時 / 좋은 ～도 있으련마는
よい折りもあろうに.

시기【時機】명 時機; 時節; 時分;
ころ(頃); ころあ(頃合)い; 潮時;
チャンス; 適当な時. ¶ ～ 도
래 時節到来 / ～가 이르다 時機が熟
さない / ～를 놓치다 時機を逸する /
～를 엿보다 頃合いをうかがう.
‖── 상조 명 時機尚早. ㊂ 상조
(尚早).
사기【猜忌】명하타 さいき(猜忌); そ
ね(嫉)み; ねた(妬)み. ¶ ～심이 강하
다 猜忌の念が深い.
시기【試技】명 試技; トライアル.
시-꺼멓다 형 真っ黒い; 真っ黒
だ. >새까맣다. ㅆ시커멓다. ¶ 시꺼먼
얼굴 真っ黒な顔.
시꺼메-지다 자 真っ黒くなる. >새
까매지다. ㅆ시커메지다.
시끄럽다 형 やかま(喧)しい; 騒騒
しい; うるさい; 騒がしい; かしま
(姦)しい. ¶ 시끄러운 세상이 되었다 騒
騒しい世の中になった / ～, 조용히
해라 喧しい, 静かにしろ.
시끌시끌-하다 형 ①(気が乱れる程)
騒騒しい; 騒がしい; やかま
(喧)しい; ごたごたしている. ¶ 시끌
시끌하여서 뭐라 여쭐 말이 없습니다 お
騒騒しいことで何とも申し訳ござ
いません. ② 心が乱されて込み合
っている.
시나리오〔scenario〕명 シナリオ. ¶ ～
라이터 シナリオライター.
시나브로 부 ① いつしか知らぬまに少
しずつ. ¶ 모아 둔 돈을 ～ 다 썼다 蓄
えの金を知らぬまに少しずつ使
い果たしてしまった. ② 他の事を
する間間に; おりおりに; あいまあ
いまに. ¶ ～ 다 해치웠다 あいまあい
まに皆片付けた.
시난-고난 부 病気がだんだん重く
なって行くさま.
시내 명 小川; せせらぎ; 流れ.
‖시냇-가 명 小川のほとり. 시냇-물
명 渓流; 小川の水.
시내【市內】명 市内. ¶ ～ 전화 市内
電話 / ～ 버스 市内バス.
시너〔thinner〕명〖化〗シンナー.
시네라리아〔cineraria〕명〖植〗シネラ
リア; サイネリア. 「マ.
시네라마〔프 cinérama〕명〖映〗シネラ
시네마〔cinema〕명〖映〗シネマ; キネ
マ. ① 映画. ② 映画館. ③ ↗시
네마토그라프.
‖──-스코프 명 シネマスコープ. ㊂
시네스코.
시네마토그래프〔cinematograph〕명 シ
ネマトグラフ; キネマトグラフ.
시네-포엠〔프 ciné-poème〕명 シネポエ
ム; 映画詩.
시녀【侍女】명 ① 侍女; 腰元; 上
女中; 奥女中. ② 女中; 下
女; はしため.
시노님〔synonym〕명〖言〗シノニム;
同義語.
시뇨【屎尿】명 し(屎)尿; 大便と
小便.
시누【媤─】명 ↗시누이.
시-누이【媤─】명 こじゅうとめ(小
姑)《義姉・義妹》; 夫の姉妹.
㊂ 시누・시뉘. ¶ 상냥한 손위 ～ 気立

人

てのやさしい義姉. ‖── 올케 명 小姑と兄または弟の妻.

시늉 명 まね(真似); 振り; しぐさ; そぶり. ──-하다 자 まね(真似)る; 振りをする. ¶ 죽는 ~을 하다 死ぬ振りをする.

시니어 〔senior〕 명 シニア. ① 年長者; 先輩. ② 上級生.

시니컬 〔cynical〕 명하형 シニカル; シニック. ¶ ~한 태도 シニカルな態度.

시다 형 ① 味が酢のようだ; 酸い; すっぱい. ¶ 신맛 酸い味; 酸味 / 신맛 단맛 다 알다 酸いも甘いもかみ分ける / 입이 시도록 타이르다 口がすっぱくなるほど言い聞かせる. ② まぶ(眩)しい; まばゆ(目映)い. ¶ 직사 광선이 눈에 ~ 直射光線に目が眩しい. ③ 骨節がくじけてずきずきと痛む; ずきずきする; ずきんずきんする. ④ 言行が気にくわない; 気にさわる; 目にあまる. ¶ 그의 언동에는 눈꼴 신 점이 있다 彼のふるまいには目にあまるものがある.

시단 【詩壇】 명 詩壇.

시달 【示達】 명하타 示達; 達し.

시달리다 一자 悩まされる; も(揉)まれる; 苦しめられる; いじ(苛)められる. ¶ 더위에 ~ 暑さに苦しめられる / 압정에 ~ 圧政にしいた(虐)げられる / 빚쟁이에게 ~ 債鬼に責められる / 세상 풍파에 ~ 世の波風に揉まれる / 인파에 ~ 人波に揉まれる. 二타 悩ます; 苦しませる; いじ(苛)める; 責める.

시담 【示談】 명 示談.

시답-잖다 형 見すぼらしくて気にいらない; つまらない; もの足りない. ¶ 그런 시답잖은 소리 작작 해라 そんなくだらないことぬ(吐)かすな.

시-당숙 【媤堂叔】 명 夫の父のいとこ(従兄弟).

시대 【時代】 명 時代; 時世; ときよ; 世の中; 世〔代〕. ¶ 빙하 ~ 氷河時代 / 황금 ~ 黄金時代 / ~에 역행하다 世にさからう / 그 때와는 ~가 다르다 あのころとは世がちがう. ‖── 감각 명 時代感覚. ──-극 명 時代劇; まげもの(髷物). ── 사상 명 時代思想. ── 사조 명 時代思潮. ── 소설 명 時代小説. ── 정신 명 時代精神. ── 착오 명 時代錯誤; アナクロニズム.

시댁 【媤宅】 명 "시가(媤家)(=嫁ぎ先)"の敬称.

시도 【示度】 명 示度.

시도 【市道】 명 市道《道路の種別の一つ》.

시도 【試圖】 명 試図; 試し; 試み. ──-하다 타 試図する; 試す; 試みる.

시동 【始動】 명하자타 始動. ¶ ~을 걸다 始動をかける.
‖──-기 명 始動機; 起動機; スターター. ── 모터 명 始動モーター. ──-키 명 始動キー.

시-동생 【媤同生】 명 義弟; 夫の弟.

시드 〔seed〕 명 シード. ¶ ~ 선수 シード選手 / ~조 シード組.

시드럭-부드럭 부하형 花や草など だんだんしなびれて枯れて行く ま: しおしお; しなしな; しなくな しねしね. ㉠ 시득부득.

시드럭-시드럭 부하형 花などのし (萎)れるさま: しおしお; しなし しなくな. ㉠ 시득시득.

시들다 자 ① (花·草などが)しお(萎 れる; しぼ(萎)む; な(萎)える; し (萎)びる; 枯れる. ¶ 꽃이 ~ 花が お(萎)れる / 저녁에 피었다가 곧 ~ 方咲いてからすぐしぼ(萎)む. 元気がなくなる; 腰が弱くなる 弱る; 衰える. ¶ 권세가 ~ 権 勢が衰える.

시들먹-하다 형 気が進まないよう 見える; 乗り気〔興味〕がない うに見える.

시들-방귀 명 物事をないがしろに る語; (物事を)軽視すること. ¶ 의 일이라고 ~로 취급하다 人のこと だといってないがしろに取り扱う.

시들-병 【—病】 명 ぶらぶら病; 慢 性的に少しずつ体が弱る病気. ¶ 오랜 ~으로 회복의 가망이 없 다 長い間のぶらぶら病で回復の 見込みがない.

시들-부들 부하형 ややしお(萎)れてや わらかくなったさま: しなくな.

시들-시들 부하형 ややしお(萎)れて力 のないさま: しおしお; しなくな しなしな. >새들새들.

시들-하다 형 ① 物足りなくて気乗 りがしない; 乗り気がしない; 気 が進まない; 興味がない. ¶ 마음 에 차지 않는지 시들해 한다 物足りな いのか沈んでいる. ② 貧弱だ; 物足りない; くだらない. 시들-히 부 弱って; 興味なく; 物うげに; 物 足りなげに; くだらなげに.

시-디 【CD】 명 CD. ① 〔cash dispenser〕 (銀行の)自動現金支払機. ② 〔compact disk〕 コンパクトディスク.

시디-시다 형 ひどくすっぱい.

시뜻-하다 형 ① けち臭くて気にくわない. ¶ 시뜻한 조건을 붙이지 마라 けち臭い条件をつけるな. ② うんざりして嫌気がさしている. 시뜻-이 부 しぶしぶ; うんざりして.

시래기 명 干葉; 懸け〔干し〕菜; ほした大根の茎と葉. ¶ ~죽으로 연명하다 干葉のかゆ(粥)で暮らす.

시러베-아들 명 くだらないやつ(奴); でたらめ.

시러베-장단 【—長短】 명 でたらめな言行をさげすんでいう語.

시럽 〔syrup〕 명 シロップ; しゃりべつ(舎利別)《"シロップ"の音訳》.

시렁 명 物をのせるために部屋や縁側の壁に横に渡した二本の棒. ¶ ~ 눈 부채 손《俚》眼が高くして手卑し.

시력 【視力】 명 視力. ¶ ~을 잃다 視力を失う / ~이 약해지다 視力が衰える.
‖── 검사 명〔醫〕視力検査. ¶ ~표 視力検査表.

련【試鍊】명하타 試練. ¶가혹한 ~ かこく(苛酷)な試練 / 인생의 온갖 ~에 견디다 人生のあらゆる試練にこえる.

시론【時論】명 ① 時論; その時代の世論. ② 時論; 時事についての議論. ¶~을 쓰다 時論を書く.

시론【詩論】명 詩論.

시론【試論】명 試論. ① ☞ 소론(小論). ② 試みにする論.

시료【施療】명하타 施療; 無料治療. ¶~ 환자 施療患者.

시료【試料】명〖化〗試料.

시루 명 こしき(甑); 蒸し器; せいろ(う)(蒸籠). ¶~에 물붓기《俚》焼け石に水.

‖——-떡 명 蒸しもち(餅).

시룽-거리다 자 へらへら笑ったりしゃべる. >새롱거리다. 시룽-시룽 부하형 へらへら.

시류【時流】명 時流. ¶~에 영합하다 時流に投ずる / ~를 타고 정계에 나서다 時流に乗って政界に出る.

시르-죽다 자 ① 気がぬける; 元気を出せない. ② 意気消沈する; 縮みこむ. ¶시르죽은 이《俚》ひどく打ちしお(萎)れている人, またはや(痩)せ衰えて見すぼらしい人.

시름 명하타 心配; 憂慮; 憂い. ¶~을 잊다 憂いを忘れる / ~을 풀 길이 없다 心配を晴らす術がない.

——-없다 형 ① うつろだ; ぼんやりだ; ぼうぜん(茫然)とする; やるせない; 心配や憂いで元気がない. ② 何の考えもない; ぼんやりする. —— 없이 부 ぼんやりと. ¶~ 생각에 잠기다 ぼんやりと物思いにふける.

시름-시름 부 病気が良くも悪くもならず長びくさま. ¶~ 앓다가 죽었다 ぶらぶら病のあげく死んだ.

시리다 형 冷える; 冷たく感ずる. ¶무릎이 시려 견딜 수 없다 ひざ(膝)が冷えて堪えられない.

시리우스-성【—星】〔Sirius〕명〖天〗シリウス.

시리즈〔series〕명 シリーズ. ¶명화 ~ 名画シリーズ / 월드 ~ ワールドシリーズ《야구》.

시립【市立】명 市立. ¶~ 도서관 市立図書館.

시립【侍立】명하자 侍立; そばにはべ(侍)ること.

시말【始末】명 始末.

‖——-서 명 始末書. =전말서(顚末書). ¶~를 쓰다 始末書を書く.

시망-스럽다 형 とても意地悪だ. ¶시망스러운 애도 다 있다 ひどく意地悪な子もあるものだ.

시-매기다【時—】타 互いに時間を決めるか制限する.

시맥【翅脈】명〖蟲〗しみゃく(翅脈).

시맥【詩脈】명 詩のすじ.

시먹 명 分け目をあらわす墨線.

시먹다 형 我がまま(儘)だ; 自分勝手だ. ¶시먹은 놈이어서 도저히 가망이 없다 勝手な奴でとうてい駄目である.

시멘트〔cement〕명 セメント; 洋灰. ¶~ 블록 セメン(ト)ブロック / ~ 벽돌 セメンれんが(煉瓦) / ~로 굳히다 セメン(ト)で固める.

‖—— 기와 명 セメンがわら(瓦). —— 모르타르 명 セメン(ト)モルタル. —— 콘크리트 명 セメン(ト)コンクリート.

시묘【侍墓】명하자 親の喪中に墓の傍らに小屋を建てて三年間住むこと.

시무【始務】명하자 ① 事務を執り始めること. ② 役所などで年始に勤めを始めること. ¶~식 御用始め式.

시무【時務】명 時務. ¶~에 어둡다 時務にうとい.

시무룩-하다 형 不満そうに無口でいる; 膨れている; むっつりしている; 仏頂面をしている; ぶぜん(憮然)としている. ¶뭣에 토라졌는지 ~ 何にす(拗)ねたのかふくれっ面をしている / 시무룩한 표정으로 서 있다 仏頂面をして立っている. >새무룩하다. ㅆ씨무룩하다.

시문【詩文】명 詩文.

‖—— 서화 명 詩文書画.

시문【試問】명하타 ① 試験問題の意. ② 試問.

시-문학【詩文學】명 詩文学.

시물【施物】명〖佛〗施物; 施主の財物.

시뮬레이션〔simulation〕명 シミュレーション. =모의 실험.

시뮬레이터〔simulator〕명 シミュレーター.

시민【市民】명 市民. ¶~권 市民権 / ~ 대회 市民大会.

‖—— 계급 명 市民階級. —— 사회 명 市民社会. —— 혁명 명 市民革命.

시바〔Siva〕명〖宗〗シバ.

시반【屍斑】명 しはん(死斑〔屍斑〕).

시-반경【視半徑】명 視半径.

시발【始發】명하자 始発; 初発. ¶~역 始発駅.

시방【時方】명부 今; 今しがた. ¶~ 하고 있잖아 今やっているじゃないか.

시방-서【示方書】명 仕様書.

시범【示範】명하타 示範. ¶~ 경기 示範競技 / ~ 사찰 モデル査察.

시벽【詩癖】명 詩癖.

시변【市邊】명 ① 都市の周辺. ② 市場で貸し借りの金利.

시병【侍病】명하자 病人を介抱すること. ¶~에 지쳤다 病人の介抱に疲れた.

시병【時病】명 ① 季節によるはやり病. ② 時病; その時代の弊害. =시폐(時弊).

시보【時報】명 時報. ¶정오의 ~ 正午の時報.

시보【試補】명 試補. ¶사법관 ~ 司法官試補.

시복【施福】명〖佛〗施主がたくさんいること.

시복【諡福】명하타〖宗〗死後に福者の位に列すること.

시봉【侍奉】명하자 親に仕えること.

시부렁-거리다 자 べちゃべちゃしゃべ(喋)る; 無駄口をたたく. >사부랑거리다. ㅆ씨부렁거리다. ¶무슨 말을 시부렁거리고 있는 거야 何の無駄口を

たたいているのか. 시부렁-시부렁 [부] べちゃくちゃ.

시-부모【媤父母】[명] しゅうと(舅)としゅうとめ(姑).

시부저기 [부] (別段力を入れないのに)おのずから; 手軽く. >사부자기. ¶~ 잘 됐다 身を入れなかったのに(もかかわらず)うまく行った.

시부적-시부적 [부][하형] 何とかかんとかして; どうにかこうにか.

시비【是非】[명] ①是非; 理非; よしあし. ¶~를 가리다 是非を正す/이젠 ~도 가릴 만한 나이이다 もう理非の分別もつく年だ. =잘잘못. ②言い争い; いさか(諍)い〈老〉. ——하다 [자] 言い争う. ¶~를 걸다 言いかかる; 文句をつける.

‖—— 곡직 [명] 理非曲直. —— 선악 [명] 理非と善悪. ——조(調) [명] けんか腰; けちをつけてけんかをかける調子. ¶~로 말하다 けんか腰でいう. ——지-단(之端) [명] 言い争いのきっかけ.

시비【施肥】[명][하자] 施肥. ¶~량 施肥量.

시비【詩碑】[명] 詩碑.

시빌리언 〔civilian〕[명] シビリアン.

시빌리제이션 〔civilization〕[명] シビリゼーション.

시뻐-하다 [타] 不満に〔物足りなく〕思う.

시-뻘겋다 [형] 真っ赤だ. >새빨갛다. ¶시뻘건 석양이 지평선에 지다 真っ赤な夕日が地平線に沈む.

시-뻘게지다 [자] 真っ赤になる.

시쁘다 [형] もの足りない; 不満だ; 嫌気がさす; うんざりする.

시사【示唆】[명] 示唆. ——하다 [타] 示唆する; ほのめかす. ¶~하여 주었다 示唆を与えてやった/~하는 바가 크다 示唆に富む.

시사【時事】[명] 時事. ¶~ 문제 時事問題/~ 용어 時事用語/~ 해설 時事解説.

‖—— 만평 [명] 時事漫評. ——물 [명] 時事物.

시사【試射】[명][하타] ①試射. ¶원자포를 ~한 결과 原子砲を試射した結果. ②〔史〕弓に優れた人を試験して選ぶこと.

시사【試寫】[명][하타] 試写. ¶영화의 ~회 映画の試写会.

시산【試算】[명][하타] 試算. ①試験的に行なう計算. ②検算.

‖——표 [명] 試算表. ¶잔고 ~ 残高試算表.

시살【弑殺】[명][하타] しいぎゃく(弑逆・弑虐); 親や王を殺すこと.

시-삼촌【媤三寸】[명] しゅうと(舅)の兄弟.

시상【施賞】[명][하타] 授賞.

시상【詩想】[명] 詩想. ¶~을 가다듬다 詩想を整える/~이 생기다 詩想が生まれる.

시새다, 시새우다 [타] ①ねた(妬)む; そね(嫉)む; やきもちを焼く. ¶공연스레 ~ 何でもないことで妬む. ②競う; 張り合う; 競り合う. ¶시새워 공부하다 競って勉強する.

시생【侍生】[대] 目上に対する自分の謙称.

시생-대【始生代】[명]〔地〕始生代.

시서【時序】[명] 巡り行く時節の序.

시서【詩書】[명] 詩書.

시서늘-하다 [형] 食べ物がひえて冷たい.

시석【矢石】[명] 矢石; (昔, 戦 で使った)矢と石.

시선【視線】[명] 視線; まなざ(眼差)し〈雅〉; 目の向き. =눈길. ¶~을 …으다 視線を集める/~을 피하다 視線をそらす; 眼差しを伏せる.

시선【詩仙】[명] ①詩仙; 仙風のある天才的な詩人. ②詩作に没頭して世間を忘れた人.

시선【詩選】[명] 詩選.

시설【施設】[명][하타] 施設. ¶공공 ~ 公共施設/~이 완비되었다 施設が完備した.

‖—— 자재 [명] 施設資材.

시설-거리다 [자] にこにこ顔でしゃべ(喋)る. >새살거리다. 시설-시설 [부][하형] 笑い顔でおもしろおかしくしゃべ(喋)りまくるさま.

시설-궂다 [형] ひどくはしゃぎ立てる; ひどく浮かれ騒ぐ. >새살궂다.

시설-떨다 [자] むやみにはしゃぎ立てる; やたらに騒がしくふざける. >새살떨다. ¶시설떨지 마라 やたらにふざけるな.

시설-스럽다 [형] たち(質)が柔順でなくやたらに騒ぎたがる; ふざけ性である. >새살스럽다.

시성【詩性】[명] 詩性. ¶~이 넘치는 소설 詩性にあふ(溢)れる小説.

시성【詩聖】[명] 詩聖. ¶~ 타고르 詩聖タゴール.

시성【諡聖】[명][하타]〔宗〕死後聖人位に列すること.

시세【市勢】[명] ①市勢. ¶~ 조사 市勢調査. ②〔經〕経済界で需要供給が円滑な程度.

시세【時勢】[명] ①時勢; 世並み; 世のなりゆき. ¶~를 볼 줄 모른다 時勢を見る目がない/~에 맡기다 時勢に任す. ②相場; 市価; 時価. ¶~도 모르고 값을 놓는다《俚》相場も知らずに値段を決める. —— 닿다 [자] 値が時価に合う.

‖—— 예측 [명] 相場見通し.

시소 〔seesaw〕[명] シーソー. ¶아이들이 마당에서 ~를 타다 子供らが庭でシーソーをする.

‖—— 게임 [명] シーソーゲーム.

시속【時俗】[명] 時俗. ¶성인도 ~을 좇는다 聖人も時俗に従う.

시속【時速】[명] 時速. ¶~ 백 킬로 時速百キロ.

시솔【侍率】[명] 目上に仕え目下を養うこと.

시숙【媤叔】[명] こじゅうと(小舅); 夫の兄弟.

시술【施術】[명][하타] 施術. ¶~ 결과 施術の結果.

시-스카우트 〔sea-scout〕[명] シースカウト; 海洋少年団.

시스터 〔sister〕[명] シスター.

시스템 〔system〕[명] システム.

시시【時時】명 時時; 時間毎. ¶ ~로 時時; たびたび; しばしば; 折々/~ 때때로 만나는 사람 しょっちゅう会う人.
──각각 명부 時時刻刻; 刻一刻; 刻刻. ¶~으로 변하는 사회 時時刻刻変わる社会/물은 ~으로 붇는다 水は刻刻に増えてくる.
시시 〔C.C. c.c.←cubic centimeter〕 명 シーシー; 立方センチメートル.
시시-거리다, 시시덕-거리다 자 はしゃぐ; 浮かれてしゃべ(喋)り立てる.
시시덕-이 명 おしゃべり屋; はしゃぎ者; 浮かれ者. ¶~는 재를 넘어도 새침데기는 골로 빠진다《俚》 おしゃべり屋はばか正直に峠を越えるが, すまし屋は谷の楽な道を選んで行く《人は見かけによらないとの意》.
시시-부지 부하형 ① ぐずぐずいいかげんにして片付けるさま. ② ぐずついているうちに自然になくなるかぼやけるさま. ¶일은 ~ 끝나고 말았다 事はうやむやに終わってしまった.
시시-비비【是是非非】명하자 是是非非.
‖**──-주의** 명 是是非非主義.
시시-콜콜 부하형히부 深くせんさく(穿鑿)するさま; 根ほり葉ほり(たずねるようす).
시시-하다 형 つまらない; くだらない; ばからしい. ¶듣기보다 ~ 聞いたよりもつまらない/시시한 이야기다 くだらない話である/그런 시시한 이야기는 그만 두시오 そんなばかげた話はやめなさい.
시식【試食】명하자 試食. ¶어디 한 번 ~해 보기로 할까 どれ一つ試食してみることにするかな.
시식-잖다 형 (人柄·言動などが) 気障りで不快だ.
시신【侍臣】명 侍臣; 近臣.
시신 【屍身】명 しかばね(屍); 死体. ¶~을 정중히 모시다 死体を丁重に扱う.
시-신경【視神經】명 視神経. ¶~ 마비 視神経麻痺.
시심【詩心】명 詩情; 詩興.
시-아버님【媤—】명 "시아버지"の尊称.
시-아버지【媤—】명 しゅうと(舅); 夫の父.
시 아이 에이【C.I.A.←Central Intelligence Agency】명 シーアイエー.
시 아이 에프【C.I.F.←Cost, Insurance, and Freight】명〘經〙シーアイエフ.
시-아주버니【媤—】명 夫の兄.
시안【試案】명 試案. ¶계획에 관한 ~이 마련되다 計画に関する試案ができあがる.
시안【詩眼】명 詩眼. ¶~이 높다 詩眼が高い.
시안〔cyan〕명〘化〙シアン. =청소(青素). ¶~ 공해 シアン公害.
‖**──화 나트륨** 명 シアン化ナトリウム. **──화 수소** 명 シアン化水素. ¶~산 シアン化水素酸. **──화 수은** 명 シアン化水銀. **──화-은** 명 シアン化銀. **──화 칼륨** 명 シアン化カリウム. =청산 가리(青酸加里).
시앗 명 夫のめかけ(妾). ¶~ 싸움에 요강 장수《俚》さいしょう(妻妾)の争いにしゅびんう(溲瓶売)りの利《二人の争いに第三者が利を得ることのたとえ》. **──-보다** 자 夫がめかけ(妾)をかこう.
시야【視野】명 視野; 視界; 眼界; 目路. ¶~를 가리다 視野をさえぎる/~가 트이다 視界が開ける/~가 넓은 사람 視野の広い人.
시야 비야【是也非也】명 是と非.
시약【施藥】명하자 施薬; ただで薬を恵むこと. また, その薬.
시약【試藥】명〘化〙試薬. ¶~을 써서 요오드 성분의 유무를 알아보다 試薬を使ってヨード分の有無を調べる.
시-어머니【媤—】명 しゅうとめ(姑); 夫の母.
시-어머님【媤—】명 "시어머니"の尊称.
시업【始業】명하자 始業. ¶~식 始業式.
시업【施業】명하타 施業.
‖**──-림** 명 施業林; 特殊目的のため人工的に作った森林.
시 에프【CF ←commercial film】명 シーエフ.
시 에프【cf.】명〔라 confer〕シーエフ.
시엠 【C.M.←commercial message】명 シーエム. =커머셜 메시지.
시여【施與】명 施与; 人に物をただでやること. ¶빈민에게 물품을 ~하다 貧民に品物を施与する.
시역【市域】명 市域.
시역【弑逆】명하타 ☞ 시살(弑殺).
시연【試演】명하타 試演. ¶공연을 앞두고 ~을 하다 公演を前に試演を行なう.
시영【市營】명 市営. ¶~ 주택 市営住宅.
시영【始映】명하자타 開映.
시오니즘〔Zionism〕명 シオニズム.
시오-리【十五里】명 一里半.
시옷 명 ハングルの字母"ㅅ"の名.
시외【市外】명 市外. ¶~ 전차 市外電車.
시-외가【媤外家】명 しゅうとめ(姑)の里.
시-외삼촌【媤外三寸】명 夫の外叔. =시외숙(媤外叔).
시-외편【媤外便】명 しゅうとめ(姑)の里方.
시용【施用】명하타 施用.
시용【試用】명하타 試用. ¶이 약을 ~해 보자 この薬を使って見よう.
시우【時雨】명 時雨; ほどよい時に降る雨.
시우【詩友】명 詩友.
시우-쇠 명 錬鉄の一つ.
시운【時運】명 時運; 機運. ¶~을 만나다 時運に遇う/~을 잘 타고 나서 성공하였다 時運に恵まれて成功した.
시운【詩韻】명 詩韻. ① 詩の韻律. ② 詩の韻字.
시-운전【試運轉】명 試運転. ¶윤전기의 ~ 輪転機の試運転.
시울 명 目·口などのふち. ¶입~ 唇

/ 눈~을 적시다 涙ぐむ.

시원【始原】명 始原; はじめ; 原始.

시원섭섭-하다 형 気はさっぱりするものの残念でもある; 気軽い一方名残惜しくもある. ¶딸을 시집보내고 나니 ~ 娘を嫁がせてひと安心だが名残惜しくもある.

시원-스럽다 형 さっぱりしている; さわ(爽)やかだ; さばさばしている; 明快だ. ¶시원스러운 눈 涼しいひとみ(瞳)/시원스러운 태도 爽やかなものごし/대답이 ~ 答えが明快である.

시원시원-하다 형 はきはきして活発だ; しゃきっとしている. ¶시원시원한 태도 はきはき〔きびきび〕した態度/시원시원하고 또렷한 말투 しゃきっとして歯切れのいいことば. **시원시원-히** 부 しゃきっと; はきはきと; さっぱりと.

시원-찮다 형 かんばしくない; はかばか(捗捗)しくない; 思わしくない; さ(冴)えない; すっきりしない. ¶성적이 ~ 成績がかんばしくない/병세가 ~ 病勢が捗捗しくない〔すっきりしない〕/매상이 ~ 売れゆきが思わしくない/시원찮은 얼굴인데 冴えない顔色だが(どうしたのか).

시원-하다 형 さわ(爽)やかだ. ①すがすがしい; そうかい(爽快)である. ¶새벽녘의 시원한 공기 朝明けのすがすがしい空気. ②涼しい; 涼やかだ. ¶시원한 바람 涼しい風. ③(胸が)すっきりする; さっぱりする; 清清する; (痛みが去って)すっとする. ¶마음이 ~ 気が清清する/두통이 나아서 ~ 頭痛が去ってすっとする. ④(言行が)明快である; さっぱりしている; はきはきしている. ¶말이 ~ 弁舌が爽やかである. ⑤(汁の味が)あっさりしている. ¶시원한 맛 さっぱり〔あっさり〕した味. **시원-히** 부 すがすがしく; さわ(爽)やかに; 涼しく; そうかい(爽快)に; あっさり(と); 活発に; はきはき.

시월【十月】명 [←십월] 十月. ¶~을 맞이하다 十月を迎える.
‖── 상(上)달 명 新穀を神に供えるのに最もよい月.; 陰暦十月のこと. =상(上)달. ── 혁명 명〖史〗十月革命.

시위【示威】명하자 示威; 装威; デモ. ¶~ 행진이 시가를 누비다 デモ行進が市街を縫う.
‖── 운동 명 示威運動; デモ(ンストレーション). ── 행동 명 示威行動. ── 행렬 명 示威行列.

시위【侍衛】명하타 侍衛; 王に近侍して護衛すること. また, その人.

시위적-거리다 자 仕事に精を出さずぞんざいにする; ぐずつく; のろのろする. **시위적-시위적** 부하형 ぐずぐず; のそのそ; のろのろ; ぞんざいに.

시유【市有】명 市有. ¶~지가 많다 市有地が多い.

시은【市銀】명 [↗시중 은행(市中銀行)] 市銀.

시은【施恩】명하자 ①恩をほどこすこと. ②施主から受けた恩.

시음【試飲】명 試飲; 利き酒 ──-하다 타 試飲する; 利き酒をす ¶신발매의 맥주를 ~하다 新発売のビールを試飲する/~한 술에 취하 聞き酒に酔う.

시-읍-면【市邑面】명 市と邑と面《日本の市町村に当たる》.

시의【侍醫】명 侍医.

시의【時宜】명하형 時宜. ¶~를 다 時宜を得る. 「議論

시의【時議】명 その当時の人人

시의【猜疑】명하타 さいぎ(猜疑). ~심 猜疑心.

시-의원【市議員】명 ☞ 시의회 의원

시-의회【市議會】명 市議会. 준 의. ‖── 의원 명 市議会議員.

시인【是認】명 是認. ──-하다 是認する; 認める. ¶범행을 ~하다 犯行を認める.

시인【詩人】명 詩人; 詩客.

시일【是日】명 この日.

시일【時日】명 時日; 月日; 日時. =날짜. ¶단~ 短時日/~을 정하다 時日を定める/~이 걸리다 時日がかかる/~을 요하다 時日を要する/이제 ~이 얼마 없다 もういくらも時日がない.

시작【始作】명 始め; 始まり; 手始め; 立ち上がり; 序の口. ──-하다 타 始める; …初める; やり出す. ¶일을 ~하다 しごとを始める/새로 ~하다 新たに始める/공사를 ~하다 工事に取り掛かる/용건을 말하기 ~하다 用件を切り出す/~이 중요하다 立ち上がりが大切だ/이 정도의 더위는 아직 ~에 불과하다 これぐらいの暑さはまだ序の口にすぎない/꽃이 피기 ~했다 花が咲き出した/~이 반이다《俚》始まりがよければ半分成ったも同じである.

시작【詩作】명하자 詩作. ¶~에 골몰하다 詩作にふけ(耽)る.

시작【試作】명하타 試作. ¶~품 試作品.

시장 명 空腹; 腹がすくこと. ──-하다 형 ひだるい; ひもじい; 腹がすいて〔減って〕いる. ¶얼마나 ~할까 どんなにひもじいんだろう/~해서 견딜 수 없다 ひだるくてたまらない/~이 반찬《俚》空腹〔ひもじい時〕にまずいものなし.
‖──-기(氣) 명 空腹(感); ひもじさ. ¶~를 느끼다 空腹を感じる.

시장【市長】명 市長. ¶~ 선거 市長選挙.

시장【市場】명 ①市場; 市; マーケット. ¶견본 ~ 見本市/청과 ~ 青果市場/~ 점유율 マーケットシェア/~에 내다 市に出す. ②〖經〗市場. ¶금융 ~ 金融市場/새로운 ~을 개척하다 新しい市場を開拓する.
‖── 가격 명 市場価格; 市価《준말》. ── 가치 명 市場価値. ── 경제 명 市場経済. ── 조사 명 市場調査; マーケットリサーチ.

시장-질 명하자 幼子を立たせて両手を取り前後に動かすこと.

시재【時在】명 ① 持ち合わせの〔手元の〕金銭や穀物. ¶ ~품 持ち合わせの品 / ~ 재고 手許の有り高. ② 現在; 今.

시잿-돈 명 有り金; 収入·支払いの後に残っている金; 手元金; 手元《준말》. ――-액(額) 명 残高.

시재【試才】명하타 才能を試して見ること.

시재【詩才】명 詩才. ¶ 그는 뛰어난 ~의 소유자다 彼はすぐれた詩才の持ち主だ.

시적【詩的】명관 詩的.
‖―― 공상 명 詩的空想.

시적-거리다 자타 渋る; しぶしぶする; いやいやながらする. **시적-시적** 부하자타 しぶしぶ; いやいや; 不承不承.

시전【市廛】명 市場通りの店.

시절【時節】명 ① 時節; 時候; 気節. ② 時; 時機. =때. ③ 時代; 人の一生を区分した一期間. ¶ 소년 ~ 少年時代 / 개구장이 ~ 腕白時代 / 고인이 살던 ~ 在りし世.

시점【時點】명 時点. ¶ 현재의 ~에서 今の時点で.

시점【視點】명 視点; 観点.

시접 명 縫い代; 縫い込み. ¶ ~을 많이 넣다 縫い込みを深くする.

시정【市井】명 ① 市井; ちまた; 街. =시가(市街). ② ↗시정아치.
‖――-배(輩) 명 ☞ 시정아치. ―― 소설 명〔文〕中流以下の庶民生活を書いた小説. ――-아치 명 市井の商人. 준 시정.

시정【市政】명 市政. ¶ ~ 방침 市政方針.

시정【是正】명 是正. ――-하다 타 是正する; 改める. ¶ 잘못을 ~하다 誤りを是正する.

시정【施政】명하자 施政. ¶ ~ 연설 施政演説.

시정【視程】명 視程; 大気の混濁度を表わす尺度の一つ.

시정【詩情】명 詩情; 詩心. = 시취(詩趣). ¶ ~이 풍부한 작품 詩情ゆたかな作品 / ~을 기르다 詩魂を養う.

시제【時制】명 時制; テンス. =시상(時相).

시제【詩題】명 詩題.

시제【試製】명하타 試製. ¶ ~품 試製品.

시조【始祖】명 始祖; 元祖. ¶ 의학의 ~ 히포크라테스 医学の始祖ヒポクラテス.

시조【時調】명 高麗末から発達した韓国固有の定型詩. ―― 하다 자 ① 詩を吟ずるごとく言行をのろのろとする. ② 人がものを言うことをけな(貶)す語.

시종【始終】始終; 終始. ㊀ 명 始めと終わり. ㊁ 부 始めから終わりまで. ¶ ~ 침묵을 지키다 始終沈黙を守る.
‖―― 여일(如一) 명하형 始めから終わりまで変わりなく一様なこと. ―― 일관 명하타 終始一貫; 首尾一貫. ¶ ~ 태도를 바꾸지 않다 終始一貫, 態度を変えない.

시종【侍從】명 ①〔史〕侍従. ②〔宗〕主教から品を受けた伝道師で副助祭の次の者.

시주【施主】명하타〔佛〕① 施主; だんな(檀那); だんおち(檀越). ¶ 시줏돈을 내다 おさいせん(賽銭)を出す. ② 布施. ¶ 절에 ~하다 寺にお布施をする.

시주【試走】명 試走. ¶ ~의 실지 테스트 試走の実地テスト.

시준【視準】명〔物〕視準.
‖――-기 명 視準器; コリメーター. ―― 오차 명 視準誤差. ――-의 명 視準儀.

시준 화석【示準化石】명〔地〕標準化石.

시중 명하타 [←수종(隨從)] そば(側)でかしずく〔付き添う〕こと; 面倒〔厄介〕を見ること; 世話. ¶ ~꾼 付き添い(人). ――-들다 타 かしずく; 付き添う; 厄介を見る; 世話をする. ¶ 병상의 어버이를 ~ 病床の親に仕える / 환자 곁에서 ~ 病人に付き添う.

시중【市中】명 市中; 市上; 町中; 坊間. ¶ ~의 경기는 어떻습니까 市中の景気はいかがですか / 소문이 ~에 퍼지다 うわさが坊間に広まる.
‖―― 은행 명 市中銀行; 市銀《준말》. ―― 판매 명하타 市中販売; 市販《준말》.

시즌〔season〕명 シーズン.
‖―― 오프 명 シーズンオフ.

시지근-하다 형 食べ物がす(饐)えてすっぱい.

시지르다 자《俗》いねむりする; うとうとする; まどろむ.

시진【視診】명하타〔醫〕視診.

시-집【媤―】명 ☞ 시가(媤家). ―― 가다 자 嫁ぐ; 嫁入りする. ¶ ~가기 전에 기저귀 마련한다《俚》生まれぬ先のむつき. ――-보내다 타 嫁がせる; 嫁入りさせる; 片付ける. ¶ 딸을 부잣집에 ~ 娘を富豪の家に嫁がせる. ――-오다 자 嫁入りして婚家に入る.
‖――-살이 명하자 ① 嫁入り暮らし. ② 人の下で監督·干渉を受ける不自由な生活のたとえ.

시집【詩集】명 詩集. ¶ ~을 엮다 詩集を編む.

시차【時差】명 ① 時差; 均時差. ②〔地〕時差. ③ 一定の時間と時間との差〔ずれ〕.
‖――-제 명 時差制; 時刻·時間を差があるようにずらす方式. ¶ ~ 통근 時差(制)通勤.

시차【視差】명 視差; パララックス. ¶ 두 눈의 ~ 両眼の視差.
‖―― 운동 명〔天〕視差運動.

시찰【視察】명하타 視察. ¶ ~단 視察団 / 민정 ~ 民情視察.

시채【市債】명 市債.

시책【施策】명하타 施策. ¶ 여러가지 ~을 강구하였다 いろいろの施策を

ㅅ

講じた.
시척지근-하다 형 (食べ物がす(饐)えて)吐き気を催すようなすっぱい味がある.
시청【市廳】 명 市役所; 市庁.
시청【視聽】 명하타 視聴. ¶ 텔레비전을 ~하다 テレビを視聴する / ~을 모으다 視聴を集める.
‖──각 명 視聴覚. ──각 교육 명 視聴覚教育. ──료 명 視聴料. ──률 명 視聴率.
시청【試聽】 명하타 試聴. ¶ ~실 試聴室.
시체【屍體】 명 死体; 死骸; しかばね(屍〔尸〕). ¶ 겹겹이 쌓인 ~ 累累たる死体 / ~실 霊安室 / ~를 묻다 死体を葬る.
시초【始初】 명 始め; 起こり; 始まり; 出だし. ¶ 흡연의 ~ タバコのすい始め / 싸움의 ~ けんかの始まり / 무슨 일이든 ~가 중요하다 何事も出だしが大切だ.
시추【試錐】 명〔鑛〕試錐; ボーリング. ¶ ~기 試錐機.
시추에이션 〔situation〕 명 シチュエーション.
시취【試取】 명하타 試験を行なって人材を選ぶこと.
시치근-하다 형 ↗시척지근하다.
시치다 타 仮縫いする; 仕付け縫い〔くし縫い〕をする.
시치름-하다 형 つんと(取り)澄ましている; つんつんしている. >새치름하다.
시치미 명 しら; とぼ(惚)け; そらとぼ(空惚)け; すっとぼけ〈俗〉. ── 떼다 자 とぼ(惚)ける; そら惚ける; すっとぼける; しらばくれる; しらを切る; 猫をかぶる; 取り澄ます. ¶ 그렇게 시치미를 떼어도 다 알고 있다 そんなにしらばくれてもちゃんと知っているぞ / 시치미 떼지 마 猫をかぶるな.
시침 명 ① ↗시치미. ② ↗시침질. ¶ ~실 仕付け糸 / ~ 바늘 留め針; まち針.
‖── 바느질 명하타 仕付け; 仮縫い; 地縫い; 下縫い. =가봉(假縫). ──질 명하타 仕付け; 仮縫い; 下縫い.
시침【時針】 명 時針; 短針.
시침-하다 형 ↗시치름하다. >새침하다.
시-커멓다 형 真っ黒だ; 真っ黒い. >새카맣다. ¶ 시커먼 구름 真っ黒い雲.
시-커메지다 자 真っ黒くなる.
시쿰-하다 형 すっぱい. >새콤하다. 시쿰-시쿰 부하형 ひじょうにすっぱいさま.
시퀀스 〔sequence〕 명 シークエンス; シーケンス.
시큰둥-이 명 生意気な者; こしゃくな〔きざ(気障)な〕やつ(奴).
시큰둥-하다 형 生意気だ; こしゃくだ; 目障りだ; さし出がましい. ¶ 시큰둥한 소리를 하다 歯の浮くようなことを言う / 시큰둥한 녀석, 물러가라 こしゃくな奴, さがれ.
시큰-하다 형 骨節がしびれてじいん〔ずきずき〕と痛む. >새큰하다. 시큰-거리다 자 ずきずきうずく. 시큰-시큰 부하형 ずきずき; ずきんずきん.
시큼-하다 형 いやにすっぱい. >새큼하다. 시큼-시큼 부하형 とてもすっぱいさま.
시키다 타 …させる; …せる; …さす. ¶ 일을 ~ 仕事をさせる; 働かせる / 싫어하는 것을 무리하게 시키지 마라 嫌がるのを無理にさせるな.
-시키다 미 名詞に付いて"…するようにする"の意を示す: …せる; …させる; …さす. ¶ 입학~ 入学させる / 고생~ 苦労させる; 苦労を掛ける / 적을 항복~ 敵を降伏させる; 敵を下す.
시탄【柴炭】 명 薪炭.
시토【SEATO←South East Asia Treaty Organization】 명 シアトー.
시퉁머리-터지다 형 生意気だ; 差し出がましい.
시퉁-스럽다 형 ☞ 시퉁하다.
시퉁-하다 형 生意気だ; 差し出がましい; 横柄だ.
시트 〔seat〕 명 シート; 座席.
시트 〔sheet〕 명 シート.
‖── 파일 명〔工〕シートパイル.
시틋-하다 형 嫌気がさす; 飽いてうんざりする. ¶ 이제 그 일은 ~ もうその事はうんざりする. 시틋-이 부 いやに; 嫌気がさして; うんざりして.
시티 〔city〕 명 シティー.
시판【市販】 명하타 市販. ¶ ~ 가격 市販価格.
시-퍼렇다 형 ① 真っ青だ. ¶ 바닷물이 ~ 海の水が真っ青である. ② (やいば(刃)が)研ぎ澄まされて曇りがない. ¶ 시퍼런 칼날 とぎ澄ました刃; 氷のような剣. >새파랗다. ③ (威勢などが)凄い. ¶ 서슬이 ~ ものすごい剣幕だ.
시-퍼레지다 자 真っ青になる.
시편【詩篇】 명 詩編.
시평【時評】 명 時評. ¶ 문예~ 文芸時評.
시평【詩評】 명 詩評.
시폐【時弊】 명 時弊. ¶ ~에 물들다 時弊に染まる.
시풍【詩風】 명 詩風. ¶ 현란한 ~ けんらん(絢爛)たる詩風 / 일세를 풍미한 ~ 一世をふうび(風靡)した詩風.
시프다 보형 →싶다.
시프트 〔미 shift〕 명 シフト.
-시피 미 "-다시피"を成す接尾語: …の如く; …のように. ¶ 보다~ 見られる如く / 빌다~ 해서 泣きつくようにして / 보시다~ ご覧の通り.
시 피 아이【C.P.I.←Consumer's Price Index】 명 シーピーアイ; 消費者価格指数.
시필【試筆】 명하타 試筆. ¶ 원단 ~ 元旦試筆; 書き初め.
시하【侍下】 명 親に仕えている人.
시하【時下】 명 時下. ¶ ~ 선선한 가을 계절에 時下秋冷の候.
시학【視學】 명하타 視学; 学事を視察すること.
시한【時限】 명 時限; タイムリミット. ¶ ~부 동맹 파업 時限スト.
‖── 폭탄 명 時限爆弾.

시할머니【媤―】명 夫の祖母.
시할아버지【媤―】명 夫の祖父.
시합【試合】명하자 試合；手合わせ. ＝경기(競技).
시해【弑害】명하타 ☞ 시살(弑殺).
시행【施行】명하타 施行. ¶개정 법률은 4월로 소급하여 ～한다 改正法律は四月にさかのぼ(遡)って施行する.
‖―― 규칙 명 施行規則. ―― 기일 명 施行期日. ――기한 명 施行期限. ――-령 명 施行令.
시행 착오【試行錯誤】명 試行錯誤.
시-허옇다 형 真っ白い；真っ白である. ＞새하얗다. ¶시허연 서리에 뒤덮인 초원 真っ白な霜におおわれた草原／분을 시허옇게 바르다 真っ白におしろい(白粉)をぬる.
시험【試驗】명 試験；試み；試し；テスト. ――-하다 타 試験する；試みる；試す. ¶～ 문제 試験問題／입학 ～을 치르다 入学試験を受ける／～을 잘못 치다 試験をやり損なう. ――-삼아 부 試しに；試験的に. ¶～ 해 보다 試しにやってみる.
‖――-관 명〔化〕試験管. ¶～에 배양하다 試験管に培養する. ――-대 명 試験台. ――-소(所) 명 ☞ 시험장(試驗場). ――-액 명 試験液. ①〔化〕試験用に使う液体. ②〔生〕植物・下等動物を試験培養するのに用いる液体. ――-장 명 試験場. ――-지(紙) 명 ① 答案紙. ②〔化〕試験紙. ―― 지옥 명 試験地獄.
시현【示顯・示現】명하타 示現；示しあらわすこと.
시형【詩形】명 詩形〔詩型〕.
시혜【施惠】명하자 恩を施すこと.
시화【詩話】명 詩話；詩に関する話.
시화【詩畫】명 詩画. ① 詩と絵. ② 詩を書き入れた絵.
‖―― 전람회 명 詩画の展覧会.
시화-법【視話法】명 視話法.
시환【時患】명 季節によりはやる熱病. ＝시질(時疾).
시황【市況】명 市況. ＝상황(商況).
‖―― 산업 명 市況産業.
시회【詩會】명 詩会.
시효【時效】명 時効. ¶～에 의해 채무는 소멸되었다 時効によって債務は消滅した／～에 걸리다 時効にかかる.
‖―― 기간 명 時効期間. ―― 정지 명 時効停止. ―― 중단 명 時効中断.
식【式】명 ① 式；仕方；やり方；風. ¶쓰는 ～이 나쁘다 書き様が悪い／이런 ～으로 해라 こんな風〔具合〕にやれ／저 분이 하는 ～은 좀 다르다 あの方のはちょっと行き方が違う. ② ↗의식. ¶기념～ 記念式／～을 올리다 式をあげる. ③ ↗산식(算式). ¶X를 구하는 ～을 써라 Xを求める式を表わせ.
-식【式】미 式；法式をあらわす語. ¶서양～ 요리 西洋式料理／한국～ 건물 韓国式建物.
식각【蝕刻】명하타〔印〕食刻.
‖―― 요판(凹版) 명 エッチング；食刻凹版.
식간【食間】명 食間. ¶～ 복용 食間服用.
식객【食客】명 食客；いそうろう(居候)；か(掛)かりゅうど；冷や飯食い. ¶선배의 집에 ～이 되다 先輩の家に食客となる.
식-걱정【食―】명 日日の暮らしの心配. ¶～은 안 한다 暮らしの心配はない.
식견【識見】명 識見. ¶～이 높다 識見が高い／그의 ～은 세상 사람들보다 월등하다 彼の識見は世人を越える.
식경【食頃】명 食事をするほどの間. ¶한 ～이 지나서야 왔다 食事をすますほどの間をおいて〔しばらくして〕やって来た.
식곤-증【食困症】명 食後に気怠く眠気がする症状.
식구【食口】명 家族. ¶대～를 거느리다 大家族を養う／～를 줄이다 口を減らす.
식권【食券】명 食券. ¶～을 먼저 사 주십시오 食券を先にお求め願います.
식기【食器】명 食器. ¶은제 ～ 銀製の食器.
식다 자 冷める；冷える. ¶밥이 ～ 飯が冷える／국어 교육열이 ～ 国語教育熱が冷える／흥이 ～ 興が冷める／식은 죽 먹기《俚》朝飯まえのお茶漬け；かっぱ(河童)のへ(屁)／식은 죽도 불어 가며 먹어라《俚》浅い川も深く渡れ.
식단【食單】명 献立；メニュー. ＝차림표. ¶～표 献立表.
식당【食堂】명 食堂. ¶～에서 식사를 하다 食堂で食事をする.
‖――-차 명 食堂車.
식대【食代】명 ① 食事代；飯代；食料. ② 公役で順番に交代して飯を食べること.
식도【食道】명〔生〕食道.
‖――-경 명〔醫〕食道鏡. ――-암 명〔醫〕食道がん(癌). ―― 협착 명〔醫〕食道きょうさく(狭窄).
식-도락【食道樂】명 食い道楽.
식량【食量】명 食べ量. ㊟ 양(量).
식량【食糧】명 食糧. ＝양식(糧食). ¶～ 부족 食糧不足／휴대 ～ 携帯食糧／～난에 허덕이다 食糧難にあえぐ.
‖―― 연도 명〔農〕食糧年度《十一月一日から翌年の十月三十一日までを一年とする事務年度》.
식량【識量】명 識見と度量.
식력【識力】명 識力；物事をみわける能力.
식례【式例】명 以前から定められた前例.
식례【式禮】명 ① 式礼. ＝예의(禮儀). ② ☞ 의식(儀式).
식록【食祿】㊀명 食禄；知行；扶持(米). ＝녹봉. ㊁명하자 禄を受けること.
식료【食料】명 食料.

‖──-품 명 食料品. ¶～ 가게 食料品店. ──품 공업 명 食料品工業.
식리【殖利】명하자 殖利; 利殖.
식림【植林】명하자 植林.
식모【食母】명 女中; 飯炊き. ¶～살이 女中奉公/～를 들이다 飯炊きを雇う.
식모【植毛】명하자〔醫〕植毛.
‖──-술 명 植毛術.
식목【植木】명하자 植樹.
‖──-일 명 植樹日; (韓国の)植樹祭(植樹節)《四月五日》.
식물【植物】명〔植〕植物. ¶～계 植物界/～학 植物学/종자 ～ 種子植物.
‖── 군락 명 植物群落. ── 기후 명 植物気候. ──-대 명 植物帯. ── 도감 명 植物図鑑. ── 분류학 명 植物分類学. ──-성 명 植物性. ¶～ 비료 植物性肥料/～ 섬유 植物性繊維. ──-암 명〔鑛〕植物岩. ──-원 명 植物園. ── 인간 명 植物人間. ── 중독 명〔醫〕植物中毒. ── 지리학 명 植物地理学. ── 채집 명하자 植物採集. ¶～통 胴乱. ── 표본 명 植物標本. ── 형태학 명 植物形態学. ── 호르몬 명 植物ホルモン.
식민【植民】명하자 植民〔殖民〕.
‖──-국 명 植民国. ── 정책 명 植民政策. ──-지 명 植民地. ── 회사 명 植民会社.
식별【識別】명하타 識別. ¶～력이 부족하다 識別力が乏しい.
식복【食福】명 食べ物に恵まれる幸せ.
식-불언【食不言】명 食事のときには無駄口をきかないこと.
식비【食費】명 食費.
식빵【食―】명 食パン; しょっパン〈口〉. ¶～의 딱딱한 가장자리 食パンの耳.
식사【式辭】명하자 式辞.
식사【食事】명 食事; 飯; 御飯; 食; ミール; ダイニング. ── 하다 자 食事する; 食事を取る. ¶～ 시간 食事の時間/아침 ～ 朝飯/～ 초대를 받다 食事に呼ばれる/～를 거르다 食事を抜きにする/겸상(兼床)으로 ～하다 差し向かいで食事する/～합시다 御飯にしましょう.
식산【殖産】명하자 殖産. ¶～의 지름길로서의 투자 신탁 殖産の早道としての投資信託.
식상【食傷】명하자 食傷. ¶～으로 고생하다 食傷でくろうする/날마다 같은 일의 되풀이로 ～하다 毎日同じことの繰りかえしに食傷する.
식-생활【食生活】명 食生活. ¶～만은 충분하였다 食生活だけは十分であった.
식성【食性】명 ①(食物にたいする)嗜好; 好き嫌い. ②〔動〕食性.
식-세포【食細胞】명 食細胞; 体内で細菌などを捕食する細胞. ＝식균(食菌) 세포.
식솔【食率】명 家族.
식수【食水】명 飲料水.
식수【植樹】명하자 ☞ 식목(植木).
‖──-대 명〔植〕植樹帯; 並を植えるために設けた場所.
식순【式順】명 式次. ¶졸업식 ～대로 진행되었다 卒業式は式次通りに進行された.
식식 부하자 息せくさま: はあはあ >색색. ㅆ씩씩. ──-거리다 자 はあはあえ(喘)ぐ. ¶숨이 차서 ～ 息せいてはあはあ喘ぐ.
식언【食言】명하자 食言; うそをつくこと. ¶～을 일삼다 食言を例とする.
식열【食熱】명 子供の食い過ぎによる熱.
식염【食塩】명〔化〕食塩. ＝소금.
‖──-수 명 ①食塩水. ②↗생리식염수. ── 주사 명 食塩注射.
식욕【食慾】명 食欲. ¶～ 증진 食欲増進/왕성한 ～ たくま(逞)しい食欲/～을 돋구다 食欲をそそる/～을 자아내다 食欲を催す/～을 잃다 食欲を失う/～이 늘다 食欲が増す/～이 줄다 食欲が減退する/～이 동하다 食指を動かす; のど(喉)が鳴る.
‖── 부진 명 食欲不振. ── 이상 명〔醫〕食欲異常.
식용【食用】명하타 食用. ¶～유 食用油; 食油/～ 개구리 食用がえる(蛙); うしがえる(牛蛙).
‖── 색소 명 食用色素. ── 식물 명 食用植物. ── 작물 명 食用作物.
식육【食肉】명하자 食肉. ①肉を食べること. ②食べる肉. ¶～점 肉屋.
‖──-류 명〔動〕食肉類. ── 중독 명〔醫〕食肉中毒.
식은-땀 명 冷たい汗. ①体が衰弱して病的に出る汗. ②冷や汗. ¶～을 흘리다 冷や汗をかく.
식은-죽【―粥】명 冷えて食べやすくなったかゆ(粥). ¶～ 먹기《俚》朝飯前のお茶の子.
식음【食飲】명하타 飲み食いすること. ¶～을 전폐하다 飲み食いを絶つ.
식이【食餌】명 ①☞ 먹이. ②しょくじ(食餌); 調理した食べ物.
‖── 요법 명〔醫〕食餌療法. ── 전염 명 食餌伝染.
식인【食人】명 食人. ¶～종 食人種. ‖──-귀 명〔佛〕食人鬼.
식자【植字】명하타〔印〕植字.
식자【識字】명 識字; 文字がわかること.
‖── 우환 명 識字憂患; 文字を知っていることがかえ(却)って憂いをもたらすと言うことば.
식자【識者】명 識者. ¶～의 말에 귀를 기울이다 識者のことばに耳を傾ける.
식-작용【食作用】명 食作用. ＝식균 작용(食菌作用).
식장【式場】명 式場.
식재【殖財】명하자 殖財.
식전【式典】명 式典. ＝의식(儀式). ¶기념 ～ 記念の式典.
식전【食前】명 ①朝食の前; 朝

っぱら〈俗〉. ¶ ~부터 웬 소란이냐 朝っぱらから何の騒ぎかね. ② 食前. ¶ ~에 약을 먹다 食前に薬を飲む.

——-바람 명 朝食前の間. ¶ ~에 달려왔다 朝飯前にやってきた. ——-잠 명 朝飯前の眠り. ——-참(站) 명 起きてから朝飯までの間.

식-중독【食中毒】명 食中毒; 食あた(中)り.

식지【食指】명 食指; 人差し指. =집게손가락.

식체【食滯】명〔醫〕食滞; 食もたれ.

식초【食醋】명 食酢; 酢. ¶ 단~ 甘酢 / ~로 맛을 내다 食酢で味を出す.

식충【食蟲】명 ① 食虫類が昆虫を捕らえて食うこと. ② ☞ 식충이.

‖——-류 명〔動〕食虫類; 食虫目. —— 식물 명〔植〕食虫植物. ——-이 명 こくつぶ(穀潰)し; 能無し.

식-칼【食—】명 包丁; 出刃包丁; 出刃《준말》. ¶ 무딘 ~을 숫돌에 갈다 なまくら包丁をといし(砥石)で研ぐ / ~이 제 자루는 깎지 못한다《俚》 包丁が自分の柄は切れない《自分で自分のことは出来ないとのたとえ》.

식탁【食卓】명 食卓; ちゃぶ台; 飯台. ¶ ~에 앉다 食卓に着く / ~에 오르다 しょくぜん(食膳)に上る / ~을 치우다 ちゃぶ台をかたづける.

식탈【食頉】명 食あた(中)り. ¶ ~이 나다 食あたりする.

식탐【食貪】명 食い意地. ¶ ~을 부리다〔내다〕 食い意地を張る.

식품【食品】명 食品. =식료품(食料品). ¶ ~점 食料品店 / ~ 가공 食品加工 / ~ 공학 食品工学.

‖—— 위생 명 食品衛生. ¶ ~법 食品衛生法.

식해【食害】명하타 食害; 害虫・ねずみ(鼠)などが食べ物を食いあらすこと.

식해【食醢】명 小切れにした魚に塩・あわめし(粟飯)・大根の千切り・とうがらし粉などをとりまぜて発酵させた食べ物. =생선젓.

식혜【食醯】명 もちごめ(糯米)やうるち(粳)で飯を炊き, 麦芽粉と澄まし水を注いで甘っぽくかも(醸)した食べ物; 甘酒. =감주(甘酒).

‖식혯 가루 명 ☞ 엿기름 가루.

식후【食後】명 食後. ¶ ~의 졸음 食後の眠気 / 금강산도 ~경(景)이라《俚》花より団子.

식히다 타 冷やす; 冷ます. ¶ 더운 물을 ~ 湯を冷ます / 머리를 ~ 頭を冷やす.

신¹ 명 履物の総称. ¶ 가죽~ 革靴 / 짚~ わらじ(草鞋) / 고무~ ゴム靴 / 왜나막~ げた(下駄) / ~을 신다〔벗다〕 靴を履く〔脱ぐ〕 / ~을 신은 채로 土足のままで / ~을 닦다 靴を磨く / ~ 신고 발바닥 긁기《俚》 隔靴そうよう(搔痒)の感.

신² 명 得意〔意気揚揚〕となること; 浮き浮きすること. ¶ ~이 나서 들떠 있다 調子にのって浮かれている / ~에 붙잖다 気に入らない.

신【臣】㊀명 臣; 臣下. ¶ 고굉의 ~ ここう(股肱)の臣 / 사직지~ しゃしょく(社稷)の臣. ㊁대 臣下が王に対し自分を指すことば: 臣.

신【信】명 信.

신【神】명 ① 神; 神明; 明神《尊称》. ¶ ~의 계시 神のお告げ / ~의 사자 神のお使い / ~이 아닌 몸으로선 알 도리가 없다 神ならぬ身の知る由もなし. ② ↗귀신. ③〔宗〕☞ 하느님.

신【腎】명〔生〕①〔↗신장(腎臟)〕 腎. ②〔↗신경(腎莖)〕 陰茎.

신 (scene) 명 シーン. ¶ 인상적인 ~ 印象的なシーン.

신-【新】두 "新しい・新たな"の意: 新. ¶ ~생활 新生活 / ~세계의 발견 新世界の発見.

신간【新刊】명하타 新刊. ¶ ~ 서적 新刊書 / ~ 소개 新刊紹介.

‖—— 비평 명 新刊批評. ㊜ 신간평. —— 안내 명 新刊案内.

신간【新墾】명하타 新墾; 土地を開墾すること. ¶ ~지 新墾地.

신-감각파【新感覺派】명〔文〕 新感覚派.

신격【神格】명 神格. ¶ ~화 神格化; 神化.

신경【神經】명 神経. ¶ 이의 ~을 뽑다 歯の神経を抜く / ~을 건드리다 神経にさわる / ~이 둔하다 神経がにぶい; 勘がにぶい / ~이 날카로워지다 神経が高ぶる; 気にする / ~을 쓰다 神経を使う; 気にする / 그대의 병은 ~ 탓이야 君の病気は気のせいだよ / 그런 것은 ~ 안 쓴다 そんなことは気にしない; とんちゃく(頓着)しないよ.

‖——-계 명〔生〕神経系. ——-과 명 ☞ 정신과(精神科). —— 과민 명 神経過敏. —— 마비 명〔醫〕神経麻痺. —— 섬유 명〔生〕神経繊維. —— 세포 명〔生〕神経細胞. —— 쇠약 명〔醫〕 神経衰弱. ¶ ~에 걸리다 神経衰弱にかかる. ——-염 명〔醫〕神経炎. ——-전 명 神経戦. ¶ ~을 전개하다 神経戦を繰りひろげる. —— 조직 명〔生〕神経組織. —— 중추 명〔生〕神経中枢. ——-증 명 神経症. =노이로제. ——-질 명 神経質. ¶ ~이 심하다 かん(疳)の虫が強い; 神経質がひどい. ——-통 명〔醫〕神経痛. ¶ 지병인 ~으로 고생하다 持病の神経痛になやむ / 침술로 ~을 고치다 針で神経痛をなおす.

신-경지【新境地】명 新しい境地. ¶ ~를 개척하다 新しい境地を開く.

신-경향【新傾向】명 新傾向. ¶ 그것이 요즈음의 ~인 듯하다 それがこの頃の新傾向らしい.

신고【申告】명 申告; 届け; 届け出. ——-하다 타 申告する; 届ける; 届け出る; 申し出る. ¶ ~서 申告書 / 사망 ~ 死亡届け / ~를 게을리하면 안 된다 届け出を怠ると困る.

‖── 납세 제도 명 申告納税制度.
신고【辛苦】명 辛苦；難儀. ──하다 자 辛苦する；骨折る. ¶～를 맛보다 辛苦をな(嘗)める.
신-고전주의【新古典主義】명 新古典主義；ネオクラシシズム.
신곡【新曲】명 新曲. ¶～ 발표회 新曲発表会.
신곡【新穀】명 新米；新穀. ＝햇곡식. ¶～으로 제사 지내다 新米でさいし(祭祀)を行なう.
‖──-머리 명 新穀の出回わる頃.
신-골 명 靴型；足型；履物を作るのに用いる型. ¶특대의 ～ 特大の足型.
신공【神工】명 神工；腕がずばぬけた工匠. ¶～의 솜씨 神工の業.
신공【神功】명 ① 神の功徳. ② 霊妙な功績. ③〔天主教〕お祈りと善功.
신관 명 顔(“얼굴”の尊称). ¶～이 좋으십니다 顔色がいいですね；お元気ですね.
신관【信管】명 信管. ¶전기 ～ 電気信管.
신관【神官】명 神官；神主；神職. ¶～님께 물어 봅시다 神主さんにきいて見ましょう.
신관【新官】명 新任の役人.
신관【新館】명 新館. ¶～ 사무실에서 집무하다 新館の事務所で執務する.
신교【信教】명하자 信教. ¶～의 자유 信教の自由.
신교【新教】명〔宗〕新教；プロテスタント. ¶～도 新教徒／～를 믿다 新教を信ずる.
신-교육【新教育】명 新教育.
신-구【新舊】명 新旧. ¶～ 세력 新旧勢力.
‖──-관(官) 新任の役人と元の役人. ── 교대 명하자 新旧交代. ①新しいものと古いものが交代すること. ②新官と旧官が交替すること. ──-세(歲) 명 新旧年. ── 세계 명 ①新大陸と旧大陸. ②動植物の分布を区分した新世界と旧世界. ──-약 명 新旧約；新約聖書と旧約聖書.
신국【神國】명〔宗〕神国.
신-국면【新局面】명 新局面. ¶전세는 ～에 돌입했다 戦況は新局面に突入した.
신권【神權】명 ①神権. ㉠神の権威. ㉡神から付与された神聖な権利. ¶～ 정치 神権政治. ②〔宗〕聖職者の職権.
‖──-설(說) 명 ↗제왕(帝王) 신권설.
신규【新規】명 新規. ¶～ 채용 新規採用／～ 사업 新規事業.
신극【新劇】명 新劇. ¶～ 운동 新劇運動.
신기【神技】명 神技；神わざ. ¶～에 가까운 솜씨 神技に近い腕前.
신기【神奇】명 神奇；神妙. ──하다 형 神妙だ；不思議だ. ¶～한 일 不思議なこと.
신기【神氣】명 神気. ①気力. ②不思議な力. ¶～가 감돌다 気が漂う. ③精神と気力. ～가 약하다 神気が弱い；顔色が(冴)えない.
신기【新奇】명 新奇；目新しく奇異なこと. ──하다 형 新奇だ；新しい；珍らしい；物珍らしい. ¶～한 물건 珍らしいもの.
신기다 사동 履かせる. ¶신을 ～ 靴を履かせる.
신-기록【新記錄】명 新記録. ¶세계 ～ 世界新記録／～을 수립하다 新記録を立てる.
신기료 장수 명 靴なおし(屋).
신기-루【蜃氣樓】명 しんきろう(蜃気楼)；海市；ミラージュ. ¶～가 나타나다 蜃気楼が現われる.
신-기원【新紀元】명 新紀元. ¶～을 이루다 新紀元を画する.
신-기축【新機軸】명 新機軸.
신-나다 자 得意になる. ¶신나게 일을 해나가다 得手に帆をあげる／신이 나서 얘기하다 得意に話す.
신-내리다【神─】자 みこ(巫女)に神霊がのり移る；神がかる.
신녀【信女】명〔佛〕信女.
신년【新年】명 新年；年の始め. ¶～의 해돋이 初春の日の出／～ 하례 新年のことぶき(寿)／삼가 ～을 축하하나이다 つつしんで新年をお祝い申しあげます.
신념【信念】명 信念. ¶～에 살다 信念に生きる／필승의 ～을 갖다 必勝の信念を抱く.
신다 타 履く. ¶신을 ～ 靴を履く.
신당【神堂】명 神霊をまつ(祀)ってある堂.
신당【新黨】명 新党. ¶～의 결성 新党の結成.
신-대륙【新大陸】명 新大陸.
신데렐라〔Cinderella〕명 シンデレラ.
신도【臣道】명 臣道.
신도【信徒】명 信徒；信者；教徒；宗徒.
신도【神道】명 神道. ①“귀신”の尊称. ②霊妙な道理.
신동【神童】명 神童. ¶～의 평이 자자하다 神童の誉れが高い.
신둥-부러지다 형 生意気せんばんだ. ¶분수를 모르는 신둥부러진 놈 身の程を知らぬ生意気な奴.
신-뒤축 명 履物のかかと(踵).
신디케이트〔syndicate〕명〔經〕シンジケート.
‖── 은행 명 シンジケート銀行.
신랄【辛辣】명하형 しんらつ(辛辣). ¶～한 비평 辛辣な批評.
신랑【新郎】명 新郎；花婿. ¶～ 신부 新郎新婦.
‖──-감 명 婿がね.
신력【神力】명 神力.
신력【新曆】명 ①新しい暦. ②新暦；太陽暦.
신령【神靈】명하형 ①〔民〕神霊. ¶～님 神様／～의 가호 神霊の加護／늪의 ～ 沼の主. ②いとも霊妙なこと. ¶～한 조화 霊妙の造化.
신례【新例】명 新例.

록【新綠】명 新緑. ¶～지절(之) 新緑の候／～이 무성한 계절 青葉茂れる頃／～이 향기로운 계절이 若葉かおる頃である.

론【新論】명 新論.

뢰【信賴】명하타 信頼. ¶～감 信頼感／～하기 어렵다 信頼し難い／～를 배반하다 信頼を裏切る／～를 조성하였다 信頼を醸成した〔もたらした〕.

망【信望】명하타 信望. ¶～이 두터운 사람 信望の厚い人.

명 명 湧き起こる興; 興趣; 上機嫌. ──(이) 나다 구 興が湧く; 興に乗じる; 上機嫌になる. ──(을) 내다 구 興を湧かす; 気を乗らす. ──-지다 형 興が湧いてすば(素晴)らしい.

명【身命】명 身命. ¶～을 바치다 身命をなげう(擲)つ〔捧げる〕.

명【神明】명 神明; 神. ¶천지 ～에게 맹세하다 天地神明に誓う. 준 신(神).

묘【神妙】명하형 神妙. ¶～불가사의한 영험 神妙不可思議な霊験.

신문【訊問】명하타 尋問. ¶인정 ～ 人定尋問／거동이 수상한 자를 ～하다 挙動の怪しい〔不審な〕者を尋問する.
‖── 조서 명〔法〕尋問調書.

신문【新聞】명 新聞. ¶일간 ～ 日刊新聞／～ 기삿거리 新聞種／～철 新聞つづり／～은 사회의 목탁이다 新聞は社会のぼくたく(木鐸)である.
‖── 광고 명 新聞広告. ── 구독료 명 新聞購読料; 新聞代. ── 기자 명 新聞記者. ¶사건 현장에 ～가 몰려들었다 事件の現場に新聞記者がつめかけた. ── 배달부 명 新聞配達夫. ──-사 명 新聞社. ── 소설 명 新聞小説. ── 용지 명 新聞用紙. ──의 날 명 新聞の日《四月七日》. ──-인(人) 명 新聞業に従事する人. ── 편집인 협회 명 新聞編集人協会.

신문-고【申聞鼓】명〔史〕門楼につ(吊)るして民が直訴するときにた た(叩)かせた太鼓.

신-문학【新文學】명 新文学.

신-물 명 ①〔生〕虫ず. ¶～이 올라온다 虫ずが走る. ②こりごりして嫌気がさすこと. ¶그 일이라면 ～이 난다 その事ならもうこりごりである.

신물【新物】명 初物.

신-바닥 명 履物の底; 靴底.

신발 명 "신(＝履物)"を指す語.

신-발명【新發明】명 新発明.

신방【神方】명 霊験のある処方.

신방【新房】명 新婚夫婦用の部屋.

신벌【神罰】명 神罰. ¶～ 맞을 짓을 하지 마라 神罰がたた(祟)るようなことをするな.

신법【新法】명 新法.

신변【身邊】명 身辺; 身近; 身回り. ¶～에 두다 身近に置く／～을 정리하다 身回りを整理する／～을 걱정하다 身辺を気づかう.
‖── 잡기 명 身辺雑記.

신병【身柄】명 身柄. ¶～을 인수하다 身柄を引き取る／～을 맡다 身柄を預かる.

신병【身病】명 身の病. ＝신양(身恙).

신병【新兵】명 新兵.

신보【新報】명 新報.

신복【臣服】명하자 臣服.

신복【信服】명하자타 信服〔信伏〕.

신-볼 명 履物の幅; 靴幅. ¶～이 좁다 靴幅がせまい.

신봉【信奉】명하타 信奉. ¶민주주의를 ～하다 民主主義を信奉する.

신부【神父】명〔宗〕神父.

신부【新婦】명 新婦; 花嫁; 新妻. ¶신랑 ～ 新郎新婦.
‖신붓-감 명 花嫁にかな(適)う人.

신분【身分】명 身分; 身性; 身〈俗〉. ¶좋은 ～ 結構な身分／～에 맞지 않는 옷차림 身分不相応な身なり／비천한 ～으로부터 성공한 사람 卑賤の身から成りあがった人.
‖──-권 명 身分権. ──-범 명 身分犯. ──-법 명 身分法. ── 제도 명 身分制度. ──-증(證), ── 증명서 명 身分証明書.

신-불【神佛】명 神仏. ¶～의 가호 神仏の加護; みょうが(冥加).

신비【神秘】명하형 神秘; ミステリ. ──-스럽다 형 神秘的だ. ¶자연의 ～를 캐다 自然の神秘を探る.
‖──-경 명 神秘境. ── 신학 명 神秘神学. ──-주의 명 神秘主義.

신빙【信憑】명하타 しんぴょう(信憑). ¶～성이 없다〔희박하다〕信憑性がない〔うすい〕.

신사【臣事】명하타 臣事; 臣下となり仕えること.

신사【信士】명 ①信義の厚い人. ②〔佛〕信士. ＝청신사(淸信士).

신사【紳士】명 紳士; ジェントルマン. ¶온화한 ～ もの柔らかな紳士／～록 紳士録／～답지 않은 행동 紳士らしからぬ行為.
‖──-도 명 紳士道. ──-복 명 紳士服; 背広. ──-적 명관 紳士的. ── 협약 명 紳士協約〔協定〕.

신-사륙판【新四六判】명〔印〕新四六判; 四六判より少し小さい本の規格.

신-사상【新思想】명 新思想.

신-사실주의【新寫實主義】명〔文〕新写実主義.

신산【辛酸】명하형 辛酸. ¶온갖 ～을 맛보다 あらゆる辛酸をなめる.

신산【神山】명 神山.

신산【神算】명 神算; ずば抜けたはかりごと. ¶～ 귀모에 혀를 내두르다 神算鬼謀に舌をまく.

신상【身上】명 身上; 身の上. ¶～에 해롭다 身の上に悪い.
‖── 명세서 명 身上明細書. ── 상담 명 身の上相談.

신상【紳商】명 紳商; 上流の商人.

신상【神像】명 神像.

신상 필벌【信賞必罰】명 信賞必罰.

신색【神色】명 "안색(＝顔色)"の敬語.

신생【新生】명하자 新生.
‖——-대 명〔地〕新生代. ——-아 명 新生児. ＝갓난아이.
신-생활【新生活】명 新生活.
‖—— 운동 명 新生活運動.
신서【信書】명 信書. ＝편지.
‖—— 개피죄 명〔法〕信書開披罪《旧刑法の用語》. ——의 비밀 명〔法〕信書の秘密.
신서【新書】명 新書. ¶그 논문은 ～판으로 나왔다 その論文は新書版で刊行された.
신석기 시대【新石器時代】명 新石器時代.
신선【神仙】명 神仙.
‖——-도(圖) 명 神仙が遊ぶさまを描いた絵. ——-로(爐) 명 食卓の上で魚・肉・野菜などの混ぜ料理を煮る器《鉢の形をしており中央に炭火を入れる筒がある》.
신선【新選】명하타 新選.
신선【新鮮】명하형 新鮮; フレッシュ. ¶～도 新鮮度 / ～한 주스 フレッシュなジュース / ～한 야채를 곁들이다 新鮮な野菜をそえる.
신설【新設】명하타 新設. ¶～ 공장 新設工場 / ～ 대학 新設大学.
신성【神性】명 神性.
신성【神聖】명하형 神聖.
‖—— 동맹 명〔史〕神聖同盟. ——-시 명하타 神聖視.
신성【新星】명〔天〕新星.
신세 명 世話; 厄介; 面倒. ——-지다 자 世話〔厄介〕になる; 面倒をかける. ¶여러 가지로 ～졌습니다 かれこれとお世話になりました.
신세【身世】명 身の上; 身; 一身の境涯. ¶～를 망치다 身を持ちくずす / 꼼짝 달싹도 못하는 ～가 되다 抜き差しならぬ身の上となる / 가련한 ～ 哀れな身の上.
‖—— 타령(打令) 명하자 自分の身の上を愚痴がましく嘆くこと. また, その嘆き話.
신-세계【新世界】명 新世界.
신-세기【新世紀】명 新世紀.
신-세대【新世代】명 新世代; 新しい世代.
신-소리¹ 명 履物をひきずる音.
신-소리² 명 地口; ごろあ(語呂合〔語路合〕)わせ.
신-소설【新小説】명 新小説. ①〔史〕1894年の甲午更張以後の開化期を背景とした小説. ② 主題・形式などが新しい小説. また, 新時代の小説.
신속【臣屬】명하자 臣属.
신속【迅速】명하형 迅速. ¶～한 행동 迅速な行動. ——-히 부 迅速に. ¶주문은 ～ 배달합니다 御注文は迅速に配達いたします.
신수【身手】명 人の顔にあらわれている健康の度合い; ようぼう(容貌)とふうさい(風采).
신수【身數】명 星回り; 運.
신수【神授】명하타 神授. ¶왕권～설 王権神授説.
신술【神術】명 神術; 神業.

신승【辛勝】명하자 辛勝. ¶선[거]에 ～하다 選挙に辛うじて勝つ.
신시【新詩】명 新詩. ① 新作の[詩]. ② ☞ 신체시(新體詩).
신식【新式】명 新式. ¶최～ 最新[式] / ～ 여성 モダンガール; モガ.
신신 당부【申申當付】, 신신 부탁【申[申]付託】명하타 くりかえしてねんご[ろ]に頼むこと.
신심【信心】명 ① 正しいと信じる[心]. ② 信心; 信仰心. ¶～이 [두]텁다 信心が厚い.
신아【新芽】명 ☞ 새싹.
신안【神眼】명 ① 風水や相術[に]精通した眼. ② 鬼神を見る眼.
신안【新案】명 新案.
‖—— 특허 명 新案特許. ¶～원[을] 제출하다 新案特許を願い出る.
신앙【信仰】명하타 信仰. ¶～심 信仰心 / ～생활 信仰生活.
‖—— 개조(箇條) 명〔宗〕信仰箇条. —— 고백 명 信仰告白. ——의 자유 명 信教の自由.
신애【信愛】명하타 信愛.
신약【身弱】명하형 体が弱いこと.
신약【信約】명하타 信じて約束すること.
신약【神藥】명 神薬; 霊薬.
신약【新約】명〔宗〕新約.
‖—— 성서 명 新約聖書. —— 시대 명〔宗〕新約時代; キリストの誕生から再臨までの時代.
신약【新藥】명 ① 新薬; 新しく製造販売される薬品. ② ☞ 양약(洋藥).
신어【新語】명 新語.
‖—— 사전 명 新語辞典.
신-어미【神—】명〔民〕老いのみこ(巫女)の異称; 弟子に神の系統を継げたみこ(巫女).
신언【愼言】명하자 ことばを慎むこと. ＝신구(愼口).
신-여성【新女性】명 新女性.
신역【新譯】명하타 新訳.
신열【身熱】명 熱; 病による熱. ¶～이 대단하다〔높다〕熱がひどい〔高い〕.
신예【新銳】명 新鋭. ¶～ 부대 新鋭部隊 / ～를 상대해서 싸우다 新鋭を向こうに回して戦う.
‖——-기 명 新鋭機.
신용【信用】명 信用. ——-하다 타 信用する; 信じる. ¶～할 수 없는 물건 信用できない品物 / 자네 말을 ～하겠네 君のことばを信じよう / ～을 떨어뜨리다 信用を落とす / 그는 허풍선이여서 ～ 못 한다 彼はほら吹きだから信用できない / 점포의 ～에 관계되다 店の信用にかかわる; のれん(暖簾)にかかわる / 장사는 ～이 첫째이다 商売は信用が第一である.
‖—— 거래(去來) 명 信用取引. —— 경제 명 信用経済. —— 기관 명 信用機関. —— 대부 명 信用貸し付け; 信用貸し. —— 어음 명 信用手形. ——-장 명 信用状. —— 조사 명 信用調査. —— 조합 명 信用組合. —— 판매 명 信用販売.
신-울 명 履物の縁. 준 울.
신원【身元】명 身元. ¶～ 불명의 사

…이 身元不明の男 / ～을 숨기다 身元をつつみかくす / 남의 ～을 들추어 …다 人の身元を洗い立てる.

‖── 보증 명 身元保証.

…원【伸冤】명하자 恨みを晴らすこと.

신-원소【新元素】명〔化〕新元素.

…월【新月】명〔天〕新月.

…위【神位】명 神位.

…위【神威】명 神威；神の威厳.

…음【呻吟】명 しんぎん(呻吟). ──하다 자 呻吟する；うめ(呻)く. ¶ ～소리 うめき声/병상에서 ～하다 病床に呻吟する/괴로운 듯이 ～하다 苦しげにうめ(呻)く.

신의【信義】명 信義. ¶ ～를 지키다 信義を守る.

신의【神意】명 神意；神のみこころ. ¶ ～에 거슬리다 神意に逆らう.

신의【神醫】명 神業のように病気をうまく治す医者.

신의【新醫】명《俗》洋医.

신-이상주의【新理想主義】명〔哲〕新理想主義.

신인【新人】명 ① ☞ 새댁(宅)③. ② 新人. ¶ ～ 등용 新人登用/무명의 ～에게 패하였다 無名の新人に敗れた.

신-인문주의【新人文主義】명〔文〕新人文主義.

신-인상주의【新印象主義】명〔美〕新印象主義.

신임【信任】명하타 信任. ¶ ～이 두터운 사람 信任の厚い人/사장의 ～이 두텁다 社長の覚えがめでたい/의회의 ～을 얻다 議会の信任を得る.

‖──-장 명 信任状. ── 투표 명 信任投票.

신임【新任】명하자 新任. ¶ ～ 강사 新任講師/～ 인사 新任あいさつ(挨拶).

신입【新入】명하자 新入. ¶ ～ 사원 新入社員；新顔の社員.

‖──-생 명 新入生. ¶ ～ 반(班)을 맡다 新入生の組を受け持つ.

신자【信者】명 信者；宗徒；信徒〈老〉. ¶ 맹～ 盲信者/기독교 ～ キリスト教信者.

신자【新字】명 新字；新しく作った字.

신작【新作】명하타 新作. ¶ ～을 발표하다 新作を発表する.

‖──-로(路) 명 新道.

신-장【─欌】명 げた箱；履物をいれる箱.

신장【身長】명 身長；背丈；身の丈；せい；身丈〈老〉. ¶ ～을 재다 身長を測る.

신장【伸長】명하자타 伸長.

신장【伸張】명하자타 伸張. ¶ 국력의 ～을 꾀하였다 国力の伸張を図った.

신장【新裝】명하타 ① 新装；新しくかざりたてること. また，そのかざり. ¶ ～ 개업 新装開業. ② 新しい服装.

신장【腎臟】명〔生〕じんぞう(腎臓). ¶ ～ 기능이 약화되었다 腎臓の機能が弱くなった.

‖── 결석 명〔醫〕腎臓結石. ── 결핵 명〔醫〕腎臓結核. ──-병 명 腎臓病. ──-염 명 腎臓炎.

신저【新著】명 新著.

신전【伸展】명하타 伸展. ¶ 사업이 ～하였다 事業が伸びた.

‖── 반사 명〔生〕伸展反射.

신전【神前】명 神前. ¶ ～에 바치다 神前に供える.

신전【神殿】명 神殿.

신접【神接】명하자 神霊が身に乗り移ること.

신접【新接】명하자 ① 新たに所帯を構えて一家を成すこと. ② 他郷から移り住むこと.

‖──-살이 명하자 初めて構えた所帯.

신정【神政】명 神政. ＝신정치(神政治).

신정【新正】명 新正. ① 新年の初め. ② お正月.

신정【新政】명 新政. ¶ ～을 펴다 新政を敷く.

신정【新訂】명하타 新訂. ¶ ～판 新訂版.

신정【新情】명 新しい交情. ¶ ～이 구정만 못하다《俚》本木にまさるうら(末)木なし.

신제【新制】명 新制. ¶ ～를 실시하다 新制を実施する.

신제【新製】명하타 新製.

신조【信條】명 信条. ¶ 생활 ～ 生活信条.

신조【神助】명 神助. ¶ 천우 ～ てんゆう(天佑)神助.

신조【新造】명하타 新造；新しく造ること. ¶ ～의 배 新造の船.

신조【新調】명하타 新調. ¶ ～의 양복 新調の洋服.

신종【新種】명 新種. ¶ ～ 유행어 新種のはやりことば/～의 벼 新種の稲.

신주【神主】명 (死人の)いはい(位牌)；れいはい(霊牌). ¶ ～ 개 물려 보내겠다《俚》位牌を犬にかっさらわれてしまいそうだ《なすことがぎこちなくしっかりしないことのたとえ》.

신주【神酒】명 神酒.

신주【新注·新註】명 新注.

신주【新株】명 新株；子株. ¶ ～를 구주의 주주에게 배분하다 新株を旧株の株主に分ける.

‖── 인수권 명 新株引き受け権.

신-중 명 [←승중]《俗》女僧；尼僧；尼；比丘尼. ¶ ～방 尼僧院.

‖──-절 명〔佛〕尼寺.

신중【愼重】명하형히부 慎重. ¶ ～을 기하다 慎重を期する；大事を取る/～한 태도를 취하다 慎重な態度を取る/～히 생각하다 慎重に考える.

신증【信證】명 信証；あかし.

신-지식【新知識】명 新知識. ¶ 구미의 ～을 흡수하다 欧米の新知識を吸収する.

신-지피다【神─】자〔民〕神懸かりになる；神が乗り移る；神につ(憑)かれる.

신진【新進】명하자 新進. ① 新たにすすみ出ること. ¶ ～ 기예의 작가 新

人

進気鋭の作家. ② 新に役職につくこと.

신진 대사【新陳代謝】명하자 新陳代謝；〔生〕物質代謝. ¶저 회사에서는 ~가 자주 일어난다 あの会社では新陳代謝が盛んに行われる／~는 자연의 법칙이다 新陳代謝は自然の法則である.

신-짚 명 わらじ(草鞋)を編むためのわら(藁).

신-짝 명 履物の片方.

신차【新車】명 新車；新しい車《特に自動車》.

신찬【新撰】명하타 しんせん(新撰)；新しく本をさんしゅう(纂修)すること. また, その本. ¶~한 국어 독본 新撰した国語読本.

신참【新參】명하자 新参；新顔；新前；新米；新入り；新人. ¶~인 주제에 건방지다 新参のくせになっていない／그는 ~이야 彼は新前だよ.

신-창 명 履物の底；靴底.

신책【神策】명 神策；霊妙なはかりごと.

신천-옹【信天翁】명〔鳥〕あほう鳥；しんてんおう(信天翁).

신-천지【新天地】명 新天地；新しい世の中.

신철【伸鐵】명〔工〕鋼鉄のかけらを加熱·圧延した鋼鉄.

신청【申請】명 申請；申し込み；申し出；プロポーズ. ——하다 타 申請する；申し込む；申し出る；申し入れる. ¶~서 申込書／~자 申請者／결투를 ~하다 決闘を申し込む／~을 승낙하다 申し出を承諾する／검사가 증인을 ~하다 検事が証人を申請する.

신청부-같다 형 ① 心配ごとが多くてささい(些細)な事をかえり見るいとま(暇)がない. ② 物事が余り小さいかまたは足りなくて不満だ；物足りない.

신체【身體】명 身体；からだ(体). ¶건전한 정신은 건전한 ~에 깃들인다 健全なる精神は健全なるからだに宿る.
‖—— 검사 명하자타 身体検査. —— 의 자유 명 身体の自由. —— 장애자(障礙者) 명 身体障害者；身障者《준말》.

신체【神體】명 神体；み霊代.

신체-시【新體詩】명 新体詩.

신-총 명 わらじ(草鞋)の緒.

신축【伸縮】명하자타 伸縮. ¶~성이 크다 伸縮性に富む.
‖—— 관세 명 伸縮関税. —— 자재 명하형 伸縮自在.

신축【新築】명하자타 新築. ¶~한 집으로 이사를 하다 新築の家に引っ越す.

신춘【新春】명 新春；新年. ＝새봄. ¶~ 문예 新春文芸／~ 방담 新春放談.

신출【新出】명하자 ① 新しく世に出た人や製作品. ② 初物. ＝만물. ③ 新出；新しく出ること. ¶~ 한자 新出の漢字.
‖——-내기 명 新前；しんまい；駆け出し. ¶~니까 어쩔 수 없지 駆け出しのほやほやだから仕方ない.

신출 귀몰【神出鬼沒】명하자 神出鬼没. ¶~의 괴도가 화제이다 神出鬼没の怪盗が話題に上っている.

신-코 명 履物のつま先.

신탁【信託】명 信託. ¶금전 ~ 金銭信託／재산의 ~ 財産の信託／물을 ~하다 貨物を信託する.
‖—— 사업, ——-업 명〔經〕信託事業；信託業. —— 은행 명 信託銀行. —— 통치 명 信託統治. —— 통치 이사회 명 信託統治理事会. —— 회사 명 信託会社.

신탁【神託】명 神託；託宣. ¶꿈에 ~을 받다 夢に神託を受ける.

신탄【薪炭】명 薪炭.
‖——-비 명 薪炭費.

신통【神通】명하자스형 ① あらゆる事に神の如く通達していること. ② 不思議で霊妙なこと；(神仏·薬の効き目などが)あらたかなこと. ¶~한 신령의 영검 あらたかな神の霊験／~한 약효 あらたかな薬の効き目. ③ 気の利いていること；感心なこと. ¶~한 소리를 하다 味なことを言う.
‖——-력 명 神通力.

신-트림 명하자 すっぱい液の出るおくび〔げっぷ〕.

신파【新派】명 新派. ¶~ 구파의 대립 新派旧派の対立／~조의 연극 新派調の演劇.
‖——-극, —— 연극 명 新派劇；新派演劇. ¶~을 보다 新派劇を見る.

신판【新版】명 新版.

신표【信標】명 後日のあか(証)しに互いに交わす物.

신-풀이【神—】명하자 はら(祓)い；物の怪に取りつ(憑)かれた人のためにみこ(巫女)が行なうはら(祓)い.

신품【新品】명 新品. ¶이 카메라는 ~이나 마찬가지입니다 このカメラは新品も同様です.

신풍【新風】명 新風. ¶문단에 ~을 불어넣다 文壇に新風を吹きこむ.

신하【臣下】명 臣下；臣. ¶누대의 ~ 累世の臣.

신학【神學】명 神学. ¶~ 대학에 다니다 神学大学に通う.
‖——-자 명 神学者.

신-학기【新學期】명 新学期. ¶~를 맞이하다 新学期を迎える.

신-학문【新學問】명 新学問. 준 신학. ¶~을 익히다 新学問を修める.

신해 혁명【辛亥革命】명〔史〕(中国の)辛亥革命.

신행【新行】명하자 ☞ 혼행(婚行).

신형【新型】명 新型. ¶~ 자동차 新型自動車／최~ 카메라 最新型カメラ.

신호【信號】명하자타 信号. ¶위험 ~ 危険信号／교통 ~ 交通信号／자동 ~ 自動信号.
‖——-기 명 信号機. ——-등 명 信号灯. —— 대기 명 信号待ち.

신혼【新婚】명 新婚. ¶~ 부부 新婚夫婦／~ 생활 新婚生活.
‖—— 여행 명하자 新婚旅行；ハネ

ーン.
화【神話】명 神話. ¶건국 ~ 建国神話/그리스 ~ ギリシア神話.
흥【新興】명하자 新興.
── 계급 명 新興階級. ── 국가 명 新興国家. ── 세력 명 新興勢力. ── 재벌 명 新興財閥. ── 종교 명 新興宗教.
다 타 ①積む; 船·車·動物の背に荷をのせる. ¶짐을~ 荷を積む/짐을 화차로 실어 보내다 荷を貨車で積み出す. ②出版物に文字·絵などを載せる; 掲げる; 掲載する. ¶논문을 잡지에 ~ 論文を雑誌に載せる. ③田などに水をた(溜)める.
실 명 ①糸. ¶명주~ 絹糸/~을 잣다 糸を紡ぐ/~을 뽑다 糸を抜く/~이 툭 끊어지다 糸がぷつんと切れる. ②糸状のものの総称.
실【失】명 失; 失うこと; 無くすこと. ¶득(得)과 ~ 得と失.
실【實】명 実. =내용(內容). ¶~은 아무 것도 아니다 実はなんでもない.
실 (seal) 명 シール. ¶크리스마스 ~ クリスマスシール.
-실【室】미 室; 部屋. ¶연구~ 研究室/응접~ 応接室.
실가【實價】명 実価.
실-가지 명 細い木の枝.
실각【失脚】명하자 失脚. ¶사건에 연좌되어 ~했다 事件に連座して失脚した.
실감【實感】명하타 実感. ¶~이 나지 않다 実感がわかない/~나는 그림이다 実感のわく絵である.
실-감개 명 糸巻き.
실-개천 명 細川; 細流; 小川.
실격【失格】명하자 失格. ①格式に合わないこと. ②資格を失うこと. ¶반칙으로 ~하다 反則により失格する.
실경【實景】명 実景. ¶사진보다 ~이 좋다 写真より実景がいい.
실-고추 명 千切りにした〔糸状に切った〕とうがらし(唐辛子).
실과【實果】명 ①果物. =과실(果實). ②果物でつくった菓子.
실과【實科】명 実科.
실-국수 명 そうめん(素麵).
실권【失權】명하자 失権. ¶실정을 거듭하여 ~하다 失政を重ねて失権する.
‖── 약관 명〔法〕失権約款. ──주 명〔經〕失権株.
실권【實權】명 実権. ¶~을 쥐다 実権を握る.
실그러-뜨리다 타 一方に傾かせる〔ゆがませる〕. >샐그러뜨리다.
실그러-지다 자 一方に傾く〔ゆがむ〕. >샐그러지다.
실-금 명 ①器などの細いひび. ¶~이 가다 (器などに)細いひびが入る. ②細い線.
실금【失禁】명하자 失禁; 大小便を漏らすこと.
실긋-샐긋 부하형 傾きねじれるさま. ㅆ씰긋쌜긋.
실긋-하다 형 物が片っ方にややゆがんでいる〔ねじれている〕. >샐긋하다. ㅆ씰긋하다. 실긋-거리다 부타 物が片っ方に傾き〔ゆがみ·ねじれ〕そうになる. 실긋-실긋 부하자타 しきりにゆがみ傾くさま. また, ゆがめ傾けるさま.
실기【失期】명하자 (一定の)時期をたがえること.
실기【失機】명하자 好機を逸すること.
실기【實技】명 実技.
‖── 시험 명 実技試験.
실기【實記】명 実記; 実録. ¶남극 탐험의 ~를 읽다 南極探険の実記を読む.
실기죽-거리다 자 ゆっくりと傾きそうに動く; ぐらぐらする; ゆらゆらする. >샐기죽거리다, ㅆ씰기죽거리다. 실기죽-실기죽 부하자타 ひき続きゆがみ〔傾き〕そうに動くさま. また, 動かすさま.
실기죽-샐기죽 부하자타 しきりにあちらこちらへと傾き動くさま. また動かすさま: ゆらゆら; ぐらぐら. ㅆ씰기죽쌜기죽.
실-꾸리 명 丸く巻いた糸.
실-낱 명 糸筋. ── 같다 구 か細い. ①とても細くて小さい. ②死にひん(瀕)している. ¶~ 같은 목숨 か細い命; はかない命.
실내【室內】명 室内.
‖──-등 명 室内灯. ──-복(服) 명 室内着; 部屋着. ──-악 명 [↗실내 음악] 室内楽. ── 유희(遊戲) 명 室内遊技. ── 장식 명 室内装飾. ── 체조 명 室内体操. ──-화(靴) 명 上履き.
실념【失念】명하타 失念. ①度忘れ; もの忘れ. ¶그걸 ~하고 있었다 それを失念していた. ②〔佛〕正念を失うこと.
실-눈 명 細目; 細長い目; 細く開けた目.
실-답다【實—】형 頼もしい; 真実なので信頼が置ける.
실답지 않다【實—】형 信頼が置けられない; 真らしくない; 頼もしくない.
실-대패 명 細目に削る小さいかんな.
실덕【失德】명하자 ①徳望を失うこと. ②失徳; 道義にはずれること. ③人格のある人のとが(科).
실동-률【實動率】명 実働率.
실동 시간【實動時間】명 実働時間.
실떡-거리다 자 ふざけて無駄口をたたく. 실떡-실떡 부하자 ふざけて無駄口をたたくさま.
실뚱머룩-하다 형 乗り気がしない; 気がすすまない; 不承不承だ.
실-뜨기 명 糸取り; あや取り.
실랑이 명하자 ↗실랑이질.
‖──-질 명하자 人にうるさくつきまとっていじめること; うるさがらせ.
실러블 (syllable) 명〔言〕シラブル; 音節.
실력【實力】명 実力. ¶~자 実力者/~을 나타내다 実力を発揮する. ‖── 행사 명하자 実力行使.

실례【失禮】명하자 失礼. ¶이번엔 ~가 많았습니다 このたびはどうも失礼いたしました / ~합니다 失礼します; ごめん下さい.
실례【實例】명 実例. ¶역사상의 ~를 들어 설명하다 歴史上の実例を挙げて説明する.
실-로【實—】부 実に; まさに. ¶~ 위대한 인물이었다 実に偉大な人物であった.
실로폰〔xylophone〕명〔樂〕シロホン; 木琴.
실록【實錄】명 実録. ¶제2차 대전 ~ 第二次大戦の実録.
실룩 부하자타 筋肉または皮膚の一部分がひとりでに動くさま: ぴくっ. >샐룩. ㅆ씰룩. ——-거리다 자타 ぴくぴくする〔させる〕. ¶눈꺼풀이 ~ まぶたがぴくぴくする. ——— 부하자타 ぴくぴく.
실룩-샐룩 부하자타 ぴくぴく.
실리【實利】명 実利; 実益; 実. ¶겉 모양보다는 ~를 택하다 体裁よりは実利を取る / 명예를 버리고 ~를 취하다 名を捨てて実を取る.
‖——-주의 명 実利主義.
실리다 ㊀피동 載せられる; 積まれる. ¶수필이 잡지에 ~ 随筆が雑誌に載せられる / 짐이 화차에 ~ 荷が貨車に積まれる. ㊁사동 掲載させる; 積ませる; 載せる; 上せる. ¶기록에 ~ 記録に載せる / 신문에 ~ 新聞に載せる.
실리콘〔silicone〕명〔化〕シリコーン. ¶~ 수지 シリコーン樹脂.
실리콘 밸리〔Silicon Valley〕명〔地〕シリコンバレー.
실린더〔cylinder〕명〔工〕シリンダー; 「気筒」.
실-마리 명 糸の端; 糸口; 手づる; 手掛かり; 物事のはじめ. =단서(端緒). ¶해결의 ~가 안 보인다 解決の糸口がみつからない / ~를 더듬어 탐색에 나서다 手掛かりをたどって探索に乗り出す.
실망【失望】명하자 失望. =실의(失意). ¶날씨가 나빠 ~하다 天気が悪くて失望する / 정말 ~했는 걸 ほんとにがっかりしたよ.
실명【失明】명하자 失明. ¶한 눈을 ~하였다 一眼を失明した.
실명【失命】명하자 失命.
실명【實名】명 実名; 本名. ¶금융 ~제 金融実名制.
실-몽당이 명 糸を丸く巻いた塊.
실무【實務】명 実務. ¶~ 담당 実務担当 / ~에 서툴다 実務にうとい.
‖——-가 명 実務家. —— 대표단 명 実務代表団.
실물【失物】명하자 失い物.
‖——-수(數) 명 失い物をする運.
실물【實物】명 実物. =현물(現物). ¶~을 보고 이야기하자 実物を見て話そう.
‖—— 거래 명 実物取引. —— 경제(經濟) 명 ☞ 자연 경제(自然經濟). —— 광고 명 実物広告. —— 교환 명〔經〕実物交換. ——-대 명 実物大; 等身大; 原寸大. ¶~의 사진 実物大の写真 / ~의 조각품 等身大の彫刻品.
실미적지근-하다 형 生ぬるい. ① やぬるい; 少しあたたかさがある うだ. ¶국이 식어서 ~ お汁が冷てなまぬるい. ② 無精でふまじ だ.
실미지근-하다 형 ↗실미적지근하다.
실-바람 명 そよ風.
실-밥 명 ① 衣服の縫い糸. ② 抜き糸.
실백【實柏】명 ☞ 실백잣.
‖——-자(子) 명 ☞ 실백잣. —— 명 皮をむいた松の実.
실-뱀 명〔動〕きせすじへび.
실-뱀장어 명 うなぎ(鰻)の稚魚; い とうなぎ.
실-버들 명 糸柳; しだれ柳.
실-보무라지 명 糸くず.
실비【實費】명 実費. ¶~로 식사를 제공합니다 実費で賄います.
‖—— 변상 명하타 実費弁償.
실사【實査】명하타 実査; 実地について検査すること.
실-사회【實社會】명 実社会; 実世間. ¶학교를 마치고 ~에 나가다 学校を終えて実社会に出る.
실-살【實—】명 外にあらわれない利益. ——-스럽다 형 外にあらわれていないが中が充実している.
실상【實狀】명 実状.
실상【實相】명 実相. ① 実際のありさま〔状態〕. ¶정계의 ~ 政界の実相. ②〔佛〕生滅無常の相を離れた万有の真相.
실상【實像】명 実像. ¶~을 맺다 実像を結ぶ.
실색【失色】명하자 (驚いて)顔色を変えること; 色を失うこと.
실-생활【實生活】명 実生活. ¶~에 도움이 되다 実生活に役立つ.
실선【實線】명 実線. ¶~을 긋다 実線を引く.
실성【失性】명하자 精神に異常を来して本性を失うこと; 狂うこと; 気が触れること. ¶너무 신경을 써서 결국 ~했다 気を使い過ぎてとうとう精神異常を来した.
실세【失勢】명하자 勢力を失うこと.
실세【實勢】명 実勢. ¶~는 더 크다 実勢はもっと大きい / ~보다 싸다 実勢より安い.
‖—— 레이트 명〔經〕実勢レート.
실소【失笑】명하자 失笑. ¶그의 하는 꼴을 보면 ~를 금할 수 없다 彼のやり振りを見ると失笑を禁じ得ない.
실속【實速】명 ① 実際の速度. ② (飛行機の)対地速度.
실-속【實—】명 実; 中身. ① 実際の中身. ¶보기에는 근사하지만, 글쎄 ~은 見掛けは立派なものの中身はねえ…. ② 外にあらわれない利益; 実益; 実利. ¶~을 차리다 実益〔実利〕を取る.
실수【失手】명하자 失策; 失敗; しくじり; やりそこない; あやまち; へま. ¶~없는 사람 しくじりのない人; 確かな人.

수【實收】, 실-수입【實收入】명 実収. ¶ ～는 백만 원이었다 実収は百万ウォンであった.
수-금【實受金】명 実際に受け取る金.
-수요【實需要】명 実需要. ¶ -자 実需要者.
습【實習】명하타 実習. ¶ 공장에서의 ～ 工場での実習.
‖——-생 명 実習生.
시【失時】명하자 時期を逸すること.
시【實施】명하타 実施. ¶ ～하기에 이르다 実施の運びに至る / 계획대로 ～하다 計画通り実施する.
시 등급【實視等級】명〖天〗実視等級; 視等級.
신【失信】명하자 信用を失うこと.
신【失神】명하자 失心〔失神〕; 喪神. ¶ 비보를 받고 ～하다 悲報に失心する.
실 부하자 訳もなく卑しげに笑うか無駄口をきくさま: にやにや; へらへら. ¶ 멋없이 ～ 웃기만 하다 訳もなくにやにや笑ってばかりいる.
실심【失心】명하자 心配で心が乱れること. ＝상심(喪心).
실-안개 명 薄霧.
실액【實額】명 実額; 実際の金額.
실어【失語】명하자 失語.
‖——-증 명〖醫〗失語症.
실언【失言】명하자 失言. ¶ ～을 취소하다 失言を取り消す.
실업【失業】명하자 失業. ¶ ～ 문제가 심각해졌다 失業問題が深刻になってきた / ～해서 굶어 죽겠다 失業して干上がりそうである.
‖—— 대책 명 失業対策; 失対《준말》. ——-률 명 失業率. —— 보험 명 失業保険. —— 수당 명 失業手当. —— 인구 명 失業人口. ——-자 명 失業者; ルンペン〈俗〉.
실업【實業】명 実業. ¶ ～의 재간이 있다 実業の才がある.
‖——-가 명 実業家. ¶ ～ 기질의 사람 実業家肌の人. ——-계 명 実業界. ¶ ～의 거물 実業界の大立者. —— 교육 명 実業教育. —— 학교 명 実業学校.
실-없다 형 不実だ; おどけている; 真実でない; たわいない. ¶ 실없는 말이 송사간다《俚》 たわ言が訴訟をおこす《たわむれに言った言葉が問題を起こすの意》. 실-없이 부 不真面目に; 訳もなく; おどけて.
실역【實役】명 現役として服務する兵役.
실연【失戀】명하자 失恋. ¶ ～에 의한 자살 失恋による自殺.
실연【實演】명하자타 実演. ¶ 영화의 ～ 장면 映画の実演場面.
실-오리 명 一糸; 一筋の糸. ¶ ～하나 걸치지 않은 벌거숭이 一糸まとわぬ真っ裸.
실외【室外】명 室外; 屋外. ¶ ～ 체조 屋外体操.
실용【實用】명하타 実用. ¶ ～ 본위로 만들다 実用本位にこしらえる.
‖—— 단위 명〖物〗実用単位《アンペア・ボルト・ワットなど》. ——-문 명 実用文. ——-성 명 実用性. ¶ ～이 적다 実用性に乏しい. ——-적 명관 実用的. ¶ ～인 선물 実用的な贈り物. ——-주의 명〖哲〗実用主義. ＝프래그머티즘. —— 특허 명〖法〗実用特許. ——-품 명 実用品. ——-화 명하자타 実用化.
실-은【實—】부 実は; その実. ¶ ～ 청이 있어 왔습니다 実はお願いがあって参りました / ～ 네 말이 옳다 その実君の話は正しい.
실의【失意】명하자 失意. ＝실망(失望). ¶ ～ 속에 죽다 失意のうちに死ぬ.
실익【實益】명 実益. ＝실리(實利). ¶ ～과 취미를 겸한 가정 부업 実益と趣味を兼ねた家庭副業.
실-잠자리 명〖蟲〗いと(糸)とんぼ.
실재【實在】명하자 実在. ① 現実に存在すること. また, そのもの. ¶ ～의 인물 実在の人物. ②〖哲〗実存する事物・事象・しい(思惟)または体験.
‖——-감 명 実在感. ——-론 명 実在論. ——-성 명 実在性. ＝현실성(現實性).
실적【實績】명 実績. ¶ 작년 ～을 능가하다 昨年の実績をしのぐ.
실전【實戰】명 実戦. ¶ ～을 방불케 하는 연습 実戦さながらの演習.
실점【失點】명하자 失点. ¶ ～ 만회에 전력을 기울이다 失点挽回に全力を尽くす.
실정【失政】명하자 失政. ¶ 거듭된 ～으로 인민은 도탄에 빠졌다 重なる失政により人民は塗炭の苦しみに陥った.
실정【實定】명하자타 実定.
‖——-법 명 実定法. ——법-학 명 実定法学.
실정【實情】명 実情〔実状〕. ＝진정(眞情). ¶ ～은 이렇습니다 実情はこうなんです / ～을 말하면 有り様を言えば.
실제【實弟】명 実弟. ＝친아우.
실제【實際】명 実際. ＝사실(事實). ¶ ～ 문제 実際問題 / 이론과 ～ 理論と実際.
실조【失調】명 失調. ¶ 영양 ～ 栄養失調.
실족【失足】명하자 失足. ① 足を踏みそこなうこと. ¶ ～해서 추락했다 足を踏みそこなって墜落した. ② 行動を誤ること.
실존【實存】명하자〖哲〗実存.
‖——-주의 명 実存主義. ¶ ～자 実存主義者. —— 철학 명 実存哲学.
실종【失踪】명하자 失踪; 失跡. ¶ 등산객이 ～되었다 登山客が失踪した.
‖—— 선고 명〖法〗失踪宣告. ——-자 명 失踪者. ① 失踪した人. ②〖法〗失踪宣告を受けた人.
실증【實證】명하타 実証. ¶ 무죄를 ～하다 無罪を実証する.
‖——-론 명〖哲〗実証論. ＝실증주의. ——-적 명관 実証的. ——-주의

명 実証主義. ── 철학 명 実証哲学. =실증론.

실지【失地】명 失地. ¶~ 회복 失地回復.

실지【實地】명 実地. =현장(現場). ¶~ 경험 実地経験. ──로 부 実地に. ¶~ 해 봐야 안다 実地にやって見なければわからない.
‖── 답사 명 実地踏査.

실직【失職】명하자 失職; 失業. ¶불황으로 ~하다 不況で失職する / ~자 失業者.

실질【實質】명 実質.
‖──-론 명 実質論. =실질주의. ── 명사 명 実質名詞. ──-법 명 実質法. ── 임금 명 実質賃金. ──-적 명관 実質的. ──-주의 명 実質主義.

실쭉-거리다 자타 ①一方に傾いてゆがむように動く〔動かす〕. ②口をゆがめる〔とがらす〕; すねる; つんとする. >샐쭉거리다. **실쭉-실쭉** 부하자타 ①続けざまに傾くかゆがむ〔ゆがめる〕さま. ②しきりに口をとがらす〔すねる〕さま.

실쭉-샐쭉 부하자타 しきりに口をゆがめる〔とがらす〕さま.

실쭉-하다¹ 타 いやな顔をする. >샐쭉하다¹.

실쭉-하다² 형 ①一方に傾いている. ②すねて〔むくれて〕いる; ふくれている. >샐쭉하다².

실책【失策】명 失策. ¶~을 범하다 失策を犯す.

실천【實踐】명하타 実践. ¶이론보다 ~이 중요하다 理論より実践が大切である.
‖──-가 명 実践家. ──-력 명 実践力. ── 윤리 명 実践倫理. ──-적 명관 実践的. ── 철학 명 実践哲学.

실체【實體】명 実体. ¶~성 実体性 / ~를 파악하다 実体をつかむ.
‖──-경 명〔物〕実体鏡; 立体鏡. ──-론 명〔哲〕実体論. =존재론(存在論). ──-법 명 実体法. ── 자본 명 実体資本. ──-화 명하자타〔哲〕実体化.

실추【失墜】명하타 失墜. ¶권위를 ~하다 権威を失墜する.

실측【實測】명하타 実測. ¶~한 거리 実測した距離.
‖──-도 명 実測図.

실컷 부 十二分に; 思う存分; 飽きるほど; いやと言うほど; さんざん; たらふく〈俗〉. =마음껏. ¶~ 논 끝에 さんざん遊んだあげく / ~ 먹었다 たらふく食べた.

실크〔silk〕명 シルク.
‖── 로드 명 シルクロード; 絹の道. =비단길.

실큼-하다 형 嫌気がする; 気乗りがしない.

실탄【實彈】명 実弾. ①ほんものの弾丸. ¶~을 재다 実弾を込める. ②(比喩的に)現金.
‖── 사격 명 実弾射撃. ── 연습 명 実弾演習.

실태【失態】명 失態〔失体〕. ¶술을 과음해서 ~를 부리다 酒を飲みす て失態を演ずる.

실태【實態】명 実態. ¶생활 ~를 사하다 生活の実態を調べる.

실토【實吐】명하타 ありのままに言 うこと. ¶심정을 ~하다 心情を りのままに述べる.

실-톱 명 いとのこ(糸鋸).

실투【失投】명하자〔野〕失投.

실-파 명〔植〕細いねぎ; わけぎ.

실팍-지다 형 丈夫だ; 壮健だ がっちりしている; 健やかだ. ¶실 진 어린이 丈夫な子供.

실팍-하다 형 (人や物などが見るか らに)丈夫である; 堅固だ; 頑 丈だ.

실-패 명 糸わく; 糸巻き; おだまき.

실패【失敗】명 失敗. ──-하다 자 타 失敗する; しくじる. ¶~는 성공의 어머니 失敗は成功の母 / 오늘 시험은 완전히 ~했다 今日の試験に すっかりしくじった.

실-하다【實─】형 ①健やかだ; 丈夫だ. ¶실하게 자라는 어린애 健やか に育つ幼子. ②財産が豊かだ. ③中味が充実している. ¶배추 속이 ~ 白菜の中味が満ちている. ④信用がおける. ¶실하게 일하다 充実に働く.

실학【實學】명 実学. ①実際に役立つ学問. ②〔史〕朝鮮朝の中期に性理学の反動として起こった実事求是を主題として研究した学問.
‖──-주의 명 実学主義.

실함【失陷】명하자 失陥. ¶전략의 요충지가 ~되었다 戦略の要地が落ちた.

실행【失行】명하자 失行. ①道理にもと(悖)る行動. ②運動の一部または全部が不能になること.
‖──-증 명〔醫〕失行症.

실행【實行】명하타 実行. ¶계획을 ~하다 計画を実行する.
‖──-력 명 実行力. ── 예산 명 実行予算.

실향【失鄕】명하자 故郷を失うこと. ‖──-민(民) 명 故郷を失って他郷に住む民.

실험【實驗】명하타 実験. ¶~의 결과는 허사였다 実験の結果は空しかった.
‖── 과학 명 実験科学. ── 극장 명 実験劇場. ── 소설 명 実験小説. ──-실 명 実験室. ── 학교 명〔教〕実験校.

실현【實現】명하자타 実現. ¶소년 시절의 꿈을 ~시켰다 少年時代の夢を実現させた.
‖──-성 명 実現性. ¶~이 희박하다 実現性がうすい.

실형【實兄】명 実兄. =친언니.

실형【實刑】명 実刑. ¶~을 선고하다 実刑を言い渡す.

실화【失火】명하자 失火. ¶어젯밤의 화재는 ~가 원인이란다 昨夜の火事は失火が原因だそうだ.

실화【實話】명 実話. ¶~ 잡지 実話雑誌.

— 문학 명 実話文学.
황【實況】명 実況. ¶～ 방송 実況放送 / 이것은 ～을 목격한 사람의 이야기다 これは実況を目撃した人の話である.
효【失効】명하자 失効. ¶기한이 지나 ～하다 期限がすぎて失効する.
효【實効】명 実効. ¶～를 거두다 実効をあげる.
싫다 형 ① 嫌だ; きらいだ; 好かない; 気にくわない. ¶싫은 사람 きらいな人. ② やりたくない; 気が向かない. ¶공부하기 ～ 勉強したくない.
싫어-하다 타 ① きらう; いと(厭)う. ¶내가 싫어하는 사람 わたしが嫌う人. ② したがらない; することを好まない; やりたがらない; 嫌気を出す; いとう. ¶먹기 ～ 食べたがらない / 일하기를 ～ 仕事をしたがらない.
싫증【—症】명 嫌気; 飽き. = 염증(厭症). ¶지루해서 ～이 나다 退屈で飽きが来る.
심【心】명 ① かゆ(粥)に入れるだんご類: 種. ② 手術後の傷口に詰め込むガーゼなどの類: 心. ③ 木の心. ④ 大根などの根の中の固いすじ. ⑤ 洋服の肩やえりなどに入れる厚布: しん(芯). ¶～을 넣다 しんを入れる. ⑥ 中に入っている物.
-심【心】미 心. ¶허영～ 虚栄心.
심각【深刻】명하형하부 深刻. ¶～한 표정 深刻な表情.
심결【審決】명 審決; 審判における審理の決定.
심경【心境】명 心境. ¶～을 말하다 心境を語る.
심경【深耕】명하타 深耕.
심계【心悸】명 しんき(心悸).
‖— 항진 명〔醫〕心悸こうしん(亢進).
심근【心筋】명 心筋.
‖— 경색증 명〔醫〕心筋梗塞.
심금【心琴】명 心琴; 外部の刺激を受けて動く微妙な心の動き; 胸. ¶～을 울리는 애절한 이야기 心琴に触れる哀切な話.
심기【心氣】명 心気; 心の状態. ¶～ 전환 心気転換 / ～가 울적하다 心気がうっとうしい.
‖——증 명〔醫〕心気症.
심기【心機】명 心機.
‖— 일전 명하자 心機一転.
심다 타 ① 植える. ¶나무를 ～ 木を植える. ② まく. ¶씨를 심어야 싹이 나지 種をまかなければ芽はでない.
심대【甚大】명하형 甚大.
심도【深度】명 深度. ¶～계 深度計.
심독【心讀】명하타 心読.
심드렁-하다 형 ① 事が急でない. ② 病気がぐずつく〔長びく〕.
심란【心亂】명하형 心が乱れること; 心が落ち込むこと. ¶성적이 떨어진 K군은 요즈음 매우 ～해 있다 成績不良でK君はこの頃すっかり落ち込んでいる.

심려【心慮】명하타 心慮; 心配; 気がかり. ¶～를 끼쳐 미안합니다 心を煩わしてすみません.
심려【深慮】명하타 深慮. ¶～ 원모 深慮遠謀.
심령【心靈】명 心霊. ① 心魂. ②〔哲〕肉体を離れて存在すると考えられる心の主体. ③〔心〕神秘で不可思議な心の現象.
‖——술 명 心霊術. ——학 명 心霊学. — 현상 명 心霊現象.
심로【心勞】명 心労; 心づかい; 気苦労; 心配. ¶～를 끼치다 心配をかける / ～한 나머지 병이 났다 心労のあまり病気になった.
심리【心理】명〔心〕心理. ¶군중 ～ 群衆心理.
‖——극 명〔心〕心理劇. — 묘사 명하자 心理描写. — 상태 명 心理状態. — 소설 명 心理小説. ——학 명 心理学.
심리【審理】명하타〔法〕審理. ¶사실을 ～하다 事実を審理に付す.
심-마니 명 深い山に自生するこうらいにんじん(高麗人参)の採集を業とする人.
‖——말 명 "심마니"たちの隠語.
심모【深謀】명 深謀. ¶헤아릴 수 없는 ～ 計り知れぬ深謀 / ～를 짜내다 深謀をめぐらす.
심문【尋問】명하타 尋問.
심문【審問】명하타 審問. ¶～을 받다 審問を受ける.
심미【審美】명 審美.
‖— 비평 명 審美批評. ——안 명 審美眼. ——학 명 審美学. =미학(美學).
심방 명〔建〕二つの門柱を連結する横木.
심방【心房】명〔生〕心房.
심방【尋訪】명 訪問. ——하다 타 訪れる; 尋ねる. ¶친구의 집을 ～하다 友の家をと(訪)う.
심벌〔symbol〕명 シンボル.
심보【心—】명 心掛け; 心ばえ. =마음보. ¶～ 사나운 사람 心掛けのよくない人.
심복【心服】명하타 [↗심열 성복(心悅誠服)] 心服. ¶부하를 ～시키다 部下を心服させる.
심복【心腹】명 心腹. ① 腹心. = 심복지인(心腹之人). ¶～으로 일하다 心腹として働く. ② 胸と腹.
심부【深部】명 深部. ¶폐의 ～ 肺の深部.
심부름 명하자 (お)使い. ¶～을 가다 お使いに行く / ～을 보내다 使いに出す.
‖——꾼 명 使い; 使いをする人.
심-부전【心不全】명〔醫〕心不全.
심사【心事】명 心事; 考え. ¶비열한 ～ 下劣な考え.
심사【心思】명 意地の悪い根性. ¶～가 꽁지벌레라《俚》根性がうじ(蛆)みたいである. —(를) 부리다 구 意地悪をする; 妨げる; 妨害する. —(가) 사납다 형 意地悪い; 根性が悪い.
심사【深思】명하타 深思; 深く思

ㅅ

うこと. ¶～ 숙고해서 하라 深思熟考してせよ.

심사【深謝】명하타 深謝.

심사【審査】명하타 審査. ¶자격을 ～하다 資格を審査する.
‖――-원 명 審査員.

심산【深山】명 深山；みやま；山奥. ¶～에서 길을 잃다 山奥で道に迷う.
‖―― 계곡 명 深山渓谷. ―― 유곡 명 深山幽谷.

심살-내리다 자 細細した心配事が心から離れない. 「さま.

심상【心状】명 心状；心のあり

심상【心象】명 心象；心像.

심상【心想】명 心想；おもわく.

심상【尋常】명하형 尋常. ¶～치 않은 ただならぬ / ～한 일은 아니다 尋常なことではない；ただ事ではない.

심성【心性】명 ①[↗심성정(心性情)] 心性；天性. ②〔佛〕心性；不変のまことの心.

심성-암【深成岩】명 深成岩.

심술【心術】명 意地〔根性〕の悪いこと. ―(이) 궂다 구 とても意地悪だ. ―(을) 내다 구 意地悪をする. ―(을) 부리다 구 意地悪をする；悪い根性を出す. ―(을) 피우다 구 (ときたまに)意地悪をする.
‖――-꾸러기 명 意地悪. ――-딱지 명 "심술"の俗語. ――-쟁이 명 ☞ 심술꾸러기.

심신【心身】명 心身. ¶～의 피로 心身の疲労 / ～을 단련하다 心身を鍛える.

심신【心神】명 心神；心と精神. ‖―― 상실자 명 心神喪失者.

심심【深甚】명 深甚. ――-하다 형 (意味・気持ちが)深い. ¶～한 사의를 표하다 深甚なる謝意を表する.

심심【深深】명하형 深深；奥深いこと. ‖―― 산천 명 奥深い山川.

심심 소일【―消日】명하자 退屈しのぎ〔ひまつぶし〕に何かをすること.

심심 파적【―破寂】, **심심-풀이** 명하자 消閑；ひまつぶし；手慰み. ¶심심풀이로 그림을 그리다 手慰みに絵をかく.

심심-하다¹ 형 味が淡い.

심심-하다² 형 退屈だ；ぶりょう(無聊)だ. ¶심심해서 못 견디겠다 退屈でたまらない / 할 일이 없어 ～ 所在なくて退屈だ / 심심한 나머지 つれづれの余り. 심심-히 부 無聊に.

심-쌀【心―】명 かゆに入れる米.

심악【甚惡】명하형스형 ① 甚だしく悪いこと. ② むごく容赦のないこと.

심안【心眼】명 心眼. ¶～을 열고 조국의 현실을 보라 心眼を開いて祖国の現状を見よ.

심야【深夜】명 深夜；夜更け. ¶～의 거리 夜更けの町 / ～까지 일하다 深夜まで作業をする.

심약【心弱】명하형 気が弱いこと.

심연【深淵】명 しんえん(深淵)；しんたん(深潭).

심오【深奥】명하형 深奥；玄奥. ¶～한 풍취 深奥なおもむき.

심원【深遠】명하형 深遠. ¶～한 리 深遠な哲理.

심의【審議】명하타 審議. ¶～를 일로 미루었다 審議を明日に持ちこした. ‖――-회 명 審議会. ¶국어 国語審議会.

심인【心因】명 心因. ‖――성 반응 명 心因性反応.

심장【心臓】명 心臓. =염통. ～병 心臓病 / ～ 이식 수술 心臓移植手術 / 국가 통치의 ～부 国家統治の心臓部.
‖―― 마비 명 心臓麻痺. ―― 판막증 명〔醫〕心臓弁膜症.

심장【深長】명하형 深長. ¶의미 ～한 말 意味深長なことば.

심재【心材】명 心材；樹木の木質部の内層；赤身.

심적【心的】명관 心的. ¶～ 불안 心的不安 / ～ 현상 心的現象；意識の現象.

심전-계【心電計】명 心電計.

심전-도【心電圖】명 心電図.

심정【心情】명 心情；胸中. ¶～을 헤아리다 胸中を察する.

심-줄 명 ←힘줄.

심중【心中】명 心中. ¶～이 편치 않다 心中穏やかでない / 그의 ～을 알았다 彼の心中が読めた.

심중【深重】명하형히부 深重；心が重重しく深いこと.

심증【心證】명 心証. ¶～을 해치다 心証を害する / ～을 굳히다 心証を固める.

심지【心―】명 心. =등심(燈心). ¶초의 ～ ろうそくの心.

심지【心志】명 心志；こころざし；心と意志.

심지어【甚至於】부 甚だしくは；それだけでなく. ¶자기 것만 아니라 ～ 남의 것까지 먹었다 自分のものだけでなく甚だしくは人のものまで食べた.

심취【心醉】명하타 心酔. ¶서양 문화에 ～하다 西洋文化に心酔する.

심층【深層】명 深層；深い層. ¶～부 深層部.
‖―― 심리학 명 深層心理学.

심통【心統】명 心根；心掛け；心の本質；意地悪. ¶～을 부리다 意地悪をする / ～이 사납다 心根がとても悪い.

심판【審判】명하타 審判；裁き. ¶공평한 ～을 기다리다 公平な審判を待つ / 신의 ～은 공평하다 神の裁きは公平である.
‖――-관 명 審判官；アンパイア. =심판원. ――-대 명 審判台. ¶～에 오르다 審判台に上がる；審判を受ける. ――-원 명 審判員；アンパイア. ――의 날 명〔宗〕審判の日.

심포니〔symphony〕명〔樂〕シンフォニー；シンホニー.
‖―― 오케스트라 명〔樂〕シンフォニーオーケストラ. 「ム.

심포지움〔symposium〕명 シンポジウ

심피【心皮】명〔植〕心皮.

심-하다【甚―】형 ひどい；甚だしい；はげしい. ¶피해가 ～ 被害がひ

だい / 성적의 차가 ~ 成績の差が甚だしい / 바람이 ~ 風がはげしい. 심-히 閉 ひどく; 甚だしく; はげしく.
해【深海】명 深海.
——-어 명 深海魚.
혈【心血】명 心血. ① 心臓の血. ② 精魂. ¶ ~을 기울이다 精魂を注ぐ〔傾ける〕/ ~을 기울인 작품이다 心血を注いだ作品である.
-호흡【深呼吸】명 深呼吸.
혼【心魂】명 心魂; 精魂. ¶ ~을 기울이다 精魂を傾ける.
화【心火】명 心火. ¶ ~를 불태우다 心火を燃やす.
화【深化】명하자 深化. ¶ 대립은 ~할 뿐이다 対立は深化するばかりである.
후【深厚】명하형 深厚; 深く厚いこと. ¶ ~한 감사의 뜻 深厚な感謝の意.
십【十】수 十·とお·と; そ〈雅〉.
십간【十干】명 十干. =천간(天干).
십계【十戒】명〔佛〕十戒.
십-계명【十誡命】명〔基〕十戒.
십년【十年】명 十年. ¶ ~만에 만나다 十年ぶりに会った.
‖—— 감수(減壽) 명하자 十年の命が縮むこと; ひどい恐怖·苦痛·おどろきを表わす語. ¶ 얼마나 혼났는지 ~했다 いやはや, ひどいのなんのって十年の命がちぢまったよ. —— 공부 명 十年の勉強; 長年の努力. ¶ ~ 나무아미타불, ~ 도로아미타불《俚》きゅうじん(九仭)の功をいっき(一簣)にか(虧)く. —— 일득(一得) 명 洪水やひでりに弱い田がときたま豊作になること. ——-지-계(之計) 명 十年の計. —— 지기(知己) 명 長いつきあいの知人.
십대【十代】명 十代. ① 十の世代. ¶ ~째 서울에 살다 十代の間ソウルに住みついでおる. ② 20歳内外の年齢; ティーンエージャー. ¶ ~의 소년 十代の少年.
십리【十里】명 十里《日本の一里に当たる》.
십만【十萬】수 十万. ¶ ~ 대군 十万の大軍.
십분【十分】부 十分. ¶ ~ 주의하라 十分気を付けろ / ~ 유의하다 十分念を入れる.
십상 一명 [←십성(十成)] 好都合; 上出来; あつらえ向き; 上上. ¶ 소풍 가기엔 ~의 날씨다 ピクニックには上上の天気である. 二부 もってこい; あつらえ向きに; ちょうどよく. ¶ 재떨이로 쓰기엔 ~ 좋다 灰皿にはあつらえ向きである.
십시 일반【十匙一飯】명 十人が力を合わせば一人の救済はできるとのこと.
십육분 음표【十六分音標】명〔樂〕十六分音符.
십이-분【十二分】부 十二分. ¶ ~의 성과를 올리다 十二分の成果をあげる.
십이-월【十二月】명 十二月. =섣달.
십이 제자【十二弟子】명〔基〕十二使徒. =십이 사도.
십이-지【十二支】명 十二支. =지지(地支).
십이지-장【十二指腸】명〔生〕十二指腸.
‖—— 궤양 명〔醫〕十二指腸かいよう(潰瘍). ——-충 명〔動〕十二指腸虫. ——충-병 명 十二指腸虫病. =채독(菜毒).
십인 십색【十人十色】명 十人十色. ¶ 사람의 얼굴은 ~이다 人の顔は十人十色である.
십일【十日】명 十日.
십일-월【十一月】명 十一月. =동짓달.
십일-조【十一條】명〔基〕収入の一割を教会に献納すること.
십자【十字】명 十字; 漢字の"十"の字のような形.
‖——-가 명 十字架. —— 고상(苦像) 명〔基〕十字架にはりつけにされたキリストの受難の絵または塑像. ——-군 명〔史〕十字軍. ——-로 명 十字路. —— 포화 명 十字砲火. =십자화(十字火).
십장【什長】명 ① 人夫の頭. ②〔史〕十人の兵卒の頭.
십-장생【十長生】명 長寿して死しないという十種のもの《太陽·山·水·石·雲·松·不老草·かめ(亀)·つる(鶴)·しか(鹿)》.
십종 경기【十種競技】명 十種競技; デカスロン.
십중 팔구【十中八九】명 十中八九; おおかた; 大部分.
십진-법【十進法】명 十進法. =십승법.
십진 분류법【十進分類法】명 十進分類法《図書分類法の一つ》.
십팔-금【十八金】명 十八金.
십팔-기【十八技】명 十八般; 十八種の武芸.
싯-누렇다 형 真っ黄色い. >샛노랗다.
싱겁다 형 ① 水っぽい; 淡い; 塩辛くない; 甘い. ¶ 이 수프는 ~ このスープは甘い. ② 酒がきつくない; 水っぽい. ¶ 싱거운 술 水っぽい酒. ③ まぬけている; しゃれけ(洒落気)がない; はりあいがない. ¶ 싱거운 사람 甘いひと. ④ 不体裁だ; 格好が不様である. ¶ 싱겁게 키가 크다 べらぼうに背が高い.
싱그럽다 형 さわやかだ; すがすがしい; 芳ばしい; そうかい(爽快)だ. ¶ 싱그러운 오월의 신록 さわやかな五月の新緑 / 싱그러운 바람이 분다 すがすがしい風が吹く.
싱그레 부하자 顔と目で笑うさま: にこっと; にやと. >생그레.
싱글〔single〕명 シングル. ¶ ~ 홈런 シングルホーマー / 그이는 ~이라더라 彼はシングルだってよ.
‖——-베드 명 シングルベット.
싱글-거리다 자 にこにこ笑う. >생글거리다. ¶ 혼자 좋아서 ~ 独りでうれしくにこにこ笑う. 싱글-싱글 부하자 にこにこ.
싱글-벙글 부하자 にこにこ. >생글뱅글. ¶ 기쁜 일이 있는지 ~하고 있다 う

れしいことがあるのかにこにこしている.

싱긋 부하자 にっこり；にこっと. >생긋. ¶~ 웃다 にっこり笑う. ──거리다 자 にっこり笑う. ──── 부하자 にこにこ. ──이 부 にっこりと；にこっと.

싱둥싱둥-하다 형 力が尽きずまだまだ元気である. >생동생동하다.

싱둥-하다 형 生気がある；新鮮だ；いきいきしている.

싱숭-생숭 부하형 心がうきうきして落ちつかないさま：そわそわ；うきうき. ¶마음이 ~하다 心がうきうきする.

싱싱-하다 형 ①生きがよい；生きいきしている. ¶싱싱한 생선 生きのよい魚. ②みずみずしい；若若しい；若やかだ. ¶나무의 푸르름이 ~ 木の緑がみずみずしい. ③元気が旺盛だ；活発である；ぴんぴんしている. >생생하다. ㅆ씽씽하다.

싱어 〔singer〕 명 シンガー；歌手；声楽家.

싶다 보형 ①…たい. ¶먹고 ~ 食べたい/말하고 싶지 않다 言いたくない/자고 ~ 寝たい. ②…ようだ. ¶좀 적은 가 ~ ちょっと少ないようだ/무언가 싶어 보았더니 별게 아니었다 何だろう〔何かしら〕と見たところたいしたものではなかった.

-싶다 미 …そうだ；…と思う；…と思われる. ¶모레께나 갈 듯~ あさってぐらい行けそうだ/꼭 될 성~ きっとできそうだ.

싶어-하다 보동 …たがる. ¶먹고 ~ 食べたがる/오고 ~ 来たがる.

싸각-거리다 자 ①りんご(林檎)などをか(噛)むような音が続けざまに出る；ざくざくする；がりがりする. ②あし(葦)などが擦れる音が続けざまに出る；さわさわする. **싸각-싸각** 부 ざくざく；さわさわ.

싸개 명 物を包む紙や布. ¶책~ 本の包紙.

싸고 돌다 타 ①中心を取り囲んでその周りで動く. ②かばう；ひご(庇護)する. ¶그렇게 싸고 돌면 버릇이 나빠집니다 そんなにかばい続けるとくせが悪くなります. 준 싸돌다.

싸구려 一감 大道商人などがお客を集めようとして叫ぶ呼び声. 二명 ①至って値が安いもの. ¶~로 팔아 치우다 二束三文にたたき売る. ②安物. ¶~를 찾아 헤매다 安物をあさる.

싸느랗다 형 ①天気が冷えて冷たい；冷え冷えする. ②冷たい. ¶손이 ~ 手が冷たい. ③冷淡だ；冷ややかだ. ¶싸느란 표정이었다 冷ややかな表情であった.

싸늘-하다 형 冷やっこい；冷ややかだ. ①(天気などが)やや寒気がある. ¶싸늘한 겨울 바람이 분다 冷やっこい冬風が吹く. ②死体などが冷たい. ¶시체는 벌써 싸늘해졌다 死体は既に冷ややかになった. ③温情がない；冷淡だ；冷たい. ¶어딘가 싸늘한 분위기 なんとなく冷ややかな雰囲気. <써늘하다. 싸늘히 부 冷たく；冷ややかに；冷に.

싸다[1] 타 ①包む. ¶이걸 싸 주시오 これを包んで下さい. ②かばう. ¶너 싸고 돈다 あまりかばい続ける.

싸다[2] 타 (大小便などを)垂す；失禁する.

싸다[3] 형 ①口が軽い. ¶그 애는 이 ~ その子は口が軽い. ②足がい；素速い. ¶싸게 걷다 素速くく. ③(糸車などの)回るのがい. ¶물방아가 싸게도 돈다 水車が速くも回るね. ④火が強い. ¶싼 로 끓이다 強火で沸かす. ⑤剛だ. ¶성깔이 너무 ~ 性格があまり激しい.

싸다[4] 형 ①安い. ¶시가보다 ~ 時価より安い. ②仕打ちが適当かまたは案外に軽いの意：あたり前だ当然だ. ¶욕먹어 ~ 悪く言われて当然だ.

싸-다니다 자 出歩く；うろつく.

싸-데려가다 자 婿が結婚費用を負担して嫁をもらって行く.

싸-돌다 타 ↗싸고 돌다.

싸라기 명 ①小米；砕け米；砕米；くず米. ②↗싸라기눈.

‖──눈 명 あられ. ¶~이 오다 あられが降る. 준 싸락눈.

싸리 명〔植〕☞ 싸리나무.

‖──나무 명 はぎ(萩). ──문(門) 명 ①はぎの戸. ②☞ 사립문. ──버섯 명〔植〕ほうきたけ. ──비 명 萩でつくったほうき.

싸-매다 타 包む；巻く；巻きつける. ¶상처를 붕대로 ~ 傷口をほうたいで巻く.

싸목-싸목 부 ゆっくりと少しずつ進むさま：じわじわ；じりじり. ¶~ 다가서다 じわじわ近寄る.

싸부랑-거리다 자 ぺちゃくちゃとしゃべりまくる；のべつにむだ口を叩く. ¶무슨 말을 싸부랑거리는지 도무지 알 수 없다 何をぺちゃくちゃ言っているのかさっぱりわからない. <씨부렁거리다. **싸부랑-싸부랑** 부하자 ぺちゃくちゃ；ぺちゃぺちゃ.

싸우다 자 ①争う；いさかう；けんかをする. ¶사소한 일로 ~ つまらない事で争う. ②戦う. ¶당당히 ~ 堂堂と戦う. ③闘う；競う. ¶고난과 ~ 苦難と闘う.

싸움 명 けんか；争い；戦い；いくさ(軍)〈雅〉；立ち回り. 준 쌈. ──하다 자 けんかをする；争う；戦う. ¶~을 걸다 戦いを挑む/~을 부추기다 けんかをけしかける.

‖──질 명하자 けんか；争い；戦い. ──터 명 戦場. ¶옛 ~ 古戦場. ──판 명 争いの場. ──패(牌) 명 ならずもの；無頼漢；ごろつきたち.

싸이다[1] 피동 囲まれる；包まれる；取りまかれる. ¶적에 싸여서 고전하다 敵に囲まれて苦戦する.

싸이다[2] 사동 大小便をさせる.

싸-잡다 타 ひっくるめる；含める.

싸-잡히다 피동 ひっくるめられる；含

まれる.

-전【一廛】명 米屋. ¶～에 가서 … 달라고 한다《俚》米屋に行って飯くれと言う《ひどくせっかちなことのたとえ》.

-하다 형 (舌やのどが)ひりつく; ひりひりする; ぴりっとする. ¶입이 ～ 口がひりひりする.

¹ 명 ①芽. ¶～이 트다 芽ぐむ; 芽をふく; 芽が角ぐむ; も(萌)え出る / ～을 자르다 芽のうちに摘む. ② ↗싹수.

² 부 ①紙などを一気に切る音. また, そのさま: すぱり; ずばり; さくり; さっくり. ¶～ 자르다 ずばりと切る. ②滞りなく押すか掃き出すさま: すっきり; さっと. ¶마당을 ～ 쓸어버리다 庭をすっきり掃いてしまう. ③少しも残さず皆; すっと; すっかり. ¶핏기가 ～ 가시다 血の気がすっと引く. ④根から責任をとらず逃れること: がらりと; けろりと; くるりと. ¶～ 돌아서서 모른 체 하다 けろりと態度を変えて知らんふりをする.

싹독 부 柔らかい物を細切りにするさま: ちょきん; すぱっと. <썩둑. ¶무를 ～ 자르다 大根をすぱっと切る. **──거리다** 타 ちょきんちょきんと切る. **────** 부하타 ちょきんちょきん.

싹독싹독-하다 형 文意がとぎれてわかりにくい; とぎれとぎれだ.

싹-수 명 見込み; 兆し; 芽; 前途が開ける兆候. ¶～가 노랗다 見込みがない. 준 싹¹. **──없다** 형 見込みがない; 将来性がない. 준 싹없다. **──없이** 부 見込みなく; 望みなく. 준 싹없이. **──있다** 형 見込みがある; 望みがある; 将来性がある. 준 싹있다.

싹싹 부 ①すぱすぱ; ちょきんちょきん. ¶종이를 ～ 자르다 紙をちょきんちょきんと切る. ②手を合わせてもむさま. ¶잘못했다고 ～ 빌다 許してくれと手をもむ.

싹싹-하다 형 気さくだ; さくい; 気軽い; 愛想がよい. ¶싹싹한 사람 気さくな人.

싹-쓸이 명하타 一つ残さず無くすこと.

싹-트다 자 芽ぐむ; 芽生える. ①芽吹く; も(萌)える. ¶버드나무가 ～ 柳が芽生える. ②きざす. ¶사랑이 ～ 愛が芽生える / 새로운 기운이 ～ 新しい気が芽ぐむ.

싼-값 명 安値. =염가. ¶～으로 사들이다 安値で買い入れる.

쌀 명 ①米; よね《雅》; ライス. ¶멥～과 찹～ うるちともち米 / ～을 주식으로 하다 米を主食とする / ～을 찧다 米をつ(搗)く. ② ↗입쌀. ③穀物の殻をむいた中味の総称.

쌀-가게 명 米屋. =싸전.

쌀-가루 명 米の粉.

쌀-강아지 명 毛の短い小犬.

쌀-겨 명 米ぬか; ぬか; こぬか.

쌀-고치 명 白くて上質の繭.

쌀-광 명 米蔵.

쌀긋-하다 형 ややゆがんでいる. ⊥살긋하다.

쌀-누룩 명 米こうじ.

쌀-되 명 ①米を計る升. ②一升ばかりの米.

쌀-뜨물 명 研ぎ水; 研ぎ汁; 白水.

쌀랑-거리다 자 ①ひんやりとした風が吹く. ②軽やかに手を振り振り歩く. <썰렁거리다. **쌀랑-쌀랑** 부하자 さらさら; そよそよ.

쌀랑-하다 형 ①うすら寒い; 肌寒い. ¶쌀랑한 바람이 불다 肌寒い風が吹く. ②ひやりとする. <썰렁하다.

쌀래-쌀래 부 強くかぶりを振るさま. ⊥살래살래.

쌀-명나방【一螟一】명〖蟲〗こめのしまめいが.

쌀-밥 명 白米で炊いた飯; 米飯. =이밥·백반·흰밥.

쌀-벌레 명 ①米をむしばむ虫《米の虫など》. ②穀潰し.

쌀-보리 명 裸麦 =밀보리.

쌀-부대【一負袋】명 米袋.

쌀-수수 명 もろこしきびの一種《実が白い》.

쌀쌀 부 腹がひりひり〔ちくちく〕と痛むさま. ¶배가 ～ 아프다 腹がひりひり〔ちくちく〕と痛む.

쌀쌀-거리다 자 ①こまた(小股)では(這)い回る. ②心が落ち着かず浮かれ出る. ③いやいやをする.

쌀쌀-맞다 형 にべ(も)ない; 冷淡だ; 冷たい. ¶쌀쌀맞게 대하다 冷ややかに対する / 쌀쌀맞은 대답이었다 にべもない返事であった.

쌀쌀-하다 형 ①肌寒い; ひえびえする. ¶쌀쌀한 날씨 肌寒いひより. ②冷たい; よそよそしい; 冷ややかだ. ¶쌀쌀한 눈으로 보다 冷ややかな目で見る. **쌀쌀-히** 부 冷たく; 冷ややかに.

쌀-알 명 米粒.

쌀-장사 명하자 米商売.

쌀-장수 명 米屋; 米商人.

쌀캉-거리다 자 しきりに生煮えの豆や栗などをか(嚙)む音がする; ぽりぽりとする. <썰컹거리다. **쌀캉-쌀캉** 부하자 ぽりぽり.

쌀-풀 명 米でつくったのり(糊).

쌈¹ 명 ちしゃ・しらやまぎく(白山菊)・白菜などで飯とおかずなどを包んだ食べ物.

쌈² 의명 ①縫い針二十四本を単位として数える語. ②百両重さの金. ③反物を手入れするのに頃合いの一束.

쌈박 부 鋭い刀で素早く切るさま: ばっさり; ざっく. <썸벅.

쌈박-거리다 자 まばたきする; 目をぱちぱちさせる. <썸벅거리다. **쌈박-쌈박¹** 부하자 ぱちぱち.

쌈박-쌈박² 부하형 ①切れのよい刀で続けざまに素早く切るさま: ばっさりばっさり. ②固くてやや水気のある食べ物をか(嚙)むさま. また, その音: ぽりぽり. <썸벅썸벅.

쌈-싸우다 자 ①争う; けんかをする. ②戦をする; 戦う.

쌈지 명 [↗담배 쌈지] タバコ入れ.

쌉싸레-하다 형 ほろ苦い; かなり苦

味があるようだ. <씁쓰레하다.
쌉쌀-하다 형 ほろ苦い; やや苦味がある. ¶맥주의 쌉쌀한 맛 ビールのほろ苦い味. <씁쓸하다.
쌍【雙】 의명 ① 双; 対. ¶꽃병 한 ~ 花瓶一対. ② つがい(番). ¶한 ~의 비둘기 一つがいのはと(鳩).
쌍-가마【雙—】 명 対のつむじ.
쌍각【雙脚】 명 双脚; 両足. =양각(兩脚).
쌍견【雙肩】 명 双肩. =양견(兩肩). ¶국가의 운명을 ~에 지다 国家の運命を双肩にになう.
쌍-고치【雙—】 명 玉繭; 二つ繭; 二つごもり; 同功繭.
쌍곡-선【雙曲線】 명〔數〕双曲線.
쌍굴뚝-박이【雙—】 명 二本煙突の汽船.
쌍-권총【雙拳銃】 명 二ちょうの拳銃.
쌍-그네【雙—】 명 二人乗りのぶらんこ.
쌍그렇다 형 さむざむとしている; 見すぼらしい.
쌍그레 부하자 にこやかに笑うさま: にこっと. <썽그레·씽그레.
쌍글-거리다 자 にこにこする. <썽글거리다·씽글거리다. **쌍글-쌍글** 부하자 にこにこ.
쌍글-빵글 부하자 にこにこほほえむさま. <썽글뻥글.
쌍긋 부하자 にっこり. ¶마음에 들었는지 ~ 웃더라 気に入ったのかにっこり笑っていた. <썽긋·씽긋. ——거리다 자 にっこり笑う; にこやかにほほえむ. ——— 부하자 にこにこ. ——이 부 にっこりと; にこやかに.
쌍긋-빵긋 부하자 にこにこ; にっこりと. <썽긋뻥긋.
쌍-꺼풀【雙—】 명 二重まぶた; 二重まぶたの目; 二皮; 二皮目. ——지다 자 二重まぶたになる.
쌍끗 부하자 にこっと; にっこり. <썽끗. ——거리다 자 にこっと笑う; にっこり笑う. ——— 부하자 にこにこ. ——이 부 にこっと; にっこりと.
쌍끗-빵끗 부하자 ☞ 쌍긋빵긋.
쌍날-칼【雙—】 명 両刃の刀.
쌍-년 명《卑》はした女; 汚い女; 卑しい女; 腐れ女. ㅗ상년.
쌍-놈 명《卑》下郎; 卑しい男; 下種. ㅗ상놈.
쌍동【雙童】 명 ☞ 쌍둥이.
‖——-딸 명 女のふたご. ——-밤 명 ふたごくり(二子栗). —— 아들 명 双生児; 男のふたご.
쌍-되다 형 卑しい; 下品だ; はしたない.
쌍두【雙頭】 명 ① 双頭. =양두(兩頭). ¶~의 독수리 双頭のわし. ② 二匹; 二頭.
‖—— 마차 명 二頭立ての馬車.
쌍-둥이【雙—】 명 双子.
쌍-떡잎【雙—】 명〔植〕双子葉.
‖—— 식물 명 双子葉植物.
쌍룡【雙龍】 명 一対の竜.
쌍륙【雙六】 명 すごろく(双六).
쌍륜【雙輪】 명 双輪.
‖——-차 명 双輪車. (준) 쌍륜.
쌍-말 명하자 下品なことば; 卑語. ㅗ상말.
쌍무【雙務】 명 双務.
‖—— 계약 명 双務契約.
쌍-무지개【雙—】 명 二重にじ(虹).
쌍발【雙發】 명 ① 双発. ¶~기 双発機. ② 銃口が二つあること.
쌍방【雙方】 명 双方; 両方. ~의 의견 双方の意見.
쌍벌-죄【雙罰罪】 명 そうかんしゃ(相姦者)両方を罰する罪.
쌍벽【雙璧】 명 双璧. ¶~을 이루다 双璧をなす.
쌍생【雙生】 명하자타 双生.
‖——-아(兒) 명 ☞ 쌍둥이.
쌍성【雙星】 명〔天〕連星.
쌍-소리 명 下品なことば; 卑しいことば. ㅗ상소리.
쌍수【雙手】 명 双手; 両手; もろ手. ¶~를 들어 찬성했다 双手をあげて賛成した.
쌍-스럽다 형 下品だ; 下劣だ; 卑しい. ㅗ상스럽다. ¶쌍스러운 말을 쓰지 마라 下品なことばを使うな.
쌍시-류【雙翅類】 명〔蟲〕そうしるい(双翅類).
쌍-심지【雙心—】 명 ① 二筋の灯心. ② 激怒で目が血走ること. ¶눈에 ~를 켜고 화내다 目を血走らせて怒る. —— 나다 자 両眼から火花が散る; (嫉妬などで)目が血走る.
쌍-쌍【雙雙】 ㊀명 二組以上の対. ㊁부 ↗쌍쌍이.
‖——-이 부 二人ずつ; しゆう(雌雄)がつれそって. ¶나비가 ~ 날고 있다 ちょうちょう(蝶蝶)がつがいつがいに飛び交っている.
쌍안【雙眼】 명 双眼; 両眼.
‖——-경 명 双眼鏡.
쌍-알【雙—】 명 黄身が二つある卵. 「たま.
쌍올-실【雙—】 명 二重よりの糸.
쌍-자엽【雙子葉】 명〔植〕☞ 쌍떡잎.
쌍전【雙全】 명하자 両全. ¶충효 ~ 忠孝両全.
쌍-지팡이【雙—】 명 ① 一対の杖. ② でしゃばりを皮肉るとき付け添える語.
쌍-칼【雙—】 명 二刀; 両刀.
쌍태【雙胎】 명〔生〕双胎; 双子をみごもること.
‖—— 임신 명〔生〕双胎妊娠.
쌍화-탕【雙和湯】 명 疲労回復に用いるせんじ薬.
쌍-희자【雙喜字】 명 絵やししゅう(刺繡)などに使う"囍"のくずし字.
쌓다 타 積む. ① 築く; 重ねる. ¶성을 ~ 城を築く / 확고한 지위를 ~ 不動の地位を築く / 벽돌을 ~ れんがを積む. ② 蓄積する. ¶경험을 ~ 経験を積む / 형설의 공을 ~ 蛍雪の功を積む / 기술을 ~ 技術を積む.
쌓이다 피동 積もる. ① 重なる. ¶낙엽이 겹쳐 ~ 落葉が積み重なる / 눈이 ~ 雪が積もる / 내리 쌓이는 눈 降り積もる雪. ② たまる. ¶걱정이 ~ 心配が積もる / 빚이 ~ 借金

がたまる/ 일이 (밀려) 쌓일 뿐이다 仕事がたまる一方である.

쌔고-쌘 관 有り余る; ざらに有る; ありふれた. ¶ ~ 물건이다 ざらに有るものである.

쌔고-쌨다 형 ざらに有る; ありふれる; 有り余る. ¶그 정도의 것은 이 세상에 ~ それぐらいの物は世の中にざら〔ふんだん〕に有る.

쌔근-거리다 자 あえぐ; 息せく; 息をはずませる. <씨근거리다. ¶무슨 급한 일인지 쌔근거리며 뛰어 오다 何事か息をはずませて走ってくる. 쌔근-쌔근 부하자 はあはあ; すやすや.

쌔근발딱-거리다 자 せわしくあえぐ; ひどく息をはずませる. <씨근벌떡거리다. 쌔근발딱-쌔근발딱 부하자 はあはあ, はあはあ.

쌔리다 타《俗》殴る.

쌔무룩-하다 형 むっとしている; むっつりしている; 仏頂面をしている; つんとしている; ふくれている. <씨무룩하다. ¶무엇이 못마땅한지 쌔무룩한 얼굴을 하고 있다 何が不満なのか仏頂面をしている. 쌔무룩-이 부 むっと; むっつりと; つんと.

쌔물-거리다 자 口もとをゆがめてにやにやする. <씨물거리다. 쌔물-쌔물 부하자 にやにや.

쌔부랑-거리다 자 ぺちゃぺちゃしゃべる; しきりに無駄口をたた(叩)く. <씨부렁거리다·싸부랑거리다. ¶쌔부랑거릴 짬이 있으면 책이나 읽어라 無駄口をたたく暇があったら本でも読め. 쌔부랑-쌔부랑 부하자 ぺちゃぺちゃ.

쌔비다 타《俗》盗む; かすめる. しゃ.

쌕 부 目で笑うさま: にっと. <씩. ¶ ~ 웃고 돌아 앉다 にっと笑って背を向ける.

쌕쌔기 명《俗》ジェット機.

쌕쌕 부 息づかいが細くて強いさま; すやすや. <씩씩. ¶아이가 ~ 잠자다 子供がすやすやと眠っている. —— 거리다 자 しきりに息をはずませる.

쌘 관 ざらにある; ありふれた. ¶그런 것은 ~ 물건이다 それはざらにある物だよ.

쌜그러-뜨리다 타 ゆが(歪)める; 傾ける. <씰그러뜨리다.

쌜그러-지다 자 ゆがむ; 傾く. <씰그러지다.

쌜긋-거리다 자 一方にゆがむ; 一方に傾く. 쌜긋-쌜긋 부하자 ゆがんでいるさま; 曲がっているさま.

쌜긋-이 부 ゆがんで; 傾いて; 曲がって.

쌜긋-하다 형 曲がっている; ゆが(歪)んでいる; 傾いている. <씰긋하다.

쌜기죽-거리다 자 しきりにぐらつく〔ぐらぐらする〕. <씰기죽거리다. 쌜기죽-쌜기죽 부하자 しきりにぐらつくさま: ぐらぐら.

쌜룩 명하자타 (筋肉が)ひきつるように震え動くさま: ひくり; ぴくり. <씰룩. ——-거리다 자타 ひくひくする; ぴくぴくする. ——— 부하자타 ひくひく; ぴくぴく. ¶얼굴 근육이 ~ 경련하다 顔の筋肉がひくひくけいれんする.

쌨다 형 有り余る; ざらに有る. ¶그런 것은 쌔고 ~ そんなものは有り余っている.

쌩 부 ひゅう; ぴゅう. ¶찬 바람이 ~ 불어 온다 寒い風がひゅうと吹く.

쌩그레 부하자 にこやかに笑うさま: にこっと. <씽그레. ¶ ~ 웃다 にこっと笑う.

쌩글-거리다 자 にこにこする. <씽글거리다. ¶기뻐서 ~ うれしくてにこにこする. 쌩글-쌩글 부하자 にこにこ.

쌩글-뻥글 부하자 にこにこ. <씽글뻥글.

쌩긋 부 にっこり. <씽긋. ——거리다 자 にっこりする. ———— 부하자 にこにこ. ——-이 부 にっこりと.

쌩쌩-하다 형 ぴちぴちしている; はつらつとしている; 生き生きしている; とても新鮮だ. <씽씽하다. ¶쌩쌩한 기운이 넘치고 있다 はつらつさがみちあふれている / 생선이 ~ 魚がぴちぴちしている.

써 부 "…によって; …をもって; …であるから; …なるが故に"の意の接続副詞. ¶힘을 합하여 ~ 나라에 이바지하다 力を合わせてもって国に報いる.

써걱-거리다 자 ① さくさくと音がする; ぽりぽりと音がする. ② さやさやと音がする; あし(葦)などがすれあう音がする. ⊥서걱거리다. 써걱-써걱 부하자 さくさく; さやさや.

써-넣다 타 書き入れる; 書き込む. ¶신청서에 내용을 ~ 申請書に内容を書き入れる.

써느렇다 형 ① ひやっこい. ㉠ (気候が)涼しい. ㉡ ひややかだ; 冷たい. ② おどろいてひやっとする. <싸느랗다. ⊥서느렇다.

써늘-하다 형 ① ひやっこい; ひんやりする; ひややかだ. ¶써늘한 방 ひややかな部屋. ② 胸がひやっとする. >싸늘하다. ⊥서늘하다.

써다 자 潮やたまり水が引く.

써레 명 馬ぐわ.

‖——-질 명하자 代かき; 馬ぐわで耕地をならすこと. 써렛-발 명 馬ぐわの歯.

써리다 타 代かきをする.

썩[1] 부 ① さっさと; 早く; たちどころに. ¶ ~ 물러나지 못할까 さっさとしりぞかぬか. ② すばらしく; ずばぬけて; とても; 非常に. ¶ ~ 좋은 성적을 얻었다 すばらしい成績を取った.

썩[2] 부 ① ざっくり. ¶무를 ~ 베다 大根をざっくり切る. ② とどこおりなく押すか掃くさま: さっと; すっと. ⊥석.

썩다 자 ① 腐る; 朽ちる. ㉠ 腐敗する. ¶썩어도 준치《俚》腐ってもたい / 음식이 ~ 食べ物が腐る. ㉡ 思想が健全でない. ¶썩어 빠진 근성 腐れ根性. ㉢ 国の政治が乱れる. ¶썩은 정치 腐った政治. ㉣ 心を傷める; 気を病む; 煩う. ② 使われずに古くなる; 朽ちる. ③ (才能などが)埋もれる. ¶아까운

ㅅ

인재가 촌구석에서 썩고 있다 惜しむべき人材が片田舎に埋もれている.

썩둑 [부] ずばり；ばっさり. ¶ ～ 자르다 ばっさり切る. ——거리다 [타] 続けざまにずばりと切る. ———— [부][하타] ずばりずばり；ざっくりざっくり；ばさっぱさっと.

썩썩 [부] 許しを請いながら手をもむさま. >싹싹. ¶ ～ 빌다 手をもみもみ謝る. 「てる.

썩어-빠지다 [자] 腐り切る；朽ち果

썩이다 [사동] 腐らせる. ¶ 아까운 쌀을 ～ もったいない米を腐らせる.

썩-정이 [명] 腐ったもの.

썰겅-거리다 [자] ごりごりと音がする；生煮えの豆などをかむときの音がする. ㅗ설경거리다. 썰겅-썰겅 [부][하자] ごりごり；がりがり.

썰다 [타] 切る；刻む. ¶ 두껍게 ～ 厚切りにする / 잘게 ～ 細切りにする.

썰렁-거리다 [자] ① 風がそよぐ. ② 腕を軽くふりながら歩く. ㅗ설렁거리다. 썰렁-썰렁 [부][하자] ① そよそよ. ② すっすと.

썰렁-하다 [형] ① ひやりとする；冷え冷えする. ② ひやっとする.

썰레-썰레 [부] 頭や尾などを軽く振るさま. ㅗ설레설레. ¶ 몇번 권해도 고개를 ～ 흔들 뿐이다 何度すすめても頭を横に振るばかりである.

썰리다 [一][피동] 切られる. [二][사동] 切らせる；刻ませる.

썰매 [명] ① そり. ② 雪・氷の上で滑るあそび器具.

썰-물 [명] 引き潮；下げ潮；落ち潮.

썰썰 [부] ① 軽やかにはいまわるさま. ② かぶり(頭)を強く振るさま. ㅗ설설. ——거리다 [자] ① しきりには(這)う. ② かぶりをしきりに強く振る. ——기다 [자] 恐れてはいつくばる；恐れてちぢみ上がる. ㅗ설설기다.

썰썰-하다 [형] ひもじい.

썰음-질 [명][하자타] 細のこで木を切ること.

썰컹-거리다 [자] がりがりと音がする；生煮えのくり(栗)や豆などをかむ音がする. 썰컹-썰컹 [부][하자] がりがり；ごりごり.

썸벅 [부][하자] 鋭い刀ですぱっと切れるさま：ざくり. ㅗ섬벅. ————[1] [부][하자] ざくりざくり；すぱすぱ.

썸벅-거리다 [자타] ☞ 씀벅거리다. 썸벅-썸벅[2] [부][하자타] ☞ 씀벅씀벅.

썸뻑-썸뻑 [부][하자] やや水気のある固い食べ物がよくかまれるさま. また、その音：ごりごり. ㅗ섬벅섬벅.

쏘가리 [명] 〖魚〗 こうらいけつぎょ.

쏘개-질 [명][하자] 告げ口；密告して妨げること.

쏘곤-거리다 [자타] ささやく；ひそひそと話す. <쑤군거리다. 쏘곤-쏘곤 [부][하자타] ひそひそ.

쏘다 [타] ① 射る；撃つ. ¶ 활을 ～ 弓を射る / 대포를 ～ 大砲を撃つ. ② 刺す. ¶ 벌이 ～ はち(蜂)が刺す. ③ 鋭く言い放つ.

쏘-다니다 [자] 歩き回る；うろつき回る. ¶ 어딜 쏘다니는 거야 どこをうつき回るのか. ㊀쏘대다.

쏘삭-거리다 [타] ① つっつき回す；ひっかき回す. ¶ 화롯불을 쏘삭거리지 마라 火鉢の火をひっかき回すな. ② おだててそそのかす. <쑤석거리다. 쏘삭-쏘삭 [부][하타] しきりにおだて

쏘시개 [명] ↗불쏘시개. 「さま

‖——나무 [명] (火)つけ木.

쏘이다 [피동] 刺される. ¶ 벌에 ～ はち(蜂)に刺される. ㊀쐬다.

쏙 [부] ① ひどく突き出るかへこんださま：にゅっと；ぐいっと；ぼこんと. ¶ 구멍에서 머리를 ～ 내밀다 穴からにゅっと首を出す. ② 深く突っこむか抜き出すさま：ぐいっと；きゅっと. ③ ずけずけと遠慮なく言い出すさま. <쑥.

쏙닥-거리다 [자타] ひそひそ話をする. 쏙닥-쏙닥 [부][하자타] ひそひそ.

쏙닥-이다 [자타] ひそひそと話す. <쑥덕이다.

쏙독-새 [명] 〖鳥〗 夜たか.

쏙살-거리다 [자타] ひそひそ話す. 쏙살-쏙살 [부][하자타] ひそひそ.

쏙쏙 [부] ① あちこち突き出るかへこんださま：にょきにょき；ぼこんぼこん. ② ひきつづき差し込むか抜くさま：ぐいっぐいっと；ぎゅっぎゅっと. ¶ 구멍마다 하나씩 ～ 집어 넣다 穴毎に一つずつぐいぐい差し込む. ③ あけすけに言う；ずけずけと言う. <쑥쑥.

쏜살-같다 [형] 矢のようだ. 쏜살-같이 [부] 矢のように；矢の如く. ¶ ～ 빠르다 矢のように早い.

쏟다 [타] ① こぼす；流す；空ける. ¶ 대야의 물을 ～ たらいの水を空ける. ② うちあける；ぶちまける. ¶ 불평을 쏟아 놓다 不平をぶちまける.

쏟아-지다 [자] ① 一度にたくさん落ちる. ② 降りしきる；降り注ぐ；あふれ出る. ¶ 쏟아지는 빗 속을 가다 降りしきる雨の中を行く / 눈물이 ～ 涙があふれ出る.

쏠다 [타] かじる.

쏠리다 [자] 傾く. ① (物が一方に)偏る. ② (心・視線などが)注がれる；集まる；引かれる. ¶ 마음이 ～ 気持ちが傾く / 동정이 ～ 同情が集まる.

쏠쏠-하다 [형] かなり良い；結構だ；相当だ. <쑬쑬하다. 쏠쏠-히 [부] かなり良く；相当に.

쏭당-쏭당 [부] ① 柔かいものを粗目に早く刻むさま：ざくざく. ② 粗く針縫いをするさま：とびとび. <쑹덩쑹덩.

쏴 [부] ① 風が激しく吹きつけるさま. また、その音：ひゅう；びゅう. ¶ 바람이 ～ 불어온다 風がひゅうと吹いて来る. ② 水などが急に流されるかまたは出る音. ③ 大雨が降る音：ざあっ. ¶ 소나기가 ～하고 오다 夕立がざあっと降る.

쏴쏴 [부] ① 風がしきりに強く吹きつける音：ひゅうひゅう；びゅうびゅう. ¶ 찬바람이 ～ 불어온다 冷たい風がびゅうびゅう吹きまくる. ② あら

(嵐)が吹く音: ざあざあ. ¶ 비가 ~ 다 雨がざあざあ降る.

기¹ 명 くさび. ¶ ~를 박다 くさびを す〔打ち込む〕.

——-돌 명〖建〗くさび(楔)石.

기² 명〖蟲〗いらむし(刺虫).

——-나방 명〖蟲〗いらが. ——-풀 명 植〗じんま(蕁麻); いらくさ(刺草).

다¹ 타 ① 当てる; さらす. ¶ 바람을 ~ 風に当てる / 햇볕을 ~ 日に当てる / 바람에 ~ 風にさらす. ② 評価させる; 見てもらう. ¶ 보석을 ~ 宝石を見てもらう.

다² 피동 ↗쏘이다. ¶ 벌에 ~ はち(蜂)に刺される.

쑤군-거리다 자타 ひそひそと話す; ささやく. >쏘곤거리다. ¶ 쑤군거리는 소리가 들리다 ひそひそと話す声が聞こえる. 쑤군-쑤군 부하자타 ひそひそ.

쑤다 타 炊く. ¶ 죽을 ~ おかゆを炊く.

쑤석-거리다 타 ① しきりに引っかき回す; つっつき回す. ¶ 숯불을 ~ 炭火を引っかき回す. ② つつく; そそのかす; おだてる. ¶ 친구를 쑤석거려 주식을 사게 하다 友達をつついて株を買わせる. >쏘삭거리다. 쑤석-쑤석 부하타 しきりにひっかきまわすかおだてるさま.

쑤시다¹ 자 痛む; ずきずきする; うずく. ¶ 어깨가 ~ 肩が痛む.

쑤시다² 타 ① ほじくる; せせる; さしこむ. ¶ 이〔귀〕를 ~ 歯〔耳〕をほじくる. ② (はち(蜂)の巣や穴などを)つつく; さわる; ふれる. ¶ 벌집을 ~ はち(蜂)の巣をつつく. ③ そそのかす.

쑥¹ 명〖植〗よもぎ; もぐさ.

쑥² 명 間抜け; ばか; お人よし; やぼ. ¶ 만나보니 영 ~이더군 会って見たところほんとに間抜けだったよ.

쑥³ 부 ① ひどく突き出るかへこんでいるさま: にゅっと; ぼこんと. ② 急に差し出すか現われるさま: ぬっと; にゅっと. ¶ 구멍에서 ~ 머리를 내밀다 穴からにゅっと首を出す. ③ 深くさしこむか長めにひき抜くさま: ぎゅっと; すらり; すぽっと; すっぽり; すっと; ぴょこんと. ¶ 병마개가 ~ 빠졌다 びんのせんがすぽっと抜けた. ④ 言行が軽率で向こう見ずなさま: ぱっぱっと. >쏙.

쑥-갓 명〖植〗しゅんぎく(春菊).

쑥-대 명 よもぎの茎.

‖——-밭 명 ① よもぎの生い茂った荒れ地. ② はいきょ(廃墟). ¶ ~이 되다 廃墟となる. 쑥댓-불 명 よもぎを乾かして束ね火をつけたもの.

쑥대-김 명 粗くす(漉)いた岩のり.

쑥덕-공론【—公論】명하자 かれこれとひそかに相談したり人のうわさをすること《井戸端会議のたぐい》; 密議.

쑥덕-거리다 자타 しきりにひそひそと話し合う. >쏙닥거리다. ㅗ숙덕거리다. 쑥덕-쑥덕 부하자타 ひそひそ.

쑥덕-이다 자 ひそひそと話し合う. >쏙닥이다. ㅗ숙덕이다.

쑥-돌 명〖鑛〗花崗岩.

쑥-떡 명 よもぎを混ぜ入れたもち; 草もち.

쑥-밥 명 よもぎを入れて炊いた飯.

쑥-버무리 명 米の粉とよもぎを混ぜてこしきに蒸したもち.

쑥-새 명〖鳥〗かしらだか(頭高).

쑥설-거리다 자 ざわざわと語り合う; ざわつく. >쏙살거리다. 쑥설-쑥설 부하자 ざわざわ.

쑥수그레-하다 형 (大きさや形などが)ほぼ同じだ; 似たりよったりである. >쏙소그레하다.

쑥-스럽다 형 てれ臭い; きまりが悪い; 気まずい. ¶ 쑥스러운 부탁입니다만… おこがましいお願いでありますが.

쑥-쑥 부 ① あちこちがみな突き出たり, へこんだりしているさま: ぼこんぼこん; にょきにょき. ② 続けざまに差し込んだり引き抜くさま: ぐいっぐいっ; すっぽりすっぽり; ずらりずらり. ③ 続けざまに刺すように痛むさま: ずきずき; ずきんずきん. >쏙쏙.

쑥-전【—煎】명 よもぎに小麦粉をまぶし油で焼きあげた食べ物.

쑬쑬-하다 형 まあまあの程度だ; 結構だ; かなり良い; 使いようがある. >쏠쏠하다.

쑹덩-쑹덩 부 ① 柔らかいものをやや大まかにぶっ切るさま: ざくりざくり. ② 目粗く縫うさま: とびとび.

쓰다¹ 타 書く. ① 書き記す. ¶ 고쳐 ~ 書き改める / 노트에 ~ ノートに取る / 일기를 ~ 日記をつける / 써 보내다 書き送る. ② (文章を)作る. ¶ 세로 ~ 書き下ろす / 문장을 고쳐 ~ 文を作り直す.

쓰다² 타 ① かぶ(被)る. ㉠(頭などに)着ける; 掛ける. ¶ 모자를 비스듬히 ~ 帽子を斜めに被る / 안경을 ~ 眼鏡を掛ける. ㉡(布団などを)引っかぶ(被)る; (ちり・ごみなどを)浴びる. ② (傘を)差す.

쓰다³ 타 使う. ① 使用する; 用いる. ㉠ 費やす. ¶ …을 써서 …を使って / …을 맘대로 ~ …を勝手に使う / 돈을 다 ~ 金を使い果たす. ㉡(人を)雇う. ¶ 시험삼아 써 보다 ためしに使って見る. ㉢(頭を)働かす; (意を)注ぐ; 傾ける; (はかりごとなどを)めぐらす. ¶ 계략을 ~ 計略を用いる. ② (力を)尽くす. ¶ 힘을 ~ 力を出す; (…のために)力を尽くす. ③ (…を)使って作る; …でする. ¶ 밀가루를 재료로 ~ 小麦粉を材料にする. ④ 投薬する; 服用する. ¶ 약을 쓰지 않다 薬を使わない.

쓰다⁴ 타 埋葬する. ¶ 양지 바른 곳에 묏자리를 ~ 日当たりのよい所に埋葬する.

쓰다⁶ 형 苦い. ① 苦味がある. ¶ 아주 쓴 약 ひどく苦い薬 / ~달다 말 한 마디도 없다 うんともすんとも言葉がない. ② (食欲が)ない; まずい. ¶ 입맛이 ~ 口が苦い. ③ 不気嫌だ; 苦苦しい. ¶ 쓴웃음을 짓다 苦笑いをする.

쓰다듬다 타 ① な(撫)でる; さす(摩)

る; なでさする. ¶머리를 ~ 頭をなでる. ②なだめる; すかす. ¶우는 애를 ~ 泣く子をなだめる.
쓰디-쓰다 형 苦苦しい. ①(味が)ひどく苦い. ②辛い; 心苦しい. ¶쓰디쓴 경험 苦苦しい経験.
쓰라리다 형 ①(傷が)ひりひりする; うず(疼)く. ¶상처가 ~ 傷口が疼く. ②辛い; 苦い; 心苦しい. ¶쓰라린 인생 つらい人生.
쓰러-뜨리다 타 倒す. ①(立っているものを)倒す. ¶서 있는 나무를 ~ 立ち木を倒す. ②負かす; 打ち倒す. ¶내각을 ~ 内閣を倒す.
쓰러-지다 자 倒れる. ¶격무로 ~ 激務に倒れる.
쓰렁쓰렁-하다 형 仲がうとい.
쓰레-그물 명 底引き網; トロール網.
쓰레기 명 ごみ; ちり; くず; じんあい(塵埃); あくた. ¶~를 쳐가다 ごみをさらって行く.
‖——차(車) 명 清掃車. ——통(桶) 명 ごみ箱; ちり箱; 掃き溜め.
쓰레-받기 명 ごみ取り; ちり取り.
쓰레-질 명하자 掃き仕事. 「(蜩).
쓰르라미 명 〔蟲〕 ひぐらし; かなかな
쓰리다 형 ①ひりひり痛む; 焼ける. ¶가슴이 ~ 胸が焼ける. ②とてもひもじい; (腹が)ぺこぺこだ.
쓰이다[1] 一자 書かれる. 二사동 書かす; 書かせる. ¶동생에게 쓰인 글씨 弟に書かせた字.
쓰이다[2] 피동 使われる; 用いられる. ¶많이〔널리〕 ~ 多く〔広く〕使われる / 쓰이게 되다 使われるようになる.
쓰적-거리다 一자 触れる; 擦れ合う. 二타 大ざっぱに掃く; とびとびに掃く. 쓰적-쓰적 부하자타 大ざっぱ〔いい加減〕に掃くさま.
쓱 부 ①こっそり消えてなくなるさま: さっと; そっと. ¶~ 없어지다 すっとなくなる. ②飛び出すさま: さっと; ぱっと. ¶~ 뛰어 나가다 ぱっと飛び出る. ③早く過ぎ去るさま: さっと; すっと. ④軽くこする〔もむ〕さま: さっと.
쓱싹-하다 타 ①(誤りを)消し隠す; もみ消す; 見逃す. ②(人のものを)猫ばばをきめこむ. ③(勘定などを)棒引きにする; 相殺する.
쓱-쓱 부 ごしごし. ¶~ 문지르다 ごしごしこする.
쓴-웃음 명 苦笑い; 苦笑.
쓸개 명 〔生〕 ☞ 담낭(膽囊). ¶~ 빠진 놈《俚》ふ抜け奴; 腰抜け野郎.
쓸다[1] 타 ①掃く. ¶뜰을 ~ 庭を掃く. ②ひとりじめする; 席巻する. ¶여러가지 상을 싹 쓸어갔다 多くの賞を独り占めにした.
쓸다[2] 타 擦る. ¶줄로 톱을 ~ やすりでのこぎりを擦る.
쓸-데 명 使い所. ——없다 형 要らない; 無用だ; 役に立たない. ¶쓸데없는 걱정 いらぬ心配 / 쓸데없는 참견 よけいな〔いらぬ〕お世話.
——없이 부 いたずらに; 無用に. ~ 시간을 허비하다 いたずらに時間を費やす / ~ 떠들어대다 いたずら騒ぎ立てる.
쓸리다[1] 자 擦りむける. ¶넘어져서 무릎이 ~ 転んで膝が擦りむける.
쓸리다[2] 피동 掃かれる. ¶마당이 깨끗이 ~ 庭がきれいに掃かれる.
쓸-모 명 役; 用; 使い道; 取り柄; 値打ち. ¶아무 ~도 없다 何の役にも立たない / 제법 ~가 있다 まんざら捨てたものでもない.
쓸쓸-하다 형 ①うすら寒い; ひえびえする; 肌寒い. ¶쓸쓸한 날씨가 계속되다 うすら寒い天気が続く. >쌀쌀하다. ②(うら)寂しい; わびしい. ¶쓸쓸한 웃음 寂しい笑い / 쓸쓸하게 살다 寂しく暮らす. 쓸쓸-히 부 さびしく; つくねんと; ぽつねんと; しょんぼり.
쓸어-들이다 타 掃き寄せる; 掃きためる.
쓸어-버리다 타 掃き捨てる.
씀바귀 명 〔植〕 にがな(苦菜).
씀벅-거리다 자타 ①(目を)ぱちぱちさせる; しきりにまばたく. ②(目が)ちかちかする; しょぼしょぼする. ㅗ슴벅거리다. 씀벅-씀벅 부하자타 ぱちぱち; ちかちか.
씀씀-이 명 費用; 支出; 掛かり. ¶~가 많이 들다 費用〔掛かり〕がかさむ / 돈 ~가 헤프다 金遣いが荒い.
씁쓰레-하다 형 ほろ苦い; 苦っぽい. >쌉싸래하다. ¶맥주의 씁쓰레한 맛 ビールのほろ苦い味.
씁쓸-하다 형 ほろ苦い; 苦っぽい. >쌉쌀하다.
씌다[1] 자 ↗쓰이다[1].
씌다[2] 자 もののけにつかれる.
씌다[3] 타 ↗씌우다.
씌우개 명 覆い; かぶせ物.
씌우다 타 かぶせる. ①(頭・物の上に)掛ける. ¶모자를 ~ 帽子をかぶせる / 테이블보를 ~ テーブルに布を掛ける. ②(とが(咎)などを人に)着せる; なする. ¶누명을 ~ ぬれぎぬを着せる / 남에게 죄를 ~ 人に罪をなする.
씨 명 種. ①種子; 実. ¶~를 뿌리다 種をまく. ②(核果などの)核; さね(実); 仁. ③たね(胤); 父の血筋. ④物事の根本; もと. ¶불화의 ~ 不和の種.
씨【氏】[1] 一명 ①氏・氏. ②↗씨족(氏族). 二대 氏. ¶~는 선량한 사람이다 氏は善良な人である.
씨【氏】 의명 氏; 殿; さん. ¶김 ~ 金さん / 오카야마 ~ 岡山さん.
씨그등-하다 형 耳ざわりだ.
씨근-거리다 자 あえぐ; 息をはずませる; 息を切らす. ㅗ시근거리다. 씨근-씨근 부하자 はあはあ.
씨근-벌떡 부하자 息をはずませるさま: あえぎあえぎ; 息を切らして. ㅗ시근벌떡. ——거리다 자 しきりにあえぐ; 息をはずませる; 息を切らす.
씨-눈 명 ☞ 배(胚).
씨-닭 명 ☞ 종계(種鷄).

-도둑 명 血筋の者に似ずよそ(余亍)の者に似ていると言う意. ¶ -은 못한다 血筋は争えないものだ.

-도리 명 ↗씨도리 배추.

—— 배추 명 種をとるため根元を残して切った白菜.

-돼지 명 種豚.

름 명 ①相撲. ——-하다 자 相撲を取る. ¶~꾼 すもう取り; 力士. ②真剣に事を構えること; 取り組み. ——-하다 자 取り組む. ¶책과〔난문제와〕~하다 本〔難問題〕に取り組む.

‖——-판 명 相撲場; 土俵場.

명【氏名】 명 氏名. =성명(姓名).

무룩-하다 형 ☞ 시무룩하다. >쌔무룩하다.

-받이 명 ①種付け. =채종(採種). ¶~ 말 種付け馬. ②妻に欠陥があって子を生めないとき, 他の女性に受精させて子を生ませること.

씨부렁-거리다 자 しゃべりたてる; しきりにむだ口をたたく. >쌔부랑거리다. ㅗ시부렁거리다. 씨부렁-씨부렁 부하자 しきりにしゃべり立てるさま: ぺちゃぺちゃ; ぺらぺら

씨-뿌리다 자 種をまく. ①はしゅ(播種)する. ¶밭에 씨뿌리러 가다 畑に種まきに行く. ②(物事の)もとを作る.

씨-실 명 ぬき糸; 横糸; ぬき.

씨아 명 綿繰り車.

‖——-손 명 綿繰り機のとって(把手). ——-질 명하자 綿繰り機で綿の実を抜くこと.

씨-알 명 ①種卵. ②穀物の種としての粒. ③鉱物の細かい粒.

‖——-머리 명《俗》素性; 毛並み《血筋を見下げて言う語》. ¶~없는 계집 毛並みの悪い女.

씨-암탉 명 種取りめんどり.

씨앗 명 穀物や野菜の種. =종자(種子).

씨족【氏族】 명 氏族.

‖—— 사회 명 氏族社会. —— 제도 명 氏族制度.

씨-줄 명 ①ぬき糸. ②〔地〕☞ 위선(緯線).

씩 부 にやり; にたり; にこっ. ¶~ 혼자서 웃다 にたりと一人で笑う.

-씩 미 …ずつ; …当て. ¶세 개~ 나누어 주다 三個ずつ分け与える / 두 홉~ 배급을 주다 二合当てに配給する.

씩둑-거리다 자 つまらないことをぺちゃくちゃとしゃべる; でたらめをしゃべる. 씩둑-씩둑 부하자 ぺちゃくちゃ; ぺらぺら

씩씩 부하자 息をせかしたり, または弾ませたりするさま: あえぎあえぎ; はあはあ; ぜいぜい. >쌕쌕. ㅗ식식. ——-거리다 자 はあはあする; 息巻く. ¶씩씩거리며 덤벼들다 息巻いてとびかかる.

씩씩-하다 형 りりしい; 雄雄しい; 男らしい. ¶씩씩한 모습이었다 雄雄しい姿であった.

씰그러-뜨리다 타 ゆが(歪)める; 傾ける. >쌜그러뜨리다.

씰그러-지다 자 ゆがむ; 傾く. >쌜그러지다. ㅗ실그러지다.

씰긋-거리다 자타 しきりにゆがもうと〔傾こうと〕する. >쌜긋거리다. ㅗ실긋거리다. 씰긋-씰긋 부하자타 ぐらぐら; ぎしぎし.

씰긋-하다 형 ややゆがんでいる; やや傾いている. ㅗ실긋하다.

씰기죽-거리다 자 ぐらぐらと動く; ぎしぎし動く. >쌜기죽거리다. 씰기죽-씰기죽 부하자 ぐらぐら; ぎしぎし.

씰룩 부하자타 ぴくり; ぴくっと; ひくっと. ㅗ실룩. ¶얼굴의 근육이 ~하다 顔の筋肉がぴくっとする. ——-거리다 자타 ぴくりぴくりする. ———— 부하자타 ぴくりぴくり; ひくっひくっ.

씰룩-쌜룩 부하자타 ぴくっぴくっ(と).

씹 명 ①女性の陰部; ちつ(膣). ②《俗》性交. ——-하다 자 セックスする.

씹다 타 ①かむ; そしゃくする. ¶잘 씹어서 먹다 よくかんで食べる. ②そしる; 人をあしざまに言う.

씹히다 一 피동 ①かまれる. ②人からそしりを受ける; 悪口を言われる. 二 사동 かませる.

씻기다 一 피동 洗われる. ¶세찬 파도에 씻긴 바위 激浪に洗われた岩. 二 사동 洗わせる; そそがせる. ¶발을 ~ 足をそそがせる.

씻다 타 ①(水などで)洗う; 流す. ¶그릇을 ~ 食器を洗う / 때를 ~ あかを流す. ②ぬぐう; ふく. ¶몸을 ~ 体を洗う; 身をぬぐう / 이마의 땀을 ~ 額の汗をぬぐう. ③すすぐ; そそぐ; 清める. ¶치욕을 ~ 恥をそそぐ / 오명을 ~ 汚名をそそぐ.

씻어 내다 타 洗い立てる.

씻어 버리다 타 ①洗ってしまう. ②すすぐ; そそぐ; 汚名を清める.

씻은 듯이 부 きれいさっぱりと; 洗ったように. ¶병이 ~ 낫다 病気がけろりと直る / 아픈 것이 ~ 없어졌다 痛みが水に流したように〔きれいに〕なくなった.

씽 부 木の枝や電線に鳴る風の音: ひゅう; びゅう.

씽그레 부 にんまり; にこりと; にこっと. >쌩그레.

씽글-거리다 자 にこやかに笑う; にこにこする. >쌩글거리다. 씽글-씽글 부하자 にこにこ.

씽긋 부하자 にこり; にっこと. >쌩긋. ㅗ싱긋. ㅛ씽끗. ——-거리다 자 しきりににこにこする. ———— 부하자 にこりにこり. ——-이 부 にこりと.

씽-씽 부 ①強く鳴る風の音: ひゅうひゅう; びゅうびゅう. ②にいにいぜみ(蟬)の鳴き音: しいしい; にいにい.

‖——-매미 명〔蟲〕にいにいぜみ(蟬).

씽씽-하다 형 生き生きしている; ぴちぴちしている; 元気旺盛である. ㅗ싱싱하다.

ㅇ

ㅇ ハングル字母の第八番目の字.

아¹ 감 ①驚き·うろたえ·あせりなどを表わすかまたはせっぱつまったときに出す声: ああ; あ(っ). ¶~ 깜짝이야 ああ, びっくりした/~ 어찌해야 되나 ああ, どうしよう. ②相手の注意を呼び起こす語に先立って出す声: あ(あ). ¶~ 잠깐! あ, ちょっと! ③喜び·悲しみなどのときに出す語: ああ; おお. ¶~ 어머니 ああ, お母さん/~ 기쁘다! ああ, うれしい!

아² 조 終声のある名詞に付いて目下や物をさす語. ¶이놈~ こ(の)やつめ/막동~ 末っ子や/달~ 달~ 月よ月よ.

아-【亞】 두 亜. ①"つぎの, 次位の"の意. ¶~열대 지방 亜熱帯地方. ②〖化〗無機酸で比較的酸素原子が少ないとの意. ¶~황산 亜硫酸.

아가 명 《兒》赤子; 赤ちゃん; 乳飲み子; 坊や. =아기.

아가리 명 ①《俗》口; くちばし. ②瓶やつぼなどの口. ――벌리다 자《俗》①泣く. ②しゃべる.

‖――질 명하자 《俗》①言い争い; 口げんか. ②悪たれ口; 悪口; ののし(罵)り.

아가미 명 えら(鰓); あぎと(腭).

아가씨 명 ①処女に対するていねい語: お嬢さん; 娘御; 乙女. ②妻が夫の妹を呼ぶ語: あなた.

아가페 〔ユ agape〕 명 〖宗〗 アガペー; 神の愛.

아교【阿膠】 명 にかわ(膠). =갖풀.

‖――질(質) 명 にかわ質. ――풀 명 ☞ 갖풀.

아구-창【鵞口瘡·牙口瘡】 명 〖韓醫〗がこうそう(鵞口瘡); したしとぎ(舌粢).

아군【我軍】 명 我が軍. ①我が軍隊. ②味方.

아궁이 명 たき口; かまど. 준 아궁.

아귀¹ 명 〖魚〗あんこう(鮟鱇).

아귀² 명 ①また(叉); 物の分かれめ. ¶입~ 口角. ②衣服のわきあけ. ③新芽の吹き出たところ. ④矢ずり. ――맞추다 타 計算を合わせる; 予定の数にあわせる. ――무르다 형 気が弱い; 腰弱である. ―― 세다 형 ①剛気である; 意志が堅い. ②握力が強い. ――트다 一자 芽ぐむ. 二타 (衣服の)わきあけを付ける.

아귀【餓鬼】 명 ①〖佛〗餓鬼; 悪業をなして餓鬼道に落ちた亡者. ②食いしん坊. ③けんか(喧嘩)好きの人.

아귀-다툼 명하자 《俗》 口げんか; 言い合い. =말다툼.

아귀-아귀 부 欲張って食べ物をむさぼり食うさま: ぱくぱく; がつがつ; むしゃむしゃ.

아근-바근 부하형 ①継ぎ目などがぴったりせずがたぴしするさま: がくがく; がたぴし. ②(お互いに気が合わず)よそよそしいさま.

아긋-하다 형 ①(継ぎ目などが)ぴったりせずやや透きがある. ¶장농의 한편 쪽이 ~ たんすの片方にやや透きがある. ②(目的に) やっととどく; ぎりぎりである. ¶한자 ~ やっと一尺だ. 아긋-아긋 부하형 ①やっと; ぎりぎり. ②ぴったりしないさま. <어긋어긋.

아기 명 ①坊や; 幼子の愛称. ②嫁や娘の愛称. ③人を幼く見なして呼ぶ語. ―― 서다 자 身ごもる; はらむ; 妊娠する.

‖――씨 명 ①妙齢の乙女や新婚早早の花嫁を目下が呼ぶ語: お嬢さま; 若奥様. ②人の娘の敬称. ③年下の小姑の敬称. ――집 명 子宮.

아기-자기 부하형 ①色色なものが交じって見事なさま. ¶~하게 꾸민 정원 数寄を凝らした庭. ②愛情が細やかなさま. ¶~한 신혼 생활 甘ったるい〔いともむつ(睦)まじい〕新婚生活.

아기작-거리다 자 よちよち歩く; よたよた歩く. 아기작-아기작 부하자 ちょこちょこ; よちよち.

아까 명부 さっき; さきほど; 少し前. ¶~ 만났다 さきほど会った/~는 실례했습니다 さきほどは失礼しました.

아까워-하다 타 惜しむ.

아깝다 형 惜しい. ①もったいない; 手放したくない. ¶버리기는 ~ 捨てるのは勿体ない/아까운 솜씨를 썩이고 있다 勿体ない腕前をくさらせている. ②遺憾だ. ¶아까운 사람 惜しい人. ③大事だ; 大切だ. ¶목숨이 ~ 命が惜しい.

아끼다 타 惜しむ; 大事にする. ①やたらに扱わない. ¶시간을 ~ 時を惜しむ. ②いたわる. ¶그를 아끼는 나머지 彼を惜しむあまり.

아낌-없다 형 惜しくない. 아낌-없이 부 惜しまず; 惜しみなく; 惜しげもなく. ¶~ 돈을 썼다 惜しげもなく金を使った.

아나 감 子供に呼びかける語: おいそら; ほら. ¶~ 이거 받아라 ほら, これ受けとれや. 준 아나.

아나운서 〔announcer〕 명 アナウンサー.

아낙 명 ①婦女子部屋の敬称. =내간(內間). ②[↗아낙네] 婦女子.

‖―― 군수(郡守) 명 部屋に閉じ込

もってばかりいる人を指す語. ——
-네 명 婦女子；婦女の通称.

-날로그 〔analog(ue)〕 명 アナログ. ¶
～ 시계 アナログ(式)時計.
‖—— 계산기 명 アナログ計算機
〔コンピューター〕.

-내 명 妻；家内；女房；細君. ¶젊은 ～ 若い妻 / ～를 맞다〔얻다〕 妻をめとる.

-나 감 [↗아니야] いや. ¶～ 그런 뜻이 아니야 いや, そう言う意味ではない.　「ネ.

아네모네 〔라 anemone〕 명 〖植〗 アネモ

아-녀자 【兒女子】 명 ① 女と子供. ② 女を下げすんで言う語.

아늑-하다 형 静かで奥まっている；こぢんまりしている. ¶아늑한 방 こぢんまりした部屋. 아늑-히 부 こぢんまりと；居心地よく.

아니[1] 부 用言の上に付いて否定または反対の意を表わす語. ㊀ 안. ¶～ 간다 行かない / ～ 보다 見ない / ～ 땐 굴뚝에 연기 날까, ～ 때린 장구 북소리 날까《俚》火のないところに煙は立たぬ；物がなければ影ささず. ＊아니하다.

아니[2] 감 ① 否定の返事に用いる語：いや；いいえ. ¶아프지 않은가？ ～ 아프지 않습니다 痛くないかい？ いいえ, 痛くありません. ② 強調や疑念の意を表わす語：いや；いな. ¶한국, ～ 세계적 명작이다 韓国, いや世界的名作である.

아니꼽다 형 ① 目ざわりだ；きざ(気障)だ；こしゃく(小癪)だ. ¶아니꼬운 녀석 きざな〔むかむかする〕奴 / 놈의 거동이 ～ 奴の振る舞いがしゃくにさわる. ② むかむかする；吐きそうになる.

아니꼽살-스럽다 형 ひどくしゃく(癪)にさわる〔目ざわりになる〕.

아니나-다르랴 감 ☞아니나다를까.

아니나-다를까 감 あん(案)のじょう(定)；予想通り. ¶～ 성적이 엉망이다 案の定成績がめちゃくちゃだ.

아니다 ㊀형 物事の否定に用いる語：…でない. ¶저기가 아니고 여기다 あそこでなくここである / 희망이 전혀 없는 것도 ～ 望みが全くないわけでもない. ㊁감 そうでないと否定する語：いや(否). ¶～, 그것이 맞는다 いや, それが合うよ.

아니-참 감 ひょっと思いついたときに言う感嘆詞：あっ, そうだ；おっと. ¶～ 잊은 것이 있다 おっと忘れ物がある.

아니-하다 보형 보동 動詞または形容詞の下に付いて否定をあらわす語：…ない. ㊀ 않다. ¶밉지 ～ 憎らしくない / 지지 ～ 負けない.

아니할-말로 부 はばかる事ながら. ¶～ 그는 좋지 못한 사람이야 はばかる事ながら彼は良くない人である.

아닌게-아니라 부 本当に；正しく；はたして；さすが(に). ¶～ 그는 난 사람이야 正しく〔さすがに〕彼は偉い人である.

아닌 밤중에 【—中—】 부 真夜中の思わぬ時に；だしぬけに；不意に；突然；やぶから棒に. ¶～ 웬일이냐 この夜中に何事かね / ～ 홍두깨《俚》やぶから棒.

아닐린 〔aniline〕 명 〖化〗 アニリン.
‖—— 수지 명 〖化〗 アニリン樹脂.
—— 염료 명 アニリン染料.

아다지오 〔이 adagio〕 명 〖樂〗 アダジオ.

아담 【雅淡·雅澹】 명 하형 히부 스형 優雅で淡白なこと；上品でこぢんまりしていること. ¶이 방은 아주 ～하다 この間は大変こぢんまりしている.

-아도 어미 "ㅏ"·"ㅗ"の母音からなる語幹に付いて, 事実は認めるが次の語とは関係のないことを表わす語：…て〔と〕も；…(だ)が. ¶물건은 많～ 쓸 것이 없다 物は多いが使えるものがない / 네가 옳～ 참아야 한다 お前が正しくても忍ばねばならない.

아동 【兒童】 명 児童. ① 子供；わらべ. ② 小学校の学童.
‖—— 교육 명 児童教育. ——-극 명 児童劇. —— 도서관 명 児童図書館. —— 문학 명 児童文学. —— 보호 명 児童保護. ——-복 명 児童服. —— 심리학 명 児童心理学.

아둔-패기 명《俗》とんま(頓馬)；のろま(鈍間)；あんぽんたん. ㊀ 둔패기.

아둔-하다 형 鈍い；さえない；愚だ.　「敬称.

아드-님 명 御子息；人の息子の

아드득 부 ① 歯ぎしりするときの音：ぎりりっ. ② 固いものをか(噛)むときの音：がりっ；ばりっ. ——-거리다 자타 ぎりぎり(と)歯ぎしりする；ばりばりとかむ；がりがりする. ——— 부하자타 がりがり.

아드등-거리다 자 いがみあう；がみがみ言い争う. <으드등거리다. 아드등-아드등 부하자 がみがみ.

아드레날린 〔adrenaline〕 명 〖化〗 アドレナリン.

아득아득-하다 형 くらっとめまいがする；(気が)ふらふらする. ¶정신이 ～ 頭がくらくらする.

아득-하다 형 はる(遥)かだ. ① はてしなく遠い. ¶아득한 옛날 이야기 はるか昔の話 / 아득한 나그넷길 はてしない旅路. ② おぼろげだ；漠然である. ¶아득한 지평선 はるかな地平線. 아득-히 부 はる(遥)かに. ¶～ 멀다 はるかに遠い.

아들 명 息子；せがれ(倅)〈俗〉. ——-답다 형 (親に孝行するなど)さすがに息子らしい.
‖——-놈 명 せがれのやつ；自分の息子を指す語. ——-아이 명 うちの小せがれ. ——-애 명 ↗아들아이. ——-자 명 副尺. ——-자식(子息) 명 自分の息子を低めて言う語.

아등그러-지다 자 ① 干からびてゆがむ；乾いて反る. ② 天気がだんだん曇ってくる.

아따 감 気に入らないとき発する声：ほほう；まあ；なんと. ¶～ 웃기는 왜 웃어 ほほう, どうして笑うのかね / ～ 그만 울어라 まあ, いい加減に泣きなさい.

ㅇ

아뜩-하다 형 くらっとめまいがする；ふらふらする．＜어뜩하다．¶ 햇볕에 나서자마자 아뜩했다 日差しに出るや，くらっとめまいがした．아뜩아뜩-하다 형 くらくらする；ふらふらする．

-아라 어미 ①"ㅏ"·"ㅗ"の母音からなる動詞の語幹に付いて命令の意を表わす語尾：…せ；…せよ；…(し)ろ．¶ 놓～ 放せ／보～ 見ろ／받～ 受けろ．②"ㅏ"·"ㅗ"の母音からなる形容詞語幹に付いて感嘆の意を表わす語尾：…(わ)ね；…な；(ああ)…しい；(何と)…でしょう．¶ 아이 좋～ ああ，うれしいわ．

아라비아 〔Arabia〕 명〘地〙アラビア．‖── 고무 명 アラビアゴム．──-말 명 アラビア馬．── 숫자 명 アラビア数字．──-어(語) 명 アラビア語．──-인 명 アラビア人．

아라비안 나이트 〔Arabian Night〕 명 アラビアンナイト．

아라사【俄羅斯】명〘地〙"러시아"の音訳

아라한【阿羅漢】명〘佛〙阿羅漢．¶ ～과 阿羅漢果．

아람 명 くり(栗)やどんぐりが熟れていが(毬)がはじけそうな状態．また，その実．── 벌다 자 充分に熟れた実のいがが割れる．

아랍 〔Arab〕 명 アラブ．①アラビア人．②アラビア語．

아랑곳 명하자 人のことに立ち入ったりまたは気にしたりすること；おせっかい(節介)；知る所．¶ ～하지 않고 事〔物〕ともせず／내 ～할 바 아니다 僕の知る所じゃない．──-없다 형 干渉の必要がない；あずかり〔かかわり〕知る所ではない．¶ 정치 따위는 ～ 政治などあずかり知る所ではない．──-없이 부 かかわり知ることではないとして．

ㅇ

아래 명 ①下．㉠下の方；下部．¶ 눈을 ～로 (내리)깔다 目を下に伏せる．㉡(物の)反対の方；低い方．㉢(地位·位置·身分などの)下位；下；量の少ない方．¶ ～에서 세번째 下から三番目／평균보다 ～ 平均より下／그는 나보다 두 살 ～다 彼はわたしより二つ年下である．㉣(支配·影響の)下．②次．¶ ～와 같이 말하였다 次のように言った．

‖──-벌 명 ↗손아래벌．──-옷 명 下半身にはく着物．──-위 명 上下．──-위-턱 명 ①目上と目下の区別．②正否と緩急のわきまえ．──-윗-막이 명 ①物の上下のふた(蓋)．②上衣と下にはく着物．──-윗-벌 명 衣服の上下．──-짝 명 上下一組のものの下の部分．──-쪽 명 下の方向．──-채 명 〔↗뜰아래채〕離れ屋．──-청(廳) 명 下部屋；下屋．──-층(層) 명 下層．──-턱 명〘生〙下あご．──-통 명 下部のまわり．──-편짝 명 下の方になっている部分．아랫-것 명 僕．아랫-길 명 ①劣る品質．また，そのもの．②下の方の道．아랫-녘 명 全羅·慶尚地方を指す語．아랫-눈썹 명 下まつげ．아랫-니 명 下歯．아랫-다리 명 すね〔はぎ〕(脛)．아랫-단 명 すそ(裾)．아랫-도리 명 ①下半身．②身分の低い階級．③〔↗아랫도리옷〕(ズボン·チマなど)腰の下にはく服．아랫-동네 명 下の方の村．아랫-마을 명 下の方にある村．아랫-막이 명 ①物の下の先をふさいだ部分．②腰から下にはく衣服．아랫-목 명 オンドル部屋のたき口に近い部分．아랫-물 명 下流の水．아랫-바지 명 ズボン．아랫-방(房) 명 ①↗뜰아랫방．②たき口に近い部屋．아랫-배 명 丹田；下腹．아랫-사람 명 ①〔↗손아랫 사람〕目下．②地位の低い人；下の者．아랫-입술 명 下唇．아랫-자리 명 ①下座．②〘數〙下の位．아랫-집 명 下の方にある隣の家．

아량【雅量】명 雅量．¶ ～을 보이다 雅量を示す／～이 없다 雅量に乏しい．

아련-하다 형 おぼろ(朧)だ．①はっきりしない；記憶がうすい．¶ 아련한 기억을 더듬다 おぼろげな記憶をたどる．②ぼんやりとしている；かすかだ；ほのかだ．아련-히 부 おぼろげに；ほのかに；かすかに；ほんのりと．

아렴풋-하다 형 ☞ 어렴풋하다．

아령【啞鈴】명 亜鈴；ダンベル．

아로-새기다 타 巧みに刻み込む；ちりばめる．¶ 마음에 ～ 心に刻み込む；肝に銘ずる／관에 보석을 ～ 冠に宝石をちりばめる．

아롱 명 ↗아롱이．──-거리다 자 ちらつく；ちらちらする；目に浮かぶ．──-다롱 부하형 点や線が整然とせずいりみだれているさま：ちらちら；まだら．──-──- 부하형 まだらに；ぶちに．──-지다 형 まだらになっている；ぶち(斑)をなす．

‖── 무늬 명 まだら模様．──-사태 명 牛のまた(股)肉．──-이 명 はんてん(斑点)；ぶち(斑)；まだら物．

아뢰다 타 ①(目上に)申し上げる；具する；(王に)奏する．②(楽を)奏する；かなでる．

아류【亞流】명 亜流．①第二流の人．②追従者；まねる人；エピゴーネン．

아르 〔프 are〕 의명 アール《面積の単位》．

아르곤 〔argon〕 명〘化〙アルゴン《記号：A, Ar》．

‖── 가스 명 アルゴンガス．

아르바이트 〔도 Arbeit〕 명 アルバイト．

아르에이치식 혈액형【Rh式血液型】명 アールエッチ式血液型．

아르 엔 에이【RNA←ribonucleic acid】명〘生〙アールエヌエー；リボ核酸．

아르 오 티 시【ROTC←Reserve Officers' Training Corps】명 予備将校訓練団．

아르키메데스의 원리【─原理】〔Archimedes〕 명 アルキメデスの原理．

아르페지오 〔이 arpeggio〕 명〘樂〙アルペッジオ．

아른-거리다 자 ☞ 어른거리다．

름 ㊀명 抱え. ¶ ～으로 묶다 一抱
にしてくくる. ㊁의명 一抱えの幅の
位. ¶ 세 ～ 三抱え. ——-차다
手に余る; 手に負えない. 「もの.
——-드리 명 一抱えを越す木や物
름-거리다 자타 ① 言行をぼやか
す. ¶ 아첨배일수록 ～ こびへつらう奴
ほど言行をにごす. ② うやむやにす
る; いいかげんにする. ¶ 일을 ～ 事
をうやむやにする. 아름-아름 부
하자타 うやむや.
름답다 형 美しい; きれいだ. ¶ 아
름다운 우정 美しい友情 / 아름다운
꽃 美しい花.
리다 형 ひりひりする. ① ぴりっと辛
い. ¶ 김치가 너무 매워서 혀가 ～ キ
ムチが辛すぎて舌がひりひりする.
② (傷が)ちくちくといたむ. ¶ 상처
가 ～ 傷口がひりひりする.
아리땁다 형 きれいだ; 美しい; 麗
しい. ¶ 아리따운 처녀 麗しき乙女
/ 아리따운 마음씨의 소유자 やさし
き心の持ち主.
아리랑, 아리랑 타령【—打令】 명〘樂〙
アリランの歌《韓国の代表的
民謡の一つ》.
아리송-하다 형 ふめいりょう(不明瞭)
だ; 何が何やらわからない; 見分
けが付かない. 준 알쏭하다. ¶ 염두에
두지 않아서 그 일에 대해서는 ～ 気
に留めていなかったのでそれはどう
もわからない.
아리아 〔이 aria〕 명〘樂〙 アリア.
아리아리-하다 형 ① (すべてが) ぼんや
りしている; ぼうっとしている. ¶ 안
개가 낀 것처럼 ～ 霧につつまれたよ
うにぼうっとしている. ② ひりひりす
る; ぴりぴりする. ¶ 입 안이 ～ 舌が
ひりひりする.
아리잠직-하다 형 小柄だ; 背丈が
低く子供っぽい; かわいらしい. ¶
아리잠직한 여자 小柄な女 / 그의 거
동은 ～ 彼の行動は子供っぽい.
아릿-하다 형 ぴりっとする; えがらっ
ぽい. ¶ 맛이 ～ 味がぴりっとする /
혀끝이 ～ 舌先がぴりっとする.
아마【亞麻】 명〘植〙 あま(亜麻).
‖——-유 명 亜麻油. ——-인(仁) 명
〘藥〙 亜麻の種. ——인-유 명 亜麻仁
油. =아마유(亞麻油).
아마¹ 명 ↗아마추어.
아마² 부 恐らく; 多分; おおかた
(大方). ¶ ～ 올 테죠 多分くるでしょ
う / ～ 지금쯤 끝났겠지 おそらくいま
ごろ終ったでしょう. ——-도 부 "아
마"の強勢語: たぶん; 恐らく
(は).
아마추어 〔amateur〕 명 アマチュア; ア
マ《준말》. ¶ ～극 アマチュア劇; 素
人劇.
아말감 〔amalgam〕 명〘化〙 アマルガム.
아망 명스형 子供の強がり; 負け
ん気; 片意地. ——-부리다 자 片
意地を張る; 強がりをいう.
아메리칸 〔American〕 명 アメリカン.
‖—— 리그 명 アメリカンリーグ. ——
인디언 명〘人類〙 アメリカンインディ
アン. —— 풋볼 명 アメリカンフット
ボール.

아메바 〔amoeba〕 명〘動〙 アメーバ.
‖——상 운동 명〘動〙 アメーバ状運
動.
아멘 〔ユ amen〕 감〘宗〙 アーメン.
아명【兒名】 명 幼名.
아모레 〔이 amore〕 명〘樂〙 アモレ.
아목【亞目】 명〘生〙 亜目.
아몬드 〔almond〕 명〘植〙 アーモンド.
아무 ㊀대 ① だれ. ¶ ～나 가거라 だ
れでも行け. ② だれそれ; なにがし;
それがし《名前をあげない代名詞》.
㊁관 物事を指定せずか
くすか仮定して言う語: どの; な
んの; 何; どんな. ¶ ～ 책이나 가져
오너라 どの本でもいいから持って来
なさい / ～ 날 ～ 시에 ある日のある
時間に / ～ 죄과도 없다 何のとがも
ない / ～ 것도 없다 何もない.
‖——-개 대 だれそれ; なにがし(某);
それがし《"아무"の卑語》. ¶ 이 ～의
가게 李だれがしの店. —— 데 대 ど
こ; あるところ. ¶ 그런 것은 ～에 가
도 살 수 있다 そんな物はどこへ行っ
ても買える. —— 때 명 いつ; なんど
き. ¶ ～나 와도 좋다 いつ来てもかま
わない. —— 말 명 なんの話. ¶
～도 하지 않았다 なにも語らなかっ
た; 何事も話さなかった. —— 사람
명 だれ; ある人. ¶ ～에게 물어도 된
다 だれに尋ねてもいい. ———— ㊀
대 だれだれ. ¶ ～도 가더라 だれだれ
も行ったぜ. ㊁관 なになに. ¶ ～ 시
간에 가게 なになにの時間に行け.
——-짝 명 どこ; どの方; 何の用.
¶ 그 사람은 ～에도 못 쓰겠다 彼は何
の用にも使いようがない.
아무래도 준 ① [↗아무러하여도] どう
でも. ¶ 그런 일은 ～ 좋다 そんなこと
はどうでもいい. ② [↗아무리하여도]
どうしても; いくらやっても. ¶ ～ 영
어론 너를 못 당하겠다 どうしても英語
では君にかなわない.
아무러면 준 [↗아무러하면] どうあろ
うとも; いくらなんでも; どうだって;
まさか. ¶ ～ 그녀가 거짓말할라구 ま
さか彼女がうそをつこうか / 옷이야
～ 어떠냐 着物はどうだっていい
じゃないか.
아무런 준 [↗아무러한] なんら(何等)の;
なん(何)の. ¶ ～ 생각도 없이 なんの
気もなしに / ～ 곤란도 없다 なんらの
困難もない / ～ 소용도 없다 なんの
役にもたたない / 자네는 ～ 걱정도 할
필요가 없네 きみはなんら心配する
必要はない.
아무런들 준 [↗아무러한들] どうあろ
うと; なんと言おうが; まさか. ¶ 그
들이 ～ 어떠냐? 彼らがどうあろうと
かまわないじゃないか? / ～ 그러랴?
まさかそうではなかろう.
아무렇거나 준 [↗아무러하거나] どう
であろうと; どのようでも; どうでも;
なんでも. ¶ 그것이 ～ 너는 상관마라
それがどのようであろうと君はかか
わるな / ～ 해 보세 とにかくやってみ
よう. 준 아뭏거나.
아무렇게 준 [↗아무러하게] どのよう
に; いかように; どんなに; いいかげ
んに; むぞうさ(無造作)に. ¶ ～ 생각

해도 좋다 どのように考えてもよろしい/～나 다루어서는 안 된다 いい加減にあしらってはいけない.

아무렇다 형 [↗아무러하다] こうこうである; しかじかだ. ¶아무렇지도 않은 듯이 질문하였다 なんでもないように質問した.

아무렇든 준 [↗아무러하든] どのようでも; どうであろうと; とにかく; なんとしても. ¶복장은 ～ 상관없다 身なりはどうであろうと差し支えない. (준)아무튼.

아무렇든지 준 [아무러하든지] どうあろうとも; どうでも; どんなにしても; 何はさておき; とにかく. (준)아무튼지.

아무려나 감 どうでも. ¶～ 해 보아라 どうでもいいからして見ろ.

아무려니 감 まさか; いくらなんでも. ¶～ 그럴 리가 있으랴? まさかそんなはずがあろうか.

아무려면, 아무렴 감 もちろん(勿論); むろん; もちろんそうだとも. ¶～ 그렇지 그래 そうそう, そうだとも/～ 가야지 もちろん行くとも. (준)암.

아무리 부 ① ☞ 아무렇게. ¶～나 하려무나 どうにでもしろよ. ②[↗제아무리] いくら; どんなに; なんぼ. ¶～ 노력해도 소용이 없다 いくら努力してもだめだ/～ 그렇다고 해도 믿어지지 않는다 いくらそうだとしても信じられない. ③いくらそうでも; いくらなんでも; なんぼなんでも. ¶～ 오뉴월에 눈이야 올라구 いくらなんでも五六月に雪がふるものかね.

아무-쪼록 부 なにとぞ(何卒); ぜひとも; なるだけ; どうか; くれぐれも; 願わくは. ¶～ 잘 부탁드립니다 なにとぞよろしくお願いいたします/～ 일찍 오시오 なるだけ早目にいらっしゃい/～ 잘 보살펴 주십시요 くれぐれもお世話を頼みます/～ 몸조심 하시도록 せっかく御身お大切に.

아무튼 준 [↗아무러하든·아무렇든] とにかく. ¶～ 세상은 시끄럽게 됐다 とにかく世の中は騒がしくなって来た.

아무튼지 준 [↗아무러하든지·아무렇든지] 何はともあれ; ともかく. ¶～ 공부는 해야지 何はともあれ勉強はしなくてはいけない.

아문【亞門】명〖生〗亜門.

아물-거리다 자 ①おぼろげ(朧気)にちらつく; かすむ; 明滅する. ¶눈 앞이 ～ 目先がちらつく/아물거리는 항구의 등불 明滅する港のともしび. ②話をぼかす; しどろもどろに話す. ¶말이 아물거려 도시 알아 들을 수가 없다 話がしどろもどろでさっぱりわからない. 아물-아물 부하자형 ちらちら; しどろもどろ.

아물다 자 いえる; 直る. ¶화상이 ～ やけど(火傷)がいえる.

아물리다 타 ①(傷を)いやす. ¶칼상처를 ～ 刀傷をいやす. ②とりまとめる. ¶벌여 놓은 일들을 ～ 手をつけた仕事をとりまとめる. ③しめくくる; けりをつける. ¶월말 결산을 ～ 月末決算のけりをつける.

아뭏지도 준 [↗아무러하지도] どう… どのようでも; なんでも; なんと… ¶～ 않다 なんともない; なんでも… い.

아미노〔amino〕명〖化〗アミノ. ‖——기 명〖化〗アミノ基. —— 명〖化〗アミノ酸. ——산 간장 명 …ミノ酸しょうゆ(醬油).

아미타【阿彌陀】명 あみだ(阿弥陀). ‖——경 명 阿弥陀経. ——불 … 阿弥陀仏. —— 삼존 명 阿弥陀三…. —— 여래 명 阿弥陀如来.

아바-마마【—媽媽】명《宮》王子… 王女が父王を指す語: 父君.

아방-가르드〔프 avant-garde〕명 アバン… ギャルド.

아방-궁【阿房宮】명〖史〗あぼうきゅう(阿房宮).

아버-님 명 "아버지"の尊称: 父上; 父御; お父さま.

아버지 명 父; お父さん; 父親.

아범 명 ①"아버지"の卑称. ②目上が子のある目下を呼ぶ語: 父ちゃん. ③子のある嫁がきゅうこ(舅姑)に対して自分の夫を言う語. 「ア.

아베 마리아〔라 Ave Maria〕명 アベマリ

아베크〔프 avec〕명하자 アベック.

아부【阿附】명 あふ(阿付); あゆ(阿諛); おもねること; 追従; おべっか; ごますり; へつらい. ——하다 자 おもねる; へつらう; ごまをす(擂)る. ¶～ 영합 あふ迎合/상관에게 ～하여 출세하다 上役におもねて出世する.

아비 명 ①《卑》父; てて; おやじ. ¶그 ～에 그 아들 その親にその子/～ 없는 자식 父無し子. ② ☞ 아범 ②③.

아비 규환【阿鼻叫喚】명〖佛〗あびきょうかん(阿鼻叫喚).

아비 지옥【阿鼻地獄】명〖佛〗あびじごく(阿鼻地獄). =무간 지옥(無間地獄).

아빠 명《兒》父ちゃん; パパ.

아뿔싸 감 しまった; しもうた〈関西方〉. ¶～, 낭패다 しまった, 困ったことになった.

아사【餓死】명하자 餓死. =기사(饑死). ‖——선-상, ——지-경(之境) 명 餓死線上.

아사달【阿斯達】명〖史〗檀君朝鮮ちょうこく(肇国)の都.

아삭 부하자타 野菜や果物をかむ音: ざくっ; がさっ; ぽりっ. >어석. ——거리다 자타 がさがさする; さくさくする; ぽりぽりする. ———— 부하자타 がさがさ; さくさく; ぽりぽり.

-아서 어미 "ㅏ"と"ㅗ"からなる語幹の下に付いて理由または時間の前後関係を表わす連結語尾: …(し)て. ¶보～ 가자 (都合を)見て行こう/높～ 멋이 있다 高くて見事だ.

아서라 감 目下に禁止の命令を表わす語: よせ; やめろ. ¶～ 그러면 못 쓴다 よせ, そんな事をしてはいけないぞ. (준)아서.

아성【牙城】명 牙城; 内城; 本

ㅇ

しまる. ＝본거(本據).

세아【亞細亞】명 "아시아"の音訳.

——-**주** 명 ☞ 아시아주.

세안【ASEAN】명〘政〙 アセアン; 東南アジア諸国連合.

아세테이트〔acetate〕명 ↗아세테이트 인견.

‖—— **견사** 명 アセテート(レーヨン); 酢酸絹糸. —— **인견** 명 アセテート人絹. ㊜아세테이트.

아세톤〔acetone〕명〘化〙アセトン.

아세트-산【—酸】명〘化〙〔acetic acid〕酢酸.

‖—— **견사**(絹絲) 명 ☞ 아세테이트 견사. —— **구리** 명 酢酸銅. —— **납** 명 酢酸鉛. —— **발효** 명 酢酸発酵. —— **섬유소**(纖維素) 명 アセチルセルロース. —— **에스테르** 명 酢酸エステル. ——-**염** 酢酸塩. —— **칼슘** 명 酢酸カルシウム.

아세틸렌〔acetylene〕명〘化〙アセチレン. ＝아세틸렌 가스.

‖——-**등** 명 アセチレン灯. —— **용접** 명〘工〙アセチレン溶接.

아속【雅俗】명 雅俗; みやび(雅)やかなことと俗なこと.

아수라【阿修羅】명〘佛〙 あしゅら(阿修羅). ㊜수라(修羅).

‖——-**도** 명 阿修羅道. ㊜수라도(修羅道).

아쉬움 명 名残. ¶～이 한없다 名残が尽きない.

아쉬워-하다 타 (名残を)惜しむ; 未練がましい. ¶작별을 ～ 別れを惜しむ.

아쉰-대로 부 [↗아쉬운 대로] 気に満たないままに; 足りぬままに; せめて; 間に合わせに; 物足りないが; 十分ではないが; 名残惜しくはあるが. ¶～ 그것으로 참아라 十分ではなかろうがこれでがまんしなさい.

아쉽다 형 物たりない; 不便だ; 不自由だ; (名残)惜しい. ¶돈이 ～ お金が欲しい.

아스라-하다 형 はる(遥)かだ; かすかだ. 아스라-이 부 はる(遥)かに; かすかに.

아스러-뜨리다 타 ☞ 으스러뜨리다.

아스러-지다 자 ☞ 으스러지다.

아스스 부하형 ☞ 으스스.

아스파라거스〔asparagus〕명〘植〙アスパラガス.

아스팍【ASPAC←Asian and Pacific Council】명〘政〙 アスパック; アジア太平洋協議会.

아스팔트〔asphalt〕명〘化〙アスファルト. ‖—— **콘크리트** 명 アスファルトコンクリート. —— **포장** 명 アスファルト舗装.

아스피린〔aspirin〕명〘藥〙アスピリン.

아슥아슥-하다 형 たくさんなものが皆やや一方に曲がりくねっている.

아슬-아슬 부하형 ①危険な状態に出会い鳥肌が立つ感じのするさま: はらはら; ひやひや. ¶～한 느낌을 주는 곡예 はらはらさせる離れ業/～하게 세이프되다 すれすれのところでセーフになる. ②寒気がするさま: ぞくぞく.

아슴푸레-하다 형 ☞ 어슴푸레하다.

아시아〔Asia〕명〘地〙アジア.

‖—— **개발 은행** 명 アジア開発銀行. —— **경기 대회** 명 アジア競技大会. —— **극동 경제 위원회** 명 アジア極東経済委員会; エカフェ(ECAFE). ——-**인** 명 アジア人. —— **인종** 명 アジア人種. ——-**주** 명〘地〙アジア州. —— **태평양 경제 협력 각료 회의** 명 アジア太平洋経済協力閣僚会議; アペック(APEC).

아시안 달러〔Asian dollar〕명〘經〙アジアンドル.

아식 축구【—式蹴球】명〔←association-football〕명 ア式しゅうきゅう(蹴球).

아싹 부하자타 ☞ 어썩.

아쓱 부하자타 ☞ 으쓱.

아씨 명 若夫人を目下が呼ぶ語: (若)奥様.

아아 감 ①意外なことや困ったときに発する声: ああ; あっ; おお. ¶～ 놀랐다 ああ驚いた. ②群れをなして競うとき, 元気づけるための掛け声: わあ.

아악【雅樂】명〘樂〙雅楽.

‖——-**기**(器) 명 雅楽器. ——-**보** 명 雅楽譜.

아야 감 痛いときに発する声: あいたっ; いたい. ¶～ 아프다 あいたっ, 痛いよ.

-아야 어미 "ㅏ·ㅗ"の母音の語幹に付く語尾. ①…してこそ; (し)なけりゃ. ¶보～ 알 일이지 見てこそわかることだ; 見なけりゃ分からない. ②いか(如何)に〔いくら〕…(し)ても. ¶아무리 보～ 쓸데없다 いくら見てもつまらない.

-아야만 어미 "-야야"の強勢語: …(し)てこそ; …してはじめて; …しなければならない. ¶닦～ 빛이 난다 磨いてこそつやが出る.

-아야지 준 [↗-아야 하지] …すべきだ; …しなければならない. ¶사람이면 도리를 알～ 人間ならば道理を知るべきだ.

아양 명 あいきょう(愛嬌); こび(媚); きょうたい(嬌態). ——-**스럽다** 형 あいきょうがある. ——-**떨다** 자 あいきょうをふりまく; こびる. ——-**부리다** 자 こびる; こびへつらう; あいきょうをふりまく. ——-**피우다** 자 こびる; へつらう.

아어【雅語】명 雅語; 雅言.

아역【兒役】명〘劇·映〙 子役; 子供役.

아연【亞鉛】명〘鑛〙 亜鉛《記号: 「Zn」》.

‖——-**광** 명 亜鉛鉱. —— **도금**(鍍金) 명 亜鉛めっき. ——-**철**(鐵) 명 ブリキ. —— **철판**(凸版) 명 亜鉛凸版. ——-**판** 명 亜鉛版. —— **평판** 명 亜鉛平版; ジンク平版. ——-**화** 명 亜鉛華; 酸化亜鉛.

아연【俄然】명부하형 がぜん(俄然); にわか(俄)なさま. ¶～ 활기를 띠다 俄然活気を呈する. ——-**히** 부 俄然と.

아연【啞然】명부하형 あぜん(啞然). ¶그저 ～할 따름이었다 ただあきれて

ものを言えなかった. ——-히 부 あぜん(と).

‖—— 실색(失色) 명하자 あっけに取られて顔色の変わること.

아-열대【亞熱帶】명〖地〗亜熱帯.

‖—— 기후 명 亜熱帯気候. ——-림 명 亜熱帯林.

아예 부 ① 初めから; てんで; てんから; 全く. ¶ ~ 상대하지 않는다 てんから相手にしない / ~ 문제도 되지 않는다 全く問題にならない. ② 絶対に; 決して. ¶ ~ 될 일이 아니다 絶対にできることじゃない.

아옹 부하자 猫のなき声: ニャー.

아옹-거리다 자 ① (すねて)ぶつぶつこぼす. ② 互いにいがみ合う; 言い合う. 아옹-다옹 부하자 いがみ〔言い〕合うさま: ああのこうの.

아옹-하다 형 ① (穴などが)薄暗くぽっかり空いている; くぼんでいる. ② すねて〔むくれて〕いる. ¶ 아옹해서 말도 않는다 すねてものも言わない.

-아요 어미 "ㅏ·ㅗ"の母音の動詞·形容詞に付いて叙述·望み·疑問を表わす語: …です; …ですか. ¶ 좋~ いいです: よろしいです / 좁~ 狭いです / 같지 않~? 同じくないですか?

아우 ㊀명 ① 弟; 妹. ¶ 저 아이가 내 ~다 あの子が僕の弟である. ② 同僚の中の年下とした. ㊁대 仲間同志で自身を下げて言う語. —— 보다 자 弟が産まれる. —— 타다 자 (母の妊娠で)乳飲み子がやせる.

‖——-님 명 "아우"の尊称. —— 형제 명《俗》兄弟.

아우러-지다 자 ☞ 어우러지다.

아우르다 타 ☞ 어우르다.

아우성 명 大勢がどっと上げる叫び声; 大勢のわめき. ——-치다 자 わめく; わめき立てる.

아우토반 〔도 Autobahn〕 명 アウトバーン.

아우트-라인 〔outline〕 명 アウトライン; 輪郭.

아욱 명〖植〗あおい(葵).

‖—— 장아찌 명 締まりのない人を指す語.

아울러 부 ① 併せて; 同時に; 付け加えて. ¶ ~ 주의할 것은 同時に注意すべきことは. ② いっしょ(一緒)に; 共に. ¶ 재색을 ~ 갖추었다 才色を共に備えている.

아울리다 ㊀자 ① 似合う; 調和する. ¶ 넥타이가 잘 ~ ネクタイがよく似合う. ② いっしょ(一緒)になる; 仲間入りする; 交わる. ¶ 나쁜 벗들과 ~ 悪友と交わる. ㊁피동 いっしょ(一緒)にされる; 交わられる; 調和させられる.

아웃 〔out〕 명 アウト.

‖——-사이더 명 アウトサイダ. ——-오브-데이트 명 アウトオブデート. ——-커브 명 アウトカーブ. ——-코너 명 アウトコーナ. —— 코스 명 アウトコース. ——-필드 명 アウトフィールド.

아유【阿諛】명 あゆ(阿諛); おもねること; ごますり. =아첨. ——-하다 자 おもねる; へつらう; ごまをす(擂)る.

아유 감 驚きの感じを表わす語: いや; ああ; あら; まあ〈女〉. ¶ ~ 말 놀랐다 ああ, ほんとに驚いた / ~ 깜짝이야 あら, びっくりしたわ.

아이¹ 명 ① 子供; 童. 준 애. ② "아들"の俗称; 息子. =아자(男子). ¶ 저애가 우리 ~지 あの子がうちの息子だよ. ——-배다 자 子をはらむ. ——-서다 자 身ごもる. ——-지다 자 (月足らずの胎児を)死産する; 流産する.

‖——-년 명《卑》おなご(女子). ——-놈 명《卑》男の子. —— 아버지 명 子のある男. —— 어머니 명 子のある婦人. —— 어멈, —— 어미 명 "아이 어미니"の卑称. 아잇-적 명 幼いころ; 幼時.

아이² 감 ① 人に何かをねだるときに出す語: ねえ…; …ってば. ¶ 엄마, ~ 엄마두 かあさん, かあさんってば / ~ 빨리 줘요 ねえ, 早く下さいよ. ② ↗아이고. ¶ ~ 깜짝이야 いや〔あら; まあ〕驚いた.

‖——-참 감 ひどく無念でくやしいとき, または失望·じれったいときなどに出す語: ほんとに; ちぇっ. ¶ ~ 귀찮군 ほんとにうるさいね / ~ 다 틀렸다 ちぇっだいなしになった.

아이고 감 ① 痛いとき, 驚いたとき, あきれたとき, または悔しいときなどにもらす語: あ; あら; まあ〈女〉; ひゃあ; ああ; さてさて; やれやれ. ¶ ~ 깜짝이야 あら, びっくりした / ~ 놀랐다 ああ, 驚いた / ~ 큰일났다 ひゃあ, 大変だ. 준 아이·애고. ② 泣き声, 特に喪中にこく(哭)する声.

‖——-나 감 子供のいじらしい言動を見て出す声: あらまあ; おや; ほんとに. ——-머니 감 "아이고"より強い感じの語《女性がよく発する》. 준 애고머니. ¶ ~ 몇해 만이야! あらまあ, 何年ぶりですの!

아이 비 엠【IBM←International Business Machines】명 アイビーエム.

아이스 〔ice〕 명 アイス.

‖—— 링크 명 アイスリンク. ——-박스 명 アイスボックス. —— 백 명 アイスバッグ. —— 쇼 명 アイスショー. —— 스케이트 명 アイススケート. —— 캔디 명 アイスキャンデー. —— 커피 명 アイスコーヒー. —— 케이크 명 アイスケーキ. —— 크림 명 アイスクリーム. —— 하키 명 アイスホッケー.

아이 시【IC←integrated circuit】명 アイシー; 集積回路.

아이-큐【I.Q.←intelligence quotient】명 アイキュー.

아장-거리다 자 ① よちよち歩く; ちょこちょこ歩く. ② ぶらつく. 아장-아장 부하자 よちよち; ちょこちょこ. ¶ ~ 걷다 よちよち歩く.

아재 명《卑》① ☞ 아저씨. ② ☞ 아주머니.

아쟁【牙箏】명〖樂〗がそう(牙箏)《擦絃楽器の一つ》.

아저씨 명 ① おじ(伯父·叔父). ② おじ(小父)さん. ¶ 이웃~ 隣のおじさ

/순경 ～ お巡りさん.
!【衙前】명〔史〕朝鮮朝の地方かんが(官衙)の小役人.
년 인수【我田引水】명 我田引水
주【亞洲】명 ↗아세아주(洲).
주¹ 부 ①非常に；とても. ¶～싸다 (値段が)ひじょうに高い/～가난하다 とても貧乏である. ②まったく；まるで；全然. ¶～다르다 まるで〔まるっきり〕違う. ③永久に；これを最後に. ¶그는 ～가버렸다 彼は永久に去った. ④すっかり；完全に. ¶～단념하네 그려 すっかりお見限りだね.
주² 감 人の得意がる言動をあざけっていう語: なんだい；これはこれは；いやはや；さてさて；ふん；たいしたもんだ. ¶～, 잘난 체하는군 なんだい, えらぶって/～, 제법인데 ふん, やってるね.
주까리 명〔植〕①とうごま(唐胡麻)；ひま(蓖麻). ②↗아주까리씨.
── 기름 명 ひま油. ──-씨 명 ひまし(蓖麻子).
아주머니 명 ①おば(伯母·叔母). ②おば(小母)さん. ¶맞은쪽 집 ～ 向かいのおばさん. ③兄弟にあたる人の妻を呼ぶ語. ④よその内儀を高めて呼ぶ語: 奥さん；おかみさん；姉さん. ¶쌀가게 ～ 米屋のおかみさん.
아주머-님 명 "아주머니"の敬称.
아주버니 명 夫の兄弟, または夫と同列の血統の男の呼称. ＝시숙.
아주버-님 명 "아주버니"の敬称.
-아지 미 生まれて間もない家畜や小さいものなどの意を表わす語. ¶강～ 小犬/송～ 小牛.
-아지다 어미 ①母音"ㅏ·ㅗ"で終わる動詞の語幹に付いて, そのようになることを表わす語: …れる；…(に)なる. ¶볶～ い(煎)られる. ②形容詞の語幹に付いて動詞に転成する終結語尾. ¶많～ 多くなる/낮～ 低くなる.
아지랑이 명 かげろう(陽炎). ¶～가 피어 오르다 かげろうが立つ.
아지작 부하자타 固いものをかみ砕く音: がりっ；ばりっ. ──-거리다 자타 ばりばりする〔させる〕；がりがりする〔させる〕. ──── 부하자타 ばりばり；がりがり.
아지트 명 [←agitaion point] アジト.
아직 부 ①ま(未)だ…(しない)；いまだ(に). ¶～ 안 보여 まだ見えない/～ 오지 않다 まだ来ない/사정은 ～ 확실치 않다 事情はいまだに明らかでない. ②いまだ；今でもなお；なお；やはり. ¶～(도) 비가 오고 있다 まだ雨が降っている/～ 닷새가 있다 まだ五日もある. ──-까지 부 いまだに；今なお. ──-껏 부 ☞아직까지. ¶～ 생각해본 적이 없다 いまだに考えたことがない. ──-도 부 "아직"の強調語.
아찔-하다 형 くらっとする；ふらっとする. ¶아찔하는 순간 넘어졌다 くらっとしたとたんに倒れた. 아찔-아찔 부하형 ふらふら；くらくら.
아차 감 しくじりを悟ってふと出る声: したり：あっ；しまった；あわや. ¶～ 우산을 잊었구나 あっ, 傘を(置き)忘れた/～ 지갑을 소매치기 당했다 しまった, さいふをすられた. ──-차 감 ひどく慌てて"아차"を重ねて言う語.
아첨【阿諂】명 おべっか；へつらい；おもねること；ごますり. ──-하다 자 へつらう；おもねる；ごまをす(擂)る.
아취【雅趣】명 雅趣；風雅な趣. ¶～ 있는 정원이다 風雅な趣の庭である.
아치〔arch〕명〔建〕アーチ.
-아치 미 名詞の下に付いてその仕事に従事する人を表わす語. ¶벼슬～ 役人.
아침 명 ①朝；あした〈雅〉. ¶～ 일찍〔늦게〕朝早く〔おそく〕/～부터 밤까지 朝から晩まで/～ 저녁으로 朝に夕に. ②↗아침밥. ¶～을 먹다 朝飯をとる.
‖──-거리 명 朝の糧. ──-결 명 ①朝方；朝のうち. ②昼前. ── 나절 명 朝食後から昼までの間；午前. ──-내 명 朝中；朝のあいだ. ──-놀 명 朝焼け. ──-때 명 ①朝がた. ②朝飯の時間. ── 먹이 명 朝の糧. ──-밥 명 朝飯. ──-술 명 朝酒. ──-쌀 명 朝飯用の米. ──-잠 명 朝寝. ── 저녁 명 朝夕. ── 진지 명 "아침밥"の敬称. ──-참(站) 명 朝食の後の休息を取る間.
아카데미〔academy〕명 アカデミー. ¶～상 アカデミー賞.
아카시아 명〔植〕アカシア.
아케이드〔arcade〕명 アーケード；(差し掛け屋根の)商店街.
아코디언〔accordion〕명〔樂〕アコーデオン；手風琴.
아퀴 명 (複雑な仕事の)締めくくり；結末. ──-짓다 타 (仕事を)締めくくる；締めくくりをつける.
‖──-쟁이 명 また(叉)枝；また木.
아크〔arc〕명〔物〕アーク.
‖──-등(燈) 명 アーク灯. ── 방전 명 アーク放電.
아크릴〔acryl〕명 アクリル.
‖──계 섬유(系纖維) 명〔化〕アクリル系繊維；アクリル《준말》. ──산 수지 명〔化〕アクリル酸樹脂；アクリル《준말》.
아킬레스-건【─腱】〔Achilles〕명 アキレスけん(腱). ①しょうこつけん(踵骨腱). ＝아킬레스 힘줄. ②弱点；ウィークポイント.
아톰〔atom〕명〔化〕アトム；原子.
아트〔art〕명 アート.
‖── 디렉터 명 アートディレクター. ──-지(紙) 명 アート紙；アートペーパー.
아틀라스〔Atlas〕명 アトラス. ①ギリシャ神話で, 巨人. ②地図. ③米国のミサイルの一つ.
아파트〔apart〕, 아파트먼트 하우스〔apartment house〕명 アパートメントハウス；アパート《준말》. ¶～ 생활을

하다, ～에 살다 アパート住まいをする.
아파-하다 자 痛がる. ¶ 가슴 ～ 悲しむ.
아편【阿片】 명 あへん(阿片〔鴉片〕).
‖—-굴 명 あへんくつ(窟). —-쟁이 명《俗》あへん中毒者. — 전쟁 명〖史〗あへん戦争. — 중독 명 あへん中毒.
아폴로〔Apollo〕명〖神話〗アポロ. =아폴론(Apollon).
‖— 계획 명 アポロ計画.
아프다 형 痛い. ¶ 머리〔배〕가 ～ 頭〔腹〕が痛い / 마음이 ～ 心が痛む / 아파서 울다 痛くて泣く.
아프리카 주【—洲】〔Africa〕명〖地〗アフリカ州.
아하 감 考え及ばなかったことを悟ったときに発する声: ああ; ははあ; そうか. ¶ ～ 이제야 알았다 ああ, やっと思い出した.
아하하 감 わざと大きく笑う声: あはは.
아-한대【亞寒帶】 명〖地〗亜寒帯.
아홉 수 九; 九つ.
‖—-무날 명 潮の干満を測るとき三日と十八日をいう語. —-수(數) 명 九, 十九, 二十九, …などの九の入った年《男子の歳でこの"九"の数を忌む》. —-째 수 九番目; 九つ目.
아흐레 명 ① 九日. ② ↗아흐렛날.
‖아흐렛-날 명 九日; 九日の日.
아흔 수 九十.
악¹ 명 ありったけの力; 力み; 必死〔死に物狂い〕のもがき; やけ. ¶ ～에 바치다 死に物狂いになる; やけ(くそ)になる.
악² 명 ↗아기. ¶ ～아 잘 자거라 坊やねんねしな.
악【惡】 명 悪. ¶ ～의 근원 悪の根源 / 사회～ 社会悪.
악【萼】 명〖植〗☞ 꽃받침.
악³ 감 ① 相手を驚かすためにだしぬけに出す声: わあっ. ② 相手に対抗するときの叫び声: あやっ. ③ 驚いたとき無意識に出る声: あっ.
악곡【樂曲】 명 楽曲. ① 音楽の調べ. ② 音曲の符号. 준 곡(曲).
악공【樂工】 명 楽人.
악귀【惡鬼】 명 悪鬼; 悪霊.
악극【樂劇】 명 楽劇.
‖—-단 명 楽劇団.
악기【樂器】 명 楽器; 鳴り物.
악다구니 명하자 ① 互いにののしり争う〔あくたれをたたく〕こと. ② 敵対すること; 反目すること.
악단【樂團】 명 楽団. ¶ 유명한 관현 ～ 有名な管弦楽団.
악단【樂壇】 명 楽壇. =악계.
악담【惡談】 명 ① 悪口; 悪たれ口. ② 人をののしりのろうこと. —-하다 자 毒づく; 悪態をつく.
악대【樂隊】 명 楽隊.
악덕【惡德】 명 悪徳. ¶ ～ 기자 悪徳記者.
악독【惡毒】 명 邪悪であくどいこと. —-하다 형 あくどい. —-히 부 あくどく; 邪悪に. —-스럽다 형 邪悪であくどい.
악동【惡童】 명 悪童; 悪太郎.
악랄【惡辣】 명하형히부 あくらつ(悪辣). ¶ ～한 짓을 하다 あくらつなことをする.
악력【握力】 명 握力. ¶ ～을 재[다] 握力を測る.
‖—-계 명 握力計. — 지수 명 握力指数.
악령【惡靈】 명 悪霊; もののけ(怪). ¶ ～의 앙얼 悪霊のたたり.
악마【惡魔】 명 悪魔. ¶ ～에 씌다 悪魔につかれる / ～를 물리치다 悪魔を払う.
악머구리 명 とのさまがえる(殿様蛙)の異名. ¶ ～ 끓듯 한다《俚》かえるより集まったように騒騒しい.
악명【惡名】 명 悪名. ¶ ～ 높[다] 悪名高い.
악몽【惡夢】 명 悪夢. ¶ ～에서 깨[다] 悪夢からさめる / ～에 시달리다 悪夢[に]うな(魘)される.
악-물다 타 (歯を)食いしばる. ¶ [이]를 악물고 참다 歯を食いしばってが[ま]んする.
악-바리 명 ① 片意地でがめつい人. ¶ 그는 ～다 彼はがめつい人だ. ② ちゃっかり屋.
악법【惡法】 명 ① 悪法; 悪い法律. ② 悪い方法.
악보【樂譜】 명〖樂〗楽譜; 曲譜; 音譜.
악사【樂士】 명 楽士.
악서【惡書】 명 悪書. ¶ ～ 추방 悪書追放.
악성【惡性】 명 悪性.
‖— 빈혈 명 悪性貧血. — 인플레이션 명〖經〗悪性インフレ. — 종양 명 悪性しゅよう(腫瘍).
악성【樂聖】 명 楽聖.
악-세다 형 ☞ 억세다.
악수【握手】 명하자 握手. ¶ 굳은 ～ 固い握手 / ～를 나누다 握手を交わす / ～례 握手のあいさつ(挨拶).
악-순환【惡循環】 명 悪循環.
악습【惡習】 명 悪習.
악식【惡食】 명하자 悪食.
악-쓰다 자 あらんかぎりの声を張りあげてじだんだ(地団駄)をふむ.
악악-거리다 자타 (不満や憤りで)やたらにさけび〔どなり〕たてる.
악어【鰐魚】 명〖動〗わに(鰐). ¶ ～ 가죽의 핸드백 わに皮のハンドバッグ.
악업【惡業】 명〖佛〗悪業.
악역【惡役】 명 悪役; 悪形; 敵役.
악연【惡緣】 명 悪縁.
악연【愕然】 명하형히부 がくぜん(愕然).
악-영향【惡影響】 명 悪影響.
악용【惡用】 명하타 悪用. ¶ 지위를 ～하다 地位を悪用する.
악우【惡友】 명 悪友.
악운【惡運】 명 悪運. ¶ ～이 세다 悪運が強い.
악의【惡衣】 명 悪衣; 粗衣.
‖— 악식 명하자 悪衣悪食.
악의【惡意】 명 悪意. ¶ ～ 없는 사람 悪意のない人 / ～를 품다 悪意を抱[く].

/ ～로 해석하다 悪意にとる.
인【惡人】명 悪人; 悪者; 悪玉. ‖——역(役) 명 悪人形. ＝악역(惡役).
장【樂長】명〔樂〕楽長.
장【樂章】명〔樂〕楽章. ¶ 제1 ～ 第一楽章.
전【惡戰】명하자 悪戦.
—— 고투 명하자 悪戦苦闘.
절【樂節】명〔樂〕楽節.
정【惡政】명 悪政; ひせい(秕政[秕政]). ¶ ～을 베풀다 悪政を施す.
-조건【惡條件】명 悪条件. ¶ ～이 겹치다 悪条件が重なる.
종【惡種】명 ① 悪い種類. ② たちの荒い凶悪な人や動物.
지 명 ☞ 억지.
질【惡疾】명 悪疾; 悪病.
질【惡質】명 悪質.
착【齷齪】명하형 ① あくせく(齷齪); こせこせすること. ② ねちねちしてがめつい性格. ③ 残忍で小ざかしいこと. <억척. ——스럽다 형 しつこい; 勝ち気だ. ¶ 악착스러운 여자 勝ち気な女. ——같다 형 ひどくしつこい〔やにっこい〕; へこたれない. ——같이 부 しつこく; しつよう(執拗)に; 負けん気に. ¶ ～ 물고 늘어지다 しつように食い下がる.
‖——꾸러기 명 ひどくしつこい人; やにっこい人. ——빼기 명 負けん気しの子供.
악처【惡妻】명 悪妻.
악-천후【惡天候】명 悪天候. ¶ ～를 무릅쓰고 悪天候を冒して.
악취【惡臭】명 悪臭; 汚臭. ¶ ～를 풍기다 悪臭を放つ.
악-취미【惡趣味】명 悪趣味.
악폐【惡弊】명 悪弊. ¶ ～를 일소하다 悪弊を一掃する.
악풍【惡風】명 悪風. ¶ ～에 물들다 悪風に染まる.
악필【惡筆】명 悪筆.
악-하다【惡—】형 悪い. ① 気立てが悪い; 凶悪だ; 邪悪だ. ¶ 악한 인간 悪い人間. ② あくらつ(悪辣)でむごい. ③ 不道徳だ.
악한【惡漢】명 悪漢; 悪人.
악행【惡行】명 悪行; 悪事.
악화【惡化】명하자 悪化. ¶ ～시키다 悪化させる; (病気を)こじらせる.
악화【惡貨】명 悪貨. ¶ ～는 양화를 구축한다 悪貨は良貨を駆逐する.
안¹ 一 명 ① 内; 内; 中; 内部; 内側. ¶ ～쪽 内側 / ～에서 놀다 内で遊ぶ / ～으로 들어가다 内へ入る / 집 ～이 훤히 들여다 보인다 家の中が丸見えだ. ② (標準·限界の)内; 以内. ¶ 이 ～에서 골랐다 この内から選び出した / 사흘 ～에 끝나다 三日の内に終わる. ③ 婦女の居間; 内室; 奥座敷. ④ ↗안찝. ¶ 옷의 ～을 대다 着物の裏をつける. ⑤《俗》☞ 아내. 二 관 "女"を指す語. ¶ ～주인 女主人; おかみ / ～식구 妻; 細君.
안【案】명 ①[↗안건] 案. ¶ 불신임 ～ 不信任案. ② 思案; 考え; 計画. ¶ ～을 내다 案を出す / ～을 세우다 案を立てる. ③ 前を遮っている山·峠·垣などの総称.
안² 준 "아니"の略語: …(し)ない. ¶ 비가 ～ 온다 雨が降らない.
안-간힘 명 (不平·苦痛·怒りなどを)抑えこらえようとする必死のあがき; 背伸び《비유적》. —— 쓰다 자 ① こらえようとして歯を食いしばる; 堪え忍ぼうとして必死に力む. ② ありったけの力をふりしぼる; 必死になる; 息む.
안-감 명 ① 裏地. ＝안찝. ② 中; 物の内側にあてがうもの.
안강【鮟鱇】명〔魚〕☞ 아귀¹.
‖——망(網) 명 あんこう(鮟鱇)網.
안-갚음 명하자 ① 親の恩をかえすこと. ② はんぽ(反哺).
안개 명 霧; もや(靄); さ霧〈雅〉. ¶ ～가 짙다 霧が深い / ～가 (자욱이) 끼다 霧が(一面に)立ち込める / ～에 싸이다 霧に包まれる.
‖——구름 명 ① 層雲. ②《俗》性交. ¶ ～ 끼다 性交する. ——뿜이 명 噴霧器; 霧吹き; スプレー; スプレーヤー.
안건【案件】명 案件. 준 안(案).
안-걸장 명 (書籍の)扉; あそび紙. ＝속표지. 준 안장.
안경【眼鏡】명 眼鏡. ¶ ～을 쓰다 眼鏡をかける / ～을 벗다 めがねを外す / ～을 닦다 眼鏡をふく / ～을 바로 쓰다 眼鏡の具合を直す / ～ 너머로 보다 眼鏡越しに見る.
‖—— 다리 명 眼鏡のつる; 眼鏡の脚. ——방 명 眼鏡屋. ——알 명 眼鏡のレンズ. —— 자국 명 眼鏡のかけ跡. ——쟁이 명《俗》眼鏡をかけている人; 眼鏡さん〈俗〉. ——집 명 眼鏡入れ. ——테 명 眼鏡の縁〔フレーム〕.
안계【眼界】명 眼界; 視界; 視野.
안고-나다 자 人の責任をひ(引)っかぶ(被)る.
안-고름 명 ↗안옷고름.
안고 지고 구 胸に抱え背に負い.
안과【眼科】명 眼科. ‖——의 명 眼科医.
안광【眼光】명 眼光.
안구【眼球】명 眼球; 目玉. ＝눈알. ‖——근 명 眼球筋; 眼筋《준말》.
안기다 一 자 (人に)抱かれる. ¶ 안기어 자다 抱かれて眠る / 애인 품에 ～ 恋人に抱かれる. 二 타 ① (懐に)抱かせる; 抱くようにする. ¶ 막내를 아버지에게 ～ 末っ子を父に抱かせる. ② (責任·罪などを)負わす. ¶ 사원에게 책임을 ～ 社員に責任を負わす. ③ (鳥に卵を)抱かせる. ¶ 닭에게 알을 ～ 鶏に卵を抱かせる. ④《俗》(こぶしなどを)食らわす; なぐる; 打つ. ¶ 한 대 ～ 一発食らわす.
안-껍데기 명 内皮.
안내【案內】명하타 案内. ¶ 입학 ～ 入学案内 / ～원 案内係 / 앞장서서 ～하다 先に立って案内する / 손님을 별실에 ～하다 客を別室に通

とす.
‖——-서 명 案内書; しおり(栞); ガイドブック. ——-소 명 案内所. ——-업 명 案内業. ——-인 명 案内人. ——-장 명 案内状.

안녕【安寧】一 명 하형 히부 安寧. ① "평안"の敬称. ② 穏やかで平和なこと. 二 감 하형 히부 別れのあいさつ: ごきげんよう; さようなら; おさらば. ¶~히 가십시오 ごきげんよう; さようなら.
‖—— 질서 명 安寧秩序. ¶~를 유지하다 安寧秩序を保つ.

안다 타 ① 抱く; 抱える; いだ(抱)く. ¶아이를 ~ 子供を抱く. ② まともに受ける. ¶바람을 ~ 風をまともに受ける/돛이 바람을 ~ 帆が風をはら(孕)む/바람을 안고 나아가다 風上に向かって進む. ③ (責任を)負う. ¶동생의 책임을 ~ 弟の責任を負う. ④ (鳥が卵を)抱く; かえ(孵)す. ¶닭이 알을 ~ 鶏が卵を抱く. ⑤ (心に)いだ(抱)く. ¶슬픔을 안고 悲しみを抱いて. ⑥ はらむ. ¶폭풍우를 안은 정세 あらし(嵐)をはらんだ政情.

안단테〔이 andante〕명〖樂〗アンダンテ. ‖—— 칸타빌레 명〖樂〗アンダンテカンタービレ.

안달 명 いらだち; 気をもむ〔やきもきする〕こと. ——-하다 자 いらいら(苛苛)する; じれる; じりじりする; (したくて)もどかしがる. ¶기다리는 사람이 오지 않아 ~하다 待ち人が来ないのでいらいら〔じりじり〕する/저 녀석 ~이 나 있어 あいつじれているよ. ——복달-하다 자 やきもきする; じりじりする; ひどく気をもむ.
‖——-뱅이 명 ① よくじれる人; くよくよする人. ② ひどくけちな人. 준 안달이.

안대【眼帶】명 眼帯.

안도【安堵】명 하자 あんど(安堵). ① 居所に安住すること. ② 安心すること. ¶~의 한숨을 쉬다 あんどの息をつく; あんどの胸をなでおろす. ‖——-감(感) 명 安堵感.

안-되다 一 자 "아니 되다"の略語: ① いけない; ならない. ② (まだ)出来上がらない. ③ うまく行かない; しくじる. 二 형 気の毒だ; 残念だ; 哀れだ. ¶…라니 안되었다 …とは気の毒だ/거절하기는 안되었습니다만 お断りするのは残念ですが.

안-뜰 명 内庭; 中庭.

안락【安樂】명 하형 安楽. ¶~한 생활 安楽な生活.
‖——-사 명〖法〗安楽死. —— 의자 명 安楽椅子.

안력【眼力】명 眼力. =시력(視力).

안료【顔料】명 顔料.

안마【按摩】명 あんま(按摩). ——-하다 타 あんまをする; あんまを取る《하게 하다》. ¶~사 あんま取り; あんま.

안마【鞍馬】명 あんば(鞍馬). ① くらをおいた馬. ② 体操競技の一つ. また, その器具.

안-마당 명 内庭; 中庭.

안면【安眠】명 하자 安眠. =안침(安寢). ¶~ 방해 安眠妨害.

안면【顔面】명 ① 顔面; 顔; 面〈雅〉; 面〈俗〉. ② 顔見知り; 顔. ¶~이 넓다 顔が広い; 顔が知られている/그와는 ~이 있다 彼とは顔見知りである/모두 ~이 있는 얼굴이었 皆見知りの顔であった.
‖——-근 명 顔面筋. —— 박대(薄待 명 하타 顔見知りの人を冷遇すること. —— 부지(不知) 명 顔を見知らぬこと. また, その人. —— 신경 명 顔面神経. ¶~ 마비〔통〕 顔面神経麻痺〔痛〕.

안목【眼目】명 ① 眼識; 目. ¶~이 높다 眼識〔目〕が高い. ② 眼目; めど; 主眼.
‖—— 소견(所見), —— 소시(所視) 명 人が注視する所; 衆人環視の中.

안무【按舞】명 振り付け. ——-하다 자 振り付けをする. ¶~가 振り付け師; 振り付け.

안-무릎 명 (すもうで)右手で相手の右ひざを力いっぱいはらって身の平衡を失わせて倒す技.

안-받다 자 はんぽ(反哺)の孝を受ける. ① 親が子から養育の恩に報いられる. ② 親がらす(烏)が子がらすからえさをもらう.

안-방【—房】명 ① 奥の間; 母屋の奥にあって台所の付いている部屋. ② 主婦が起居する部屋.
‖—— 구석 명《俗》☞ 안방. —— 샌님 명 いつも部屋にとじこもっている男.

안배【按排·按配】명 하타 あんばい(案配). ¶인원을 부서에 ~하다 人員を部署に案配する.

안벽【岸壁】명 岸壁. ¶배를 ~에 대다 船を岸壁につける.

안보【安保】명 ① [↗안전 보장] 安保. ② ↗안전 보장 이사회.
‖——-리(理) 명 ↗안전 보장 이사회. —— 이사회 명 [↗안전 보장 이사회] 安保理事会.

안부【安否】명 하자 安否. ¶~를 묻다 安否を問う.

안빈【安貧】명 하자 安貧; 貧しい生活に安んじること.
‖—— 낙도(樂道) 명 하자 貧しいうちにも心を安らかにして天道を楽しむこと.

안-사돈【—査頓】명 あいやけ(相舅)の婦女.

안-사람 명《俗》女房; 家内; 内. =아내.

안-살림 명 ↗안살림살이.
‖——-살이 명 主婦による家の所帯持ち.

안-상제【—喪制】명 喪中の婦女.

안색【顔色】명 顔色; 血相; 気色. ¶~을 살피다 顔色〔気色〕をうかがう/~이 변하다 顔色が変わる.

안성-맞춤【安城—】명 ① あつらえ向き; 好都合. ¶~의 장소 持って来いの場所/아주 ~이다 ちょうどあつらえ向きである/그것은 노인에게 ~이다 それは老人にあつらえ向きである. ② う(打)ってつ(付)け. ¶자

;에게 ~인 일이 있다 君に打って付の仕事がある.「(衽).
섶 명 上衣の内側にあるおくみ
손님 명 女客. =내객(內客).
【按手】명하자〔基〕あんしゅ(按.
— 기도(祈禱) 명〔基〕あんしゅきう(按手祈禱). ——-례(禮) 명〔基〕手礼.
식【安息】명하자 安息; 安らか休むこと.
——-교(教) 명〔基〕安息日再臨団. ——-년 명〔宗〕安息年.
——-일 명〔宗〕安息日. ——-처(處) 명 安息所.
식【眼識】명 眼識; 目. ¶~이 다 眼識〔目〕が高い.
-식구【—食口】명 ①女家族. ②(俗) 女房; 内; 家内.
-심 명 牛のあばら骨の内側の肉; (牛の)ばら肉. =안심살·안심쥐.
심【安心】명하자 ①安心. ¶~시 다 安心させる / 이제 ~이다 もう安だ. ②〔佛〕安心. ——-찮다 형 ①安心できない; 不安だ. ②(世話になったり包介をかけたりして)済まない.
-심부름 명 女家族のお使い.
-쓰럽다 형 ①いたわしい; 痛ましい; 気の毒だ. ¶여자 혼자의 손으로 자식을 기르는 게 어찌나 안쓰러운지 女独りの手で子供を養うのがあまり痛ましくてね. ②(本当に)済まない.
안아-맡다 타 "안다③"の強調語.
안압【眼壓】명〔生〕眼圧. =안내압(眼內壓).
안약【眼藥】명〔藥〕目薬. =눈약. ¶~을 넣다 目薬をさす.
안어울림-음【—音】명〔樂〕不協和音.
안염【眼炎】명 目の炎症.
안온【安穩】명하형히부 安穏. ¶~히 살고 있다 無事安穏に暮らす.
안-옷고름 명 上着の内側の結びひも. ㊅안고름.
안위【安危】명 安危. ¶국가의 ~ 国家の安危.
안이【安易】명하형 安易. ¶~한 생각 安易な考え / ~한 생활을 하다 安易な生活を送る.
안일【安逸】명하형히부 安逸. ¶~한 생활 安逸な生活 / ~을 탐하다 安逸をむさぼる.
안잠-자기 명 住み込み家政婦.
안-장 명 ↗안걸장.
안장【鞍裝】명 ①くら(鞍). ②自転車のサドル. 「あぐら鼻.
‖——-코 명 低い鼻; はなぺちゃ;
안전【安全】명하형 安全. ¶교통 ~ 交通安全 / ~한 여행 安全な旅行 / ~을 위협하다 安全を脅かす. ——-히 부 安全に.
‖—— 교육 명 安全教育. ——-기 명 安全器. =안전 개폐기. ——-등 명 安全灯. —— 면도(面刀) 명 安全かみそり(剃刀). —— 보장 명 安全保障. ㊅안보(安保). —— 보장 이사회 명 安全保障理事会. —— 장치 명 安全装置. —— 제일 명 安全第一. —— 지대 명 安全地帯. ——-판 명 安全弁. ——-핀 명 安全ピン.
안전【眼前】명 眼前; 目前; 目の前. =눈앞.
안절부절 못하다 자 いても立ってもいられない; そわつく; そわそわする; いらいら(苛苛)する. ¶안절부절 못하며 둘레를 돌아보다 そわそわと周りを見回す.
안정【安定】명하형히부 安定. ①おちつくこと; すわりのいいこと. ¶생활〔물가〕의 ~ 生活〔物価〕の安定 / ~시키다 安定させる / ~ 속의 개혁 安定の中の改革 / 기분이 ~되다 気分が静まる / ~을 바라는 마음의 결과 安定志向の結果. ②〔物·化〕物体や物質が現在の状態を保とうとする性質を示すこと.
안정【安靜】명하형히부 安静. ¶절대 ~ 絶対安静. ¶~시키다 安静させる.
안존【安存】명하형 ①おとなしくつつ(慎)ましやかなさま. ②安らかにいること.
안주【安住】명하자 安住. ¶~할 땅을 찾다 安住の地を見つける.
안주【按酒】명 (酒の)さかな(肴); おつまみ. ¶술 ~가 아무것도 없다 酒のさかなが何もない.
안-주인【—主人】명 女あるじ(主); (旅館などの)おかみ(女将).
안중【眼中】명 眼中. ¶~에 없다 眼中にない.
안-중문【—中門】명 中庭に通じる門.
안질【眼疾】명 眼疾; 眼病. =눈병.
안-집 명 ①母屋. =안채. ②大家の家. ③召使いがあるじ(主)の家を指す語.
안-짝 명 標準·距離·数に達しない範囲; …に達しない; 以内; 以下; …足らず. ¶만 원 ~의 돈 一万ウォン足らず〔以内〕のお金 / 오천 원 ~엔 팔 수 없다 五千ウォン以下では手放せない.
안짱-다리 명 わに足; 内わに; がにまた(蟹股)〈俗〉.
안-쪽 명 内; 内側.
안-찝 명 (衣服の)裏地; 裏.
안착【安着】명하자 安着.
안-창 명 靴の中敷き.
안-채 명 母屋.
안-추르다 타 ①苦痛を堪え忍ぶ. ②怒りを押〔抑〕える.
안출【案出】명하타 案出.
안치【安置】명하타 安置. ¶~소 安置所.
안치다 타 (煮炊きすべきものをなべなどに入れて)しかける. ¶쌀을 솥에 ~ 米をかまにかける.
안타【安打】명 安打; ヒット. ¶~를 치다 安打をうつ.
안타까워-하다 타 ①気の毒に思う; ふびん(不憫)に思う. ②もどかしく思う; じれったく思う; 切なく〔歯がゆく〕思う.
안타깝다 형 ①(見るに)ふびん(不憫)

ㅇ

だ；気の毒だ. ②もどかしい；切ない；じれったい；歯がゆい. ¶안타까운 마음〔심중〕切ない思い／시간 가는 것이 ～ 時間の経つのがもどかしい. 안타까이 부 もどかしく；切なく；歯がゆく；じれったく.

안태【安泰】 명하형 安泰.

안-태우다 타 (馬やかご(駕籠)などに乗った人が)自分の前に他人を乗せる.

안테나 〔antenna〕 명 アンテナ. ¶～를 달다 アンテナを張る.

‖——-선 명 アンテナ線.

안티- 〔anti-〕 두 アンチ. ＝앤티-.

‖——-톡신 명〘生〙アンチトクシン；抗毒素ふ.

안티몬 〔도 Antimon〕 명〘化〙アンチモニー；アンチモン《記号：Sb》.

안티피린 〔antipyrin〕 명〘薬〙アンチピリン.

안팎 명 内外. ①内と外. ¶집～을 깨끗이 쓸다 家の内外をきれいに掃く. ②およそ；…か,そこら；そこそこ. ¶오 만원 ～의 비용 五万ウォン内外の費用／사십 ～의 신사 四十そこそこの紳士／열 사람 ～ 十人前後.

‖—— 곱사등이 명 ①胸と背が共に曲がった人. ②ことごとにうまく行かずそのために他の事までも差し障りを生じてどうにもならない状態. —— 노자(路資) 명 往復の旅費. ——-벽(壁) 명 内壁と外壁. ——-살림 명 ①妻が切り回す家計と外で稼ぐ夫のやりくり. ②内と外の生計. ——-식구(食口) 명 男家族と女家族. ——-심부름 명 内と外のお使い. ——-일 명 家の用事と外の用事. ——-중매(中媒) 명 夫婦が共にする仲立ち. ——-채 명 母屋と外棟.

안표【眼標】 명하타 目印. ¶～를 하다 目印をつける.

안하【眼下】 명 眼下；眼前.

‖—— 무인 명 傍若無人.

안-하다 타 しない；やらない；なさない. ＝아니하다. ¶말을 ～ 口をきかない／일을 ～ 仕事をしない.

앉다 자 ①座る；腰を下ろす；着く. ¶걸상에 ～ 腰掛けに座る／털썩 ～ どっかと座る／자리에 ～ 席に着く／자 앉으시죠 どうぞお座り下さい. ②(鳥・虫などが)止まる. ¶머리에 파리가 ～ 頭にはえが止まる／새가 전깃줄에 ～ 鳥が電線に止まる. ③(地位・職に)就く；座る. ¶왕위에 ～ 王位に就く／회장직에 ～ 会長の職に就く／후임으로 ～ あとがま(後釜)に座る. ④(物が)据わる. ⑤(ほこりなどが)たまる；(一面に)覆われる. ¶책상에 먼지가 앉아 있다 机にほこりがたまっている.

앉았다 자 [↗앉아 있다] 座っている.

앉은-걸음 명 座ったまま進むこと；ひざ繰り；にじり寄り.

앉은-뱅이 명 足の立たない身障者；こしい.

‖——-걸음 명 しりを地につけたままで進むこと. —— 저울 명 台ばかり.

앉은-일 명 座業.

앉은 자리 명 ①即座；即席；(ぐ)その場；立ち所. ¶～에서 픔이 가시다 立ち所に痛みが去 ～에서 거절하다 即座に断わる. ② ；座席.

앉은 장사 명 座商；店にすわっ する商売.

앉을 자리 명 ①座ろうとする場所 座り場所. ¶마땅한 ～가 없다 程 い座り場が見当たらない. ②もの 据えるべき場所；据え場所.

앉히다 타 ①(席に)座らせる；座 す. ¶아이들을 ～ 子供らを座ら る. ②(地位・職に)就かせる； える. ¶왕위에 ～ 王位につか る／회장으로 ～ 会長に据える／ 을 본처로 ～ めかけを本妻に直 ③(行儀などを) しつける；仕込む. ④(文書などに)項目を別 もうけて記入する.

않다 타보동보형 "아니하다"の略語 ：…しない；…でない；…くない. ¶ 렇지 ～ そうでない.

알¹ 명 ①(鳥・魚・虫などの)卵 ¶～을 낳다 卵を産む／～을 까다 をかえす／～이 깨다 卵がかえる. ～로 먹고 꿩으로 먹는다《俚》一挙両 ；飛車取り王手. ②(鶏 の)卵. ¶닭이 ～을 품다 (にわと が)卵を抱く. ③実. ④粒；玉. ¶모래～ 砂粒／주판～ そろばん玉 눈～ 目の玉. ⑤弾；弾丸. ⑥[낟알] 穀粒. ¶쌀～ 米粒.

알² 명 ↗아래《助詞"로"の上だけで用いられる》. ¶～로 내려가다 下へおりる.

알- 두 包んだものや付きものを除いた中身を表わす語. ¶～몸 すっ裸；裸.

알갱이 명 ①粒；実. ¶～가 작다 粒が小さい. ②微粒子.

알-거지 명 文無しこじき(乞食). ¶화재로 ～가 되다 火事で丸裸になる.

알겨-내다 타 (みみっちい手段でたいした物でもないものを)欺き取る；巻き上げる.

알겨-먹다 타 (弱い者のものを)だまし取る：すかしとる. ¶과자를 ～ お菓子をすかしとる.

알-곡【—穀】, 알-곡식【—穀食】 명 ①混じり物の入ってない穀類. ②さやをむいた豆類.

알-깍쟁이 명 ①不敵でむごい子供. ②性格のひどく悪い人. ③生まれながらのがめつい気性の者；ちゃっかり者；ひどいしみったれ.

알-끈 명 カラザ《鳥の卵の中で黄味の位置を固定させているひも》.

알-나리 명 年若で小柄な人が役職についたのをあざけることば.

‖——-깔나리 명 子供たちが相手をからかうことば.

알다 타 知る. ①分かる. ¶보아 ～ 見て分かる／들어 ～ 聞いて知る. ②存在を認め, 内容や意味をさとる；理解する；分かる. ¶알고 싶어

다 知りたく思う / 내가 알고 있는 로는 わたしの知っている限りで / 영어를 알고 있다 英語を知っている / (모르면서) 아는 체한다 知ったふりをする / 야구라면 잘 알고 있다 野球ならよく知っている / 아는 것 병《俚》 知るが病《生半可に知っているばかりに煩いが生ずることの意》/ 아는 길도 물어 가랬다《俚》 念には念を入れよ. ③ 悟る; 気付く. ¶ 천명을 ~ 天命を知る / 지갑을 떨어뜨린 것을 알지 못했다 財布を落としたのを知らなかった. ④ 経験する. ¶ 여자를 ~ 女を知る / 술맛을 ~ 酒の味を知る. ⑤ 知り合いである. ⑥ 考えわきまえる. ¶ 자기를 ~ 自分を知る / 잘 알아서 해라 よくわきまえてやりなさい. ⑦ 感じる. ¶ 은혜를 ~ 恩を知る / 수치를 ~ 恥を知る. ⑧ あずかり知る; かかわる. ¶ 내 알 바 아니다 僕の知った事ではない.

알-뚝배기 명 小さな土焼きの鉢.

알뜰-살뜰 부하형히부 家事の切り盛りをうまくするさま.

알뜰-하다 형 ① まめで抜け目がない. ¶ 알뜰한 살림 うまい家計の切り盛り. ② つましい; つづまやかだ. ¶ 알뜰한 주부 つましい主婦. ③ (暮らしに)不自由しない; 充実している. ④ 愛情が細やかで深い. ¶ 알뜰한 아내의 사랑 細やかな妻の愛. 알뜰-히 부 ① まめに. ② つましく. ③ 不自由なく. ④ 愛情細やかに.

알라 〔Allah〕 명 〔宗〕 アラー.

알랑-거리다 자 こびへつらう; おもねる; お上手をいう; ごまをす(擂)る. 알랑-알랑 부하자 しきりにこびへつらうさま; とり入るさま. ¶ 상사에게 ~하다 上役にごまをす(擂)る.

알랑-방귀 명《俗》 ごますり. ── 뀌다 자《俗》 ☞ 알랑거리다.

알랑-쇠 명 ごますり; おべっか使い.

알량-하다 형 ① 取るに足りない; つまらない. ¶ 알량한 솜씨 取るに足りない腕前. ② 品性と人格が卑しい.

알레그로 〔이 allegro〕 명 〔樂〕 アレグロ.

알레르기 〔도 Allergie〕 명 〔生〕 アレルギー.

‖── 성 질환 명 〔醫〕 アレルギー性疾患.

알려-지다 자 ↗알리어지다.

알력 【軋轢】 명 あつれき(軋轢). ① 車輪のきしり. ② 不和; もめごと. ¶ ~을 가져오다 あつれきを来たす.

알로 까다 형《俗》 抜け目がない; 目から鼻へぬけるようだ.

알로하 〔aloha〕 명 ↗알로하 셔츠.

‖── 셔츠 명 アロハシャツ.

알록-달록 부하형 ☞ 얼룩덜룩.

알록-이 명 ☞ 얼룩이.

알루미늄 〔aluminium〕 명 〔化〕 アルミニウム.

‖── 경합금 명 アルミニウム軽合金. ── 새시 명 アルミニウムサッシュ; アルミサッシュ《준말》.

알리다 타 知らせる; 通知する; 告げる; 報ずる. ¶ 합격을 ~ 合格を知らせる.

알리바이 〔alibi〕 명 アリバイ; 現場不在証明. ¶ ~가 성립되다 アリバイが成り立つ.

알리어-지다 자 ① 知られる; (人に)知れ(渡)る. ¶ 잘 알리어지지 않은 사람 余り知られていない人 / 일반에게 ~ 一般に知(ら)れる / 상관에게 ~ 上司の耳に達する / 널리 알리어진 사실이다 広く知れ渡っている事実である. ② 判明する; 知れる. ¶ 소문은 거짓으로 알리어졌다 うわさはうそと知れた. ③ (名などが)知られる; (…で)通る. ¶ 잘 알리어지지 않은 일 知り渡っていないこと / 문인으로 알리어져 있다 文人として知られている / 괴짜로 알리어져 있다 変わり者で通っている. ㊟ 알려지다.

알-맞다 형 適当だ; 程よい; 似合〔ふさ〕わしい. ¶ 젊은이에게 알맞은 취미 若者にふさわしい趣味 / 알맞게 데치다 程よくゆでる / 너에게 알맞은 직업이다 君に適する職業である.

알-맞추 부 適当〔適度〕に; 程よく; ふさわしく; ちょうどよく. ¶ ~ 먹다 程よく食べる.

알맹이 명 中身. ① 皮をむいた中の部分. ② 物事の中心·要点. =핵심(核心). ¶ ~가 빠진 이야기 中身の抜けた話; 内容の無い話.

알-몸 명 裸体; 裸; 真っ裸; 裸身. ¶ 아이들이 해변가에서 ~으로 뛰논다 子供らが海辺で真っ裸で跳ねまわる / ~으로 시집 보내다 体一つで嫁入りさせる.

알-몸뚱이 명《俗》 裸. =알몸. ¶ ~가 되다 裸になる.

알-밤 명 ① いが(毬)を取り除いたくり(栗)の実. ②《俗》 げんこつ. ¶ ~을 먹이다 げんこつをくらわせる.

알-배기 명 ① 子もちの魚. ② みかけより中がしっかりしている物.

알-배다 자 卵をはらむ.

알-부랑자 【─浮浪者】 명 ひどいよた者.

알부민 〔albumin〕 명 〔化〕 アルブミン.

알-뿌리 명 〔植〕 球根.

알-사탕 【─砂糖】 명 あめ玉. =눈깔사탕.

알선 【斡旋】 명하타 あっせん(斡旋); とりもち; 世話; 計らい. ¶ 취직을 ~하다 就職をあっせんする.

알-세포 【─細胞】 명 〔生〕 卵細胞.

알-속 명 ① 内密に知らせた内容. ──하다 타 ひそかに知らせる; 密告する. ¶ 적에게 ~하다 敵に密告する / 나는 그 ~을 안다 僕はそのないしょを知っている. ② 核心. ¶ ~을 말하다 核心に触れる. ③ 見掛けよりも充実した内容. ¶ 보기보다 ~이 있다 見掛けよりも充実だ. ④ 外包を除いた中身.

알싸-하다 형 (辛味などで)口の中や鼻がひりひり〔ぴりぴり〕する.

알쏭-달쏭 부 ① 色とりどりの線や点が整然としない模様をなしてい

ㅇ

るさま：だんだらに；まだらに．——-하다 형 だんだらだ；まだらだ．②記憶が薄れたりまたはこんがらかって判然としないさま：ばくばくと；ぼうっと；うすぼんやり．——-하다 형 はっきりしない；ぼうっとする．¶기억이 ～하다 記憶がぼうっとする．

알쏭-알쏭 부하형 ①色とりどりの線や点が整然と模様をなしているさま：だんだらに；まだらに．②記憶が薄れてうすぼんやりするさま；内容がこんがらかって判然としないさま：あやふや．

알쏭-하다 형 ↗아리송하다.

알아-내다 타 ①わかる；悟る．¶벗의 진의를 ～ 友の本心を悟る．②明かす；見つけ出す；探し出す；究める．¶숨겨진 물건이 있는 데를 ～ 隠し物のありかを見つけ出す／범인의 거처를 ～ 犯人の住まいを突きとめる．

알아-듣다 타 聞き分ける；理解する；会得する．

알아-맞히다 타 知り当てる．¶퀴즈의 정답을 ～ クイズの正答を当てる／범인의 집을 ～ 犯人の家を嗅ぎ当てる．

알아-먹다 타 "알아듣다"の俗語．¶나의 말을 알아 먹겠소 僕の話を聞き分けられますか．

알아-보다 타 ①調べる；探る．¶내용을 ～ 内容を調べる／진상을 ～ 真相を探る．②記憶する．¶옛날 친구를 ～ 昔の友を見知る〔記憶する〕．③認める．¶사람을 ～ 相手を認める．

알아-주다 타 ①(他人の長点を)認める．¶사람들이 그의 인격을 ～ 皆が彼の人格を認める．②(他人の立場を)察してやる；思いやる．¶그녀의 딱한 처지를 ～ 彼女の苦しい立場を思いやる．

알아-차리다 타 (あらかじめ注意して)見抜く；予知する；感付く．¶상대의 속셈을 ～ 相手の下心を見抜く．

알아-채다 타 機微を知る；気付く；感づく．¶속을 알아채이다 まゆ毛を読まれる．

알아 하다 타 うまくとりはからう．¶우리 비서는 어려운 일을 알아 한다 うちの秘書は難しいことをうまくとりはからう．

알알-이 부 粒ごとに；粒粒に．¶～ 흩어졌다 粒粒に散った．

알알-하다 형 ☞ 얼얼하다.

알-약【—藥】명 丸薬；錠剤．

알은 체 명 ①人のことにかかわる態度．——-하다 타 かかわる．¶남의 일에 ～한다 人のことにかかわる．②知合いみたいな態度をとること．——-하다 타 親しげなそぶりをする；めくばせする．¶길에서 어떤 사람이 ～하더라 道でだれかが目礼していた．

알음 명 ①知り合い；面識のあること．¶사업상의 ～ 事業上の知り合い．②知っていること．③神の加護，またはそのかい(甲斐)．¶～으로 이번의 일이 잘 됐다 神の加護で今度のことがうまくはこんだ．——- 명 ①顔見知りの関係．②よし(誼)．

‖——-알이 명 ①親しい人；知人．¶～들이 모였다 親しい人達があつまった．②小器用な手段．¶～로 처리하다 小器用に処理する．伸びる才能．¶～가 대단하다 才が大したものだ．——-장 명하타 目くばせや動作でそれとなく知らること；目配せ．¶그녀가 ～해서 알았다 彼女の目くばせで感付いた．

알-젓 명 ①魚卵の塩辛．＝난해(卵醢)．②《俗》破れた靴下からはみ出た足指．

알-조 명 合点·合点のいくこと．＝알괘．¶그 정도면 ～다 その程度なら合点がいく．

알-주머니 명 らんのう(卵嚢).

알-집 명〔生〕卵巣．

알짜 명 最も肝心なもの；粒より；えり抜き．¶～만 모인 팀 えりぬきのチーム／그것이 ～다 それが要素である．

알짝지근-하다 형 ①やや辛い．¶김치 맛이 ～ キムチがやや辛い．②ひりひり痛む．¶햇살에 탄 살이 ～ 日焼けした肌がひりひり痛む．③ほろ酔いかげんだ．¶술이 취해 ～ 酒がまわってほろ酔いかげんである．

알짱-거리다 자 ①ぺこぺこしながらだます；へつらいながらあざむく．¶전무에게 ～ 専務にへつらいながらだます．②用もなく人の前をうろつく．¶공연히 사장실 앞을 ～ 用もなく社長室の前をうろつく．알짱-알짱 부하자 ①こびへつらうさま．②うろうろ．

알쫑-거리다 자 ちやほやする；おべっかを使う；ごまをする．¶여직원에게 ～ 女同僚にごまをする．알쫑-알쫑 부하자 ちやほや．

알-찌개 명 卵を割って味付けをした煮物．

알-차다 형 ①中身が満つ；身入る．¶벼가 ～ 稲の穂が身入る．②内容が充実している．¶그의 최근 작품은 ～ 彼の最近の作品は内容が充実している．

알칼리〔alkali〕명〔化〕アルカリ．

‖—— 금속 명〔鑛〕アルカリ金属．—— 섬유소 명 アルカリ繊維素．——-성 명〔化〕アルカリ性．¶～ 반응 アルカリ性反応．—— 토금속 명〔化〕アルカリ土金属．

알코올〔alcohol〕명〔化〕アルコール．¶일가 ～ 一価アルコール／에틸 ～ エチルアルコール．

‖—— 램프 명 アルコールランプ．—— 성 명 アルコール性．—— 온도계 명 アルコール温度計．—— 음료 명 アルコール飲料．—— 중독 명〔醫〕アルコール中毒．

알타이 어족【—語族】〔Altai〕명 アルタイ語族．

알토〔이 alto〕명〔樂〕アルト．

알-토란【—土卵】명 (手入れをした)

芋. ——-같다 형 ① 内容が充実
している. ② 暮らしが豊かだ.
통 명 ちからこぶ(力瘤); 筋肉の
り上がった部分.
파 〔ユA, α〕 명 アルファ. ¶ ~와 오메
アルファとオメガー.
——-선 명 アルファ線. ——-성 명
天〕 アルファ星; 首星. —— 입자
〔物〕 アルファ粒子.
파벳 〔alphabet〕 명 アルファベット.
——-순 명 ABCの順.
파인 종목 【—種目】 명 〔Alpine〕 명
スキーで)アルペン種目. =알펜 경
기.
파카 〔alpaca〕 명 〔動〕 ① アルパカ.
② 織物の一種《アルパカの毛糸で織った光沢のある織物》.
피니스트 〔alpinist〕 명 アルピニスト.
현 【謁見】 명하타 謁見.
명 分かっていること; 知識.
다 자타 ① 病む; 患う; 痛む. ¶ 폐를 ~ 肺を病む / 이를 ~ 歯を痛む. ② 心配する; くよくよする. ¶ 마음을 ~ 心を病む.
앓이 미 名詞の下に付いて病の意を表わす接尾語. ¶ 가슴~ 胸病 / 배~ 腹痛. 「し.
암¹ 명두 (生物の)雌. ¶ ~소 めう
암 【庵】 명 ↗암자(庵子).
암 【癌】 명 がん(癌). ①〔醫〕 悪性しゅよう(腫瘍)の総称. ¶ 위~ 胃がん. ② (機構・組織などで), 最大のさまたげになっているもの. ¶ 사치는 민주 사회의 ~이다 ぜいたくは民主社会のがんである.
암 〔arm〕 명 アーム.
‖——-체어 명 アームチェア. ——-홀 명 アームホール.
암² 감 ↗아무려면.
-암 【岩】 미 岩. ¶ 수성~ 水成岩 / 화강~ 花崗岩.
암-갈색 【暗褐色】 명 暗褐色.
암거 【暗渠】 명 〔工〕 暗きょ. ¶ ~ 배수 暗きょ排水.
암-거래 【暗去來】 명하타 やみ取引; やみ流し.
‖——-상(商) 명 やみ屋.
암계 【暗計】 명하타 秘策; 秘かに謀ること. =암모(暗謀).
암굴 【岩窟】 명 がんくつ(岩窟); 岩穴; 岩屋. 「〈老〉.
암기 【暗記】 명하타 暗記; 空覚え
암-꽃 명 〔植〕 雌花.
암-나사 명 雌ねじ; ナット.
암-내¹ 명 発情期の動物の体からのにおい. ——-나다 자 盛りがつく; 発情する. ——-내다 자 雌が発情する.
암-내² 명 わきが(腋臭).
암-놈 명 獣の雌の愛称.
암담 【暗澹】 명하형 あんたん(暗澹).
암만 명 どのくらい; いくら. ¶ ~ 애를 써도 いくら努力しても〔骨折っても〕 / ~을 주어도 좋다 いくらをやっても構わない. ————— 명 これこれ〔しかじか〕. ¶ 집 가격이 ~이다 家の価格はこれこれ〔しかじか〕である.
암만 해도 부 どうしても; どうやっても; とうてい(到底). ¶ ~ 안 된다 とうていできない; いくらやって見ても駄目だ.
암-말 명 雌馬.
암매 【暗賣】 명하타 闇売り.
암-매매 【暗賣買】 명하타 やみ取引.
암-매장 【暗埋葬】 명하타 ☞ 암장(暗葬). 「ム.
암모늄 〔ammonium〕 명 〔化〕 アンモニウ
암모니아 〔ammonia〕 명 ① 〔化〕 アンモニア. ② 《俗》 硫安.
‖—— 냉동법 명 アンモニア冷凍法. ——-수 명 アンモニア水.
암묵 【暗默】 명하타 暗黙. ¶ ~리에 양해했다 暗黙の裡に諒解した.
암반 【岩盤】 명 岩盤.
암벽 【岩壁】 명 岩壁. ¶ ~을 기어 오르다 岩壁をよじ登る.
암산 【暗算】 명하타 暗算.
암살 【暗殺】 명하타 暗殺. ¶ ~자 暗殺者.
암상 명하형 ねたみそねむこと; やっかむこと. ——-스럽다 형 そねみがましい; ねたみがましい; そねみが多い. ——-궂다 형 ねたんで意地悪をする. ——-내다 자 ねたましい言動をする. ——-떨다 자 ひどくねたましいふりを見せる. ——-부리다 자 ねたましい態度を見せる. ——-피우다 자 ねたみをあらわす.
‖——-꾸러기 명 やっかみの意地わる屋.
암석 【岩石】 명 岩石.
‖——-권 명 岩石圏. —— 섬유 명 岩石繊維. ——-학 명 岩石学.
암-소 명 雌牛.
암송 【暗誦】 명하타 暗唱.
암-수 명 雌と雄; 雌雄.
암수 【暗數】 명 悪巧み; トリック. =속임수.
암-술 명 [↗암꽃술] めしべ(雌蕊); 雌ずい. ‖——-대 명 花柱. ——-머리 명 柱頭.
암시 【暗示】 명하타 暗示. =힌트. ¶ 자기 ~ 自己暗示 / ~ 요법 暗示療法.
‖——-법 명 暗示法.
암-시세 【暗時勢】 명 やみ値.
암-시장 【暗市場】 명 やみ市場.
암실 【暗室】 명 暗室.
‖—— 램프 명 暗室ランプ.
암암-리 【暗暗裡】 명 暗暗裡. ¶ ~에 승낙하다 暗暗裡に承諾する.
암야 【暗夜】 명 暗夜.
암약 【暗躍】 명하자 [↗암중 비약] 暗躍; 暗中飛躍.
암염 【岩塩】 명 〔鑛〕 岩塩; 山塩. =돌소금.
암영 【暗影】 명 暗影; 暗い影. ¶ ~이 감돌다 暗影が漂う / ~을 던지다 暗影を投げる〔投ずる〕.
암운 【暗雲】 명 暗雲. ¶ ~이 감돌고 있다 暗雲が低迷している.
암유 【暗喩】 명하자 あんゆ(暗喩). =은유(隱喩). ¶ ~적 暗喩的.
암자 【庵子】 명 大きな寺に属しているいおり(庵). 준 암(庵).
암-자색 【暗紫色】 명 暗紫色.
암장 【暗葬】 명하타 密葬. ¶ 시체를 ~하다 死体を密葬する.

암중【暗中】명 ① 暗中; 暗がりの中. ② 暗暗裏.
‖── 모색 명하타 暗中模索. ㊟ 암색(暗索).
암-치질【─痔疾】명〖韓醫〗ないじかく(内痔核); 肛門の中のじ(痔); あなじ(穴痔).
암-캉아지 명 めすの子犬.
암-캐 명 めすいぬ(雌犬).
암-컷 명 動物のめす(雌); めん〈俗〉.
암-키와 명 め(牝)がわら.
암-탉 명 めんどり.
암-톨쩌귀 명 つぼがね(壺金); 軸受け; ひじつぼ.
암-퇘지 명 めす豚.
암투【暗鬪】명하자 暗闘.
암팡-스럽다 형 ちゃっかりしている; せいかん(精悍)だ; 体は小さくともたけだけしい. ¶나이에 비해 ~ 年に以合わず精悍である.
암팡-지다 형 (小柄ではあるが) ちゃっかりしている. ¶하급생이지만 ~ 下級生にしてはせいかんで大胆である.
암페어〔ampere〕의명〖電〗アンペア.
‖───계 명 アンペア計. ───시 명〖物〗アンペア時.
암-평아리 명 めす(雌)のひよこ.
암표【暗票】명 やみ取引の切符.
‖───상(商) 명 だふ屋〈俗〉.
암-하다 형 しっと(嫉妬)〔そねみ〕深く意地悪だ.
암행【暗行】명하자 密行; 潜行; 微行.
‖── 어사(御史) 명〖史〗勅命で地方の行政及び民情を探るため潜行して回った勅使. ㊟ 어사(御史).
암호【暗號】명 暗号; 合言葉; ふちょう(符牒). ¶~를 정하다 暗号をきめる.
‖── 해독 명 暗号解読. ── 전보 명 暗号電報.
암흑【暗黑】명하형 暗黒.
‖───가 명 暗黒街. ───기 명 暗黒期. ── 대륙 명 暗黒大陸. ── 사회 명 暗黒社会. ───상(相) 명 暗黒相. ── 세계 명 暗黒世界. ── 시대 명 暗黒時代.
압권【壓卷】명 圧巻. ¶현대 소설 중의 ~ 現代小説中の圧巻.
압도【壓倒】명하타 圧倒.
‖───적 명 관 圧倒的.
압력【壓力】명 圧力. ¶~을 넣다 圧力を加える; プレッシャーをかける.
‖───계 명 圧力計. ── 단체 명 圧力団体. ───솥 명 圧力がま; 圧力なべ.
압류【押留】명하자타〖法〗差し押え. ¶세무서의 ~를 당하다 税務署の差し押えを食らう.
압박【壓迫】명하타 圧迫.
‖───감 명 圧迫感.
압사【壓死】명하자 圧死. ¶낙반으로 ~하다 落盤で圧死する.
압송【押送】명하타 押送. ¶죄인을 ~하다 囚人を押送する.
압수【押收】명하타〖法〗押収.
압승【壓勝】명하자 圧勝.
압연【壓延】명하타 圧延. ¶~ 판 延板.
압정【押釘】명 押しピン; びょう(鋲
압정【壓政】명 圧政. ¶~에 시달 다 圧政に苦しむ.
압제【壓制】명하타 圧制.
‖── 정치 명 圧制政治.
압지【押紙·壓紙】명 吸い取り紙 押し紙.
‖───틀 명 吸い取り紙をはめて使う器具.
압착【壓搾】명하타 圧搾.
‖───기 명 圧搾機.
압축【壓縮】명하타 圧縮.
‖── 가스 명 圧縮ガス. ── 공기 명 圧縮空気. ───기 명 圧縮機. ── 산소 명 圧縮酸素. ── 펌프 명 縮ポンプ.
앗 감 危急のときや驚いたとき 発する声: あっ; えっ. ¶~ 위험 다 あっ, 危ない.
앗기다 一타 やめさせる. ¶동생의 난을 ~ 弟のいたずらをやめさせる. 二피동 奪われる; 取られる. ¶재산을 ~ 財産を奪われる.
앗다 타 ①[↗빼앗다] 奪いとる. ¶ 진 돈을 ~ 持ち金を奪いとる. ② 横取りする. ¶동료의 몫을 ~ 仲間の分を横取りする. ③ 皮をむいて種をとる. ④ 削りとる.
-았- 선어미 動詞·形容詞の陽母音の語幹の下に用いられて既にあったことを表わす語. ¶내가 보~다 僕が見た / 주기에 받~다 くれるので受け取った.
앙 부 ① 子供の泣き声を表わす語: あん; わぁ. ② 人を驚かすときの声: わぁ. ¶~ 놀랐지 わぁ, 驚いたろう.
앙가-발이 명 ① 脚が短くて太い人; 大根あしの人を指す語. ② よく食ってかかる人.
앙-가슴 명 乳房の間の胸.
앙감-질 명하자 片足跳び.
앙-갚음 명 報復; ふくしゅう(復讐); 敵討ち; 仕返し. ──하다 자 報復する; 仕返しをする.
앙-괭이 명 墨でぬりたくった顔. ¶~를 그리다 顔に黒いものを塗り立てる.
앙금 명 沈殿物; さし(渣滓); おり(澱); かす(滓). ¶~이 앉다 おりができる.
앙금-앙금 부 幼子や脚の短い動物がゆっくりは(這)うさま.
앙등【仰騰·昂騰】명하자 高騰. =등귀.
앙망【仰望】명하타 仰望.
앙-버티다 타 やせがまんをする; 最後まで突張る; (最後まで)がんばる. ¶기를 쓰고 ~ 躍気になってがんばる.
앙상-궂다 형 ひどくやせ衰えている. ¶그의 모습이 ~ 彼の様子がひどくやつれはてている.
앙상블〔프 ensemble〕명 アンサンブル.
앙상-하다 형 ① ぴったりせず似合わない. ¶옷이 커서 ~ 服が大きくて

合わない. ② やつれている; やせさらばえている. ¶ 그녀는 말라서 뼈만 ~ 女はやせさらばえている.
숙【怏宿】명 うらみがあって仲の悪いこと.
심【怏心】명 ふくしゅうしん(復讐心); 執念; 恨み. ——먹다 자 うらみを抱く; 恨みをもつ.
앙 부하자 子供が泣くときに出す大声: あんあん; わぁ. <엉엉. ——거리다 자 大声で泣く.
앙양【昂揚】명하타 高揚.
앙증-하다 형 不釣合いに小さい.
앙증-스럽다 형 不釣合いに小さく見える.
앙짜 명 ① もったいぶること; 気取ること. ② ひがんだ人; ねたみ深い人.
앙천【仰天】명 天を仰ぐこと. —— 대소(大笑) 명하자 天を仰いで声高く笑うこと. —— 부지(俯地) 명하자 天を仰ぎ地を見下ろすこと. —— 축수(祝手) 명하자 天を仰いで祈ること.
앙칼-스럽다 형 (気性が)毒毒しい; 執拗だ. ¶ 젊은 여자지만 ~ 若い女にしては毒毒しい.
앙칼-지다 형 ① (身に負えない事を必死に)挑む気性がある; 執拗だ. ② 大変悪賢い; わるしつこい.
앙케트 〔프 enquête〕 명 アンケート.
앙코르 〔프 encore〕 명 アンコール.
앙큼-상큼 부하형 重い足どりと軽い足どりでゆったりと歩くさま: のそりのそり. <엉큼성큼.
앙탈 명하자 ① 言い逃れ; 逃げ口上. ② 反抗. ——부리다 자 ① 逃げ口上を使う. ② 手向かう; 反抗する; 盾突く.
앙페르의 법칙【—法則】〔Ampère〕 명 アンペアの法則.
앙-하다 형 内心怒っている.
앙화【殃禍】명 災い; たたり.
앞 명 ① 前; 前面. ¶ 우체국 ~으로 길이 트인다 郵便局の前面に道が通る / 네 ~이 나다 君の前が僕だ. ② 将来; 未来; 先. ¶ ~으로 어떻게 할 테냐 将来どうするつもりなのか. ③ 以前; 先般. ¶ ~에서 말한 바와 같이 先般話したように. ④ 先頭. ¶ 네가 ~이다 君が先頭である. ⑤ 分け前. ¶ 맏아들 ~으로 가는 재산 総領息子への分け前. ⑥ あて(宛); おんもと(御許). ¶ 김 보배 씨 ~ キムボーベ殿あて / 이 과장 ~ 李課長おんもと. ⑦ 陰部. ¶ ~을 가리다 陰部をかくす.
앞-가림 명하자 ① ほんの少し学識があること. ¶ 그는 겨우 ~을 한다 彼はどうにか読み書きができる. ② 最少限の責任を果たすこと. ¶ 간신히 ~을 했다 ようやく面目をほどこした.
앞-가슴 명 ① "가슴(=胸)"の強勢語. ② 上衣の前すそ. ③〔蟲〕前胸部.
앞-길 명 ① 前途; 将来; 行く末. ¶ ~이 유망하다 前途が有望である. ② (家などの)前の通り.
앞-날 명 将来; 未来; 来るべき日. ¶ ~이 얼마 안 남았다 余生いくばくもない.
앞-니 명 門歯.
앞-다리 명 ① (獣の)前脚. ② 機の前柱. ③ 移転先. ¶ ~가 아직 비질 않았다 移転先がまだ空かない. ④ 手先.
앞-다투다 자 先を争う.
앞-당기다 타 予定を繰り上げる; 早める; 取り越す; 前倒す. ¶ 개회를 ~ 開会を早める / 앞당겨 쓰다 繰り上げて使う / 출발 시간을 예정보다 ~ 出発時間を予定より繰り上げる / 식량 원조를 앞당겨 하기로 했다 食料援助を前倒しして実施することにした.
앞-대문【—大門】명 家の正門.
앞-두다 타 控える; 目前に迫る. ¶ 시험을 내일로 ~ 試験を明日に控える.
앞-뒤 명 前後.
‖앞뒷-문(門) 명 前後の門. 앞뒷-집 명 前の家と後ろの家. ¶ ~에 살았다 隣に住んだ.
앞-뜰 명 前の庭.
앞-마당 명 前庭.
앞-면【—面】명 前面.
앞-못보다 자 ① 眼が見えない. ② 無知で身の程をわきまえられない.
앞-문【—門】명 表門; 表口.
앞-발 명 (獣の)前足.
‖——-굽 명 前足のひづめ(蹄). ——-질 명하자 前足蹴り; 前足をしきりに動かすこと.
앞-서 부 ① 先に; 前に; あらかじめ. ¶ 식사하기에 ~ 약을 마신다 食事の前に薬を飲む. ② 先だって; 先般; 先日. ¶ ~ 말씀드린 바와 같이 先般申し上げたとおり.
앞서-가다 자타 ① 先に立って行く. ② 先に進む; 先んずる. ③ 人よりぬきんでる.
앞서거니 뒤서거니 구 先立ったり後になったり(して).
앞-서다 자 ① 先に進む; 前に立つ. ¶ 어머니가 언제나 ~ 母がいつも前に立つ. ② とりあえず要求される; 先立つ. ¶ 우선 앞서는 것은 돈이다 まず先立つものはお金である. ③ 先立って死ぬ. ¶ 부모에 ~ 親に先立つ.
앞-서서 부 ① 先立って. ② 前もって; 予め.
앞-세우다 타 ① 先に立たせる. ¶ 악대를 ~ 楽隊を先に立たせる. ② 先に出す; 表に立たせる. ¶ 경제 문제를 ~ 経済問題を表に立たせる. ③ 先に死なす. ¶ 외아들을 ~ 独り息子に先立たれる.
앞앞 명 各自の分; 各自の前. ——이 부 ① 各自の前に; めいめい(銘銘)に; それぞれの前に. ② ☞ 몫몫이.
앞-이마 명 ① "이마"の強調語. ② 額の中央.
앞-일 명 これから先の事. ¶ ~이 걱정이다 これから先が心配である.
앞-자락 명 前面のすそ.

ㅇ

앞-잡이 명 ① 先導者. ¶ 경험자를 ~로 내세우다 経験者を先導に立てる. ② 手先; かいらい(傀儡); そうく(走狗); いぬ〈俗〉. ¶ 경찰의 ~ 警察の手先〔犬〕.

앞-장 명 先頭. ¶ 구제 운동의 ~을 서다 救済事業の音頭を取る. ——서다 자 先立つ; 先駆ける; 先頭で進む. ¶ 앞장서서 나아가다 先頭に立って進む. ——세우다 타 先頭に立たせる.

앞-지르다 타 追い越す; 追い抜く; だしぬく. ¶ 앞 자동차를 ~ 前の自動車を追い越す / 경쟁 상대를 ~ 競争相手を追い抜く / 선배를 ~ 先輩をだしぬく.

앞-집 명 前にある家.

앞-차【—車】명 先に出発した車; 前方の車. ¶ ~를 놓쳤다 先の車を逃がした.

앞-채 명 ① 母屋の前にある棟. ② (こし(輿)などの)先棒. ③ ☞ 앞마구리.

앞-치마 명 前掛け; 前垂れ; エプロン.

애[1] 명 ① 憂いに満ちた心中; いらいらする気持ち. ¶ ~태우다 心を焦がす. ② 心身の苦労. ¶ ~를 쓰다 苦労する; 深く心慮する. / ~썼네 御苦労であった.

애[2] 명 ↗아이. ¶ 이 ~는 장난꾸러기야 この子はいたずらぼうずだ.

애- 투 ① 幼い・子供っぽい・若いなどの意を表わす語. ¶ ~송이 若僧; 青二才〈俗〉《경멸의 뜻도 있음》/그는 앳되다 彼は子供っぽい. ② 初の意を表わす語. ¶ ~호박 初物のかぼちゃ; 未熟のかぼちゃ / ~벌 最初.

-애【愛】미 愛. ¶ 조국~ 祖国愛 / 모성~ 母性愛.

애가【哀歌】명 哀歌; 悲歌; エレージ.

애-간장【—肝腸】명 肝臓の強調語. ¶ ~을 저미다 はらわたを断つ; はらわたがちぎれる思いである.

애개 감 ① "아뿔싸"より弱い語: おっとと; あら; しまった. ② 少ないものや小さいものをさげすんで発する語: ありゃ; あれ. ¶ ~ 이것뿐이야 何だ, これっぽちか.

애개개 감 "애개"を重ねたときの語: ありゃりゃ.

애걸【哀乞】명하자타 哀願. ¶ ~ 복걸하다 低頭して請う.

애견【愛犬】명하자 愛犬. ¶ 그는 이름 난 ~가이다 彼は名たたる愛犬家である.

애고【愛顧】명 愛顧.

애고 감 ↗아이고. ——대고 부 大声を出して泣くさま: わあわあ.

‖——머니 감 ↗아이고머니. —————— 감 喪中に哀泣する声: 哀号哀号.

애교【愛嬌】명 あいきょう(愛嬌); つや〈俗〉. ¶ ~있는 음성 つやのある声. ——떨다 자 あいきょうを振る〔振りまく〕. ——부리다 자 あいきょうを見せる.

애구 감 ☞ 아이고.

애국【愛國】명하자 愛国.

‖——가 명 愛国歌. —— 선열 명 愛国先烈. ——심 명 愛国心. —— 지사(志士) 명 国のために心身を捧げた人.

애기 명《俗》☞ 아기.

‖——나방 명〔蟲〕かのこが. ——리 명 幼根. ——씨름 명 素人相撲.

애기【愛機】명 愛機; 自分の操縦する飛行機.

애꾸 명 ① ↗애꾸눈. ② ↗애꾸눈이.

‖——눈 명 独眼; 片目. ——눈이 명 独眼の人; 片目の人.

애-꿎다 형 罪なく災いにあう; 心外だ; 残念だ. ¶ 애꿎은 어린애 때린다 罪なき子供をたたく.

애-끊다 자 断腸の思いをする; 心を焦がす; やきもき〔いらいら〕する.

애-늙은이 명 若年寄り; 年寄じみた人.

애-달다 자 じれる; 気が気でない; 気がもめる.

애달프다 형 切ない; 哀切だ; ふびんだ. ¶ 애달픈 그의 모습 切ない彼の姿. 애달피 부 切なく; ふびんに; 哀切に. ¶ ~ 울다 切なく泣く.

애-당초【—當初】명 最初; はじめ《"애초"の強勢語》. ¶ ~부터 잘못되었다 はじめから間違っていた.

애도【哀悼】명하타 哀悼. ¶ 삼가 ~의 뜻을 표하다 謹んで哀悼の意を表する.

애독【愛讀】명하타 愛読.

‖——자 명 愛読者.

애동대동-하다 형 若若しい.

애드벌룬 〔ad-balloon〕 명 アドバルーン.

애련【哀憐】명하자 あいれん(哀憐); 悲しみあわれむこと. ¶ ~의 정을 금하지 못하다 哀憐の情に堪えない.

애로【隘路】명 あいろ(隘路); (ボトル)ネック. ¶ 판매〔생산〕의 ~ 販売〔生産〕の隘路.

애림【愛林】명하자 愛林. ¶ ~ 사상〔주간〕愛林思想〔週間〕.

애마【愛馬】명 愛馬. ¶ ~ 정신 愛馬精神.

애매【曖昧】명하형 あいまい(曖昧). ¶ ~한 태도를 취하다 あいまいな態度をとる.

‖—— 모호 명하형 あいまいもこ(曖昧模糊). ¶ 이 문장의 뜻은 ~하다 この文章の意味は曖昧模糊である.

애매-하다 형 無実である; ぬれぎぬを着せられている; 罪がない. ¶ 애매한 사람을 들볶다 罪なき人をさいなむ. 애매-히 부 罪なく. ¶ ~ 걸려 들었다 罪なく引掛かった.

애-먹다 자 困り切る; もてあます; (手を)焼く; やける; てこずる《"手子摺る·手古摺る·挺子摺る"로도 씀》. ¶ 이번 사건에는 정말 애먹었다 今度の事件には本当にてこずった.

애-먹이다 타 困らせる; 手を焼かせる; てこずらせる. ¶ 너는 퍽 애먹이는구나 お前はずいぶんてこずらせる

애면-글면 부하자 目的に達する為に精出すさま：一心ふらんに；精いっぱいに；一生懸命に；わき目もふらずに.

애모【愛慕】명하타 愛慕. ¶～의 정 愛慕の情.

애무【愛撫】명하타 あいぶ(愛撫).

애-벌 명 一つの物に同じ事を繰り返す際の初めの手出し；下ごしらえ；一回目. ——빨다 타 下洗いをする. ——찌다 타 初蒸しをする. ——갈이 명하타〔農〕田畑の一回目の耕し. ——구이 명하타 ☞ 설구이. ——빨래 명 下洗い.

애-보기 명 お守り；子守り.

애사【愛社】명하자 愛社. ¶～ 정신 愛社精神.

애-새끼 명《卑》子供.

애서【愛書】명하타 愛書. ¶～가 愛書家/～광 愛書狂.

애-서다 자 ↗아이 서다.

애석【哀惜】명하자형 哀惜；悲しみ惜しむこと. ——히 부 哀惜に；あたら. ¶～ 여기는 마음 금할 길이 없다 哀惜に思う心禁じ難い.

애석【愛惜】명하자형히부 愛惜；あいじゃく. ¶고인이 ～해 하던 골동품 故人の愛惜して止まなかった骨董品.

애소【哀訴】명하타 哀訴. ¶～를 들어 주다 哀訴を聞き入れる.

애송【愛誦】명하자 愛唱. ¶그가 ～하는 시 彼が愛唱する詩.

애-송이 명 若造(“若僧”로도 씀)；若輩；ほやほや〈俗〉；ひよっこ〈俗〉；小わっぱ〈蔑〉；小せがれ〈俗〉；小僧っ子〈卑〉. ¶～ 의사 竹の子医者/대학을 갓 나온 ～ 大学出のほやほや/～ 주제에 건방진 소리 마라 ひよっこのくせに生意気言うな/～ 녀석 へなちょこ野郎.

애수【哀愁】명 哀愁. ¶～를 자아내다 哀愁をそそる.

애-쓰다 자 心労する；気づかう；尽力する；骨折る；心を砕く. ¶성적을 올리려고 ～ 成績を上げるのに心を砕く/애쓴 보람이 있다 骨折りのかいがある.

애애【靄靄】명하형 あいあい(靄靄). ①かすみ(霞)のたちこもったさま. ②平和なさま. ¶화기 ～한 가운데 和気靄靄のうちに. 「煙家.

애연【愛煙】명하자 愛煙. ¶～가 愛

애오라지 부 物足りないままに；せめて；幾分. ¶～ 성의만 받아 주세요 物足りないままに〔せめて〕誠意だけを受けて下さい.

애완【愛玩】명 あいがん(愛玩). ——하다 타 愛玩する；めでる. ¶～ 동물 愛玩動物. ‖——구 명 愛玩具.

애욕【愛慾】명 愛欲. =정욕(情慾). ¶～에 빠지다 愛欲におぼれる.

애원【哀願】명하타 哀願. ¶～을 물리치다 哀願を退ける.

애육【愛育】명하자 愛育.

애음【愛飲】명하자 愛飲. =애주(愛酒). ¶평소 맥주를 ～하였다 平素ビールを愛飲した.

애인【愛人】명하자 愛人. ①人を愛すること. ¶경천 ～ 敬天愛人. ②恋人. ¶～과 결혼하다 愛人と結婚する. 「子).

애자【碍子·礙子】명〔電〕がいし(碍

애잔-하다 형 非常にひ弱い；弱弱しい. 애잔-히 부 ひ弱く；弱弱しく. 「ぶた.

애-저【—豬·—猪】명 食用の子豚

애절【哀切】명하형히부 哀切. ¶그것은 ～한 이야기였다 それは哀切な物語であった.

애절【哀絶】명하형히부 哀絶. ¶～한 마음 哀絶の念.

애정【哀情】명 哀情. ¶～을 불러일으키다 哀情をもよおす.

애정【愛情】명 愛情. ¶어머니의 ～ 母の愛情/～을 고백하다 愛情を打ち明ける.

애조【哀調】명 哀調. ¶～를 띤 민요 哀調を帯びた民謡.

애족【愛族】명하자 愛族. ¶애국 ～ 愛国愛族.

애주【愛酒】명하자 愛酒；愛飲. ‖——가 명 愛酒家.

애증【愛憎】명 愛憎. ¶～이 교차하다 愛憎が交差する.

애지중지【愛之重之】명하타 非常に愛して大事にするさま. ¶～하는 자식 秘蔵っ子/～하는 물건 虎の子.

애착【愛着】명하자 愛着. ①非常に愛して思い切れないこと. ¶～을 느끼다 愛着を感じる. ②〔佛〕愛染. =애집(愛執). ‖——심 명 愛着心.

애창【愛唱】명하타 愛唱. ¶동요를 ～하였다 童謡を愛唱した. ‖——곡 명 愛唱曲.

애처【愛妻】명하자 愛妻. ‖——가 명 愛妻家.

애처-롭다 형 ふびん(不憫)だ；気の毒だ；かわいそうだ；痛ましい；いじらしい. ¶부모 잃은 자식들이 ～ 親をなくした子達が気の毒である. 애처-로이 부 かわいそうに；痛ましく；ふびんに；いじらしく.

애첩【愛妾】명 あいしょう(愛妾).

애청【愛聽】명하타 愛聴；好んで聴くこと. ¶～자 愛聴者/～하는 음악 好んで聴く音楽.

애초 명 初め；当初；最初. =당초. ¶～부터 のっけから. ——에 부 初めに；最初に；当初に. ¶～ 잘못했다 最初から誤った. 준 애최.

애칭【愛稱】명 愛称.

애타【愛他】명하자 愛他. ‖——심 명 愛他心. ——적 명관 愛他的；利他的. ——주의 명 愛他主義；利他主義.

애-타다 자 気が気でない；心配でたまらない；気苦労する. ¶자금 회전이 여의치 않아 ～ 資金回りが思う通りに行かんので気苦労する.

애-태우다 타 心を焦がす；気苦労させる；気をもませる；いらだてる；やつす. ¶이룰 수 없는 사랑에 ～ かなわぬ恋に身を焦がす.

ㅇ

애통【哀痛】명 하타 哀痛; 非常にかなしみいたむこと. ¶얼마나 ~하십니까 如何程ご愁傷様でございましょうか.
애통 터지다 자 心配で胸がさけそうだ; 気が気でない.
애틋-하다 형 ① 心残りして気がもめる; やるせない; 切ない. ¶초라한 그녀의 뒷모습이 애틋하였다 みすぼらしい彼女の後ろ姿がやるせなく感じられた. ② 哀惜の念がある. **애틋-이** 부 やるせなく; 切なく.
애-티 명 子供らしさ; 子供っぽさ; 幼げ. ¶그녀는 아직 ~가 난다 彼女にはまだ子供っぽさがある.
애향【愛鄕】명 하자 愛郷. ¶~심 愛郷心.
애호【愛好】명 하타 愛好. ¶우표~가 切手愛好者.
애호【愛護】명 하타 愛護. ¶동물 ~주간 動物愛護週間.
애-호박 명 未熟のかぼちゃ; 初物のかぼちゃ.
애화【哀話】명 哀話. ¶여공 ~ 女工哀話.
애환【哀歡】명 哀歓. ¶~을 함께 하다 哀歓を共にする.
액【厄】명 厄; 災い; 不運. ¶~ 막이 厄払い.
액【液】명 液; 汁.
액【額】명 [↗편액(扁額)] 額.
-액【額】미 額. ¶생산~ 生産額.
액년【厄年】명 厄年.
액-달【厄—】명 厄月. ＝액월.
액-때우다【厄—】자 厄運を他のことで振りきる; 厄逃がれをする; 厄落としをする.
액-때움【厄—】명 하자 厄払い; 厄除け; 厄落とし. ¶~으로 절에 참배하다 厄落としにお寺に参拝する. 준 액땜.
액량-계【液量計】명 液量計.
액-막이【厄—】명 하자 〔民〕厄除け; 厄払い.
‖——굿 명〔民〕その年の厄除けのため正月の十五日の以前にする"굿". ——옷 명 正月十五日の厄払いに捨てる衣服.
액면【額面】명 額面. ¶~ 백만원의 채권 額面百万ウォンの債券/~대로 믿을 수가 없다 額面通りには信じられない.
‖—— 가격 명〔經〕額面価格; フェースバリュー.
액사【縊死】명 하자 [← 의사(縊死)] いし(縊死); くびれ死に.
액상【液相】명 液相.
액세서리〔accesory〕명 アクセサリー.
액셀러레이터〔accelerator〕명 アクセル.
액수【額數】명 ① 金額; 金高. ② 人員数.
액신【厄神】명 厄神; 災厄を降すという悪神.
액운【厄運】명 厄運.
액자【額子】명 額縁.
액자【額字】명 扁額に書かれた大文字.
액체【液體】명 液体.
‖—— 공기 명〔化〕液体空気. —— 금속 연료 명 液体金属燃料. —— 산소 명〔化〕液体酸素. —— 압 명〔物〕液体圧力.
액화【液化】명 하자타 液化.
‖—— 석유 가스 명 液化石油ガス LPG. ——-열 명〔物〕液化熱. —— 천연 가스 명 液化天然ガス LNG.
앨범〔album〕명 アルバム.
앰풀〔ampoule〕명〔醫〕アンプル.
앰프〔amp〕명 ↗앰플리파이어.
앰플리파이어〔amplifier〕명〔物〕アンプリファイア; アンプ《준말》.
앳-되다 형 子供っぽい; うぶだ; 幼なく見える; あどけない.
앵[1] 부 하자 蚊やはち(蜂)などの飛ぶ音: ぶうん.
앵[2] 감 だだをこねたり怒って出す声: ええん; ああん.
앵글로-색슨〔Anglo-Saxon〕명〔人類〕アングロサクソン.
앵도【櫻桃】명 → 앵두.
앵-돌아지다 자 ① すねる; ふて(くさ)る. ¶뜻대로 해 주지 않는다고 ~ わがままが通じなくてすねる. ② (物が)よじまがる; ねじれる; 反る.
앵두 명 [←앵도] ゆすら(うめ)(梅桃)の実. ＝함도(含桃). —— 따다 자《俗》泣く; 涙を流がす.
‖——-나무 명〔植〕ゆすら(うめ)(梅桃)(の木).
앵무【鸚鵡】명 おうむ(鸚鵡). ＝앵무새.
앵속【罌粟】명 けし(罌粟・芥子). ＝양귀비.
앵-앵 부 蚊・蜂などの羽の音: ぶんぶん. ——-거리다 자 ぶんぶん音をたてる.
앵-하다 형 (損をして)口惜しがる; 残念がる; 心惜しがる.
앵화【櫻花】명 ① ゆすらうめ(梅桃)の花. ② 桜花; さくら(の花).
야[1] 명 "ハングル" の "ㅑ"の称.
야【野】명 野. ① 野原. ② 野党・民間の意. ¶인재를 ~에서 구하다 人材を野に求める.
야[2] 감 驚いて出す声: おや!; やあ!; おう!. ¶~ 이것이 뭘까? おや! これが何だろう?
야[3] 조 ① 限定する意を表わす助詞: …(だけ)は; …こそ; …(して)は. ¶이번에~ 합격하겠지 今度こそは合格するだろう/너~ 반대 않을 테지 おまえは反対しないだろうな. ② 呼びかけの意を表わす助詞: …よ; …や. ¶누나~ 姉や.
-야 어미 ① "이다・아니다"の語幹に付いて, ぞんざいな言葉つきで断定または問いかける語尾: …だ; …である; かね. ¶아주 깍정이~ とてもけちんぼうだ/그게 내 시계~? それ僕の時計かね.
야간【夜間】명 夜間. ¶~ 경기〔영업〕夜間競技〔営業〕.
‖—— 도주 명 하자 夜間逃走. —— 부 명 夜間部. —— 열차 명 夜間列車. —— 작업 명 하자 夜間作業.

-촬영 명하타 夜間撮影. —— 학
명 夜間学校.
경【夜景】명 夜景. ＝야색(夜色).
경【夜警】명 夜警；夜番. ¶ 단 夜警団. ——-스럽다 형 (夜中に)騒騒しい〔さわがしい〕.
——-꾼 명 夜警人.
곡【夜曲】명〖樂〗夜曲；セレナーデ.
광【夜光】명 夜光. ①“月”の別称. ②夜に光を出すこと. ¶ -운 夜光雲.
—— 도료 명 夜光塗料. —— 명월 명 夜光明月. —— 시계 명 夜光時計. ——-주(珠) 명 夜光の玉. ——-충 명〖蟲〗夜光虫.
구【野球】명 野球；ベースボール.
—— 방망이 명 野球バット. ——-장 명 野球場. ——-팬 명 野球ファン.
근【夜勤】명하자 夜勤.
금【野禽】명 やきん(野禽)；野鳥.
금【冶金】명하타 やきん(冶金). ¶ ~ 코크스 冶金コークス.
‖——-학 명 冶金学.
야금-거리다 자 ①(少しずつ口のなかに入れて)もぐもぐする. ¶늘 야금거리며 먹다 いつももぐもぐ食べる.
야금-야금 부하자 少しずつ. ¶~ 갉아먹다 少しずつかじる.
야긋-야긋 부하형 高低の差が少なくほぼ同じさま.
야기【夜氣】명 夜気.
야기【惹起】명 じゃっき(惹起). ——하다 타 引き起こす. ¶중대 사건을 ~시켰다 重大事件を引き起こした.
야뇨-증【夜尿症】명〖醫〗夜尿症.
야단【惹端】명하자스형 ①けんそう(喧騒)；騒騒しいこと；騒がしいこと. ¶ 임금을 올리라고 ~이다 賃上げを要求してさわぐ. ②口やかましく叱ること. ¶들키면 ~ 맞는다 見付かったらしかられるぞ. ———— 명부하자 ①むやみに騒ぎたてるさま. ②ひどくしかるさま. —— 나다 자 大変なことが起こる；事故が生ずる. —— 맞다 자 しかられる；お目玉を食う. —— 치다 자 ①しかりつける. ②やたらに騒ぐ.
야단 법석【野壇法席】명 大騒ぎ；らんちき騒ぎ；底抜け騒ぎ.
야담【野談】명 野史の講談.
야당【野黨】명 野党. ¶~색이 강하다 野党色が濃い.
‖——-계 명 野系；野党系統.
야독【夜讀】명하자 夜読. ¶주경(晝耕) ~ 昼は田畑を耕し夜は書物を読むこと.
야드〔yard〕의명 ヤード.
‖—— 파운드법 명 ヤードポンド法.
야드르르 부하형 柔らかくつややかなさま. ¶~한 살결 柔肌.
야로 명《俗》内内のはかりごとやたくらみ；黒幕；下心. ¶무슨 ~가 있어서 일께다 何か下心があってのことだろう.
야료【惹鬧】명하자 [←야뇨(惹鬧)] 無理難題を吹っかけて騒ぎ立てること. ¶부랑자들이 ~를 부리다 与太者らが無理難題を吹っかけて騒ぎ立てる.
야릇-하다 형 おかしい；不思議だ；変だ；けったいだ《怪態の 전와(轉訛)》；異常だ；風変わりだ；奇怪だ；乙だ. ¶야릇한 운명 くしき運命 / 요염한 미인의 미소에 마음이 ~ あでやかな美人の微笑に乙な気分になる.
야마〔스 llama〕명〖動〗ラマ.
야만【野蠻】명하형스형 野蛮. ¶ ~스런〔적인〕행동 野蛮なふるまい.
‖——-인 명 野蛮人；蛮人.
야-만 조 “야”と“만”が合っして成った補助詞：…(い)なければ；…(して)はじめて；…限り(だ)；限る. ¶ 먹어~ 산다 食べてはじめて生きられる / 일을 해~ 한다 働かねばならない.
야-말로 조 …こそ(は). ¶너~ 신사다 君こそ紳士である / 저~ 사과드려야 합니다 わたしこそおわびを申し上げなければなりません.
야망【野望】명 野望；野心. ¶ ~에 불타는 사나이 野望に燃える男 / ~을 품다 野望をいだく.
야맹-증【夜盲症】명〖醫〗夜盲症.
야멸-스럽다 형 つれない；冷たい；薄情だ.
야멸-치다 형 無情だ；つれない.
야무-지다 형 ①しっかりしている；しまっている；がっちりしている. ¶나이에 비해 ~ 年に比べてしっかりしている. ②手ぎわがよい；手先が器用だ. ¶야무진 솜씨이다 しっかりした腕前である.
야바위 명 ①中国式とばくの一種. ②人をだます手品；ぺてん；かんさく(奸策). ——-치다 명 (人の目をかすめて)ごまかす；ぺてんにかける.
‖——-꾼 명 いかさま師；ぺてん師；ぽん引き〈俗〉. ——-판 명 ごまかしの場. 야바윗-속 명 からくりの内幕.
야박【野薄】명 せちがらく薄情なこと；不人情；無情. ——-하다 형 薄情だ；不人情だ；せちがらい. ——-히 부 薄情に；不人情に. ——-스럽다 형 ☞ 야박하다.
야반【夜半】명 夜半；夜中. ＝밤중.
야-밤중【夜—】명 ☞ 한밤중.
야비【野卑·野鄙】명 野卑. ——-하다 형 野卑だ；はしたない；浅ましい；さもしい. ¶~한 말 野卑な言葉 / 그의 언행이 ~하다 彼の言動は浅ましい / 그런 ~한 짓은 않는다 そんな浅ましいことはしない.
야비-다리 명 (つまらない者の)野卑なごうまん(傲慢)ぶり. ——-치다 자 (傲慢な者が)わざとけんそんぶる；猫をかぶる. ¶야비다리치는 사나이 猫かぶりの男.
야사【野史】명 野史；外史.
야산【野山】명 村近の低い山；野山；端山；草山.
야살 명 言動が小憎らしくこま

ㅇ

しゃくれていること. ——-스럽다 형 言動が小憎らしい. —— 까다 자 こましゃくれた言動をする. —— 떨다 자 ひどくこましゃくれた言動をする. —— 부리다 자 わざとこましゃくれた言動をする. —— 피우다 자 面はゆいくらいにこましゃくれ言動をとる.
‖——-이, ——-쟁이 명 こましゃくれて憎らしい人.

야상-곡【夜想曲】〔樂〕 夜想曲; 夜曲; ノクターン. =녹턴.

야생【野生】명 野生. ①動物や植物が自然に生育すること. また, その動植物. ——-하다 자 野生する. ¶~마 野生の馬. ②慣れ親しまない性格. ¶~아 野生児.
‖——-종 명 野性種. ——-화 명 野生花.

야성【野性】명 野性; 自然または本能のままの性質. ¶~화 野性化.
‖——-미 명 野性美. ——-적 명관 野性的. ¶~ 매력 野性的魅力.

야속【野俗】명 薄情で冷めたいこと; 無情; 不人情; 恨めしいこと. ——-하다 형 薄情だ; 不人情だ; 恨めしい. ¶~한 사람 薄情〔無情〕な人. ——-히 부 薄情に; 不人情に; 恨めしく. ¶~ 여기다 薄情と思う. ——-스럽다 형 ☞ 야속하다.

야수【野手】명〔野〕 野手; フィルダー. ¶내~ 内野手.

야수【野獸】명 野獣. ¶~성 野獣性 / ~파의 화가 野獣派の画家.

야습【夜襲】명하타 夜襲; 夜討ち. =야공(夜攻). ¶~을 하다 夜襲をかける.

야시【夜市】, **야시-장**【夜市場】명 夜市; 夜店.

야식【夜食】명 夜食. =밤참. ——-하다 자 夜中に食事をする〔とる〕.

야심【夜深】명 夜更け. ——-하다 형 夜が深い.

야심【野心】명 野心. ¶~을 품다 野心を抱く. ‖——-가 명 野心家. —— 만만 명하형히부 野心満満.

야업【夜業】명하자 夜業; 夜なべ. =야간 작업. ¶~ 수당 夜業手当.

야영【野營】명하자 野営; 露営; ビバーク. ¶~지 野営地.

야옹 감 猫のなき声: にゃあお.

야외【野外】명 野外. ¶~ 촬영 野外撮影. ‖——-극 명 野外劇. —— 수업 명 野外授業.

야욕【野慾】명 ①身分不相応な欲望. ②野卑な情欲. =성욕(性慾).

야웨〔Yahweh〕명〔宗〕☞ 여호와.

야위다 자 ①やせほそる; やせこける; やつれる. ②おちぶれる; 零落する.

야유【野遊】명하자 野遊; 野遊び. =들놀이.
‖——-회 명 野遊会.

야유【揶揄】명 やゆ(揶揄); からかい; やじ. ——-하다 타 揶揄する; からかう; やじる.

야음【夜陰】명 夜陰. ¶~을 (틈)타다 夜陰に乗ずる.

야인【野人】명 野人. ①礼を知(ら)ない人. ②官に仕えぬ人; 在野の人. ③田舎物; 純朴な人. 未開の人; 野蛮人.

야자【揶子】명 やし(揶子). =야자나무. ¶~ 열매 やしの実.
‖——-나무 명〔植〕やし(椰子)の木. =코코야자. ——-수(樹) 명 ☞ 야자나무. ——-유 명 やし(椰子)油.

야적【野積】명하타 野積・野づみ; 露天積み.
‖——-장(場) 명 露天の積み場.

야전【野戰】명 野戦. ¶~병 野戦(病)い / ~ 우편 野戦郵便.
‖——-군 명 野戦軍. —— 병원 명 (野)戦病院. ——-포(砲) 명 野砲.

야조【夜鳥】명 夜鳥; 夜禽.

-야지 어미 義務や当為を表わす(語)ご: …でなくては〔…しなければ〕な(ら)ない; …べきだ. ¶일을 하려면 먼저 (밥)을 먹어~ 働くには先ず飯を食べなければならない / 성공하려면 먼(저) 성실해~ 成功するには先ず誠実(で)なくてはならない.

야지랑-떨다 자 いやに取り澄ます.

야지랑-스럽다 형 小憎いほどすましこんでいる.

야차【夜叉】명 やしゃ(夜叉).
‖——-두(頭) 명 夜叉の乱れ髪.

야채【野菜】명 野菜; 青物; 菜; あおな; なっぱ; そさい(蔬菜). ¶~ 요리 野菜料理.
‖—— 나물 명 お浸し; ひたしもの; おしたし. —— 시장 명 青物市場. —— 원예 명 野菜園芸. —— 절임 명 おしんこ; 漬物; 香の物.

야코-죽다 자《俗》気圧される; 威圧される.

야코-죽이다 타《俗》威圧する.

야트막-하다 형 ①かなり浅い; 浅めだ. ¶개울물이 ~ 川の水がかなり浅い. ②かなり低い; 低めだ. ¶마루가 ~ 縁側が低めである. <여트막하다. 야트막-이 부 かなり浅く〔低く〕.

야틈-하다 형 心持ち〔幾らか〕低い〔浅い〕.

야-하다 형 下品になまめかしい. ¶차림새가 ~ 身なりが品なく艶めかしい.

야학【夜學】명하자 夜学. ①↗야학교. ¶~생 夜学生. ②夜に勉強すること.
‖——-교 명 夜学校; 夜学《준말》.

야합【野合】명하자 野合. ①転び寝; 出来合い. ②正しくない事でひそかに通ずること.

야행【夜行】명하자 夜行. ¶~ 열차 夜行列車.
‖——-성 명 夜行性.

야-호〔yo-ho〕감 ヤッホー.

야화【野話】명 ①ちまたの話. ②田舎の話; 物語.

야회【夜會】명하자 夜会.
‖——-복 명 夜会服.

약[1]【約】명 (花札遊びの)役.

약【略】명 [↗생략] 略.

약【葯】명〔植〕やく(葯). =꽃밥.

약【藥】명 ①薬. ¶잘 듣는 ~ よく効く薬 / ~에 쓰려해도 없다《俚》

…にしたくても無い. ② ↗화약. ③ 害動植物を退治するのに…いる物《農薬など》. ④ 物につ…を出すために塗る物《靴墨な…》. ⑤ (唐辛子・たばこなどの)刺…激性の草の薬効的刺激性…成分. ¶ 고추가 ~이 오르다 熟…した唐辛子がぴりっとする程辛く…る. ⑥ むくっと立つ怒り. ¶ ~이 …르다 腹が立つ. ⑦ 酒やあへん(阿…)などの地口.

…【約】관 約; おおよそ; およそ; …ほぼ. ¶ ~ 10리 約一里.

…약【弱】미 弱. =-빠듯. ¶1.95는 ~이다 1.95は2弱である.

…-가심【藥—】명하자 薬を飲んだ…後の口すすぎ.

…간【若干】명부 若干; 二三; わずか; いささか; やや; 少し; いくらか; 多少; ちょっと; そくばく. ¶ ~의 불안 そくばくの不安 / ~의 돈 そくばくの金 / 사원 ~명을 모집한다 社員若干名を募集する / ~ 기울었다 ややかたよった / 술을 ~ 마셨다 酒をいささか〔多少〕飲んだ.

…-값【藥—】명 薬代; 薬料.

약골【弱骨】명 ① 弱い骨格. ② 弱虫. =약질(弱質).

약과【藥菓】명 ① はちみつ(蜂蜜)または砂糖水に小麦粉を混ぜてこねて型を取って油で十分揚げた食べ物. =과줄. ② たやすいことのたとえ; 朝飯前. ¶ 그런 일쯤은 ~다 そんなこと位は朝飯前である.

약관【約款】명 約款; 条款.

약관【弱冠】명 弱冠; 弱年.

약국【藥局】명 薬局. ① 韓方薬を調剤して売る場所. =약계(藥契). ② 薬剤師が洋薬を調剤・販売する場所. ③ 病院内で薬剤を調剤する場所.

‖——방(方) 명 ☞ 약전(藥典).

약기【略記】명하타 略記. ¶ 십자군에 대해서 ~하라 十字軍について略記せよ.

약다 형 ① 賢い; 才気がある. ¶ 큰아들이 더 ~ 上の息子の方がもっと賢い. ② 利をはかるに巧みだ; 利口だ. ¶ 약게 굴다 利口に立ち回る / 약은 체하다 賢しだてる.

약대 명〔動〕☞ 낙타.

약대【藥大】명 [↗약학 대학] 薬大.

약도【略圖】명 略図.

약동【躍動】명하자 躍動.

‖——감 명 躍動感.

약력【略歷】명 略歴. ¶ ~를 소개했다 略歴を紹介した.

약리【藥理】명 薬理. ¶ ~ 작용이 심하다 薬理作用が甚だしい.

‖——학 명 薬理学.

약물【藥物】명 薬物. =약품. ¶ ~ 사용 의혹을 받은 선수이다 薬物疑惑の選手である.

‖—— 소독 명 薬物消毒. —— 요법 명 薬物療法. —— 의존 명〔醫〕薬物依存. —— 중독 명 薬物中毒.

약-밥【藥—】명 もち米をややこわめに蒸して砂糖・ごま油・しょうゆ(醤油)・くり(栗)・なつめ(棗)・干しぶどうなどを混ぜ合わせ再び蒸した飯. =약식(藥食).

약방【藥房】명 ① 薬局; 薬屋. =약국. ② 素封家の薬を調製する部屋. ¶ ~에 감초(甘草)《俚》薬屋の甘草《事事にお節介を焼く人, または欠くことのできない物の意》.

약-방문【藥方文】명 処方箋. =방문(方文)・약화제(藥和劑). ¶ 사후 ~ 死後の処方箋; 後の祭り.

약보 명 利ざとい人のあだ名. =약빠리.

약-봉지【藥封紙】명 薬を盛る封じ袋.

약분【約分】명하타〔數〕約分.

약-빠르다 형 すばしこい; めざとい; 利ざとい; あざとい〈俗〉. ¶ 어린 녀석이 너무 ~ 若い者にしてはあまりにも利ざとい / 약빠른 고양이가 밤눈을 못 본다《俚》利口鳥が田に子を産む. 약-빨리 부 利ざとく.

약사【略史】명 略史; 小史.

약-사발【藥沙鉢】명 薬鉢; 薬入れの器.

약삭-빠르다 형 如才ない; すばしこい; 手腕がある; さかしい; 小利口だ; 小機転が利く; 才はじける; 小取り回しがよい; こましゃくれる. ¶ 큰아들보다 작은딸이 더 ~ 上の息子よりは下の娘の方が小利口である / 노인이지만 ~ 老人にしては如才なく振り舞う / 여자면서도 그녀는 ~ 女ながらも彼女は手腕がある.

약삭-스럽다 형 如才ない; 目ざとい; 手腕がある.

약-상자【藥箱子】명 薬箱; 薬籠.

약석【藥石】명 薬石. ¶ ~의 보람도 없이 薬石の効なく.

약설【略說】명하타 略説.

약세【弱勢】명하형 弱勢.

약소【弱小】명하형 弱小.

‖—— 국가(國家) 명 弱小国家. —— 민족(民族) 명 弱小民族.

약소【略少】명하형 簡略で少量であること. ¶ ~한 것이지만 받아주시기 바랍니다 おそまつな物ですがどうぞ御受納願います.

약속【約束】명 約束; 言い〔申し〕合わせ; 取り決め. ——-하다 타 約束する; 取り決める. ¶ ~한 시간 約束の時間.

‖—— 어음 명〔經〕約束手形.

약-손【藥—】명 ① 薬指. =약손가락. ② 子供の痛いところを軽く擦りなでてやる大人の手. ¶ 내 손은 ~이다 いい子だよ, わたしの手は効き目あらたかよ.

약솜【藥—】명 脱脂綿.

약수【約數】명〔數〕約数.

약수【藥水】명 薬用に飲む泉の水.

‖——-터 명 泉のわき出る場所.

약-술【藥—】명 くすりざけ(薬酒).

약술【略述】명하타 略述.

약시【弱視】명〔生〕弱視.

약-시중【藥—】명하자 病人の薬の世話をすること. ¶ ~들다 薬飲みの世話をする.
약식【略式】명 略式; 略儀.
‖— 명령 명〔法〕略式命令. — 복장 명 略式服装. — 절차(節次) 명〔法〕略式手続き.
약식【藥食】명 ☞ 약밥.
약실【藥室】명 薬室.
약-심부름【藥—】명하자 薬のお使い. ¶ 노모의 ~하기에 바쁘다 老母の薬の世話にいとまがない.
약-쑥【藥—】명 薬用よもぎ(艾).
약아-빠지다 형 ひどく利ざとい.
약연【藥碾】명 [← 약년] やくてん(薬碾); やげん(薬研); 薬研. ㊟ 연(碾).
약-오르다【藥—】자 ① しゃく(癪)にさわる; 腹がたつ. ¶ 동생이 말을 듣지 않아 약이 오르다 弟が言うことをきかないのでしゃくにさわる. ②(唐辛子やたばこなどの薬草に)刺激性の成分が生じる.
약-올리다【藥—】타 腹を立たせる; 怒らせる; じらす. ¶ 동생이 형을 ~ 弟が兄を怒らす.
약용【藥用】명하타 薬用.
‖— 비누 명 薬用せっけん. — 식물 명 薬用植物. — 효모 명 薬用酵母.
약육 강식【弱肉強食】명하자 弱肉強食. ¶ ~의 사회는 야만이다 弱肉強食の社会は野蛮である.
약음【弱音】명 弱音.
‖——기 명 弱音器.
약자【弱者】명 弱者·よわもの. ¶ ~를 돕다 弱者を助ける.
‖— 선수(先手) 명 (将棋や碁で)弱い方が先に指すこと.
약자【略字】명 略字; 略体.
약장【略章】명 略章; 略綬.
약-장【藥欌】명 薬だんす(簞笥); 百味だんす; 薬味だんす(簞笥).
약-장수【藥—】명 ① 薬売り. ②《俗》あれこれと引き合いに出してよくしゃべりまくる人.
약재【藥材】명 薬材. =약종(藥種).
약전【弱電】명〔電〕弱電.
약전【略傳】명 略伝.
약전【藥典】명 薬局方.
약점【弱點】명 弱点; 欠点; 短所; 弱み; 泣き所; 急所; 足下; 穴〈俗〉. ¶ 상대의 ~을 잡다 相手の弱点を握る〔つかむ〕/ 상대의 ~을 이용하다 相手の弱みに乗ずる / ~을 찌르다 泣き所を突く / ~을 찔리다 急所を突かれる / 상대의 ~을 발견하다 相手の穴を見つける.
약정【約定】명하타 約定.
‖——서 명 約定書. — 이자(利子) 명 約定利息.
약제【藥劑】명 薬剤.
‖——사 명 薬剤師. ——실 명 薬剤室; 調剤室.
약조【約條】명하타 ① 条件を定めて約束すること. ② 約束で決めた条項.
‖——금(金) 명 契約保証金.
약종【藥種】명 薬材. =약재(藥材).
‖——상 명 薬材商.
약주【藥酒】명 ① ☞ 약술. ② どぶくより澄ました, アルコール11度 酒. =약주(藥酒)술. ③ お酒. ¶ 좀 드십시오 少しお酒を召上がりください.
‖——술 명 ☞ 약주②.
약지【藥指】명 薬指; 紅さしび.
약진【弱震】명〔地〕弱震. ¶ 어 밤에 ~이 있었다 昨夜弱震があった.
약진【躍進】명하자 躍進. ¶ 신인 ~ 新人の躍進.
약질【弱質】명 弱質. =약골(骨). ¶ 우리 아이는 ~이다 うちの子は弱い体質である.
약체【弱體】명 弱体.
‖— 내각 명 弱体内閣.
약초【藥草】명 薬草. =약풀. ¶ 채집 薬草採集; 薬取り.
약취【略取】명하타 略取.
‖— 강도(強盜) 명 略取強盗. — 유괴(誘拐), — 유인(誘引) 명하타 略取誘拐; 略取誘引.
약-칠【藥—】명하자타 ① 患部に薬をぬること. ¶ 종기에 ~을 하다 腫れ物に薬をぬる. ② つや出し薬をぬりこすること. ¶ 구두에 ~을 하다 靴に靴ずみをぬってつや出しをする.
약칭【略稱】명하타 略称.
약탈【掠奪】명하타 略奪.
‖——혼 명 略奪結婚.
약탕【藥湯】명〔韓醫〕薬湯; せん(煎)じ薬.
약-탕관【藥湯罐】명 薬をせん(煎)じる陶器.
약-탕기【藥湯器】명 ① せんじ薬を盛る器. ② ☞ 약탕관.
약-통【藥桶】명 薬類を入れる箱; 薬箱. ¶ 구두 ~ 靴墨入れ.
약-팔다【藥—】자《俗》あれやこれやを引き合いに出してしゃべりまくる; あきもせずあれこれとしゃべる.
약품【藥品】명 薬品.
‖——명 명 薬品名.
약-하다【約—】타 ① 約束する; 契約する. ②〔數〕約分する. =맞줄임하다·약분하다.
약-하다【略—】타 略する.
약-하다【藥—】타 ① 薬として用いる. ¶ 허약한 몸에 인삼으로 ~ 弱い体ににんじんを薬に用いる. ② 薬を用いる.
약-하다【弱—】형 弱い; もろい. ¶ 몸이 ~ 体がひ弱い / 시력이 ~ 視力が弱い / 열에 ~ 熱に弱い.
약학【藥學】명 薬学.
‖— 대학 명 薬学大学.
약한-산【弱—酸】명〔化〕弱酸.
약해【略解】명하타 略解. ¶ 고전의 ~ 古典の略解.
약호【略號】명 略号. ¶ 전신 ~ 電信略号 / ~로 나타냈다 略号で表わした.
약혼【約婚】명하자 婚約.
‖— 반지 명 婚約指輪. ——자 명 婚約者; いいなずけ(許嫁).
약화【弱化】명하타 弱化. ¶ 정권의 ~ 政権の弱化.

약화【略畫】명〔美〕略画.
‖── **사전** 명 略画辞典.
약효【藥效】명 薬効.
얄개 명 ☞ 야살.
얄-궂다 형 ①(性格·人柄が)変だ;奇妙だ;変てこだ. ¶ 그녀의 성격은 참 ~ 彼女の性格はほんとうに変わっている. ②奇妙で意地悪だ. ¶ 얄궂은 질문 意地悪な質問. ③↗얄망궂다. ¶ 얄궂은 운명 数奇な運命/얄궂은 해후(邂逅) く(奇)しき巡り合い.
얄궂-거리다 자 (組立てたものが)ぐらつく. ¶ 책상이 오래 되어서 ~ 机が古びてぐらつく. **얄궂-얄궂** 부 하자 ①ふらふら. ②ぐらぐら.
얄궂-하다 형 ややゆがんでいる;やや傾いている. <일긋하다. ¶ 공작물이 ~ 工作物がややゆがんでいる.
얄따랗다 형 ひどく薄い;薄っぺらだ. ¶ 월급 봉투는 늘 ~ 月給袋が何時も薄っぺらである.
얄망-궂다 형 奇妙でややこしい. 준 얄궂다.
얄망-스럽다 형 奇怪でややこしいようだ.
얄-밉다 형 憎らしい;憎い;小憎らしい.
얄밉상-스럽다 형 憎らしい;小憎い;心憎い;小面憎い.
얄브스름-하다 형 やや薄いようだ;薄気味だ. **얄브스름-히** 부 やや薄く;薄気味に.
얄찍-하다 형 薄べったい;心持ち薄い. ¶ 봉지가 좀 ~ 包紙がやや薄い.
얄팍-하다 형 薄っぺらだ. ¶ 봉투가 너무 ~ 封筒があまりにも薄っぺらである. **얄팍-얄팍** 부 하형 みんな薄っぺらなさま.
얇다 형 薄い.
얌냠-하다 형 ①食い足らなくてした鼓を打ちながらもっと食べたがる. ¶ 한 그릇을 먹고도 얌냠한다 おわん一杯を食べてからもなお舌鼓を打つ. ②《児》食べ物を食う.
얌생이 명 하타 《俗》物を少しずつちょろまかすこと.
‖── **꾼** 명 ちょろまかす人.
얌심 명 深いしっと(嫉妬)心;ねたみ. ──**-스럽다** 형 ねたむさまが見える;ねたむようすがみえる. ──**-부리다** 자 ねたまし気な素振りをする. ──**-피우다** 자 ねたみをおこす.
‖──**-꾸러기** 명 ねたみ深い人.
얌전-떨다 자 いかにもしとやかなふりをする. ¶ 개구쟁이가 얌전떤다 きかん坊がいかにもおとなしいふりをする.
얌전-부리다 자 おとなしいふりをする;しとやかなふりをする;つつましやかなふりをする;神妙なふりをする. ¶ 손님 앞에서는 더 얌전부린다 お客の前ではもっと神妙に振る舞う.
얌전-빼다 자 取り澄ます;つつましやかなふりをする. ¶ 말괄량이도 할아버지 앞에서는 얌전뺀다 おてんばも祖父の前では取り澄ます.
얌전-스럽다 형 おとなしい;しと(淑)やかだ;つつ(慎)ましやかだ;神妙だ.
얌전-이 명 おとなしい屋《おとなしい子の別称》.
얌전-피우다 자 ☞ 얌전부리다.
얌전-하다 형 おとなしい;しと(淑)やかだ;つつましやかだ;神妙だ. ¶ 저 집의 처녀는 ~ あの家のお嬢さんは淑やかである. **얌전-히** 부 つつましやかに;淑やかに;神妙に;おとなしく.
얌체 명 恥知らずの人をさげすんで言う語;あこぎ(阿漕)なことをする人をけいべつして言う語:ちゃっかり屋;小賢しい人.
‖── **족(속)** 명 ちゃっかり屋;小賢しい人. ──**-파** 명 ちゃっかり派.
얌치 명 ①廉恥;恥を知る心. ②《俗》あこぎ(阿漕)なことをする人;恥知らず者. =염치.
얌통-머리 명《俗》☞ 얌치.
양【羊】명〔動〕羊. ¶ ~을 기르다 羊を飼う/하나님의 어린 ~을 보라 神の小羊をみよ.
양【良】명 良;成積評点の四番目《美の下, 可の上》.
양【䑋】명 牛の胃袋の肉.
양【陽】명 陽.
양【量】명 量. ①↗분량(分量). ②↗식량(食量). ¶ ~껏 먹다 たらふく食べる. ③数量·重さ·体積の総称. ¶ ~보다 질로 가라 量よりも質で行け.
양【樣】명 様;様式;形状.
양 의명 ①"様子"·"…らしく"·"…のように"·"ふり"などの意味を表わす語. ¶ 돈이 있는 ~한다 金があるふりをする/학자인 ~ 행세하다 さも学者であるかのように振る舞う. ②動詞の連体形語尾"ㄹ"·"을"に付いて"意向"·"意図"を表わす語:意向;つもり. ¶ 잘 ~으로 방에 들어갔다 寝るつもりで部屋に入って行った.
양【兩】一 의명 両;むかしの貨幣や重量の単位《数字の下では"냥"となる》. ¶ 돈 한 냥 金一両/열 냥의 무게 十両の重さ/금 한 냥 金一両. 二 관 一両. ¶ ~ 닷 돈 一両五もんめ(匁).
양【孃】의명 …嬢;…さん;ミス…. ¶ 김 ~ 金さん/나카무라 ~ 中村嬢/닉슨 ~ ミスニクソン.
양-【兩】두 両. ¶ ~국가 간의 조약 両国家間の条約.
양-【洋】두 洋. ¶ ~식 洋食/~담배 洋もく.
양-【養】두 養;養うの意. ¶ ~자 養子/~가 養家.
양가【良家】명 良家.
‖ **양갓-집** 명 良家. ¶ ~ 규수 良家のお嬢さん.
양가【養家】명 養家.
양각【陽刻】명 하타〔美〕陽刻;浮き彫り;レリーフ. 「팥묵.
양갱【羊羹】명 ようかん(羊羹). =단
양계【養鷄】명 하자 養鶏.
‖──**-업** 명 養鶏業.
양-고기【羊─】명 羊肉.
양곡【糧穀】명 食料としての穀物. ¶ ~ 관리제도가 도입되다 食管制度が導入された.

양-과자【洋菓子】명 洋菓子.
양광 명 身に余る豪華な暮らし. ——-스럽다 형 身に余る豪華な暮らしである.
양국【兩國】명 両国.
양군【兩軍】명 両軍.
양궁【洋弓】명 洋弓; アーチェリー. ¶신체 장애자의 ~ 경기 身体障害者のアーチェリー競技.
양-귀비【楊貴妃】명 ①〔植〕けし(芥子). ②〔史〕楊貴妃.
‖——-꽃 명 けしの花.
양극【兩極】명 両極. ¶~성 両極性 / ~화 현상 両極化現象.
‖—— 체제 명 両極体制.
양극【陽極】명〔物〕陽極. ¶~선 陽極線.
양-극단【兩極端】명 両極端. ¶~은 일치한다 両極端は一致する.
양근【陽根】명 陰茎; 陽物. =자지.
양금【洋琴】명 洋琴.
양기【陽氣】명 陽気. ①太陽から発する気. ②万物が動き, 生まれ出る気. ③男の精気.
양-끝【兩—】명 両端.
양난【兩難】명 進退きわまること; 窮境; 板挟み. ——-하다 형 進退きわまる. ¶진퇴 ~이었다 進退きわまった.
양-날【兩—】명 両刃; もろは.
‖——-톱 명 もろはのこぎり(両刃鋸).
양냥-거리다 자 ①(満ち足らず)しきりにねだる ②ひねくれる.
양녀【養女】명 養女.
양년【兩年】명 両年.
양념 명 薬味; 味付け; 香料; 調味料; 加薬〈関西方〉; スパイス. ¶요리에 ~을 넣다 料理に香料を加える. ——-하다 자 味付けをする; 薬味を入れる.
‖——-장(醬) 명 薬味を加えたしょうゆ(醬油).
양-다리【兩—】명 両脚. ——-걸(치)다 자 二またをかける. ¶약은 사람일수록 ~ 걸친다 利ざとい人こそ二またをかける.
양단【兩端】명 ①両端. ②始めと終わり. ③旧式の婚礼に着用する青と赤のチマ·チョゴリ用の反物.
‖——-간(間) 명부 二通りのうち; とにかく; どうあろうと. ¶~ 결정을 내려라 二通りのうちとにかく決めろ.
양단【兩斷】명하타 両断. ¶일도 ~ 一刀両断.
양단【洋緞】명 高級の絹織物の一種《金銀糸や色糸などでししゅう(刺繡)をほどこしてある》.
양달【陽—】명 日なた.
‖——-쪽 명 日のよくあたる側.
양-담배【洋—】명 西洋タバコ《特にアメリカ産》.
양대【兩大】관 両大; 二つの大きい〔な〕; 両方とも大きい. ¶~ 세력 両大勢力.
양도【糧道】명 ①食糧の用途. ②糧道; 軍糧を運搬する道. ¶~를 끊다 糧道を絶つ.
양도【讓渡】명〔法〕譲渡. ——-다 타 譲渡する; 譲る. ¶재산을 하다 財産を譲渡する.
‖—— 담보 명 譲渡担保. —— 소 명 譲渡所得. ——-인 명 譲渡人.
양-도체【良導體】명 良導体; 体.
양돈【養豚】명 養豚.
양-동이【洋—】명 ①トタン製のオ入れ. ②バケツ.
양동 작전【陽動作戰】명〔軍〕陽動作戦.
양두【羊頭】명 羊頭; 羊の頭.
‖—— 구육 명 羊頭くにく(狗肉).
양두 정치【兩頭政治】명 両頭政治.
양득【兩得】명하자타 [↗일거 양득] 両得.
양-딸【養—】명 ☞ 양녀(養女).
양-띠【羊—】명〔民〕ひつじ年生まれ. =미생(未生).
양력【揚力】명〔物〕揚力.
양력【陽曆】명 [↗태양력(太陽曆)] 陽暦.
양로【養老】명 養老. ¶~ 사상 養老思想.
‖—— 보험 명 養老保険. —— 연금 명 養老年金. ——-원 명 養老院.
양론【兩論】명 両論. ¶찬부 ~ 賛否両論.
양륙【揚陸】명 揚陸; 河岸揚げ; 荷揚げ; 水揚げ; 陸揚げ. ——-하다 타 揚陸する.
양립【兩立】명하자 両立; 並立. ¶일과 취미를 ~시키다 仕事と趣味を両立させる.
양막【羊膜】명〔生〕羊膜. =모래집.
양말【洋襪】명 靴下. ¶~을 신다 靴下をはく / ~ 구멍을 깁다 靴下のあなを継ぐ.
‖—— 대님 명 靴下止め.
양면【兩面】명 両面. ¶~ 인쇄 両面刷り / ~ 작전 両面作戦.
양명【揚名】명하자 揚名.
양명-학【陽明學】명 陽明学. =왕학(王學).
양모【羊毛】명 羊毛. ¶~를 깎다 羊毛を刈る. ‖——-지(脂) 명〔化〕羊毛脂; ラノリン.
양모【養母】명 養母. =양어머니.
양모-제【養毛劑】명 毛生薬; 養毛剤. =모생약(毛生藥).
양-무릎【兩—】명 両ひざ; もろひざ(諸膝). ¶~을 꿇고 사과하다 両ひざをついて謝る.
양문【陽文】명 浮き彫りの文字.
양-물【洋—】명 西洋の文物や風俗. ¶~이 들어서 멋만 낸다 西洋かぶれしてしゃれてばかりいる.
양물【洋物】명 洋品; 西洋物; 舶来品. ¶~이 좋기는 좋다더라 舶来品の質がいいことはいいそうだね. 「지.
양물【陽物】명 陽物; 男根. =자
양미【兩眉】명 そうび(双眉); 両方のまゆ(眉).
‖——-간 명 みけん(眉間).
양미【糧米】명 糧米.
양민【良民】명 良民.

반 【兩班】 명 ①〔史〕両班. ¶ ～은 에 빠져도 개헤엄은 안 친다, ～은 얼 죽어도 짚불은 안 쬔다《理》 武士は わねど高ようじ；たか(鷹)は飢 ても穂をつまず. ②〔史〕東班《文 の班列》と西班《武官の班 》. ③ 礼儀正しい善良な人.) 婦人が第三者に対して自分 の夫を指す語. ¶ 우리 집 ～ うの主人.
── 계급 명〔史〕 両班階級《官僚 階級と有識階級》.
방 【兩方】 명 両方；双方.
-배추 【洋―】 명〔植〕 キャベツ；か んらん(甘藍).
-버들 【洋―】 명〔植〕 ポプラ.
벌 규정 【兩罰規定】 명〔法〕 両罰規定.
법 【良法】 명 ① 良法；良い法規. ② 良い方法.
양변 【兩邊】 명 両辺.
양병 【佯病】 명 仮病. ＝꾀병. ── 하다 자 仮病を使う.
양병 【洋甁】 명 胴が膨らみ首が細く短い陶器製の瓶.
양병 【養兵】 명하자 養兵.
양보 【讓步】 명 譲歩. ──하다 타 譲歩する；譲る. ¶ 조금도 ～하지 않는다 少しも譲らない.
양복 【洋服】 명 洋服；背広. ¶ ～ 재단 洋服の裁断 / 최고급의 맞춤 ～ 最高級のあつらえ洋服 / ～을 짓다 洋服を仕立てる / 낡은 ～ 疲れた洋服；古びた洋服 / 고급 ～을 큰 마음 먹고 해입다 上等の背広を張りこむ / 늘 ～을 입어 버릇하다 洋服を着付ける / ～감을 밑다리림질해서 말라야 한다 服地を地のしして裁断せねばならない.
‖──감 명 洋服生地；服地. ＝양복지. ──바지 명 洋服のズボン. 준 바지. ──장(欌) 명 ① 洋服だんす(簞笥). ──장이 명 洋服を仕立てる人. ──쟁이 명《俗》 洋服を着た人. ──저고리 명 洋服の上着. ──점 명 洋服店. ──지(地) 명 ☞ 양복감.
양-본위제 【兩本位制】 명〔經〕 両本位制. ＝복본위제(複本位制).
양봉 【養蜂】 명하자 ようほう(養蜂).
‖──가 명 養蜂家. ──업 명 養蜂業.
양부 【良否】 명 良否；よしあし.
양부 【養父】 명 養父.
양-부모 【養父母】 명 養父母；やしないの親.
양-부호 【陽符號】 명 正数の符号；プラス《十》.
양분 【兩分】 명하타 両分. ¶ 세계를 ～하다 世界を両分する.
양분 【養分】 명 養分；栄養分. ¶ ～을 섭취하다 養分をせっしゅ(摂取)する〔とる〕/ ～표 養分表.
양사 【洋紗】 명 [↗서양사(西洋紗)] 細い綿糸で粗く織った布.
양사 【養嗣】 명하타 養子を迎えること.
양-사자 【養嗣子】 명 養子.
양산 【洋傘】 명 洋傘；こうもり傘；傘. ＝박쥐 우산. ¶ 청우 겸용의 ～이다 晴雨兼用の傘である.
양산 【陽傘】 명 日傘；パラソル.
양산 【量産】 명하타 [↗대량 생산] 量産；大量生産.
양상 【樣相】 명 様相；有様；状態；様態. ¶ 험악한 ～ 険悪な様相 / 심상치 않은 ～을 드러내다 ただならぬ様相を呈する.
양상 군자 【梁上君子】 명 りょうじょう(梁上)の君子；どろぼう.
양-상추 【洋―】 명 サラダ菜；レタス.
양색 【兩色】 명 二つの色または物.
양생 【養生】 명하자 ① 養生；摂生；かさん(加餐)；保養. ②〔建〕養生.
‖──방(方), ──법(法) 명 養生法.
양서 【良書】 명 良書. ¶ ～를 구입했다 良書を購入した.
양서 【兩棲】 명 両生.
‖──류 명〔動〕 両生類.
양서 【洋書】 명 ① 洋書；洋本；西洋の本. ② 洋字；西洋の字.
양성 【兩性】 명 両性.
‖── 산화물 명 両性酸化物. ── 생식 명〔生〕 両性生殖. ──화 명〔植〕 両性花. ── 화합물 명 両性化合物.
양성 【良性】 명 良性. ¶ ～ 종양 良性しゅよう(腫瘍).
양성 【陽性】 명 陽性. ¶ 투베르쿨린 반응은 ～이었다 ツベルクリン反応は陽性だった.
‖── 모음 명 陽性母音. ── 반응 명 陽性反応. ──자(子) 명〔化〕 陽子；プロトン. ＝양자(陽子). ──화 명하자타 陽性化.
양성 【養成】 명 養成；仕立て. ──하다 타 養成する；仕立てる. ¶ 제자를 ～하다 弟子を養成する / 법률가로 ～하다 法律家に仕立てる / 지도자를 ～하다 指導者を養成する.
양성 【釀成】 명하자 醸成. ① 酒・しょうゆ(醬油)などを醸すこと. ② 雰囲気・感情などをつくり出すこと.
양속 【良俗】 명 良俗. ¶ 공서 ～ 公序良俗 / ～에 반하다 良俗に反する.
양-손 【兩―】 명 両手. ¶ ～을 모아 빈다 両手を合わせて祈る〔謝る〕.
양손 【養孫】, 양-손자 【養孫子】 명 息子の養子；養い孫；もらい孫；孫養子. ──하다 자 孫養子を迎える.
양-손녀 【養孫女】 명 孫養女.
양-송이 【洋松茸】 명 西洋種のたけ(茸)；マシュルム.
양수 【羊水】 명〔生〕 羊水. ¶ ～가 터졌다 羊水が出た.
양수 【兩手】 명 両手；もろて. ＝양손.
‖── 겸장 명 (将棋で)二道の王手；二筋の王手.
양수 【揚水】 명하자 揚水.
‖──기 명 揚水機. ── 발전 명 揚水発電. ── 펌프 명 揚水ポンプ.
양수 【讓受】 명하타 譲り受けること.
양수 【陽數】 명 正数.

양수-기【量水器】명 量水計；水量計.
양-수사【量數詞】명〘言〙助数詞.
양수-표【量水標】명 水位標；水尺.
양순【良順】명 善良で従順なこと. ——하다 형 善良で従順だ. ——히 부 善良で従順に.
양식【良識】명 良識. ¶그 사람의 ~이 의심스럽다 その人の良識が疑わしい.
양식【洋式】명 [↗서양식] 洋式. ¶~ 가구 洋式の家具.
양식【洋食】명 洋食. ¶~을 먹다 洋食を食べる.
양식【樣式】명 様式. ¶생활 ~ 生活様式 / 중국 ~ 唐様；唐風 / 판에 박힌 ~ 型にはまった様式.
양식【養殖】하타 養殖. ¶진주를 ~하다 真珠を養殖する.
‖—— 진주 명 養殖真珠.
양식【糧食】명 糧食；糧. ＝식량. ¶비상용 ~ 非常用の糧食 / 마음의 ~ 心の糧.
양-실【洋—】명 西洋糸；西洋から輸入した糸. ＝양사(洋絲).
양실【洋室】명 洋室；洋間.
양심【良心】명 良心. ¶~의 자유 良心の自由 / ~의 가책 良心の呵責 / ~적인 가게 良心的な店.
양-쌀【洋—】명 西洋産の米《台湾米·安南米を含めて言うこともある》.
양-씨【洋—】명 西洋から来た動植物の種.
양-아들【養—】명 ☞ 양자(養子).
양-아버지【養—】명 ☞ 양부(養父).
양-아치 명《俗》くず拾い；くず屋；ばた屋〈俗〉.
양악【洋樂】명 [↗서양 음악] 洋楽；西洋音楽.
양-악기【洋樂器】명 洋楽器.
양안【良案】명 良案.
양안【兩岸】명 両岸.
양안【兩眼】명 両眼；双眼.
양약【良藥】명 良薬.
‖——-고구(苦口) 명하형 良薬は口に苦いこと.
양약【洋藥】명 欧米式の薬；新薬；西洋から輸入した薬.
양-약국【洋藥局】, **양-약방**【洋藥房】명 (西洋薬を売る)薬局.
양-약재【洋藥材】명 西洋薬の薬材.
양양【洋洋】명하형 洋洋. ¶~한 앞길 洋洋たる前途.
양양【揚揚】명하형 揚揚；得意なさま. ¶의기 ~ 意気揚揚.
양어【養魚】명하자 養魚.
‖——-가 명 養魚家. ——-장 명 養魚場.
양-어머니【養—】명 ☞ 양모(養母).
양-어버이【養—】명 ☞ 양부모.
양여【讓與】명하타 譲与.
‖——-세 명〘法〙譲与税.
양연【良緣】명 良縁.
양옥【洋屋】, **양옥-집**【洋屋—】명 西洋風の家屋；洋館.
양요【洋擾】명〘史〙欧米人によって生じた事変. ＝양란(洋亂).
양-요리【洋料理】명 [↗서양요리] 洋料理.
양용【兩用】명 両用. ＝겸용(兼用). ¶수륙 ~ 水陸両用.
양웅【兩雄】명 両雄. ¶~ 불구(不俱立) 両雄並び立たず.
양원【兩院】명〘法〙両院；二院《両院制度の二つの議院》.
‖——-제 명 両院制；二院制.
양위【兩位】명 ① 父母または親のように敬い仕える夫婦. ②〘佛〙なくなった夫婦.
양위【讓位】명하자 譲位.
양육【養育】명 養育. ——-하다 타 養育する；はぐくむ；育てる.
‖——-비 명 養育費；養料. ——원 명〘社〙養育院.
양-으로【陽—】부 陽に. ¶음으로 ~ 陰に陽に.
양은【洋銀】명 洋銀；アルマイト.
‖—— 그릇 명 洋銀製の器.
양의【洋醫】명 洋医.
양이【攘夷】명하자 じょうい(攘夷).
‖——-론 명 攘夷論.
양-이온【—陽】(ion) 명〘物〙陽イオン.
양일【兩日】명 両日.
‖——-간 명 両日間.
양자【兩者】명 両者；両人；両方.
‖—— 택일 명하자 両者択一.
양자【陽子】명〘物〙☞ 양성자(陽性子).
양자【量子】명〘物〙量子.
‖—— 가설 명 量子仮説. ＝양자론. ——-론 명 量子論. —— 역학 명 量子力学. —— 화학 명 量子化学.
양자【養子】명 養子；養い子；もらい子. ＝양아들. ——-하다 타 養子にする. ¶~ 결연 養子縁組 / ~를 가다 養子に行く / ~를 들다 養子入りする / ~를 세우다 養子を定める.
양잠【養蠶】명하자 養蚕.
‖——-업 명 養蚕業.
양장【洋裝】명하자 洋装. ¶~ 부인 洋装婦人.
‖—— 미인 명 洋装美人. —— 본 명 洋装本；洋綴じ本. ——-점 명 洋装店.
양재【洋裁】명하자 洋裁.
‖—— 학교 명 洋裁学校.
양-재기【洋—】명 [← 양자기] 瀬戸引き(の器).
양-잿물【洋—】명 洗濯用のかせい(苛性)ソーダ.
양적【量的】명관 量的. ¶~으로 많다 量的に多い.
양-전극【陽電極】명〘物〙☞ 양극(陽極).
양-전기【陽電氣】명〘物〙陽電気.
양-전자【陽電子】명〘物〙陽電子.
양정【量定】명 量定. ¶형의 ~ 刑の量定.
양정【糧政】명 食糧政策.
양-젖【羊—】명 羊の乳；羊乳.
양조【釀造】명하타 醸造；造酒. ¶~업 醸造業 / ~장 醸造場 / ~주 醸造酒.

주【洋酒】명 洋酒.

주【兩主】명《俗》夫婦. ¶주인 ~ 主の夫婦.

즙【胖汁】명 牛の胃を細かくきざみ煮るかあぶってしぼった汁.

지【洋紙】명 洋紙.

지【陽地】명 ひなた(日向). ¶~에서 바느질을 하다 日だまりで縫い物をする / ~로 나가다 日向に出る / ~가 음지 되고 음지가 ~된다《俚》天下は回り持ちである. ——-바르다 형 日当たりがよい.
‖—— 식물 명 陽生(日向でよく育つ)植物. ——-쪽 명 日向の方.

양지【諒知】명하타 了知; 察知. ¶상대의 요청을 ~하다 相手の申し出を了知する.

양지-머리 명 ① 牛の胸肉. ② からすき(唐鋤)の取っ手.

양질【良質】명 良質.

양-짝【兩—】명 一対.

양-쪽【兩—】명 両方; 双方. ¶~ 겨드랑이 両わき / ~의 주장을 듣다 双方の言い分を聞く.

양차【兩次】명 両次; 二度; 二回. ¶~의 대전 両次の大戦.

양-차다【量—】자 ① たらふくだ; 満足な程腹いっぱいだ. ② 満足だ. ¶이것만으로 ~ これだけで満足だ.

양찰【諒察】명하타 了察. ¶아무쪼록 ~하여 주십시오 なにとぞご了察下さい.

양처【良妻】명 良妻.

양처【兩處】명 両所.

양철【洋鐵】명 [↗서양철] ブリキ.
‖—— 가위 명 ブリキばさみ; 金ばさみ. ——-공(工) 명 ブリキ屋. ——-통(桶) 명 ブリキ製のおけ(桶). =생철통.

양초【洋—】명 (西洋)ろうそく.
‖—— 시계 명 ろうそく時計《火時計の一つ》.

양춘【陽春】명 陽春. ① 陰暦の正月. ② 暖かい春.
‖—— 가절 명 陽春佳節. —— 화기(和氣) 명 春の暖かい気色.

양-춤【洋—】명 洋式の踊り《バレーや社交ダンスなど》.

양측【兩側】명 ① 両方. ¶~의 대표자 両方の代表者. ② 両側. ¶길 ~에 나무를 심다 道の両側に木を植える.

양치【養齒】명하자 [↗양치질] 歯を磨き口をすすぐこと. ¶소금물로 ~하다 塩水で口をすすぐ.
‖양칫-물 명 うがい水.

양-치기【羊—】명 羊飼い.

양치 식물【羊齒植物】명〖植〗しだ植物.

양친【兩親】명 両親; 二親. ¶~을 여의다 両親を失う / ~의 사랑을 한 몸에 받다 両親のちょう(寵)を一身に集める.

양-코【洋—】명 ① 高くて大きい鼻の持ち主. ② 西洋人やその鼻をからかって言う語.
‖——-배기 명 西洋人の卑称.

양키 (Yankee) 명 ヤンキー; アメリカ人の俗称.

양-탄자【洋—】명 じゅうたん(絨毯); もうせん(毛氈); カーペット.

양태【樣態】명 様態; 状態; 様子; 様; 様相.

양-털【羊—】명 羊毛; ウール.
‖——-실 명 毛糸.

양-파【洋—】명〖植〗たまねぎ(玉葱).

양-팔【兩—】명 両腕.

양편¹【兩便】명 両側; 両方.
‖—— 공사(公事) 명 ① よしあしの判断のために聞いて見る両方の言い分. ② 両方に等しく公平なこと. ——-짝 명 両側. ——-쪽 명 両側の方.

양편²【兩便】명하형 両方共にやすらかなこと. ¶그렇게 하면 ~하다 そうすれば両方ともやすらかだ.

양푼 명 しんちゅう(真鍮)製の鉢.

양품【洋品】명 洋品. ¶~ 잡화 洋品雑貨 / ~점 洋品店.

양풍【良風】명 良風.
‖—— 미속(美俗) 명 良風美俗. =미풍 양속(美風良俗).

양풍【洋風】명 [↗서양풍] 洋風.

양피【羊皮】명 羊皮; キッド.
‖—— 구두 명 羊皮製〔キッド〕の靴. —— 배자(褙子) 명 羊皮製の防寒ようのそでなし胴着. ——-지 명 羊皮紙; パーチメント.

양-하다 보동 ☞ 체하다. ¶모르는 ~ 知らないふりをする.

양학【洋學】명 洋学. ¶~을 배우다 洋学を学ぶ.

양항【良港】명 良港. ¶천연의 ~ 天然の良港.

양해【諒解】명하타 了解. ¶아무런 ~도 없이 何の断わりもなしに / 진의를 ~했다 真意を了解した / 이번 일은 ~를 바랍니다 今度のことはお含みを願います.

양행【洋行】명하자 洋行. ① 欧米へ行くこと. ② 洋式の商店.

양형【量刑】명 量刑. ¶부당한 ~ 不当な量刑.

양호【良好】명하형 良好. ¶성적은 ~한데 成績は良好だが.

양호【養護】명하타 養護. ¶~ 교사 養護教諭.

양화【良貨】명 良貨. ¶악화는 ~를 구축한다 悪貨は良貨を駆逐する.

양화【洋靴】명 ☞ 구두.
‖——-점(店) 명 ☞ 구둣방.

양화【洋畫】명 洋画. ① 西洋画. ¶~가 洋画家. ② 西洋映画.

양화【陽畫】명 陽画; ポジチブ.

양회【洋灰】명 セメント.

얕다 형 浅い. ① 深くない. ¶물이 ~ 水が浅い. ② (考えなどが)深くない; 浅はかだ. ¶얕은 소견 浅はかな考え / 얕은 수작 浅はかな策. ③ 学問や知識が薄い; 少ない. ¶견식이 ~ 見識が浅い.

얕디-얕다 형 とても浅い.

얕-보다 타 さげすむ; 見下げる; 軽んずる; 見くびる; おとしめる. =넘보다. ¶가난한 사람을 ~ 貧しい人を軽んずる / 벌이가 적다고 ~ 儲けが少ないとてさげすむ / 사람을 ~ 人を軽んずる / 체구가 작다고 ~ 体が

小さいとてなめる / 상대를 ～ 相手を見下ろす / 사람을 얕보지 마라 人をばかにするな / 상대를 사뭇 ～ まるきり相手をのんでかかる.

얕은-꾀 명 あさはかな知恵.

얕은-맛 명 あっさりした味. ¶이 음식은 ～이 있다 この料理はあっさりした味がある.

얕-잡다 타 甘く見る; 侮る; さげすむ; みくびる. ¶가난하다고 얕잡아 보다 貧しいとて侮る.

얕추 부 さげすんで; あなどって; 浅く; 見下げて. ¶～ 보다 見下げる.

얘¹ 명 ハングルの合成字母"ㅒ"の称.

얘² 대 [↗이 애] この子. ¶～랑 같이 가거라 この子といっしょに行きなさい.

얘³ 감 ① 驚いたとか感嘆する際に発する語: あら!; まぁ!〈女〉; やぁ!; おお!; へぇ! ¶～ 놀랐어 あら! おどろいたわ《여성》/ ～ 참 잘했다 やぁ! でかしたぞ. ② ↗이 애.

얘기 명하자타 ↗이야기.

‖얘깃-거리 명 ↗이야깃거리.

얘야 감 [↗이 애야] 坊や. ¶～ 이리 오너라 坊や, こちらにおいで.

얜 준 この子は. ¶～ 놀기만 한다 この子は遊んでばかりいる.

얠 준 この子を. ¶～ 꾸짖지 마세요 この子を叱らないで下さい.

어¹ 명 ハングルの字母"ㅓ"の称.

어² 감 ① 軽い驚き, またはじれったい心情を表わす時に出す語: おっ; あっ; あれ. ¶～, 돈이 없어졌다 あっ, 金がなくなったぞ / ～ 왜 이렇게 기다리게 하나 ああ, 何でこんなに待たせるのかな! ② 急に思い当ったとか相手の注意をうながすときの語: おお; ああ; さぁ. ¶～, 이제야 생각이 난다 おお, 今ようやく思い出した / ～, 돌아 갈 셈인가 なに, かえるつもりかね.

어³ 감 ① 物事に感嘆したときに出す語: ああ; おう; やぁ. ¶～, 참 훌륭하구나 ああ, 見事だね / ～, 깨끗하기도 하다 やあ, きれいだね. ② 目下や友だちどうしで答えるときの語: ああ; おう. ¶～, 곧 가겠다 おう, すぐ行くぜ.

-어【語】 미 語. ¶한국～와 일본～ 韓国語と日本語.

-어 어미 "ㅓ·ㅜ·ㅡ·ㅣ"の母音を終聲とする語幹に付いて使われる. ① 副詞形の語をつくる転成語尾: …(し)て; …く. ¶문을 밀～ 열다 門を押して明ける / 붉～지다 赤くなる. ② 命令を表わす呼び捨て語の終結語尾: …ろ; …れ; …よ; …け. ¶손 들～ 手をあげろ / 빨리 걸～ 早く歩け.

어간【魚肝】 명 魚の肝臓.

‖——-유 명 肝油.

어간【語幹】 명〖言〗語幹.

어감【語感】 명 語感. ¶～이 좋다 語感がよい.

어개【魚介】 명 魚介; りんかい(鱗介); 魚類と貝類.

어거지 명 ☞ 억지.

어거-하다【御—】 타 ① 牛馬を御 する. ② 制御する.

어구【語句】 명 語句.

어구【漁具】 명 漁具.

어구【漁區】 명 漁区.

어군【魚群】 명 魚群.

‖—— 탐지기 명 魚群探知機. 준 탐(魚深).

어군【語群】 명 語群.

어귀 명 入り口. ¶마을 ～ 村の入口 / 등산 길의 ～ 登山口.

어그러-지다 자 ① それる. ② 外れる くい違う. ¶기대에 ～ 期待に外れ る. ③ 仲たがいになる.

어근【語根】 명〖言〗語根.

어근-버근 부하형 ① ほぞ(柄)の部分がぴったりしないでがたつくさま: た たがた; ぐらぐら. ¶책상이 낡아서 ～하다 机が古ぼけてがたがたする ② 皆の心が一致しないさま: ち ぐはぐ.

어글-어글 부하형 目鼻だちが大ま かなさま.

어금-니 명 奥歯; きゅうし(臼歯).

‖어금닛소리 명〖言〗牙音.

어긋-나다 자 ① 行き違う. ¶길이 ～ 互いに行き違う. ② 食い違う; ずれる. ¶예상이 ～ 予想が狂う. ③ ☞ 어그러지다.

어긋-매끼다 타 適当にくい違えて合わす. 준 엇매끼다.

어긋-물리다 타 たがいちがいに組み合わせる. 준 엇물리다.

어긋-버긋 부하형 一様でないさま: ちぐはぐなさま.

어긋-어긋 부하형 物の各部分がややくい違っているさま: まちまち; ちぐはぐ.

어긋-하다 형 ややくい違っている.

어기【漁期】 명 漁期.

어기다 타 (約束·命令などを)守らない; 破る; たがえる; 背く. ¶약속을 ～ 約束をたがえる / 기일을 ～ 期日を破る / 명령을 ～ 命令に背く.

어기-대다 타 (反抗して)素直に従わない; さからう. ¶일마다 ～ 事毎にさからう.

어기야, 어기야-디야 감 船頭が舟をこぎながら掛ける声: えんやこりゃ; えんやら(や).

어기어-지다 자 ① たがえるようになる. ¶일에 쫓겨 약속이 ～ 仕事に追われて約束をたがえてしまう. ② ☞ 어그러지다.

어기적-거리다 자 足を不自由に動かしながら歩く. ¶다리를 다쳐 걸음을 ～ 足の怪我でよたよたと歩く. 준 어깆거리다. 어기적-어기적 부하자 よたよた.

어기죽-거리다 자 ☞ 어기적거리다. >아기족거리다. 어기죽-어기죽 부하자 よたよた.

어-기중 부【於其中】부 その中において. ——-하다 형 中程だ.

어기-차다 형 気丈だ. ¶어기찬 여자 気丈な女性.

어김 명 違い; 違反. ——-없다 형 間違いない; たがえることがない. ——-없이 부 間違いなく; たがわ

. ¶ ~ 온다 きっと来る.

깨 명 肩. ① 腕が体につく関節の上の部分. ¶ ~를 두드리다 肩をたたく / ~가 뻐근하다 肩がこる / ~를 젖히고 뽐내다 肩をいからしていばる / ~로 숨을 쉬다 肩で息をする. ② えり(襟)とそでぐりの間. ③ 責任や使命. ¶ ~가 무겁다 肩が重い. ④《俗》やくざ. =깡패.
‖――-걸이 명 ショール. ――너멋-글 명 耳学問. ――-동무 명하자 ① たがいに肩を組むこと. ② 年や背が同じ年輩の友. ――-뼈 명〖生〗肩甲骨; 貝殻骨. =견갑골(肩胛骨). ――-춤 명 興がわいて肩をくねらすこと. また, そうした踊り. ――-통 명 肩幅. 어깻-바대 명 (上着の)肩あて. 어깻-바람 명 ① 得意になって肩をそびやかすこと. ② 調子に乗って腰軽く立ち動くこと. 어깻-숨 명 肩でするせわしい息. 어깻-죽지 명 肩先; 肩口. 어깻-짓 명 肩を動かす動作.

어눌【語訥】 명하형 とつ弁; どもること.

어느 관 どの; ある; とある. ¶ ~ 바람이 들이불까《俚》風吹けども我動かず《自信に満ちているの意》/ ~ 장단에 춤을 춰야 옳은지《俚》どの調子に合わせて踊ればよいやら《あの人この人の指図で迷う》.
‖――-것 대 どの物; どれ. ―― 겨를에 부 いつの間にか. ―― 누구 대 "누구"の強勢語. ―― 뉘 대 ↗어느 누구. ――-덧 부 いつのまにか. ――-때 명부 いつ; ある時. ――-때고 부 いつでも. ――-새 부 いつのまにか; もはや; もう; はや; すでに. =벌써. ―― 세월(歲月)에 부 いつになったら. =어느 천년에. ―― 천년(千年)에 부 ☞ 어느 세월에. ―― 틈에 부 ☞ 어느 겨를에. ―― 하가(何暇)에 부 いつの日になったら.

-어도 어미 "ㅏ·ㅗ"以外の母音で終わる語幹に付いて仮定・譲歩の意を表わす連結語尾: …(し)ても. ¶ 밥을 먹~ 배가 부르지 않다 飯を食べても腹がふくれない.

어두【語頭】 명 語頭.

어두 육미【魚頭肉尾】 명 魚は頭部が, 獣はしり(尻)の方がうまいということ. =어두 봉미(魚頭鳳尾).

어두컴컴-하다 형 薄暗い.

어둑어둑-하다 형 たそがれになり薄暗い; ほの暗い.

어둑-하다 형 ① 薄暗い. ② 人ずれしていずうぶ(初)だ.

어둠 명 暗がり; くらやみ.
‖――-길 명 暗い道. ―― 상자(箱子) 명 暗箱.

어둠침침-하다 형 暗い.

어둡다 형 ① 暗い. ¶ 날이 저물어서 ~ 日が暮れて暗い. ② 視力が弱い. ¶ 밤눈이 ~ 夜目が弱い. ③ 物事に疎い; うかつ(迂闊)だ. ¶ 그는 세상 일에 ~ 彼は世事にうとい.

어디¹ 대 どこ; どちら. ¶ ~서 오셨습니까? どちらからおいでなさいましたか / ~론지 사라졌다 どことなく消え去った / ~쯤 갔을까? どこ辺りまで行ったろうか / 그 까닭이 ~에 있나? その理由がどこにあるのか / ~선가 들은 것 같다 どこかで聞いたようだ / ~개가 짖느냐 한다《俚》どこの犬がほえるやら《てんで人の話を聞こうともしないとの意》.

어디² 감 ① 折りをねらうか念を押す意を強調する語: よし; ようし. ¶ ~ 두고 보자 よし, 今に見ろ; よし, 覚えて置け. ② 反問を強調する語. ¶ 그게 ~ 될 뻔이나 한 일이오 それがそもそもできそうなことと思いますか.

어디³ 감 ↗어디여.

어디여 감 牛が道をそ(逸)れるとき正すかけ声: どうどう.

어때 준 "어떠해"の略語: どうだい. ¶ 그럼 ~ それでいいじゃないか / ~ 근사하지 どうだい, いかすだろう.

어떠-하다 형 (事の性質・状態が)どうである; どういうふうになっている. 준 어떻다. ¶ 자네 아픈 데는 어떠한가? 君の痛みはどうかね? / 그는 어떠한 일도 해낸다 彼はいか(如何)なる事でも成し遂げる.

어떡-하다 타 [↗어떠하게 하다] いかにする; どんなにする; どういうふうにする. ¶ 그럼 나는 어떡한다? では僕はどうしたもんかな.

어떤 관 [↗어떠한] あ(或)る; どんな. ¶ ~ 사람의 일생 ある人の一生 / ~ 놈이냐 どんなやつなのか.

어떻게 부 [↗어떠하게] どんなに; どういうふうに; いかに; どう. ¶ ~ 만들면 되지? どんなに作ったらいいんだい? / 요즈음 그는 ~ 지내는지? 今頃彼はどうしているやら? / ~든지 마련해 보겠다 なんとか工面して見るよ / ~ 오셨습니까? なにか御用でもございますか / ~ 이런 것을 구했나? どんなにしてこんなものを手に入れたの.

어떻다 형 ↗어떠하다.

어떻든지 부 [↗어떠하든지] どうあろうとも; いずれにしても. ¶ ~ 가서 보아라 どうあろうとも行ってみなさい / ~ 잘못은 너에게 있다 いずれにしても誤ちはお前にある.

어뜩 부 ちらっと; ちらりと. ¶ ~ 그를 보았다 ちらっと彼を見た.

-어라 어미 ① "ㅏ·ㅗ" 以外の母音で終わる動詞の語幹に付いて命令を表わす語尾: …しろ; …せよ. ¶ 빨리 먹~ はやく食べろ / 영광이 있~ 栄光あれ. ② "ㅏ·ㅗ" 以外の母音で終わる形容詞の語幹に付いて感嘆の意を表わす語尾: …なあ; …ねえ. ¶ 어이쿠 깊~ わあ深いなあ.

어란【魚卵】 명 塩干しにした魚の卵.

어람【魚籃】 명 びく(魚籠).

어럽쇼 감《俗》意外な事に発する語: あれ; おやっ. ¶ ~ 이게 어떻게 된 일인가 おっと, こりゃどうなったことだい / ~ 나한테 덤빈다 おやっ, おれにくってかかるのか.

어레미 명 目の粗いふるい(篩); とおし(簁).

어려워-하다 타 ① (目上に) 気兼ね

ㅇ

をする. ¶그렇게 어려워하지 말고 앞으로 나오너라 そんなに気兼ねしないで前に出て来なさい. ②(仕事で)骨が折れて力む.

어련무던-하다 [형] ①さほど悪くない. ¶어련무던한 솜씨다 さほど悪くない腕前である. ②善良でおとなしい; あたりさわりがない. ¶외모와는 달리 ~ 見掛けによらずおとなしい. 어련무던-히 [부] さほど悪くなく; あたりさわりなく.

어련-하다 [형] 確かでなくあいまいであるの意《必ず疑問形に用いられ確かなことを強く表わす語》: 間違いなかろう; 違うはずがない. ¶자네의 기억이니 어련하겠나 君の記憶だもの間違いがあろうか. 어련-히 [부] 間違いなく; 確かに.

어렴-성 [명] 忌憚; 遠慮; 気兼ね.

어렴풋-하다 [형] ①(記憶が) ぼんやりしている. ¶어린 시절의 기억이 ~ 幼い頃の記憶がぼんやりする. ②(光や音が) かすかだ. ③(眠りが)浅い; うつらうつらする. 어렴풋-이 [부] ①ぼんやりと. ②かすかに. ③うつらうつらと. ¶하도 피곤해서 나도 모르게 ~ 잠이 들었다 とても疲れていたので我知らずにうつらと眠りついた.

어렵【漁獵】 [명] ①漁猟; すなどり〈雅〉. ②すなど(漁)りと山狩り. ‖──선 [명] 漁猟船.

어렵다 [형] ①むずかしい; 困難だ; 難儀だ. ¶이 문제는 ~ この問題はむずかしい / 이해하기 ~ 理解に苦しむ. ②貧しい. ¶어렵게 살다 暮らしにこと欠く. ③気むずかしい. ④(病が)重い; はかばかしくない.

어령칙-하다 [형] (記憶が)おぼろげだ. ¶그 때의 일은 어령칙해서 잘 모르겠다 あの時のことはぼうっとしていてよくわからない. 어령칙-이 [부] ぼんやりと; おぼろに; ほのかに.

어로【漁撈】 [명][하타] 漁労. ‖──권 [명] 漁業権. ──선(船) [명] 漁船.

어록【語錄】 [명] 語録.

어뢰【魚雷】 [명] 魚雷. ¶~를 발사하다 魚雷を発射する. ‖──정 [명] 魚雷艇.

어루-더듬다 [타] 手探る.

어루러기 [명] 〔醫〕しろなまず(白癜). = 전풍(癜風).

어루러기-지다 [자] むらが出来る; まだらになる. (준)얼룩지다.

어루-만지다 [타] ①な(撫)でさする; なでる; さする. ¶오월의 훈풍이 뺨을 ~ かぐ(香)わしい五月の風がほおをなでる. ②いたわる; いぶ(慰撫)する. ¶부하의 노고를 ~ 部下の労苦をいたわる.

어류【魚類】 [명] 魚類.

어르다[1] [타] あやす; すかす. ¶우는 아이를 ~ 泣く子をあやす / 어르고 뺨치기《俚》口にみつ(蜜), 腹に剣.

어르다[2] [타] ↗어우르다.

어르롱이 [명] 斑点; しま(縞); まだらの紋様.

어르신, 어르신-네 [명] 人の父や老人に対する敬称.

어른 [명] ①大人. =성인(成人). ② 地位や親等が上の人. ③結婚した男女. ④老人に対する敬称. ──스럽다 [형] 大人びている. 어른스러운 아이 大人びている子.

어른-거리다 [자] ①ちらつく; ちらちらする; 見えがくれする. ¶나뭇잎 이로 먼 산이 ~ 木の間に遠くの山が見えがくれする. ②影がかすかに動く. ③ゆらめく; ゆらゆらする. ¶물에 비친 모습이 ~ 水にうつった姿がゆらゆらする. 어른-어른 [부][하자] ちらちら; ゆらゆら.

어름 [명] ①二つの物の端が触れる所. ②物と物の真ん中. ¶~에 놓인 물건 真ん中におかれた物.

어름-거리다 [자][타] ①言動がはっきりしない; ぐずぐずする. ¶언제나 저 애는 어름거린다 いつもあの子はぐずぐずする. ②でたらめに片付ける. ¶무슨 일을 시켜도 어름거린다 何をさせてもでたらめに片付ける. 어름-어름 [부][하자타] ぐずぐず; でたらめに.

어리광 [명][하자][스형] 甘えること. ──떨다 [자] 甘ったれる; 甘える. ──부리다 [자] 甘えてかかる. ──피우다 [자] 甘える.

어리-굴젓 [명] 唐辛子粉をまぜたかき(牡蠣)の塩漬け.

어리다[1] [자] ①涙ぐむ; 目がうるむ. ¶눈물이 ~ 涙がにじむ. ②こごる; こもる. ¶피가 ~ 血がこごる / 정성 어린 선물 真心のこもった贈り物. ③目がくらむ; まぶしい. ¶눈이 어려 잘 안 보인다 目がくらんでよく見えない.

어리다[2] [형] ①幼い. ¶내 딸은 아직 ~ うちの娘はまだ幼い. ②考えが足りない. ③幼稚だ. ¶하는 짓이 ~ することが幼稚である.

어리둥절-하다 [형] めんくらう; ぼやっとする; うろたえる; まごつく. ¶느닷없는 일이라서 ~ だしぬけな事なのでめんくらう. 어리둥절-히 [부] ぼやっと; めんくらって; うろうろと.

어리벙벙-하다 [형] ぼうぜん(呆然)とする; まごつく. ¶느닷없이 당해서 ~ だしぬけにやられて呆然とする. 어리벙벙-히 [부] ぼうぜん(呆然)と; あっけにとられて.

어리석다 [형] 愚かだ; まぬけだ. ¶그들은 참으로 ~ 彼等は本当に愚かである / 더없이 ~ 愚の骨頂だ.

어리어리-하다 [형] ①(皆が)似たりよったりだ. ②(皆が)まぬけて見える; ぼんやりしている.

어린-것 [명]《俗》幼い子供の愛称: 幼子; ちび.

어린-년 [명]《卑》幼い娘.

어린-놈 [명]《卑》幼い男の子; 小さいやつ; ちびっこ.

어린 소견【─所見】 [명] ①幼い者の考え. ②幼稚な考え.

어린-아이 [명] 幼子; 幼児; 子供.

어린-애 [명] ↗어린아이.

어린-양【─羊】 [명]〔基〕人類の罪を償った救い主としてのイエス.

린-이 명 "어린애"の上品語：子供；児童.
——-날 명 子供の日. —— 헌장 명 児童憲章.
림 명 概算；見積もり；見当. ——-하다 타 見積もる；概算する.
—-없다 형 ①(あまり多すぎるか大きすぎて)概算すらできない；見当すらつかない. ②定見がない. ③とても可能性がない；望めない. ¶혼자로는 ～ 一人ではとても望めない. ④(的などから)はるかに外れている；とんでもない；とても及ばない〔かな(適)わない〕. ¶나 따위는 ～ わたしなぞはとてもかなわない / 어림없는 소리 마라 とんでもないことを言うな. ——-없이 부 とんでもなく；とても及ばなくて. ——-잡다 타 概算する；見積もる；見当をつける. ——-치다 타 ☞ 어림잡다.
‖——-셈 명하타 概算；見積もり算；目の子算. ——-수(數) 명 概数；およその数. ——-재기 명 目測・歩測などをしてみること. ——-짐작 명하자 およ(凡)その見積もり；当て推量.
어릿-광대 명 ①喜劇役者；道化役者；ピエロ. ②ちょうちん(提灯)持ち；ほうかん(幇間).
어마-뜨거라 감 ひどく怖いものに出合ったときに発する声：きゃあ；ひゃあ；わあ.
어마-마마【—媽媽】명〔宮〕 おたあさま；おたたさま《王や王子がその母君を呼ぶ語》.
어마어마-하다 형 物物しい；いかめしい；もの凄い. ¶규모가 ～ 規模がとてつもない.
어머(나) 감 驚いたときに発する声：まあ；あれ；あらまあ；わあ.
어머니 명 母；おかあさん；母親；お袋. ¶필요는 발명의 ～ 必要は発明の母. ‖—— 교실 명 母親学校；母親学級.
어머-님 명 "어머니(＝母)"に対する敬称：おかあさま；母上.
어멈 명 ①母の卑称. ②女中；召し使いの女. ③目上が子のある目下の女を呼ぶ語：母ちゃん.
어명【御命】명 御命；王の命令. ＝어령(御令).
어묵【魚—】명 かまぼこ(蒲鉾).
어문【語文】명 ことばと文章.
‖—— 일치 명 言文一致. ——-학(學) 명 語学と文学.
어물【魚物】명 ①魚. ②干し魚；干物. ‖——-전(廛) 명 魚屋；いさば屋.
어물-거리다 자 ぐずぐずする；もたもたする. 어물-어물 부하자 ぐずぐず；まごまご；もたもた.
어물쩍-거리다 자 言を左右にする；あいまい(曖昧)にする；ぼ(や)かす. 어물쩍-어물쩍 부하자 (言動を)しきりにぼやかすさま.
어물쩍-하다 자 言を左右にして〔ぼやかして〕その場を切り抜ける.
어미 명 ①"母"の卑称：おふくろ. ¶～를 닮아서 칠칠찮다 母に似てだらしがない. ②子を産んだ動物のめす(雌). ¶～닭 親どり / ～거북 親がめ(亀).
‖—— 그루 명〔植〕親株. ——-자 명 (副尺に対して)固定された物差し. ＝주척(主尺).
어미【語尾】명〔言〕語尾.
‖—— 변화 명 語尾の変化.
어민【漁民】명 漁民.
어버이 명 父母；両親；親.
‖——-날 명 親の日《五月八日》.
어법【語法】명 語法.
어부【漁夫】명 漁師；漁夫；すなど(漁)り〈雅〉. ＝고기잡이.
‖——-지-리 명 漁夫の利.
어부바 감 赤子におんぶしてやる意思を伝えるときの語：おんぶ〈児〉. ——-하다 자타 おんぶする；おんぶされる. ¶아가 ～하자 いい子だ, おんぶしようね.
어분【魚粉】명 魚粉.
어-불성설【語不成說】명 話が理屈に合わないこと.
어뿔싸 감 失敗などを悟ったときに発する語：しまった；したり.
어사【御史】명〔史〕①王命で, 特別な使命を帯びて地方に遣わされた臨時の官吏. ②↗암행 어사.
어-사리【漁—】명하타 網を張って大いに魚をとること.
어-살【魚—】명 やな(梁)；ひび(篊)；やなす(梁簀). ——(을) 지르다 구 やなを打つ.
어색【語塞】명하형히부 ①言葉が支えること；返答に窮すること. ②ぎこちないこと；きまり〔間〕がわるいこと. ¶～한 입장〔동작〕ぎこちない立場〔動作〕/ ～한 관계 ぎくしゃくした関係.
어서 부 行動を促したり勧めるときの語：はやく；さあ；どんと〈俗〉. ¶～ 가거라 はやく行けよ / ～ 오십시오 いらっしゃい(ませ).
-어서 어미 語尾"어"と助詞"서"が結合して成る連結語尾：…(し)て. ¶물이 깊～ 건너지 못한다 水が深くて渡れない / 뜰이 넓～ 좋겠다 庭が広くていいだろうね.
어선【漁船】명 漁船；猟船.
어설프다 형 そざつ(粗雑)だ；なまはんか(生半可)だ；不手際だ. ¶어설픈 지식 なまはんかな知識. 어설피 부 なまはんかに；不徹底に；なまじいに；うかつに.
어세【語勢】명 語勢.
어수룩-하다 형 ①(言動がうぶ(初心)で)人ずれしていない；なまっちょろい〈俗〉；おめでたい. ¶고집이 어디까지나 통한다고 여기는 것은 어수룩한 생각이다 どこまでも我が通せると思うのはおめでたい考えであるぞ. ②(物事が)たやすい；ぼろい. ¶어수룩한 장사 ぼろい商売.
어수선산란-하다【—散亂—】형 ①ひどく取り散らかしている. ②ひどく慌ただしい.
어수선-하다 형 ①取りちらかしている；ごちゃごちゃしている. ¶어수선

한 거리 ごちゃごちゃした町/방안이 ~ 部屋の中が取り散らかされている. ②気が散って落ち着かない；気ぜわしい；慌ただしい. ¶어수선한 정국 慌ただしい政局.

어순【語順】 명 語順；語序.

어스러지다 자 ①(言語や風体が)常態を逸する；それる. ②(縫い目が)斜めにすりきれる. ¶옷이 낡아서 솔기가 ~ 服が古びて縫い目がすりきれる.

어스레-하다 형 小暗い；薄暗い；ほの暗い. 준 어슬하다.

어스름 명 明け方·夕方の薄暗い状態.

어슥-어슥 부하형 多くのものがいちように一方へゆがんでいるさま.

어슬렁-거리다 자 のそりのそり歩き回る；ぶらつく；うろつく. 어슬렁-어슬렁 부하자 のそりのそり；のそのそ. 준 어슬어슬.

어슴푸레-하다 형 おぼ(朧)ろだ. ①薄暗い；ほの暗い；ほのかである；おぼろげだ. ¶어슴푸레하게 보이는 빛 ほのかに見える光/달이 어슴푸레하게 흐리다 月がおぼろにかすむ. ②かすかだ；おぼろげだ；ぼんやりしている. ¶어슴푸레하게 기억하고 있을 뿐이다 ぼんやりと記憶しているだけである.

어슷비슷-하다 형 ①似たりよったりだ；似通っている；どっこいどっこいだ〈俗〉；おっつかっつだ. ¶실력이 ~ 実力がどっこいどっこいである. ②あちこちに傾いている.

어슷-하다 형 斜めぎみだ；傾いている. ¶어슷하게 자르다 斜めに切る. 어슷-어슷 부하형 少しずつ傾いているさま；斜めなさま.

어시【魚市】, 어-시장【魚市場】 명 魚市場；いさば(五十集).

어안【魚眼】 명 魚眼.
‖── 렌즈 명〔物〕魚眼レンズ. ── 사진 명 魚眼写真. ──-석 명〔鑛〕魚眼石.

어안이 벙벙하다 구 あっけにとられる；あぜん(啞然)とする；あきれてものがいえない；あっけらかんとする〈俗〉. ¶너무나 일방적인 처사라서 ~ 余りにも独善的な処置なのであっけにとられている/어안이 벙벙하여 말이 안 나온다 あっけにとられて二の句がつげない.

-어야 어미 ①"ㅏ·ㅗ"以外の母音で終わる語幹に付き次の語にある条件を必要とする意味を表わす語：…(し)てこそ；…(し)てはじめて. ¶먹~ 산다 食べなければ生きられない/구름이 끼~ 비가 온다 雲がかかってはじめて雨が降る. ②…といっても；…(と)しても. ¶아무리 떠들~ 들어 줄 사람이 없다 いくらしゃべっても聞いてくれる人がいない/길~ 사흘이다 長くとも三日だ.

어야-디야 감 ↗어기야디야.

-어야지 어미 [↗어야 하지] …(し)なければ；…(し)なければならない. ¶먹~ 食べなければ.

어언【於焉】 부 ↗어언간.
‖──-간(間) 부 いつのまに(か).

어업【漁業】 명 漁業.
‖──-권 명 漁業権. ── 면허 명 漁業免許. ── 자원 명 漁業資源. ── 조합 명 漁業組合.

어여쁘다 형 "예쁘다"の古めかしい語：美しい；きれいだ；かわいい. ¶너의 누이동생은 참 ~ 君の妹はほんとにきれいだよ. 어여삐 부 美しく；きれいに；かわいらしく.

어여차 감 多くの人が力を合わせるときの掛け声：よいしょ；えんやこりゃ；一二の三.

어엿-하다 형 堂堂としている；ひけを取らない. 어엿-이 부 堂堂と；ひけ目なく.

-어요 어미 終わりの音節の母音が"ㅏ·ㅗ"以外の用言の語幹に付いて叙述·疑問·命令·勧誘の意を表わす終結語尾：…です(よ)；…ます；…か；…なさい. ¶그는 매우 힘센 사람이~ 彼はたいへんな力持ちです/빨리 밀~ 早く押しなさい/거기 있~? そこにありますか?

어용【御用】 명하타 御用. ①王が使用すること. ②政権におもねる人を指す語.
‖── 문학 명 御用文学. ── 신문, ──-지(紙) 명 御用新聞. ── 학자 명 御用学者.

어우러-지다 자 (多くの物が調和されて)一塊になる；一団となる；交わる. ¶꽃이 어우러져 피다 (花が)咲き乱れる/뜻을 같이하는 자들끼리 ~ 志を同じくする者どうしが一団になる.

어우렁-더우렁 부하자 世の波に乗って過ごすさま.

어우르다 타 ①一団と〔一塊に〕なる. ②(かりうち(樗蒲)で)二つ以上のこま(駒)を重ね合わせる.

어울리다 자 ①似合う；釣り合う；調和する；しっくりする. ¶어울리지 않다 そぐわない/양복 색과 넥타이가 잘 ~ 服の色とネクタイがよく釣り合う/이 그림은 방에 잘 어울린다 この絵は部屋にしっくりする/얼굴(생김)에 어울리지 않는 상냥한 목소리 顔つきにそぐわないやさしい声. ②交わる. ¶나쁜 친구와 ~ 悪友と交わる. 준 얼리다.

어웅-하다 형 (ほら穴などが)うつろでうす暗い.

어원【語源·語原】 명 語源.

어유 감 ①意外の事柄に驚いて発する声：ああ；おう；ありゃ；おや；やれ；あらあら〈女〉；あらまあ〈女〉；あれっ. ¶~ 큰일났군 やれ, 大変なことになったぞ. ②疲れまたは力に余るときに出す声：ああ；おお；やれやれ. ¶~ 무거워 ああ重たい.

어유【魚油】 명 魚油.

어육【魚肉】 명 ①魚肉；魚と獣肉. ②魚肉；魚の肉. ③踏みつぶされてめちゃくちゃになったことのたとえ.

어음 명 ①〔經〕手形. ②〔史〕債務

ˇの支払いを約束する証文.
── 교환소 명 手形交換所. ──
할인 명하자 手形割引. ── 행위 명
法〗手形行為.
의【御醫】명 侍医.
의【語義】명 語義.
이¹ 명 ☞어처구니. ──-없다 형
あきれる; あいた口がふさがらない;
あ(敢)えない; あっけない; ばかばか
しい. ¶어이없는 죽음 あっけない死
に方. ──-없이 부 あきれて; あっ
けなく; どうしようもなく.
이² 부 "어찌"の古めかしい語: ど
うして; 何がために. ¶내 ~ 왔던고
どうして僕が(ここに)来たのやら.
이³ 감 ↗어이구. ¶~, 춥다 おう寒
いわい.
어이⁴ 감 目下を呼ぶ語: おい.
어이구 감 痛いとき, 驚いたとき,
または力を入れるときや恨めしい
ときなどに発する声: ううん; いた
いっ; よいしょ; おう; ああ.
‖── 나 감 殊勝に思って発する
声: ありゃありゃ; あらまあ. ──-머
니 감 "어이구"の強勢語. 준 에
그머니.
어자【御者·馭者】명 御者.
어장【漁場】명 漁場. ¶근해의 ~
近海の漁場.
어저께 명 昨日. =어제.
어적 부하타 果物などを一気にか
む音: ぼりっ; かりっ. ──-거리다
타 ぼりぼり, または, かりかりかむ.
──── 부하타 ぼりぼり; かりかり.
어전【御前】명 御前.
‖── 회의 명 御前会議.
어정-거리다 자 (大きい人や獣が)
のそのそ歩き回る; ぶらつく; うろ
つく. ¶집 주위를 ~ 家の周りをぶ
らつく. 어정-어정 부하자 のそのそ;
ぶらぶら.
어정-뜨다 형 (当然すべきことが) ぞ
んざいで物足りない; しまりがな
い.
어정-버정 부 用もなく歩き回るさ
ま: うろうろ; のらくら. ──-하다 자
うろうろする; のらくらする. ¶~하
지 말고 어서 가거라 うろうろ〔ぐずぐ
ず〕せずに早く行きなさい.
어정쩡-하다 형 ①どっちつかずだ;
ぱっとしない; いぶかしくて気がか
りだ. ¶어정쩡한 대답 あいまいな答
え. ②記憶がぼんやりする. ¶언
제의 일이었던지 ~ いつの事だった
のやら記憶がぼんやりする. ③(立
場がやや)苦しい.
어제 명 昨日·さくじつ. ¶어젯밤 昨日の
晩/…이 ~의 일처럼 생각된다 …が
昨日のことのように思われる/~ 보던
손님《俚》けいがい(傾蓋)の友.
‖── 오늘 명 ①昨日と今日. ②
最近; 近ごろ(頃).
어조【語調】명 語調; 口調; 口
振り; ことばつき.
어족【魚族】명 魚族.
어족【語族】명 語族.
어줍다 형 ①言行が不自然で
はっきりしない. ②不慣れでまずい.
¶어줍은 솜씨 不慣れな手付き. ③手
足·腰がしびれて自由が利かな
い.
어-중간【於中間】명 ①中ほどの位置.
②中途半端; なまじっか; 生
はんか(半可); どっちつかず. ──-하
다 형 中途半端だ; なまはんかだ;
どっちつかずだ. ──-히 부 中途半端
に; なまじっかに.
어중-되다【於中─】형 中途半端
だ; 宙〔中〕ぶらり(ん)だ; どっちつ
かずである; ああもこうも使いよう
がない《"帯に短し, たすき(襷)に長
し"のたぐ(類)い》. ¶어중된 인간 宙
ぶらりの人.
어중이-떠중이 명 方方から集まった
凡人の群れ; うごう(烏合)の衆.
¶~가 모여 들었다 寄り集まった
烏合の衆である.
어지간-하다 형 ①相当(なもの)だ.
㉠(標準に)ほど近い. ㉡かなりよ
い; かなり(…)する〔ある〕. ¶어지간
한 미인 かなりの美人/어지간한 실
력 相当な実力. ②いくらか気に入
っている; 並み〔まあまあ〕の程度
だ; 適当だ; ほどよい. ¶어지간한
실력으로는 並みの実力では/어지
간하면 사두십시다 何なら買い取っ
ておきましょう. 어지간-히 부 ①かな
り. ②ほどよく. ③適当に.
-어지다 어미 "ㅏ·ㅗ"以外の母音
で終わる語幹に付く語. ①…に
なる. ¶돈이 없~ 金がなくなる/그
이가 싫~ 彼氏が嫌になる. ②形容
詞の語幹に付いて動詞に転成
させる語尾: …に〔く〕なる. ¶늙~
年老いになる/붉~ 赤くなる.
어지러-뜨리다 타 取り散ら(か)す;
(取り)乱す. ¶방안을 ~ 部屋を取
り散らかす〔乱す〕.
어지럼 명 めまい(眩暈〔目眩〕).
‖──-증 명 めまい症. =현기증.
어지럽다 형 ①乱れている; 散ら
かっている; 慌ただしい. ¶어지러운
세상 乱れた世の中/방안이 ~ 部屋
が散らかっている. ②めまいがする;
目がくらむ; めまぐるしい.
어지르다 타 取り散ら(か)す; とりみ
だす. ¶어질러 놓은 방 取りちらした
へや/방을 ~ へやの中を取り散ら
(か)す.
어지-빠르다 형 どっちつかずだ; 中途
「半端だ.
-어지이다 어미 …するよう(祈りま
す); …(せ)られたし〔せられたい〕. ¶
속히 회복되~ 速くご回復せられま
すよう.
어질다 형 善良だ; 情け深く寛大
だ; 賢しい. ¶어진 마음 善良な心
/어진 임금 賢君.
어질-병【─病】명〔韓醫〕めまいの病
気. =어질증(症). ¶~이 지랄병
된다《俚》小事は大事.
어질-어질 부하형 くらくら; ふらふら.
>아질아질.
어째 부 [↗어찌하여] どうして; なぜ.
¶~ 하라는 대로 안 하나 どうして言
う通りにしないのか/~ 울지 なぜ
泣くの.
어째서 부 [↗어찌하여서] ☞어째.
어쨌든, 어쨌든지 부 [↗어찌하였든·어

쩌 되었든〕どうあろうとも；とにかく；いずれにせよ；どっちみち；何はさておき；(何は)ともあれ. ¶ ～ 가야 한다 とにかく行かねばならない.

어쩌고-저쩌고 부 なんだかんだ；ああのこうの；つべこべ. ¶그들은 모이기만 하면 ～ 떠들어댄다 彼らは寄ればなんとかかんとかしゃべりちらす.

어쩌다 부 ↗어쩌다가.

어쩌다가 부 [↗어찌하다가] ① 意外に；偶然に；思いがけなく. ¶～ 그를 만났네 偶然彼に会った. ② ときおり；たまに；時に. ¶～ 술을 마시다 たまに酒を飲む.

어쩌면 ㊀부 [↗어찌하면] ① どうすれば；どのようにすれば. ¶～ 좋을까 どうすればよいのだろう. ② どうかすると；ひょっとしたら；事によると；も(若)しかしたら；ある(或)いは. ¶～ 그 애가 오늘 올지도 몰라 ひょっとしたらその子が今日来るかも知れないよ. ㊁감 意外なことに感嘆する語：あれまあ；ああら. ¶～ 그럴 수가 있어요 あれまあ, そんな事ってあり得るかしら.

어쩐지 부 どうしたのか；どうしたことか；なんとなく；そぞろ；どうやら；どことなく；なんだか. ¶～ 오늘 그는 좀 이상하다 どうしたのか, 今日の彼はちょっとおかしい / ～ 마음이 내키지 않는다 なんとなく気が進まない.

어쩔 수 없다 구 ぜひもない；いかんともしがたい. ¶모두가 반대한다면 ～ みんなが反対するならぜひ(も)ない.

어쭙지-않다 형 (言動が度をこして)あさましい；気障りだ；なまいきだ. ¶어쭙지 않게 굴다 きざ(気障)に〔あさましく〕振る舞う.

어찌 부 ①どうして；なんで；なんぞ. ¶～ 그것을 기대하랴 どうして〔なんで〕それを期待しようか / ～ 질 수 있겠는가 なんぞ負けるものか. ②どんな方法で；どんな風に；どのように. ¶그 문제를 ～ 풀었니 その問題をどのようにして解いたの. ③"어떻게(＝なんと；どれ程；びっくりするぐらい)"の意で感嘆と疑問を同時に表わす語. ——-하여 부 どんな理由で；どうして. ㊟어째.

어찌-나 부 "어찌③"の強調語.

어차피【於此彼】부 [↗어차어피에] どうせ；どっちみち；いずれにしても；しょせん(所詮). ¶～ 해야 할 의무다 どうせなすべき義務だ / ～ 치러야 할 돈이다 どっちみち支払うべき金である.

어처구니 명 想像外に大きい物や人を意味する語. ——-없다 형 《俗》あきれる；あっけにとられる；とんでもない. ¶어린애가 술을 마시다니 ～ 子供が酒を飲むとはあきれたものだ〔とんでもない〕/ 어처구니가 없어 말도 안 나온다 あきれ返って物も言えない. ——-없이 부 あきれて；あっけなく. ¶(경기에) ～ 패했다 (試合に)あっけなく破れた.

어촌【漁村】명 漁村.

-어치 미 (値段に値する)分量；程度；分. ¶오만원～ 五万ウォン分 / 한 푼의 값～도 없다 一文の値打ちもない.

어치렁-거리다 자 のそのそ歩く；よたよた〔とぼとぼ〕歩く. 어치렁-어치 부하자 よたよた；のそのそ；とぼとぼ.

어칠-비칠 부 ふらふら；よろよろ；鳥足で. ——-하다 자 ふらふら〔よろよろ〕する.

어탁【魚拓】명하타 魚拓.

어투【語套】명 話し〔口〕ぶり；語 き. ¶날카로운 ～로 따져들다 鋭い 気でつめよる.

어퍼-컷〔uppercut〕명 アッパーカット. ¶～을 먹여 쓰러뜨리다 アッパーカットを食(ら)わして倒す.

어폐【語弊】명 語弊. ¶그 말에는 ～가 있다 その話には語弊がある.

어포【魚脯】명 魚のほしし(脯).

어푸-어푸 부하자타 水におぼれて苦しむさま：あぷあぷ；あっぷあっぷ.

어프로치〔approach〕명 アプローチ.

어필〔appeal〕명하자타 アピール.

어-하다 타 甘やかす.

어학【語學】명 語学.

어항【魚缸】명 金魚鉢；金魚つぼ；水船.

어항【漁港】명 漁港.

어허 감 意外なことに出会って出す声：おお；ははあ；ふうむ；いやはや. ＞아하.

어허-둥둥 감 赤子をあやすときに歌みたいに出す声：おお；もしよし. ㊟어둥둥.

어허허 명 かなり重みのある笑い声：はははは. ＞아하하.

어험 감 威厳を示すせきばらい：えへん；おほん. ——-스럽다 형 ① いかにもいかめしく見える. ② 空っぽでうすぎみわるい.

어혈【瘀血】명하자 〔韓醫〕(打撲傷などで)皮下出血すること.

어형【語形】명 語形. ¶～ 변화 語形変化.

어화 감 喜びを表わす歌曲で人を呼ぶ声.
‖——-둥둥 감 ☞ 어허둥둥.

어회【魚膾】명 魚の刺身；なます(膾). ＝생선회.

어획【漁獲】명하타 漁獲. ¶～량이 적어지다 漁獲高が少なくなる.

어휘【語彙】명 ごい(語彙).

어흥 감 ① とら(虎)のほえ声：うおお. ② 子供を脅すために出すとら(虎)のまねごえ.

억【億】수 億. ¶～을 헤아리다 億を数える.

억-누르다 타 押さえ〔抑さえ〕(つけ)る；抑圧する；圧する；圧迫する. ¶감정을 ～ 感情を抑える〔殺す〕/ 자기 주장을 ～ 自分の主張を押さえる.

억-눌리다 피동 抑さえ〔押さえ〕(つけ)られる；抑圧される；圧迫される.

억대【億臺】명 億の単位で数えられる数.

억류【抑留】명하타 抑留.

억만【億萬】명 ① 億. ② きわめて多い数. ¶～가지 걱정 数数の心配事

…と.

――-년 명 億万年. ―― 장자 명 億万長者.

병 명 大酒飲みの酒の量; 泥酔. ¶ ~이 되었다 ひどく酔っ払った; 泥酔した.

-보 명 強情者; 意地っぱり; 頑固一点張り.

새 명〔植〕すすき(薄〔芒〕).

설【臆說】명 憶説.

-세다 형 ① (体が)がんじょうだ. ② 押しが強くがめつい. ③ (葉·茎が)硬い. ¶ 겹질이 ~ 皮が硬い.

수 명 どしゃ降り; 鉄砲雨〈俗〉. ¶ ~같이 퍼붓는 비 どしゃ降りの雨.

억압【抑壓】명하타 抑圧.

억양【抑揚】명 抑揚; 節回し; あげさげ.

억울【抑鬱】명하형히부 ① (抑制されて)重苦しいこと. ② くやしくて胸がつまること. ¶ ~한 심정 ふんまん(憤懣)やるかたなき心情. ③ ぬれぎぬを着せられること; 無実. ¶ 나는 ~하다 僕はぬれぎぬを着せられて悔しい.

억제【抑制】명 抑制. ――-하다 타 抑制する; 押さえ〔抑え〕(つけ)る.

억조【億兆】명 ① 億と兆. ② 限りなく多い数.

‖―― 창생(蒼生) 명 数多き民; 万民.

억지 명 無理強い; 押し; 無理押し; 横車. ――-스럽다 형 押しが強い; 横車を押す《동사적》. ――-로 부 むりやりに; むり押しをして; 意地を張って〔通して〕. ―― 세다 형 無理強いがひどい; 意地っ張りだ. ―― 세우다 자타 意地を通す. ―― 쓰다 자타 無理強いをする; 意地を張る〔通す〕.

‖―― 다짐 명 無理強いの承諾; むりやりの念押し. ―― 웃음 명 つくり笑い. ―― 춘향(春香)이 명 無理強いをしてやっと成し遂げたこと. 억짓-손 명 無理強いの手管.

억척 ㊀명스형 がめついこと; あくどいこと; しつこく根強いこと. ¶ ~스러운 상혼 あくどい商魂. ㊁부 根強く; しつこく; ひどく. ¶ ~(으로) 먹었다 たらふく食べた. ――-같다 형 しつこく根強い; あくどい; がめつい. >악착같다. ――-같이 부 ひどく根強く; あくどく. ―― 떨다 자 根強く振る舞う. ―― 부리다 자 がめつく〔しつっこく〕ふるまう. ――-으로 부 しつこく; 根強く; あくどく.

‖――-꾸러기 명 非常にあくどくふるまう人; がめつい人; 勝ち気の者. >악착배기.

억측【臆測】명하타 憶測; 当て推量.

억패-듯 부 情け容赦なく. ¶ ~ 야단을 쳤다 情け容赦なくしかりとばした.

언감-히【焉敢―】부 どうしてあえて. ¶ 네가 ~ 나에게 대든단 말이냐 どうして君が敢えて僕にたてつくのか.

언걸 자 ① とばっちり; 巻き添え. ② ひどい苦労. ―― 먹다 자 ① 巻き添えを食う; とばっちりを食う. ② えらい苦労をさせられる. ―― 입다 자 巻き添え〔とばっちり〕を食う.

언급【言及】명 言及. ――-하다 자 言及する; 触れる. ¶ 앞〔위〕에서 ~한 前〔上〕に言及した / 이 문제는 서문에서 약간 ~되어 있다 この問題は序文でちょっと触れてある.

언년 명 少女の愛称.

언놈 명 少年の愛称.

언니 명 ① (妹が呼ぶ)姉; 姉さん. ② (幼い)弟が兄を呼ぶ語.

언더-라인〔underline〕명 アンダーライン; 下線. =밑줄.

언덕 명 ① 丘; 丘陵. ② 坂. ――-지다 형 ① 傾斜〔坂〕になっている. ② 道が平坦でなく高めである.

‖――-길 명 坂道. ――-배기 명 峠の頂上; 傾斜のはげしい坂.

언동【言動】명 [↗언어 행동(言語行動)] 言動. ¶ ~을 삼가다 言動を慎む.

언-두부【―豆腐】명 高野豆腐; 凍り豆腐; しみ豆腐.

언뜻 부 ちょっと. ① ふと; ふっと. ¶ ~ 귓결에 듣다 ふと〔ちょっと〕耳にする / ~ 생각이 나다 ふっと思い付く. ② ちらっと; ちらり. ¶ ~ 보기에 ふと見たところ / ~ 보였다 ちらっと見えた / ~ 보아도 안다 一見してわかる. ―――― 부 ちらっちらっと.

언론【言論】명하타 言論.

‖――-계 명 言論界. ―― 기관 명 言論機関. ―― 자유 명 言論自由. ―― 통제 명 言論統制.

-언만 어미 "-건만"の古めかしい語: …(だ)けれども; …であろうに. ¶ 그 애가 살았으면 지금 대학생이~ あの子が生きていれば今大学生であろうに.

언명【言明】명하타 言明. ¶ 사퇴를 ~하다 辞退を言明する.

언문【言文】명 言文.

‖―― 일치 명 言文一致.

언문【諺文】명 おんもん(諺文); ハングルの古称.

‖―― 풍월(風月) 명 ① 諺文の詩. ② 形式ばなれの詩または事物.

언변【言辯】명 話術; 口弁; 口. ¶ ~이 좋다 口が達者である.

언사【言辭】명 言辞; ことば; 言いぐさ(草). =말. ¶ 불온한 ~ 穏やかでないことば.

언성【言聲】명 話す声.

언약【言約】명하타 口約束; 口固め. ¶ 부부의 ~을 하다 夫婦の口固めをする.

언어【言語】명 言語.

‖―― 도단 명 言語道断. ―― 불통 명하자 言語不通. ―― 상통 명하자 言語が相通ずること. ―― 예술 명 言語芸術. ―― 장애(障礙) 명 言語障害. ――-학 명 言語学.

언쟁【言爭】명 言い争い; 言い合い; やり合い. =말다툼. ――-하다 자 言い争う; 言い合う.

언저리 명 あたり; ほとり; 周囲; へり〔ふち〕(縁).

언정 조 終声のない語に付いて"-ㄹ

지언정(=…であっても)"の意を表わす助詞. ¶영사(寧死)~ 항복은 하지 않는다 降伏するぐらいならむしろ〔いっそのこと〕死を選ぶ.

언제 부 いつ(何時). ¶~ 가느냐 いつ行くのか. ——나 부 ①いつでも. ②いつも;常に;始終;しょっちゅう. ¶~ 변함이 없다 いつも変わらない/~ 같은 일을 한다 いつも同じ仕事をする. ——든지 부 いつでも;いつであっても. ¶~ 오너라 いつでもいいから来なさい/~ 좋다 いつでもいい. ——인가 부 ①いつかは;そのうち;今に. ¶~ 후회할게다 いつかは後悔するだろう. ②いつだったか;いつかしら;いつぞや. ¶~ 갔던 적이 있다 いつだったか行ったおぼえがある. 언젠가 부 ↗언제인가.

언죽-번죽 부 ごう(毫)も恥じないさま;ふてぶて〔ずうずう〕しいさま. ——하다 형 ふてぶてしい;ずうずうしい;しゃあしゃあとしている.

언중【言中】 명 言中.

‖—— 유골(有骨) 명 なにげ(何気)ない言葉の内に底意がひそんでいること;含みのある言い方. —— 유언(有言) 명 普段の話の内に意味がかくされていること.

언질【言質】 명 言質;言葉質〈口〉. ¶~을 잡다 言質を取る/~을 주다 言質を与える.

언짢다 형 悪い. ①よくない;気に入らない;不快だ. ¶그의 언동이 ~ 彼の言動が気に入らない〔よくない〕/아침부터 기분이 ~ 朝からむしゃくしゃする/언짢게 생각 마라 悪く思うなよ/언짢은 표정 ぶぜん(憮然)たる表情. ②見にくい;見苦しい. ¶옷이 보기에 ~ 服が見苦しい.

언청이 명 いぐち(欠唇)《보통 "兎唇"로도 씀》.

언치 명 くら(鞍)の下に敷く毛布や座布団.

언-필칭【言必稱】 부 ものを言えばきっと;口を開ければ必ず. ¶~ 처자의 자랑이다 口を開けさえすれば妻子の自慢ばなしである.

언해【諺解】 명하타 げんかい(諺解);漢文をハングルで解釈すること.

언행【言行】 명 言行.

‖——록 명 言行録. —— 일치 명 言行一致.

얹다 타 ①上げる;載せる. ¶책을 선반에 ~ 本を棚に上げる〔載せる〕/머리에 ~ 頭に頂く/어깨에 손을 ~ 肩に手を掛ける/이마에 손을 ~ 額に手をかざす. ②(かりうち(樗蒲)で)こま(駒)を重ねる.

얹은-머리 명 丸く結って頭に巻き上げた女の髪形.

얹혀-살다 자 人に頼って暮らす.

얹히다 一 피동 ①載せられる. ¶트럭 위에 짐이 ~ トラックの上に荷物が載せられる. ②重ねられる. ¶무거운 짐 위에 책이 ~ 重い荷物の上に本が重ねられる. 二 자 ①乗り上げる. ¶배가 얕은 곳에 ~ 船が浅瀬に乗り上げる. ②食当たりする. ¶먹은 것이 ~ 食べたものが食たりする. ③居候する;厄介になる. ¶형의 집에 ~ 兄の家に居候する. 三 타 載せるようにする.

얻다¹ 타 ①もらう. ¶형에게서 책을 ~ 兄から本をもらう. ②得る. ¶지식을 ~ 知識を得る/권리를 ~ 権利を得る. ③拾う. ¶길에서 돈을 ~ 道で金を拾う. ④博する. ¶호평을 ~ 好評を博する. ⑤借りる. ¶ 방을 ~ 間借りをする. ⑥迎えるめとる. ⑦(病気)になる. ¶병을 ~ 病気にかかる. ⑧占める. ¶승리〔폭리〕를 ~ 勝利〔暴利〕を占める.

얻다² 준 [↗어디에다] どこに〔へ〕. ¶ 그런 사람을 ~ 쓰겠나 そんな人をどこに使えるか. ——가 준 [↗어디에다가] どこに〔へ〕;どこいらに. ¶~ 버렸느냐 どこいらに捨てたのかい.

얻어-듣다 타 聞き込む;小耳にはさむ. ¶그녀의 소문을 ~ 彼女のうわさを聞き込む.

얻어-맞다 자 なぐられる. ¶공연한 참견을 했다가 ~ よけいなおせっかいてなぐられる.

얻어-먹다 자타 ①もらい食いする. ②ののしられる. ¶죄도 없이 욕을 ~ とが(咎)もなくののしられる.

얻어-터지다 자타《俗》☞ 얻어맞다.

얼 명 精神;魂;み霊.

얼- 두 ①名詞の上に付いて"賢明でない·足りない"の意を表わす語. ¶~간이 まぬけ者/~뜨기 とんま. ②動詞の上に付いて"入りみだれて・ごちゃごちゃ・明らかでない"の意を表わす語. ¶~버무리다 ごぢゃごちゃに混ぜる;あいまいに口ごもる;あれやこれやいい紛らす/대답을 ~버무리다 いい加減に答える/설명을 ~버무리다 説明をあれやこれやと紛らす.

얼-【孼】 두 庶. ¶~출자(出子) 庶出の子.

얼-간 명하타 ①魚·野菜などを浅漬けにすること;甘塩. ②↗얼간망둥이. ③↗얼간이.

‖—— 망둥이 명 とりとめのない人;しまりなく何事にもでしゃばる人. ——이 명 薄ばか;まぬけ者;表六玉;出来損ない.

얼-갈이 명하타〔農〕①田畑を冬にすきかえすこと. ②冬にそさい(蔬菜)を植えること. また,その蔬菜.

얼개 명 構造;組立て;仕組み.

얼-결 명 ↗얼떨결.

얼굴 명 顔. ①㉠面;面〈俗〉;容色. ¶갸름한 ~ 細長い顔;うりざね顔/넓적한 ~ 平べったい顔/귀여운 ~ かわいい顔/복스러운 ~ 福福しい顔/예쁜 ~ きれいな顔/주름진 ~ しわ(皺)のよった顔/환한 ~ 晴れ晴れした顔/~을 대하다 顔を合わせる/~을 돌리다 顔をそむける/~을 (쳐)들다 顔を上げる/~을 붉히다 顔を赤らめる;顔にもみじを散らす/~을 숙이다 顔をうつむける/~을 찡그리다 顔をしかめる/~이 화끈해지다 顔がほてる;顔から火が出る. ㉡顔つき;表情. ¶놀란 ~

驚いた顔 / 슬픈 ～ 悲しそうな顔 / 실망한 ～ 失望した顔 / 우울한 ～ 浮かぬ顔 / 불쾌한 ～을 하다 いやな顔をする / 행복스런 ～이다 幸福そうな顔をしている. ㉢ 知れ渡ること. ¶ ～이 잘 알려지다 顔が広い / ～을 팔다 顔をきかす / ～이 알려져 잘 통하다 顔がきく / ～이 팔리다 顔が売れる. ② 体面; 面目. ¶ ～을 보아(서) 顔に免じて / ～에 똥칠하다 顔に泥を塗る; みそ(味噌)をつける / ～을 깎이다 顔をつぶされる.

‖——-값 명 顔形〔メンツ(面子)〕に値すること. ——-빛 명 顔色; 血色.

얼근-하다 형 ① ほろ酔い機嫌だ. ② (辛くて)少少口がひりひりする. 얼근-히 부 ① ほろ酔いかげんに. ¶ ～ 취해서 ほろ酔い機嫌になって. ② ひりひりするほど. ¶ ～ 맵인 국 口の中がひりひりするほど辛味を利かした吸い物.

얼기-설기 부 (糸などが)もつれたさま; 交錯しているさま: ごじゃごじゃ. ¶ 털실이 ～ 감겼다 毛糸がごじゃごじゃもつれている.

얼-김 명 はずみ; その場のはずみ. ¶ 모두가 뛰니 ～에 함께 뛰었다 みなが走るはずみに(僕も)一緒になって走った. ——-에 부 その場のはずみで; その場のどさくさ紛れに. ¶ ～ 한데 어울렸다 その場のはずみでいっしょになった / ～ 졸업했다 どさくさ紛れに卒業した.

얼다 자 ① 凍る; いてる; しみる. ¶ 물이 ～ 水が凍る. ② 凍える; 寒さでからだの感覚がなくなる. ¶ 손이 ～ 手が凍える / 얼어 죽다 凍え死にする. ③ お(怖)じけ(気)づく; こわばる; すくむ. ¶ 연단에서 ～ 演壇でのぼせあがる / 무대에서 ～ 舞台であがる / 협박을 당하여 ～ おどかされてすく(竦)む.

얼떨-결 명 どさくさ紛れ; 気付かぬ間. ¶ ～에 말해 버렸다 ついうかうか言ってしまった.

얼떨떨-하다 형 めんくらってなすすべ(術)を知らない; とまど(戸惑〔途惑〕)う; 目がくらむようだ. ¶ 느닷없는 일이라서 ～ だしぬけな事なのでめんくらう / 사람이 너무 많아 ～ 人出がすごくて目がくらみそうだ.

얼-뜨기 명 間抜け; とんま; へま.

얼-뜨다 형 間が抜けてぼんやりしている; ぼけている. ¶ 그는 보기보다 ～ 彼は見掛けより間が抜けている.

얼렁-뚱땅 부 하자타 策略を弄して巧みに人をごまかすさま. ¶ 일을 ～ 해치우다 仕事をいい加減に片付けてしまう.

얼레-빗 명 解きぐし(櫛); 目のあらいくし(櫛).

얼루기 명 ① まだらの点点. ② まだらの動物.

얼룩 명 染み; はんてん(斑点); まだら〔ぶち〕(斑); 段だら; はだれ; ふ(斑). ¶ 검은 ～이 있다 黒いまだらがある. ——-덜룩 부 하형 (雑然と)まだら(斑)なさま: 段だらに; 点点と. ———— 부 하형 規則正しくしくしま(縞)またはまだら(斑)のあるさま. ¶ ～하게 まだらに; 段だらに. ——-지다 자 [↗어루러기지다] 染み付く. ¶ 땀으로 ～ 汗で染み付く.

‖——-고양이 명 三毛猫; とら猫. ——-말 명 しまうま(縞馬). ——-빼기 명 しま物; しま(縞)のある動物や物. ——-소 명 まだら牛. ——-점(點) 명 斑点.

얼룽-덜룽 부 하형 (雑然と)ぶち(斑)のあるさま: まだら(斑)に; 段だらに. ↗어룽더룽.

얼른 부 すぐ; すばやく; 早く; 急いで; さっさと. =속히. ¶ ～ 오너라 すぐ〔急いで〕来なさい. 얼른-얼른[1] 부 すばやく; さっさと. ¶ ～ 가야 된다 早く行かねばならない.

얼른-거리다 자 ① ちらつく; ちらちらする. ¶ 불빛이 ～ 明かりがちらつく. ② 影がゆらゆらする. ¶ 못에 비친 그림자가 ～ 池に映った物影がゆらゆらする. ③ しゃ(紗)などが動く度にゆらゆらする. 얼른-얼른[2] 부 하자 ① ちらちら. ② ゆらゆら.

얼리다 사동 凍らせる. ¶ 물을 ～ 水を凍らせる.

얼마 명 ① いくら; どれほど; なんぼ〈俗〉; いくばく〈雅〉. ¶ 전부 합쳐서 ～요 全部合わせていくらですか. ② やや; 少し; いくばく. ¶ ～의 돈 いくばくの金 / ～ 지나지 않아서 やや過ぎて; ややあって. ——-나 부 ① いくら位; いか程. ¶ ～ 받아 왔나 いくら位もらって来たか. ② どんなに(か); どれくらい(か). ¶ ～ 괴로웠을 것인가 どんなにか苦しかっただろうか. ——-든지 부 いくらでも; どのくらいでも. ¶ 돈은 ～ 주겠다 金はいくらでもやろう. ——-만큼 부 どの位; いくらぐらい. ¶ ～ 차지할 것인가 どの位占めるべきか. ——-쯤 부 いくら位; どれ程. ¶ ～은 보아 주지 いくら位(か)は大目に見てやろう.

‖——-간(間) 명 부 いくらか; どの位でも. ¶ ～ 나누어 주오 いくらかわけて下さい.

얼-버무리다 자 타 ① (間に合わせの材料などで)いい加減に事をなす. ¶ 바쁜 대로 일을 ～ 急ぐだけにいい加減に事をなす. ② よくか(嚙)まないで飲みこむ. ¶ 밥을 얼버무려 삼키다 飯をよくかまずに飲みこむ. ③ まぜこぜにする. ④ やみ(闇)に葬る; もみ消す. ¶ 사건을 ～ 事件をやみに葬る. ⑤ 言い紛らす; 紛らす; はぐらかす; ちゃ(茶)かす. ¶ 답변을 ～ 答弁をごまかす / 슬픔을 웃음으로 ～ 悲しみを笑いに紛らす / 대답을 ～ 返事を濁す / 상대의 힐문을 ～ 相手の詰問をはぐらかす / 그 자리를 ～ その場を繕う / 적당히 ～ うまくちゃかす.

얼-보다 타 ① はっきり見ない. ¶ 나에게 관계없는 일이라서 얼보았다 僕にかかわることでなかったのではっきり見なかった. ② まともに見ない.

얼-보이다 자 ① はっきり見えない; かすんでみえる. ¶ 물건에 가려서 ～ 物にかくれてはっきり見えない. ② 正

ㅇ

しく見えない. ¶위치가 그래서 ～ 位置の関係で正しく見えない.

얼-빠지다 [자] ①気が抜ける；間が抜ける；気抜けする. ¶너무 시끄러워서 ～ あまり騒がしくて間が抜ける. ②気がぼうっとする； 失神〔失心〕する.

얼-빼다 [타] 気を失わせる.

얼싸 [감] ①興に乗じて出す語. ②みこ(巫女)の跳舞に用いる掛け声: あらえっさっさ；よいやさ；よいしょ. ¶～ 좋다 あ, よいしょ.

‖——-둥둥 [감] ①興に乗じて赤ちゃんをあやす語. ②衆人のなすに乗じて行動するさま: うきうき. ——-절싸 [부][하타] ①興に乗じて跳ね躍るさま: よいやよいやさと. ②仲立ちして両方とも被害がないようにとりなすさま.

얼싸-안다 [타] 抱擁する；抱き込む；抱きしめる. ¶울며 ～ 泣きながら抱きしめる.

얼씨구 [감] ①興に乗じて出す語: ようよう；よいやよいや. ¶～ 좋다 よいやよいやさと. ②見苦しい振る舞いをあざける語: ようよう.

‖——-나 [감] ①はやす語: ようよう；よいやよいや. ¶～ 절씨구나 よいやよいやさと. ②得たり賢し；しめた. ¶～하고 적의 허를 찌르다 得たり賢しと敵の虚をつく. ——-절씨구 [감] 興に乗じはや(囃)す語: よいやよいや；よいやよいやさと.

얼씬-거리다 [자] 目の前に現われたり消えたりする；出没する. ¶불량자들이 ～ 不良たちが出没する / 내 앞에 얼씬거리지도 마라 目の前から消えうせろ. 얼씬-얼씬 [부][하자] 目の前に現われたり消えたりするさま.

얼씬 못하다 [구] 姿を見せることもできない；(ある物に)近づくこともできない. ¶호되게 당하고는 ～ ひどい目にあってからは近づくこともできない.

얼씬 아니하다 [구] ぜんぜん姿を見せない. ¶싸운 후로는 ～ 争ってからは姿だに見せない.

얼씬-하다 [자] ちょっとの間だけ現われる.

얼어 붙다 [자] 凍りつく；氷が張り詰める；いてつく. ¶강이 ～ 川が凍りつく / 물이 ～ 水が凍りつく / 연못에 얼음이 ～ 池に氷が張りつめる.

얼얼-하다 [형] ①(味が辛くて)ひりひりする；ぴりぴりする；ひりつく. ¶반찬이 매워서 입 안이 ～ おかずが辛くて口の中がひりひりする. ②(皮膚などが)ひりひりする. ¶칼에 베인 상처가 ～ ナイフの傷口がひりひりする.

얼음 [명] 氷. ¶～이 박이다 凍傷にかかる / ～(을) 지치다 氷滑りをする / ～이 녹다 氷が解ける.

‖—— 과자 [명] 氷菓子. ＝빙과(氷菓). —— 냉수(冷水) [명] ①氷水. ②氷のように冷たい水. ——-덩이 [명] 氷塊. ——-물 [명] 氷のかけらを入れて冷やした水；お冷や. —— 베개 [명] ひょうちん(氷枕)；氷まくら. —— 사탕 [명] 氷砂糖. ——-장 [명] 氷のやや大きいかけら. ——-장-같다 [형] (オンドル(温突)などが)ひどく冷たい. —— 주머니 [명] ひょうのう(氷嚢)； 氷ぶくろ. ——-지치기 [명][하자] 氷滑り. ——찜 [명]〔醫〕氷しっぷ. —— 찜질 [하자] 氷しっぷをすること. ——-판 氷の面.

얼쩍지근-하다 [형] ①(皮膚が)ひりひり痛い；ずきずき痛む. ②(食べものが)やや辛い. ③(いんせき(姻戚)関係などで)ちょっとした縁があるようだ. ④ほろ酔いきげんだ.

얼쩡-거리다 [자] ①甘言をろう(弄)する；たぶらかす. ②用もなくぶらつく. 얼쩡-얼쩡 [부][하자] ①甘言を弄して人をたぶらかすさま. ②ぶらぶら.

얼추 [부] ①ほとん(殆)ど；大方；大体；おおよそ；あらかた；一通り；ひとわたり；あらまし. ＝대강. ②ほとんど近く. ——-잡다 [타] 大方見積もる.

얼-치기 [명] ①どちらともつかぬもの. ②専門の知識や技術のない人. ¶～ 학자 でも学者〈俗〉. ③あれこれが少しずつ入り混じっているもの.

얼크러-지다 [자] (まぜこぜに)もつれる；入り乱れる. ¶털실〔일〕이 ～ 毛糸〔事〕がもつれる.

얼큰-하다 [형] ①(味が)辛くて口の中がぴりぴりする. ②ほろ酔いきげんだ；酔いがまわる. 얼큰-히 [부] ①ひりひり. ②ほろ酔いかげんに.

얼키-설키 [부] もつれているさま: ごじゃごじゃ. ⊥얼기설기.

얼토당토 아니하다 [구] ①全く関連がない. ¶그 일과 이것과는 ～ その事とこれとは全然関連がない. ②とんでもない； 愚にもつかない； やぶにら(藪睨)みだ〈俗〉. ¶그것은 얼토당토 아니한 생각이다 それはやぶにらみの考えである. ㊟얼토당토 않다.

얽다[1] [자] ①あばた(痘痕)になる；あばたがある. ②ものの表面に傷が多く出来る. ¶책상이 많이 얽었다 机に傷が多い.

얽다[2] [타] ①(ひも(紐)や縄で)縛る；編む；結ぶ；絡げる. ②(うそなどを)でっち上げる. ¶골탕을 먹이기 위해 없는 일을 ～ こらしめにありもしない事柄をでっちあげる.

얽-매다 [타] ①縛る；束縛する；縛りつける；ほだす. ②仕事に身を傾ける.

얽-매이다 [자] ①束縛される；縛りつけられる. ②ほだされる；拘泥する. ¶인정에 ～ 情にほだされる. ③かまける；しがらまれる. ¶아이에게 얽매여 책도 못 읽는다 子供にかまけて本も読めない.

얽어 내다 [타] ①(物を)縛って引き出す. ②人の物を巧みに引き出す. ＝옭아 내다.

얽어 매다 [타] 縛りつける；がんじがら(雁字搦)めにする.

얽죽-얽죽 [부] 顔に深いあばた(痘痕)がまばらにあるさま. ——-하다 [형] あばた面〔いも顔・じゃんこ面・みっちゃ面〕である.

히다 ㊀ 피동 縛られる；絡まれる. ¶ 나팔꽃 덩굴에 얽힌 대나무 막대 朝顔のつるにからまれた竹の棒. ㊁ 자 ① 互いに引っ掛かる；絡む；もつれる；まつわる；絡まる. ¶ 부림치면 칠수록 다리에 해초가 ～ がけばもがくほど足に海草がからまる / 여러 가지 사정이 ～ いろいろな事情がまつわる. ② 巻き添えを食う；理由なく嫌疑がかかる. ¶ 그 사건에 공연히 ～ 理由もなくその事件の巻き添えを食う.

격【嚴格】명 하형 히부 厳格.

금【嚴禁】명 하타 厳禁. ¶ 출입 ～ 出入り厳禁.

니 명 (肉食動物の)きば(牙).

동【嚴冬】명 厳冬.

‖── 설한(雪寒) 명 非常に寒い雪の冬.

두 명 あえて何かをなそうとする意欲；考え. ¶ 나로서는 감히 ～도 못 내겠다 僕としてはあえて思いもよらない.

엄마 명《兒》 まま；おかあちゃん；かあちゃん；おっかぁ.

엄명【嚴命】명 하타 厳命.

엄밀【嚴密】명 하형 히부 厳密. ¶ ～한 조사 厳密な調査.

엄벌【嚴罰】명 하타 厳罰.

엄벙-덤벙 부 하자 みさかいもなく行動するさま：無鉄砲に；向こう見ずに；軽はずみに；上わっ調子に. ¶ 그는 언제나 ～하고 있다 彼はいつも上っ調子である.

엄벙-뗑 부 하자 ☞ 얼렁뚱땅.

엄벙-하다 형 ① 不誠実で仰仰しい；言動がふまじめで仰仰しい. ¶ 그의 하는 짓은 ～ 彼のすることはふまじめで仰仰しい. ② (事を)いい加減に片付ける. ¶ 그의 일하는 품은 ～ 彼の仕事ぶりはいい加減だ.

엄부【嚴父】명 厳父.

엄살 명 痛いふり〔困ったふり〕を大げさに表わす態度；大げさな痛がり. ──-하다 자 大げさに痛い〔苦しい〕ふりをする；仮病を使う. ¶ 그는 ～이 심하다 彼はともすると大げさに痛い〔苦しい〕ふりをする. ──-스럽다 형 痛い〔苦しい〕ふりが甚だしい. ──-궂다 형 痛い〔苦しい〕ふりをする. ──-떨다 자 痛い〔苦しい〕ふりをする. ──-부리다 자 痛い〔苦しい〕ふりをする.

‖──-꾸러기 명 痛がり屋. ──-쟁이 명 ☞ 엄살꾸러기.

엄선【嚴選】명 하타 厳選.

엄수【嚴守】명 하타 厳守. ¶ 시간 ～ 時間厳守.

엄숙【嚴肅】명 厳粛. ──-하다 형 厳粛だ；重重しい；厳かだ. ──-히 부 重重しく；厳かに. ¶ 식을 ～ 거행하다 式を厳かに取り行なう.

엄습【掩襲】명 하타 出し抜けに襲撃すること. ＝엄격(掩擊).

엄연【儼然】명 하형 히부 厳然. ¶ ～한 사실 厳然たる事実 / 지금도 ～히 존재하고 있다 今も厳然と存在している.

엄정【嚴正】명 하형 히부 厳正. ¶ ～하게 일을 하다 厳正に事を行なう.

‖── 중립 명 하자 厳正中立.

엄존【儼存】명 하자 厳存. ¶ 증거가 ～하다 証拠が厳存する.

엄중【嚴重】명 하형 厳重. ¶ ～한 처벌 厳重な処罰. ──-히 부 厳重に；厳しく；厳に.

엄지 명 ↗엄지가락.

‖──-가락 명 親指. ──-발, ──-발가락 명 足の親指. ＝장지(將指). ──-발톱 명 足の親指のつめ. ──-손, ──-손가락 명 手の親指. ＝대지(大指)·무지(拇指). ──-손톱 명 手の親指のつめ(爪).

엄처 시하【嚴妻侍下】명 恐妻家〔女房の尻にしかれている夫；かかあ天下の夫〕をからかう語.

엄청-나다 형 思いもよらぬ程ひどい；どえらい〈俗〉；とんでもない；べらぼう(箆棒)だ；ばかばかしい；度外れだ；おびただしい. ¶ 인파가 ～ どえらい〔おびただしい〕人出である / 엄청나게 비싸다 べらぼう〔ばか〕に高い / 엄청나게 큰 소리 度外れに大きい声 / 엄청난 일을 저질렀다 どえらい事をしでかした.

엄친【嚴親】명 ① ☞ 아버지. ② 自分の父の称；父親；父御.

엄파이어〔umpire〕명 アンパイア；(競技の)審判員.

엄폐【掩蔽】명 하타 えんぺい(掩蔽).

‖──-물 명 掩蔽物. ──-호 명 えんぺいごう(掩蔽壕).

엄-포 명 見えすいた脅かし；虚仮おど(威)し；空威張り；虚勢を張ること. ¶ 그런 ～는 두렵지 않다 そんな虚仮おどしは怖くない. ── 놓다 자 こけおどしをする；こけおどしの文句を並べる.

엄-하다【嚴─】형 厳しい；きつい；ぴしぴしだ. ¶ (예의범절의) 가르침이 ～ しつけが厳しい / 지시가 ～ お達しがきつい. 엄-히 부 厳に；きびしく.

엄호【掩護】명 하타 えんご(掩護). ¶ 해병대의 상륙을 ～하다 海兵隊の上陸を掩護する.

‖── 사격 명 하타 掩護射撃.

업 명〖民〗(一家の) 福を招くもの；(一家の)福の神.

업【業】명 ①[↗직업] 業；なりわい. ¶ 종이 장사를 ～으로 하다 紙商売を業とする. ②〖佛〗業.

업〔up〕명 アップ.

업계【業界】명 業界. ¶ ～의 동향 業界の動向.

업다 타 ① 負う；おんぶする；背負う. ¶ 아기를 ～ 赤ん坊を負う〔おんぶする〕. ② 担う. ¶ 중망을 ～ 衆望を担う. ③ 利用すべく人を引き入れる；担ぐ. ¶ 봉을 한 사람 ～ かもを一人引き入れる / 권력자를 업고 다닌다 権力者を担ぎ回る. ④ 交尾する.

업-둥이 명 家の前に捨てて子または もら(貰)い子；拾い子.

업무【業務】명 業務.

‖── 감사 명 業務監査. ── 방해죄 명 業務妨害罪. ──상 횡령죄 명 業務上横領罪. ──용 서류 명

ㅇ

業務用書類.

업보【業報】 명〔佛〕業報；業；因果.

업신-여기다 타 侮る；べっし(蔑視)する；ばかにする；軽んずる；なぶる；見下げる；見くびる；ないがしろにする；さげすむ. ¶작은 적이라고 ~ 小敵とて侮る／시골뜨기라고 ~ 田舎者とてばかにする／젊다고 ~ 若いからとて軽んずる.

업신-여김 명 けいべつ(軽蔑)；べっし(蔑視).

업어-치기 명 背負い投げ. ¶~ 한 수로 상대를 이기다 背負い投げ一本で相手を倒す.

업자【業者】 명 業者. ¶~간의 담합 業者間の話し合い.

업적【業績】 명 業績. ¶~이 오르다 業績が上がる.

업종【業種】 명 業種.

업주【業主】 명［↗영업주(營業主)］業主. ¶~의 횡포 業主の横暴.

업체【業體】 명 事業の主体.

업히다 ㊀ 피동 背負われる；負われる；おんぶされる. ¶어린애가 어머니에게 ~ 赤ん坊が母におんぶされる. ㊁ 사동 背負わせる；負わせる；おんぶさせる.

없다 형 無い. ①何も持たない. ¶돈이 ~ 金が無い／없는 돈을 털어서 なけなしの金をはたいて. ②空っぽだ. ¶병 속에는 아무 것도 ~ 瓶の中は空っぽである. ③貧しい. ¶아무것도 없는 살림살이 何も持たない暮らし. ④後が絶つ. ¶이 뒤로는 아무 것도 ~ これから後は何もない. ⑤死んで居る. ¶그는 지금 이 세상에 ~ 彼は亡くなってこの世にいない. ⑥存在しない；欠く. ¶그는 자리에 ~ 彼は席にいない／성의가 ~ 誠意を欠く.

없애다 타［↗없이하다］なくす. ①取り除く. ¶방해자를 ~ 邪魔物を取り除く. ②浪費する. ¶돈을 ~ 金を浪費する. ③失う. ¶지갑을 ~ がまぐちをおとす. ④《俗》殺す. ¶없애 버려라 殺してしまえ.

없어-지다 자 ①なくなる. ②消える. ¶그녀의 모습이 눈 앞에서 ~ 彼女の姿が消える／연기처럼 ~ 煙の如く消える.

없이 부 無く；ないままに. ¶아무 것도 ~ 떠났다 何も持たずに出発した.

없이-살다 자 貧しく暮らす.

없이-하다 타 なくす. ㊟ 없애다.

엇- 두 "そ(逸)れて"·"外れて"·"交互に"·"行き違いに"·"互い違いに"·"少し"などの意. ¶~나가다 脱線する／~가다 (言動が)常軌を逸する／~각〔數〕錯角.

엇-갈리다 자 ①行き違う；行き交う；擦れ違う；入り違う. ¶길이 ~ 互いに行き違う. ②食い違う. ¶의견이 ~ 意見が食い違う／희비가 엇갈리는 인생 泣き笑いの交錯する人生.

엇-걸다 타 互い違いに〔筋違いに〕掛ける.

-엇다 어미 強調·断定する語尾.

¶그것은 사슴이 아니~ それはし(鹿)ではなかろうな.

엇-대다 타 ①はす(斜)に当てる. 옷에 헝겊을 ~ 着物に布切れをはす(斜)に当てる. ②当てこする.

엇-바꾸다 타 たがいに交換する. 책을 ~ 本をたがいに交換する.

엇-베다 타 斜めに切る.

엇-보【—保】 명 二人が互いに相手の保証人になること. ¶~를 다 互いに保証人になる.

엇비슷-하다 형 やや似ている；ほ(殆)んどそっくりだ；(実力など)がほぼ等しい. ¶질은 다르지만 모은 ~ 質は違うが形はほとんど ている. 엇비슷-이 부 ほとんどそ りに.

-었- 어미 ①ある事が過去に起こ た事を表わす先語末語尾. ¶ 는 책을 읽~다 わたしは本を読 だ／학교에는 갔다 왔~습니다 学校に行って来ました. ②過去にした事が現在までも及ぶのを表わす. ¶ 이 오늘 아침 활짝 피~다 花が今 満開した. ③現在の状態を表わす. ¶일을 마치려면 아직도 멀~다 仕事を済ますにはまだまだである.

엉거주춤-하다 자 ①中腰〔及び腰〕になる；浮き腰になる；座りも立ちもしない姿勢だ；へっぴり腰になる〈俗〉. ¶엉거주춤한 자세로 잠자리를 잡다 及び腰でトンボをとる／엉거주춤하며 응접하다 及び腰で応接する. ②日和見の態度だ；ためらう. ¶술집 앞에서 엉거주춤하니 망설이다 酒屋の前で入ろうか入るまいかへっぴり腰になる.

엉겁결-에 부 思わぬ間に；思いもよらぬ瞬間に；はずみにのって；とっさの間に；思わず；ふと. ¶~ 손을 들었다 思わず手を挙げた／~ 소리를 질렀다 思わず叫んだ.

엉구다 타 (あれこれ取り合わせて)事が成り立つようにする；取りまとめる. ¶일을 엉구자면 손이 더 있어야겠다 事を終えるには余計な人手が要る.

엉금-엉금 부 脚の長い人や動物がゆっくり歩く〔はう〕さま：のっそのっそ；のっそりのっそり.

엉기다 자 ①凝り固まる. ¶요리가 식어서 기름이 ~ 料理が冷えて油気が固まる. ②仕事がはかどらずぐずぐずする. ¶일에 엉겨 있다 仕事に絡まれている. ③やっとは(這)って行く. ¶술에 만취되어 ~ 酔っ払ってやっと這うように歩く.

엉너리 명 歓心を買うために甘い言動で人におもねること. ──**치다** 자 こうかつ(狡猾)な甘言で人におもね(阿)る；お土砂を掛ける〈俗〉. ¶엉너리치는 빈 말 お土砂を掛けるそらごと.

엉너릿-손 명 悪賢くごまをすって人を引っ掛ける手〔手段〕.

엉덩-방아 명 しりもち(尻餅). ── **찧다** 자 しりもち(尻餅)をつく.

엉덩이 명 しり(尻). ¶~가 가볍다 しりが軽い.

엉덩잇-바람 명 威勢よく尻を振って歩くさま. **엉덩잇-짓** 명하자 尻を動かすしぐさ(仕種).

덩-춤 명 ①しり振り踊り. ②得意になってしり(尻)を浮き浮きさせること.

덩-판 명 しり(尻)の平ったい部分.

뚱-스럽다 형 とんでもない；突拍子もない；分に合わない；とっぴだ.

뚱-하다 형 ①身に過ぎる言動である；分不相応だ. ②とんでもない；突拍子もない；とっぴ(突飛)だ. ¶엉뚱한 짓 突拍子〔とてつ〕もないしぐさ／엉뚱한 대답 とんちんかんな答え.

망 명 物事が手をつけられないくらいにめちゃくちゃ(目茶苦茶)なさま：めちゃくちゃ〈俗〉；めちゃめちゃ〈俗〉；散散. ¶만사가 ～이다 すべてがめちゃくちゃである／비를 맞아 옷이 ～이 되었다 雨で服がぐちゃぐちゃ〔だいなし〕になった／시험 성적이 ～이다 試験の成績が散散だ.

——진창 명 "엉망"の強調語. ¶회계가 ～이다 会計が乱脈をきわめている.

엉성-하다 형 ①粗い；まばらだ；締まりがない；整っていない；ずさんだ；ラフだ. ¶이 계획서가 매우 ～ この計画書が甚だ粗末だ／엉성한 머리카락 (禿げて)まばらな髪の毛. ②やせこけている. ¶엉성한 나뭇가지 (葉が落ちて)枯れ枯れになったこずえ. ③意に満たない；しっくりしない. **엉성-히** 부 ①粗く；まばらに；締まりなく. ②やせこけて. ③しっくりしないで.

엉-엉 부 大声で泣くさま. また，その声：ああんああん；わあわあ. **——거리다** 자 ①ああんああんと泣く. ②貧困の苦しみを訴える.

엉클다 타 物事を絡ませる；もつらせる.

엉클어-지다 자 絡み合う；もつ(縺)れる；よれる. 준 엉키다.

엉큼-성큼 부 長い足で大またに歩くさま：のしのし；のっしのっし.

엉큼-스럽다 형 腹黒い.

엉큼-하다 형 腹黒い；腹に一物ある. ＞앙큼하다. ¶외모보다 ～ 見かけによらず腹黒い.

엉키다 자 [↗엉클어지다] もつれる；絡み合う. ¶실이 ～ 糸がもつれる／감정이 복잡하게 ～ 感情が複雑にもつれる.

엉터리 명 ①はったり屋；ほら(法螺)吹き. ¶그는 ～다 彼ははったり屋だ. ②見かけ倒し；でたらめ. ¶～의사 へぼ医者. ③(物事の)根拠；もとになる理由；とてつ(途轍). ＝터무니. **——-없다** 형 根拠がない；とんでもない；とてつもない；法外だ；途方もない；むちゃ(無茶)だ. ¶엉터리없는 소리 べらぼうな話. **——-없이** 부 根拠なく；法外に；むちゃに；途方もなく；とてつもなく.

엊-그저께 명 ①先先日. ②数日前.

엊-그제 명 ↗엊그저께. ¶동네의 시냇물가에서 놀던 어린 시절도 ～ 같은데 村の小川に遊んだ幼き日も数日前のようだが.

엊-저녁 명 [↗어젯저녁] 昨夜；ゆうべ；昨晩.

엎다 타 ①ひっくり返す；伏せる. ¶그릇을 엎어 놓다 器を伏せて置く／그릇을 뒤집어 ～ 器をひっくり返す. ②滅ぼす；だめ(駄目)にする. ¶천년사직을 ～ 千年のしゃしょく(社稷)を滅ぼす. ③上を覆う.

엎드러-지다 자 (つん)のめる；うつむけに倒れる；前のめりになる. ¶돌에 걸려 ～ 石につまずいてのめる／엎드러지면 코 닿을 데《俚》指呼の間；目と鼻の間.

엎드리다 자 ①四つんばいになる；腹ばいになる；伏せる；うつぶせる. ¶땅에 ～ 地にうつ伏せる. ②平伏する；ひれ伏す.

엎어 놓다 타 伏せて置く. ¶잔을 ～ 杯を伏せて置く／읽던 책을 ～ 読みかけた本を伏せて置く.

엎어 삶다 타 ①甘言で欺く. ②ばくち(博打)で勝った金をそっくり次の勝負にかける.

엎어-지다 자 ①前にのめる；倒れる. ②覆える；ひっくりかえる. ③(物事が)だめ(駄目)になる.

엎-지르다 타 こぼす. ¶엎지른 물《俚》覆水盆に返らず.

엎질러-지다 자 こぼれる.

엎치락-뒤치락 부하자타 上になり下になるさま；伯仲の間；シーソー. ¶경기가 ～한다 シーソー戦を展開する.

에[1] 명 ハングルの合成母音"ㅔ"の称.

에[2] 감 ①思うままにならないときに吐き出す語：え；えい；えいくそ；いや. ¶～ 기분 나쁘다 えいくそ，しゃくにさわる／～ 난 그만두겠어 いや，おれはやめた. ②軽く拒絶するかまたは非難するときに出す語. ¶～，이 사람 그만둬 えい，やめろよ君／～ 싫다 えい，いやだ.

에[3] 감 ものを言うとき，次の言葉を考えながら出す語：ええ；ええと.

에[4] 조 ①場所を表わす助詞：…に. ¶산위～ 뜬 구름 山の上に浮かんだ雲. ②方向を表わす助詞：…へ；…に. ¶부산～ 가다 釜山に行く. ③時を表わす助詞. ¶세 시～ 만납시다 三時に会いましょう. ④原因を表わす助詞：…に. ¶바람～ 날리는 깃발 風にはためく旗. ⑤同等な資格を列挙する助詞：…やら. ¶술～ 떡～ 밥～ 진탕 먹었다 酒やらもち(餅)やら飯やらうんと食べた. ⑥[↗에다가] …に. ¶국～ 밥을 말다 飯におつけをかける／연구～ 연구를 거듭하다 研究に研究を重ねる.

에게 조 …に. ¶그～ 주어라 彼にやれ／아버지～ 꾸지람을 듣다 父に叱られる. **——-로** 조 …に；…へ. ¶그～ 간다 彼(の所)に行く. **——-서** 조 …から；…より. ¶어머니～ 온 편

ㅇ

지 母からの手紙.
에계 감 ①"어뿔싸"より軽めな語. ②ちっぽけな, またはけちくさいさまをさげすんで発する語: あら; 何だ; あれ; へえ. ¶~ 그것도 못해? 何だ, それも出来ないのか. ——**-계** 감 "에계"の重なった語: ややっ; ええっ; あれあれ.
에고이즘 〔egoism〕 명 エゴイズム.
에구 감 ↗어이구. ——**-데구** 부 おいおいと泣き叫ぶさま: わあわあ; おいおい.
‖——**-머니** 감 ↗어이구머니. ———— 감 ひどく悲しんで泣き叫ぶ声: おいおい; アイゴーアイゴー.
에구구 감 ひどく驚いてもらす語: あれれ; あらら; ありゃ. ¶~ 가엾어라 あれれ, かわいそうに.
에그 감 かわいそうだ〔いやらしい〕と思ったときや, ひやっとするときなどに出す語: おやまあ; あれまあ; えっ.
에끼 감 意に添わぬときに出す声: えいっ; くそ; 畜生. ¶~ 이 죽일 놈아 えい, この死に損ないめ.
에끼다 타 相殺する; 埋め合わせる; パアにする〈俗〉; 帳消しにする.
에나멜 〔enamel〕 명 エナメル.
‖—— **가죽** 명 エナメル革. —— **구두** 명 エナメル靴. —— **페인트** 명 エナメルペイント.
에너지 〔energy〕 명 エネルギー.
‖—— **대사** 명 エネルギー代謝. —— **불멸의 법칙** 명〔物〕エネルギー不滅の法則. —— **산업** 명 エネルギー産業. ——**-원** 명 エネルギー源.
에네르기 〔도 Energie〕 명 エネルギー.
에누리 명 ①掛け値. ㉠実際より高くつけた値段. ——**-하다** 타 掛け値を言う. ¶손님에게 ~하다 客に掛け値を言う. ㉡物事を大げさに言うこと. ¶그의 얘기에는 ~가 있다 彼の話には掛け値〔ほら〕がある. ②おまけ; 値切り. ——**-하다** 타 負ける; 値切る. ¶물건 값을 ~하다 品物代を値切る / 그의 말을 ~해 듣다 彼の話を割り引きして聞く. ——**-없다** 형 掛け値がない; 値切ることが出来ない; おまけがない. ——**-없이** 부 掛け値やおまけなしに. ¶~ 얼마요 掛け値なしにいくらかね.
에는 조 …には. ¶가지~ 수꽃이 없다 なす(茄子)にはむだ花がない / 산~ 가지 마라 山には行くな.
에다 타 ①えぐ(抉)る; えぐり出す; 切る. ¶살을 에는 듯한 추위 身を切るような寒さ / 에는 듯한 신랄한 말 えぐるようなしんらつな言葉. ② ☞ 에우다.
에다, 에다가 조 …に; …の上に. ¶열~ 열을 더하다 十に十を加える / 빵~ 버터를 바르다 パンにバターをつける / 벽~ 지도를 붙이다 壁に地図をはる / 어디~ 두었느냐 どこに置いたのか.
에덴 〔Eden〕 명〔宗〕エデン. ¶~의 꽃동산 エデンの花園.
에델바이스 〔도 Edelweiss〕 명〔植〕エーデルワイス.

에도 조 体言に付く副詞格助詞. ①"…もまた"の意を表わす: にも; …も. ¶이 곳에서는 겨울~ 이 핀다 ここでは冬でも花が咲く / 이번~ 졌다 今度もまた負けた. "…すら; …にさえ"の意を表わす: にも. ¶몽매~ 잊지 못할 그녀 夢にだに忘られない彼女 / 이것은 물 축~ 들지 못 한다 これは物の数にはいらない.
에-돌다 자 타 しりごみをする; 避ける; あたりをうろつく.
에-두르다 타 ①(幕・とばりなどを)張りめぐらす. ②遠回しに言う.
에-뜨거라 감 "大変な目に会うところだった"という時に出す声: おう; くわばらくわばら.
에라 감 ①失望の意を表わす声: えい; 畜生; くそ. ②子供によせという意でしかるときの声: よせよせ; や(止)めろ. ③断念しなければならぬときに出す声: えい; ままよ. ④ ↗에루화.
에러 〔error〕 명 エラー.
에로 명 〔↗에로틱·에로티시즘〕 エロ.
‖—— **그로** 명 エログロ. —— **문학** 명 エロ文学.
에루화 감 歌うとき興に乗じて出すはやし(囃子)《"あよいよい"のたぐい》.
에를 조 …に; …へ. 준 엘. ¶산~ 갔더니 상쾌하더라 山に行ったらそうかい(爽快)だった.
에보나이트 〔ebonite〕 명 エボナイト.
에부수수-하다 형 ①粗い感じのあるさま: 締まりない; 粗い. ②(物が)粘り気がない.
에비 명 감 鬼; 化け物; おう, こわ《幼児をおどかすときに使う》. ¶~가 온다 化け物が来るよ.
에서 조 ①場所を表わす助詞: …で; …を. ¶공원~ 만나다 公園で会う / 집~ 나가다 家を出る / 산~ 내려오다 山を下りる. ②動きの出発点を示す助詞: …から; …より. ¶학교~ 출발하다 学校から出発する / 위험~ 멀어지다 危険から遠ざかる / 세시~ 다섯 시까지 三時から五時まで / 교육적 견지~ 보면 教育的見地から見ると / 호기심~ 시작했다 好奇心から始めた. ③…(方)が. ¶우리 회사~ 이겼다 うちの会社が勝った. ——**-부터** 조 …から; …より. ¶출발역~ 도착역까지 내내 졸았다 出発駅から〔より〕到着駅までずうっと居眠り通しだった.
에세이 〔essay〕 명 エッセイ.
에스-에프 【SF←science fiction】 명 エスエフ. ¶~ 소설 SF小説.
에스 오 에스 【SOS】 명 エスオーエス.
에스컬레이터 〔escalator〕 명 エスカレーター.
에스컬레이트 〔미 escalate〕 명 エスカレート.
에스코트 〔escort〕 명하타 エスコート.
에스키모 〔Eskimo〕 명 エスキモー.
에스테르 〔ester〕 명〔化〕エステル.
에스페란토 〔Esperanto〕 명 エスペラン

; エス語.

에어〔air〕명 エア. ¶~쇼 エアショー.
‖── 걸 명 エアガール. ── 라인 명 エアライン. ──-맨 명 エアメン. ──메일 명 エアメール. ── 버스 명 エアバス. ── 브레이크 명 エアブレーキ. ──-컨 명 [↗에어 컨디셔너] エアコン. ── 컨디셔너 명 エアコンディショナー. ── 컨디셔닝 명 エアコンディショニング; 空調. ── 쿠션 명 エアクッション. ── 펌프 명 エアポンプ. ──-포트 명 エアポート. ── 포켓 명 エアポケット.

에어로빅스〔aerobics〕명 エアロビクス.

에에 감 言葉がつかえた時などに出す語: ええと; そのう. ¶~ 그런다음에… ええと, その後で….

에우다 타 ①取り囲む. ②帳消しにする. ③うかつ(迂闊)する.

에워-싸다 타 取り囲む; 包囲する. ¶성을 ~ 城を囲む.

에의 조 …への. ¶행복~ 초대 幸福への招待.

에이 감 ①失望·断念の意を表わす語: えい; ままよ. ¶~ 될 대로 돼라 ままよ, なるがままになれ/~ 이 멍청한 놈아 えい, このうすばかめ. ②↗에이끼.

에이그 감 憎いとか, 嘆かわしいときに出す声. ¶~ 이걸 그냥 畜生, こいつを.

에이끼 감 意に添わない目下をしかりつけるときに出す声: こら; やい; えい. ¶~ 이 멍청한 놈아 えい, この間抜けめ.

에이브이【AV←Audio Video】명 エーブイ; オーディオとビデオ. ¶~ 기기 AV機器.

에이스〔ace〕명 エース.

에이엠 방송【AM放送】[←amplitude modulation] 명 エーエム放送.

에이즈【AIDS←acquried immune deficiency syndrome】명 エイズ.

에이커〔acre〕의명 エーカー.

에이프런〔apron〕명 エプロン.
‖── 스테이지 명 エプロンステージ; 張り出し舞台; エプロン《준말》.

에인젤〔angel〕명 エンゼル; 天使.

에잇 감 意に添わないときに発する語: えいっ; くそっ. ¶~ 실패했다 えいっ, しくじった.

에참 감 しぶしぶながら応じねばならない場合に出す語: ちえっ. ¶~ 할 수 없군 ちえっ, しようがないな.

에쿠나 감 びっくりして発する語: あっ; やっ. ㅆ에꾸나. 준에쿠. ¶~ 놀랐다 あっ, 驚いた.

에크, 에크나 감 ひどく驚いたときに発する語: ひゃあ; あっ; やっ.

에테르〔ether〕명〘物·化〙エーテル.

에티켓〔프 étiquette〕명 エチケット.

에틸〔ethyl〕명〘化〙エチル.
‖──-기 명 エチル基. ── 알코올 명 エチルアルコール. ── 에테르 명 エチルエーテル.

에틸렌〔ethylene〕명〘化〙エチレン.

에프엠 방송【FM放送】[←frequency modulation] 명 エフエム放送.

에피소드〔episode〕명 エピソード.

에필로그〔epilogue〕명 エピローグ.

에헤 감 ①取るに足らないものに出会って出す声: えへへ; えへえ. ②興に乗って歌い出すときの語: えええ.

에헤헤 감 ①ぶべつ(侮蔑)して笑う声: えへへ; ふんふん. ②いやしげな笑い声: えへへ; へへへ.

에헴 감 もったいぶるため, または自分の出現を知らせるときなどに出すせきばらい: えへん.

엑스【X, x】명 エックス.
‖──-각(脚) 명 エックス脚. ── 광선 명 エックス光線. ── 레이 명 エックス線. ── 밴드 명 エックスバンド. ──-선 명 エックス線. ── 염색체 명〘生〙エックス染色体.

엑스트라〔extra〕명 エキストラ.

엑스퍼트〔expert〕명 エキスパート; くろうと.

엑스포【EXPO←World Exposition】명 エキスポ.

엔 조 ↗에는. ¶사랑~ 고민이 따른다 愛には悩みが伴うものである.

엔간-하다 형 [←어연간하다] ほど(かなり)いい; 相当だ; まあまあだ. ¶엔간한 고생이 아니다 並大抵(ちょっとやそっと)の苦労ではない. 엔간-히 부 適当に; ほどよく.

엔들 조 …にでも; …にだに〈雅〉. ¶꿈~ 잊을소냐 夢にだに忘られようか.

엔-지【N.G.←no good】명〘映畫〙エヌジー.

엔지니어링〔engineering〕명 エンジニアリング; 工学.

엔진〔engine〕명 エンジン. ¶~ 고장 エンスト/디젤 ~ ディーゼルエンジン.

엔트로피〔entropy〕명〘物〙エントロピー.

엔트리〔entry〕명 エントリー.

엘 조 ↗에를. ¶거기~ 갔더니 そこに行ったら.

엘니뇨 현상【─現象】〔스 El niño〕명〘氣〙エルニーニョ現象.

엘레지〔프 élégie〕명 エレジー.

엘리건스〔elegance〕명 エレガンス.

엘리베이터〔elevator〕명 エレベーター.
‖──-걸 명 エレベーターガール.

엘리트〔elite〕명 エリート.

엘-피-지【LPG←liquefied petroleum gas】명 エルピージー; エルピーガス. =프로판 가스.

엠-피【MP←military police】명 エムピー.

엣 조 "…にある"の意. ¶눈~ 가시 目にあるとげ; 目の上のこぶ.

엥 감 だだをこねるときや, いらだたしいとか気の毒に思う時, または腹がたつとか後悔するときなどに発する声: ええん; ふん; えい.

엥겔 계수【─係數】〔Engel〕명〘經〙エンゲル係数.

엥겔 법칙【─法則】〔Engel〕명〘經〙エンゲル法則.

여【女】명 [↗여성(女性)] 女; 女性. ¶~주인 女主/~ 주인공 女主人公.

여【汝】대 お前; そち; なんじ(汝)〈雅〉. =너·자네.

여【余·予】대 予(余); われ; おのれ; 自分. =나.

여 조 呼びかけや訴えのときに用いる助詞: …よ. ¶동포~ はらから

(同胞)よ / 친구～ 友よ.

-여【餘】回 余；余り. ¶백～ 명 百余名.

-여 어미 "하다"の付く動詞や形容詞の語幹に付いて副詞形をなす語尾：…で；…して. ¶노동하～ 먹고 산다 労働で食っていく.

여가【餘暇】명 余暇；ひま. ¶～를 이용하다 余暇を利用する.

여각【餘角】명〔數〕余角.

여간【如干】부 普通に；並並；並たいてい；ちょっとやそっと； よほど. ¶～해서는 なかなかのことでは. ——-아니다 형 並たいていでない；尋常でない； 普通でない. ¶그녀의 고집은 ～ 彼女の我は普通でない.

‖——-내기 명 ただもの(只者)；並の者. ¶그는 ～가 아니다 彼はただものではない.

여감【女監】, **여-감방**【女監房】명 女監(房).

여객【旅客】명 旅客.

‖——-기 명 旅客機. ——-선 명 旅客船. —— 열차 명 旅客列車. —— 전무 명 専務車掌.

여건【與件】명 与件.

여걸【女傑】명 女傑；男まさりの女性. =여장부(女丈夫). ¶한때는 ～이라 불리던 사람 一時は女傑といわれた人.

여겨-듣다 타 聞き入る；傾聴する.

여겨-보다 타 見入る；注視する；念入り〔子細〕に見る.

여격【與格】명〔言〕① ↗여격 조사. ② 与格.

‖—— 조사 명〔言〕与格助詞；体言の下に付いて何かを与える働きをする格助詞《"에게·한테·께"など》.

여경【女警】명 [↗여자 경찰관] 婦警.

여계【女系】명 女系.

‖——-친(親) 명 女系で血すじをつなぐ親類.

여고【女高】명 "여자 고등 학교(=女子高等学校)"の略語.

여공【女工】명 ① 女子工員. ② 婦女子の機織り.

여과【濾過】명하타 ろか(濾過).

‖——-기 명〔物〕濾過器. ——성 병원체 명〔生〕濾過性病原体. ——-지 명 濾過紙. =거름종이.

여관【女官】명〔史〕女官.

여관【旅館】명 旅館；宿屋.

여-교사【女教師】명 女教師.

여군【女軍】명〔軍〕① 女子で編成された軍隊. ② 女子の軍人.

여권【女權】명〔社〕女権.

‖—— 신장(伸張) 명 女権拡張.

여권【旅券】명 旅券；パスポート.

여기【餘技】명 余技；専門外にできる技芸.

여기【勵氣】명〔物〕励気.

여기 ㊀대 ここ(此処)；こち(ら). ¶～가 좋다 ここがいい. ㊁부 ここに〔へ〕. ¶～ 있다 ここにある. ——-저기 ㊀부 あちこちに. ¶～ 돌이 흩어져 있다 あちこちに石が散らばっている. ㊁대 ここあそこ；あち(ら)こち(ら)；方方. ¶～ 뛰어 다닌다 ここあそ を跳ね回る / ～서 불이 나다 あっ こっちで火事が起こる.

여기다 타 思う；感じる；認める ¶불쌍히 ～ かわいそうに思う.

여-기자【女記者】명 婦人記者.

여난【女難】명 女難.

여남은 명관 十あまり. ¶그 마을에는 집이 ～ 있다 その村には家が十 まりある.

여념【餘念】명 余念. ¶～이 없었 余念がなかった.

여느 관 ① 通常の；普通の； みの. ¶～ 사람 ただ人 / 그는 ～ 사람과 다른 데가 있다 彼は普通の人と は違うところがある. ② その他 の. ¶이것은 ～ 것과 틀리다 これは のものとは違う.

여단【旅團】명〔軍〕旅団.

여-닫다 타 開閉する.

여-닫이 명 ① 開閉すること. ② 上 げ下ろし戸の通称.

여담【餘談】명 余談. =잡담(雜談).

여당【與黨】명〔政〕与党. ① 政府党. ② 徒党；同志.

여대【女大】명 [↗여자 대학] 女子大.

여덟 수 八；八つ. ¶～ 살 八歳 / ～ 시 八時.

‖—— 팔자 걸음 명 八の字歩き；ごうまん(傲慢)な歩き方.

여-동생【女同生】명 妹.

여드레 명 ① 八日. ② ☞ 여드렛날.

‖여드렛-날 명 ① ☞ 초여드렛날. ② 八日の日.

여드름 명 にきび. ¶～을 짜다 にきびをつぶす / ～이 나다 にきびができる.

여든 수 八十.

-여라 어미 …せよ；…しなさい；…だな. ¶곱기도 하～ きれいだね / 일을 하～ 仕事をせよ.

여래【如來】명〔佛〕如来；仏陀. ¶대일 ～ 大日如来.

여러 관 (数)多くの. ¶～ 사람들 앞에 나서다 大勢の前に立つ / ～ 가지 물건 いろいろの品物. —— 모로 부 多角的に；多方面に.

‖——-분 대 皆さん《"여러 사람"の敬称》. ——해-살이 명〔植〕多年生. ¶～ 식물 多年生植物.

여럿 명 ① 多くの数；多数. ② 多くの人；多人. ¶～이 모여서 떠든다 多くの人が集まって騒ぎ立てる.

여력【餘力】명 余力；ゆとり. ¶그에게는 그러한 ～이 있다 彼にはそんな余力がある.

여론【輿論】명 よろん(輿論)；世論. ¶～을 무시하다 世論を顧みない / ～에 귀를 기울이다 世論に耳を傾ける.

‖—— 조사 명 世論調査. ——-화 명하자타 世論化.

여류【女流】명 女流.

‖—— 문인 명 女流文人. —— 문학 명 女流文学. —— 시인 명 女流詩人. —— 작가 명 女流作家. —— 화가 명 女流画家.

여름 명 夏. ¶～을 타다 夏まけをす

; 夏やせをする. ——-날 명 夏の日. ——-내 부 夏中. ——-밀감 명〔植〕夏みかん. ——-방학 명 夏休み. ——-새 명 夏鳥(つばめ(燕)やほととぎす等). ——-철 명 夏季. =하절(夏節).

리-꾼 명 (店の前の)客引き.

리다 형 ①もろくて柔らかい. ¶외모에 비해서 ~ 見かけによらず柔らかくて弱い / 인정에 ~ 情にもろい. ②やや足りない. ¶십 리가 ~ 一里にやや足りない.

려말【麗末】명 高麗朝の末期.

려망【輿望】명 よぼう(輿望). =중망(衆望).

여명【餘命】명 余命. =여생(餘生).

여명【黎明】명 れいめい(黎明); 夜明け; 明けがた.

——-기 명 黎明期. ¶문예 부흥의 ~ 文芸復興の黎明期.

여무-지다 형 ☞ 야무지다.

여물 명 ①まぐさ(秣). ②壁土が崩れ落ちないようにまぜる刻みわら(藁).

——-간 명 まぐさ(秣)倉. ——-죽(粥) 명 煮たまぐさ.

여물다 자형 ①(よく)実る; 熟する. ¶잘 여문 옥수수 よく熟したとうもろこし. ②(事が)うまく行く; しっかりしている. ¶일은 여물게 했습니다 仕事はしっかりしておきました. ③(人となりが)しっかりしている. ¶됨됨이가 제법 여물구나 人となりがなかなかちゃっかりしているね.

여미다 타 整える; ただす. ¶옷깃을 ~ えり(襟)を正す.

여-반장【如反掌】명 手のひらを返すようにたやすいこと; 朝飯前. ¶1등을 하기는 ~이다 一等をするのは朝飯前だ.

여-배우【女俳優】명 女優.

여백【餘白】명 余白.

여-벌【餘—】명 ①余分の物; 残り物. ②後で使うために残しておく物; 予備の物.

여병【餘病】명 余病.

여보 감 ①"여보시오"のやや低めた語: おい. ②夫婦が呼び合う語: (妻には)おまえ; (夫には)あなた.

여-보게 감 "여보시게"のやや低めた語: 君.

여-보시게 감 友の間柄や目下を呼ぶとか注意をうながすときに用いる語: 君; 貴公.

여-보시오 감 一般に人を呼ぶとか注意をうながすときの用語: もし(もし). 준 엽쇼.

여-보십시오 감 "여보시오"の敬語: もし(もし).

여복【女福】명 えんぷく(艶福). ¶그는 ~이 많다 彼は艶福家である.

여-봐라 감 "여기를 보아라(=こちらを見よ)"との意. ①昔他人の家を訪問して案内を請うときの語: たのもう. ②現在では目下を呼ぶとか注意をうながすときの語: これこれ; おい(おい). ¶~ 게 아무도 없느냐? これこれ誰かおらんか?

여봐란 듯이 부 人に侮られて来た人がその境遇から抜け出てこれ見よがしにいばるさまを表わす語. ¶지난 날의 가난뱅이가 이제는 ~ 살고 있다 過ぎし日の素寒貧が今ではこれ見よがしに暮らしている.

여부【與否】명 可否. ¶합격 ~의 판정 合否の判定 / ~가 없다 いやも応もない; 勿論である / 진위 ~는 모르지만 真偽の程は明らかでないが / 승락 ~를 묻다 諾否を問う.

——-없다 형 可否を論ずる必要がない; たしかだ; 間違いない. ——-없이 부 間違いなく; たしかに.

여북 부 하의 형 "どれほど·どんなに·さぞ·さだめし·当然"などの意で, ふびん(不憫)な事柄を言う語. ¶~ 슬프겠나 どんなに悲しいことでしょう / ~하면 どれほどせっぱ詰まっていれば; どれほど窮迫していれば.

——-이나 부 "どんなにか; さぞかし"などの意で疑問文につけて反語の意を表わす語. ¶그가 오면 ~ 즐거우랴 彼が来たらどんなに楽しかろう.

여분【餘分】명 余分. =나머지. ¶~은 모두 나눈다 余分は皆分ける.

여-불비【餘不備】, 여-불비례【餘不備禮】명 不一(手紙の末尾に添える語).

여비【旅費】명 旅費; 路用. =노자(路資). ¶~를 마련하다 旅費を工面する / ~는 자기 부담이다 旅費は各自持ちである.

여-비서【女秘書】명 女性の秘書.

여사【女史】명 女史.

여-사무원【女事務員】명 女性事務員; オフィスレディー.

여상【女相】명 女性のような顔つきの男. ——-지다 형 男が女性のような顔つきをしている.

여색【女色】명 女色. ①女性との情事. ¶~에 빠지다 女色におぼれる. ②婦人の容貌〔色香〕. ③美人.

여생【餘生】명 余生; 余命. ¶~이 얼마 남지 않았다 余命いくばくもない; 老い先が短い / ~을 교육에 바치다 余生を教育に尽くす.

-여서 어미 "아서(=…して; …ので)"の意に用いる語尾. ¶합격하~ 기쁘겠다 受かってうれしかろう.

여-선생【女先生】명 女性の先生. =여교사(女教師).

여섯 수 六つ; 六. ¶다섯, ~, 일곱, …いつ, む, なな, … / ~시 六時.

여성【女性】명 女性. ¶직업 ~ 職業婦人 / 미혼 ~ 未婚の女性 / ~미 女性の美.

——-적 명관 女性的. ¶~인 소녀 女性的な少年.

여성【女聲】명 女声. ¶~ 합창 女声合唱.

여세【餘勢】명 余勢. ¶승리의 ~를 몰아 공격하다 勝ちに乗って攻めまくる / ~를 몰아 단숨에 토벌해 버리다 余勢を駆って一気に討ち平らげる.

여송-연【呂宋煙】명 (フィリッピン産の)葉巻たばこ; シガー.

여수【旅愁】명 旅愁. ＝객수(客愁).
여-순경【女巡警】명 婦警.
여승【女僧】명 女僧; 尼僧; びくに. ¶ 늙은 ～ 老尼 / ～이 되다 尼寺にはいる / ～이 환속하다 尼僧が還俗する.
여식【女息】명 娘. ＝딸.
여신【女神】명 女神. ¶ 자유의 ～ 自由の女神.
여신【與信】명〔經〕信用供与.
‖── 계약 명 信用供与契約. ── 업무 명 信用供与業務.
여신【餘燼】명 よじん(余燼); 燃え残り.
여실【如實】명하형히부 如実.
여심【女心】명 女心.
여아【女兒】명 ① 娘. ＝딸. ② 女の子.
여야【與野】명 与党と野党.
-여야 어미 "…아야 (＝…しなければ)"の意の語尾. ¶ 우승하～ 한다 優勝しなければならない.
여열【餘熱】명 余熱.
여염【閭閻】명 村里. ＝여리(閭里)·여항(閭巷).
‖──-집 명 普通の人の家; 民家. 준 염집. ¶ ～ 여자 堅気の女 / ～ 하숙 素人下宿.
여왕【女王】명 女王; クイーン. ¶ 은반의 ～ 銀盤の女王.
‖── 개미 명 女王あり(蟻). ──-벌, ──-봉(蜂) 명 女王ばち.
여우 명 ①〔動〕きつね(狐). ¶ ～에게 홀리다 きつねにつかれる; きつねがつく. ②《俗》こうかつ(狡猾)で気まぐれな女. ──-같다 형 きつねのように悪賢こい.
‖──-별 명 曇った日にしばらく出てからすぐ消える日ざし. ──-비 명 日照り雨.
여우【女優】명 女優.
여운【餘韻】명 余韻. ¶종소리의 ～ 鐘の響き〔余韻〕/ ～이 가시지 않다〔남다〕後を引く / ～을 남기다 余韻を残す.
‖──-시(詩) 명 余韻を残して効果をねらう叙情詩の一つ.
여울 명 瀬; 早瀬. ¶ 얕은 ～ 浅瀬. ‖──-목 명 早瀬の狭い部分.
여울-여울 부 火がしずかに燃えるさま: ゆらゆら.
여위다 자 やせる; やつれる. ¶몸이 ～ 身が細る / 옛 모습을 찾아 볼 수 없을 정도로 ～ 見る影もなくやせる.
여윈-잠 명 不充分な眠り.
여유【餘裕】명 余裕. ¶～ 있는 태도 余裕のある態度 / ～ 있는 생활 ゆとりのある暮らし.
‖── 작작 명하형 余裕しゃくしゃく.
여의【女醫】명 [↗여의사] 女医.
여의【如意】명하형 如意.
‖── 보주 명〔佛〕如意宝珠. ── 봉 명 如意棒. ──-주 명 如意珠.
여의다 타 ① 死に別れる. ¶ 부모를 ～ 親に死に別れる; 親をなくす. ② 遠くへ立たせる; 嫁がせる. ¶ 딸을 ～ 娘を嫁にやる.
여-의대【女醫大】명 [↗여자 의과 대학] 女子医科大学.
여-의사【女醫師】명 女医. 준 여의.
여의-찮다【如意―】형 [↗여의하지 니하다] 不如意だ: ままにならない.
여인【女人】명 女人; 女子; 女性. ¶ 묘령의 ～ 妙齢の女性.
여인【旅人】명 旅人. ＝나그네
‖──-숙(宿) 명 宿屋; はたご屋.
여일【如一】명하형히부 一様. ¶ 적이 ～하다 成績が一様である.
여자【女子】명 女子; 女; おな(女子)〈老〉; 女性. ¶～용 시계 持ちの時計 / 화려하게 꾸민 ～ やかに飾った女 / ～답게 행동하다 らしく振る舞う.
여장【女裝】명하자 女装. ¶ ～한 남자 女装の美男子.
여장【旅裝】명 旅装. ¶ ～을 풀다 装を解く.
여-장부【女丈夫】명 女傑; 女丈夫.
여전【如前】명하형히부 同前; 然. ¶ 지금도 ～히 가난하다 今もなお貧乏である / 지금도 ～히 거기 고 있습니까 今でもやはりそこに住んでいますか.
여정【旅程】명 旅程. ¶ 수학 여행의 ～ 修学旅行の旅程.
여죄【餘罪】명 余罪. ¶ ～를 추궁하고 있다 余罪を追求中である.
여지【餘地】명 余地. ① 余分の土地; 余っている地. ¶ 집을 지을 ～는 있다 家を建てる余地はある / 입추의 ～도 없다 りっすい(立錐)の余地もない. ② 望みある前途. ¶ 발전의 ～는 있다 発展の余地はある. ③ ☞ 나위. ¶ 의심할 ～도 없다 疑いをはさむ余地もない. ──-없다 형 余地がない. ¶ 의논할 ～ 議論の余地がない. ──-없이 부 余地もなく; すっかり; 完全に. ¶ ～ 당했다 余地もなく〔完全に〕やられた.
여진【餘震】명 余震; 揺り返し. ¶ ～이 밀려오다 余震が来る.
여쭈다 타 申し上げる; 言上する. ¶ 숨김 없이 여쭈겠습니다 包み隠さずに申し上げます.
여쭈옵다 타 "여쭈다"の尊称.
여쭙다 타 ↗여쭈옵다.
여차 명 ささい(些細)な事; 大したことでない物事.
여차【如此】명하형히부 かくのごとし. ──── 명하형히부 かくかく; これこれ; しかじか(然然). ¶ ～하고 ～하다 かくかく然然である.
여차-하면 부 いざと言う時(は).
여창【旅窓】명 (旅先でとまる)宿屋の部屋.
여축【餘蓄】명하타 使い余した物. ¶ 식량의 ～이 없어지다 食糧の蓄えがなくなる.
여치 명〔蟲〕きりぎりす(螽斯).
여타【餘他】명 その他の物; あますところ.
여탈【與奪】명하타 与奪. ¶ 생살～권 生殺与奪の権.
여탕【女湯】명 女湯.
여태-까지, 여태-껏 부 今まで; 今の今まで. ¶ ～ 한번도 들은 적이 없다 ついぞ聞いたことがない.
여투다 타 節約して余りを蓄え

).

트막-하다 형 ☞ 야트막하다.

파【餘波】명 余波. ¶긴축 재정의 - 緊縮財政の余波 / 태풍의 ~로 물결이 높았다 台風の余波で波が高かった.

편-네 명 ①《卑》婦人; 女人. =부녀. ②"아내(=妻)"の卑称. ¶우리집 ~는 바가지가 심하다 うちの家内は小言が多い.

폐【餘弊】명 余弊. ¶전쟁의 ~ 戦争の余弊.

-필종부【女必從夫】명 妻は必ずその夫に従うべきこと.

하【如何】명 하형 히부 いかん(如何). ¶이유 ~에 따라서 理由いかんによって / 승진은 수완 ~에 달렸다 昇進は手腕次第である. ——간(間), ——튼 부 ともかく; とにかく. ¶~ 해보자 とにかくやってみよう.

여-학교【女學校】명 女学校.

여-학사【女學士】명 ① 女の学士. ② 才学のある女性.

여-학생【女學生】명 女学生.

여한【餘恨】명 遺恨.

여행【旅行】명 하자 旅行; 旅; ツアー. ¶수학 ~ 修学旅行 / 유럽 방문 ~ 訪欧ツアー / ~을 떠나다 旅行に出かける.
‖——기 명 旅行記; 道中記. ——사 명 旅行社; ツアーリストビューロー.

여행【勵行】명 하타 励行.

여향【餘響】명 余響; 余韻.

여호와 〔Jehovah〕명〔宗〕エホバ.

여흥【餘興】명 余興. ¶~으로 노래를 부르다 余興に歌をうたう.

역【易】명 易; 周易.

역【逆】명 逆; さかさま. ¶~효과 逆効果 / ~이 반드시 참은 아니다 逆必ずしも真ならず.

역【驛】명 駅. ¶종착~ 終着駅.

역【役】一명 役. ¶노인~ 年寄り役. 二미 役. ¶안내~ 案内役.

역【譯】의명 訳. =번역(飜譯). ¶이인호 ~ 李仁浩訳.

역【亦】부 (…も)また; やはり.

역-겹다【逆—】형 おぞましい; 疎ましい; 虫ずが走る.

역경【逆境】명 逆境. ¶~에 빠지다 逆境に陥ちる.

역공【力攻】명 하타 力のかぎり攻めること.

역광【逆光】, 역-광선【逆光線】명 逆光; 逆光線. ¶~으로 찍다 逆光線で写す.

역군【役軍】명 ① 賃金労働者. ② ☞ 일꾼.

역내【域內】명 域内.

역대【歷代】명 歴代; 代代. ¶~의 내각 歴代の内閣.

역도【力道】명 重量挙げ. =역기(力技).

역량【力量】명 力量; 器量. ¶~ 있는 인물 力量のある人物.

역력-하다【歷歷—】형 歴歴としている; ありありといちじるしい; あきらかだ. 역력-히 부 歴歴と; ありありと. ¶결점이 ~ 보인다 欠点がありありと見える.

역류【逆流】명 하자 逆流. ¶만조로 강물이 ~하다 満潮で川が逆流する.

역-마차【驛馬車】명 駅馬車.

역모【逆謀】명 하자 逆謀; 謀反を起こすこと. また, そのはかりごと.

역-반응【逆反應】명〔化〕逆反応.

역방【歷訪】명 하타 歴訪. =역문(歷問). ¶각국을〔명사를〕~하다 諸国〔名士〕を歴訪する.

역병【疫病】명 疫病.

역-불급【力不及】명 하형 力が及ばないこと.

역-비례【逆比例】명〔數〕逆比例; 反比例.

역사【力士】명 力士.

역사【役事】명 하자 普請.
‖——터 명 普請する現場; 工事場. =역소(役所).

역사【歷史】명 歴史.
‖——가 명 歴史家; 史家. —— 과학 명 歴史科学. ——관 명 歴史観. ——극 명 歴史劇. —— 법칙 명 歴史法則. ——상 명 史上; 歴史の上. —— 소설 명 歴史小説. ——적 명 관 歴史的. ¶~ 사건 歴史的事件. —— 철학 명 歴史哲学. ——학 명 歴史学; 史学.

역사【轢死】명 하자 れきし(轢死). ¶~자 轢死者.

역사【驛舍】명 駅舎.

역산【逆産】명 ① 反逆者の財産. ②〔醫〕逆産; 逆子.

역산【逆算】명 하타 逆算. ¶죽은 해로부터 ~해서 没年から逆算して.

역서【曆書】명 暦書.

역-선전【逆宣傳】명 하타 逆宣伝.

역설【力說】명 하자타 力説. ¶국방의 중대성을 ~하다 国防の重大性を力説する.

역설【逆說】명 逆説; パラドックス. ‖——가 명 逆説家. ——적 명 관 逆説的.

역성 명 하타 えこひいき(依怙贔屓). ¶~을 들다 ひいきする.

역성 혁명【易姓革命】명 易姓革命. =역세(易世)혁명.

역수【逆數】명〔數〕逆数. ¶3의 ~는 1/3이다 三の逆数は三分之一である.

역-수입【逆輸入】명 하타 逆輸入.

역-수출【逆輸出】명 하타 逆輸出.

역순【逆順】명 逆順.

역습【逆襲】명 하타 逆襲; 逆寄せ. ¶적을 ~하다 敵を逆襲する.

역시【譯詩】명 訳詩; 翻訳詩.

역시【亦是】부 ①…もまた(亦). ¶그것도 ~좋겠지 それもまたよかろう. ② やはり; なお(猶). ¶그는 ~ 악한이었다 彼はやはり悪者だった.

역신【疫神】명 하타 ① 疫神; 疫病神. =호구 별성(戶口別星). ② ☞ 두창(痘瘡).

역심【逆心】명 逆心. ¶~을 품다 逆心を抱く.

역어【譯語】명 訳語. ¶~가 적절하지 못하다 訳語が適切でない.

역연【歷然】명 하형 히부 歴然. ¶교

살한 흔적이 ～히 남아 있다 絞殺の跡が歴然と残っている.
역용【逆用】명하타 逆用.
역원【役員】명 役員. ＝임원(任員).
역원【驛員】명 駅員.
역-이용【逆利用】명하타 逆利用; 逆用. ＝역용. ¶적의 선전을 ～하다 敵の宣伝を逆用する.
역임【歷任】명하타 歴任. ¶여러 곳의 교감·교장을 ～했다 方方の教頭·校長を歴任した.
역자【易者】명 易者.
역자【譯者】명 訳者.
역작【力作】명하타 力作. ¶오랜만에 ～을 발표했다 久しぶりに力作を発表した.
역장【驛長】명 駅長.
역저【力著】명 立派な著書.
역적【逆賊】명 逆賊. ¶～의 누명을 쓰다 賊名を着せられる / 이기면 충신이요, 지면 ～이라 勝てば官軍, 負ければ賊軍.
‖――-질 명하자 謀反〔反逆〕すること.
역전【逆轉】명하자 逆転. ¶경기는 9회 말에 ～되었다 試合は九回の裏でどんでん返しになった.
‖―― 승(勝) 명하자 逆転勝ち.
역전【歷戰】명하자 歴戦. ¶～의 용사 歴戦の勇士.
역전【驛前】명 駅前. ＝역두(驛頭). ¶～ 광장 駅前の広場.
역전【驛傳】명하타〔史〕駅伝; 駅逓. ＝역체.
‖―― 경주 명 駅伝競走. ―― 마라톤 명 駅伝マラソン. ＝역전 경주.
역-전사【逆轉寫】명〔生〕逆転写.
역점【力點】명 力点. ¶속도에 ～을 두다 速度に力点をおく.
역정【逆情】명 "성(＝怒り)"の尊敬語. ¶～을 사다 不興を買う.
――-나다 자 "성나다(＝腹がたつ)"の尊敬語. ――-내다 자 "성내다(＝腹をたてる)"の尊敬語.
역조【逆調】명 逆調. ¶국제 수지가 ～되었다 国際収支が逆調になった.
역조【逆潮】명 逆潮.
역주【力走】명하자 力走. ¶전 코스를 ～했다 全コースを力走した.
역주【譯註】명 訳注. ¶～를 달다 訳注をつける.
역직【役職】명 役職.
역진【力盡】명하자 力が尽きること.
역질【疫疾】명 ☞ 천연두(天然痘).
역참【驛站】명〔史〕宿駅; 宿; 宿場.
역청【瀝青】명 れきせい(瀝青).
‖――-석, ――-암 명〔鑛〕瀝青岩. ＝송지암(松脂岩). ―― 우라늄광 명 瀝青ウラン鉱. ――-탄 명 瀝青炭.
역-코스【逆―】〔course〕명 逆コース.
역-탐지【逆探知】명하타 逆探知.
역토【礫土】명〔地〕礫土.
역투【力投】명하자 力投. ¶혼자서 ～하였다 独りで力投した.
역풍【逆風】명 逆風; 向かい風.

역-하다【逆―】형 むかつく. ¶가슴 ～ 胸がむかつく.
역학【力學】명〔物〕力学. ¶유체 流体力学.
‖――적 에너지 명 力学的エネルギー
역학【易學】명 易学.
역학【疫學】명〔醫〕疫学.
역할【役割】명 役割. ¶손해보는 損な役回り; 貧乏くじ / 지도 ～을 하다 指導的役割を演ずる.
역-함수【逆函數】명〔數〕逆関数
역행【力行】명하타 力行. ¶고 ～의 선비 苦学力行の士.
역행【逆行】명하자타 逆行. ① 序をあべこべにして行なうこと ②さからって行くこと. ③退行 ること. ¶시대에 ～하고 있다 時代に逆行している.
‖―― 운동 명〔天〕逆行運動.
역-효과【逆效果】명 逆効果. ¶ 에게 부탁한 것이 도리어 ～를 가져왔 다 彼に頼んだのが返って逆効果をもたらした.
엮다 타 ①ひも(紐)·縄などで交互 にすく〔編む〕. ¶실로 그물을 ～ 糸で網をすく. ②物をまばらに組 み合わせて結う. ¶울타리를 ～ 垣根を結う. ③いろいろな事を話すか書き込む. ¶이야기를 ～ 話を記録する〔語る〕. ④本をへんさん(編纂)する〔編む〕. ¶자서전을 ～ 自叙伝を編む.
엮은-이 명 編者. ＝편자·편집자.
엮음 명 ①編むこと. ②〔樂〕テンポのはやい俗謡の一つ.
‖――-소리 명 口ばやにうたう俗謡.
연【年】명 年·とし; 一年. ¶～ 평균 年平均.
연【鳶】명 たこ(凧·紙凧). ¶～을 띄우다 たこを揚げる.
연【蓮】명〔植〕はす(蓮); はちす(蓮)〈雅〉. ¶～꽃 はすの花; れんげ.
연【緣】명 縁. ①↗연분. ②〔佛〕原因を助けて結果を生じさせる作用.
연【連】의명 連; 洋紙の全紙500枚を一くく(括)りにした単位. ¶종이 두 ～ 紙二連.
연【延】관 "연인원(延人員)"·"연일수(延日數)"などの略語として用いる語: 延べ. ¶～인원 延べ人員 / ～건평 延べ坪.
연-【軟】두 "やわらかい·柔軟な·薄い"などの意: 軟; 薄. ¶～구개 軟口蓋 / ～보라 薄紫.
연-【連】두 "継続して"·"引き続き"の意. ¶～거푸 引き続き; 引き継いで; 続けざまに / ～삼일 引き続き三日.
연가【戀歌】명 恋歌; 恋の歌.
연각【緣覺】명〔佛〕縁覚.
연간【年間】명 年間. ¶～ 소득 年間所得.
연감【年鑑】명 年鑑; イヤーブック. ¶신문 ～ 新聞年鑑.
연갑【年甲】명 ☞ 연배(年輩).
연강【軟鋼】명 軟鋼.
연-거푸【連―】부 続けざまに; 繰り返し; 引き続き. ¶～ 맥주를 마

다 続けざまにビールを飲む.

-건평【延建坪】명 延べ坪; 延面積. ¶～ 천 평의 빌딩 延べ坪一千坪のビル.

결【連結】명 連結. ——하다 타 連結する; つなぐ; 連ねる; 継ぐ. ¶객차를 ～하다 客車をつなぐ.
——기 명 連結器. ——선 명〔樂〕連結線. =슬러. —— 어미 명〔言〕連結語尾.

계【連繫】명하타 連係. ¶～ 동작 連係動作.

고【軟膏】명 なんこう(軟膏). ¶부스럼에 ～를 바르다 出来物に軟膏を塗りつける.

고【緣故】명 縁故. ①事由; わけ. ②縁続き; 続き合い; ゆかり; よすが(縁); 手づる; コネ. ¶～를 찾아 취직하다 コネ〔便り·よすが〕を求めて就職する. ③ ☞ 인연(因緣).
‖——자 명 縁故者. ¶～ 없는 무덤 無縁墓地. ——지 명 縁故地.

연고-로【然故—】부 “そんな理由で·それ故に·しかるが故に·そういうわけで”の意の接続副詞.

연골【軟骨】명 ①〔生〕軟骨. ¶～질 軟骨質/～ 어류 軟骨魚類. ②幼い者を称する言葉.
‖——막 명〔生〕軟骨膜. —— 조직 명〔生〕軟骨組織. ——한(漢) 명 気骨のない男.

연공【年功】명 年功. ¶～을 쌓다 年功を積む; 甲羅を経る.
‖—— 가봉 명 年功加俸. —— 서열 명 年功序列.

연공【年貢】명 年貢.

연관【鉛管】명 鉛管. =납관. ¶수도에는 ～을 쓰지 않는 것이 좋다 水道には鉛管を使わない方がよい.

연관【聯關】명 連関; 関連. ¶～성 있는 사건 連関性ある事件/～관계 連関関係.

연구【研究】명하타 研究; 工夫; 調べること. ¶～자 研究者/아직 좀 ～가 부족하다 まだ一工夫足りない/역사를 ～하다 歴史を研究する.
‖——생 명 研究生. ——소 명 研究所. —— 수업 명 研究授業. ——실 명 研究室; ラボラトリー.

연-구개【軟口蓋】명〔生〕軟口がい.
‖——음 명〔言〕軟口がい音. =여린입천장 소리.

연극【演劇】명 演劇; 芝居; 劇; ドラマ. ¶～ 무대 芝居の舞台; 戯場/한바탕 ～을 부리다 一芝居打つ. ——놀다 자 (人を欺くために)芝居をやる〔打つ〕.
‖——계 명 演劇界. ——단 명 演劇団; 劇団《준말》. ——인 명 演劇人. ——장 명 演劇場. =극장(劇場).

연근【蓮根】명〔植〕れんこん(蓮根).

연금【年金】명 年金; 恩給. ¶종신 ～ 終身年金.
‖—— 보험 명 年金保険.

연금【軟禁】명하타 軟禁.

연금【鍊金】명하자 錬金.
‖——사 명 錬金師. ——술 명 錬金術.

연기【延期】명하타 延期; 日延べ. ¶준공식을 ～하다 竣工式を延期する.

연기【連記】명하타 連記.
‖—— 투표 명 連記投票.

연기【煙氣】명 煙; けむ(煙)〈俗〉《준말》. ¶자욱이 오르는 ～ もうもうたる煙/아니 땐 굴뚝에 연기 날까《俚》火のない所に煙は立たぬ.

연기【演技】명 演技; 芝居; 仕種. ——하다 자 演技する; 演じる. ¶～자 演技者/～파 演技派/～가 능숙하다 演技がうまい.

연-꽃【蓮—】명〔植〕はす(蓮)の花; はちす〈雅〉; れんげ(蓮華). ¶흰 ～ びゃくれん(白蓮).

연-날리기【鳶—】명 たこ揚げ. ¶～ 대회 たこ揚げ大会.

연내【年內】명 年内; その年の内. ¶～에 완성하다 年内に完成する.

연년【年年】명 年年; 毎年; 年ごと. ¶～ 늘어나다 年年ふえる. ——이 부 毎年毎年; 年ごとに.
‖——생(生) 명 年子. ¶～을 키우다 年子を育てる. —— 세세 명 年年歳歳《毎年の強調語》.

연년【連年】명 連年; 幾年も続くこと. ¶～의 흉작 連年の凶作.

연-놈 명《卑》男と女をいっしょにひっくるめた卑語: 野郎と女郎.

연단【演壇】명 演壇. ¶～에 오르다 演壇にのぼる.

연-달다【連—】자타 絶え間なく続く; 引き続く; 相次ぐ. ¶비보가 ～ 悲報が相次ぐ/연달아 벨이 울리다 しきりにベルが鳴る/새 사람이 연달아 오다 新手が相次いでやってくる/사고가 연달아 일어나다 事故が次次に起こる.

연대【年代】명 年代. ①経過した時代. ¶～ 순으로 年代順に. ②時代; 時の流れを区切ったかなり長い期間. ¶～가 꽤 오래다 年代がかなり古い.
‖——기 명 年代記. ——순 명 年代順. ¶～으로 적다 年代順に記す. ——표 명 年代表; 年表《준말》. ——학 명 年代学.

연대【連帶】명하타 ①連帯; 二人以上がいっしょになって事に当たって責任を共にすること. ¶～로 돈을 빌리다 連帯で金を借りる. ②結びつらねること.
‖—— 보증 명 連帯保証. —— 운송 명 連帯運送; 相次運送. —— 채무 명 連帯債務. —— 책임 명 連帯責任.

연대【聯隊】명 連隊. ¶～기 連隊旗/～장 連隊長.

연도【年度】명 年度; 年次. ¶～초 年度初め/～말 검사 年度末検査/졸업 ～ 卒業年次.

연도【沿道】명 沿道; 道端. =연로(沿路). ¶마라톤 코스 ～에 관중이 모이다 マラソンコースの沿道に観衆が集まる.

연독【鉛毒】명 鉛毒.

연동【聯動】명하자 連動. ¶～ 장치

連動装置 / ~기 連動機.
연동【蠕動】명하자 ぜんどう(蠕動). ¶위장이 ~하다 胃腸がぜんどう(蠕動)する.
연두【年頭】명 年頭; 年明け. ¶~ 소감 年頭所感 / ~ 국회 年明けの国会 / ~ 교서 年頭教書.
‖──-사 명 年頭の辞. ──-송(頌) 명 新年をたたえる文.
연두【軟豆】명 ↗연둣빛.
‖연둣-빛 명 薄緑色; さ緑; 浅緑; もえぎ(萌葱·萌黄)色; 淡緑.
연-들다 자 かき(柿)が熟する.
연등【燃燈】명〔佛〕燃灯. ① ↗연등절. ② ↗연등회.
‖──-절(節) 명 ちょうちん(提灯)を掲げ, 火をともす良き日の意で, 陰暦四月八日. ──-회(會) 명 陰暦一月十五日に火をともして仏に幸運を祈る法会.
연-때【緣─】명 因縁が相結ばれるきっかけ; 回り〔巡り〕合わせ. ¶~가 맞다 回り合わせがよい.
연락【連絡】명하타 連絡. ¶~ 사무소 連絡事務所 / ~을 끊다 連絡を絶つ / …로부터 ~이 있다 / …から連絡がある / ~을 긴밀히 하다 連絡を密にする / 거기 도착해서 ~하겠다 向こうへ着いてから知らせる / ~을 취하다 連絡を付ける / 아무런 ~도 없다 何の音さたもない.
‖──-기 명 連絡機. ──-망(網) 명 連絡を保つための有線·無線または人的通信網. ──-병(兵) 명 連絡兵; 伝令. ──-부절(不絶) 명 하자 連絡が頻繁で絶え間がないこと. ──-선 명 連絡船; フェリボート. ¶태풍으로 ~이 결항하다 台風で連絡船が欠航する. ──-소 명 連絡所.
연래【年來】명 年来. ¶~의 소망 年来の望み.
연령【年齡】명 年齢; 年歯; よわい(齢); 年. =나이. ¶취학 ~ 就学年齢 / 젊은 ~층 若い年齢層 / 결혼 ~ 結婚年齢 / 정신 ~ 精神年齢.
연례【年例】명 年ごと〔年並み〕の例; 毎年の例. ¶~의 행사 例年〔年並み〕の行事.
‖──-회(會) 명 年会; 毎年一回定期的に集まる会合.
연로【年老】명하형 年老; 年老しい.
연료【燃料】명 燃料. ¶고체 ~ 固体燃料 / 월동 ~ 대책 越冬燃料対策 / ~용 기름 燃油.
‖── 가스 명 燃料ガス. ── 액화 명 燃料液化.
연루【連累】명 連累; 連座; 巻き添え; 引っ掛かり; 掛かり合い. ──-하다 자 連座する; 巻き添えを食う; 掛かり合う. ¶사건에 ~된 사람들 事件につながる人人 / 사건에 ~되다 事件に巻き込まれる / 이밖에 또 ~자가 있을 모양이다 他にまた連累者がある見込みである.
연륜【年輪】명 年輪. =나이테. ¶~으로 수령을 조사하다 年輪で樹齢を調べる / ~을 세다 年輪を数える.
연리【年利】명〔經〕年利. ¶~ 오의 이자 年利五分の利子.
연립【聯立】명하자 連立; 並び立つこと. ¶~ 주택 連立住宅.
‖── 내각 명 連立内閣. ── 방정 명〔數〕連立方程式.
연마【研磨·練磨】명 研摩〔研磨〕; 錬磨〔練磨〕. ──-하다 타 研摩〔研磨〕する; 錬磨〔練磨〕する; 磨く. 백전 ~의 강자 百戦錬磨の強者 / 기술을 ~하다 技術を磨く / 솜씨 ~하다 腕を磨く / 심신을 ~하다 心身を練磨する.
‖──-반 명 研磨盤; 研削盤; グラインダー.
연막【煙幕】명 煙幕. ¶~을 치다 煙幕を張る.
연만【年滿·年晩】명하형 年老い 年をとっていること.
연말【年末】명 年末; 年の暮れ 暮れ《준 말》; 年の瀬. =세모(歲暮)·세말(歲末). ¶~ 수당 年末手当 / ~이 다가오다 年末に向かう; 年の瀬がおしつまって来る.
연맹【聯盟】명하자 連盟; リーグ. ¶~전 リーグ戦 / ~에 가입하다 連盟に加入する.
연면【連綿】명하형히부 連綿. ¶~한 혈통 連綿たる血統.
연-면적【延面積】명 延べ面積.
연명【延命】명하자 延命; 命を延ばすこと; かろうじて生き長らえること. ¶~책 延命策 / 지닌 물건을 팔아서 겨우 ~하다 持ち物を売ってやっと食いつなぐ.
연명【連名】명하자 連名. ¶~으로 성명문을 내다 連名で声明を出す.
연모 명 物を作るのに用いる道具と材料; 道具. ¶~를 챙기다 道具を整える.
연모【戀慕】명 恋慕; 懸想. ──-하다 타 恋慕する; (恋い)慕う. ¶~의 정을 품다 恋慕の情を抱く.
연-못【蓮─】명 はす池《지금은 보통의 "池"도 가리킴》. ¶~에 얼음이 얼어 붙다 池に氷が張り詰める / ~가 池のほとり.
연무【煙霧】명 煙霧; もや(靄); スモッグ. ¶~가 자욱하게 끼다 もやが立ち込める.
‖── 신호 명 霧信号.
연무【演武】명하자 演武. ¶~장 演武場 / ~대(臺) 演武台.
연무【鍊武】명하자 練武. ¶~에 힘쓰다 練武に励む.
연문【戀文】명 恋文. =연서(戀書). ¶~을 보내다 恋文を送る.
연미-복【燕尾服】명 えんび服.
연민【憐憫·憐愍】명 れんびん(憐愍·憐憫). ──-하다 형 あわれだ; ふびんだ. ¶~의 정을 자아내다 憐愍の情を催す. ──-히 부 あわれに; ふびんに.
연발【延發】명하자 延発. ¶일기 관계로 ~하다 天気関係で延発する.
연발【連發】명하타 連発. ¶사고의 ~ 事故の連発〔続発〕/ 육~의 권총

く連発の拳銃 / 원더풀을 ～하다 ワンダフルを連発する.

‖——총 명 連発銃.

-밥【蓮—】명 はす(蓮)の実; れんい(蓮薏).

방【連放】명하타 続けざまに放つこと; 連発.

방【聯邦】명 連邦. ¶남아 ～ 南阿連邦.

방 부 続け様に; 引き続いて; ひっきりなしに; しきりに. ¶그는 ～ 맛이 있느냐고 묻는다 彼はしきりにうまいかと聞く / 차가 ～ 지나가다 車がひっきりなしに通る / ～ 지껄이다 ひっきりなしにしゃべる.

연배【年輩】명 年配; 同じ年頃. また, そんな人. ¶동～ 同年配.

연변【年邊】명 ☞ 연리(年利).

연변【沿邊】명 ほとり; あたり; 筋; 国境·川辺·鉄道または大通りなどに沿った一帯. ¶고속 도로 ～의 거리 高速道路筋の町.

연병【練兵】명하자 練兵.

‖——장 명 練兵場.

연보【年報】명 年報. ¶학회의 ～ 学会の年報.

연보【年譜】명 年譜. ¶작가의 ～를 조사하다 作家の年譜を調べる.

연보【捐補】명 ①하타 財物を出して人を助けること. ②〔基〕献金.

‖——금(金), 연봇-돈 명 ① さい銭; 散銭. ②〔基〕献金.

연-보라【軟—】명 薄紫; 藤色.

연봉【年俸】명 年俸; 年給. ¶～ 오천만 원 年俸五千万ウォン.

연봉【連峰】명 連峰; つらなり続く山山(の頂). ¶알프스의 ～ アルプスの連峰.

연부【年賦】명 年賦; 年払い.

‖——금 명 年賦金. ——불 명 年払い. —— 상환 명 年賦償還.

연부-병【軟腐病】명〔植〕軟腐病.

연분【緣分】명 縁; ちなみ; 因縁. ¶～을 맺어 주는 신 縁結びの神 / 좋은 ～을 만나 결혼하다 良縁を得て結婚する.

연-분홍【軟粉紅】명 薄い桃色; 淡紅色; とき色; 桜色.

연불【年拂】명 年払い. ＝연부(年賦). ‖—— 보험 명 年払い保険.

연불【延拂】명하타 延べ払い.

연비【連比】명〔數〕連比.

연비【燃比】명 燃費.

연사【演士】명 演者; 講演者; 弁士. ¶다음 ～가 올 때까지 시간 때우기로 연설했다 次の講演者が来るまでつなぎに演説した.

연산【年産】명 年産. ¶～ 200톤 年産二百トン / ～액 年産額.

연산【連山】명 連山; 山並み. ¶남북에 걸친 ～ 南北にわたる連山.

연산【演算】명하타〔數〕演算. ＝운산(運算).

연상【年上】명 年上; 年かさ; 年長. ¶～의 친구 年上の友 / ～자 年長者 / 나보다 7년 ～이다 わたしより七年年配である / 두살 ～의 형〔오빠〕 二つ年かさの兄.

연상【聯想】명하타 連想. ¶불길한 일을 ～하다 不吉なことを連想する / 에디슨이라고 하면 전기를 ～한다 エジソンというと電気を連想する.

연서【連署】명하타 連署. ¶진정서에 ～하다 陳情書に連署する.

연석【宴席】명 宴席; 酒席. ¶～을 마련하다 宴席を設ける.

연석【連席】명하자 幾分かの人が一所に席を連ねること.

‖—— 회의 명 他の部署·機関の人との合同会議.

연선【沿線】명 沿線. ¶철도 ～ 鉄道沿線.

연설【演說】명하자 演説. ¶가두 ～ 大道演説; つじ(辻)演説 / 지루한 ～ 冗漫な演説 / 합동 ～ 立ち会い演説 / 일장 ～을 하다 一席弁ずる; 一席ぶつ; 一くさり演説する.

‖——조 명 演説調.

연성【軟性】명 軟性.

연세【年歲】명 "나이(＝年齢)"の敬語: お年. ¶～가 높다 春秋高し.

연소【年少】명 年少; 年若; 若年. ——하다 형 年少だ; 若年だ; 年が若い. ¶～자 年少者; ジュニア.

연소【延燒】명 延焼; 類焼; もらい火. ——하다 자 延焼する; 類焼する. ¶바람 받이 쪽 건물에 ～하다 風下の建物に延焼する / ～를 면하다 類焼を免れる.

연소【燃燒】명 燃焼; 燃え. ——하다 자 燃焼する; 燃える. ¶완전 ～ 完全燃焼 / ～시키다 燃焼させる.

‖——물 명 燃焼物. ——열 명 燃焼熱. ——율 명 燃焼率.

연속【連續】명 連続; 続き; コンティニュイティ. ——하다 자타 連続する; 続く; 連なる. ¶～물 シリーズ物 / 불행의 ～ 不仕合わせの続き / 휴일이 ～되다 休みが続く / 산맥이 남북으로 ～돼 있다 山脈が南北に連なっている.

‖——극 명 連続劇. ——범 명 連続犯. ——파 명〔物〕連続波. ——적 명관 連続的.

연쇄【連鎖】명하타 連鎖. ¶동양과 서양을 연결하는 정신적 ～ 東洋と西洋とを結ぶ精神的連鎖.

‖——가(街) 명 店の並んでいる商店街. ——극 명 連鎖劇. —— 반응 명〔物〕連鎖反応. ——상 구균 명 連鎖状球菌. ——식 명 連鎖式. ——점 명 連鎖店; チェーンストア.

연수【年收】명 年収. ¶～ 5천만 원 年収五千万ウォン.

연수【年數】명 年数. ＝햇수. ¶～가 지나다 年数が経つ.

연수【延髓】명〔生〕延髄. ＝숨골.

연수【研修】명하타 研修.

연수【軟水】명 軟水. ＝단물.

연-수정【煙水晶】명 煙水晶.

연습【演習】명하타 演習. ¶사격 ～ 射撃演習 / 합동 대～을 거행하다 合同大演習を行なう.

‖——림 명 演習林.

연습【練習·鍊習】명하타 練習; 習練

ㅇ

; 修練; けいこ(稽古); リハーサル. ¶예행 ～ 下げいこ/～ 부족 練習不足/무슨 일이나 ～하기 나름이다 何事も練習次第である/혹서를 무릅쓰고 ～하다 炎暑を冒して練習する.
‖——-곡 명〔樂〕練習曲; エチュード. ——-기 명 練習機. ——-장 명 練習帳. ¶습자 ～ 手習い草紙.

연승【連勝】명하자 連勝. ¶연전 ～ 連戦連勝.

연시【年始】명 年始; 年初. ¶연말 ～ 年末年始.

연시【軟柿】명 すっかり熟れたかき(柿). ＝연감.

연식【軟式】명 軟式.
‖—— 야구 명 軟式野球. —— 정구 명 軟式テニス.

연안【沿岸】명 沿岸. ¶동해(東海) ～ 東海への沿岸/～지방은 바람이 세다 沿岸地方は風が強い.
‖——-국 명 沿岸国. ——-류 명 沿岸流. —— 무역 명 沿岸貿易. —— 어업 명 沿岸漁業. —— 항로 명 沿岸航路.

연애【戀愛】명 恋愛; 恋. ——-하다 자 恋愛する; 恋する. ¶～ 편지 えんしょ(艶書); 恋文; ラブレター/목하 그녀와 ～ 중이다 目下彼女と恋愛中である.
‖—— 결혼 명 恋愛結婚. —— 소설 명 恋愛小説. —— 지상주의 명 恋愛至上主義.

연액【年額】명 年額. ¶～ 삼천만 원의 이익 年額三千万ウォンの利益.

연약【軟弱】명 軟弱; きゃしゃ(花車). ——-하다 형 軟弱だ; か弱い; 弱弱しい; きゃしゃだ. ¶～한 태도 軟弱な〔弱弱しい〕態度/～한 사나이 女女しい男/～한 여자의 힘 か弱い女の細腕/～한 몸 きゃしゃな〔か細い〕体.
‖—— 외교 명 軟弱〔弱腰〕外交.

연어【鰱魚】명〔魚〕さけ(鮭); しゃけ(鮭)〈俗〉. ¶자반 ～ 塩漬けさけ/건～ からざけ/～ 통조림 さけ缶/～ 알젓 筋子; すずこ.

연역【演繹】명하타 えんえき(演繹).
‖—— 논리학 명 演繹論理学. ——-법 명〔論〕演繹法. ——-적 명관 演繹的. ¶～ 방법 演繹的方法. —— 학파 명〔經〕演繹学派.

연연【戀戀】명 恋恋. ——-하다 자 未練がましく執着する. ¶～한 정 恋恋たる〔の〕情/장관의 지위에 ～하다 長官の地位に恋恋とする.

연예【演藝】명하자 演芸; エンターテインメント. ¶～인 芸人; 芸能人; エンターテイナー/～ 프로 芸能プロ(グラム)/～계의 사람들 演芸界の人人/여흥으로 ～를 하다 余興に演芸をやる.

연옥【軟玉】명 軟玉.

연옥【煉獄】명〔天主教〕れんごく(煉獄). ¶～의 고통 煉獄の苦しみ.

연원【淵源】명 淵源; 源. ¶교육의 ～ 教育の淵源.

연-월-일【年月日】명 年月日.
‖——-시 명 年月日時.

연유【煉乳】명 練乳; コンデンミルク. ¶무당 ～ 無糖練乳/～ 먹이다 練乳を飲ます.

연유【緣由】명 縁由; 由来; 由 ——-하다 자 由来する; よる. ¶사 의 ～ 事件の由来.

연의【演義】명하타 演義. ¶삼국 ～ 三国志演義.
‖—— 소설 명 演義小説.

연이나【然—】부 "だが·しかし·しか ども"の意の接続副詞.

연-이율【年利率】명 年利率.

연인【戀人】명 恋人; 愛人; 情人·. ＝애인. ¶영원한 ～ 永遠の恋人.

연-인원【延人員】명 延べ人員. ¶～은 100만 명이었다 延べ人員は百万人であった.

연일【連日】부 連日. ¶～의 대만원 連日の大入り満員/바빠서 ～ 야근한다 忙しくて連日夜勤する.

연임【連任】명하타 再任; 重任.

연-잇다【連—】타 引き続く; 相次ぐ. ¶연이은 가뭄 引き続く日照り/사건이 연이어 터지다 事件が相次いで起こる.

연자-매【硏子—】명 牛馬に引かせて回す(穀物をひく)うす(臼).
‖연자맷-간(間) 명 "연자매"のある小屋. 준 연자간.

연자-방아【硏子—】명 ☞ 연자매.

연작【連作】명하타〔農〕連作.

연장 명 ①物を作る器具; 道具. ¶～을 챙기다 道具を仕舞う. ②《卑》男根.
‖——-걸이 명 (相撲で)外掛け. —— 주머니 명 道具袋.

연장【年長】명하형 年長; 年上.
‖——-자 명 年長者; 目上(の人); 長上. ¶～에 대하여 예의를 지키다 目上に対して礼儀を守る.

연장【延長】명 延長. ——-하다 자타 延長する; 延ばす. ¶(경기의) ～ 시간 増し時間/회의를〔수명을〕～하다 会議〔寿命〕を延ばす/회기를 삼 일간 ～하다 会期を三日間日延べする/소풍은 교실의 ～이다 遠足は教室の延長である.
‖—— 기호 명〔樂〕延長記号. ——-선 명 延長線. ——-전 명 延長戦.

연재【連載】명하타 連載. ¶～ 소설 連載小説.

연적【硯滴】명 (すずり(硯)の)水入れ; 水滴.

연적【戀敵】명 恋敵.

연전【年前】명 幾年か前; 先年. ¶～에 왔을 때도 비가 왔습니다 先年来た時も雨でした.

연전【連戰】명하자 連戦.
‖—— 연승 명하자 連戦連勝. —— 연패 명하자 連戦連敗.

연정【戀情】명 恋情; 恋心. ¶～을 품다 恋情を寄せる.

연제【演題】명 演題.

연좌【連坐】명하자 連座. ¶～제 連座制/～되다 巻き添えを食う.

주【演奏】명 演奏. ——-하다 타 演奏する；奏する；かなでる. ¶～를 시작하다 演奏し始める／국가를 ～하다 国歌を奏する.
——-가 명 演奏家. —— 곡목 명 演奏曲目；演目. ——-법 명 演奏法. ——-실 명 演奏室. ——-자 명 演奏者；プレーヤー. ——-회 명 演奏会；コンサート.

-줄【緣—】명 縁筋；縁故；手づる；便り；つて(伝)；コネ. ¶～을 찾다 つて〔手づる〕を求める／～을 찾아 취직하다 コネを求めて就職する／친척을 ～로 취직하다 親戚を手づるに就職する. ——— 부 縁故伝いに. ¶～로 알게된 사람 縁故伝いに知り合いになった人.

연중【年中】명 年中.
‖—— 무휴 명 年中無休. —— 행사 명 年中行事.

연즉【然則】부 "しかれば；されば"の意の接続副詞.

연지【臙脂】명 えんじ(臙脂)；紅. ¶입술 ～ 口紅／～를 찍다 紅をさす.

연차【年次】명 年次. ¶～ 계획 年次計画／～ 휴가 年次休暇.

연착【延着】명하자 延着. ¶～이 잦다 延着がしばしばである.

연-착륙【軟着陸】명하자 軟着陸. 준 연착(軟着).

연천【年淺】명하형 ① 年の若いこと. ② 年数の浅いこと.

연철【鍊鐵】명 錬鉄.

연체【延滯】명하자타 延滞. ¶～금 延滞金.
‖—— 이자(利子) 명 延滞利息.

연체【軟體】명 軟体.
‖—— 동물 명 軟体動物.

연초【年初】명 年初；年始.

연출【演出】명하타 演出. ¶～가 演出家／일장의 희극을 ～하다 一場の喜劇を演じる.

연타【軟打】명 〘野〙 バント.

연탄【煉炭】명 練炭.

연통【煙筒】명 煙筒；煙突.

연투【連投】명하타 〘野〙 連投.

연판【連判】명하자타 連判.
‖——-장 명 連判状.

연판【鉛版】명 〘印〙 鉛版；ステロタイプ.

연패【連敗】명하자 連敗. ¶연전 ～ 連戦連敗.

연패【連覇】명하자 連覇. ¶3년 ～를 이루다 三年連覇を遂げる.

연표【年表】명 ↗연대표.

연필【鉛筆】명 鉛筆. ¶～깎이 鉛筆けずり／색～ 色鉛筆.
‖——-심 명 鉛筆の芯. ——-화 명 鉛筆画.

연하【年下】명 年下. ¶～의 사람 年下の者／세 살 ～ 三つ年下.

연하【年賀】명 年賀.
‖—— 우편 명 年賀郵便. ——-장 명 年賀状.

연-하다【連—】자타 連ねる；連なる；引続く.

연-하다【軟—】형 ① 軟らかい；固くない. ¶고기가 ～ 肉が軟らかい. ② 色がうすくあざやかだ.

-연하다【然—】미 …然とする；…を気取る；…振る；…をきめこむ. ¶신사～ 紳士然とする／학자～ 学者振る／예술가～ 芸術家を気取る／선배～ 先輩面をする.

연한【年限】명 年限. ¶수업 ～ 修業年限.

연합【聯合】명하자타 連合.
‖——-국 명 連合国. —— 국가 명 連合国家. ——-군 명 連合軍. —— 채무 명 連合債務. —— 함대 명 連合艦隊.

연해【沿海】명 沿海.
‖—— 기후 명 沿海気候. —— 무역 명 ☞ 연안 무역. —— 어업 명 沿海漁業.

연해【連—】부 [↗연하여] 引き続き；続けて；しきりに.

연행【連行】명 連行. ——-하다 타 連行する；引き〔引っ〕立てる. ¶범인을 ～하다 犯人を引っ立てる／도둑을 파출소까지 ～하다 泥棒を交番まで引く／용의자를 ～해 가다 容疑者を引き去る.

연혁【沿革】명 沿革. ¶학교의 ～을 설명하다 学校の沿革を述べる.

연호【年號】명 [↗다년호(大年號)] 年号；元号.

연화【軟化】명하자타 軟化.
‖——-병 명 軟化病.

연화【軟貨】명 軟貨.

연회【宴會】명 宴会；宴. ¶～에 초대를 받다 宴会に呼ばれる／～를 열다 宴会を催す；宴を張る.

연후【然後】一명 しかる後；そうした後. 二부 ↗연후에. ——-에 부 しかる後に；そうした後で. ¶공부를 하고 난 ～ 놀거라 勉強をした後に遊びなさい.

연휴【連休】명 連休.

열【列】명 列. ¶～을 이루어 列をなして／～을 짓다 列をつくる／일～로 서다 一列に並ぶ／～을 좁히다 列を詰める.

열【熱】명 ① 熱. ㉠〘物〙熱さ. ¶～을 가하다 熱を加える／～을 발생하다 熱を生ずる. ㉡ 興奮. ¶～을 올리다 熱を上げる；のぼせる. ㉢ [↗신열(身熱)] (病気による)体熱. ¶～이 있다 熱がある／～이 높다 熱が高い／～이 나다 熱が出る／～이 내리다 熱が下がる〔取れる〕／～을 재다 熱を計る. ㉣ [↗열성] 強い意気ごみ. ¶야구～ 野球熱／～이 식다 熱がさめる. ② [↗열화(熱火)] 熱い火；激しい怒り.

열 수 十. ＝십. ¶～달 十月；十箇月／～ 손가락 十指／～ 길 물 속은 알아도 한 길 사람의 속은 모른다《俚》 測り難きは人心／～번 찍어 아니 넘어가는 나무가 없다《俚》 十回おの(斧)を入れて倒れぬ木無し／～두 가지 재주에 저녁거리가 없다《俚》 八細工の七貧乏／～ 시앗이 밉지 않고 한 시누이 밉다《俚》 嫁に小じゅうとは鬼千匹.

열- 두 名詞の前に付いて"幼い·若い"の意を表わす語. ¶～무 若大根／～쭝이 ひなどり(雛鳥).

열간 가공【熱間加工】명 熱間仕上げ.

열강【列強】명 列強. ¶～의 각축(角逐) 列強の競り合い.

열거【列擧】명 列挙. ——-하다 타 列挙する；並べる. ¶증거를 ～하다 証拠を並べる / 죄상을 ～하다 罪状を並べ立てる.

열광【熱狂】명하자 熱狂. ¶흥분으로 ～하는 관중 興奮に沸き返る観衆 / ～적 환영 熱狂的歓迎.

열기【列記】명하타 列記. ＝열록(列錄).

열기【熱氣】명 ① 熱気. ㉠ 熱い気体·空気. ¶～에 쐬다 熱気にあたる / 환자의 ～로 후텁지근하다 病人の熱気でむんむんする. ㉡ 高まった意気込み；熱. ¶～를 띠어 말하다 熱をこめて話す. ② 熱気；熱. ¶～가 있다 熱〔熱気〕がある.
‖── 기관 명 熱気機関. ── 요법, ──-욕 명 熱気療法；熱気浴.

열-김【熱─】명 ① 胸の底から込みあがる勢い. ② ☞ 홧김.

열-나다【熱─】자 ① (病気で)熱が出る. ② (物事に)熱を入れる；熱をあげる. ③ 腹が立つ.

열-나절 명 (一定の限度内での)甚だ長い間. ¶～이나 꾸물거리다 切りもなくぐずつく.

열녀【烈女】명 烈女.
‖──-문(門) 명 烈女を表彰して建てた門. ──-비(碑) 명 烈女の行跡を称えて建てた碑. ──-전 명 烈女伝.

열다¹ 자 (実が)実る；生る. ¶감이 주렁주렁 ～ かきが鈴なりに生る.

열다² 타 開く. ① 明〔開〕ける. ¶뚜껑을 ～ ふたを明ける / 창문을 ～ 窓を明ける / 입을 열지 않다 口を開かない. ② 始める；起こす. ¶국회를 ～ 国会を開く / 새 시대를 ～ 新時代を開く. ③ 催す；開催する. ¶송별연을 ～ 送別の宴を開く. ④ 営業する. ¶그 가게는 일요일에도 연다 その店は日曜にも開く.

열대【熱帶】명 熱帯.
‖── 과실 명 熱帯果実. ── 기후 명 熱帯気候. ──-림 명 熱帯林. ──-병 명 熱帯病. ── 식물 명 熱帯植物. ──-어 명 熱帯魚.

열-댓 관 十五ぐらい. ¶회의에 모인 사람은 ～ 된다 会議に集まった人は十五人ぐらいである.

열도【列島】명〔地〕列島. ¶일본 ～ 日本列島.

열독【閱讀】명하타 閲読；しらべ読むこと. ¶연감을 ～하다 年鑑を閲読する.

열등【劣等】명하형 劣等. ¶～한 劣等の〔な〕/ ～생 劣等生.
‖──-감 명 劣等感；コンプレックス；引け目. ¶～에 사로잡히다 劣等感にとらわれる / ～을 느끼다 引け目を感ずる. ── 의식 명 劣等意識.

열-띠다【熱─】자 熱を帯びる；熱がこもる；熱っぽい. ¶열띤 응원 熱のこもった応援 / 열띤 어조로 말하다 熱っぽい調子で語る.

열람【閱覽】명하타 閲覧. ¶～실 閲覧室 / ～자 閲覧者 / ～료 閲覧料 / 자료를 ～하다 資料を閲覧する.

열량【熱量】명〔物〕熱量. ¶～ 많은 식품 熱量の多い食品.
‖──-계 명 熱量計. ＝칼로리미터.

열렬【熱烈·烈烈】명하형히부 熱烈 ¶～한 연애 熱烈な恋愛 / ～히 사 하다 熱烈に愛する.

열리다¹ 자 ① 開〔明〕く；開ける. 문이 (홱) ～ とびら〔戸〕が(ぱっと) あく / 좀처럼 열리지 않는다 なかなか あかない / 이 열쇠면 어떤 문이라도 린다 このかぎならどの戸でも開く 막이 ～ 幕が明く / 문이 반쯤 열려 다 戸が半開きになっている / 문 잘 열리지 않다 戸の開きが悪い. (文化が)開ける；開化する. 문화가 열림에 따라 文化が進むに れて. ③ (店などが)開·く. ¶은 문이 ～ 銀行が開く. ④ (催しな どが)開く；開かれる；催される. ¶국회가 ～ 国会が開く / 송별회가 ～ 送別会が催される.

열리다² 자 (実が)生る. ¶감이 많이 ～ かき(柿)がたくさん生る.

열망【熱望】명하타 熱望；熱願. ¶평화를 ～하다 平和を熱望する.

열매 명 実. ① 果実. ¶나무 ～ 木の実 / ～가 열리다 実がな(生)る / ～를 맺다 実を結ぶ. ② 結果. ¶여러 해 동안의 노력이 ～를 맺다 長年の努力が実〔稔〕る〔実を結ぶ〕.

열반【涅槃】명〔佛〕ねはん(涅槃).

열변【熱辯】명 熱弁. ¶～을 토하다 熱弁を吐く〔ふるう〕.

열병【閱兵】명하자 閲兵. ¶～식 閲兵式.

열병【熱病】명 ① 熱病. ¶～을 앓다 熱病を患う. ② 腸チフス.

열브스름-하다 형 心持ち薄い. **열브스름-히** 부 心持ち薄く.

열사【烈士】명 烈士. ¶순국 ～ 殉国の烈士.

열사-병【熱射病】명〔醫〕熱射病；日射病.

열상【裂傷】명 裂傷. ¶～을 입다 裂傷を負う.

열석【列席】명하자 列席. ¶회의에 ～하다 会議に列席する.

열선【熱線】명 熱線. ＝적외선(赤外線).

열성【劣性】명 劣性. ¶～ 유전 劣性遺伝.

열성【列聖】명 列聖.
‖──-조 명 列聖朝. ㊢ 열조.

열성【熱誠】명 熱誠. ¶～이 넘치는 지원 熱誠あふれる支援 / ～이 부족하다 熱心が足りない. ㊢ 열.

열세【劣勢】명하형 劣勢. ¶～한 劣勢な〔の〕/ ～를 만회하다 劣勢をもりかえす〔取り戻す〕.

열-쇠 명 かぎ(鍵)；キー. ¶～ 구멍 かぎ穴 / ～로 열다 かぎであける / 문제 해결의 ～ 問題解決のかぎ / 그가 이 문제의 ～를 쥐고 있다 彼がこの問題のキーを握っている.

열심【熱心】명하형 熱心. ¶～이다 熱心である / 무슨 일에나 ～인 사람이

何事にも熱心な人だ. ──-히 [부] 心に. ¶～ 공부하다 熱心に〔一生懸命(に)〕勉強する / ～ 일한 보이 있어서 熱心に働いたかいがあて.

새다 [형] 機敏だ；すばやい；すばこい.

씨【列氏】[명] 列氏《列氏寒暖計の目盛りの名称》.

── 한란계 [명] 列氏寒暖計.

악【劣惡】[명][하형] 劣悪. ¶～한 상 劣悪な商品.

애【熱愛】[명][하타] 熱愛.

어 젖뜨리다 [타] (扉·障子など)押し開く.

-없다 [형] ①照れ臭い；くすぐった；(少し)きまりが悪い. ¶열없는 음 照れ臭い笑い / 열없어 하다 きま悪い思いをする. ②小心だ；おけが多い. 열-없이 [부] 照れ臭く；小心に.

-역학【熱力學】[명]〔物〕熱力学.

연【熱演】[명][하자타] 熱演；力演.

외【列外】[명] 列外. ¶～에 서다 列外に立つ.

-용량【熱容量】[명] 熱容量.

원【熱源】[명]〔物〕熱源.

의【熱意】[명] 熱意；熱. ¶～를 보이다 熱意を示す / ～가 부족하다 熱意が足りない；熱意に欠けている / ～가 대단하다 たいした熱意である.

열전【列傳】[명] 列伝. ¶사기 ～ 史記列伝.

‖──-체 [명] 列伝体.

열전【熱戰】[명] 熱戦. ¶숨막히는 ～ 息詰まる熱戦 / ～을 전개하다 熱戦を繰り広げる.

열-전기【熱電氣】[명]〔物〕熱電気.

열-전도【熱傳導】[명]〔物〕熱伝導.

‖──-도 [명]〔物〕熱伝導度.

열정【劣情】[명] 劣情. ¶～을 자아내는 소설 劣情をそそる小説.

열정【熱情】[명] 熱情；情熱. ¶～적이다 熱情的である / ～에 불타다 熱情に燃える.

열중【熱中】[명] 熱中；夢中. ──-하다 [자] 熱中する；夢中になる. ¶그는 일에 ～하는 성미이다 彼は物事に熱中するたちである / 라디오 제작에 ～하다 ラジオ作りに熱中する / 독서에 ～하다 読書にふける / 그는 야구에 ～하고 있다 彼は野球に熱をあげている.

열-째 [수] 十番目. ¶왼쪽부터 열쨋번의 집 左から十番目の家.

열차【列車】[명] 列車. ¶상행〔하행〕～ 上り〔下り〕列車 / 통근 ～ 通勤列車 / 특급 ～ 特急列車 / 특별 편성의 ～ 特別仕立ての列車 / ～는 정시에 도착했다 列車は時間通り着いた.

‖──-원(員) [명] 列車乗務員.

열탕【熱湯】[명] 熱湯；煮え湯. ¶～을 끼얹다 熱湯をかける.

열퉁-적다 [형] (言語·動作が)がさつでぎこちない.

열파【熱波】[명] ①〔氣〕熱波. ②〔物〕熱線の波動.

열풍【熱風】[명] 熱風. ¶～이 불다 熱風が吹く.

열풍【烈風】[명] 烈風. ¶～이 휘몰아치다 烈風が吹き荒ぶ.

열-하다【熱─】[타] 熱する. ¶높은 온도로 ～ 高温に熱する.

열핵【熱核】[명]〔物〕熱核.

‖── 반응 [명] 熱核反応. ── 융합 [명] 熱核融合.

열혈【熱血】[명] 熱血.

‖── 남아 [명] 熱血男児. ──-한 [명] 熱血漢.

열화【烈火】[명] 烈火. ¶～같이 성을 내다 烈火の如く怒る.

열-효율【熱效率】[명]〔物〕熱効率.

열흘 [명] 十日；旬日. ¶～이나 걸린다 十日もかかる / ～도 지나기 전에 旬日を出でずして.

‖──-날 [명] 十日目の日；(月の)十日の日.

엷다 [형] 薄い. ¶엷은 맛 淡い味；薄い味 / 엷은 빛깔 薄い色.

염 [명] 岩石によって成る小さい島. ¶외～ 孤島.

염【炎】[명] ↗염증(炎症).

염【塩】[명] ①塩. ＝소금. ②〔化〕塩. ¶황산～ 硫酸塩.

염【殮】[명][하타] ↗염습(殮襲).

염가【廉價】[명] 廉価；安価；安値；低価. ¶～품 廉価品 / 폐점으로 ～ 대매출 店じまいの大乱売 / ～로 팔다 廉価で売る；安値で売る.

염교 [명]〔植〕らっきょう(辣韮).

염기【塩基】[명]〔化〕塩基.

‖──-성 [명]〔化〕塩基性. ──-성 산화물 [명]〔化〕塩基性酸化物. ──-성-암 [명] 塩基性岩. ──-성-염 [명] 塩基性塩. ──-성 염료 [명]〔化〕塩基性染料. ──-성 탄산연 [명]〔化〕塩基性炭酸鉛. ＝연백(鉛白).

염낭【─囊】[명] 腰につける丸味の布製の小さい袋；きんちゃく.

‖── 쌈지 [명] "염낭"のような形のタバコ入れ.

염두【念頭】[명] 念頭. ¶～에 두다 念頭に置く / 조금도 ～에 없다 さらさら念頭にない.

염라【閻羅】[명]〔佛〕えんら(閻羅)；えんま(閻魔). ＝염라 대왕.

‖──-국(國) [명] 閻羅大王が統治するあの世；死の世界. ── 대왕 [명] 閻羅大王；閻魔大王.

염려【念慮】[명] 心掛かり；心配；気掛かり. ──-하다 [타] 心配する；気遣う；案じる. ¶어쩐지 ～된다 なんだか気にかかる / 신변을 ～하다 身辺を気遣う / 밤낮 ～하다 日夜思い煩う / ～하실 것은 없습니다 御念には及びません / 자금 관계는 일단 ～없다 資金の方はまず大丈夫である. ──-스럽다 [형] 気遣わしい；気にかかる. ¶합격될지 안 될지 ～ 受かるかどうか気遣わしい.

염료【染料】[명] 染料. ＝물감. ¶천연 ～와 합성 ～ 天然染料と合成染料.

‖── 식물(植物) [명] 染料作物.

염류【塩類】[명] 塩類.

‖──-천 [명] 塩類泉.

염매【廉賣】명하타 廉売; 安売り; 乱売. ¶일용품을 ～하다 日用品を乱売する.

염문【艶聞】명 えんぶん(艶聞); 浮き名; 色ざた. ¶그에게는 ～이 끊이지 않는다 彼には艶聞が絶えない / ～이 나다 浮き名が立つ / ～이 자자하다 浮き名を流す.

염병【染病】명 ①〔韓醫〕腸チフス. ② ↗전염병(傳染病).

염복【艶福】명 えんぷく(艶福); 異性にもてること. ¶그는 ～이 많은 사람이다 彼は艶福家である.

염분【塩分】명 ① 塩分; 海水に含まれている塩類の量. ¶～이 짙다 塩分が濃い / ～을 다량 함유하다 塩分を多量に含む. ② 塩気.

염불【念佛】명하자 念仏. ¶～을 외다 念仏を唱える / 마음 속으로 ～하다 心で念ずる / ～에는 마음이 없고 잿밥에만 마음이 있다《俚》念仏はそっちのけにして供え物にだけ気が回る《果たすべき事には身を入れずに利欲にだけ気を遣うことのたとえ》.

‖── 삼매 명〔佛〕念仏三昧. ──송경(誦經) 명하타 念誦. ──왕생 명〔佛〕念仏往生. ──-종 명〔佛〕念仏宗.

염산【塩酸】명〔化〕塩酸. ¶합성 ～ 合成塩酸.

‖── 퀴닌 명 塩酸キニーネ.

염색【染色】명 染色; 染め; 色染め. ──하다 타 染色する; 染める. ¶머리를 검게 ～하다 髪を黒く染める / 홀치기 ～ 絞り染め; 絞り《준말》/ 흰 바탕에 빨갛게 ～해 내다 白に赤く染め出す.

‖── 무늬본 명 染め型. ──-물(物) 명 染め物. ¶～을 말리다 染め物を乾かす. ──-집 명 紺屋; 染め物屋. ──-체 명〔生〕染色体. ¶～ 지도 染色体地図.

염서【炎暑】명 炎暑; 炎熱.

염세【厭世】명하자 えんせい(厭世).

‖──-가 厭世家; ペシミスト. ──-관 명 厭世観. ¶～을 품다 厭世観を抱く. ── 문학 명 厭世文学. ──-적 명관 厭世的. ──-주의 명 厭世主義; ペシミズム. ──-증 명 厭世症.

염소 명〔動〕やぎ(山羊). ¶～ 수염 やぎのひげ.

염소【塩素】명〔化〕塩素《記号・Cl》.

‖──-량 명 塩素量. ──-산 명 塩素酸. ──산 나트륨 명 塩素酸ナトリウム. ──산-염 명 塩素酸塩. ──산 칼륨 명 塩素酸カリウム. ──-수 명 塩素水.

염송【念誦】명하자〔佛〕ねんじゅ〔ねんず〕(念誦). ¶경문을 ～하다 経文を念誦する.

염수【塩水】명 塩水.

염습【殮襲】명하타 死体を清めて経かたびらを着せること. ㊟ 염(殮).

염열【炎熱】명 炎熱.

염오【厭惡】명하타 厭悪. ¶～지정 厭悪の情.

염원【念願】명 念願; 心願. ─ 하다 타 念願する; 念ずる. ¶ 세월의 ～이 이루어졌다 多年の がかなった / ～을 이루다 念願を達 る / 합격되기를 ～하다 受かるよ と念ずる.

염장【塩藏】명하타 塩蔵. ¶쇠고 를 ～하다 牛肉を塩蔵する.

염전【塩田】명 塩田.

‖──-법 명 塩田法.

염정【艶情】명 えんじょう(艶情); 恋 ; 恋心.

‖── 소설 명 艶情小説.

염주【念珠】명 ①〔佛〕数珠. 〔植〕数珠玉. =염주나무.

‖──-알 명 数珠玉. ¶～을 세 넘기다 念珠をつまぐる.

염증【炎症】명 炎症. ㊟ 염(炎 ¶상처에 ～을 일으키다 傷口に症を起こす.

염증【厭症】명 嫌気. =싫증. ～나다 嫌気がさす; 飽きる.

염천【炎天】명 炎天.

염초【焰硝】명 焰硝. ①〔韓醫〕 くしょう(朴硝)で作った薬材. 〔化〕☞ 초석(硝石). ③ ☞ 화약.

염출【捻出】명하타 ねんしゅつ(捻出). ¶비용을 ～하다 費用を捻出する 여비를 ～하다 旅費をつくる / 고 해서 여비를 ～하다 苦心して旅費をはじき出す.

염치【廉恥】명 廉恥. ──-없다 형 廉恥がない; わがままだ; 身勝手だ〈老〉. ¶염치없는 놈 恥しらず; 無遠慮なやつ / 염치없는 청(請) 身勝手なお願い. ──-없이 부 廉恥もなく; 無遠慮に; つけつけ(と).

‖──-머리 명《俗》☞ 염치.

염탐【廉探】명하타 秘かに事情を探ること.

‖──-꾼 명 回し者; 間者; スパイ. ¶저놈은 적의 ～이다 あいつは敵のスパイである.

염통 명〔生〕心臓.

염통-머리 명《俗》廉恥. ＞얌통머리.

염-하다【殮─】타 [↗염습하다] 死体を清めて経かたびらを着せる.

염-하다【念─】타〔佛〕念ずる.

염화【塩化】명하자〔化〕塩化.

‖──-물 명 塩化物. ── 비닐 명 塩化ビニール; 塩ビ《준말》. ── 수은 명 塩化水銀. ──-철 명 塩化鉄. ── 칼륨 명 塩化カリウム.

엽【葉】의명 葉《紙など薄く平たいものを数える単位》.

엽견【獵犬】명 猟犬. =사냥개.

엽관【獵官】명하자 猟官. ¶～ 운동 猟官運動.

엽-궐련【葉─】명 葉巻; 巻たばこ; シガー.

엽기【獵奇】명하자 猟奇.

‖── 소설 명 猟奇小説. ──-적 명관 猟奇的.

엽록-소【葉綠素】명 葉緑素; クロロフィル.

엽록-체【葉綠體】명 葉緑体.

엽맥【葉脈】명〔植〕葉脈. =잎맥.

엽상【葉狀】명 葉状; 葉の形.

‖──-경 명〔植〕葉状茎. ── 식물 명

葉状植物. ——-체 명〔植〕葉状体.

엽색【獵色】명하자 猟色；手あたり次第に女をもてあそぶこと. ¶～으로 몸을 망치다 色に身を持ちくずす.

‖——-가 명 猟色家；ドンファン.

엽서【葉書】명 葉書. ¶그림 ～ 絵葉書.

엽전【葉錢】명 しんちゅう(真鍮)製の昔の銭の一つ《平円形で中央に四角い穴がある》.

엽차【葉茶】명 葉茶.

엽총【獵銃】명 猟銃. ＝사냥총.

엿 명 あめ(飴). ¶～ 먹이다 ① あめを食わす；あめをなめさせる；あめをしゃぶらせる. ②《俗》一本食わす.

엿 관 "ㄴ·ㄷ·ㅁ·ㅂ·ㅅ·ㅈ"などを初声とする名詞の前に付いて六の意を表わす語. ¶～새 六日／～되 六升／～냥 六両／～말 六斗.

엿-가래 명 あめん棒.

엿-가위 명 あめ売りが持ち歩く大きなはさみ.

엿-기름 명 麦芽；麦もやし.

‖—— 가루 명 麦芽の粉. ——-물 명 麦芽の粉を水に浸した上水.

엿-듣다 타 聞き耳を立てる；立ち聞きする. ¶누군가가 엿듣고 있다 誰かが立ち聞きしている.

엿-보다 ① 盗み見る；盗視する. ¶문틈으로 ～ 戸の透き間から盗み見る／몰래 엿보는 버릇이 있다 盗視する癖がある. ② (機を)ねらう；うかがう. ¶틈을 ～ すき(隙)をうかがう／기회를 ～ 時機をねらう.

엿새 명 ① 六日. ¶꼭 ～ 걸려서 완성했다 ちょうど六日かかって完成した／이 달 초～에 출발한다 今月の六日に発つ. ② ↗엿샛날.

엿샛-날 명 六日；月の六番目の日.

엿-장수 명 あめ売り.

엿-치기 명하자 あめん棒を折って，その断面に空洞の有無，またはその大小・多少で勝敗をきめるかけ.

-였- 어미 ①"하다"の語幹に付き，過去時制を表わす先語末語尾. ¶…하～다 …した／대답하～다 答えた. ② 語幹形成接尾語"-이-"と先語末語尾"-었-"が結合して縮まった語形. ¶먹～다 食わせた／높～다 高めた.

-였습니다 어미 先語末語尾"-였-"と"-습니다"が重なった終結語尾：…(させ)ました. ¶먹～다 食べさせました／높～ 高めました.

영¹ 명 ↗이영.

영² 명 家の中や部屋がさっぱりしていて明るい気.

영【令】명 ① 令；命令. ¶～을 내리다 令を下す. ② 令；法令. ③ ↗약령(藥令).

영【零】명 零；ゼロ. ¶3대 ～으로 졌다 三対ゼロで敗けた.

영【嶺】명 嶺；峰；峠. ＝재.

영【靈】명 霊；み霊. ① 神霊. ② 霊魂. ¶～과 육 霊と肉／고인의 ～ 亡き人の霊.

영【永】부 [↗영영(永永)] 永遠に；永久に.

영【英】준 英；英国；英語. ¶～문학 英文学.

영-【令】두 令《他人の家族を指す敬語》. ¶～부인 令夫人.

영가【靈歌】명〔樂〕霊歌.

영감【令監】명 ①〔史〕正三品と従二品の役人を称した語. ＝영공(令公). ② 夫または男の老人を称する語. ③ 古いしきたりから，面長・郡守・判事・検事・国会議員などに対して使っていた敬称《今は使わない》.

‖——-님 "영감②③"の敬称. ——-마님 명 "영감①"の敬称. ——-쟁이 명《俗》老いぼれ《老人のべっしょう(蔑称)》. ——-태기 명《俗》老いぼれじい(爺)《しゃれた，またはくだけた言い方》.

영감【靈感】명 霊感；神来；お告げ；インスピレーション. ¶～을 얻어 작곡하다 霊感を得て作曲する.

‖——-무(巫) 명〔民〕霊感を得てみこ(巫女)になった人.

영걸【英傑】명하형 英傑. ① 英雄と豪傑. ② 英敏にして傑出すること. また，その人. ¶19세기 최대의 ～ 十九世紀最大の英傑.

‖——-지-주(主) 명 英傑な君主.

영검 명 [←영험(靈驗)] 霊験；験〈雅〉. ——-하다 형 霊験がある；あらたかだ；かしこし〈文〉. ¶～한 신령 霊験あらたかな神／신묘 불가사의한 ～ 神妙不可思議な霊験.

영겁【永劫】명 えいごう(永劫). ¶미래 ～에 걸쳐서 未来永劫にわたって／～ 불변 永劫不変.

‖—— 회귀 명 永劫回帰.

영결【永訣】명하자 えいけつ(永訣)；死別.

‖——-식 명 告別式. —— 종천(終天) 명 永遠に死に別れること.

영계【─鷄】명 若鶏；ひな鶏.

‖—— 구이 명 若鶏の焼物. —— 백숙(白熟) 명 若鶏の丸煮；鶏の水炊き. ——-찜 명 若鶏の丸蒸し.

영계【靈界】명 霊界. ¶～의 현상 霊界の現象.

영고【榮枯】명 栄枯. ¶～ 성쇠 栄枯盛衰.

영공【領空】명 領空. ¶～을 침범하다 領空を犯す.

‖——-설 명 領空説.

영관【領官】명〔軍〕領官《佐官に当たる》.

영관【榮冠】명 栄冠. ¶승리의 ～을 차지하다 勝利の栄冠を勝ちとる.

영광【榮光】명 栄光；光栄. ¶분에 넘치는 ～ 身に余る光栄／생각의 일단을 말씀드릴 기회를 얻자와 더없는 ～으로 생각하는 바입니다 所存の一端を申し述べる機会を得まして光栄の至りと存じます／젊은이에게 ～을 돌리다 若者に花を持たせる／당선의 ～을 차지하다 当選の栄をになう. ——-스럽다 형 映え映

ばえしい. ¶영광스러운 승리 栄えある勝利.

영구【永久】 명 하형 永久; 永遠; 八千代〈雅〉; とわ(永久)〈雅〉; よろず代〈雅〉. ——-히 부 永久に; 永遠に; とこしえに; とわに. ¶~ 잠들다 とこしえに眠る/~ 돌아오지 않다 永久に帰らない.
‖── 불변 명 永久不変; 万代不易. ——-성 명 永久性. ── 운동 명〔物〕永久運動. ── 자석 명 永久磁石. ——-적 명 관 永久的. ── 치 명 永久歯.

영구【靈柩】 명 れいきゅう(霊柩).
‖——-차 명 霊柩車; 柩車《준말》.

영국【英國】 명〔地〕英国; イギリス.
‖── 국교회 명 英国国教会. ── 국기 명 英国国旗; ユニオンジャック. ——-인 명 イギリス人; 英人; ジョンブル〈俗〉.

영기【靈氣】 명 霊気; 霊妙な気. ¶심산 유곡에 들어가 산의 ~에 접하다 深山幽谷に入って山の霊気に触れる.

영남【嶺南】 명〔地〕慶尚南道と慶尚北道地方のこと.

영내【營內】 명 営内; 兵営の内部.

영년【永年】 명 永年; 長年. ¶~ 근속 永年勤続.

영농【營農】 명 하자 営農. ¶~ 방법 営農方法 / ~ 후계자 営農後継者.
‖── 자금 명 営農資金.

영달【榮達】 명 하자 栄達; 利達. ¶~의 길 栄達の道.

영도【零度】 명 零度. ¶물은 섭씨 ~에서 얼음이 된다 水は摂氏零度で氷になる.

영도【領導】 명 하타 領導; リード. ¶그 조직을 훌륭히 ~했다 その組織を立派にリードした.

영동【嶺東】 명〔地〕江原道の大関嶺東方の地方. =관동(關東).

영락【零落】 명 하자 零落; 落ちぶれ; 流落; らくはく(落魄). ¶~한 부호의 말로 金持ちの成れの果て/거지로 ~하다 こじき(乞食)に成り下がる/농지 개혁으로 지주가 ~했다 農地改革で地主が零落した. ——-없다 형 確かである; 間違いない. ¶이번에는 ~ 今度こそは間違い〔外れっこ〕ない. ——-없이 부 確かに; 間違いなく.

영령【英靈】 명 英霊. ¶~을 봉안하다 英霊を祭る.

영롱【玲瓏】 명 하형 히부 れいろう(玲瓏). ¶~한 달빛 玲瓏たる月影.

영리【怜悧·伶俐】 명 れいり(怜悧); 利口; 利発; 聡明. ——-하다 형 利口だ; 賢しい; さかしい. ¶~한 사람 利口な人/~한 아이 聡明な子供; 賢しい子供/매우 ~한 사나이 なかなか切れる男/~한 체하다 さか(賢)しらをする.

영리【營利】 명 하자 営利.
‖── 법인 명 営利法人. ── 사업 명 営利事業. ——-적 명 관 営利的. ¶~인 사업에 손을 댔다 営利的な事業に手を出した. ——-주의 명 営利主義.

영림【營林】 명 하자 営林.
‖——-국 명 営林局. ——-서 명 営林署.

영-마루【嶺—】 명 峠のいただき.

영매【靈媒】 명 霊媒.
‖——-술 명 霊媒術.

영면【永眠】 명 하자 永眠; 永逝; 長逝; とわの眠り〈雅〉. =사거(死去). ¶약석의 보람 없이 ~하셨습니다 薬石の効なく永眠いたしました/어제 ~하셨습니다 昨日長逝しました.

영명【令名】 명 令名. ¶~이 높다 令名が高い/~은 진작 듣고 있었습니다 令名はかねて伺って居りました.

영명【英明】 명 하형 英明; すぐれて事理に通じていること. =영달(英達). ¶~한 천품 英明なうまれつき.

영묘【靈妙】 명 霊妙; あらたか; 霊異. ——-하다 형 霊妙だ; あらたかだ. ¶~한 신 霊験あらたかな神. ——-스럽다 형 ☞ 영묘하다.

영문 명 理由; わけ; 成行き. ¶무슨 ~인지 도무지 모르겠다 どういうわけかとんとわからない.

영문【英文】 명 英文.
‖——-과 명 英文科.

영문【營門】 명 ①営門; 兵営の門. ②〔基〕(救世軍の)教会を指す語. ③〔史〕☞ 감영(監營).

영-문법【英文法】 명 英文法.

영-문학【英文學】 명 英文学. ¶~사 英文学史/~을 전공했다 英文学を専攻した.

영물【靈物】 명 霊物.

영미【英美】 명 英米; 米英.
‖——-법 명〔法〕英米法.

영민【英敏】 명 하형 鋭敏; 才知が鋭くさといこと.

영별【永別】 명 하타 永別. ¶처와 ~하였다 妻と永別した.

영봉【靈峰】 명 霊峰.

영-부인【令夫人】 명 令夫人.

영사【映寫】 명 하타 映写.
‖——-기 명 映写機; プロジェクター. ——-막 명 映写幕.

영사【領事】 명 領事. ¶여권은 ~의 검인을 필요로 한다 旅券は領事の検印を要する.
‖——-관 명 領事館. ── 재판 명 領事裁判.

영사【影寫】 명 하타 影写; 画や字などを敷き写すこと.
‖——-본 명 影写本.

영상【映像】 명 映像. ¶~ 신호 映像信号/거울에 비친 ~ 鏡に映った映像.

영상【領相】 명〔史〕領議政の別称.

영색【令色】 명 令色. ¶교언 ~ 巧言令色.

영생【永生】 명 하자〔基〕永生; 永遠の生命.
‖── 불멸 명 하자 永生不滅.

영선【營繕】 명 하타 営繕.

——-비 명 營繕費.
성【靈性】명 霊性; 霊妙な品性・性質.
-성체【領聖體】명〔天主教〕聖体拝領.
세【永世】명 永世; 永代.
—— 무궁 명하형 永世無窮. =영원 무궁. —— 불망 명하타 永世不忘; 永がく忘れないこと. —— 중립국 명 永世中立国.
세【零細】명하형 零細. ¶ 농가의 ~화 農家の零細化.
—— 기업 명 零細企業. ——-농 명 零細農; 小前. ——-민 명 零細民; 細民.
세【領洗】명〔天主教〕洗礼を受けること.
속【永續】명하자타 永続; 長続(永続)き.
‖—— 변이 명 永続変異. ——-성 명 永続性. ——-적 명관 永続的. ¶ ~인 관계 永続的な関係.
송【迎送】명하타 迎送; 送迎. ¶ ~용 버스 送迎用バス.
수【領受·領收】명 領収; 受領. ——-하다 타 領収する; 受け取る.
‖——-인 명 領収人. ——-증 명 領収書; 受領証; 受取り. ¶ ~을 받다 領収書を受け取る.
영수【領袖】명 ① りょうしゅう(領袖). ¶ 양정당의 ~가 회담했다 両政党の領袖が会談した. ②〔基〕(長老教会で)組織が不充分な教会を導いて行く職分.
영시【英詩】명 英詩.
영시【零時】명 零時; 十二時, または二十四時; 九つ.
영식【令息】명 令息; 貴息. =영랑(令郎).
영신【迎新】명하자 ① 新年を迎えること. ② 新しいことを迎えること.
영아【嬰兒】명 えいじ(嬰児); みどりご; 赤子. ¶ ~기 嬰児期.
‖—— 세례 명〔基〕嬰児洗礼; 幼児洗礼.
영악【獰惡】명하형 どうあく(獰悪). ¶ ~한 사람 獰悪な人 / ~한 동물 獰猛な動物.
영악-하다 형 利害に抜け目がなくがめつい. 영악-스럽다 형 ☞ 영악하다.
영애【令愛】명 令愛; 令嬢; お嬢さま; 息女.
영액【靈液】명 霊液. ① 霊水. ② つゆ(露).
영약【靈藥】명 霊薬; 奇薬; 仙薬. ¶ ~의 효력 霊薬の効.
영양【令孃】명 令嬢.
영양【羚羊】명〔動〕かもしか; れいよう(羚羊).
영양【營養】명 栄養. ¶ ~상태 栄養状態 / 싸고도 ~있는 요리 安くて栄養ある料理 / ~을 섭취하다 栄養を取る; 栄養を摂取する.
‖——-가 명 栄養価. ——-물 명 栄養物. —— 부족 명 栄養不足. ¶ ~으로 마르다 栄養不足でやせる. ——-분 명 栄養分. ¶ 광물질 ~ 鉱物質栄養分; ミネラル. —— 불량 명 栄養不良. ——-사 명 栄養士. —— 생식 명〔植〕栄養生殖. ——-소 명 栄養素. ——-식 명 栄養食. —— 실조 명 栄養失調. —— 장애(障礙) 명 栄養障害. ——-제 명 栄養剤. ¶ 모발 ~ 毛髪栄養剤. ——-질 명 栄養質. ——-학 명 栄養学.
영어【囹圄】명 れいご(囹圄); ろうや(牢屋). ¶ ~의 몸이 되다 囹圄の身となる.
영어【英語】명 英語. ¶ 그는 ~를 술술 잘 한다 彼は英語がぺらぺらである / ~ 실력이 붙다 英語の力がつく.
영업【營業】명하타 営業. ¶ 연중무휴 ~ 通年営業 / 밤 아홉시까지 ~하다 夜の九時まで営業する / ~을 시작하다 店が明く.
‖—— 감찰 명 営業鑑札. ——-권 명 営業権. —— 금지 명 営業禁止. —— 소득 명 営業所得. ——-용 명 営業用. ¶ ~ 자동차 営業用自動車. —— 정지 명 営業停止. ——-주 명 営業主.
영역【英譯】명하타 英訳.
영역【領域】명 領域. ① 主権に属する区域. ¶ 이웃 나라의 ~을 침범하다 隣国の領域を犯す. ② 分野; 畑. ¶ 영문학의 ~ 英文学の領域 / 전문 ~이 다르다 畑が違う / 과학의 ~을 벗어나다 科学の領域を越える / ~을 넓히다 間口を広げる.
영역【靈域】명 霊域; 霊地; 霊場; 神域. ¶ ~을 더럽히다 霊域を汚す.
영영【永永】부 永永; 永久に; いつまでも.
영예【榮譽】명 栄誉; 誉れ. ¶ 국가의 ~ 国家の栄誉 / ~로 삼다 栄誉とする / ~를 얻다〔안다〕栄誉を得る〔になう〕/ ~를 일신에 모으다 栄誉を一身に集める. ——-롭다 형 誉れである. ——-스럽다 형 ☞ 영예롭다.
‖——-권 명 栄誉権; 栄誉ある表彰を受ける権利.
영외【營外】명 営外; 兵営外.
‖—— 거주 명〔軍〕営外居住.
영욕【榮辱】명 栄辱; 栄誉と恥辱.
영웅【英雄】명 英雄; 雄; ヒーロー. ¶ 난세의 ~ 乱世の雄 / ~시하다 英雄視する / 국민적 ~이 되다 国民的英雄になる.
‖——-담 명 英雄譚; 英雄神話. —— 숭배 명 英雄崇拝. ——-심 명 英雄心. ——-전 명 英雄伝. ——-주의 명 英雄主義.
영원【永遠】명하형 永遠; 永久; とこしえ; 久遠; 千代〈雅〉; とわ〈雅〉. ¶ ~한 이별 長の別れ / ~한 생명 永遠〔とこしえ〕の生命 / 소나무는 ~한 푸름을 간직한다 松は千歳の緑を保つ. ——-히 부 永遠に; 永久に; とこしえに. ¶ ~ 잠들다 とこしえに眠る.
‖—— 무궁 명하형 永遠無窮. ¶ ~하게 千代に八千代に. —— 불변 명 永遠不変; 常世. ——-성 명

永遠性. ¶ 예술의 ～ 芸術の永遠性.

영위【營爲】명 営為; 営み. ——하다 타 営む. ¶ 삶을 ～하다 生を営む.

영유【領有】명 領有. ——하다 타 領有する; 領する; 占める. ¶ 광대한 ～지 広大な領有地 / (…의) ～로 돌아가다 (…の)領有に帰する.

영육【靈肉】명 霊肉; 霊魂と肉体. ¶ ～의 싸움 霊肉の戦い.

‖—— 일치 명〔哲〕霊肉一致.

영-의정【領議政】명〔史〕朝鮮朝の議政府の最高職《内閣を総轄する最高の地位》. ＝영상(領相)·영합(領閤).

영-이별【永離別】명 長の別れ. ——하다 타 長の別れをする. ¶ 이것이 ～이 될 지도 모르겠습니다 これが長の別れとなるかも知れません.

영인【英人】명 英人; イギリス人; 英国人.

영인【影印】명하타 影印.

영일【寧日】명 寧日; 事なく安らかな日. ¶ ～ 없다 寧日なし.

영자【英字】명 英字. ¶ ～ 신문 英字新聞.

영작【英作】명 [↗영작문] 英作.

영-작문【英作文】명 英作文.

영장【令狀】명〔法〕令状. ¶ 소집 ～ 召集令状 / ～에 의한 체포 令状による逮捕.

영장【靈長】명 霊長. ¶ 만물의 ～ 万物の霊長.

‖——-류〔動〕霊長類.

영재【英才】英才; 鋭才. ¶ ～ 교육 英才教育.

영적【靈的】명관 霊的. ¶ ～ 세계 霊的世界 / ～인 빛 霊的な輝き.

영전【榮轉】명하자 栄転. ¶ ～을 축하합니다 ご栄転をお祝い申し上げます.

영전【靈前】명 霊前. ¶ ～에 꽃을 바치다 霊前に花を供える / ～에 엎드리다 霊前にぬかずく.

영점【零點】명 零点; ゼロ; 無点〈雅〉. ¶ 시험에서 ～을 받다 試験で零点を取る / 그는 인간으로서도 ～이다 彼は人間としてもゼロである.

영접【迎接】명 (人を)迎えること. ——하다 타 迎える. ¶ ～에 바쁘다 迎えにいとまがない.

영정【影幀】명 肖像が画いてある額縁.

영제【令弟】명 令弟; 人の弟の「敬称」.

영조【營造】명하타 営造.

‖——-물 명 営造物.

영존【永存】명하자타 永存. ① 永遠に存在すること. ¶ ～하는 진리 永存する真理. ② 永久に保存すること.

영주【永住】명하자 永住. ¶ ～할 땅 永住の地.

‖——-권 명 永住権.

영주【英主】명 英主.

영주【領主】명 領主; 藩主.

‖—— 재판권 명〔史〕領主裁判権.

영지【領地】명 領地; 所領; 領分; 領国; 国表.

영지【靈芝】명〔植〕れいし(霊芝); んねんたけ; ひじりだけ.

영지【靈地】명 霊地; 霊場; 境.

영진【榮進】명하자 栄進. ¶ 국장로 ～하다 局長に栄進する.

영차 감 ↗이영차.

영창【咏唱·詠唱】명〔樂〕詠唱; リア. ¶ 찬송가의 ～ 賛美歌の詠唱

영창【營倉】명 営倉. ¶ 경～ 軽倉 / 중～ 重営倉.

영치【領置】명하타 領置.

‖——-금 명〔法〕領置金.

영치기 감 大勢で重い物を運ぶと き調子を合わせるための掛け声: よいしょ; よいさ; えいやこら.

영탄【詠嘆·詠歎】명하자 詠嘆.

영토【領土】명 領土. ¶ ～를 넓히다 領土を広める / 이웃 나라의 ～를 침범하다 隣国の領(土)を侵す.

‖——-권 명 領土権. —— 주권 명 領土主権.

영특【英特】명하형히부 英明; えいまい(英邁).

영패【零敗】명하자 零敗; スコンク. ¶ 가까스로 ～를 면했다 辛うじて零敗を免かれた.

영하【零下】명 零下; 氷点下. ¶ ～ 십도의 추위 零下十度の寒さ / 온도계가 ～로 떨어졌다 寒暖計が氷点以下に下がった.

영한【英韓】명 英韓. ① 英国と韓国. ② 英語と韓国語.

영합【迎合】명 迎合. ——하다 자 迎合する; 迎える. ¶ 남의 뜻에 ～하다 人の意を迎える / 권력자에게 ～하다 権力者に迎合する.

‖——-주의 명 迎合主義.

영해【領海】명 領海. ¶ 타국의 ～를 침범하다 他国の領海を侵す.

‖—— 어업 명 領海漁業.

영향【影響】명 影響. ¶ ～이 미치다 影響が及ぶ; 差し響く; 差し障る / ～을 크게 받다 影響を強く受ける / 물가에 대한 ～이 크다 物価の響きが大きい / 인플레이션의 ～을 받다 インフレのあおりを食う / 사건의 ～이 크다 事件の余波が大きい.

‖——-력 명 影響力.

영험【靈驗】명하형 →영검.

영형【令兄】명 令兄.

영혼【靈魂】명 霊魂; 魂; 霊; み霊《경칭》. ¶ ～의 불멸을 믿다 霊魂の不滅を信ずる.

‖—— 불멸설 명 霊魂不滅説.

영화【映畫】명 映画; ムービー; シネマ; キネマ. ¶ 인기있는 ～ 呼び物〔評判〕の映画 / 서부 ～ 西部映画 / ～의 한 장면 映画の一こま / (기록) ～를 찍다 (記録)映画をとる / ～를 같이 구경가다 映画に付き合う.

‖—— 각본 명 (映画の)脚本; シナリオ. —— 감독 명 映画監督. ——관 명 映画館. —— 배우 명 映画俳優. —— 소설 명 映画小説. ——화 명하타 映画化. ¶ 위인의 생애를

-하다 偉人の一生を映画化す
.

화【榮華】명 栄華；栄え. ¶ ~를 누리다 栄華をきわめる / 하루 아침의 槿花一朝の栄え. ——롭다 형 時めき栄える；権力や富貴を極める. ——로이 부 栄華に；栄え時めいて.

다 형 ☞ 얕다.

명 横；そば(側・傍)；わき(脇)；サイド；傍ら；横合い；横手；また(端〔傍〕)；隣. ¶ ~사람 隣の人 / ~ 쪽 横の方 / 다리 ~ 橋のたもと / 학교 ~에 있는 건물 学校の横手にある建物 / ~에서 말참견하다 はたから差し出口をする / ~을 향해서 앉다 横向きに座る / ~을 보다 横を見る / ~으로 눕다 横向きに寝る / ~에서 참견하지 말라 はたから口を出すな.

-갈비 명 わき下のあばら.

-구리 명 わき；わき腹；横腹；ひばら. ¶ ~가 땅겨서 걸을 수 없다 横腹がつっぱって歩けない / ~로 눕다 わき腹を下にして横になる / ~를 걷어차다 弱腰をけとばす.

-길 명 わき道；横道；横筋. ¶ 이야기가 ~로 새다 話が横筋にそれる；話がわき道に入る.

옆-머리 명 小びん. ¶ ~에 흰머리가 나다 小びんに白髪が出る.

옆-면【—面】명 側面. ¶ ~에서 공격하다 側面から攻撃する.

옆-모서리 명〘數〙そくりょう(側稜).

옆-바람 명 船の帆の横から吹きつける風.

옆-발치 명 寝ている人の足もと.

옆-얼굴 명 横顔；プロフィール. ¶ ~이 고운 사람 横顔の美しい人.

옆-자리 명 隣席；隣の席. ¶ ~의 손님 隣席の客.

옆-질 명하자 (船の)横揺れ.

옆-집 명 隣家；隣の家.

옆-찌르다 자 (ひそかに知らせるために)わきをつつく.

옆-폭【—幅】명 横に打ち込む板.

예¹ 명 昔；ずっと以前；いにしえ. ¶ ~나 지금이나 昔も今も.

예【例】명 例. ①［↗전례(前例)］例. ¶ 그런 ~는 이제까지 없었다 そういうためしはこれまでになかった / 독일어는 아직 가르친 ~가 없다 ドイツ語はまだ教えたためしがない / 그러나 이것이 ~가 되면 곤란하다 しかしこれが例になっては困る. ② いつものきまり；ならわし；くだん. ¶ ~의 그 가게〔수법〕例の店〔手〕/ ~의 그 장소에서 例の場所で / ~와 같이 例のとおり；例によって；例のごとく / ~에 없이 例になく / ~의 나쁜 버릇이 시작되었다 例の病気が始まった. ③ (多くのことから)特に指摘する事項；たとえ；実例. ¶ 일본을 ~로 든다면 日本を例にとると / 최근의 ~를 든다면 最近の例をあげると / 물론 이것은 극단적인 ~다 もとよりこれは極端な例である / ~를 들면 한이 없다 例を挙げればきりがない / 한국도 이 ~에서 벗어나지 못한다 韓国もまたこの例に漏れない.

예【禮】명하자 礼. ¶ ~를 다하다 礼を尽くす.

예² 대부 ↗여기(에). ¶ ~ 앉거라 ここに座れよ.

예³ 감 ① 肯定の意で目上に答える言葉：はい；え(え). ¶ ~, 잘 알았습니다 はい, よくわかりました；はい, 承知しました；ええ, かしこまりました / ~, 그렇습니다 え, そうです / 상사에게 ~ ~하고 굽실거리다 上役にへいへいしている / ~ ~, 곧 가져오겠습니다　はいはい, さっそく持って参ります. ② 目上に問いかえす語：え；はい. ¶ ~, 무어라고요 え, なんですって. ③ なぐらんばかりに叱るときの声：えい；やあ. ¶ ~ 이 놈 や(あ)こいつめ.

예각【銳角】명〘數〙鋭角.

예감【豫感】명하타 予感；予覚；虫の知らせ. ¶ ~했던 일 予覚〔予感〕した事 / 실패의 ~ 失敗の予感 / 합격할 듯한 ~이 들다 合格しそうな予感がする / 어쩐지 ~이 들다 虫が知らせる.

예견【豫見】명 予見；見越し. ——하다 타 予見する；見越す.

예고【豫告】명하타 予告；前触れ；先触れ. ¶ 영화의 ~편 映画の予告篇 / 태풍의 ~ 台風の先触れ / 아무 ~도 없이 何の断わりもなしに / ~없는 방문은 실례다 前触れのない訪問は失礼である.

예과【豫科】명 予科. ¶ ~ 학생 予科の学生.

예광-탄【曳光彈】명 えいこうだん(曳光弾).

예규【例規】명 例規.

예금【預金】명하타 預金. ¶ 당좌 ~ 当座預金 / 보통 ~ 普通預金 / ~을 찾다 預金をおろす / 타인 명의로 ~을 은닉하다 他人名義で預金を隠す. ‖——보험 명 預金保険. —— 통장 명 預金通帳. —— 협정 명 預金協定.

예기【銳氣】명 鋭気. —— 지르다 타 (人の)鋭気をくじく. ¶ ~에 넘치는 청년 鋭気あふれる青年.

예기【豫期】명하타 予期. ¶ ~한 대로 予期した通り / ~에 반하여 予期に反して / ~한 대로 되다 思った通りになる；思うつぼにはまる.

예기【禮記】명 礼記.

예끼 감 今にも殴らんばかりの気勢でしかるときの声：やい. =에끼. ↗예기. ¶ ~ 이놈 おいこら.

예납【豫納】명하타 前納.

예년【例年】명 例年. ① いつもの年. ¶ ~과 같이 例年通り / ~에 비해서 例年に比べて〔比して〕/ 이번 겨울은 ~에 없는 추위이다 この冬は例年にない寒さである. ② 毎年.

예능【藝能】명 芸能；芸.

예-니레 명 ① 六七日；六日か七日(の間). ¶ 한 ~ 걸릴 것이다 約六七日かかるだろう. ② (月の)六日か七日.

예-닐곱 명 六七；六つか七つ. ¶ 모인 사람은 ~ 명이다 集まった人は六七人である.

예다-제다 준 [↗여기다가 저기다가] こなたかなたに; ここかしこに; 方方に.

예단【豫斷】명하타 予断. ¶～을 불허하다 予断を許さない.

예도【藝道】명 芸道; 芸の道.

예라 감 (何かを)しようと意を固めるかまたはあきら(諦)めをつける時の声: やれ(やれ); さて(さて); いやはや. ¶～ 그만 두자 やれやれ, やめとこう / ～ 모르겠다 えい, どうにでもなれ; (後は)どうなろうとかまうものか.

예리【銳利】명 鋭利. ——-하다 형 鋭利だ; 鋭い. ¶～한 칼붙이 鋭利な刃物 / ～한 두뇌 鋭利な頭脳; 鋭い頭.

예매【豫買】명하타 あらがじ(予)め買うこと.

예매【豫賣】명하타 前売り.
‖——-권(券) 명 前売り券.

예명【藝名】명 芸名.

예모【禮帽】명 礼帽.

예문【例文】명 例文. ¶～을 보이다 例文を示す / ～을 참조하라 例文を参照せよ.

예물【禮物】명 ① 礼物. ㉠ 贈り物; お礼の品. ㉡ 典礼と文物. ② 花嫁から初あいさつを受けた嫁入り先の目上が答礼に与える品物. ③ 結婚式で花婿・花嫁がやりとりする記念品.

예민【銳敏】명 鋭敏. ——-하다 형 鋭敏だ; さとい. ¶～한 신경 鋭敏な神経 / 귀가 ～하다 耳がさとい / 신경이 ～해졌다 神経がとがって来た.

예-바르다【禮—】형 礼儀正しい.

예방【豫防】명하타 ① 予防. ¶화재 ～ 火災予防 / 전염병을 ～하다 伝染病を予防する. ②〔民〕→이방.
‖—— 의학 명 予防医学. —— 접종 명 予防接種. —— 주사 명 予防注射.

예방【禮訪】명하타 あいさつのため〔儀礼的に〕訪問すること.

예배【禮拜】명하자 礼拝. ——-보다 자 礼拝を行なう.
‖——-당 명〔基〕礼拝堂; 教会. ——-일 명 礼拝日.

예법【禮法】명 礼法; 礼儀作法. ¶～에 맞다 礼儀にかなう / ～에 어긋나다 礼儀に背く.

예보【豫報】명하타 予報. ¶일기 ～ 天気予報 / ～가 맞지 않다 予報が外れる / ～가 맞았다 予報が当たった.

예복【禮服】명 礼服; 式服. ¶보통 ～ 通常礼服 / ～을 입다 礼服を着用する.

예봉【銳鋒】명 えいほう(鋭鋒). ¶～을 피하다 鋭鋒を避ける / 적의 ～을 꺾다 敵の鋭鋒をくじく.

예불【禮佛】명하자 礼仏; 仏参; 仏参り.
‖——-상(床) 명 礼仏するときに供えるおぜん(膳).

예비【豫備】명하타 予備. ¶～ 조사 予備調査; 下調べ / 노래의 ～ 연습을 하다 歌の下げいこをする.
‖—— 고사 명 予備考査. —— 교육 명 予備教育. ——-금 명 予備金 ——-비 명 予備費. —— 시험 명 予 試験. —— 지식 명 予備知識.

예쁘다 형 きれいだ; 美しい; 麗 しい. ¶예쁜 꽃이 지금 한창이다 き いな花が今を盛りと咲いている 화장을 안 한 편이 ～ 地顔の方が れいである.

예쁘장-하다 형 ややきれいだ; やや しい; かわいらしい. 예쁘장-스럽 형 こぎれいに見える; ちょっと美 い所がある.

예사【例事】명 [↗예상사(例常事)] つの事; ありふれた事; 日常茶飯. ¶그 정도는 ～다 それ位 何でもない〔朝飯前だ〕. —— 부 ありふれた事だと; 平気で; な ともなく. ¶죽는 것도 ～ 생각한다 ぬのも平気に思っている / 그런 일 ～ 여기다니 そのような事をへのか ぱに思うなんて. ——-롭다 형 常の 事である; ありふれた, ごく平凡 ことだ; 尋常だ. ¶예사로운 수 尋常の手段 / 예사로운 일이 아니 ただ事ではない / 둘은 예사로운 사 가 아니다 二人はただの仲ではない. ——-로이 부 ありふれたこととして あたりまえに; 尋常に; 平気に. ¶～ 여기다 尋常に思う.
‖——-소리 명〔言〕"ㄱ・ㄷ・ㅂ・ㅅ・ㅈ・ ㅎ"などの普通の音. =평음(平音). * 된소리. 예삿-말 명 普通〔並み〕の言葉. 예삿-일 명 普通〔並み〕の事; ただ事. ¶～이 아니다 ただ事ではない; ただならぬ事である.

예산【豫算】명하타 予算. ¶추가 ～ 追加予算 / ～을 감축하다 予算を切りつめる / ～을 세우다〔짜다〕予算を立てる〔組む〕.
‖—— 단가 명 予算単価. —— 선의권 명〔政〕予算先議権. —— 심의 명 予算審議. ——-안 명 豫算案. ——-액 명 予算額. ——-외 명 予算外.

예상【豫想】명하타 予想. ¶～대로 予想通り; 案の定; 御多分に漏れず / ～이 어긋나다〔빗나가다〕予想が外れる; 見当違いする / ～대로 날씨는 나쁘다 予想通り天気は悪い / ～과는 달리 시험 문제는 쉬웠다 思いの外試験問題はやさしかった.
‖——-량(量) 명 予想高. ——-외 명 予想外; 案外; 思いの外. ¶손실은 ～로 크다 損失は予想外に大きい.

예서 준 [↗여기서] ここで; ここから. ¶～ 기다려 ここで待てよ.

예선 준 [↗여기서는] ここでは. ¶～ 안돼요 ここではいけないよ; ここではいけませんわ.

예선【豫選】명하타 予選. ¶～을 통과하다 予選を通過する.

예속【隷屬】명하자 隷属. ¶강국에 ～됐다 強国に隷属された.

예수【豫受】명하타 あらかじ(予)め受け取ること.
‖——-금(金) 명 予め受け取る金.

예수〔Jesus〕명〔基〕イエス; キリスト. ¶～님 イエス様.

‖——-교(教) 명 〖宗〗 キリスト教. ——-교-인(教人) 명 クリスチャン. —— 교회(教會) 명 キリスト教会. —— 그리스도 명 イエスキリスト.

예순 수 六十.

예술【藝術】 명 芸術; アート; アルス. ¶ ~을 위한 ~ 芸術のための芸術 / ~은 길고 인생은 짧다 芸術は長く人生は短し.

‖——-가 명 芸術家; アーティスト. ——-계 명 芸術界. ——-관 명 芸術観. —— 교육 명 芸術教育. —— 대학 명 芸術大学; 芸大《준말》. ——-미 명 芸術美. —— 사진 명 芸術写真. ——-원 명 芸術院. ——-인 명 芸術人. —— 지상주의 명 芸術至上主義. ——-품 명 芸術品.

예습【豫習】 명하타 予習; 下調べ. ¶ 학교의 ~ 学校の予習 / ~을 하지 않고 학교에 가다 予習をせずに学校へ行く / 여기까지 ~해오라 ここまで下調べをしてきなさい.

예시【例示】 명하타 例示. ¶ ~해서 설명하였다 例示して説明した.

예시【豫示】 명 予示. ——-하다 타 予示する; あらかじめ示す.

예식【例式】 명 例式; 礼法による儀式.

예식【禮式】 명 礼式.

‖——-장(場) 명 礼式を行なうように設備した所《主に結婚式場を言う》.

예심【豫審】 명 〖法〗 予審. ¶ ~ 판사 予審判事.

예악【禮樂】 명 礼楽. ¶ 시서 ~ 詩書礼楽.

예약【豫約】 명하타 予約; リザーブ. ¶ 내일 좌석을 ~하다 明日の席をリザーブする〔取る; 予約する〕.

‖——-금 명 予約金; 前渡し金; 手付け金. —— 전화 명 予約電話. —— 출판 명 予約出版. —— 판매 명 予約販売.

예언【豫言】 명하타 予言. ¶ ~이 들어맞다〔빗나가다〕予言が当たる〔外れる〕.

예외【例外】 명 例外. ¶ ~없이 例外なく / ~는 별도로 하고 例外は別として / ~로 하다 例外にする / 그는 ~이다 彼は番外だ / ~ 없는 규칙은 없다 例外のない規則はない.

예우【禮遇】 명하타 礼遇. =예대(禮待). ¶ 전관 ~ 前官礼遇.

예의【銳意】 명부 鋭意. ¶ ~를 꺾다 鋭意をそぐ / 대세를 ~ 주시하다 大勢を鋭意注視する.

예의【禮儀】 명 礼儀. ¶ 사교상의 ~ 社交上の礼儀 / ~ 바르다 礼儀正しい / ~에 벗어난 행동 礼儀にはずれた行ない / ~에 어긋나지 않다 礼儀にかなう / ~가 없다 礼儀を欠く.

‖—— 범절(凡節) 명 礼儀作法; エチケット; 行儀作法. ¶ ~이 바른 가정 しつけ(躾)のいい家庭.

예인-선【曳引船】 명 引き船; タグボート.

예입【預入】 명하타 預け入れ.

‖——-금(金) 명 預け入れ金.

예장【禮裝】 명하자 礼装. ¶ ~을 차리고 나서다 礼装を凝らして出かける.

예전 명 一昔; ずっと以前.

예절【禮節】 명 礼節. =의절(儀節). ¶ ~ 바르다 礼節正しい / ~을 지키다 礼節を守る / ~을 차릴 줄 모르다 礼節をわきまえない.

예정【豫定】 명 予定; つ(積)もり. ——-하다 타 予定する; 見積もる; 見込む. ¶ 내일 떠날 ~이다 明日出発の予定である / ~대로 진전되다 予定どおりにはかどる / ~이 틀어지다 予定が狂う.

예-제 명 あちこち(の区別). ——-없다 형 あちこちの区別がない; ほとんど同じだ. ¶ 예제없이 바쁘다 相変わらず忙しい.

예제【例題】 명 例題. ¶ ~집 例題集.

예증【例證】 명하타 例証. ¶ 여러 가지로 ~하다 いろいろと例証する / ~을 찾다 例証を探す.

예지【豫知】 명하타 予知. ¶ 지진을 ~하다 地震を予知する.

예지【叡智】 명 英知. ¶ ~에 찬 지성인 英知に満ちた知性人.

예진【豫診】 명하타 予診; 前もって診察すること; また, その診察.

예찬【禮讚】 명하타 礼賛; ほ(誉)めたた(称)えること. ¶ 선인의 위업을 ~하다 先人の偉業を誉め称える.

예측【豫測】 명하타 予測. ¶ 경기의 ~ 景気の見通し / ~할 수 없는 사태 不測の事態; メド(目処)の立たない事態 / ~할 수 없다 予測がつかない; 予測できない / ~이 서다 メドがつく.

예치【預置】 명하타 預けて置くこと. ‖——-금 명 預けて置いた金.

예-컨대【例—】 부 例えば. =이를테면. ¶ 몸에 해로운 것, ~ 담배 따위 体に悪いもの, 例えばタバコの類.

예탁【預託】 명하타 預託. ¶ ~금 預託金.

예포【禮砲】 명 礼砲. ¶ 21발의 ~를 쏘다 二十一発の礼砲を放つ.

예항【曳航】 명하타 えいこう(曳航).

예행【豫行】 명하타 予行.

‖—— 연습 명 予行演習. ¶ 졸업식의 ~ 卒業式の予行演習.

예후【豫後】 명 予後. ¶ ~ 불량 予後不良.

옌장 감 残念に思うときに出す声: ちえっ; ちぇ. ¶ ~, 손해 봤다 ちぇ, 損した.

옛 관 昔の; いにしえの. ¶ ~ 친구 故旧; 昔友達 / ~ 자취 昔の跡形 / ~전쟁터의 유적 古戦場の跡 / ~정을 새로이하다 旧情をあたためる / ~상태로 돌아가다 旧に復する / 그와 알게 된 것도 ~이야기다 彼と知り合ったのも古い話である.

옛-날 명 昔; 昔時; 昔日; 往時. =옛적. ¶ ~ 옛적 昔昔 / ~ 아주 ~ 昔昔大昔 / 지난 ~ 在りし昔 / ~에 익힌 솜씨 昔取ったきねづか / ~을 말해 주는 기록 昔を物語る記録 / 그건 벌써 ~에 끝난 일이다 それはとくの昔にすんだ事である / ~을 추모하다 昔日を追慕する.

‖—— 사람 명 ☞ 옛사람. —— 이야기

명 昔話; 昔語り. ① 昔の物語. ＝고담(古談). ② 過ぎし日の話. ＝옛이야기.

옛-말 명 古言. ① 昔のことば. ＝고어(古語). ② 古人のことば. ¶ ～ 그른 데 없다 昔から言い伝える事にうそはない.

옛-사람 명 昔人. ① 古人; 故人. ② 古風な人; 古めかしい人.

옛-이야기 명 ☞ 옛날 이야기②.

옛-일 명 往事; 過ぎし事.

옛-적 명 ① 昔; 遠い過去. ¶ ～ 사람 昔の人 / 옛날 ～ 昔昔; 大昔. ② 世態·物事が判然と変わる以前の時; 一昔. ¶ 작년이 벌써 ～이다 昨年が既に一昔である.

옛-집 명 古家; 古巣; 以前に住んでいた家. ¶ ～이 그립다 古巣か恋しい.

옛-터 명 古跡; 遺跡. ＝옛터전. ¶ 황성 ～ 荒城の古跡.

옛-풍습 【一風習】 명 古風; いにしえぶり.

옛다 감 "여기 있다(＝ここにある)"の略語: えい; ほら. ¶ ～ 먹어라 ほら, 食べろ.

옛소 감 "여기 있소(＝ここにあります)"の略語: さあ. ¶ ～ 받으시오 さあ, お受けなさい.

오 【五】 수 五; 五つ. ＝다섯.

-오- 어미 "옵"の終声"ㅂ"が母音の語尾に連なるときの先語末語尾. ¶ 가～니 行きますゆえに / 그러하～니 そうでありますから〔ので〕/ 하～아(→ 하와) …ますので; …ますれば.

-오 어미 疑問·命令または説明を表わす語尾. ¶ 어디로 가～ どちらへ行きますか / 이리 오～ こっちへいらっしゃい; こっちへきます / 그렇게 생각하～ そう考えますか; そう考えます.

오-가다 자 行き来する; 往来〔去来〕する; 行き交う. ¶ 가슴에 오가는 상념 胸に去来する思い / 거리는 오가는 사람들로 복작거린다 町は行き交う人人でごった返している.

오가리 명 ① 大根·カボチャなどの切り干し; かんぴょう. ② (植物の葉が)枯れしおれること. **——-들다** 자 枯れしおれる.

오각 【五角】 명 五角.
‖**——-형** 명 五角形.

오갈피 명 〔韓醫〕 五加皮.

오감 【五感】 명 〔生〕 五感.

오개년 계획 【五個年計劃】 명 五箇年計画. ¶ 경제 개발 ～ 経済開発五箇年計画.

오경 【五經】 명 五経. ¶ 사서 ～ 四書五経.

오곡 【五穀】 명 五穀. ① 五種の穀物. ② 穀類の総称. ¶ ～의 풍요를 빌다 五穀の豊饒を祈る / ～이 풍성하게 익다 五穀が豊かに実る. ‖**——-밥** 명 五穀で炊いた飯.

오공-이 【悟空—】 명 小柄で強健な人をからかう語.

오관 【五官】 명 〔生〕 五官.

오구 【烏口】 명 からす(烏)口《製図用》. ＝가막부리.

오그라-들다 자 縮む; 縮(こ)まる; 縮かむ; 収縮する. ¶ 구두가 ～ 靴が縮む / 몸이 오그라드는 느낌 身の縮まる思い / 몸이 오그라들 정도로 춥다 身が縮まる程寒い.

오그라-뜨리다 타 縮める; 収縮させる; (からだを)丸める.

오그라-지다 자 ① 端が内側の方へ巻き上がる〔曲がり込む〕. ② 縮む; 縮(こ)まる; 縮れる; 収縮する. ③ ☞ 오므라지다. ④ つぶれる; へこむ; くぼむ.

오그랑-장사 명 へこ(凹)み商売; 利益どころか元手を食い込む商売. 준 옥장사.

오그리다 타 引っ込める; 縮める; 曲げる. ¶ 발을 ～ 足を引っ込める / 철사를 ～ 針金を曲げる / 발을 오그리고 자다 足を縮めて寝る.

오글-거리다 자 ① (湯が)ぐらぐらと沸き立つ. ② 小さい虫などが一所に集まってうじゃうじゃとうごめく. **오글-오글** 부하자형 ① ぐらぐら; ぐつぐつ. ② うようよ; うじゃうじゃ.

오금 명 ① ひかがみ; よぼろ. ¶ ～을 펴다 ひかがみを伸ばす / ～을 못 쓰다 歩けない; おじける; 気後れがする; 頭が上がらない / ～아 날 살려라《俚》 ひかがみよ, 我を助けたまえ《雲をかすみと逃げることのたとえ》. ② ↗팔오금. ③ [↗한오금] 弓の曲がった内側の大きな方. **——뜨다** 자 浮かれて腰が落ち着かない; しり軽だ. **——-박다** 타 日ごろの大言にたが(違)うのをねじ(捩)ってやりこめる; ねじ込む. **——-박히다** 피동 日ごろの大言に違うのをやり込まれる.
‖**——-팽이** 명 曲がったものの内側の部分.

오긋-하다 형 内側にやや曲がり〔へこ(凹)み〕気味だ. **오긋-이** 부 内側にやや曲がり〔凹み〕気味に. **오긋-오긋** 부하형 そろって内側にやや曲がり気味なさま.

오기 【傲氣】 명 ① 負け(ず)嫌い; 勝ち気; 立て引きずく; やせがまん. ¶ ～를 부리다 やせがまんを張る / ～가 세다 やせがまんが強い / 이렇게 되면 ～로라도 질 수 없다 こうなったからには立て引きずくだ. ② ごうまん(傲慢)な気.

오기 【誤記】 명하타 誤記; 書き誤り. ¶ 성명 ～ 姓名誤記.

오나-가나 부 いつも; どこへ行っても; どこでも; いたるところ. ¶ ～ 말썽이다 どこでももんちゃくを起こす.

오냐 감 目下に, または独り言で肯定や決心を表わすときの言葉: うん; よし; そうか. ¶ ～ 두고 보자 よし, 覚えとけ〔今に見ろ〕/ ～ 알았다 そうか, 分かった.

오너라-가너라 부하타 人を勝手に振り回すさま; 勝手に指図するさま.

오뇌 【懊惱】 명하자 おうのう(懊悩); 悩みもだえること.

오-누이 명 兄と妹; 姉と弟. ＝남

(男妹). ㉾ 오뉘.

뉴월【五六月】명 陰暦の五月六月.

— 염천(炎天) 명 真夏の炎天.

늘 명 ①今日; 本日; 今日. ~의 나를 있게 한 은인 わたしを今あらしめた恩人 / ~은 일진이 다 今日は日並みがいい / ~은 운이 다 今日はつきがよくない. ②↗오늘. ——-따라 부 (日もあろうに)今日に限って; よりによって今日のような日に.

——-날 명 今日; 現時; 現今. ~의 세계 今日の世界 / ~의 청년 現時の青年 / ~의 학생 今日日の学生 / ~에 이르기까지 그의 행방은 묘연하기만 하다 今日に至るまで彼の行方は不明である. —— 내일(来日) 부 今日明日; 今明間. ¶~로 박두하다 今日明日に迫る.

니【汚泥】명 汚泥; どろ.

다 ㊀자 来る. ①近づく; やって来る. ¶친구들이 ~ 友達がやって来る / 오는 십일에 来たる十日に / 봄이 ~ 春が来る / 가는 해 오는 해 行く年来る年 / 가지러 ~ 取りに来る / 데리러 ~ 連れに来る / 오는 자 막지 않는다 来る者はこばまない / 오늘 밤 집에 오지 않겠나 今夜うちに来ないか / 오시기를 기다리고 있겠습니다 お出でをお待ちしております / 마침 잘 왔다 よい所へ来た / 오는 정이 있어야 가는 정이 있지《俚》魚心に水心 / 오는 말이 고와야 가는 말이 곱지《俚》売り言葉に買い言葉. ②(雨·雪などが)降る. ¶비가〔눈이〕~ 雨〔雪〕が降る / 서리가 ~霜が降りる / ~ 말다하는 날씨 降りみ降らずみの天気 / 소나기가 올 것 같다 夕立が来そうだ. ③到着する. ¶편지가 ~ 手紙が来る / 버스가 왔다 バスが来た. ④(眠気が)さす; (眠気を)催す. ⑤(…に)由来する. ¶라틴어에서 온 말 ラテン語から来た言葉. ⑥(何かが原因で)起こる. ¶과로에서 오는 병 過労から来る病気 / 부주의에서 온 사고 不注意から起こった事故. ㊁보동 動詞·形容詞の語尾 "-아" または "-어" の後に付いてその動作や状態が現在にまで及ぶことを表わす補助動詞: …てくる. ¶날이 밝아 ~ 夜が明けてくる〔明けそめる〕/ 이제까지 논술해 온 말 今まで述べてきた内容 / 온갖 고생을 겪어 왔다 あらゆる苦労をなめてきた / 귀국한 지도 10년이 되어 온다 帰国したのも十年になってきた.

오다-가다 부 ①ときどき; たまに. ¶~ 한 번씩 만나다 たまに一度ずつ会う. ②偶然; たまたま; 何かの拍子に. ¶~ 만난 부부 出来合いの夫婦. ③通りすがり〔がかり〕に. ¶~ 들르다 通りすがりに立ち寄る.

오달-지다 형 如才ない; 達者だ. ¶오달진 놈 達者なやつ.

오-대주【五大洲】명 五大州.

오도【悟道】명하자〔佛〕悟道.

오도독 부 固いものをかみ砕く音: ぼりっ; こりこり. ——-하다 자타 ぼりっとかむ. また, ぼりっとかむ音がする. ——-거리다 자타 ぼりぼりとかむ〔音がする〕. ——— 부하자타 固い物をしきりにかみ砕くさま: ぼりぼり; こりこり. ¶~ 씹다 ぼりぼりとかみ砕く.

오도독-뼈 명 牛肉などの軟骨.

오도-방정 명 そそっかしく軽はずみな言動; けいそう(軽躁); おっちょこちょい. ——-떨다 자 おっちょこちょいをする.

오독【誤讀】명하타 誤読.

오돌또기 명〔樂〕済州道民謡の一つ.

오돌-오돌 부하형 ①(軟骨または干しぐりのように)か(嚙)むのに硬くこわ(強)いさま. ②(米粒など)小さいものがよく煮えず少しこわ(強)いさま.

오동 명 船の高さ.

오동【梧桐】명 ☞ 오동나무.

‖——-나무 명〔植〕きり(桐). —— 상장(喪杖) 명 きりの木のつえ《母の喪につく》.

오동통-하다 형 小柄な人がまるぽちゃに太っている; 丸まっちい; まるぽちゃだ. ¶오동통한 얼굴 丸まっちい顔.

오두-막【—幕】명 ☞ 오두막집.

‖——-집 명 小構えの家; とま屋; あばら屋; しばの戸. ¶숲 속의 ~ 森の中のあばら屋.

오들-오들 부 (寒さ·怖さのために)体を小さく震わせるさま: ぶるぶる; わなわな. ¶~ 떨다 ぶるぶる震わせる〔震える〕/ 추위로 ~ 떨다 寒さでわなわなふるえる.

오등【吾等】대 我ら; 我我.

오디 명 桑の実.

오뚝 부하형 ①高くそびえ立つさま; 突き出ているさま: 高く; きつぜん(屹然)と. ¶오뚝한 코 高い鼻; 形のいい鼻. ②倒れてもすぐ起き直るさま. **오뚝-이¹** 부 ☞ 오뚝.

오뚝-이² 명 ①突き出ている物. ②起き上がりこぼし(小法師); 不倒翁.

오라 명 昔, 罪人を縛った赤く太い縄; 早縄; 取り縄. ¶~에 묶이다 早縄をもらう. ——-지다 자 早縄で高手小手に縛り上げられる. ¶오라질 놈 こん畜生.

오라기 명 (紙·糸·縄·ひもなどの)切れ端.

오라버니 명 (妹の)兄; (お)兄様.

오라버님 명 お兄様《"오라버니"の敬称》.

오라범 명 兄; "오라버니"をやや低めて言う語.

‖——-댁(宅) 명 女性の男兄弟の妻; 義理の姉妹. =올케.

오락【娛樂】명하자 ①娯楽; アミューズメント. ¶~ 설비를 하다 娯楽設備をする. ②☞ 환락(歡樂).

‖——-실 명 娯楽室.

오락-가락 부하자 ①行ったり来たりするさま. ②(雨·雪が)降ったりやんだりするさま: 降りみ降らずみ.

¶(비가) ～하는 날씨 降りみ降らずみの天気 / 비가 ～하다 雨が降ったり止んだりする. ③もうろう(朦朧)としてはっきりしないさま. ¶정신이 ～하다 意識がおぼろである; 頭がはっきりしない.

오랑캐 명 昔, 豆満江一帯に住んでいた女真の未開部族; ばんじん(蕃人); ばんい(蛮夷); えびす《夷·戎·蛮·狄로도 씀》.

오래 부 長〔永〕(ら)く; 久しく. ¶병이 ～ 끌다 病気が長引く / ～ 걸리다 長くかかる; 手間が取れる〔かかる〕/ ～ 살다 生き長らえる / 그는 이제 ～ 살 것 같지 않다 彼はもう長いことはあるまい / 남의 집에 ～ 앉아 있지 마라 人の家で長じりをするな.

——-가다 자 長く持つ; 長持ちする; 持ちがいい. ¶이 구두는 오래 간다 この靴は長持ちする / 불이 ～ 火持ちがいい / 이처럼 좋은 날씨는 오래 가지 않을 걸 この好天気は長く持つまい. ——-도록 부 長〔永〕く; 長い間; 久しく. ——— 부 幾久しく; すえ長〔永〕く; いつまでも. ——-되다 형 長く過ぎている; 古〔旧〕い; 久しい. ¶오래된 빚〔친구〕 古い借金〔友人〕/ 만든 지 오래된 과자 日増しの菓子.

‖——간-만 명 久しぶり; 久久〈雅〉. ¶～의 대면 久久の対面 / ～의 휴일 久しぶりの休日 / ～에 만나다 久しぶりに会う / ～에 영화를 보다 久久に映画を見る / 참 ～일세 やあ, しばらくだね. ——-전(前) 명부 先先; 前前; 久しい前. ¶～부터의 준비 先先からの準備 / ～부터 가고 싶었다 前前から行きたいと思っていた. 오랫-동안 명 長〔永〕い間; 久しい間. ¶～ 와병중의 조부 永い間病臥中の祖父 / ～ 격조했습니다 久久ごぶさたしました / ～ 기다리시게 해서 미안합니다 長らくお待たせいたしまして済みません.

오래다 형 長〔永〕く経ている; 久しい. ¶집을 나간 지 ～ 家を出て久しい / 그를 본 지 꽤 ～ 彼に会って(から)もう久しい.

오랜 관 長年〔永年〕の; 長〔永〕の; 長〔永〕い; 古くからの. ¶아주 ～ 옛날 遠い昔 / ～ 교제〔경험〕 長年のつきあい〔経験〕/ ～ 세월 長い年月; 長年 / ～ 여행 長の旅 / ～ 교분(交分) 古くからのつきあい / ～ 세월이 지나다 長い歳月を経る.

‖——-만 명 [↗오래간만] 久しぶり.

오레오-마이신 〔Aureomycin〕 명 〔藥〕 オーレオマイシン.

오렌지 〔orange〕 명 オレンジ.

‖——-색 명 オレンジ色; 橙色·だいだい色; サーモン. —— 주스 명 オレンジジュース.

오로라 〔aurora〕 명 オーロラ. ＝극광(極光).

오로지 부 ただ; ひとえに; ひたすら; もっぱ(専)ら; 全く; いちずに. ——하다 타 専らにする; ひとえにする. ¶～ 공부만 하다 ひたすらに勉強する / ～ 자식의 신상을 걱정하는 부모의 마음 いちずに子の身の上を
んずる親心 / 권력을 ～하다 権力を専らにする / ～ 연구에 몰두(沒
하다 専ら研究に打ち込む / ～
령에 따를 뿐 ただ命令に従うの
성공은 ～ 당신의 덕택입니다 成功
いちずにあなたのお陰であります.

오롱이-조롱이 명 種種雑多の
の; 大小一様でないものの集
り.

오룡-차 【烏龍茶】 명 ウーロン(烏竜)
茶《中国の茶の一種》.

오류 【誤謬】 명 ごびゅう(誤謬); 間
違い. ¶～를 범하다 誤謬を犯す
(…한) ～에 빠지다 (…の)誤謬に
陥る.

오륜 【五輪】 명 五輪; オリンピッ
大会のしるし. ¶～ 체조 경기장
輪体操競技場.

‖——-기(旗) 명 五輪旗. —— 대회
オリンピック大会; 五輪大会.

오르간 〔organ〕 명 オルガン; 風琴.

오르-내리다 자 ①(階段などを)上
がり下がりする; 上り下りする. [②]
(物価が)上下する; 上がった
下がったりする; (熱などが)差
引きする. ③(人の)うわさ〔口の
〕に上る; かいしゃ(膾炙)する. [④]
食べたものがもたれて込み上がる.

오르다 一자 ①上がる《揚がる·挙が
로도 씀》. ㉠上の方へ行く〔達す
る〕. ¶막이 ～ 幕が上がる / 국기가 ～
国旗が揚がる / 불꽃이 ～ 花火が
揚がる / 봉화가 ～ のろしが揚がる /
하늘 높이 (날아) ～ 空高く舞い上
がる / 기어 ～ はい上がる. ㉡(出来
が今までより)よくなる. ¶성적이 ～
成績が上がる. ㉢(収益が)増
す; 立つ. ¶수입이 ～ 収入が挙
がる. ㉣(値段·相場·価値·熱などが)高くなる. ¶물가가 ～ 物価が上がる / 시세가 ～ 相場が上がる〔伸びる〕/ 열이〔온도가〕 ～ 熱〔温度〕が上がる. ㉤陸上に移う(され)る. ¶뭍에 ～ おか(陸)に上がる / 짐이 부두에 ～ 荷が桟橋に揚がる. ㉥(煙などが)立つ. ¶김이 ～ 湯気が立つ / 연기가 ～ 煙が立ち上る. ㉦(勢い·程度などが)盛んになる. ¶기세가 ～ 気勢が上がる〔出る〕. ②上る《"登る·昇る로도 씀》. ㉠高い所へ達する. ¶산〔나무〕에 ～ 山〔木〕に登る / 단상에 ～ 壇上に登る. ㉡高い位に就く. ¶왕위에 ～ 王位に就く〔登る〕/ 요직에 ～ 要職に就く. ㉢(上手の方へ)行く. ¶강을 거슬러 ～ 川を上る. ㉣(旅に)出る; (途に)つく. ¶귀로에 ～ 帰途につく / 여행길에 ～ 旅行の途に上る. ㉤(食ぜんなどに)出る. ¶밥상에 쇠고기가 ～ 食ぜんに牛肉が上る. ㉥(相当の数量に)なる. ¶백만 명 이상에 ～ 百万人以上に上る. ㉦(あるところで)取り上げられる. ¶화제에 ～ 話題に上る / 남의 입에 ～ 人の口に上る / 회의에 ～ 会議に上る / 오를 수 없는 나무는 쳐다보지도 마라 《俚》昇れない木は仰ぎ見もするな

不可能なことは初めからあきらめよの意」). ③ 乗〔載〕る. ㉠ 乗り物の中に入る. ¶ 자동차에 ～ 車に乗る. ㉡ (本などに)出る. ¶ 이름이 신문에 ～ 名が新聞に載る / 기록에 ～ 記録に載る. ㉢ 調子がぴったり合う. ¶ 일이 궤도에 ～ 仕事が調子に乗る. ④ (病気に)かかる; 引きつける. ¶ 옴이 ～ かいせんにかかる / 다리에 쥐가 ～ 足が引きつける. ⑤ (酒などが)回る; からだに行き渡たって作用する. ¶ 술 기운이 ～ 酒が回る. ⑥ (火炎・怒りなどが)燃え立つ; 込み上がる. ¶ 불기둥이 ～ 火柱が燃え立つ / 분노가 치밀어 ～ 怒りが燃え立つ〔込み上がる〕. ⑦ (悪魔などが)つく; 乗りうつる. ¶ 무당에게 신이 ～ 神のみたまがみこ(巫子)に乗りうつる. ㊁ 타 上がる; 登る. ¶ 계단을 ～ 階段を上がる / 비탈을 ～ 坂を上る.

오르락-내리락 부 하자타 上ったり下ったり〔上がったり下がったり〕するさま.

오르르 부 하자 ① (子供や動物などが)一度に走り出すか, またはついて来るさま. ② (積まれた小さい物が)一度に崩れるか, または落ちるさま: ばらばら; どっと. ③ (小さい器の中で)湯がたぎる音: ぐつぐつ. ④ (寒さで)身を震わせるさま: ぶるぶる.

오르막 명 上り坂; 上り《준말》. ¶ ～ 시세 上り相場.
‖——-길 명 上り坂の道. ¶ ～에 접어들다 上り(道)に(さし)かかる.

오른 관 "右の; 右側の"の意.
‖——-손 명 右手; めて(馬手). ¶ ～으로 쓰다 右手で書く. ——손-잡이 명 右手利き; 右利き. ——-짝 명 ① ↗오른편짝. ② 左右一対の右の方のもの. ——-쪽 명 右側; 右の方. ——-팔 명 右腕; 利き腕. ¶ ～을 비틀다 利き腕を捩じる. ——-편 명 右側; 右の方. ——-편짝 명 右側; 右手(の方).

오름-세【—勢】명 (物価などの)上がり; 上がり目; 騰勢.

오리 명〘鳥〙かも; あひる.
‖——-발 명 ① 水か(搔)き. ＝물갈퀴. ② 水か(搔)き状の指または足の人.

오리【五里】명 五里《日本の半里に当たる》; 半道. ‖—— 무중 명 五里霧中.

오리【汚吏】명 汚吏. ¶ 탐관 ～ 貪官汚吏.

오리-나무 명〘植〙はんのき.

오리다 타 (布・紙などを) 切り取る; 切り抜く. ¶ 그림을 오려 내다 絵を切り抜く / 기사를 오려 내다 記事を切り取る.

오리온〔ユ Orion〕명 オリオン.
‖——-자리 명〘天〙オリオン座.

오리지널〔original〕명 オリジナル; 独創的.

오막-살이 명 あばら屋暮らし; あばら屋. ‖——-집 명 あばら屋.

오만【傲慢】명하형 ごうまん(傲慢); ごうがん(傲岸). ¶ ～한 태도 傲慢〔傲岸〕な態度 / ～ 불손〔무례〕傲慢不遜〔無礼〕/ ～을 부리다 傲慢に振る舞う / ～한 태도를 취하다 傲慢な態度をとる.

오만【五萬】관 五万; 非常に多い数量. ¶ ～ 가지 짓을 다 한다 なさない事とてない / ～ 가지 물건을 판다 ありとあらゆる品を売る.
‖——-날 명 多くの日; 常に《부사적》. ＝만날. ——-상(相) 명 しかめっ面; 渋っ面. ¶ ～을 짓다 しかめっ面をする; 苦虫をかみつぶしたような顔をする. —— 소리 명 ありとありゆる言い事.

오매【寤寐】명 ごび(寤寐).
‖——-간(間) 부 ねてもさめても; 常に; いつも. —— 불망(不忘) 명하타 ねてもさめても忘れないこと.

오명【汚名】명 汚名; 醜名. ¶ ～을 남기다 醜名を残す / ～을 씻다 汚名をすすぐ.

오목【五目】명 五目; 五目並べ; 連珠.

오목-거울 명 凹面鏡.

오목-렌즈〔lens〕명 凹レンズ.

오목-오목 부하형 ところどころへこんで〔くぼんで〕いるさま: ぺこぺこ.

오목-조목 부하형 やや大きいものと小さいものとがぼこぼこと混ざっているさま.

오목-하다 형 ぼこっとくぼんでいる; へこんでいる.

오묘【奧妙】명 奥妙; 玄妙. ——-하다 형, ——-스럽다 형 奥妙だ; 玄妙だ; 奥深い; 奇しくし〈古〉.

오물【汚物】명 汚物. ¶ ～ 처리장 汚物処理場.

오물-거리다 자타 ① (小さい虫・魚などが)うようよする; うざうざする. ② (口を)もぐもぐする〔させる〕.
오물-오물 부하자타 ①うようよ; うざうざ. ② もぐもぐ.

오므라-들다 자 すぼむ; すぼまる; 縮(こ)まる; 縮む; しぼむ. ¶ 꽃〔풍선〕이 ～ 花〔風船〕がしぼむ.

오므라-지다 자 縮(み込)む; 縮まる; すぼまる; しぼむ; つぼむ. <우므러지다.

오므리다 타 すぼ(窄)める; 縮める; つぼめる; 引っ込める. <우므리다. ¶ 입을 ～ 口をすぼ〔つぼ〕める / 뻗은 다리를 오므리고 바로 앉다 伸ばした足を引いて正しく座る.

오믈렛〔omelet〕명 オムレツ.

오미-자【五味子】명〘韓醫〙五味子.
‖——-나무 명〘植〙ちょうせんごみし(朝鮮五味子). ——-차 명 五味茶; 五味子とこうらいにんじん(高麗人参)の毛根をせんじた茶.

오밀-조밀【奧密稠密】부하형 ① 意匠の凝っているさま. ② 手がよく行き届いているさま. ¶ ～하게 꾸민 정원 意匠を凝らした庭園.

오발【誤發】명하타 ① あやまって発射すること; 暴発. ¶ 권총 ～ ピストルの暴発. ② 失言; 言いあやまり.
‖——-탄(彈) 명 誤射弾; 暴発弾.

오밤-중 명 真夜中; 深夜. ＝오

야(午夜).

오백 나한【五百羅漢】명〔佛〕五百羅漢；五百阿羅漢.

오버〔over〕명 オーバー. ——-하다 자타 オーバーする；越す. ¶ 예산을 ~하다 予算をオーバーする〔越す〕.
‖——-랩 명 オーバーラップ. ＝오 엘(O.L.). ——-센스 명《俗》オーバーセンス. ——-스로 명 オーバースロー. ——-올 명 オーバーオール；オーバーロール. ——-코트 명 オーバーコート. ——-타임 명 オーバータイム.

오보【誤報】명하자타 誤報. ¶ 후에 ~로 판명되었다 あとから誤報と判明した.

오보에〔이 oboe〕명〔樂〕オーボエ.

오-불관언【吾不關焉】명 我関せず. ¶~의 태도를 취하다 我関せずの態度を取る.

오붓-하다 형 ① 無駄がなく必要なものばかりある. ¶ 집안끼리의 오붓한 모임 水入らずの集まり. ②(暮らしが)豊かだ；こぢんまりしている. 오붓-이 부 豊かに；水入らずに；こぢんまりと.

오븐〔oven〕명 オーブン；天火.

오블라토〔포 oblato〕명 オブラート.

오비【O.B.←old boy】명 オービー.

오비 이락【烏飛梨落】명 からす飛びてなし落ちる《偶然なことで人に疑われること》.

오빠 명 (妹から)お兄さん；兄.

오사바사-하다 형 気さくで愛想はいいが変わりやすい；物腰が柔かでややおもしろみがある.

오산【誤算】명하타 誤算；考え違い；見込み違い.

오색【五色】명 五色.
‖——-실 명 五色の糸. —— 영롱(玲瓏) 명하형 五色れいろう(玲瓏)；種種の色が一つに混ざりあってさんぜん(燦然)と輝くこと.

오선【五線】명〔樂〕五線. ¶~보 五線譜 / ~지 五線紙.

오성【五星】명〔天〕五星.
‖—— 홍기 명 五星紅旗《中国の国旗》.

오세아니아〔Oceania〕명〔地〕オセアニア.

오소리 명〔動〕あなぐま；むじな.

오손【汚損】명하타 汚損.

오솔-길 명 さびしい小道；径路.

오솔-하다 형 しいんとして寂しい；恐ろしいくらい静かだ.

오수【午睡】명 午睡；昼寝.

오수【汚水】명 汚水；下水. ＝구정물. ¶~ 처리장 汚水処理場.

오순-도순 부 和気あいあい(藹藹)たるさま；仲のむつまじいさま. ¶~ 지내다 仲よく〔むつまじく〕暮らす.

오슬-오슬 부하형 鳥肌が立つ程寒いさま: ぞくぞく.

오식【誤植】명하타 誤植；ミスプリント. ¶~이 많은 책 誤植の多い本 / 교정에서 ~을 잡지 못한 것 校正での誤植の見落とし.

오신【誤信】명하타 誤信；誤って信じること；考え違いをすること.

오심【誤審】명하타 誤審.

오십【五十】수 五十；いそ(五十). ＝쉰.
‖——-보 백보 명 五十歩百歩.

오싹-오싹 부하자 ひどく怖いか寒くてしきりに身が縮むさま：ひしひし；ぞくぞく. ¶ 추위가 ~ 몸에 스며들다 寒さがひしひしと身にせまる.

오아이스〔oasis〕명 オアシス.

오언【五言】명〔文〕五言.
‖——-시 명 五言詩. ——-율 명 五言律. —— 절구 명 五言絶句.

오열【嗚咽】명 おえつ；むせび泣き. ——-하다 자 おえつする；むせぶ.

오염【汚染】명하자 汚染. ¶ 대기 ~ 大気汚染 / 물이 ~되어 있다 水が汚染している.
‖—— 모니터 명 汚染モニター. —— 제거 명 汚染除去.

오욕【汚辱】명하타 汚辱.

오용【誤用】명하타 誤用. ¶ 말의 ~ ことばの誤用.

오월【五月】명 五月.

오유【烏有】명 うゆう(烏有)；何物もないこと. ¶~로 돌아가다 烏有に帰す.
‖—— 선생 명 烏有先生；架空の人物.

오의【奧義】명 奥義；極意. ¶(…의) ~를 궁구하다 (…の)奥義を窮める.

오이 명〔植〕きゅうり. ¶ 묵은 ~ ひ(陳)ねたきゅうり / ~에 소금을 뿌려서 숨을 죽이다 きゅうりを塩もみする.
‖——-소박이 (김치) 명 きゅうりを縦四つに長く割りそのなかにねぎ·にんにく·しょうが·とうがらし(唐辛子)粉などを混ぜたあんを入れたキムチ. ——-지 명 煮冷ましの塩水にきゅうりを浸して味付けしたお菜.

오인【誤認】명 誤認. ——-하다 타 誤認する；見誤る；見紛う.

오인【吾人】대 ごじん(吾人)；我；我ら.

오일〔oil〕명 オイル；油.
‖—— 달러 명 オイルドル. —— 셰일 명 オイルシェール；油母頁岩. ——-스킨 명 オイルスキン. —— 페니실린 명 オイルペニシリン.

오일【五日】명 五日.
‖——-장(葬) 명하타 亡くなってから五日目に行なう葬式.

오입【誤入】명 女郎〔遊女〕買い. ＝외도(外道). ——-하다 자 女郎を買う.
‖——-쟁이 명 女郎買いをする人；嫖客〔飄客〕. ——-질 명하자 女郎買い.

오자【誤字】명 誤字. ¶~ 투성이의 글 誤字だらけの文.

오작【烏鵲】명 うじゃく(烏鵲)；からすとかささぎ.
‖——-교 명〔民〕烏鵲橋；天の川の橋.

오장【五臟】명〔韓醫〕五臟.
‖—— 육부 명 五臓ろっぷ(六腑)；ぞうふ(臓腑). ¶~가 뒤틀린다 はらわたが煮え返る.

전【午前】명 午前. ¶ ~중에 午前に；昼前に.
——-반(班) 명 午前のクラス.
전【誤傳】명하타 誤伝；誤報.
점【汚點】명 汚点；汚れ. ¶ 의회 사상 큰 ~을 남기다 議会史上大きい汚点を残す.
정【午正】명 正午.
존〔ozone〕명〖化〗オゾン.
——-층 명 オゾン層.
종 경기【五種競技】명 五種競技；ペンタスロン.
죽 부 いかほど(如何程)；どんなに；さぞ(かし)；さだめし(…たらう)；いかばかり. ——-하다 형 きっと(願わしくない…)であるに違いない. ¶ ~하면 いかほどの事情あらば；どれほどせっぱつまっていれば / (그 심정) ~하겠나 (その心情)いかばかりであろうか / ~ 기쁘랴 どんなにうれしいことであろうか / ~ 쓰라렸겠나 さだめしつらいことだったろう. ——-이나 부 ☞ 오죽. ¶ ~ 낙심이 되겠습니까 さだめしお気落ちのことでしょう.
——-잖다 형 取るに足りない；つまらない. ¶ 오죽잖은 사람 取るに足りない人.
오줌 명 小便；尿；いばり；小水〈雅〉；おしっこ〈児〉；しい〈児〉. ——-누다 자 小便をする. ——-마렵다 형 小便がしたい；尿意をもよおす. ——-싸다 자 ①小便をする；小用を足す. ②尿をたらす.
‖——-독 명 しゅびん〔しびん〕(溲瓶)；小便溜め；小便つぼ. ——-똥 명 大小便. —— 소태 명 頻尿症《しきりに尿意をもよおす 女子の病気》. ——-싸개 명 ①小便たれ. ②(不用意に)粗相をした子をからかう語. ——-통(桶) 명 ①ぼうこう(膀胱). ②小便桶；小便つぼ.
오중【五重】명 五重.
‖——-주 명〖樂〗五重奏. ——-탑 명〖佛〗五重の塔.
오지 명 ①↗오지 그릇. ②↗오짓물.
‖—— 그릇 명 素焼きの陶器. 오짓-물 명 上薬；つやぐすり；ゆうやく(釉薬).
오지【奧地】명 奥地.
오지다 형 ↗오달지다.
오지랖 명 上着などの前すそ. ——-넓다 형 出しゃばる；差出がましい；事につけ口を出す.
오지직 부하자 ①乾いた麦わらや松葉などが燃える音：ぱちぱち. ②しょうゆなどがこげ付く音：ぱちぱち；じいじい. ③貝殻などが粉粉にこわれる音：がちゃがちゃ. ④乾いた小枝などが折れる音：ぽきぽき. ——-거리다 자 しきりにぱちぱちする；ぽきんぽきんと折れる. ——-—— 부하자 ぱちぱち；ぽきんぽきん.
오직【汚職】명 汚職. =독직(瀆職).
오직 부 ただ. ¶ ~ 명령에 따를 뿐이다 ただ命令に従うのみである / ~ 한 개밖에 남지 않았다 ただの一本しか残っていない.
오진【誤診】명하타 誤診. ¶ 명의라도 ~하는 수가 있다 名医ですら誤診することがある.
오징어 명〖動〗(するめ)いか.
‖——-포(脯) 명 するめ(鯣).
오차【誤差】명 誤差. ¶ 측정 ~ 測定誤差 / 실험의 ~를 보정하다 実験の誤差を補正する.
‖——-율 명〖數〗誤差率.
오찬【午餐】명 ごさん(午餐)；昼飯；ちゅうさん(昼餐)；昼食.
오체【五體】명 五体. ①人の全身. ②〖佛〗頭と四肢. ③五つの書体.
오케스트라〔orchestra〕명 オーケストラ. ¶ ~ 박스 オーケストラボックス.
오-케이【O.K.】명 オーケー；オーライ.
오토메이션〔automation〕명 オートメーション.
오토-바이〔auto + bicycle〕명 オートバイ；モーターサイクル.
오토-자이로〔autogyro〕명 オートジャイロ.
오톨-도톨 부하형 表面が細かくでこぼこなさま：でこぼこ；ぼこぼこ；ぶつぶつ.
오트〔oat〕명 オート；からすむぎ(烏麦). =귀리.
‖——-밀 명 オートミール.
오판【誤判】명하타 誤判；誤審.
오팔〔opal〕명〖鑛〗オパール. =단백석(蛋白石).
오퍼〔offer〕명 オファー.
오페라〔opera〕명 オペラ.
‖—— 글라스 명 オペラグラス. —— 밴드 명 オペラバンド. —— 코미크 명 オペラコミック. —— 하우스 명 オペラハウス.
오페레타〔이 operetta〕명 オペレッタ.
오펙【OPEC】명 オペック.
오프-셋〔offset〕명〖印〗オフセット. ¶ ~ 인쇄 オフセット印刷.
오픈〔open〕명 オープン.
‖—— 게임 명 オープンゲーム；しょ(初)っき(切)り. —— 세트 명 オープンセット. —— 카 명 オープンカー.
오한【惡寒】명 悪寒；寒気. ¶ ~이 나다 悪寒をおぼえる.
‖—— 두통 명 悪寒頭痛；悪寒に頭痛を兼ねる症状. ——-증 명 悪寒の起こる症状.
오합【烏合】명하자 うごう(烏合).
‖——지-졸(之卒) 명 烏合の衆.
오해【誤解】명하타 誤解；思い違い. ¶ ~에 기인한 싸움 誤解によるけんか / 남의 ~를 사다 人の誤解を招く〔受ける〕.
오호【嗚呼】감 ああ.
‖——-라 감 ああ. —— 애재(哀哉) 감 ああ, 悲しいかな. —— 통재(痛哉) 감 ああ, いたましいかな.
오호호 부하자 女性の明るく笑う声：おほほ.
오후【午後】명 午後. ¶ ~의 찌는듯한 더위 昼下がりのうだるような暑さ.
오히려 부 むしろ；かえって；なお. ¶ ~ 모자란다 かえって足りない / 천재라기 보다는 ~ 미치광이다 天才と言うよりはむしろ狂人である.

옥【玉】명 玉; 宝石. ¶ ~에 티《俚》玉に傷/금이야 ~이야 하고 기르다 ちょうよ花よと育てる/~에도 티가 있다《俚》玉にも傷あり.
옥【獄】명 獄; 監獄; ろうや(牢屋). ¶ ~에 갇히다 獄に下る/~에 가두다 獄につなぐ/~에 갇힌 몸 幽囚の身.
옥- 두 内側に曲がっている意を表わす語: 内曲がり…. ¶ ~니 内反りの歯.
-옥【屋】미 飲食店や商店などの商号につける接尾語: 屋. ¶ 강남~ 江南屋/부산~ 釜山屋.
옥-가락지【玉—】명 玉の指輪.
옥내【屋内】명 屋内. ¶ ~ 집회 屋内集会.
옥니 명 内曲がりの歯.
‖——-박이 명 内曲がり歯の人.
옥다 一형 内側に曲がっ〔反っ〕ている. 二자 元手に食い込む; 損をする.
옥답【沃畓】명 美田.
옥도【沃度】명〔化〕☞ 요오드.
옥-돌【玉—】명 ① 玉の交じっている石. ② 加工していない玉.
옥-동자【玉童子】명 玉のような男の子; 大事な男の子.
옥루【玉樓】명 [↗백옥루(白玉樓)] 玉楼. ¶ 금전 ~ 金殿玉楼.
옥-바라지【獄—】명하타 囚人に差入れなどをして世話をすること.
옥-비녀【玉—】명 玉のかんざし.
옥사【獄死】명하자 獄死; 牢死.
옥상【屋上】명 屋上; ルーフ.
‖—— 가옥(架屋) 명 屋上屋を架す. —— 정원 명 屋上庭園.
옥새【玉璽】명 ぎょじ(御璽); ほうじ(宝璽). =국새(國璽).
옥색【玉色】명 水色; 空色.
옥-생각 명하자타 ① ひねくれた〔ねじけた〕考え. ② まちがった〔ひがんだ〕思い.
옥석【玉石】명 玉石. ① ☞ 옥돌. ② 玉と石; すぐれたものとつまらないもの.
‖—— 구분(俱焚) 명 玉石ともにたく《良いものも悪いものも共に滅びること》. —— 혼효 명 玉石混交.
옥-셈 명하타 誤算; 考え違えて自分に不利な計算をすること.
옥쇄【玉碎】명하자 玉砕. ¶ 전원 ~하다 全員玉砕する.
옥수【玉手】명 玉手; 玉のような美しい手.
옥수수 명 とうもろこし; とうきび. ¶ ~ 가루 コーンミール.
‖——-쌀 명 とうもろこしをひきうすにひ(碾)いて皮をむいた中身.
옥시돌〔oxydol〕, 옥시풀〔Oxyful〕명〔藥〕オキシドール; オキシフル.
옥신-각신 부하자 理非を立てて争うさま: いざこざ; すったもんだ; やっさもっさ; てんやわんや.
옥신-거리다 자 ① (小さいものが群がって)込み合う. ② 押しあいへしあいする; もみあう. ③ (傷口などが)うずく; ずきずき痛む; ずきんずきんする. 옥신-옥신 부하자 押しあ へしあい; ずきずき.
옥안【玉顔】명 玉顔. ¶ ~을 우 르다 玉顔を仰ぐ.
옥-양목【玉洋木】명 キャラコ.
옥외【屋外】명 屋外; 野天. ¶ 주차 青空駐車.
‖——-등 명 屋外灯. —— 집회 명 外集会.
옥용【玉容】명 玉容; 玉のよう 美しいようぼう(容貌).
옥잠【玉簪】명 玉のかんざし. = 비녀.
‖——-화 명〔植〕たまのかんざし.
옥좌【玉座】명 玉座.
옥-죄다 타 (固く)締め付ける; 食い込ます.
옥-죄이다 피동 (体の一部分が痛いほど)しめつけられる; 食い入 〔込む〕; 引きつ(れ)る. ¶ 결박한 줄이 몸에 옥죄여 들다 縛った縄が体に食い入る/얼굴이 ~ 顔が引きつれる.
옥중【獄中】명 獄中; 獄裡. ¶ ~기 獄中記/~ 생활 獄中生活/~에서 신음하다 獄窓に呻吟する.
옥-지르다 타 押さえしめつける; たた(叩)きつぶす.
옥체【玉體】명 玉体. ① 王の体. ② 御身; 尊体; 人の体の敬称. ¶ ~ 보중하시기를 御身お大事になさいますよう.
옥타브〔octave〕명〔樂〕オクターブ.
옥탄-값〔octane〕명 オクタン価 =옥탄가(價).
옥토【沃土】명 美田. ¶ 광대한 ~ 広大な美田/메마른 땅을 ~로 만들다 やせ地を美田と化す.
옥-토끼【玉—】명 ① 月の中にいるといううさぎ. ② 白い毛のうさぎ.
옥편【玉篇】명 字引き; 字典. ¶ ~을 찾다 字引きを引く.
옥향【玉香】명 玉で作った香料入れ.
옥호【屋號】명 屋号. ¶ ~를 고치다 屋号を換える.
온 관 すべての; 全部の; あらゆる; 全. ¶ ~ 세계 全世界; 世界中/~ 종일 終日/~ 가족이 환대하다 一家をあげてもてなす/~ 세상에 잘 알려져 있다 世に広く知れわたっている; 天が下に隠れもない.
온-갖 관 (ありと)あらゆる; すべての. ¶ ~ 사람 あらゆる種類の人/~ 농간을 다 부리다 あらゆる手管を弄する/~ 지혜를 짜내다 ありとあらゆる知恵を絞る/~ 수단을 다 써보다 手を変え品を変える; 百計をめぐらす.
온건【穩健】명하형히부 穏健; 穏便; 穏やか. ¶ ~한 말씨 穏やかなもの言い/~한 사상 穏健な思想/~한 조처 穏やかな処置.
‖——-파 명 穏健派; はと派.
온고 지신【溫故知新】명하자 温故知新.
온기【溫氣】명 温気; うんき(温気); ぬくもり; 暖気. ¶ 몸의 ~ 肌のぬくみ. —— 돌다 자 冷えた体が

ぬくもって来る.
온난【溫暖】명 하형 温暖. ¶기후가 ~한 지방 気候の温暖な地方.
‖── 전선 명〔氣〕温暖前線.
온당【穩當】명 하형 히부 穏当. ¶~한 의견 穏当な意見 / ~하지 않은 말 不穏当な言葉.
온대【溫帶】명〔地〕温帯.
‖── 기후 명 温帯気候. ──-림 명〔植〕温帯林. ── 식물 명〔植〕温帯植物. ──-호 명〔地〕温帯湖.
온데 간데 없다 형 行方不明である; 影も形もない. ¶옛 도읍의 흔적은 ~ 旧都のおもかげは跡形もない. 온데 간데 없이 부 影も形もなく; 行方を知らさずに.
온도【溫度】명 温度. ¶방의 ~가 높다 部屋の温度が高い / 낮은 ~로 저장하다 低い温度で〔冷温で〕貯蔵する. ‖──-계 명 温度計.
온돌【溫突·溫堗】명 オンドル.
‖──-방(房) 명 オンドル部屋.
온-라인〔on-line〕명 オンライン. ¶은행에서 ~으로 송금하다 銀行でオンライン送金する.
온랭【溫冷】명 温冷.
온면【溫麪·溫麵】명 温かい汁をかけためん類.
온-몸 명 総身·総身; 全身; 身内. ¶~이 아프다 体中が痛い / ~에 아픔을 느끼다 身内に痛みを感じる / ~에 스며들다 総身にしみわたる / 흥분과 수치감으로 ~이 화끈거렸다 興奮と恥ずかしさで体中がほてった / ~이 입이라도 말 못하겠다《俚》全く弁明の余地がない.
온-밤 명 終夜; 夜通し; 一晩中; 夜中〈老〉. ¶~을 뜬 눈으로 새우다 夜通し一睡もしない.
온상【溫床】명〔農〕温床. ¶~ 재배 温床栽培 / ~에서 자라다 温床で育つ.
온새미-로 부 分けたり割いたりしない全体のままで: まるまると.
온색【溫色】명 温色. ① 温和な顔色. ② ☞ 난색(暖色).
온수【溫水】명 温水.
‖── 난방 명 温水暖房.
온순【溫順】명 温順; 従順. ──-하다 형 温順だ; 従順だ; おとなしい. ¶~한 태도 神妙な態度 / ~한 성미 温順な〔おとなしい〕性格. ──-히 부 温順に; 従順に; おとなしく.
온-쉼표【─標】명〔樂〕全休止符.
온스〔ounce〕의명 オンス.
온실【溫室】명 温室. ¶~에서 자라난 아이 温室育ちの児 / 화분을 ~에 넣다 植木鉢を温室に入れる.
‖── 효과 명 温室効果.
온아【溫雅】명 하형 温雅. ¶~한 풍모 温雅な風貌.
온유【溫柔】명 하형 温柔. ¶~한 성미 温柔な質.
온-음【─音】명〔樂〕全音.
‖── 음계 명 全音音階. ──-표 명 全音符.
온-장【─張】명 (紙·布などの)一枚全体.
온전【穩全】명 欠けた部分〔傷〕がなく完全なこと. ──-하다 형 完全だ; 無事だ; 傷がない; 全し. ¶~함을 얻다 全きを得る / ~하게 보관하다 傷のないように保管する. ──-히 부 完全に; 無事に; 傷のないように; 全く.
온점【溫點】명 温点; 温覚をつかさどる肌の上の感覚点.
온정【溫情】명 温情; 思いやり. ¶인정 있는 마음을 ~이라 한다 思いやりのある心を温情という.
‖──-주의 명 温情主義.
온-종일【─終日】명 一日中; 四六時中; ひねもす〈雅〉; ひもすがら〈雅〉. ¶~ 잠만 자고 있다 四六時中〔一日中〕眠ってばかりいる.
온-채 명 家屋〔建物〕全体.
‖ 온챗-집 명 (貸家で)一軒を(全部)使う家.
온천【溫泉】명〔地〕温泉; 温湯; 泉《준말》. ¶~에 가다 温泉に行く / 별장에 ~을 끌다 別荘に湯を引く.
‖──-장 명 温泉場; 湯治場. ── 취락(聚落) 명 湯の町.
온탕【溫湯】명 温湯.
온통 명 부 すべて皆; すっかり; 全部. ──-으로 부 丸のままで; 全部を; すっかり; ことごとく; 丸丸と. ¶~ 그대로 丸のまま / ~ 튼 손 ひびだらけの手 / ~ 불바다였다 一面火の海であった / ~ 그 소문뿐이다 そのうわさで持ち切りだ.
온-폭【─幅】명 (紙·織物などの)全幅.
온-하다【溫─】형 薬(の性質)が温かい.
온혈【溫血】명 ① 温血; 外気に関係なしにいつも温かい血. ②〔韓醫〕薬としてのむしか(鹿)やノロの温かい血.
‖── 동물 명〔生〕☞ 정온(定溫) 동물.
온화【溫和】명 하형 温和; 物柔らか. ¶~한 기후 温和な気候 / ~한 성품 温和な性格 / ~한 신사 物柔らかな紳士.
온화【穩和】명 하형 穏和; 穏やか; 和やか. ¶~한 표현 和やかな表現 / ~한 기후 穏やかな気候 / ~해지다 和む; 和らぐ / ~하게 하다 和ます; 和ませる.
온후【溫厚】명 하형 温厚. ¶~한 군자 温厚な君子 / ~한 성품으로 널리 알려진 A군 温厚をもって知れ渡るA君.
올¹ 명 ↗올해. ¶~ 농사 今年の農作.
올² 一 명 よ(撚)り; 糸すじ; 布目. ¶~이 촘촘한 옷감 目のつんだ生地 / ~이 굵다 布目が粗い / ~이 된 실 よりの強い糸. 二 의명 糸やひもの筋を数える単位: 筋. ¶실 한 ~ 糸一筋; 一糸.
올- 두 早熟の意を表わす語. ¶~밤 わせ(早生)のくり / ~벼 わせ(早稲).
올가미 명 わな. ¶~로 들개를 잡다 わなで野良犬を捕らえる / ~에 걸리다 わなにかかる〔落ちる〕.

올-감자 명 わせ(早生)のばれいしょ.

올강-거리다 자 (口の中に入れた固いものが)よくかまれずにすべる. **올강-올강** 부하자 こりこり.

올-곧다 형 ①心が正しい; 律儀一点張りだ; きまじめだ; 実直だ. ②すじ〔線〕がまっすぐだ; 直線だ.

올근-거리다 타 (固いものを口の中に入れて)もぐもぐしながらかむ. <울근거리다. **올근-올근** 부하타 もぐもぐ.

올-되다 자 ①(織物などの) 目が詰んでいる. ②(年の割に)ませる; 大人びる; 早熟する. ③(作物が)早熟する. =일되다.

올드 미스 〔old+miss〕 명 オールドミス.

올라-가다 ㅡ자 ①上がって行く; 上がる. ㉠(下〔低い所〕から上〔高い所〕へ)登〔上·昇〕る. ¶ 계단을 ~ 階段をのぼる〔あがる〕/ 눈초리가 ~ 目じりがつりあがる / 나무〔산〕에 ~ 木〔山〕に登る / 지붕에 ~ 屋根に上がる / 기가 올라가 있다 旗が上がっている / 미터가 ~ メーターが上がる. ㉡(地位·成果·程度などが)高くなる; 増す. ¶ 성적이 ~ 成績が上がる / 월급이 ~ 月給が上がる / 지위가 ~ 位が高くなる / 매상고가 ~ 売上高が上がる. ㉢(物価·値打ちなどが)上昇〔騰貴〕する. ¶ 물가가 갑자기 ~ 物価が急にあがる / 집세가 ~ 家賃が上がる. ㉣上京する. ¶ 올라가는 열차 上りの列車. ㉤上陸する. ¶ 뭍에 ~ おか(陸)に上がる. ②(流れを)さかのぼる. ¶ 배를 저어 강을 거슬러 ~ 船をこいで川をさかのぼる. ③(身代などが)無くなる; 失われる. ④《俗》死ね.

올라-서다 자 上がって立つ; 上がる. ①(高い所に)上〔登〕る. ¶ 단상에 ~ 壇上に上がる. ②何かを踏んでその上に立つ. ¶ 발판에 ~ 踏み台に乗る / 자전거 위에 올라서서 축구를 구경하다 自転車の上に立ってサッカーの試合を見る. ③(高い地位に)就く〔の(伸)し上がる〕. ¶ 중역으로 ~ 重役に伸し上がる.

올라-앉다 자 上がる; 上〔昇〕る. ①高い所に座する. ②(高い地位などに)就く. ¶ 권좌에 ~ 権力の座にのし上がる. ③(物の上に)乗る; 座る. ¶ 그네에 ~ ぶらんこに乗る.

올라-오다 자 ①(高い所へ)上がって来る; 上〔昇〕る. ¶ 배에 ~ 船に上がって来る / 아침해가 올라오는 중이다 朝日が昇るところだ. ②(流れを)さかのぼって来る; さかのぼる. ③(都に)上って来る.

올라-타다 자 ①(物の上に)乗る; 乗り込む; またがる《말에》. ¶ 버스에 ~ バスに乗り込む. ②(からだに)乗り掛かる; 組み敷く. ¶ 올라타고 상대를 내리누르다 乗り掛かって相手を押さえつける.

올려-놓다 타 (…の上に)置く; 乗せる; 掛ける. ¶ 냄비를 화로에 ~ なべをこんろに掛ける.

올려본-각 【一角】 명 〔數〕 仰角.

올록-볼록 부하형 凸凹.

올리다 타 ①上〔挙·揚〕げる. ㉠上へやる. ¶ 돛을 ~ 帆を上げる / 막을 ~ 幕を上げる / 화포를 ~ 花火を上げる / 손을 ~ 手を挙げる. ㉡上に置く; 乗せる. ¶ 책을 선반에 올려놓다 本をたなに上げる. ㉢(空へ)上せる. ¶ 기구를 ~ 気球を上げる. ㉣陸揚げする. ¶ 뭍에 ~ おかに上げる. ㉤(声などを)出す. ¶ 환성을 ~ 歓声を上げる. ㉥(勢いなどを)増す; 出す. ¶ 기세를 ~ 気勢を上げる / 스피드를 スピードを上げる. ㉦(値打ちなどを)高める; 増す. ¶ 값을 ~ 値段を上げる / 급료를 ~ 給料を上げる / 지위를 ~ 位を上げる. ㉧(収益·成果などを)おさめる. ¶ 실적을〔전과를〕 ~ 実績〔戦果〕を上げる. ㉨(式を)挙げる. ¶ 결혼식을 ~ 結婚式を挙げる. ㉩(目上に)差し上げる; 捧げる. ¶ 식사를 ~ 食事を差し上げる. ㉪(神仏などに)供える; 上せる; 捧げる. ¶ 밥상에 ~ ぜんにのぼせる / 기도를 ~ 祈りをささげる.
②(他のものに)かぶせる; (ペンキなどを)塗る; めっきする; 着せる. ¶ 반지에 얇게 금을 ~ 指輪に薄く金を着せる.
③(病気を)移らせる; かからせる. ¶ 옴을 ~ かいせんにかからせる.
④上せる. ㉠(文書などに)載せる. ¶ 기록〔명부〕에 ~ 記録〔名簿〕に載せる / 장부에 ~ 帳簿に記入する / 호적에 ~ 戸籍に入れる. ㉡提示する. ¶ 입〔의제〕에 ~ 口〔議題〕にのぼせる / 무대에 ~ 舞台にのぼせる.
⑤(身代·元手などを)なくす; 棒に振る.
⑥(びんたなどを)打つ; 食わす. ¶ 따귀를 한 대 ~ びんたを食わす.
⑦《宮》食べる.

올리브 〔olive〕 명 〔植〕 オリーブ. ‖──색 명 オリーブ色. ──유 명 オリーブ油.

올림-표 【一標】 명 〔樂〕 シャープ.

올림픽 〔Olympic〕 명 [↗올림픽 경기] オリンピック. ¶ ~ 체조 경기장 五輪体操競技場. ‖── 경기 명 オリンピック競技. ──기 명 ☞ 오륜기. ── 종목 명 オリンピック種目. ── 선수촌 명 オリンピック村〔選手村〕.

올망-졸망 부하형 かわいらしいものが大小不ぞろいで数多いさま. ¶ ~ 아이들이 많다 小さい子供が大勢いる / 감이 ~ 달려 있다 かきがすずなりに生っている.

올목-졸목 부하형 大小多くのものがふぞろいに並んでいるさま.

올무[1] 명 (鳥や獣などを捕らえる)くくり(括り); わな(罠).

올-무[2] 명 わせ(早生)の大根.

올-바로 부 正しく; 正直に. ¶ 마음을 ~ 가져라 心を正直に持て.

올-바르다 형 正しい. ¶ 마음이 ~ 心が正しい / 너의 행동은 항상 ~ 君

行動は常に正しい / 사물에 대한 ㅏ른 견해 正しい物の見方.

ㅑ 명 わせ(早生)のくり(栗).

ㅕ 명 わせ(早生稲). ¶중~ 中手.

– 신미(新米) 명하자 わせの米を めて味わうこと.

미 명〘鳥〙ふくろう.

새 명 織り目; 地合い.

시다 어미 …です; …でございます; 아니"がついて)…ません. ¶참 좋은 이~ とてもいい本でございます / 게 아니~ これではありません.

차다 형 がっちりしている; 中味 充実している. ¶몸이 ~ 体が っちりしている.

챙이 명〘動〙お玉じゃくし(杓子).

케 명 兄嫁·弟嫁; 義理の姉 妹)《妹や姉が言う語》.

-콩 명 わせ(早生)の豆.

-팥 명 わせ(早生)のあずき(小豆).

-해 명 今年; 当年; 今年. ¶ -의 모드 今年のモード / ~는 과일 풍년이다 今年は果物の生り年 である. 준 올.

다 타 ①くくる; からげる. ②わな [を]かける. ③はかりごとで人を としいれる.

-매다 타 小間結びにする; 真結 びにかたく結ぶ.

-매듭 명 小間結び; 真結び.

아 내다 타 ①わな(罠)などをかけて 引き出す. ②謀って人の物を巻 き上げる; 搾り取る. ¶남의 돈을 ~ 人の金を搾り上げる.

옭아-매다 타 ①わな(罠)をかけてくるくると縛りつける. ¶미친 개를 ~ 狂犬をくるくる縛りつける. ②"옭다"の強勢語. ③無実の罪をでっちあげる.

옭히다 자 ①わな(罠)にかかってしっかと縛られる; わなにかかる. ②もつれる; からまる. ③人の手管にかかる. ④捕らわれる.

옮기다 타 ①移す. ㉠(物の位置を)置き変える; 運ぶ; (きまった場所に)直る. ¶화분을 ~ 植木鉢を移す / 책상을 창문 가까이 ~ 机を窓近くに移す / 일등석으로 ~ 一等席に直る / 서울을 ~ 都を遷す. ㉡移転する. ¶거처를 교외로 ~ 居を郊外に移す / 셋집을 ~ 借家を引き移る. ㉢転ずる. ¶발걸음을 ~ 歩を移す; 足を運ぶ / 실행에 ~ 実行に移す / 약속을 행동에 ~ 約束を行動に移す. ㉣他へ回す. ¶그 사건은 고등 법원으로 옮겨졌다 その事件は高等裁判所へ移された. ㉤(病を)伝染させる. ¶병을 ~ 病気を移す. ②(聞いた話を)人に伝える; (言い)漏らす; 他言する. ¶들은 말을 함부로 옮기지 말아라 耳にしたことをみだりに他言するな. ③(引き)写す. ¶원본대로 옮겨 쓰다 原本通りに書き写す. ④(翻)訳する. ¶옮기기 어려운 말 訳しにくい語 / 다음 우리말을 영어로 옮기시오 次の韓国語を英語に訳しなさい.

옮다 자 ①(住居などが)移る; 変わる; 移動する; 転じる. ②(病などが)移る; 感染する. ¶남편의 병이 옮았다 夫の病気が移った. ③(思想などに)かぶれる.

옮아-가다 자 ①(権利などが)移って行く; 移る; 変わる; 転じる. ¶남의 손으로 ~ 人の手に移る / 다른 당으로 ~ 他の党に移る. ②(うわさなどが)口伝えに広まる; 伝わる. ¶소문이 벌써 그곳까지 옮아갔다 うわさがもはやそこまで伝わった.

옮아-오다 자 ①(居所を)移して来る. ②伝わって来る; 移り広がって来る.

옳다[1] 형 正しい; 道理にかな(適)っている. ¶네 말이 ~ 君の言うことが正しい / 옳지 않다고 보다 非とする / 반드시 옳지는 않다 必ずしも正しくはない.

옳다[2] 감 気に入ったときまたは賛同するときに発する語: その通りだ; そうそう; よろしい; 全くだ. ¶~, 정말 그 말이 맞구나 そうそう, 全く話の通りだ.

옳아 감 "なるほどその通りだ"という意の語: そうそう; よろしい; 全くそうだ. ¶~, 그런 뜻이었구나 そうか, そんな意味だったのか.

옳지 감 何かをその通りだと思うときに発する語: そうそう; その通り; そうだ; よろしい. ¶~, 그렇게 하면 된다 よろしい, そうすればよい.

옴[1] 명〘醫〙かいせん; ひぜん; 湿. ¶~이 오르다 湿をかく.

옴[2] 명 乳房輪.

옴 (ohm) 의명〘電〙オーム《記号: Ω》.

옴나위 명 (身じろぎのできる)わずかな余地. ¶방은 비좁아서 ~도 할 수 없었다 部屋は狭くて身じろぎもできなかった. ——없다 형 身じろぎのできるわずかな余地もない; 手も足も出ない《비유적》. ——없이 부 身じろぎもできなく; 手も足も出ない程.

옴쏙 부하형 物の面や底がへこんださま: ぺこん(と); ぺこり(と). <움쑥. ¶~ 들어갔다 ぼこんとへこんでいる. ——— 부하형 あちこちへこんでいるさま: ぺこんぺこん(と); ぼこんぼこん(と). 「う語.

옴-쟁이 명 かいせん患者をからか

옴지락-거리다 자타 しきりにうごめく(うごめかす). 옴지락-옴지락 부하자타 うざうざ.

옴질-거리다 자타 小さいものが少しずつ続けてうごめく(うごめかす); うざうざうごめ(蠢)く; うざうざする. 옴질-옴질 부하자타 うざうざ.

옴쭉 부 小さいものが極くわずかに動くさま. ¶~도 하기 싫다 身じろぎするのも嫌だ. ——거리다 자타 極くわずかに動く(動かす). ——— 부하자타 小さいものがちょっとずつ動くさま. —— 못 하다 구 少しも動きが取れない. ¶옴쭉 못 하게 잡아매다 動きのとれないように縛り上げる.

옴쭉-달싹 부하자 ☞ 꼼짝달싹.

옴찔 부하자타 びっくりして身を後ろ

に引くさま: びくっと; ぎくりと. <움찔. ——-거리다 자타 しきりにびくっとする. ——— 부하자타 びくっびくっと.

옴츠리다 타 すくめる. ① (身を)縮める; 小さくする; つぼめる. ¶ 몸을 움츠리고 자다 丸まって寝る / 구석에 움츠리고 앉다 隅につぼまって座る / 거북이가 목을 ~ かめが首を引っ込める〔すくめる〕. ② びっくりして後じさりする.

옴큼 의명 握り; すくい. <움큼. ¶ 쌀 한 ~ 米一握り.

-옵나이까 어미 ていねいな問いを表わす語尾. ¶ 존함은 무엇이~ お名前はなんでございましょうか / 어디로 가시~ どこへお出ましになさいますか.

-옵나이다 어미 現在の状態·動作·事実をていねいに表わす語尾. ¶ 무사하시기를 비~ ご無事であられますようお祈りいたします.

-옵니까 어미 ていねいな問いを表わす語尾. ¶ 어디에 계시~ どこにいらっしゃいますか / 가시~ お出でなさいますか; お発ちなさいますか / 정녕 그러하~ ほんとうにそうでございますか. * -으옵니까.

-옵니다 어미 現在の状態·事実などをていねいに表わす語尾: …ます; …です. ¶ 하늘은 푸르~ 空は青いです / 잘 자~ よく眠ります. * -으옵니다.

-옵디까 어미 過去の事をていねいに問う語尾: …(し)ていましたか. ¶ 무어라고 말씀하~ 何とおっしゃっていましたか.

-옵디다 어미 過去の事をていねいに言い表わす語尾: …(し)ていました; …でございました. ¶ 사정이 그러하~ 事情がさようでございました. * -으옵디다.

옷 명 衣服; 着物; 服; 被服; 衣; きぬ(衣)〈雅〉; 衣装; (お)べべ〈児〉. ¶ 갈아 입을 ~ 替え着; 着替え / 낙낙한 ~ たっぷりした服 / 맞춤 ~ あつらえ服 / 빌려 입은 ~ 借物の衣装 / 속~ 下着; 肌着; アンダーウェア / 지금 유행하는 ~ 今はやりの服 / 다림질이 잘된 ~ アイロンのよく利いた服 / 오래 입어서 낡은 ~ 着古しの服 / 수수한 ~ じみな服 / 품이 좁은 ~ 身幅の狭い服 / ~을 입지 않고 服〔着物〕を着ずに / ~을 입다 服を〔着物を〕着る / ~을 입고 있다 服を着ている / ~을 껴입다 着物を重ねて着る; 厚着をする / ~을 벗다 着物を脱ぐ / ~을 입히다 着物を着せる / ~을 개키다 服を畳む / ~을 갈아입다 着物を着替える / ~을 찢다 服をやぶる / 입고 갈 ~이 없다 着て行く服がない / ~의 터진 데를 깁다 着物の破れを繕う〔つづる〕/ ~에 풀을 먹이다 着物にのりを付ける / 젖은 옷을 불에 말리다 ぬれた服を火干しにする / ~은 새 옷이 좋고 사람은 옛 사람이 좋다《俚》本木にまさるうら木なし / ~이 날개(라)《俚》馬子にも衣裳.

옷-가슴 명 衣服の胸の部分.

옷-가지 명 (数点の)衣類; (… つかの)持ち服. ¶ ~를 전당잡… いくつかの衣類を質に入れる.

옷-감 명 服地; 生地; 反物. … 흰 ~ 無色の生地 / 올이 촘촘한 … 目のつんだ生地 / 순모의 ~ 純毛の服地 / 좋은 ~으로 맞추다 いい… であつら(誂)える.

옷-걸이 명 着物を掛ける器具《… こう(衣桁)·えもん掛け"など》.

옷-고름 명 チョゴリ·ツルマキなどの… むすびひも.

옷-기장 명 (着物の)丈; 服の… さ. ¶ ~을 줄이다 着物の丈を詰め…

옷-깃 명 襟. ¶ ~을 여미다 襟元… かき合わせる; 襟を合わせる / … 연히 ~을 여미다 粛然として襟… 正す.

‖── 차례 명 右回りの順番.

옷-단 명 衣服のすそやそで口な… の縁を内側に折り返して縫っ… 部分; 折り返し.

옷-매무시 명 (衣服の)着こなし… 着振り; こしらえ. ¶ 참한 ~ 小ぎ… いなこしらえ / ~가 흩어지다 着崩… れする.

옷-상자 【─箱子】 명 衣類箱; 衣… しょうケース.

옷-소매 명 そで; いべい(衣袂).

옷-솔 명 衣服のブラシ.

옷-자락 명 すそ; 小づま; もすそ… 衣服のたれ下がった部分. … ~을 걷어 올리다 すそをからげる〔ま… りあげる〕/ ~이 펄럭거리다 すそがひ… らつく.

옷-장 【─欌】 명 衣装たんす. ¶ … 을 ~에 넣다 着物をたんすにしまう…

옷-차림 명 服装; 身なり; 装い… 装束; なり. ¶ 깔끔한〔산뜻한〕 ~ きちんと〔さっぱり〕した身なり / 초라… 한 ~ みすぼらしい身なり / 흰 ~ 白… 装束 / 상인 같은 ~의 사람 商人らしい風体の人 / 단정한 ~을 하다 端正な服装をする.

옹 【癰】 명 よう(癰); かのう(化膿)によるこぶの一種.

옹- 두 名詞の前に付けて物や人が小さくて偏狭であることを表わす語. ¶ ~생원 偏狭でみみっちい人; しみったれ.

-옹 【翁】 미 翁. ¶ 간디~ ガンジー翁 / 김~ 金翁.

옹-고집 【壅固執】 명 片意地; 強情; いこじ; えこじ. ¶ ~쟁이 いこじな人; 意地っ張り / ~을 부리다 片意地〔強情〕を張る.

옹골-지다 형 堅実である; 実が入っている; みっちりしている.

옹골-차다 형 堅実でみっちりしている; がっちりしている; 頑丈だ; 充実している.

옹근 관 欠けたり足らぬことなく元のままの; 完全な. ¶ ~ 사과 한 알을 먹다 丸一個のりんごを食べる.

옹기 【甕器】 명 陶器.

‖── 가마 명 陶器の窯. ── 그릇 명 陶器. ── 장수 명 陶器商. ──-장(匠)이 명 陶工. ──-전(廛) 명

陶器売り場. ——-점(店) 명 ① ☞ 옹기전. ② 陶器をやくところ.

옹기-종기 부하형 大きさの違う多くのものが一所に集まっているさま. ¶집들이 ~ 모여 있다 大小数多の家が入り混って立っている.

옹달- 두 名詞の前について"小さく, くぼんだ"の意を表わす語. ¶~샘 小泉/~솥 小さいかま(釜).

옹동고라-지다 자 すっかりしぼみよじれる; 内側に反りかえる.

옹두라지 명 木の小さいこぶ〔節〕.

옹두리 명 木のこぶ; 木の節.

——-뼈 명 しつがいこつ(膝蓋骨).

옹립【擁立】 명 擁立. ——-하다 타 擁立する; 擁する. ¶어린 임금을 ~하다 幼帝を擁(立)する.

옹색【壅塞】 명하형 ①(生活が)困窮すること. ②(とても)狭苦しいこと. ¶~한 방 窮屈な部屋/~한 곳 狭苦しい所. ③つまって通じないこと.

옹-생원【—生員】 명 偏狭でみみっちい人のあだな.

옹알-거리다 자타 ①つぶやく; ぶつぶつ言う. ②乳飲み子がつぶやくように独り言を言う〔言って遊ぶ〕.

옹알-옹알 부하자타 ぶつぶつ.

옹이 명 (木の)節.

옹잘-거리다 자타 (不満を)ぶつぶつ言う. **옹잘-옹잘** 부하자타 ぶつぶつ.

옹졸【壅拙】 명하형 偏狭で思慮が足らず融通性がないこと. ¶~한 놈이다 なかなか渋いやつだ.

옹주【翁主】 명〔史〕①庶出の王女. ②朝鮮朝中葉以前の庶出の王女およびせいしひん(世子嬪)以外の王子妃.

옹호【擁護】 명하타 擁護. ¶인권 ~ 人権擁護/권익을 ~하다 権益を擁護する.

옻 명 漆かせ; 漆かぶれ; 漆負け.

옻-나무 명〔植〕漆.

옻-오르다 자 漆にかぶれる.

옻-올리다 자 漆にかぶれる.

옻-칠【—漆】 명하자 漆の木の汁; 漆; 漆塗り.

옻-타다 자 漆負けする; 漆にかぶれる.

와¹ 부 多くの人が一時に動くさま. また, 叫び声: わ; どっと. ¶~ 밀려 오다 わっと押し寄せる/~ 하고 웃었다 わあっと笑った.

와² 감 牛馬を停止または静めるかけ声: どうどう.

와³ 조 ①多くのものを列挙するときに使う接続助詞: …と. ¶개~ 소 犬と牛/오빠~ 누이동생 兄と妹. ②他の言葉と比較するときに使う副詞格助詞: …に; …と. ¶참외~ 비슷하다 まくわうりによく似ている/그~는 비교도 안 된다 彼とは比べ物にならない. ③いっしょにすることを表わす副詞格助詞: …と. ¶누나~ 같이 놀다 姉といっしょに遊ぶ/그녀~ 만났다 彼女と会った.

와⁴ 준 [↗오아] 来な; 来なさい. ¶내일 그리로 ~ 明日そちらへ来な.

-와 준 [↗-오아] …ので. ¶미안하~ すみませんので/말하기 거북하~ 話しにくいので.

와그르르 부하자 ①積まれている固いのが一度に崩れ落ちる音: がらがら. ¶~ 무너지다 がらがらっと崩れる. ②少量の水が沸き上がる音: ぐらぐら. ③雷がやかましく鳴る音: がらがら; ごろごろ.

와그작-거리다 자 どよめく; ひしめく; 雑踏する. ¶구경꾼이 ~ 見物人がひしめく. **와그작-와그작** 부하자 ひどくひしめく〔雑踏する〕さま.

와글-거리다 자 ①群がり騒ぐ; 騒ぎたてる; 雑踏する; ざわつく; ざわめく. ②少量の水が煮えたぎる.

와글-와글 부하자 ①わあわあ; わいわい; がやがや; てんやわんや〈俗〉. ¶밖에서 무언가 ~ 떠들고 있다 外で何やらわいわい言っている/~ 떠들어 대다 ぎゃあぎゃあ騒ぐ/~ 큰 소란을 떨다 やっさもっさ大騒ぎをする/거리가 온통 ~ 야단이었다 町中がてんやわんやの大騒ぎであった. ②ぐらぐら; がらがら. ¶물이 ~ 끓다 湯がぐらぐら沸く.

와-닥닥 부하자 驚いて急に跳び出すさま. また, その音.

와당탕 부하자 ばたん; がたん. ——-거리다 자 どたんばたんする. ———— 부하자 ばたんばたん; がたんがたん. ——-퉁탕 부하자 どたんばたん; ばたんばたん.

와드등-와드등 부하자 器などがぶつかりあって割れる音: がちゃがちゃ.

와들-와들 부하자 わなわな; がたがた. ¶두려움에 ~ 떨다 怖さにわなわな震える/추워서 ~ 떨다 寒くてがたがた震える/~ 떨다 震え上がる.

와락 부 急に立ち向かったり引っ張るさま: 不意に; にわかに; 突然; ぐいと. ¶~ 달려 들다 不意にとびかかる/~ 잡아당기다 ぐいと引っ張る.

와락-와락 부하자 熱気が盛んにつのるさま.

와류【渦流】 명하자 渦流; 渦巻く流れ.

와르르 부하자 ①(石垣などが)崩れる音. またはそのさま: がらがら. ¶돌담이 ~ 무너지다 石垣ががらがらと崩れる/담이 ~ 무너졌다 塀がもろに倒された. ②(雷が)騒騒しく鳴る音: ごろごろ. ③(水が) どっと流れ出るさま: ざあっ. ¶물이 ~ 쏟아지다 水がざあっと流れ出る. ④(水が)煮えたぎるさま: ぐらぐら. ¶물이 ~ 끓다 湯がぐらぐら沸く. <워르르.

와병【臥病】 명하자 がびょう(臥病); びょうが(病臥). ¶오랫동안 ~중인 조부 長らく病臥中の祖父.

와삭 부하자타 ①のり気のこわ(強)い洗濯物や枯れ葉などが触れ合ったり, それを踏んだりするときにでる音: かさこそ; ばりばり. ②せんべいなどをかむ音: ばさ. ——-거리

がさつく；かさこそ音を立てる. ② ばさばさ音をたてる. ——— 부하자 ① かさこそかさこそ；ばりばり；ざわざわ. ¶ 대숲이 ~한다 竹やぶがざわめく / 풀먹인 옷이 ~ 댄다 のり気のある着物がばりばり(と)音を立てる. ② かりかり；ばさばさ. ¶ ~ 깨물다 かりかりかむ.

와스스 부하자 ① さわがしく木の葉が揺れたり枯れ葉が散る音：がさがさ. ② 組み立てた物などの仕組みが一度に外れるさま：ばらばら. ③ 軽いものが騒騒しく散らばるさま：ばさばさ.

와신 상담【臥薪嘗膽】명하자 がしんしょうたん(臥薪嘗胆). ¶ 복수하기 위해 ~해 왔다 復讐のため臥薪嘗胆して来た.

와음【訛音】명 かいん〔かおん〕(訛音).

와이 더블유 시 에이【Y.W.C.A←Young Women's Christian Association】명 ワイダブリューシーエー.

와이 엠 시 에이【Y.M.C.A←Young Men's Christian Association】명 ワイエムシーエー.

와이프〔wife〕명 ワイフ；妻；家内.

와인〔wine〕명 ワイン；ぶどう(葡萄)酒.
‖—— 글라스 명 ワイングラス.

와인드-업〔wind-up〕명《野》ワインドアップ.

와작-와작 부 ① (仕事を)急いでするさま：ばりばり；もりもり. ¶ 일을 ~ 해치우다 仕事をばりばり(と)やってのける. ② 大根などをかむ音：がりがり；もりもり. ¶ 무를 ~ 씹다 大根をばりばりかじる.

와전【訛傳】명하타 かでん(訛伝)；誤って伝えること.

와지끈 부하자 数多くの固いものがこわれる音：どかん；がたん；がちゃん. ——-거리다 자 しきりにがちゃんがちゃん〔がたんがたん〕と音を立てる. ——— 부하자 がちゃんがちゃん；がたんがたん；どかんどかん. ——-뚝딱 부하자 大小数多の固い物がこわれる音：がちゃんぴしゃ.

와짝 부 一度に進み出るかまたは増え〔減〕るさま：ぱっと；ぐっと. ¶ ~ 늙다 急に老けてしまう. ——— 부 大へん急な速度で.

와트〔watt〕의명 ワット(記号：W). ¶ 백 ~의 전구 100ワットの電球.
‖——-시 의명 ワット時.

와해【瓦解】명하자 がかい(瓦解). ¶ 내각이 ~되었다 内閣が瓦解した.

왁스〔wax〕명 ワックス.

왁시글-거리다 자 多くの人·動物がこみ合いひしめく. 왁시글-왁시글 부하자 多くの人·動物がこみ合うさま. ¶ 거리가 온통 ~ 야단이다 町中がてんやわんやの騒ぎである.

왁자그르 부하자 ① 大勢がやかましく笑い騒ぐさま. また, その声. ② うわさが広がって急に騒がしいさま. ¶ 전쟁 소문으로 온 시내가 ~하다 戦争のうわさで町中が騒然とする.

왁자지껄-하다 자 형 多くの人が大声でしゃべり散らす. ¶ 바깥이 家の外が騒騒しい.

왁자-하다 형 ① 目がまわるほどやましい；さんざめく〈俗〉. ② ☞ 왁 하다.

완강【頑強】명하형 頑強. ¶ ~ 저항 頑強な抵抗. ——-히 부 頑強に；頑として. ¶ ~ 거부하다 頑強〔頑として〕拒む.

완결【完決·完結】명하타 完結. ¶ 사건을 ~짓다 事件を完結する.

완고【頑固】명 頑固；かたくな. —— 하다 형 頑固だ；かたくなである；ごつい. ¶ ~한 인간 かたくなな人 / ~한 아버지〔영감〕ごついおやじ / ~해 그도 항복한 모양이다 頑固な彼も閉口したらしい / 아버지는 옛날 분이어서 여간 ~하지 않다 おやじは昔かたぎでなかなか頑固である. ——-히 부 頑固に；かたくなに.

완곡【婉曲】명하형히부 えんきょく(婉曲)；遠回し. ¶ ~한 표현 婉曲な表現 / ~한 충고 遠回しの〔控えめな〕忠告 / ~하게 비난하다 やんわりと非難する / ~히 거절하였다 婉曲に断わった.

완골【腕骨】명〔生〕腕骨.

완공【完工】명하타 完工.

완구【玩具】명 がんぐ(玩具)；おもちゃ. =장난감·완물(玩物).

완급【緩急】명 緩急. ¶ ~에 무리가 없다 緩急よろしきを得る.
‖——기호 명〔樂〕緩急記号.

완납【完納】명하타 完納. ¶ 세금을 ~하다 税金を完納する.

완두【豌豆】명〔植〕えんどう(豌豆).

완력【腕力】명 腕力；腕っ節；力ずく；腕ずく. ¶ ~을 휘두르다 腕力をふるう / ~에 호소하다 暴力に訴える / ~으로 뺏다 腕ずくで取り上げる.

완료【完了】명하타 完了. ¶ 준비 ~ 準備完了.

완류【緩流】명하자 緩流.

완만【緩慢】명하형 緩慢；なだらかなこと；緩やかなこと. ¶ ~한 동작 緩慢な動作 / ~하게 굽이지는 길 緩やかにカーブする道 / ~한 오르막길 緩い登り坂. ——-히 부 緩慢に；緩やかに.

완미【頑迷】명하형 頑迷. ¶ ~하고 고루한 노인 頑迷固陋な老人.

완벽【完璧】명하형 かんぺき(完璧). ¶ ~을 기하다 完璧を期する.

완봉【完封】명하타 完封. ¶ ~승 完封勝ち / 상대방의 수를 ~하다 相手のわざを完封する.

완본【完本】명 完本.

완부【腕部】명 (動物·昆虫などの)腕の部分.

완불【完拂】명하타 すっかり支払うこと.

완비【完備】명하타 完備. ¶ 냉방 ~ 冷房完備 / 시설이 ~되다 施設が完備した.

완사【緩斜】명 緩斜.
‖——-면(面) 명 緩やかな傾斜面. ——-지(地) 명 緩斜地.

완상【玩賞】명하타 がんしょう(翫賞)；鑑賞. ¶ 골동품을 ~하다

っとうひん(骨董品)を翫賞する.

성【完成】명 完成; しゅったい(出来). ——-하다 타 完成する; 出来上がる. ¶신년호 근일 중에 ~ 新年号近日中に出来 / ~까지 열흘은 걸린다 出来上がりまで十日はかかる / 논문을 ~하다 論文をまとめる / 이 달 안의 ~은 어려울 것 같다 今月中の完成はおぼつかない.

수【完遂】명 完遂. ——-하다 타 完遂する; 全うする; 成し遂げる; 果たす. ¶책임을 ~하다 責任を完遂する〔果たす〕/ 임무를 ~하다 任務を全うする / 연구를 ~하다 研究を成し遂げる.

숙【完熟】명하자타 하형 完熟.

승【完勝】명하자 丸勝ち; 完勝.

역【完譯】명하타 完訳.

연【宛然】명하형히부 ① えんぜん(宛然); ちょうど; さながら. ¶~히 진짜 같다 宛然として真に迫る. ② はっきり現われること.

완월【玩月】명하자 がんげつ(玩月); 月を賞すること; 月見.

완자 명 小刻みの牛肉に卵と豆腐を混ぜあわせて丸め油に揚げた食べ物.

완-자【—字】〔중 卍〕명 ☞ 만자(卍字).

‖——-문(紋) 명 まんじ(卍)をつないだ紋様. ——-창(窓) 명 まんじ(卍)形の格子窓.

완장【腕章】명 腕章. ¶~을 두르다 腕章をつける.

완재【完載】명하타 完載.

완전【完全】명하형 完全. ——히 부 完全に; 全く; すっかり. ¶~ 잊어버렸다 とんと忘れた / ~ 봄이 됐다 すっかり春になった.

‖—— 무결 명 完全無欠. =완전 무흠. —— 변태 명〔蟲〕完全変態. —— 시합 명〔野〕完全試合; パーフェクトゲーム. —— 실업자 명 完全失業者. ——-엽 명〔植〕完全葉. =갖춘잎.

완제【完製】명하타 すっかり仕上げること. また, その製品. ¶~품 完製品.

완제【完濟】명하타 完済; 皆済.

완존【完存】명하형 完存; 完全に存在すること.

완주【完走】명하자 完走.

완충【緩衝】명하자 緩衝.

‖——-기 명 緩衝器. —— 지대 명 緩衝地帯.

완치【完治】명하타 完治.

완쾌【完快】명하자 全快; 全癒. ¶~ 축하 全快祝い / ~할 가망이 없는 환자 全快の望みのない病人.

완투【完投】명하자〔野〕完投.

완패【完敗】명하자 完敗; べた負け〈俗〉.

완-하다【頑—】형 ① かたくなだ. ② 高慢で邪悪だ.

완-하다【緩—】형 のろい; にぶい; 遅い.

완-하제【緩下劑】명 緩下剤.

완행【緩行】명하자 緩行; 鈍行〈俗〉. ‖—— 열차 명 緩行列車. ——-차 명 緩行車.

왈강-달강 부하자 数多くの固いものが入り乱れてぶつかり合う音: がたんごとん. <월경덜경.

왈딱 부 ① 物をすっかり吐き戻すさま: げっ. ② 急に全部ひっくりかえるさま. <월떡. ③ 水が沸き上がり急にあふ(溢)れるさま.

왈짜【曰—】명 [←왈자(曰字)] ☞ 왈패(曰牌).

‖—— 자식(子息) 명 不良者.

왈츠〔waltz〕명 ワルツ.

왈칵 부 ① ものを急に吐き戻すさま: げえっ. ② 急に全部ひっくり返るさま. ③ いきなり押したり引っ張ったりするさま: ぐいと; どっと. ¶~ 떠밀다 いきなり押しつける. <월

왈칵-하다 형 かっとなる. ㄴ컥.

왈패【曰牌】명 言動を慎まず騒騒しい人を言う《主に女性》.

왔다-갔다 부하자 行ったり来たり; 行きつ戻りつ. ¶~하면서 서성거리다 行ったり来たりしながらうろつく.

왕【王】명 王. ① 王様; 国王. ¶~을 가까이 모시다 王に侍する. ② 長; おさ(長). ¶백수의 ~ 百獣の王 / 발명 ~ 発明の王 / 소비자는 ~이다 消費者は王様である.

왕-【王】두 ① ひどく大きいことを表わす語. ¶~밤 大きなくり(栗). ② 祖父の系列にあたる人の尊称. ¶~고모 おお伯母.

왕가【王家】명 王家. ¶~의 출신 王家の出.

왕가【枉駕】명하자 おうが(枉駕). =왕림(枉臨).

왕-감【王—】명 でかいかき(柿).

왕-거미【王—】명〔動〕おにぐも.

왕-겨【王—】명 粗ぬか(糠); もみ(籾)殻; もみぬか(籾糠); す(磨)りぬか(糠).

왕-고래【王—】명〔動〕せみくじら(背美鯨)

왕-골 명〔植〕ワングル.

‖—— 기직 명 粗く裂いたワングルで編んだござ(茣蓙). —— 껍질 명 ワングルの皮. ——-논 명 ワングルを植える田. —— 방석(方席) 명 ワングルで編んだ座布団. ——-속 명 ワングルの茎から皮をむ(剝)いた中味《干してわらじやひも(紐)などを編む》.

왕공【王公】명 王公.

왕관【王冠】王冠. ① 君主の冠. ② 瓶の口金.

왕국【王國】명 王国.

왕궁【王宮】명 王宮.

왕권【王權】명 王権.

‖—— 신수설 王権神授説. =제왕신권설.

왕기 명 瀬戸物の大きな平鉢.

왕기【王氣】명 ① 王が生まれるきざし. ② 大成するきざし.

왕기【旺氣】명 ① 幸福になる兆し. ② おうせい(旺盛)な気運. ——-뜨이다 자 幸福になるきざしが見える.

왕녀【王女】명 王女.

왕년【往年】명 往年; 往時; 昔. =옛날. ¶~의 명우 往年の名優 / ~의 황금 시대 往年の黄金時代

/ ～의 그도 좀 늙었다 往時の彼もかなり老いた.

왕눈-이【王―】명 どんぐり眼の人.

왕당【王黨】명 王党.

왕-대【王―】명〔植〕まだけ(真竹); にがたけ(苦竹); かわたけ(川竹); おだけ(雄竹).

왕-대부인【王大夫人】명 他人の祖母の尊称.

왕-대비【王大妃】명 生存している前王の妃.

왕-대인【王大人】명 他人の祖父の尊称.

왕-대포【王―】명 (居酒屋で) 大きな杯で酒を飲むこと. また, その酒.

왕도【王都】명 王都; 都; 京.

왕도【王道】명 王道. ¶학문에 ～는 없다 学問に王道なし.

왕래【往來】명하자 ① 往来; 行き来. ¶사람 ～가 많다 人の往来が多い / 편지 ～가 있다 手紙のやり取りがある. ② ☞ 노자(路資).

왕릉【王陵】명 王陵.

왕림【枉臨】명하자 おうが(枉駕); 来臨; 光臨; らいが(来駕). ¶～하여 주시기를 바랍니다 御来臨〔御光臨〕を仰ぎます / 일부러 ～해 주셔서… わざわざお出で下さいまして….

왕-마디【王―】명 ひどく大きい節.

왕-머루【王―】명〔植〕やまぶどう(山葡萄).

왕명【王命】명 王命. ¶～을 거스르다 王命に逆らう.

왕모【王母】명 王母.

왕-모래【王―】명 粒の粗い砂.

왕-바위【王―】명 大きな岩.

왕-밤【王―】명 大きいくり(栗).

왕-방울【王―】명 大きい鈴.

‖――-눈 명 どんぐり眼; 大目玉.

왕-뱀【王―】명〔動〕大蛇; おろち.

왕법【王法】명 王法; 国王の法令.

왕복【往復】명하자 往復; 行き帰り. ¶우체국까지 두 번 ～했다 郵便局まで二度往復した / ～ 모두 비행기를 이용했다 行き帰りとも飛行機を利用した.

‖―― 기관 명〔物〕往復機関. ―― 엽서 명 往復はがき(葉書). ―― 운동 명〔物〕往復運動. ――-표(票) 명 往復切符.

왕봉【王蜂】명〔蟲〕じょおうばち(女王蜂). ＝장수벌.

왕비【王妃】명 王妃. ＝왕후.

왕사【王師】명 王師.

왕사【往事】명 往事; 昔〔以前〕の事. ¶～는 들출 것 없다 今更往事を持ち出すに及ばない.

왕-새우【王―】명〔動〕はこえび.

왕생【往生】명하자〔佛〕往生.

‖―― 극락 명하자 往生極楽. ＝극락 왕생(極樂往生).

왕성【王城】명 王城.

왕성【旺盛】명 おうせい(旺盛). ――하다 형 旺盛だ; 盛んである. ¶원기 ～ 元気旺盛 / 식욕 ～ 食欲旺盛 / ～한 기세 隆隆たる勢い / ～한 호기심 旺盛な好奇心 / 늙었도 여전히 의기 ～하다 老いてもなお意気盛んである. ――-히 부 旺盛に; 盛んに.

왕-세손【王世孫】명 王世子の長子; 王太孫. 준 세손.

왕-세자【王世子】명 王世子; 東宮; 一の宮; 春の宮.

‖――-비 명 王世子妃; 東宮妃.

왕-소금【王―】명 粗塩.

왕손【王孫】명 王孫.

왕수【王水】명〔化〕王水.

왕시【往時】명 往時; 昔.

왕실【王室】명 王室; 宮室. ＝왕가(王家).

왕업【王業】명 王業.

왕왕【往往】부 往往; 折折. ¶～ 실패하는 일이 있다 往往失敗することがある / ～ 의견의 차이도 생긴다 時折意見の相違も生ずる.

왕위【王位】명 王位. ¶～전 王位戦 / ～에 오르다 王位に即く / ～를 계승하다 王位を継ぐ〔継承する〕/ ～를 빼앗다 王位を奪う.

왕일【往日】명 往日; 過ぎし日; 昔日.

왕자【王子】명 王子.

‖――-군(君) 명〔史〕王の庶子《功臣たちに授けた君号と区別するための語》.

왕자【王者】명 王者. ¶유도의 ～ 柔道の王者 / ～의 관록 王者の貫禄.

왕자【往者】명 往者; 往時; 既往.

왕-잠자리【王―】명〔蟲〕やんま.

왕정【王政】명 王政.

‖―― 복고 명 王政復古.

왕제【王弟】명 王弟.

왕조【王朝】명 王朝. ¶로마노프 ～ ロマノフ王朝 / ～ 초 王朝初.

왕족【王族】명 王族.

왕좌【王座】명 王座. ¶예능계의 ～를 차지하다 芸能界の王座を占める.

왕진【往診】명하타 往診; 来診. ¶～료 往診料 / 의사에게 ～을 청하다 医者に来診を頼む / ～을 거절하다 往診を断わる.

왕-천하【王天下】명하자 王になって天下を治めること. また, その天下.

왕초【王―】명《俗》こじき(乞食)·くず(屑)拾いなどの親分.

왕콩【王―】명 大きい豆.

왕-태자【王太子】명〔史〕王太子《朝鮮朝末期の太子》.

왕토【王土】명 王土.

왕통【王統】명 王統. ¶～을 잇다 王統を継ぐ.

왕-파【王―】명 太いねぎ(葱).

왕-파리【王―】명〔蟲〕おおいえばえ.

왕후【王后】명 王后; きさき(后).

왕후【王侯】명 王侯.

‖―― 장상 명 王侯将相. ¶～이 씨가 있나《俚》王侯将相いずくんぞ種あらんや.

왜【倭】명 [↗왜국(倭國)] わ(倭).

왜[1] 부 何故; なぜ; どうして; なんで; いか(如何)なれば. ¶～ 그런지 슬프다 何となく悲しい; 何か無しに

しい / ～ 학교를 쉬었느냐 何で学校を休んだのだ / ～ 이렇게 추울까 何〔どうして〕こんなに寒いのだろ / ～ 그럴까 何故だろう / ～ 웃느냐 ぜ笑うのか / 왠지 모르게 싫증이 난 何とはなしにいや気がさす.
감 疑問の意を表わす語: お. ¶ ～ 자네는 그게 싫은가 おや, 君はそれがいやなのか.
가리 명〘鳥〙あおさぎ(青鷺).
각-대각 부 器などがぶつかったりわれたりして鳴る音: がちゃがちゃ; がちゃんがちゃん. ⫽왜깍대깍.
-간장【倭—醬】명《俗》工場でつくのしょうゆ(醬油). =일본 간장.
건〔wagon〕명 ワゴン. ¶ ～서비스 ワゴンサービス.
곡【歪曲】명하타 わいきょく(歪曲). ¶ 사실을 ～ 보고하였다 事実を歪曲報告した.
구【倭寇】명〘史〙わこう(倭寇).
구【矮軀】명 背の低いからだ.
국【倭國】명 和国; 日本をさげすんで言う語. 「ま(鎌).
-낫【倭—】명 刃が短く軽いか
냐-하면 부 なんとなれば; なぜ(何故)なら(ば); いかん(如何)となれば; なぜかと言うと. ¶ ～ 너무도 무리하기 때문이다 何故ならば,(それは)あまりにも無理だからである.
왜-떡【倭—】명 あんこもち(餅).
왜-말【倭—】명 日本語の卑称.
왜-못【倭—】명 (在来式のくぎ(釘)に対して)工場製の釘.
왜-무【倭—】명 (朝鮮大根に対して)太く長い日本種の大根.
왜병【倭兵】명 日本兵.
왜성【矮星】명〘天〙わいせい(矮星).
왜소【矮小】명하형 わいしょう(矮小). ¶ ～한 나무 矮小な木.
왜-솥【倭—】명 まわりに縁があって底の深いかま(釜); 新式のかま.
왜식【倭式】명 日本式.
왜식【倭食】명 日本料理. ¶ ～집 日本料理屋.
왜인【倭人】명 "日本人"をさげすんで言う語; 和人.
왜인【矮人】명 背の低い人 =난쟁
왜자기다 자 がやがや騒ぐ. ⌊이.
왜자-하다 형 (うわさ(噂)が)広まっている; 持ち切っている.
왜장-녀【—女】명 ① 大柄で恥知らずの女性. ② "산디놀음"で, 女の仮面をかぶ(被)って踊る踊り手.
왜장-치다 자 だれそれと指すことなしにいたずらに大声をあげる.
왜적【倭敵】명 敵国である日本. また, 日本人.
왜정【倭政】명 日本の侵略下の政治. =일정(日政).
왜죽-왜죽 부하자 手を大きく振りながら歩くさま. <웨죽웨죽.
왜쭉-왜쭉 부하자 ちょっとしたことで腹を立てるさま.
왜퉁-스럽다 형 途方もなく調子はずれだ; ばかにことさらめいている; ばかにだしぬけがましい.
왜틀-비틀 부하자 体をひょろつかせて歩くさま.
왜풍【倭風】명 日本の風俗.
왜화【矮花】명 小さい花.
왝 부하자 ① あおさぎ(青鷺)がしきりに鳴く声. ② 吐き戻す声: げえ. <웩.
왝-왝 부하자 ① あおさぎ(青鷺)がしきりに鳴く声. ② しきりに吐き戻す声: げえげえ. <웩웩. ——-거리다 자 しきりにげえげえと反吐を吐く.
왱 부하자 虫やつぶて(飛礫)などのようなものが飛んで行くとき, または風が針金などに強く当たって鳴る音や, 消防車や救急自動車などの走り行く音: ぶん; びゅん; びゅっ; ええん. <웽.
왱왱 부하자 虫が飛んで行くとき, または風が針金などに当たってなる音: ぶんぶん; びゅんびゅん; びゅっびゅっ. <웽웽. ——-거리다 자 ぶんぶん〔びゅんびゅん, びゅっびゅっ〕と音がする.
외 명〘植〙[↗오이] きゅうり(胡瓜). ¶ ～덩굴에 가지 열릴까《俚》胡瓜のつる(蔓)になす(茄子)は生らない《親と全く似ていない子はないとの意》.
외【外】명 外. =밖. ¶ 그 ～에 その外に / 인솔자 ～ 50명 引率者の外五十名.
외- 두 名詞の前に付いて"独·独り·単·片"の意を表わす語. ¶ ～아들 独り子 / ～톨 独りぼっち.
외-【外】두 ① 母の里方に関する意を表わす語: 母方の; 外; 外. ¶ ～가 母のお里 / ～숙 母方の叔父. ② 外·表面などの意.
외가【外家】, 외갓-집【外家—】명 母の里〔実家〕.
외-가닥 명 (糸·縄などの)一筋; 一本よ(撚)り(の筋). ¶ ～길 一筋道; 一本道.
외각【外角】명 外角.
외각【外殼】명 外殼. =겉껍데기. ¶ ～ 부분 外殼部.
외간 남자【外間男子】명 なんのかかわりもない男; よその男.
외-갈래 명 ただ一筋. ¶ ～길 一本筋の道.
외감【外感】명 ①〘韓醫〙風邪. =고뿔. ②〘心〙[↗외부 감각] 外感. ③ 不順な気候のために起こる病気の総称.
외강 내유【外剛內柔】명하형 外剛内柔; 内柔外剛.
외견【外見】명 外見. =외관(外觀). ¶ ～은 좋으나 내용이 빈약하다 外見はよいが内容が貧弱である.
외-겹 명 一重.
외경【畏敬】명하타 いけい(畏敬). =경외(敬畏). 「界の温度.
외계【外界】명 外界. ¶ ～의 온도 外
외-고집【—固執】명 意地っ張り; 片意地; 利かん気; えこじ(依怙地); いこじ(意固地); 一徹. ¶ ～이 있는 사나이 いこじな男 / ～쟁이 一徹者; 意地っ張り / 노인의 ～ 老人の一徹 / 바보의 ～ ばかの一つ覚え.
외-골목 명 袋小路.
외-곬 명 一方にだけ通じた道; 一

本気；一向き；ひたむき；一筋；いちず(一途). ¶～으로 생각하다 一向きに考える；一筋に思い詰める；いちずに思い込む / ～으로 가다 ひたすら一つのことに努める.

외과【外科】 명 外科. ¶～의 外科医 / ～ 수술을 받다 外科の手術を受ける.

외곽【外廓】 명 外郭；外ぐるわ. ¶ 성의 ～을 부수다 城の外郭をこわす.
‖—— 단체 명 外郭団体.

외관【外官】 명 地方の役職. または, 役人.

외관【外観】 명 外観；風体；見(せ)かけ；上辺；見つき；見てくれ；体裁；見え；外構え；外見. ¶～은 훌륭하지만 外観は立派であるが / ～은 나쁘지는 않다 外見は悪くない / 이 장치는 ～뿐이다 この装置は見せかけだけである / ～만 꾸미다 体裁だけつくろう / 사람은 ～으로 판단할 수 없다 人は見かけによらない / ～이 나쁘다 見てくれが悪い；見つきが悪い.

외교【外交】 명 外交. ¶ 친선 ～ 親善外交 / 임기 응변의 ～ そのつどの外交.
‖——가 명 外交家. ——관(官) 명 外交官. ¶～으로서의 생애는 화려했다 外交官としての生涯は華華しかった. ——권 명 外交権. —— 기관 명 外交機関. —— 문서 명 外交文書. ——사 명 外交史. —— 사절 명 外交使節. ——원 명 外交員. ¶ 보험 ～ 保険の外交員. —— 정책 명 外交政策. —— 특권 명 外交特権.

외구【外寇】 명 がいこう(外寇).

외국【外局】 명 外局.

외국【外國】 명 外国；異邦；とつくに〈雅〉. ¶～의 수준에 이르다 外国の水準に達する〔追い付く〕/ ～ 시장에 지반을 구축하다 外国市場に地盤を築く / ～의 사정에 밝다 外情に明るい.
‖——법 명 外国法. ——산 명 外国産；舶来. ¶ 국산품이 ～을 능가하다 国産品が舶来品をしの(凌)ぐ. ——어 명 外国語；外語. ¶～의 필요성을 절실히 느끼다 外国語の必要性をしみじみ感じる. —— 영화 명 外国映画. ㊟ 외화(外畫). ¶～를 보다 外国映画を見る. ——인 명 外国人；外人. —— 자본 명 外国資本. ——제 명 外国製. ㊟ 외제(外製). —— 항로 명 外国航路. ——환(換) 명 外国為替. ¶～ 시장 外国為替市場 / ～ 어음 外国為替手形 / ～ 은행 外国為替銀行. —— 회사 명 外国会社.

외근【外勤】 명하자 外勤. ¶～ 사원 外勤の社員.

외기-권【外氣圈】 명 外気圏.

외-기러기 명 こがん(孤雁)；つれのないがん(雁).

외-길 명 一筋道.

외길-목 명 四方の道が集まり一方にだけ通ずるようになった道の入り口. ㊟ 외목.

외-김치 명 [↗오이김치] きゅうり(胡瓜)で漬けたキムチ.

외나무-다리 명 一本橋. ¶～ 만날 날이 있다《俚》一本橋で出会 日がある《人に恨みをかえば何時 は災いを受けるとの意》.

외난【外難】 명 外難；外患.

외-눈 명 片目；めっかち〈俗〉；独 眼；一眼.

외다 타 [↗외우다] そらん(諳)ず 暗記する. ¶ 시구를 ～ 詩句を諳 る / 무턱대고 ～ 棒暗記する / 그 책 라면 대부분 외고 있다 その本なら 抵は空で覚えている / 염불을 念仏を唱える.

-외다 어미 "-오이다(=です)"の意 ¶ 이것이 자동차～ これが自動車 す.

외-대 명 (木・草の)一本の幹 たは茎.
‖——박이 명 ① 一本マストの船 ② 白菜・大根の一株を一束 したもの.

외-대다 타 ① なおざりにもてなす； 遇する. ② 嫌って排斥する.

외대-머리 명 結婚式を挙げず 婦人風の髪に結い上げた女 人.

외도【外道】 명 ① 正しくない道・行 為. ② ☞ 오입(誤入). ③ 昔, 京 畿道以外の道を指した語 ④〔佛〕外道；仏教以外の他 の教え. ——하다 자 ① よその女 と情を通ずる. ② 本職以外の ことに手をつける.

외-돌토리 명 (寄るべない)独りぼっち. ㊟ 외톨. ¶ 부모가 죽어 ～가 되다 親が亡くなって独りぼっちになる.

외동-딸 명 "외딸(=一人娘)"の愛称.

외동-아들 명 "외아들(=一人息子)"の愛称.

외등【外燈】 명 [↗옥외등(屋外燈)] 外灯. ¶ 현관 밖에 ～을 달다 玄関の外に外灯をつける.

외-따로 부 つれもなくただ独りで；ただ一つだけ別に；ぽつんと. ¶ 산마루에는 소나무가 ～ 서 있다 山の頂には松がぽつんと立っている.

외딴 관 (多くの物から離れた)ただ一つの；人里離れた. ¶～ 마을 隠れ里.
‖——곳 명 人のいない所；人里離れたところ. ——길 명 人里離れて寂しい小道. ——몸 명 寂しい独り身；独りぼっち. ——섬 명 離れ島. ——집 명 一軒家；一つ家. ¶ 동네밖의 ～ 村はずれの一軒家.

외-딸 명 一人娘. ¶～을 시집보내다 一人娘を嫁にやる.

외-떨어지다 형 寂しく独り離れている.

외람【猥濫】 명하형스형 せんえつ(僭越)；身分不相応なこと；おこがましいこと. ——되다 형 僭越だ；身分をこえて出過ぎている. ¶ 외람되지만 제가 사회를 보겠습니다 僭越ながらわたしが司会をいたします/ 외람된 말씀이지만 はばかりながら. ——되이 부 僭越にも.

외래【外來】 명 外来. ¶ ~자 外来者 / ~의 진품 舶来の珍品.
‖── 사상 명 外来思想. ──-어 명 外来語. ¶ ~의 범람 外来語のはんらん(氾濫) ──-종 명 外来種. ──-품 명 外来品; 舶来品. ── 환자 명 外来患者.

외려 부 [↗오히려] むしろ; かえって.

외력【外力】 명 外力. ¶ ~에 의해서 물체가 움직이다 外力によって物体が動く.

외로 부 ① 左側に; 左の方に. ② 斜めに; 逆に.

외로움 명 孤独なこと; さびしさ. ¶ 가슴 속에 스며드는 ~ 胸に染みるわび(侘)しさ.

외롭다 형 ① 身寄り〔寄るべ(辺)〕がなくて心細い. ¶ 외로운 몸 独りぼっちの身 / 어머니를 여의고 ~ 母に死なれて寂しい. ② 非常に寂しい; わび(侘)しい. ¶ 혼자 여행은 ~ 独り旅は侘しい / 덕은 외롭지 않다 徳は孤ならず / 혼자 외롭게 서 있다 独りしょんぼり立っている. **외로-이** 부 ① 心細く. ② 寂しく; 侘しく.

외륜【外輪】 명 外輪.
‖──-선 명 外輪船; 外車船.

외마디 소리 명 高く鋭い一声; 悲鳴.

외면【外面】¹ 명 外面; 外側; 上辺; 面; 表面. ¶ ~은 모두 페인트칠을 한다 外側は全部ペンキ塗りにする.
‖── 묘사 명 外面描写. ──-적 명 관 外面的. ¶ ~인 고찰 外面的考察. ──-치레 명 하타 見せかけ.

외면【外面】² 명 하자 そっぽを向くこと; 顔を背けること; 目をそば(側)めること.

외모【外貌】 명 ようぼう(容貌); 見た目; 外見; 外面; うわべの様子. ¶ 남자다운 ~ 男らしい容貌 / ~를 꾸미다 外見を飾る / ~만 좋고 실속은 나쁘다 見てくれはいいが実は悪い.

외무【外務】 명 外務.
‖── 공무원 명 外務公務員. ──-부 명 外務部《外務省に当たる》. ¶ ~ 장관 外務部長官; 外務大臣. ──-원 명 外務員; 外交員.

외-문【─門】 명 一枚の板で成っている門.

외문【外聞】 명 外聞; 世の評判; 人聞き. ¶ ~이 나쁘다 人聞きが悪い.

외미【外米】 명 [↗외국미] 外米. ¶ ~를 사들이다 外米を買い入れる.

외-바퀴 명 車の片方の輪; 一つの輪.

외박【外泊】 명 하자 外泊. ¶ 무단 ~하다 無断外泊する.

외방【外方】 명 ① ソウル以外のすべての地方. ② 外側; 外方. 「外国.

외방【外邦】 명 外邦; 他国; 外国

외-밭 명 まくわうり(真桑瓜)やきゅうり(胡瓜)を植えた畑.

외벌 매듭 명 一回だけ結んだ結び目.

외벽【外壁】 명 外壁. ＝밭벽.

외변【外邊】 명 外辺; 外囲.

외봉-치다【外─】 타 人の物を盗んで他のところに移す.

외부【外部】 명 外部; 外; 外側; 外方. ¶ ~ 구조 外構え / ~로부터의 비평 外部からの批評 / ~ 사람 外部の人 / ~에 알려지다 外部に知れる.

외부 내빈【外富內貧】 명 하형 外富内貧; 外様は金持ちのようだが実際は困窮していること.

외분【外分】 명 〔數〕 外分.

외빈【外賓】 명 ① 外賓; 来遊した外国の客. ②〔史〕 国の祝い事ごとに参じた外臣.

외사【外史】 명 外史. ① 外国の歴史. ② 野史; 民間の歴史書; 私記.

외사【外事】 명 外事. ¶ ~계(원) 外事係.

외-사촌【外四寸】 명 ↗외종 사촌.

외-삼촌【外三寸】 명 母方の叔父の称.
‖──-댁(宅) 명 ① ☞ 외숙모. ② 母方の叔父の家.

외상 명 帳付け; 掛け; 付け《준말》. ¶ ~ 매입 買い掛け; 掛け買い / ~값 掛け金 / ~ 판매 掛け売り / ~ 장부 掛け売り通帳 / 술을 ~으로 팔다 酒を掛け売りする / 쌀을 ~으로 팔다 米を掛け買いする〔付けで買う〕/ ~으로 술을 마시다 帳付けで飲む.
‖──-질 명 하자 掛けで買うこと.

외-상【─床】 명 ① 一人分のおぜん(膳). ＝독상(獨床). ② 半月形のしょくぜん(食膳).

외상【外相】 명 外相; 外務大臣. ¶ ~ 회의 外相会議.

외상【外傷】 명 外傷. ¶ ~을 입다 外傷を負う.

외서【外書】 명 外書; 外国の書物.

외서【猥書】 명 わいしょ(猥書); わいほん(猥本); Y本.

외선【外船】 명 外船. ① 外国船. ② 外航船.

외선【外線】 명 外線. ¶ ~ 공사 外線工事 / ~ 작전 外線作戦.

외설【猥褻】 명 하형 わいせつ(猥褻); わいざつ(猥雑); いんわい(淫猥); みだ(淫)ら. ¶ ~한 이야기 淫らな話 / ~한 서적 淫猥な本.
‖──-물 명 猥褻物. ──-죄 명 猥褻罪. ── 행위 명 猥褻行為.

외성【外姓】 명 母方の姓.

외성【外城】 명 外城; 出城; 出丸.

외세【外勢】 명 外勢. ① 外の情勢. ② 外国の勢力.

외-손 명 片手; 隻手. ──-지다 형 物が片方に片寄っているので片手しか使えないから不便だ.
‖──-뼉 명 片手のてのひら. ──-잡이 명 片手のよく利く人; 片手きき.

외손【外孫】 명 外孫・そと・まご.
‖── 봉사(奉祀) 명 하자 母の実家に後継ぎがないため外孫が祭祀

を受け持つこと.
외-손녀【外孫女】명 娘が産んだ女の子.
외-손자【外孫子】명 外孫.
외숙【外叔】명 外叔; 母方の叔父; 母の男兄弟.
외-숙모【外叔母】명 母方の叔父の妻.
외식【外食】명하자 外食.
외식【外飾】명하타 ① 外飾; 外部の装飾; 外見. ② ☞ 면치레.
외신【外臣】명 ① 外臣. ② 他国の君王に対する自称.
외신【外信】명 外信; 外電. ¶ ~부 外信部 / ~ 기자 外信記者 / ~이 전하는 바에 의하면 外信の伝えるところによると.
외심【外心】명 ① へだてを持った心. ②〔數〕外心.
외-아들 명 独り息子. ¶ 자네는 ~이군 君は独り息子なんだね.
외알-박이 명 (弾丸·眼鏡のレンズなど)一つだけ入っている物の通称. ¶ ~총 弾丸が一つだけ入る鉄砲.
외야【外野】명〔野〕外野. =아웃필드. ‖ ——-수 명 外野手; アウトフィールダー. =아웃필더.
외양【外洋】명 外洋.
외양【外様】명 見え; 見てくれ; 外見; 外面. =외모(外貌). ¶ ~에 무관심하다 見えに構わない / ~만 훌륭한 건축이다 外面だけりっぱな建築だ.
외양-간【喂養間】명 牛小屋; 牛舎. ¶ 소 잃고 ~ 고친다《俚》後悔先に立たず; 盗人を見て縄をなう.
외-어깨 명 片方の肩.
외연【外延】명〔論〕外延. 「り.
외연【外緣】명 外側の縁; 外回
외연 기관【外燃機關】명〔物〕外燃機関.
외-올 명 (糸や縄などをより合わせる前の)一筋〔一本〕.
‖ ——-베 명 ガーゼや包帯などに使われる一筋〔一本〕の木綿糸で織った柔らかくて薄い布地. ——-실 명 片糸; 一本の糸.
외욕-질 명하자 吐き気を催すこと. 준 왹질.
외용【外用】명하타 外用.
‖ ——-약 명 外用薬; 付け薬.
외용【外容】명 外容; 見てくれ.
외우【外憂】명 外憂; 外患.
외우 부 ① 離れて; ただ独りで; ぽつんと. ¶ ~ 서 있는 한채의 집 ぽつんと建っている一軒屋. =외지게. ② 遠く. =멀리.
외우다 타 ☞ 외다.
외원【外苑】명 外苑.
외유【外遊】명하자 外遊. ¶ ~는 얻는 바가 크다 外遊は利する所が大きい.
외유 내강【外柔內剛】명하형 外柔内剛. ¶ ~한 사람 外柔内剛の人.
외-음부【外陰部】명〔生〕外陰部.
외이【外耳】명〔生〕外耳. ¶ ~염 外耳炎.

외인【外人】명 外人. ¶ ~의 눈에 비친 한국인 外人の目に映じた韓国人.
‖ —— 부대 명 外人部隊.
외인【外因】명 外因. ¶ 실패의 ~ 失敗の外因.
외입【外入】명하자 ☞ 오입(誤入).
외-자【一字】명 一字. ¶ ~ 이름 一字でなる名前《許準など》.
외자【外資】명〔經〕[↗외국 자본] 外資.
‖ —— 도입 명 外資導入.
외잡【猥雜】명하형 わいざつ(猥雜). ¶ ~한 책 猥雑な本.
외적【外的】명관 外的. ¶ ~ 조건 外的条件 / ~ 욕망 外的欲望.
외적【外賊】명 外賊; 外来の敵.
외적【外敵】명 外敵; 外から攻めて来るあだ(寇); がいこう(外寇). ¶ ~의 침입에 대비하다 外敵の侵入に備える.
외전【外電】명 外電. =외신(外信).
외전【外傳】명 外伝. ¶ 의사 ~ 義士外伝.
외접【外接】명하자〔數〕外接.
‖ ——-원 명 外接円.
외정【外情】명 外情; 外部〔外国〕の事情. ¶ ~에 어둡다 外情に疎い.
외제【外製】명 [↗외국제] 外国製. ¶ ~ 화장품 外国製の化粧品.
외제【外題】명하자 ① 外題; 表紙の書籍の名. ② 本の内容が題目と異なること.
외조【外祖】명 ↗외조부(外祖父).
외-조모【外祖母】명 外祖母; 母方の祖母.
외-조부【外祖父】명 外祖父; 母方の祖父.
외족【外族】명 ① 母方の親族. ② 外部の一族.
외종【外從】명 ↗외종 사촌.
‖ —— 사촌(四寸) 명 母の兄弟の子女; 母方のいとこ. ——-제(弟) 명 母方のいとこの弟. ——-형(兄) 명 母方のいとこの兄. —— 형제(兄弟) 명 母方のいとこである兄弟.
외주【外注】명하타 外注. ¶ ~ 가격 外注値段 / 부품을 ~하다 部品を外注する.
외주【外周】명 外周.
외-줄 명 一筋; 一本; 単線.
외-줄기 명 ① 一本筋; 一筋. ② 枝のない茎〔幹〕.
‖ —— 문서(文書) 명 条目の少ない契約書や覚え書き.
외-지 명 ↗오이지.
외지【外地】명 外地. ① 居住地以外の地方. =외방(外方). ② 植民地.
외지【外紙】명 外紙.
외지【外誌】명 外誌.
외-지다 형 ひっそりとしている; 人離れしてさびしい. ¶ 외진 산길 ひっそりとした山道.
외직【外職】명〔史〕地方の各役所の役職. =외관(外官).
외-짝 명 ① 片方. ② ただ一つ.

— 다리 명 ①(机やおぜん(膳)なの)片足. ②《俗》片足のない身者.
-쪽 명 ①(相対立しているもの)片方. ②ただの一切れ.
— 미닫이 명 一枚障子.
채【外債】명 外債. =외국채(外國債).
챗-집 명 一軒家.
처【外處】명 他郷; よそ(他所).
척【外戚】명 がいせき(外戚); 母方の親類. ¶그녀는 나의 ~뻘이 된다 彼女はわたしの外戚に当たる.
출【外出】명 外出. ——-하다 자 外出する; 出掛ける. ¶무단 ~ 無断外出 / ~복 外出着; よそ行き(の服) / ~증 外出許可書.
외-출혈【外出血】명 外出血.
외측【外側】명 外側.
외치【外治】명하타 ☞외교(外交).
외치다 자타 叫ぶ; わめ(喚)く; 声を張り上げる. ¶외치는 소리가 뚝 그쳤다 叫び声がぷっつり(と)切れた / 구조를 ~ 助けを呼ぶ / 독립을 ~ 独立を叫ぶ.
외탁【外—】명하자 ようぼう(容貌)や性格が母方に似ていること.
외-톨 명 ①くり(栗)·にんにくなどの実が一粒だけのもの. ②↗외돌토리. ‖——-박이 명 (くり·にんにくなどの)一粒だけ入っているもの. ——밤 명 一粒入っているくり(栗).
외톨-이 명 独り身; 一人ぼっち. =외돌토리.
외-통 명 (将棋で)一手詰めの王手. ‖——-수(手) 명 一手詰め. ——장군(將軍) 명 一手詰めの王手をかけること.
외투【外套】명 がいとう(外套); オーバー(コート). ¶낡아빠진 ~ よれよれのオーバー.
외판【外販】명하타 外販; 外商. ¶~원 外販の従業員; 外交員.
외-팔 명 片腕; 隻腕. ‖——-이 명 片腕の人.
외풍【外風】명 ①透き間風; 外から入る風. ¶~이 세다 透き間風がひどい. ②外来の風俗.
외피【外皮】명 外皮. =겉껍질.
외-할머니【外—】명 外祖母; 母方の御祖母さん.
외-할아버지【外—】명 外祖父; 母方の御祖父さん.
외항【外港】명 外港.
외항【外項】명〔數〕外項.
외해【外海】명 外海; 外洋.
외향-성【外向性】명〔心〕外向性.
외형【外形】명 外形.
외-호흡【外呼吸】명〔生〕外呼吸.
외혼【外婚】명 族外婚.
외화【外貨】명 外貨. ‖—— 어음 명 外貨手形. —— 획득 명 外貨獲得.
외화【外畫】명 ↗외국 영화.
외환【外患】명 外患. ¶내우 ~이 번갈아 가며 닥치다 内憂外患こもごも至る.
외환【外換】명 ↗외국환. ‖—— 관리 명 外国為替管理. —— 시장 명 外国為替市場. —— 은행 명 外国為替銀行; 為替銀行.
왹-질 명하자 ↗외욕질.
왼 관 左側の意. ¶~고개를 젓다 かぶり(頭)を左に振る《否定や反対の意をあらわす》.
왼-발 명 左足.
왼발목-치기 명 (相撲で)小手投げ.
왼-배지기 명 (相撲で)投げだし.
왼-새끼 명 左縄《不浄を防ぐと言うのでしめ縄に用いる》. ¶~를 꼰다《俚》 左縄をなう《㉠事がさんざんによじ(捩)れる. ㉡さんざん皮肉るかまたはいやがらせを言う》.
왼-소리 명 だれそれ(誰某)が亡くなったといううわさ(噂). ¶~를 들었다 だれそれ(誰某)が亡くなったといううわさを聞いた.
왼-손 명 左手. ‖——-잡이 명 左利き; ぎっちょ.
왼-씨름 명 左相撲《まわしは右足に掛け肩は左側に当てて取る相撲》.
왼-안걸이 명 (相撲で)うちかけ.
왼오금-치기 명 (相撲で)そとかけ.
왼-짝 명 ①↗왼편짝. ②(左右対になっているものの)左側の物.
왼-쪽 명 左側; 左手.
왼-팔 명 左腕.
왼-편【—便】, 왼-편짝【—便—】명 左; 左側; 左の方.
욀-재주【—才—】명 もの覚えのよい才能.
욀-총【—聰】명 暗記力; 記憶力.
욍 부하자 虫などが飛ぶときまたは風が電線などに強く当たってなる音: ぶん; ひゅう; ぴゅう. <윙.
욍-욍 명부하자 ぶんぶん; ひゅうひゅう. <윙윙. ——-거리다 자 ぶんぶん(と)鳴る; ぴゅうぴゅう(と)音がする.
요【要】명 要《要点·要旨·大要などの意》. ¶~는 돈 要は金.
요【褥】명 敷布団; 敷; しとね(褥·茵)〈雅〉. ¶~를 깔다 敷き布団を敷く.
요¹ 관 この. ¶~놈 こいつ / ~ 일부터 하여라 この仕事から始めよ / ~ 근처이다 この辺である / ~ 이삼 일이 고비다 ここ二三日が峠である. <이.
요² 조 …よ; …わ. ¶눈이 와~ 雪が降りますよ / 나는 안 갈래~ わたしは行かないよ / 몰랐는 걸~ 知らなかったんですもの / 빨리~ 早くよ.
-요 어미 物事や事実を列挙するときに使う語. ¶그는 나의 선배~ 스승이다 彼はわたしの先輩であり師匠である.
요가〔범 yoga〕명 ヨーガ; ヨガ; ゆが(瑜伽).
요강【尿鋼】명 しゅびん(溲瓶); おかわ(御厠)〈女〉. ‖—— 대가리 명 はげ頭をあざける語.
요강【要綱】명 要綱. ¶설립 ~ 設立要綱.
요-같이 부 このよう(様)に; こんなに.

¶ ~ 하여라 この様にしなさい. <이같이.
요-거 대 ↗요것.
요건【要件】명 要件. ¶ ~을 구비하다 要件を備える / ~을 충족시키다 要件を満たす / 성공의 ~은 성실이다 成功の要件は誠実である.
요-건 준 [↗요것은] これは. <이건. ¶ ~ 뭐냐 これは何かね.
요-걸 준 [↗요것을] これを; こいつを. <이걸. ¶ ~ 어떻게 한다는 거냐 これをどうすると言うのかね.
요-걸로 준 [↗요것으로] これで. <이걸로. ¶ ~ 끝장이다 これでおしまいだ.
요-것 대 ①これ. ¶ ~은 내 것이다 これはわたしのだ. ②こいつ. ¶ ~ 참 맹랑한 놈이다 こいつ, なかなかのものだな. <이것. 준 요거.
요-게 준 [↗요것이] これが; こいつが. <이게. ¶ ~ 까불어 この野郎, なまいきな事しやがる.
요격【邀擊】명하타 迎擊.
요결【要訣】명 ようけつ(要訣). ¶ 성공의 ~ 成功の要訣.
요골【腰骨】명〔生〕腰骨.
요관【尿管】명 尿管; 輸尿管.
요괴【妖怪】명하형스형 ようかい(妖怪); お化け; 化け物; 変化. ¶ 밤마다 나타나는 ~ 夜ごと現われる妖怪.
요구【要求】명 要求. ——하다 타 要求する; 求める. ¶ 임금 인상 ~ 賃上げ要求 / 부당한 ~ 不当な要求 / 회장의 퇴진을 ~하다 会長の退陣を求める.
요구르트〔yog(h)urt〕명 ヨーグルト.
요귀【妖鬼】명 ようき(妖鬼). =요마(妖魔).
요금【料金】명 料金. ¶ 전기 ~ 電気料金 / ~을 치르다 料金を払う.
요기【妖氣】명 ようき(妖気). ¶ ~가 감돌고 있다 妖気が漂っている. ——스럽다 형 (どことなく)妖気めいたところがある; よこしまであやしい. ——부리다 자 よこしまであやしい行動をする.
요기【療飢】명하자 虫養しない; 口しのぎ; 辛うじて飢えをいやすこと.
요긴【要緊】명하형히부 ☞ 긴요(緊要).
요-까짓 관 ☞ 이까짓. ¶ ~ 일로 화를 내다니 これしきの事で腹を立てるとは.
요-나마 부 ☞ 이나마.
요날 요때 명부 ☞ 이날 이때.
요날 조날 명부 ☞ 이날 저날.
요냥 부 ☞ 이냥.
요녀【妖女】명 ようじょ(妖女); ようふ(妖婦).
요-다음 명 ☞ 이다음. ¶ ~ 일요일에 또 만납시다 次の日曜にまた会いましょう. 준 요담.
요-다지, 요다지-도 부 ☞ 이다지·이다지도.
요-담 명 ↗요다음.
요담【要談】명하자 要談. ¶ ~을 나누다 要談を交わす / 바로 ~으로 들어가다 早速要談に取りかかる.
요대【腰帶】명 腰帯. =허리띠.
요도【尿道】명〔生〕尿道. ¶ ~염 尿道炎.
요도【腰刀】명 腰刀; わきざし(脇差); 腰の物; さやまき(鞘巻).
요독-증【尿毒症】명〔醫〕尿毒症.
요동【搖動】명 揺れ. ——하다 자 揺れる. ¶ 심한 ~ ひどい揺れ.
요들〔yodel〕명〔樂〕ヨーデル. ¶ ~ 노래 ヨーデルの歌.
요-따위 대 ☞ 이따위.
요-때기【褥—】명 (名だけの)見すぼらしい敷布団.
요란【搖亂·擾亂】명하형스형히부 騒々しく取り乱されていること. ¶ ~한 노랫소리 騒騒しい歌声 / ~한 초인종 소리 けたたましいベルの音.
요람【要覽】명 要覧; マニュアル. ¶ 업무 ~ 業務要覧.
요람【搖籃】명 揺りかご; ようらん(揺籃). ¶ ~에서 무덤까지 揺りかごから墓場まで.
‖——기 명 揺籃期. ¶ 회사의 ~ 会社の揺籃期. —— 시대 명 揺籃時代. =요람기. ——지 명 揺籃地.
요래도 준 ☞ 이래도. ¶ ~ 버틸테냐 これでもしらを切るつもりか.
요래라 조래라 구 こうしろああしろ. <이래라 저래라. ¶ ~ 잔소리가 많다 こうしろああしろと小言が多い.
요래 봬도 준 ☞ 이래 봬도. ¶ ~ 옛날에는 날렸지 こう見えても一時は鳴らしたものだ.
요래서 준 ☞ 이래서. ¶ ~ 언제나 말썽이지 これだからいつも頭痛の種だよ.
요래서-야 준 ☞ 이래서야.
요래-조래 부 こうしてああして; あれこれして. <이래저래. ¶ ~ 핑계만 댄다 あれこれ言い訳ばかりする.
요랬다 조랬다 구 こうしたりああしたり; こう言ったりああ言ったり. <이랬다 저랬다. ¶ ~ 갈팡질팡 한다 こうしたりああしたりうろうろするばかりだ.
요량【料量】명하타 後事をよく考え図ること.
요러나 부 ☞ 이러나.
요러나 조러나 준 ☞ 이러나 저러나.
요러니, 요러니까 부 ☞ 이러니·이러니까.
요러니 조러니 준 ☞ 이러니 저러니. ¶ ~ 말도 많다 ああだこうだと口やかましい.
요러다 준 ☞ 이러다.
요러다-가 준 ☞ 이러다가. ¶ ~ 해가 지면 어떻게 하지 こうしているうちに日が暮れたらどうするか / ~는 날이 새겠다 こうしていては夜が明けそうだ.
요러면 준 ☞ 이러면. ¶ ~ 어떤가 こうしたらどうかね / ~ 안 되나 これではだめか.
요러므로 준 ☞ 이러므로.
요러요러-하다 형 ☞ 이러이러하다.
요러조러-하다 형 ☞ 이러저러하다.
요러쿵-조러쿵 부하자 ☞ 이러쿵저러쿵. ¶ ~ 말이 많다 なんだかんだと文句が多い.
요러-하다 형 ☞ 이러하다. 준 요렇다.
요럭-조럭 부하자 ☞ 이럭저럭.

런[1] 관 ☞ 이런[1].
런[2] 감 ☞ 이런[2].
렁-조렁 부 ☞ 이렁저렁.
렇다 형 ↗요러하다. <이렇다.
렇다 조렇다 구 ☞ 이렇다 저렇다.
렇든-조렇든 부 ☞ 이렇든저렇든.
렇듯 부 ☞ 이렇듯. ——-이 부 ☞ 이렇듯이.
령【要領】명 要領. ①物事の一番大事な筋. ¶ ~이 좋다 要領がいい / 연설의 ~을 터득하다 演説の呼吸を飲み込む / 그의 대답은 간단하고 ~있다 彼の答えは簡にして要を得ている. ② ☞ 미립.
‖—— 부득(不得) 명하형 要領を得ないこと. ¶ ~으로 잘 모르겠다 要領を得ずよくわからない.
로【要路】명 要路. ¶ 교통의 ~ 交通の要路 / 관계 ~에 진정하다 関係要路に陳情する.
리【料理】명하타 料理. ¶ 채소 ~ 精進料理 / 손수 만든 ~ 手作りの料理 / 국정을 ~하다 国政を料理する.
‖——-대 명 料理台. ——-상(床) 명 料理を供えたおぜん(膳). ——-점, 요릿-집 명 料理店; 料理屋.
요리 부 ☞ 이리.
요리-조리 부 ☞ 이리저리[1]. ¶ ~ 용하게 피한다 あち(ら)こち(ら)にうまく避け回る.
요마【妖魔】명 ようま(妖魔); ようき(妖鬼); 魔物. =요괴(妖怪). ¶ ~에 홀리다 妖魔に魅入られる.
요마마-하다 형 ☞ 이마마하다.
요마적 명 ☞ 이마적.
요만 관부 ☞ 이만.
요만-하다 형 ☞ 이만하다.
요맘-때 명 ☞ 이맘때. ¶ 내년 ~ 来年の今ごろ.
요망【妖妄】명하형스형 ようぼう(妖妄); みだ(妄)りがわしく軽率なこと. ——-떨다 자 妖妄なことをする; みだりがわしく軽率にふるまう. ——-부리다 자 ☞ 요망떨다.
요망【要望】명하타 要望. ¶ ~에 부응하다 要望に応える / 현대는 그러한 인물을 ~하고 있다 現代はそのような人物を望んでいる.
요면【凹面】명 凹面.
‖——-경 명 凹面鏡. —— 동판 명 凹面銅板.
요모-조모 명부 ☞ 이모저모. ¶ ~로 자세히 뜯어 보다 あれこれとくわしく調べて見る. 「授要目.
요목【要目】명 要目. ¶ 교수 ~ 教
요무【要務】명 要務. ¶ ~를 띠고 출국했다 要務を帯びて出国した.
요물【妖物】명 ようぶつ(妖物). ①化け物; よこしまで怪しい物. ②かんあく(奸悪)な者.
요밀요밀-하다【要密要密—】형 ひどく綿密で手抜かりがない.
요배【僚輩】명 僚輩; 同僚. =요우(僚友).
요-번【—番】명 ☞ 이번.
요법【療法】명 療法. ¶ 대증 ~ 対症療法 / 물리 ~ 物理療法 / 민간 ~ 民間療法.
요변【妖變】명하자스형 ようへん(妖変). ①よこしまで気まま勝手な行動. ②あやしい変事. ——-떨다 자 よこしまで気ままなことをする. ——-부리다 자 あやしい行動を取る.
요부【妖婦】명 ようふ(妖婦); ようじょ(妖女); バンプ. ¶ ~형의 여자 妖婦型の女.
요부【要部】명 要所; 最も重要な部分.
요부【腰部】명 腰部. ¶ ~에 통증을 느끼다 腰部に痛みを覚える.
요사【夭死】명하자 ようし(夭死); 早死に. =요절(夭折)·요서(夭逝). ¶ ~한 천재 시인 若死にした天才詩人.
요사【妖邪】명하형스형 あやしく邪悪であること. ——-떨다 자 ひどく邪悪な行ないをする. ——-피우다 자 邪悪な言動を公然とする.
‖——-꾼 명 邪悪なやつ.
요-사이 명 ①この間. ②このごろ; 近ごろ. ¶ ~ 젊은이는 예의를 모른다 近ごろの若者は礼儀を知らぬ / ~ 그런 생각은 낡았다 今時そんな考えは古い. <이사이. ㊀ 요새.
요-새 명 ↗요사이.
요새【要塞】명 ようさい(要塞); 要害; とりで(砦). ¶ 자연의 ~ 自然の要害 / 난공 불락의 ~ 難攻不落の要塞 / ~화하다 要塞化する.
‖——-전 명〔軍〕要塞戦. ——-지, —— 지대 명 要塞地; 要塞地帯.
요서【夭逝】명하자 ようせい(夭逝); 若死に. =요사(夭死).
요석【尿石】명 尿石; 尿結石.
요소【尿素】명〔化〕尿素.
‖—— 수지 명 尿素樹脂; ユリア樹脂.
요소【要所】명 要所. ¶ ~에 경관을 배치하다 要所に警官を配置する / ~에 감시자를 세우다 要所に張り番を立てる.
요소【要素】명 要素; エレメント. ¶ 생활의 삼 ~ 生活の三要素.
요-순【堯舜】명〔史〕ぎょうしゅん(堯舜). ‖—— 시대, —— 시절(時節) 명 堯舜時代.
요술【妖術】명 ようじゅつ(妖術); 魔法; 手品; 魔術. ¶ ~을 부리다 妖術を使う.
‖——-쟁이 명 妖術師; 魔法使い; 手品師.
요승【妖僧】명〔佛〕ようそう(妖僧).
요시찰-인【要視察人】명 行政·警察上の注意人物.
요식【要式】명 要式.
‖—— 행위 명 要式行為.
요식-업【料食業】명 料理屋で飲食物を売る営業.
요신【妖神】명 邪神.
요악【妖惡】명하형스형 よこしまでかんあく(奸悪)なこと.
요약【要約】명하자타 要約. ¶ ~하면 要約すれば / ~하여 말하다 かいつまんで話す / 이야기의 내용을 간단히 ~하다 話の内容を短く締めくくる.

요양【療養】명하타 療養. ¶결핵 ~소 結核療養所 / ~ 생활 療養生活.
요언【妖言】명 ようげん(妖言).
요언【要言】명 要約した言葉.
요업【窯業】명 窯業. ¶이 나라에는 ~가가 많다 この国には窯業家が多い.
요역【要驛】명 要駅.
요연【瞭然】명하형 りょうぜん(瞭然). ¶일목 ~하다 一目瞭然である.
요염【妖艶】명 ようえん(妖艶). ——하다 형 妖艶だ; あで(艶)やかだ; なまめかしい; あだ(婀娜)っぽい. ¶~한 자태 妖艶な姿態〔姿〕/ ~한 여자 あだっぽい女.
요오드〔프 iode, 도 Jod〕명〖化〗ヨード《記号: I》; よう(沃)素. =옥소(沃素)·옥도(沃度).
요오드-팅크 명〔iodine tincture〕ヨードチンキ; ヨーチン《준말》. =옥도 정기.
요오드-포름〔iodoform〕명〖化〗ヨードホルム.
요오드-화【—化】〔프 iode〕명하자 ヨード化; よう(沃)化.
‖——-물 명 ヨード化物; 沃化物. ——-은 명 沃化銀. —— 칼륨 명 沃化カリウム; ヨードカリ.
요요〔yoyo〕명 ヨーヨー《おもちゃの一つ》.
요우【僚友】명 僚友. =동료(同僚).
요원【要員】명 要員. ¶~을 양성하다 要員を養成する.
요원【遙遠·遼遠】명하형 ようえん(遥遠); りょうえん(遼遠). ¶전도 ~하다 前途遼遠である.
요원【燎原】명 りょうげん(燎原); 火のついた野原.
요율【料率】명 料金の程度·割合.
요의【尿意】명 尿意. ¶~를 느끼다 尿意を催す.
요의【要義】명 要義. ¶민법 ~ 民法要義.
요인【要人】명 要人. ¶정부 ~ 政府の要人.
요인【要因】명 要因; ファクター. ¶쟁의의 ~ 争議の要因.
요일【曜日】명 曜日. ¶무슨 ~입니까 何曜日ですか.
요-전【—前】명 この前; 先日; この間; 先だって. <이전. ¶~에는 실례했습니다 先日は失礼致しました / ~ 일요일 この前の日曜日.
요-전번【—前番】명 この前; 先日; 先ごろ. <이전번. ¶~에는 많은 폐를 끼쳐서 先ごろにはいろいろごやっかいになりまして.
요절【夭折】명하자 ようせつ(夭折); 若死に. =요사(夭死). ¶그의 ~은 국가의 크나큰 손실이다 彼の夭折は国家の大きな損失である.
요절【腰折·腰絶】명하자 あまりにもおかしくて腰が折れそうなこと; 笑いこけること.
요절-나다 자 (物事が)台なしになる; おじゃんになる.
요절-내다 타 台なしにする; 使えなくする.

요점【要點】명 要点. ¶~만 간단 말하다 要点だけ手短に述べる ~을 파악하다 急所をつかむ.
요정【妖精】명 ようせい(妖精); ニフ.
요정【料亭】명 料亭; 料理. =요릿집. ¶~에서 만나다 料で会う.
요조【窈窕】명하형 ①ようちょう(窕); 美しくたおやかなさま. ② 深く静かなさま. ③事の理が 深しいさま.
‖—— 숙녀 명 窈窕たる淑女.
요-주의【要注意】명 要注意. ¶ 인물 要注意の人物.
요-즈막 명부 こ(此)のごろ(頃); 最; 近ごろ; 近来. <이즈막. ~의 유행 近ごろの流行.
요-즈음 명부 このごろ; 今時<老> 当今; 当節. <이즈음. ¶~의 태로는 昨今の世相では / ~의 은이 このごろの若い人 / ~ 여자는 この節の女性は / ~의 유행 このころの流行 / ~ 그런 일은 보통이 今日そんな事はありきたりである ~ 그런 생각은 낡았다 今時そんな考えは古臭い. ㊟ 요즘.
요-즘 명부 ↗요즈음.
요지【了知】명하타 了知; 了解.
요지【要地】명 要地. ¶교통의 ~ 交通の要地.
요지【要旨】명 要旨; 大要; あらまし. ¶~가 애매하다 要旨があいまいである / 사건의 ~를 말하다 事件の大要を話す.
요지-경【瑤池鏡】명 のぞき眼鏡; のぞきからくり(覗機関). ¶세상은 ~속이다 世はまさにのぞき眼鏡みたいである《世の中が混乱していて何が何だかわからないとの意》.
요지-부동【搖之不動】명하자 ゆさぶっても微動だにしないこと; 絶対変わらないこと.
요직【要職】명 要職. ¶~에 오르다 要職に就く.
요처【要處】명 要所; 大切な所〔事柄〕.
요철【凹凸】명하형 凹凸; でこぼこ.
‖—— 렌즈 명 凹凸レンズ.
요청【要請】명 要請. ——하다 타 要請する; (強く)請い求める. ¶면회를 ~하다 面会を求める.
요체【要諦】명 ようてい(要諦). ¶처세의 ~를 깨닫다 処世の要諦を悟る.
요추【腰椎】명〖生〗ようつい(腰椎).
요-축【饒—】명 暮らしの豊かな人たち.
요충【要衝】명 [↗요충지] 要衝. ¶~ 지대 要衝地帯.
‖——-지 명 要衝(の地). =요해처.
요-컨대【要—】부 要するに; せん(詮)ずるところ(所); 要は; つまる所は; つまり. ¶~ 이렇다 つまりこうである / ~ 합격해야 한다 要するに合格しなければならない.
요크셔-종【—種】〔Yorkshire〕명 ヨークシャー種.
요탓-조탓 명부 ☞ 이탓저탓.

통【腰痛】명 腰痛. ¶ ~을 고치다 腰痛を治す.

트〔yacht〕명 ヨット.

── 레이스 명 ヨットレース. ── 하버 명 ヨットハーバー.

판【凹版】명 凹版.

── 인쇄 명 凹版印刷; グラビア印刷.

요-포대기【褥—】명 敷布団にも使われるように作った布団.

요-하다【要—】타 要する; 必要とする. ¶ 정확을 ~ 正確を要する / 재검을 ~ 再検討を要する.

요항【要項】명 要項.

요항【要港】명 要港. ¶ 해군의 ~ 海軍の要港.

요해【了解】명하타 了解.

요해【要害】명 [↗요해처] 要害.

‖──-처(處) 명 ① 要害地. ② 体の重要な部分.

요행【僥倖·徼幸·徼倖】㊀명 ぎょうこう(僥倖·僥幸); こぼれ〔まぐれ〕幸い. ¶ ~을 믿다 僥倖に頼る / 성공은 ~이 아니니다 成功はまぐれではない. ㊁부하형히부 まぐれ(幸い)に; 運よく; 意外の幸運で. ¶ ~히 합격했다 まぐれ幸いに受かった.

‖──-수 명 まぐれ当たり. ¶ ~로 일등을 했다 まぐれ当たりに一等をした / 큰 ~를 바라다 大穴をねらう / ~을 노리다 山をかける〔張る〕.

요화【妖花】명 ようか(妖花); あや(妖)しい美しさを持つ女性.

욕【辱】명하타 ①[↗욕설] 悪口·悪口; あくば(悪罵). ¶ ~을 하다 悪口を言う / 그는 ~쟁이다 彼は悪口屋である / 뒤에서 ~을 하다 陰で悪口を言う. ② 恥辱; 辱しめ. ¶ ~을 당하다 辱しめを受ける. ③《俗》苦労. =수고(受苦).

욕-가마리【辱—】명 悪口を言われて当然な人; ののし(罵)りに値する人.

욕-감태기【辱—】명 いつも人から悪口を言われる人.

욕객【浴客】명 浴客. ¶ 온천장의 ~ 温泉場の浴客.

욕계【欲界】명〘佛〙欲界·欲界.

‖── 삼욕 명 欲界三欲; 食欲·睡眠欲·いんよく(淫欲).

욕구【欲求】명하타 欲求. ¶ 생의 ~ 生の欲求 / 만인의 ~를 채우다 万人の欲求を満たす.

‖── 불만 명〘心〙欲求不満.

욕기【慾氣】명 欲気. ──-부리다 자 欲気を表わす.

욕념【慾念】명 欲念; 欲情.

욕-되다【辱—】자 面目がない; 不名誉である; 恥になる. ¶ 조상의 이름을 욕되게 하다 祖先の名を辱しめる〔汚す〕.

욕망【欲望】명하타 欲望. ¶ ~을 채우다 欲望を満たす / ~을 누르다 欲望を押さえる.

욕-먹다【辱—】자 悪口をいわれる; ののし(罵)られる; 悪評を聞く.

욕-보다【辱—】자 ① 恥辱を受ける; 恥をかく; 辱しめられる. ②(非常に)苦労する; 骨折る; 困難をなめる. ¶ 자네 욕보았군 君苦労したな / 어제는 욕보셨습니다 昨日は御苦労さまでした. ③ ごうかん(強姦)される; 辱しめられる.

욕-보이다【辱—】타 ① 辱しめる. ㉠ 恥をかかす〔与える〕. ㉡ 女を犯す; 手込めにする; 凌辱する. ② 苦労させる; 苦しめる.

욕불【浴佛】명〘佛〙浴仏; かんぶつ(灌仏).

욕설【辱說】명하자 ① 人を憎む〔のろ(呪)う〕言葉; 憎まれ口. ② 人の名誉を傷つける言葉; 悪口; あっこう; 雑言; 毒口. ¶ ~을 듣고 격분하다 悪口を言われて激高する / ~을 퍼붓다 毒づく; 悪態をつく. ㊣ 욕(辱).

욕실【浴室】명 [↗목욕실(沐浴室)] 浴室; ふろば(風呂場); 湯殿〈老〉.

욕심【欲心·慾心】명 欲; 欲目; 欲気; 欲念. ¶ 좀더 ~을 낸다면 もう少し欲気を出せば / ~을 말하면 欲を言えば / ~ 내다 欲張る / ~이 많은 사람 どんらん(貪婪)な人 / 부모의 ~으로는 親の欲目では / ~이 많다 欲が深い. ──-나다 자 欲が出る. ──-부리다 자 欲を起こす; 欲張る. ¶ 너무 욕심부리면 안 돼요 あまり欲張るとだめですよ. ──-사납다 형 強欲〔どんよく(貪欲)〕である; ひどい欲張りである. ── 없다 형 てんたん(恬淡)である.

‖──-꾸러기 명 欲張り(の人); 貪欲な人. ──-쟁이 명 欲張り; 強欲な人. ¶ ~ 근성 欲張り根性.

욕용【浴用】명 浴用. ¶ ~ 비누 浴用せっけん.

욕의【浴衣】명 浴衣·浴衣.

욕-쟁이【辱—】명 悪口をよく言う人; 悪口屋.

욕정【欲情】명 欲情. ¶ 돈에 대한 ~ 金の欲情 / ~에 사로 잡히다 欲にとりつかれる.

욕조【浴槽】명 浴槽; 湯船.

욕-지거리【辱—】명《俗》雑言; 悪口; 悪態; 悪たれ口. =욕설.

욕-지기 명하자 吐き気·吐逆. ── 나다 자 吐き気を催す. =구역나다. ¶ 뱃멀미로 ~ 船酔いで吐き気を催す / 이름만 들어도 욕지기난다 名を聞いただけで吐き気がする.

욕-질【辱—】명 悪口·悪口; ののしり. ──-하다 자 悪口を言う; ののしる.

욕탕【浴湯】명 ↗목욕탕.

욕통【浴桶】명 ↗목욕통(沐浴桶).

욕-하다【辱—】자 悪口を言う; けなす; ののし(罵)る; 腐す. ¶ 마구 ~ さんざっぱら悪態をつく / 빗대어 ~ 当て擦する / 뒷구멍에서 남을 욕하는 게 아니다 陰で人をののしるものでない.

욕화【慾火】명 火のような欲情.

욧-속【褥—】명 敷布団の中味《綿·毛など》.

욧-잇【褥—】명 敷布団の覆い〔カバー〕; 敷布; シーツ.

용【用】명 用. ① ↗용돈. ② ↗비용(費用). ¶ ~을 절약하다 用を節する.

용【勇】명 [↗용기(勇氣)] 勇. ¶ 필

ㅇ

부지～ 匹夫の勇.
용【茸】명 ↗녹용(鹿茸).
용【龍】명 竜·たつ; ドラゴン. ¶～이 하늘에 오를 듯한 기세 昇竜の勢い/～이란 상상의 동물이다 竜とは想像の動物である/개천에서 ～나다《俚》掃きだめにつる(鶴).
-용【用】미 用; 持ち. ¶여자～ 女持ち/아동～ 児童用.
용감【勇敢】명 勇敢. ——-하다 형 勇敢だ; 勇ましい. ¶～한 병사 勇敢な〔勇ましい〕兵士. ——-히 부 勇敢に; 勇ましく. ¶～ 싸우다 勇敢に戦う.
‖—— 무쌍 명 하형 히부 勇敢無双.
용건【用件】명 用件; 用事; 所用; 用向き. ¶절박한 ～ 差し迫った用件/～을 꺼낼 기회를 놓치다 用件を言いそびれる/～은 무엇입니까 御用は何ですか.
용-고뚜리 명 ひどくたばこを吸う人; ヘビースモーカー.
용골【龍骨】명 竜骨.
‖—— 돌기 명 竜骨突起.
용골때-질 명 하자 わざと意地の悪いことをして人を怒らせる振る舞い.
용공【容共】명 하자 容共. ¶～ 정책을 쓰다 容共政策を取る.
용광-로【鎔鑛爐】명 溶鉱炉; 溶炉《준말》.
용구【用具】명 用具. ¶～계 用具係/운동 ～ 運動用具.
용군【庸君】명 庸君; 凡庸の君主.
용궁【龍宮】명 竜宮. ¶～성 竜宮城.
용기【勇氣】명 勇気. ¶～있는 사나이 勇気ある男/～가 나다 力づく/～를 내다 勇気を出す/～를 꺾다 勇気をそぐ〔くじく〕/～를 잃다 勇気を失う; 弱気を出す.
용기【容器】명 容器; 器; 入れ物. ¶폴리에틸렌 ～ ポリエチレン容器/～에 담다〔넣다〕 容器に入れる.
용-기병【龍騎兵】명 竜騎兵.
용-꿈【龍—】명 竜を見た夢《吉夢だという》. ¶～을 꾸다 竜の夢を見る《縁起のよい兆しである》.
용납【容納】명 하타 容納; 容受; 寛大に人の言行を受け入れること. ¶～할 수 없는 일 受け入れることのできないこと.
용녀【龍女】명 ① 竜の娘. ② おとひめ(乙姫).
용단【勇斷】명 하타 勇断. ¶～을 내리다 勇断を下す/출자하기로 ～을 내리다 出資に踏み切る.
용달【用達】명 하타 用達; 事物を伝えてやったり配達すること. また, その仕事.
‖——-사 명 配達屋; 便利屋; 便達屋; メッセンジャー. ——-차 명 用達車.
용담【用談】명 用談.
용도【用度】명 用度. ¶～계 用度係.
용도【用途】명 用途; 使い道. ¶～가 많다 使い道が多い/～를 밝히다 用途を明らかにする.
용돈【用—】명 小遣い銭; 小遣い《준말》; ポケットマネー; 手持ち金. ¶한 달 ～ 30만 원 月の小遣い三十万ウォン/～을 쪼개서 책을 사다 小遣いを割いて本を買う/～을 조르다 小遣いをせびる.
용-두레 명 低い所の水を高い田にくく(汲)みあげる農具.
용두 사미【龍頭蛇尾】명 竜頭蛇尾. ¶～가 되다 しりすぼ(尻窄)まりになる/그 계획은 ～로 끝났다 その計画は竜頭蛇尾に終わった.
용두-질 명 하자 しゅいん(手淫); 自慰; マスターベーション.
용량【容量】명《化》容量. ¶열～ 熱容量.
‖—— 분석 명 容量分析.
용력【勇力】명 勇力; すぐれた力量; 強い力.
용렬【庸劣】명 하형 스형 低劣; 劣っていること. ¶～한 사나이 低劣な男.
용례【用例】명 用例. ¶～가 많은 사전 用例の多い辞典/～를 보이다 用例を示す.
용-마루 명 (屋根の)棟. =옥척(屋脊).
용-마름 명《建》わらぶ(藁葺)きの屋根や土塀の上をおおうわら(藁)で"へ"の字のように編んだ覆い.
용매【溶媒】명《化》溶媒.
용맹【勇猛】명 勇猛. ——-하다 형 勇猛だ; 勇ましい. ——-스럽다 형 ☞ 용맹하다. ¶～심 勇猛心/～을 떨치다 猛勇を振るう.
용명【勇名】명 勇名. ¶～을 떨치다 勇名をはせる〔とどろ〔轟〕かす〕.
용모【容貌】명 ようぼう(容貌); 顔形; 顔つき; 器量. ¶기괴한 ～ 奇怪な面相/～가 반듯한 여자 顔形の整った女性/고상한 ～ 上品な顔立ち/～가 아름답다 見目麗しい; 見目好い; 器量がいい/～가 뛰어나다 容貌にすぐれる.
용무【用務】명 用務; 用事; 御用. =볼일. ¶긴급한 ～ 緊急の用務/～를 마치다 用をすます.
용문【龍紋】명 竜紋; 竜をかいた五色の紋様.
‖——-석(席) 명 竜紋を入れて編んだい(藺)のむしろ(蓆).
용법【用法】명 用法; 使い方; 用い方. ¶전치사의 ～ 前置詞の用法/～을 그르치다 用法を誤る.
용변【用便】명 用便; 便通. ——-하다 자 用便する; ちょうず(手水)に行く.
용병【用兵】명 하자 用兵. ¶～에 능하다 用兵に長じている/～의 묘를 발휘하다 用兵の妙を発揮する.
‖——-법 명 用兵法. ——-술 명 用兵術. —— 여신(如神) 명 하형 用兵のうまさがあたかも神様のようであること. ——-학 명 用兵学.
용병【勇兵】명 勇敢な兵士. =용사(勇士).
용병【傭兵】명 傭兵.
‖——-제 명 傭兵制.
용-불용【用不用】명 用不用.
‖——-설 명 用不用説.

비【用費】명 用費；費用.
사【勇士】명 勇士. ①勇ましい人；勇気のある人. ¶백의의 ~ 白衣の勇士. ②勇兵. ¶상이 ~ 傷痍軍人.
상【龍床】명 [↗용평상(龍平床)] 王座；御座.
상【聳上】명하타 (重量挙げ)ジャーク.
색【容色】명 容色；顔かたち；ようぼう(容貌)と顔色.
서【容恕】명 許し；容赦；勘弁. ——하다 타 許す；勘弁する；容赦する. ¶난필을 ~해 주시오 乱筆御免下さい / 거짓말을 하면 ~않겠다 うそ(嘘)をつくと承知しないぞ / 신이여 나의 죄를 ~하소서 神よ我が罪とがを許したまえ / ~할 수 없다 勘忍できない；許し難い / ~해 주십시오 勘弁して〔許して〕下さい / 엎드려 ~를 빌다 伏して許しを請う / 부모의 체면을 보아서 ~하다 親に免じて許す. ——없이 부 容赦なく.
용선【傭船】명하자 傭船；チャーター.
용선【熔銑】명하자 溶銑.
‖——-로 명 溶銑炉；キュポラ.
용소【龍沼】명 たきつぼ(滝壺). =용추(龍湫).
용-솟음 명하자 勢いよくわ(湧)き出ること. —— 치다 자 たぎり立つ；ほとばしる；湧き上がる. ¶용솟음 치는 마음 勇み立つ心 / 투지가 용솟음 치다 闘志がぼつぼつ(勃勃)湧き上がる / 피가 ~ 血がたぎる.
용수 명 ①酒やしょうゆ(醬油)などをこ(漉)すのに使う器具. ②囚人の顔を隠すためにかぶせた筒状のかご(籠). —— 지르다 자 酒(または，醬油)をくみ出すために"용수"をさし込む.
용수【用水】명 ①雑用の水. ②用水《飲料・かんがい(灌漑)・洗濯・消火などに使う水》. ¶~로 用水路 / ~통 用水おけ(桶).
용수-철【龍鬚鐵】명 スプリング；発条；ばね；ぜんまい. ¶~ 장치 ばね仕掛け / ~이 강하다 ばねが強い.
용신【容身】명하자 この世でやっと身を置いて生きて行くこと.
용신【龍神】명〖佛〗竜神.
‖——-굿 명〖民〗みこが竜神に祈りを捧げる儀式. ——-제 명〖民〗竜神祭；陰暦六月十五日にたんぼ(田圃)のあたりで竜神に雨や豊作を祈る祭祀.
용심 명 意地悪をして人を傷つけようとする心. —— 부리다 자 人を憎みじゃけんにふるまう〔意地悪をする〕.
용심【用心】명하자 真心をつかうこと.
용-쓰다 자 ①あるだけの力を出す；力む. ②苦しみをつとめてこらえる.
용안【龍顔】명 竜顔：王の顔；天顔. ¶~을 가까이에서 배알하다 天顔にしせき(咫尺)する.
용암【溶暗】명〖劇〗溶暗；フェードアウト.
용암【熔岩・鎔岩】명〖地〗溶岩；ラバ. ¶~이 흐르다 溶岩が流れる.
‖—— 대지 명 溶岩台地. ——-류 명 溶岩流. ——-층 명 溶岩層.
용액【溶液】명 溶液. ¶질산은 ~ 硝酸銀溶液.
용약【勇躍】명부 勇躍. ——-하다 자 勇躍する；勇む. ¶~ 출정하다 勇躍出征する / ~ 출발하다 勇んで出発する.
용어【用語】명 用語；ターム. ¶문법 ~ 文法用語 / 전문 ~ 専門用語；テクニカルターム.
용언【用言】명 用言.
용역【用役】명〖經〗用役；品物や労力を提供すること.
용왕【龍王】명 竜神；竜王.
용원【傭員】명 ①役所で臨時にやとった人；用務員. ②日やとい人夫；ようにん(用人).
용융【熔融】명하자 溶融.
용의【用意】명하타 用意. ①意を用いること；心づかい；注意；用心. ②心の準備；支度.
‖—— 주도 명하형 用意周到. ¶~한 사람 用意周到な人.
용의【容疑】명 容疑；(犯罪の)疑い.
‖——-자 명 容疑者. =피의자. ¶~를 잡다 容疑者を捕とる / ~를 검거하다 星をあげる / ~로 점찍다 (容疑者として)星をつける.
용이【容易】명 容易. ——-하다 형 容易だ；やす(易)い. ¶~한 일 容易なこと / ~한 쪽을 택하다 やす(易)きに付く.
용인【用人】명하자 人を使うこと.
용인【容認】명하타 容認，認容. ¶~하기 어렵다 容認しがたい.
용인【庸人】명 庸人；凡庸な人. =범인(凡人).
용인【傭人】명 [↗고용인] 雇い人；用人.
용자【勇者】명 勇者；勇士.
용자【勇姿】명 勇姿. ¶마상의 ~ 馬上の勇姿.
용 자【容姿】명 容姿；見目形. ¶~ 단려 容姿端麗.
용자-례【用字例】명 用字の例；文字を使用する例.
용자-창【用字窓】명 "用"の字の形に組んだ窓.
용장【冗長】명하형 冗長；くだくだしく長いこと. ¶~한 글 冗長な文.
용장【勇壯】명하형 勇壮.
용장【勇將】명 勇将. ¶~ 밑에 약졸 없다 勇将の下に弱卒なし.
용재【用材】명 用材. ¶건축 ~ 建築用材.
용재【庸才】명 庸才；凡庸の才.
용적【容積】명 容積. ¶재화 ~ 載貨容積 / ~량 容積量.
‖——-계 명 容積計.
용전【勇戰】명하자 勇戦. ¶~ 분투 勇戦奮闘.
용점【熔點】명〖物・化〗☞ 녹는점.
용접【鎔接】명하타 溶接. ¶~공 溶接工 / 전기 ~ 電気溶接.

용제【溶劑】명〖化〗溶剤. ¶ 알코올은 수지성 물질의 ~이다 アルコールは樹脂性物質の溶剤である.
용지【用地】명 用地. ¶ 건축 ~ 建築用地 / 댐 ~ ダムサイト.
용지【用紙】명 用紙. ¶ 답안 ~ 答案用紙 / 소정 ~ 所定の用紙.
용진【勇進】명하자 勇進.
용질【溶質】명 溶質; 溶解した物質.
용처【用處】명 使い〔用い〕どころ; 使い道.
용천【湧泉】명 ゆうせん(湧泉·涌泉); わ(湧)き出る泉.
용천-맞다 형 はなは(甚)だ悪い; 不吉だ. ¶ 꿈도 용천맞아라 不吉な夢だなあ.
용천-하다 형 はなは(甚)だよくない; はばかる所があって気おくれがする. ¶ 속이 ~ 気持ちが甚だよくない.
용출【湧出】명하자 ゆうしゅつ(湧出·涌出). ¶ 온천이 ~하다 温泉が湧き出る.
용-춤 명 人におだてられいい気になって動くこと. ──추다 자 人におだてられいい気になって引きずり回される. ──추이다 타 人をおだてて意のままに操る.
용태【容態】명 容体〔容態〕. ＝병상(病狀). ¶ ~가 급변하다 容体が急変する / 환자의 ~가 이상하다 病人の様子が変である.
용퇴【勇退】명하자 勇退. ¶ 후진을 위하여 ~하다 後進のために勇退する.
용-트림 명하자 気取ってわざと大きなおくびをすること.
용-틀임【龍―】명 殿閣などに飾った竜の絵, または彫刻. ＝교룡(交龍).
용품【用品】명 用品. ¶ 여성 ~ 婦人用品 / 일상 ~ 日常用品.
용-하다 형 ① 腕前〔技量〕が優れてたくみだ; うまい; 巧妙だ; 上手だ. ¶ 용한 점쟁이 うまく当てる占い師 / 용한 의사에게 보이다 すぐれた医者に見てもらう. ② けなげだ; あっぱれだ; でかした; えらい. ¶ 일등을 하였다니 용하구나 一番になったとはあっぱれなものだね. 용-히 부 ① たくみに; うまく; 巧妙に. ¶ ~ 속였군 うまくだま(騙)したな / 한 달에 30만원으로 ~ 사는군 月三十万ウォンでよくも暮らすものだな / ~ 알아 맞히다 うまく言い当てる. ② けなげに; えらく.
용-하다【庸―】형 おとなしくてお人よ(好)しだ.
용해【溶解】명하자타 溶解. ‖──도 명〖化〗溶解度. ──열 명 溶解熱.
용해【鎔解】명하자타 溶解; ようかい(鎔解). ¶ 불로 ~하다 火で溶解する. ‖──로 명 溶解炉. ──액 명 溶解液.
용-해【龍―】명〖民〗《俗》たつ(辰)の年.
용허【容許】명하타 ☞ 허용(許容).
용혈【溶血】명〖生〗溶血. ‖── 반응 명〖醫〗溶血反応. ──성 빈혈 명 溶血性貧血. ──소 명 溶血素.
용호【龍虎】명 りゅうこ(竜虎); りゅうこ. ‖── 상박 명하자 竜虎相打つこと.
용화【熔化·鎔化】명하자타 熱で溶かして形を変えること. また, 熱で溶けて形が変わること.
용훼【容喙】명하자 ようかい(容喙).
우【右】명 右; みぎ. ¶ ~측 통행 右側通行 / ~로 나란히! 右へならえ!
우【優】명 優《成績評点の二番目·秀の下, 美の上》.
우 부 ① 多くのものが一度に押し寄せて来る〔行く〕さま: どっと; どやどや. ¶ 여럿이 ~ 방으로 몰려 들어오다 みんなが一度にどやどやと部屋に入って来た. ② 雨風が通り過ぎるさま: びゅう; ざあ.
우거【寓居】명하자 ぐうきょ(寓居); 仮住まい; ぐうしゃ(寓舍).
우거지 명 ① 白菜·大根など漬け菜の外側の茎や下葉の部分. ② あみ(醬蝦)の塩辛や漬物などの上部にある質の劣るもの. ‖──상(相) 명 しかめっ面; 膨れっ面; 渋っ面; 苦り切った顔.
우거지다 자 (草木が)生い茂る. ¶ 나무가 우거진 깊은 산 속 木深い山奥 / 잡초가 ~ 雑草が生い茂る / 풀이 우거진 들판 草深い原.
우걱-우걱 부하자 荷をつけた牛馬が歩くたびに出る音: がたがた; ぎいぎい.
우겨-대다 타 (頑固に)言い張る; 強情を〔意地を〕張る. ¶ 옳다고 ~ 正しいと言い張る / 당치도 않은 말을 ~ 由無しいことを言い張る.
우격-다짐 명하자 無理往生; 無理強いに承服させること. ¶ ~으로 승낙시키다 力ずくで承諾させる / ~으로 일을 하다 権柄ずくで物事をやる.
우격-으로 부 無理やりに; 無理強いに.
우견【愚見】명 愚見.
우경【右傾】명하자 右傾. ¶ ~ 사상 右傾思想.
우계【雨季】명 雨季〔雨期〕.
우국【憂國】명하자 憂国. ¶ ~지사 憂国の士 / ~ 충정 憂国の衷情.
우군【友軍】명 友軍; 味方の軍隊. ¶ ~기 友軍機.
우그러-들다 자 ① へこむ. ¶ 생철통이 ~ ブリキ缶がへこむ. ② へこんで小さくなる. >오그라들다.
우그러-뜨리다 타 へこませる. >오그라뜨리다.
우그러-지다 자 へこむ; くぼむ; (物の上に)しわが寄る; ちぢれる. >오그라지다.
우그렁-이 명 へこ(凹)んでいる物. >오그랑이.
우그렁-하다 형 ややへこんでいる; ややくぼんでいる. >오그랑하다. 우그렁-우그렁 부하형 方方へこんでいるさま.
우그르르[1] 부하자 底の深い器の湯

が沸く音. またはそのさま: ぶくぶく. >오그르르¹.

그르르² 부하형 虫などが群がり集まってうごめくさま: うようよ; うじゃうじゃ. >오그르르².

그리다 타 くぼませる; へこます. >오그리다.

글-거리다 자 ① 煮えくり返る; 沸き立つ. ② うようよする; うじゃうじゃする. ¶구더기가 ~ うじむし(蛆虫)がうじゃうじゃする. >오글거리다. **우글-우글** 부하자 うようよ; うじゃうじゃ. ¶그런 것이라면 세상에 ~하다 そんな物なら世の中にうようよ〔ごろごろ〕している.

글다 형 へこ(凹)んでいる.

글-부글 부하자 ぐつぐつ; ぶくぶく. >오글보글.

글-쭈글 부하형 しわくちゃ; もみくちゃ. >오글쪼글.

금【于今】 부 今まで.

긋-우긋 부하형 すべてが内に反り気味なさま.

긋-하다 형 やや内側に反り気味だ. >오긋하다. **우긋-이** 부 やや反り気味に. 「記の如し.

우기【右記】 명 右記. ¶~와 같다 右

우기【雨期】 명 雨期〔雨季〕. ¶~로 접어들었다 雨期に入った.

우기다 자 言い張る; 意地を張る. ¶어떻게 우기는지 대꾸도 못했다 すごい勢いで言い張るので言い返しもできなかった.

우김-성【一性】 명 強情張り; 頑としてゆずらないたち.

우꾼-하다 자 大勢が一時にどよめく. **우꾼우꾼-하다** 자 がやがやと一時にどよめき騒ぐ.

우는-살 명 かぶらや(鏑矢); めいぜん(鳴箭). =명적(鳴鏑)·향전(響箭).

우닐다 자 ① やかましく泣く. ② 泣き回る.

우단【羽緞】 명 ビロード.

우담-화【優曇華】 명 うどんげ(優曇華). ① インドの想像上の植物. ②〔植〕桑科いちじく属の落葉高木.

우당【友黨】 명 友党.

우당탕 부 どしん; がたん; がらがら; がたがた. ¶~ 소리가 들리다 どしんがたんと音がする. ——-거리다 자 しきりにどしんがたんする. ——— 부하자 どしんがたん. ——-퉁탕 부하자 がらがらがたん; がたがたどしん. ¶~ 난리를 피우다 がらがらがたんと大騒動をおこす.

우대【優待】 명하타 優待; 優遇. ¶경험자를 ~하다 経験者を優遇する. ‖——-권 명 優待券.

우두【牛痘】 명 牛痘; 種痘. ¶~를 접종하다〔놓다〕 牛痘を植える; 種痘する.

우두덩-거리다 자 積み上げておいた品物がしきりに崩れ落ちる音がする. >오도당거리다. **우두덩-우두덩** 부하자 がらがら; がたがた.

우두둑 부하자 ① 固いものをか(噛)み砕く音: かりかり; がりがり. ¶돌을 ~ 씹다 石をかりっとかむ. ② 物が強く折れる音: ぽきん. ¶마른 나뭇가지가 ~ 부러지다 枯れ木の枝がぽきんと折れる. ——-거리다 자 しきりにかりかりと音がする. ——— 부하자 かりかり; ぽりぽり; ぽきんぽきん.

우두망찰-하다 자 ひどくまごつく; ひどくうろたえる; 突然なことになすすべを知らない.

우두-머리 명 ① 品物の頂. ② 頭; 頭目; 親方; 首領; 親分. ¶반대파의 ~ 反対派の旗頭.

우두커니 부 ぼさっと; ぼうぜん(呆然)と; ぼそっと; ぼんやりと; つくねんと. >오도카니. ¶뭘 ~ 서 있느냐 何をぼんやり突っ立っているんだい.

우둔【愚鈍】 명하형 愚鈍; 御無事〈俗〉. ¶~한 사람 愚鈍な人.

우둘-우둘 부하자 ① 軟骨や干しぐり(栗)をか(噛)むように歯ごたえのあるさま: ことこと. ② 生煮えのものが片方に押しのけられるさま. ③ 丸丸として柔らかいさま: やわやわ; ふっくら; ふっくり. >오돌오돌.

우둥-우둥 부 多くの人がせわ(忙)しく出入りするさま: せかせか.

우둥퉁-하다 형 大柄でぼってりしている. >오동통하다.

우드〔wood〕 명 ウッド; 木.
‖—— 타르 명 ウッド タール; 木タール.

우들-우들 부 ぶるぶる. ¶추워서 ~ 떨다 寒くてぶるぶる震える. >오들오들.

우듬지 명 こずえ(梢). 「等生.

우등【優等】 명하자 優等. ¶~생 優

우뚝 부하형 ① 高くそび(聳)えたつさま: にょっきり. ¶구름 사이에 ~ 솟은 산봉우리 雲間にそびえる山の頂 / ~ 솟은 험한 산들 そそり立った険しい山山. ② 人よりひときわ抜きんでているさま. >오뚝. ——— 부하형 にょきにょき.

우뚝-이 부 にょっきと.

우라늄〔uranium〕 명〔化〕ウラン; ウラニウム《記号: U》.
‖——-광 명 ウラン鉱.

우락-부락 부하형 ① 人相が険しく言動の荒いさま. ¶~한 사나이 荒くれ男. ② 言動が荒荒しく粗野なさま. ¶성품이 ~하다 気性が乱暴である.

우란분-재【盂蘭盆齋】 명〔佛〕うら(盂蘭)盆会; うら盆; 盆《준말》.

우람-스럽다 형 雄大で威厳があるようだ.

우람-하다 형 雄大で威厳がある.

우량【雨量】 명 雨量.
‖——-계 명〔氣〕雨量計.

우량【優良】 명하형 優良. ¶~한 성적 優良な成績 / ~아 優良児.

우러-나다 자 にじみ出る; し(染)み出る. ¶쓴 맛이 ~ 苦味が染み出る.

우러-나오다 자 心からわ(湧)き出る; にじみ出る. ¶진심에서 우러나온 친절 心底からの親切.

우러러-보다 타 仰ぎ見る; 仰ぐ. ¶

지도자로서 ~ 指導者として仰ぐ / 푸른 하늘을 ~ 青空を仰ぎ見る.
우러르다 자 ① 頭をぎょうぎょうしくもた(擡)げる. ② 仰ぐ; 敬う; 仰ぎ慕う. ¶ 성인의 유풍을 ~ 聖人の遺風を仰ぐ.
우럭-우럭 부하형 ① 火が盛んにおこるさま: かんかん; かっかっ; ぼうぼう. ¶ 숯불이 ~ 일어나다 炭火がかんかんとおこ(熾)る. ② 酒気で顔がほてて(火照)るさま. ③ 病気が悪くなって行くさま: どんどん.
우렁-우렁 부하형 音響の大きいさま: ごろごろ; がらんがらん.
우렁이 명 〔貝〕たにし(田螺).
우렁잇-속 명 内容が複雑で計りがたいことのたとえ.
우렁-차다 형 声が大きく力強い. ¶ 우렁찬 외침 力強い雄たけび / 우렁차게 외치다 雄たけびをあげる.
우레 명 雷; いかずち〈雅〉. ＝천둥. ¶ ~와 같은 박수 万雷の拍手.
‖우렛-소리 명 雷の音. ＝뇌성.
우레탄 〔도 Urethan〕 명 〔化〕ウレタン. ¶ ~ 폼 ウレタンフォーム.
‖── 수지 명 ウレタン樹脂.
우려【憂慮】 명하타 憂慮. ¶ 홍수가 ~되고 있다 洪水が憂慮される / 그 정책은 나라를 망칠 ~가 있다 その政策は国を滅ぼすおそれがある.
우려-내다 타 ① 絞り上げる; 巻き上げる; すかし取る; せびり取る. ¶ 그럴싸한 말로 돈을 ~ うまい事を言って金をせびり取る. ② 水に浸して色·味·あく(灰汁)を抜く. ¶ 고사리를 ~ わらびの渋を抜く.
우려-먹다 타 ① 水に浸してあく(灰汁)·味などを抜いて食べる. ¶ 땡감을 ~ 渋がきの渋を抜いて食べる. ② (脅かしたりして)人の物を無理強いに巻き上げる.
우력【偶力】 명 〔物〕偶力. ＝짝힘.
우로【雨露】 명 雨露.
우로【愚老】 명 愚老. ＝졸로(拙老).
우론【愚論】 명 愚論.
우롱【愚弄】 명하타 ぐろう(愚弄).
우루과이 라운드 〔Uruguay Round〕 명 〔經〕ウルグアイラウンド.
우르르¹ 부 わあっと; どかどかと; わんさと; どやどやと. ¶ 적이 ~ 몰려오다 敵がわあっと押し寄せる / ~ 방으로 몰려 들다 どやどやと部屋になだれ込む / ~ 배에 올라 타다 どかどかと船に乗り込む.
우르르² 부하자 ① 水が沸きあがるかまたはこぼれ落ちるさまやその音: ざあっと; ぐらぐら. ② 積み上げた物が崩れ落ちるさま, またはその音: がらがら. ③ 雷の音: どろどろ; ごろごろ.
우리¹ 명 おり(檻); ケージ. ¶ 돼지 ~ 豚小屋 / 사자 ~ ライオンのおり.
우리² 대 我; 我我; うち. ¶ ~ 집 我が家 / ~의 알 바가 아니다 我我の知るところではない / ~ 애는 수학이 부족하다 うちの子は数学に弱い.
‖──-네 대 わたしたち; 我ら; おれ(俺)たち. ¶ ~ 젊은이가 해야 할 일이다 我ら, 若人の為すべきことである. ──-들 대 わたしたち; 我我; ら. ¶ ~에게 아무 상관도 없는 일 我にとって何のゆかりもないこと.
우리다 타 ① 水に浸してあく(灰汁)·にお(匂)い·色などを抜く〔取り除く〕. ¶ 쓴 맛을 ~ 苦味を抜く / 떫감을 ~ 渋がきをさわ(醂)す. ② な(有)めすかして無理じいにせしめる. ③ 力を込めて打つ; たた(叩)く.
우마【牛馬】 명 牛馬.
‖──-차 명 牛車と馬車.
우매【愚昧】 명하형 ぐまい(愚昧). ~한 사람 愚昧な人 / 사람이 ~해서 아무 쓸모도 없다 人となりが愚昧で何の役にも立たない.
우먼 〔woman〕 명 ウーマン.
‖── 리브 명 ウーマンリブ. ── 파워 명 ウーマンパワー.
우멍거지 명 ☞ 포경(包莖).
우멍-하다 형 凹んでいる; くぼんでいる. ＞오망하다.
우모【羽毛】 명 羽毛.
우무 명 ところてん. ＝한천(寒天)¹.
‖우뭇-가사리 명 〔植〕てんぐさ(天草). 준 우뭇가시.
우묵-주발【─周鉢】 명 底の深い食器.
우묵-하다 형 ややくぼんでいる; へこんでいる. ＞오목하다. 우묵-우묵 부하형 ところどころくぼんでいるさま. また, 一様にくぼんでいるさま.
우문【愚問】 명 愚問.
‖── 우답 명 愚問愚答.
우물 명 井戸; 井〈雅〉. ¶ 빈 ~ 空井戸 / ~에 가 숭늉 찾겠다《俚》井戸でお湯を求める《せっかちなことのたとえ》/ ~ 안 개구리《俚》井の中のかわず(蛙) / ~을 파도 한 ~을 파라《俚》転石こけ(苔)生さず.
‖──-가 명 井戸端. ¶ ~ 공론 井戸端会議. ──-귀신(鬼神) 명 井戸に落ちておぼ(溺)れた人のおんりょう(怨霊).
우물-거리다¹ 자 うようよする; うじゃうじゃする. ¶ 논 귀퉁이에 물고기가 ~ 田圃の隅っこに魚がうようよする. ＞오물거리다¹. 우물-우물¹ 부하자 うようよ; うじゃうじゃ.
우물-거리다² 자타 もぐもぐする. ① もぐもぐかむ. ② くちごも(口籠)る. ¶ 소심해서 남의 앞에서는 말을 우물거린다 小心で人前では口籠る / 우물거리지 말고 똑똑히 말해라 もぐもぐせずにはっきり言え. ＞오물거리다². 우물-우물² 부하자타 もぐもぐ. ¶ ~ 씹다 もぐもぐ食べる / 무언가 ~ 말한다 何かもぐもぐと言う.
우물-쭈물 부 ぐずぐず; まごまご; もたもた. ──-하다 자타 ぐずぐずする; まごまごする; もたもたする; ぐずつく. ¶ ~하면 기차를 놓친다 ぐずぐずすると汽車に遅れるよ / 빨리 가지 않고 무엇을 ~하느냐 早く行かないで何をぐずついているのか / ~하지 말고 빨리빨리 걸어라 まごまごしないでさっさと歩け.
우므러-들다 자 縮こまる; 縮む; すぼ(窄)まる. ＞오므라들다.
우므러-뜨리다 타 縮こめる; 縮ませる; すぼ(窄)める. ＞오므라뜨리다.

므러-지다 ㉠ 縮こまる；すぼ(窄)まる. ¶추워서 ～ 寒くて縮こまる. 오므라지다.
므리다 ㉡ 縮める；すぼ(窄)める. 오므리다.
미【優美】명하형 優美；みや(雅)び. ¶～한 곡선 優美な曲線／～한 태 優美な姿態.
민【愚民】명 愚民. ＝우맹(愚氓). ── 정책 명 愚民政策.
박【雨雹】명 ひょう(雹)；あられ. ＝누리. ¶～이 오다 雹が降る.
발【偶發】명하자 偶発. ¶～적인 행동 偶発的(な)行動／～적인 생각 出来心.
──-범 명 偶発犯.
방【友邦】명 友邦. ¶한일 양국은 서로 ～이 되어야 한다 韓日両国は互いに友邦になるべきである.
범【虞犯】명 ぐ犯；罪を犯すおそれがあること. ¶～ 소년 ぐ犯少年／～ 지대 ぐ犯地帯.
변【右邊】명 右辺；右側の方.
보【牛步】명 牛歩；牛の歩み；のろい歩み. ¶～ 전술 牛歩戦術.
우부룩-하다 형 群がり生えている. ＞오보록하다. ㊟우북하다. 우부룩-이 부 ぼうぼうと.
우비【雨備】명 雨具. ¶～를 갖고 가다 雨具を持って行く.
우비다 타 ほじく(穿)る；ほじる〈俗〉. ¶귀를 ～ 耳を穿る. ＞오비다. ㊢후비다.
우비어 파다 타 うが(穿)ち掘る；ほじく(穿)る；えぐる. ＞오비어 파다. ㊢후비어 파다.
우비적-거리다 타 しきりにほじく(穿)る. ＞오비작거리다. ㊢후비적거리다. 우비적-우비적 부하타 さかんに穿るさま：ごそごそ；もぞもぞ.
우사【牛舍】명 牛舎；牛小屋. ＝외양간.
우산【雨傘·雨繖】명 傘；雨傘；こうもり(蝙蝠)傘. ¶～을 접다 傘をすぼめる／～을 받다 雨傘を差す／안 쓰는 ～이 있으면 빌려 주게 傘の空きがあったら貸してくれよ.
우상【偶像】명 偶像；アイドル. ¶～시하다 偶像視する.
‖── 숭배 명 偶像崇拝. ──-화 명하자 偶像化.
우생【優生】명 優生.
‖── 수술 명 優生手術. ──-학 명〔生〕優生学.
우선【右旋】명하자 右の方に回ること.
우선【優先】명하자 優先. ¶최～ 最優先／공무는 사사에 ～한다 公務は私事に優先する.
‖──-권 명 優先権. ──-적 명관 優先的. ¶이 문제를 ～으로 다루자 この問題を優先的に取り上げよう. ──-주 명〔經〕優先株.
우선【于先】부 まず. ①先に；取りあえず；何はさておき. ¶～ 인사부터 드려라 まずあいさつをしなさい／～ 물부터 길어라 まず水をく(汲)みなさい／～ 병원으로 갑시다 まず病院に行きましょう／～ 가 보자 ひとまず行って見よう. ②まずもって；さしあたって；さしずめ；ひとまず. ¶이만하면 ～ 한시름 놓겠다 これくらいならまずもって一安心である／～ 먹기는 곶감이 달다《俚》さしあたって食べるには干し柿が甘い《後はどうなれ当座はよい方を取るとのたとえ》／이 정도면 ～ 안심해도 좋다 この分ならさしあたって安心してよい.
우선-하다 형 ①(病気が)やや良くなったようだ；回復したようだ. ¶병세가 ～ 病勢がやや好転気味である. ②(切羽詰まった情勢が)やや和らぐようだ. ¶생활이 우선해졌다 暮らしが一息つくようになった.
우성【偶成】명하자 偶成.
‖── 조건 명〔法〕偶成条件.
우성【優性】명〔生〕優性. ¶～ 유전 優性遺伝.
우세 명스형 恥さらし；物笑いの種；恥かき；不面目. ──-하다 자 恥をかく〔さらす〕；物笑いになる.
‖우셋-거리 명 物笑いの種. ¶～가 되다 物笑いの種となる.
우세【優勢】명하형 優勢. ¶적은 ～한 수를 믿고 밀려 왔다 敵は優勢な数を頼りに押し寄せてきた／～를 견지하다 優勢を堅持する.
우송【郵送】명하타 郵送. ¶～료 郵送料／원고를 ～하다 原稿を郵送する.
우수【雨水】명 ①雨水；雨で地面にた(溜)まった水. ②雨水；二十四節気の一つ.
‖우숫-물 명 雨水の節気に降る多量の雨. ¶～(이) 지다 雨水に多くの雨が降る.
우수【偶數】명 偶数. ＝짝수.
우수【憂愁】명 憂愁. ¶～에 깊이 잠기다 憂愁の色が濃い.
우수【優秀】優秀. ¶～한 성적을 올리다 優秀な成績をあげる.
우수리 명 ①余り；はした(端)；残り. ¶～가 생기다 余りが出る／～를 잘라 버리다 端を切り捨てる. ②釣り銭；お釣り.
우수수 부하형 ①物が一時にこぞって落ちるさま：ばらばら；ぱらぱら；ざあっと. ¶소낙비가 ～ 쏟아졌다 にわか雨がざあっと降って来た／밤송이가 ～ 떨어지다 いがぐり(毬栗)がばらばらと落ちる. ＞오소소. ②おちばが落ちるさま. また，その音：さらさら. ¶마른 잎이 ～ 떨어지다 枯れ葉がさらさらと散る. ③組み合わせたものが勝手にほどけ落ちるさま：ばらばら；するする.
우스개 명 おどけた言動.
‖우스갯-소리 명 笑い話；おどけ. 우스갯-짓 명 おどけたしぐさ.
우스꽝-스럽다 형 おどけている；とてもこっけいだ；非常におかしい.
우습게 보다 구 ①軽視する；見下げる；侮る；高をくく(括)る. ¶사람을 ～ 人を軽視する. ②見くびる. ¶그 일을 우습게 보고 덤볐다가 혼이 났다 その事を見くびって取りかかりひどい目に会った／우습게 본 나무에 눈 걸린다《俚》侮りかずら(葛)に

倒れる.
우습게 여기다 구 見くびる; 軽視する; けいべつ(軽蔑)する; 見さげる; 侮る. ¶그것은 교육을 우습게 여기는 사고 방식이다 それは教育を見くびった考え方である.
우습다 형 おかしい. ① こっけいだ; 笑いそうだ. ¶이렇게 우스운 일이란 없을 것이다 こんなにおかしい事ったらないだろう. ② ばかげている; あほう(阿呆)らしい; 取るに足らない. ¶하찮은 소문을 문제삼는 것 자체가 ~ 取るに足らないうわさ(噂)を取り上げる事自体がおかしい / 재가 반장이라고! 참 ~ あの子が級長だって! ちぇ, ばかげている〔ちゃんちゃらおかしい; 笑わせるなよ〕.
우승【優勝】명하자형 優勝. ① 第一位で勝つこと. ¶경마에서 ~하다 競馬で優勝する. ② 一番すぐれていること.
‖——기 명 優勝旗. ——배 명 優勝杯. —— 열패 명하자 優勝劣敗.
우-시장【牛市場】명 牛市.
우심-하다【尤甚—】형 さらにひどい; もっともひどい. ¶그 지방의 홍수 피해는 ~ その地方の洪水被害は最もひどい.
우썩 부 にわ(俄)かに進むか増し減るさま: どっと; めっきり; さっと. >와싹. ——— 부 ぐぐっと; ささっと. >와싹와싹.
우아 감 ① 意外な喜びに出会って出す声: わあ; やあ; ひやあ. ② 馬をなだめる声: どう; しし. 준 와. ——— 감 どうどう; しししし. 준 와와.
우아【優雅】명 優雅; みや(雅)び; たおやか〈雅〉. ——하다 형 優雅である; ゆか(床)しい. ¶~한 춤 優雅な踊り / ~한 처녀 たおやかな乙女 / 고식에 따른 ~한 의식 古式に則った雅びやかな儀式. ——스럽다 형 優雅に見える.
우악【愚惡】명하형스형 ① 無知で暴悪なこと. ② 愚かで荒荒しいこと.
우악살-스럽다 형 たいへん憎らしく荒荒しい. 준 왁살스럽다.
우안【愚案】명 愚案; 自分の案の謙称.
우애【友愛】명하타 友愛. ¶~의 정 友愛の情.
‖—— 결혼 명하자 友愛結婚.
우어 감 牛馬を止める声: どう. 준 워. ——— 감 どうどう. 준 워워.
우엉 명〔植〕ごぼう(牛蒡).
우여 곡절【迂餘曲折·紆餘曲折】명 うよきょくせつ(紆余曲折). ¶~을 겪은 끝에 해결을 보았다 紆余曲折を経た後解決を見た.
우연【偶然】명하형 偶然. ¶~의 일치 偶然の一致 / ~한 일로 같이 있게 되었다 ふとした事から共に暮らすようになった. ——히 부 偶然(に); ふと; たまたま; 図らずも. ¶~ 그 사건을 목격했다 はからずもその事件を目撃した.
‖——론 명〔哲〕偶然論. ——사(死) 명 偶然死.
우연만-하다 형 ① ややよい. ② 間に合う程度だ; まずまずだ; まあまあだ. ¶우연만하면 그걸로 참아라 間にあえばそれで我慢しろよ. 준 웬[만]하다. 우연만-히 부 かなり; まず[ま]ず.
우열【右列】명 右の列.
우열【愚劣】명하형 愚劣.
우열【優劣】명 優劣. ¶~을 가리척도 優劣をきめる尺度 / ~을 다투다 優劣を争う.
우완【右腕】명 右腕.
우왕 좌왕【右往左往】명하자 右往左往. ¶~하는 대혼란 上を下への大騒ぎ / 군중이 ~하다 群衆が右往左往する.
우-우 부하자 ① 風の強く吹く音: びゅうびゅう. ② 多くのものが一度に集まるさま: わあわあ. ③ 卑しいことなどをやゆ(揶揄)する声: わあわあ; やあいやあい.
우울【憂鬱】명하형 ゆううつ(憂鬱) 気がふさ(塞)ぐこと. ¶~한 기분 憂鬱な気分 / ~한 일요일 暗い日曜日 / 마음이 ~하다 心が曇る / 언제나 ~한 얼굴을 하고 있다 いつもさ(冴)えない〔浮かぬ; 塞いだ; 暗い〕顔をしている / 그런 ~해지는 이야기는 그만 둬라 そんな気の滅入る話は止せ.
‖——병(病) 명 うつ病. ——증 명 憂鬱症; ヒポコンデリー. ——질 명 憂鬱質. =우울성.
우원-하다【迂遠—】형 ① 道が遠い. ② 直接役に立たない. ¶우원한 계획 迂遠な計画.
우월【優越】명하형 優越. ¶~한 지위 優越な地位.
‖——감 명 優越感. ¶~을 갖다 優越感を持つ.
우위【優位】명 優位. ¶~에 서다 優位に立つ.
우유【牛乳】명 牛乳. =밀크.
우유【優柔】명하형 優柔. ¶~하게 보이다 優柔に見える.
‖—— 부단 명하형 優柔不断. ¶~한 성격 優柔不断な性格.
우음【牛飲】명하타 牛飲.
‖—— 마식 명하자 牛飲馬食; 牛馬のごと(如)く多く飲み食いすること.
우의【友誼】명 友誼. ¶~를 맺다 友誼を結ぶ.
우의【羽衣】명 羽衣・うい. ¶선녀의 ~ 仙女の羽衣.
우의【寓意】명하자 ぐうい(寓意); アレゴリー. ¶~극 寓意劇.
‖—— 소설 명 寓意小説.
우의【愚意】명 愚意; 愚見.
우의【雨衣】명 雨着.
우이【牛耳】명 牛耳. ① 牛の耳. =쇠귀. ② 団体などの頭.
‖—— 독경(讀經), —— 송경(誦經) 명 牛に経文; 馬の耳に念仏.
우익【右翼】명 右翼; 右; ライト.
‖——군 명 右翼軍. ——수 명 右翼手. =라이트 필더.
우인【友人】명 友人. =벗. ¶~ 관

ㅇ

1 友人関係.
인【愚人】명 愚人；愚か者. ＝
-물(愚物).
자【愚者】명 愚者；愚人. ¶～
 꿈 愚人の夢/～도 천려 일득 愚者
にも千慮の一得有り. ——-스럽
다 형 愚かである.
작【愚作】명 愚作.
장【雨裝】명하자 雨具. また, 雨具
をつけること.
재【愚才】명 愚才.
-적-우적 부하형 ①むりやりに事を
進めるさま：どしどし；ぴしぴし. ②
大根漬けなどをか(嚙)むさま：が
りがり；かりかり；むしゃむしゃ. ＞
와작와작. ③固く重たいものが崩
れかかるさまやその音：めりめり. ④
滞りなく進むさま：ずんずん；ぐ
んぐん；どしどし.
-접다 자타 ①抜きんでる；秀で
る. ②先輩をしの(凌)ぐ.
우정【友情】명 友情；友誼. ¶
따뜻한 ～으로 맺어진 두 사람 温か
い友情で結ばれた二人.
우제【愚弟】명 愚弟. ¶～ 현형 愚弟
賢兄.
우족【右足】명 右の足.
우주【宇宙】명 宇宙；コスモス. ¶
～ 시대 宇宙時代/～의 신비 宇宙の
神秘/～의 수수께끼 宇宙の謎.
‖—— 공간 명 宇宙空間. —— 공학
명 宇宙工学. —— 로켓 명 宇宙ロ
ケット. ——-복 명 宇宙服. —— 비행
명 宇宙飛行. ——-선 명 宇宙船.
——-진 명〔物〕宇宙塵. —— 통신 명
宇宙通信.
우죽-거리다 자 何か用ありげにせわ
しく歩き回る. 우죽-우죽 부하자 忙
そがしげに歩くさま.
우줄-거리다 자타 ☞ 우쭐거리다. 우
줄-우줄 부하자타 ☞ 우쭐우쭐.
우줅-거리다 자 足を不自由に動
かしながら歩く. 우줅-우줅 부하자
よたよたとゆっくり歩くさま.
우중【雨中】명 雨中；雨の中.
＝빗속. ¶～을 달려갔다 雨をついて
走って行った.
우중충-하다 형 ①薄暗くてうっとう
しい. ¶우중충한 방 薄暗い部屋/날
씨가 ～ 天気がうっとうしい. ②色
があ(褪)せて鮮やかでない.
우지 명 泣き虫《男の子は "울남",
女の子は"울녀"》. ＝울보.
우지【牛脂】명 牛脂.
우지끈 부하자 固く大きいものがこ
われる音：がちゃん；ぽきっ；ぽっき
り；ぽきん. ¶나뭇가지를 ～ 꺾다 木
の枝をぽきっと折る/～ 깨어지다
がちゃんとこわれる. ——-거리다 자
続けざまにぽきっ〔ぽきん； ぱちっ；
がちゃん〕と音を立てる. ¶기둥이
우지끈거리며 쓰러졌다 柱がめりめ
りと音を立てながら倒れた. ——
—— 부하자 ぽきっぽきっ；ぽきんぽ
きん；ぱちぱち；がちゃんがちゃん；
めりめり.
우지끈-뚝딱 부하자 固くて大きいも
のが折れながら立てる音：どしん；
どさっ；ずどん；ばたん.

우지직 부하자 ①乾いたむぎわら(麦
藁)などの燃える音：ぱちぱち. ②
煮物などが焦げるか煮詰まる音：
じいじい；じじっ. ③枯れ枝などの
折れる音：ぽきん；ぽきっ. ＞오지
직. ——-거리다 자 続けざまにぱちぱ
ち〔じいじい；じじっじじっ；ぽきんぽ
きん〕と音を立てる. ———— 부
하자 ぱちぱち；ぽきっぽきっ；じいじ
い；ぽきんぽきん.
우직【愚直】명하형 愚直；ばか正
直. ¶～한 사람 愚直な人.
우질-부질 부하형 ①性格が粗いさ
ま. ②性格が活発で冒険的なさ
ま.
우징【雨徵】명 雨の徴候.
우짖다 자 ①泣き叫ぶ；泣きわめ
(喚)く. ②さえず(囀)る.
우쩍 부 ちゅうちょ(躊躇)なく勢い
よく進み出るか, または急に増し
たり減ったりするさま：ぐっと；ぐ
んと；どっと；めっきり；どんどん.
＊ 와짝. ———— 부 目に見えてぐ
っと〔ぐんと；どっと；めっきり；どん
どん〕.
우쭉-우쭉 부 ①体を上下に動
かしながら歩くさま：のっそのっそ.
②人·草木などが急に成長す
るさま：どんどん；ぐんぐん；めきめ
き.
우쭐-거리다 자타 ①全身が続けざ
まに揺れ動く〔動かす〕. ②いばり
散らす. ¶돈푼께나 벌었다고 ～ い
くらかの金をせしめたとて, いばり散
らしている. ∠우줄거리다. 우쭐-우쭐
부하자타 ゆらゆら；ぶらぶら.
우쭐-하다 자 いい気になる；得意顔
をする；思い上がる；うぬぼれ
る. ¶조금 우쭐해 있다 かなり背負っ
ている/우쭐해지다 調子付く/저
녀석은 재주가 있다고 우쭐해 있다 あ
いつは腕が利くとてのぼせ上がっ
ている/칭찬을 받으면 곧 우쭐해진다
ほめられるとすぐ増長する.
우차【牛車】명 牛車.
우책【愚策】명 愚策. ¶～을 농하다
愚策をろう(弄)する.
우처【愚妻】명 愚妻.
우천【雨天】명 雨天. ¶～ 때문에 雨
天に付き/당일 ～인 경우에는 중지한
다 当日雨天の際は中止する/
～에도 불구하고 雨天にも拘わらず.
‖—— 순연 명하자 雨天順延.
우체【郵遞】명 郵便.
‖——-국(局) 명 郵便局. ¶～ 직원
郵便局員. ——-부(夫) 명 ☞ 우편
집배원. ——-통(筒) 명 郵便ポスト；
郵便箱.
우측【右側】명 右側；右. ¶～
에 보이는 집 右手にみえる家/～
으로 꼬부라지다 右(側)に曲がる.
‖——-면 명 右側面. —— 통행 명
하자 右側通行.
우툴-두툴 부하형 凹凸. ¶～한 길 で
こぼこ道.
우파【右派】명 右派.
우편【右便】명 右側；右の方；右
手. 준 우(右).
우편【郵便】명 郵便；メール. ¶내

용 증명 ~ 内容証明郵便.
‖——-낭(嚢), —— 행낭(行嚢) 명 赤郵袋. ——-물 명 郵便物. —— 배달 명 郵便配達. —— 사서함(函) 명 郵便私書箱. —— 엽서 명 郵便葉書. —— 집배원 명 郵便集配員; 郵便配達人. (준) 집배원. ——-환(換) 명 郵便為替.
우표【郵票】명 郵便切手; 切手《준말》. ¶ ~ 수집 切手収集 / ~의 경매 切手のオークション / ~를 따 붙이다 切手をぺたりとは(貼)る / 목록이 필요하신 분은 200원 ~ 동봉하여 신청하십시오 目録入用のお方は二百ウォン郵券封入の上お申し込み願います.
우현【右舷】명 うげん(右舷); 右側のふなべり. ¶ ~에 섬이 보인다 右舷に島が見える.
우형【愚兄】명 愚兄. ① おろかな兄. ② 人に対して自分の兄を指す語.
우호【友好】명 友好. ¶ ~ 관계를 유지하다 友好関係を維持する.
‖——-적 명관 友好的. —— 조약 명 友好条約.
우화【羽化】명하자 羽化.
‖—— 등선 명하자 羽化登仙.
우화【雨靴】명 雨靴.
우화【寓話】명 寓話. =우언(寓言). ¶ 이솝 ~ イソップの寓話.
‖——-집 명 寓話集.
우환【憂患】명 憂患; 心配ごとや憂い; 病に因る憂い. ¶ ~을 같이하다 憂患を共にする.
우회【迂廻】명하자 迂回; 遠回り. ¶ ~ 도로 迂回道路 / 산을 ~하여 가다 山を迂回して行く.
우-회전【右廻轉·右回轉】명하자 右折. ¶ 교차점을 ~하다 交差点を右折する / ~ 금지 右折禁止. * 좌회전(左廻轉).
우후【雨後】명 雨後; 雨上がり.
‖—— 죽순(竹筍) 명 雨後の竹の子《物事が盛んに出来する意》.
우후후 감 こら(堪)えたあげく出る笑い声: うっふふ.
욱-기【—氣】명 かっとなる性格.
욱다 자 ① すぼ(窄)む; 内側に曲がっている. >옥다. ② 力が人に劣るようになる.
욱-대기다 타 ① (乱暴に) 威かす; 脅かす. ② 荒荒しく言い張る. ③ 無理強いをして意のままにやり遂げる.
욱시글-거리다 자 ひし(犇)めき合う; 群がりうごめく; うようよする; うじゃうじゃする. (준) 욱실거리다.
욱시글-득시글 부하자 ひし(犇)めき合っているさま: うようよ; うじゃうじゃ. (준) 욱실득실.
욱신-거리다 자 ① ずきずき〔ずきんずきん〕痛む. ¶ 감기가 들어서 머리가 욱신거린다 風邪で頭ががんがんする. ② 大きいものが多数入り混じってひし(犇)めき合う; 雑踏している. >옥신거리다. 욱신-욱신 부하자 ① ずきずき; ずきんずきん. ¶ 골치가 ~ 쑤시며 아프다 頭がずきずき(と)痛む. ② 押し合いへし合い.
욱실-득실 부하자 ↗욱시글득시글.
욱여-들다 자 周りから中心に集まる.
욱여-싸다 타 ① 真ん中に集めて〔とめて〕包む. ② (外側のものを曲げて) 中を包む.
욱이다 타 内側に曲げる; へこす. >옥이다.
욱일【旭日】명 旭日; 朝日.
‖—— 승천 명 旭日昇天. ¶ ~의 세 旭日昇天の勢い.
욱적-거리다 자 ごったがえす; ざわざわ(と)ひし(犇)めく. >옥작거리다. 욱적-욱적 부하자 押し合いへし合い; ざわざわ.
욱-죄다 자 引きつる. =욱조이다.
욱-죄이다 피동 引きつ(攣)れる. >옥죄이다.
욱-지르다 타 威かして〔無理押しをして〕相手の気をくじく〔折る〕.
욱-질리다 피동 威かされて〔強情に〕気をくじかれる.
욱-하다 자 短気を起こす; かっとする; 逆上する. ¶ 욱하는 성질 かっとなる性格 / 피를 보고 ~ 血を見て逆上する.
운【運】명 [↗운수(運數)] 運; 巡り合わせ; 付き〈俗〉. ¶ 장사 ~ 商運 / ~이 트이다 運が向く / ~이 다하다 運が尽きる / ~을 하늘에 맡기다 運を天に任せる / ~이 기울다 左前になる / 오늘은 정말 ~이 좋구나 今日は何て間がいいんだろう / ~ 나쁘게 들키고 말았다 運悪く見つかってしまった.
운【韻】명 [↗운자(韻字)] 韻. ¶ ~을 떼다 それとなく暗示する.
운구【運柩】명하자 棺を運ぶこと.
운-김 명 ① 余勢. ② 多くの人たちがいっしょに働くときに生じる力. ¶ ~에 나도 잘 했다 衆人の張り切った意気込みにつられてわたしもよくやったものだ.
운-달다【韻—】자 韻を踏む.
운동【運動】명하자타 運動. ¶ 준비 ~ 準備運動 / 결핵 박멸 ~ 結核撲滅運動 / 문맹 퇴치 ~ 識字運動 / 물체의 ~에 관한 법칙 物体の運動に関する法則.
‖—— 경기 명 運動競技. ——-구 명 運動具. ——-량 명 運動量. —— 모자 명 運動帽子. —— 선수 명 運動選手. —— 신경 명 運動神経. ¶ ~이 발달되었다 運動神経が発達している. —— 에너지 명 運動エネルギー. ——-장 명 運動場.
운두 명 靴·器物などの縁の高さ. ¶ ~가 높은 그릇 山の高い容器.
운량【雲量】명〔氣〕雲量.
운명【運命】명 運命; 運; 巡り合わせ; 宿命; 星回り; 命運. (준) 명(命). ¶ 일국의 ~ 一国の命運 / 기구한 ~ 数奇な運命 / ~ 판단 身の上判断 / ~의 장난 運命のいたずら〔戯れ〕/ 얄궂은 ~ 皮肉な運命 / 몰락할 ~에 있다 没落の運命にある / 묘한 ~에 놓이다 妙な回り合わせになる / 슬픈 ~에 울다 悲しい

ㅇ

定めに泣く.
‖——-론 명〔哲〕運命論. ＝숙명론.
——-적 명관 運命的.
운명【殞命·隕命】명하자 いんめい(殞命); 死ぬこと.
운모【雲母】명〔鑛〕雲母・うんぼ; きらら(雲母). ¶ ~ 편암 雲母片岩.
운무【雲霧】명 雲霧. ¶ ~가 자욱이 끼다 雲霧が深く立ち込める / ~처럼 흩어졌다 雲霧の如く消散した.
운문【雲紋】명 雲紋; 雲の紋様.
운문【韻文】명 韻文; 律語.
‖—— 문학 명 韻文文学.
운반【運搬】명하타 運搬; (持ち)運び. ¶ 재료를 ~하다 材料を運搬する / ~하기에 편리하다 持ち運びに便利である.
운봉【雲峰】명 ① 夏に峰のようにわき立つ雲. ＝뭉게구름. ② 雲がかかっている峰. 「た山.
운산【雲山】명 雲山; 雲のかかっ
운산【運算】명하자타 運算; 演算. ¶ ~법 運算法 / ~을 잘못하였다 運算をまちがえた.
운상【運喪】명하자 棺ごし(輿)をかついで葬地に運ぶこと.
운석【隕石】명 いんせき(隕石). ¶ ~이 떨어지다 隕石が落ちる.
운성【隕星】명 いんせい(隕星).
운송【運送】명하타 運送. ¶ 기차로 ~하다 汽車で運送する.
‖——-료 명 運送料; 運送代; 運賃. —— 보험 명 運送保険. ——-비 명 運送費. ——-선(船) 명 運送船. ——-업 명 運送業. ——-인 명 運送人. ——-장 명 運送状.
운수【雲水】명 ① 雲と水. ② ↗운수승(雲水僧).
‖——-승 명 雲水(僧); うんのう(雲衲); 行脚僧.
운수【運數】명 運; 巡り合わせ. ¶ ~가 좋다 運がよい; 回り合わせがよい / ~를 잘 타고나다 よい星の下に生まれる / ~를 보다〔점치다〕運勢を見る / ~가 나쁘다 運が悪い. ——(가) 사납다 구 運悪い.
‖—— 불길(不吉), —— 불행(不幸) 명하형 運の不吉な〔悪い〕こと. —— 소관(所關) 명 運命の致す所で人力ではどうしようもないこと.
운수【運輸】명하타 運輸.
‖——-업 명 運輸業. —— 회사 명 運輸会社.
운신【運身】명 体を動かすこと; 身じろぎ; 身動き. ——-하다 자 身じろぐ
운영【運營】명하타 運営. ¶ 국회의 ~ 国会の運営.
운용【運用】명 運用. ¶ 자금을 ~하다 資金を運用する.
운우【雲雨】명 雲雨. ① 雨と雲. ② 大業をな(為)す機会. ③ 男女の交わり.
‖——지-락(之樂) 명 雲雨の楽しみ. ——지-정(之情) 명 雲雨の情.
운운【云云】명 云云; これこれ; 然然. ——-하다 자 云云する; あれこれ言う. ¶ 회의 운영 ~하는 건은 뒤로 돌리고 会の運営云云の件はあと回しにして. 「かたる.
운위-하다【云謂—】타 言〔云〕う; 語
운율【韻律】명 韻律; リズム. ¶ ~이 풍부한 시 韻律に富む詩 / ~이 좋은 시 響きのいい詩.
운임【運賃】명 運賃; 運送料. ¶ ~의 인상 運賃の値上げ / ~이 비싸다 運賃が高い / ~을 되돌려 받다 運賃を払い戻してもらう.
운자【韻字】명 韻字. 준 운(韻).
운전【運轉】명하타 運転. ¶ 무사고 ~ 無事故運転 / 무면허 ~ 無免許運転 / 갈짓자 ~ 蛇行運転.
‖—— 기사(技士) 명 運転士の美称. ——-대 명 運転台. ——-사 명 運転士. ——-수 명 運転手; 運ちゃん〈俗〉; ドライバー. ＝운전사. —— 자금 명 運転資金.
운집【雲集】명 雲集; いしゅう(蝟集). ——-하다 자 雲集する; 群がる. ¶ ~한 관중 雲集した観衆.
운치【韻致】명 韻致; 風韻; 雅致; 風雅なおもむき. ＝풍치(風致). ¶ ~ 있는 경치 風情ある景色 / ~있게 만든 별당 風流に造った離れ屋 / ~ 있는 그림 味のある絵.
운필【運筆】명하자 筆遣い; 用筆. ¶ ~에 힘이 있다 用筆に勢いがある / ~을 잘못하다 用筆を誤る.
운하【運河】명 運河. ¶ 파나마 ~ パナマ運河 / 수에즈 ~가 재개되었다 スエズ運河が再開された.
운항【運航】명하자 運航. ¶ 유럽 항로를 ~하다 欧州航路を運航する.
운해【雲海】명 雲海. ¶ ~를 내려다보다 雲海を見おろす.
운행【運行】명하자타 運行. ¶ 별이 궤도를 ~하다 星が軌道を運行する / 임시 열차를 ~하다 臨時列車を運行する.
운형-자【雲形—】명〔數〕雲形定規. ＝곡선자.
운휴【運休】명하자 運休. ¶ 태풍으로 ~하다 台風で運休する.
울 명 ① ↗신울. ② ↗울타리. ③ 空っぽで上びらきの物の縁回りを取り囲んだ部分.
울가망-하다 자 ① 心の安まるひまがない. ② いつも心配で暮らす.
울걱-거리다 타 (がらがらと)うがいする音を出す. >올각거리다. 울걱-울걱 부하타 がらがら.
울겅-거리다 자 (固い物やなめらかなものなどが)よくか(噛)めないで口の中ですべる: もぐもぐする. >올강거리다. 울겅-울겅 부하자 続けざまにもぐもぐするさま.
울겅-불겅 부하자 もぐもぐ; こりこり; がりがり. >올강볼강.
울결【鬱結】명하자 うっけつ(鬱結).
울고-불고 부하자 くやしさの余り泣きわめ(喚)くさま.
울근-거리다 타 固い物をもぐもぐか(噛)む. >올근거리다. 울근-울근 부하타 しきりにもぐもぐ固い物をか(噛)むさま.
울근-불근[1] 부하자 もぐもぐ〔がりがり; こりこり〕とか(噛)むさま.

울근-불근² 부하자 互いにいがみ合うさま. >올근볼근.
울근-불근³ 부하형 体がやせてあばら(肋)があらわに見えるさま. >올근볼근.
울긋-불긋 부하형 多くの濃い色がとりどりに混じっているさま: 色とりどり. >올긋볼긋.
울기【鬱氣】 명 気ふさぎ.
울꺽 부하자 胃の中の物を吐き戻そうとするさま. ㅆ울컥. ——-거리다 자 (吐き気がして)むかむかする. ¶속이 ~ 胸がむかむかする. ——— 부하자 むかむかするさま.
울-남【—男】 명 泣き虫の男の子.
울-녀【—女】 명 泣き虫の女の子.
울다 자 ①泣く; ほ(吠)える〈俗〉; しゃくる. ¶울면서 얘기하다 涙ながらに話す / 목메어 ~ 涙にむせぶ / 드러내 놓고 ~ 手放しで泣く / 구슬프게 ~ あわれげに泣く / 몸부림치며 ~ 身もだえして泣く / 일제히〔함께〕~ 諸声に泣く / 저도 모르게 따라 ~ 思わずもらい泣きをする / 우는 흉내를 잘 낸다 泣き真似がうまい / 기뻐서 ~ うれし泣きをする / 하염없이 울고 있는 여자를 위로하다 泣き沈んでいる女性を元気づける / 불행한 나날을 울며 지내다 不幸な日日を泣き暮らす / 고개를 숙이고 흐느껴 ~ 顔を伏せてむせ返る / 그녀는 푹 엎드려서 울기 시작했다 彼女はつっ伏して泣き出した / (갓난애가) 자지러지게 ~ (赤子が)火のついたように泣く / 여기저기서 흐느껴 우는 소리가 들린다 あちこちでおえつ(嗚咽)の声が聞える / 그렇게 울어대지 마 そう吠えるな; そんなに泣き立てるなよ / 울지 않는 아이 젖 주랴《俚》泣く子に乳. ②鳴く; な(啼)く; いなな(嘶)く; ほ(吠)える; うな(唸)る. ¶벌레가 ~ 虫がすだ(集)く / 귀뚜라미가 귀뚤귀뚤 ~ こおろぎがつづれさせ〔つづりさせ〕と鳴く / 사자가 우는 소리를 듣고 오싹하였다 ライオンのほえ声を聞いてひやりとした. ③たぐまる〈俗〉; しわ(皺)が寄る. ¶안감이 ~ 裏地がたぐまる. ④(家や家具などが) おのずから音を出す. ⑤(鐘·かみなりなどが)鳴る. ⑥耳鳴りがする. ⑦難儀な振りをする; 泣きべそをかく. ¶우는 소리를 하다 泣き言を並べる.
울-대 명 垣根の支えの竹や木.
울-대 명〖鳥〗鳴管.
울뚝 부하형 せっかちで言行が荒荒しいさま: かっと. ———— 부하형 かっかと.
울뚝-불뚝 부하형 短気で荒荒しく振る舞うさま.
울렁-거리다 자 ①(胸が)わくわくする; どきどきする. ¶울렁거리는 가슴 どきどきする胸; 波打つ胸 / 가슴이 ~ 胸が波立つ. ②波立ってゆらゆらする. ③むかついて吐き気がする; むかむかする. 울렁-울렁 부하자 ①どきどき. ②ゆらゆら. ③むかむか.
울렁-출렁 부하자 (水が)波立って ゆらゆらする〔ゆれ動く〕さま. また その音. >올랑촐랑.
울력 명하자타 多くの人が力を合わせてする仕事. また, その力.
울룩-불룩 부하형 物の表面がへこんだり高くなっているさま: でこぼこ. ¶~한 길 でこぼこ道.
울릉-대다 타 脅かす; 脅迫する; 恐がらせる.
울리다 一타 ①泣かす. ¶사람 울리는구나 泣かせるじゃないか / 약한 자를 지분거려 ~ 弱者をつついて泣かす. ②音を出させる; 響かせる; とどろ(轟)かす; 鳴らす; 叩く. ¶종〔방울〕을 ~ 鐘〔鈴〕を鳴らす / 경종을 ~ 警鐘を鳴らす / 북을 ~ 太鼓を叩く / 폭음을 ~ 爆音を轟かす / 땅을 울리는 리벳 박는 소리 地に響くリベット打ちの音. ③響かす; 轟かす; 鳴らす. ¶천하를 울리는 명망 天下に響く名望. 二자 ①(音が)出る; 鳴る; 鳴り渡る; 響く. ¶종이 울려 퍼지다 鐘が鳴り渡る / 목소리가 ~ 声が立つ / 초인종 소리가 요란하게 ~ ベルがけたたましく鳴る / 천둥이 울리기 시작했다 雷が鳴り出した / 가슴에 ~ 胸に響く / 심금을 ~ 琴線に触れる. ②轟く; どよむ; どよめく; 響き渡る. ¶환성이 울려 퍼지다 歓声がどよめく / 포성이 은은히 ~ 砲声がいんいんと轟く. ③鳴る; 轟く; 響く. ¶명성이 천하에 ~ 名声が天下に鳴る.
울림 명 響き; 鳴り. ¶집~ 家鳴り / 땅~ 地鳴り.
울먹-거리다 자 今にも泣き出しそうな顔をする; べそをかく. 울먹-울먹 부하자 しきりに泣き出しそうな顔をするさま.
울먹-이다 자 今にも泣き出しそうな顔をする. ¶울먹이는 소리로 이야기하다 涙声で話す.
울먹-줄먹 부하형 多くの物がふぞろ(不揃)いに並んでいるさま: ごちゃごちゃ. >올막졸막.
울멍-줄멍 부하형 かわい(可愛)らしいものがふぞろ(不揃)いに並んでいるさま: ぞろぞろ. >올망졸망. ¶애들이 ~ 따라 오다 子供達がぞろぞろとついて来る.
울며-불며 부 泣く泣く; 泣き泣き. ¶~ 매달리다 泣き泣きすがり付く.
울묵-줄묵 부하형 ☞ 올목졸목.
울뭉-줄뭉 부하형 ☞ 올몽졸몽.
울-밑 명 垣根の下.
울-바자 명 垣根に用いる間垣.
울-부짖다 자 泣き叫ぶ; ほ(吠)えたけ(哮)る; 泣きわめ(喚)く. ¶울부짖는 유족 泣き叫ぶ〔喚く〕遺族.
울분【鬱憤】 명하형 うっぷん(鬱憤). ¶~을 풀다 鬱憤を晴らす / 쌓인 ~이 터지다 積もった鬱憤が爆発する.
울-상【—相】 명 泣き面; 泣きべそ; ほ(吠)え面. ¶~이 되다 泣き面になる / 꾸중을 듣고 ~을 짓다 叱られて泣きべそをかく.
울쑥-불쑥 부 あちこちふぞろ(不揃)いにそびえ立っているさま: うねうね.

-안 명 囲いの中.

-어리 명 囲い. ¶ ~를 벗어나다 囲いを脱け出る.

울【鬱鬱】명하형 うつうつ(鬱鬱). ① 心がふさいで晴れないさま. ② 草木の茂っているさま.

음 명 ① 泣き声; 鳴き声. ¶ 벌레 ~ 소리가 곱다 虫の鳴き声がうつくしい. ② 泣〔鳴〕くこと; 泣〔鳴〕き. ¶ 와락 ~을 터뜨렸다 どっとばかりに泣き崩れた.

‖——보, ——보따리 명《俗》☞ 울음. —— 소리 명 泣〔鳴〕き声. ——큰-새 명 実際よりは名声が高いこと.

울적【鬱寂】명하형 心がふさ(塞)いでさびしいこと. ¶ ~해 하다 ふさぎ込む/ 마음이 ~하다 心がわび(侘)しい; 気分がさ(冴)えない/ 속이 ~하다 気がくしゃくしゃする.

울증【鬱症】명 うつ病; 気のふさ(塞)ぐ病; 気病み.

울-짱 명 ① さく(柵); やらい(矢来). = 목책. ¶ 통나무로 ~을 두르다 丸太でさく(柵)を囲む. ② (柵の)長いくい(杭). ③ ☞ 울타리.

울창【鬱蒼】명하형 [↗울울 창창] うっそう(鬱蒼). ¶ ~한 숲 こんもりと〔鬱蒼と〕した森.

울컥 부하자타 むかつくさま. ¶ 상대방의 말에 ~하다 相手の言葉にむっとする/ 그 얘기를 듣고 ~하였다 その話をきいてかっとした. ㄲ울꺽.
——거리다 자타 (しきりに)むかつく; むかむかする. ¶ 메스꺼워 속이 ~ 吐き気を催してむかむかする/ 그의 얼굴을 보기만 하면 울컥거린다 彼の顔を見るだけでむかつく. ——— 부하자타 むかむか; むかっと. ¶ 그에게 모욕당한 일을 생각하면 속이 ~한다 彼に侮辱を受けたことを考えるにつけてむかむかする.

울타리 명 垣; 垣根; 囲い; いがき(斎垣); らち(埒). ¶ 낮은 ~ 姫垣/ 나무 ~ 木のさく(柵)/ 섶나무 ~ しばがき(柴垣).

울툭-불툭 부하형 ごつごつしているさま. >올톡볼톡. ㄲ울뚝불뚝. ¶ ~한 손 節くれ立った〔ごつごつした〕手.

울퉁-불퉁 부하형 凹凸. >올통볼통. ¶ 운동장의 ~한 곳을 고르다 運動場の凹凸をなら(均)す/ ~한 바위 ごつごつした岩/ 길이 ~하다 道が凹凸している.

울트라〔ultra〕명 ウルトラ. ¶ ~ 모던 ウルトラモダン.

울-하다【鬱—】형 (心がふさいで)うっとう(鬱陶)しい.

울혈【鬱血】명 うっけつ(鬱血); 充血.

울화【鬱火】명 しゃく(癪); かんしゃく(癇癪). ¶ ~가 치미는 이야기 癪な話/ ~의 원인 癪の種.
‖——병(病), ——증(症) 명 怒りのために起こった病気. ——통 명 かんしゃくだま(癇癪玉); 堪忍袋. ¶ ~(이) 터지다 堪忍袋の緒が切れる; 癪に障る; かんしゃくだまが破裂する.

움¹ 명 ① 芽; 若芽; 新芽; したも(下萌)え. ¶ ~이 트다 芽をふく/ 나무의 ~이 텄다 木の芽が萌え出た/ 눈 녹은 뒤에 ~이 보이다 雪どけあとに下萌えが見える/ ~도 싹도 없다《俚》芽も双葉も無い《希望が全く無いことのたとえ; すべてがなくなって影もないとの意》. ② ひこばえ(蘖); またば(又生)え.

움² 명 穴蔵. ¶ ~에서 살다 穴蔵に住む.

움-나다 자 新芽が出る; 若芽をふく.

움-나무 명 芽生える幼い木.

움-돋다 자 新芽が出る; 若芽をふく.

움-돋이 명 ひこばえ(蘖); またば(又生)え.

움-막【—幕】명 穴蔵.
‖——살이 명하자 穴蔵住まい.

움-묻다 자 穴蔵を作る.

움-버들 명 新芽を出した柳.

움-뽕 명 葉を摘み取ったくわ(桑)に更に生える葉.

움실-거리다 자 (虫などが)うようよする; うごめ(蠢)く. >옴실거리다. 움실-움실 부하자 続けざまにうごめくさま: うようよ. ¶ 구더기가 ~하다 うじ(蛆)がうようよする.

움쑥 부하형 物の面や底がくぼんださま: ぺこん(と); ぺこり(と). >옴쏙. ¶ ~ 패었다 ぺこんとへこんだ. ——— 부하형 あちこちがへこんでいるさま.

움썰-하다 자 ① びっくりして身を縮める; ぎくっとする; ぎょっとする. ② だしぬけに恐ろしい事にあってぞっとする〔どきっとする〕. >옴썰하다.

움-잎 명 切り株の芽から出た葉.

움죽-거리다 자타 大きく身振りをする〔ゆさぶる〕. >옴죽거리다. 움죽-움죽 부하자타 ゆさゆさ.

움직-거리다 자타 続けざまに動く. >옴직거리다. ㄲ움찍거리다. 움직-움직 명하자타 ひっきりなしに動くさま.

움직-도르래 명〔物〕動滑車.

움직-이다 자타 動く; 動かす. ① (位置・地位などが〔を〕)変わる〔変える〕; 移動する; 移す〔る〕. ¶ 나뭇가지가 바람에 ~ 木の枝が風に動く〔揺れる〕/ 자리를 ~ 席を移す/ 앞니가 ~ 前歯が動く〔ゆらぐ〕/ 몸을 움직일 수 없다 身動きが出来ない. ② 動作を続ける; 動作が続く; 働く; 働かす; 運転する. ¶ 기계를〔가〕~ 機械を動かす〔機械が動く〕/ 전차가 ~ 電車が動く. ③ 変わる; 変える; 変動する〔させる〕. ¶ 움직일 수 없는 사실 確かな事実/ 움직이는 세상 変わる世の中. ④ (意のままに)活動する〔させる〕; 行動する(ようにする). ¶ 군대를 ~ 兵を動かす/ 수상을 움직여서 해결을 꾀하다 首相を動かして解決を図る/ 부하가 마음대로 움직여 주지 않는다 部下が思うように動いてくれない. ⑤ 経営する. ¶ 공장을 ~ 工場を経営する/ 사업상 큰돈을 ~ 事業上大金を動かす. ⑥ 感動する〔させる〕. ¶ 열변으로 사람의 마

음을 ~ 熱弁で人の心を動かす. ⑦心が変わる；変心する〔させる〕. ¶돈으로 마음〔사람〕을 ~ 金で心〔人〕を動かす.

움직임 [명] ①動き. ¶재빠른 ~을 보이다 すばやい動きを見せる. ②変化. ¶구름의 ~이 빠르다 雲足が速い. ③動態；動静. ¶정계의 ~ 政界の動き.

움질-거리다 [一][자] ①ゆっくりと続けざまにうざうざ動く. ②ためらい続ける：ぐずぐずする；もじもじする；びくびくする. [二][타] 強いものを口に入れてもぐもぐとか(嚙)む. >옴질거리다. **움질-움질** [부][하자타] ①うざうざ. ②ぐずぐず. ③もぐもぐ.

움-집 [명] (住居用に作った)穴蔵. ‖──-살이 [명][하자] 穴蔵住まい.

움쭉 [부] 体の大きいものがびくっと動くさま. ──-거리다 [자][타] 大きいものが続けざまに動く. ──── [부][하자타] 図体の大きいものがびくっびくっと動くさま.

움쭉-달싹 [부][하자] やっと身じろぐさま. >옴쭉달싹. ¶버스는 ~도 못할 정도로 붐비고 있었다 バスは身動きもできないほど混んでいた／~ 안하다 びくともしない.

움찍-거리다 [자][타] 図体の大きいものがやや強く動く；びくりびくりと動く. >옴찍거리다. ⊥움직거리다. **움찍-움찍** [부][하자타] びくりびくり.

움찔 [부][하자타] ひどく驚いて身を後ろに縮こめるさま：ぎくりと；ぴくりと. >옴찔. ¶허를 찔려서 ~하였다 不意を突かれてぎくりとした. ──-거리다 [자][타] 続けざまにたじろぐ. ──── [부][하자타] びくびく；ぎくりぎくり；たじたじ.

움츠러-들다 [자] 縮み上がる；縮みこまる；すく(竦)む；すぼ(窄)まる. >옴츠러들다. ¶두려워서 ~ 怖くて縮み上がる.

움츠러-뜨리다 [타] 縮み上がらせる；すく(竦)み上がらせる. ¶몸을 ~ 身を縮こまらせる.

움츠러-지다 [자] ①(恐さや寒さのために体が)縮まる；すくむ. ¶무서워 발이 움츠러져 움직이지 않는다 恐さに足がすくんで動けない／협박당하여 움츠러지고 말았다 脅かされてすくんでしまった／온 몸이 움츠러지는 공포 全身が縮みこむ恐怖. ②気が折れてたじたじとなる.

움츠리다 [타] (寒さなどで身を)すくめる；引っ込める；縮める. >옴츠리다. ¶구석에 움츠리고 있다 隅にすくんでいる／무의식적으로 손을 ~ 無意識に手を引っ込める.

움켜-잡다 [타] つか(摑)み取る；引っつかむ. >옴켜잡다. ¶소매를 ~ そで(袖)を引っつかむ／뱃살을 움켜잡고 웃다 腹を抱えて笑う.

움켜-쥐다 [타] わしづか(鷲摑)みにする；しっかり握りしめる. >옴켜쥐다. ¶돈을 ~ お金を鷲摑みにする.

움큼 [의명] すく(掬)い；握り. >옴큼. ¶한 ~ 一握り.

움키다 [타] しっかり握る；ぎゅっとつかむ. >옴키다.

움-트다 [자] 芽生える；芽ぐむ；も… 出る. ¶버드나무가 ~ やなぎが芽… える／뽕나무가 파릇파릇 움트기 시… 하였다 くわ(桑)の木が青青と芽… んできた／사랑〔우정〕이 ~ 愛〔友… 〕が芽生える.

움-파 [명] ①ひこばえ(蘖)のねぎ(葱)… ②穴蔵などに保管した黄色い… 葱. 「다

움-파다 [타] (中を)ほじくる. >옴…

움-패다 [자] ほじくられる；へこむ；く… ぼ(凹)む. >옴패다.

움펑-눈 [명] くぼ目；かなつぼまなこ (金壺眼). >옴팡눈.

움푹 [부][하형] 中の方にくぼ(凹)んた… さま：ぺこりと；ぺこんと；ぽこん… と. >옴폭. ¶~ 팬 땅 凹地／땅이… ~ 들어갔다 地盤が凹んだ. ──── [부][하형] ぼこぼこ. ¶길에 구멍이 ~ 파… 다 道に穴がぼこぼこ(と)あく.

웃- [두] 名詞の上に付いて"上"の意を表わす語. ¶~어른 目上.

웃-국 [명] (酒などの)上澄み.

웃기다 [타] 笑わす；笑わせる. ¶남을 웃기는 짓 人笑わせ／좌중을 ~ 座中を笑わす／관객을 크게 웃겼다 観客を笑殺させた.

웃기-떡 [명] 皿などにもちを盛る時上部を飾るために重ねるもち. ㊀웃기.

웃날 들다 [자] 天気がよくなる；(雨が)晴れあがる.

웃다 [一][자] 笑う. ①(おもしろくて)笑う. ¶웃을 일 笑い事／웃는 얼굴 笑顔／덩달아 ~ 貰い笑いをする／방긋이 ~ にこりほほえむ／쾌활하게 ~ 朗らかに笑う／크게 ~ 大きく笑う；あご(顎)を外す／웃는 얼굴로 맞다 笑顔で迎える／자지러지게 ~ 笑いこける／킥킥〔킬킬〕~ くすくすと笑う／입을 헤 벌리고 헤프게 ~ げたげたと笑う／조금도 웃지 않다 にこりともしない／뱃살을 움켜잡고 ~ 腹を抱えて笑う／웃으며 사람 친다《俚》笑みの内の刀；綿に針を包む／떠들썩하게 ~ 笑いさざめく／웃어 넘기다 笑い飛ばす／웃는 낯에 침 뱉으랴《俚》怒れる拳笑顔に当たらず；笑う顔に矢立たず. ②あざわら(嘲)う；せせら笑う. ¶뒤에서 혀를 날름 내밀고 ~ 陰で舌を出して笑う. ③咲く. ¶꽃이 웃고 새가 지저귀다 花笑い鳥歌う.

[二][타] けいべつ(軽蔑)する；あざ笑う；ばか(馬鹿)扱いする.

웃-더껑이 [명] ふた(蓋)；カバー.

웃-돈 [명] 物を交換する際に値段の差異を補って出す金；足し金.

웃-물 [명] 上澄み；上水.

웃-비 [명] ひとしきり降ってからしばらくや(止)む雨. ── 걷다 [구] しばらく雨があがる. ¶웃비 걷자 해가 반짝났다 しばら(暫)く雨が上がるや日が輝いた.

웃-어른 [명] 目上(の人).

웃-옷 [명] 上着；ほかの服の一番外側に着る衣類《ツルマキ・コートなど》. =겉옷.

을 일 명 笑い事. ¶ ~이 아니다 笑い事ではない.
음 명 笑い; 笑み. ¶ 호걸풍의 ~ 豪傑笑い / 시니컬한 ~ シニカルな笑い / 빈정거리는 ~ 皮肉な笑い / 소리를 죽인 웃음 忍び笑い / ~을 띠다 笑みを帯びる / ~을 머금다 笑いをふくむ / ~을 짓다 顔をほころ(綻)ばす / 만면에 ~을 띄우다 満面に笑みをたた(湛)える〔浮かべる〕/ ~ 속에 칼이 있다《俚》口に蜜あり腹に剣あり. ──(을) 짓다 구 笑みをたた(湛)える; ほほえ(微笑)む. ¶ 억지로 ~ 笑い顔を作る.
‖──-가마리 명 笑い者; 笑い種. ¶ 남의 ~가 되다 笑い者になる. ──-거리 명 人笑わせ; 物笑いの種; (お)笑い種; 笑い事; お笑い. ¶ 큰 ~다 とんだ物笑いだ / ~가 되다 物笑いの種になる / 만좌의 ~가 되다 満座の失笑を買う. ──-보 명《俗》笑い袋; 大笑い. ¶ ~가 터지다 大笑いになる. ──-소리 명 笑い声. ¶ ~가 높다 笑い声が高い. ──엣-소리 명 笑わすためにする話; 笑談. ──엣-짓 명 笑わすための仕草. ──-판 명 多くの人の笑い場.
웅거【雄據】 명하자 雄拠. ¶ 성에 ~하여 방어하다 城に拠って防戦する / 천험의 요새에 ~하다 天険のとりで(砦)に拠る.
웅그리다 타 すく(竦)める; 身を縮める. >옹그리다. 쓰웅크리다.
웅긋-쭝긋 부하형 太くて小さい多くの物があちこちふぞろ(不揃)いに突き出ているさま. ¶ 굴뚝이 하늘에 ~ 솟아 있다 煙突が天ににょきにょきそそり立っている. >옹긋쫑긋.
웅기-웅기 부하형 一様な大きさのものがまばらに群がっているさま. >옹기옹기.
웅기-중기 부하형 ふぞろ(不揃)いの物がまばらに群がっているさま. >옹기종기.
웅담【熊膽】 명〖韓醫〗くま(熊)の胆.
웅대【雄大】 명하형 雄大. ¶ ~한 조망 雄大な眺め / 규모의 ~함을 자랑하다 規模の雄大さを誇る.
웅덩이 명 水たま(溜)り; よど(淀)み. ¶ 개천〔도랑〕의 ~ 溝のよどみ / ~에 뜬 물거품 よどみに浮かぶうたかた / 길에는 군데군데 ~가 패어 있다 道路には所所水たまりができている. >옹당이. ──-지다 자 水たまりになる; 凹む.
웅도【雄途】 명 雄途. ¶ 히말라야 등산의 ~에 오르다 ヒマラヤ登山の雄途に就く.
웅도【雄圖】 명 雄図. ¶ 월세계 탐험의 ~ 月世界探険の雄図.
웅략【雄略】 명 雄略. ¶ ~을 품다 雄略を抱く.
웅려【雄麗】 명하형 雄麗; 雄大で美麗なこと. =장려(壯麗).
웅변【雄辯】 명 ① 雄弁. ¶ ~을 토하다 雄弁を振るう / ~으로 말하다 雄弁に語る / 그 고생을 ~적으로 말해 주고 있다 その苦しみを雄弁に物語っている. ② ↗웅변가.
‖──-가 명 雄弁家. ── 대회 명 雄弁大会. ──-술 명 雄弁術; エロキューション.
웅비【雄飛】 명하자 雄飛. ¶ 해외에 ~하다 海外に雄飛する.
웅성-거리다 자 ざわめく; ざわつく; ひし(犇)めく. ¶ 구경꾼이 ~ 見物人がひしめく / 온 동네가 그 소식으로 웅성거렸다 町中がその知らせでざわめいた. 웅성-웅성 부하자 ざわめくさま.
웅숭-그리다 타 貧弱な様相で身をすく(竦)める. >옹송그리다. 쓰웅숭크리다.
웅숭-깊다 형 ① 度量が広い. ② 奥床しい. ③ 高尚だ. ④ 慎み深い.
웅숭-크리다 타 貧弱な様相で身を極度にすくめる. ㅗ웅숭그리다.
웅신-하다 형 ① むし暑い. ② 火がとろい.
웅얼-거리다 자타 口の中でぶつぶつ言う; ぶつぶつつぶやく. >옹알거리다. 웅얼-웅얼 부하자타 ぶつぶつ言う〔つぶやく〕さま. ¶ 대우가 나쁘다고 ~하다 待遇が悪いと言ってぶつぶつ言う.
웅자【雄姿】 명 雄姿. ¶ 백두산이 구름 위에 ~를 나타냈다 白頭山が雲の上にその雄姿を現わした.
웅장【雄壯】 명하형 雄壮; 雄大壮厳. ──-하다 형 雄大壮厳だ; 雄壮だ. ¶ ~한 경치 壮大壮厳な景色.
웅재【雄才】 명 雄才; 雄大な才能. また, その人.
웅절-거리다 자타 (不平·不満·嘆きなどを)ぶつぶつ言う; 口小言をいう. >옹잘거리다. 웅절-웅절 부하자타 ぶつぶつ言うさま.
웅지【雄志】 명 雄志. ¶ ~를 품다 雄志を抱く.
웅크리다 타 (寒さや恐さで)身をすく(竦)める〔縮める〕. ¶ 몸을 웅크리고 앉다 身を竦めてうずくま(蹲)る.
웅혼【雄渾】 명하형 雄渾. ¶ ~한 문장 雄渾な文章.
워¹ 명 ハングルの合成字母"ㅝ"の名.
워² 감 ↗우어.
워걱-거리다 자 多くの固いものがしきりにかち合って音を出す: がちゃがちゃする; がたがたする. >와각거리다. 워걱-워걱 부하자 がちゃがちゃ; がたがた.
워그르르 부하자 ① 積み重なったものが急に崩れる音: がらがら; からから. ② 多くの水が煮え立つさま. また, その音. ③ やかましく鳴る雷の音. >와그르르.
워그적-거리다 자 騒騒しくざわめく〔ひし(犇)めく·にぎ(賑)わう〕. >와그작거리다. 워그적-워그적 부하자 ざわざわざわざわ.
워글-거리다 자 ① (多くの人などが)うじゃうじゃする; ごたごたする. ② 多くの水が勢いよく煮え立つ. >와글거리다. 워글-워글 부하자 ① うじゃうじゃ; ごたごた. ② 水が勢いよく煮え立つさま.

워낙 [부] ①もともと. ¶겨울이란 ~ 추운 법이다 冬はもともと寒いものである. ②なに(何)せ；なに(何)しろ；あんまり. ¶~ 길이 나빠서 なにしろ道が悪いので.

워드 프로세서〔word processor〕[명] ワードプロセッサー；ワープロ《준말》；自動文書作成機.

워럭 [부] 急に飛びかかるかまたは引っ張るさま：ぐっと. >와락.

워럭-워럭 [부][하자] 暑気〔熱気〕が盛んに起こるさま：かっかと. >와락와락.

워르르 [부][하자] ☞ 와르르.

워리 [감] 犬を呼ぶ声：こーいこーい；おいーでおいーで.

워석 [부][하자타] 乾いた軽い物がす(擦)れ合ったり，または押しつぶ(潰)されたりする際に出す音：かさかさ. >와삭. ㅆ워썩. ——-거리다 [자][타] しきりにかさかさする;がさつく. ——— [부][하자타] かさかさかさかさ.

워썩 [부][하자타] 乾いてこわ張ったものがす(擦)れ合ったり，または押しつぶ(潰)されるときに出る音：がさっ. >와싹. ㅅ워석. ——-거리다 [자][타] がさっがさっと音を立てる. ——— [부][하자타] がさっがさっ.

워-워 [감] ↗우어우어.

웍더그르르 [부] 多くの固くて大きいものがぶつかり合って転がる音：ごとんごろごろ. >왁다그르르. ——-하다 [자] ごとんごろごろとぶつかりながら転がる.

웍더글-덕더글 [부][하자] 多くの固くて大きいものが激しくぶつかりながら転がる音：ごとんがたん. >왁다글닥다글.

웍더글-웍더글 [부][하자] 続けざまに“웍더그르르”と鳴る音：ごとんごろごろごとんごろごろ. >왁다글왁다글.

원【圓】[명] 円；サークル. ¶외~ 外円/~을 이루다 円を成す/새가 ~을 그리며 날다 鳥が円を描いてとぶ.

원【願】[명] 願い. ——-하다 [타] 願う. ¶~하는 일 願い事.

원〔one〕[수] ワン；一.

원[1] [의명] 韓国の貨幣の単位：ウォン(Won). ¶일천~권 一千ウォン券.

원[2] [감] 意外・驚きなどのときに発する語：あら；まあ；これは；こんな. ¶~, 세상에 그럴 수가 있나 まあ，何とひどいことだろう/~, 저리도 못났을까 まあ，なんて弱虫だろう.

원-【元・原】[두] 名詞の前に付いて“本来・元”の意を表わす語. ¶~이름 もとの名/~포기 親株/~사장 元社長.

-원【員】[미] 員. ¶사~ 社員/구성~ 構成員.

-원【院】[미] 院. ¶원자력~ 原子力院/요양~ 療養所.

-원【願】[미] 願い. ¶휴학~ 休学願い.

원가【原價】[명] 原〔元〕価；コスト；元値；元. ¶책의 ~ 本の原価/~ 이하가 되다 原価〔コスト〕を割る/~ 이하로 팔다 原価を切って売る/~로 팔다 原値で売る.
‖—— 계산 [명] 原価計算. ¶~을 다 原価計算をする.

원간【原刊】[명] 原刊；ある本のもともとの刊行.
‖——-본 [명] 原刊本；原本.

원-거리【遠距離】[명] 遠距離.

원격【遠隔】[명][하형] 遠隔. ¶~지 隔の地.
‖—— 유도 [명]〔物〕遠隔誘導. —— 조작 [명] 遠隔操作；リモートコントロール；リモコン《준말》.

원경【遠景】[명] 遠景. ¶금강산의 ~ 金剛山の遠景.

원고【原告】[명] 原告. ¶그 증거는 명백히 ~에게 불리하다 その証拠は明らかに原告に不利である.

원고【原稿】[명] 原稿；下書き；ペーパー. ¶육필(肉筆) ~ 生原稿/집필을 위하여 할당된 ~의 분량 執筆に割り当てられた原稿の分量；紙幅/~를 검열하다 原稿を検閲する/~를 수정하다 原稿の手直しをする/학회에서 ~를 읽다 学会でペーパーを読む.
‖——-료 [명] 原稿料；稿料《준말》. —— 용지, ——-지(紙) [명] 原稿用紙.

원광【原鑛】[명] 原鉱. ①主なる鉱山. ②原料となる鉱石. ¶~ 그대로 선적하다 原鉱のまま船積みする.

원교 근공【遠交近攻】[명] 遠交近攻. ¶~의 정책 遠交近攻の政策.

원군【援軍】[명] 援軍. ¶~이 올 때까지 성을 지탱할 수 없다 援軍が来るまで城は持ち切れない.

원귀【冤鬼】[명] おんりょう(怨霊). ¶~의 앙얼을 입어서 죽다 怨霊に取りつかれて死ぬ.

원근【遠近】[명] 遠近.
‖——-법 [명] 遠近法. ¶~에 의한 그림 遠近法による絵.

원금【元金】[명] 元金. ¶~과 이자 元金と利子；元子/~도 이자도 날려 버렸다 元も子もなくした/~은 백만 원이었습니다 元高は百万ウォンでした.

원기【元氣】[명] 元気. ¶~가 정정하다 ぴんぴんしている/~ 왕성하다 元気一杯〔旺盛〕である.
‖—— 부족 [명] 元気不足.

원기【原器】[명] 原器. ¶미터 ~ メートル原器/킬로 그램 ~ キログラム原器.

원-기둥【原—】[명] 最も重力のかかる部位にたてる柱；大黒柱.

원-기둥【圓—】[명]〔數〕円柱.

원납【願納】[명][하타] 自ら願って納めること. ‖——-전(錢) [명] 自ら願って納めるお金.

원내【院內】[명] “院”の字の付いた各種の機関の内部；院内.
‖—— 총무 [명] 院内総務.

원년【元年】[명] 元年.

원념【怨念】[명] 恨み. ¶~을 품다 恨みを抱く.

원님【員—】[명]〔史〕郡守の尊称.

단【元旦】명 元旦; 元正; 一月一日.
단【原緞】명 原料としての反物.
대【原隊】명 原隊. ¶ ~로 돌아가다 原隊に復する.
대【遠大】명하형 遠大. ¶ ~한 계획을 세우다 遠大な計画を立てる.
도【原圖】명 原図.
——-지(紙) 명 原図を描く紙.
도【遠島】명 遠島.
동【原動】명 原動.
——-기 명 原動機. ——-력 명 原動力. ¶ 행동의 ~ 行動の原動力.
동【遠東】명〔地〕極東. =극동.
두-막【園頭幕】명 すいか畑などの番小屋.
래【元來·原來】명부 元来; もともと. ¶ ~ 정직한 사람 元来正直な人/~가네가 나쁘다 元は君が悪い/~ 어려운 일이야 どだい(土台)難しい事だ/그는 ~ 사리를 모르는 사나이다 彼はもともと物を知らない男である.
원래【遠來】명하자 遠来. ¶ ~의 객 遠来の客.
원량【原量】명 元来の量.
원력【原力】명 元来の力.
원령【怨靈】명 おんりょう(怨霊); 物のけ(怪). =원귀(怨鬼). ¶ ~이 붙다 怨霊に取りつかれる/죽은 사람의 ~이 지벌입다 死霊がたた(祟)る.
원로【元老】명 元老. ¶ ~ 회의 元老会議/실업계의 ~로서 은연한 세력을 갖고 있다 実業界の元老として隠然たる勢力を持っている.
‖—— 대신(大臣) 명 年を取った徳望の高い大官. ——-원 명〔史〕元老院.
원로【遠路】명 遠路; 遠道; 長道. =원정(遠程). ¶ ~의 피로 遠道の疲れ.
원론【原論】명 原論. ¶ 경제 ~ 経済原論.
원뢰【遠雷】명 遠雷.
원료【原料】명 原料; 元種. ¶ 곰팡이를 ~로 해서 만든 약 かびを元にして作った薬/~를 해외에 의존하다 原料を海外に仰ぐ.
원류【源流】명 源流. ¶ 희랍 문화의 ~를 연구하다 ギリシア文化の源流を研究する.
원리【元利】명 元利; 元と子. ¶ ~ 합계 元利合計.
‖——-금 명 元利金.
원리【原理】명 原理; プリンシプル. ¶ 지도 ~ 指導原理/다수결의 ~ 多数決の原理/아르키메데스의 ~ アルキメデスの原理.
원만【圓滿】명하형 円満. ¶ ~하여 부족함이 없다 円満具足である/~한 인격〔인품〕 円満な人格〔人柄〕/~하게 이야기하다 円満に話す/부모와 자식 사이가 ~하지 못하다 親子の間がしっくり行かない/웬일인지 그들 사이가 ~하지 못하다 どういう訳か彼らの間がむつ(睦)まじくない. ——-히 부 円満に. ¶ ~ 해결하다 円満に解決する/일을 ~ 처리하다 事を柔らかに運ぶ.

원-말【原—】명 原語.
원망【怨望】명 恨み. ——-하다 타 恨む. ¶ ~하기 없기 恨みっこ無し/~하는 말을 늘어놓다 恨み言を並べる/~의 대상이 되다 えんさ(怨嗟)の的になる/네게 ~은 없다 君に恨みはない. ——-스럽다 형 恨めしい. ¶ 원망스러운 얼굴 かこ(託)ち顔.
원망【願望】명하타 願望.
원매-인【願買人】명 買い手. =작자·원매자(願買者).
원맥【原麥】명 原麦. ¶ ~ 수입 原麦輸入.
원-맨〔one-man〕명 ワンマン. ¶ ~ 쇼 ワンマンショー.
원면【原綿】명 原綿. ¶ ~ 할당 原綿の割り当て.
원명【原名】명 原名. ¶ 그의 ~을 잊었다 彼の原名を忘れた.
원모【原毛】명 原毛. ¶ ~의 수입 原毛の輸入.
원모【遠謀】명하타 遠謀. ¶ 심려 ~ 遠謀深慮.
원목【原木】명 原木; 粗木〔荒木〕. ¶ 펄프의 ~ パルプの原木.
원무【圓舞】명 円舞; ロンド.
‖——-곡 명 円舞曲; ワルツ.
원문【原文】명 原文. ¶ 번역에서 ~의 맛을 내다 翻訳で原文の味を出す.
원물【元物】명〔法〕元物.
원물【原物】명 原物; オリジナル.
원반【原盤】명 原盤. ¶ 레코드의 ~ レコードの原盤.
원반【圓盤】명 円盤. ¶ 육상 경기에서 ~을 던지다 陸上競技で円盤を投げる.
‖——-던지기 명 円盤投げ. ¶ ~에서 우승하다 円盤投げで優勝する.
원방【遠方】명 遠方.
원방【遠邦】명 遠国.
원배【遠配】명하타 えんさん(遠竄); 遠流.
원병【援兵】명 援兵; 援軍. ¶ ~을 청하다 援兵を請う; 加勢を求める.
원보【原譜】명 原譜; 元の楽譜.
원본【原本】명 原本; 元本; 正本. ¶ ~과 사본 原本と写本/~과 부본 正本と副本/판결 ~ 判決原本/~을 밑에 깔고 복사한 것 原本を敷き写しにしたもの/~을 충실히 번역하다 原本を忠実に訳す.
원부【怨府】명 えんぷ(怨府). ¶ 서민의 ~가 되다 庶民の怨府となる.
원부【原簿】명 原簿; 台帳.
원-불교【圓佛敎】명〔佛〕円仏教《1916年に仏教の現代化と生活化をモットーに全羅北道益山郡に総本山を設けて創立した一宗派》.
원비【元肥】명 元肥〔基肥〕; 根肥え. =밑거름.
원-뿔【圓—】명〔數〕えんすい(円錐). ¶ ~꼴 円錐形.
원사【元士】명〔軍〕下士官での最高の階級.
원사【原絲】명 原糸.
원사【冤死】명하자 無実の死.

원사【遠寫】명하타 遠写; 場面を広く写す. また, その映画のフィルム.
원사 시대【原史時代】명 原史時代.
원사이드 게임〔one-sided game〕명 ワンサイドゲーム.
원산【原産】명 原産.
‖——-지 명 原産地. ¶감자는 미국이 ~이다 じゃが芋はアメリカが原産地である.
원산【遠山】명 ① 遠山. ② 眼鏡のフレームのつな(繋)ぎ目. ③ 便器の前に付いている小高い遮蔽物. ④ 扉が止まるように敷居づまに打ち込んだ金物.
원상【原狀】명 原状. ¶~ 복귀하다 もとのさや(鞘)におさまる / ~으로 회복하다 原状に復する.
원색【原色】명〔物〕原色. =기색(基色). ¶삼~ 三原色 / 이제는 인쇄에서 ~을 내기가 쉬워졌다 今や印刷で訳なく原色を出せる.
‖——-판 명〔印〕原色版. =삼색판(三色版).
원생【原生】명 原生. =원시(原始).
‖——-대 명〔地〕原生代. —— 동물 명〔動〕原生動物. =원시 동물. —— 생물 명〔生〕原生生物.
원생【院生】명 院生. ¶~ 대회 院生大会 / 대학~ 大学院生 / 소년~ 少年院生.
원서【原書】명 原書.
원서【願書】명 願書; 願い. ¶입학~ 入学願書〔願い〕.
원석【原石】명 原石. ¶~ 그대로의 다이아몬드 原石のままのダイヤモン
원성【怨聲】명 えんせい(怨声).　「ド.
원성【原性】명 本来の性質.
원소【元素】명 元素. ¶금속 ~ 金属元素 / 동위 ~ 同位元素.
‖—— 기호 명 元素記号. —— 분석 명 元素分析. —— 주기율 명 元素週期律.
원소【冤訴】명하자 ① 無実の罪(であること)を訴えること. ② 不服を申し立てること.
원손【元孫】명 王世子の嫡男.
원손【遠孫】명 遠孫; 末孫. =계손(系孫).
원수【元首】명 元首. ¶국가 ~ 国家の元首.
원수【元帥】명 元帥.
원수【怨讐】명 おんしゅう(怨讐); あだ(仇); 仇敵; 敵. ¶우리와 ~를 짓는 나라 我に仇なす国 / ~를 갚다 恨みを晴らす; 仇を討つ; 敵を討つ〔取る〕; 敵討ちをする / ~로 여기다 仇敵視する; 仇視する / ~가 되다 仇を成す; 仇になる / 은혜를 ~로 갚다 恩を仇で返す / ~는 외나무다리에서 만난다《俚》敵は一本橋で出会うものだ《人の恨みを買ったら必ずその仕返しを受けるとのたとえ》.
——(를) 지다 구 仇〔敵〕になる.
원수【員數】명 員数. ¶~외 員数外 / ~가 모자라다 員数が足りない / ~를 갖추다 員数をそろ(揃)える.
원-수폭【原水爆】명 原水爆. ¶~ 금지 운동 原水爆禁止運動 / ~ 금지의 호소 原水爆禁止のアピール
원숙【圓熟】명하형 円熟; 老熟. ¶~기 円熟期 / ~한 인격 円な人格 / 마음이 ~해지다 心がれる / 그는 ~한 인물이다 彼は練た人物である / ~한 경지에 이르 老熟の域に達する.
원숭이 명〔動〕猿; お猿さん; まし〈雅〉; モンキー. ¶~ 얼굴〔탈〕猿面 ~ 흉내 猿真似 / ~의 흉내내기 猿物まね / ~가 재주부리는 꼴을 보 猿芝居を見る / ~처럼 기어 오다 ましらの如くよじ上る / ~가 르르 나무에 올라가다 猿がするする木に登る / ~가 길이 들어 먹이를 아 먹게 되었다 猿が餌付くようにな た / ~도 나무에서 떨어진다《俚》猿木から落ちる.
‖——-띠 명《俗》申の年の生まれ =신생(申生). ——-해 명《俗》申年 申の年.
원시【原始·元始】명 原始; はじめ もと. ¶~ 상태 原始状態 / ~적 다 原始的だ; プリミティブである.
‖—— 공산체 명 原始共産体. ——-림 명 原始林; 始原林; 原生林. —— 사회 명 原始社会. —— 시대 명 原始時代.
원시【原詩】명 原詩.
원시【遠視】명하타 遠視; 遠眼; 遠目. ¶~인 사람 遠視の人 / 할아버지는 ~이다 祖父は遠目である.
‖——-경 명 遠視鏡. =원안경. ——-안 명 遠視眼.
원심【原審】명〔法〕原審. ¶~을 파기하다 原審を破棄する.
원심【怨心】명 恨む心.
원심【遠心】명 遠心.
‖——-력 명 遠心力. —— 분리기 명〔物〕遠心分離機.
원아【園兒】명 園児.
원안【原案】명 原案. ¶격론에 격론을 거듭한 ~ も(揉)みにもんだ原案 / ~을 재검토하다 原案を練り直す.
원안【遠眼】명 [↗원시안] 遠眼.
원앙【鴛鴦】명 えんおう(鴛鴦). ①〔鳥〕おしどり(鴛鴦). ② 仲のむつ(睦)まじい夫婦. ¶~의 인연을 맺다 えんおうの契りを結ぶ.
‖——-금(衾) 명 鴛鴦のふすま(衾). ——-새 명 ☞ 원앙①. ——-침(枕) 명 ① おしどり(鴛鴦)をししゅう(刺繡)してある枕. ② 夫婦がいっしょにする枕.　「ぶんりょう.
원액【元額·原額】명 もとの数や分量
원액【原液】명 原液.　「판.
원야【原野】명 原野; 野原. =벌
원양【遠洋】명 遠洋.
‖—— 어선 명 遠洋漁船. —— 어업 명 遠洋漁業. —— 항해 명 遠洋航海.
원어【原語】명 原語. ¶~에서 직접 번역하다 原語より直に訳する.
원영【遠泳】명하자 遠泳.
원예【園藝】명 園芸. ¶가정 ~ 家庭園芸 / ~의 밭 園生.
‖——-농 명 園芸農. ——-사 명 園芸師. =동산바치. —— 식물 명 園芸植物. —— 작물 명 園芸作物. ——

학 명 園芸学.
외【員外】명 員外. ¶ ~ 교수 員外教授.
외【院外】명 院外.
‖── 운동 명〔政〕院外運動.
용【援用】명하타〔法〕援用.
-운동【圓運動】명 円運動.
원원-이【元元—】부 もともとから; 本来から.
원유【原由】명 由来. =원인(原因).
원유【原油】명 原油. ¶ ~가 분출하다 原油が奔出する.
원유【遠遊】명하자 遠方に出かけて遊ぶこと.
원융【圓融】명하형 円融. ① 区別なく共に溶け合うこと. ② 円満に融通すること. ③〔佛〕すべてのことわり(理)が一つに帰すること.
원음【原音】명 原音; 基音.
원음【遠音】명 遠音.
원의【原意】명 原意.
원의【原義】명 原義.
원의【院議】명 院議. ¶ ~로써 제명하였다 院議を以って除名した.
원인【原人】명 原人. =원시인(原始人). ¶ ~의 유적 原人の遺跡.
원인【原因】명 原因; 種; 所由. ¶ 싸움의 ~ けんかの元 / ~ 미상 原因未詳 / 화재의 ~ 火の元 / 사소한 일이 ~이 되어 ふとしたことが原因で / ~을 밝히면 元をただせば / 언쟁의 ~이 되다 物言いの種になる / ~을 밝혀내다 原因を突き止める.
원인【猿人】명 猿人. *원인(原人).
원인【遠因】명 遠因.
원인【願人】명 願人; 願い主.
원일【元日】명 元日.
원일-점【遠日點】명 遠日点.
원자【元子】명 王の長男.
원자【原子】명 原子.
‖──-가 명 原子価. ── 기호 명 原子記号. ──-량 명 原子量. ──-력 명 原子力; 核力. ¶ ~ 시대 アトミックエージ. ──력 발전 명 原子力発電. ──-로 명 原子炉. ──-론 명 原子論; アトミズム. =원자설(原子說). ── 무기 명 原子兵器. =핵무기. ── 에너지 명 原子エネルギー. =원자력. ── 탄두 명 原子弾頭. ── 폭탄 명 原子爆弾; 原爆; ぴかどん〈俗〉. ──-핵 명 原子核. ──핵 분열 명 原子核分裂. ㊥ 핵분열. ──핵 붕괴 명 原子核崩壊. ──핵 융합 명 原子核融合. =핵융합. ──핵 화학 명 原子核化学.
원-자재【原資材】명 原資材. ¶ 외국에서 ~를 도입하다 外国から原資材を導入する.
원작【原作】명 原作.
원작-자【原作者】명 原作者. =원저자(原著者).
원장【元帳】명 元帳; 原簿. =원장부(元帳簿). ¶ ~에 기입하다 元帳に記入する.
원장【院長】명 院長.
원장【園長】명 園長. ¶ 동물~ 動物園長.
원-장부【元帳簿】명 ① もととなる帳簿. ② 元帳. =원장.

원-재료【原材料】명 原材料. =원료.
원-저자【原著者】명 もとの著者.
원적【原籍】명 原籍.
‖──-지 명 原籍地.
원전【原典】명 原典. ¶ 인용문을 ~과 대조해서 조사하여 보다 引用文を原典に当てて調べて見る
‖── 비판 명 原典批判. ── 석의 명 原典釈義.
원점【原點】명 原点; 元. ¶ 계획이 바뀌어 ~으로 돌아가다 計画を変えてもとに返る / ~으로 돌아가서 다시 생각하다 元に返って考え直す.
원정【園丁】명 園丁.
원정【遠征】명하자 遠征. ¶ ~ 온 선수들 来征した選手たち.
‖──-군 명 遠征軍. ¶ ~을 맞이하다 遠征軍を迎える.
원제【原題】명 原題. =원제목(原題目).
원조【元祖】명 元祖; 始祖. ¶ 지압술의 ~ 指圧術の元祖.
원조【元朝】명 元旦.
원조【遠祖】명 遠祖; 遠つみ親.
원조【援助】명하타 援助. ¶ 조건부 ~ 紐付き援助 / ~ 자금 援助資金 / ~를 바라다 御援助を望む / ~가 가일층 필요하게 되었다 援助が層一層必要になった.
원족【遠足】명 遠足. =소풍.
원종【原種】명 原種.
원죄【怨罪】명 恨みの上で極悪なことをなした罪.
원죄【原罪】명하자 原罪.
원죄【冤罪】명 えんざい(冤罪). ¶ ~를 쓰다 冤罪を被る.
원주【原住】명하자 原住.
‖──-민 명 原住民. ──-지 명 原住地.
원주【圓周】명 円周. =원둘레.
‖──-율 명〔數〕円周率.
원주【圓柱】명 円柱. =원기둥.
‖── 투영법 명 円柱投影法.
원-주소【原住所】명 原住所.
원지【原紙】명 原紙. ¶ ~를 긁다 原紙〔がり〕を切る.
원지【遠地】명 遠地.
‖──-점 명〔天〕遠地点.
원지【遠志】명 ① 遠大な志. ②〔植〕いとひめはぎ(糸姫萩).
원진-살【元嗔煞】명 ① 夫婦のわけの分からない一時のもつ(縺)れ. ② 互いに忌み合う相性.
원-채 명 母屋.
원척【遠戚】명 遠戚.
원천【源泉】명 源泉〔原泉〕. ¶ 지식의 ~ 知識の源泉.
‖── 과세 명〔法〕源泉課税.
원체【元體】一 명 根本の形体; 本体. 二 부 もともと; もとから. ¶ ~ 나쁜 사람은 아니다 もとから悪い人ではない.
원초【原初】명 原初; おおもと.
원촌【原寸】명 原寸; 現尺. ¶ ~ 크기 原寸大.
원촌 【遠寸】명 血筋の遠い間柄. ¶ ~ 형님 遠い親戚に当たる兄貴.

원촌【遠村】명 遠い村.
원추【圓錐】명〖數〗えんすい(円錐). =원뿔.
‖──-형 명 円錐形. =원뿔꼴.
원칙【原則】명 原則; 建て前; プリンシプル. ¶근본 ~ 根本原則 / 일사 부재리의 ~ 一事不再理の原則 / 에누리 않는 것을 ~으로 하고 있습니다 値引き無しを建て前としております.
원친【遠親】명 遠い身内.
원-컨대【願─】부 願わくは. ¶~ 유혼은 지하에 잠드시라 願わくは幽魂地下にめい(瞑)せよ.
원탁【圓卓】명 円卓; ラウンドテーブル.
‖── 회의 명 円卓会議.
원통【寃痛】명하형히부 恨めしいこと; 無念. ¶~해서 이를 갈다 無念のはがみ(歯嚙)をする.
원통【圓筒】명 円筒.
‖──-형 명 円筒形. ¶반(半)~ 半円筒形; なまこ形; なまこ《준말》.
원판 명부 本来の状態〔場面〕; 本来. =원래.
원판【原板】명 原板; ネガ(チブ). ¶사진 ~ 写真の原板.
원판【原版】명〖印〗原版.
원판【圓板】명 円板.
원폭【原爆】명 [↗원자 폭탄] 原爆. ¶~ 세례 原爆洗礼 / ~ 피해자 原爆被害者.
‖──-증 명 原爆症.
원-풀다【願─】자 願いを晴らす; 希望がかな(適)う.
원피【原皮】명 原皮.
원-피스〔one-piece〕명 ワンピース; 簡単服. ¶간단한 여름철 ~ 簡単な夏向きのワンピース.
원-하다【願─】타 ① 願う; 望む. =바라다. ¶교섭이 원만하게 타결되기를 원합니다 交渉が円満に妥結することを望んでいます / 무엇이든지 원하시는 것을 드리겠습니다 何でもお望みの物を差し上げます. ②(何かを成そうと) 思う. ¶손에 넣기를 원하는 물건 手に入れたいと思う品物. ③ 欲する; 求める; うらや(羨)む. =부러워하다. ¶자신이 원하는 바 おのれの欲するところ / 평화를 ~ 平和を求める. ④ こいねがう; 請願する; 申す. ¶용서를 ~ ゆるしをこい願う.
원한【怨恨】명 えんこん(怨恨); うらみ; 意趣. ¶~을 품다 恨みを持つ〔いだく〕.
원해【遠海】명 遠海.
‖──-어 명 遠海魚.
원행【遠行】명하자 遠行; 遠出.
원향【原鄕】명 ある地方で幾代も住んでいる豪族.
원형【元型】명〖生·心〗原型; 発生的な類似によって抽象された類型.
원형【原形】명 原形. ¶~으로 회복하다 原形に復す.
‖──-질 명 原形質. ¶~ 운동 原形質運動. ──-체 명 原形体.
원형【原型】명 原型. ¶~을 뜨다 原型をとる / 이것은 ~을 유지하고 있다 これは原型を保っている.
원형【圓形】명 円形; まるがた; 輪なり. ¶~ 동물 円形動物 / ~으로 늘어서다 輪になって並ぶ.
‖── 극장 명 円形劇場.
원호【援護】명하타 援護. ¶상이자를 ~하다 しょういしゃ(傷痍者)を援護する.
원호【圓弧】명 円弧; 弧. ¶공이 ~를 그리며 날다 ボールが円弧を描いて飛ぶ.
원혼【寃魂】명 えんこん(寃魂). ¶지하의 ~을 달래다 地下の寃魂を慰める.
원화【原畫】명 原画. ¶~의 모사 原画の模写.
원활【圓滑】명하형히부 円滑. ¶교섭이 ~히 진행되다 交渉がなだらかに進む / ~히 진행시키다 円滑に取り運ぶ.
원훈【元勳】명 元勲.
원흉【元兇】명 元凶. ¶부정 선거의 ~ 不正選挙の元凶.
월【月】명 ① 月. =달. ¶~ 평균 月平均. ② ↗월요일.
월간【月刊】명 月刊. ¶~ 잡지 月刊雑誌.
월경【月經】명하자 月経; 月の物; 月役; 月の障り; 下り物; メンス〈俗〉. ¶첫~ 初潮; 初花.
‖──-대 명 月経帯. =개짐. ── 불순 명 月経不順. ──-통 명 月経痛. ── 폐쇄기(閉鎖期) 명 月経閉止期.
월경【越境】명하자 越境. ¶~해서 도망쳤다 越境して逃げ去った.
월계【月計】명하타 月計. ¶~표 月計表.
월광【月光】명 月光. =달빛. ¶~곡(曲) 月光奏鳴曲.
월권【越權】명 越権. ¶그것은 ~ 행위다 それは越権行為である.
월급【月給】명 月給; サラリー. ¶첫~ 初月給.
‖──-날, ──-일 명 月給日. ──-쟁이 명 月給取り; サラリーマン; 勤め人. ¶~ 생활 お勤め暮らし.
월남【越南】[1] 명하자 ① 南の方に越えて行くこと. ② 北韓国から休戦ラインを越えて南下し大韓民国に住みつくこと.
월남【越南】[2] 명〖地〗ベトナム. ¶~ 파병 ベトナム派兵.
월내【月內】명 月内. ¶~ 지급 月内支払い.
월년【越年】명하자 越年. ¶~ 자금 越年資金.
‖──-성 명 越年性. ──-초 명 越年草.
월당【月當】명 月割り; 月額. ¶회비는 ~ 5000원 쯤이다 会費は月割り五千ウォンぐらいである.
월동【越冬】명하자 越冬. ¶~ 자금 越冬資金.
‖──-비 명 越冬費. ── 준비 명 越冬準備; 冬営.
월등【越等】명하형 けたはず(桁外)れ; 並外れ; どはずれ. ──-히 부

飛び切り; 桁外れに. ¶ ~ 싼 값 桁外れの安値 / 그보다 ~ 위다 それより飛び切り上である.
월력【月曆】명 暦; 日読み〈雅〉. =달력.
월령【月齡】명〔天〕月齢.
월례【月例】명 月例; 例月. ¶ ~ 행사 月例の行事.
‖——회 명 月並会.
월륜【月輪】명 月; 月の輪.
월리【月利】명 月利. =달변. ¶ ~ 5푼의 고리 月五分の高利.
월말【月末】명 月末; つごもり〈雅〉. ¶ ~ 지급 月末払い.
월면【月面】명 月面. ¶ ~ 착륙 月面着陸. ‖——도 명 月面図.
월명【月明】명하형 月明かり.
월반【越班】명하자 飛び級.
월별【月別】명 月別. ¶ ~ 매상고 月別売り上げ高.
월병【月餅】명 ① 月の形にまるめたもち(餅). =달떡. ② げっぺい(月餅)《中国の菓子の一つ》.
월보【月報】명 月報. ¶ 시정 ~ 施政月報.
월봉【月俸】명 月俸. =월급(月給). ¶ ~ 80만 원 月俸八十万ウォン.
월부【月賦】명 月賦; 月割り; ラムネ〈俗〉. ¶ ~ 판매 月賦販売.
‖——불 명 月払い.
월북【越北】명하자 ① 北の方に行くこと. ② 韓国の休戦ラインを越えて北に行くこと.
월사-금【月謝金】명 月謝. =수업료(修業料). ¶ ~을 치르다 月謝を払う〔納める〕.
월산【月産】명 月産. ¶ ~ 일만 대 月産一万台.
월색【月色】명 月の光. =달빛. ¶ 교교한 ~ こうこう(皎皎)たる月の光.
월석【月石】명 月の石〔岩石〕.
월세【月貰】명 ① ☞ 사글세(貰). ② 貸家. =사글셋집. ③ 月ぎめで借りる部屋; 貸間. =사글셋방.
월-세계【月世界】명 月世界. ¶ ~ 여행은 마침내 이루어졌다 月への旅行は遂に成された.
월수【月收】명 月収. ¶ ~ 100만 원의 소득 月収百万ウォンの所得.
월식【月蝕·月食】명하자 月食. ¶ 개기 ~ 皆既月食.
월액【月額】명 月額. ¶ 수강료는 ~ 5천 원이다 授講料は月額五千ウォンである.
월야【月夜】명 月夜. =달밤.
월여【月餘】명 月余; ひと月あまり. ¶ ~에 걸쳐서 月余に亘って.
월요【月曜】명 [↗월요일] 月曜.
‖——병 명 月曜病. ——일 명 月曜日.
월용【月容】명 月のような美しい顔.
월일【月日】명 ① 月日. ¶ 생년 ~ 生年月日. ② 月日; 月と日.
월장【越牆】명하자 よその塀を越えること.
월전【月前】명부 一個月ほど前.
월정【月定】명 月ぎ(極)め. ¶ 신문을 ~으로 받다 新聞を月極めでとる.
월중 행사【月中行事】명 月中行事; 月行事. ¶ ~표 月中行事表.
월차【月次】명 月次. ① 毎月. ¶ ~ 계획 月次計画. ② 天空における月の位置.
월척【越尺】명 釣り上げた魚が一尺に余ること; また, その魚.
월초【月初】명 月初め; 月頭. ¶ ~에 수금하러 가겠습니다 月初めに集金に行きます.
월컥 부 ① 食べ物を急に吐き戻すさま: ぐわっと. ② 急にひっくり返るさま: ぱっと. ③ 急に引っ張るかまたは押すさま: ぎゅっと. >왈칵. ——— 부 ① しきりにぐわっと吐き戻すさま. ② しきりにぱっとひっくり返るさま. ③ しきりにぎゅっと引っ張るさま, または押すさま.
월편【越便】명 向かい側.
월평【月評】명 月評. ¶ 문예 작품의 ~ 文芸作品の月評.
월훈【月暈】명 ☞ 달무리.
웨딩〔wedding〕명 ウェディング.
‖—— 드레스 명 ウェディングドレス.
웨스턴〔western〕명 ウェスターン.
‖—— 무비〔movie〕명 ウェスターンムービ. —— 뮤직〔music〕명〘樂〙ウェスターンミュージック.
웨어〔wear〕명 ウェア. ¶ 언더 ~ アンダーウェア.
웨이〔way〕명 ウェー. ¶ 드라이브 ~ ドライブウェー.
웨이스트〔waist〕명 ウェスト. ¶ ~ 라인 ウェストライン / ~ 니퍼 ウェストニッパー.
웨이스트-볼〔waste ball〕명〘野〙ウェストボール.
웨이터〔waiter〕명 ウェーター.
웨이트리스〔waitress〕명 ウェートレス.
웨죽-웨죽 부하자 腕をふりふりゆっくり歩くさま: のさりのさり.
웨트〔wet〕명하형 ウェット.
웩 부하자 ① 食べものを吐き戻す音またはそのさま: ぐわっ. >왝. ② 鳥などを追う声.
웩-웩 부하자 ① ありったけの声を出してしきりに叫ぶ声. ② しきりに吐き戻すときの音.
웬 관 "어떠한"·"어찌 된"の意の語: どんな; なんという; どうした. ¶ ~ 일이냐 どうしたことか / ~ 돈이냐 どうしたお金かね.
웬-걸 감 疑いまたは意外·否定の意を表わす語: なにを; どうしてそんな; いや. ¶ ~ 그렇게 많이 なにをそんなに沢山 / ~ 그랬을라구 なんで, そんなことがあろうものか.
웬-만큼 부 いいかげん(加減)に; 適度に; そこそこに. ¶ ~ 해 두자 いい加減にしておこう.
웬만-하다 형 ① ↗우연만하다. ② ☞ 어연간하다. ③ ☞ 어지간하다①. ¶ 웬만하면 그만둬라 何だったらやめておきなさい.
웬-셈 명 どうしたこと; どういうつもり. ¶ ~이냐 どうしたことかね.
웬-일 명 どうしたこと; 何事. ¶ 이게 ~이냐 これはどうしたことか / 거짓

말을 하다니 ～이냐 うそをつくとはどうした事かね.
웬일-인지 [부] なんとなく; なぜか. ¶～ 가슴이 설렌다 なんとなく胸騒ぎがする / ～ 그들 사이가 원만하지 못하다 どうしたものか彼等は睦まじくない.
웰컴 〔welcome〕 [명][감] ウェルカム.
웰터-급 【―級】〔welter〕 [명] ウェルター級.
웽 [부][하자] ① 虫が飛ぶ音: ぶん. ② いっそう速いものがとぶ音: びゅん. ③ 強い風が針金などに当たって鳴る音: ぶーん.
웽그렁-뎅그렁 [부][하자] 大きいしんちゅう(真鍮)の器または鈴などがゆれて鳴る音: からんからん. >왱그랑댕그랑. ㊟ 웽겅뎅겅.
웽-웽 [부][하자] ① 多くの虫が飛び交う音: ぶんぶん. ② 強い風が吹く音: ぶんぶん. ――거리다 [자] しきりにぶんぶんと音を立てる.
위 [명] 上. ① 高い所. ¶손을 ～로 뻗다 手を上に伸ばす / 바로 ～를 보다 真上を見る. ② 頂上. ¶산～에서 전망하다 山の上から見晴らす. ③ 表〔面〕; 表面. ¶호수～를 비추는 달 湖を照らす月 / 물～를 달리다 水の上を走る. ④ よりよい方. ¶솜씨가 훨씬 ～다 腕前がずっと上だ / ～에는 ～가 있다《俚》上には上がある. ⑤ 高い地位または目上. ¶윗사람 目上(の人) / 세 살 ～의 형 三つ上の兄. ⑥ 君; 王様. ⑦ "에"を伴って, "…に加えて"の意. ¶그 ～에 또 尚且つ; そこへまた / 욕먹은 ～에 벌금까지 물었다 しかられた上に罰金までとられた. ⑧ 以上; 前にかかげたもの. ¶～와 같은 조건 以上のような条件.
위 【位】 ㊀[명] ① ↗지위. ② ☞ 위치. ③ 位. ¶제2～ 第二位. ㊁[의명] …位; …柱. ¶6～의 영령 六柱〔六位〕の英霊.
위 【胃】 [명] 胃; 胃袋; 胃のふ(腑)〈俗〉. ¶～가 나빠서 절식하다 胃が悪いので節食する.
위- 【僞】 [두] "いつわりの", "にせの"の意を表わす語: 偽·にせ. ¶～폐 偽金; 偽札.
위 〔프 oui〕 [감] ウィ; はい.
위각 【違角】 [명] 正常な状態とは違うこと. ―― 나다 [자] 正常からはずれている.
위경 【危境】 [명] 危ない立場.
위경 【胃鏡】 [명] 胃鏡.
위-경련 【胃痙攣】 [명]〔醫〕 いけいれん(胃痙攣); 差し込み〈俗〉.
위계 【危計】 [명] 危険な計画.
위계 【位階】 [명] 位階. ¶～ 훈등 位階勲等.
위계 【僞計】 [명][하자] 偽計. ¶～를 쓰다 偽計を用いる.
위관 【尉官】 [명] 尉官. ¶～급 장교 尉官級の将校.
위광 【威光】 [명] 威光. ¶돈의 ～ 金の威光.
위구 【危懼】 [명][하타] きく(危懼); きぐ(危惧). ¶～심을 품다 危惧の念をいだく.
위국 【危局】 [명] 危局. ¶～에 다르다 危局に至る.
위국 【爲國】 [명][하자] 国のために尽くす事.
위-궤양 【胃潰瘍】 [명]〔醫〕 いかいよう(胃潰瘍).
위급 【危急】 [명][하형] 危急; 急. ¶～을 고하다 危急を告げる.
‖――존망지추 [명] 危急存亡の秋.
위기 【危機】 [명] 危機; ピンチ. ¶누란의 ～ 累卵の危機.
‖―― 의식 [명] 危機意識. ―― 일발 [명] 危機一髪.
위난 【危難】 [명] 危機. ¶～을 면하다 危機を免れる.
위닝 〔winning〕 [명] ウィニング.
‖―― 볼 [명] ウィニングボール.
위대 【偉大】 [명][하형] 偉大. ¶～한 인물 偉大なる人物.
위덕 【威德】 [명] 威徳; 威厳と徳望. ¶그는 ～을 겸비하고 있다 彼は威徳を兼ね備えている.
위도 【緯度】 [명] 緯度. ¶～ 관측 緯度観測.
‖―― 변화 [명] 緯度変化.
위도 〔widow〕 [명] ウィドー. ¶메리 ～ 왈츠 メリーウィドーワルツ.
위독 【危篤】 [명][하형] 危篤. ¶～ 상태에 빠지다 危篤に陥ちる.
위락 【慰樂】 [명] 慰楽. ¶～ 시설 慰楽施設.
위란 【危亂】 [명][하형] 国が危うく乱れること.
위력 【威力】 [명] 威力. ¶원자탄의 ～ 原子爆弾の威力.
위력 【偉力】 [명] 偉力. ¶～을 보이다 偉力を示す.
위령 【威令】 [명] 威令. ¶～이 행해지다 威令が行なわれる.
위령 【違令】 [명][하자] 違令. ¶～ 행위 違令行為.
위령 【慰靈】 [명][하자] 慰霊. ¶～탑 慰霊塔.
‖――-제 [명] 慰霊祭.
위로 【慰勞】 [명] 慰労. ――-하다 [타] 慰労する; 慰める; 労う; 労わる. ¶～금 慰労金 / 병자를 ～하다 病人を慰める.
위망 【威望】 [명] 威望; 威光と人望.
위명 【威名】 [명] 威名. ¶한국의 ～을 빛내다 韓国の威名を輝かす.
위명 【僞名】 [명] 偽名; 偽りの名前. ¶～을 대다 偽名を名乗る.
위명-하다 【爲名―】 [자] 名乗る; 称する. ¶정치가라 위명하는 자들 政治家と称する者ども.
위무 【慰撫】 [명][하타] いぶ(慰撫). ¶폭도를 ～하다 暴徒を慰撫する.
위문 【慰問】 [명] 見舞い; 慰問. ――하다 [타] 慰問する; 見舞う. ¶～품 慰問品.
‖――-대 [명] 慰問袋. ―― 편지 [명] 慰問状.
위민 【爲民】 [명][하자] 国民の為にすること.
위반 【違反】 [명] 違反. ――-하다 [자][타] 違反する; 違える. ¶규칙〔약속〕～이다 規則〔約束〕違反である.

위배【違背】명 違背. ＝위반(違反).
——-하다 자 違背する; 反する. ¶교칙에 ~된 행위 校則に反した行い.
위법【違法】명하자 違法.
‖—— 처분 명하타〔法〕違法処分.
—— 행위 명 違法行為.
위벽【胃壁】명〔生〕胃壁.
위병【胃病】명 胃病. ¶~이 악화하다 胃病が悪化する.
위병【衛兵】명 衛兵; 番士. ¶~이 서 있다 衛兵が立っている.
‖——-소 명 衛兵所.
위복【威服】명하자 威服. ¶사람을 ~시키다 人を威服させる.
위불-없다【爲不—】, 위불위-없다【爲不爲—】형 間違いない; 疑いない. 위불위-없이 부 間違いなく; 疑いなく.
위산【胃酸】명〔生〕胃酸.
‖—— 결핍증 명 胃酸欠乏症. ＝무산증(無酸症). —— 과다증 명 胃酸過多症.
위상【位相】명 位相. ¶~차 位相差 / 달의 ~ 月の位相 / ~속도 位相速度 / ~ 변조 位相変調.
‖—— 기하학 명〔數〕位相幾何学. —— 수학 명 位相数学. —— 심리학 명 位相心理学.
위생【衛生】명 衛生. ¶공중 ~ 公衆衛生.
‖—— 공학 명 衛生工学. ——-법 명 衛生法. ——-병 명 衛生兵. ——-적 명관 衛生的.
위서【僞書】명 偽書; 偽の文書. ＝위조 문서(僞造文書).
위선【僞善】명하자 偽善.
‖——-자 명 偽善者. ——-적 명관 偽善的.
위성【衛星】명 衛星. ¶인공 ~ 人工衛星.
‖——-국, —— 국가 명 衛星国. —— 도시 명 衛星都市.
위세【威勢】명 威勢. ¶~가 있다 羽振りがいい.
위스키〔whisky〕명 ウィスキー. ¶~를 스트레이트로 마시다 ウィスキーを生〔ストレート〕で飲む.
위시【爲始】명하타 始めとすること. ¶단장을 ~하여 団長を初めとして.
위식【違式】명하자 違式; 格式にたが(違)うこと. ¶그 절차는 ~이다 その手続きは違式だ.
위신【威信】명 威信. ¶대통령은 실정으로 ~을 잃었다 大統領は失政により威信を失った.
위-아래 명 上下; 上と下. ¶~로 움직이다 上下に動く / ~의 구별 없이 上下の別なく. 위아랫물-지다 자 ① 一つ容器の中の二種の液体がよく溶け合わず上下に分かれる. ② 年齢や階級の差異のため折り合いがよくない.
‖위아랫-막이 명 ☞ 아래윗마기.
위안【慰安】명 慰安; 慰み; 慰め. ——-하다 타 慰安する; 慰める. ¶~의 말을 하다 気休めを言う.
‖——-거리 명 慰み事〔物〕. ——-부(婦) 명 慰安婦. ——-회 명 慰安会.

위암【胃癌】명〔醫〕いがん(胃癌).
위압【威壓】명하타 威圧. ¶~적인 태도 威圧的(な)態度.
위액【胃液】명 胃液. ¶~ 결핍증 胃液欠乏症.
위약【胃藥】명 胃薬.
위약【胃弱】명하형 胃弱. ¶~한 아버지 胃弱の父.
위약【違約】명하자 違約; 変約. ¶~을 용서하다 違約を許す.
‖——-금〔法〕違約金. —— 처분 명하자〔法〕違約処分.
위양【委讓】명하타 委譲. ¶권리의 ~ 権利の委譲.
위엄【威嚴】명 威厳. ¶~이 있는 사람 威厳のある人 / ~이 서다 威厳が立つ; にら(睨)みが利く. ——-스럽다 형 厳めしい. ——-스레 부 厳めしく. —— 있다 형 厳めしい; 物物しい; おもおもしい. ¶위엄 있는 얼굴 厳めしい顔つき / 위엄 있으되 사납지 않다 威あって猛からず.
위업【偉業】명 偉業. ¶건국의 ~ 建国の偉業.
위-없다 형 この上ない; 最上だ; 一番だ. ¶위없는 물건 この上ない品物. 위-없이 부 この上なく.
위여 감 鳥などを追い払うときのかけ声; ほうほう.
위연-하다【威然—】형 威厳があってりりしい. 위연-히 부 りりしく.
위염【胃炎】명〔醫〕胃炎; 胃カタル. ¶만성 ~ 慢性胃炎.
위요【圍繞】[1] 명하타 いじょう・いにょう(囲繞); 取り囲むこと.
‖——-지(地) 명 ① ある土地を取り囲んでいる周囲の土地. ② 他の一国によってすっかり取り囲まれた領土.
위요【圍繞】[2] 명 結婚の際, 家族の中で新郎または新婦をつれて行く人. ＝위우(位右). —— 가다 자 (結婚式に家族の一人として)新郎または新婦をつれて行く.
위용【威容】명 威容. ¶군대의 ~을 보이다 軍隊の威容を示す.
위용【偉容】명 偉容. ¶~을 자랑하다 偉容をほこる.
위원【委員】명 委員. ¶집행 ~ 執行委員.
‖——-단 명 委員団. ——-장 명 委員長. ——-회 명 委員会.
위유【慰諭】명하타 慰諭; 慰め諭すこと.
위의【危疑】명하형 きぐ(危惧).
위의【威儀】명 威儀. ¶~를 갖추다 威儀を正す.
‖—— 당당 명하형히부 威儀堂堂.
위인【爲人】명 人となり. ¶그는 ~이 정직하다 彼は人となりが正直である.
위인【偉人】명 偉人. ¶~전을 많이 읽었다 多くの偉人伝を読んだ.
위인【僞印】명 偽印; 偽の印.
위임【委任】명 委任. ——-하다 타 委任する; 委する. ¶권한의 ~ 権限の委任.
‖—— 대리 명 委任代理. ＝임의(任意) 대리. —— 명령 명〔法〕委任命令

——-자 명 委任者. ——-장 명 委任状. —— 통치 명 委任統治.
위자【慰藉】명하타 いしゃ(慰藉).
‖——-료 명 慰藉料; 手切れ金; 涙金. ¶ ~를 내주다 手切れ金を払う.
위작【位爵】명 官位と爵位.
위작【僞作】명하타 偽作. ¶ 당나라 때의 도자기를 ~하다 唐代の陶器を偽作する.
위장【胃腸】명 胃腸.
‖——-병 명 胃腸病. ——-약 명 胃腸薬. ——-염 명 胃腸炎. —— 카타르 명 胃腸カタル.
위장【僞裝】명하타 偽装·擬装; カムフラージュ. ¶ ~된 민주 국가 偽装された民主国家.
‖——-망 명 偽装網.
위-장부【偉丈夫】명 偉丈夫. =위남자(偉男子).
위전【位田】명 祖先の祭祀に使うための田畑.
위정【爲政】명하자 為政.
‖——-자 명 為政者.
위조【僞造】명하타 偽造; 偽製; がんぞう(贋造). ¶ ~품 偽造品; いかもの; いかさま物; にせもの; まがいもの.
‖—— 문서 명 偽造文書. ——-죄 명 偽造罪. —— 지폐 명 贋造紙幣; 変造紙幣; 贋札; 偽札〔贋札〕. =위폐(僞幣). ¶ ~가 발견되었다 贋札が発見された.
위주【爲主】명하타 主とすること. ¶ 실력 ~로 実力を主として.
위중【危重】명하형 病が重いこと. ¶ ~하다는 통지 危篤の報.
위증【危症】명 危篤な病症.
위증【僞證】명하타 偽証. ¶ ~자 偽証者.
‖——-죄 명〖法〗偽証罪.
위지【危地】명 危地; 危ない場所〔場合〕. ¶ ~에 몰아 넣다 危地に追い込む.
위-짝 명 (一対の中の)上のもの.
위-쪽 명 上の方; 上側; 上方; 上手; 上. ¶ ~에서 불어오는 바람 風上の風 / 강의 ~ 川上.
위차【位次】명 位次; 位階の高下による順序.
위-청【—廳】명 ① 目上の居所. ② 上部の役場.
위촉【委囑】명 委嘱. ——-하다 타 委嘱する; 嘱する. ¶ 정부의 ~을 받다 政府の委嘱を受ける.
위축【萎縮】명 委縮. ——-하다 자 委縮する; 縮む. ¶ 추워서 몸도 마음도 ~되었다 寒さで体も心も縮みこんだ.
위-층【—層】명 ① 上層; 上の層. =상층. ② 階上. ¶ ~으로 올라가다 階上にあがる.
위치【位置】명 位置. ¶ 꽃병의 ~ 花瓶の位置 / 상대방의 ~ 相手の位置. ——-하다 자 位置する; 在る; 位する. ¶ 동북쪽에 ~하다 東北方に位する.
위친【爲親】명하자 親のために盡くすこと.
위탁【委託】명하타 委託. ¶ ~생 委託生 / ~ 수수료 委託手数料.
‖—— 가공 무역 명 委託加工貿. —— 매매 명 委託売買. —— 증거금 명 委託証拠金. —— 증권 명 委託証券. —— 출판 명 委託出版. —— 판매 명 委託販売.
위태【危殆】명하형 危険. ——-롭다 형 危ない; 危うい; たどたどしい; けんのんだ; 危なっかしい〈俗〉. ¶ 생명이 ~ 命が危ない〔危うい〕/ 매우 위태로운 이야기 すこぶるけんのんな話 / 위태로워하다 危ぶむ. ——-로이 부 危うく.
위-턱 명 ① うわあご·じょうがく(上顎). ¶ ~골 上顎骨. ② あご(顎)のように上方に突き出た部分.
위-통 명 物の上の部分.
위통【胃痛】명 胃痛. ¶ 으로 고생하다 胃痛で苦しむ.
위트〔wit〕명 ウイット.
위패【位牌】명 いはい(位牌); 御霊代. ¶ 선조의 ~를 모시다 先祖の位牌を祭る.
위폐【僞幣】명 偽金; がんぞう(贋造)紙幣. ¶ ~범(犯) 贋金作り.
위풍【威風】명 威風. ¶ ~에 압도되다 威風に圧倒される.
‖—— 늠름, —— 당당 명하형 威風堂堂. ¶ 위풍 당당한 인물 威風堂堂たる人物.
위필【僞筆】명하타 偽筆. ¶ ~의 족자 偽筆の掛け物.
위-하다【爲—】타 ① 事がうまくいくようにかかわりをもつ. ¶ 집을 짓기 위하여 터를 닦다 家を建てる為に地を均す / 실패하지 않기 위해서는 失敗しない為には. ② 有益にする; 利する. ¶ 공익을 위하여 진력했다 公益のために尽力した / 소년을 위한 읽을거리 少年向きの読物. ③ 敬って言葉を慎む. ¶ 부모를 ~ 親につくす. ④ 大事にする; 慈しむ. ¶ 동생을 ~ 弟を慈しむ / 남을 위하는 체하는 얼굴 お為顔. ⑤ ある人·団体を助ける. ¶ 나라를 위하여 희생하다 国の為に犠牲になる / 너를 위해서 하는 거다 君の為にするのだよ.
위-하수【胃下垂】명〖醫〗胃下垂. ¶ ~를 고치다 胃下垂をなおす.
위해【危害】명 危害. ¶ ~ 방지 危害防止 / ~를 가하다 危害を加える.
‖——-물 명 危害物.
위헌【違憲】명하자 違憲. ¶ ~의 혐의 違憲の疑い.
‖——-성 명 違憲性.
위험【危險】명 危険. ——-하다 형 危険だ; 危ない; 危うい〈雅〉. ¶ ~한 고비에서 살아났다 危うい所を助かった / 큰 돈을 지니고 다니는 것은 ~하다 大金を持ち歩くのはけんのんである / ~하다, 도망쳐라 あぶない, 逃げろ. ——-스럽다 형 危うい. ¶ 위험스럽게 여기다 危ぶむ.
‖——-성 명 危険性. —— 수위 명 危険水位. ——-시 명하타 危険視. —— 신호 명 危険信号. —— 인물 명 危険人物. —— 천만 명하형 危険千万.

협【威脅】명하타 脅威; 威嚇; 脅おどし; 脅やかし; 脅おどかし. ¶ ~ 사격 威嚇射撃 / ~적인 태도 威嚇的態度 / 세계 평화의 ~ 世界平和の脅威.

화【違和】명 違和; 他のものと調和の取れないこと.
‖——-감 명 違和感.

-확장【胃擴張】명〖醫〗胃拡張.

훈【偉勳】명 偉勲. ¶ 싸움터에서 ~을 세우다 戦場で偉勲を立てる.

윗-간【―間】명 上の方の部屋.

윗-거름 명 追肥. 「薬味.

윗-고명 명 料理の上にふりかける

윗-길 명 ① 上の方の道. ② 質的によりよい品物; 上質のもの. ¶ ~ 축에 들다 上の部に入る.

윗-누이 명 姉.

윗-눈썹 명 上まつげ(睫).

윗-니 명 上歯.

윗-대【―代】명 祖先. =조상(祖上). ¶ ~로부터 물려받은 물건 祖先から伝え受けたもの.

윗-도리 명 ① 上体. ②《俗》上着. =웃옷.

윗-동, 윗-동아리 명 (二つに分かれたものの)上部のもの.

윗-막이 명 ① ものの上部のふさ(塞)ぎ部分. ② 上着の総称.

윗-머리 명 上部の端の部分; 上端.

윗-목 명 オンドル部屋の煙突に近い床面; 部屋の下座.

윗-물 명 川上の水. ¶ ~이 맑아야 아랫물이 맑다《俚》上手の水が澄んでこそ下手の水は澄む.

윗-바람 명 ① 天井や壁の透き間から入り込む冷風; すきま風. ② たこ(凧)あげのときの西風. ③ 上手から吹く風.

윗-반【―班】명 上のクラス〔級〕.

윗-방【―房】명 連なっている二つの部屋の上の部屋.

윗-배 명 上の腹; 腹の上部.

윗-벌 명 ひとそろ(一揃)いの衣服の上衣.

윗-사람 명 目上; 上位の人. ¶ ~에 대한 예의 目上に対する礼儀 / ~을 업신여기다 長上をあなどる.

윗-수염【―鬚髥】명 くちひげ(口髭). ¶ ~을 기르다 口髭を生やす.

윗-아귀 명 ① 親指と人差し指のつけ根. ② 弓束の上の部分.

윗-알 명 そろばん(算盤)のはり(梁)の上の方のたま(珠); 五だま(珠).

윗-옷 명 上着; 上半身に着る衣類. =상의(上衣).

윗-입술 명 上唇. ¶ ~을 깨물다 上唇をか(嚙)む.

윗-잇몸 명 上の歯茎.

윗-자리 명 上座; 上席. ¶ ~에 앉히다 上席にすえる.

윗-짐 명 上積みの荷物; 上荷. ¶ 가뜩이나 무거운데 또 ~이냐 そうでなくても重いのにまたもや上荷か.

윗-집 명 上手の隣家.

윙 부하자 虫が飛ぶとき·機械がまわるとき·風が針金に当たったときなどに出る音: ぶん; ひゅう; びゅう. >왱.

윙-윙 부하자 ぶんぶん; ひゅうひゅう; びゅうびゅう. >왱왱. ——-거리다 자 しきりにぶんぶん〔ひゅうひゅう〕と音がする. ¶ 찬바람이 윙윙거리며 세차게 불어치다 寒風さっさつ(颯颯)として天にほえる.

윙크〔wink〕명하자 ウィンク.

유【有】명 有. ① 有ること. ②〖哲〗存在. ¶ 무에서 ~를 낳다 無から有を生ずる. ③〖佛〗有. ④ "また; さらに; その上に"の意. ¶ 십~ 삼년 十有三年.

유【類】명 類; たぐ(類)い. ¶ 이런 ~의 물건 この類の品 / ~가 드물다 類いまれである / 저 남자는 ~를 달리한다 あの男は類を異にしている.

유-【有】두 有; "有る"の意. ¶ ~자격자 有資格者.

유가【有價】명 有価.
‖—— 증권 명 有価証券.

유가【儒家】명 儒家. ¶ ~ 사상 儒家思想. ‖——-서 명 儒家書.

유-가족【遺家族】명 遺家族; 遺族. ¶ ~을 위로하다 遺族を慰める.

유감【有感】명 有感.

유감【遺憾】명 遺憾. ¶ ~의 뜻을 표하다 遺憾の意を表す. ——-스럽다 형 遺憾だ; 残念だ. ¶ 유감스럽게도 초대에 응할 수가 없습니다 残念ながらご招待に応じかねます. ——-스레 부 遺憾に; 残念に; 口惜しく. ——-없다 형 遺憾がない; 残り惜しくない. ¶ 만 유감없도록 하시기 바랍니다 万遺憾無きを期されたい. ——-없이 부 遺憾なく. ¶ 실력을 ~ 발휘하다 実力を遺憾なく発揮する.

유개【有蓋】명 ゆうがい(有蓋).
‖—— 화물차, —— 화차 명 有蓋貨物車〔貨車〕.

유-개념【類概念】명 類概念.

유객【遊客】명 遊客.

유객【誘客】명 客引き; 客取り.
‖——-꾼 명 客引き; 客取り; 宿引き; ぽん引き; 妓夫. ¶ 역전에는 ~이 많다 駅前には宿引きが多い.

유격【遊擊】명하타 遊撃.
‖——-대 명 遊撃隊; 遊軍; 別動隊; パルチザン; ゲリラ. =빨치산. ——-병 명 遊撃兵. ——-수 명 遊撃手; ショート. =쇼트 스톱. ¶ ~를 넘은 안타 遊越安打 / ~를 강습한 히트 ショート強襲のヒット. ——-전 명 遊撃戦; ゲリラ戦. =게릴라전. —— 함대 명 遊撃艦隊.

유고【有故】명하형 事故があること.

유고【遺稿】명 遺稿. ¶ 고인의 ~를 정리하다 故人の遺稿を整理する.

유곡【幽谷】명 幽谷. ¶ 심산 ~ 深山幽谷.

유골【遺骨】명 ① 遺骨. ¶ ~함(函) 遺骨箱 / ~이 돌아오다 遺骨が帰る. ② 墓から掘り出した骨. =유해(遺骸).

유공【有功】명하형 有功. ¶ ~자 有功者.

유공【有孔】명 あな(孔·穴)があいてあるもの.
‖——-성 명〖物〗有孔性. ——-전(錢)

명 孔のあいてある銭. ——-충(蟲) 명〔動〕有孔虫. ¶～석회암〔鑛〕有孔虫石灰岩.
유과【油菓】명 ↗유밀과(油蜜菓).
유과【乳菓】명 乳菓; 牛乳を入れて作った菓子.
유곽【遊廓】명 遊郭; 娼家; 女郎屋; 色町; 色里; 貸座敷; 花街〔花町〕; くるわ(郭); 娼楼. ¶～ 출입 郭通い.
유관【儒官】명 儒官.
유괴【誘拐】명 誘拐; 拐引; かどわかし. ——-하다 타 誘拐する; かどわかす. ¶～ 사건 誘拐事件.
‖——-범 명 誘拐犯; ひとさら(人攫)い. ¶～에게 아이를 유괴당했다 人攫いに子供をさらわれた.
유교【遺教】명 遺教. =유명(遺命).
유교【儒教】명 儒教. ¶～ 사상 儒教思想.
유구【悠久】명하형히부 悠久. =유원(悠遠). ¶～한 역사 悠久な歴史.
유구 무언【有口無言】명 なんとも弁明の余地がないこと.
유구 불언【有口不言】명 立場が苦しくて, または興がわかなくて何も言わないこと.
유군【遊軍】명 ①遊食者. ②遊軍; 遊兵. ¶～의 출동을 명령하다 遊軍の出動を命じる.
유권【有權】명 有権.
‖——-자 명 有権者. ——적 해석 명 有権的解釈. =공권적(公權的) 해석.
유급【有給】명 有給. ¶～ 외교원 有給外交員.
‖——-직 명 有給職. —— 휴가 명 有給休暇.
유급【留級】명하자 留年; 落第.
유기【有期】명 [↗유기한(有期限)] 有期.
‖—— 금고 명〔法〕有期禁固. ——-형 명〔法〕有期刑.
유기【有機】명 有機.
‖—— 감각 명〔心〕有機感覚. —— 광물 명 有機鉱物. ——-물 명 有機物. ——-산 명〔化〕有機酸. ——-암 명〔鑛〕有機岩. ——-적 명관 有機的. ¶～ 관련성 有機的関連性 / ～ 연대 有機的連帯. ——질 비료 명 有機質肥料. —— 화학 명 有機化学. —— 화합물 명 有期化合物.
유기【遊技】명 遊技.
유기【遺棄】명하타 遺棄. ¶～물 遺棄物. ‖——-죄 명 遺棄罪. ¶시체 ～ 死体遺棄罪.
유기【鍮器】, 유기 그릇【鍮器—】명 しんちゅう(真鍮)(製)の器.
유기-음【有氣音】명 有気音.
유난 명하형스형 ①かれこれ考えるためじきに処理し得ないこと. ②言行が人と違って推し量り難いこと. ¶～한 성질이어서 걱정이다 気難しい質なので心配である. ③普通と全く違う〔変わっている〕こと. ——-히 부 取り分けて; 特に; 並外れて. ¶글이 ～ 어렵다 文章が取り分けむずかしい / 오늘은 ～ 덥다 今日は特に暑い / 머리가 ～ 큰 아이 並外れて頭の大きい子供. ——-떨다 자 ふだんとは違っ〔変った〕態度で振り舞う.
유년【幼年】명 幼年. ¶～ 시절의 추억 幼年時代の思い出.
‖——-기 명 幼年期.
유념【留念】명하타 記憶しておくこと; 念頭に留めおくこと. ¶이 사정을 ～해 두십시오 この事情をお含み願います.
유뇨-증【遺尿症】명〔醫〕遺尿症. =야뇨증(夜尿症).
유능【有能】명하형 有能. ¶～한 인재 有能な人材.
유니버시아드〔Universiade〕명 ユニバーシアード.
유니세프【UNICEF←United Nations International Children's Emergency Fund】명 ユニセフ.
유니크〔unique〕명하형 ユニーク; ユニック. ¶～한 작품 ユニークな作品.
유-다르다【類—】형 類を異にする; ずぬける; 格別だ; 異様だ.
유단-자【有段者】명 有段者. ¶저 사나이는 유도의 ～다 あの男は柔道の有段者である.
유-달리【類—】부 類を異にして; ずば抜けて; ひときわ(一際); 目立って; ことのほか; 取り分け. ¶～ 키가 큰 사람 ずば抜けて背の高い人 / ～ 눈에 띄다 一際目立つ / ～ 귀여워하다 殊の外かわいがる / 오늘은 ～ 덥다 今日は取り分け暑い.
유대【紐帶】명 ちゅうたい(紐帯); つな(繫)がり. ¶우방과의 ～를 공고히 하다 友邦との紐帯を固める.
유대〔Judea〕명 ☞ 유태(猶太).
‖——-교 명 ☞ 유태교.
유덕【有德】명하형 有徳. ¶～지사 有徳の士.
유덕【遺德】명 遺徳. ¶고인의 ～을 추모하다 故人の遺徳をしのぶ.
유도【乳道】명 ①乳の出具合. ②にゅうせん(乳腺).
유도【柔道】명 柔道; 柔術; 柔(やわら)〈古〉. ¶～ 선수 柔道選手.
유도【誘導】명하타 誘導. ¶～ 장치 誘導装置.
‖—— 기전기 명 誘導起電機. —— 기전력 명〔電〕誘導起電力. —— 단위 명〔物〕誘導単位. —— 미사일 명 ☞ 유도탄(彈). —— 신문(訊問) 명〔法〕誘導尋問. —— 작전 명 誘導作戦. —— 전동기 명〔電〕誘導電動機. ——-체 명〔化〕誘導体. ——-탄 명〔軍〕誘導弾; ミサイル.
유도【儒道】명 儒道.
유독【有毒】명하형 有毒.
‖—— 식물 명 有毒植物.
유독【惟獨】부 独り; ただ一つ.
유동【流動】명하자타 流動.
‖——-성 명 流動性. ——-식 명 流動食. —— 자본 명〔經〕流動資本. =운전(運轉) 자본. ——-적 명관 流動的. ——-체 명〔物〕流動体. =유체(流體).
유동【遊動】명하자 遊動.
유두【乳頭】명 乳頭. =젖꼭지. ¶～암 乳頭がん.

들-유들 부 しゃあしゃあ. ——-하다 しゃあしゃあしている; ず太い. ~한 소리를 한다 ず太い事を言/그는 무슨 말을 들어도 ~하다 彼は何事を言われてもしゃあしゃあている.「ア.

라시아 (Eurasia) 명〖地〗ユーラシ

람【遊覽】명하타 遊覧; 巡覧. ~객 遊客/~선 遊覧船.

랑【流浪】명하자타 流浪; 流亡; さすらい; 流離; 漂泊; 流れ. ¶~의 여로 さすらいの旅/~의 슬픔 遊離の悲しみ/각지를 ~하다 各地を流れ歩く.
——-민 명 流民·流民; 流浪の民. ¶전화를 입은 ~ 戦禍を受けた流民.

래【由來】명 由来; 縁起. = 내력. ¶~를 적은 책 縁起を記した本/지명의 ~ 地名の由来.

량【乳量】명 乳量. ¶~이 부족하다 乳が足りない.

량【流量】명 流量. ¶~계 流量計/하천의 ~을 재다 河川の流量を測る.

유럽 (Europe) 명〖地〗[↗유럽주] ヨーロッパ; 欧州.
‖—— 공동체 명 欧州共同体; イーシー(EC). —— 방위 공동체 명 ヨーロッパ防衛共同体(E.D.C.). —— 안보 협력 회의 명 全欧安保協力会議(CSCE). —— 연합 명 ヨーロッパ連合; イーユー(EU). —— 인종 명 ヨーロッパ人種. —— 통합군 명 ヨーロッパ統合軍; ナトー軍. =유럽 연합군(聯合軍).

유려【流麗】명하형 流麗. ¶~한 문장 流麗な文章.

유력【有力】명하형 有力. ¶~자 有力者/~한 후보 有力な候補.
‖——-시 명하타 有力視.

유력【遊歷】명하자 遊歴. ¶여러 나라를 ~하다 諸国を遊歴する.

유령【幽靈】명 幽霊; 亡霊; 怪異. ¶~이 나오는 집 幽霊屋敷; お化け屋敷.
‖—— 도시 명 幽霊都市. —— 인구 명 幽霊人口. ——-주 명〖經〗幽霊株. —— 회사 명 幽霊会社.

유례【類例】명 類例; たぐ(類)い. ——-없다 형 類例がない; 類いがない. ¶~없는 사건 類いのない事件/~없는 명인 類いなき名人. ——-없이 부 類(例)なく; 類いなく.

유로-달러 (Eurodollar) 명〖經〗ユーロダラー; 欧州ドル.

유록【柳綠】명 柳色の緑.
‖—— 화홍(花紅) 명 緑色の柳と, 紅の花.

유료【有料】명 有料. ¶~ 시설 有料施設/~ 입장 有料入場/~ 양로원 有料老人ホーム.
‖—— 도로 명 有料道路; ターンパイク.

유루【遺漏】명하자 遺漏; 手ぬかり; 手落ち. ¶만 ~ 없기를 기하다 万遺漏無きを期す.

유류【油類】명 油類. ¶~ 파동 石油ショック.

유류【遺留】명하타 遺留. ¶~ 물건 遺留品.
‖—— 금품 명 遺留金品.

유리【有利】명 有利. ——-하다 형 有利だ; 分〔歩〕がある. ¶~한 증언〔투자〕有利な証言〔投資〕.

유리【有理】명하형 有理. ① 道理があること. ②〖數〗有理演算以外の関係を含まないこと.
‖—— 방정식 명〖數〗有理方程式. ——-수 명〖數〗有理数. ——-식 명〖數〗有理式. —— 함수(函數) 명〖數〗有理関数.

유리【流離】명하자 [↗유리 표박(漂泊)] 流離.
‖—— 걸식(乞食) 명하자 流浪しながらもらい食いで暮らすこと.

유리【琉璃】명 ガラス; 玻璃; ギヤマン〈老〉; ビードロ〈古〉. ¶투명한 ~ 見え透くガラス/젖빛 ~ つやけしガラス.
‖—— 그릇, —— 기명(器皿) 명 ガラスの器物. ——-병 명 ガラス瓶. —— 섬유 명 ガラス繊維; グラスファイバー. =유리실. ——-잔(盞) 명 ガラスの杯. ——-창 명 ガラス窓. ——-컵 명 ガラスのコップ; グラス.

유리【遊離】명하자 遊離. ¶대중으로부터 ~한 문학 大衆から遊離した文学/이 방법으로 염소를 ~시킨다 この方法で塩素を遊離させる.
‖——-기 명〖化〗遊離基. ——-산 명〖化〗遊離酸.

유린【蹂躪】명 じゅうりん(蹂躙). ——-하다 타 蹂躙する; 踏みにじる. ¶인권 ~ 人権蹂躙/정조를 ~당하다 貞操を踏みにじられる.

유림【儒林】명 儒林.

유막【帷幕】명 いばく(帷幕). ① 陣営; 本陣. ② 機密を議論するところ.

유만 부동【類萬不同】명하형 ① 多くのものがそれぞれ同じくないこと. ② 程度を越すこと; 分限に似合わないこと. ¶~한 행동이다 分を越した振る舞いである.

유망【有望】명하형 有望. ¶전도 ~한 청년 前途有望な青年.

유망【流網】명 流し網. ¶~ 어선 流し網漁船.

유머 (homour) 명 ユーモア. ¶기교를 부리지 않는 ~ 作りのないユーモア.
‖—— 소설 명 ユーモア小説. =해학 소설.

유머레스크 (humoresque) 명〖樂〗ユーモレスク.

유명【有名】명 有名. ——-하다 형 有名だ; 名高い. ¶~세 有名税/~한 학자 名高い学者. ——짜-하다 형 "유명하다(=有名だ)"の強調.
‖—— 무실 명하형 有名無実. ¶그 조약은 이제는 ~하다 その条約は今や有名無実である.

유명【幽明】명 幽明. ¶~을 달리하다 幽明境を異にする.

유명【遺命】명 遺命. =유교(遺敎). ¶~에 따르다 遺命に従う.

유모【乳母】명 乳母·乳母; おんば. ¶~를 딸리게 하다 乳母を付ける/~

손에 컸다 乳母に育てられた.
‖——-차 명 乳母車. ＝동 차(童車). ¶～를 밀고 가다 乳母車を押して行く.
유목【流木】명 流木. ¶해안으로 ～이 밀려 오르다 海岸に流木が打ち上げられる.
유목【遊牧】명하자 遊牧. ¶～ 민족 遊牧民族.
유-무【有無】명 有無; 有り無し; 有る無し. ¶지혜의 ～를 시험하다 知恵の有無しをためす.
‖——-간(間) 명부 有無に拘らず; とにかく. —— 상통 명하타 有無相通ずること.
유무죄-간에【有無罪間—】부 罪の有無にかかわ(拘)らず.
유묵【遺墨】명 遺墨; 遺芳. ¶～을 전시하다 遺墨を展示する.
유문【遺文】명 (故人の)遺文. ¶～집 遺文集. ＊유서(遺書).
유문【儒門】명 儒門.
유물【唯物】명 唯物. ¶～ 사상 唯物思想.
‖——-관 명〔哲〕唯物観. ——-론 명〔哲〕唯物論; マテリアリズム. ¶사적 ～ 史的唯物論. —— 변증법 명〔哲〕唯物弁証法. —— 사관 명 唯物史観. ——-주의 명〔哲〕唯物主義. ＝유물론.
유물【遺物】명 遺物. ¶고대〔전세기〕의 ～ 古代〔前世紀〕の遺物.
유미-주의【唯美主義】명〔文·美〕唯美主義. ＝탐미주의.
유미-파【唯美派】명〔文·美〕唯美派. ＝탐미파(耽美派).
유민【流民】명 流民.
유민【遊民】명 遊民. ¶고등 ～ 高等遊民.
유민【遺民】명 遺民. ¶～의 설움 遺民の悲しみ.
유밀-과【油蜜菓】명 小麦粉や米の粉をこねて乾かし, 油揚げにしてみつ(蜜)をぬった菓子. ㊟유과(油菓).
유박【油粕】명 あぶらかす(油粕). ＝깻묵.
유발【乳鉢】명 乳鉢; すり鉢. ¶～로 갈다 すり鉢です(擦)る.
유발【誘發】명하자타 誘発. ¶국경 분규가 전쟁을 ～했다 国境紛糾が戦争を誘発した.
유방【乳房】명 乳房. ＝젖통이. ¶～ 융기술(隆起術) 豊胸術.
‖——-염 명 乳房炎.
유방【遺芳】명 遺芳; 後世に遺る名声.
유배【有配】명 有配; 株などの配当があること. ¶～주 有配株.
유배【流配】명 配流; 島流し. ——-하다 타 配流する; ざん(竄)する. ¶～지 配所 / 먼 섬으로 ～당하다 遠島に配せられる.
유-백색【乳白色】명 乳白色.
유법【遺法】명 ① 遺法; 古人の残した法則. ②〔佛〕仏の教法.
유별【有別】명하형히부 区別のあること. ¶부부 ～이라 夫婦に別あり. ——-나다 형 格別だ; 区別がはっきりしている; 並外れてい 風変わりだ. ¶금년 더위는 ～ 年の暑さは格別である / 유별나 힘이 센 사람 並外れの力持ち.
유별【類別】명하타 類別.
유보【留保】명하타 留保. ＝보 (保留). ¶회답을 ～하다 回答を留保する / ～ 조항 留保箇条〔条目〕.
유복【有服】, 유복지-친【有服之親】, 복-친【有服親】명 喪に服するしんせき(親戚).
유복【有福】명하형 福の有ること.
유복【裕福】명하형 裕福. ¶～한 정에서 자랐다 裕福な家庭で育った.
유복【遺腹】, 유복-자【遺腹子】명 腹; 忘れ形見. ＝유자(遺子). 이 애는 그의 ～이다 この子は彼の忘れ形見である.
유부【有夫】명 有夫; 夫持ちの女性.
‖——-녀(女) 명 有夫の女; 人妻. ＝핫어미. 「性.
유부【有婦】명 有婦; 妻持ちの男
유부【油腐】명 油揚げ; あぶらげ(油揚); 揚げ《준말》.
‖—— 국수 명 きつねうどん.
유-분수【有分數】명 程があること. ¶사람을 업신여겨도 ～지 人を馬鹿にしても程があるもの.
유-불【儒佛】명 儒仏; 儒教と仏教.
‖——-선(仙) 명 儒道·仏道·仙道の三つ.
유비【油肥】명 動物性の油脂で作った肥料.
유비【類比】명 類比. ＝유추(類推). ¶～가 없는 類比のない / ～ 추리(推理) 類推.
유비 무환【有備無患】명 備え有れば憂い無し; 転ばぬ先の杖.
유빙【流氷】명 流氷. ＝성엣장.
유사【有史】명 有史. ¶～ 시대 有史時代 / ～ 이래 有史以来.
유사【有事】명하형 有事.
‖——-시(時) 명 有事の際; 事有る時. ¶일조 ～ 一朝有事の際 / ～에 대비하다 有事(の際)に備える.
유사【遊絲】명 ① 時計のてんぷ(天府)のぜんまい. ② 遊糸; かげろう. ＝아지랑이.
유사【遺事】명 遺事.
유사【類似】명하형 類似. ¶양자의 성격이 ～하다 両者の性格が類似している.
‖—— 뇌염 명 疑似脳炎. —— 상호 명 類似商号. —— 종교 명〔宗〕類似宗教. ——-증 명 類似症. ＝유증(類症). ——-품 명 類似品. ¶～주의 類似品にご注意.
유산【有産】명 有産. ¶～자 有産者. ‖—— 계급 명 有産階級; ブルジョアジー.
유산【流産】명 流産; 流れ. ——-하다 타 流産する; 流す. ¶계획이 ～되다 計画がお流れになる〔流れる〕/ 조각은 또다시 ～으로 끝났다 組閣はまたもや流された / 임신 3개월째에 ～하였다 妊娠三箇月めに流産

した.
산【遊山】명하자 遊山. ¶～ 여행 遊山旅行.
산【遺産】명 遺産. ¶문화 ～ 文化遺産.
── 상속 명 遺産相続. ── 상속인 명 遺産相続人.
상【有償】명 有償. ¶～ 배급 有償配給／～으로 취득하다 有償で取得する.
── 계약 명〔法〕有償契約. ── 대부 명하타〔法〕有償貸し付け. ── 취득 명하타〔法〕有償取得.
유상【油状】명 油状.
유상【乳状】명 乳状. ¶～화 乳状化／～ 크림 乳状クリーム.
유상 무상【有象無象】명 ① 有象無象. ② ☞ 어중이떠중이.
유색【有色】명 有色.
‖── 인종 명 有色人種.
유생【幼生】명〔動〕幼生.
‖── 기관 명 幼生器官. 「ること.
유생【有生】명 有生; 生命の有
유생【儒生】명 儒生; 儒者.
유서【由緒】명 由緒. ¶～있는 집안 由緒ある家柄／～를 묻다 由緒をたずねる.
유서【遺書】명 遺書; 書き置き. ¶～를 쓰다 遺書をしたためる.
유서【類書】명 類書; 類本. ¶～중의 모범적인 저작 類書中の模範的著作.
유선【有線】명 有線. ¶～ 중계 有線中継／～ 텔레비전 CATV.
‖── 전신 명 有線電信. ── 전화 명 有線電話.
유선【乳腺】명〔生〕にゅうせん(乳腺). ＝젖샘.
유선【流線】명 流線.
‖──-형 명 流線型. ¶～ 자동차 流線型の自動車.
유선【遊船】명 遊船. ＝놀잇배.
유성【有性】명〔生〕有性.
‖── 생식 명〔生〕有性生殖. ── 세대 명〔生〕有性世代.
유성【油性】명 油性. ¶～ 페인트 油性ペイント.
유성【流星】명〔天〕流星; 流れ星. ＝별똥별.
‖──-우 명 流星雨.
유성-기【留聲器】명 蓄音機の旧称.
유세【有勢】명하자형 ① 勢力の有ること. ② 勢力を振るうこと. ──-떨다 자 いかにも誇らしく勢力を振い立てる. ──-부리다 자 誇らしく振る舞う.
‖──-통 명 誇らしく振る舞う気勢.
유세【遊說】명하자타 遊説. ¶～ 여행 遊説旅行／선거 ～ 選挙遊説.
유소【幼少】명하형 幼少.
‖──-년 명 幼少年; 幼年と少年.
유소【類焼】명하자 類焼; 類火; もら(貰)い火.
유속【流俗】명 流俗; 昔からのならわし. ＝유풍(流風). ¶～에 따르다 流俗に従う.
유속【流速】명 流速. ¶～계 流速計／～ 측정 流速測定.
유속【遺俗】명 遺俗; 残っている昔からの風俗.
유송-선【油送船】명 ☞ 유조선(油槽船).
유수【有數】명하형 有数. ¶～한 학자 有数の学者.
유수【幽囚】명하타 幽囚. ¶～의 몸 幽囚の身.
유수【流水】명 流水. ¶행운 ～ 行雲流水／낙화 ～ 落花流水; しぼみ落ちる花と流れる水.
유수-지【遊水池】명 遊水池.
유숙【留宿】명하자 止宿. ¶～인 止宿人／～지 止宿先.
유순【柔順】명하형 柔順. ¶겉보기에는 ～해 보인다 見かけは柔順である. ──-히 부 柔順に.
유술【柔術】명 ☞ 유도(柔道).
유스 호스텔〔youth hostel〕명 ユースホステル.
유습【遺習】명 遺習; 遺風.
유시【諭示】명하타 諭示.
유시 무종【有始無終】명하형 始めは有るが終わりが無いこと.
유시 유종【有始有終】명하형 始めから終わりまで変わりがないこと.
유식【有識】명하형 有識. ¶～한 사람 有識者; 識者.
유신【有信】명하형 信義のあること.
유신【維新】명하타 維新. ¶시월 ～ 十月維新.
유신【儒臣】명 儒臣.
유신【遺臣】명 遺臣. ¶전조의 ～ 前朝の遺臣.
유신-론【有神論】명〔哲〕有神論. ¶～자 有神論者.
유실【流失】명하타 流失. ¶～가옥 流失家屋.
유실【遺失】명하타 遺失. ¶～ 신고 遺失届け.
‖──-물 명 遺失物. ¶～ 센터 遺失物センター.
유실-수【有實樹】명 有用な実を結ぶ木.
유심【唯心】명 唯心.
‖──-관(觀) 명〔哲〕唯心観. ──-론 명〔哲〕唯心論; アイデアリズム. ¶～자 唯心論者; アイデアリスト. ── 사관 명〔史〕唯心史観. ── 정토 명〔佛〕唯心の浄土.
유심-하다【有心─】형 心が特定の方向に向いている. 유심-히 부 つらつら; つくづく. ¶～ 바라보다 つらつら眺める.
유아【幼兒】명 幼児; 幼子; ベビー. ＝어린 아이.
‖──-기 명 幼児期. ── 세례 명〔基〕幼児洗礼.
유아【乳兒】명 乳児; 赤子. ＝젖먹이. ¶～ 사망률 乳児死亡率.
‖──-기 명 乳児期.
유아【唯我】명 唯我; ただ我のみが大事だということ.
‖── 독존 명 唯我独尊. ¶천상 천하 ～ 天上天下唯我独尊. ──-론 명〔哲〕唯我論. ＝독아론(獨我論).
유아【遺兒】명 遺児. ① 忘れ形見

がたみ. ¶은인의 ~를 맡아서 기르다 恩人の遺児をひき取って育てる. ② 捨てご.

유안【硫安】명〘化〙硫安. ＝황산암모늄.

‖—— 비료 명 硫安肥料.

유암【乳癌】명〘醫〙乳がん.

유액【乳液】명〘植〙乳液.

유야-무야【有耶無耶】명부 うやむや(有耶無耶); あいまい(曖昧)なこと. ——-하다 형 うやむやだ; あいまいだ. ¶사건을 ~ 처리하다 事件をうやむやに処理する.

유약【幼弱】명하형 幼弱. ¶~한 아동 幼弱な児童.

유약【釉藥】명 ゆうやく(釉薬); うわぐすり. ＝잿물.

유약【柔弱】명하형 柔弱. ¶~한 정신 柔弱な精神.

유어【幼魚】명 幼魚. ¶~ 사육 幼魚飼育.

유어【類語】명 類語. ¶~ 사전 類語辞典.

유언【流言】명 流言; デマ.

‖—— 비어 명 流言飛語; デマ. ¶~를 퍼뜨리다 デマを流す.

유언【遺言】명하타 遺言. ¶~장 遺言状.

‖—— 집행자 명 遺言執行者.

유업【遺業】명 遺業. ¶부친의 ~을 계승하다 父の遺業を継ぐ.

유업 인구【有業人口】명 職業を持っている人口.

유엔【UN←United Nations】명 国連; ユーエン.

‖—— 경찰군 명 国連警察軍. ——군 명 国連軍. ——기 명 国連旗. —— 총회 명 国連総会.

유여【有餘】명 有余; 充分なこと; 余りがあること. ——-하다 형 充分である.

-유여【有餘】미 有余. ¶삼년~ 三年有余.

유역【流域】명 流域. ¶양자강 ~ 揚子江流域.

유연【由緣】명하타 由縁. ＝인연(因縁).

유연【油煙】명 油煙. ¶~묵 油煙墨/~으로 천장이 거매졌다 油煙で天井が黒くなった.

유연【柔軟】명하형히부 柔軟. ¶~한 몸 柔軟なからだ/~한 자세 柔軟な姿勢.

유연【悠然】명하형 悠然. ¶~한 태도 悠然たる態度/~한 자세를 취하다 悠然と構える. ——-히 부 悠然と.

유연【類緣】명 類縁. ¶두 사실 사이에는 ~ 관계가 있다 二つの事柄の間には類縁関係がある.

유연-탄【有煙炭】명〘鑛〙有煙炭.

유열【愉悅】명 愉悦. ¶~을 느끼다 愉悦を感ずる.

유영【遺影】명 遺影.

유영【游泳】명하자 ① 遊泳; およぐこと. ② ☞ 처세(處世).

‖—— 동물 명〘動〙遊泳動物.

유예【猶豫】명하타 猶予. ¶집행 ~ 執行猶予/삼일간의 ~를 주다 三日間の猶予を与える.

유요【柳腰】명 柳腰·やなぎごし. ¶~인 柳腰美人.

유용【有用】명 有用. ——-하다 有用だ; 用立つ. ¶~한 인재 有用材/생활에 ~한 물건 暮らしに用つ物. ——-히 부 有用に.

‖—— 식물 명 有用植物.

유용【流用】명하타 流用. ¶도서비의 ~ 図書費の流用/공금을 ~하다 公金を流用する.

유우【乳牛】명 乳牛; 乳用牛. ＝젖소.

유원【悠遠】명하형 悠遠. ¶~한 옛날 悠遠の昔. ——-히 부 悠遠に.

유원【遊園】명 遊園.

‖——-지 명 遊園地.

유월【六月】명 六月.

유월【流月】명 陰暦六月; みなづき(水無月).

유월-절【逾越節·踰月節】명〘基〙すぎこしのいわい(逾越節).

유위【有爲】[1] 명하형 有為. ¶~한 인재를 등용하다 有為な人材を登用する.

유위【有爲】[2] 명〘佛〙有為.

‖—— 전변 명 有為転変. ¶~은 예상사다 有為転変は世の常である.

유유 낙낙【唯唯諾諾】명하자 唯唯諾諾. ¶~하여 따르다 唯唯諾諾として従う.

유유 상종【類類相從】명하자 類は類を呼ぶ; 同気あい求める.

유유-아【乳幼兒】명 乳幼児; 赤子.

유유 자적【悠悠自適】명하자 悠悠自適. ¶~한 생활 悠悠自適な生活.

유유 창천【悠悠蒼天】명 悠悠たる天空.

유유-하다【唯唯—】자 唯唯として従う.

유유-하다【悠悠—】형 悠悠としている. ¶유유한 태도 悠悠たる物腰. 유유-히 부 悠悠と. ¶~ 담배를 피우다 悠悠とタバコをすう.

유은【遺恩】명 遺恩. ¶씨의 ~은 잊을 수 없다 氏の遺恩は忘れられない.

유음【溜飮】명〘韓醫〙りゅういん(溜飲); 消化が出来ず食べた物が胃のなかでもたれること.

유-음료【乳飮料】명 牛乳に果汁などをまぜた飲料.

유의【有意】명하형 有意.

‖——-범 명〘法〙有意犯. ＝고의범(故意犯). —— 주의 명〘心〙有意注意. ——해산 명〘法〙有意解散.

유의【留意】명하타 留意; 注意. ¶~ 사항 留意事項.

유의-어【類義語】명 類義語.

유-의의【有意義】명하형 有意義.

유익【有益】명 有益. ——-하다 형 有益だ; 益になる; 益する; 為になる. ¶~한 책 有益な書物; 為になる本/세상에 ~한 사업 世に益する〔益になる〕事業.

유인【誘引】명 誘引. ——-하다 타 誘引する; おびき寄せる. ¶취객을 ~하다 酔っぱらいを誘引する.

유인【誘因】명 誘因. ¶사건의 ~이 되다 事件の誘因となる.

인-물【油印物】명 プリント.
인-원【類人猿】명〔動〕類人猿. 「～류 類人猿類.
일【唯一】명하형 唯一. ¶건강이 ～한 재산이다 健康が唯一の財産である.
── 무이 명하형 唯一無二. ──신 명〔宗〕唯一神. ──신-교 명〔宗〕唯一神教. =일신교(一神教).
임【留任】명하자 留任. ¶～운동 留任運動.
입【流入】명하자 流入. ¶외자의 ～ 外資の流入.
자【幼子】명 幼い子〔子息〕.
자【幼者】명 幼者; 子供. =어린이.
자【有刺】명 有刺. ¶～ 철선 有刺鉄線.
자【柚子】명〔植〕ゆず(柚子)の実. ¶～화 ゆずの花.
‖──-나무 명 ゆずの木. ──-청(清) 명 ゆずの実を蜜に煮つめた菓子.
자【遺子】명 ☞ 유복자(遺腹子).
자【儒者】명 儒者. =유생(儒生).
자격-자【有資格者】명 資格のある者.
-자녀【遺子女】명 ①故人の子女. ②戦死者, または戦病死者の子供たち.
유작【遺作】명 遺作. ¶고인의 ～을 전시하다 故人の遺作を展示する.
유장【悠長】명하형 悠長. ¶～한 태도 悠長な態度. ──-히 부 悠長に.
유재【遺財】명 遺財; 遺産. ¶～를 남기다 遺産を残す.
유저【遺著】명 遺著. ¶A씨의 ～ A氏の遺著.
유적【遺跡·遺蹟】명 遺跡; 旧跡; (昔の)跡. ¶원시인의 ～ 原始人の遺跡.
유전【油田】명 油田. ¶～ 지대 油田地帯.
유전【流轉】명하자 流転. ¶만물은 생멸 ～하는 것이다 万物は生滅流転するものである.
유전【遺傳】명하자타 遺伝. ¶격세 ～ 隔世遺伝.
‖──-병 명 遺伝病. ──-설 명 遺伝説. ──-성 명 遺伝性. ── 인자, ──-자 명 遺伝因子; 遺伝子. ──-적 명관 遺伝的. ──-학 명 遺伝学. ──-형(型) 명 遺伝子型. =인자형(因子型).
유전스〔usance〕명〔經〕ユーザンス.
‖── 빌 명 ユーザンスビル.
유전-체【誘電體】명〔物〕誘電体. =전매질(電媒質).
유정【有情】명하형 ①有情. ¶천지 ～하다 天地有情なり. ②〔佛〕有情; 衆生.
유정【油井】명 油井.
‖──-관 명 油井管.
유정【遺精】명 遺精.
유제【油劑】명 油剤. ¶～를 뿌리다 油剤をま(撒)く.
유제【乳劑】명 乳剤. ¶간유 ～ 肝油乳剤.
유제【類題】명 類題. ¶산수의 ～ 算数の類題.
유-제품【乳製品】명 乳製品.

유조【油槽】명 油槽.
‖──-선 명 油槽船; 油送船. =탱커. ──-차 명 油槽車.
유조【留鳥】명 留鳥. =텃새.
유족【裕足】명하형히부 余裕のあるほど豊かなこと.
유종【有終】명하형 有終.
‖──의 미, ──지-미(之美) 명 有終の美. ¶～를 거두다〔장식하다〕有終の美をなす〔飾る〕.
유죄【有罪】명하형 有罪. ¶～ 판결 有罪判決 / ～로 인정하다 有罪と認める.
유죄【流罪】명 流罪; 流刑. ¶～에 처하다 流罪に処す.
유주-물【有主物】명 主のある物.
유즙【乳汁】명 乳汁. =젖.
유증【遺贈】명하타〔法〕遺贈. ¶유산을 모교에 ～하였다 遺産を母校に遺贈した.
유지【有志】명하형 有志. ¶지방 ～ 土地の有志 / ～를 모으다 有志をつのる.
유지【乳脂】명 乳脂.
유지【油脂】명 油脂.
‖── 공업 명 油脂工業. ── 작물 명 油脂作物.
유지【油紙】명 油紙. ¶～를 깔다 油紙を敷く.
유지【維持】명 維持. ──-하다 타 維持する; 保つ. ¶현상 ～ 現状維持 / 안정을 ～하다 安静を保つ.
‖──-비 명 維持費.
유지【遺旨】명 遺旨. ¶고인의 ～에 따라 故人の遺旨により.
유지【遺志】명 遺志. ¶～를 계승하다 遺志を受け継ぐ.
유지【遺址】명 いし(遺址); 遺跡. ¶고대 문명의 ～ 古代文明の遺跡.
유지【諭旨】명〔史〕諭旨; 王が臣下に下す文書.
유질【乳質】명 乳質. ①乳の性質·品質. ②乳のような性質.
유질【流質】명 流質; 質流れ. =유전(流典).
유징【油徵】명 油徴. ¶～이 있는 해저 油徴のある海底.
유착【癒着】명하자〔醫〕癒着. ¶늑막 ～ 肋膜癒着.
유찰【流札】명하자 入札流れ.
유창【流暢】명하형히부 りゅうちょう(流暢). ¶～한 문장 流暢な文章 / 영어를 ～하게 말하다 英語を流暢に話す.
유채【油菜】명〔植〕☞ 평지.
유책【有責】명하자 有責.
‖── 행위 명 有責行為.
유체【流體】명〔物〕流体. ¶～ 압력 流体圧力.
‖── 역학 명〔物〕流体力学.
유체【遺體】명 遺体.
유체-스럽다 형 ①気取っているばかりで上品なところがない. ②(言行が)風変わりだ.
유초【遺草】명 遺草; 遺稿.
유추【類推】명하타 類推. ¶그의 성질로 ～하면 彼の性質から類推すると.
유축 농업【有畜農業】명 有畜農業.

유출【流出】명하자 流出. ¶ 두뇌 ~ 頭脳流出 / 토사〔석유〕의 ~ 土砂〔石油〕の流出.
유충【幼蟲】명〖蟲〗幼虫. ¶ 나방의 ~ が(蛾)の幼虫.
유취【乳臭】명 乳臭いこと. =젖내.
유취【幽趣】명 幽趣; 奥床しいおもむき.
유층【油層】명〖地〗油層.
유치【幼稚】명하형 幼稚. ¶ ~한 생각 幼稚な〔子供っぽい〕考え.
‖——-원 명 幼稚園. ¶ ~의 원아 幼稚園の園児.
유치【乳齒】명〖生〗乳歯. =배냇니·젖니. ¶ ~가 빠지기 시작하다 乳歯が抜けはじめる.
유치【留置】명 留置. ——-하다 타 留置する; 留め置く. ¶ 경찰에 ~되었다 警察に留置された.
‖——-권 명〖法〗留置権. —— 우편 명 留め置き郵便. ——-장 명 留置場; 豚箱〈俗〉; 鉄窓. ¶ ~에 갇히다 鉄窓につながれる.
유치【誘致】명하타 誘致. ¶ 공장을 ~하다 工場を誘致する.
유쾌【愉快】명하형히부 愉快. ¶ ~한 하루를 보냈다 愉快な一日を過ごした.
유탄【流彈】명 流弾; そ(逸)れだま. ¶ ~에 맞아서 죽다 流弾に当たって死ぬ.
유탄【榴彈】명 りゅうだん(榴弾).
유태【猶太】명〖史〗ユダヤ.
‖——-교 명 ユダヤ教. ——-력 명 ユダヤ暦. ——-인 명 ユダヤ人.
유택【幽宅】명 幽宅; 墓. =무덤.
유-턴〔U-turn〕명 ユーターン.
유토피아〔Utopia〕명 ユートピア.
‖—— 사회주의 명 ユートピア社会主義; 空想的社会主義.
유통【流通】명하자타 流通.
‖—— 경제 명 流通経済. —— 기구 명 流通機構. ——-세 명 流通税. —— 자본 명 流通資本. —— 혁명 명 流通革命. —— 화폐 명 流通貨幣. =통화(通貨).
유파【流派】명 流派. ¶ ~가 다르다 流派が異なる.
유폐【幽閉】명 幽閉. ——-하다 타 幽閉する; 幽する. ¶ 감옥에 ~당하다 ろうや(牢屋)に幽閉される.
유포【油布】명 油布; 油を引いた布.
유포【流布】명하자타 流布; 流伝. ¶ 소문이 세상에 ~되다 うわさ(噂)が世間に流布する.
유표【遺表】명 遺表; 臣下が死に際に王に差しあげる文.
유품【遺品】명 遺品. =유물(遺物). ¶ 전사자의 ~ 戦死者の遺品.
유풍【遺風】명 遺風. =유속(遺俗). ¶ 옛 ~을 그리워하다 古の遺風を慕う / 성인의 ~을 우러르다 聖人の遺風を仰ぐ.
유피【鞣皮】명 なめ(鞣)し革. =다룸가죽. ¶ 새끼양의 ~ 子羊の鞣し革.
유-하다【有—】자 "있다(=有る)"の意の古めかしい語.
유-하다【留—】자 ① ☞ 자다. ② ☞ 묵다.
유-하다【柔—】형 ① 柔らかい. ② 張しないで気がゆったりしている; リラックスしている. ¶ 성격이 한 사람 性格の穏やかな人.
유학【留學】명하자 留学.
‖——-생 명 留学生.
유학【遊學】명하자 遊学.
유학【儒學】명 儒学. =공맹학(孔學). ¶ ~자 儒学者.
유한【有限】명하형히부 有限. ¶ ~한 인생 有限な人生.
‖—— 급수 명〖數〗有限級数. —— 직선 명〖數〗有限直線; 線分. —— 책임 명〖法〗有限責任. —— 회사 명〖法〗有限会社.
유한【有閑】명하형 有閑.
‖—— 계급 명 有閑階級. —— 마담 명 有閑マダム.
유한【遺恨】명 遺恨; おんねん(怨念); 意趣. ¶ ~을 품다 遺恨を抱く.
유합【癒合】명하자〖醫〗癒合.
유해【有害】명하형 有害. ¶ ~한 책 有害な本.
‖—— 곤충 명 有害昆虫. —— 무익 명하형 有害無益.
유해【遺骸】명 いがい(遺骸); なきがら(亡骸); 遺体. ¶ ~를 후하게 장사 지내다 遺骸を手厚く葬る.
유행【流行】명 流行; はやり. ——-하다 자 流行する; はやる. ¶ 한때 ~한 노래 一時はやった歌 / 미니스커트가 ~하다 ミニスカートがはやる / ~이 한물 가다 流行が下火になる / ~을 따르다 流行を追う.
‖——-가 명 流行歌; はやり歌. ——-병 명 流行病. ——-복 명 流行服. ——-성 감기(性感氣) 명〖醫〗流行性感冒; 流感《준말》; インフルエンザ; はやりかぜ. ——-어 명 流行語. —— 잡지 명 流行雑誌.
유향【遺香】명 遺香. ① 残っている香り. ② 故人の残した美徳.
유향【儒鄕】명 儒生の多く住んでいる村〔町〕.
유현【幽玄】명하형 幽玄. ¶ ~한 경지 幽玄な境地.
유현【儒賢】명 儒賢; 儒教に精通し, 行跡の正しい人.
유혈【流血】명 流血. ¶ ~의 참사 流血の惨事.
‖——-극 명 流血劇.
유협【遊俠】명 ☞ 협객(俠客).
유형【有形】명하형 有形.
‖—— 무역 명 有形貿易. —— 무형 명하형 有形無形. ¶ ~의 재화 有形無形の財貨. —— 문화재 명 有形文化財. ——-물 명 有形物. —— 자본 명 有形資本. —— 재산 명 有形財産.
유형【類型】명 類型. ¶ ~이 많다 類型が多い.
유혹【誘惑】명 誘惑; 誘い. ——-하다 타 誘惑する; 誘う. ¶ 바다의 ~ 海の誘惑 / ~에 빠지고 말았다 誘いにの陥ってしまった.
유혼【幽魂】명 幽魂; 死者の魂; 亡魂. ¶ 원컨대 ~은 지하에 잠드시라 願わくは〔ば〕幽魂地下にめい

冥)せよ.

화【乳化】명 乳化. ¶～제 乳化剤/～ 중합 乳化重合.

화【油畫】명 油絵; 洋画. ¶ ～화가 洋画家.

──-구 명 油絵の具.

화【柔和】명하형 柔和. ¶～한 성질 柔和な性格.

화【宥和】명하자 ゆうわ(宥和). ¶ ～론자 宥和論者.

── 정책 명 宥和政策.

회【流會】명하자 流会; 流れ. ¶총회가 ～되다 総会が流れになる〔流会になる; 流れる〕.

효【有効】명하형 有効. ¶～ 기간 有効期間/그 약속은 아직 ～하다 その約束はまだ有効である.

‖── 사거리 명 有効射距離. ＝유효 사정. ── 사정 명 有効射程. ── 숫자 명 有効数字. ── 증명 명 有効証明.

유훈【遺訓】명 遺訓. ¶ 아버지의 ～을 지키다 父の遺訓を守る.

유휴【遊休】명 遊休. ¶～ 물자를 효용화하다 遊休物資を効果的に使う.

‖── 시설 명 遊休施設. ── 자본 명 遊休資本; 遊資《준말》.

유흔【遺痕】명 残したこんせき(痕跡).

유흥【遊興】명하자 遊興. ¶～비 遊興費/～업계 遊興業界/～에 돈을 뿌리다 遊興に金を散ずる.

‖── 음식세 명 遊興飲食税.

──-장 명 遊興場.

유희【遊戲】명하자 遊戯. ¶～ 시간 遊戯の時間.

‖──-적 명관 遊戯的. ¶～인 연애를 하다 遊戯的な恋愛をする.

육【六】수 六; むう; む. ¶～개월 六月; 六ケ月.

육감【六感】명 ↗제육감(第六感). ¶～으로 알았다 勘でわかった.

육감【肉感】명 肉感. ¶～을 자극하는 듯한 묘사였다 肉感をそそるような描写であった.

‖──-적 명관 肉感的. ¶～인 여배우 肉感的な〔色っぽい〕女優.

육갑【六甲】명하자 ① ↗육십 갑자. ② 人の言行を見下げていう語.

육-개장【肉―】명 煮につめた牛肉を細く裂いて辛味をつけた汁物.

육교【陸橋】명 陸橋; 歩道橋. ＝구름다리·오버 브리지.

육군【陸軍】명 陸軍.

‖── 대학 명 陸軍大学. 준 육대. ── 보병 학교 명 陸軍歩兵学校. ── 본부 명 陸軍本部. 준 육본. ── 사관 학교 명 陸軍士官学校 준 육사(陸士).

육기【肉氣】명 ① 肉付き. ② 肉物料理. ＝육미(肉味)①. ── 좋다 형 肉付きがいい.

육담【肉談】명 ① わいだん(猥談). ② 卑俗な話.

육-대주【六大洲】명 六大州.

육덕【肉德】명 肉付きがよくて徳のある風格に見えること.

육도【陸稻】명 陸稲; おかぼ(陸稲).

육도 삼략【六韜三略】명 りくとう(六韜)三略.

육두 문자【肉頭文字】명 わいだん(猥談)など卑俗な言葉.

육로【陸路】명 陸路·りくじ.

육류【肉類】명 肉類.

육률【六律】명〔樂〕六律; 十二律の中で陽の声に属する六つの音. 준 율(律).

육림【肉林】명 肉林; 宴席などのごうしゃ(豪奢)なさま. ¶주지 ～ 酒池肉林.

육림-업【育林業】명 造林業.

육면-체【六面體】명〔數〕六面体.

육-모【六―】명 六角.

육묘【育苗】명하자 育苗.

육미【六味】명 六味; 六種の味.

육미【肉味】명 ① 肉料理. ＝육기(肉氣)②. ② 肉味.

‖──-붙이 명 肉料理類. ＝육속(肉屬)·육붙이.

육박【肉薄】명 肉薄〔肉迫〕. ──-하다 자 肉薄〔肉迫〕する; 迫る. ¶적진에 ～하다 敵陣に迫る〔肉薄する〕.

육-반구【陸半球】명 陸半球.

육-발이【六―】명 足指が六本ある人. *육손이.

육법【六法】명 六法.

‖── 전서 명 六法全書.

육보【肉補】명하자 肉食で体を養うこと.

육봉【肉峰】명〔動〕らくだ(駱駝)のこぶ(瘤).

육부【六腑】명 ろっぷ(六腑). ¶오장 ～ 五臟六腑.

육분-의【六分儀】명〔物〕六分儀.

육붕【陸棚】명〔地〕陸棚; りくほう(陸棚). ＝대륙붕.

육산【陸産】명 陸産.

‖──-물 명 陸産物. ＝육산.

육상【陸上】명 陸上. ¶그는 ～ 근무다 彼は陸上勤務である.

‖── 경기 명 陸上競技. 준 육상.

육색【肉色】명 肉色. ¶～의 속옷 肉色の肌着.

육서【陸棲】명하자 陸生. ¶～ 동물 陸生動物.

육성【肉聲】명 肉声; 生の声. ¶～과 같은 음색 肉声同様の音色.

육성【育成】명하타 育成. ¶제자를 ～하다 弟子を育成する.

육속【陸續】명하자 陸続. ¶인마의 왕래가 ～ 부절이다 人馬の往来が陸続として絶えない.

육손-이【六―】명 指が六本ある人.

육송【陸送】명하타 陸送. ¶물건을 ～하다 品物を陸送する.

육수【肉水】명 肉を煮出した汁.

육순【六旬】명 ① 六十日. ② 六十歳.

육시【戮屍】명하자 りくし(戮屍).

‖──-랄 관 "육시를 할"の短縮された語で, "戮屍すべき; 二度殺してしか(然)るべき"の意《ののしる語; 後に"놈(＝やつ)·년(＝あまっこ)"などがつく》.

육식【肉食】명하자 肉食·にくじき.

ㅇ

‖——-류(類) 명 ☞ 식육류. ——-수 명 肉食獣. ——-조 명 肉食鳥. ——-충 명 肉食虫. =식육성 곤충(食肉性昆蟲).

육신【肉身】명 ①肉身. =육체. ②肉質で, 丈夫でない体. ③〖宗〗人性.

육십【六十】수명 六十; むそじ(六十路)〈雅〉. ¶나이 ~ 고개를 넘어서다 よわい六十路の坂をくだる.

‖—— 갑자(甲子) 명 六十干支; えと(干支). ㊟육갑. ——분-법 명 六十分法《角度·時間の単位など》.

육아【肉芽】명 肉芽. ¶~가 돋다 肉芽が生ずる.

‖—— 조직 명〖生〗肉芽組織.

육아【育兒】명하자 育児. ¶~법 育児法.

육안【肉眼】명 肉眼. ¶~으로 보이다 肉眼で見える.

육양【陸揚】명하타 陸揚げ; 揚陸. =양륙(揚陸).

육언【六言】명 六言; 一句が六字から成る漢詩の形式.

육영【育英】명하자 育英.

‖—— 사업 명 育英事業.

육욕【肉慾】명 肉欲; 肉情. ¶~을 채우다 肉欲を満たす.

‖——-주의 명 肉欲主義. =센슈얼리즘.

육용【肉用】명하타 肉用.

‖——-종 명 肉用種. ¶~의 소 肉用種の牛.

육우【肉牛】명 肉牛.

육운【陸運】명 陸運. ¶~업 陸運業.

육이오 전쟁【六二五戰爭】명 韓国戦争. =육이오 사변〔동란〕. ㊟육이오.

육장【六場】㊀명 月に六回立つ市. ㊁부 いつも; つねに. ¶그는 ~ 돈 이야기만 한다 彼はいつも金の話ばかりする.

육전【陸戰】명〖軍〗陸戦. ¶~과 해전 陸戦と海戦.

육-젓【六—】명 六月に捕ったえびの塩辛.

육조【六朝】명〖史〗六朝. ①中国の王朝の名. ②六朝時代の書風.

육종【肉腫】명〖醫〗にくしゅ(肉腫). =종양(腫瘍).

육종【育種】명하자 育種. ¶~가 育種家.

육중【肉重】명하형 ずうたい(図体)が大きくて重みがあること; ずっしりしていること

육즙【肉汁】명 肉汁.

육지【陸地】명 陸地; 陸; おか(陸). ¶~ 측량 陸地測量. ——-같다 형 (事物が)非常に丈夫で安定性がある.

육질【肉質】명 肉質.

육찬【肉饌】명 肉のおかず.

육체【肉滯】명 肉の食あたり.

육체【肉體】명 肉体. =육신.

‖—— 노동 명 肉体労働; 力仕事. —— 문학 명 肉体文学. ——-미 명 肉体美. ——-적 명관 肉体的.

육촌【六寸】명 ①(長さの)六寸… ②又従兄弟〔又従姉妹〕; はと… 〈俗〉. =재종.

육친【肉親】명 肉親; 親身. ¶… 의 정 肉親の情. 「…

육탄【肉彈】명 肉弾. ¶~전 肉弾…

육탈【肉脫】명하자 ①体がやせ細… ること. ②しかばね(屍)の肉が… さって骨ばかり残ること.

육통 터지다【六通—】자 事がほと(… んど成りかけてだめ(駄目)になる; … 就一歩手前で失敗する.

육포【肉脯】명 ほしし(脯); ほしじ… (干肉·乾肉).

육풍【陸風】명〖地〗陸風.

육필【肉筆】명 肉筆. ¶~의 원고 … 筆の原稿.

육해공-군【陸海空軍】명 陸海空軍. =삼군(三軍).

육-허기【肉虛飢】명 肉欲に飢え… こと. 「トル…

육혈-포【六穴砲】명 六連発のピス…

육-혹【肉—】명 肉のかたまりのこ… (瘤).

육회【肉膾】명 肉のなます(膾).

육후【肉厚】명하형 肉が厚いこと… 肉太であること.

윤【潤】명 ↗윤기.

윤간【輪姦】명하타 りんかん(輪姦).

윤강【輪講】명하타 輪講; 順講. ¶국부론을 텍스트로 해서 ~하다 国富論をテキストにして輪講する.

윤곽【輪廓】명 輪郭; 目鼻; アウトライン. ¶~ 지도 輪郭地図 / 사건의 ~ 事件の輪郭 / ~이 뚜렷한 얼굴 彫りの深い顔 / ~이 잡히다 目鼻が付く / 그 문제는 겨우 ~이 잡히기 시작했다 その問題はようやく目鼻がつきかけた.

윤기【潤氣】명 潤沢な気; 色つや(艶); つや(艶). ㊟윤. ¶~가 흐르는 얼굴 つやつやした顔.

윤-나다【潤—】자 つやつやしている; つやめく; つや気があらわれる.

윤-내다【潤—】타 つや(艶)を出す; 照りをつける.

윤년【閏年】명 うるう(閏)年.

윤-달【閏—】명 うるう(閏)月.

윤독【輪讀】명하타 輪読; 回読. ¶잡지를 ~하다 雑誌を回読する.

윤-똑똑이 명 独り合点の人; 独りで利口ぶる人.

윤락【淪落】명하자 りんらく(淪落). ¶~의 몸 淪落の身.

윤리【倫理】명 倫理; モラル.

‖—— 신학 명 倫理神学. ——-적 명관 倫理的. ——-학 명 倫理学.

윤무【輪舞】명 輪舞; ロンド. =원무(圓舞).

윤번【輪番】명하타 輪番; 回り番. ——-제 명 論番制.

윤벌【輪伐】명하타 輪伐.

윤색【潤色】명하타 潤色. ¶사실을 ~해서 발표하다 事実を潤色して発表する.

윤월【閏月】명 ☞ 윤달.

윤일【閏日】명 うるう(閏)日《二月二十九日》.

윤작【輪作】명하타 ①輪作; 輪栽…

…; 輪換. =돌려짓기. ¶~ 재배 輪換栽培. ②同じ主題・素材の下もとに, 数人の作家が回まわしして作品を書くこと.

윤전【輪轉】명 하자 타 輪転. ¶~식 輪転式.
‖——-기, —— 인쇄기 명 輪転機; 輪転印刷機. ¶초고속 ~ 超高速輪転機.

윤중-제【輪中堤】명 川島の周囲をめぐらして積みあげた堤防.

윤창【輪唱】명〔樂〕輪唱; ラウンド. =돌림노래.

윤척-없다【倫脊—】형 でたらめにしゃべってつかみどころがない. 윤척-없이 부 言うことが要領をえずでたらめに.

윤택【潤澤】명 하형 潤沢. ¶~한 자금 潤沢な資金.

윤필【潤筆】명 하자 潤筆.
‖——-료 명 潤筆料.

윤허【允許】명 하타 いんきょ(允許); 王の許し. ¶~가 내렸다 允許が下った.

윤화【輪禍】명 輪禍. ¶~를 당하다 輪禍に会う.

윤활【潤滑】명 하형 히부 潤滑.
‖——-유 명 潤滑油.

윤회【輪廻】명〔佛〕りんね(輪廻・輪回).
‖—— 생사 명〔佛〕輪廻生死. —— 전생 명〔佛〕輪廻転生.

율【律】명 律. ①↗음률(音律). ②〔樂〕↗육률(六律). ③↗기율(紀律). ④☞ 풍류. ⑤刑律. ⑥〔文〕漢詩の一体. ⑦〔佛〕☞ 계율(戒律).

율【率】명 ①[↗비율] 率; 割合; 歩合. ¶~이 높다 率が高い. ②↗능률(能率).

-율【率】미 率; 終声がないか, または終声"ㄴ"のある名詞に付いて"比率"の意を表わす語("ㄴ"以外の終声のある名詞は"-률"). ¶백분~ 百分率/치사~ 致死率.

율동【律動】명 律動; リズム. ¶생의 ~ 生の律動.
‖——-적 명 관 律動的; リズミカル. —— 체조 명 律動体操; リズム体操.

율령【律令】명 律令. ¶~ 국가 律令国家.

율리우스-력【—曆】〔Julius〕명 ユリウス暦.

율무 명〔植〕はとむぎ(鳩麦).
‖——-쌀 명 よくいにん(薏苡仁)《鳩麦の種》. =의이인(薏苡仁).

율문【律文】명 律文.

율법【律法】명 律法. ①おきて. =법률. ②〔基〕人間生活に関して神が示した規範. ③〔佛〕☞ 계율. ‖——-주의 명〔宗〕律法主義.

율사【律士】명 弁護士.

율사【律師】명〔佛〕律師; 戒律に通じた僧.

율시【律詩】명 (漢詩の)律詩.

융【絨】명 じゅう(絨); 表がやわらかく毛羽立っている織物の一種《フランネル類》.

융기【隆起】명 하자 隆起. ¶지반의 ~ 地盤の隆起.
‖——-도 명〔地〕隆起島. —— 산호초 명 隆起珊瑚礁. —— 해안 명〔地〕隆起海岸.

융단【絨緞】명 じゅうたん(絨毯); カーペット. ¶~을 깔다 絨毯を敷く.
‖—— 폭격 명 絨毯爆撃.

융모【絨毛】명〔生〕じゅうもう(絨毛); 柔毛.

융비【隆鼻】명 隆鼻. =융준(隆準).
‖——-술 명 隆鼻術.

융성【隆盛】명 하형 隆盛. ¶국운의 ~ 国運の隆昌(隆盛).
‖——-기 명 隆盛期.

융숭【隆崇】명 하타 히부 ①非常に尊崇すること. ②手厚くもてなすこと. ¶~한 대접 手厚いもてなし/~하게 장사지내다 手厚く葬る.

융융-거리다 자 激しい風が木の枝などに当たって音を出す; びゅうびゅうとうなる.

융자【融資】명 하타 融資. ¶조건부~ 紐付き融資/~를 받다 融資を受ける/~의 회수가 불가능해질 경우 融資が焦げ付いた場合.
‖—— 회사 명 融資会社.

융점【融點】명〔物〕[↗용해점] 融点. =녹는점.

융제【融劑】명 融剤.

융창【隆昌】명 하형 隆昌. =융성(隆盛).

융-털【絨—】명 ①じゅうたん(絨毯)の表のやわらかい毛. ②☞ 융모(絨毛).

융통【融通】명 하타 融通. ¶자금을 ~하다 資金を融通する.
‖——-물 명 融通物. ——-성 명 融通(性). ¶~이 없는 사람 杓子定規な(の)人; 融通の利かない人.

융합【融合】명 하타 融合. ¶핵~ 核融合.

융해【融解】명 하자 融解.
‖——-열 명〔物〕融解熱. ——-점 명〔物〕融解点. 준 융점.

융화【融和】명 融和. ——-하다 자 融和する; 解け合う. ¶~하기 어려울 정도로 融和し難いほどに.

윷 명 ①小さな丸い棒切れを割って作った, 四本一組の遊戯具《仰向けとうつむけにより一点から五点までの点数がつき, これによってこま(駒)を進める; 韓国固有の遊戯で正月などの節日に組に分けて遊ぶ》; かりうち・ちょぼ. ②"윷놀이"でかりが皆仰向けになった時の称.

윷-놀다 자 かりうち(樗蒲)をする.

윷-놀이 명 하자 かりうち(樗蒲); ちょぼ. =척사(擲柶).

윷-짝 명 "윷"の一本一本; かりうちの采; かり.

윷-판 명 かりうち(樗蒲)をするその場所.

윷-판【—板】명 かりうち(樗蒲)のこま(駒)を進める位置を描いた台. =말판.

으그러-뜨리다 타 (物の表面を)へこます; 圧しつぶす.

으그러-지다 자 (物の表面が)圧しつぶされる; ゆがめられる.

으그르르 부 食べたものや水などがのど(喉)を通る音; ごろごろ.

으깨다 타 ① (固い物を)圧しつぶす; つぶす; 砕く. ¶ 호두를 ～ くるみを砕く / 깨물어서 ～ かみつぶす. ② 硬いものを柔らかくする; す(擦)る; つぶす; 練る. ¶ 된장을 ～ 味噌をする / 으깬 팥소 つぶしあんこ / 밥풀을 ～ そくいを練る.

으끄러-뜨리다 타 ① 力強く圧し〔すり〕つぶす. ② ☞ 뭉그러뜨리다. ㅗ 으그러뜨리다.

으끄러-지다 자 ① (固いものが)圧し〔すり〕つぶされる. ② ☞ 뭉그러지다.

으끄-지르다 타 ものを圧し〔すり〕つぶす.

-으나 어미 終声のある語幹に付く連結語尾. ① …だが; …が. ¶ 산은 낮～ 골은 깊다 山は低いが谷間は深い / 사람은 좋～ 돈이 없다 人は好いがお金がない. ② …しても. ¶ 양복을 입～ 한복을 입～ 다 잘 어울린다 洋服を着ようが韓服を着ようがよく似合う. ③ 形容を誇張するため語幹を重ねる際に前の語幹につく. ¶ 깊～ 깊은 물에 とても深い水に / 떫～ 떫은 감 ひどく渋い柿. *-나.

-으나마 어미 終声のある語幹に付いて, 不満足ではあるが我慢するとの意を表わす連結語尾. ¶ 적～ 받아 두게 わずかではあるが受け取ってくれ.

-으냐 어미 終声のある形容詞の語幹に付いて, 呼びすての間柄で疑問を表わす終結語尾: …か. ¶ 그 사람이 옳～ その人の方が正しいのか / 어느 쪽이 좋～ どっちがいいのか. *-느냐.

-으냐고 어미 "-으냐 하고"の略語: …かと. ¶ 산이 높～ 물어 보았다 山が高いのかと聞いて見た.

-으냐는 어미 "-으냐고 하는"の略語: …かと言う; …との. ¶ 그 산은 높～ 질문이다 その山は高いのかと言う問いである. 준 -으냔.

-으냔 어미 ① "-으냐고 한"の略語: 終声のある語幹に付いて, "…かと言った"の意を表わす語尾. ¶ 무엇이 옳～ 말이 생각난다 どれが正しいのかと言った言葉が思い出される. ② ↗으냐는. ¶ 어떻게 하는 것이 좋～ 말이다 どんなにしたらいいのかと言うのだ.

으늑-하다 형 小ぢんまりして居心地がいい. >아늑하다. 으늑-히 부 小ぢんまりと; 居心地よく.

-으니¹ 어미 終声のある語幹に付く連結語尾. ① …から; …だから. ¶ 강이 깊～ 조심해라 川が深いから気をつけなさい / 부모의 말 같은 건 조금도 듣지 않～ 걱정이다 親の言うことなんかちっとも聞かないものだから心配なのだ. ② …(する)と; …したら; …に〈雅〉. ¶ 그것을 들～ 기쁘기 한이 없다 それを聞くにつけてうれしい限りである / 역에 닿～ 두 시였다 駅に着いたら二時だった. *-니¹.

-으니² 어미 "-으냐"をより親しく, またやさしく問う終結語尾: …か(ね). ¶ 어머니가 좋～ お母さんが好き(かね) / 돈이 적～ お金〔小遣い〕が足りないかね. *-니³.

-으니³ 어미 終声のある形容詞の語幹に付いて, 物事がこうもありああでもある事を表わす連結語尾: …とか; …のと. ¶ 많～ ～ 말이 많다 多いとか少ないとか喧やかしい / 높～ 낮～ 하고 다투다 高いの低いのと言い争う. *-니⁴.

-으니까 어미 "-으니¹"を強調する連結語尾: …ので; …したら …(だ)から. ¶ 약을 먹었～ 걱정없다 薬を飲んだから心配はない / 음악을 들～ 옛생각이 난다 あの音楽を聞くと昔が思い出される / 좋～ 하지 好きだからやるんだ.

-으니까는 어미 "-으니까"に助詞"는"が付いた強勢語で終声のない語幹に付く連結語尾: …(だ)から; …ので; …したら. ¶ 아무래도 젊～ 실패도 많다 何分若いので失敗も多い / 역에 닿～ 비가 오기 시작했다 駅に着いたら雨が降り始めた.

-으니깐 어미 ↗-으니까는. ¶ 약을 먹～ 곧 나았다 薬を飲んだらすぐ治った.

-으니라 어미 終声のある形容詞の語幹に付いて, 目下にあ(或)る事実を教えてやる終結語尾: …の〔ん〕だ; …だよ. ¶ 겨울 해는 짧～ 冬の日は短いのだ.

으드득 부하자타 ① 固い物を強くか(噛)む音: ばりばり; かりかり. ¶ 생밤을 ～ 깨물다 なまぐりをばりばりとかむ. ② 歯をきしる音: ぎりぎり. ¶ 이를 ～ 갈다 ぎりぎりと歯ぎしりをする. >아드득. ──-거리다 자타 しきりにばりばり〔かりかり·ぎりぎり〕する. ──── 부하자타 ① ばりばり; かりかり. ② ぎりぎり.

으드등-거리다 자 (たびたび)いが(啀)み合う; す(擦)れ合う; 不平がましく言い合う. >아드등거리다. ¶ 모녀가 ～ 母娘がいがみ合う. 으드등-으드등 부하자 続けざまにいがみ合う〔口論する·すれ合う〕さま.

으등그러-지다 자 ① からからに乾いてよじれる〔反りかえる〕. ② 天気がだんだん曇ってうっとう(鬱陶)しくなる.

으뜸 명 ① 最上; 最; 第一; 頭; 長. ¶ 경치로는 금강산이 ～이다 景色では金剛山が最上である / 이것을 ～으로 친다 これを最とする / 술은 백약의 ～ 酒は百薬の長. ② 根本〔基本〕の意; 旨. ¶ 글은 간결함을 ～으로 한다 文は簡潔を旨とす. ──-가다 자 第一〔随一〕である. ¶ 알프스에서 으뜸가는 험봉 アルプス随一の険峰 / 동네에서 으뜸가는 미인〔부자〕 町内切っての美人〔金持ち〕.

-으라 어미 ① 終声のある動詞の語幹に付いて, 命令の意を表わす終結語尾: …せよ; …しなさい. ¶ 밥을 먹～ ご飯を食べろ / 빨리 읽～ 早く読め / 잘 들～ よく聞

けよ. ② ↗-으라고. ¶ 옷을 입~ 해라 着物を着ろと言いなさい. ③ "-으라고 하라"の略語: …せよと言う. ¶ 그만 먹~기가 좀 무엇하구나 もう食べるなと言うことはちょっと何だな. *-라.

-으라고 어미 終声のある動詞の語幹に付いて, 命令の内容を表わす連結語尾: …せよと. ¶ 손을 깨끗이 씻~ 일러주게 手をきれいに洗えと言いたまえ. *-라고.

-으라느냐 어미 "-으라고 하느냐"の略語: …せよと言うのか. ¶ 나보고 먹~ 僕に食べろと言うのか. *-라느냐.

-으라는 어미 "-으라고 하는"の略語: …せよと言う; …との. ¶ 죽~ 말과 다름없다 死ねと言うのと同じだ / 읽~ 말이다 読めと言うのだ. *-라는.

-으라니 어미 "-으라고 하니"の略語: …せよとは; …せよって. ¶ 이런 것을 먹~ 한심하구나 こんなものを食べろとはなさけないな(あ). *-라니.

-으라니까 어미 "-으라고 하니까"の略語: …と言ったら; …と言うから〔ので〕. ¶ 무릎을 꿇~ 히죽히죽 웃었다 ひざまず(跪)けと言ったらにやにや笑っていた / 먹~ 먹었다 食べろと言ったので食べた. *-라니까.

-으라니까는 어미 "-으라니까"の強勢語. ¶ 죽~ 죽는 흉내를 낸다 死ねと言ったら死ぬまねをする.

-으라든지 어미 "-으라 하든지"の略語: …せよとか. ¶ 갚~ 말라든지 말을 해 다오 返せとかしなくてもいいとか言ってくれ. *-라든지.

-으라면 어미 "-으라 하면"の略語: …せよと言えば〔言うならば〕. ¶ 죽~ 죽겠니 死ねと言えば死ぬつもりか / 먹~ 먹지 食べろと言うなら食べるさ. *-라면.

-으라지 어미 終声のある動詞の語幹に付く終結語尾. ① "…せよって; …って"の意で疑問や反問を表わす. ¶ 빨리 씻~ 早く洗えと言うんだろう? ② "(…したら)…させてもよい〔させろ〕"の意で放置の意を表わす. ¶ 읽고 싶다면 읽~ 読みたいと言うならば読ませろ.

-으락 어미 二つの動作・状態が交互に繰り返される意を表わす連結語尾: …(し)たり. ¶ 잡~ 놓~ 付きつ離れつ / 검~ 붉~ 黒くなったり赤くなったり. *-락.

-으락-말락 어미 終声のある語幹に付いて, "…したりしなかったり"の意を表わす副詞形語尾. ¶ 먹~ 우물쭈물한다 食べようか食べまいかもじもじする. ¶ 먹~ 한다 食べつ止めつする. *-을락말락.

-으란 어미 "-으라고 한·-으라고 하는"の略語: …せよと言う〔言った〕. ¶ 이것을 먹~ 말이지 これを食えと言うのだな / 이 잔을 잡~ 말인가 この杯を取れと言うのか. *-란.

-으랄 어미 "-으라고 할"の略語: …と言う(べき). ¶ 꽃을 꺾~ 리가 없다 花を折れと言うはずがない / 너에게 죽~ 사람은 없다 君に死ねと言う人はない. *-랄.

-으람 어미 ① 終声のある動詞の語幹に付いて, "…せよと言うことかね〔のか〕"の意を表わす語. ¶ 그의 말을 믿~ 彼の言うことを信じろと言うのか. ② ↗-으라면. ¶ 믿~ 믿지 信じろと言えば信ずるさ. *-람.

-으래 어미 "-으라 해"の略語: …せよってよ. ¶ 약을 먹~ 薬を飲めと言ってるよ / 빨리 걸~ 速く歩けってよ. *-래.

-으래서 어미 "-으라 하여서"の略語: …せよと言うので. ¶ 잡~ 잡았다 執れと言うので執った. *-래서.

-으래서야 어미 "-으라 하여서야"の略語: …と言っては; …せよとは. ¶ 이따위를 먹~ 될 말인가 こんな物を食えと言うのはあまりじゃないかね.

-으래야 어미 "-으라 하여야"の略語: …せよと言うのが…(…なのか). ¶ 날더러 참~ 옳은가 僕にこらえろと言うのが正しいのか.

-으래요 어미 "-으라 하여요"の略語: …せよってよ. ¶ 잘 들~ よく聞けってよ / 모자를 벗~ 帽子をとれってよ. *-래요.

-으랴 어미 ① 終声のある用言の語幹に付いて, 推量を表わす"…するか; …するであろうか; …するものか"などの意の終結語尾. ¶ 아무리 궁하기로 이따위 것을 받~ いかに窮しているにしてもこんなものを受けられるものか / 어찌 잊~ 安ずんぞ忘れん. ② 終声のある動詞の語幹に付いて相手の意見を問う終結語尾: …しようか; …していい(の)か. ¶ 그럼, 네 말을 믿~ では君の言葉を信じようか / 네 것을 내가 갖~ お前の物をわたしがもらっていいのか. *-랴.

-으러 어미 終声のある動詞の語幹に付いて, 次の動作の直接目的を表わす連結語尾《後に"行く・来る"の意が付く》: …しに; …に. ¶ 점심을 먹~ 가다 昼飯をたべに行く / 강연을 들~ 오다 講演を聴きに来る. *-러.

으레 부 ① いうまでもなく; 言わずとも; 当然; いつも. ¶ 학생은 ~ 공부를 해야 하는 것이다 学生は当然勉強しなくてはならないものである / ~ 이렇게 되는 법이다 当然こうなるべきものだ / ~ 우리가 할 일이다 当然ぼくらがすべきことなのだ. ② きっと; 必ず; 間違いなく; 決まって. ¶ 식전엔 ~ 산책한다 食前には決まって散歩をする / 그 학생은 ~ 책 얘기다 その学生は二言目には本の話をする / 만나면 ~ 싸운다 会うといつも喧嘩である / 무엇을 하려 들면 ~ 비가 온다 何かしようとすればきっと雨である.

-으려 어미 ↗-으려고《"하다…(=する)"の前にだけ使う》. ¶ 책을 읽~ 한다 本を読もうとする / 옷을 입~ 하는데 전화가 걸려 왔다 服を着よ

うとする所へ電話がかかって来た. ＊-려.

-으려거든 [어미] "-으려고 하거든"の略語：…しようとするなら. ¶밥을 먹～ 일을 해라 飯にありつこうとすれば働けよ/산을 넘～ 지금 곧 떠나라 山を越えようとするなら今すぐ発ちなさい.

-으려고 [어미] 終声のある語幹に付いて, 今からしようとする意を表わす語：…しようと；…しに. ¶어린애가 꽃을 꺾～ 한다 子供が花を折ろうとする/남 앞에서 울지 않～ 애를 쓰다 人前で泣くまいとつとめる. ＊-려고.

-으려고 들다 [구] 終声のある動詞の語幹に付いて, すぐそれにとりかかろうとする意を表わす語：…しようとする；…しかかろうとする. ¶새를 보고는 곧 잡～ 鳥を見てはすぐ捕らえようとする/무턱대고 뺏～ むやみに奪い取ろうとする.

-으려기에 [어미] "-으려 하기에"の略語：…しようとするので. ¶또 종이를 찢～ 꾸짖었다 また紙を破ろうとするのでしか(叱)ってやった..

-으려나 [어미] ↗-으려는가. ¶자네는 어떤 책을 읽～ 君はどんな本を読もうとするのかね/언제 갚～ 何時返すつもりかね. ＊-려나.

-으려네 [어미] "-으려 하네"の略語：…しようとするよ；…するつもりだ. ¶큰 놈만 잡～ 大きいのだけ捕るつもりだ/내년에 갚～ 来年(に)返すつもりだよ. ＊-려네.

-으려느냐 [어미] "-으려 하느냐"の略語：…するつもりか. ¶언제 읽～ いつ読むつもりか/무슨 음악을 들～ どんな音楽を聞きたいかね. ＊-려느냐.

-으려는가 [어미] "-으려 하는가"の略語：：…しようとするのか；…するつもりかね. ¶이런 곳에 집을 지～ こんな所に家を建てるつもりかね. ＊-려는가.

-으려는데 [어미] "-으려 하는데"の略語：…しようとする所へ〔時に〕. ¶물을 길～ 비가 왔다 水を汲もうとする時に雨が降って来た/밥을 먹～ 손님이 왔다 飯をたべようとするところへお客が来た. ＊-려는데.

-으려는지 [어미] "-으려 하는지"の略語：…する(こと)やら；…するのか. ¶밤은 언제나 밝～ 夜はいつになったら明けるのやら/또 늦～ 모르겠다 また遅くなるのかわからない.

-으려니 [어미] 終声のある用言の語幹に付いて, 自分の推量を表わす連結語尾：…だろうと(思う). ¶병은 곧 나～ 믿었는데 病気はじきに治るものと思っていたのに. ＊-려니.

-으려니와 [어미] 終声のある用言の語幹に付いて, 未来または仮定的な事に対して, "…するが；…(するだろう)が"の意を表わす連結語尾. ¶산도 좋～ 물도 좋다 山も勝れているが水もまた良い.

-으려다 [어미] ↗-으려다가. ¶죽～ 그만 두었다 死のうとしたが止めた/몰 먹～ 들켰다 こっそり食べようとし 所を見つかってしまった.

-으려다가 [어미] "-으려 하다가"の略：…しようとするところ(を)；…をしようとしたが. (준)-으려다. ¶도 을 잡～ 놓쳤다 泥坊を捕らえよう した所逃がしてしまった. ＊-려 가.

-으려더니 [어미] "-으려고 하더니"の略：(相手・第三者が)…し うとしたが；…するよう〔つもり〕だ たが. ¶손을 잡～ 외면을 한다 手 握るようだったが顔をそむけた.

-으려더라 [어미] "-으려고 하더라"の 語：…するようだった. ¶그는 두 권을 하루에 읽～ 彼は二冊の を一日で読もうとするようだ た.

-으려던가 [어미] "-으려 하던가"の略語：…しようとしていたか. ¶환자는 밥을 먹～ 患者は飯を食べようと していたか.

-으려도 [어미] "-으려 하여도"の略語；…しようとしても. ¶잊～ 잊을 수 없다 忘れようにも忘れられない.

-으려면 [어미] "-으려 하면"の略語：…しようとすれば；…したければ. ¶이 책을 읽～ 처음부터 읽어라 この本が読みたければ初めから読みなさい. ＊-려면.

-으려면야 [어미] "-으려고 하면야"の略語：(本当に・まじめに)…しようとすれば《後に "…できないことはない"の意が付く》. ¶한 입에 먹～ 먹을 수도 있지만 一口に食べようとすればたべられないこともないが.

-으려면은 [어미] "-으려 하면은"の略語：…しようとすれば；…したければ. ¶신용을 얻～ 우선 정직하여야 한다 信用を得んとすればま(先)ず正直でなければならない.

-으려무나 [어미] 終声のある動詞の語幹に付いて, 目下の人に消極的な命令, または懇請に対する許しの意を表わす終結語尾：…してもいい〔よろしい〕；…した方がいい；…しなさい. (준)-으렴. ¶있고 싶으면 있～ 居たければ居なさいよ〔居てもよろしい〕/빨리 먹～ 早く食べなさいよ. ＊-려무나.

-으려서는 [어미] "-으려고 하여서는"の略語：…しようとしては. ¶남의 돈을 거저 먹～ 안 되네 人の金をただで取ろうとしては駄目だよ.

-으려서야 [어미] "-으려고 하여서야"の略語：…しようとしては. ¶꽃을 꺾～ 되나 花を折ろうとしてはいけないよ.

-으려야 [어미] ①"-으려 하여야"の略語：…しようとしないと. ¶먹～ 주지 食べようとしなければやれない ②"-으려도"の強勢語：…しようとしても. ¶믿～ 믿을 수 없다 信じようとしても信じられない.

-으려오 [어미] "-으려 하오"の略語. ①予定を表わす：…しようとします；…しようと思います. ¶꽃을 심～ 花を植えようと思います. ②軽

…質問を表わす：…しようとします…. ¶그것을 먹~ それを食べるつもりですか〔つもりです〕.

으련 [어미] "으려느냐"の略語：…しようとするかね. ¶언제 갈~ いつ帰すつもりかね／무엇을 먹~ 何が食べたいかね.

으련다 [어미] "-으려 한다"の略語：…しようとする；…するつもりだ；…する気だ. ¶네 말이면 믿~ お前の話なら信じよう／너를 묶~ お前を縛る気だ／더 묵~ もっと泊まるつもりだ／주인을 찾~ 主人をさがそうと思うよ. *-련다.

으련마는 [어미] 終声のある用言の語幹に付いて, 未来の推測に使われる連結語尾：するはずなのに；…(する)のだがなあ. ¶돈이 있으면 좀더 살 수 있~ 金が有ればもっと買えるんだがなあ／전화라도 걸어 주었으면 좋~ 電話でもかけてくれればいいのに／그렇다면 좋~ それならいいんだけど. ㊟ -으련만. *-련마는.

으련만 [어미] ↗-으련마는. ¶같이 갔으면 좋~ 혼자 가 버렸다 一緒に行ってくれればいいものを独りでいってしまった. *-련만.

으렬 [어미] "-으려 할"の略語：(まさに)…しようとする. ¶총을 잡~ 때 범이 덤벼들었소 銃を執ろうとした時に虎が跳びかかって来ました.

으렴 [어미] ↗-으려무나. ¶먼저 먹~ 先に食べなさいよ／다리가 아프면 앉~ 脚が痛むなら座りなさいよ.

-으렵니까 [어미] "-으려고 합니까"の略語：…(しようと)しますか〔なさいますか〕《ていねいの意がある》. ¶어떤 노래를 들~ どんな歌をお望みですか／왜 문을 닫~ なぜ戸を閉めようとなさいますか. *-렵니까.

-으렵니다 [어미] "-으려고 합니다"の略語：…(しようと)しています〔思います〕《ていねいの意がある》. ¶어떠한 벌도 달게 받~ どんな罰にも甘んじるつもりです／고전 음악을 들~ クラシック(音楽)を聞こうと思います. *-렵니다.

-으렷다 [어미] ①終声のある用言の語幹に付いて, 推量する時に用いる終結語尾：…であるでしょう：…であるだろう. ¶그는 지금쯤 편지를 읽고 있~ 彼は今頃手紙を読んでいることだろう／내일은 날씨가 좋~ 明日は天気がいいだろうよ. ②推量する事実を認め, かつ念を押すときに用いる終結語尾：…とのことだったね. ¶값은 받지 않~ 代金はもらわないとのことだったね.

으로 [조] "ㄹ"終声以外の終声のある体言に付く副詞格助詞. ①…で；…にて〈雅〉. ㉠方法などを表わす. ¶돈~ 때우다 お金で済ませる／쌀쌀한 눈~ 보다 冷たい目で見る／특급~ 가다 特急で行く. ㉡材料などを表わす. ¶대리석~ 지은 집 大理石で建てた家／양원~ 된 의회 両院からなる議会／헌 궤짝~ 책상을 만들다 古箱で机をこしらえる. ㉢原因などを表わす. ¶병~ 결석했다 病気で欠席した. ㉣地位などを表わす：…に；…と. ¶사람~ 태어나다 人に生まれる／말단 사원~ 늙다 平社員で年を取る. ㉤根拠などを表わす：…と. ¶안색~ 알 수 있다 顔色で分かる／일급~ 일하다 日給で働く／절약을 으뜸~ 한다 節約を旨とする. ②…に. ㉠変化などを表わす：…と. ¶공업용~ 돌리다 工業用に回す／비는 오후부터 눈~ 변했다 雨は午後から雪に変わった. ㉡決定などを表わす：…と. ¶정각에 떠나는 것~ 한다 定刻に発つ事とする／회의가 성립된 것~ 한다 会議が成立した事にする. ㉢方向などを表わす：…へ. ¶이쪽~ 오시오 こちらへいらっしゃい／동~ 가시오 東に行きなさい. ㉣結果などを表わす：…と. ¶청천 백일의 몸~ 되다 晴れの身となる／거기가 건널목~ 되었다 そこが踏み切りになった. ③↗으로서. ¶유학생~ 한국에 왔다 留学生として韓国に来た. ④↗으로써. ¶무엇~ 감사의 표를 해야 할는지 何をもって感謝のしるしを表わせようか. *로.

으로는 [조] 助詞"으로"と"는"が重なってできた副詞格助詞：…には；…では. ¶북~ 백두산, 남~ 한라산 北には白頭山, 南には漢拏山／낫~ 큰 나무를 베지 못한다 かま(鎌)では大木を切れない. *로는.

으로도 [조] "ㄹ"終声以外の：終声のある体言に付き, "…でも；にも"の意を表わす副詞格助詞. ¶돈~ 사지 못할 산 경험이다 お金でも買えない生きた経験だ／이 길은 시장~ 통한다 この道は市場にも通じる〔行かれる〕.

으로-부터 [조] "ㄹ"終声以外の終声のある体言に付いて, "…から；…より"の意を表わす副詞格助詞. ¶조상~ 전해 내려오는 명기 祖先から伝わる名器／선생~ 꾸중을 듣다 先生から叱られる／샘~ 흘러내리는 물 泉から流れる水／산~ 내려오는 강 山から流れ出る川. *로부터.

으로서 [조] "ㄹ"終声以外の終声のある体言に付く副詞格助詞. "身分·地位·資格をもって"の意を表わす：…として. ¶형~ 용서할 수 없다 兄として許せない／학생~ 있을 수 없는 행동이다 学生として許せない行動だ. ㊟ 으로. *로서.

으로써 [조] "ㄹ"終声以外の終声のある体言に付いて, "…をもって；…で"の意を表わす副詞格助詞. ¶서면~ 통지한다 書面をも(以)って通知する／자네 실력~ 한다면 아무 것도 아닐 것이다 君の実力をもってすれば訳ないはずである. ㊟ 으로. *로써.

으로 하여금 [구] "ㄹ"終声以外の終声のある体言に付いて, "…をし

て"の意を表わす語. ¶스승~ 감동하게 하다 師をして感動せしめる *로 하여금.

으론 조 ↗으로는. ¶눈~ 보고 입~ 먹는다 目では見, 口では食べる. *론.

으르다¹ 타 (ふやかした米などを)圧しつぶす.

으르다² 타 脅す; 息巻く. ¶진저리나게 ~ さんざん脅しつける / 그냥 안 두겠다고 ~ ただでは置かないと息巻く.

으르렁 부 ① (獣の)うなり声; ほうこう(咆哮)する声. ② いが(啀)み合うさま; 口論するさま. >아르렁.

——-거리다 자 ① (獣が)うなる; ほ(哮)えたける. ¶사자가 ~ ライオンがほえたける. ② いが(啀)み合う; 角突き合う. ¶원수처럼 ~ 敵のようにいがみ合う. >아르렁거리다. ——— 부하자 ① さかんにほえるさま: うおんうおん. ② しきりに争うさま. >아르렁아르렁.

으르르 부하자 寒いときまたは恐ろしさで体がふるえる〔おのの(戦)く〕さま: ぶるぶる. >아르르.

으름-장 명 脅し; 脅迫; いかく(威嚇). ¶~의 효과가 없다 脅しが利かない / ~에 굴하지 않다 脅しに屈しない. ——-놓다 자 脅す; 脅迫する. ¶두 말 못하게 ~ 二言と言えないように脅す.

-으리 어미 ① ↗-으리요. ¶슬픔을 어찌 잊~ 悲しみをいかに忘れん. ② ↗-으리라. ¶임 가시면 나도 죽~ 君逝かば我れも死なん. *-리.

-으리까 어미 終声のある語幹に付いて, 未来の事を問う終結語尾: …ましょうか. ¶제가 읽~ わたしが読みましょうか / 어찌 슬프지 않~ あに(豈)悲しからざらんや.

-으리니 어미 "-을 것이니"の略語: …する(のだ)から; …するゆえに. ¶내가 시를 읊~ 그대는 노래를 부르시게 僕が詩を詠むから君は歌を歌いたまえ.

-으리니라 어미 終声のある語幹に付いて, "…であろう"の意を表わす終結語尾. ¶그럴 법도 있~ そんな事もありうるであろう.

-으리다 어미 終声のある語幹に付けて用いる終結語尾《やや古めかしい語》. ① 注意を促す意: …でしょう; …でありましょう. ¶그만 하고 가는 것이 좋~ そのくらいで帰ったほうがいいでしょう / 그 개를 건드리면 물~ その犬をいじめるとかまれるでしょう. ② 自分の意思をていねいに表わす語: …しましょう. ¶그 돈은 내가 갚~ そのお金はわたしがお返し致しましょう / 내가 업~ わたしが背負いましょう.

-으리라 어미 終声のある語幹に付いて, 推量または未来の意思を表わす終結語尾: …よう; …であろう. ¶벌써 왔~ はや来たであろう / 힘써 가꾸면 좋은 열매를 얻~ 努力して育てれば良い実を得るであろう / 때가 되면 돈도 벌~ 時が来たら金ももう(儲)けるであう. 준 -으리.

-으리-만큼 어미 終声のある語幹に付いて, "…するほど; …するま …するくらいに"などの意を表わ連結語尾. ¶알아듣~ 충고했다 きわける程忠告した.

-으리요 어미 終声のある語幹 付いて, 自問·嘆願を表わす 結語尾: …せん; …ようか; に(豈)…ざらんや. ¶나 싫어 떠나는 을 무엇으로 잡~ わたしを嫌って る君をどういうふうにして引き めようか / 어찌 기쁘지 않~ どうしうれ(嬉)しくなかろうか. 준 -으리. -으랴.

으리으리-하다 형 ① 広大だ; 荘厳 だ; 豪壮だ. ¶으리으리한 주택 豪 な住宅. ② 重重しい; ものも (物物)しい; 厳粛だ. ¶으리으리 군복 차림 物物しい軍服姿.

-으마 어미 終声のある動詞の 幹に付いて, 目下に対し"よ こんでする"との意思を表わす終 語尾: …するよ; …よう. ¶ 려운 일이라면 내가 맡~ むずかしい ことなら僕が引き受けよう. *-마.

-으며 어미 ① "ㄹ"終声以外の 声のある語幹に付いて, 二つ以 の動作や状態を併せて言うときの連結語尾: …つ; … つ. ¶술잔을 주며 받~ 杯を差し 差されつ / 쫓~ 쫓기며 追いつ追わ れつ / 울며 웃~ 떠들다 泣きつ笑い つ騒ぎ立てる. ② ↗-으면서. ¶웃~ 말하다 笑いながら話す. *-며.

-으면 어미 "ㄹ"終声以外の終声のある語幹に付いて, 仮説的条件を表わす連結語尾: …なら; …ば; …と. ¶돈이 있~ 좀더 살 수 있을 텐데 お金が有ればもっと買えるんだが / 가지 않았었~ 行かなかったなら. *-면.

-으면서 어미 "ㄹ"終声以外の終声のある語幹に付いて, 二つ以上の動作·状態の同時性を表わす連結語尾: …ながら; …つつ. ¶먹~ 말하다 食べながら話す / 주의하고 있~도 틀렸다 注意をしていながらも間違えた. 준 -으며. *-면서.

-으면은 어미 "-으면"の強勢語. ¶앉~ 존다 座りさえすれば居眠る / 가겠~ 가거라 行くつもりなら行け / 무거운 것을 실~ 안 돼 重いものを載せてはいけない. *-면은.

-으므로 어미 終声のある用言の語幹に付いて, 理由·原因を表わす連結語尾: …ので; …から. ¶돈이 없~ 못 간다 金がないので行けない / 나쁜 짓을 했~ 벌을 받는 것이다 悪い事をしたから罰を受けるのだ. *-므로.

으밀-아밀 부하자 密談するさま: ひそひそ; こそこそ.

-으세요 어미 ☞ -으셔요.

-으셔요 어미 "-으시어요"の略語: …なさい(ませ); …てくだ(下)さい; …でございましょうか. ¶받~ お受

けなさい / 앉~ お座り下さい / 양복이 몸에 맞~ 洋服が身にぴったりであります / 작지 않~ 小さくはありませんでしょうか. *-셔요.

으소서 어미 "합쇼하다"を言うべきとき終声のある語幹に付いて, 願望·勧誘を表わす終結語尾: …なさい(ませ); …なされよ. ¶ 이 신을 신~ この靴をお履きなさいませ / 충언을 듣~ 忠言をお聞きいれください. *-소서.

으스-대다 자 肩を張る; 肩をいからす; 威張る; 大言壮語する. ¶ 덮어놓고 ~ むやみに威張る.

으스러-뜨리다 타 砕く; こわす; めちゃめちゃにする; こなごなにする. >아스러뜨리다.

으스러-지다 자 砕ける; こわれる; めちゃめちゃになる; こなごなになる. >아스러지다. ¶ 머리가 ~ 頭部がこなごなになる.

으스름 달밤 명 おぼろづきよ(朧月夜); おぼろよ(朧夜).

으스름-하다 형 おぼろ(朧)だ; 月がほんのりと明るい. ¶ 봄날 밤의 으스름한 달빛 春の夜のおぼろげな月影.

으스스 부하형 寒気や嫌な物が肌に触れて鳥肌が立つさま: ぞくぞく. ¶ 등이 ~하다 背中がぞくぞくする / ~ 춥다 肌寒い; うすら寒い / ~ 찬 바람이 불다 肌寒い風が吹く.

으슥-하다 형 ① 気味悪い程奥まって静かだ; ひっそり(と)している. ¶ 으슥한 뒷골목 ひっそり(と)した裏通り. ② 寂しいほどものしずかである; しんとしている. ¶ 으슥한 방 奥まった部屋.

으슬-으슬 부하형 鳥肌が立つように寒気がするさま: ぞくぞく. >아슬아슬·오슬오슬. ¶ ~ 오한이 난다 ぞくぞく(と)悪寒がする.

으슴푸레-하다 형 月の光がおぼろ(朧)だ; ぼんやりしている; かすかだ.

으썩 부하자타 固い物を強くかみ砕くさま. また, その音: がりっ. ——-거리다 자타 続けざまにがりっとかみ砕く; しきりにがりっと音を立てる. ———— 부하자타 がりがり; がりっと.

으쓱[1] 부 寒気や恐怖などで体がすくむさま: ぞっと; ひやっと. >아쓱. ——-하다 형 ぞっとする; ひやっとする.

으쓱[2] 부하자타 うぬぼ(自惚)れて肩を怒らす〔切る, 張る, そびやかす〕さま: ぐっと. ——-거리다 자타 しきりに肩を怒らす〔切る, 張る, そびやかす〕; 得意然とする; 気取る; もったいぶ(勿体振)る. ———— 부하자타 得意がってしきりに肩をそびやかすさま.

으아 감 ① 赤子の泣き声: おぎゃあ. ② 感嘆して叫ぶ声: ああ; やあ; わあ.

으악 감 ① 食べ物を吐き戻す音: げえ. ② 驚いたときまたは驚かすときに出す声: わっ.

으앙 감 赤子の泣き声: ぎゃあ; おぎゃあ. ———— 감 ぎゃあぎゃあ; おぎゃあおぎゃあ.

-으오 어미 終声のある語幹に付いてやや丁寧に, 疑問·命令·説明などを表わす終結語尾: …い(し)ます(か); …(し)なさい. ¶ 내 손을 잡~ わたしの手をつか(摑)みなさい / 그것이 적~ それが少ないのです(か). *-오.

-으오이다 어미 終声のある語幹に付いて, "-으오"よりやや丁寧な語で, 叙述·説明に用いる語: …(し)ます; …です. ¶ 그 양복은 너무 작~ その洋服は小さ過ぎます. ㉮ -으외다.

-으옵니까 어미 "-으옵"と"-나이까"が縮約された語: …ますか; …ですか. ¶ 달빛이 밝~ 月が明るございますか. *-옵니까.

-으옵니다 어미 "-으옵"と"-나이다"が縮約された語: …ます; …です. ¶ 색이 검~ 色が黒いです / 아픔이 가라앉~ 痛みが鎮まります. *-옵니다.

-으옵디까 어미 "-으옵"と"-더이까"が縮約された語: …てますか; …ですか. ¶ 말을 잘 듣~ 言う事をよく聞いていましたか. *-옵디까.

-으옵디다 어미 "-으옵"と"-더이다"が縮約された語: …てました; …でした. ¶ 이제는 일어나 앉~ 今ではもう起き上がって居りました. *-옵디다.

-으외다 어미 ↗-으오이다. ¶ 요즈음에는 고전을 읽~ この頃は古典を読んでおります. *-외다.

으응 감 ① "해라"や"하게"の言葉遣いをするときの反問·肯定に用いる語: うん; ん; え; ああ. ¶ ~, 알겠다 うん, 分かった. ② 気に入らないときまたはいらだたしいときに出す声: え; えい; あ.

-으이 어미 "하게하다"を言う場合に, 終声のある形容詞の語幹に付いて, 自分の考えや感じを表わす終結語尾: …な(あ). ¶ 자네 말이 옳~ 君の言ったことが正しいな / 이젠 싫~ もう嫌だよ. ㉮ -의.

으지적 부하자타 固くてこわ(強)いものをかむ音: がりっ. >아지작.

으지직 부하자타 組み合わせて作った箱などがつぶれる音: めりっ; めりめり. >아지직. ——-거리다 자타 しきりにめりめりと音がする. ———— 부하자타 めりめりめりめり.

으쩍 부하자타 固い物をきつくかむ音: がりっ; ぎゃりっ. ———— 부하자타 がりっがりっ; ぼりっぼりっ.

으츠러-지다 자 (野菜などが他の物に触れて)ぐじゃぐじゃになる; つぶれる; 形がくずれる.

으크러-뜨리다 타 ① きつく圧しつぶす. ② ☞ 뭉크러뜨리다. ㅆ으끄러뜨리다.

으흐흐 감 わざと陰険に笑う声: うふふ.

윽-물다 타 かみしめる; 食いしばる. >악물다. ¶ 이를 윽물고 참다 歯を食いしばって堪える.

윽-물리다 피동 (きつく)かみしめられ

る；食いしばられる．＞악물리다．

욱-박다 [타] 無理やりに押さえつける．

욱박-지르다 [타] 脅す；おびやかす；いかく(威嚇)する；どやしつける．¶되게 ～ ひどくどやしつける．

은【銀】[명]〖鑛〗銀；白金；シルバー．¶～ 백 량 銀百両／～으로 만든 칼 白金造りの太刀．

은 [조] 終声のある体言に付いて，物事を区別するときに用いる補助詞：…は；…には；…では．¶이것～ 책이다 これは本である／당장～ 대답 못 드립니다 すぐには御返事できません／꽃～ 아니다 花ではない／조금～ 알려진 이름이다 ちっとばかりは知られた名である．＊는．

-은 [어미] 終声のある用言の語幹に付いて，既定の事実を表わす冠形詞形の語尾：…た；…な．¶썩～ 생선 腐った魚／갚～ 빚 返した借り／검～ 모자 黒い帽子／작～ 집 小さな家．＊-는．

-은가 [어미] 終声のある形容詞の語幹に付いて，現在の状態に対し"하게하다"の言葉遣いをする場合の質問を表わす終結語尾：…か；…のか．¶그것은 건강에 좋～ それは健康に良いのか／그자는 몸집이 작～ きゃつは体つきが小さいか．＊-ㄴ가．

은-가락지【銀―】[명] 銀の指輪．

-은가 보다 [구] …らしい；…(の)らしいね．¶기분이 좋～ 気持ちがいいようだ／물이 깊～ 水が深いらしいね．＊-ㄴ가 보다．

은거【隱居】[명] 隱居．――하다 [자] 隱居する；ぐう(寓)する．

-은거냐 [어미] 終声のある語幹に付く疑問形の終結語尾．① 動詞の語幹に付いて，…したのかの意．¶네가 잡～ お前が捕らえたものかね．② 形容詞の語幹に付いて"…ものか"の意．¶짧～ 短いのかね／검～ 黒いものかね．

-은거야 [어미]"-은 것이야"の略語．① 終声のある動詞の語幹に付いて，"…したのだ"の意．¶내가 잡～ 僕が捕らえたものだ．② 終声のある形容詞の語幹に付いて，"…(もの)だ"の意．¶네 것이 좋～ お前のがいいものだよ／내 것은 얇～ 僕のは薄い方のものだよ．

-은걸 [어미]"-은 것을"の略語で，終声のある語幹に付いて，既定の事実に感嘆するとき，または，相手に再考をうながすときの終結語尾：…な；…ね；…したよ．¶너무 작～ あまり小さいな／저 산은 꽤 높～ あの山は相当高いね／벌써 내가 먹～ もう僕が食べてしまったよ．＊-ㄴ걸·-는걸．

은고【恩顧】[명][하타] 恩顧；情をかけること．¶남의 ～를 입다 人の恩顧を被る．

-은고 [어미]"-은가"の古めかしい言い方：…のか；…だろう．¶얼마나 높～ いかほど高いのか．

은공【恩功】[명] 恩恵と功労．

은광【銀鑛】[명]〖鑛〗銀鉱；銀山．

은괴【銀塊】[명] 銀塊．

은-군자【隱君子】[명] ① 世をのがれ野にいる有徳な人．② 菊の異名．③ ☞ 은근짜．

은근【慇懃】[명][하형] いんぎん(慇懃)ひそやかで情がこもること．¶～한 사이 ただならぬ仲／말 속에 ～한 정이 흐르다 言葉の中にひそやかな情がこもる．――히 [형] こっそりと；それとなく；暗に．¶～ 반대하다 暗に反対する／세상 이야기로 ～ 속을 떠보다 世間話でそれとなく探って見る／～ 골탕먹이다 真綿で首を締める．

은근짜 [명]《俗》① 密淫売婦．② 悪賢い人；かんち(奸智)にたけた人．

은기【銀器】[명] 銀の器．

은-기명【銀器皿】[명] 銀製の器と皿．

은-니【銀―】[명] 銀歯．

은닉【隱匿】[명] いんとく(隱匿)．¶～ 물자 隱匿物資．――하다 [타] 隱匿する；包み隱す．¶범인을 ～하다 犯人を隱す．

‖――죄 [명] 隱匿罪．―― 행위 [명] 隱匿行為．

은덕【恩德】[명] 恩徳；恩《준말》．

-은데 [어미]"있다·없다" 以外の終声のある形容詞の語幹に付く語．① 次に来る語を引き出すため前もって言う連結語尾：…が；…のに．¶물건은 좋～ 값이 비싸다 品はいいが値段が高い／사람은 좋～ 줏대가 없다 人はいいんだが定見がない／날씨는 좋～도 바람이 차다 天気はいいのに風が冷たい．② 軽い同意を求めるときに用いる終結語尾：…(だが)なあ；…(のに)ねえ．¶산이 꽤 높～ 山が相当高いなあ／좀더 공부를 열심히 하면 좋～ もう少し勉強をしたらいいんだがなあ．＊-ㄴ데·-는데．

은-도금【銀鍍金】[명][하타] 銀めっき(鍍金)．

은-돈【銀―】[명] 銀貨．

은둔【隱遁】[명][하자] いんとん(隱遁)．¶～ 생활 隱遁生活．

-은들 [어미] 終声のある語幹に付いて，譲歩と反問の意を表わす連結語尾：…といっても；…とて；…としても．¶산이 높～ 얼마나 높겠느냐 山が高いというもののどれ程高かろう／먹～ 얼마나 먹으랴 食べるとていか程食べようか．＊-ㄴ들．

은-딱지【銀―】[명] 時計の銀側．¶～ 시계 銀側時計．

은령【銀嶺】[명] ぎんれい(銀嶺)．

은로【銀露】[명] 銀露；月光に光る夜露．

은륜【銀輪】[명] 銀輪．

은린【銀鱗】[명] ぎんりん(銀鱗)．① 銀色のうろこ(鱗)．② 魚の別称．

은막【銀幕】[명] 銀幕；スクリーン．¶～의 여왕 銀幕の女王．

은-메달【銀―】〔medal〕[명] 銀メダル．

은-몰【銀―】〔포 mogol〕[명] 銀モール．¶～의 예복 銀モールの礼服．

은-문자【銀文字】[명] 銀文字．

은-물【銀―】[명] 溶解された銀．

은밀【隱密】[명][하형][스형] 隱密；内密；内緒；内内．¶～한 계획 隱

密な計画/～한 의논 密密の相談/～한 일 密かごと; 内緒事. ——히 부 隱密に; 密かに; 内密に. ¶～ 일을 진행시키다 密かに事を運ぶ/일을 꾀할 때는 ～ 해야 한다 謀は密なるをもって良しとす.

-은바 구 …したら; …したところ. ¶ㅓ～ 과연 맛이 좋더라 食べたところ実にうまかった/읽～ 정말 재미있더라 読んでみたら本当に面白かった. *-ㄴ바.

-은바에 구 どうせそのようになったからには. ¶맡～ 해내야 한다 引きうけたからにはや(遣)り遂げねばならない/기왕 늦～ 밥이나 들고 가세 どうせ遅くなったからには飯でも取って行こうや.

은박【銀箔】 명 ぎんぱく(銀箔). ¶～가루 銀砂子/～이 벗겨지다 銀箔がはげる.

은반【銀盤】 명 銀盤. ¶～의 여왕 銀盤の女王.

은-반지【銀半指】 명 銀の指輪.

은발【銀髪】 명 銀髪; 白髪.

은방【銀房】 명 金銀製の物を売る店.

은-방울【銀—】 명 銀鈴.

은배【銀杯】 명 銀杯. =은잔(銀盞).

은백-색【銀白色】 명 銀白色; 銀色のような白色.

은병【銀瓶】 명 銀製の瓶.

은본위-제【銀本位制】 명〖經〗 銀本位制.

은분【銀粉】 명 銀粉.

은-붙이【銀—】 명 銀製の物の総称.

은-비녀【銀—】 명 銀製のかんざし. =은잠(銀簪)·은채(銀釵).

은-빛【銀—】 명 銀色; 白金色. ¶～을 발하다 銀色を発する.

은사【恩師】 명 恩師. ¶～의 가르침〔교훈〕 恩師の教え.

은사【恩赦】 명하타〖史〗 恩赦. ¶～를 입다 恩赦にあずかる.

은사【恩賜】 명 恩賜.

은사【銀沙】 명 銀砂; 白い砂.

은사【銀絲】 명 銀糸.

은사【隱士】 명 隱士; 隱者.

은산【銀山】 명 銀山. =은광.

은상【恩賞】 명하타 恩賞. ¶주군으로부터 ～을 받다 主君から恩賞を賜わる.

은색【銀色】 명 銀色. =은빛.

은-세계【銀世界】 명 銀世界. ¶눈이 내려 쌓여 ～가 되다 雪が降り積もって銀世界になる.

은-세공【銀細工】 명하자 銀細工.

은-수저【銀—】 명 銀製のさじ(匙)とはし(箸).

은-시계【銀時計】 명 銀時計; 銀側時計; 銀側《준말》.

은신【隱身】 명하자 身を隠すこと. ¶범인의 ～처를 알아내다 犯人の隠れ家〔場〕をつきとめる/안성맞춤의 ～처다 究竟の隠れ場だ.

은-실【銀—】 명 銀糸.

은애【恩愛】 명 恩愛. ¶～가 얕지 않다 恩愛浅からず.

은어【銀魚】 명〖魚〗 あゆ(鮎). ¶～의 소금구이 鮎の塩焼き.

은어【隱語】 명 隱語; 隠し言葉.

은연【隱然】 명하형 隱然. ¶정계의 원로로서 ～한 세력을 갖고 있다 政界の元老として隠然たる勢力を持っている. ——히 부 隠然と; 密かに. ——-중(中) 명부 隠然たる中; 事実上; よそながら; それとなく; 密かに. ¶～에 隠然たる中に/～ 경계의 눈을 게을리하지 않다 それとなく警戒の目を怠らない.

은-옥색【銀玉色】 명 薄い水色.

은원【恩怨】 명 おんえん(恩怨); おんしゅう(恩讐).

은유【隱喩】, 은유-법【隱喩法】 명 いんゆ(隠喩); いんゆ(隠喩)法.

은은-하다【殷殷—】 형 いんいん(殷殷)とする. ¶은은한 포성 殷殷たる砲声. **은은-히** 부 殷殷と.

은은-하다【隱隱—】 형 隠隠としている; ほの(仄)かだ. **은은-히** 부 隠隠と; 仄かに; そこはかとなく. ¶장미꽃 향기가 ～ 풍겨 오다 ばらのかおりが仄かに漂って来る.

은의【恩義】 명 恩義. ¶남의 ～에 보답하다 人の恩義に報いる.

은익【隱匿】 명하타 ←은닉(隱匿).

은인【恩人】 명 명 恩人. ¶생명의 ～ 命の恩人.

은인【隱人】 명 隠者.

은인【隱忍】 명하자 隠忍.
‖—— 자중 명하자 隠忍自重.

은자【銀字】 명 銀泥で書いた文字.

은자【隱者】 명 隠者; 隠士.

은잔【銀盞】 명 銀杯.

은장【銀匠】, 은-장색【銀匠色】 명 ☞ 은장이.

은-장도【銀粧刀】 명 銀の懐刀.

은-장식【銀裝飾】 명하타 銀で飾ること.

은-장이【銀匠—】 명 飾り職(人); 金銀で細かい細工をする職人. =은장·은장색.

은-저울【銀—】 명 金銀などを計るはかり(秤). =은형(銀衡)·은칭(銀秤).

은전【恩典】 명 恩典. ¶감형의 ～을 입다 減刑の恩典に浴する.

은정【恩情】 명 恩情. ¶인정 있는 착한 마음을 ～이라 한다 思いやりのあるやさしい心を恩情という.

은제【銀製】 명 銀製; 白金造り. ¶～의 도구 銀の道具; 銀器/～의 식기 銀の食器.

은-종이【銀—】 명 銀紙.

-은즉 어미 終声のある語幹に付いて, 既定の事実または原因を軽く条件づける連結語尾: …から; …したら; …と; …ので. ¶많이 입～ 따뜻해졌다 沢山着込んだところ温かくなった. *-ㄴ즉.

-은즉슨 어미 "-은즉"の強勢語. ¶신을 벗～ 발이 편하다 靴をぬいだら足が楽になった. *-ㄴ즉슨.

은지【銀紙】 명 ☞ 은종이.

-은지 어미 終声のある語幹に付いて漠然と疑問を表わす終結語尾, または連結語尾: …のか; …やら. ¶정말 말해도 좋～ 모르겠다 本当に話してもいいのかわからない/얼마나 깊～ 모르겠다 どれほど深いのかわからない.

-은지고 [어미] 終声のある語幹に付いて感じを強める終結語尾: …かな. ¶아아, 가엾~ あ, 哀れなるかな / 좋~ 善きかな.

-은지라 [어미] 終声のある語幹に付いて, 次の語の理由や前提になる事実を表わすときに用いる連結語尾: …から; …(な)ので. ¶머리가 좋~ 공부를 잘 한다 頭がいいので勉強がうまい.

은-지환【銀指環】[명] ☞ 은가락지.

은짬 [명] 隠密なくだり(件)・所.

은초【銀—】[명] ① はくろう(白蠟)のろうそく(蠟燭). ② ☞ 은촉(銀燭).

은촉【銀燭】[명] 明るく光り輝くともしび(灯). =은초.

은총【恩寵】[명] おんちょう(恩寵); 恵み. ¶신의 ~ 神の恩寵〔恵み〕.

은침【銀鍼】[명] 銀のはり(鍼).

은-컵【銀—】〔cup〕[명] 銀のコップ.

은-택【恩澤】[명] 恩沢; 恵み; 情け.

은-테【銀—】[명] 銀縁. ¶~ 안경 銀縁眼鏡.

은-테두리【銀—】[명] 銀縁の品物の総称.

은퇴【隱退】[명][하자] 引退. ¶공직에서 ~하다 公職から引退する / 노령을 이유로 ~하였다 老齢を以って引退した.

은파【銀波】[명] 銀波.

은폐【隱蔽】[명][하타] いんぺい(隠蔽). ¶사실을 ~하다 事実を隠す.

은하【銀河】[명]〔天〕銀河; 天の川〔河〕.
‖——-계 [명]〔天〕銀河系. ¶우리 ~〔天〕我我の銀河系. ——-수(水) [명] 天の川.

은합【銀盒】[명] 銀製のやや底の深い円形の器.

은행【銀行】[명] 銀行; バンク. ¶혈액 ~ 血液銀行 / 지방 ~ 地方銀行; 地銀《준말》/ ~과 거래를 트다 銀行と取り引きを始める.
‖——-가 [명] 銀行家. —— 거래(去來) [명] 銀行取り引き. ——-권 [명] 銀行券. —— 수표(手票) [명] 銀行小切手. —— 어음 [명] 銀行手形. —— 이율 [명] 銀行利率. ——-장 [명] (銀行の)頭取. —— 준비금 [명] ☞ 지급 준비금. —— 할인 [명] 銀行割引.

은행【銀杏】[명]〔植〕ぎんなん(銀杏); いちょうの実.
‖——-나무 [명]〔植〕いちょう(銀杏). ¶~ 가로수 いちょう並木.

은현【隱現·隱顯】[명][하자] 隠見〔隠顕〕. ‖—— 잉크 [명] 隠顕インク.

은혈【隱穴】[명] 隠れ穴. ——-로 [부] 密かに害するさま.
‖——-못 [명] 両端のとがった木製のくぎ(釘); 合いくぎ.

은혜【恩惠】[명] 恩恵; 御恩; 恩. ㊜ 은(恩). ¶~를 입다 恩をこうむる / ~를 베풀다 恩恵を施す / ~를 저버리다 恩を忘れる / ~에 보답하다 恩に報いる / ~를 원수로 갚는다《俚》恩を仇で返す. ——-롭다 [형] 恩に感じる. ——-로이 [부] ありがたく.

은혼-식【銀婚式】[명] 銀婚式.

은화【銀貨】[명] 銀貨. =은전(銀錢). ¶~ 본위제 銀貨本位制.

은화 식물【隱花植物】[명]〔植〕隠花植物 =민꽃 식물.

은환【銀環】[명] 銀環. ① ☞ 은(銀)가락지. ② 銀製の輪.

을【乙】[명] ① 乙. ② きのと(乙).

을 [조] 終声のある体言に付いてその語を目的語にする目的格助詞. ① …を. ¶책~ 읽다 本を読む / 길~ 가다 道を行く / 산길~ 오르다 山道を登る / 발~ 통하여 ~ 보다 すだれを通して内を見る. ② …が. ¶글~ 읽지 못하다 字が読めない / 물~ 마시고 싶다 水が飲みたい. ③ …に. ¶남편~ 잘 섬기다 夫によく仕える / 동생~ 만나다 弟に会う / 기선~ 타다 汽船に乗る. * 를.

-을 [어미] 終声のある語幹に付く冠形詞形転成語尾. ① 一般の事実を表わすのに用いる. ¶책을 읽~ 때가 가장 즐겁다 本を読むときが最も楽しい / 벚꽃이 반쯤 피었~ 것이다 桜が半開になっただろう. ② 未来や, 推量を表わすときに用いる. ¶죽~ 사람 死ぬ(べき)人 / 내일은 맑~ 것이다 明日は晴れるだろう. * -ㄹ.

-을거나 [어미] 終声のある動詞の語幹に付いて, 詠嘆調で"そうしようじゃないか"の意を表わす終結語尾. ¶책을 읽~ 本を読もうかな.

-을거냐 [어미] 終声のある動詞や"있다"の語幹に付いて, "…つもりか; …するのか"の意を表わす終結語尾. ¶읽~ 안 읽~ 読むつもりなのか読まないつもりなのか / 얼마나 있~ どのぐらい留まるつもりなのか.

-을거다 [어미] 終声のある用言の語幹に付いて, "…するだろう"の意を表わす終結語尾. ¶꼭 잡~ 必ずつかまえるだろう / 오늘도 늦~ 今日もまた遅くなるだろう.

-을거야 [어미] ① 終声のある動詞や"있다"の語幹に付く終結語尾. ㉠ 相手の意思を問う語: …するのか; …をやるのか. ¶더 안 씻~ もっと洗わないのかね. ㉡ 自分の意思を表わす語: …するよ. ¶갖고 있는 책은 다 읽~ 持っている本は皆読む(つもりだ)よ / 더 있~ も少しいるつもりだよ. ② 終声のある用言の語幹に付いて, 可能性や推量を表わす終結語尾: …かろう; …だろう. ¶이 강은 꽤 깊~ この川は相当深かろう / 더 이상 사고는 일어나지 않~ これ以上事故は起こらないだろう.

-을걸 [어미] ① "-을 것을"の略語: …はず(筈)だったのに; …だったものを. ¶누님을 따라 갔으면 좋았~ 姉について行けばよかったのに / 책이나 많이 읽~ 本でもうんと読むものを. ② 終声のある語幹に付いて, 推量を表わす終結語尾: …だろう(な); …であろうに. ¶아마 같~ おそらく同じだろうな / 빨리 가면 시간에 댈 수 있~ 急げば間に合うだろうよ.

을게 [어미] 終声のある動詞または"있다"の語幹に付いて, "将来…する"の意を表わす終結語尾: …するよ. ¶그럼 기다리고 있~ では待っているよ / 더 읽~ もっと読むよ. * -ㄹ게.

을근-거리다 [자] (憎しみをあらわに)脅し付ける. 을근-을근 [부][하자] しきりに脅すさま.

을까 [어미] 終声のある語幹に付いて未来または現在の事柄を推量して, 疑問または自分の考えを表わす終結語尾: …だろうか; …(する)かな. ¶그는 왜 이렇게 늦~ 彼はどうしてこんなに遅いんだろうか / 이것을 주면 받~ これをやれば受けとるかな / 그도 같이 왔더라면 얼마나 좋았~ 彼も一緒に来たらどんなによかったろうか / 저것을 먹~ あれを食べるだろうか; あれを食べようか. * -ㄹ까.

-을까 말까 [구] ① 終声のある動詞または"있다"の語幹に付く語: …しようかしまいか. ¶새 구두를 신~ 新しい靴をはこうかやめようか. ② 終声のある動詞の語幹に付く語; ある分量に達するようでもありそうでもないようであるときに使う: …に足るか足らないか; …を越すか越さないか. ¶저 나무는 20m를 넘~ 하다 あの木は二十メートルを越えるか越えんかだ.

-을까 보냐 [구] 終声のある語幹に付いて, "どうしてそんな事〔はず〕があろうか"の意を表わす語. ¶이런 따위를 믿~ こんなものを信ずるものか / 비싸다고 해서 다 좋~ 値が高いからって皆いいはずがあろうか / 어찌 잊~ どうして忘れようか.

-을까 보다 [구] ① 終声のある語幹に付いて, 疑わしい意を表わす語: …しそうだ. ¶지금 나서면 비를 맞~ 今出掛けたら雨に降られそうだ. ② 終声のある動詞または"있다"の語幹について, 自分の意思を表わす語: …しようか; …しまおうか. ¶차라리 죽~ いっそのこと死んでしまおうか.

-을는지 [어미] 終声のある語幹に付いて, 疑問を表わす終結または連結語尾. ① 推量を表わす: …だろうか; …あろうか. ¶아직 있~ 未だあろうかな / 과연 갚~ 알 수 없다 果たして返すだろうか知らん. ② 意思を表わす: …する(だろう)か; …するかも. ¶이 옷은 예쁘니까 입~ 모르겠다 この着物はきれいだから着るかも知れない / 이 약을 먹~ この薬を飲むだろうか. ③ 可能性を表わす: …(できる)だろうか; …(できる)かも. ¶제시간에 닿~ 間に合うだろうか / 심한 폭풍우에는 이런 배는 금새 가라앉~ 모른다 ひどい嵐にはこんな船はすぐ沈むかも知れない. * -ㄹ는지.

-을 듯이 [구] 終声のある動詞の語幹に付いて, "あたかも…するばかりに"の意を表わす語. ¶잡아먹~ 덤빈다 食い殺さんばかりにおそいかかる / 죽~ 날뛴다 死なんばかりにあばれる.

-을라 [어미] 終声のある語幹に付いて, 目下の誤りを心配する終結語尾: …しないように; (もしかすると)…かも知れない. ¶시간에 늦~ 時間に遅れないように.

-을락-말락 [어미] 終声のある動詞の語幹に付いて, "ほとんどできそうでできない"の意を表わす連結語尾. ¶얼음이 녹~한 길 氷が解けんばかりの道 / 키가 천장에 닿~하다 背が天井にすれすれだ. * -으락말락.

을랑, 을랑은 [조] 助詞"은"の意を強調する補助詞: …ものは; …だけは; …は. ¶이런 책~ 읽지 마라 こんな本(など)は読むな / 꽃~ 꺾지 마라 花は折らないようにせよ.

을러-메다 [타] どうかつ(恫喝)する; 脅し付ける.

-을런가 [어미] 終声のある語幹に付いて相手の経験を直接問うときの終結語尾: …だろうか. ¶네 마음에 맞~ お前の気に入るだろうかな / 이 산보다 높~ この山より高いだろうか.

-을 망정 [어미] 終声のある語幹に付いて, "したとて; …でも; …とも; …といえども"などの意を表わす連結語尾. ¶키는 작~ 담은 크다 背は小さくとも肝っ玉は太い / 승낙(承諾)은 하지 않~ 만나는 주겠지 承知はしないまでも会ってはくれよう. * -ㄹ망정.

을밋-을밋 [부][하자] あれやこれやと期限を引き延ばすさま.

-을 바에 [구] 終声のある語幹に付いて, "どうせ …するからには"の意を表わす語. ¶이왕 죽~ 할 말을 다 하겠다 どうせ死ぬからには言うべき事は皆言っておこう. * -ㄹ 바에.

-을 바에야 [구] "-을 바에"の強勢語. ¶기왕 늦~ 천천히 가자 どうせおくれるからにはゆっくり行こう. * -ㄹ 바에야.

-을 밖에 [구] 終声のある語幹に付いて, "…するよりほかはない; …するはずだ"の意を表わす語. ¶게으르니 학교에 늦~ 怠けるから学校におくれる筈だ / 내놓으라니 내놓~ 出せと言うからには出すほかに仕様がない.

-을 뿐더러 [구] 終声のある語幹に付いて, "…(する) ばかりでなく; またその上に; …のみならず"の意を表わす語. ¶학교 시설도 좋~ 선생님들도 모두 훌륭하시다 学校の施設がいいばかりか先生方も皆ご立派でいらっしゃる. * -ㄹ 뿐더러.

을사 조약【乙巳條約】 [명]〔史〕乙巳条約; 第二次韓日協約. =을사 오(五)조약.

-을세라 [어미] 終声のある語幹に付いて, "(もしか) …しやしないか"という危惧の念を表わす終結語尾. ¶늦~ 뛰어가다 遅れては大変と走って行く; 遅れじと駆けて行く.

ㅇ

-을세-말이지 어미 終声のある語幹に付いて，他人が予想して言った条件を客観的に否定する終結語尾：…すればいいが；…であればいいが；…ならばいいが；…ならともかくね．¶날씨가 좋～ 天気がよければなあ／책을 읽～ 本を読めばいいのにね．

-을수록 어미 終声のある語幹に付いて，"…(す)ればするほど"の意を表わす連結語尾．¶많～ 좋다 多ければ多いほどよい／읽～ 재미나는 소설 読めば読むほど面白い小説．＊-ㄹ수록．

을씨년-스럽다 형 ①非常に物寂しく見える．②(暮らしがひどく)窮している；見すぼらしい．

-을 양으로 구 終声のある動詞または"있다"の語幹に付いて，"…するつもりで"の意を表わす語．¶손의 것을 빼앗～ 을렀다 手の物を奪うつもりで脅しつけた．

-을 양이면 구 終声のある動詞や"있다"の語幹に付いて，"…するつもりなら"の意を表わす語．¶좋은 책을 읽～ 도서관에 가게 いい本を読むつもりなら図書館に行け．

-을작시면 어미 終声のある動詞や"있다"の語幹に付いて，"…すれば；…になれば"の意を表わす連結語尾．¶그의 말을 듣고 있～ 화가 난다 彼の話を聞くにつけて腹立たしくなる．

을종【乙種】 명 乙種．

-을지 어미 終声のある語幹に付いて推測の疑問を表わす連結語尾：…(する)やら；…だろうか．¶막차가 있～ 아무튼 가 봅시다 終列車があるのやら，とにかく行って見ましょう．＊-ㄹ지．

-을지나 어미 終声のある語幹に付いて，"(当然)…すべきだが"の意を表わす連結語尾．¶산은 높～ 꼭 오르리라 山は高けれどきっと登って見せる．

-을지니 어미 終声のある語幹に付いて，"(当然)…するべき〔はず〕だから"の意を表わす連結語尾．¶아픔이 가라앉～ 약을 먹어라 痛みが治まるはず(筈)だから薬を飲めよ．

-을지니라 어미 終声のある語幹に付いて，"(当然)…すべきである"の意を表わす終結語尾．¶사람은 덕을 닦～ 人は徳を修めるべきである／그쯤은 참～ それ位は辛抱すべきである．

-을지라 어미 終声のある語幹に付いて，"(当然)そうあるべきだから"の意を表わす連結及び終結語尾．¶고난도 많～ 각오하라 苦難が多かろうに覚悟せよ．

-을지라도 어미 終声のある語幹に付いて，"たとえ…といえど(雖)も；…としても；…とも；…ても"の意で未来の事を仮定する連結語尾．¶어떤 일이 있～ 움직여서는 안 된다 どんな事が有ろうとも動いてはいけない／돈이 많～ 헛되이 써서는 안 된다 金が多いとてむだづか[いを]してはならない．＊-ㄹ지라도．

-을지어다 어미 終声のある動詞や"있다"の語幹に付いて，"(当然)…すべきだ"の意を表わす終結語尾．¶나라를 위하여 죽～ 国のために死すべきだ．＊-ㄹ지어다．

-을지언정 어미 終声のある語幹に付いて，"(たとえ)…をする〔である〕よりはむしろ"の意を表わす連結語尾：…する〔である〕ことがあっても；…たりとも；…でこそあれ．¶굶어 죽～ 지조야 굽히랴 飢え死にするとも志は曲げまい／몸은 늙었～ 마음은 젊다 身は老いたりといえど(雖)も心は若い．＊-ㄹ지언정．

-을진대，-을진댄 어미 終声のある語幹に付いて"いったん(一旦)するならば；一旦するからには"の意を表わす連結語尾．¶책을 읽～ 정독을 하라 本を読むからには精読せよ／하겠다고 나섰～ 끝까지 해라 やると言ったからにはとことんまでやってのけろ．＊-ㄹ진대·-ㄹ진댄．

-을진저 어미 終声のある語幹に付いて，"(当然)…すべきだ〔である〕；おそらく…であろう"の意を表わす終結語尾．¶돈이 싫은 자는 없～ お金を嫌がる人は無かろうな／모름지기 덕을 쌓～ 須らく徳を修めるべきである．

-을테다 구 終声のある用言の語幹に付いて，"…するはず(筈)だ；…であろう；…するつ(積)もりだ"の意を表わす語．¶내가 먹～ 僕が食べるぞ／원수를 꼭 갚～ 必ずあだ(仇)を討って見せるぞ．

읊다 타 詠〔読〕む；しょう(誦)する；詠ずる；吟ずる；吟唱する；吟詠する．¶한시를 ～ 漢詩を誦する／고인의 유작을 ～ 故人の遺作を詠ずる／자작시를 ～ 自作の詩を吟唱する〔吟ずる〕．

읊조리다 타 吟ずる；詠ずる；口ずさむ．¶시를 작은 소리로 ～ 詩を微吟する．

음【音】 명 ①音．¶맑은 ～ 澄んだ音．②↗자음(字音)．

음【陰】 명 ①易学での陰．②数学での負数；マイナス．

-음 어미 終声のある用言に付いて，その語を名詞化する語尾．¶웃～ 笑い；笑うこと／얼～ 氷／걸～ 歩み；歩くこと．

음가【音價】 명 音価．

음감【音感】 명 音感；響き．¶～교육 音感教育／절대 ～ 絶対音感／～이 좋은 시 響きのいい詩．

음경【陰莖】 명〔生〕陰茎；ペニス；魔羅〔摩羅〕〈俗〉；エム〈學〉．

음계【音階】 명〔樂〕音階．¶장～ 長音階／바른 ～ 正しい音階．

음곡【音曲】 명 音曲．

음공【陰功】 명 陰功．①陰に助ける功徳．②かくれた功労．

음극【陰極】 명〔電〕陰極．
‖——관 명〔電〕陰極管．——선 명 陰極線．

음기【陰氣】 명 陰気．①いんうつな

気. ②〔韓醫〕体内の陰の気.
낭【陰囊】명〔生〕いんのう(陰囊); ふぐり〈雅〉. =신낭(腎囊). ¶～ 수종 陰囊水腫.
-넓이【音—】명〔樂〕音域.
-담【淫談】명 わいだん(猥談).
‖—— 패설(悖說) 명 わいせつ(猥褻)で下種張った話.
-덕【陰德】명 陰徳. ¶～을 베풀다 陰徳を施す.
-덕【蔭德】명 余沢; 余徳; 余薫. ¶조상의 ～을 입고 출세하다 先祖の余薫に浴して出世する.
-독【音讀】명하타 音読.
-독【飮毒】명하자 服毒. ¶～ 자살 服毒自殺.
-두【音讀】명 字音と句読.
-란【淫亂】명하형 いんらん(淫乱); いんぽん(淫奔); みだ(淫)ら. ¶～한 여자 淫らな女性/이야기가 ～하게 되다 話が下掛かる. ——-스럽다 형 淫奔だ.
음량【音量】명 音量. ¶～을 조절하다 音量を調節する.
음력【陰曆】명 [↗태음력] 陰曆; 旧曆. ¶～ 설 旧曆の正月.
음료【飮料】명 飲料; 飲み料; 飲み物. ¶찬 ～ 冷たい飲み物/청량 ～ 清涼飲料.
‖——-수 명 飲料水; 飲み水; 真水. ¶～가 부족하다 飲み水が不足する.
음률【音律】명〔樂〕音律; りつりょ(律呂). ¶～적 リズミカル/～이 바르다 音律が正しい.
음명【音名】명〔樂〕音名.
음모【陰毛】명 恥毛. =거웃¹.
음모【陰謀】명하타 陰謀. ¶～를 꾸미다 陰謀をたくらむ〔回らす〕/～를 폭로하다 陰謀を暴く.
음문【陰門】명 陰門; べべ〈方〉.
음미【吟味】명하타 吟味; 味解; がんみ(玩味). ¶숙독 ～ 熟読玩味/계획을 잘 ～하다 計画をよく吟味する/술을 ～하다 酒を味わう.
‖—— 도달(到達) 명하자 徹底的に考えながら目的とする所へ至ること. ㊀미도(味到).
음반【音盤】명 音盤; レコード.
음보【音譜】명〔樂〕音譜. =악보(樂譜).
음보【蔭補】명하자 祖先の功労のおかげ(御蔭)で官職を得ること.
음복【飮福】명하타 なおらい(直会); 祭祀の後供え物をおろしていただくこと.
음부【陰部】명 陰部; 局部. ¶～를 가리다 陰部をかくす.
음부 기호【音符記號】명 音符記号.
음-부호【陰符號】명 負の記号; マイナスの記号(－).
음산【陰散】명하형 天気がいんうつ(陰鬱)でひえびえするさま.
음색【音色】명 音色; 声色; 声音. ¶좋은 ～ よい音色/～이 곱다 音色が澄んでいる/～이 비슷하다 声音が似ている.
음서【淫書】명 いんしょ(淫書).
음성【音聲】명 音声; 声; 声音. =목소리. ¶청아한 ～ 清雅な音声/큰 ～으로 大声で.
‖—— 기관 명〔生〕音声器官. —— 기호 명 音声記号. —— 다중 방송 명 音声多重放送. ——-학 명 音声学.
음성【陰性】명 陰性; マイナス.
‖—— 모음 명 陰性母音《母音の"ㅓ·ㅕ·ㅔ·ㅜ·ㅠ·ㅝ·ㅞ·ㅟ·ㅡ·ㅢ" などを言う》.
음세【音勢】명 音勢.
-음세 어미 終声のある動詞または"있다"の語幹に付いて, 自分のおもわくを喜んでするとの意思を表わす終結語尾: …しよう; …する(よ). ¶곧 갚～ すぐ返すよ. *-ㅁ세.
음소【音素】명〔言〕音素.
‖—— 문자 명 音素文字《ローマ字·ハングルなど》.
음속【音速】명 音速.
음송【吟誦】명하타 吟唱. ¶시를 ～하다 詩を吟唱する.
음수【陰數】명〔數〕負数; マイナス.
음순【陰脣】명〔生〕陰唇. ¶대～ 大陰唇/소～ 小陰唇.
음습【陰濕】명하형 陰湿. ¶～한 땅 陰湿な土地.
음시【吟詩】명하자 吟詩.
음식【飮食】명 [↗음식물] 飲食; 食べ物; 食; 食い物; えさ(餌)〈俗〉; ごちそう(御馳走). ¶～에 주의하다 食べ物に気をつける/～을 절제하다 食を制する/～을 가리다 食べ物を選り好みする/훌륭한 ～ 立派なごちそう(御馳走).
‖——-물 명 飲食物; 食べ物; フード. ¶～에 독약을 타다 食べ物に毒を盛る/갖가지 ～ 百味の食べ物/약간의 ～ いったん(一簞)の食. ——-점 명 飲食店; 食べ物屋; 料理店〔屋〕; 飯屋. ¶저 ～은 요리 솜씨가 좋다 あの料理屋は包丁がいい.
음신【音信】명 音信; 音さた(沙汰); 便り; おとずれ.
음실【陰室】명 日光のあたらない陰気な部屋.
음심【淫心】명 いんしん(淫心); 情欲.
음악【音樂】명 音楽; 糸竹〈雅〉; ミュージック. ¶표제 ～ 表題音楽/묘사 ～ 描写音楽/광적인 춤과 ～ 物狂おしい踊りと音楽/～ 감상 音楽鑑賞/무드 ～ ムード音楽/～의 길 糸竹の道.
‖——-가 명 音楽家. ——-계 명 音楽界. ¶혜성과 같이 ～에 나타나다 すいせい(彗星)の如く音楽界に現われる. ——-당 명 音楽堂. ——-회 명 音楽会.
음-양【陰陽】명 陰陽; マイナスとプラス; 正負. ¶～을 조화시키다 陰陽を調和する.
‖——-가 명 陰陽家. ——-각(刻) 명 ①陰刻と陽刻. ②陰刻と陽刻を交ぜて刻むこと. ——-객(客) 명 陰陽家として暮らす人. ——-도 명 陰陽道. —— 배합(配合) 명하자 男女が和合すること. —— 쌍보(雙補) 명하자 体内の陽

の気と陰の気を共に補うこと.
음역【音域】 명 音域. ＝음넓이. ¶ 테너의 ～ テナーの音域.
음역【音譯】 명하타 音訳.
음영【吟詠】 명하타 吟詠.
음영【陰影】 명 陰影; 影.
‖── 화법 명 陰影画法.
음욕【淫慾】 명 いんよく(淫欲〔淫慾〕). ＝색욕(色慾)·육욕(肉慾). ¶ ～이 강한 여자 淫欲の激しい女性.
음용【飮用】 명 飲用. ¶ ～수 飲用水/～에 적당치 않다 飲用に適しない.
음운【音韻】 명 音韻.
‖──-론 명 音韻論.
음울【陰鬱】 명히부 いんうつ(陰鬱). ──-하다 형 陰鬱だ; 湿っぽい. ¶ ～한 날씨 陰鬱な天気/～한 기분 湿っぽい気持ち.
음위【陰痿】 명 いんい(陰痿); インポテンツ.
음-으로【陰─】 부 陰に; 陰で; 内内; こっそり; ひそ(秘)かに. ¶ ～ 돕다 かげになって助ける; 陰で支援する/～ 양으로 陰に陽に; 陰になり日向になり.
음-의【音義】 명 音義. ¶ 법화경의 ～ 法華経の音義.
음-이온【陰─】〔ion〕명〔化〕陰イオン.
음자리-표【音─標】 명〔樂〕音部記号.
음전 명 言行がしと(淑)やかで上品なこと. ──-하다 형 つつ(慎)ましい; つつ(慎)ましやかだ. ¶ ～한 아가씨 慎ましやかなお嬢さん.
음전【音栓】 명〔樂〕おんせん(音栓)《オルガンの栓》; ストップ.
음전【陰電】, 음-전기【陰電氣】 명〔物〕陰電気; 負電気.
음-전자【陰電子】 명〔物〕陰電子.
음절【音節】 명 音節; シラブル. ¶ ～을 끊는 법 シラブルの切り方.
‖── 문자 명 音節文字《日本の仮名のような文字》. ──-순(順) 명 ☞ 가나다순(順).
음정【音程】 명 音程. ¶ ～이 틀리다 音程が狂う.
음조【音調】 명 音調; 節.
음주【飮酒】 명하자 飲酒. ¶ ～ 운전 飲酒〔酒飲み〕運転/～를 삼가다 飲酒をつつしむ.
음증【陰症】 명 ① 陰気な性格. ②〔韓醫〕午後になるともっと悪くなる病気の通称.
음지【陰地】 명 陰地; 日陰. ¶ ～가 양지 되고 양지가 ～된다《俚》天下〔世〕は回り持ち.
‖── 식물 명〔植〕陰地植物.
음질【音質】 명 音質. ¶ ～이 좋은 라디오 音質のいいラジオ.
음차【音叉】 명〔物〕おんさ(音叉). ＝소리 굽쇠.
음충-맞다 형 腹黒くずるい; 陰険だ.
음충-하다 형 ひどく陰険だ. 음충-스럽다 형 陰険なところがある.
음치【音癡】 명 音痴. ¶ ～인 사람 音痴の人/방향 ～ 方向音痴.
음침-하다【陰沈─】 형 陰気だ; いんうつ(陰鬱)だ. ¶ 음침한 성격 陰気な性格; じめじめ(と)した性格 / 음침하고 답답하다 陰気臭い.
음탕【淫蕩】 명 いんとう(淫蕩). ──하다 형 淫蕩だ; 淫らだ. ¶ ～한 생활 淫蕩な生活. ──-스럽다 형 淫蕩なところがある.
음파【音波】 명 音波. ¶ 소리가 ～ 되어 들린다 音が音波になって聞える.
음편【音便】 명 音便《"ㄹ"の後の"이"が"리"になることなど》.
음표【音標】 명〔樂〕音符. ¶ 사분 ～ 四分音符.
음표 문자【音標文字】 명 音標文字; 音声記号.
음풍【淫風】 명 いんぷう(淫風). ¶ 말세적인 ～ 末世的(な)淫風.
음풍【陰風】 명 陰気で冷たい風.
음-하다【淫─】 형 みだ(淫)らだ.
음-하다【陰─】 형 ① 曇っている. ② 腹黒い.
음해【陰害】 명하타 ひそかに人を害すること.
음핵【陰核】 명〔生〕陰核; クリトリス; さね(実〔核〕)〈俗〉. ＝공알.
음행【淫行】 명 いんこう(淫行).
음향【音響】 명 音響; 響き. ¶ 단조로운 ～ 単調な響き.
‖──-기 명 音響器. ── 신호 명 音響信号. ── 측심 명 音響測深. ──-학 명 音響学. ── 효과 명 音響効果.
음험【陰險】 명 陰険. ──-하다 형 陰険だ; 腹黒い. ¶ ～한 인물 陰険な人物.
음화【陰畫】 명 陰画; ネガチブ; ネガ. ¶ ～ 수정 陰画修正.
음-훈【音訓】 명 音訓. ¶ 한자의 ～ 漢字の音訓.
음흉【陰凶】 명 陰険で凶悪〔残忍〕なこと. ──-하다 형 陰険で凶悪だ. ──-스럽다 형 陰険で凶悪なところがある.
‖── 주머니 명 陰険で凶悪な人.
읍【邑】 명 ゆう(邑); ウプ. ① 地方行政区域の一つ. 人口二万以上五万以下の小都市. ② ↗ 읍내(邑內).
읍【揖】 명하자 ゆう(揖); 両手をこまぬいてするあいさつ(挨拶).
읍간【泣諫】 명하타 きゅうかん(泣諫); 泣いてかんげん(諫言)すること.
읍내【邑內】 명 ゆうない(邑内); ゆう(邑)の内.
읍민【邑民】 명 ゆう(邑)の住民.
읍소【泣訴】 명하타 泣訴. ¶ 무죄를 ～하다 無罪を泣訴する.
-읍시다 어미 終声のある動詞の語幹に付いて, 同輩間で誘うときに用いる終結語尾: …(し)ましょう. ¶ 좋은 책을 많이 읽～ 良書をうんと読みましょう/같이 있～ 一緒に居ましょう. * -ㅂ시다.
읍장【邑長】 명 邑長.
읍청【泣請】 명하타 泣きながら請うこと.
읍체【泣涕】 명하자 きゅうてい(泣涕).

=체읍(涕泣).

읍촌【邑村】명 ①ゆう(邑)に属する村. ②ゆう(邑)と村.

응 감 ①同年輩や目下に答えるときまたは, 答えを求める声: うん; な; なあ; ね; ねえ. ¶~ 그렇다 うん, そうだ / ~, 그런 것 같애 うん, そうらしいね / ~, 그렇지 な, そうだろう. ②不平を表わす声: ううん; ふん; ふむ. ¶~ 글쎄 ううん, さあどうだかね.

응감【應感】명하자 心に応じて感ずること.

응결【凝結】명하자타 凝結. ¶수증기가 ~하다 水蒸気が凝結する.

‖——-기 명〔化〕凝縮器. ——-력 명〔化〕凝結力.

응고【凝固】명하자 凝固. ¶혈액이 ~하다 血液が凝固する / 소금이 ~하다 塩が凝り固まる.

‖——-열 명〔物〕凝固熱. ——-점 명〔物〕凝固点.

응구-하다【應口—】자 即答する.

응그리다 타 ①顔をゆがめる〔しかめる〕. ②握り締める.

응급【應急】명하타 応急. ¶~책 応急策 / ~ 처치 急場の処置.

‖—— 조처(措處) 명 応急処置. —— 치료(治療) 명하자 応急手当て. —— 치료법 명 応急手当の方法.

응낙【應諾】명하타 応諾. ¶이런 조건으로는 ~은 어림도 없다 こんな条件での応諾は思いもよらぬ.

응달 명 日陰; 陰地. ¶~에서 말리다 日陰で乾かす; 陰干しにする / ~에도 햇빛 드는 날이 있다《俚》日陰にも陽の当たる時がある《待てば海路の日和あり》. ——-지다 형 日陰になる; 日光が遮られる.

응답【應答】명하자 応答; 返答. ¶질의 ~ 質疑応答 / 아무 ~도 없다 何の応答もない / 즉시 ~하라 直ちに返答せよ.

응당【應當】부 当然; 必ず; きっと. ¶~ 해야 할 일이다 当然やるべきこと〔仕事〕である. ——-하다 형 ①当然だ. ②相当する. ——-히 부 当然.

응대【應待】명하타 ☞ 응접(應接).

응대【應對】명하자 応対. ¶정성어린 ~ 真心のこもった応対 / 익숙한 태도로 ~하다 慣れた身ごなしで応対する / 손님을 잘 ~하다 客をうまく取り持つ.

응등그러-지다 자 干からびたり, 縮んだり, 固まったりしながら反り返る〔よれる; 反る〕. >앙당그러지다. ¶표지가 ~ 表紙が反り返る / 판자가 ~ 板が反る.

응등-그리다 타 お(怖)じけ(気)などで体を縮こめる. >앙당그리다.

응력【應力】명〔物〕応力. =변형력·스트레스. ¶~계 応力計.

응모【應募】명하자 応募. ¶현상에 ~하다 懸賞に応募する.

‖—— 가격 명 応募価格. ——-액(額) 명 ☞ 응모 가격.

응-받다 자 ↗응석받다.

응변【應變】명하자 [↗임기 응변] 応変. ¶임기 ~ 臨機応変.

응보【應報】명 応報; 果報; 報い. ¶인과 ~ 因果応報.

응분【應分】명 応分; 相応. ¶~의 기부 応分の寄付 / ~의 사례 相応の謝礼.

응석 명하자 だだ(駄駄); 甘え. ——-받다 자 甘やかす. ——-부리다 자 甘える; 鼻を鳴らす; やんちゃを言う; 駄駄をこねる. ¶아이가 어머니에게 ~ 子供が母親に甘える / 응석부리듯 말하다 舌たるく話す.

‖——-둥이 명 駄駄っ子; やんちゃ(ん坊); やんちゃな子; 甘えん坊. ——-받이 명 ①甘やかすこと. ②☞ 응석둥이. ¶아이를 ~로 기르다 子供を甘やかす / ~로 자라서 버릇이 없다 やんちゃな子なのでしつけがない.

응소【應召】명하자 応召.

응수【應手】명 応手. ¶~에 고심하다 応手に苦しむ.

응수【應酬】명하자 応酬; 言い返し. ¶지지 않고 ~하다 負けずに言い返す.

응시【凝視】명하타 凝視. ¶똑바로 앞을 ~하다 正面を見詰める.

응시【應時】명 時機に合わせること; 時勢に応ずること.

응시【應試】명하자 試験に応ずること. ¶~자(者) 受験者.

응애-응애 감 赤子の泣き声: おぎゃあおぎゃあ.

응어리 명 ①しこ(凝)り. ¶~가 풀리다〔가시다〕 凝りが取れる / 어깨에 ~가 생겼다 肩にしこりができた / ~지다 凝る. ②しこり; わだかま(蟠)り. ¶일단 화해는 되었지만 아직도 맺힌 ~가 가시지 않은 것 같다 一応和解は出来たもののまだ蟠りが残っているみたいである. ③核; さね(実〔核〕).

응얼-거리다 자타 詩や歌などを口ずさむ. **응얼-응얼** 부하자타 詩·歌などを口ずさむさま.

응용【應用】명하타 応用. ¶항해술은 천문학을 ~한 것이다 航海術は天文学を応用したものである.

‖—— 과학 명 応用科学. —— 문제 명 応用問題. —— 물리학 명 応用物理学. —— 미술 명 応用美術. —— 수학 명 応用数学.

응원【應援】명하타 応援. ¶~가 応援歌; エール / ~하러 달려가다 応援にかけつける.

‖——-단 명 応援団.

응-응 감하자 ①うんうん《応答する声》. ②泣き続けるさま.

응전【應戰】명하자 応戦. ¶적의 포격에 ~하다 敵の砲撃に応戦する.

응접【應接】명하타 応接; 応対. ¶손님을 ~하다 お客を応接する.

‖——-실(室) 명 応接間; 客間; 広間; サロン. ¶손님을 ~에 안내하다 客を応接間〔客間〕に案内する.

응집【凝集】명하자 凝集.

‖——-력 명〔物〕凝集力.

응징【膺懲】명하타 ようちょう(膺懲). ¶불법을 ~했다 不法を膺懲した.

응착【凝着】명하자 凝着. ¶~력

凝着力.

응찰【應札】명 하자 応札; 入札に応ずること.

응천 순인【應天順人】명 하자 天意に応じて民意に従うこと.

응체【凝體】명 凝体; 固体.

응축【凝縮】명 하자 凝縮.
‖——기(機) 명〘化〙凝縮器; コンデンサー. ——열 명〘物〙凝縮熱.

응-하다【應—】자 応ずる; 応じる; 従う. ¶물가 변동에 응한 대책 物価の変動に応じた対策 / 소환에 ~ 召喚に応じる / 도전에 ~ 挑戦に応ずる / 모집에 ~ 募集に応ずる / 상담에 ~ 相談に乗る.

응혈【凝血】명 하자 凝血.

의【義】명 義. ¶군신의 ~ 君臣の義 / ~를 맺다 義を結ぶ / ~를 보고 행하지 않음은 용기가 없음이니라 義を見て行なわざるは勇無きなり / ~를 중히 여기다 義を重んずる. * 의롭다.

의【誼】명 [↗정의(情誼)] よしみ(誼). ¶~ 좋은 부부 むつ(睦)まじい夫婦 / ~가 좋다 睦まじい; 誼が厚い.

의 조 体言に付いて所有を表わしまたその物事の意を修飾する冠形格の助詞: …の; …が〈文〉. ¶부친~ 재산 父の財産 / 이국~ 하늘 異国の空 / 나~ 것 我が物 / 매화~ 향기 梅の香り / 국민~ 한 사람 国民の一人 / 성공으로~ 길 成功への道.

-의 어미 ↗-으이. ¶맛이 좋~ 味がうまいな / 너무 적~ あんまり少ないな.

의가【醫家】명 [↗의술가(醫術家)] 医家. ‖——서(書) 명 ☞ 의서(醫書).

의각【義脚】명 義足.

의거【依據】명 하자 依拠; (…に)よ(依〔拠〕)ること; 基づくこと. ¶확실한 증거에 ~해서 確かな証拠に基づいて / 법에 ~하여 처리하였다 法に照らして処理した.

의거【義擧】명 義挙. ¶~를 일으키다 義挙する.

의건모-하다 자 暮らしの計画を立てる.

의-걸이【衣—】명 ↗의걸이장.
‖——장(欌) 명 上部にはコートなどをかけ, 下半分には上下の開き戸や引き出しがついているたんす.

의견【意見】명 意見; 見解; 所見; 考え; 所存〈老〉. ¶자꾸 ~을 말하다 どしどし意見する / 지당한 ~ もっと(尤)もな意見 / 저 편의 ~ 向こう側の意見 / 그에 대해서는 저의 ~도 있으니 それについてはわたしの所存もありますので / 여러 가지 ~이 있다 色色の論がある.
‖——서 명 意見書; 見解書.

의결【議決】명 하타 議決. ¶예산안을 ~하다 予算案を議決する.
‖——권 명 議決権. —— 기관 명 議決機関.

의고【擬古】명 하타 擬古. ¶~문 擬古文.

의과【醫科】명 医科.
‖—— 대학 명 医科大学. 준 의대.

의관【衣冠】명 衣冠. ——-하다 자 衣冠をつける. ¶~ 속대 衣冠束帯.

의관【醫官】명〘史〙医官.

의구【依舊】명 하형 히부 昔の姿のままで変わらないこと.

의구【疑懼】명 하타 ぎく(疑懼). ¶~의 념을 가시지 못하다 疑懼の念が晴れない.

의국【醫局】명 医局. ¶병원의 ~ 病院の医局.

의군【義軍】명 義軍; 義兵.

의금【衣衾】명 いきん(衣衾); 着物と夜具.

의기【意氣】명 意気; 気立て; 気概; 心意気; 意気込み. ¶필승의 ~ 必勝の意気 / 청년의 ~에 감동하다 青年の意気に感ずる.
‖—— 상투(相投) 명 하자 意気投合. —— 소침 명 하자 意気消沈. —— 양양 명 하형 意気揚揚; こうぜん(昂然); 意気けんこう(軒昂). ¶~한 얼굴 意気揚揚とした顔; 昂然たる面持; 得意顔 / 그는 ~하게 상장을 내 보였다 彼は鼻高高と賞状を出して見せた. —— 저상(沮喪) 명 하자 ☞ 의기 소침. —— 충천 명 하자 意気衝天; 意気天をつくこと.

의기【義氣】명 義気; ぎきょうしん(義侠心). ‖—— 남아(男兒) 명 義気のある男児.

의-남매【義男妹】명 義兄妹.

의낭【衣囊】명 隠し; ポケット.

의념【疑念】명 疑念; 疑心.

의논【議論】명 議論; 相談; 話しあい. ——-하다 타 議論する; 相談する; 話し合う; 議する. ¶~껏 정하다 相談ずくできめる / ~을 꺼내다 相談を持ちかける / ~한 결과 話し合いの結果 / 서로 ~하다 互いに話し合う / 다 같이 ~하면 좋다 皆で話し合ったらよい.

의당【宜當】부 当然; すべか(須)らく. ——-하다 형 当然だ; 当り前だ; 順だ. ¶노인에게는 자리를 양보하는 것이 ~한 일이다 老人には席を譲るのが順である / 그 돈은 ~ 내 것이다 その金は当然わたしのものである. ——-히 부 当然; 当り前に.

의대【衣帶】명 衣帯; 装束.

의대【醫大】명 [↗의과 대학(醫科大學)] 医大.

의도【義徒】명 義徒.

의도【意圖】명 하타 意図; 思惑; 腹積もり; 作意. ¶적의 ~를 꺾다 敵の意図をくじ(挫)く / 좋지 못한 ~를 품다 よからぬ意図を抱く / 그런 ~는 아니었다 そんなはず(筈)ではなかった / 그의 ~가 빤하다 彼の心の底が見え透いている / 자기 ~대로 하다 自分の思惑通りにする / 그런 ~로 말한 것은 아니다 そんなつもりで言ったのではない.

의례【依例】명 하자 ↗의전례(依前例).

의례【儀禮】명 儀礼; 礼式. ¶번쇄한 ~ はんさ(煩瑣)な儀式.
‖——-적 명 관 儀礼的. ¶~인 방문 儀礼的な訪問.

의론【議論】명 議論; 話. ——-하

~ 타 議論する; 議する. ¶ ~의 여가 없다 議論の余地がない / 케케묵은 ~ 古くさい議論 / ~을 다시 되풀이하다 議論を蒸し返す / ~할 것이 있다 話がある.

-롭다 【義—】 형 ① 義気がある; 義理がある. ② 意志がある. ③ 義憤がある. ¶ 의로운 사람 義のある人. 의-로이 부 義の為に.

롱 【衣籠】 명 衣装箱. ＝옷농.

뢰 【依頼】 명하타 依頼. ¶ ~심 依頼心 / 취직을 ~하다 就職を依頼する / 조사를 ~하다 調査を依頼する / 주선을 ~하다 口利きを請う.

료 【衣料】 명 衣料. ¶ ~품 衣料品.

료 【醫療】 명 医療. ¶ ~ 기관 医療機関 / ~ 기계 医療器械.
‖——-계 명 医療界. —— 보험 명 医療保険. ——-업 명 医療業.

류 【衣類】 명 衣類; 着物. ¶ ~를 전당 잡히다 衣類を質に入れる.

의리 【義理】 명 義理; 仁義. ¶ ~를 모르는 사람 義理知らず(者) / ~가 없다; ~에 어긋나다 義理を欠く / ~를 지키다 義理を立てる / ~상으로라도 義理にも / 작은 ~에 구애되다 小節にこだわる / ~ 없는 짓만 되풀이하다 不義理ばかり重ねている.
‖—— 부동(不同) 명하형 義理を欠くこと.

의매 【義妹】 명 義妹.

의명 【依命】 명 依命. ¶ ~ 통보합니다 依命通達致します.

의모 【義母】 명 義母.

의무 【義務】 명 義務; 務め. ¶ 법적 ~를 기피하다 法的義務を忌避する / 법을 지키는 것은 국민의 ~다 法を守ることは国民の務めである.
‖——-감 명 義務感. —— 교육 명 義務教育. ——-적 명관 義務的.

의무 【醫務】 명 医務. ¶ ~과 직원 医務課職員 / ~실 医務室.

의문 【疑問】 명하타스형 疑問. ¶ ~을 품다 疑問をいだく / 그가 갈지 어쩔지는 ~이다 彼が行くかどうかは疑問である / ~을 던지다 疑問を投げかける.
‖—— 대명사 명 疑問代名詞. ——-문 명 疑問文. ——-부 명 疑問符; クェスチョンマーク. ＝물음표. ¶ ~를 찍다 疑問符をつける. ——-점 명 疑問点; 疑点《준말》. ¶ 몇 가지 ~을 남기다 いくつかの疑点を残す.

의뭉 명하형스형 ① 見掛けによらず腹黒い〔賢い〕こと. ② とぼ(惚)けること. ¶ ~떨지 마라 惚けるな / ~스러운 사람 見掛けによらず賢い〔がめつい〕人.

의미 【意味】 명하타 意味; 訳; 心; こころばえ; ロゴス. ¶ 엄밀한 ~로는 厳密な意味では / 두 가지 ~ 両様の意味 / 그 ~는 통하지 않는다 その意味は通じない.
‖——-론 명 意味論. ＝의의학(意義學).

의박 【醫博】 명 [↗의학 박사] 医博.

의발 【衣鉢】 명 〔佛〕 衣鉢; えはつ(衣鉢). ¶ ~을 이어받다 衣鉢をつぐ.

의법 【依法】 명하자 法によること.

의병 【義兵】 명 義兵; 義軍. ¶ ~을 모으다 義兵を募る / ~을 일으키다 義兵を挙げる.

의복 【衣服】 명 衣服; 着物; 服《준말》; ローブ; 衣. ＝옷. ¶ 이 ~에 저 모자는 잘 어울리지 않는다 この服にあの帽子は付きが悪い / ~이 초라하다 服がみすぼらしい. 준 의(衣).

의부 【義父】 명 義父.

의부 【義婦】 명 義婦; 節義をかたく守る婦女.

의분 【義憤】 명 義憤. ¶ ~을 느끼다 義憤を感ずる / ~에 불타다 義憤に燃える. ‖——-심 명 義憤心.

의-불합 【意不合】 명하형 互いに意が合わないこと.

의붓-동생 【—同生】 명 異父の弟; 腹違いの弟.

의붓-딸 명 義理の娘.

의붓-아들 명 義理の息子.

의붓-아범, 의붓-아비 명 継父; ままちち; 異父; 義父.

의붓-어미 명 継母; ままはは; 異母; 義母.

의붓-자식 【—子息】 명 継子; まま(っ)こ; 連れ子. ¶ ~ 취급 継子扱い / ~이 둘 있다 連れ子が二人ある.

의사 【義士】 명 義士; 義人.

의사 【義死】 명하자 義のため(為)に死ぬこと.

의사 【意思】 명 意思. ¶ 상대편의 ~ 先方の意思 / 자유 ~ 自由意思 / ~가 통하다 意思が通じる / ~ 소통 意思疏通 / 할 ~는 없다 やる意思は無い.
‖—— 능력 명 意思能力. —— 부도처(不到處) 명 考えが至らない所. —— 전달(傳達) 명 コミュニケート. ¶ ~이 안된다 コミュニケートが出来ない. —— 표시 명하타 意思表示.

의사 【縊死】 명하자 → 액사(縊死).

의사 【擬死】 명 〔動〕 擬死.

의사 【擬似】 명하형 〔醫〕 疑似.
‖——-증 명 疑似症. —— 콜레라 명 疑似コレラ.

의사 【醫事】 명 医事.

의사 【醫師】 명 医師; 医者; ドクター. ¶ 단골 ~ かかりつけの医者 / ~의 진단을 받다 医者の診断をうける / ~가(가망이 없다고) 손떼다 医者に見離される / ~가 제 병 못 고친다 《俚》 医者の自脈効き目なし.

의사 【議事】 명하자 議事. ¶ ~ 진행이 잘 안 된다 議事の進行がもたもたする.
‖——-당 명 議事堂. ¶ 국회 ~ 国会議事堂. ——-록 명 議事録. —— 방해 명 議事妨害. ＝필리버스터. —— 일정 명 議事日程.

의상 【衣裳】 명 衣装; コスチューム. ¶ 신부 ~ 花嫁衣装.

의상 【意想】 명 意想; 思い; 考え.

의생 【醫生】 명 韓方医.

의서 【醫書】 명 医書.

의석 【議席】 명 議席. ¶ ~수 議席数 / ~을 다투다 議席を争う / ~을 차

ㅇ

지하다 議席を占める.
의성【擬聲】명 擬声. 의음(擬音).
‖——-어 명 擬声語；写声語.
의성【醫聖】명 医聖.
의세【倚勢】명하자 勢力を頼むこと；(権力などを)かさ(笠)に着ること.
의수【義手】명 義手.
의숙【義塾】명 義塾.
의술【醫術】명 医術；医方. ¶ ～을 습득하다 医術を習得する.
의식【衣食】명 衣食.
‖——-주 명 衣食住. ¶ ～의 삼요소 衣食住の三要素. ——지-방(之方) 명 衣食を得る方法.
의식【意識】명 意識. ——-하다 타 意識する；気がつく. ¶ 사회 ～ 社会意識 / ～ 불명 意識不明 / 그는 엘리트 ～이 강하다 彼はエリート意識が強い / ～을 잃다 気を失う.
‖——-적 명관 意識的. ¶ ～인 반항 意識的(な)反抗.
의식【儀式】명 儀式；式典. ¶ 장엄한 ～ 荘厳な儀式 / ～을 마치다 儀式を済ませる / 고식에 따른 우아한 ～ 古式にのっとったみやびやかな儀式 / ～적인 행사 儀式張った行事.
의심【義心】명 義心.
의심【疑心】명 疑心；疑い；疑念. ——-하다 타 疑う；いぶか(訝)る；怪しむ. ¶ ～을 품다 疑念を抱く；疑いを挟む；疑いを入れる / ～이 풀리다 疑いが晴れる / 성공을 ～하다 成功を危ぶむ / 사람을 ～하지 않는다 人を信じて怪しまない. ——-스럽다 형 疑わしい；おぼつかない；いかがわしい；いぶかしい；怪しい. ¶ 그의 언동에는 의심스러운 데가 있다 彼の言動には訝しい節がある / 자네 이야기는 ～ 君の話は眉唾物だ / 의심스러운 곳을 따지다 疑義をただ(質)す. ——-나다 자 疑いが生ずる. ——-쩍다 형 ☞ 의심스럽다.
의아【疑訝】명하형히부 いぶか(訝)しげ；けげん. ¶ ～하게 생각하다 首をひねる. ——-스럽다 형 訝しい；疑わしい；ふ(腑)におちない. ¶ 의아스러운 표정을 하다 けげんな顔をする / 의아스럽기 짝이 없다 怪訝にたえない / 의아스러운 태도 訝しげな態度.
의안【義眼】명 義眼；入れ目.
의안【議案】명 議案. ¶ ～을 통과시키다 議案を通過させる / ～을 철회하다 議案を撤回する / ～을 묵살하다 議案を見送る.
의약【醫藥】명 医薬.
‖—— 분업 명 医薬分業.
의-약품【醫藥品】명 医薬品.
의업【醫業】명 医業.
의역【意譯】명하타 意訳. ¶ 이 글은 지나치게 ～되었다 その文は余りに意訳的だ.
의연【義捐】명하타 義援.
‖——-금 명 義援金；義金.
의연【毅然】명하형히부 きぜん(毅然). ¶ ～한 태도 毅然たる態度 / 태도가 ～한 사람 びりっとした人.
의연-하다【依然—】형 依然としている；元のままである. 의연-히 부 依然(として).
의열【義烈】명하형 義烈. ¶ 충용 忠勇義烈.
의옥【疑獄】명 疑獄. ¶ ～ 사건 疑獄事件.
의외【意外】명 意外；もっけ(勿怪)；思いの外. ¶ ～의 반응을 일으키다 意外な反響を起こす / ～로 부진하다 意外に振るわない / 이 과자는 ～로 맛이 좋다 このお菓子は案外(に)うまい / ～로 시간이 많이 걸렸다 案外手間取った / 정말 ～입니다 まことに心外であります.
의욕【意慾】명 意欲；張り合い. ¶ 생산 ～ 生産意欲 / 살 ～을 잃다 生きる張り合いを失う.
‖——-적 명관 意欲的.
의용【義勇】명 義勇. ‖——-군 명 義勇軍. ——-병 명 義勇兵.
의용【儀容】명 儀容；容儀. ¶ ～을 가다듬다 儀容をつくろう.
의용【醫用】명 医用. ¶ ～ 전자 공학 医用電子工学.
의원【依願】명 依願. ¶ ～ 면직되었다 依願免職された.
의원【醫員】명 医員.
의원【醫院】명 医院.
의원【議院】명 議院. ¶ ～ 제도 議院制度.
‖—— 내각제 명 議院内閣制.
의원【議員】명 議員. ¶ 무소속 ～ 無所属議員 / ～직 사퇴 議員辞職 / 평당원(平黨員) ～ 陣笠議員 / 자기 마을 출신의 ～ 自村出身の議員.
의음【擬音】명 擬音. ¶ ～ 효과 擬音効果 / ～을 쓰다 擬音を使う.
의의【意義】명 意義. ¶ ～ 있는 인생 有意義な人生 / ～ 있는 사업 意義ある事業 / ～ 깊은 意義深い / ～를 부여하다 意義を付ける.
의의【疑義】명 疑義. ¶ 법안에 ～가 생기다 法案に疑義が生ずる.
의의-하다【依依—】형 ① 弱弱しい. ② 草木が茂っている. ③ 別れが名残惜しい. ④(記憶が)かすかだ.
의인【義人】명 義人；義士.
의인【擬人】명하타 擬人. ¶ ～화 擬人化 / ～법 擬人法.
의자【倚子】명 背もた(凭)れ.
의자【椅子】명 いす(椅子). ¶ 안락 ～ 安楽椅子 / 장～ 長椅子 / 천으로 감아 싼 ～ 張りぐるみの椅子.
의자【義子】명 義子. ＝의붓아들.
의자【意字】명 [↗표의 문자(表意文字)] 意字；義字.
의작【擬作】명하타 擬作.
의장【衣欌】명 衣装だんす(箪笥).
의장【意匠】명 意匠；デザイン. ¶ ～등록 意匠登録.
‖——-가 명 意匠家；デザイナー. ——-권 명〔法〕意匠権；意匠専用権.
의장【儀仗】명〔史〕ぎじょう(儀仗).
‖——-기 명 儀仗旗. ——-대 명 儀仗隊. ——-병 儀仗兵.
의장【儀裝】명하자 儀装.
의장【艤裝】명 ぎそう(艤装)；船装. ——-하다 자타 艤装する；船装す

る; 艤する. ¶ 진수하자 곧 ~에 착수하다 進水するや艤装にとり掛かる.

의장【議長】 명 議長; プレジデント. ¶ 국회 ~ 国会議長.

의장【議場】 명 議場.

의적【義賊】 명 義賊; きょうとう(俠盗).

의전【儀典】 명 儀典; 典例. =의식(儀式).

의-전례【依前例】 명하자 前例によること. 준 의례(依例).

의절【義絶】 명 義絶; 勘当. ——하다 자 義絶する; 勘当する; 久離を切る. ¶ 친구와 ~하다 友とたもとを分かつ / 도락이 지나쳐 부모로부터 ~당하다 道楽の余り親から勘当される.

의젓-잖다 형 大様でない; 品がない.

의젓-하다 형 気品があって重みがある; 大様だ. ¶ 인품이 의젓해 보인다 人柄が大様に見える / 의젓한 인품 大様な人柄. 의젓-이 부 でんと; 大様に. ¶ 교장이 상좌에 ~ 앉아 있다 校長が上座にでんと構えている / ~ 자세를 취하다 でんとかまえる.

의정【議定】 명하타 議定.
‖——서 명 議定書; プロトコール. ——안 명 議定案.

의제【衣制】 명 衣服の制度.

의제【義弟】 명 義弟.

의제【擬制】 명 擬制.
‖—— 자본 명〔經〕擬制資本.

의제【擬製】 명하타 擬製.

의제【議題】 명 議題. ¶ 오늘의 ~ 本日の議題.

의족【義足】 명 義足; 継ぎ足. ¶ ~을 달다 義足をつける.

의존【依存】 명 依存. ——하다 자 依存する; 寄り掛かる. ¶ ~심이 강한 사람 依存心の強い人 / 상호 ~ 相互依存 / 원료를 해외에 ~하다 原料を海外に依存する〔仰ぐ〕.
‖—— 명사 명〔言〕形式名詞.

의중【意中】 명 意中; 腹の中. ¶ ~의 인물 意中の人物 / ~을 헤아리다 意中を察する / ~을 떠보다 腹を探る; 水を向ける.
‖——-인(人), ——지-인(之人) 명 意中の人.

의증【疑症】 명 疑い深い性格. また, その病気.

의지【依支】 명 もたれること; 頼ること. ——하다 타 寄る; 頼る; 頼む; すがる; 寄り掛かる; もたれる. ¶ 마음의 ~ 心の拠り所 / 만일의 경우에 ~가 되다 まさかの時の頼りになる / 지팡이를 ~하여 걷다 杖を頼りに歩く; 杖に頼って歩く / 자네나 ~하고 있네 君だけを力頼みにしているよ / 남의 동정에 ~하다 人の情けに頼る / 노후에는 둘째 아들에게 ~하다 老後は次男に掛かる / ~할 곳 없는 몸 寄る辺ない身; 寄せる縁もない身 / ~할 곳이 없다 取っ掛かりがない; 寄り辺が無い / 선배를 ~하다 先輩におぶさる.

의지【意志】 명 意志. ¶ 철석 같은 ~ 盤石の意志 / ~가 강하다 意志が強い. ‖—— 박약 명하형 意志薄弱.

의지【義肢】 명 義肢.

의지가지 없다 형 全く身寄りがない. ¶ 의지가지 없는 고아의 신세 頼り無い孤児の身の上. 의지가지 없이 부 身寄りも知る辺もなく.

의지-간【倚支間】 명 母屋に付けて建てた小屋.

의처-증【疑妻症】 명 妻の貞操を疑う病的な性格.

의초 명 兄弟〔姉妹〕のよしみ; 情宜; 仲. ¶ ~가 좋다 仲が良い. ——롭다 형 むつ(睦)まじい; 仲が良い. ——로이 부 睦まじく.

의치【義齒】 명 義歯; 入れ歯. ¶ 웃는 바람에 ~가 빠졌다 笑う拍子に入れ歯が抜けた.

의치【醫治】 명하타 医術で病気を治すこと.

의타【依他】 명하타 人に頼ること. ¶ ~심(心) 人に頼る心.

의탁【依託】 명 依託. ——하다 타 依託する; 寄り掛かる. ¶ ~ 학생 依託学生 / 부모에게 ~해서 생활하다 親に寄り掛かって暮らす.

의태【擬態】 명 擬態.
‖——-법 명〔言〕擬態法 ——-어 명〔言〕擬態語.

의표【意表】 명 意表. ¶ ~를 찌르다 意表をつく〔に出る〕.

의-하다【依—】 자 [↗의거(依據)하다] よ(因)る; 基づく. ¶ 누전에 의한 화재 漏電による火災 / 사정에 의하여 事情により / 아까부터 하신 말씀에 의하면 先程からのお話によると / 탐문한 바에 의하면 探聞した所によれば.

의학【醫學】 명 医学. ¶ ~계의 최고봉 医学界の最高峰 / 임상 ~ 臨床医学.
‖—— 박사 명 医学博士. ——-부 명 医学部.

의합【意合】 명하형 ① 見解や考えが合うこと. ② 仲がいいこと.

의해【義解】 명 義解.

의향【意向】 명 意向; 心ばえ. ¶ 상대방의 ~을 타진하다 相手の意向を打診する / 사퇴의 ~을 비치다 辞退の意向を匂わす.

의혈【義血】 명 正義のために流した血; 義のための血.

의협【義俠】 명 ① ぎきょう(義俠); 男気; 男だて. ② 体面を重んじ義理に固いこと.
‖——-심 명 義俠心; 男気; 義心; きょうき(俠気). ¶ ~이 많은 사람 俠気に富む人 / ~이 있는 사람 男気のある人.

의형【義兄】 명 義兄.

의-형제【義兄弟】 명 義兄弟; 兄弟分. ¶ ~를 맺다 義兄弟の誓いを結ぶ.

의혹【疑惑】 명하타 疑惑. ¶ ~의 눈으로 보다 疑惑の目で見る / ~을 풀기 위해서 念晴らしの為に.

의회【議會】 명 議会; 議院. ¶ 여론은 ~에 반영되다 世論は議会に反映される.
‖—— 정치 명 議会政治. ¶ ~의 기초를 쌓다 議会政治の礎石を築く.

——-제 명 代議制度. ——-주의 명 議会主義.

이¹ 명 ①〔生〕歯; 歯牙. ¶ ～를 닦다 歯を磨く / ～를 쑤시다 歯をほじくる / ～가 빠지다 歯が抜ける / ～를 덜덜 떨다〔～가 마치다〕歯をがたがたさせる / ～가 들뜨다 歯が浮く / ～를 드러내다 歯をむき出す / ～를 갈다 歯ぎしりをする; 歯がみをする / ～ 없으면 잇몸으로 살지《俚》歯が無けりゃ歯茎で行く / ～에 신물이 돈다 歯に酸っぱみがたまる《忌忌しくて二度と見たくないことのたとえ》. ② (機械などの)歯《終声の有る語に付くと"니"になる》. ¶ 톱니 のこぎり(鋸)の歯 / 톱니바퀴의 톱니 歯車の歯. ③ 瀬戸物などのかけた縁.

이² 명〔蟲〕しらみ(虱). ¶ ～를 잡다 虱をとる〔つぶす〕/ ～잡듯 하다《俚》虱潰しに探す.

이【利】명 하형 利. ① 商売をして得る金; もうけ. ¶ ～에 밝다 利にさとい / ～가 남다 もう(儲)かる. ② ↗이익(利益). ¶ ～를 탐하다 利を貪る. ③ [↗변리(邊利)] 利子; 利まわり. ④ 有益〔有利〕であること. ¶ 몸에 ～하다 体に有益である.

이【里】㊀ 명 里; 地方行政の末端区域《面に属する》. ㊁ 의명 里. ① 地上の距離の単位《約3.9273km》. ② 在来式の距離の単位《日本の一里は韓国の十里に当たる》.

이【理】명 理. ① 不変の法則. =이치(理致). ②〔哲〕宇宙の本体. ③ ↗이학(理學)·이과(理科).

이³ 의명 他の語に付いて, "人"を表わす語. ¶ 저 ～는 누구지 あの人は誰なの? / 읽는 ～ 読み手.

이⁴ ㊀ 대 ① ↗이 이. ② ↗이것. ¶ ～도 저도 아닌 태도 中途半端な態度. ③ この様な成り行き. ¶ ～에 그 정상을 참작하여 ここにその情状を酌量して / ～로써 나도 안심이다 これでわたくしも安心だ. ㊁ 관 これ. ¶ ～ 근처 ここら; このへん / ～ 근방에서 쉬자 ここらで休もう / ～ 책 この本 / ～ 뒤에 있다 この後ろにある. ㊂ 감 や; おっと. ¶ ～, 넘어질라 や, 倒れるよ.

이⁵ 조 ① …が. ¶ 꽃～ 핀다 花が咲く / 책～ 있다 本がある / 돈～ 없다 金が無い. ② …に; …と《後に必ず"되다(=なる)"が続く》. ¶ 장관～ 되다 長官になる / 산～ 되다 山となる. ③ …で《後に必ず "아니다(=ない)"が続く》. ¶ 그것은 금～ 아니다 それは金ではない / 그는 사람～ 아니다 彼は人でない. ＊가.

이【二·貳】수 二; 弐; ふた; ふたつ.

-이 미 ① 形容詞·動詞の語幹に付いて, それらを名詞にする語. ¶ 놀～ 遊び / 먹～ 食べ物; えさ(餌) / 높～ 高さ / 길～ 長さ. ② 形容詞の語根に付いて副詞にする語. ¶ 많～ 多く; たくさん / 가까～ 있는 집 近くにある家 / 깨끗～ 청소하다 きれいに掃除する / 다소곳～ 앉다 しとやかに座る. ＊-히. ③ 畳語の後に付いて副詞にする語. ¶ 낱낱～ 一一; 一つ一つ / 곳곳～ 所所; あちこち; ここかしこ; 至る所. ④ 終声の有る人の名前に付いて語感を整える語. ¶ 복순～ 福順 / 갑동～ 甲童.

이가【俚歌】명 りか(俚歌); 俗謡.

이가【離家】명 하자 ① 離れ家. ② 家を離れて他郷に行くこと.

이가 원소【二價元素】명〔化〕二価元素.

이간【離間】명 하타 離間; 反間. ¶ ～책 離間策 / 남의 사이를 ～시키다 人との仲を裂く. ——-붙이다 타 仲たがいをさせる. ‖——-질 명 하자타 仲たがいをさせること.

이-갈다¹ 자 乳歯が抜け新しい歯が生える.

이-갈다² 자 (睡眠中, またはくやしさで)歯ぎしりをする; 歯がみする.

이-갈리다 자 (くやしさで)歯がきしる; とても憎い.

이감【移監】명 하타〔法〕収監者を他の刑務所に移すこと.

이-같이 부 このように; こんなに. ＞요같이. ¶ ～ 많은 돈 このように多いお金 / 그는 ～ 말했다 彼はこのように話した; 彼はこんなに言った.

이-거 대 [↗이것] これ; これは; こりゃ〈口〉. ¶ ～ 놀랍군 こりゃ驚いたね / ～ 야단났군 こりゃ困ったな / 아아, ～ 큰일났구나 さあ, これは大変な事になったな.

이-건 준 "이것은"の略語: これは; こりゃ. ¶ ～ 뭐냐 これは何かね / ～ 또 어찌된 일인가 こりゃまたどうとしたものか / ～ 내 것이다 これはわたしの物である / ～ 멋있구나 こいつはすばらしいね / ～ 너무하다 これはひどい.

이-걸 준 "이것을"の略語: これを. ＞요걸. ¶ ～ 어떻게 하나 これをどうするかな〔どうしようかな〕/ ～ 갖다 주어라 これを持って行ってやれ.

이-걸로 준 "이것으로" の略語: これで. ＞요걸로. ¶ 섭섭하지만 ～ 작별하겠습니다 お名残惜しいことですがこれでお別れいたします / ～ 참아 주십시오 これでがまんして下さい.

이-것 대 ① これ. ¶ ～과 그것은 딴 것이다 これとそれとは別物である / ～만 있으면 무엇이든지 할 수 있다 これさえ有れば何でも出来る / ～은 너무 하지 않습니까 これはあんまりではありませんか / ～은 또 딴 얘기지만 これはまた別の話であるが. ② こいつ《人をさげすんで言う語》. ¶ ～은 누구야 こいつはだれだったけ. 준 이거·이. ＊그것·저것.

이것-저것 대 なにやかや; いろいろ; あれこれ. ＞요것저것. ¶ ～ 준비하다 あれこれと準備をする / ～ 바쁘다 なにやかやと〔なにかと〕忙しい / ～ 비용이 많이 들었다 何かと物のいりが多かった.

이-게 준 "이것이" の略語: これが; これ. ＞요게. ¶ ～ 좋군 これがいいね / ～ 문제의 그림입니다 これが問題の絵であります.

이견【異見】명 異見. ¶ ～을 좁히다

異見をせばめる.
이경【耳鏡】명〖醫〗耳鏡.
이경【異境】명 異境.
이경【離京】명하자 離京; 退京. ¶내일 ~한다 明日離京する.
이계【異系】명 異系.
‖── 교배 명하자 異系交配.
이고 조 …も; …でも. ¶금~ 은~ 모두다 주마 金も銀もすっかりみなやろう. ＊고.
이골-나다 자 慣れる; 癖になる; 長ける; 潮染む.
이-곳 대 ここ; 当所. ¶~에서 좀 쉬자 ここで一休みしよう.
이공【理工】명 理工; 理学と工学. ¶~학부 理工学部.
이-과【理科】명 理科. ¶~에 진학하다 理科に進む.
이관【移管】명하타 移管. ¶사무를 지방으로 ~하다 事務を地方に移管する.
이관【異觀】명 異観.
이교【異教】명 異教.
‖──-도 명 異教徒.
이구 동성【異口同聲】명 異口同音. ¶~으로 찬성을 외치다 異口同音に賛成を唱える.
이국【異國】명 異国. ＝타국. ¶~인 異国人/~ 땅 異国の土; 異土; 異郷/~ 정취 異国情緒〔情調〕; エキゾチシズム.
‖──-적 명관 異国的; エキゾチック. ¶~인 취향 異国的な趣向. ──취미 명 異国越味.
이군【二軍】명 二軍. ¶~ 선수 二軍選手.
이궁【離宮】명 離宮. ＝행궁(行宮).
이권【利權】명 利権. ¶~을 독점하다 利権を独占する/~을 찾아다니다 利権あさりをする.
이극【二極】명〖物〗二極.
‖── 진공관 명 二極真空管.
이글〔eagle〕명〖鳥〗イーグル.
이글-이글 부하형 炎があかあかと燃え盛るさま: 炎炎; かっかっと; あかあかと. ¶숯불이 ~ 피어오르다 炭火がかっかっとおこる.
이금【泥金】명 泥金; 金泥.
이금【而今】부 今になって. ¶~ 이후 今より以後.
이급【二級】명 二級.
이기【二期】명 二期. ¶회장을 ~ 연임하다 会長を二期間勤める.
이기【利己】명 利己; 自利. ¶~심 利己心; 私意; 私心.
‖──-설 명 利己説. ──-적 명관 利己的; エゴイスチック. ¶~이다 利己的である; 虫がいい. ──-주의 명 利己主義; エゴイズム. ¶~의 화신 利己主義の化身/~적 利己主義的; エゴイスチック/~자 利己主義者; エゴイスト.
이기【利器】명 利器. ¶문명의 ~ 文明の利器.
이기【理氣】명〖哲〗理気.
이기다¹ 자타 勝つ; 負かす; 破る; 白星をあげる. ¶지는 것이 이기는 것 負けるが勝ち/쉽게 이겼다 楽に勝った/유혹에 ~ 誘惑に勝つ/이긴 기세를 몰다 勝ちに乗ずる.
이기다² 타 ①(粉や土などを)こ(捏)ねる; 練る. ②(刃物で肉などを)みじん切りにする. ③洗濯物をもみ洗う.
이기-작【二期作】명 二期作.
이기죽-거리다 자 くだらないことをいけしゃあしゃあとしゃべる; 愚にもつかぬ事をねちねちと話す; 長長とぐうたらを言う. ¶이기죽거리며 놀렸다 いけしゃあしゃあとしゃべりながらからかった. 준 이죽거리다. 이기죽-이기죽 부하자 ねちねちと; しゃあしゃあと; ぶつぶつと.
이-까짓 관 これしきの; これくらいの; こればかりの. ¶~ 일로 주저앉을까보냐 これしきの事でへたばるものか/~것하고 버티다 なにくそと頑ばる.
이끌다 타 導く. ①引く; 手引く. ¶노인의 손을 이끌어 안내하다 老人の手を引いて案内する/사업을 실패로 이끈 원인 事業を失敗させた原因/결론을 이끌어내다 結論を出す. ②指導する. ¶바른 길로 ~ 正しき道に導く.
이끌리다 피동 駆られる; 引かれる. ¶참을 수 없는 충동에 이끌려서 押さえ難い衝動に駆られて/아이의 손에 이끌려서 공원에 갔다 子供の手に引かれて公園に行った.
이-끗【利—】명 利得の糸口; 利. ¶~에 밝다 利にさとい.
이끼¹ 명〖植〗こけ(苔·蘚). ¶~ 낀 바위 こけむした岩/~가 끼다 こけが生える; こけむす.
이끼², 이끼나 감 突然〔不意に〕驚いて急に後ずさりしながら出す声: (お)やっ; うわっ; あれっ.
이나 조 も; でも. ¶어느 것~ (모두) 내 것이다 どれも(みな)僕の物である/이것~ 가져 가라 これでも持って行け/비가 3일~ 계속 내렸다 雨が三日も降り続いた/부처님~ 만난 듯이 仏様にでも会ったように/이것~ 저것~ どれもこれも. ＊나.
이-나마¹ 부 これすら(も); これまでも. ＞요나마. ¶~ 마저 없앨 테냐 これすらもすっかり無くすつもりか/성적이 ~라도 된 것은 자네 덕일세 成績がこれくらいにでもなったのは君のおかげである.
이나마² 조 …でも. ¶작은 집~ 살 수 있다면 오죽 기쁘겠나 小さな家でも買えればどんなにか嬉しかろう/적은 돈~ 받아 두어라 少ない金ではあるが納めておけ. ＊나마.
이-날 명 今日; この日. ＞요날. ¶내주의 ~ 来週の今日.
이날 이때 명부 今日この時; 今の今. ＞요날 요때. ¶~까지 몰랐다 今の今まで知らなかった.
이날 저날 명부 そのうちそのうち; 今日明日. ＞요날 조날. ¶~ 자꾸 미루기만 한다 今日明日と日延べばかりする. ＊차일피일(此日彼日).
이남【以南】명 ①以南. ②韓国で北緯三十八度線以南の意.
이남-박 명 内側がぎざぎざで同心円状の米を研ぐ丸木のたらい.

＊함지박·함박.
이내¹ 명 ぼあい(暮靄)；ゆうもや(夕靄)；夕煙. ＝남기(嵐氣).
이내【以內】 명 以內. ¶사흘 ～ 三日以內.
이-내² 관 "나의"の強勢語：このわたしの. ¶～ 마음을 모르다니 このわたしの心を知らないとは.
이내³ 부 ①たちまち；たちどころに；間もなく；すぐ；ただちに. ¶약을 먹었더니 ～ 아픔이 가시었다 薬を飲んだらたちまち痛みが去った／볼일을 마치고 ～ 돌아갔다 用を済まして間もなく帰った／꾸지람을 들으면 ～ 부루퉁해진다 しかられるとすぐ膨れっ面をする. ②その時から続いての意：この方；以来. ¶헤어진 후 ～ 소식이 없다 別れてこの方(いまだに)たよりがない.
이내-몸 명 "나의 몸"の強勢語：わたしの身；この身.
이-냥 부 このまま；こんな具合で；この通り. ＞요냥. ¶～ 내버려 둬라 このまま放って置け／～ 저냥 살아간다 どうやらこうやら暮らして行く.
이너 〔inner〕 명 (サッカーの)インナー. ¶라이트 ～ ライトインナー.
이-네 대 この(群れの)人. ¶～들은 무엇을 하나 この人たちは何をするのかな.
이녁 대 自分の謙譲語：こち；こちら. ¶～이 보내드리겠소 こちからお届けしましょう／～ 사정도 좀 봐주시오 こちらの事情も少しはお察し下さい.
이년-생【二年生】 명 二年生. ＝두해살이. ¶～ 식물 二年生植物；越年性植物／국민 학교 ～ 小学校二年生.
이념【理念】 명 ①理念；アイデア. ¶～이 다르다 理念が違う. ② ☞ 관념(觀念).
이농【離農】 명하자 離農. ¶～하는 농민 離農する百姓.
이뇨【利尿】 명하자 利尿.
‖——-제 명 利尿剤.
이니 조 …やら；…とか；…も. ¶밤～ 감～ 다 갖추었다 くり(栗)やらかき(柿)やらを皆備えている／원한다면 책～ 연필～ 네게 다 주마 望むなら君に本なり鉛筆なり皆やろう. ＊니.
이니셜 〔initial〕 명 イニシアル.
이니시어티브 〔initiative〕 명 イニシアチブ. ¶～를 잡다 イニシアチブを取る.
이닝 〔inning〕 명 イニング. ¶라스트 ～ ラストイニング.
이다¹ 타 頭に載せる；頂く. ¶짐을 이고 가다 荷を頭に載せて行く.
이다² 타 ふ(葺)く. ¶기와로 지붕을 ～ かわらで屋根を葺く.
이다³ 조 終声のある体言に付く終結形叙述格助詞《終声のない語に付く時は"이"が省略されることがある》：…だ；…である. ¶이것은 책～ これは本である／내일은 휴일～ 明日は休み日である／병중～ 病中である／저 사람은 군인일 것～ あの人は軍人であろう／그는 위대한 학자다 彼は偉大な学者だ.
-이다 미 副詞に付いて, その語を動詞にする接尾語. ¶끄떡～ うなずく／파도가 출렁～ 波がゆれる／번뜩～ ひらめく／끈적～ ねばつく；べたつく／허덕～ あえぐ.
이-다음 명 この後；この次. ＞요다음. ¶～에도 만날 기회가 있다 これからも会う機会がある. 준 이담.
이다지 부 こんなにまで；これ程にまで；これくらいで. ＞요다지. ¶～ 괴로울 줄은 몰랐다 これ程にまで苦しいとは思わなかった.
이다지-도 부 "이다지"の強勢語：これ程にまでも；こんなにまでも.
이단【異端】 명 異端. ¶～자 異端者／극소수의 ～ 분자 一握りの異端分子.
이-달 명 今月；当月. ¶～ 중순 今月の月半ば／～치의 급료 今月分の給料／지난 해의 ～ 去年の今月.
이-담 명 ↗이다음. ＞요담. ¶～부터는 これからは／～ 정거장에서 내린다 次の停留所で降りる.
이당【離黨】 명하자 離党.
이대【二大】 관 二大. ¶～ 정당 二大政党.
이-대로 부 ①この通りに；このように. ¶～ 만들어라 この通りに作れ. ②このまま. ¶～ 내버려 둬 줘 このままほっといてくれ. ＞요대로.
이데아 〔ユ idea〕 명 イデア.
이데올로기 〔도 Ideologie〕 명 イデオロギー. ¶～의 차이 イデオロギーの相違.
이도【吏道】 명 吏道. ¶～ 쇄신 吏道刷新.
이도【利刀】 명 利刀；よく切れる刀.
이동【以東】 명 以東.
이동【異動】 명 異動. ¶정기 대～ 定期大異動.
이동【移動】 명 移動. ——하다 자타 移動する；移る. ¶～ 평균 移動平均／민족의 대～ 民族の大移動／철새의 ～ 鳥の渡り.
‖—— 경찰 명〔法〕移動警察. —— 도서관 명 移動図書館. —— 무대 명 移動舞台. —— 방송 명 移動放送. ——성 고기압 명 移動性高気圧. ——-식 명 移動式. —— 통신 명 移動通信.
이동-치마【二—】 명 上下を二色にして作ったたこ(凧).
이두【吏讀·吏頭】 명 イドゥ；吏吐《"吏道·吏読"로도 씀》；吏読文字；昔, 韓国語の表記に漢字の音と意を交ぜて使った文字》.
‖—— 문학 명 吏読文学.
이-두【李杜】 명 李杜；李太白と杜甫.
이-둔【利鈍】 명 利鈍.
이드거니 부 ふんだんに；しこたま；たっぷり. ¶너무 가물어서 ～ 비가 와야 하겠는걸 あまり日照りが続いたのでふんだんに降らなきゃいけないな.
이드르르, 이드를 부 つやつやとして潤いのあるさま；つややか. ＞야드르르. ——-하다 형 つやつやしい；つややかだ.
이득【利得】 명 もうけ；利益；利得

く；マージン．¶～을 계산하다 利得を計算する／～을 좇다 利得に走る／터무니없이 많은 ～을 보다 ぼろもうけをする．

이든, 이든지 조 "何でもよい；かまわない"の意：…でも；…なり(とも)；…にも(あれ)．¶무엇～ 배워 두어야 한다 何でも習っておくべきである／무슨 말～ 하셔요 何なりとおっしゃって下さい／무슨 일～ 간섭하다 何事にも干渉する／무엇～ 좋아하는 것을 드시오 何なりと好きなものをお取りなさい．

이들이들-하다 형 とてもつやつやしい；とてもつややかだ．＞야들야들하다．

이듬-해 명 翌年；明くる年．＝다음 해．

이등【二等】 명 二等；二番．¶～으로 졸업하다 二番で卒業する／～석 二等席；エコノミークラス．

‖──병 명 二等兵．¶～으로 제대하다 二等兵で除隊する．

이등변 삼각형【二等邊三角形】 명〔數〕二等辺三角形．

이-등분【二等分】 명하타 二等分．

이디엄〔idiom〕 명 イディオム；慣用語．

이따, 이따가 부 すこし後で；後程．¶청소는 ～ 해라 掃除は後でしなさい／～ 갈게 後程行く(よ)；後で行くから．

이따금 부 時時；時たま；時折；折折；ちょいちょい．¶～ 편지가 온다 時たま便りが来る／～ 가랑비가 뿌린다 時折小雨がばらつく／～ 만나는 사람 たまに出会う人／그는 학교를 ～ 쉰다 彼はちょいちょい学校を休む／이 근처에서 ～ 눈에 띄는 사람 この近くでちょくちょく見かける人．

이-따위 명 このたぐい；このような物．＞요따위．¶～를 먹으란 말인가 こんなものを食べろと言うのか．

이-때 명 この時；今．＞요때．¶천고 마비의 ～ 天高く馬肥ゆる今．

이-똥 명 歯くそ；歯かす．

이라 조 ↗이라고．¶그가 주역～ 하던데요 彼が主役だって言ってましたよ／좋은 것～ 하기에 샀다 よい物だと言うので買った．＊라．

이라고 조 引用を表わす補助詞：…と；…だと；…とか；…などと．¶그는 '김씨는 훌륭한 사람'～ 말했다 彼は'金氏は立派な人だと言った．

이라는 조 [↗이라고 하는] …(だ)と言う．¶급한 병～ 소식을 듣고서 急病だと伝え聞いて／박～ 사람은 전혀 모른다 朴と言う人は全然知らない．＊라는．

이라도 조 …でも；だって．¶싼 것～ 충분히 쓸 수 있다 安い物でも結構使える／내일～ 와 주게 明日にでも来てもらおう／아이들 걸음～ 10분이면 갈 수 있다 子供の足でも十分あれば行ける／원금만～ 돌려 주었으면 싶다 元金だけでも返して欲しい．＊라도．

이라든지 조 …であろうが；…だとか；…にせよ．¶불～ 물～ 모두 인간 생활에 필요 불가결한 것들이다 火にせよ水にせよ皆人間の生活に必要不可欠な物である．／나를 악인～ 위선자라든지 마음대로 불러라 わたしを悪人だとか偽善者だとか何とでも言え．

이라야 조 …でなければ…ならない；…こそ；…だけが．¶그런 사람～ 할 수 있다 そのような人でなければ出来ない．＊라야．

이라야-만 조 "이라야"の強勢語．¶돈～ 해결지을 수 있다 お金だけが解決することが出来る．

이락【利落】 명〔經〕①↗이자락(利子落)．②↗이락 가격．

‖── 가격(價格) 명〔經〕利子が支払われた後の債券で価値が下がった時の価格．

이란성 쌍생아【二卵性双生児】 명 二卵性双生児．

이랑 명 田畑のうね(畝)．¶～을 만들다 うねをつくる／～이 고랑되고 고랑이 ～된다《俚》天下は回り持ち．

‖── 재배(栽培) 명 畝床をつくって穀物を栽培すること．また，その方式．

이랑 조 終声のある体言に付く補助詞：…と(か)；…や(ら)．¶산～ 강～ 구름～ 이런 것들이 좋은 경치를 이룬다 山や川や雲とかが集まってよい景色を成す．＊랑．

이래【以來】 명 以来；この方．¶유사 ～ 有史以来．

이래 준 "이리하여"の略語：このようにして；こうして；かくて．＞요래．¶～ 망했다 かくして滅んだ．

이래도 준 ①"이렇게 하여도"の略語：このようにしても；こうしても．¶～ 안 되고 저래도 안 된다 こうしてもああしても出来ない．②"이러하여도"の略語：これでも．¶～ 또 할 테냐 これでもまた(亦)やるつもりか．＞요래도．

이래라 저래라 구 こうしろああしろ；このようにしろあのようにしろ．＞요래라조래라．¶～ 참견이 심하다 こうしろああしろとおせっかい(節介)が多い．

이래-봬도 부 こう見えても．＞요래봬도．¶～ 비싼 물건이다 こう見えても値段の高い品物である／～ 나는 그런 사람이 아니다 はばかりながらわたしはそんな人ではない．

이래서 준 "이리하여서"の略語：こんなにして；このようにして；かくして．＞요래서．¶～ 그는 무사하게 되었다 こんなにして彼は無事になった／～ 나는 성공했다 かくしてわたしは成功した．

이래서-야 준 "이리하여서야"の略語：こうしては；このようにしては．＞요래서야．¶～ 쓰겠나 こうしてはだめじゃないか．

이래-저래 부 どうやらこうやら；あれこれ．＞요래조래．¶～ 손해만 봤다 あれこれと損ばかりした／～ 살고 있다 どうやらこうやら暮らしている．

이랬다 저랬다 구 ああしたりこうした

り；左右に．＞요랬다 조랬다．¶말을 ～ 하다 言を左右にする／～ 하여 갈피를 잡을 수 없다 ああ言ったりこう言ったりして見分けがつかない．

이러 [감] 牛馬を追う声：どう．¶～，～ はいはい，どうどう．

이러구러 [부] ①はからずも．②かれこれ；あれこれ．¶고향을 떠난 지 ～ 십 년이 지났다 くにを出てあれこれ十年が過ぎた．

이러나 [부] このようであるが．＞요러나．¶지금은 ～ 앞으로는 아주 달라져 있을 거다 今はこのようであるが将来はすっかり変わっているはずだ．

이러나 저러나 [준] "이러하나 저러하나·이리하나 저리하나"の略語：こうでもああでも；こうしてもああしても；いずれにしても；どっちみち；どのみち；とにかく．＞요러나 조러나．¶～ 가봐야겠다 いずれにしても行って見なくちゃ／～ 손해를 본 것은 틀림없다 どっちみち損をしたのは間違いない．

이러니, 이러니까 [부] こうだから；この故に．¶이러니까 사고를 내는 것이야 こうだから事故を起こすのだよ．

이러니 저러니 [준] "이러하다느니 저러하다느니"の略語：どうのこうの；かれこれ；何だかんだ；何のかのと；とやかく．¶이제 와서 ～ 해보았댔자 소용없다 今更どうのこうのと言ったってしようがない／～ (말)할 처지가 못 된다 どうこう言うべき筋合いではない／～ 말하기 전에 とかく言う前に／～ 하지 말고 四の五のと言わずに．

이러다 [준] "이렇게 하다"の略語：このようにする；こうする．＞요러다．¶지난 번에도 ～ 사고를 냈다 この前もこのようにして事故を起こした．

이러다-가 [준] "이렇게 하다가"の略語：こうするうちに(もしや)．＞요러다가．¶～ 죽으면 어쩌나 こうしているうちに死ぬとすればどうしよう．

이러루-하다 [형] おおよそこのようなものだ；まあこんなものだ．¶남는 것이란 대개 이러루한 것이다 残る物と言ったら大体こんなものだ．

이러면 [준] "이러하면"の略語：こうしたら；こうすれば；これなら．＞요러면．¶너무 ～ 사고가 난다 あまりこうしたら事故が起こるよ．

이러므로 [준] "이러하므로"の略語：こうだから；この故に．＞요러므로．¶항상 ～ 낙제를 한 것이다 いつもこうだから落第をしたのだ．

이러이러-하다 [형] これこれだ；しかじかである；かくかくである；こうこうである．＞요러요러하다．¶이러이러한 이유로 これこれの理由で／이러이러한 사실 かくかくの事実／사고의 경위는 ～ 事故のいきさつはかくかくである．

이러저러-하다 [형] しかじかである；そんなこんなである；そうこうである．＞요러조러하다．¶이러저러해서 そんなこんなで／이러저러한 사정으로 かくかくしかじかの事情で．

이러쿵-저러쿵 [부] どうこう；どうのこうの；とやかく；あれこれ；何のかのと．＞요러쿵조러쿵．¶이제 와서 ～ 해보았자 소용없다 今更どうのこうのと言ってもしようがない／～ 하지 마라 とやかく言うな；つべこべ言うな．

이러-하다 [형] こうである；この様だ；この通りだ；こういうことである．＞요러하다．¶이러한 정세하에서 このような情勢下で／이러한 일은 없다 こういう事はない／이러하지도 저러하지도 못하다 にっちもさっちも行かない／이러한 사람은 처음이다 このような人は始めてである．㊟이렇다．이러-히 [부] この様に；こんなに；この通りに．

이럭-저럭 [부][하자] ①どうにかこうにか；曲がりなりにも．¶～ 졸업했다 どうにかこうにかして〔曲がりなりにも〕卒業した／～ 만들었다 やっとこ作り上げた．②なんとかかんとか；かれこれ；何やかや；なるがままに．¶～ 참을 수 있다 なんとか我慢が出来る／～ 돈을 꽤 많이 썼다 何やかやで大分お金を使った／덕택으로 ～ 일을 마쳤습니다 おかげさまでどうやら仕事を終えました．③知らぬ間に；そうこう；とかく．¶～ 하는 동안에 해가 저물었다 そうこうする〔とかくする〕うちに日が暮れた．＞요럭조럭．

이런[1] [관] "이러한"の略語：このような；こんな；か(斯)かる．＞요런．¶～ 조건으로는 수락은 어림도 없다 こんな条件では応諾は思いもよらぬ／～ 상태로는 こんなありさまでは／～ 것도 모르는가 こんな事も分からないのか．

이런[2] [감] おやっ；ほい；や；これは；これはこれは．＞요런．¶～，또 들켰구나 や，また見つかってしまったな／～，그럴 수 있나 これはこれは，そんな事があろうか．

이런-고로【一故一】[부] この様なわけで；こうなので；こんなために．¶～ 항상 주의해야 한다 この様なわけでいつも注意しなければならない．

이런-대로 [준] "이러한 대로"の略語：このままで；この様に；この通りに．＞요런대로．¶～ 살아가고 싶다 このまま暮らして行きたい．

이런-양으로 [준] "이러한 모양으로"の略語：このありさまで；こんなありさまで．＞요런양으로．

이런-즉 [부] こんなわけだから；こんなわけで；こうなので；このようだから．＞요런즉．¶～ 그를 학생이라 할 수는 없다 こんなわけだから彼を学生だとは言えない．

이럼 [부] ☞ 이러면．

이렁성-저렁성 [부] このようでもありあのようでもある：あれやこれや．¶～ 갈피를 잡을 수 없다 ああでもありこうでもあり一向見当がつかない．

이렁-저렁 [부] どうやらこうやら；どうにかこうにか．＞요렁조렁．¶여름 한 철도 ～ 다 지나갔다 夏もどうやらこうやら過ぎた(ようだ)．

이렇게 [부] "이러하게"の略語：この

ように；こんなに；これ程；こう；かく．＞요렇게．¶～까지 잘 만들 수는 없다 こう〔こんなに〕までうまくは作れない／～ 말하면 저렇게 말한다 こう言えばああ言う／～ 더워서는 못 견디겠다 こう暑くてはやりきれない／～ 된 바에는 한시 바삐 돌아가〔돌아와〕주었으면 좋겠다 かくなったからには一刻も早く帰って欲しい／～해서 かくして．

이렇다 형 ↗이러하다．＞요렇다．¶～ 할 곤란은 없다 さしたる困難はない／～ 할 결점도 없지만 왠지 싫군 これという欠点はないが何となく嫌だね／그의 이야기는 대개 ～ 彼の話は大体こうだ．

이렇다 저렇다 구 ああだこうだ；どうのこうの；とやかく．＞요렇다 조렇다．¶이 일에 내가 ～ 할 자격은 없지만 この事に対して僕がどうのこうの言う筋合いではないが．

이렇든-저렇든 부 ああでもこうでも；とにかく．＞요렇든조렇든．¶～ 빨리 해라 とにかく早くやれ．

이렇듯 부 このように；かくまで；かくのごとく；これ程．＞요렇듯．¶슬픔이 ～ 클 줄이야 悲しみがこれ程深いとは／～ 많은 돈 このように多くの金．

이렇듯-이 부 このように；これ程に；こんなに．

이렇지 감 "このように間違いない" または "こうだろう" の意．＞요렇지．¶～，내 말이 틀림없어 こうだろう，僕の話に間違いはない．

이렇지 않다 구 こうでない；このようでない．＞요렇지 않다．¶그 때의 그 물건은 이렇지 않았다 その時のその品物はこうでなかった．

이레 명 ① ↗이렛날．② 七日；七日．¶이렛-날 명 ① 七日目．¶한 ～ 一七日／두 ～ 二七日．② 七日．

이력【履歴】 명 履歴；閲歴．＝경력(經歷)．──(이) 나다 구 経験を得てその事〔道〕に熟達する．

‖──-서 명 履歴書．¶자필 ～ 自筆履歴書．

이례【異例】 명 異例；異数．＝위례(違例)．

‖──-적 명관 異例的；破天荒．¶～인 인사 破天荒の人事．

이로【理路】 명 理路．¶～ 정연 理路整然．

이로너라 감 ↗이리 오너라．

이로-부터 부 これより；これから以後；今後．¶～ 다시 싸우면 안 된다 今後またけんかしてはだめだよ／～ 행복하게 될 것이다 これからは幸せになるだろう．

이로-써 부 これをもって；これにて；こういうわけで．¶～ 오늘 일을 마친다 これで今日の仕事を終える／～ 방패를 삼아라 これをもって盾とせよ．

이론【異論】 명 異論．＝이의(異議)．¶～은 없다 異論はない／～을 제기하다 異論を唱える．

이론【理論】 명 理論；理屈；理．¶～과 실제와는 다르다 理論と実際とは違う／정치란 ～대로 되는 것은 아니다 政治とは理屈通りに行くものではない／～만으로는 안 된다 理詰め通りにはいかない．

‖──-가 명 理論家．¶혁명적인 ～로 인기가 있다 革命的理論家としてもてはやされる．── 경제학 명 理論経済学．── 과학 명 理論科学．── 물리학 명 理論物理学．──-적 명관 理論的．¶～으로는 그렇게 말할 수 있지만 理論的にはそう言えても．── 투쟁 명 理論闘争．──-화 명하타 理論化．

이-롭다【利─】 형 有利だ；得だ；ためになる．¶조금도 이로운 점이 없다 少しも利するところがない／몸에 ～ 体に良い；体のためになる／적을 이롭게 하다 敵に利する．이-로이 부 有利に．

이루【二壘】 명 二塁；セカンドベース；セカンド《준말》．¶～까지 진출하였다 二塁まで進んだ．

‖──-수 명 二塁手；セカンドベースマン；セカンド《준말》．¶～의 실책 二塁手〔セカンド〕のエラー．──-타 명 二塁打．¶～를 날리다 二塁打を飛ばす．

이루 부 すべて；全部；ことごとく；とうてい(到底)．¶～ 다 말할 수는 없다 到底口では話し切れない／글로 ～ 다 표현할 수가 없다 筆紙に尽くし難い．

이루다 타 ① 成す；作〔造〕る；築く．¶떼〔무리〕를 ～ 群れを成す／가정을 ～ 家庭を持つ／성황을 ～ 盛況を呈する／인산 인해(人山人海)를 ～ 人山を築く．② 遂げる；果たす；達する．¶목적을 ～ 目的を遂げる／숙원을 ～ 宿願を果たす；本懐〔宿望〕を遂げる／뜻을 ～ 思いを遂げる；志を得る／소원을 이루어주다 望みをかなえてやる．

이루어-지다 자 成り立つ；成る；かな(叶)う；出来上がる．¶혼담이 ～ 縁談がまとまる／세기의 위업 드디어 ～ 世紀の偉業ついに成る／소원이 ～ 願い〔念〕がかなう〔届く〕／이루어질 수 없는 사랑 及ばぬ恋．

이룩-되다 자 成る．¶피와 땀으로 이룩된 댐 血と汗で成ったダム／위업이 ～ 偉業が成る．

이룩-하다 타 ① 成す；作〔造〕る；成し遂げる；達成する．¶가정을 ～ 家庭〔世帯〕を持つ．② (国などを)創建する；立〔建〕てる；作〔造〕り上げる．¶근대 공업 국가를 이룩하는 길 近代工業国家を作り上げる道．

이류【二流】 명 二流．¶～ 학교 二流学校．

이류【泥流】 명 〔地〕 泥流．

이류【異類】 명 異類．

‖── 개념 명 異類概念．

이륙【離陸】 명하자 離陸．¶멋있게 ～하였다 見事に離陸した．

이륜-차【二輪車】 명 二輪車．

이르다[1] 자 至る．① 到着する；到達する；行き着く；達する．¶

목적지에 ~ 目的地に至る / 막다른 곳에 ~ どん詰まりに突き当たる / 기차가 철교에 ~ 汽車が鉄橋に掛かる. ② 達する; わたる; 及ぶ; 立ち至る. ¶ 일이 이에 ~ 事ここに至る〔立ち至る〕/ 자자손손에 이르기까지 子子孫孫にわたるまで / 폭력 사태에 ~ 暴力沙汰に及ぶ / 공사는 겨우 완성에 이르렀다 工事はやっと完成に至った.

이르다² ㊀자 (前もって)言う; 話す; 申す. ¶ 속담에도 이르듯이 ことわざにも申します通り / 옛사람이 이르되 古人が言うことには / 이를 데 없이 괴상한 모양 珍無類なかっこう. ㊁타 ① あらかじめ知らせる. ② 言い聞かせる; 説き聞かす. ¶ 잘 알아듣도록 ~ 言い含める; かんで含める. ③ 告げ口をする; 告げる. ¶ 아버지에게 일러바치다 父に告げ口をする.

이르다³ 형 早い. ¶ 실망하는 것은 ~ 失望は早い / 이른 아침 早天; あけがた / 이른 번호 若い番号 / 이를수록 좋다 早い程良い.

이르집다 타 ① 皮をむく. ② 有りもしない事をねつぞう(捏造)して〔でっちあげて〕事を荒だてる.

이른-모 명 早苗. =조앙(早秧).

이른-바 부 いわゆる(所謂). ¶ 이런 것이 ~ 정치라는 것이다 こんなのがいわゆる政治と言うものだ.

이른-봄 명 早春; 初春; 春先. =맹춘(孟春). ¶ ~의 향내 早春のかおり / 따뜻한 ~의 어느 날 ぽかぽかした春先のある日.

이를-테면 부 たとえて言うならば; 言わば; たとえば. ¶ ~ 그는 산 부처다 たとえて言うならば彼は生仏である / ~ 사자나 범 같은 맹수들은 たとえばしし(獅子)やとら(虎)などの猛獣は.

이름 명 名. ① 名前; ネーム. ¶ ~ 없는 백성 名無き民 / 전 ~ 前の名 / 소리 높이 자기 ~을 대다 高らかに名乗りをあげる / 누구냐, ~을 대라 何者だ, 名乗れ. ② 名称. ¶ 꽃〔동물〕의 ~ 花〔動物〕の名 / ~은 실체를 상징한다 名は体を表わす. ③ 称号. ¶ 단체의 ~ 団体の名 / 회사의 ~ 会社名. ④ 評判; うわさ(噂). ¶ 장서가로서 ~이 높다 蔵書家として名が高い / ~을 팔다 名を売る / ~을 후세에 날리다 名を後世に垂れる〔残す〕/ 당대에 ~을 떨치다 当世に名をとどろ(轟)かす〔鳴らす; 響かせる〕/ ~ 좋은 하눌타리《俚》見掛け倒し. ⑤ 名誉. ¶ 모교의 ~을 더럽히다 母校の名を汚す. ⑥ 口実; 名分. ¶ 평화란 ~ 아래 침략을 꾀하다 平和の名の下に侵略を図る. ⑦ 体裁; 名聞. ¶ ~을 버리고 실을 취하다 名を捨てて実を取る. ――하다 타 …と呼ぶ; …と言う. ¶ 호남 평야라 ~하다 湖南平野と呼ぶ / 낙동강이라 ~하다 洛東江と言う.

이름-나다 자 名が知られる; 有名になる. ¶ 숙덕으로 이름난 부인 淑徳の誉れ高い婦人 / 이름난 악 札付きの悪党 / 그가 이름난 명 이다 彼が音に聞こえた名人で る / 온천으로 ~ 温泉で知られる.

이름-자【一字】 명 名を表わす字.

이름-짓다 타 名付ける; 呼ぶ. ¶ 수라 ~ 昌洙と名付ける.

이리¹ 명 白子. =어백(魚白). ¶ ~ 먹다 白子を食う.

이리² 명〖動〗おおかみ(狼).

이리³ 부 こっちへ; こちらに. >요리. ¶ ~ 오십시오 こちらへどうぞ.

이리⁴ 부 [↗이러하게] このように; こんなに; こう; かく. >요리. ¶ 왜 ~ 추울까 何でこんなに寒いんだろう / ~ 된 바에는 かくなる上は / ~하여 두 사람은 맺어졌다 かくして二人は結ばれた. ――하다 자타 このようにする. 준 이리다.

이리다 자타 ↗이리하다.

이리 뒤적 저리 뒤적 구 物をあちこちかき回すさま. ¶ ~ 물건을 고르다 あちこちかき回して物を選ぶ / 장 속을 ~ 하며 찾다 たんすの中をかき散らしてものを探す.

이리 뒤척 저리 뒤척 구 展転反側するさま.

이리듐 〔iridium〕 명〖化〗イリジウム.

이리-로 부 "이리³"の強勢語. ¶ ~ 오시오 こっちへいらっしゃい.

이리 오너라 감 頼もう; 御免; 物申(す). 준 이로너라.

이리-온 감 こっち〔こちら〕(へ)おいで. ¶ 아가야, ~ 坊や, おいで.

이리-이리¹ 부 こちらへこちらへ; こっちへこっちへ.

이리-이리² 부 かくかく; こうこう.

이리-저리¹ 부 あちこち; あちらこちら. >요리조리. ¶ 모금을 위하여 ~ 뛰어다니다 募金のためにあちこち飛び回る.

이리-저리² 부 あれこれ. ¶ ~ 생각하다 あれこれ(と)考える; あん(按)ずる / 핑계를 ~ 둘러대다 あれこれと逃げ口上を並び立てる.

이리쿵-저리쿵 부 こうしょうかああしょう; とやかく; なんのかの. ¶ ~ 생각하다 こうしょうかああしょうかと思案する.

이마 명 ① 額; ぬか〈雅〉; おでこ〈俗〉. ¶ ~를 맞대고 의논하다 額を集めて相談する / ~ 위의 머리칼 額髪 / ~의 생김새 額つき / ~에 주름살을 짓다 額にしわを寄せる / ~가 터지다 額が割れる. ② ↗이맛돌.

이마마-하다 형 これくらいだ; この程度である. ¶ 그 막대는 ~ そのさお(竿)はこれくらいである.

이마-받이 명하자타 額で突くこと; 頭突きをすること.

이마-빼기 명 額の卑称. 준 마빡.

이-마적 명 最近; このごろ. >요마적.

이만 ㊀관 これくらいの; この程度の. ¶ ~ 일에 쓰러지다니 これくらいのことで倒れるとは. ㊁부 これまで; これで; これくらいで; この程度で. ¶ 오늘 수업은 ~ 今日の勉強はこれまで / ~ 실례하겠습니다 こ

れで失礼致します. >요만.

만-것 명 これくらいの事〔物〕; たいした物でないこと.

만저만-하다 형 ああこうである; 相当だ; 並たいていだ; まあまあだ. ¶ 이만저만한 노력이 아니고서는 이 일은 완성할 수 없다 並並ならぬ努力をささげなければこの事は完成できない / 이만저만한 어려움이 아니다 並たいていの難しさではない.

-만큼 부 こんなに; これ程; これくらい. >요만큼. 준 이마큼.

만-하다 형 これくらいだ. ¶ 이만한 고생은 참을 수 있어야 한다 これくらいの苦労はしんぼう(辛抱)できねばならぬ.

이맘-때 명 今ごろ; 今時分. >요맘때. ¶ 지난 해 ~ 去年の今ごろ〔今時分〕.

이맛-돌 명 かまどの横にかける石. 준 이마.

이맛-살 명 額のしわ. ¶ ~을 펴다 しゅうび(愁眉)を開く.

이맛-전 명 額の広い部分.

이-맞다 자 ふた(蓋)·歯車の歯などがぴったり食い合う.

이며 조 …も; …や(ら). ¶ 선생~ 학생~ 모두 한 마음이다 先生も学生も皆同じ心である / 산~ 물~ 모든 것이 아름답다 山や水やすべてが麗しい.

이면【裏面·裡面】명 裏面; 裏側. ¶ ~에서 활약하다 裏で活躍する / 사회의 ~에 밝았다 社会の裏に詳しかった.

‖── 경계(境界) 명 事の内容とぜひ(是非)〔良いことと悪いこと〕. ── 공작 명 裏面工作. ── 부지(不知) 명 理に背いた事をすること. また, その人. ──-사 명 裏面史.

이명【耳鳴】명 耳鳴り. =귀울음.

‖──-증(症) 명 ☞ 이명(耳鳴).

이명【異名】명 異名; 替え名.

이명-법【二名法】명 (動植物の学名での)二名法.

이모【姨母】명 母の姉妹; (母方の)叔母. ¶ ~부 母の姉妹の夫; 叔父; 小父.

이모【異母】명 異母; 腹違い.

‖── 형제 명 腹違いの兄弟.

이모-작【二毛作】명 二毛作. ¶ 이 지방에서는 ~을 할 수 있다 この地方では二毛作が出来る.

이모-저모 명부 あの面この面; あれこれ; 各方面; いろんな角度; 端端. >요모조모. ¶ 사회의 ~를 살피다 社会の各方面を探る.

이목【耳目】명 耳目. ① 耳と目. ② 人目; 視聴; 注意. ¶ 남의 ~을 끌다 人目を引く / 세상의 ~을 끌다 世の視聴を集める / 세상의 ~을 피하다 世を忍ぶ.

‖──-구비(口鼻) 명 目鼻立ち. ¶ ~가 단아하다 目鼻立ちが上品である / ~가 반듯하다 目鼻立ちが整っている.

이무기 명 ① 竜に成れず, 水中に住むと言われる伝説的なおろち. ② うわばみ(蟒·蟒蛇); おろち; 大蛇.

이문【利文】명 ① 利ざや. =이전(利錢). ¶ 근소한 ~ わずかな利ざや. ② ☞ 이자(利子).

이물 명 船首; みよし(舳); へさき(舳先).

이물【異物】명 ① 異物. ¶ 삼켜 버린 ~을 토해 내다 飲み込んだ異物を吐き出す. ② 陰険で計り知れない人. ③ 亡くなった人.

이물-스럽다 형 陰険で底が知れない; 腹に一物あるようだ.

이미【異味】명 異味; 違った味.

이미 부 もう; 既に; すんでに; とうに; 先刻; 早; もはや(最早). ¶ ~ 때는 늦었다 もう間に合わない; 既に手遅れだ / ~ 말한 바와 같이 既に述べた通り / 대세는 ~ 결정되었다 大勢は既に決まった.

이미지〔image〕명 イメージ. ¶ ~가 떠오르다 イメージが浮かぶ.

이미테이션〔imitation〕명 イミテーション. =모방·모조품.

이민【移民】명하자 移民. ¶ ~을 권유하다 移民を勧める.

이-민족【異民族】명 異民族.

이바지 명 ひえき(裨益); 貢献. ──하다 자 裨益する; 貢献する; 資する; 報ずる; 尽くす. ¶ 교육에 ~하는 바가 크다 教育に裨益するところ大である / 산업 발전에 ~하다 産業発展に資する.

이반【離反·離叛】명하자 離反.

이발【理髮】명하자 理髪; 調髪; 散髪. ¶ ~기 バリカン.

‖──-관(館) 명 ☞ 이발소. ──-사 명 理髪師; 調髪師. ──-소(所) 명 理髪店; 散髪屋; 床屋; 床《준말》.

이-밥 명 生飯.

이방 명〔民〕[←예방(豫防)] 厄よけ; 厄払い.

이방【異方】명 風俗·習慣などが違う地方.

이방【異邦】명 異邦; 異国.

‖──-인 명 異邦人; 外国人.

이방-체【異方體】명〔物〕異方体.

이배-체【二倍體】명〔生〕二倍体.

이-번【一番】명 今度; 今回; 今次; この度; この程. =금번·금회. >요번. ¶ ~ 사건으로 그를 다시 보았다 今度の事件で彼を見直した / ~에 좌기(의 장소)로 이전했습니다 今回左記に移転致しました / ~에는 폐를 많이 끼쳤습니다 この度はたいへんお世話になりました.

이번【二番】명 二番; 第二番.

이법【理法】명 理法. ¶ 자연의 ~ 自然の理法.

이벤트〔event〕명 イベント. ¶ 메인 ~ メインイベント.

이변【異變】명 異変; 変異; 変事. ¶ ~을 듣고 달려가〔오〕다 変事を聞いて駆けつける.

이별【離別】명하자타 離別; 別離; 別れ. ¶ 생~ 生き別れ / ~의 슬픔 別れのつらさ / ~의 말〔눈물〕名残のことば〔涙〕.

‖──-가 명 別れの歌; 離別の歌. ──-주 명 別れの酒; 離別の酒.

이병【罹病】명하자 りびょう(罹病). ¶～를 罹病率.
이-보다【利—】타 ① 利益になる. ② 利益を得る；得する.
이복【利福】명 利福；福利.
이복【異腹】명 異腹；腹違い；異母.
‖—— 동생(同生) 명 腹違いの弟. —— 형제 명 まま(継)兄弟.
이본【異本】명 異本；珍本.
이-봐 감 おい；こら；これ. ¶～ 이리 와 これ，こっちへ来い / ～ 잠깐만 기다려 おい，ちょっと待て.
이부【二部】명 二部；二つの部.
‖—— 수업 명 二部授業. ——-작 명 二部作. ¶～의 소설 二部作の小説. ——-제(制) 명 ① 二部授業をする制度. ② 昼夜間制. —— 합주 명 二部合奏. ＝이중주(二重奏). —— 합창 명 二部合唱. ＝이중창(二重唱).
이부 동모【異父同母】명 異父同母.
이부-자리 명 寝床；布団. ¶～를 펴다 寝床を敷く.
이북【以北】명 ① 以北. ② (韓国で)北緯三十八度線，または休戦ラインの北.
이분【二分】명하타 二分. ¶～의 이 박자 二分の二拍子 / 천하를 ～하다 天下を二分する.
‖—— 쉼표(標) 명〖樂〗二分休(止)符. —— 음표(音標) 명〖樂〗二分音符.
이-분모【異分母】명〖數〗異分母.
이-분자【異分子】명 異分子. ¶당내의 ～를 제명하다 党内の異分子を除名する.
이불 명 掛け布団；ふすま(衾·被)〈雅〉. ¶～을 햇볕에 말리다 掛け布団を日干しにする.
‖——-보(褓) 명 布団を包む大きなふろしき(風呂敷). ——-잇 명 布団カバー. ——-장(欌) 명 布団入れ(のたんす).
이불리-간【利不利間】부 利·不利を問わず；損得を問わず.
이브〔Eve〕명〖宗〗イブ.
이브닝〔evening〕명 イブニング.
‖—— 드레스 명 イブニングドレス；イブニング《준말》. —— 코트 명 イブニングコート.
이비 인후과【耳鼻咽喉科】명〖醫〗耳鼻咽喉科.
이빨 명《卑》歯.
이쁘다 형 ←예쁘다.
이사【二死】명〖野〗二死；ツーダウン. ¶～ 만루 二死満塁.
이사【理事】명 理事；取締役. ¶～로 승진했다 理事に昇任した.
‖——-관 명 理事官. ——-국 명 理事国. ——-장 명 理事長.
이사【移徙】명 引っ越し；転宅；家移り. ——-하다 자 引っ越す；引き移る. ¶이웃 동네로 ～하다 隣の町に引っ越す.
이-사분기【二四分期】명 四半期の二番目.
이삭 명 穂. ¶벼～ 稲穂 / ～을 줍다 落ち穂を拾う / ～줍기 落ち穂拾い / ～이 패다 穂が出る.

이산【離散】명하자 離散；離れ離れ；別れ別れ. ¶～ 가족 離散家族.
이산 염기【二酸塩基】명〖化〗二酸塩基.
이-산화【二酸化】명〖化〗二酸化.
‖—— 규소 명 二酸化珪素. —— 망간 명 二酸化マンガン. ＝과산화 망간. —— 수소 명 二酸化水素. —— 질소 명 二酸化窒素. —— 탄소 명 二酸化炭素. ＝탄산 가스. ——-황 명 二酸化硫黄.
이삼【二三】명관 二三；両三. ¶～회 二三回 / ～일 二三日；両三日；明日あさって.
이상【以上】명 ① 以上. ¶다섯 살 ～ 五歳以上 / ～과 같이 以上の通り / 예상 ～ 予想以上. ② (副詞的に用いて)…したからには；…の上は. ¶이렇게 된 ～에는 こうなったからには / 맡은 ～에는 해내어야 한다 引き受けたからにはやり遂げねばならない.
이상【異狀】명 異状. ¶서부 전선 ～ 없다 西部戦線異状無し.
이상【異常】명 異常；アブノーマル；不思議；妙. ——-하다 형 異常だ；不思議だ；妙だ. ¶～ 기온 異常気温 / 계기의 ～ 計器の狂い / ～한 사람 おかしな人 / ～한 이야기 不可思議(不思議；変)な話 / 인연이란 ～한 것 縁とは異なもの / 공사가 ～없이 진척되다 工事が異常なく進む / ～한 소리가 나다 怪しい物音がする / ～하게 늦는군 妙に遅いな / 이건 ～한데 これは変だぞ. ——-히 부 異常に；不思議に；妙に. ——-스럽다 형 ☞ 이상하다.
‖—— 기상 명 異常気象. —— 기억 명〖心〗異常記憶. —— 심리학 명 異常心理学.
이상【理想】명 理想；アイデア. ¶그리스도의 ～ キリストの理想 / ～을 추구하다 理想を追い求める.
‖——-론 명 理想論. ——-적 명관 理想的；アイデアル. ¶～인 생활 理想的な生活. ——-주의 명 理想主義；アイデアリズム. ¶～자 理想主義者；アイデアリスト. ——-향 명 理想郷；ユートピア；むかう(無何有)のさと(郷). ——-화 명하자타 理想化.
이상 야릇하다【異常—】형 珍妙だ；変だ. ¶이상 야릇한 얼굴을 하다 珍妙な顔をする. 이상 야릇이 부 珍妙に；変に；へんちくりんに〈俗〉.
이색【二色】명 二色.
‖——-판 명〖印〗二色版.
이색【異色】명 異色. ¶～적인 존재 異色のある存在 / ～적인 역작 異色の力作.
이-생【—生】명 この世；現世. ¶～에서 맺지 못할 연분 この世で結ばれない縁 / 그것이 ～에서의 마지막이었다 それがこの世の別れだった.
이서【以西】명 以西.
이서【異書】명 異書；異本.
이설【移設】명하타 よそ(他所)に移して設置すること.
이설【異說】명 異說. ¶～을 세우다

説を立てる.

성【二姓】명 二つの姓〔名字〕; 婚姻する男と女の両家.

——지-합(之合) 명 姓が違う二人の男女の結合《結婚》.

성【異性】명 異性. ¶ ~간의 교제 異性間の交際 / ~화 異性化.

성【異姓】명 異姓. =타성(他姓). ¶ ~ 동명 異姓同名.

성【理性】명 理性; ロゴス. ¶ 감정에 흘러 ~을 잃다 感情に走って理性を失う〔取り乱す〕.

‖——론 명 理性論. ——적 명관 理性的. =합리적(合理的). ¶ ~인 사람 理性的な人.

성질-체【異性質體】명〔化〕 異性体.

이세【二世】명 二世. ① 移民先で生まれた子. ¶ 일본계 미국인 ~ 日系アメリカ二世. ② ↗이세 국민. ③《俗》子. =자녀(子女). ¶ 최근 ~가 태어났다 最近二世が生まれた. ④〔佛〕二世《現世と来世》. ⑤ 二代目. ¶ 조지 ~ ジョージ二世.

‖—— 국민 명 二世国民.

이소니코틴산 하이드라지드【—酸—】명〔藥〕〔←isonicotinic acid hydrazide〕 イソニコチン酸ヒドラジッド. 준 아이나(INAH).

이소-성【離巣性】명 離巣性.

이속【吏屬】명〔史〕役所についていた下級の役人. =이배(吏輩).

이속【里俗】명 里俗; 地方の風習.

이속【俚俗】명 俚俗; いやしい風習.

이속【異俗】명 異俗; 異風.

이송【移送】명하타 移送. ¶ 사건의 ~ 事件の移送 / 우편물을 ~하다 郵便物を移送する.

이수【里數】명 里数.

이-수【理數】명 理数. ¶ ~ 과목 理数科.

이수【移囚】명하자 囚人をよそ(他所)のろうや(牢屋)に移すこと.

이수【履修】명하타 履修. ¶ 학점의 ~ 単位の履修 / 전과정을 ~하다 全課程を履修する.

이수【離水】명하자 離水.

‖—— 활주(滑走) 명 水上機が水面を滑走する動作.

이수-성【異數性】명〔生〕異数性.

이순【耳順】명 耳順《六十歳》.

이술【異術】명 異術; 妖術.

이슈〔issue〕명 イッシュー; 争点. ¶ 금주의 ~ 今週のイッシュー.

이스터〔Easter〕명〔基〕 イースター; 復活祭.

이스트[1]〔east〕명 イースト; 東.

이스트[2]〔yeast〕명 イースト. ¶ ~균 イースト菌.

이슥-토록 부 [↗이슥하도록] 夜が更けるまで. =이슥히. ¶ 밤이 ~ 공부하다 夜更けまで勉強する.

이슥-하다 형 夜がかなり更けている. ¶ 이슥한 거리 夜更けの町.

이슬 명 露. ① 白露. ¶ 아침 ~ 朝露 / ~이 맺히다 露が結ぶ. ② はかない命のたとえ. ¶ ~ 같은 목숨 露の命 / 형장의 ~로 사라지다 刑場の露と消える. ③ 涙. ¶ 눈에 ~을 머금다 目に露を宿す.

‖——받이 명 ① 露がおりるころ. ② (両側の草葉が)露にぬれている小道. ③ (露にぬれた草むらの小道を歩くときに用いる)露よけのみの(蓑). ④ (露の小道を歩くときの)露よけ役の先頭者; 露払い. =이슬떨이. —— 방울 명 露の滴り; 露のしずく; 水玉; 露玉. ——비 명 煙雨; 霧雨; こぬかあめ(小糠雨). ——점(點) 명〔物〕露点.

이슬람〔Islam〕명〔宗〕イスラム.

‖——교 명〔宗〕イスラム教.

이승 명 この世; 現世;〔佛〕げんぜ; えど(穢土); 今生; しがん(此岸). ¶ ~에서의 이별 今生の別れ.

이승【二乘】명하타 ①〔數〕☞ 제곱. ②〔佛〕二乗; 大乗と小乗. また, その人.

이승【尼僧】명〔佛〕尼僧; 比丘尼; 尼. =비구니.

이-시【E.C.←European Community】명 イーシー; ヨーロッパ共同体.

이식【利息】명 利息; 利子.

‖——산 명〔數〕利息算.

이식【利殖】명하자 利殖; マネービル. ¶ ~의 방도를 꾀하다 利殖の道を図る.

이식【移植】명 移植; 植え付け. ——하다 타 移植する; 植え付ける. ¶ 각막 ~ 수술 角膜移植手術 / 논에 벼를 ~하다 田に稲を植え付ける.

이실 고지【以實告之】, 이실 직고【以實直告】명하자타 事実の通り告げること.

이심【二心】명 二心. ¶ ~을 품다 二心をいだく.

이심【二審】명〔法〕 [↗제이심(第二審)] 二審.

이심【異心】명 異心; 他意; 二心.

이심-률【離心率】명 離心率. =심차율(心差率).

이심 전심【以心傳心】명하자 以心伝心. ¶ 말하지 않아도 ~으로 알다 口にしなくても以心伝心でわかる.

이십【二十】㊀ 수 二十. ㊁ 명 二十; 二十歳. ¶ ~ 안 자식 삼십 안 천량《俚》二十前に子をもうけ, 三十以前に財産をこしら(拵)えねばならぬとのたとえ / ~ 과부는 수절을 해도 삼십 과부는 수절을 못 한다《俚》二十の後家は立つが三十の後家は立たぬ.

이십-사【二十四】수 二十四. ¶ ~ 시간 근무 二十四時間勤務.

‖——금 명 二十四金. ——기 명 二十四気. =이십사 절기. ——방위 명 二十四方位. ——번 화신풍 명 二十四番花信風. ——시 명 二十四時. —— 절기 명 二十四節気. =이십사기(氣).

이십 세기【二十世紀】명 二十世紀.

이십팔-수【二十八宿】명〔天〕 二十八宿.

이-쑤시개 명 ようじ(楊枝·楊子); つまようじ(爪楊枝); 小ようじ. ¶ ~로

이를 쑤시다 つまようじを使う.

이씨 조선【李氏朝鮮】 명 朝鮮朝.

이아치다 타 ①(自然の力が)損害を与える. ②(仕事の)じゃまになる. ③(悪事で)さまたげる. 준 이치다.

이악-하다 형 利にさとい.

이안 레프【二眼―】 명 [↗이안 리플렉스 카메라] 二眼レフ(カメラ).

이-알 명 生飯の粒. ¶ ~이 곤두서다《俚》 生飯の粒が逆立つ《暮らし向きが少し楽になって威張り散らすことのたとえ》.

이-앓이 명 歯痛. ¶ ~약 歯痛の薬.

이암【泥岩】 명 泥岩.

이앙【移秧】 명 植え付け; 田植え. =모내기. ──하다 자 植え付ける; 田植え(を)する.

이-애 ㊀명 "이 아이(=この子)"の略語. ¶ ~는 귀엽다 この子はかわいい. 준 애. ㊁감 "이 아이야(=この坊や)"の略語: 子供をかわいがって呼ぶ言葉; 坊や; これ; おい. ¶ ~ 너의 집이 어디냐 坊や, 君の家はどこかね. 준 애.

이애저애-하다 자 人を"이애·저애(=おい·これ·あれ)"などとぞんざいに呼び捨てにする.

이야 조 ①…(こそ)は; …だけは; …だよ. ¶ 그 사람~ 좋지 その人は〔なら〕いいよね / 설마 이번~ 붙겠지 いくらなんでも今度(こそ)は受かるだろう / 모든 일은 다 그런 것~ 物事とは皆そんなものさ / 지금 것은 연극~ 今のはお芝居だったよ. ②…か. ¶ 그가 범인~ 彼が犯人かね / 정말~ 本当かね.

이야기 명하자타 話. ①言葉. ¶ ~해 주다 話してやる / 상스러운 ~ 下がかった話 / 요령 부득의 ~ つかみ所のない話. ②相談; 談話. ¶ ~ 상대 話し相手 / 더불어 ~할 만하다 話すに足りる / 서로 ~한 결과 話し合いの結果 / ~가 성립되다 話がまとまる〔付く〕. ③経験談; 感想談. ¶ 체험을 ~하다 体験を物語る. ④話題. ¶ ~를 바꾸다 話を変える / 혼사 ~ 結婚ばなし; 縁談 / ~에 꽃이 피다 話に花が咲く. ⑤物語. ¶ 토끼와 거북이의 ~ 兎と亀の話 / 어째 꾸며낸 ~ 같다 どうも作り話のようだ. ⑥☞ 소설(小説). ⑦うわさ(噂); 評判; 消息. ¶ 남의 ~에 의하면 人の話によれば / 처음 듣는 ~다 耳新しい話である. ⑧頼みの言葉; 事情; わけ. ¶ 처지를 울면서 ~하다 身の上を泣きながら語る / 그쪽 ~도 들어보자 向こうの言い分も聞こう. ⑨[↗옛날 이야기] 昔話; おとぎ話. ¶ 옛날 전쟁 ~를 해주었다 昔の軍談を話してやった. 준 얘기.

‖──-꾼 명 話し手; 語り手. ──책(册) 명 小説·昔話などの本; 話し本. 이야깃-거리 명 言いぐさ; 語りぐさ; 話の種. ¶ 뭇사람들의 ~가 되다 衆人の言いぐさになる. 이야깃-주머니 명 話の種が尽きない人; 面白い話をたくさん持っている人.

이야-말로¹ 부 "이것이야 말로"の略: これこそ. ¶ ~ 진짜 보배다 これこそ真の宝である.

이야-말로² 조 "当然以上の当然"と言う意: …こそ(は); …ぞ. ¶ 금~ 분발하여야 할 때다 今こそ奮発すべき時である. * 야말로.

이양【移讓】 명하타 移譲. ¶ 정권을 ~하다 政権を移譲する.

이어【俚語】 명 りご(俚語); ちまた(巷)の俗っぽい言葉. =이언(俚言).

이어 부 引き続き; 続いて. ¶ 곧 ~ 음악 프로가 있다 引き続き音楽のプロがある / 지진에 ~ 화재가 났다 地震に次いで火事が起こった.

이어-갈이 명하타 同じ土地に同じ作物を毎年続ける栽培.

이어-링〔earring〕 명 イヤリング; 耳輪; 耳飾り. =귀고리.

이어-받다 타 受け継ぐ; 引き継ぐ; 引く; 引き取る; 継ぐ. ¶ 핏줄을 ~ 血筋を引く / 일을 ~ 仕事を引き継ぐ.

이어-북〔year book〕 명 イヤブック; 年鑑.

이어-지다 자 つながる; 続く. ¶ 가느다랗게 이어진 산길 ほそぼそと続く山道.

이어-폰〔earphone〕 명 イヤホーン.

이언【二言】 명하자 二言. ¶ 일구 ~하다 二枚舌を使う.

이언【俚言】 명 りげん(俚言); ちまたの俗っぽい言葉.

이언【俚諺】 명 りげん(俚諺); ことわざ.

이엄-이엄 부 辛うじて継いで行くさま.

이엉 명 屋根·塀などをふ(葺)くために編んだわら(藁). ¶ ~으로 지붕을 인 집 わらぶ(藁葺)きの家 / 뜸 ~으로 인 지붕 とまぶき(苫葺)の屋根.

이-에 부 よって; 故に; ここに. ¶ 그 공적이 크므로 ~ 이를 표창함 その功績大なるによってこれを賞す.

이-에서 부 ①これより; これ以上. ¶ ~ 더 나가지 마라 これより先に出るな. ②これに比べて. ¶ ~ 더 슬픈 일이 어디 있으랴 これより一層悲しい事が有ろうか.

이에-짬 명 継ぎ目.

이여 조 …よ. ¶ 하늘~ 天よ / 임~ (我が)君よ. * 여.

이여차 감 ↗이영차.

이역【二役】 명 二役. ¶ 일인 ~ 一人二役.

이역【異域】 명 ①異域; 異国. ¶ ~에서 살다 異域で暮らす. ②他郷.

이-역시【―亦是】 부 これ(も)また.

이연【異緣】 명《佛》 不思議な縁; 奇縁《特に男女の縁を言う》.

이연【離緣】 명하자 離縁; 不縁. ¶ 양자를 ~하다 養子を離縁する.

이열 치열【以熱治熱】 명 熱をもって熱をいやすこと.

이염기-산【二塩基酸】 명《化》 二塩基酸.

영차 감 多くの人が力を合わせて一つの仕事をするときの掛け声 : よいさ ; よいしょ ; えんやらや ; わっしょい ; どっこい(しょ). 준 이여차·영차·여차.

이오니아-식【―式】〔Ionia〕 명 〖建〗イオニア式.

이온〔ion〕 명 〖化〗イオン. ¶ 양~ 陽イオン / 음~ 陰イオン.

‖―― 결합 명 〖化〗イオン結合. ―― 교환 수지 명 〖化〗イオン交換樹脂. ――-화 명하자 〖物〗イオン化. ＝전리(電離).

이완【弛緩】 명하자 しかん(弛緩). ¶ 정신이 ~되다 精神が緩む.

이왕【已往】 一 명 以前. ＝이전. 二 부 ↗이왕에.

이왕-에【已往―】 부 既にそうなったからには ; どうせ ; せっかく. ＝기왕에. ¶ ~ 가려면 빨리 가는 게 낫다 どうせ行くなら早い方がよい / ~ 할 바에는 잘 하라 どうせやるならしっかりやれ / ~ 왔으니 쉬었다 가거라 せっかく来たんだから休んで行け.

이왕-이면【已往―】 부 同じ事なら ; どうせそうすることなら. ＝기왕이면. ¶ ~ 영어를 배우겠습니다 同じ事なら英語を学びます / ~ 큰 것이 좋다 同じ事なら大きい方がよい.

이왕지-사【已往之事】 명 既に過ぎ去った事. ＝이과지사(已過之事).

이외【以外】 명 以外. ¶ 회원 ~는 입장을 금지한다 会員以外は入場を禁止する.

이욕【利慾】 명 利欲. ¶ ~에 눈이 어두워지다 利欲に目がくらむ.

이용【利用】 명 利用. ――-하다 타 利用する ; 足す ; 付け入る ; 付け込む ; 乗ずる. ¶ 폐물 ~ 廃物利用 / ~자 使用者 ; ユーザー / 남을 ~물로 삼다 人を食い物〔道具〕に使う / 막간을 ~하여 여흥을 하다 つなぎに余興を入れる / 연구에 ~하다 研究の用に足す / 약점을 ~하다 弱点〔弱み〕に付け入る〔付け込む〕 / 허점을 ~하다 すきに乗ずる.

‖―― 가치 명 利用価値.

이용【移用】 명하자 移用. ¶ ~ 항목 移用項目.

이용【異容】 명 異容 ; 変わった姿.

이용【理容】 명 理容. ¶ 일류 ~사 이다 一流理容師である.

이우다 타 (荷を)頭の上に載せる.

이울다 자 ① (花·葉などが)しな(萎)びる ; しお(萎)れる. ② (勢いがだんだん)衰える ; な(萎)える.

이웃 명 隣 ; 隣近所. ¶ 벽을 격한 ~ 壁隣 / ~과의 교제 隣付き合い / 학교 바로 ~에 살았다 学校のすぐ隣に住んでいた. ――-하다 자 隣る ; 隣合う.

‖―― 사촌(四寸) 명 遠き親類より近き隣. ――-집 명 隣家 ; 隣(の家). ¶ ~의 화재 隣の火事.

이원【二元】 명 二元. ¶ ~ 방송 二元放送 / ~ 일차 방정식 二元一次方程式 / ~ 합금 二元合金.

‖――-론 명 二元論.

이원-권【以遠權】 명 以遠権.

이원【梨園】 명 りえん(梨園). ① 梨の園. ② 演芸界.

이원-제【二院制】, 이원 제도【二院制度】 명 二院制度. ＝양원(兩院) 제도.

이월【二月】 명 二月. ¶ 음력 ~ 陰暦の二月 ; ささらぎ(如月·更衣).

이월【移越】 명 繰り越し. ――-하다 타 繰り越す. ¶ 잔액을 차기로 ~하다 残額を次期に繰り越す.

‖――-금(金) 명 繰越金.

이유【理由】 명 理由 ; 訳 ; いわれ ; いわく ; ゆえん(所以). ¶ 이와 같은 ~로 しかじかの理由で / 별로 이렇다 할 ~도 없다 別にこれと言う理由もない / 무슨 ~로 何故に / 이상이 이 안을 낸 ~입니다 以上がこの案を出したゆえんであります.

이유【離乳】 명하자타 離乳.

‖――-기 명 離乳期. ――-식 명 離乳食.

이윤【利潤】 명 利潤 ; もうけ. ¶ ~을 추구하다 利潤を追求する / ~이 높은 일 わりのいい仕事.

‖――-율 명 利潤率.

이율【利率】 명 利率 ; 利回り ; 歩. ¶ 연 5푼의 ~ 年五分の利率 / ~이 좋은 주에 투자하다 利回りのよい株に投資する / ~이 좋다〔나쁘다〕 歩がいい〔悪い〕.

이율 배반【二律背反】 명 〖論〗二律背反.

이융 합금【易融合金】 명 〖化〗易融合金.

이윽고 부 まもなく ; 程なく ; やがて. ¶ ~ 그녀가 나타났다 まもなく〔やがて〕彼女が現われた.

이음-매 명 つなぎ目 ; 継ぎ目 ; 継ぎ手. ¶ 털실의 ~가 겉에 나오지 않도록 짜다 毛糸の継ぎ目が表に出ないように編む.

이의【異意】 명 ① 異なる意見. ② 謀反心.

이의【異義】 명 異義. ¶ 동음 ~ 同音異義.

이의【異議】 명 異議 ; 異存. ¶ ~가 백출하다 異議が百出する / 원칙적으로 ~ 없음 原則的に異議無し / ~는 없다 異存は無い / ~를 제기하다 異議〔故障〕を申し立てる ; 異論を唱える / 그에게 ~는 없을 터 彼に否やはないはず.

‖―― 신청(申請) 명 異議の申し立て. ¶ ~을 하다 異議を申し立てる.

이-이 대 この人 ; この方. ¶ ~는 제 남편입니다 こなたはわたしの主人であります.

이-이-시【E.E.C.←European Economic Community】 명 イーイーシー.

이이 제이【以夷制夷】 명하자 いいせいい(以夷制夷) ; い(夷)をもってい(夷)を制す.

이익【利益】 명 利益 ; 益 ; やく. ¶ 국가의 ~ 国家の利益 / ~이 적은 일 益の少ない仕事 / ~은 반분한다 もうけは山分けだ / ~이 많다 やくが多い / 큰 ~ 앞에 작은 ~은 버리자 大利の前に小利は捨てよう.

‖――-금 명 利益金 ; 益金《준말》. ¶ ~을 기금에 넣다 益金を基金に繰り入れる. ―― 대표 명 利益代表

だいひょう. —— 배당 명 利益配当. —— 사회 명 利益社会.

이인【二人】명 二人·二人；両人. ¶~칭 二人称/~조 二人組.
‖—— 삼각 명 二人三脚. ——승 명 二人乗り. ¶~ 보트 二人乗りボート.

이인【異人】명 異人. ①別人. ¶동명 ~ 同名異人. ②才能が秀でて非凡な人.

이일-학【二日瘧】명〔醫〕三日熱マラリア. =이틀거리·당고금.

이임【離任】명하자 離任. ¶부장직을 ~하다 部長の職を離任する.

이입【移入】명하타 移入.

이자 명〔生〕☞ 췌장.

이자【利子】명 利子；利息；金利；利《준말》；子. =길미. ¶~를 받고 돈을 빌려 주다 利子を取って金を貸す/~를 낳다 利を生む.
‖——락 명 利落ち. ㊟이락(利落). ——부(附) 명 利付き. ¶5푼 ~ 채권 五分利付き債券. ——조(條) 명 利子(として)の名目. ㊟이조(利條).

이-자【一者】대《卑》この者；こいつ. >요자.

이자 택일【二者擇一】명하타 ☞ 양자(兩者) 택일.

이작【裏作】명하타 裏作. =뒷갈이.

이장【里長】명 里長；〔史〕名主；庄屋.

이장【移葬】명하타 改葬.

이재【吏才】명 役人の行政的才能.

이재【異才】명 並外れた才能.

이재【理財】명 理財. ¶~에 밝다 理財にたける.
‖——가 명 理財家. ——법 명 理財法. ——학 명 理財学.

이재【罹災】명하자 りさい(罹災)；被災. ¶~율 罹災率.
‖——민 명 罹災民；被災者. ¶전쟁으로 인한 ~ 戦争による罹災民.

이적【利敵】명하자 利敵.
‖——죄 명 利敵罪. —— 행위 명 利敵行為.

이적【移籍】명하자 移籍. ¶거주지로 ~하다 居住地に移籍する.

이적【異蹟】명 ①奇異な行跡. ②奇跡；ミラクル. ③〔基〕(キリストの)奇跡.

이적【離籍】명하자 離籍. ¶호적에서 ~하다 戸籍から離籍する.

이전【以前】명 以前. ①これより前；先；前前. ¶~에 주의받은 일을 잊었다 先に注意された事を忘れた/~과 같이 행하다 前前の通り行なう. ②往時；昔；既往. ¶~에 간 일이 있다 以前行った事がある. ③ある基準のその前. ¶오십세 ~의 저작 五十歳以前の著作.

이전【利錢】명 ①もうけた金；利として残った金. =이문(利文). ②利銭；利息の金銭. =길미.

이전【移轉】명 移転；引っ越し. ——하다 타 移転する；引っ越す；転ずる. ¶~ 통지 移転通知/주거를 ~하다 住居を移転する〔転ずる〕.
‖—— 등기 명 移転登記.

이전 투구【泥田鬪狗】명 ①強靭な性格である咸鏡道の人を評した語. ②泥仕合；名分のたたないことでいがみあいながら争うこと. ¶~의 양상을 나타내다 泥仕合の様相を呈する.

이점【利點】명 利点；利. ¶많은 ~이 있다 数数の利点がある/지의 ~ 地の利.

이정【里程】명 里程；道程.
‖——표(標) 명 里程標；道しるべ；一里塚.

이제 ㊀명 今；ただいま. ¶그것도 ~는 옛 이야기가 되었다 それも今では昔語りとなった/~ 와서 말해봤자 이미 늦었다 今更言ったって，もう遅い/~ 와서 그런 이야기를 꺼내는 것이 아니다 今ごろそんな話を持ち出すのではない. ㊁부 もう；すでに；さて. ¶~ 이것으로 끝장이군 もうこれでおしまいだな/~ 이 한 병으로 마지막입니다 もう，これ一本でおつもりです《술이》/~ 슬슬 나가 볼까 さて，そろそろ出掛けようか.

이제【裏題】명 本の初めのページに書いてある題目.

이제-까지 부 今まで. ¶~의 예 今までの例.

이제-껏 부 今まで；今に至るまで. =여태껏. ¶~ 무엇을 하였느냐 今まで何をしていたのか/~ 없던 일 いまだかつて無かった事.

이제-야 부 今になって；今やっと. ¶~ 알았다 今やっと〔初めて〕分かった/~ 겨우 일을 시작한다 今になってやっと仕事を始める.

이제-저제 부 今か今かと. ¶그를 ~ 기다리고 있었다 彼を今か今かと待っていた. ——하다 자 も少しも少しと時機を延ばす；今に今にと日を延べる.

이젝팅 시트〔ejecting seat〕명 射出座席《危急の時にパイロットごと機外に放出されるようになっている操縦席》.

이젤〔easel〕명 イーゼル；画架.

이-조【李朝】명〔史〕李朝；朝鮮朝.

이조【移調】명하자〔樂〕移調.

이족【異族】명 異族.

이종【姨從】명 ↗이종 사촌(四寸).
‖—— 사촌(四寸) 명 母の姉妹が生んだ息子と娘；母方のいとこ(従兄弟·従姉妹).

이종【異種】명 異種. ¶식물의 ~을 만들다 植物の異種を作る.
‖—— 교배 명하자〔生〕異種交配.

이종【移種】명하자 移植用の苗を植えかえること.

이주【移住】명 移住. ——하다 자 移住する；住み替える；住み替わる. ¶~자 移住者/해외 ~ 海外移住/일족을 거느리고 ~하다 一族を従えて移住する.
‖——민 명 移住民；移民.

이주【移駐】명하자 移駐. ¶A지점으로 ~하다 A地点に移駐する.

이주-화【異株花】명〔植〕いちょう(銀杏)などのように，雄花と雌花がお

のおの別々の木に咲く花.

이-죽【―粥】명 うるち(粳)で炊いたかゆ(粥).

이죽-거리다 자타 ↗이기죽거리다. **이죽-이죽** 부하자타 ↗이기죽이기죽.

이-중【―中】명 この中.

이중【二重】명 二重・ふたえ; ダブル. ¶～ 결혼 二重結婚; 重婚/～ 촬영 二重撮影〔撮り〕/～ 화산 二重火山/～ 부정 二重否定/～ 바닥 二重底/그러면 ～의 수고가 든다 それでは二重の手数がかかる.

‖―― 가격 명〔經〕二重価格. ―― 결합 명〔化〕二重結合. ―― 경제 명 二重経済. ＝혼합(混合) 경제. ―― 과세(過歲) 명하자 陽暦と陰暦との正月を二重に祝うこと. ―― 국적 명 二重国籍. ―― 노출〔寫〕二重露出; 二重写し. ―― 매매 명 二重売買. ―― 모음 명 二重母音; 重母音. ＝복(複)모음. ―― 번역 명하타 二重翻訳; 重訳《준말》. ―― 생활 명 二重生活. ―― 인격 명 二重人格. ――-주 명〔樂〕二重奏; デュエット. ――-창 명〔樂〕二重唱; デュエット. ――-창 명〔建〕二重窓. ＝갑창(甲窓). ―― 효과 명 二重の効果.

이-즈막 명부 ☞요즈막.

이-즈음 명부 ☞요즈음.

이즘〔ism〕명 イズム; 主義. ¶에고～ エゴイズム; 利己主義.

이지【理智】명 理知. ¶～로 판단하다 理知で判断する.

‖――-적 명관 理知的. ¶～인 여성 理知的女性/～이다 理知的である.

이지【異志】명 異志; 二心.

이지〔easy〕명 イージー; 安易; のんき. ¶～한 방식 イージーな方式.

‖―― 고잉 명 イージーゴーイング.

이지다 자 ①体の発育がすすむ. ②家畜が肥えて脂がのる.

이지러-뜨리다 타 (器物などの角や隅を)欠かす; こわす.

이지러-지다 자 欠ける. ①(器物などの角や隅が)欠ける. ＞야지러지다. ¶찻잔이 ～ 茶わんが欠ける/상자가 ～ 箱がへこむ. ②片方が満ちていない; 食する. ¶달이 ～ 月が欠ける.

이지렁-스럽다 형 こうかつ(狡猾)にそらとぼける. ＞야지랑스럽다.

이직【移職】명하자 職を変えること; 転職. ＝전직(轉職).

이직【離職】명 離職. ――-하다 자 離職する; 職を離れる. ¶～률 離職率.

이-직각【二直角】명〔數〕二直角; 180度.

이진【二陣】명 だい(第)二陣. ¶～ 선수 二陣の選手.

이진-법【二進法】명〔數〕二進法.

이질【姨姪】명 姉妹の子女; めい(姪)とおい(甥).

‖――-녀(女) 명 姉妹の娘; めい. ――-부(婦) 명 おいの妻. ――-서(婿) 명 めいの夫.

이질【異質】명 異質. ¶～ 물질 異質の物質/～ 문화 異質文化.

이질【痢疾】명 えきり(疫痢).

이-짝 명 ① ☞이쪽². ② ☞이편.

이짝-저짝 명 こちら(側の方)とあちら(側の方).

이-쩍 명 歯石; 歯くそ.

이-쪽¹ 명 歯のこわれたかけら.

이-쪽² 명 こちら; こっち; こなた; こち〈雅〉; この方. ¶～에서 전화하겠습니다 こちらから御電話します/～은 언제라도 좋습니다 こちらはいつでも結構です.

이쪽-저쪽 명 あっちこっち; あちらこちら; あちこち〈雅〉. ¶～으로 바삐 뛰어다니다 あちこちをせわしく飛び回る.

이-쯤 명 このくらい; この程度; ここら; この辺; このあたり. ＞요쯤. ¶～에서 그만 두자 ここらでやめよう/～이면 충분하겠지 このくらいなら十分だろう.

이차【二次】명 (第)二次. ¶～ 제품 (第)二次製品/～ 시험 二次試験.

‖―― 곡면 명〔數〕二次曲面. ―― 곡선 명〔數〕二次曲線. ―― 방정식 명〔數〕二次方程式. ―― 산업 명 第二次産業. ――-적 명관 二次的. ＝부차적(副次的). ¶～인 문제 二次的問題. ―― 전류 명〔物〕二次電流. ―― 전자 명〔物〕二次電子. ―― 전지 명 二次電池. ―― 코일 명〔物〕二次コイル.

이차어피-에【以此於彼―】, **이차이피-에**【以此以彼―】부 そこでもここでも; こうでもああでも; どっちみち; どうせ.

이-착륙【離着陸】명하자 離陸と着陸; 離着陸. ¶～하는 비행기 離着陸する飛行機.

이-찹쌀 명 "もちごめ(糯米)"の称.

이채【異彩】명 異彩. ¶～를 띠다〔발하다〕異彩を放つ.

이-처럼 부 これ程; こんなに; この様に. ¶～ 심한 지진은 처음이다 これ程ひどい地震は始めてである/～ 잘 될 줄은 몰랐다 こんなにうまく行くとは思わなかった.

이첩【移牒】명하타 いちょう(移牒). ¶공문서를 타부서에 ～하였다 公文書を他の部署に移牒した.

이체【移替】명하자타 ①互いに替わり合うこと; 交替. ②交換・転用すること.

이체【異體】명 異体. ¶～ 동형〔동심〕異体同形〔同心〕.

이초【異草】명 不思議な草; 奇異な草花.

이-촉 명 歯根.

이총【耳塚】명 耳塚. ＝귀무덤.

이축【移築】명하자 移築. ¶교사를 ～하다 校舎を移築する.

이출【移出】명하타 移出. ¶～품 移出品.

이-출입【移出入】명하타 移出入.

이취【異臭】명 異臭. ¶～가 분분하게 코를 찌르다 異臭がふんぷん(芬芬)と鼻を突く.

이층【二層】명 二階. ¶～집 二階家/～ 건물 二階建て; 二階《준말》/～을 더 드리다 二階を継ぎ足す.

‖――-장(欌) 명 二階になっているたん

す.

이치【理致】명 理致; 理·; 道にかなった趣旨; 道理. ¶자명한 ~ 自明な理 / 그의 말은 ~에 닿는다 彼の話は筋が通っている〔理屈が立っている〕/ ~를 말하다 ことわりを明かす / ~로만 생각하다 理詰めで考える.

이칭【異稱】명 異称.

이커서니 감 重い物を持ち上げるときの掛け声: よいさ; よいやさ. >아카사니.

이코노마이저〔economizer〕명 エコノマイザー; 節約装置.

이코노미스트〔economist〕명 エコノミスト; 理財家. 「経済的.

이코노미컬〔economical〕명 エコノミカル;

이코노믹〔economic〕명 エコノミック. ¶~ 애니멀 エコノミックアニマル.

이퀄〔equal〕명 イコール; 等号《記号: =》.

이키, 이키나 감 ① 意外な事で驚くときに出す声: あっ; おっと. ¶~ 위험해 おっと危ない / ~큰일났다 あっ, 一大事; あっ, これは大変だ. ② 人をおだ(煽)てるかまたはあざ笑うときに出す声: やあ. ¶~ 일류 신사가 됐네그려 やあこれは一流紳士になったね.

이타【利他】명 利他.

‖——적 명관 利他的. ¶~인 생각 利他的(な)考え. ——주의 명 利他主義; 愛他主義. 「(土炭).

이탄【泥炭】명〔鑛〕泥炭. =토탄

이탈【離脫】명하타 離脱. ¶소속 정당을 ~하다 所属政党を離脱する / 대열에서 ~하다 隊列から離れる.

이탓-저탓 명하자 あれこれと逃げ口上を言うこと: なんだかんだ; かこつけ. =이핑계 저핑계. >요탓조탓. ¶일하기 싫으니까 ~ 핑계만 댄다 仕事に嫌気がさしてなんだかんだと言い訳ばかりする.

이태 명 二年; 二個年.

이태【異態】명〔生〕異態. 「たい).

이탤릭〔Italic〕명〔印〕イタリック(体

이토【泥土】명 泥土; どろ.

이-토록 부 こんなに〈口〉; この様に. ¶~ 재미있는 소설을 읽은 적이 없다 こんなに面白い小説を読んだことがない / ~ 심할 줄은 몰랐다 こんなにひどいとは知らなかった.

이튿-날 명 ① 二日; 二日目. ② 翌日; 明くる日. ¶~ 아침 翌朝; 明くる朝 / ~인 15일 明くる十五日. ③ ↗초이튿날. 준 이틀.

이틀¹ 명 ① 二日; 両日. ¶단 ~만에 이루어졌다 たった二日で出来てしまった / ~이나 걸렸다 二日もかかった. ② ↗이튿날. ③ [↗초이틀] その月の二日.

‖——거리 명〔醫〕三日熱; マラリア. =이일학(二日瘧).

이-틀² 명〔生〕歯槽.

이파【異派】명 異派. 「귀.

이파리 명〔植〕草木の葉. =잎사

이판 사판 명 破れかぶれ.

이판-암【泥板岩】명〔鑛〕泥板岩; けつがん(頁岩).

이판-화【離瓣花】명〔植〕離弁花.

‖——관 명 離弁花冠. ——류(類) 명〔植〕離弁花類.

이팔【二八】명 [↗이팔 청춘] 二八.

‖—— 청춘(靑春) 명 二八の春; 十六歳前後の若人. 준 이팔.

이-팥 명 粒が平たくて長く赤黒い品質の悪い小豆の一種.

이-편 명 こちら(側); こちらの方. ¶일등인 분은 ~으로 앉아 주십시오 一等の方はこちらへお座り下さい.

이편-저편 一명 あちこち; あちらこちら. 二대 こちら側の人とあちら側の人; 味方と敵側. ¶일족이 ~으로 갈라져서 싸웠다 一族が敵と味方に分かれて戦った.

이풍【異風】명 異風; 異俗.

이핑계-저핑계 명부하자 ☞ 이탓저탓.

이하【二下】명 詩文を評する等級の一つ《二等中での三番目》; 二の下.

이하【以下】명 以下. ¶~ 생략한다 以下省略する / ~ 이에 준한다 以下これに準ずる.

이하-선【耳下腺】명〔生〕耳下腺.

‖——염 명〔醫〕耳下腺炎; お多福風邪.

이학【理學】명 理学. ¶~자 理学者 / ~계 理学界 / ~사 理学士.

‖—— 박사 명 理学博士; 理博《준말》. ——부 명 理学部.

이한【離韓】명하자 離韓《韓国を離れること》. 「集散.

이합【離合】명 離合. ¶~ 집산 離合

이항【移項】명하타 移項.

이항 방정식【二項方程式】명〔數〕二項方程式.

이항-식【二項式】명〔數〕二項式.

이항 정리【二項定理】명〔數〕二項定理.

이-해 명 今年; この年. ¶~는 풍년이다 今年は豊年である / ~도 얼마 안 남았다 今年も余す所いくばくもない.

이해【利害】명 利害. ¶~가 상반하다 利害が相反する / ~를 초월하다 利害を越える.

‖—— 관계 명 利害関係. ¶~인 利害関係人 / ~로 맺어지다 利害関係で結ばれる. —— 득실 명 利害得失. —— 상반(相半) 명하형 利害が相半ばすること. —— 타산 명하자 利害打算.

이해【理解】명 理解; 分かり; 会得; 合点; 飲み込み. ——하다 타 理解する; 解する; 分かる; 合点する; 飲み込む. ¶~(심) 있는 남편 理解ある夫 / ~(심) 없는 사람 理解のない人 / ~하기 쉬운 理解し〔分かり〕やすい / ~하기 어려운 理解しにくい / ~가 빠르다 飲み込みが速い / ~가 가다〔안 가다〕合点がいく〔いかない〕/ 잘 ~하고 있다 よく飲み込んでいる / ~하기 시작했다 分かりかける / ~를 깊게 하다 理解を深める / ~시키다 理解させる; 飲み込ませる; 合点がいくようにする / ~해 주게나 解かってくれよ.

이행【移行】명하자 移行. ¶학제가

신제도로 ~하였다 学制が新制度に移行した.

이행【履行】명하타 履行. ¶약속을 ~하다 約束を履行する.

‖── 불능 명 履行不能.

이행정 기관【二行程機關】명〔物〕二行程機関；二サイクル機関.

이향【離鄕】명하자 離郷.

이형【異形】명 異形〔異型〕；異形. ¶~관 異形管.

‖── 분열 명〔生〕異型分裂.

──-질 명〔生〕異形質.

이호【二號】명 (第)二号. ① 第二番(目). ¶~ 홈런 (第)二号ホームラン. ②〈俗〉めかけ(妾).

이혼【離婚】명하자 離婚；離縁；夫婦別れ. ¶~장 離縁状；去り状 / 성격 부조화로 ~하였다 性格不一致で離婚した.

이화【李花】명 ① りか(李花)；すもも(李)の花. ② 大韓帝国の役人の記章.

이화【異化】명하자〔生〕[↗이화작용] 異化.

‖── 작용 명〔生〕異化作用.

이화【梨花】명 りか(梨花)；なしの花. =배꽃. ¶~ 일지 梨花一枝.

‖──-주(酒) 명 なしの花を入れて醸かした酒.

이화-명나방【二化螟─】명〔蟲〕二化めいが(螟蛾)〔めいちゅう(螟虫)〕.

이화-성【二化性】명〔蟲〕 二化性. * 일화성(一化性).

이화 수정【異花受精】명〔植〕異花受精.

이화-학【理化學】명 理化学. ¶~ 연구소 理化学研究所 / ~ 계통 理化学系統.

이환【罹患】명하자 りかん(罹患)；りびょう(罹病).

‖──-율 명 罹患率；罹病率.

이황화 탄소【二黃化炭素】명〔化〕二硫化炭素.

이후【以後】명 以後. ① 今後. ② 以来；以降；以往. ¶18세기 ~ 十八世紀以来 / ~ 주의하여라 以後気をつけなさい / 전달 ~ 비가 오지 않는다 先月以来雨が降らない.

이후【爾後】명부 じご(爾後)；以後；自今. =기후(其後). ¶~ 수년간 그와 만날 기회가 없었다 以後数年，彼に会う機会がなかった.

이히〔도 Ich〕대 イッヒ；わたし.

‖──-드라마 명 イッヒドラマ. ──-로망 명〔文〕イッヒロマン.

이히히 감 ひひ. ① 笑いこけるさま. ② ばか笑い〔こっけいな笑い〕声.

익곡【溺谷】명〔地〕おぼ(溺)れ谷.

익금【益金】명 益金；利益金.

익년【翌年】명 翌年；明くる年. =이듬해.

익다[1] 자 ① 熟する. ㉠(果実が)実る；熟れる. ¶감이 ~ かき(柿)が熟する / 잘 익은 수박 よく熟れた〔上出来の〕すいか(西瓜) / 벼가 ~ 稲が実る / 이 감은 덜 익어서 떫다 この柿は若くて渋い. ㉡ よいころあ(頃合)いになる. ¶기운이 무르 ~ 機運が熟する. ② (生の物が)煮える. ¶충분히 ~ 煮上がる / 덜 익은 밥 半煮えの飯. ③ (漬け物などが)漬かる；味がつく；発酵する. ¶김치가 익었다 漬け物が漬かった.

익다[2] 형 ① 慣れる. ¶귀에 ~ 聞き慣れる；聞きつける / 눈에 익은 사람이다 見慣れた人である / 손에 ~ 手慣れる. ② なじみの間柄である. ¶낯익은 사람 顔なじみ.

익명【匿名】명하자 匿名. ¶~의 편지〔기부자〕匿名の手紙〔寄付者〕.

익모-초【益母草】명〔植〕めはじき(目弾)；やくもそう(益母草). =암눈비앗.

익사【溺死】명 できし(溺死)；おぼ(溺)れ死に；水死. ──-하다 자 溺死する；おぼれ死にする；水死する；魚腹に葬られる. ¶~자 水死人；川流れ / 강에서 ~하였다 川でおぼれ死んだ.

익살 명 こっけい(滑稽)；ひょうきん(剽軽)；しゃれ(洒落)；かいぎゃく(諧謔)；おどけ. ¶~이 안 통하는 사람 しゃれの通じない人. ──-스럽다 형 こっけいだ；ひょうきんだ；道化じみる. ¶익살스러운 그림 笑い絵 / 익살스러운 말을 하다 しゃれごとを言う；こっけいな事を言う / 익살스러운 짓을 하다 道化たまねをする. ──-떨다 자 おどける；道化る；しゃれを飛ばす. ──-맞다 형 ☞ 익살스럽다. ¶익살맞게 흥청거리다 あちゃらかをやらかす / 익살맞은 꼴을 하다 道化たかっこうをする / 익살맞은 얼굴이 우습다 おどけ顔がおかしい. ──-부리다 자 ☞ 익살떨다.

‖──-꾼 명 道化；道化もの；道化師；ひょうきん者.

익센트릭〔eccentric〕명하형 エキセントリック；風変わり. ¶~한 행동 エキセントリックな行動.

익수【─手】명 玄人.

익숙-하다 형 ① (し)慣れている；物〔手〕慣れている；上手だ；巧みだ. ¶붓글씨에 익숙해지다 筆に書き慣れる / 늘 보아서 익숙해지다 見慣れる / 익숙한 태도로 응대하다 慣れた身ごなしで〔物慣れた態度で〕応待する / 익숙한 솜씨로 다루다 (物)慣れた手つきで扱う / 그다지 익숙하지 못한 일 あまりしつけない仕事. ② なじみだ；親しい. ③ よく分かっている. ¶미국 사정에 익숙한 사람 アメリカの事情に明るい人. ──-히 부 ① 上手に；巧みに. ② 親しく. ③ よく. 준 익히.

익스체인지〔exchange〕명 エクスチェンジ；交換.

익스프레셔니즘〔expressionism〕명 エキスプレッショニズム；表現主義.

익스플로러〔explorer〕명 エクスプローラー. ① 探険者；探索器具. ② (E─) 1958年のアメリカ最初の人工衛星.

익애【溺愛】명하자 できあい(溺愛)；猫かわいがり.

익야【翌夜】명 翌夜；翌晩.

익우【益友】명 益友.

익월【翌月】명 翌月. =다음달.

익은-말 명 ☞ 관용어(慣用語).

익은-소리 명 ☞ 속음(俗音).

익일【翌日】 명 翌日. =이튿날.

익자【益者】 명 益者.
‖── 삼우 명 益者三友.

익조【益鳥】 명〔鳥〕益鳥. ¶~를 보호하다 益鳥を保護する.

익조【翌朝】 명 翌朝·翌朝.

익충【益蟲】 명 益虫.

익히 부 ↗익숙히. ¶그와는 ~ 아는 사이다 彼とは顔なじみだ / ~ 아는 사정 よく知っている事情.

익히다 타 ①(実·種などを)熟させる; 実らす. ②(生の物を)煮る; 炊く〈方〉. ¶고기는 잘 익히는 것이 좋다 肉はよく煮る方がよい / 뭉근 불에 ~ とろとろと煮る. ③(酒·漬け物などを)漬ける; 味をつかせる; 発酵させる. ¶김치를 ~ 漬け物を漬かるようにする. ④慣らす; 仕込む; 習う; 覚える. ¶본바닥에서 익힌 영어 本場仕込みの英語 / 손에 ~ 手に慣らす. ⑤親しい間柄になる; なじむ. ¶낯을 ~ 顔をなじます.

인 명 (たばこ·あへん(阿片)など)繰り返し吸って身についた癖〔中毒状態〕. ¶~이 박히다 癖がつく; 中毒になる.

인【仁】[1] 명 仁. ¶~용 仁勇.

인【仁】[2] 명 仁. ①〔植〕にん(仁); はい(胚)·はい乳の総称. ②〔生〕細胞の核の中に有る比較的大きい粒状体.

인【印】[1] 명 ①印; 印章; 判. ②〔史〕中国で官に勤める人がそのしるしとしてはいよう(佩用)した金石類の彫刻物.

인【印】[2] 명 [↗인도(印度)] 印.

인【燐】 명〔化〕りん(燐).

-인【人】 미 人. ¶문화~ 文化人 / 서양~ 西洋人 / 사회~ 社会人.

인가【人家】 명 人家; 人屋; 人煙. ¶~가 드문 산중 人煙まれな山の中 / ~가 즐비하다 人家が立ち並んでいる.

인가【認可】 명 하타 認可. ¶~ 신청 認可申請 / ~를 받다 認可を受ける / ~가 나오다 認可がおりる.
‖──-증(証) 명 認可状.

인가【隣家】 명 隣家; 隣の家. =이웃집.

인-가난【人―】 명 人材〔適材〕の貧困.

인간【人間】 명 人間. ¶~ 형성 人間形成 / ~ 쓰레기 人間のくず / 쓸모있는 ~ 役に立つ人間 / 훌륭한 ~이다 よく出来た人間である / 고집이 센 ~이다 しぶとい人間である / ~ 도처에 유청산 人間至る所青山あり / ~만사 새옹마 人間万事さいおう(塞翁)が馬. ──-답다 형 人間らしい; 人がましい; 人臭い. ¶인간다운 생활 人間らしい〔人がましい〕生活.
‖── 개조 명 人間改造. ──-계 명 人間界;〔佛〕人界. ──-고 명 人間苦. ── 공학 명 人間工学. ── 관계 명 人間関係; ヒューマンリレーション. ── 문화재 명 人間文化財; 人間国宝. ──-미 명 人間味. ¶~가 없다 人間味がない. ──-상 명 人間像. ──-성 명 人間性; ヒューマニティー; ユマニテ. ¶~을 존중하다 人間性を尊重する / ~의 심부(深部) 人間性の内奥. ──-적 명 관 人間的. ¶~인 생활 人間的な生活.

인감【印鑑】 명〔法〕印鑑.
‖── 도장(圖章) 명 届け出てある印章; 実印. ¶등기 서류에는 ~이 필요하다 登記書類には実印が要る. ── 증명 명 印鑑証明. ¶~서 명 印鑑証明書.

인갑【印匣】 명 印章を入れて置く小さい箱.

인갑【鱗甲】 명 りんこう(鱗甲).

인개【鱗介】 명 りんかい(鱗介).

인건【人件】 명 人件.
‖──-비 명 人件費. ¶그 돈은 ~에 충당했다 その金は人件費に当てた / ~의 상승 人件費のアップ.

인걸【人傑】 명 人傑; 英傑.

인게이지 명 [←engagement] エンゲージ; 婚約.
‖── 링 명 エンゲージリング.

인격【人格】 명 人格. ¶이중 ~ 二重人格 / ~ 형성 人格形成 / 원숙한 ~ 円熟な人格.
‖── 교육 명 人格教育. ── 분열 명 人格分裂. ──-신 명 人格神. ──-자 명 人格者. ──-화 명 하자타 人格化. =의인화(擬人化).

인견【人絹】 명 人絹. ①↗인조견(人造絹). ②↗인조 견사(絹絲).
‖──-사(絲) 명 ↗인조 견사.

인견【引見】 명 하타 引見; 接見. ¶대통령이 외국 사절을 ~하였다 大統領が外国使臣を引見した.

인경 명〔史〕夜の通行禁止を知らせるためについた大きな鐘.

인계【引繼】 명 하타 引き継ぎ. ¶미결 서류를 ~하다 未決書類を引き継ぐ. ‖── 인수 명 하타 引き継ぎと引き受け.

인고【忍苦】 명 忍苦.

인골【人骨】 명 人骨.

인공【人工】 명 人工. =인조·인위. ¶~ 수태 人工受胎 / ~ 호수 人造湖.
‖── 감미료 명 人工甘味料《サッカリンなど》. ── 강설 명 人工降雪. ── 결정 명 人工結晶. ──-림 명 人工林. ──-미 명 人工美. =예술미(藝術美). ── 방사능 명 人工放射能. ── 방사성 원소 명 人工放射性元素. ── 수분 명〔植〕人工受粉. ── 수정(授精) 명 하타 人工授精. ── 위성 명 人工衛星. ── 진주 명 人工真珠. ── 태양등 명 人工太陽灯. ── 호흡법 명 人工呼吸法.

인과【因果】 명 因果.
‖── 관계 명 因果関係. ── 법칙 명 因果法則. =인과율. ──-설 명 因果説. ──-성 명 因果性. ──-율 명 因果律. ── 응보 명 因果応報; 後報. =과보(果報).

인광【燐光】 명 りんこう(燐光).
‖──-체 명 燐光体.

인광【燐鑛】명〘鑛〙りんこう(燐鉱).
‖——-석 명 りん鉱石.
인교【隣交】명 隣交.
인구【人口】명 人口. ¶ 주간 ~ 昼間人口 / 유령 ~ 幽霊人口 / ~수 人口数 / ~의 도시 유입 人口の都市流入 / ~가 자꾸 줄어든다 人口がどんどん減って行く / ~가 많다〔적다〕人口が多い〔少ない〕.
‖—— 동태 명 人口動態. ——-론 명 人口理論. —— 문제 명 人口問題. —— 밀도 명 人口密度. —— 정책 명 人口政策. —— 정태 명 人口静態. —— 조사 명 人口調査.
인군【人君】명 人君; 君主; 王. =임금.
인권【人權】명 人權. ¶ ~을 수호하다 人権を守る.
‖—— 상담소 명 人権相談所. —— 선언 명 人権宣言. —— 옹호 명 人権擁護. —— 유린 명 人権じゅうりん(蹂躪). —— 침해 명 人権侵害.
인근【隣近】명 隣近; 近隣.
인기【人氣】명 人気; 人受け; 受け. ¶ 굉장한 ~ 物すごい人気 / ~를 노린 작품 人受けをねらった作品 / ~ 선수〔산업〕花形選手〔産業〕/ ~ 있는 영화 呼び物〔評判〕の映画 / ~를 얻다 人気を得る / ~를 잃다 人気を失う〔落とす〕/ 여자에게 ~가 있다 女に持てる〔騒がれる〕.
‖—— 정책 명 人気政策. —— 직업(職業) 명 人気商売.
인-기척【人—】명 人け; 人っけ; 人のけはい(気配). ¶ ~이 없는 쓸쓸한 길 人けのない寂しい道 / ~이 있다 人臭い.
인-꼭지【印—】명 印章のつまみ.
인-끈【印—】명 印章のつまみに通してつけたひも(紐).
인낙【認諾】명하타 ① 承諾すること. ②〘法〙認諾.
인내【忍耐】명하자타 忍耐. ¶ ~력 忍耐力.
인-내천【人乃天】명 (天道教で) 人間すなわち天であると説くこと.
인-년【寅年】명〘民〙とら(寅)の年.
인-다오 준 "이리 다오"の略語: (こっちに・こちらへ)出しなさい〔よこしなさい〕. ¶ 저기 저 책을 ~ むこうのあの本をこっちに下れや.
인대【靭帶】명〘生〙じんたい(靭帯).
인-대명사【人代名詞】명〘言〙人代名詞; 人称代名詞.
인더스트리얼 디자인〔industrial design〕명 インダストリアルデザイン; 工業意匠. =산업 디자인.
인 더 홀〔in the hole〕명〘野〙インザホール.
인덕【人德】명 人徳.
인덕션 코일〔induction coil〕명〘物〙インダクションコイル; 誘導〔感応〕コイル.
인덕턴스〔inductance〕명〘電〙インダクタンス. =유도(誘導) 계수.
인덱스〔index〕명 インデックス; 索引. =찾아보기.
인도【人道】명 人道. ¶ ~를 무시하고 걷다 人道を無視して歩く / ~상 묵과할 수 없는 중대한 문제 人道上ゆゆ(由由)しき問題.
‖——-교 명 人道橋. ——-적 명관 人道的; ヒューマニスティック. ¶ ~인 문제 人道的(な)問題. ——-주의 명 人道主義; ヒューマニズム.
인도【引渡】명하타 引き渡し; 渡し. ¶ 신병을 ~하여 주었다 身柄を引き渡してやった.
‖—— 증권 명 引き渡し証券.
인도【引導】명 引導; (教え)導くこと; 手引き. ——-하다 타 導く. ¶ ~자(者) 導く人;〘佛〙導師 / 사람을 바른 길로 ~하다 人を正道に導く.
인도【印度】명〘地〙インド; てんじく(天竺).
‖——-교 명〘宗〙☞ 힌두교. ——-양(洋) 명〘地〙印度洋. —— 차이나어족 명 インドシナ語族. —— 철학 명 インド哲学.
인도 게르만 어족【—語族】〔indo-German〕명 インドゲルマン語族. =인구(印歐) 어족.
인도어〔indoor〕명 インドア. ¶ ~ 스포츠 インドアスポーツ.
인동【忍冬】명〘植〙①にんどう(忍冬); すいかずら. =겨우살이덩굴. ② すいかずらの葉・茎を乾かした韓薬剤.
인두 명 ①(裁縫の)こて(鏝); 焼きごて. ②〔↗납땜 인두〕はんだごて(半田鏝).
‖——-질 명하타 こて(鏝)を当てること. ——-판(板) 명 こて台.
인두【人頭】명 人頭. ¶ 옛날에는 ~세가 있었다 昔は人頭税を課していた.
인두【咽頭】명〘生〙いんとう(咽頭). ¶ ~ 결핵 咽頭結核.
‖——-염(炎), —— 카타르 명 咽頭炎; 咽頭カタル.
인-두겁【人—】명 人面; 人間の皮. ¶ ~을 쓰다 人間の皮をかぶる《人非人のこと》.
인-둘리다【人—】자 人人にもまれる; 人に酔う.
인듐〔indium〕명〘化〙インジウム《記号: In》.
인-드롭〔in drop〕명〘野〙インドロップ; インドロ《준말》.
인등【引燈】명하자〘佛〙仏前にともしび(灯)をともすこと.
‖—— 시주(施主) 명 "인등"の油代をお寺に出すこと.
인디고〔indigo〕명 インジゴ. =인도남(印度藍).
인디아 페이퍼〔India paper〕명 インディアペーパー. =인도지(紙).
인디언〔Indian〕명 インディアン.
인력【人力】명 人力. ¶ ~으로 감당 못할 일 人力にあまる仕事 / ~으로는 어쩌지 못하는 재해 人力の及ばない大災害.
‖——-거 명 人力車; 人力, 力車《준말》. ¶ ~꾼 人力車夫; 車夫; 車引き; ひ(挽)き子. —— 수

출 명 人力輸出.

인력【引力】명〖物〗引力. ¶ 만유 ~ 万有引力.

인류【人類】명 人類. ¶ ~의 행복〔복지〕人類の幸福〔福祉〕.

‖——-애 명 人類愛. ——-학 명 人類学. ¶ 문화 ~ 文化人類学.

인륜【人倫】명 人倫. ¶ ~에 어긋나다 人倫にもと(悖)る.

‖—— 대사(大事) 명 生活上重大な事《婚礼·葬式など》. =인간 대사.

인마【人馬】명 人馬. ¶ ~ 살상 人馬の殺傷 / ~의 왕래 人馬の往来.

‖——-궁 명〖天〗人馬宮.

인망【人望】명 人望. ¶ ~이 있다 人望がある / ~을 얻다 人望を得る.

인면【人面】명 人面.

‖—— 수심 명 人面獣心. ——-창(瘡) 명〖醫〗人面そ(疽).

인멸【湮滅·堙滅】명 하자타 隠滅. =인몰(湮沒). ¶ 증거를 ~하다 証拠を隠滅する.

인명【人名】명 人名.

‖——-록(錄) 명 人名録. =방명록. ——-부 명 人名簿. —— 사전 명 人名事典.

인명【人命】명 人命. ¶ ~ 구조 人命救助 / ~에 관계되는 문제 人命にかかわる問題.

‖—— 재천(在天) 명 人命在天; 人の生死は天がつかさどるとの事.

인모【鱗毛】명 ①〖植〗りんもう(鱗毛). ②〖美〗昆虫·魚類·鳥獣などをかいた絵.

인문【人文】명 人文.

‖——-과 명 人文科. —— 과학 명 人文科学. ——-주의 명 人文主義; 人本主義; ヒューマニズム. —— 지리학 명 人文地理学.

인문 토기【印文土器】명 印文土器; 表面に幾何学的文様のある先史時代の土器.

인물【人物】명 ① 人物. ㉠ 人. ¶ 위험한 ~ 危険な人物. ㉡ 人材. ¶ 큰 ~ 大きい人物; 大物 / 뛰어난 ~ すぐれた人物; 偉物〈俗〉/ 대단한 ~이다 なかなかの人物である. ㉢ 人柄. ¶ ~을 만들다 人物をつくる / ~을 보다 人物を見る. ㉣〖美〗↗인물화(人物畫). ¶ ~을 그리다 人物を描く. ② 器量; みめ; 顔. =용모. ¶ ~이 좋다 器量がいい / 대단한 ~이다 たいした器量だ.

‖—— 가난 명 人物貧困. —— 고사 명 人物考査. ——-화 명 人物画.

인민【人民】명 人民. ¶ ~을 위한, ~에 의한, ~의 정치 人民のための, 人民による, 人民の政治.

‖—— 공화국 명 人民共和国. ㊟ 인공(人共). —— 위원회 명 人民委員会. —— 재판 명 人民裁判. —— 전선 명 人民戦線.

인-박이다 자 (繰り返して使ううちに)習慣が身について取れなくなる〔中毒する〕.

인-발【印—】명 おした印章の跡; 印影. =인문(印文)·인형(印形).

인방【隣邦】명 隣邦; 隣国.

인버네스〔inverness〕명 インバネス.

인베르타아제〔invertase〕명〖化〗インベルターゼ. =사카라아제.

인보이스〔invoice〕명〖經〗インボイス. =하물 송장(荷物送狀).

인-보험【人保險】명〖經〗人保険.

인복【人福】명 人人から受ける好意や援助. =인덕(人德).

인본【印本】명 印本.

인본-주의【人本主義】명 人本主義; ヒューマニズム.

인부【人夫】명 作業員; 雑役の労働者.

인-부정【人不淨】명 人不浄; 忌むべき人のために起こる汚れ〔災い〕. ——(을) 타다 구 人忌みをしなかったばかりに災いを被る; たた(祟)る.

인분【人糞】명 じんぷん(人糞). ¶ ~ 거름 下肥.

인비【燐肥】명 [↗인산 비료] りんぴ(燐肥).

인사【人士】명 人士. ¶ 지명 ~ 知名人士.

인사【人事】명 ① あいさつ(挨拶). ㉠ (人と会ったときの) 儀礼的な動作·言葉: 会釈; お辞儀. ㉡ 初対面の人どうしが名乗りあうこと. ——-하다 자 あいさつする; 会釈する; お辞儀をする. ¶ 판에 박힌〔무뚝뚝한〕~ 紋切り型の〔つっけんどんな〕あいさつ / 서로 ~하다 あいさつを交わす / (…와는) 아직 ~가 없다 (…とは)まだあいさつを交わしていない. ② 守るべき礼儀. ¶ 그것은 ~가 아니다 それは礼儀に外れている. ③ 人事. ㉠ 人のすること. ¶ ~를 다하고 천명을 기다리다 人事を尽くして天命を待つ. ㉡ (意識·能力など) 個人に関すること. ¶ ~과 人事課 / ~ 관리 人事管理 / 정실(情實) ~ 이동 身内びいきの人事移動.

‖——-란 명 (新聞などの)人事欄. =소식란(消息欄). ——-말 명 あいさつの言葉〔辞〕. —— 불성 명 ① 人事不省. ¶ ~에 빠지다 人事不省に陥る. ② 礼儀を知らないこと. —— 비밀 명 人事に関する秘密. また, その書類. ㊟ 인비(人秘). ——-성(性) 명 礼儀正しい習わし. ¶ ~이 밝다 礼儀が正しい. —— 치레 명 上べだけの儀礼; ほんの礼儀上. —— 행정 명 人事行政. ¶ ~을 그르치다 人事行政を誤る.

인사이드〔inside〕명 インサイド. ¶ ~ 워크 インサイドワーク.

인산【人山】, **인산 인해**【人山人海】명 人山; 人だかり. ¶ ~ 인해를 이루다 人山を築く; 黒山のような人だかりである.

인산【因山】명 上王のご夫婦·王のご夫婦·王太子のご夫婦·王太孫のご夫婦などの葬式. =국장(國葬).

인산【燐酸】명〖化〗りん(燐)酸. ¶ ~염 燐酸炎.

‖—— 나트륨 명 燐酸ナトリウム. =인산 소다. —— 비료 명 燐酸肥料; りんぴ(燐肥)《준말》. —— 석회 명 燐酸

石灰. ＝인산 칼슘. ── 암모늄 명 燐酸アンモニウム. ── 칼슘 명 燐酸カルシウム. ＝인산 석회.

인삼【人蔘】 명〔植〕こうらい(高麗)〔ちょうせん(朝鮮)〕にんじん(人参); にんじん(人参)《준말》. ㊟ 삼(蔘).

‖──-차(茶) 명 にんじん茶; こうらいにんじん, 特にその根を入れてせん(煎)じた茶.

인상【人相】 명 人相. ¶무서운 ~ こわいそうぼう(相貌) / ~이 나쁘다 人相が悪い.

인상【引上】 명 ①引き上げ. ㉠ものを引き上げること. ㉡(物価·俸給などの)上げ; アップ. ──-하다 타 引き上げる. ¶가격 ~ 値上げ / 임금 ~ 賃上げ / 금리 ~ 利上げ. ②(重量挙げで)スナッチ.

인상【印象】 명 印象; インプレッション. ¶첫 ~ 第一印象; ファーストインプレッション / ~ 묘사 印象描写 / ~이 나쁜 사람 感じの悪い人 / 좋은 ~을 주다 良い印象を与える / ~(을) 쓰다 険悪な表情をする; 顔をしかめる.

‖──-적 명관 印象的. ¶~인 장면 印象的シーン. ──-주의 명 印象主義. ──-파 명 印象派. ──-화(畫) 명 印象主義的画風の画.

인색【吝嗇】 명 りんしょく(吝嗇); けち; しみったれ. ──-하다 형 吝嗇だ; けちだ; けちくさい. ¶~한 사람 けちん坊; 吝嗇家; シャイロック / ~한 근성 みみっちい根性 / 돈에 ~하다 金に汚い / ~하게 굴다 けちる.

인생【人生】 명 ①人の命; 命を持っている人間. ¶~이 불쌍해서 살려주다 哀れを感じて助けてやる. ②人生. ¶제2의 ~ 第二の人生 / 허무한 ~ むなしい人生 / 장밋빛 ← ばら色の人生 / ~의 좋은 반려 人生のよきはんりょ(伴侶).

‖──-관 명 人生観. ¶~이 다른 사람 人生観の異なる人. ── 극장 명 人生劇場. ── 철학 명 人生哲学. ── 칠십 고래희(七十古來稀) 명 人生七十古来まれ(稀)なり. ── 행로 명 人生行路.

인서트〔insert〕명 インサート.

인선【人選】 명하타 人選. ¶무난한 ~ 無難な人選 / ~에서 빠지다 選から漏れる.

인성【人性】 명 人性. ¶~은 선인가 악인가 人性は善なのか悪なのか.

인성-만성 부하형 ①大勢の人が込み合ってざわめくさま: ざわざわ; ごたごた; ごったがえして. ②頭がくらくらするさま.

인세【印稅】 명 ①〔法〕☞ 인지세(印紙稅). ②印税.

인솔【引率】 명 引率. ──-하다 타 引率する; 率いる.

인쇄【印刷】 명하타 印刷. ¶삼색(도)판의 ~ 三色版の印刷 / 잘 안 보이는 인쇄 見づらい印刷 / ~가 곱다 刷りがきれいである.

‖──-공 명 印刷工. ──-기(機), ── 기계 명 印刷機; 印刷機械. ──-물 명 印刷物; 刷り物. ──-소 명 印刷所. ＝인쇄 공장(工場). ──-인 명 印刷人; 印刷者. ── 잉크 명 印刷インキ. ──-판 명 印刷版.

인수【人數】 명 人数·人数. ¶~가 모자라다〔남다〕人数が足りない〔あまる〕.

인수【引受】 명 引き受け. ──-하다 타 引き受ける; 引き継ぐ; 引き取る. ¶기꺼이 ~하다 喜んで引き取る / 불량품을 ~하다 不良品を引き取る.

‖── 은행 명 引受銀行. ──-인 명 引受人. ¶신병 ~ 身柄引受人 / 주식 ~인 株式引受人. ── 회사 명 引受会社.

인수【仁壽】 명 徳があり命が長いこと.

인수【印綬】 명 いんじゅ(印綬). ＝인(印)끈.

인수【因數】 명〔數〕因数.

‖── 분해 명〔數〕因数分解.

인순【因循】 명하자 因循.

‖── 고식 명하자 因循姑息.

인술【仁術】 명 仁術. ¶의술은 ~이다 医術は仁術である.

인숭-무레기 명 とんま; 薄ばか.

인-슈트〔in-shoot〕명〔野〕インシュート.

인슐린〔insulin〕명〔化〕インシュリン.

인스턴트〔instant〕명 インスタント; 即席. ¶~ 식품 インスタント食品 / ~ 커피 インスタントコーヒー.

인스피레이션〔inspiration〕명 インスピレーション.

인습【因習】 명 因習. ¶~에 사로잡혀 있다 因習にとらわれている.

‖── 도덕 명 因習道徳. ──-적 명관 因習的. ──-주의 명 因習主義. ── 타파 명하자 因習打破.

인습【因襲】 명 因襲.

인시【人時】 의명 労働量の単位《一人が一時間に働く作業量》.

인식【認識】 명하타 認識. ¶널리 ~되다 広く認識される / ~을 새로이 하다 認識を新たにする.

‖──-론 명 認識論. ── 부족 명 認識不足.

인신【人臣】 명 臣下; 人臣.

인신【人身】 명 人身.

‖── 공격 명하자 人身攻撃. ── 보호법 명 人身保護法.

인심【人心】 명 人心. ¶~을 잃다 人心を失う / 각박한 ~ 荒れ果てた人の心.

‖── 세태 명 人情世態. ── 소관(所關) 명 人の心により各各その趣意を異にすること.

인심【仁心】 명 仁愛の心.

인아【人我】 명 ①人我; 他人と自分と. ¶~ 일체 人我一体. ②〔佛〕人我. ¶~ 무상 人我無相.

인아【鱗芽】 명〔植〕りんが(鱗芽). ＝비늘눈.

인안【燐安】 명 りんあん(燐安). ①↗인산 암모늄. ②化成肥料の一種.

인애【仁愛】 명 仁愛. ¶~의 마음 仁愛の心.

인양【引揚】 명하타 引き揚げ. ¶침

몰선 ~ 沈没船の引き揚げ.

인어【人魚】명 人魚.

인-업【人—】명 人としての業; 人に生まれた業.

인업【因業】명〔佛〕① 因業. ② 因となる業; 前世の因縁による現世での悪業.

인연【因緣】명하자 因縁; 縁. ¶ 부부의 ~ 夫婦の縁; 二世の契り / ~을 맺다 縁を結ぶ / 이상한 ~으로 맺어진 두 사람이다 不思議な縁で結ばれた二人である / 이것을 ~으로 해서 금후에도 찾아 주십시오 これを折に今後ともお訪ね下さい / 전세의 ~ 前世の縁〔約束〕; 契り.

인영【印影】명 印影. =인발. ¶ ~의 진위를 대조해 보다 印影の真偽を照合する.

인왕【仁王】명〔佛〕仁王〔二王〕. ¶ ~문 仁王門.

인용【引用】명하타 引用. ¶ 성경의 말씀을 ~하다 聖書の言葉を引用する / 논어의 한 구절을 ~하다 論語の一句を引く.

‖——-구 명〔言〕引用句. ——-문 명 引用文; クォーテーション. ¶ ~을 원전과 대조하다 引用文を原典に当てて見る. ——-부 명 引用符; クォーテーション マーク(《" "·' '·「 」など》). =따옴표. ——-서 명 引用書. ——-어 명 引用語.

인원【人員】명 人員. ¶ ~ 점호 人員点呼 / 참가 ~ 参加人員.

‖——-수 명 人数·人数; 口数. ¶ ~를 늘리다 人数をふやす / ~를 채우다〔맞추다〕頭数をそろえる.

인위【人爲】명 人為. =인공(人工). ¶ ~로써 자연을 정복하다 人為をもって自然を征服する.

‖—— 선택 명 人為選択; 人為陶汰. =인위 도태. ——-적 명관 人為的. ¶ ~인 아름다움 人為的美しさ.

인의【人義】명 人間として行なうべき道理.

인-의【仁義】명 仁義; 仁と義. ¶ ~에 벗어나다 仁義にはずれる.

‖——-예-지 명 仁·義·礼·ち(智)の四端. ——-예-지-신 명 仁·義·礼·智·信の五徳; 五常.

인자【人子】명 ① 人の子. ②〔基〕イエスの自称.

인자【仁者】명 仁者. ¶ 지자는 물을 즐기고 ~는 산을 즐긴다 知者は水を楽しみ仁者は山を楽しむ / ~에게는 적이 없다 仁者に敵なし / ~는 근심하지 않는다 仁者憂えず.

인자【仁慈】명하형스형 仁慈; いつくしみめぐむこと. ¶ ~함이 가득찬 얼굴 仁慈に富める顔.

인자【因子】명 因子; ファクター. ¶ 유전 ~ 遺伝因子.

인자【印字】명하자 印字.

‖——-기 명 印字機; タイプライター.

인장【印章】명 印; 印章. ¶ ~을 찍다 印章を押す.

‖—— 위조죄 명 印章偽造罪.

인재【人才】명 人才; 才知ある人物.

인재【人材】명 人材; 人物. ¶ 유용한 ~ 有用の材 / 국가 경륜의 ~ 国家けいりん(経綸)の材 / ~를 발탁하다 人材をばってき(抜擢)する / 천하에 ~를 구하다 四方に適材を求める.

‖—— 등용 명하자 人材の登用.

인재【印材】명 印材.

인적【人的】명관 人的.

‖—— 담보 명〔法〕人的担保. —— 자원 명 人的資源. —— 증거 명〔法〕人的証拠.

인적【人跡·人迹】명 人跡·人跡. ¶ ~이 드문 깊은 산 人跡まれな奥山 / ~이 끊어지다 人足が絶える.

인절미 명 きな粉をまぶしたもちごめ(糯米)のもち(餅).

인접【引接】명하타 引見. ¶ 사신을 ~하다 使臣を引見する.

인접【隣接】명하자 隣接. ¶ ~한 나라 隣接の国 / 집에 ~한 땅 家に接した土地.

인정【人情】명 ① 人情; 思い. ¶ ~에는 변함이 없다 人情に変わりはない / ~이 많다 情け深い / ~ 사정도 없이 情け容赦もなく / ~이 없다 情がない; 冷ややかだ / ~에 끌리다 情にほだされる / ~ 있는 배려(配慮) 心あるはからい / ~ 없는 처사 心ない仕打ち / 그런 일은 ~상 할 수 없다 そのようなことは人情としてできない. ② 昔, 役職の人に贈った進物.

‖—— 가화 명 人情佳話. ——-머리 명《俗》人情; 人情味. ¶ ~가 없다 そっけない. ——-미 명 人情味; ヒューマニティー. ¶ ~ 넘치는 사람 人情味あふれる人 / 저 여자는 ~가 있다 あの女性は情味がある. —— 세태(世態) 명 ☞ 인심 세태. —— 소설 명 人情小説.

인정【仁政】명 仁政. ¶ ~을 베풀다〔펴다〕仁政を施す〔敷く〕.

인정【認定】명하타 認定; 認知. ¶ ~ 시험 認定試験 / 사실의 ~은 증거에 의한다 事実の認定は証拠による / 대금을 주고 받으면 상행위로 ~한다 代金の受け渡しは取り引きと認める. ——-받다 자 認定される; 認められる. ¶ 과장에게 ~ 課長に認められる / 세상에서 인정받지 못한 작가였다 世に認められない作家であった.

‖—— 과세(課稅) 명 認定課税.

인정-법【人定法】명〔法〕人定法. =인위법(人爲法).

인정 신문【人定訊問】명하타〔法〕人定尋問; 人定質問.

인제 부 ① 今に至って; 今; ただいま. ¶ ~ 끝났다 今終わった. ② 今すぐ. ¶ ~ 곧 가겠다 今すぐ行くつもりである.

인조【人造】명 人造; アーティフィシャル.

‖——-견 명 人絹. 준 인견. —— 견사 명 人造絹糸. 준 인견·인견사. —— 고무 명 人造ゴム. =합성 고무. —— 보석 명 人造宝石. —— 피혁(皮革) 명 人造革; 擬革.

인종【人種】명 人種. ¶ 황색 ~ 黄色

人種 / 식~ 人食い人種 / 올림픽은 마치 ~ 전람회와 같다 オリンピックはまるで人種展覧会のようだ. ‖──적 편견 명 人種的偏見. ──차별 명 人種差別. ──학 명 人種学; エスノロジー.

인종【忍從】명하자타 忍従. ¶~의 생활 忍従の生活 / 시어머니에게 ~해 온 아내 しゅうとめ(姑)に忍従して来た妻.

인주【印朱】명 印肉; 朱肉. ‖──갑(匣) 명 印肉を入れて使う小さい箱; 肉入れ; 肉池.

인-주머니【印─】명 印章を入れる袋.

인-주오 준 "이리 주오"の縮まって変じた語: こち(ら)へよこしなさい.

인준【認准】명하타〖法〗法律に指定された公務員の任命に関する立法府の承認.

인-줄【人─】명 出産のあった家の門前に張る不浄よけのしめ縄. =금(禁)줄. ¶~을 치다 しめ縄を張る.

인중【人中】명 人中; 鼻溝. ¶~급소 人中急所 / ~이 길다 鼻の下が長い.

인줘 준 "이리 주어"がちぢまって変じた語: よこせ.

인증【引證】명하타 引証; 証拠を引くこと. ¶고서에서 ~하다 古書から引証する.

인증【認證】명하타〖法〗認証. ¶~서 認証書.

인지【人指】명 人差〔人指〕し指; 食指. =집게손가락.

인지【人智】명 人知. ¶~의 발달 人知の発達 / ~가 미치지 못하는 곳 人知の及ばない所.

인지【印紙】명 印紙. =수입(收入) 인지. ‖──세 명〖法〗印紙税.

인지【認知】명하타 認知. ¶자식을 ~하다 子を認知する.

인지-상정【人之常情】명 人情の常; だれもが持っている人情.

인-지질【燐脂質】명〖化〗りん(燐)脂質; 複合脂質.

인질【人質】명 人質. =볼모. ¶~이 되다 人質になる / ~로 잡다 人質に取る.

인찰-지【印札紙】명 みの(美濃)紙で作ったけいし(罫紙).

인책【引責】명하자 引責. ‖── 사직 명하타 引責辞職. ¶장관은 그 사건으로 ~하였다 長官はその事件で引責辞職した.

인척【姻戚】명 姻族; いんせき(姻戚); けいばつ(閨閥). ¶~ 관계 姻戚関係.

인체【人體】명 人体. ¶~ 실험 人体実験 / ~의 구조 人体の構造 / ~에 해롭다 人体に害がある. ‖── 모델 명 モデルになる人.

인촌【隣村】명 隣村.

인축【人畜】명 人畜. ¶~에 무해한 약품 人畜に無害な薬品.

인출【引出】명하타 引き出すこと. ¶예금의 ~ 預金の引き出し / 저금을 ~하다 貯金を下ろす.

인치〔inch〕의명 インチ.

인-치다【印─】자 印を押す.

인칭【人稱】명 人称. ¶제1~ 第一人称. ‖── 대명사 명〖言〗人称代名詞. =인(人)대명사.

인-커브〔incurve〕명〖野〗インカーブ.

인컴〔income〕명 インカム.

인-코너〔in+corner〕명〖野〗インコーナ; 内角.

인-코스〔in+course〕명〖野〗インコース.

인터내셔널〔international〕명 インターナショナル.

인터레스트〔interest〕명 インタレスト. ¶퍼블릭 ~ パブリックインタレスト.

인터벌〔interval〕명 インターバル.

인터뷰〔interview〕명하타 インタビュー. =면접(面接).

인터셉트〔intercept〕명하타 (サッカーなどの)インターセプト.

인터체인지〔interchange〕명 インターチェンジ.

인터코스〔intercourse〕명하자 インターコース.

인터폰〔interphone〕명 インターホーン.

인터피어〔interfere〕명하타 インターフェア.

인턴〔intern〕명 インターン.

인테르 명〖印〗インテル; 込め物.

인테르메조〔iutermezzo〕명〖樂〗インテルメッツォ.

인테리어〔interior〕명 インテリア. ¶~ 디자인 インテリアデザイン.

인텔리 명 [↗인텔리겐치아] インテリ.

인텔리겐치아〔러 intelligentzia〕명 インテリゲンチァ; インテリ《준말》.

인텔리전스〔intelligence〕명 インテリジェンス.

인파【人波】명 人波; 人出. ¶~에 시달리다 人波にもまれる / 대단한 ~다 たいした〔ど偉い〕人出である.

인-파이트〔infight〕명 インファイト.

인편【人便】명 人づて. ¶~으로 듣다 人づてに聞く.

인편【鱗片】명 りんぺん(鱗片).

인포멀〔informal〕명 インフォーマル.

인풋〔input〕명 インプット.

인품【人品】명 人品; 人柄. ¶의젓한 ~ おうような人柄 / 소탈한〔수수한〕~ むぞうさ(無造作)な人柄 / ~이 천하다 人柄が下品である.

인풍【人風】명 ふうさい(風采).

인플레 명〖經〗[↗인플레이션] インフレ. ¶~로 가계를 꾸려가기 힘들다 インフレで家計のやりくりが苦しい.

인플레이션〔inflation〕명〖經〗インフレーション; インフレ《준말》. ¶~ 방지의 묘책 インフレ防止の妙策.

인플루엔자〔influenza〕명〖醫〗インフルエンザ.

인-필더〔infielder〕명〖野〗インフィールダー; 内野手.

인-필드〔infield〕명〖野〗インフィールド; 内野. ‖── 플라이 명〖野〗インフィールドフライ.

인하【引下】명하타 引き下げ; 下げ. ¶가격 ~ 値下げ / 금리 ~ 利下げ / 원가(原價)를 ~하다 コストを引き下げる.

인-하다【因—】 자 よ(因)る. ¶누전으로 인한 화재 漏電による火災/부주의로 인한 사고 不注意による事故.

인 하이 〔미 in high〕 명 〔野〕インハイ.

인항【引航】 명하타 ①えいこう(曳航). ②グライダーを離陸させるとき自動車で引いて飛ばすこと.

인해 전술【人海戰術】 명 人海戦術.

인행【印行】 명하타 刊行.

인허【認許】 명하타 認許.

인형【人形】 명 人形. ¶목각(木刻) ~ 木彫の人形/~을 만들다 人形を作る.

‖——극 명 人形劇; 人形芝居.

인형【印形】 명 印形; 印章. =인(印)발. 「る》.

인형【仁兄】 대 仁兄《手紙に用い

인혜【仁惠】 명하형 徳と慈しみがあること.

인호【人戶】 명 人家. =인가.

인화【人和】 명하자 人和.

인화【引火】 명하자 引火. ¶~성 물질 引火性物質/가솔린에 ~했다 ガソリンに引火した.

‖——점 명 〔化〕引火点.

인화【印畫】 명하타 印画; 焼き付け. ‖——지 명 印画紙; 種紙.

인화【燐火】 명 りんか(燐火); きつね(狐)火; 鬼火. =도깨비불.

인화 수소【燐化水素】 명 〔化〕りん(燐)化水素.

인환【引換】 명 ① ☞ 상환(相換). ② 〔經〕'(交換)'の旧用語.

인회-석【燐灰石】 명 〔鑛〕 りんかいせき(燐灰石).

인후【仁厚】 명하형 仁厚; 善良で徳があること. ¶~한 성격 仁厚な性格.

인후【咽喉】 명 〔生〕 いんこう(咽喉). ¶이비 ~과 耳鼻咽喉科.

‖——염(炎) 명 咽喉炎; 咽喉カタル. =인후 카타르. ——-통(痛) 명 のど(喉)が痛む病気.

일¹ 명하자 ①仕事; ワーク. ¶서서 하는 ~ 立ち仕事/~에 쫓기다 仕事に追い回される/~이 벅차다 仕事が張る/~에 몰두하다 仕事に打ち込む. ②用務; 用事; 用. ¶~을 보다 用を足す/무슨 ~로 오셨습니까 どんな御用でいらっしゃいましたか. ③事. ㉠成り行き; 事柄. ¶세상 ~이란 그런 것이다 世間の事とはそんなものである/그런 ~이 있어서 되겠는가 そのようなことがあってたまるものか. ㉡事変; 事件. ¶큰 ~이 났다 大変な事が起こった. ㉢事故; 出来事. ¶의외의 ~에 아연하다 意外の出来事にあぜん(啞然)とする/예삿~이 아니다 ただごとではない. ㉣特別の事情. ¶오지 못할 ~이 있다 来られない事情がある/별다른 ~은 아니오나 別儀はありませんが. ㉤経験. ¶먹어 본 ~이 없다 食べたことがない/본 ~이 없다 見たことがない. ㉥治めるべき責任. ¶나라 ~을 맡기다 国事を任せる. ㉦文末に添えて願望·軽い命令をあらわす. ¶모자를 벗을 ~ 帽子を脱ぐ事/합격하고 싶으면 공부~이다 試験に受かるには勉強する事だ. ⓞ用言を名詞化す… 語. ¶먹는 ~ 食べる事. ④費用のかかる行事. ¶(혼례 등) 큰~ 치르다 (婚礼などの)行事を終える. ⑤計画; 事業. ¶~이 잘 되어 가다 事業がうまくはかどる.

일【日】 ㊀명 ①日曜日. ②日; にち. ¶기념~ 記念日. ㊁의명 日数を数える単位: 日. ¶십오(十五)~ 十五日/이십~ 二十日.

일【一】 ㊀수 一つ; 一. ㊁관 "한"の意: 一. ¶~주년 一週年/~매 一枚/~층 一階.

일- 두 "早めに"の意. ¶~심다 早めに植える.

일가【一家】 명 ①親類; 身内. ¶먼 ~보다 가까운 이웃 遠い親類より隣り合い〔近くの他人〕. ②一家. ㉠一家〈老〉; 家族全体. ¶~집단〔동반〕 자살 一家心中. ㉡学問·芸術·技術などの一流派. ¶~를 이루다 一家〔門戸〕を成す.

‖——견(見) 명 一見識. ¶~을 갖다 一見識をもつ. —— 단란 명하형 一家だんらん(団欒). ——-붙이 명 血縁関係にある者; 親族; 一族. —— 친척(親戚) 명 同姓と異姓のすべての血族《親類縁者の総称》: 親類; 身内. —— 화합 명하형 一家和合.

일가 알코올【一價—】〔alcohol〕 명 一価アルコール. 「いっかげんそ.

일가 원소【一價元素】 명 〔化〕一価元素

일가 월증【日加月增】 명하자 日に月に増していくこと.

일각【一角】 명 一角. ¶문단의 ~ 文壇の一角.

‖—— 대문(大門) 명 門幅が一間に満たない二本柱立ての門. =일각문. ——-수 명 一角獣《想像上の動物》. —— 중문(中門) 명 二本柱の中の門.

일각【一刻】 명 一刻. ①昔の一時間の初めの時刻《十五分》. ②わずかの時間. ¶~을 다투다 一刻を争う.

‖—— 여삼추(如三秋) 명 一刻三秋の如し; 一日千秋; 一刻千秋.

일간【日刊】 명하자 ①日刊. ¶~지 日刊紙. ②↗일간 신문.

‖—— 신문 명 日刊新聞. ㊕ 일간.

일간【日間】 부 近いうち; 不日; いずれ〈雅〉; そのうち. ¶~ 다시 들르겠네 そのうちまた寄るよ/~ 비도 개겠지 いずれ雨もあがりましょう.

일갈【一喝】 명하타 一喝. ¶대성 ~ 大声一喝.

일-감 명 ☞ 일거리.

일-개【一箇·一個】 명 一個; 一つ. ¶~월 一箇月; 一月.

일개【一介】 관 一介の. ¶~ 서생 一介の書生.

일-개미 명 〔蟲〕働きあり(蟻).

-개인【一個人】명 一個人・. ¶ ~으로서의 발언 一個人としての発言.

거【一擧】명 一挙. ¶ ~에 열세를 만회했다 一挙に劣勢を挽回した.

‖— 양득 명 一挙両得. ＝일전 쌍조(一箭雙鳥)·일석 이조. 준 양득. — 일동 명 一挙一動. ¶ ~을 지켜보다 一挙一動を見守る.

-거리 명 なすべき仕事；仕事の材料. ¶ ~를 구하다 仕事を求める / ~가 되지 않는다 仕事にならない.

일거 무소식【一去無消息】명 一度去って以来便りがないこと.

일거수 일투족【一擧手一投足】명 一挙手一投足. ¶ ~의 노고를 아끼다 一挙手一投足の労を惜しむ.

일건【一件】명 一件.

‖— 기록 명 一件記録. ＝일건 서류. — 서류 명 一件書類. ¶ 검찰청에 ~를 송치했다 検察庁に一件書類を送致した.

일격【一擊】명 一撃；一打ち. ¶ 턱에 ~을 맞았다 あご(顎)に一撃を受けた.

일견【一見】一見. 一 명하타 一度見ること. ¶ 백문이 불여 ~ 百聞は一見にし(如)かず / ~해서 알 수 있다 一見してわかる. 二 부 ちょっと見たところ. ¶ ~ 촌뜨기인 것 같다 一見いなか者のようだ.

일계【一計】명 一計. ¶ ~를 생각해 내다 一計を案ずる.

일계【日系】명 日系. ¶ ~ 미국인 日系米人 / ~ 회사 日系会社.

일계【日計】명 日計. ¶ 매상고의 ~ 売り上げの日計.

일고【一考】명하타 一考. ¶ ~의 여지가 있다 一考の余地がある / ~를 요하다 一考を要する.

일고【一顧】명하타 一顧. ¶ ~의 가치도 없다 一顧の価値もない.

일고-여덟 수 七つか八つ；七か八. 준 일여덟.

일곱 수 七・七；七つ. ¶ ~번째 七番目 / ~가지 빛깔 七彩；七色.

‖—-무날 명 陰暦の一日と十六日の称.

일곱목-한카래 명 柄を取る一人と綱引きの六人が一組となって使うすき(鋤).

일공【日工】명 日給の仕事.

일과【一過】명하자 一過. ¶ 태풍 ~ 台風一過 / 그것은 ~성의 현상이다 それは一過性の現象である.

일과【日課】명 日課. ¶ 아침 산책을 하는 것을 ~로 삼다 朝の散歩を日課とする.

‖—-표 명 日課表.

일관【一貫】명 [↗일이관지] 一貫. —-하다 자 一貫する；貫く. ¶ 시종 ~ 終始一貫 / 초지를 ~하다 初志を貫く / 영어로만 시종 ~하다 英語一点張りで押し通す.

‖— 작업 명 一貫作業.

일괄【一括】명 一括；一まとめ. —-하다 타 一括する；引っくるめる. ¶ ~ 상정시켰다 一括上程した / ~해서 말하면 引っくるめて言えば.

일광【日光】명 日光. ＝햇빛.

‖— 소독 명 日光消毒. — 요법 명 日光療法. —-욕 명하자 日光浴. ¶ ~실 サンルーム.

일교-차【日較差】명〔地〕日中の気温·湿度などの較差. ＊연교차(年較差).

일구【一口】명 ① ひとりの人. ② 多くの人が言う同じ言葉.

‖— 난설(難說) 명 一言ではとても説明し難いこと.

일구다 타 ① 田畑を作るために荒れ土地を掘り起こす. ＝기경(起耕)하다. ② (もぐらなどが)地をくぐって地面を隆起させる. 준 일다.

일구 이언【一口二言】명하자 一口両舌；二枚舌；食言. ¶ ~하는 사람 二枚舌を使う人.

일국【一國】명 一国. ¶ ~의 수상 一国の首相 / ~의 안위에 관계되는 큰 일 一国の安危にかかわる大事.

일군【一軍】명 一軍.

일그러-지다 형 ひずむ；ゆがむ. ¶ 일그러진 얼굴 ゆがんだ顔.

일근【日勤】명하자 日勤.

일금【一金】명 一金；全額の金《金額の前に書く語》. ¶ ~ 5000 만원정(整) 一金 五千万ウォンなり.

일급【一級】명 一級. ¶ ~품 一級品 / ~ 위다 一級上である / 그는 유도가 ~이다 彼は柔道が一級である.

일급【日給】명 日給. ¶ ~을 반다 日給をもら(貰)う.

일긋-거리다 자 (組立てられた物などが)ぐらぐらする. 일긋-일긋 부하자 しきりにゆが(歪)みぐらつくさま.

일긋얄긋-하다 자 しきりにゆが(歪)む；ぐらぐらする.

일긋-하다 형 一方に傾いてゆがんでいる；斜めになる. ＞얄긋하다.

일기【一技】명 一技；一つの技芸. ¶ 일인 ~ 교육 一人一技教育.

일기【一基】명 一基. ¶ 등대 ~ 灯台一基 / 분묘 ~ 墳墓一基.

일기【一期】명 ① 一期. ¶ ~분 一期分 / ~생 第一期生. ② 一期. ¶ 50세를 ~로 죽었다 五十歳を一期に亡くなった.

일기【一騎】명 一騎.

‖— 당천 명 一騎当千. ¶ ~의 용자 一騎当千の強者.

일기【日記】명 ① 日記；ダイアリー. ¶ 그림 ~ 絵日記 / 고인이 쓴 ~ 故人の日記. ②〔史〕廃王の在位期間の治世を記した歴史.

‖— 문학 명 日記文学. —-장 명 日記帳. —-체 명〔文〕日記体.

일기【日氣】명 天気；日和. ＝날씨. ¶ ~가 나쁘다 天気が悪い / ~를 보다 日和を見る.

‖— 불순 명 天気不順. — 예보 명하자 天気予報.

일기죽-거리다 자 (歩くとき)腰やしり(尻)を左右にゆっくり揺すぶる；しゃなりしゃなりと歩く. ＞얄기죽거리다. 일기죽-일기죽 부하자 しゃなり

しゃなり.

일기죽-얄기죽 [부][하자] しゃなりしゃなり; しゃならしゃなら.

일-깨다 ㊀[자] 早く覚める; 早く起床する. ㊁[타] ↗일깨우다.

일-깨우다 [타] ① (眠っている人を)早めに起こす. ② 教えて悟らせる; かくせい(覚醒)させる. ¶세인을 ~ 世人をけいせい(警醒)する. ㊟일깨다.

일-껏 [부] わざわざ; せっかく. ¶~ 만들어 놓은 것을 부서뜨리다 せっかく作った物を壊す.

일-꾼 [명] ① 労働者; 人夫. ¶날품팔이 ~ 日雇い人夫. ② 働き者〔手〕. ¶~이 많다 働き手が多い / ~이 모자라다 人手が足りない. ③ 有為の人材.

일-끝 [명] 事の端緒.

일년【一年】 [명] 一年; 一とせ. ¶~ 재수생 一浪〈俗〉; 一年浪人 / ~ 하고 반년 一年有半 / ~ 내내 술에 빠져 있다 年中酒浸りになっている / ~ 내내 一年じゅう; いつも.

‖——감 [명]〔植〕トマト. ——근(根) [명] 一年生植物の根. ——생 [명] ① 一年生. ② ↗일년생 초본. ——생 초본 [명]〔植〕一年生草本; 一年生植物. ＝일년초. ¶벼는 ~이다 稲は一年生植物である. —— 열두달 [명] 通年; 一年の全期間.

일념【一念】 [명] 一念. ¶자식을 생각하는 어머니의 ~ 子を思う母の一念. ‖—— 통천(通天) [명][하자] 一念天に通ずること.

일다[1] [자] 起こる. ① 新たに生ずる. ¶바람이 ~ 風が起こる. ② (炭火が)起こる. ¶숯불이 ~ 炭火が燃え上がる.

일다[2] [자] ① (泡などが)立つ. ¶거품이 ~ 泡が立つ / 보풀이 ~ 毛羽が立つ / 손거스러미가 ~ さかむけが出来る; 手がささくれる. ② 勢いが盛んになる; 栄える. ¶가운이 ~ 家運が栄える.

일다[3] [타] よなげる; 揺る. ① 米を研ぐ. ② 水中で選び取る; よ(選)る. ¶사금을 ~ 砂金を揺る.

일단【一段】 [명] 一段.

일단【一團】 [명] 一団. ¶~의 외국인 一団の外国人.

일단【一端】 [명] 一端. ¶소신의 ~을 말하다 所信の一端を述べる.

일단【一旦】 [부] いったん(一旦); ひとたび(一度). ¶~ 유사시에는 いったん事有る時は; いったん緩急の際は / ~ 결심한 이상에는 ひとたび決心したからには / ~ 귀국하다 ひとまず帰国する / ~(은) 그렇게 결론지울 수 있다 一応そう結論できる.

일-단락【一段落】 [명] 一段落; 一くさり. ¶일이 ~되다 仕事が一段落つく; 仕事に切りがつく / 우선 이것으로 ~ 짓자 ひとまずこれで切りをつけよう.

일당【一堂】 [명] 一堂. ¶회원이 ~에 모이다 会員が一堂に会する.

일당【一黨】 [명] 一党; 一味. ¶~ 일파 一党一派 / 강도 ~을 검거하였다 強盗の一味を検挙した.

‖—— 독재 [명] 一党独裁.

일당【日當】 [명] 日当; 日割り. ¶ 만원의 ~을 받다 五万ウォンの日 をもらう / 보수를 ~으로 받았다 報 を日割りでもらった.

일-당백【一當百】 [명] 一人で百人に当たること.

일대【一代】 [명] 一代. ＝일세(一世) ¶~의 영웅 一代の英雄.

‖——기 [명] 一代記. —— 잡종(雜種) [명]〔生〕一代雑種.

일대【一帶】 [명] 一帯; かいわい(界 隈). ＝일원(一圓). ¶그 부근 ~ その付近一帯.

일대【一大】 [관] 一大. ¶~ 발견 一大発見 / 사회의 ~ 변동 社会の地滑り的変動.

‖——사 [명] 一大事. ¶국가의 ~ 国家の一大事.

일-더위 [명] 早目の暑気.

일도【一到】 [명] ひとたび至ること. ¶~ 창해면 ひとたびそうかい(滄海)に至れば.

일도 양단【一刀兩斷】 [명][하자] 一刀両断. ¶~으로 금방 해결됐다 一刀両断でたちまち解決した.

일독【一讀】 [명][하타] 一読. ¶~의 가치가 있다 一読の価値〔値打ち〕がある.

일동【一同】 [명] 一同. ¶직원 ~ 職員一同.

일-되다 [자] (人·草木などが) 早熟する. ＊올되다.

일득 일실【一得一失】 [명] 一得一失.

일등【一等】 [명] (第)一等. ¶~상 一等賞.

‖——병 [명] 一等兵. ——성 [명]〔天〕一等星. ——지(地) [명] 最も暮らしに便利な土地; 最も価格が高い地所. ——품 [명] 一等品.

일떠-나다[1] [자] 元気よく起き上がる.

일-떠나다[2] [자] 早く出発する; 早立ちする.

일떠-서다 [자] 元気よく立ち上がる; ぱっと跳ね起きる.

일락【一樂】 [명] ① 一楽; 三楽のうちの第一の楽しみで, 親共に存して兄弟事故のないこと. ② 一つの楽しみ.

일락【逸樂】 [명][하자] 逸楽. ¶~에 빠지다 逸楽にふける.

일란성 쌍생아【一卵性雙生兒】 [명]〔生〕一卵性双生児. ＊이란성(二卵性) 쌍생아.

일람【一覽】 [명][하타] 一覧.

‖——표 [명] 一覧表; 早見表.

일러-두기 [명] (本などの)凡例; はしがき.

일러-두다 [타] 言いつけて置く. ¶집을 잘 보라고 일러두고 나왔다 留守をよくしろと言いつけて出て来た.

일러-바치다 [타] 告げ口する. ¶동료에 관한 일을 ~ 仲間の事を告げ口する / 부모에게 ~ 親に言いつける.

일러스트레이션〔illustration〕[명] イラストレーション; イラスト《준말》.

일러-주다 [타] ① 教えてやる; 言い聞

かせる. ¶ 늘 일러주고 있습니다만 始終言って聞かしているのですが. ② 知らせる. ＝알려주다.

일렁-거리다 자 (波のまにまに)いさよう; 揺れる; 漂う; 浮遊する. ¶ 일렁거리는 물결 いさよう〔のたうつ〕波. ＞알랑거리다. **일렁-일렁** 부하자 のたりのたり; ゆらゆら.

일렁-얄랑 부하자 波のまにまにゆれるさま: のたりのたり; ゆらゆら.

일력【日曆】명 暦; 日めくり; は(剝)がし暦; 日読み〈雅〉.

일련【一連】명 一連. ¶ ～의 사건을 해결하다 一連の事件を解決する.

‖── 번호 명 一連番号; 通し番号. 준 연번(連番).

일련【一聯】명 いちれん(一聯). ① 時間上のひとつづき. ② (漢詩で) ひとまとまりになる二句. ¶ ～의 시 一聯の詩.

일련 탁생【一蓮托生】명 いちれんたくしょう(一蓮托生). ¶ ～의 몸 一蓮托生の身.

일렬【一列】명 一列. ¶ ～로 나란히 서다 一列に並ぶ.

일례【一例】명 一例. ¶ ～를 들면 一例を挙げれば / ～로서 一例として.

일로【一路】一명 一路; ひとすじの道. 二부 ひたすら; まっすぐに. ¶ ～ 귀국길에 오르다 一路帰国の途につく / ～ 매진하다 一路邁進する.

일로 부 ↗이리로. ¶ ～ 오너라 こっちへ来なさい. ＊이리.

일루【一縷】명 いちる(一縷). ¶ ～의 희망을 간직하다 一縷の望みを抱く.

일루【一壘】명〔野〕一塁; ファーストベース.

‖──-수 명〔野〕一塁手; 一塁《준말》; ファーストベースマン.

일류【一流】명 一流. ¶ ～ 극장 一流の劇場 / ～ 상인으로 키우다 一流の商人に仕立てる.

일류미네이션〔illumination〕명 イルミネーション.

일류전〔illusion〕명 イリュージョン.

일륜【一輪】명 一輪.

‖── 명월 명 一輪明月. ──-차 명 一輪車.

일륜【日輪】명〔佛〕日輪. ＝태양.

일률【一律】명 ① 一律. ¶ 천편 ～ 千編一律 / ～적으로 값을 1할 올리다 一律的に一割値上げする / ～적으로는 말할 수 없다 一概には言えない. ② 死に値する罪.

일리【一利】명 一利.

‖── 일해 명 一利一害.

일리【一理】명 一理; 一義. ¶ 그것도 ～있다 それも一理ある.

일막-극【一幕劇】명 一幕物. ＝단막극(單幕劇).

일말【一抹】명 一抹. ¶ ～의 불안이 없지 않다 一抹の不安が無くもない.

일망【一望】명하타 一望. ¶ ～ 천리의 평야 一望千里の平野.

‖── 무애(無涯) 명하형 はてしなく遠く目を妨げる物がないこと.

일망 타진【一網打盡】명하타 一網打尽. ¶ 밀수단을 ～하였다 密輸団を一網打尽した.

일맥 상통【一脈相通】명하자 一脈相通じること. ¶ ～하는 바가 있다 一脈相通じるものがある.

일면【一面】명 一面; 片面; 一方面; 一方. ¶ 시대상의 ～ 時代相の一面 / 그에게는 그런 ～이 있었다 彼にはそう言った一面があった.

‖── 여구(如舊) 명 傾蓋の友.

일-면식【一面識】명 一面識. ¶ ～도 없다 一面識もない.

일명【一名】명 一名. ① またの名; 一名. ② 一人.

일모【日暮】명하자 日暮れ; 日の暮れ; 夕暮れ; 夕方.

일모-작【一毛作】명 一毛作.

일목 요연【一目瞭然】명하형 一目りょうぜん(瞭然). ¶ 결과가 어떻게 될 것인가는 ～하다 結果がどうなるかは一目瞭然である.

일몰【日沒】명하자 日没; 日の入り. ¶ ～이 빨라지다 日の入りが早くなる. ＊해넘이.

일무-【一無】두 "少しも無い"の意.

‖──소득(所得) 명 所得が全然ないこと. ──소식(消息) 명 全く便りが無いこと.

일문【一門】명 一門. ① 一族; 同族; 宗族. ¶ ～의 자랑 一門の誇り. ② 一つの大砲. ③ 一家.

일문【日文】명 日本文.

일문【逸文】명 逸文; 世に知られていない文.

일문 일답【一問一答】명하자 一問一答. ¶ 어제 기자와 ～하였다 昨日記者と一問一答をした.

일물【逸物】명 いちもつ(逸物).

일미【一味】명 一味. ① 最もよい味. ¶ 어두(魚頭) ～ 魚の頭部が最もうまいとのこと. ② ☞ 일당(一黨).

일박【一泊】명하자 一泊. ¶ ～ 2일 예정으로 떠나다 一泊二日の予定で出掛ける.

일반【一般】명 一般. ① 同様; 同類; 一様. ¶ 이거나 그거나 매～이다 それもこれも全く同じである. ② 普通. ¶ ～의 평이 좋다 大方の評判がよろしい / ～에게 인기를 끄는 영화이다 一般に受ける映画である. ③ 普遍. ¶ ～화 一般化 / 그건 ～에게는 맞지 않는 이론이다 それは一般にはあてはまらない理論である.

‖── 개념 명 一般概念. ── 교서 명 一般教書. ──-법 명 一般法. ＝보통법. ── 상대성 이론 명〔物〕一般相対性理論. ──-세 명〔經〕一般税. ── 예금(預金) 명〔經〕市中銀行が中央銀行に利子無しで預託した金. ──-인 명 一般人; 常人; 普通の人. ¶ 교육에 대한 ～의 관심 教育に対する一般人の関心. ──-적 명관 一般的. ¶ ～으로 一般的に; 概して; 総じて; 俗に / ～으로 열대 주민은 조숙하다 一般的に熱帯の人は早熟である. ──-직 명 一般職. ── 투표 명 一般投票. ── 회계 명 一般会計.

일발 【一發】 명 一発.
일발 【一髮】 명 一髪. ¶간~ 間一髪 / 위기 ~ 危機一髪.
일방 【一方】 명 一方; 片方. ¶~ 통행 一方通行; 片道通行.
‖——-적 명관 一方的. ¶~인 승리 一方的勝利 / ~ 경기 ワンサイドゲーム. —— 통행로(通行路) 명 一方交通路; 一方通行の街路; ワンウェイ. —— 행위 명 〔法〕一方行為. =단독(單獨) 행위.
일배 【一杯】 명 一杯; 一献. ¶~ 헌상하다 一杯献上する.
‖——-주(酒) 명 一杯の酒.
일-벌 명 〔蟲〕働きばち(蜂).
일변 【一邊】 ㊀명 一辺. ① 片方; 一方. ②〔數〕一つの辺. ㊁부 ひき続き他の面で.
‖——-도 명 一辺倒. ¶강경 ~ 強硬一辺倒.
일변 【一變】 명하자 一変. ¶거리의 모습이 ~하였다 町の様子が一変した.
일변 【日邊】 명 日歩. ¶이자는 ~으로 계산하겠습니다 利子は日歩で計算致します.
일-변화 【日變化】 명 日変化.
일별 【一瞥】 명하타 いちべつ(一瞥); 一目. ¶~하여 가짜임을 알았다 一瞥して偽物であることが分かった.
일병 【一兵】 명 ① ↗일등병(一等兵). ② 一兵; 一人の兵士. ¶최후의 ~에 이르기까지 싸워라 最後の一兵に至るまで戦え.
일보 【一步】 명 一歩. ¶~ 전진 一歩前進 / ~ 후퇴 이보 전진(二步前進) 寸退尺進 / 붕괴 ~ 직전에 있다 崩壊一歩手前にある / ~ 일보 목적에 다가가다 歩一歩と目的に近づく.
일보 【日報】 명 日報. ① 日日の報道または報告. ② 新聞. ③ 兵員の日日の現況報告.
일-보다 자 ① 仕事をする; 用事を果てる. ② 世話する; 手伝う.
일-복 【一福】 명 仕事が多いことを祝福に例えて言う語. —— 많다 형 仕事がひっきりなしに生じる.
일본 【日本】 명 〔地〕日本; 和国; 大和〈雅〉. ¶~ 민족 日本〔大和〕民族 / ~어 日本語 / ~도 日本刀.
‖—— 뇌염 명 日本脳炎. —— 요리 명 日本料理; 和食. ——-풍(風) 명 日本式; 和式.
일봉 【一封】 명 一封. ¶금~ 金一封.
일부 【一夫】 명 一夫.
‖—— 다처(多妻) 명 一夫多妻. ¶~주의 一夫多妻主義. —— 종사(從事) 명하자 生涯を通じて一人の夫だけに仕えること. —— 종신(終身) 명하자 一人の夫だけに仕えてその夫が亡くなっても独りで一生を終えること.
일부 【一部】 명 一部. ¶~를 수정하다 一部を修正する / 돈의 ~를 떼다 頭をはねる; ピンはねをする.
일부 【日附】 명 日付.
‖—— 변경선 명 日付変更線. —— 인 명 日付印; 書類などに日日を押す印.
일부 【日賦】 명 日賦. ¶~ 적립 저금(積立貯金) 日掛け貯金. ＊월부.
‖——-금(金) 명 日賦で返す金. —— 불(拂) 명 日賦; 日なし. ¶빚을 ~로 갚다 借金を日賦〔日なし〕で返す. —— 판매 명하타 日賦販売.
일부러 부 わざわざ(と). ¶~ 갈 필요는 없다 わざわざ行くまでもない〔行くには及ばない〕/ ~ 뭉때리다 わざとぼける / ~ 하다 故意にする.
일-부분 【一部分】 명 一部分.
일부-토 【一抔土】 명 いっぽう(一抔)の土; 一握りの土《墓》.
일분 【一分】 명 ① 一分. ㉠ 一寸の十分の一. ㉡ 一匁の十分の一. ㉢ 一割の十分の一. ㉣ ある物を等分した物の一部分. ② 一分; 一時間の六十分の一.
‖—— 일초(一秒) 명 ① 一分と一秒. ② ごく短い時間.
일비 【日費】 명 日に使う費用.
일비지-력 【一臂之力】 명 いっぴ(一臂)の力.
일빈 일소 【一顰一笑】 명 いっぴんいっしょう(一顰一笑).
일사 【一死】 명 ① 一死. ②〔野〕ワンダウン; ワンアウト.
일사 【日射】 명 日射.
‖——-병 명 日射病. =열사병. ¶~에 걸리다 日射病にかかる.
일사 【逸史】 명 逸史.
일사 【逸事·軼事】 명 逸事.
일사 부재리 【一事不再理】 명 〔法〕一事不再理.
일-사분기 【一四分期】 명 (会計年度などで)四半期の最初の期間《1, 2, 3月の3個月の間》.
일사 불란 【一絲不亂】 명하형 一糸乱れず.
일사 천리 【一瀉千里】 명 いっしゃせんり(一瀉千里). ¶~로 해치우다 一瀉千里に片づける.
일산 【日産】 명 日産. ① 毎日の生産高〔産出高〕. ¶~ 일만 대 日産一万台. ② 日本で産出した品物.
일산 염기 【一酸塩基】 명 〔化〕一酸塩基.
일산화 질소 【一酸化窒素】 명 〔化〕一酸化窒素.
일산화 탄소 【一酸化炭素】 명 〔化〕一酸化炭素.
‖—— 중독 명 一酸化炭素中毒.
일-삼다 타 ① 仕事に従事する. ② 自分の職務とする. ¶낚시질을 ~ 釣りで日を暮らす.
일상 【日常】 명부 日常; 常日ごろ; ふだん. ¶~ 용품 日常用品.
‖—— 생활 명 日常生活; 寝起き〈俗〉. ¶~에 불가결한 물건 日常欠かせられない品物.
일색 【一色】 명 ① 一色. ② 優れた美人. ¶~ 소박은 있어도 박색 소박은 없다《俚》㉠ 優れた美人はよく夫に冷遇されるが, 不器量な女はそうでもないことのたとえ. ㉡

人となりはようぼう(容貌)で決まるものではないとのたとえ.

일생【一生】 명 一生; 生涯. ¶ 파란 많은 ～ 波乱に富んだ一生/～을 그르치다〔망치다〕一生を棒に振る/～의 소원입니다 一生のお願いであります/～을 교육에 바쳤다 一生を教育に捧げた. ──-토록 부 死ぬまで; 一生涯かかって.

‖── 일사(一死) 명 一度生まれて一度死ぬこと.

일석【一夕】 명 一夕; ひと晩; 一夜. ¶ 일조 ～에는 될 수 없다 一朝一夕にはできない.

일석【日夕】 명 日夕. ＝저녁. ¶～ 점호 日夕点呼.

일석 이조【一石二鳥】 명 一石二鳥. ¶～의 효과 一石二鳥の効果.

일선【一線】 명 一線. ①一つの線. ②重要な意のある明らかな区分. ¶～을 긋다 一線を画する. ③↗제일선(第一線). ¶～ 기자 第一線の記者.

일설【一說】 명 一説. ¶～에 의하면 一説によると.

일성【一聲】 명 一声. ¶대갈 ～ 大喝一声.

일세【一世】 명 一世. ①一生. ②世の中; 当世; 当時. ¶～를 풍미하다 一世をふうび(風靡)する/～의 사표로 존경받다 一世の師表として仰がれる. ③一人の王が国を治めた時代; 一代. ④〔佛〕一世; 過去·現在·未来の三代の一つ. ⑤初代. ¶나폴레옹 ～ ナポレオン一世. ⑥移住民などの初代の人.

일-세기【一世紀】 명 一世紀.

일-소 명 役牛.

일소【一笑】 명하타 一笑. ①ちょっと笑うこと. ¶파안 ～하다 破顔一笑する. ②みくびる笑い. ¶～에 부치다 一笑に付する; 笑殺する.

일소【一掃】 명하타 一掃. ¶체화를 ～하다 滞貨を一掃する/불안을 ～하다 不安を一掃する.

일-손 명 ①仕事をする腕前. ¶～이 좋다 腕前がよい. ②働き手; 人手. ¶～이 없다 人手がない/～이 모자라다 人が足りない.

일수【日收】 명 日銭. ①日なし. ¶일숫돈 日なし金; 日金/빚을 ～로 갚다 借金を日なし〔日賦〕で返す. ②日収. ¶～ 오만 원 日収五万ウォン.

‖──-쟁이 명 日なしの借金取り.

일수【日數】 명 ①日数. ¶결석 ～ 欠席日数/～로 足掛け. ②その日の運. ¶오늘의 ～가 사납다 今日の運が悪い.

일수 판매【一手販賣】 명하자 一手販売. ＝총판(總販).

일숙【一宿】 명하자 一宿.

‖── 일반 명 一宿一飯. ¶～의 은혜 一宿一飯の恩義.

일순【一巡】 명하자타 一巡; 一巡り.

일순【一瞬】 명 一瞬. ＝삽시.

‖──-간 명부 一瞬間; 瞬間. ¶～에 사라지다 瞬間にして消え去る/～도 우물주물할 수 없다 一瞬間も猶予はできない.

일습【一襲】 명 (衣服·器物·器具などの)一そろい; ワンセット. ¶가구 ～ 家具一式/낚시 도구 ～ 釣道具一式.

일승 일패【一勝一敗】 명 一勝一敗.

일시【一時】 명 一時. ¶～ 모면〔방편〕当座しのぎ; 一時しのぎ; 当座〔一時〕逃れ; その場しのぎ; その場逃れ/～의 잘못 一時の過ち/～ 발뺌 一時逃れのいい訳.

‖──-적 명관 一時的. ¶～인 현상 一時的な現象/～인 인기 소설 際物小説. ── 차입금 명 一時借り入れ金. ── 해고 명 一時解雇; レイオフ.

일시【日時】 명 日時. ¶결혼식의 ～가 정해졌다 結婚式の日時が決まった.

일식【日蝕】 명하자 日食. ¶～을 관측하다 日食を観測する.

일-식경【一食頃】 명 食事をとる程の間. ＝한식경(食頃)·일향(一餉).

일신【一身】 명 一身; 身. ¶～의 영광 一身の栄光/～의 이익만을 꾀하다 一身の利益だけを計る.

‖──-상 명 一身上. ¶～의 문제 一身上の問題.

일신【一新】 명하자타 一新. ¶면목을 ～하다 面目を一新する/진용을 ～하다 陣容を一新する.

일신【日新】 명하자 日新.

일신-교【一神教】 명 一神教.

일실【一室】 명 一室.

일심【一心】 명 一心. ¶～ 협력 一心協力.

‖── 동체 명 一心同体; 同心一体. ── 불란(不亂) 명하자 ①一心不乱. ¶～으로 공부하다 一心不乱に勉強する. ── 전력(專力) 명하자 心を一つにして力を尽くすこと; よ(縒)りをかけること.

일심【一審】 명〔法〕[↗제일심] 一審; 初審. ¶～ 판결 一審判決.

일심【日甚】 명하자 日に日に甚だしくなること; 日ごとにつのること.

일쑤 ㊀명 習わし; お決まり. ¶극장 가기가 ～다 劇場に行くのがお決まりである; 劇場通いがお定まりである. ㊁부 度度; しばしば; 毎度. ¶～ 지각을 한다 毎度遅刻をする.

일안【一案】 명 一案.

일야【一夜】 명 一夜. ＝하룻밤.

일-야【日夜】 명 日夜; 夜昼. ＝밤낮.

일약【一躍】 부 一躍(して). ¶～ 중역이 되다 一躍(して)重役になる.

일-양일【一兩日】 명 一両日.

일어【日語】 명 日本語. ¶～ 강습 日本語講習.

일어-나다 자 ①起きる; 起き上がる. ¶아침 일찍 일어나는 것이 괴롭다 朝早く起きるのが辛い/환자가 자리에서 ～ 病人が床から起き上がる. ②立つ; 立ち上がる. ¶의자에서 ～ 椅子から立ち上がる/벌떡 ～ むっくり立つ/자리를 차고 ～ 席をけ

ㅇ

って立つ. ③起こる. ㉠発生する. ¶비슷한 사건이 자주 일어났다 似たような事件がしばしば起こった / 사고가 연달아 ～ 事故が相次いで起こる; 事故が頻発する / 난처한 일이 ～ 困った事が持ち上がる / 심한 복통이 ～ 激しい差しこみが起こる. ㉡(火が)おこ(熾)る; 火付き始める. ¶불이 잘 일어난다 火がよく付く; 火事がよく起こる. ㉢興る; 盛んになる. ¶새로운 산업이 일어났다 新しい産業が起こった.

일어-서다 자 立つ; 立ち上がる. ①起立する. ¶불쑥 ～ つと立ちあがる / 일어서자마자 한대 얻어 맞다 立ち上がりざまに一発(喰)らう / 모두 ～ 総立ちになる / 일어서서 교가를 부르다 起立して校歌を歌う. ②立ち直る. ¶적에게 다시 일어설 틈을 주지 않다 敵に立ち直るすきを与えない / 한번 실패하면 좀처럼 일어서기 어렵다 一度つまずくとなかなか立ち直れない / 재난에 굴하지 않고 ～ 災難にめげず立ち上がる.

일어-앉다 자 起き上がって座る.

일어 탁수【一魚濁水】명 一匹の魚が水を濁すこと《一人の過ちが多くの人人にめいわくを及ぼすことのたとえ》.

일언【一言】명 一言・一言; 一言〈老〉. ¶남자의 ～ 男の一言.

‖── 거사 명 一言居士. ── 반구 명 一言半句. ¶～도 소홀히 하지 않다 一言半句もゆるがせにしない / ～ 말이 없다 うんともすんとも言わない. ──-이폐지(以蔽之) 명하타 一言をもって言わんとする意を表わすこと. ──-지-하(之下) 명 一言の下; 言下. ¶～에 거절 하다 一言の下に断る.

일-없다 형 ①必要がない; 要らない. ¶그런 건 ～ そんな物は要らない. ②構わない. 일-없이 부 用なく; 無用に.

일-여덟 수 七八; 七つか八つ.

일염기-산【一塩基酸】명〔化〕一塩基酸.

일엽-주【一葉舟】명 ↗일엽 편주(一葉片舟).

일엽 지추【一葉知秋】명 一葉落ちて天下の秋を知ること.

일엽 편주【一葉片舟】명 一葉の扁舟; 小船〔小舟〕.

일요【日曜】명 [↗일요일] 日曜. ¶～ 화가 日曜画家 / ～ 목수 日曜大工 / ～ 작가 日曜作家.

‖──-일 명 日曜日; 日曜《준말》; サンデー; ドンタク. ¶～을 능가하는 인파 日曜日をしのぐ人出 / ～이므로 휴업 日曜に付き休業 / 때마침 ～이라 折から日曜日とあって. ── 학교 명 日曜学校.

일용【日用】명하타 日用. ¶～ 소비재 日用消費財.

‖── 범백(凡百) 명 ふだん使うすべての物; 日用百貨. ── 상행(常行) 명 毎日の〔ふだんの〕行ない. ──-품 명 日用品.

일용【日傭】명 ひよう(日傭); 日雇い. ＝날품팔이. ¶～ 노동자 日雇い労働者.

일-울다 자 早目に泣〔鳴〕く.

일원【一元】명 一元. ¶～ 이차 방정식 一元二次方程式.

‖──-론 명〔哲〕一元論. ──-화 명하자타 一元化. ¶체제를 ～하였다 体制を一元化した.

일원【一員】명 一員. ¶대표단의 ～이 되다 代表団の一員となる.

일원【一圓】명 一円. ＝일대(一帶). ¶수도 ～에 걸쳐 首都の一円にわたって.

일원-제【一院制】, **일원 제도**【一院制度】명 一院制. ＝단원제. ¶～의 의회 一院制の議会.

일월【一月】명 一月; むつき(睦月)〈雅〉. ＝정월.

일월【日月】명 日月.

‖──-광(光) 명 ①太陽と月のひかり. ②〔佛〕袈裟の背に付ける刺繡. ── 성신 명 日月星辰.

일위【一位】명 ①一位. ㉠第一の地位. ＝수위(首位). ¶～를 차지하다 第一位を占める. ㉡〔數〕一のけた(桁). ②(お)一人さま.

일으키다 타 起こす. ①引き起こす. ¶몸을 ～ 体を起こす / 쓰러진 나무를 일으켜 세우다 倒された木を起こす. ②物事を始める. ¶소송을 ～ 訴訟を起こす / 전쟁을 ～ 戦争を引き起こす / 군사를 ～ 兵を挙げる; 旗を揚げる. ③(病に)かかる. ¶복통을 ～ 腹痛を起こす / 식중독을 ～ 食あたりする / 가벼운 빈혈을 ～ 軽い貧血を起こす. ④生じさせる. ¶전기를 ～ 電気を起こす / 흙먼지를 ～ 土煙を立てる. ⑤勢いをつける. ¶가세를 ～ 家勢を立て直す. ⑥立身する; 身を立てる. ⑦引き起こす; 巻き起こす. ¶평지 풍파를 ～ 平地に波乱を呼び起こす / 문제를 ～ 問題を起こす / 한바탕 말썽을 ～ 一もんちゃく(悶着)起こす / 일대 선풍을 ～ 一大旋風を巻き起こす.

일음 일의설【一音一義說】명 一音一義説.

일의대-수【一衣帶水】명 一衣帯水.

일의-적【一義的】명관 一義的. ¶～으로 정해지다 一義的にきまる.

일이【一二】㊀수 一二. ¶～를 다투다 一二を争う. ㊁관 一二の. ＝한두. ¶～ 예외를 제외하고는 一二の例外を除いては.

일익【一翼】명 一翼. ¶～을 담당하다 一翼を担う.

일익【日益】부 ますます; いよいよ. ¶～ 번창하다 ますます繁盛する.

일인【一人】명 一人・一人. ¶생선회 ～분 刺身一人前 / ～당 일만원 一人当て一万ウォン.

‖── 이역 명 一人二役. ── 일기 명 一人一技. ¶～ 교육 一人一技教育. ──-자 명 一人者; オーソリティー.

일인【日人】명 日本人・日本人.

일-인칭【一人稱】명〔言〕一人称.

‖── 소설 명〔文〕一人称小説.

일【一日】명 一日. ①ひと日. ～ 일선 一日一善/～분의 일 一分の仕事/～ 삼회 一日三回. ② ついたち. =초하루.
── 여삼추(如三秋) 명하형 一日三秋; 一日千秋.
일【日日】명 日日; 日ごと; 毎日. ¶～ 잔고 日日残高.
일-이 부 事ごとに; すべて. ¶～ 참견하다 事ごとに口出しをする.
일-이【一一】부 事事に; 一つ一つ; いちいち(一一). ¶～ 답장을 쓰다 いちいち返事を書く/～ 다 옳은 말이다 いちいちもっともである/～ 조사하다 一つ一つ調べる.
일임【一任】명하타 一任.
일자【一字】명 ① 一字. ¶～ 천금 一字千金. ② 短い文.
── 무식(無識) 명 一文不知; 一文不通. =전(全)무식. ──-총(銃) 명 一発で命中する良い銃. ── 포수(砲手) 명 一発で命中させる名射手. =일방(一放) 포수.
일잣-집 명〘建〙"一"の字のように建てた家.
일자【日字】명 ☞ 날짜.
일-자리 명 職; 勤め口. =직장(職場). ¶～가 언어 걸렸다 職にありついた/～를 잃다 職を失う/～를 얻지 못하다 勤め口が見つからない; あぶれる.
일장【一場】명 一場; 一席. =한바탕. ¶～ 훈시 一場の訓示/～ 연설하다 一席ぶつ; 一席弁ずる; 一くさりの演説をする.
── 춘몽(春夢) 명 一場の夢. ── 풍파(風波) 명 一場〔一くさり〕のひどい騒ぎ〔けんか(喧嘩)〕.
일장 공성 만골고【一將功成萬骨枯】명 一将功成りて万骨枯る.
일장-기【日章旗】명 日章旗; 日の丸の旗《日本の国旗》.
일장 월취【日將月就】명 ☞ 일취 월장(日就月將).
일장 일단【一長一短】명 一長一短. ¶제각기 ～이 있다 それぞれ一長一短がある.
일재【逸材】명 逸材.
일전【一戰】명 一戦. ──-하다 자 一戦する; 一戦を交える. ¶～을 불사하다 一戦を辞さない.
일전【一轉】명하자 一転. ¶심기 ～ 心機一転/무대는 ～하여 舞台は一転して/정세가 ～되었다 情勢が一転した.
일전【日前】명 先般; 先ごろ; 先日; 過日. ¶～에 말씀드린 건(件) 先般〔過日〕申し上げました件.
일절【一切】부 一切; 全く; 全然. ¶담배를 ～ 피우지 않는다 タバコを一切吸わない.
일점 혈육【一點血肉】명 ただ一人の(自分の)子供.
일점-홍【一點紅】명 一点紅.
일정【一定】명하형히부 一定. ¶～한 직업 決まった職業/～한 양식 一定の様式/크기가 ～한 삼각형 大きさが一定した三角形/복장을 ～하게 하다 服装を一定にする.
──-량 명 一定量.
일정【日政】명 ☞ 왜정(倭政).
일정【日程】명 日程. ¶의사 ～ 議事日程/～을 정하다 日割りを決める/여행 ～을 세우다 旅行の日程を立てる.
일제【一齊】명 一斉; 一時. ¶～ 단속 一斉取り締まり. ──-히 부 一斉に; いちどきに. ¶～ 사직하다 たもと(袂)を連ねて辞職する/거리의 불량배를 ～ 검거하다 町のよた者を一斉に検挙する.
── 사격 명하타 一斉射撃.
일제【日帝】명 ① 日本帝国. ② 日本帝国主義.
일제【日製】명 日本製; メードインジャパン. ¶～ 향수 日本製香水/～ 영어 日本語式英語/～ 외래어 日本製洋語.
일조【一兆】수 一兆.
일조【一朝】명 ① ↗일조 일석. ② 一朝. ¶～ 유사시(有事時)에는 一朝事あれば.
── 일석 명 一朝一夕. ¶～에는 되지 않는다 一朝一夕にはできない.
일조【日照】명 日照; 照り. ¶～ 시간 日照時間.
──-권 명 日照権. ──-시 명 日照時. ──-율 명〘物〙日照率.
일족【一族】명 一族; 同族; 一門. ¶～의 무리들 一族郎党.
일종【一種】명 一種. ¶양주의 ～ 洋酒の一種.
일주【一周】명하자타 一周; 一回り; 一巡り. ¶세계 ～ 世界一周/운동장을 ～하다 運動場を一周する.
일주【一週】명하자타 ① 一周. ② [↗일주간·일주일] 一週.
──-간 명 一週間. ──-기 명 一周忌; 一回忌. =소상(小祥). ¶부친의 ～의 재(齊) 父の一周忌の法事. ──-년 명 一周年. ¶～ 기념일 一周年記念日. ──-일(日) 명 一週間. ¶향후 ～ 向こう一週間.
일주 운동【日周運動】명 日周運動.
일중【日中】명 日中; 昼間.
일지【日誌】명 日誌. ¶항해 ～ 航海日誌/학급 ～ 学級日誌.
일지-필【一枝筆】명 一本の筆.
일직【日直】명 日直. ¶～ 당번 日直当番/～ 장교 日直将校.
── 사령(司令) 명〘軍〙日直将校の長.
일-직선【一直線】명 一直線. ¶～ 상의 정점 一直線上の定点.
일진【一陣】명 一陣.
── 광풍(狂風) 명 ひとしきりの暴風; 一陣の狂風. ── 청풍 명 一陣の清風.
일진【日辰】명 日柄; 日並み. ¶오늘은 ～이 좋다 今日は日柄〔日並み〕がいい.
일진 월보【日進月步】명하자 日進月歩. ¶～의 발전 日進月歩の発展.
일진 일퇴【一進一退】명하자 一進一退. ¶병세가 ～하고 있다 病勢が一進一退している.
일질【一帙】명 ①一つのふまき(文

巻)に入っている書物. ② いっちつ(一帙).

일쩝다 형 うるさい; 煩わしい.

일쭉-거리다 자타 腰を左右に揺り動かす. <얄쭉거리다. **일쭉-일쭉** 부 하자타 しきりに腰を揺り動かすさま.

일쭉-얄쭉 부하자 不規則的にひずんだりぐらついたりするさま: ぐらぐら.

일찌감치, 일찌거니 부 早目に; もう少し早く. ¶ ~ 일어나다 早目に起きる / 이야기를 ~ 끝내다 話を早目に打ち切る.

일찍이, 일찍 부 ① (遅れないように) 早く; 早早; 早〈雅·方〉. ¶ 아침 ~ 朝早く / ~ 와 주셔서 고맙소 早早とお出で下さってありがとう / ~ 돌아가〔오〕세요 早く帰りなさい. ② 以前; つと(夙)に; かつ(曽)て; 前方〈老〉. ¶ 일찍부터 성함은 듣고 있었습니다 かねがね御盛名は承っておりました / 일찍이 그런 경험도 했다 曽てそういう経験もした.

일차【一次】명 一次. ¶ ~ 시험 (第)一次試験.

‖── 방정식 명〔數〕一次方程式. ── 산업 명 [↗제일차 산업] 第一次産業. ── 산품 명 一次産品. ── 에너지 명 一次エネルギー. ── 전지 명〔物〕一次電池. ── 코일 명〔物〕一次コイル. =제일 코일. ── 함수 명〔數〕一次関数.

일착【一着】명하자 (第)一着. ¶ 마라톤 경기에서 ~하다 マラソン競技で第一着になる.

일척【一擲】명하타 いってき(一擲). ¶ 건곤 ~ 乾坤一擲.

일천【日淺】명하형 日浅; 日が浅いこと.

일철【一轍】명 一轍; 一筋の道; 同じ道.

일체【一切】一명 一切; 全部. ¶ 일 ~를 맡기다 仕事一切を任せる / 소지품 ~를 조사하다 持ち物一切を調べる. 二관 一切の; …すべて; あらゆる; なにもかも. ¶ ~ 자유 행동은 금한다 一切自由行動は禁ずる / ~ 비용은 이쪽 부담이다 一切の費用は当方持ちである. 三부 一切; 全く; 全然; すっかり. ¶ 술은 ~ 마시지 않는다 酒は一切飲まない. * 일절.

‖──경 명〔佛〕一切経. =대장경(大藏經). ── 중생 명〔佛〕一切衆生; 一切有情.

일체【一體】명 ① 変わらないこと; 一様であること. ② 全部. ③ 一体; 同体. ④ 同類.

일촉 즉발【一觸卽發】명 一触即発. ¶ ~의 위기 一触即発の危機.

일촌 광음 불가경【一寸光陰不可輕】구 一寸の光陰軽んずべからず.

일축【一蹴】명 いっしゅう(一蹴). ── 하다 타 一蹴する; 蹴飛ばす; はね付ける. ¶ 항의를 ~하다 抗議を蹴る / 회사측 안을 ~하다 会社側の案を突っぱねる〔はね付ける; はね返す〕/ 임금 인상을 ~하다 賃上げを蹴る.

일출【日出】명하자 日出; 日の出で. ¶ ~시 日出時.

일출【溢出】명하자 あふ(溢)れるこ

일취【日就】, **일취 월장**【日就月將】
하자 日に成り月に進むこと. =
장 월취.

일층【一層】一명 一階. 二부 一
ひときわ; 一層; ひとしお(一入).

일치【一致】명 一致; マッチ. ── 하다 형 一致する; マッチする; 合
する. ¶ 언행 ~ 言行一致 / 만장
満場一致 / 우연의 ~다 偶然の
致である / 중론이 생각지 않게 ~하
衆論が期せずして一致する / 의
이 ~하다 意見が合する / 두 사람
마음이 ~되다 二人の気持ちがひ
つになる.

‖── 단결 명하자 一致団結.

일침【一針】명 一針. ──(을) 놓다 구 手厳しく警告·忠告する.

일컫다 타 ① 名づけて呼ぶ; 号する. ¶ 호를 석주라고 일컫기로 하였다 号を石州とすることにした. ② 号する; 称する; 称える. ¶ 병력 백만이라고 ~ 兵力百万と号する / 스스로 명인이라고 ~ 自ら名人を称する. ③ 誉め称える; 称える. ¶ 태평 성세라고 ~ 泰平盛代と称える.

일탈【逸脫】명하자타 逸脱.

일-터 명 職場; 作業場; 仕事場. ¶ 우리들의 ~ わたしたちの職場 / 목수의 ~ 大工の仕事先.

일통【一統】명하타 一統; ひとつにまとめること. ¶ ~(을) 치다 一緒に合わす; 一塊にする.

일파【一派】명 一派. ¶ 그들 ~의 짓이다 彼ら一派のしわざである.

일-판 명 仕事の場. * 판.

일패 도지【一敗塗地】명하자 一敗地にまみ(塗)れること.

일편【一片】명 一片.

‖── 단심 명 真心からの赤誠.

일편【一便】명 一方; 他方.

일-평생【一平生】명 一生涯; 世の限り. =한평생.

일품【一品】명 一品. ① ひとつの品. ② 最も優れた品物; 逸品. ¶ 천하 ~ 天下一品.

‖── 요리 명 一品料理; アラカルト.

일품【逸品】명 逸品. =절품(絶品).

일필【一筆】명 一筆. ¶ ~화 一筆画 / ~ 쓰다 一筆物する.

‖── 난기(難記) 명하형 一筆で記し難いさま. ──휘지(揮之) 명하타 一筆書き; 一息に書き下すこと.

일-하다 자 働く; 仕事をする. ¶ 하루 종일 쉬지 않고 ~ 一日中ぶっつづけて働く〔仕事をする〕/ 쉴 새 없이 ~ のべつなしに働く / 부지런히 ~ せっせと働く / 힘을 내서 ~ 張り切って働く.

일한【日限】명 日限; 日切り.

일합【一合】명 一合《剣·槍などを持って戦う際, 刀と刀または槍と槍を一度交じえること》.

일행【一行】명 ① 一行; 同勢; 連れ(合い); 同行者. ¶ ~ 다섯 사람 同勢五人 / ~의 리더 一行の

ーダー / ~을 잃어버리다 連れを見失う. ②一行; ひとくだり.

향【一向】부 一向; 一向きに; ひたすらに.

혈【溢血】명〔醫〕いっけつ(溢血). ¶뇌~ 脳溢血.

호【一毫】명 いちごう(一毫); ほんのわずか. ¶~의 잘못도 없다 一毫のあやまちもない.

── 반점(半點) 명 ☞ 일호(一毫).

화【逸話】명 逸話; エピソード. ¶처칠 경의 일면을 알 수 있는 ~ チャーチル卿の一面を知り得る逸話.

일화-성【一化性】명〔蟲〕一化性. *이화성.

일확【一攫】명하타 ①ひとつかみ(一攫み). ②たやすく得ること.

‖── 천금 명하자 一攫千金.

일환【一環】명 一環. ¶세계 문학의 ~으로서의 한국 문학 世界文学の一環としての韓国文学.

‖───책(策) 명 全体と関連する一部分としての方策.

일회-기【一回忌】명 一回忌.

일후【日後】명부 今後; 後日.

일훈【日暈】명 ☞ 햇무리.

일흔 수 七十; 七十〈雅〉.

일희 일비【一喜一悲】명하자 一喜一憂. ¶조난자의 가족은 시시 각각의 정보에 ~했다 遭難者の家族は刻刻の情報に一喜一憂した.

읽다 타 読む. ¶책을 ~ 本を読む / 읽기 쓰기도 제대로 못한 読み書きもろくにできない / 읽으십시오 読みなさい / 읽고 계시다 お読みなさっている / 사람의 마음을 ~ 人の心を読み取る / 합격자의 이름을 소리 높이 ~ 合格者の名前をたかだかと読み上げる.

읽히다 一 사동 読ませる. ¶책을 ~ 本を読ませる. 二 피동 読ま(さ)れる. ¶잘 읽히는 책 よく読まれる本.

잃다 타 失う. ①(持っていた物を)無くす; 失する. ¶돈을 ~ 金を失う / 지갑을 ~ 財布を落とす. ②(勝負事で)金品を無くする. ¶50만 원이나 잃었다 五十万ウォンも無くした. ③とり逃がす. ¶기회를 ~ 機会を失う. ④死に別れる; 亡くす. ¶외동 자식을 잃고 슬퍼하다 一粒種を亡くして悲しむ / 어버이를 ~ 親を失う. ⑤常態でないようになる. ¶제 정신을 ~ 正体を失う / 술을 마셔도 제 정신을 잃지 않는다 酒を飲んでも本性を失わない / 흥분해서 이성을 ~ 興奮のあまり理性を失う / 의식을 ~ 気を失う.

임¹ 명 慕う人《君臣・親子・愛人・友などに対して言う》; 主; 彼氏; 彼女〈俗〉. ¶~도 보고 뽕도 딴다《俚》一挙両得; 一石二鳥 / ~을 보아야 아이를 낳지《俚》橋が無いので渡りようがない; 港無くて舟付かず.

임² 명 頭に載せた物.

임【任】명하자타 任; 任ずること.

임³ 조 体言に付いて, 語幹・前文が事実であることを確認する終止形・名詞形・叙述格助詞: …である事; …である. ¶지성인 ~을 자각하라 知性人であることを自覚せよ / 회의 장소는 학교~ 会議場は学校である. *-ㅁ.

임간【林間】명 林間.

‖── 학교 명 林間学校.

임검【臨檢】명하타 臨検. ¶경찰관이 ~하다 警察官が臨検する.

임계【臨界】명 臨界. =경계(境界).

‖───각 명〔物〕臨界角. ── 상태 명〔物〕臨界状態. =임계점(點). ── 압력 명〔物〕臨界圧力. ── 온도 명〔物〕臨界温度. ── 질량 명〔物〕臨界質量. =임계량(量).

임관【任官】명하자 任官. ¶~ 시험 任官試験.

임관【林冠】명 林冠; 林の上層部の形状.

임균【淋菌·痳菌】명 りんきん(淋菌).

‖───성 결막염 명〔醫〕淋菌性結膜炎.

임금 명 君主; 君王; 王; キング. ¶~의 만수 무강을 축원하다 王の聖寿万歳を祈る / 천하를 평정하여 ~이 되다 天下を平定して王になる. ‖───님 명 王様.

임금【賃金】명 賃金〔賃銀〕; 労銀; ペイ. ¶~ 인상 賃上げ; 賃金〔ベース〕アップ / ~ 격차 賃金格差 / 명색뿐인 ~ 名ばかりの賃金.

‖── 기금설 명 賃金基金説. ── 법 명 賃金法. ── 정책 명 賃金政策. ── 지수 명 賃金指数. ── 학설 명 賃金学説. ── 형태 명 賃金形態.

임기【任期】명 任期. ¶~ 만료 任期満了 / ~가 차다 任期が切れる.

임기【臨機】명하자 臨機.

‖── 응변 명하자 臨機応変. ¶~을 터득하고 있다 臨機応変を心得ている / ~의 외교〔정책〕臨機応変の外交〔政策〕/ ~의 계획 場当たりな計画.

임농【臨農】명하자 農作期に至ること.

임대【賃貸】명하타 賃貸; 賃貸し. ¶~ 계약 賃貸契約.

‖── 가격 명 賃貸価格. ───료 명 貸し賃; 貸料. ───물 명 賃貸物. ───인 명 賃貸人. ───지 명 賃貸地.

임-대차【賃貸借】명 賃貸借.

임도【林道】명 林道.

임리【淋漓】명하형 りんり(淋漓); 水・血・汗などのしたたり落ちるさま. ¶유한 ~ 流汗淋漓.

임립【林立】명하자 林立. ¶고층 빌딩이 ~하고 있다 高層ビルが林立している.

임면【任免】명하자 任免; 任命と免職. ¶사원의 ~권은 오직 사장에게 있다 社員の任免権はひとつに社長にある.

임명【任命】명 任命. ───하다 타 任命する; 任ずる. ¶~권 任命権 / 섭정에 ~되다 せっしょう(摂政)に任じられる / 과장에 ~되다 課長に命じられる.

임목【林木】명 林木；林の樹木.

임무【任務】명 任務；務め；任. ¶ ~를 완수하다 任務をおお(遂)せる / ~를 맡다 任に当たる / ~를 다하다 任務を果たす〔全うする〕.

임박【臨迫】명 切迫. ——-하다 자 切迫する；(差し)迫る；間近くなる；間近になる. ¶ 출발에 ~해서 出発間ぎわに / 입시 일자가 ~하다 入試の日が差し迫る.

임부【姙婦·妊婦】명 妊婦.

임산【姙産】명 妊娠と出産.

‖——-부 명 妊産婦. ¶ ~에게 영양식을 주다 妊産婦に栄養食を与える.

임산【林産】명 林産. =임산물.

‖——-물 명 林産物. —— 자원 명 林産資源.

임산【臨産】명 하자 ぶんべん(分娩)する時期に至ること.

임상【林相】명 林相；森林の形態.

임상【臨床】명 하자 臨床.

‖—— 강의 명 臨床講義. —— 신문 명 하타 臨床尋問. —— 의학 명 臨床医学.

임석【臨席】명 臨席. ——-하다 자 臨席する；臨む. ¶ ~ 경관 臨席の警官 / ~하신 여러분 ご参席の皆様 / 개회식에 ~하다 開会式に参加する.

임소【任所】명 任所；任地.

임시【臨時】명 臨時. ¶ ~ 정류소 仮停留所 / ~ 휴가를 얻다 臨時休暇〔臨休〕を貰う / ~ 직원으로 일하고 있는 회사 臨時職員として働いている会社 / ~ 열차를 마련하다 臨時列車を仕立てる / ~ 방편으로 거짓말을 하다 その場逃れにうそを言う.

‖—— 국회 명 臨時国会. —— 낭패(狼狽) 명 하자 事なく運んだ事がその場に当たって駄目になること. —— 변통(變通) 명 하타 一時しの(凌)ぎ；当座凌ぎ；その場逃れ；付け焼き刃. =임시 처변(處變). ¶ ~의 답변 その場逃れの答弁 / ~의 대책 その場凌ぎの対策. ——-비 명 臨時費. —— 손실 명〔經〕臨時損失. —— 예산 명 臨時予算. —— 정부 명 臨時政府. =가정부(假政府). 준 임정(臨政).

임신【姙娠·妊娠】명 妊娠；懐妊；受胎；身重. =회잉(懷孕). ——-하다 자 妊娠する；はら(孕·妊)む；身ごも(籠)る. ¶ ~복(服) マタニティードレス / ~한 몸 身重のからだ / 자궁외 ~ 子宮外妊娠 / 아내가 ~하다 家内が身重になる.

‖——-부 명 妊婦；身持ち(の)女性.

임야【林野】명 林野.

‖——-세 명 林野税.

임업【林業】명 林業. ¶ ~을 경영하다 林業を営む.

‖—— 시험장 명 林業試験場.

임용【任用】명 하타 任用. ¶ 문관 ~ 시험 文官任用試験.

임우【霖雨】명 梅雨；りんう(霖雨)；長雨. =장마.

임원【任員】명 役員. ¶ ~을 선거(하)다 役員を選挙する.

임월【臨月】명 臨月；産み月.

임의【任意】명 任意. ¶ ~로 해석(하)다 任意に解釈する / 원주상의 ~(의) 두 점을 취하다 円周上の任意(の)二点を取る. ——-롭다 형 任意だ... 気ままだ；勝手に振る舞える.

‖—— 공채(公債) 명〔經〕自由公債. —— 대리 명〔法〕任意代理. —— 동행 명 任意同行. ——-법 명 任(意)法. —— 소각 명 任意消却. —— 수사 명 任意捜査. —— 추출법 명 任意抽出法；無作為抽出法；ランダムサンプリング. —— 출두 명 任意出頭.

임자[1] 명 主·あるじ；持ち主. ¶ 집~ 家主 / ~ 없는 편지 主のない手紙 / 떨어뜨린 물건의 ~를 찾는다 落とし物の持ち主を捜す.

임자[2] 대 ① 親しい間柄で呼びあう呼称；君；お前さん. ② 夫婦間の呼称：貴方：あんた.

임전【臨戰】명 하자 臨戦. ¶ ~ 태세 臨戦態勢.

‖—— 무퇴(無退) 명 하자 戦いに臨んで退かないこと.

임정【林政】명 林政. ¶ ~학 林政学

임정【臨政】명 ↗임시 정부.

임종【臨終】명 하자 ① 臨終；死に際；死に臨むこと. ¶ ~의 유언 臨終の遺言 / 고통 없는 조용한 ~이었다 苦しみのない立派な往生であった / ~을 지켜보다 最期を見届ける. ② 親の死に目に居合わせること. =종신(終身).

임지【任地】명 任地；任所. ¶ ~에 부임하다 任地に赴く.

임지【林地】명 林地；木の茂っている地.

임지【臨地】명 臨地. ¶ ~ 조사 臨地調査 / ~ 강연 臨地講演.

임직【任職】명 하타 職務を任せること.

임직-원【任職員】명 役職員.

임-질 명 하자 物を頭に載せること. また, 載せて運ぶこと.

임질【淋疾·痳疾】명〔醫〕りんしつ(淋疾)；淋病. =음질(陰疾).

임차【賃借】명 賃借；賃借り. ¶ ~지 賃借地 / 토지를 ~하다 土地を賃借りする.

‖——-권 명 賃借権. ——-료 명 借料；借り賃. ¶ ~를 물다 借料を払う. ——-물 명 賃借物. ——-인 명 賃借人.

임천【林泉】명 ① 林泉；林と泉；林の中にある泉. ¶ ~의 아름다움 林泉の美. ② 隠者の庭.

임치【任置】명 하타 他人に金や品物を任せておくこと.

임파【淋巴】명〔生〕"림프(=リンパ)"の音訳.

임팩트〔impact〕명 インパクト. ¶ ~에어리어 インパクトエリア.

임하-다【任―】㊀ 자 引き受けて自分の責任〔任務〕とする. ㊁ 타 任ずる；任命する.

-하다【臨一】자 臨む. ① 高い所から低い所に対する. ② 治者が被治者に対する. ③ 身分の高い人が, 自らその場に行く. ④ その場所に行く. ¶ 개회식에 ~ 開会式に参席する. ⑤ 場合·機会などに向かい会う. ¶ 교섭에 ~ 交渉に当たる / 침착한 태도로 죽음에 ~ 従容として死につく / 삼단계의 대책으로 대회에 ~ 三段構えで大会に臨む.

-학【林學】명 林学. =삼림학(森林學). ¶ ~ 박사 林学博士.

-항【臨港】명하자 港の近くに行くこと; 港に臨むこと.

-해【臨海】명 臨海. ¶ ~ 실험소 臨海実験所 / ~ 학교 臨海学校.

입 명 口. ① 飲食物をとり, ものを言う器官. ¶ ~을 삐죽이 내밀다 口をとがらす / ~이 심심하다 口寂しい / ~을 오므리다 口をつぼめる〔すぼめる〕/ ~을 딱 벌리다 口をあんぐりとあける / ~ 안이 화끈거리다 口の中がひりつく / ~ 안이 얼얼하다 口の中がひりひり〔ぴりぴり〕する / ~에 거미줄 친다《俚》口が干上がる / ~에 맞는 떡《俚》願ったりかなったり / ~에서 젖내 난다《俚》口なお(尚)乳臭い / ~에 쓴 약이 병에는 좋다《俚》良薬は口に苦し / ~에 풀칠한다 糊口をしのぐ / ~이 보배《俚》口は宝; 頬っぺた叺 / ~이 여럿이면 금도 녹인다《俚》三人寄れば金をも溶かす. ② 言葉つき; 口癖. ¶ ~이 무거운 사람 口重な人 / ~이 가벼운 사나이 口軽な男 / 자기 ~으로 口ずから / ~이 닳도록 口酸っぱく / ~만 벌리면 二言目には / ~을 놀리다 口を滑らす / ~이 걸다 口汚い / ~ 밖에 내다 口走る; 口を滑らす; 口外する / ~에 담다 口にする / ~을 열 용기가 없었다 口をきく勇気が無かった / ~을 열다〔떼다〕口を切る / ~을 모아 반대하다 口をそろえて反対する / ~을 다물다 口をつぐ(噤)む. ③ うわさ(噂). ¶ ~에서 ~으로 전래된 전설 口から口へ伝わった伝説 / 남의 ~에 오르다 人の口にのぼる / ~에 올리다 口に掛ける. ④ 家族. ¶ ~을 덜다 口を減らす.

입-가 명 口許; 口辺; 口辺; くちわき(口脇). ¶ ~에 미소를 띠다 口許に微笑を浮かべる.

입-가심 명하자 口をすす(漱)ぎ清めること; 口漱ぎ. ¶ 약을 먹은 ~으로 과자를 먹다 薬の口直しにお菓子を食べる.

입각【入閣】명하자 入閣. ¶ 새 내각에 ~하다 新内閣に入閣する.

입각【立脚】명하자 立脚. ¶ ~점 立脚点 / 사실에 ~하여 事実に即して.

입감【入監】명하자 入監; 入獄; 入所. ¶ ~중이다 入獄中である.

입거【入渠】명하타 にゅうきょ(入渠). ¶ 배가 수리를 위해 ~했다 船が修理のため入渠した.

입건【立件】명하타〖法〗立件.

입경【入京】명하자 入京; 入洛; 都入り. ¶ 각처의 대표가 속속 ~하다 各地の代表が続続と入京する.

입고【入庫】명하타 入庫; 蔵入れ. ¶ 차를 ~시키다 車を入庫する / 물품을 ~시키다 品物を蔵入れする.

입고-병【立枯病】명〖農〗立枯れ病. =장승병.

입공【入貢】명하자 入貢.

입관【入棺】명하타 入棺; 納棺.

입관【入館】명하자 入館.

입교【入校】명하자 入校; 入学. ¶ ~식 入校式.

입교【入教】명하자 ① 教門に入ること; 宗教を信じるようになること. ②〖基〗洗礼を受けてキリスト教徒になること.

입구【入口】명 入口·はいりぐち. ¶ ~가 좁다 入口が狭い.

입국【入局】명하자 入局. ¶ 의국에 ~하다 医局に入局する.

입국【入國】명하자 入国. ¶ ~ 관리 入国管理.

‖── 사증 명 入国の査証; ビザ. =사증·비자(visa).

입국【立國】명하자 立国; 建国. ¶ ~ 정신 立国〔建国〕精神 / 공업 ~ 工業立国.

입궁【入宮】명하자 ① 宮内に入ること. ② (将棋で)こま(駒)が相手の王将の領域に入ること. ③〖史〗宮女になること.

입궐【入闕】명하자 宮城に入ること.

입금【入金】명하자타 入金. ¶ ~ 전표 入金伝票 / 잔금은 다음달 ~시키겠습니다 残金は来月入金します.

입-길 명 口の端. ¶ ~에 오르다 口の端にのぼる / ~에 올리다 口の端に掛ける / ~에 오르내리다《俚》人口にかいしゃ(膾炙)する.

입-김 명 ① 口から出る息. ② 口から出る息の気; 息遣い. ¶ ~이 거세다 息遣いが荒い. ③ 影響力.

입납【入納】명 "手紙を差し上げる"の意で封筒に書く語.

입-내 명 ① 口真似. ② ☞ 구취(口臭). ──내다 타 口真似をする.

‖──-쟁이 명 口真似をする人; 物真似をよくする人.

입-노릇 명 物を食べることの卑語.

입다 타 ① 着る; 着込む; まと(纏)う; (下着などを)は(穿)く; 召す; 着する. ¶ 누더기를 ~ ぼろをまとう / 나들이옷을 ~ 晴着をまとう / 새옷을 입으시다 新しい服を召す / 바지를 ~ ズボンをはく / 복을 ~ 喪に服する. ② 被る; (被害·傷などを)負う; 受ける. ¶ 큰 피해를 ~ 大害を被る / 상처를〔손해를·타격을〕~ 痛手を負う / 농작물이 병충해를 ~ 作物が病虫害にやられる / 언걸을 입어 조사를 받았다 とばっちりを食って調べられた. ③ 浴する; 被る; 着る. ¶ 은혜를 ~ 恩を着る〔受ける〕; 恩恵に浴する / 덕을 ~ 余慶を被る.

입-다짐 명하타 言葉で確かめること.

입단【入團】명하자 入団；(俳優などの)入座.
입-담 명 話ぶり；話し方. ¶～이 좋다 口達者である.
입당【入黨】명하자 入党.
입대【入隊】명하자 入隊. ¶～를 축하함 入隊を祝す.
입-덧 명 つわり；悪阻. ¶～이 나기 시작하다 つわりが始まる. ——-나다 자 つわりが起こる.
입도【立稻】명 青田；立毛.
‖—— 선매(先賣) 명하자 青田売り. —— 압류(押留) 명하자 青田差し押さえ.
입동【立冬】명 立冬. ¶～ 추위 立冬の寒さ.
입-되다 형 口が肥えている；食べ物にややこしい.
입-뜨다 형 口が重い；口数が少ない. ¶입뜬 사람 口重の人.
입력【入力】명〖物〗入力；インプット. =인풋.
입론【立論】명하타 立論；議論を構成すること.
입-막음 명하자 口止め；口ふさ(塞)ぎ；口固め. ¶뇌물을 주어 ～하다 つかませて口止めをする/돈을 주어서 ～하다 金をやって口固めをする.
입-맛 명 口あたり；口触り；味. =구미(口味). ——-다시다 자 舌なめずりをする. ① 舌鼓・舌鼓を打つ；のど(喉)を鳴らす. ¶～을 다시며 밥을 맛있게 먹다 舌鼓をうちながらおいしそうに飯を食べる/한 잔의 맥주를 마시고 ～을 다시다 一コップのビールで舌打ちをする. ② 何かを欲する. ¶～ 다시며 기다리다 舌なめずりして待ち構える. ——-쓰다 형 (物事がはかとらないので)苦苦しい；後味が悪い.
입-맞추다 타 口付ける；せっぷん(接吻)する；キスする. ¶강제로 ～ 唇を盗む.
입-맞춤 명하자 口付け；キス.
입매 명하자타 ① 簡単な食事ですき腹をいやすこと. ② 見せかけの仕事をすること. ③ ↗입맵시.
‖입맷-상(床) 명 宴会の際，ほんぜん(本膳)の前の簡単なお膳.
입-맵시 명 (きれいな)口元. ¶～가 고운 처녀 口元の可愛い娘.
입면【立面】명 立面.
‖——-도 명 立面図.
입멸【入滅】명하자〖佛〗入滅；ねはん(涅槃). =입적(入寂).
입명【立命】명하자 立命. ¶안심 ～ 安心立命.
입-모습 명 口つき；口の形. ¶굳게 다문 ～ 堅く締まった口元.
입목【立木】명 立木.
입몰【入沒】명하자 ① 沈み込むこと. ② 死ぬこと；死.
입묵【入墨】명하타 入れ墨.
입문【入門】명하자 ① 入門. ¶철학 ～ 哲学入門/학풍을 경모하여 ～하다 学風を慕って入門する. ②〖史〗(科挙で)儒生が科場に入ること.
‖——-서 명 入門(書)；手引き(書)；しおり(栞). ¶영어 ～ 英語の手引き.
입-바르다 형 言うことが正しい；正しいことをよく言う.
입방【立方】명〖數〗立方. =세곱. ¶5 ～ 센티미터 五立方センチ/미터 ～ 2メートル立方.
‖——-근 명〖數〗☞ 세제곱근. ——-체 명 立方体. =정육면체.
입방아-찧다 자 盛んにつまらぬことを言う；口うるさく言う.
입-버릇 명 口癖. ¶～처럼 말하다 癖のように言う.
입법【立法】명하자〖法〗立法. ¶～ 정신 立法精神.
‖——-권 명 立法権. ¶～을 행사하다 立法権を行使する. —— 기관 명 立法機関. ——-부 명 立法府(《国会》). ——-화 명하자타 立法化.
입-병【—病】명 口の病気.
입보【立保】명하타 保証人を立てること.
입-비뚤이 명 口のゆがんだ人.
입-빠르다 형 口軽い；おしゃべりだ. ¶그는 너무 입빨라서 곤란하다 彼はあまり口軽で困る.
입사【入仕】명하자 仕官して初めて出仕すること.
입사【入舍】명하자 入舎. ¶기숙생이 ～했다 寄宿生が入舎した.
입사【入社】명하자 入社. ¶～시험 入社試験.
입사【入射】명하타〖物〗入射. =투사(投射).
‖——-각 명 入射角. =투사각. ——-광선 명 入射光線；入射線. ——-점 명 入射点.
입산【入山】명하자 入山. ¶～금지 入山禁止；山止め/～ 수도하다 入山修行する.
입상【入賞】명 入賞. ——-하다 자 入賞する；賞に入る. ¶～의 영예를 얻다 入賞の栄誉を得る.
입상【立像】명 立像.
입상【粒狀】명 粒状；粒もよう.
‖——-반 명 粒状斑.
입석【立石】명하자 立石. ① お墓のひけつ(碑碣)や道しるべの石. ② メンヒル. =선돌.
입석【立席】명 立席.
입선【入船】명하자 入船；入り船.
입선【入選】명 入選. ——-하다 자 入選する；選に入る. ¶～작 入選作.
입선【入線】명하자 入線. ¶하행 열차가 ～하다 下り列車が入線する.
입선【入禪】명하자〖佛〗参禅のため念仏堂に入ること.
입성 명《俗》衣服；着物. =옷. ¶～이 더럽다 衣服が汚れている.
입성【入城】명하자 入城. ¶～식 入城式.
입소【入所】명하자 入所. ¶～식 入所式.
입속-말 명 つぶや(呟)き言.
입수【入手】명 入手. ——-하다 자타 入手する；手に入れる. ¶～하기 곤란한 물품 入手困難な品/특별한

-트로 ~하다 特別なルートで手に
れる.

술 명 唇; 口唇. ¶ 아랫 ~ 下唇/붉은 ~ 丹花の唇/(혀로) ~을 핥다 唇をな(舐)めずる/~에 침이나 바르지《俚》唇につば(唾)でもぬっして物を言うがいい《公然とうそをつく人に言う語》/~이 없으면 이가 시리다《俚》唇滅びて歯寒し. ── 연지(臙脂) 명 口紅; ルージュ; リップスティック. ¶~를 바르다 口紅を差す.

입시【入試】명 [↗입학 시험] 入試. ¶~ 문제 入試問題.

입식【立式】명 (台所などのように) 立ち仕事が出来るようになっている方式.

입식【立食】명하타 立食; 立ち食い. ¶~파티 立食パーティー.

입신【入神】명하자 入神. ¶~지경에 달하다 入神の域に達する.

입신【立身】명 立身. ──하다 자 立身する; 身を立てる. ¶~을 꾀하다 立身を図る.

‖── 양명 명하자 立身揚名. ── 출세 명하자 立身出世.

입실【入室】명하자 ① 入室; 部屋に入ること. ② 医務室に患者として入ること. ③〔佛〕仏道の奥義に達したしるしに師僧よりどう(幢)を建て法号を受けること. ④ (芸術などの)奥義に達すること.

입-심 명 [←입힘] 勢いよい話し振り. ¶~이 좋다 口達者である.

입-싸다 형 口が軽い. ¶입싼 여자 口の軽い女.

입-쌀 명 白米·うるち(粳)の称. ¶~밥 生飯.

입-씨름 명하자 ① 話をうまくして物事を成り立たすこと: 口利き. ② くちげんか(喧嘩); 押し問答; 言い合い; 口争い. =말다툼. ¶결말 없는 ~ 水掛け論.

입-씻기다 타 口止めをさせる; 口止め料をやる.

입-씻다 자 口をぬぐ(拭)う. ① 口をすすぐ. ② 利益などを独り占めして知らぬふりをする.

입-씻이 명하자 ① 口止め(料); 口固め; 口薬; 口ふさ(塞)ぎ. ② 口すすぎ. =입가심.

입-아귀 명 口角; 口の両角.

입안【立案】명하타 ① 立案. ¶~자 立案者; プランナー. ②〔史〕役所で或る事実を認証した文書.

입양【入養】명하자〔法〕養子縁組.

입어【入漁】명하자 入漁·入漁. ¶~자 入漁者/~권 入漁権.

입영【入營】명하자 入営. ¶~ 장정 入営壮丁.

입영【立泳】명 立ち泳ぎ.

입욕【入浴】명하자 入浴. =입탕(入湯).

입원【入院】명하자 入院. ¶~ 환자 入院患者/~실 入院室.

입원【入園】명하자 入園.

입자【粒子】명〔物〕粒子. ¶미세한 ~ 細微な粒子.

‖──-량 명 粒子量.

입장【入場】명하자 入場. ¶~ 금지 入場禁止.

‖──-권 명 入場券. ¶팔다 남은 ~ 残券. ──-료 명 入場料; 木戸銭. ──-세 명 入場税. ──-식 명 入場式.

입장【立場】명 立場; 立つ瀬. ¶제 ~이 돼 보십시오 わたしの身にもなって下さい/~이 난처하다 立つ瀬がない; 立場が苦しい.

입-장단【─長短】명 口拍子. ¶~에 놀아나다 口拍子に乗る.

입적【入寂】명하자〔佛〕入寂; 入滅; 帰寂. =열반.

입적【入籍】명하타 入籍. ¶~ 절차 入籍の手続き.

입전【入電】명하자 入電; 来電.

입정 명 ① 口癖. ② 食べること. ──-놀리다 자 休みなく間食をする. ──-사납다 형 口汚い. ① 口癖が悪い; 口さがない. ¶~사납게 욕을 퍼붓다 口汚くののし(罵)る. ② 食べ物をむさぼ(貪)り食う; 食いしんぼうである. ¶아무 것이나 ~사납게 먹는 사람 何でも食べる口汚い人.

입정【入廷】명하자 入廷. ¶피고가 ~하다 被告が入廷する.

입정【入定】명하자〔佛〕入定.

입주【入住】명하자 入居. ¶~자 入居者.

입주【立柱】명하자 柱を立てること.

‖── 상량(上樑) 명하자 柱を立てて棟上げをすること.

입증【立證】명하타 立証. ¶무죄의 ~ 無罪の立証/이 증서가 ~한다 この証文が物をいう.

입지【立地】명 立地. ¶공장 ~ 工場立地.

‖──(적) 조건 명 立地条件.

입지【立志】명하자 立志.

‖──-전 명 立志伝.

입-질 명 (釣りで)当たり; 魚信. ──-하다 자 当たりが有る.

입-짓 명하자 口の動作; 口でする合図.

입-짧다 형 小食, または偏食する癖がある.

입찬-말, 입찬 소리 명하자 口幅ったい言葉; 自慢話; 壮語. ¶하지도 못하는 주제에 ~만 한다 出来もしないくせに口幅ったいことばかり言う/입찬말은 묘 앞에 가서 하라《俚》大言壮語はお墓の前でせよ《出来そうもないことを言うなとの意》.

입찰【入札】명하자타 入札; 入れ札. ¶지명 ~ 指名入札.

‖── 공고 명 入札の公告.

입창【入倉】명하자타 ① 倉庫に入れること. ②〔軍〕営倉に入ること.

입-천장【─天─】명〔生〕☞ 구개(口蓋).

입체【立替】명 立て替え. =체당(替當). ──-하다 타 立て替える. ¶대금을 ~하다 代金を立て替える/내가 ~해 주지 わたしが用立てしよう.

입체【立體】명〔數〕立体. ¶~음악 立体音楽; サウンドミュージック.

‖──-각 명 立体角. ──-감 명 立体感. ──-경 명 立体鏡. =실체경.

— 교차 명 立体交差. ¶ ~로 インターチェンジ. — 기하학 명 立体幾何学. — 도형 명 立体図形. = 공간 도형. ——미 명 立体美. — 사진 명 立体写真. — 영화 명 立体映画. =3D 영화. — 음향 명 立体音響. =입체음.

입초【入超】명〔經〕[↗수입 초과] 入超. ¶ 하반기는 ~다 下半期は入超である.

입초【立哨】명하자 立ち番. ¶ ~ 경관에게 검문당하다 立ち番の警官に尋問を受ける.

입추【立秋】명 立秋.

입추【立錐】명하자 りっすい(立錐). ¶ ~의 여지도 없다 立錐の余地もない.

입춘【立春】명 立春. ¶ 대한이 지나고 ~이 되다 寒明けになる.

입출【入出】명 収支; 出入り.

‖——금 명 出入り(の金).

입탕【入湯】명하자 入湯; 湯あ(浴)み; 入浴.

입하【入荷】명하자 入荷; 入り荷; 着荷. ¶ 대량 ~ 大量入荷.

입하【立夏】명 立夏.

입학【入學】명하자 入学. ¶ ~식 入学式.

‖——금 명 入学金. ——난 명 入学難. — 시험 명 入学試験. — 원서 명 入学願書.

입항【入港】명하자 入港. ¶ ~한 배를 검역하다 入り船〔入港した船〕を検疫する.

입헌【立憲】명하자 立憲.

‖——국 명 立憲国. — 군주국 명 立憲君主国. — 정체 명 立憲政体. — 정치 명 立憲政治. ——주의 명 立憲主義.

입회【入會】명하자 入会. ¶ ~금 入会金.

입회【立會】명 立ち会い. ——하다 자 立ち会う. ¶ 전장〔후장〕의 ~ 前場〔後場〕の立ち会い / 참고인으로 ~하다 参考人として立ち会う.

‖——인 명 立ち会い人. ¶ 개표의 ~ 開票の立ち会い人.

입-후보【立候補】명하자 立候補. ¶ 국회 의원에 ~하다 国会議員に立候補する / ~ 접수 마감을 하였다 立候補受け付けを締め切った.

입히다 타 ① (衣服を)着せる; まとわせる. ¶ 나들이옷을 ~ 晴着を着せる. ② (被害などを)与〔加〕える; 被らせる; 負わせる. ¶ 상해를 ~ 傷害を加える. ③ 塗りつける; 上塗りをする. ¶ 도금을 ~ メッキを掛ける / 단청을 ~ 丹青を施す. ④ 覆う; かぶせる. ¶ 설탕을 입힌 과자 砂糖を着せた菓子 / 뜰에 잔디를 ~ 庭に芝生を敷く.

잇¹ 명 (寝具などの)覆い; カバー. ¶ 이불 ~ 布団のカバー / 베갯~ 枕当て.

잇² 명 ①〔植〕紅花. =잇꽃. ② (染料用の)紅.

잇-구멍【利—】명 利得のありそうな道.

잇다 타 ① 結ぶ; つな(繋)ぐ. ¶ 두 점을 잇는 직선 二点を結ぶ直線 / 뼈를 ~ 骨を継ぐ / 실을 ~ 糸をつなぐ. ② 継ぐ. ¶ 법통을 ~ 法統を継ぐ / 대를 ~ 跡を取る. ③ 維持する. ¶ 풀뿌리로 목숨을 이어가다 草根で命をつないでいく.

잇단-음표【—音標】명〔樂〕連音符.

잇-달다 타 後をつなぎ付ける.

잇-닿다 자 つながり接する. ¶ 숲 잇닿은 밭 森に接した畑 / 처마가 닿은 집 軒続きの家.

잇-대다 타 つな(繋)ぎ〔継ぎ〕合わせる; つづ(綴)る. ¶ 천조각을 잇대어 맨 것 寄せ切れの縫い合わせ物.

잇-따르다 자 相次ぐ; (引き)続く. ¶ 잇따른 낙반 사고 相次ぐ落盤事故 / 잇따라 쓰러지다 相次いで倒れる / 불행이 ~ 不幸が続く / 사람이 줄지어 ~ くびす〔きびす〕(踵)を接する / 사고가 잇따라 일어나다 事故が引き続いて起こる.

잇-몸 명 歯茎; 歯肉.

잇-바디 명 歯列; 歯並み.

잇-비 명 いねわら(稲藁)のほうき.

잇-새 명 歯と歯の間.

잇-속 명 歯並び. ¶ ~이 곱다 歯並びがきれいである.

잇-속【利—】명 実利. ¶ ~ 있는 이야기 うまい話 / 제 ~만 차리는 사람 我利我利亡者.

잇-자국 명 歯形. ¶ ~이 났다 歯形が残った.

잇-줄【利—】명 利益を得る道; 利益となる手づる.

있다¹ 자 いる; ある動作の状態を今も続けている. ¶ 앉아 ~ 座っている / 먹고 ~ 食べている / 웃고 있는 사진 笑っている写真 / 잠깐 가만히 있어 しばらくじっとしておいで.

있다² 형 あ(有)る; い(居)る. ① 存在する. ¶ 산도 있고 물도 ~ 山もあり川もある / 강가에 있는 집 川辺にある家 / 서울 서남쪽에 ~ ソウルの西南にある. ② (ある位置に)とど(止)まっている; (ある状態を)持続する. ¶ 비어 있었다 空いていた / 살아 ~ 生きている. ③ (ある地位・所在などを)占めている. ¶ 요즘 어디 근무하고 있는가 この頃どこに勤めているのか / 장관 자리에 ~ 長官の席にいる. ④ (有形の物や金などを)持っている. ¶ 마침 (집에) 있는 물건 有り合わせの品 / 있는 자와 없는 자 持てる者と持たない者 / 아내가 ~ 妻がある. ⑤ 心・愛・信仰などがある〔持っている〕. ¶ 행복은 만족에 ~ 幸福は満足に存する / 있는 힘을 다 내다 あらん限りの力を出す / 할말 있나 文句あるのか / 행복이 있을지어다 幸あれかし. ⑥ 事実・事件・仕事などがある〔起こる〕. ¶ 그런 일이 있어서야 되겠나 そんな事があってたまるものか / 볼일이 있어서 실례하겠네 用があるのでお先に失敬する / 있을 수 없다 あり得ない. ⑦ 体の内部にある. ¶ 뱃속에 아이가 ~ 身ごもっている / 병이 ~ 病気がある. ⑧ 中に入っているかまたは満ちている. ¶ 병 속에 술이 남아 ~ 瓶に酒が残っている.

꼬〔일 いんこ〕명〔鳥〕いんこ(鸚哥).

어【―魚】명〔魚〕こい(鯉). ＝이어(鯉魚). ¶～가 뛰니까 망둥이도 뛴다〔俚〕鯉が躍れば泥鰌も躍る.

여【剩餘】명 剰余; 残り; 余り; 余剰. ¶～ 농산물 余剰農産物.

‖―― 가치 명〔經〕剰余価値. ――-금 명 剰余金. ―― 노동 명 剰余労働.

잉-잉 부 子供の盛んに泣く声: いあんいあん. ――-거리다 자 続けざまにいあんいあんと泣く.

잉태【孕胎】명하자타 懐妊; 妊娠. ＝회태(懷胎).

잊다 타 忘れる. ①記憶がなくなる. ¶잊을 수 없는 옛 친구 忘れがたい故旧〔旧友〕/ 은혜를 ～ 恩を忘れる. ②うっかりして気がつかない. ¶침식을 ～ 寝食を忘れる / 늙음을 ～ 老いを忘れる / 물건을 ～ 忘れ物をする. ③あきらめる; 思い切る. ¶시름을 ～ 憂いを忘れる / 싫은 것을 깨끗이 ～ いやなことはさらりと忘れる.

잊어-버리다 타 すっかり忘れてしまう. ¶저 사람은 본디부터 잊어버리기 잘한다 あの人はもともと忘れっぽい / 그 일은 이제 잊어버려라 その事はもう忘れてしまえよ.

잊히다 자 ①忘れるようになる. ¶때가 지나면 잊혀지겠지 時が過ぎれば忘れるだろう. ②思い出せない. ¶잊혀지지 않는 추억 忘れられぬ思い出 / 잊혀지지 않는 꿈 名残りの夢. ③分からなくなる.

잎 명〔植〕葉; 葉っぱ〈口〉. ¶푸른 ～ 青葉.

잎-꼭지 명〔植〕葉柄.

잎-나무 명 しば(柴).

잎-눈 명〔植〕葉芽.

잎-담배 명 葉タバコ. ＝엽연초(葉煙草)·엽초(葉草).

잎말이-병【―病】 명〔植〕はまきむし(葉捲虫)により葉が枯れる病.

잎-벌레 명〔蟲〕はむし(葉虫). ＝돼지벌레.

잎-사귀 명 葉; 葉っぱ〈口〉; 個個の葉. ¶～ 끝에 맺힌 이슬 葉末に宿る露.

잎-샘 명하자 木の葉が出るころ(頃)の寒さ.

잎잎-이 부 葉ごと(毎)に.

ㅈ

ㅈ "ハングル"の第九番目の字.

자 一명 定規; 物差〔物指〕し; スケール. ¶삼각～ 三角定規 / ～로 재다 物差しで測る; 物差しを当てる. 二의명 尺. ¶한 ～ 두 치 一尺二寸.

자【子】 명 子. ①子; 子供; 息子. ②孔子の尊称. ¶～ 가라사대〔왈〕子のたまわく.

자【字】 一명 ①字; 文字. ¶로마～ ローマ字. ②あざな(字)《成年男子が本名の代わりにつけた》. 二의명 字数の単位. ¶2백 ～ 원고지 二百字づめ原稿用紙.

자【者】 의명 者. ¶약한 ～ 弱い者 / 그것은 그 ～의 소행이다 それはそいつの仕業だ.

자 감 行動や注意をうながすときに出す声: さあ; さて; まあ; どれ; どうれ; それ; どんと; そら〈俗〉; どりゃ〈俗〉. ¶～, 먹어라 さあ, 御食べ / ～, 슬슬 가 볼까 さて, そろそろ帰ろうか〔行こうか〕/ ～, 한 잔 まあ一杯 / ～, 해 볼까 どうれ, やってみるか / ～, 던진다 それ, 投げるぞ / ～, 덤벼 봐 どんと来い.

자-【自】 두 "…より·から"の意味を表わす語: 自. ¶～1월 지10월 自五月至十月.

-자【子】 미 子. ①細小な物を表わす語. ¶미립～ 微粒子 / 양성～ 陽子. ②(新聞などの)特定の欄を受け持った記者の自称語. ¶편집～ 編集子. ③一家の学説を立てた人の敬称. また, その著述. ¶공～ 孔子 / 주～ 朱子 / 장～ 荘子 / 제～ 백가 諸子百家.

-자【者】 미 者. ①人を表わす語. ¶승리～ 勝利者 / 용의～ 容疑者. ②その道に通じている人. ¶과학～ 科学者 / 문학～ 文学者. ③"物ごと"または"場所"を表わす語. ¶전～와 후～ 前者と後者.

-자 어미 動詞または"이다"の語幹につく語尾. ①勧誘の意を表わす: …(し)よう. ¶빨리 가～ さあ行こう / 빨리 자～ 早く寝よう. ②行わんとする意を表わす. ¶가～ 하니 비가 온다 行こうとするや雨が降って来た. ③動作が今しがた終わるのを表わす: …や(否や). ¶먹～ (마자) 토했다 食べるや(否や)吐き戻した / 승보에 접하～ 환성을 질렀다 勝報に接するや歓声を上げた. ④…でもあり; …であると共に; …であると同時に. ¶그는 형님이～ 스승이다 彼は兄でもありまた師匠でもある.

자가【自家】 명 自家.

‖―― 당착 명 自家どうちゃく(撞着). ―― 발전 명하자 自家発電. ―― 보존 명〔生〕自家保存. ＝자기 보존. ―― 수정 명하자〔生〕自家授精. ――-용 명 自家用. ¶～족 マイカー族 / ～차 自家用車; 白ナンバー〈俗〉. ―― 중독 명〔醫〕自家中毒.

자가품 명 手首·足首などの関節がしび(痺)れを起こし痛む病気.

자각【自覺】 명 自覚. ――-하다 타

自覚する; 目覚める. ¶국민의 ～을 촉구하다 国民の自覚を促す.
‖── 증상 [명]〔醫〕自覚症状.
자갈 [명] 砂利; ざり(砂利); 小石; くりいし(栗石). ¶～을 깔다 砂利を敷く.
‖──-길 [명] 砂利道. ──-밭 [명] 小石の多い土地.
자-갈색【紫褐色】[명] 焦げ茶(色).
자강【自強·自彊】[명][하자] じきょう(自彊). ¶～책을 강구하다 自彊の策を講ずる. ‖──-술 [명] 自彊術.
자개 [명] 青貝; らでん(螺鈿).
‖── 그릇 [명] 螺鈿飾りの器. ──-농(籠) [명] ☞ 자개 장농. ── 단추 [명] 青貝のボタン. ── 소반(小盤) [명] 螺鈿細工のぜん(膳). ── 일꾼 [명] 青貝〔螺鈿〕細工の職人. ── 장롱(欌籠) [명] 螺鈿飾りのたんす(簞笥).
자객【刺客】[명] 刺客; せっかく(刺客). ¶～의 손에 쓰러지다 刺客の手に倒れる.
자격【資格】[명] 資格. ¶～ 시험 資格試験.
‖── 임용 [명] 資格任用. ──-주 [명] 資格株.
자격지-심【自激之心】[명] 自分の行ないに対して抱く不満や気のとがめ; 自責の念.
자결【自決】[명][하자] 自決. ① 自己決定. ② ☞ 자살(自殺).
‖──-주의 [명] 自決主義. ¶민족 ～ 民族自決主義.
자계【磁界】[명] ☞ 자기장(磁氣場).
자고-로【自古―】, 자고 이래(로)【自古以來(―)】[부] 昔から(今までずっと).
자괴【自愧】[명][하자] 恥じいること.
‖──지-심(之心) [명] 恥じいる心.
자괴【自壞】[명][하자] 自壊. ¶～ 작용 自壊作用.
자구【字句】[명] 字句. ¶～를 수정하다 字句を訂正する.
자구【自救】[명][하자] 自救.
‖──-권 [명] 自救権. ── 행위 [명] 自救行為. =자력 구제.
자국 [명] 跡形; こんせき(痕跡). ¶손톱 ～ つめあと(爪痕); つめがた(爪形). ──-나다 [자] 跡形がつく〔できる·残る〕. ¶발자국이 나다 足あとがつく. ──-밟다 [타] 足跡をたどる.
‖──-눈 [명] (足跡がつく位)薄く積もった雪.
자국【自國】[명] 自国. ¶～민 自国民.
자궁【子宮】[명]〔生〕子宮; 胎; 子袋. =아기집.
‖── 내막염 [명] 子宮内膜炎. ──병 [명] 子宮病. ── 수축제 [명] 子宮収縮剤. ──-암 [명] 子宮がん. ──외 임신 [명] 子宮外妊娠. ── 후굴 [명] 子宮後屈.
자귀¹ [명] 食い過ぎによる子犬·子豚などの病気.
자귀² [명]〔建〕ちょうな(手斧).
‖──-질 [명][하자] 手斧仕事. 자귓-밥 [명] 手斧の切れ端.
자규【子規】[명]〔鳥〕子規. =두견이.
자그락-거리다 [자] も(揉)める; がやがやと言い争う. 자그락-자그락 [부][하자] つまらないことで言い争うさま.
자그르르 [부][하자] ☞ 지그르르.
자그마치 [부] ① わず(僅)か; 少し. ② "予想外に多い〔大きい〕"の意; 少しところか《反語的》; 少なくとも. ¶놀라지 마 ～ 만 명이나 된다 驚くなかれ, ざっと一万人はある.
자그마-하다 [형] 小さい; ささやかだ; 小振りだ; ちっぽけだ〈俗〉. ㊟ 자그맣다. ¶자그마한 몸집 ちっぽけな体.
자그시 [부] ☞ 지그시.
자극【刺戟】[명][하타] 刺激. ¶～성 刺激性 / ～적인 말 刺激的(な)言葉.
‖── 비료 [명]〔農〕刺激肥料. ──제 [명]〔藥〕刺激剤.
자극【磁極】[명]〔物〕☞ 자기극.
자근-거리다 [타] ☞ 지근거리다. 자근-자근 [부][하타] ☞ 지근지근.
자근덕-거리다 [타] ☞ 지근덕거리다. 자근덕-자근덕 [부][하자] ☞ 지근덕지근덕.
자글-거리다 [자] ☞ 지글거리다. 자글-자글 [부][하자] ☞ 지글지글
자금【資金】[명] 資金. ¶～ 조달 資金調達.
‖──-난 [명] 資金難. ── 동결 [명]〔經〕資金凍結. ──-원 [명] 資金源. ── 통제 [명] 資金統制.
자금-거리다 [자] ☞ 지금거리다. 자금-자금¹ [부] ☞ 지금지금
자금-자금² [부][하형] 皆が一様に小さいさま.
자급【自給】[명][하타] 自給. ¶식량을 ～하다 食糧を自給する.
‖── 자족 [명][하타] 自給自足. ¶～주의 自給自足主義.
자긋자긋-이 [부] ☞ 지긋지긋이.
자긋자긋-하다 [형] ☞ 지긋지긋하다.
자긍【自矜】[명][하자] 自慢; 自負.
자기【自記】[명][하타] 自記.
‖── 기압계 [명] 自記気圧計. ──습도계 [명] 自記湿度計. ── 온도계 [명] 自記温度計. ── 우량계 [명] 自記雨量計.
자기【自棄】[명][하자] 自棄; やけ. ¶자포～ 自暴自棄; やけ.
자기【瓷器】[명] 磁器.
자기【磁氣】[명]〔物〕磁気.
‖──-극(極) [명]〔物〕磁極. ── 기뢰 [명] 磁気機雷. ── 나침의 [명]〔物〕磁気羅針儀. ── 녹음 [명] 磁気録音. ──-량 [명]〔物〕磁気量. ──-력 [명]〔物〕磁気力. =자력(磁力). ── 모멘트 [명]〔物〕磁気モーメント. ── 유도 [명]〔物〕磁気誘導. ──-장(場) [명]〔物〕磁場; 磁界. ── 저항 [명]〔物〕磁気抵抗. ── 폭풍 [명]〔物〕磁気嵐. ──-학 [명]〔物〕磁気学. ──-화〔物〕[명]〔物〕磁化. ── 화학 [명] 磁気化学.
자기【自己】[대] 自己; 自分; 己れ. ¶～ 소개 自己紹介 / ～ 자신 自分自身.
‖── 감정 [명]〔心〕自己感情. ──과시(誇示) [명][하자]〔心〕自己顕示. ── 관찰 [명]〔心〕自己観察. ──-류 [명] 自己流. ¶～의 화법 自己流の画

去. ── 만족 명하자 自己満足. ── 모순 명〔論〕自己矛盾；自己撞着. ── 본위 명 自己本位. ── 비판 명 自己批判；反省. ── 암시 명〔心〕自己暗示. ──-애 명 自己愛. ── 자본 명〔經〕自己資本. ── 중심 명 自己中心. ¶~주의 自己中心主義；エゴチ〔ティ〕ズム. ── 평가 명〔心〕自己評価. ── 표현 명 自己表現. ── 희생 명 自己犠牲.

자깝-스럽다 형 (幼い者が)こましゃくれている；大人びてちゃっかりしている.

자꾸 부 しきりに；ひっきりなしに；やたらに. ¶아이들이 ~ 졸라서… 子供たちがしきりにせがむので…/앞발로 ~ 구멍을 파다 前足でしきりに穴を掘る/간식을 ~ 달랜다 おやつをしきりにほしがる. ──-만 부, ──── 부 "자꾸"を強調する語：しきりに；ひっきりなしに.

-자꾸나 어미 "一緒にしよう"の意を表わす終結語尾：…う(や)；…よう(や). ¶보~ 見よう(や)/자, 가~ さあ, 行こう(や).

자끈 부하자 ☞ 지끈. ──-거리다 자 ☞ 지끈거리다.

자끈-동 부 ☞ 지끈둥.

자끔-거리다 자 ☞ 지금거리다. 자끔-자끔 부하자 ☞ 지금지금.

자나 깨나 구 寝ても覚めても；明け暮れに；朝晩. ¶~ 잊을 수 없다 寝ても覚めても忘れられない.

자낭【子囊】 명〔植〕しのう(子嚢).
‖──-균 명〔生〕子嚢菌.

자네 대 君；貴君. ¶~의 성공을 비네 君の成功を祈るよ.

자녀【子女】 명 子女；子供；児女. ¶~ 교육 児女教育.

자농【自農】 명하자 自作農；自作《준말》.

자늑자늑-하다 형 動作が静かでしなやかだ.

자닝-하다 형 痛ましい；見るに忍びない. 자닝-스럽다 형 惨めで見るに忍び難い.

자다 자 ①眠る；寝る. ¶자나 깨나 寝ても覚めても/한잠 ~ 一眠りする/자다가 벼락을 맞는다 寝耳に水. ②(動いていたものの)動きが止まる〔止む〕；な(凪)ぐ；定まる；死ぬ. ¶바람이 ~ 風が止む〔定まる；凪ぐ〕. ③共寝する；一つ寝する. ¶여자와 ~ 女と寝る. ④(花札などで欲しい札が)めくり札のびりに敷かれている.

자담【自擔】 명하타 自弁. =자당(自當).

자답【自答】 명하자 自答. ¶자문 ~ 自問自答.

자당【慈堂】 명 他人の"어머니(=母)"の尊称：母堂；母御；母君.

자당【蔗糖】 명〔化〕しょとう(蔗糖).

자독【自瀆】 명 じとく(自瀆)；自慰；しゅいん(手淫)；オナニー. ¶~ 행위 自瀆行為.

자동【自動】 명하자 自動〔自働〕.
‖── 교환기 명 自動交換機. ── 권총 명 自動拳銃. ── 대패 명 自動かんな(鉋). ── 면역 명〔醫〕自動免疫. ── 선반 명 自動旋盤. ── 소총 명〔軍〕自動小銃. ──-식 명 自動式. ── 식자기 명〔印〕自動植字機；ライノタイプ. ── 신호 명 自動信号. ── 연결기 명 自動連結器. ──-적 명관 自動的；オートマチック. ── 제어 명 自動制御；オートメーション. ── 직기 명 自動織機. ──-차 명 自動車；車. ── 판매기 명 自動販売機；自販機《준말》. ── 화기 명 自動火器. ── 회로 차단기 명〔電〕自動回路遮断器.

자-동사【自動詞】 명〔言〕自動詞.

자두 명 [←자도(紫桃)] すもも.

자드락 명 山すその傾斜地.

자드락-거리다 타 うるさく絡み付く；ねちねちなぶ(嬲)る. 자드락-자드락 부하타 うるさく絡み付く〔嬲る〕さま.

자득【自得】 명하타 自得. ¶자업 ~ 自業自得.

자디-잘다 형 非常に細かい.

자라 명〔動〕すっぽん；どろがめ(泥亀)；どうがめ(銅亀). ¶~ 보고 놀란 가슴 소댕 보고 놀란다《俚》あつもの(羹)に懲りてなます(膾)を吹く；落ち武者は芒の穂にも怖ず.
‖──-눈 명 乳児のしり(尻)の両側にあるくぼ(窪)み. ──-목 명 ①すっぽんの首. ②小さく縮まる物. ──-병(瓶) 명 すっぽんの形をした瓶.

자라-나다 자 育つ；成長〔生長〕する；伸びる. ¶건강하게 ~ 健康に育つ/가지가 ~ 枝が伸びる.

자라다¹ 자 ①育つ. ¶사랑을 받고 ~ 慈しみの中に育つ/모가 ~ 苗が育つ/자랄 나무는 떡잎부터 알아본다《俚》なる木は花から違う. ②発展する. ¶선진국으로 ~ 先進国に発展する. ③だんだん多くなる.

자라다² 一형 足りる；充分だ. ¶5만원만 있으면 자랍니다 五万ウォンもあれば足ります. 二타 ①(標準に)達する；届く；及ぶ. ¶손이 자라는 곳에 手の届く所に/힘이 자라는 데까지 力の及ぶ限り. ②満ちる.

자락 명 (衣服などの)すそ(裾).

자란-자란 부하형 ①水などがまさに充ちあふ(溢)れようとするさま：なみなみ. ②ある物の一端が他の物に触れるか触れないかの状態：すれすれ.

자랑 명 誇り；自慢；誉れ. ──-하다 타 誇る；自慢する. ¶~ 끝에 불 붙는다《俚》自慢の末火がつく《自慢もほどを越せばいざこざがおこる》. ──-스럽다 형 誇らしい；誇らかだ. ¶자랑스러운 태도 誇らしい態度. ──-삼다 타 自慢の種にする.
‖──-거리 명 自慢の種.

자랑-거리다 자타 薄い金属などが触れ合って音を出す；ちゃらんちゃらん〔ちゃりんちゃりん〕する. 자랑-자랑 부하자타 ちゃらんちゃらん；ちゃりんちゃりん.

자래-로【自來―】 부 ↗자고 이래로.

자력【自力】 명 自力.

‖── 갱생 명하자 自力更生. ── 구제 명〔法〕自力救済. ── 염불 명〔佛〕自力念仏.
자력【資力】 명 資力. ¶ ~ 부족 資力不足.
자력【磁力】 명 [↗자기력] 磁力; 磁気力. ¶ ~이 작용하다 磁力が働く.
‖──-계 명 磁力計. ──-선 명 磁力線. =자기력선(磁氣力線). ── 선광 명하타 磁力選鉱.
자료【資料】 명 資料; たね〈俗〉; データ. ¶ 조사 ~ 調査資料.
자루[1] 명 袋.
자루[2] 명 柄; から(幹). ¶ 국자 ~ ひしゃく(杓)の柄.
자루[3] 의명 鉛筆·刀など棒状の物を数える単位: (鉛筆は) 本; (刀剣) 口·腰; (銃) ちょう(挺). ¶ 연필 한 ~ 鉛筆一本/소총 두 ~ 小銃二挺.
자르다 타 ① 切る; 断〔裁〕ち切る; 断〔裁〕つ. ¶ 둘로 ~ 二つに切る/나무를 ~ 木を伐る/목을 ~ 首を切る. ② 首にする. ¶ 사원의 목을 ~ 社員を首にする.
자르랑 부 薄い金属などがぶつかり合って鳴る音: ちゃらん. ──-거리다 자타 ちゃらんちゃらん音がする. ──── 부하자타 ちゃらんちゃらん.
자르르 부하형 ① 油気などがつやを放ちながらたれるさま: ちょろり. ② 筋肉や関節の一部にしびれが起こるさま: びりびり. <지르르.
자리[1] 명 ① 席; 座; 座席. ¶ ~를 양보하다 席を譲る/~를 뜨다 席〔座〕をはずす. ② 場; 場所. ¶ 경사스러운 ~ 晴れの場所. ③ 跡. ¶ 우두 맞은 ~ 種痘の跡/차 지나간 ~ 車の跡. ④ 地位; 位; 口; いす(椅子); ポスト. ¶ 사장 ~에 앉히다 社長の地位に着かす/과장 ~가 하나 비다 課長のポストが一つ空く. ⑤ 数値の位取り; けた(桁); 位. ¶ 천의 ~ 千の位. ── 잡다 자 ① 席を取る; 席に着く. ② (職場などに)落ち着く; 据える. ¶ 교사로 ~ 教員に落ち着く. ── 잡히다 자 ① 上手になる; 慣れる. ② 安定する; 落ち着く.
‖──-다툼 명하자 地位争いや座席取りのけんか. 자릿-수(數) 명 数の桁; 位. 자릿-점(點) 명 算盤の梁につけた位取りを表わすための印.
자리[2] 명 ① 敷き物の総称; ござ(蓙); むしろ(蓆). ② ↗잠자리[1].
‖──-끼 명 まくら元に置いておく飲み水. ── 보전(保全) 명하자 病床にあること. ──-옷 명 寝間着; 寝巻き. ──-틀 명 座·蓆を編む器械. 자릿-상(牀) 명 布団を上げて置くテーブル. 자릿-장(欌) 명 布団入れ(のたんす). 자릿-저고리 명 寝間着用のチョゴリ.
자리다 형 しび(痺)れる.
자리자리-하다 형 ひどくしび(痺)れる; びりびりする.
자립【自立】 명 自立; 独立; 独り立ち; 巣立ち. ──-하다 자 自立する; 立つ; 巣立つ. ¶ ~ 경제 自立経済.
‖── 자영 명하타 自立自営.
자릿자릿-하다 형 ひどくしび(痺)れる; ぴりぴりする. ¶ 신경이 ~ 神経がぴりぴりする.
-자마자 어미 動詞の語幹に付いて"…してからすぐ"の意を表わす連結語尾: …や(否や); …なり. ¶ 듣~ 뛰어나갔다 聞くや(否や)飛び出して行った/오~ 가 버렸다 来るなり帰ってしまった.
자막【字幕】 명 字幕; タイトル. ¶ 보조 ~ サブタイトル.
자-막대기 명 物指し用の棒.
자만【自慢】 명하자 自慢.
‖──-심 명 自慢する心; 慢心.
자매【姉妹】 명 姉妹. ¶ 형제 ~ 兄弟姉妹/~품 姉妹品/~ 회사 姉妹会社.
‖── 결연(結緣) 명 姉妹の縁組み. ──-교 명 姉妹校〔学校〕. ── 기관 명 姉妹機関. ── 도시 명 姉妹都市. ──-지(紙) 명 姉妹新聞. ──-편 명 姉妹編.
자맥-질 명하자 ↗무자맥질.
자멸【自滅】 명하자 自滅. ¶ 승리를 서둘다 ~하다 勝ちを焦って自滅する.
자멸【自蔑】 명하자 自らをさげすむ〔見さげる〕こと.
자명【自明】 명하형 自明. ¶ ~한 이치 自明の理.
자명【自鳴】 명하자 ① 自鳴; 自ずから音が出ること. ② 自ずから鳴るか響くこと.
‖──-고 명〔史〕敵の侵入があれば自ずから鳴ると言われた大鼓. ──-종(鐘) 명 目覚まし時計.
자모【子母】 명 子母; 母子.
‖──-음(音) 명 子音と母音. ──-자(字) 명 子音字と母音字.
자모【字母】 명〔言〕字母. ① 綴音の本になる字. ② 母型. ¶ ~를 만들다 字母を作る.
‖──-순(順) 명 字母の配列順序.
자모【姉母】 명 姉と母.
‖──-회(會) 명 幼稚園または小学校などで児童の姉や母の会.
자모【慈母】 명 慈母. ¶ ~의 사랑을 받고 자라다 慈母のいつくしみを受けて育つ.
자-모듬【字―】 명하자 文字の暗記を早めるため, 色色な文字を組み合わせて語を作ること. =자맞춤.
자못 부 思ったよりずっと; いとも. ¶ ~ 엄숙하게 いとも厳かに.
자문【自刎】 명하자 じふん(自刎); じけい(自剄). =자경(自剄).
자문【自問】 명하타 自問.
‖── 자답 명하자 自問自答.
자문【刺文】 명하자 刺文; 刺青; 文身; 入れ墨. =문신·자자(刺字).
자문【諮問】 명하타 諮問.
‖── 기관 명 諮問機関.
자물-단추 명 貴金属で作ったボタンの一種.
자물-쇠 명 錠; 錠前. ¶ ~를 비

(자물쇠를 비틀)어 열다 錠を捩じ開ける.
‖——-청 명 錠前のばね.

(자)미【滋味】명 ① 滋味. ② ☞ 재미.

(자)바라【啫哱囉】명〔樂〕 にょうはち(鐃鈸)《シンバルに似たしんちゅう(真鍮)製の打楽器の一つ》.

(자)바 원인【—猿人】〔Java〕 명〖人類〗ジャワ猿人.

(자)박【自縛】명하자 自縛. ¶ 자승 ~ 自縄自縛.

(자)박 부 静かに踏み出す足音: さくさく. <저벅. ——-거리다 자 さくさくと足音を立てる. ——— 부하자 続けて足音がするさま: さくさく.

(자)반【佐飯】명 塩引きの魚; 塩物.
‖——-뒤지기 명하자 相撲で体を後ろにそりながら相手を倒す技. ——-뒤집기 명하자 病苦で身悶えすること.

자반【紫斑】명 しはん(紫斑); 出血により皮膚にできた紫色のあざ(痣).

자발【自發】명하자 自発.
‖——-성 명 自発性. ——-적 명관 自発的.

자발머리-없다 형《俗》☞ 자발없다.

자발-없다 형 軽率だ; 軽はずみだ. ——-없이 부 堪え性無く軽軽しく.

자밤 의명 (調味料などの)一つまみ程の分量. ¶두 ~ 二つまみ(の分量). ——— 부 一つまみひとつまみ取るさま.

자방【子房】명〖植〗子房. =씨방.

자배기 명 たらい(盥)に似た陶器の一つ.

자백【自白】명 自白; 白状; 自供. ——-하다 타 自白する; 白状する; 自供する; 泥を吐く〈俗〉. ¶마침내 범행을 ~했다 ついに犯行を自白した.

자-벌레 명〖蟲〗尺取り虫.

자법【子法】명〖法〗子法.

자변【自辨】명하타 自弁. ¶비용은 ~한다 費用は自弁する.

자별-하다【自別—】형 ① おの(自)ずから他と違う. ② 特に親しい仲だ. 자별-히 부 格別に(親しく).

자복【子福】명 子福; 子宝の幸.

자복【自服】명하타 白状.

자복【雌伏】명하자 雌伏. ¶~하여 때가 오기를 기다리다 雌伏して機の熟するのを待つ.

자본【資本】명 資本; 元手; 元金; キャピタル. =밑천. ¶~을 투입하다 資本を投ずる.
‖——-가 명 資本家. —— 계정(計定) 명 資本勘定. ——-금 명 資本金. —— 시장 명 資本市場. ——-재 명 資本財. ——-주의 명 資本主義; キャピタリズム. ¶~ 경제 資本主義経済. —— 축적 명 資本蓄積.

자부【子婦】명 ☞ 며느리.

자부【自負】명 自負. ——-하다 자타 自負する; しょ(背負)う〈俗〉.
‖——-심 명 自負心. ¶~이 강하다 自負心が強い.

자부【慈父】명 慈父. ¶~와 같은 스승 慈父のような師.

자부락-거리다 타 いたずら気に人をいじ(苛)める; 人をなぶ(嬲)る. 자부락-자부락 부하타 しきりに人をなぶ(嬲)るさま.

자분【自噴】명하자 自噴.
‖——-정 명〔地〕自噴井. —— 채유 명 自噴採油.

자분-자분 부하형 ☞ 저분저분.

자분치 명 びん(鬢)《耳の前の短い髪》.

자비【自費】명 自費.
‖——-생 명 自費生. —— 출판 명하타 自費出版.

자비【慈悲】명하형스형 慈悲. ¶~를 베풀다 慈悲を施す〔垂れる〕; 恵みを施す. ——-롭다 형 慈悲心がある; 慈悲深い. ——-로이 부 あわれみをもって; 慈悲深く.
‖——-심 명 慈悲心; 情け. —— 인욕 명〔佛〕慈悲忍辱. ——-지-심(之心) 명 ☞ 자비심.

자빠-뜨리다 타 倒す; 転がす.

자빠지다 자 ① 倒れる; 転がる; つまずく. ¶옆으로 ~ 横に倒れる / 뒤로 자빠져도 코가 깨진다《俚》運が悪ければ仕合わせまで悪い. ② 一緒に始めた仕事から手を引く; 脱落する. ③《俗》寝転ぶ. ¶자빠져서 책을 읽다 寝転んで本を読む.

자뿌룩-하다 형 やや食い違う.

자산【資産】명 資産; 財産. =재산. ¶~의 증식 資産の増殖.
‖——-가 명 資産家; 分限. —— 계정(計定) 명〔經〕資産勘定. —— 공개 명 資産公開. —— 동결 명 資産凍結. —— 등록 명 資産登録. ——-주 명 資産株. —— 평가 명 資産評価.

자살【自殺】명하자 自殺; 自刃; 自害. ¶~ 미수 自殺未遂.
‖—— 교사죄 명 自殺教唆罪. —— 방조죄 명 自殺幇助罪.

자살【刺殺】명하타 刺殺; せきさつ(刺殺). =척살(刺殺).

자상【仔詳】명 子細; つまび(詳)らかなこと. ——-하다 형 詳らかだ; くわしい. ——-히 부 詳らかに; くわしく.

자상【刺傷】명 刺傷; 刺し傷; 突き傷. ¶~을 입다 刺傷を受ける.

자새 명 縄をなう装置; 糸巻き; 糸車; かせ.
‖——-질 명하자 糸車を回す仕事.

자색【自色】명 自色; 鉱物特有の光沢. =진색(眞色).

자색【姿色】명 姿色; (女の)見目形. ¶~이 아름답다 見目形が美しい.

자색【紫色】명 紫色; 紫.

자색【赭色】명 赤土色.

자생【自生】명하자 自生.
‖—— 식물 명 自生植物.

자서【字書】명 字書. ① ☞ 자전(字典). ② ☞ 사서(辭書).

자서【自序】명하자 自序. ¶저자의 ~가 있다 著者の自序がある.

자서【自敍】명하타 自叙.

‖——-전 명 自叙伝. ㊟ 자전(自傳).
자서【自書】명하자타 自筆.
자서【自署】명하자 自署. ¶ 본인의 ~ 本人の署名.
자석【磁石】명〔物〕〔鑛〕磁石；マグネット. ¶ 막대 ~ 棒磁石.
‖——-강 명 磁石鋼. ——-광 명〔鑛〕磁石鉱. ——-반 명 磁石盤.
자선【自選】명하타 自選. ¶ ~ 시가집 自選歌集.
자선【慈善】명하타 慈善.
‖——-가 명 慈善家. —— 냄비 명 慈善〔社会〕なべ(鍋). —— 병원 명 慈善病院. —— 사업 명 慈善事業. ——-시 명 慈善市；バザー. —— 음악회 명 慈善音楽会；チャリティーコンサート.
자설【自說】명 自説. ¶ ~을 굽히지 않다 自説を曲げない.
자성【自性】명〔佛〕自性.
자성【自省】명하자 自省.
자성【資性】명 資性. ¶ 혜택받은 ~ 恵まれた資性.
자성【雌性】명〔生〕雌性.
자성【磁性】명〔物〕磁性. ¶ ~이 있는 쇳조각 磁性のある鉄片.
‖——-체 명 磁性体.
자세【子細·仔細】명 子細；詳細. ——-하다 형 つまびらかだ；詳しい；細かい；細細しい. ¶ ~한 설명 細かい説明. ——-히 부 詳しく；細かく；つぶさに；つまびらかに；細細と. ¶ ~ 까닭을 말하다 子細にわけを話す.
자세【姿勢】명 姿勢；身構え；体勢；ポーズ. ¶ 고~ 高姿勢.
자세【藉勢】명하자타 自他の勢力にかこつけて頼ること.

ㅈ

자-세포【刺細胞】명〔動〕刺細胞.
자소-로【自少—】, 자소 이래-로【自少以來—】부 幼い時から今まで.
자손【子孫】명 子孫. ＝후손. ¶ ~이 끊기다 子孫〔後〕が絶える.
자수【自手】명 ① 自分の手. ② 自力. ——-로 부 自分の手で.
‖—— 성가(成家) 명하자 自力で一家を成すこと.
자수【自首】명하자〔法〕自首.
자수【自修】명하타 自修. ¶ ~ 영문법 自修英文典.
자수【字數】명 字数. ¶ ~를 맞추다 字数をあわせる.
자수【刺繡】명 ししゅう(刺繡)；縫い取り；縫い. ——-하다 자 刺繡する；縫い取る.
자-수정【紫水晶】명〔鑛〕紫水晶.
자숙【自肅】명하자 自粛.
‖—— 자계 명하자 自粛自戒.
자습【自習】명하자 自習.
‖——-서 명 自習書；独り案内；虎の巻〈俗〉；あんちょこ〈俗〉.
자승【自乘】명하타 ☞ 제곱.
자승 자박【自繩自縛】명하자 自縄自縛. ¶ ~에 빠지다 自縄自縛におちいる.
자시【子時】명 ね(子)の刻《午前零時前後の二時間》；九つ.
자시다 타 "먹다(＝食べる)"の敬称語：召し上がる.

자식【子息】명 ① 子；子供；息…と娘；子女. ¶ ~에게 무른 부… 子に甘い親 / ~을 보다 子をもう…る；子を産む. ② 男をさげすむ…：やつ(奴)；野郎. ¶ 징그러운 … げじげじ野郎 / 개같은 ~ 犬ころみ…いな奴.
자신【自身】명 自身；自分；自… ら. ¶ 자기 ~이 반성해 보다 自分自…で反省してみる.
자신【自信】명하타 自信. ¶ ~에 …있다 自信に充ちている.
‖—— 만만 명하형히부 自信満満.
자실【自失】명하자 自失. ¶ 망연 …하다 茫然自失する.
자심【滋甚】명하형히부 (ますます)…なは(甚)だしいこと.
자씨【姉氏】명 人の姉の敬称.
자아【自我】명 自我；エゴ. ¶ ~… 눈뜨다 自我に目覚める.
‖—— 실현 명 自我実現. —— 의식 명〔心〕自我意識. ＝자의식(自意識).
자아-내다 타 ①(紡績機で)糸を紡ぎ出す. ②(機械の力で)液体や気体などが流れ〔噴き〕出るようにする. ③ 感情や興味, または物事などが起こるようにする；醸し出す；そそる；催す. ¶ 눈물을 ~ 涙をそそる〔催す〕.
자아-올리다 타 (機械の力で)水を吸い上げる.
자아-틀 명 ウインチ.
자애【自愛】명하자 自愛. ¶ ~하시기 바랍니다 御自愛を願います.
‖——-주의 명 自愛主義. ＝이기주의.
자애【慈愛】명 慈愛；慈しみ〈雅〉. ¶ 어버이의 ~ 親の慈愛. ——-롭다 형 慈しみ深い. ——-로이 부 慈しみ深く.
‖——지-정(之情) 명 慈しむ心.
자약【自若】명하형 自若；自如. ¶ 태연 ~하게 일에 대처하다 泰然自若〔悠揚〕としてことに当たる.
자양【滋養】명 滋養.
‖—— 관장 명 滋養灌腸. ——-당 명 滋養糖. ——-률 명 滋養律. ——-물 명 滋養物. ——-분 명 滋養分. ¶ 달걀에는 ~이 많다 卵には滋養(分)がたっぷりある. ——-액 명 滋養液. ——-제 명 滋養剤.
자업 자득【自業自得】명하자 自業自得. ¶ ~이라고 체념하다 自業自得とあきら(諦)める.
자-에【玆—】부 "ここ(玆)に〔へ〕；ここにおいて；よ(仍)って；故に"の意の接続副詞. ＝이에. ¶ 그 공이 크므로 ~ 이를 표창함 その功大なるによって玆にこれを賞す.
자연【自然】㊀명 自然；ネーチュア. ¶ ~미 自然〔天然〕の美 / ~의 조화 自然の営み / ~으로 돌아가라 自然に帰れ. ——-하다 형 ☞ 자연스럽다. ——-히 부 自然に；自然(と)；自ずから；自ずと；ひとりでに. ¶ ~ 머리가 수그러지다 自然と頭が下がる. ——-스럽다 형 自然だ. ㊁부 ↗ 자연히.

——-계 명 自然界. —— 과학 명 自然科学. —— 낙차 명 自然落差. ——-림 명 自然林. —— 면역 명 自然免疫. ——-물 명 自然物. ——-미 명 自然美; 天然の美. —— 발화 명 自然発火. ——-법 명 自然法. ——-사 명 自然死. —— 선택 명 自然選択. ——-수 명〔數〕自然数. —— 숭배 명 自然崇拝. —— 영양법 명 自然栄養法. ——-인 명 自然人. ——-적 명관 自然的. ——-주의 명 自然主義; ナチュラリズム. —— 증가 명 自然増加. ¶ ~율 自然増加率. —— 폭발 명 自然爆発. —— 현상 명 自然現象.

자연【紫煙】 명 紫煙.

자엽【子葉】 명〔植〕子葉. =떡잎.

자영【自營】 명하타 自営. ¶ 공장을 ~하다 工場を自営する.

자오-선【子午線】 명〔天〕子午線. ¶ 본초 ~ 本初子午線.
‖—— 관측 명 子午線観測. —— 통과 명 子午線通過.

자옥-하다, 자오록-하다 형 ☞ 자욱하다. 자옥-이, 자오록-이 부 ☞ 자욱이.

자외-선【紫外線】 명 紫外線.
‖—— 사진 명 紫外線写真. —— 요법 명 紫外線療法.

자용【自用】 명하타 自用.

자우【滋雨·慈雨】 명 慈雨.

자욱-하다, 자우룩-하다 형 (煙などが)立ち込めている; 深い; 濃い. ¶ 초연이 ~ 硝煙が立ち込めている. 자욱-이, 자우룩-이 부 立ち込めるように; 深く; 濃く.

자운【字韻】 명 字韻; 文字の韻.

자웅【雌雄】 명 雌雄. ¶ ~을 결하다 雌雄を決する.
‖—— 동주 명 雌雄同株. —— 동체 명 雌雄同体. —— 동형 명 雌雄同形. —— 이체 명 雌雄異体.

자원【字源】 명 字源.

자원【自願】 명하자타 自ら願い出ること.
‖—— 봉사자(奉仕者) 명 ボランティア.

자원【資源】 명 資源. ¶ 지하 ~ 地下資源 / ~이 부족한 나라 資源に乏しい国 / ~ 재활용에 힘쓴다 資源リサイクルに力を注ぐ.

자위 명 眼球や卵などを色によって分けた部分. ¶ 노른 ~ 黄身 / 흰 ~ 白身; 白目 / 검은 ~ 黒目.

자위-뜨다 자 ① 重い物が他の力を受けて動く. ② 胎動し始める. ③ くり(栗)が熟れていがが口をあける. ④ (運動競技で)自分の位置を離れてその場が空く〔持ち場を離れる〕.

자위【自慰】 명하자 自慰. ¶ 현상에 ~하다 現状に自慰する.
‖——-책 명 自慰策.

자위【自衛】 명하타 自衛. ¶ ~책 自衛策.
‖——-권 명 自衛権. ——-대 명 自衛隊.

자유【自由】 명 自由. ¶ 언론의 ~ 言論の自由. ——-스럽다 형 自由だ. ——-롭다 형 自由だ. ——-로이 부 自由に.
‖—— 결혼 명하자 自由結婚. —— 경제 명 自由経済. ——-권 명 自由権. —— 근무 시간제 명 自由勤務時間制; フレックス(タイム). —— 기업 명 自由企業. —— 노동 명 自由労働. —— 무역 명 自由貿易. ——-민 명 自由民. —— 세계 명 自由世界. ——-업 명 自由業. =자유직업. —— 의사 명 自由意思. —— 의지 명 自由意志. ——-인(人) 명 ☞ 자유민. —— 자재 명하형 自由自在. —— 재량 명 自由裁量. ——-주의 명 自由主義; リベラリズム. —— 통상 명 自由通商. ——-항 명 自由港. —— 항행 명하자 自由航行. ——-화 명하자타 自由化. —— 환시세(換時勢) 명 自由為替相場.

자율【自律】 명 自律.
‖—— 신경 명 自律神経.

자음【子音】 명〔言〕子音.
‖—— 동화(同化) 명〔言〕前の語の終声と後の語の初声の子音が互いに同化され, その音価が変わって発音されること《"떡메"が"떵메"に, "신라"が"실라"に発音されることなど》. =닿소리 이어 바뀜·자음 접변(接變).

자음【字音】 명 字音; 漢字の音.

자의【字義】 명 字義; 文字の意味.

자의【自意】 명 自分の意思.

자의【恣意】 명 しい(恣意); 気ままな心. ¶ ~적 행위 恣意的行ない.

자-의식【自意識】 명〔心〕自意識. ¶ ~의 과잉 自意識の過剰.

자이로-스코프〔gyroscope〕명〔物〕ジャイロスコープ.

자이로-컴퍼스〔gyrocompass〕명〔物〕ジャイロコンパス.

자이언트〔giant〕명 ジャイアント; 巨人.

자익【自益】 명 自益.

자인【自刃】 명하자 自刃; 自害.

자인【自認】 명하타 自認.

자일〔도 Seil〕명 ザイル. =로프.

자임【自任】 명하타 自任. ¶ 천재로 ~하고 있다 天才を自任している.

자자【藉藉】 명하형 多くの人の口に上ること; 評判·うわさ(噂)などが広まること. ¶ 평판이 ~하다 評判が高い.

자자 손손【子子孫孫】 명 子子孫孫. ¶ ~에 전하다 子子孫孫に伝える.

자작【子爵】 명 子爵.

자작【自作】 명하타 自作. ¶ ~ 자연 自作自演 / ~의 라디오 自製のラジオ. ‖——-농 명 自作農; 自作《준말》. ——-시 명 自作詩. —— 지주 명 自作地主.

자작【自酌】 명하자 [↗자작 자음(自飲)] 自酌; 手酌.

자작-거리다 자 子供がよちよち歩く. 자작-자작[1] 부하자 よちよち.

자작-나무 명〔植〕しらかば(白樺).

자작-자작[2] 부하형 水などが残り少なく乾き込むさま.

자잘-하다 형 ① 細細しい. ② 皆が細かい.

자장【磁場】명〔物〕☞ 자기장(磁氣場).
자장-가【一歌】명 子守歌.
자장-면〔중 酢醬麪〕명 中国のめん(麵)類の一つ.
자장-자장 감 赤ん坊を寝かせるためのあやす声：ねんねん.
자재【自在】명하형 自在.
‖— 스패너 명 自在スパナ. —-화 명〔美〕自在画.
자재【資材】명 資材. ¶ 건축 ～ 建築資材.
자저【自著】명 自著. ¶ ～를 헌정하다 自著を献呈する.
자적【自適】명하자 自適. ¶ 유유 ～ 悠悠自適.
자전【字典】명 字典；字引き.
자전【自傳】명 [↗자서전(自敍傳)] 自伝.
자전【自轉】명하자 自転. ¶ 지구는 ～한다 地球は自転する.
‖—-거 명 自転車. —거-포(鋪) 명 自転車店. — 주기 명〔天〕自転周期.
자절【自切·自截】명〔動〕自切；自割《とかげなどが危機にあうと体の一部分を切り離して逃がれる現象》.
자정【子正】명 午前零時.
자정 작용【自淨作用】명 自浄作用.
자제【子弟】명 ① 他人の息子の敬称：令息. ② 子弟. ¶ 양가 ～ 良家の子弟.
자제【自制】명하타 自制.
‖—-력 명 自制力. —-심 명 自制心.
자제【自製】명하타 自製.
자조【自助】명하자 自助. ¶ ～ 정신 自助精神.
자조【自嘲】명하자 じちょう(自嘲). ¶ ～적인 웃음 自嘲的な笑い.
자족【自足】명하자타 自足.
자존【自存】명하자 自存. ¶ ～ 자위 自存自衛.
‖—-권 명 自存権.
자존【自尊】명하자 自尊. ¶ 독립 ～ 独立自尊.
‖—-심 명 自尊心；プライド. ¶ ～이 상하다 自尊心が傷つけられる / ～이 강한 사람 自尊心の強い人.
자주【自主】명 自主.
‖—-권 명 自主権. — 독립 명하자 自主独立. —-법 명 自主法. —-성 명 自主性. ¶ ～의 결여 自主性の欠如. —-적 명관 自主的.
자주【自走】명 自走.
‖—-포 명 自走砲.
자주【自註】명하자 自注.
자주【紫朱】명 ☞ 자줏빛.
자주 부 しばしば；たびたび；重ね重ね. ¶ ～ 만난 사람 たびたび会った人 / 비슷한 사건이 ～ 일어났다 同じような事件が重ね重ね起こった / ～ 출입하는 사람 頻繁に出入りする人. ——— 부 頻繁に；しげしげ(と)；しきりに《"자주"の強勢語》.
자줏-빛【紫朱—】명 古代紫；赤紫色. ＝자주·자주색.
자중【自重】¹ 명 自重；物の自体の重さ. ¶ ～ 30톤의 기계 自重三トンの機械.
자중【自重】² 명하자 自重. ¶ 아쪼록 ～하여 주십시오 くれぐれもご重を願います.
자중지-란【自中之亂】명 仲間争い；同士討ち.
자지 명 陰茎；ちんぽ〈児〉；まら(羅〔摩羅〕)〈俗〉.
자지러-뜨리다 타 ① (恐れ·緊張どで)体を縮こませる〔すく(竦)せる〕. ② (動植物が)病気どで縮こまる〔な(萎)える〕.
자지러-지다¹ 자 ① (恐れなどで)体が縮こまる. <지지러지다. ② (笑声·拍子取りなどのテンポが)早くなる. ¶ 자지러지게 웃다 笑いこる.
자지러-지다² 형 (絵·彫刻·音楽などが) 精巧だ.
자지레-하다 형 ↗자질구레하다.
자진【自進】명하자 自ら進んですること. ¶ ～해서 헌금합시다 奮って献金しましょう / ～해서 일을 하다 進んで仕事をする.
자진【自盡】명하자 自尽. ＝자해(自害).
자-질 명하자 尺を取ること.
자질【資質】명 資質. ¶ 뛰어난 ～의 소유자 すぐれた資質の持ち主.
자질구레-하다 형 細細ましい. ¶ 자질구레한 일 細細とした用事. 준 자지레하다.
자-짜리 명 (釣りで) 一尺(余まり)の魚.
자찬【自撰】명하타 じせん(自撰). ¶ ～집 自撰集.
자찬【自讚】명하타 自賛；我褒め. ¶ 자화 ～ 自画自賛 / ～하는 격이 되지만 我褒めになるが.
자책【自責】명하자 自責. ¶ ～감에 괴로워하다 自責の念に苦しむ.
‖—-점 명〔野〕自責点.
자처【自處】명 ① 自決. —-하다 자 自決する. ② 自任：自負. —-하다 자 自任する；任じる；気取る. ¶ 호걸로 ～하다 豪傑を気取る / 예술가로 ～하다 芸術家をもって任じる / 그는 천재로 ～하고 있다 彼は天才を自任している.
자천【自薦】명하자 自薦. ¶ ～ 타천의 후보자 自薦他薦の候補者.
자철【磁鐵】, 자철-광【磁鐵鑛】명 磁鉄鉱.
자청【自請】명하자타 自ら請うこと. ¶ 죽음을 ～하다 自ら死を請う.
자체【自體】명 自体. ¶ 그 ～의 무게로 넘어지다 それ自体の重みで倒れる / 계획 ～에는 비난의 여지가 없다 計画そのものには非難の余地が無い / ～ 환각에 빠졌다 自体幻覚に陥った.
자체【字體】명 字体.
자초【自招】명하타 自ら招くこと. ¶ 화를 ～하다 災いを自ら招く.
자초 지종【自初至終】명 始めから終わりまで, またはその間のいきさつ；始末；てんまつ(顛末)；一部始終. ¶ ～을 말하다 一部始終を話

はなす.
자축【自祝】명하타 自ら祝うこと.
자충【自充】명하자 (碁で)自分の地を自らふさぐこと.
자취 명 跡; 跡形; 形跡; 名残. ¶～를 감추다 跡をくらます; 影を隠す / 고대 문명의 ～ 古代文明のなごり.
자취【自炊】명하자 自炊. ¶하숙에서 ～하다 下宿で自炊をする.
자치【自治】명하자 自治.
‖── 공화국 명 自治共和国. ──국 명 自治国. ──권 명〔法〕自治権. ── 기관 명 自治機関. ── 단체 명〔法〕自治団体; 自治体; 地方公共団体. ──대 명 自治隊. ──령 명 自治領. ──제(制), ── 제도 명 自治制度. ── 행정 명〔政〕自治行政; 公民自治. ──회 명 自治会.
자-치기 명 地面に寝かした短い棒切れを長い棒切れで打ち飛ばした距離によって勝負をきめる子供たちの遊び.
자친【慈親】명 他人に自分の母を言う語. ＝자모(慈母).
자침【磁針】명 磁針. ¶～은 남북을 가리킨다 磁針は南北を指す.
자칫 부 ① ある物事がほんの少し食い違っていることを表わす語: 万が一; ちょっと. ¶～ 잘못하면 떨어진다 ちょっと〔まかり〕間違えば落ちる. ② やや(少し). ¶～ 큰 듯하다 やや大きいようだ. ──하면 부 ちょっと間違えば〔失敗すれば〕; ともすると; すんでのことに. ¶～ 실패하기 쉽다 とかく失敗しがちだ / 여름에는 ～ 수면 부족이 되기 쉽다 夏はややもすれば睡眠不足になりがちである / ～ 계산이 틀린다 ともすると計算を間違える.
자칭【自稱】명하타 自称. ¶신의 아들을 ～하는 사나이 神の子を自称する男.
‖── 대명사 명 自称代名詞. ── 천자(天子) 명 自賛するものを嘲る語. ＝자칭 군자(君子).
자키〔jockey〕명 ジョッキー. ¶디스크 ～ ディスクジョッキー; ディージェー.
자타【自他】명 自他.
‖── 공인(共認) 명하타 自他共に認めること.
자탄【自歎·自嘆】명하타 自嘆·自歎.
자태【姿態】명 姿態; 姿; 見目形; からだつき. ¶요염한 ～ 艶姿 / 불상의 단엄한 ～ 仏像の端厳なお姿.
자택【自宅】명 自宅; 私宅; 自邸. ¶～ 방문 自宅訪問.
자퇴【自退】명하자 自退.
자투리 명 (布の)端切れ; 切れ(端); 切れ地. ¶무명 ～로 자루를 만들다 木綿の切れ端で袋を作る.
‖──-땅 명 宅地の区画をした後残った基準面積未満の不定形の小さな土地.
자파【自派】명 自派.
자판【自判】명하자타 ① おのずから明らかになること. ② 自ら判決すること.
자판【自辦】명하타 自弁. ① 自分のことを自分で処理すること; 自処. ② ☞ 자변(自辦).
자판-기【自販機】명 [↗자동 판매기] 自販機.
자평【自評】명하타 自評.
자폐-증【自閉症】명〔醫〕自閉症.
자포【自暴】명하자 [↗자포 자기] 自暴.
‖── 자기 명하자 自暴自棄; やけ; やけくそ; 捨て鉢; 破れかぶれ〈俗〉; やけっぱち〈俗〉. ¶～의 행동을 하다 破れかぶれの行動をする / 실연하여 ～가 되다 失恋でやけくそになる.
자폭【自爆】명하자 自爆.
자-풀이 명하타 ① 布などの尺当たりの単価を割り出すこと. ② 布などを尺に小切って売ること. ＝해척(解尺).
자필【自筆】명하타 自筆; 自書. ¶～ 이력서 自書〔自筆〕の履歴書.
자학【自虐】명하자 自虐. ¶～ 행위 自虐行為.
자학 자습【自學自習】명하타 自学自習.
자해【自害】명하자 自害. ① 自ら体を害すること. ② 自殺.
자해【字解】명하자 字解.
자행【恣行】명하타 しこう(恣行); ほしいままに行なうこと. ¶폭력을 ～하다 暴力をほしいままにする.
자형【字形】명 字形.
자형【字型】명〔印〕活字の鋳型.
자형【姉兄】명 姉の夫; 義兄.
자형【慈兄】명 大兄; 貴兄《手紙に使う用語》.
자혜【慈惠】명 慈恵: 慈しみ深い恩恵. ──-롭다 형 慈しみ深い.
자호【字號】명 字号; 活字の大小を示す番号.
자홍-색【紫紅色】명 赤紫(色).
자화【自畫】명 自画.
‖──-상 명 自画像. ¶～을 그리다 自画像を描く. ── 자찬 명하자 自画自賛; 手前味噌.
자화【雌花】명 雌花. ＝암꽃.
자화【磁化】명하자 磁化. ＝자기화(磁氣化).
‖──-율 명〔物〕磁化率.
자화 수분【自花受粉】명하자 自花受粉.
자화 수정【自花授精】명하자 自花受精.
자활【自活】명하자 自活. ¶부모를 떠나서 ～하다 親を離れて自活する.
자-회사【子會社】명 子会社.
자획【字畫】명 字画; 筆画. ¶～으로 자전을 찾다 字画で字書を引く.
자훈【字訓】명 字訓.
자휘【字彙】명 ① じい(字彙); 字引き; 字書. ② 文字の数.
작【爵】명 爵. ① 官職の位. ② 五等爵の階級. ¶후～ 侯爵 / 자～ 子爵.
작【作】의명 作. ① 製作·著作の意. ¶이광수 ～ 李光洙作. ② 農作·耕作の意.
작【勺】의명 勺. ① 容量の単位

ㅈ

たんい: 一合の十分の一. ② 面積の単位: 一坪の百分の一.
작【昨】관 昨. ¶ ~년 昨年 / ~일 昨日.
작 부하자 ① 紙·布などを一気に裂く音: ぴりっ; びりっ. ② 線などを一気に引くさま.
작가【作家】명 作家; ライター. ¶ 규수 ~ 閨秀作家.
작가【作歌】명하자 作歌.
작고【作故】명하자 逝去; 死去.
작곡【作曲】명하자타 作曲. ¶ 그가 ~한 노래다 彼が作曲した歌である. ‖——가 명 作曲家. ——법 명 作曲法.
작금【昨今】명 昨今; きのう(昨日)今日; 近ごろ; このごろ. ¶ ~의 세태 昨今の世相.
‖—— 양년(兩年) 명 昨年と今年. —— 양일(兩日) 명 昨日と今日.
작년【昨年】명 昨年; 去年. ¶ ~ 이맘 때 去年の今頃.
작다 형 小さい. ① 大きくない; 低い; 短い. ¶ 작은 돌 小さな石; 小石 / 작은 키 低い丈 / 작은 고추가 더 맵다; 작아도 후추알이다《俚》 さんしょう(山椒)は小粒でもぴりっと辛い. ② 幼い. ¶ 누이 동생보다 더 작은 아이 妹よりまた小さい子. ③ 度量が狭い. ¶ 인물이 ~ 人物が小さい. ④ 声が低い. ¶ 작은 목소리 小さな声. ⑤ 細かい. ¶ 작은 일에 구애되지 마라 小さな事にこだわるな. ⑥ わずかだ; 少ない. ¶ 작은 돈 少い金; 小銭 / 작게 먹고 가는 똥 누어라《俚》 少く食べて細い便をせよ《欲張らずに分にふさわしい暮らしをせよとの意》. ⑦ 規模が大きくない. ¶ 작은 회사〔공장〕 小さな会社〔工場〕.
작다리 명 ちび; 背の低い人をからかって言う語.
작달막-하다 형 (体の大きさに比べて)背が短い; ずんぐりしている.
작당【作黨】명하자 群れをなすこと; 仲間を作ること; 党を組むこと.
작대기 명 ① またぎ(叉木); 先がまた(叉)になっている長い棒·竿《ふつう, 何かを支える時に使う棒を言う》. ② 試験答案紙などで誤答を表わす印; 棒印; 棒線.
‖—— 바늘 명 太長い針. —— 찜질 명 棒などでぶったたくこと.
작도【作圖】명하타 作図.
‖——법 명 作図法.
작동【作動】명하자 作動. ¶ 엔진이 ~했다 エンジンが作動しだした.
작두【斫—】명 押し切り; 飼い葉切り.
‖——질 명하자 押し切りでまぐさ(秣)などを刻み切ること.
작란【作亂】명하자 乱を起こすこと.
작량【酌量】명하타 酌量.
작렬【炸裂】명하자 さくれつ(炸裂). ¶ ~음 炸裂音 / 포탄이 ~하다 砲弾が炸裂する.
작례【作例】명 作例. ¶ ~를 보이다 作例を示す.

작록【爵祿】명 しゃくろく(爵禄); 官爵とほうろく(俸禄).
작명【作名】명하자 名付けること.
작문【作文】명하자 作文; つづ(綴)り方. ¶ 영~의 시간 英作文の時間.
‖——법 명 作文法. —— 정치 명 作文政治; 施政方針ばかり並べ立てて実行の伴なわない政治.
작물【作物】명 [↗농작물] 作物.
‖—— 한계 명 作物限界.
작미【作米】명하타 稲をついて米にすること.
작반【雀斑】명 ☞ 주근깨.
작배【作配】명하타 男女がつれあうこと; つれあいになること.
작법【作法】명하자 ① 作法; ものの作り方. ② 法則を作って決めること.
작벼리 명 (川べなどの)砂利と砂の混ざっている所.
작별【作別】명 別れ; 決別. ——하다 자타 別れる; たもと(袂)を分かつ. ¶ ~ 인사를 하다 別れのあいさつをする.
작보【昨報】명하자타 昨報. ¶ ~에 의하면 昨報によれば.
작부【作付】명 作付け; 植え付け. ¶ ~ 면적 作付け面積.
작부【酌婦】명 酌婦; ウエートレス. ¶ ~를 상대로 술을 마시다 ウエートレスを相手に酒を飲む.
작사【作詞】명하자 作詞. ¶ ~가 作詞家.
작살 명 もり(銛); やす. ¶ ~로 찌르다 銛で突く.
작살(이) 나다 구 こっぱみじんになる; ちりぢりに砕ける.
작살(을) 내다 구 こっぱみじんにする; ちりぢりに砕く.
작성【作成】명하타 作成. ¶ 서류를 ~하다 書類を作成する.
작신-거리다 자 ☞ 직신거리다. **작신-작신** 부하자 ☞ 직신직신.
작심【作心】명하자 決心.
‖—— 삼일(三日) 명 決心が三日を行かないこと; 三日坊主.
작야【昨夜】명 昨夜; 昨晩.
작약【芍藥】명〘植〙 しゃくやく(芍薬). ‖——화(花) 명 芍薬の花.
작약【炸藥】명 さくやく(炸薬).
작약【雀躍】명하자 じゃくやく(雀躍); 小躍り. ¶ 흔희 ~ 欣喜雀躍.
작업【作業】명하자 作業. ¶ 일관 ~ 一貫作業 / ~의 능률 作業の能率 / ~중의 사고 作業中の事故.
‖——모 명 作業帽. ——복 명 作業服; 仕事着; 職服. ——장 명 作業場.
작열【灼熱】명하자 しゃくねつ(灼熱). ¶ ~하는 태양 灼熱する太陽.
작용【作用】명 作用; 働き. ——하다 자 作用する; 働く. ¶ 조혈 ~ 造血作用 / 이성이 ~하다 理性が働く.
‖—— 반작용의 원리 명 作用反作用の原理.
작위【作爲】명 作為. ¶ ~적이다 作為的である.
‖—— 채무 명〘法〙 作為債務. ——

ㅈ

체험 명 〘心〙 作為体験.

위【爵位】명 爵位.

은-골 명 〘生〙 ☞ 소뇌(小腦).

은곰-자리 명 〘天〙 こぐま(小熊)座.

은-누이 명 一番上の姉以外の姉.

은-달 명 小の月《陽暦では三十一日未満, 陰暦では二十九日の月》.

작은-댁【一宅】명 "작은집"の敬称.

작은-딸 명 長女以外の娘.

작은-마누라 명 めかけ(妾)を親しげに呼ぶ語.

작은-말 명 (韓国語で)単語の意味は同じながら表現上の感じが小さく成る語《主音節が"ㅏ·ㅐ·ㅗ·ㅘ·ㅙ·ㅚ"などからなる》.

작은-매부【一妹夫】명 妹の夫; 義弟.

작은-설 명 おおみそか(大晦日).

작은-아기 명 末娘や末嫁を指す語.

작은-아버지 명 父の弟; 叔父.

작은-아씨 명 ① 良家の娘に対し家柄の低い者が呼ぶ語. ② 嫁が夫の姉妹〔こじゅうとめ(小姑)〕を呼ぶ語.

작은-어머니 명 ① 叔父の妻; 叔母. ② 継母をよぶ語.

작은-집 명 ① 別居の子, または弟の家. ② 便所のしゃれた語. ③ めかけ(妾); めかけの住まい.

작은-창자 명 〘生〙 ☞ 소장(小腸).

작의【作意】명 作意.

작일【昨日】명 昨日·きのう. =어제.

작자【作者】명 ① ☞ 소작인. ② 人(となり)をさげすんで言う語: 者; やつ(奴). ¶ 그 ~ そいつ / 괴상한 ~이다 妙な奴だ. ③ [↗저작자] 作者. ¶ ~ 불명 作者未詳. ④ 買い手. ¶ ~가 없다 買い手がない.

작작 부 適当に; 大概に; いいかげんに; 程よく. ¶ 바보 같은 짓 좀 ~ 해라 戯けもいいかげんにしろ / 까부는 것도 ~ 해라 ふざけるのもいい加減にしろ. 「타 직직거리다.

작작 부하타 ☞ 직직. ——거리다 ☞

작전【作戰】명하자 作戦. ¶ 공동 ~ 共同作戦 / ~을 짜다 作戦を練る. ‖—— 지휘권 이관 명 作戦指揮権移管. —— 타임 명 作戦タイム. —— 통제권 명 作戦統制権.

작정【作定】명하자 事を決めること; 積もり; もくろみ. ¶ 어떻게 할 ~인지 전연 모르겠다 どうする積もりなのかさっぱりわからない.

작주【昨週】명 昨週; 先週.

작중 인물【作中人物】명 作中の人物.

작태【作態】명하자 ① ある態度をとること; 見目をつくろうこと. ② ふるまい; 行動; まね. ¶ 바보 같은 ~ 馬鹿なまね.

작파【作破】명하타 中断してしまうこと. 「こと.

작폐【作弊】명하자타 弊害を作る

작품【作品】명 作品. ¶ 문학 ~ 文学作品 / ~을 출품하다 作品を出品する.

작풍【作風】명 作風. ¶ 그의 ~이 일변했다 彼の作風が一変した. 「と.

작환【作丸】명하타 丸薬を作るこ

작황【作況】명 作況; 作柄. ‖—— 지수 명 作況指数.

작히, 작히나 부 さぞかし; さだめし; どんなにか. ¶ 그렇게 된다면 ~ 좋겠니 そうなればどんなに(か)よかろう.

잔【盞】㊀ 명 ① 酒·茶·水などを飲むための小さい器: わん(碗); 杯. ② ↗술잔. ¶ ~을 나누다 杯を交わす. ㊁ 의명 酒や飲料を器に満たした量の単位: 杯. ¶ 술 석 ~ 酒三杯.

잔- 두 小さい·細いの意. ¶ ~돌 小石; くりいし(栗石) / ~소리를 하다 小言を言う.

잔-가시 명 魚の小骨.

잔-가지 명 小枝; こずえ(梢).

잔-걱정 명 こまごました心配事.

잔-걸음 명 ① 家の中を行ったり来たりする歩み. ② 短い道のりを往来すること. ——-치다 자 近い所を往来する.

잔고【殘高】명 残高; 残額; 残り高. ¶ ~ 대조 残高照合.

잔-고기 명 小魚; 雑魚. ¶ ~ 가시 세다《俚》小人に鈍なし.

잔광【殘光】명 残光; 残照.

잔교【棧橋】명 ① 懸け橋. ② 桟橋

잔-글씨 명 細字. 「さんばし.

잔-금 명 短い〔細い〕線〔ひび〕.

잔금【殘金】명 残金; 後金.

잔기【殘期】명 残期; 残りの期間

잔-기침 명 軽いせき(咳). 「きかん.

잔-꾀 명 浅知恵; こざか(小賢)しい策. 「上にのぼる.

잔다리-밟다 자 下の地位から段段

잔당【殘黨】명 残党. =잔도(殘徒).

잔대【盞臺】명 杯の下皿.

잔도【棧道】명 桟道; 懸け路.

잔-돈 명 ① 小銭; はし(端)た金. ¶ ~으로 바꾸다 小銭に換える. ② 釣り銭; (お)釣り; チェンジ. =우수리. ¶ ~을 거슬러 받다 おつりをもらう. ‖——-푼 명 いくらか〔若干〕の金; 小出しに使う金. ¶ ~이 생겼다 はした金が出来た.

잔-돌 명 細かい石; 小石.

진드근-하다 형 ☞ 진드근하다.

잔득-거리다 자 ☞ 진득거리다.

잔득-하다 형 ☞ 진득하다. 잔득-이 부 ☞ 진득이. 「등.

잔등-머리, 잔등-이 명 《俗》背中. =

잔디 명 芝; ローン. ¶ ~를 심다 芝を敷く. ‖——-밭 명 芝生.

잔뜩 부 いっぱい; たくさん(沢山); うんと〈俗〉. ¶ 돈을 ~ 가지고 있다 お金をうんと持っている / 밥을 ~ 먹다 飯を腹いっぱい食べる / ~ 찌푸린 날씨 どんよりした空; 泣き出しそうな空模様.

잔량【殘量】명 残量; 残りの量.

잔루【殘壘】명 残塁.

잔류【殘留】명하자 残留; 居残り. ¶ ~ 부대 残留部隊.

잔-말 명하자 無駄口; つまらない話. ¶ ~ 말고 가만 있어 無駄口たた

かずに黙れよ.
‖——-쟁이 명 よく無駄口をたたく人.
잔명【殘命】명 余命；残生.
잔무【殘務】명 残務. ¶～ 정리 残務整理.
잔-물결 명 小波；さざなみ.
잔밉다 형 とても小憎らしい.
잔-발 명 ひげね〔しゅこん〕(鬚根). ¶～이 많은 무 鬚根の多い大根.
잔-별 명 小さい星.
잔-병【—病】명 あれこれと絶え間なく病む軽い病気.
‖——-꾸러기 명 あれこれと病気の多い人. ——-치레 명하자 あれこれと病気をたびたび病むこと.
잔-부끄럼 명 はにかみ；内気.
잔-뼈 명 年少者の骨. ¶～가 굵어지다 細骨が太くなる《人の助けを受けて育つ；幼い時からある仕事をしながら大きくなる》.
잔-뿌리 명 側根；支根.
잔-사설【—辭說】명 くだらない話；無駄口. =잔사단(事端).
잔상【殘像】명 残像. ¶눈 속의 ～ 目のなかの残像.
잔생-이 부 こりるほど言うことを聞かないか, またはしきりに哀願するさま：すっかり；ひどく；ぜんぜん；てんで；まるきり；全く. ¶공부를 ～ 안 한다 勉強を全くしない.
잔서【殘暑】명 残暑；余炎.
잔설【殘雪】명 残雪.
잔-셈 명하타 細かい計算；こまごました勘定.
잔-소리 명 ①くどくどしい無駄口. ——-하다 자 無駄口をきく. ¶～하지 마라 無駄口をたたくな. ②小言. ——-하다 자 小言を言う. ¶～를 듣다 小言を食う.
‖——-꾼 명 小言の多い人；口うるさい人；やかましや.
잔-손 명 こまごました手数・てすう〔手間〕. ¶～이 많이 가는 일 手の込む仕事. ——-가다 자 手間がかかる；こまごました手間が取れる.
‖——-질 명하자타 こまごました手入れ.
잔-솔 명 小松；若松.
‖——-밭 명 小松の林.
잔-술【盞—】명 ①一杯の酒. ②コップ売りの酒.
‖——-집 명 コップ売りの酒屋.
잔-시중 명 細かい手伝い〔世話〕.
잔-심부름 명하자 身の回りのこまごました使い〔世話〕.
‖——-꾼 명 小間使い
잔액【殘額】명 残額.
잔약【孱弱】명하형 かよわい〔ひよわい〕こと.
잔업【殘業】명 残業.
‖—— 수당 명 残業手当て.
잔여【殘餘】명 残余；余り. ¶～액 残余額.
잔열【殘熱】명 ①残熱；残暑. =늦더위. ②ほとぼり；余熱.
잔염【殘炎】명 残炎；余炎；残暑. =늦더위.
잔인【殘忍】명하형스형 残忍. ¶～하기 짝이 없는 사건 残忍きわまりない事件.
잔작-하다 형 年の割りに発育が遅くひよわい.
잔잔-하다 형 (風・波・病・勢いなどがおさまって)静かだ；穏やかだ. ¶물결〔폭풍〕이 잔잔해졌다 波〔あらし〕が静まった. 잔잔-히 부 静かに；穏やかに.
잔재【殘滓】명 ざんし〔ざんさい〕(残滓) ¶구시대의 ～ 旧時代の残滓.
잔-재미 명 こまごました楽しみ〔おもしろみ〕.
잔-재주【—才—】명 小才；小細工. ¶～가 있다 小才がきく / ～를 부리다 小細工を弄する.
잔적【殘敵】명 残敵.
잔전【殘錢】명 残金.
잔존【殘存】명하자 残存. ¶～ 부수 残存部数.
‖—— 감각 명 残存感覚.
잔-주【—註】명 注釈に付けた細注.
잔-주름 명 こじわ(小皺)；細かいひだ(襞). ¶～이 잡히다 小皺が寄る.
잔-주접 명 ①(幼い時から病気がちによる)発育不全症. ②できもの《かいせん(疥癬)など》.
잔지러-뜨리다 타 ①(ひどく驚いて)身をすく(竦)む；縮みあがらせる. ②(生物が)ひどく病んで縮こまる〔な(萎)える〕.
잔지러-지다 자 ①(ひどく驚いて)身がすく(竦)む；いじける. ②(笑い声・泣き声などの)テンポが早くなる. ¶잔지러지게 웃다 笑いこける.
잔챙이 명 (多くの中で)もっとも劣る人や物；小物.
잔추【殘秋】명 残秋；晩秋. =늦가을.
잔춘【殘春】명 残春；晩春；春のなごり. =늦봄.
잔치 명 宴；宴会；祝宴；うたげ(宴)〈雅〉. ¶혼례 ～ 婚礼の祝宴 / ～를 벌이다 宴を張る.
‖잔칫-날 명 宴会日. 잔칫-집 명 宴を催す家.
잔-털 명 綿毛；産毛；にこ(和)毛.
잔품【殘品】명 残品. ¶～ 정리의 대매출 残品整理の大売り出し.
잔학【殘虐】명하형 残虐. ¶～한 범죄 残虐な犯罪.
잔해【殘骸】명 ざんがい(残骸). ¶자동차의 ～ 自動車の残骸.
잔향【殘響】명〔物〕残響.
잔-허리 명 細腰；弱腰；柳腰.
잔혹【殘酷】명 残酷. ——-하다 형 残酷だ；むご(惨〔酷〕)い. ¶～한 처사 酷い仕打ち.
잔-회계【—會計】명 こまごました勘定〔支払い〕.
잗-다랗다 형 ひどく細かい.
잗-달다 형 (やりかたが)こまごましい；けちだ；みみっちい.
잘¹ 명 くろてん(黒貂)の毛皮.
잘² 부 よく. ①正しく. ¶마음을 ～ 써라 心を正しく持て. ②うまく；上手に；立派に. ¶～ 듣는 약 よく効く薬 / ～ 썼군 よく書いたね / 그 자리를 ～ 수습하다 その場をうまく執り成す / ～ 헤는 놈 빠져 죽고 ～ 오르는 놈 떨어져 죽는다《俚》川立ち

は川で果てて木のぼりのうまい者は落ちて果てる. ③ 無事に; つつがなく; 大切に. ¶ ~ 지내고 있습니다 つつがなく暮らしています / 옷을 ~ 간수해 두다 着物を大切にしまっておく / ~ 가시오 さようなら / ~ 자랄 나무는 떡잎부터 알아본다《俚》なる木は花から違う; せんだん(栴檀)は双葉より芳し. ④ 満足に; 思う存分. ¶ ~ 잤다 ぐっすり寝った / ~ 익었다 よく熟れた. ⑤ 美しく; きれいに; 見目よく. ¶ ~ 생긴 사람 見目形の美しい人 / ~ 생겼다 顔立ちがいい; ハンサムだ. ⑥ おりおり; 時時. ¶ ~ 가곤 했었지 よく行ったものだ. ⑦ その行為が好ましい事であると言う気持ちを表わす語: ようこそ. ¶ ~ 와 주셨습니다 ようこそおいで下さいました. ⑧ よろしく. ¶ ~ 부탁합니다 よろしくお願いします. ⑨ たやすく. ¶ 허리가 아파서 ~ 구부릴 수 없다 腰が痛んでたやすく曲げられない.

잘가닥 [부][하자] ☞ 절거덕. (준) 잘각. ——거리다 [자] ☞ 절거덕거리다. ———— [부][하자] ☞ 절거덕절거덕.

잘강-거리다 [타] ☞ 질겅거리다. 잘강-잘강 [부][하타] ☞ 질겅질겅.

잘그랑 [부][하자] 薄い鉄片などがぶつかりあってなる音: ちゃらん. <절그렁. ——거리다 [자][타] ちゃらんちゃらん(音が)する. ———— [부][하자] ちゃらんちゃらん.

잘금-거리다 [자][타] ☞ 질금거리다. 잘금-잘금 [부][하자타] ☞ 질금질금.

잘깃-잘깃 [부][하형] ☞ 질깃질깃.

잘깃-하다 [형] ☞ 질깃하다.

잘끈 [부] ☞ 질끈.

잘-나다 [형] ① 偉い; 優れている. ¶ 잘난 체하다 偉そうに振る舞う / 잘난 사람이 있어야 못난 사람이 있다《俚》馬鹿があって利口が引き立つ. ② 見目よい; 器量がいい. ¶ 잘난 사나이 見目よい男.

잘다 [형] 細かい. ① 小さい. ¶ 잔 글씨 細かい字. ② 細い. ¶ 잔 뿌리 細い根; ひげね / 잘게 썰다 細かく刻む. ③ (性格が)こせこせしている; 偏狭だ; みみっちい.

잘-되다 [자] ① (物事が)よくはかどる〔運ぶ〕; よくできる. ¶ 생각보다는 잘되었다 思ったよりはよくできた. ② 成功する; 偉くなる. ¶ 잘되면 제 탓 못되면 조상 탓《俚》事がうまくいけば自分の手柄, 駄目ならば祖先のせい《失敗のもとを人のせいにしたがる人間のあさましさを言う語》.

잘똑-거리다 [자][타] ☞ 절뚝거리다. 잘똑-잘똑¹ [부][하자타] ☞ 절뚝절뚝.

잘똑-하다 [형] (ありの腰のように)深くくび(括)れている. ¶ 목이 잘똑한 꽃병 首の括れた花瓶. 잘똑-잘똑² [부][하형] ところどころ括れているさま.

잘라-먹다 [타] ① ちぎって食べる. ② (借り)倒す; 踏み倒す. ¶ 술값을 ~ 飲み代を踏み倒す. ③ (中間で)横取りする.

잘랑-거리다 [자][타] (鈴・薄い鉄片などが) 騒騒しく鳴る; ちゃらちゃらする. <절렁거리다. 잘랑-잘랑 [부][하자타] ちゃらちゃら.

잘래-잘래 [부] ☞ 절레절레.

잘룩-거리다 [자][타] ☞ 절룩거리다. 잘룩-잘룩¹ [부][하자타] ☞ 절룩절룩.

잘룩-하다 [형] くび(括)れている. ¶ 허리가 ~ 腰が括れている. 잘룩-잘룩² [부][하형] ところどころ括れているさま.

잘름-거리다 [자][타] ☞ 절름거리다. 잘름-잘름 [부][하자타] ☞ 절름절름.

잘리다 [피동] ① 貸し〔踏み〕倒される. ¶ 밥값〔술값〕을 ~ 食い〔飲み〕倒される. ② 切られる; 断たれる. ③ 首になる; 辞めさせられる.

잘-먹다 [자][타] ① 好き嫌いがなくよく食べる. ② 食生活になに不足ない.

잘못 ㊀ [명] 誤り; 間違い; 非; 落ち度; 過ち; 手抜かり; 手落ち; とが. ¶ 큰 ~ 大きな過ち / ~을 바로잡다 誤りを正す / 이 쪽에 ~이 있다 こちらに落ち度がある. ㊁ [부] 誤って; 間違えて. ¶ 형을 아우로 ~ 보다 兄を弟と見誤る / ~ 해석을 하다 解釈をし損なう / 약을 ~ 먹다 薬を飲み違える.

잘못-하다 [타] (やり・し)損なう; しくじる; 間違える. ¶ 판단을 ~ 判断を誤る / 수술을 ~ 手術をやり損なう / 계산을 ~ 計算を間違える.

잘바닥 [부][하자타] ☞ 절버덕. ——거리다 [자] 절버덕거리다. ———— [부][하자타] ☞ 절버덕절버덕.

잘박 [부] ☞ 절벅. ——거리다 [자타] ☞ 절벅거리다. ———— [부][하자타] ☞ 절벅절벅.

잘-살다 [자] ① よく生きる. ¶ 잘사는 묘목 よく生きる苗木. ② 豊かな暮らしをする. ¶ 잘사는 사람 豊かに暮らす人 / 잘살아도 내 팔자요 못살아도 내 팔자《俚》窮通おのおの命有り; 富貴貧賤天にあり.

잘-생기다 [형] 見目よい; 器量がいい.

잘쏙-거리다 [자타] ☞ 절쑥거리다. 잘쏙-잘쏙¹ [부][하자타] ☞ 절쑥절쑥.

잘쏙-하다 [형] くび(括)れている. 잘쏙-이 [부] 括れて細く. 잘쏙-잘쏙² [부][하형] ところどころ括れているさま.

잘잘¹ [부] ☞ 절절¹.

잘잘² [부] ① 引きずるさま: ずるずる. ¶ ~ 옷자락을 끌다 ずるずるとすそを引きずる. ② 油気などが表面ににじ(滲)み出て流れるさま; つややかに光るさま: つるつる.

잘-잘못 [명] 是と非; 善しあ(悪)し; 正邪. ¶ ~을 따지다 是非をただす / ~은 별문제로 치고 善し悪しは別として. ——간(間)에 [부] 善し悪しにかかわらず.

잘카닥 [부][하자] ☞ 절거덕. (준) 잘칵. ——거리다¹ [자] ☞ 절거덕거리다. ————¹ [부][하자] ☞ 절거덕절거덕.

잘카닥-하다 [형] ☞ 질커덕하다. 잘카닥-거리다² [자] ☞ 질커덕거리다. 잘카닥-잘카닥² [부][하형] ☞ 질커덕질커덕.

잘카당 [부][하자] ☞ 절거덩. ——거리다 [자] ☞ 절거덩거리다. ———— [부][하자]

절거덩절거덩.

잘칵-하다 형 ☞ 질컥하다. 잘칵-거리다² 자 ☞ 질컥거리다. 잘칵-잘칵² 부 하형 ☞ 질컥질컥.

잘-하다 타 よくする. ①正しくする; 立派にする. ②巧みにする; うまく〔上手に〕する; でかす. ¶공부를 ~ よく勉強をする / 참 잘한다 とても上手だ〔うまい〕/ 잘했다 でかした. ③ややもすれば…する; …しがちである. ¶웃기를 ~ よく笑う. ④(物事を)よくさばく.

잘-해야 부 せいぜい; たかだか; 大目に見て. ¶~ 열이 될까말까하다 せいぜい十になるかならないかだ.

잠 명 ①眠り; 睡眠. ¶~을 설치다 寝そびれる / ~을 깨다 眠りから覚める / 갓 잠들었을 때 비가 왔다 寝入りばなに雨だった / 영원한 ~에 들다 永遠の眠りにつく. ②蚕の眠り. ③かさ(嵩)張ったものに押しをきかすこと. ¶종이의 ~을 재우다 かさばらないように紙を押しつける.

잠-결 명 夢うつつ; 寝耳. ¶~에 듣다 寝耳に〔夢うつつに〕聞く.

잠-귀 명 寝耳. ——-밝다 형 寝耳がさとい. ——-어둡다 형 寝耳がにぶい. ——-질기다 형 寝耳がにぶくて寝覚めが悪い.

잠그다¹ 타 ①(戸などを)閉ざす; (錠を)かける〔おろす〕. ¶뒷문을 ~ 裏門を閉ざす. ②止める. ㉠(ボタンなどを)掛ける. ㉡(栓などを)ひねって止める. ¶수도를 ~ 水道を止める.

잠그다² 타 ①漬ける; 浸たす. ¶물에 ~ 水に漬ける. ②(先を見込んで)投資する.

ㅈ

잠기다¹ 자 ①(戸などが)締まる; 閉ざされる; (錠などが)掛かる〔下りる〕; (ボタンなどが)掛かる. ¶자물쇠가 잠긴 방 錠の掛かった部屋. ②しゃが(嗄)れる; 声がつぶれる.

잠기다² 자 ①漬かる; 浸る. ¶밭이 물에 ~ 畑が水に浸る / 짐이 바닷물에 ~ 積み荷が海水に漬かる. ②(ある事業に資本などが)死蔵される. ③ふ(耽)ける; 暮れる; 沈む. ¶추억에 ~ 追憶に耽ける.

잠깐 명부 しばら(暫)く; つか(束)のま; 暫時; しばし〈雅〉; ちょっと. ¶~ 동안의 이별 暫しの別れ/ ~ 이리 오너라 ちょっと(こっちへ)来い.

잠-꼬대 명하자 ①寝言. ¶~를 하다 寝言を言う. ②たわごと. ¶~를 늘어놓다 たわごとを並べる.

잠-꾸러기 명 (朝)寝坊.

잠두【蠶豆】명〔植〕空豆.

잠-들다 자 眠る. ①寝入る; 寝つく; 寝込む. ②死ぬ. ¶지하에 잠든 친구 地下に眠る友.

잠망-경【潛望鏡】명 潜望鏡.

잠바 (jumper) 명 ジャンパー; ブルゾン. =점퍼.

잠방이 명 ももひき.

잠-버릇 명 寝癖. ¶~이 나쁘다 寝癖が悪い.

잠복【潛伏】명 潜伏. ——-하다 자 潜伏する; 潜む; 張り込む. ¶형사가 ~하다 刑事が張り込む.

‖—— 근무 명 潜伏勤務. ——-기 명 潜伏期. ——-아 명〔植〕潜伏芽.

잠사【蠶絲】명 蚕糸.

‖——-업 명 蚕糸業.

잠상【潛商】명 やみ(闇)商い; 潜り業者.

잠상【潛像】명〔寫〕潜像.

잠수【潛水】명 潜水; 潜り; ダイビング. ——-하다 자 潜水する; 潜る. ¶물속으로 ~하다 水中に潜る.

‖——-병 명 潜水病. =케송병. ——-복 명 潜水服. ——-부 명 潜水夫. ——-함 명 潜水艦.

잠시【暫時】명부 しばら(暫)く; しば(暫)し; 暫時; 片時; 一刻. ¶~ 묵상에 잠기다 暫し黙想に耽ける / ~ 기다리세요 暫く〔少少〕お待ち下さい.

잠식【蠶食】명 [↗초잠식지(稍蠶食之)] 蚕食. ——-하다 타 蚕食する; 食い荒らす; 食い入る. ¶주위의 여러 나라를 ~하다 周囲の諸国を蚕食する.

잠언【箴言】명 しんげん(箴言); 格言; アフォリズム. ¶솔로몬의 ~ ソロモンの箴言.

잠업【蠶業】명 蚕業. =양잠업.

잠열【潛熱】명〔物〕潜熱.

잠-옷 명 夜着; 寝間着; 寝巻き; パジャマ. =자리옷.

잠입【潛入】명 潜入. ——-하다 자 潜入する; 忍び込む; 潜る. ¶적진에 ~하다 敵陣に潜入する.

잠-자다 자 眠る; 寝る. ¶잠자는 듯이 죽다 眠るが如く死ぬ / 지하에 잠자는 보물 地下に眠る財宝.

잠-자리¹ 명하자 ①寝床; 床. ¶~에 들다 床につく〔入る〕/ ~를 펴다 床を敷く. ②《俗》共寝. =동침(同寢). ¶~를 같이하다 (男女が)共寝する.

잠자리² 명〔蟲〕とんぼ(蜻蛉); あきつ. ¶~ 날개 같다 蜻蛉の羽のようだ《布の·織物などのきわめて薄くて細かい形容》. ‖—— 비행기(飛行機) 명《俗》ヘリコプター.

잠자코 부 黙然と; 黙って. ¶무엇을 물어도 ~만 있다 何を聞かれても黙りこくっている / 자네는 ~ 있어라 君は黙っていろ.

잠잠-하다【潛潛—】형 ①静かだ. ¶왠지 주변은 ~ 何故かあたりは静かである. ②黙っている; 押し黙る. ¶무엇을 물어도 잠잠하기만 하다 何をたずねても黙黙としている. 잠잠-히 부 ①静かに; ひっそり(と). ②黙りこくって; 黙黙と.

잠재【潛在】명하자 潜在. ¶~ 능력 潜在能力.

‖——-력 명 潜在力. —— 유전 명 潜在遺伝. —— 의식 명 潜在意識.

잠-재우다 타 ☞ 재우다.

잠적【潛跡】명하자 [↗잠종 비적(潛蹤祕跡)] 潜匿; 行方をくらますこと.

잠정【暫定】명 暫定. ¶~적인 조처 暫定的な処置.

‖—— 예산 명 暫定予算. —— 조약 명〔法〕暫定条約.

잠종【蠶種】 명 蚕種；蚕の種. ＝누에씨.
잠-투정 명 子供が寝入る前や目覚めてからむずかること；寝癖.
잠함【潛函】 명 潜函；ケーソン. ¶ ～식 건축법 潜函式建築法／～공법 ケーソン工法.
잠함【潛艦】 명 [↗잠수함(潛水艦)] 潜艦.
잠항【潛航】 명하자 潜航. ¶ ～정 潜航艇.
잠행【潛行】 명하자 潜行；おしのび.
잡가【雜歌】 명 ① 俗っぽい歌；俗楽. ② 正楽以外の歌；雑楽；雑曲 ； 朝鮮朝の末ごろの平民の唱曲.
잡거【雜居】 명하자 雑居. ¶ ～ 생활 雑居生活.
잡건【雜件】 명 雑件.
잡-것【雜―】 명 ① 雑品·雑物. ②《俗》みだ(淫)らな人；下品な者；げす. ¶ 시정(市井)의 ～들 巷のやから.
잡-계정【雜計定】 명 雑勘定.
잡곡【雜穀】 명 雑穀.
‖――밥 명 かてめし(糅飯). ――상(商) 명 雑穀商；雑穀屋.
잡교【雜交】 명〖生〗 雑交；交雑；かけあわせ. ＝교잡. ¶ ～ 수정 雑交受精.
잡귀【雜鬼】 명 (正体のわからない)さまざまの鬼神.
잡균【雜菌】 명 雑菌.
잡기【雜技】 명 ① 雑技；いろいろな技芸. ② 雑多なとばく(賭博).
잡기【雜記】 명하타 雑記. ¶ 신변 ～ 身辺雑記.
‖――장 명 雑記帳.
잡-년【雜―】 명 不貞な女；みだ(淫)らな女.
잡념【雜念】 명 雑念；余念. ¶ ～이 떠오르다 雑念がわく／～을 버리다 雑念を去る.
잡-놈【雜―】 명 みだ(淫)らなやつ(奴)；下品〔下劣〕な男.
잡다【雜多】 명 雑多；さまざま；よもやま. ――하다 형 雑多だ；さまざまだ. ¶ ～한 물건 雑多な品物.
잡다¹ 타 ① 取る. ㉠ (手に)握る；持つ；つかむ. ¶ 손을 잡고 인도하다 手を取って導く／붓을 ～ 筆を執る／남의 목덜미를 ～ 人の襟首をつかむ. ㉡ (権力などを)握る；つかむ. ¶ 정권을 ～ 政権を握る／천하를 ～ 天下を取る. ㉢ 抵当〔質物〕にする. ¶ 카메라를 ～ カメラを質に取る／집을 잡히고 돈을 빌리다 家を担保に入れて金を借りる. ㉣ (職場·目標などを)定める. ¶ 여관을 ～ 宿を取る／방향을 ～ 方向をとる／골라～ 選び取る. ㉤ 空間を占める. ¶ 장소를 넓게 ～ 場所を広く取る／차 사이의 거리를 충분히 ～ 車間距離を十分に取る. ㉥ 時間がかかる. ¶ 시간을 ～ 手間を取る. ㉦ 計る. ¶ 통계를 ～ 統計を取る. ② つかむ. ㉠ (欠点〔弱点〕などを)つまみ出す；握る；捕らえる. ¶ 상대의 약점을 ～ 相手の弱点を握る〔つかむ〕／남의 말꼬리를 잡고 금방 대어든다 人の言葉じりをとらえてすぐつっかかる. ㉡ ある内容を大略書き記す；証拠などを手に入れる；押さえる. ¶ 증거를 ～ 証拠をつかむ／등치는 현장을 ～ たかりの現場を押さえる. ㉢ 逮捕する；捕獲する；捕らえる；捕る. ¶ 도둑을 ～ どろぼうを捕らえる〔上げる〕／물고기를 ～ 魚を捕る. ③ (田に)水を引く. ④ 眼疾などをじゅじゅつ(呪術)でなおす. ⑤ (車を)拾う. ¶ 택시를 잡기가 어렵다 タクシーを拾うのが難しい.
잡다² 타 ① 推し量る；見積もる；概算する. ¶ 시간이 얼마나 걸릴지 잡아 봐라 時間がどのぐらい掛かるか見積もって見よ. ② 小作料などを見積もってきめる.
잡다³ 타 ① とさつ(屠殺)する；ほふる；つぶす. ¶ 소를 ～ 牛をほふる／닭을 ～ 鶏をつぶす. ② 計略を使って人を窮地に陥れる. ¶ 사람 잡을 소리 とんでもない話；人をさいなます話. ③ 鎮火する. ¶ 불을 ～ 火事を消しとめる. ④ (怒気，うわついた気持ちなどを)抑える；心を静める.
잡다⁴ 타 ① 曲がったものをまっすぐに直す；正す. ¶ 굽은 철사를 ～ 曲がったワイヤをまっすぐにする. ② (衣服に)ひだ(襞)をつける.
잡다⁵ 타 ↗잡치다.
잡담【雜談】 명 雑談；無駄話；世間話；駄弁. ――하다 자 雑談する；駄べる〈俗〉. ¶ ～으로 시간을 보내다 雑談で時間をつぶす.
잡도리 명하타 過ちのないように注意深く扱うこと.
잡동사니 명 がらくた；雑品. ¶ ～가 뒤범벅이 되어 있다 がらくたがごっちゃになっている.
잡-되다【雜―】 형 下品でみだ(淫)らだ；俗っぽい.
잡록【雜錄】 명하타 雑録. ＝잡기(雜記).
잡류【雜類】 명 雑類；卑しい者たち；取るに足りない者たち；つまらぬ仲間；下品なやから(輩)；雑輩.
잡-말【雜―】 명하자 雑言；いろいろな悪口；みだ(淫)らな話.
잡-맛【雜―】 명 持ち味以外の混じり気の味. ＝잡미(雜味).
잡목【雜木】 명 雑木；しば(柴). ¶ ～림 雑木林.
잡무【雜務】 명 雑務. ¶ ～에 쫓기다 雑務に追われる.
잡문【雜文】 명 雑文. ¶ ～을 쓰다 雑文を書く.
잡물【雜物】 명 雑物. ① 雑品. ② 不純物；混じり物.
잡배【雜輩】 명 雑輩.
잡범【雜犯】 명 雑犯.
잡병【雜病】 명 さまざまの病.
잡보【雜報】 명 雑報.
‖――란 명 雑報欄.
잡부【雜夫】 명 雑役夫. ＝잡역부.
잡부-금【雜賦金】 명 いろいろな賦課金.

ㅈ

잡비【雜費】명 雑費.
잡살-뱅이 명 がらくた；雑品.
잡상-스럽다【雜常―】형 ①いやしい；下品だ. ②乱雑だ；みだ(淫)らだ；汚らわしい.
잡-상인【雜商人】명 いろいろな物を売り歩く商人.
잡색【雜色】명 ①雑色. ¶～의 개 雑色の犬. ②さまざまの人が入り混じること.
잡서【雜書】명 雑書. ①さまざまの事を記した書物. ②価値の乏しい書物. ③図書分類上部類や所属の不明な書物.
잡석【雜石】명 規格なしに砕け出した石ころ.
‖―― 공굴 명 雑多な石を使って打ったコンクリート.
잡설【雜說】명 雑説. ＝잡소리.
잡세【雜稅】명 雑税.
잡-소득【雜所得】명 雑収入.
잡-소리【雜―】명 ① ☞ 잡말. ② ☞ 잡가(雜歌). ③ ☞ 잡음(雜音).
잡-손질【雜―】명하자타 不心要な手入れ. (준) 잡손.
잡수다 ㊀자 "먹다¹(＝耳が遠くなる)"の敬称. ¶귀를 ～ お耳が遠くなる. ㊁타 ①"먹다²(＝食べる)"の敬称：召し上がる. ¶무엇을 잡수렵니까 何を召し上がりなさいますか. ②供物を上げる. ③"올리다(＝目上に差しあげる)"の敬称.
잡수시다 타 "먹다(＝食べる)"の敬称：召し上がる. ¶많이 잡수셔요 たんと召し上がりなさい〔上がれ〕.
잡-수입【雜收入】명 雑収入.
잡술【雜術】명 詐術；術策.
잡숫다 타 ↗잡수시다.
잡-스럽다【雜―】형 みだ(淫)らで卑しい；俗っぽい；下品だ；乱雑だ；わいせつだ.
잡식【雜食】명하자타 雑食. ¶～성 동물 雑食性動物.
잡신【雜神】명 ☞ 잡귀(雜鬼).
잡아-가다 타 (犯人などを)捕らえて行く.
잡아-가두다 타 捕らえて監禁する.
잡아-내다 타 ①(中のものを外へ)引っぱり出す；つか(摑)み出す. ②(欠点などを)指摘する.
잡아-넣다 타 (犯人などを捕らえて)拘禁する；押し込める. ¶죄인을 감옥에 ～ 犯人をろうや(牢屋)に入れる.
잡아-당기다 타 引っ張る；引きよせる. ¶줄을 ～ 綱を引っ張る.
잡아-들다 ㊀자 ☞ 접어들다. ㊁타 (部屋などを)取る.
잡아-들이다 타 ①外のものをつか(摑)んで入れる；押し込める；つめ込む. ② ☞ 잡아넣다.
잡아-떼다 타 ①引き離す；もぎ取る. ②白を切る；うそぶく；言い消す.
잡아-매다 타 ①(一つにまとめて)くく(括)る；たばねる；縛る. ②(逃げないように)縛りつける. (준) 잡매다. ¶개를 ～ 犬をつな(繫)ぐ.
잡아-먹다 타 ①(動物を殺して)食べる；食う. ¶야수에게 잡아먹히다 野獣に食われる. ②(時間・費用などが)かかる；食う. ¶휘발유를 많이 잡아먹는 자동차 ガソリンを食う自動車.
잡아-죽이다 타 捕らえて殺す.
잡아-채다 타 たくる；ひったくる；ふんだくる〈俗〉. ¶가방을 ～ かばんをふんだくる.
잡아-타다 타 (自動車などを)止めて乗る；拾う.
잡업【雜業】명 雑業.
잡역【雜役】명 雑役. ＝잡일.
‖――부 명 雑役夫；下働き.
잡용【雜用】명 ①雑用. ②雑費.
잡음【雜音】명 雑音. ¶도시의 ～ 都市の雑音 / 전화에 ～이 들어오다 電話に雑音がはいる / ～을 넣다 雑音を入れる《第三者がようかい(容喙)する》.
잡인【雜人】명 ①(その場・事に) 無関の人；第三者. ②つまらない人.
잡-일【雜―】명 ☞ 잡역(雜役).
잡-젓【雜―】명 いろいろな魚で漬けた塩辛.
잡종【雜種】명 雑種. ¶～세 雑種税 / ～개 雑犬.
잡-죄다 타 ①こっぴどく追窮する；催促する；せき立てる. ②きび(厳)しく取り締まる.
잡지【雜誌】명 雑誌；マガジン.
잡채【雜菜】명 いろいろの野菜と肉類を混ぜて油でいためた料理.
잡초【雜草】명 雑草. ＝잡풀. ¶～같은 생활력으로 雑草のような生活力で.
잡치다 타 ①(事を) 仕損じる；し損なう；しくじる；失敗する；台無しにする. ¶일을 ～ 仕事をし損なう / 계획이 잡쳐버렸다 計画が台無しになった. ②気分〔感情〕を損なう. ¶기분이 잡쳤다 気分が損なった.
잡칙【雜則】명 雑則.
잡탕【雜湯】명 ①各種の野菜・肉類に色色なスパイスを入れ混ぜていためた料理；ごった煮. ②ごたごた物〔者〕.
잡-티【雜―】명 細かいほこり；いろいろのごみ.
잡-풀【雜―】명 雑草. ＝잡초.
잡혼【雜婚】명 雑婚；乱婚.
잡화【雜貨】명 雑貨；小間物.
‖――상 명 雑貨商；唐物屋〈俗〉. ¶～을 벌이다 雑貨商を開く.
잡히다¹ 피동 ①取れる. ㉠捕らわれる；つか(摑)まる；上がる. ¶범인이 ～ 犯人がつかまる / 증거가 잡히지 않다 証拠が上がらない / 물고기가 ～ 魚が捕れる. ㉡(調和・均衡などが)釣り合う. ¶균형이 ～ 均衡が取れる. ②田に水がたまる. ¶물이 가득 잡힌 논 水が充分引かれた田.
잡히다² 피동 ①とさつ(屠殺)される. ②つか(摑)まれる； 指摘される；

ㅈ

難癖などを)つけられる. ¶트집을
-言い掛かりをつけられる. ③ 鎮火
んする. ④ 落ち着く; 安定する.

히다³ 피동 ① 曲がった物が真っすぐに直される. ¶철사가 곧게 ~ ワイヤがまっすぐに伸ばされる. ② (ひだ·しわなどが)寄る; 折り目がつく.

히다⁴ 사동 ① 担保に入れる; 質に入れる. ¶시계를 잡히고 돈을 빌리다 時計を質に入れて金を借りる. ② 手でつか(掴)ませる. ¶아이한테 숟가락을 ~ 子供にさじを握らせる.

잣 명 朝鮮松の実.

잣-나무 명 朝鮮松; 五葉松.

잣-눈¹ 명 物指しの目盛り.

잣-눈² 명 (尺余も)降り積もった雪.

잣다 타 ① 紡ぐ. ② (水車·ポンプなどで)水を汲み上げる. ¶못에서 논으로 물을 자아 올리다 池から田へ水を汲み上げる.

잣-대 명 [↗자막대기] 物差し.

잣-송이 명 朝鮮松の松かさ.

잣-죽 【—粥】 명 松の実と米とをひ(碾)いて作ったかゆ(粥).

장 명 かに(蟹)などの甲の中の黄色い液体.

장 【長】¹ 명 ① 長さ. ② 長点.

장 【長】² 명 長; 頭; 首領.

장 【章】 명 章.

장 【將】 명 将. ① 将帥; 将官. ② 将棋のこま(駒)の一つ. ③ ☞ 장군².

장 【場】¹ 명 市; 市場. ¶~이 서다 市が立つ / 아침~ 朝市.

장 【場】² 명 場. ① 演劇の一場面. ¶3막 5~의 연극 三幕五場の演劇. ② 〔物〕 物体間に働く力が及ぶ空間.

장 【腸】 명 腸; はらわた.

장 【醬】 명 ① しょうゆ(醬油). =간장. ② 醬油やみそ(味噌)などの総称. ¶~을 담그다 醬油〔味噌〕を仕込む.

장 【欌】 명 たんす(簞笥)·茶だんす; 物を入れておく家具の総称.

장 【丈】 의명 丈. ① 長さの単位《十尺》. ② 約六尺程度の長さを表わす語. ¶이천 ~의 심해 二千丈の深海.

장 【張】 의명 張; 枚; 片. ¶돗자리 두 ~ ござ二枚 / 종이 열 ~ 紙十枚.

-장 【狀】 미 名詞の下に付いて証書の意を表わす語: 状. ¶표창~ 表彰状 / 신임~ 信任状 / 감사~ 感謝状.

장가 명 (妻を)めと(娶)ること. ——가다 자 (男が)結婚する. ——-들다 자 妻を娶る. ——-들이다 사동 結婚させる.

장-가스 【腸—】 〔gas〕 명 腸のガス.

장갑 【掌匣】 명 手袋. ¶가죽 ~을 끼다 革の手袋をはめる.

장갑 【裝甲】 명하타 装甲.
‖—— 부대 명 装甲部隊. —— 자동차 명 装甲自動車.

장강 【長江】 명 長江. ① 長い流れの大川. ② 揚子江.

장거 【壯擧】 명 壮挙. ¶세계 일주의 ~ 世界一周の壮挙.

장-거리 【場—】 명 市が立つにぎやかな街; 市場通り.

장-거리 【長距離】 명 長距離.
‖—— 경주 명 長距離競走. —— 전화 명 長距離電話. ——-포 명 長距離砲.

장검 【長劍】 명 長剣.

장-결핵 【腸結核】 명 腸結核.

장경 【長徑】 명 長径; 楕円形の長い直径. =긴지름.

장계 【長計】 명 長計.

장골 【壯骨】 명 力強くがっちりした大きな骨格. また, その人.

장골 【掌骨】 명 掌骨.

장공 【長空】 명 高くはるかな空.

장과 【漿果】 명 〔植〕 しょうか(漿果).

장관 【壯觀】 명 壮観. ¶실로 ~이다 実に壮観である.

장관 【長官】 명 長官《大臣に当たる》.

장관 【將官】 명 将官.

장관 【腸管】 명 〔生〕 腸管.

장광-설 【長廣說】 명 長広舌. ¶~을 늘어놓다 長広舌を振るう.

장교 【將校】 명 将校.

장구 명 〔樂〕 [←장고(杖鼓)] チャング; チャンゴ; 杖鼓《中央部のくびれた胴部の両側に皮を張ってある》.
‖—— 대가리, —— 머리 명 〈俗〉 才槌頭. ——-잡이 명 鼓手. —— 채 명 チャングを打つばち(桴). —— 통 명 チャングの胴体.

장구 【長久】 명하형하부 長久. ¶~한 역사 長い歴史.

장구 【長驅】 명하자타 長駆; 遠駆け. ¶승승 ~ 乗勝長駆.

장구 【章句】 명 章句.

장구 【葬具】 명 葬具.

장구-벌레 명 〔蟲〕 蚊の幼虫: ぼうふら.

장-국 【醬—】 명 ① すまし汁. ② みそ(味噌)汁以外の汁; おつゆ.
‖——-밥 명 汁飯.

장군 【將軍】¹ 명 将軍.
‖——-목(木) 명 (城門などのかんぬき(閂).

장군 【將軍】² 一명 (将棋で)王手. 二감 王手を掛けるときの掛け声. ——-받다 자 (王手を掛けられて)王手を防ぐ. 준 장받다. ——-부르다 자 王手を唱える〔掛ける〕. 준 장부르다.

장-금 【場—】 명 市場での相場.

장기 【長技】 명 優れた技芸; おはこ; お株; 得手; 本手; お手の物; 御家芸; 十八番. ¶주판이라면 나의 ~다 算盤なら僕のお手の物である.

장기 【長期】 명 長期.
‖——-간 명 長期間. —— 결석 명 長期欠席. —— 대부 명 長期貸し付け. —— 신용 명 長期信用. —— 예보 명 長期予報. ——-채 명 長期債. ——-화 명하자타 長期化.

장기 【將棋·將棊】 명 将棋. ¶떼고 두는 ~ 駒落ち将棋 / ~를 두다 将棋

ㅈ

を差す.

‖──-짝 명 将棋のこま(駒). ──-판(板) 명 将棋盤.

장기【臟器】명〔生〕臓器.

‖── 감각 명〔心〕臓器感覚. ＝유기(有機) 감각. ── 기생충 명 臓器寄生虫. ── 요법 명 臓器療法. ── 이식 명 臓器移植.

장-김치【醬—】명 ①しょうゆ(醬油)とキムチ. ②醬油漬けのキムチ.

장-깍두기【醬—】명 しょうゆ(醬油)漬けのカクテキ.

장-꾼【場—】명 市で物を売り買いする人.

장끼 명 おすのきじ(雉).

장난 명하자 いたずら; 遊び; 戯れ(事); やんちゃ〈俗〉; おいた〈児·女〉. ¶반 ~으로 いたずら半分(に)/운명의 ~ 運命の戯れ/~에 팔리다 遊びに夢中になる. ──-치다 자 いたずらをする; 戯れる. ＝장난하다.

‖──-감 명 おもちゃ; がんぐ(玩具); 慰み物. ──-기(氣) 명 いたずら気; ちゃき; ちゃめっ気; おどけ. ──-꾸러기 명 いだずらっ子; いたずら坊主〔小僧〕; ちゃめっ子. ──-꾼 명 いだずら好きの人.

장-날【場—】명 市日.

장남【長男】명 長男; 長子; 総領息子. ＝맏아들. ¶~으로 태어나다 長男に生まれる.

장내【場內】명 場内. ¶~ 금연 場内禁煙.

장녀【長女】명 長女. ＝맏딸.

장년【壯年】명 壮年; 壮齢. ¶~ 시대 壮年時代.

장뇌【樟腦】명 しょうのう(樟脳).

‖──-유 명 樟脳油.

장닉【藏匿】명하타 蔵匿.

장님 명 “視覚障害人の”尊称; 盲者; 盲人.

장다리 명 大根·白菜などの花をつける茎.

‖──-무 명 採種用の大根.

장단【長短】명 ①長短. ㉠長いものと短いもの. ㉡長所と短所. ¶~을 재다 長短を測る/~을 서로 보완하다 長短を相補なう. ②(音楽などの)拍子; 調子. ──-맞추다 자 ①拍子を取る; 調子を合わせる. ②気を高める. ──-치다 자 調子を取って鼓などを打ち鳴らす; 調子に乗せる.

‖──-점(點) 명 長所と短所.

장담【壯談】명하타 壮語. ¶호언 ~하다 大言壮語する.

장대【壯大】명하형 壮大. ¶~한 사원 壮大な寺院.

장-대【長—】명 さお(竿).

‖──-높이뛰기 명 棒高跳び. ──도둑 명 竿を使って物を盗み取る泥棒.

장대【長大】명하형 長大.

장도【壯途】명 壮途. ¶~에 오르다 壮途に就く.

장도【壯圖】명 壮図; 雄図.

장도【粧刀】명 ☞ 장도칼.

‖──-칼 명 (保身または装身用の)さや(鞘)付きの小刀.

장도리 명 くぎ(釘)抜き. 「

장독【杖毒】명 刑杖で打たれた

장-독【醬—】명 しょうゆ(醬油)やみ(味噌)などを醸造または貯蔵するかめ.

‖──-간(間) 명 “장독”の置き場. ──-대 명 “장독”の置き場としての高台. ──-받침 명 “장독”の置き台.

장-돌뱅이【場—】명 各地の市場を歩き回りながら物を売る商人; 旅あきんど.

장-되【場—】명 市場で用いるます. ＝시승(市升).

장등【長燈】명하자 ①一晩中ともしび(灯火)をつけておくこと. ②〔佛〕仏前に火をとも(灯)すこと.

장딴지 명 膨らはぎ(脛); こむら.

장-떡【醬—】명 しょうゆ(醬油)やとうがらし(唐辛子)のみそ(味噌)を入れて作ったお好み焼き.

장래【將來】명 将来; 先; 先先; 先行き; 末; 末末; 行く先; 行く末. ¶가까운 ~ 近い将来/~가 염려되다 先が思いやられる; 行く先が心配である/~가 촉망되다 末頼もしい.

‖──-성 명 将来性; 見込み; 見所; ¶~이 있는 청년 見込みのある青年.

장려【壯麗】명하형 壮麗.

장려【獎勵】명하타 奨励. ¶저축을 ~하다 貯蓄を奨励する.

‖──-금 명 奨励金; 奨金.

장력【張力】명〔物〕張力. ¶표면 ~ 表面張力.

장렬【壯烈】명하형히부 壮烈. ¶~한 최후를 마치다 壮烈な最後を遂げる.

장례【葬禮】명 葬儀; 葬式.

‖──-식(式) 명 ☞ 장식(葬式).

장로【長老】명 長老.

‖──-교(敎) 명 長老教会; 長老派; プレスビテリアン.

장롱【欌籠】명 たんす(簞笥). ¶오동나무 ~ 総桐だんす.

장르〔프 genre〕명 ジャンル.

장리【長利】명 ①(穀物の貸借で)年利五割の利息. ②長さ·数量などが元の一·五倍であること.

‖──-벼 명 年利五割で貸借するもみ(籾).

장림【長霖】명 長雨.

장마 명 長雨; 梅雨; 五月雨. ¶~ 전선 梅雨前線. ──-지다 자 長雨になる.

‖──-철 명 梅雨期; つゆ時. 장맛-비 명 つゆ時の雨.

장막【帳幕】명 とばり(帳·帷); カーテン. ¶저 ~은 아주 화려하다 あのカーテンはとても華やかである.

장만 명하타 ①作る〔ととのえる〕こと. ②(買い入れるかこしらえて)備えること; 用意; 仕度. ¶침구를 ~하다 寝具を用意する.

장면【場面】명 場面; シーン; 幕. ¶극적인 ~ 劇的(な)シーン/슬픈

~에 부닥치다 悲しい場面にぶつかる.　「き.
장명【長命】명 하형 長命; ながい
장모【丈母】명 義母; 妻の母.
장문【長文】명 長文.
장문【掌紋】명 掌紋.
장-물【醬―】명 ①しょうゆ(醬油)を溶いた水. ②醬油を醸すときに使う塩水.
장물【贓物】명 ぞうぶつ(贓物); 贓品; 盗品.
‖── 취득죄(取得罪) 명〔法〕贓物故買罪. ──-아비 명 "贓物を買い入れる人"の俗称. ──-죄 명 贓物罪. 준 장죄(贓罪).
장물【臟物】명 (魚などの)内臓.
장미【薔薇】명 ばら(薔薇); ローズ.
‖──-꽃 명 薔薇(の花). ──-유 명 薔薇油. 장밋-빛 명 ばら色. ¶~ 인생 ばら色の人生.
장-바구니【場―】명 [↗시장 바구니] 買い物かご.
장-바닥【場―】명 市場.
장발【長髮】명 長髪. ¶~족 長髪族. ‖──-승 명 長髪僧; 髪をのばした僧.
장방-형【長方形】명 長方形; くけい(矩形). =직사각형.
장벽【長壁】명 長い城壁.
장벽【腸壁】명〔生〕腸壁.
장벽【障壁】명 障壁; じゃま; 妨げ. ¶양국 간의 ~ 両国間の障壁 / ~을 둘러치다 障壁をめぐらす.
장-변【場邊】, 장-변리【場邊利】명 市場で貸借する金の利息《普通五日間単位で利息を計算する》. =장도지(場賭地).
장병【長病】명 長病み; 長患い.
장병【將兵】명 将兵; 将卒.
장-보다【場―】자 ①市場であきないをする. ②品物を売る〔買い物をする〕ため市場に行く.
장복【長服】명 하타 (薬などを)長期にわたって服用すること.
장본-인【張本人】명 張本人. ¶소동의 ~ 騒動の張本人.
장부 명〔建〕ほぞ(枘).
‖──-촉(鏃) 명 枘の端. 장붓-구멍 명 枘穴.
장부【丈夫】명 ますらお(丈夫); 一人前の男子. ¶~ 일언이 중천금(重千金) ますらおの一言は千金の重みを持つ.
장부【帳簿】명 하자 帳簿. ¶매출액을 ~에 기입하다 売り上げ高を帳簿につけこむ.
‖──-끝 명 ①帳簿の記入の端. ②精算の結果; 帳尻.
장부【臟腑】명 [↗오장 육부(五臟六腑)] ぞうふ(臟腑); はらわた.
장-부르다【將―】자 ↗장군 부르다.
장비【裝備】명 하타 装備. ¶근대적 ~를 갖추다 近代的装備を整える.
장-뼘【長―】명 親指と中指を最大限に開いた長さ.
장사 명 商売; 商い; 商業.
──-하다 자 商売する; 商う. ¶~ 밑천 商売の元手 / ~의 요령 商売のこつ / ~가 잘 되다 商売がうまくいく / ~가 거덜나다 商売があがったりである / ~가 잘 안 된다 商売が左向きである.
‖──-꾼 명 ①商才に長けた人. ②商人; あきんど. =장사아치. ¶타고난 ~ 根からの商人 / 저 사람은 ~ 냄새가 난다 あの人は商人臭い. ──-치 명 商人の卑語. 장삿-길 商売の道; 商売にでかける道. =상로(商路). 장삿-속 명 ①商売のこつ. ②(商人の)打算的なもくろみ.
장사【壯士】명 ①雄雄しい人; 怪力の人; 豪傑. ②☞ 역사(力士).
장사【將士】명 将士. =장졸(將卒).
장사【葬事】명 하타 葬儀; 葬式.
──-지내다 타 葬式を行なう. ¶유해를 정중히 ~ 遺骸を丁重に葬る.
장사-진【長蛇陣】명 長蛇の陣.
장살【杖殺】명 하자〔史〕刑罰として杖で打ち殺すこと.
장삼【長衫】명 しえ(緇衣); ねずみ色がかった黒の僧衣.
장상【將相】명 将相; 将帥と宰相.
‖──지-재(之材) 명 将相の材.
장상【掌上】명 掌上; てのひらの上.　「たち.
장상【掌狀】명 掌状; てのひらのか
장상【藏相】명 蔵相; 大蔵大臣.
장색【匠色】명 職人; 職方. =장인(匠人). ¶떠돌이 ~ 渡り職人.
장생【長生】명 하자 長生き; 長生.
‖── 불사 명 하자 長生不死.
장서【長逝】명 하자 長逝; 永眠. =영서(永逝).
장서【藏書】명 蔵書. ¶~ 목록 蔵書目録 / ~가 蔵書家 / ~를 처분하다 蔵書を手放す.
‖──-판 명 蔵書版. ──-표 명 蔵書票; エクスリブリス.
장-서다【場―】자 市が立つ.
장성【長成】명 하자 成長して大人になること.　「里の長城.
장성【長城】명 長城. ¶만리 ~ 萬
장성【將星】명 将星; 将軍. ¶죽 늘어선 ~ 居並ぶ将星.
장-세우다【場―】타 市場を設ける.
장소【場所】명 場所; 場; 所. ¶~가 ~인 만큼 場所が場所だけに / ~를 차지하다 場所を取る.
장손【長孫】명 嫡孫. =맏손자.
장-손녀【長孫女】명 嫡子の長女. =맏손녀.
장송【長松】명 大きい松の木.
장송【葬送】명 하자 葬送〔送葬〕; 野辺の送り.
‖──-곡, ── 행진곡 명 葬送曲; 葬送行進曲; フューネラルマーチ.
장수 명 商人; あきうど; あきんど. ¶집 ~의 집 建売りの家.
장수【長壽】명 하자 長寿; 長命; 長生き. ¶그는 꽤 ~했다 彼はかなり長生きした.
장수【將帥】명 将帥; 大将.

장-수【張數】명 枚数. ¶표의 ~를 세다 切符の枚数を数える.
장승【長—】명 ①村の守りとして村の入口に立てる男女一対の木像. ②背丈の高い人を指す語: のっぽ. ¶~만하다 雲を突く程高い.
장시【長時】, 장-시간【長時間】명 長時; 長時間. ¶~ 기다렸다 長時間待った.
장-시세【場時勢】명 市場での値段〔相場〕. =장금.
장-시일【長時日】명 長時日.
장식【葬式】명 葬式. =장례식.
장식【裝飾】명 装飾; 飾り付け; しつら(設)い. ——-하다 타 装飾する; 飾る; 飾り付ける; 彩る; しつらいをする. ¶~품 装飾品 / 객실의 ~ 客間の飾り.
‖——-물 명 装飾物; 飾り物. ——미술 명 装飾美術. ——-음 명 装飾音. ——-품 명 装飾品.
장신【長身】명 長身; 長軀. ¶~의 사나이 長身の男.
장신-구【裝身具】명 装身具; 装具; アクセサリー. ¶~를 달다 装身具を着ける.
장심【掌心】명〔生〕手のひらや足裏の中心部.
장아찌 명 ①千切りにした大根·きゅうりなどをしょうゆ(醬油)·赤みそ(味噌)などに漬けたおかず. ②白菜·せり(芹)などを塩漬けした後, 醬油をかけて調味したおかず.
장악【掌握】명하타 掌握. ¶정권을 ~하다 政権を掌握する.
장안【長安】명 ソウル《首都の別称》. ¶~의 화제가 되다 満都の話題をさらう.
장-암【腸癌】명〔醫〕腸がん.
장애【障礙·障碍】명 障害; 障り; 妨げ. ¶위장 ~를 일으키다 胃腸障害を起こす / 통행에 ~가 되다 通行の妨げとなる.
‖—— 경주, ——물 경주 명 障害競走; 障害物競走; ハードル競走. ——-물 명 障害物.
장액【腸液】명 腸液.
장액【漿液】명 しょうえき(漿液).
장야【長夜】명 長夜; 長い夜.
장약【裝藥】명하타〔軍〕装薬.
장어【長魚】명 うなぎ(鰻). =뱀장어. ¶~ 구이 (うなぎの)かば(蒲)焼き / ~ 덮밥 うなぎどんぶり(鰻丼).
장언【壯言】명하자타 壮言.
장엄【莊嚴】명하형히부 荘厳. ¶~한 의식 荘厳な儀式.
장염【腸炎】명〔醫〕腸炎.
‖—— 비브리오 명〔醫〕腸炎ビブリオ.
장-염전증【腸捻轉症】명〔醫〕腸捻転症.
장옷 명〔史〕女性が外出の時, 顔をかくすため頭からかぶった覆い物.
‖——-짜리 명 "장옷"をかぶって歩く女を卑しんで言う語.
장외【場外】명 場外. ¶~ 호머 場外ホーマー.
‖—— 거래(去來) 명〔經〕場外取引.

장-운동【腸運動】명〔生〕腸運動.
장원【壯元】명하자 ①〔史〕科挙(で)首席合格すること. また, その人. ②寺子屋で文章にもっとも長けた者.
‖—— 급제(及第) 명하자 (科挙での)首席合格. 「荘
장원【莊園】명〔史〕荘園〔庄園〕.
장-유【長幼】명 長幼.
‖—— 유서(有序) 명 長幼序有り.
장육【醬肉】명 ☞ 장조림.
장음【長音】명〔言〕長音.
‖——-부 명 長音符.
장-음계【長音階】명〔樂〕長音階.
장의【葬儀】명 葬儀; 葬式.
‖——-사 명 葬儀社. 「チ.
장-의자【長椅子】명 長椅子; ベン
-장이【匠—】미 匠人の意を表わす語. ¶미~ 左官.
장인【丈人】명 妻の父; 義父; 岳父.
장인【匠人】명 職人; 匠人; たくみ(匠)〈雅〉.
장자【長子】명 長男. =맏아들.
장자【長者】명 長者. ①大人; 目上·年上の人. ②徳のある人. ③富豪; 金持ち. ¶백만 ~가 되다 百万長者になる.
‖—— 풍도(風度) 명 長者の風度.
장작【長斫】명 薪; まき(薪). ¶~을 피우다 薪をくべる.
‖——-개비 명 割った薪. ——-불 명 燃える薪の火.
장장【葬場】명 葬儀場.
장-장이【欌匠—】명 指物師; たんすなどを作る職人.
장재【將材】명 大将になり得る人材.
장전【裝塡】명하타 装塡. ¶탄약을 ~하다 弾薬を装塡する〔こめる〕.
장절【壯絶】명하형히부 壮絶.
장-절【章節】명 章節. ¶저서를 ~로 나누다 著書を章節に分ける.
장점【長點】명 長所; 長点; メリット. ¶~을 살리다 長所をいかす.
장-점막【腸粘膜】명 腸粘膜.
장정【壯丁】명 壮丁. ¶~을 모아 훈련시키다 壮丁を集めて訓練する.
장정【長征】명하자 長征.
장정【長程】명 長程.
장정【章程】명 章程; おきて.
‖—— 규칙 명 章程と規則.
장정【裝幀】명하타 装丁〔装訂〕. =장황(粧潢). ¶내용에 걸맞게 ~하다 内容にふさわしく装丁する.
장-제【葬祭】명 葬儀と祭祀.
장조【長調】명〔樂〕長調. ¶라~ ニ長調.
장-조림【醬—】명 牛肉をしょうゆ(醬油)で煮詰めたおかず.
장-조카【長—】명 長兄の長男; 一番上のおい(甥). =장질(長姪).
장족【長足】명 長足. ¶~의 진보 長足の進歩.
장-졸【將卒】명 将卒; 将兵.
장죽【長竹】명 長いキセル.
장중【莊重】명하형히부 荘重. ¶~한 의식 荘重な儀式.
장중【掌中】명 掌中; 手中.

‖——-물(物) 명 自分が持っている物. —— 보옥(寶玉) 명 掌中の玉.
장지【壯志】명 壮志.
장지【長指】명 ☞ 가운뎃손가락.
장지【葬地】명 葬地; 埋葬地.
장지【障—】명 障子. ¶ ~를 바르다 障子を張る.
‖——-문(門) 명 桟に紙を張った戸. ——-틀 명 障子をはめる枠.
장질【長姪】명 ☞ 장조카.
장-질부사【腸窒扶斯】명 '腸チフス'の音訳.
장-짠지【醬—】명 ゆでたきゅうりや白菜をしょうゆ(醬油)で煮詰めていろいろな調味料を加えたのち醬油に漬けたおかず.
장차【將次】부 今から先; 将来; 今後. ¶ ~ 어떻게 할 작정인가 今後どうするつもりなのか.
장-차다【長—】형 ① まっすぐで長い. ② 長くて遠い.
장착【裝着】명하타 装着. ¶ 애쿼렁을 ~하다 アクアラングを装着する.
장창【長槍】명 ① 長槍; 4mぐらいの長いやり(槍). ②〔史〕兵卒が槍をもってする武芸.
장처【長處】명 長所; 美点.
장천【長天】명 遠くて広い空.
장천【長川】명 ↗주야(晝夜) 장천.
장총【長銃】명〔軍〕長銃; ライフル.
장취【長醉】명하자 長酔; 酒浸り. ¶ ~의 생활 酒浸りの生活.
‖—— 불성(不醒) 명하자 酒に酔ってさ(醒)めないこと.
장치【裝置】명 装置; しつらえ; 仕掛け. ——-하다 타 装置する; しつらえる; 仕掛ける. ¶ 무대 ~ 舞台装置 / 교묘한 ~가 되어 있다 うまい仕掛けがしてある.
‖—— 산업 명 装置産業.
장치【藏置】명하자 物をしまって置くこと.
장침【長枕】명 上体を斜めにしてひじ(肘)をつくようにした長い枕.
장침【長針】명 長針. ① 長い針. ② (時計の)長針; 分針.
장-카타르【腸—】〔도 Katarrh〕명〔醫〕腸カタル. =장염(腸炎).
장쾌【壯快】명하형히부 壮快. ¶ 스키 활강은 ~하다 スキーの滑降は壮快である.
장타【長打】명〔野〕長打; ロングヒット. ¶ ~력 長打力.
장-타령【場打令】명 物乞いが門前や市場などで歌う俗っぽい歌.
‖——-꾼 명 "장타령"を歌いながら物乞いをする者〔こじき(乞食)〕.
장탄【裝彈】명하자 装弾. ¶ ~ 장치 装弾装置.
장-탄식【長嘆息】명하자 長嘆; 長大息. ¶ 그 일을 생각하면서 ~하다 その事を思い浮かべながら長大息する / 절망하여 ~하다 絶望して長嘆する.
장-터【場—】명 市場; 市が立つ場所.
장-티푸스【腸】〔typhus〕명〔醫〕腸チフス.
장파【長波】명〔物〕長波; キロメートル波《略号: LF》.
장판【壯版】명 ① 油紙を張った温突の床. ② ☞ 장판지.
‖——-방(房) 명 "장판지"を張ったオンドル部屋. ——-지(紙) 명 オンドルの床に張る厚い油紙.
장-판【場—】명 ① 市の立つ場所. ② 人込みのする所.
장편【長篇】명 長編.
‖—— 소설 명 長編小説.
장편【掌篇】명 掌編; ごく短い文芸作品.
‖—— 소설 명 コント.
장-폐색증【腸閉塞症】명〔醫〕腸閉塞症; 腸不通症.
장품【贓品】명 贓品; 贓物.
장-하다【壯—】형 ① 立派だ; あっぱれだ; 盛んだ. ¶ 장한 어머니 気丈な母 / 장한 전사 あっぱれの戦死. ② 殊勝だ; けなげだ; 奇特だ; 雄雄しい. ¶ 장한 어린이 殊勝な子. 장-히 부 立派に; けなげに; 盛んに.
장학【奬學】명하자 奨学.
‖——-금 명 奨学金. ——-사 명 奨学士. ——-생 명 奨学生.
장한【壯漢】명 壮漢; 背丈高く強い男.
장한【長旱】명 長いかんばつ(旱魃).
장한【長恨】명 長恨; 長く忘れられないうらみ.
장해【障害】명하타 ☞ 장애(障碍).
장행【壯行】명하타 壮行.
‖——-회 명 壮行会.
장-협착【腸狹窄】명 腸狭窄.
장형【杖刑】명〔史〕杖刑《五刑の一つ》; 杖.
장형【長兄】명 長兄.
장화【長靴】명 長靴; ブーツ.
장황【張皇】명 冗漫; 冗長. ——-하다 형 冗漫〔冗長〕だ; 長たらしい; くどくどしい. ¶ ~한 연설 長たらしい演説. ——-히 부 冗漫〔冗長〕に; 長長と; くどくどと. ¶ 불평을 ~ 늘어놓다 不平をくどくど(と)述べる.
장-흥정【場—】명하타 市場でのかけ引き.
잦다¹ 자 (熱などのために)乾く; 干からびる.
잦다² 자 (後ろに)反る.
잦다³ 형 頻繁だ; しき(頻)る; しばしばである. ¶ 잦아지다 しげ(繁)くなる / 사람의 왕래가 ~ 人通りが激しい / 비가 ~ 雨が頻繁に降る.
잦-뜨리다 타 (あたまを)後ろに反り返る. <젖뜨리다.
잦바듬-하다 형 ① (仰向けに)倒れんばかりに後ろに反り返っている. ② 後ずさり〔しり込み〕をしそうだ. <젖버듬하다. 잦바듬-히 부 ① (後ろに倒れんばかりに)反って. ② 後ずさり〔しり込み〕をしそうに.
잦아-들다 자 水が乾いてだんだん少なくなる; かれる.
잦아-지다 자 水分が乾いてだんだん無くなる; 乾いて行く.
잦은 가락 명 テンポの速い歌.
잦은 걸음 명 足早; 早足.
잦은 장단【—長短】명 速い拍子.

ㅈ

잦추다 타 しきりにせ(急)く; せ(急)き立てる.
잦-추르다 타 続けざまにせ(急)き立てる; しきりに催促する.
잦혀-놓다 타 ☞ 젖혀놓다.
잦히다[1] 타 煮え立つ飯を弱い火でむらす.
잦히다[2] 타 ☞ 젖히다.
재[1] 명 灰. ¶담뱃~ 煙草の灰 / 죽어 ~가 된다 死んで灰に〔と〕なる.
재[2] 명 峠. ¶~를 넘어 가다 峠を越えて行く.
재【齋】 명 ①〖佛〗法事; 供養. ¶~를 올리다 法事を営む. ② ↗재계(齋戒).
재-【再】 두 再. ¶~감염 再感染.
재-【在】 두 在. ¶~일본 在日本.
재가【在家】 명하자 ① 在宅. ②〖佛〗在家.
‖——계(戒) 명〖佛〗在家の戒《三戒の一つ》. ——승(僧) 명 在家僧.
재가【再嫁】 명하자 再嫁; 再縁; 再婚.
재가【裁可】 명하타 裁可. ¶사장의 ~를 바라다 社長の裁可を仰ぐ.
재간【才幹】 명 才幹; 才能. ¶~이 뛰어나다 才幹がすぐれている.
재간【再刊】 명하타 再刊. ¶잡지를 ~하다 雑誌を再刊する.
재갈 명 くつわ(轡); はみ(馬銜). ¶~을 물리다 はみをかませる. —(을) 먹이다 구 くつわをはめる.
재감【在監】 명하자〖法〗在監. ¶~중이다 在監中である.
‖——자 명 在監者. =재소자.
재강 명 酒かす.
재개【再開】 명하타 再開. ¶교섭을 ~하다 交渉を再開する.
재-개발【再開發】 명하타 再開発. ¶도심의 ~ 都心の再開発.
재개봉-관【再開封館】 명 二番館.
재건【再建】 명 再建. ——하다 타 再建する; 建〔立〕て直す. ¶국가~의 길 国家再建の道 / 조직을 ~하다 組織を建て直す.
재-검토【再檢討】 명하타 再検討. ¶원안을 ~하다 原案を再検討する.
재결【裁決】 명하타 裁決. ¶~을 내리다 裁決を下す.
‖—— 신청 명〖法〗裁決申請.
재-결합【再結合】 명하자 再結合. ¶그들은 마침내 ~하였다 彼等は遂によ(撚)りを戻した.
재경【在京】 명하자 在京. ¶~ 동창회 在京同窓会.
재경【財經】 명 財経; 財政と経済. ¶~ 위원회 財経委員会.
재계【財界】 명 財界. ¶~의 움직임 財界の動き / ~를 주름잡는 인물 財界を牛耳る人物.
재계【齋戒】 명하자 さいかい(斎戒). ¶목욕 ~ 沐浴斎戒.
재고【再考】 명하타 再考; 再思. ¶~의 여지가 없다 再考の余地が無い.
재고【在庫】 명 在庫. ¶~ 정리 대매출 棚ざらえ大売出し / ~를 조사하다 在庫を調べる.
‖——품 명 在庫品.

재교【再校】 명하타〖印〗再校.
재교【在校】 명 在校. ¶~생 전원 在校生全員.
재-교부【再交付】 명하타 再交付.
재-교육【再教育】 명하타 再教育. ¶일선 교사들의 ~ 一線教員たちの再教育.
재-군비【再軍備】 명하자 再軍備. ¶~에 광분하다 再軍備に狂奔する.
재귀【再歸】 명하자 再帰.
‖—— 대명사 명〖言〗再帰代名詞. —— 동사 명 再帰動詞. ——열 명 再帰熱.
재규어 〔jaguar〕 명〖動〗ジャガー.
재기【才氣】 명 才気. ¶~ 발랄 才気煥発〔はつらつ(潑剌)〕.
재기【才器】 명 才器; 才知と器量. ¶범용하지 않은 ~ 凡庸ならぬ才器.
재기【再起】 명하자 再起.
‖—— 불능 명 再起不能.
재깍[1] 부하자 固いものが折れるかまたはぶつかる時の音やそのさま: ぱちん; がちん; こつん; かち. ¶자물쇠가 ~하고 잠기다 錠前ががちんと閉まる. ——거리다 자 ①しきりにぱちん〔がちん; かちかち〕と音をたてる. ———— 부 こつんこつん; がちんがちん; かちかち.
재깍[2] 부 物事を素早くかたづけるさま: びんしょう(敏捷)に; 手早く. <제꺽. ———— 부 さっさと; てきぱきと; はきはきと.
재난【災難】 명 災難; 災い. ¶뜻하지 않은 ~ 不慮の災難.
재-넘이 명 山おろし; 山背(風); 高嶺おろし. ¶~가 세차게 불다 山おろしが吹きまくる.
재녀【才女】 명 才女; 才媛.
재능【才能】 명 才能; 才. ¶비범한 ~ 非凡な才能 / ~을 키우다 才能を伸ばす.
재다[1] 一타 ① 寸法·長さ·高さなどを計〔測〕る. ¶높이를 ~ 高さを計る / 혈압을 ~ 血圧を計る / 자로 ~ 尺を取る〔当てる〕/ 옷을 ~ 着物を指〔差〕す. ② うかがい見る; 見はからう. ¶뒤를 ~ 後を探る. ③ (弾薬を)装塡する. ¶탄환을 ~ 弾丸を込める. ④ 事の前後を推し量る. 二자《俗》威張る; 傲慢ぶる; もったいぶる. ¶저 재는 꼴이 가관인데 あのうぬぼれた格好は見られたもんじゃないな.
재다[2] 타 ↗재우다.
재다[3] 타 ↗쟁이다.
재다[4] 형 ① (動作が)速い; 敏捷だ. ¶걸음이 ~ 足が速い / 잰 놈이 뜬 놈만 못하다《俚》早きは宜しうして失あり遅きは悪しうして失なし. ② (物が)たやすく温まる. ③ 口早だ. ¶입이 ~ 口が早い.
재단【財團】 명 財団. ¶록펠러 ~ ロックフェラー財団.
‖—— 법인 명 財団法人.
재단【裁斷】 명 裁断. ① 裁き. =재결(裁決). ——하다 타 裁断する; 裁く. ② 布·紙などを型に合わせて

ㅈ

断つこと. ＝마름질. ——-하다 타 裁断する; 裁つ. ¶ 양복의 ～ 洋服の裁断. ‖——-사 명 裁断師.

재담【才談】명 機知のある〔才知に富む〕面白い話.

재-당선【再當選】명 하자 再度の当選. ㊟ 재선(再選).

재덕【才德】명 才徳. ¶ ～을 겸비한 부인 才徳兼備の婦人.

재독【再讀】명 하타 再読. ¶ ～할 가치가 있는 책 再読の価値ある本.

재-돌입【再突入】명 再突入.

재동【才童】명 才童.

재-두루미 명〔鳥〕まなづる(真鶴·真名鶴).

재-떨이 명 灰皿; 灰落とし.

재랄 명 하자《卑》☞ 지랄.

재래【在來】명 在来; 従前. ¶ ～의 풍습 在来の風習.
‖——-종 명 在来種.

재래【再來】명 하자 再来. ¶ 불황의 ～ 不況の再来 / 그리스도의 ～ キリストの再来.

재략【才略】명 才略. ① 才知と策略. ¶ ～이 뛰어나다 才略にたける. ② 才知のある計略. ¶ 남의 ～에 걸려들다 他人の才略にかかる.

재량【才量】명 才量; 才気と度量.

재량【裁量】명 하타 ① 裁量. ¶ 너의 ～에 맡긴다 君の裁量にまかせる. ② ↗자유 재량.

재력【才力】명 才力; 才知と能力. ＝재능(才能).

재력【財力】명 財力. ¶ ～으로 정치에 간섭하다 財力によって政治に干渉する.

재록【再錄】명 하타 再録.

재론【再論】명 하타 再論. ¶ ～할 여지가 없다 再論の余地が無い.

재롱【才弄】명 스형 茶目. ——-떨다 자 ☞ 재롱부리다. ——-부리다 자 茶目っ気で人を笑わす.
‖——-둥이 명 茶目っ子.

재료【材料】명 材料; 元種; マチエール. ¶ 건축 ～ 建築材料.
‖—— 역학 명 材料力学.

재류【在留】명 하자 在留. ¶ 동포가 ～하고 있다 同胞が在留している / ～민이 많다 在留人が多い.

재림【再臨】명 하자 再臨. ¶ 그리스도의 ～ キリストの再臨.

재목【材木】명 ① 材木; 木材. ¶ ～을 베어 내다 材木を切り出す. ②(ある職分にふさわしい)人材〔人物〕. ¶ 유용한 ～ 有用の材.
‖——-상 명 材木商.

재무【財務】명 財務.
‖——-관 명 財務官. ——-부 명 財務部《大蔵省に当たる》. —— 제표 명 財務諸表.

재-무장【再武裝】명 하자 再武装.

재묻은-떡 명〔民〕みこ(巫女)の"굿"に供えてから下ろしたもち(餅).

재물【財物】명 財物. ¶ ～을 절취하다 財物を窃取する.

재미 명 스형 おもしろみ; おもしろさ; 興味; 楽しみ. ¶ 전혀 ～가 없다 全くおもしろくない / 독서의 ～를 모른다 読書の楽しみを知らない. ——-나다 자 おもしろみがある; 興味が起こる; 楽しみが生じる. ——-없다 형 おもしろくない. ¶ 재미없는 소문 おもしろくない評判. ——-있다 형 おもしろい. ¶ 재미있어하다 おもしろがる / 여행은 재미있었다 旅行はおもしろかった / 무척 ～ 大変おもしろい.

재민【在民】명 在民. ¶ 주권 ～ 主権在民.

재민【災民】명 ↗이재민(罹災民).

재-바르다 형 敏捷だ; すばしこい; すばやい. 〃재빠르다.

재발【再發】명 하자 再発. ¶ 병이 ～하다 病気が再発する.

재-발견【再發見】명 하타 再発見.

재배【再拜】명 하자 再拝. ¶ 돈수 ～ 頓首再拝.

재배【栽培】명 하타 栽培. ¶ ～ 어업〔식물〕栽培漁業〔植物〕/ 꽃을 ～하다 花を栽培する.

재-배치【再配置】명 하타 再配置.

재벌【財閥】명 ① 財閥. ¶ 신흥 ～ 新興財閥 / ～ 해체 財閥解体. ②〔經〕コンツェルン.

재범【再犯】명 하타 再犯.

재벽【再壁】명 하자〔建〕壁の上塗り.

재변【才辯】명 才弁.

재변【災變】명 災変.

재보【財寶】명 財宝.

재-보험【再保險】명 再保険.

재-복무【再服務】, **재-복역**【再服役】명 하자 再び軍人として服務すること.

재봉【裁縫】명 하타 裁縫; おはり; 針仕事. ¶ ～을 배우다 裁縫を習う.
‖——-사(師) 명 仕立て屋. ——-사, ——-실 명 ミシン用の糸. ——-틀 명 ミシン. ¶ 발～ 足踏みミシン / 손～ 手回しミシン.

재-빠르다 형 すばや(素早)い; 手早い; はしこい; すばしこい; 敏捷だ. ¶ 사태의 변화에 재빠르게 대응하다 事態の変化にすばやく対応する. 재-빨리 부 すばやく; いちはや(逸早·逸速)く; 敏捷に; すばしこく. ¶ ～ 일을 해치우다 手早く仕事を片付ける / 사고 발생과 동시에 ～ 달려가다 事故の発生と同時にすばやく駆け付ける.

재사【才士】명 才子; 才人; 才物; 才知に長けた人.

재사【在社】명 하자 在社. ¶ ～ 20년 在社二十年.

재산【財産】명 財産; 富. ＝천량. ¶ 지식은 무형의 ～이다 知識は無形の財産である / 대단한 ～이다 大した身上である.
‖——-가 명 財産家. ——-권 명 財産権. —— 목록 명 再産目録. —— 상속 명〔法〕財産相続. ——-세 명 財産税. —— 소득 명 財産所得. —— 출자 명 財産出資.

재삼【再三】명 再三; 再再. ¶ ～재사 再三再四 / ～ 부탁했다 再三頼んだ.

재상【宰相】명 宰相; 丞相. ¶ 철혈 ～ 비스마르크 鉄血宰相ビス

マルク.

재색【才色】명 才色; 才知と容色. ¶~겸비 才色兼備.

재생【再生】명하타 再生. ¶~녹음 방송 再生録音放送/~의 기쁨 再生の喜び/~의 길을 걷다 再生の道を歩む.

‖── 고무 명 再生ゴム. ──-지 명 再生紙. ──-품 명 再生品.

재-생산【再生産】명하타 再生産.

재석【在席】명 在席. ¶~수가 얼마 안된다 在席数がいくらもない.

재선【再選】명하자타 再選. ① ↗재선거. ② ↗재당선(再當選). ¶~금지의 규정 再選禁止の規程/~을 저지하다 再選をはばむ.

재-선거【再選擧】명하타 再選挙.

재세【在世】명하자 在世.

재소-자【在所者】명 ① 一定の所に居る者. ② ☞ 재감자(在監者).

재수【財數】명 財運; 縁起; (勝負事などでの)つき; 巡り合わせ. ¶~가 없다 財運〔縁起〕が悪い; ついてない; つきがない/~가 있다 縁起が良い; ついている/~없는 소리 말라 縁起でもないことを言うなよ.

‖── 발원(發願) 명하자〔佛〕財運が開けるようにと仏に祈ること. ── 불공(佛供) 명하자〔佛〕財運発願の供養をすること.

재수【再修】명 学んだ課程を再び履修すること; 再学. ──-하다 타 浪人する. ¶~해서라도 저 대학에 들어가야겠다 浪人してでもあの大学に入りたいものだ.

‖──-생(生) 명 (大学入試のための)浪人〈俗〉.

재-수입【再輸入】명하타 再輸入.

재-수출【再輸出】명하타 再輸出.

재스민 (jasmine) 명〔植〕ジャスミン.

재식【栽植】명하타 栽植.

재신【宰臣】명 ☞ 재상(宰相).

재실【再室】명 後妻.

재심【再審】명하타 再審. ¶~을 청구하다 再審を請求する.

재앙【災殃】명 わざわい; 災難. ¶뜻밖의 ~을 만나다 とんだ災難に遭う.

재액【災厄】명 災厄; わざわい; 災禍. 준 재(災). ¶~이 닥치다 災厄が降りかかる/~을 입다 わざわいをこうむる.

재야【在野】명 在野. ¶~의 인사 在野の人物.

재언【再言】명하타 くりかえして話すこと; 二度言うこと.

재연【再演】명하타 再演.

재연【再燃】명하자 再燃. ¶소동이 ~하다 騒動が再燃する. 「た塩.

재염【再塩】명 天日塩を精製し

재-올리다【齋—】자〔佛〕供養する; 法事を営む.

재외【在外】명 在外.

‖── 공관 명 在外公館.

재욕【財慾】명 財欲.

재우 부 すばやく; 敏捷に. ──-치다 타 せ(急)き立てる. ¶재우쳐 묻다 せき立てて問う.

재우다 타 ① 寝かす; 眠らす. ¶아기를 ~ 赤ん坊を寝かす. ② 泊める; 泊まらせる. ¶여행자를 ~ 旅の者を泊める. 준 재다.

재운【財運】명 財運.

재원【才媛】명 才媛; 才女.

재원【財源】명 財源. ¶~이 부족하여 財源が不足なので.

재위【在位】명하자 在位. ¶그의 ~는 10년이었다 彼の在位は十年であった.

재의【再議】명하타 再議. ¶일사 부~의 원칙 一事不再議の原則.

재인【才人】명 芸人; 曲芸師; 軽業師.

재-인식【再認識】명하타 再認; 再認識. ¶시국의 중대성을 ~하다 時局の重大性を再認識する.

재일【在日】명 在日. ¶~동포 在日同胞.

재일【齋日】명 ①〔佛〕斎日. ㉠ 斎戒する日. ㉡ 死者の冥福を祈り供養する日. ②〔基〕大·小斎を守る日《肉食を断ち節食する》.

재임【在任】명하자 在任. ¶~중의 사건 在任中の出来事.

재임【再任】명하자 再任.

재자【才子】명 才子.

‖── 가인 명 才子佳人. ── 다병 명 才子多病.

재-작년【再昨年】명 ☞ 그러께.

재-작일【再昨日】명 ☞ 그저께.

재잘-거리다 자 べちゃくちゃしゃべる. <지절거리다. 재잘-재잘 부하자 べちゃくちゃ; なんなん(喃喃).

재적【在籍】명하자 在籍. ¶~의원 在籍議員.

지정【在廷】명하자 在廷.

‖── 증인 명 在廷証人.

재정【財政】명 財政. ¶지방 ~ 地方財政/~적인 뒷받침을 해주다 財政的後押しをしてやる.

‖──-가 명 財政家. ──-권 명 財政権. ──-난 명 財政難. ── 인플레이션 명 財政インフレーション. ── 자금 명 財政資金. ── 투융자 명 財政投融資. ──-학 명 財政学.

재정【裁定】명하타 裁定. ¶중재 ~ 仲裁裁定.

‖── 기간 명 裁定期間. ── 신청 명 裁定申請.

재제【再製】명하타 再製; 再生.

‖──-염(塩) 명 ☞ 재염(再塩).

재조【在朝】명 在朝; 官職についていること.

재-조정【再調整】명하타 再調整.

재-조직【再組織】명하타 再組織.

재종【再從】명 またいとこ(又従兄弟·又従姉妹); いや〔ふた〕いとこ. =육촌(六寸).

‖──-간(間) 명 またいとこの間柄. ──-수(嫂) 명 またいとこの妻. ──-숙(叔) 명 父のまたいとこ. ──-제 명 弟に当たるまたいとこ. =육촌 아우. ──-형 명 兄に当たるまたいとこ. =육촌 형. ── 형제 명 またいとこ(又従兄弟). =육촌 형제.

재종【材種】명 材種; 木材の種類

ㅈ

ゅ. ¶ 야구 배트에 알맞은 ～ 野球バットに適した材種.

재주【才—】명 ①才；才知；才能；才幹. ¶～가 뛰어난 미녀 才長けた美女／～를 너무 믿다 才に走る／재사는 제 ～에 넘어간다 才子は才に倒れる. ②手腕；手際；技・わざ；芸. ¶절묘한 ～ 絶妙の技／～가 없다 芸がない／무～도 ～의 하나 無芸も芸のうち／～가 용하다 すばらしい手際である. ——-껏 부 腕を振るって；能の〔才知の〕あるかぎり. ¶～ 해 보아라 腕の限りやってみろ. ——-넘다 자 とんぼをきる；宙返りをする. ——-부리다 자 ①奇妙な技を行なう. ②手管を使う. ——-피우다 자 ①奇妙な技〔手〕を考え出す. ②つまらない事に知恵を働かす〔手際を見せる〕.

‖——-꾼 명 多才な人；才に長けた人.

재주【在住】명하자 在住；居住. ¶한국에 ～하는 외국인 韓国に在住の外人.

재중【在中】명 在中；中にあること. ¶사진 ～ 写真在中.

재즈〔jazz〕명〘樂〙ジャズ.

‖——-맨 명 ジャズマン. ——-밴드 명 ジャズバンド. ——-송 명 ジャズソング.

재지【才智】명 才知. ¶～가 뛰어난 사람 才知に長けた人.

재직【在職】명하자 在職. ¶～ 기간 在職期間.

재질【才質】명 才質；才と気質.

재질【材質】명 材質. ¶～이 단단하다 材質が硬い.

재차【再次】명부 もう一度；再び；二度；再度；重ねて. ＝거듭. ¶～ 충고하지만 重ねて忠告するが.

재창【再唱】명하자타 歌を再び歌うこと；アンコール.

재채기 명하자 くしゃみ；くさみ.

재천【在天】명 在天. ¶인명은 ～이라 人命は天意による／～의 영 在天の霊.

재-천명【再闡明】명하타 さいせんめい(再闡明).

재청【再請】명하타 ①くりかえし請うこと. ②(歌などの)アンコール. ¶～을 받다 アンコールを受ける. ③(会議で)人の動議に賛成してさらに動議を出すこと.

재촉 명 催促. ——-하다 타 催促する；せ(急)き立てる. ¶성화 같은 ～ 矢の催促／죽음을 ～하다 死を速める／끈질기게 ～하다 しちくどく催促する／변제를 ～하다 弁済をせき立てる.

재-출발【再出發】명하자 再出発. ¶인생의 ～ 人生の再出発.

재취【再娶】명 後妻；後添い. ＝후처. ——-하다 타 後添いを迎える.

재치【才致】명 機知；才覚；機転. ¶～가 있다 目端がきく；小手回しが利く；機転が利く.

재침【再侵】명하타 再び侵攻すること. ¶적의 ～에 대비하다 敵の再侵攻に備える.

재킷〔jacket〕명 ジャケット.

재탕【再湯】명하타 二番煎じ.

재-티 명 灰の粉.

재판【再版】명하타 再版；重版.

재판【裁判】명하타 裁判. ¶공개 ～ 公開裁判.

‖——-관 명 裁判官. —— 관할 명 裁判管轄. ——-권 명 裁判権. ——-소 명 裁判所. ——-장 명 裁判長. —— 청구권 명 裁判請求権.

재편【再編】명하타 再編. ¶조직을 ～하다 組織を再編する.

재-평가【再評價】명하타 再評価.

재필【才筆】명 才筆. ¶～을 휘두르다 才筆をふるう.

재하-자【在下者】명하자 (目上の人を敬うべき)目下の者.

재학【在學】명하자 在学. ¶～ 증명서 在学証明書.

재-할인【再割引】명하타〘經〙再割引. ¶중앙 은행의 ～을 해 받다 中央銀行の再割引をしてもらう.

재해【災害】명 災害. ¶누차의 ～ 累次の災害／～를 입다 災害を受ける；災害にみまわれる.

‖—— 보상 명 災害補償. —— 보험 명 災害保険.

재향【在鄕】명하자 在郷.

‖—— 군인 명 在郷軍人.

재현【再現】명하자타 ①再現. ¶황금 시대를 ～하다 黄金時代を再現する. ②〘心〙☞ 재생(再生).

재혼【再婚】명하자 再婚.

재화【災禍】명 災禍；災い.

재화【財貨】명 財貨. ＝재물.

재화【載貨】명 載貨. ¶～ 용적 載貨容積.

재-확인【再確認】명하타 再確認.

재활【再活】명 再び生かす〔活用する；活動する〕こと；リハビリテーション.

재회【再會】명하자 再会.

재흥【再興】명하자 再興. ¶사업을 ～하다 事業を再興する.

잭〔jack〕명 ①〘機〙ジャッキ；小さい起重機. ②ジャック；カードの絵札の一種. ③〘電〙ジャック；さしこみ. ④若者.

‖——-나이프 명 ジャックナイフ.

잴잴 부 ☞ 질질.

잼〔jam〕명 ジャム.

잼버리〔jamboree〕명 ジャンボリー.

잽〔jab〕명 (ボクシングで)ジャブ.

잽-싸다 형 素早い；敏捷だ；すばしこい. ¶잽싸게 달아나다 素早く逃げる.

잿-날【齋—】명〘佛〙斎日.

잿-더미 명 灰の堆積；灰の山.

잿-물[1] 명 ①(洗濯に使う)あく(灰汁). ¶～로 빨래하다 あくで洗い物をする. ②☞ 양잿물. —— 내리다 자 灰を水に浸してあくを取る.

잿-물[2] 명〘工〙上薬；釉薬.

잿-밥【齋—】명〘佛〙(神仏に)供える飯.

잿-빛 명 灰色. ¶얼굴이 ～이 되다 顔色が灰色になる.

쟁【箏】명〘樂〙そう(箏).

쟁【錚】명 ☞ 꽹과리.
쟁강-거리다 자 鉄片などがぶつかりあって音が鳴る; がちゃんがちゃんする. 쟁강-쟁강 부하자 がちゃんがちゃん.
쟁그랑 부하자 鉄片などがぶつかりあってなる音: かちゃん; ことん. ¶ 동전이 ~하고 떨어졌다 コインがかちゃんと落ちた. ——-거리다 자 しきりにかちゃんかちゃんと音を出す. ——-—— 부하자 かちゃんかちゃん; ことんことん.
쟁기 명 すき(犂).
‖——-날 명 すきさき(犂先). ——-질 명하자 犂で耕すこと.
쟁론【爭論】명하자 争論; 論争.
쟁반【錚盤】명 盆.
쟁소【爭訴】, 쟁송【爭訟】명하자 訴訟を起こして争うこと.
쟁의【爭議】명하자 争議. ¶ 노동~ 労働争議 / ~가 오래 끌다 争議が長引く.
‖——-권 명 争議権. —— 행위 명 争議行為.
-쟁이 미 [←장(匠)이] 人の性質·習慣·行動·見かけなどを表わす語に付けて, その人をさげすむ語. ¶ 고집~ わからず屋 / 멋~ しゃれ者 / 요술~ 手品師; 魔法使い.
쟁이다 타 積み重ねる. 준 재다. ¶ 곳간에 나무를 ~ 納屋に薪を積む.
쟁쟁【錚錚】명하형 そうそう(錚錚). ¶ ~한 학자〔인사〕 錚錚たる学者〔人物〕. ——-히 부 錚錚と.
쟁쟁-하다【琤琤—】형 ①(玉の触れ合う音が)さえている. ②(音·声が)いんいんと耳に残っている〔響くようである〕. ¶ 아직도 귀에 ~ 今なお耳に聞こえるようだ. 쟁쟁-히 부 ① 玉の触れる音がさえているさま. ②(音·声が)いんいんと耳に残って.
쟁점【爭點】명 争点. =이슈(issue).
쟁취【爭取】명하타 勝ち取ること. ¶ 승리를 ~하다 勝利を勝ち取る.
쟁탈【爭奪】명 争奪. ——-하다 타 争奪する; 取り合う. ¶ 유산 ~ 遺産の取り合い / ~전 争奪戦.
쟁패【爭覇】명하자 争覇. ¶ ~전 争覇戦.
쟤 준 [↗저 아이] あの子. ¶ ~를 잘 안다 あの子をよく知っている.
쟨 준 [↗저 아이는] あの子は. ¶ ~ 저집 애다 あの子はあの家の子だ.
쟬 준 [↗저 아이를] あの子を. ¶ ~ 때리다니 あの子を打つとは.
저¹ 명〖樂〗横笛·横笛. ¶ ~를 불다 横笛を吹く.
저【著】명 ↗저술(著述).
저【箸】명 ↗젓가락.
저² 一대 ①"나"の謙譲語《助詞"가"の前では"제"になる》: 私; わたし; 自分; 手前. ¶ ~의 부주의로 手前の不注意で / ~는 아직 햇병아리입니다 わたしはまだぺいぺいです. ②"자기"の卑語《助詞"가"の前では"제"になる》: 自分. ¶ ~ 보고 욕을 한 것도 아닌데 自分に悪口を言ったのでもないのに / ~ 잘난 체 한다 自分がさも偉そうな顔をする. ③ ↗저이. ④[↗저것] あれ. ¶ 이도 ~ 아닌 これでもあれでもない. 二관 い所にある人や物をさす語: あの. ¶ ~ 사람 あの人 / ~ 분 あの方 / ~ 유명한 사건 あの有名な事件 / ~ 산너머에 あの山の向こうに.
저³ 감 何かを思い出すときに発する語: ええ; ええと; あのう. ¶ ~ 사실은… ええと, 実は… / ~, 당신 이름이 뭐더라 ええと, あなたの名前は何でしたかね.
저가【低價】명 低価; 廉価.
저간【這間】명 近頃; その間.
저개발-국【低開發國】명 低開発国.
저-거 대 ↗저것. >조거.
저-거시키 감 すらすらと言えないとき, つなぎの役割をする言葉: あの(う). ¶ ~ 그것 말입니다 あのう, そのことなんですが.
저-건 준 [↗저것은] あれは; あいつは. ¶ ~ 내 것이오 あれはわたしのものです.
저-걸 준 [↗저것을] あれを; あいつを. ¶ ~ 주시오 あれを下さい. ——-로 준 [↗저것으로] あれで. ¶ ~ 소리를 내다 あれで音を出す.
저-것 대 あれ. ¶ ~은 무엇일까 あれは何だろうね. 준 저거.
저-게 준 [↗저것이] あれが; あいつが. ¶ ~ 무엇이요 あれが何ですか.
저격【狙擊】명하타 狙撃. ¶ 요인을 ~하다 要人を狙撃する.
‖——-병 명 狙撃兵.
저고리 명 チョゴリ; 上衣; 上着. ¶ ~ 없이는 곤란하다 上着無しでは困る.
‖저고릿-고름 명 チョゴリに付けてある胸ひも. 저고릿-바람 명 普段着のままの服装; 衣冠を整えない〔正装でない〕身なり.
저공【低空】명 低空. ¶ ~ 비행 低空飛行.
저공해-차【低公害車】명 低公害車.
저금【貯金】명하자타 貯金. ¶ ~을 찾다〔꺼내다〕 貯金を下ろす.
‖——-통(筒) 명 貯金箱. —— 통장 명 貯金通帳.
저금리 정책【低金利政策】명 低金利政策.
저급【低級】명하타 低級. ¶ ~한 취미 低級な趣味.
저기 一대 あそこ; あちら; かなた(彼方); 向こう. ¶ 여기 ~ あちらこちら / ~에 보이는 섬 かなた〔向こう〕に見える島 / ~에 집을 짓자 あそこに家を建てよう. 二부 あそこに; あちらに. ¶ ~ 가 보아라 あそこに行って見なさい. >조기.
저-기압【低氣壓】명 低気圧.
저-까짓 관 "高がそれ程の"の意. ¶ ~ 것 나도 할 수 있다 それっぱしの事はわたしだってできるさ / ~ 것이 무엇을 안다고 あんな者が何を知っているといって.
저-나마 부 あれでも; あれでさえも. ¶ ~ 없으면 곤란하다 あれでさえもなければ困る.

저널리스트 〔journalist〕 명 ジャーナリスト.

저널리즘 〔journalism〕 명 ジャーナリズム.

저네, 저네-들 대 あの人達; あちらの人達; あいつら; 彼ら. ¶ ~가 저지른 일이다 彼らがしでかした事である.

저녁 명 ① 夕; 夕べ; 夕方; 日暮れ; 夕暮れ. ¶ 매일 ~ 毎夕; 毎晩 / 아침 ~으로 朝に夕に / ~ 기도 夕べの祈り. ② ↗저녁밥. ¶ ~을 먹다 夕食を食べる.
‖——-거리 명 夕食の糧. ——곁두리 명 昼食と夕食との間に取る間食. ——-나절 명 夕暮れ時. ——-놀 명 夕焼け; 夕映え. ¶ ~이 진 하늘 夕映えの空. ——때 명 夕方; 夕暮れ方. ¶ ~가 되면 夕方になると. ——-밥 명 夕飯; 夕食; 晩飯. ¶ ~을 먹다 夕飯を食べる.

저능【低能】 명하형 低能.

저-다지 부 あれ程に; あんなにまで. ¶ ~ 보고 싶을까 あんなにまで会いたいのだろうか.

저당【抵當】 명〖法〗抵当. ——-하다 타 抵当〔質・かた〕に入れる. ¶ ~ 잡힌 시계가 유질(流質)되다 質に入れた時計が流れる.
‖——-권 명 抵当権. ——-물 명 質物; 質ぐさ.

저-대로 부 あのように; あのままに; ああ. ¶ ~ 두었다가는 あのままにしておいては.

저돌【豬突】 명하자 ちょとつ(猪突). ¶ ~적으로 돌진했다 猪突的に突進した.

저-들 대 ① ↗저이들. ② ↗저네들.

저-따위 명 あんなもの〔やつ(奴)・部類〕. ¶ ~가 문제이다 あんなやつが問題である.

저락【低落】 명하자 低落. ¶ 물가의 ~ 物価の低落.

저래 준 ① "저러하여"の略語: あのようで; ああで; あのざまで. ¶ 꼴이 ~ 가지고는 아무 것도 못 한다 ざまがああでは何事もできない. ② "저리하여"の略語: あのようにして; ああして. ¶ ~ 괜찮을까 ああしていいだろうか. ——-서 준 ① "저러하여서"の略語: あのよう〔ざま〕で; ああで. ¶ ~는 안 된다 あのようではだめだ. ② "저리하여서"の略語: あのようにして; ああして.

저러면 준 "저와 같으면・저러 하면"の略語: あのようであれば; ああだったら. ¶ 커서도 ~ 저놈을 무엇에 쓰나 大きくなってからもああだったらやつを何の役に立てよう.

저러저러-하다 형 ① [↗저러하고 저러하다] しかじかである. ② 皆が似かよって珍しくない; 似たりよったりである.

저러-하다 형 あのようだ; あんな具合だ.

저런 ㊀관 "저러한"の略語: あのような; あんな. ¶ ~ 사람은 안 돼 あのような人はだめだ / ~ 사람인 줄은 몰랐다 あんな人とは知らなかった / ~ 버러지 같은 놈들과 상대하지 마라 あんな虫けらどもの相手になるな. ㊁감 意外な事に出会って発する声: おや; さてさて; なんとまあ. ¶ ~, 어쩌나 まあ, どうしよう / ~, 일이 난처하게 되었군 さてさて, 困った事になったぞ / ~, 비가 또 오네 おや, 雨がまた降ってくるぞ. >조런.

저렁-거리다 자타 薄い金物などが触れ合う音がかすかに響く; ちゃらん〔がらん〕と響く. 저렁-저렁 부하자타 ちゃらんちゃらん; がらんがらん.

저렇다 형 [↗저러 하다] ああだ. ¶ 이렇다 ~ 말 한 마디 없다 こうだとかああだとか一言もない.

저력【底力】 명 底力; 地力. ¶ ~을 보이다 底力を見せる / ~을 내다 地力を出す.

저렴【低廉】 명하형 低廉.

저류【底流】 명 底流.

저리【低利】 명 低利. ¶ ~로 자금을 빌리다 低利で資金を借りる.

저리¹ 부 あのように; あんなに; ああ. ¶ 이리 할까 ~ 할까 망설이다 ああしようかこうしようかとためらう.

저리² 부 あちらに; あっちに; あそこに. ¶ ~ 가시오 あちら〔あそこ〕に行きなさい. ——-로 부 あちらに; あっちに. ¶ ~ 가면 학교입니다 あちらに行けば学校です. ㊟절로.

저리다 자 しび(痺)れる. ¶ 팔다리가 ~ 手足がしびれる.

저릿저릿-하다 형 ひどくしび(痺)れる. >자릿자릿하다.

저-마다 부 人毎に; 人びとが皆; 口口に; おのおの. ¶ ~ 불평을 하다 口口に不平を訴える / ~ 한 마디씩 하다 おのおの一言ずつ話す.

저-만큼 부 あのくらい(に); あの程度に. >조만큼.

저만-하다 형 ① あのくらいだ; あの程度だ. ¶ 저만한 크기의 나무 あれくらいの木. ② 大したものでない.

저맘-때 명 あの〔あれ〕くらいの時. ¶ 나도 ~는 기운이 좋았는데 私もあのくらいの時は力があったものだが.

저면【底面】 명 底面. ① 底の面. ②〖數〗☞ 밑면.

저명【著名】 명하형 著名. ¶ ~ 인사 著名の士.

저-물가【低物價】 명 低物価.

저물다 자 (日や年が)暮れる. ¶ 한 해가 ~ 年が暮れる / 저물어가는 저녁 하늘 暮れ行く夕空.

저물-도록 부 ① 日暮れまで. ¶ 날이 ~ 일하다 日の暮れ方まで働く. ② 遅くまで.

저미다 타 薄く切る; 小切りにする. ¶ 고기를 ~ 肉を薄く切る.

저-버리다 타 ① (約束などを)破る. ¶ 맹세를 ~ 誓いを破る. ② (恩義などを)ないがしろにする; 見捨てる; 無にする; 背く. ¶ 은혜를 저버리는 사람 恩をないがしろにする人 / 남의 호의를 ~ 人の好意を無にする.

저벅 부 重みのある大きな足音:

どしん. >자박. ——-거리다 [자] どしんどしん(と)足音がする. ——— [부][하자] どしんどしん.

저번【這番】[명] この前; 先頃: その節. ¶ ~엔 실례했습니다 この間は失礼致しました.

저변【底邊】[명] 底辺. ①〔數〕☞ 밑변. ② 下層を成す部分.
‖—— 확대 [명] 底辺(の)拡大.

저분-저분 [부][하형] ① 粉などが柔らかくか(嚙)まれるさま. ②(性格が)柔順でしっとりとしているさま. ③(野菜でこしらえたおかずが)うまそうに見えるさま. >자분자분.

저상【沮喪】[명][하자] 阻喪. ¶ 의기 ~ 意気阻喪.

저서【著書】[명][하자] 著書; 著作物. ¶ 일본 관계 ~ 日本関係著書.

저속【低俗】[명][하형] 低俗; 卑俗. ¶ ~한 취미 低俗な趣味 / ~한 말 卑俗な言葉.

저속【低速】, **저-속도**【低速度】[명] 低速.

저수【貯水】[명][하자] 貯水. ¶ ~량 貯水量. ‖——-지 [명] 貯水池.

저술【著述】[명] 著述. ——-하다 [타] 著述する; 著わす. ¶ ~업 著述業 / 책을 ~하다 本を著わす.

저습【低濕】[명][하형] 低湿.

저승 [명] あの世; よみ(黄泉); よみの国; 来世. ¶ ~길 よみじ(黄泉路).

저압【低壓】[명] 低圧.
‖——-선 [명] 低圧(電)線. —— 터빈 [명] 低圧タービン.

저액【低額】[명] 低額. ¶ ~ 소득자 低額所得者.

저어-하다 [타] 恐れる; 不安に思う.

저열【低劣】[명][하형] 低劣. ¶ ~한 취미를 갖고 있다 低劣な趣味を持っている.

저온【低溫】[명] 低温. ‖—— 공업 [명] 低温工業. —— 마취 [명] 低温麻酔. —— 살균 [명] 低温殺菌.

저울 [명] はかり(秤). ¶ ~에 달다 はかりにかける.
‖——-눈 [명] はかりめ(秤目). ¶ ~을 속이다 秤目をごまかす. ——-대 [명] 秤竿. ——-질 [명][하자타] ① 秤で計ること; 計〔量〕り. ¶ ~을 넉넉하게 하다 計りをよくする. ② 心でおしはかること. ¶ 이해 득실을 ~하다 利害得失を計る. ——-추(錘) [명] 分銅; 重り. ——-판 [명] 秤の皿.

저-위도【低緯度】[명] 低緯度.

저율【低率】[명] 低率.

저음【低音】[명] 低音; バス. ¶ ~ 가수 低音歌手.

저의【底意】[명] 底意; 下心. ¶ 아무런 ~도 없다 なんの下心もない.

저-이 [대] あの人.
‖——-들 [대] あの人達. [준] 저들.

저인-망【底引網】[명] 底引き網; トロール(網). ¶ ~ 어선 トロール船.

저자 [명] ①(市場にある)店. ②(朝夕に立つ)市. ③《俗》市場.
——-보다 [자] 市場であきないをする. ¶ 저자보러 가다 (市場へ)買い物に行く. ——-서다 [자] 市が立つ; 市で取り引きが始まる. 저잣-거리 [명] 店が並んでいる街.

저자【著者】[명] 著者.

저-자세【低姿勢】[명] 低姿勢. ¶ ~ 외교 低姿勢外交.

저작【咀嚼】[명][하타] そしゃく(咀嚼).

저작【著作】[명][하타] 著作. ¶ ~가 著作家 / ~자 著作者; 著者.
‖——-권 [명] 著作権. ——-권-법 [명] 著作権法. ——-권 침해 [명] 著作権侵害.

저장【貯藏】[명] 貯蔵; 蓄え. ——-하다 [타] 貯蔵する; 蓄える.
‖——-근 [명] 貯蔵根. —— 물질 [명] 貯蔵物質. ——-엽 [명] 貯蔵葉.

저-장애【低障礙】, **저장애 경주**【低障礙競走】[명] 低障害(競走); ローハードル.

저적-에 [부] この間(に); せんだ(先達)って; 先頃. ¶ ~ 온 사람이다 この間来た人だ.

저-절로 [부] 自然(に·と); 自ずと; 自ずから; ひとりでに. ¶ 상처는 ~ 나았다 傷は自然になおった.

저조【低調】[명][하형] 低調. ¶ 생산이 ~하다 生産が低調である.

저조【低潮】[명] 低潮.
‖——-선 [명] 低潮線.

저주【咀呪】[명] のろ(呪)い. ——-하다 [타] のろう. ¶ ~ 받은 인생 のろわれた人生 / 태풍이 ~스럽다 台風がのろわしい.

저-주파【低周波】[명] 低周波. ¶ ~ 전류 低周波電流.

저지【低地】[명] 低地.

저지【沮止】[명] 阻止. ——-하다 [타] 阻止する; 阻む ¶ 침입을 ~하다 侵入を阻止する.

저지 〔judge〕 [명] ジャッジ; 審判(員). ¶ ~ 페이퍼 ジャッジペーパー.

저-지난 [관] この前の前; 先先般.
‖——-달 [명] 二三箇月前の月. ——-밤 [명] 二三日前の夜. ＝엊그제 밤. ——-번(番) [명] 先先番. ——-해 [명] 二三年前の年.

저지르다 [타] (過ちを)犯す; (悪事などを)しで(仕出)かす; やらかす. ¶ 엉뚱한 짓을 ~ とんだ事を仕出かす / 실수를 ~ 失敗をやらかす.

저질【低質】[명] 低質. ¶ ~ 상품 低質の商品 / ~인 사람 たちの悪い人.

저-쪽 [명] 向こう(側); あちら; あっち. ¶ 바다 ~ 海のかなた / ~으로 가라 あっちに行け.

저촉【抵觸】[명] 抵触. ——-하다 [자] 触れる. ¶ 법률에 ~되다 法律に触れる.

저축【貯蓄】[명][하타] 貯蓄. ¶ 식량을 ~하다 食糧を蓄える.
‖—— 보험 [명] 貯蓄保険. —— 성향 [명] 貯蓄性向. —— 예금 [명] 貯蓄預金. —— 은행 [명] 貯蓄銀行.

저탄【貯炭】[명][하자] 貯炭.
‖——-장 [명] 貯炭場.

저택【邸宅】[명] 邸宅; 屋敷. ¶ ~가 屋敷町 / 대~ 大邸宅.

저하【低下】[명][하자] 低下. ¶ 학력의 ~ 学力の低下.

저-학년【低學年】명 低学年.
저항【抵抗】명하자 抵抗. ¶~ 정신 抵抗精神.
‖——권 명 抵抗権. ——률 명〘物〙抵抗率. =비(比)저항. —— 문학 명 抵抗文学. ——선 명 抵抗線. —— 운동 명 抵抗運動.
저해【沮害】명하타 阻害.
저-혈압【低血壓】명 低血圧.
저희 대 ①"우리"の謙譲語: わたしたち; 手前共. ¶~들이 하겠습니다 手前共がやります. ②あの人達; 自分達. ¶~들끼리 놀러 가다 自分達だけで遊びに行く.
적【赤】명 [↗적색(赤色)] 赤. ¶~과 흑 赤と黒.
적【炙】명 くし(串)焼きの魚や肉.
적【笛】명 ①笛. ②横笛.
적【敵】명 敵. ¶~을 추격하다 敵を追撃する.
적【籍】명 籍; 戸籍·兵籍·学籍などの文書. ¶대학에 ~을 두다 大学に籍をおく.
적 의명 …の時. ¶밥 먹을 ~에 ご飯の時に/어릴 ~에 놀던 곳 幼い時に遊んだ所.
-적【的】미 的. ¶문학~ 文学的/학구~ 태도 学究的態度.
적-갈색【赤褐色】명 赤褐色; さびいろ(錆色). =고동색.
적개-심【敵愾心】명 敵愾心. ¶~에 불타다 敵愾心に燃える.
적격【適格】명하형 適格. ¶~ 심사 適格審査/~자 適格者.
적공【積功】명하자 功を積むこと.
적과【摘果】명하자 摘果.
적구【赤狗】명 共産主義の追従者を卑しんで言う語.
적국【敵國】명 敵国. ¶가상~ 仮想敵国.
적군【赤軍】명 赤軍; 共産軍.
적군【賊軍】명 賊軍.
적군【敵軍】명 敵軍. ¶~에게 포위되었다 敵軍に囲まれた.
적극【積極】명 積極.
‖—— 방어 명 積極防御. —— 재산 명 積極財産. ——적 명관 積極的. ¶~으로 행동하다 積極的に行動する. ——적 개념 명 積極的概念. =긍정적(肯定的) 개념.
적금【積金】명하자타 積み金; 月掛け貯金. ¶정기 ~ 定期積み金.
적기【赤旗】명 赤旗. ①赤い旗. ②危険を表わす旗. ③共産主義を象徴する旗.
적기【摘記】명하타 摘記. ¶대요를 ~하다 大要を摘記する.
적기【適期】명 適期.
적기【敵機】명 敵機. ¶~가 내습하였다 敵機が来襲した.
적-꼬치【炙—】, 적-꽂【炙—】명 くし(串)焼きに用いる細い竹.
적-나라【赤裸裸】명하형 赤裸裸; むきだし. ¶~한 표현이 흥미롭다 赤裸裸な表現が興をそそる.
적다[1] 타 記録する; (書き)記す; したた(認)める〈老〉. ¶장부에 이름을 적었다 帳面に名を記した.
적다[2] 형 少ない. ¶분량이 ~ 分量が少ない/오식이 적은 책 誤植の少ない本/말수가 적은 사람 口数の少ない人.
적당【賊黨】명 賊党; 賊の仲間.
적당【適當】명 適当. ——하다 형 適当だ; 適する. ¶병자에게 ~한 음식 病人に適当な食べ物. ——히 부 適当に. ¶~ 다루다 いい加減にあしらう.
적대【敵對】명하자 敵対. ¶~ 행위 敵対行為.
‖——시 명하타 敵視. ¶반대파를 ~하다 反対派を敵視する.
적덕【積德】명하자 徳行を積むこと; 積んだ徳行.
적도【赤都】명 赤都; 共産国家の首都.
적도【赤道】명 赤道.
‖—— 무풍대 명 赤道無風帯. —— 반경 명 赤道半径. —— 반류 명 赤道反流. ——의 명 赤道儀. ——제 명 赤道祭. —— 좌표 명 赤道座標. —— 직하 명 赤道直下.
적도【賊徒】명 賊徒. =적당(賊黨).
적도【適度】명 適度; 適当な程度.
적동【赤銅】명 赤銅. ¶~색 赤銅色/~광 赤銅鉱.
적란-운【積亂雲】명 積乱雲; かなとこ雲; 雷雲; かみなり雲.
적량【適量】명 適量; 適当量. ¶~의 약을 먹다 適量の薬を飲む.
적령【適齡】명 適齢. ¶결혼 ~기 結婚適齢期.
적례【適例】명 適例. ¶~를 든다면 適例を挙げれば.
적록 색맹【赤綠色盲】명 赤緑色盲; 紅緑色盲.
적류【嫡流】명 嫡流; 正統の血統.
적리【赤痢】명 赤痢.
‖——균 명 赤痢菌. —— 아메바 명 赤痢アメーバ.
적린【赤燐】명〘化〙赤燐.
적립【積立】명 積み立て. ——하다 타 積み立てる. ¶결혼 자금을 ~하다 結婚資金を積み立てる.
‖——금 명 積立金.
적막【寂寞】명하형 寂漠. ¶~한 인생 寂漠たる人生. ——히 부 寂漠と.
적면【赤面】명하자 赤面.
‖—— 공포증 명 赤面恐怖症.
적멸【寂滅】명하자〘佛〙寂滅.
적모【嫡母】명 嫡母.
적몰【籍沒】명하타〘史〙籍没《重罪人の家財を全部没収すること》.
적-바르다 형 (ある標準に)ようやく至る.
적-바림 명 書き付け; 書留. ——하다 타 書き付ける; 書き留める.
적-반하장【賊反荷杖】명 泥棒が返って鞭を取るの意; 盗人たけだけしいこと.
적발【摘發】명하타 摘発. ¶수뢰를 ~하다 収賄を摘発する.
적법【適法】명하형 適法. ¶~ 행위 適法行為/~성 適法性.

ㅈ

적병【賊兵】명 賊兵.
적병【敵兵】명 敵兵.
적부【適否】명 適否; 適不適. ¶～ 심사 適否審査.
적분【積分】명〔數〕積分.
‖── 방정식 명 積分方程式. ──학 명 積分学.
적빈【赤貧】명하형 赤貧.
적산【敵産】명 敵産; 敵国の財産. ¶～ 동결 敵産凍結.
적산【積算】명하타 積算.
‖──-법 명 積算法. ── 전력계 명 積算電力計.
적삼 명 韓服のひとえ(単衣)のチョゴリ.
적색【赤色】명 赤色·赤; 赤. ¶～ 혁명 赤色革命; 共産革命.
‖── 인터내셔널 명 赤色インターナショナル. ── 테러 명 赤テロ.
적-색맹【赤色盲】명 赤色盲.
적서【嫡庶】명 ① 嫡子と庶子. ② 嫡流と庶流.
적선【賊船】명 賊船; 海賊船.
적선【敵船】명 敵船.
적선【積善】명하자 善を積むこと. ¶～지가(之家) 積善の家.
적설【積雪】명 積雪. ¶～ 한랭지 積雪の寒冷地 / ～량 積雪量.
적성【適性】명 適性. ¶～이 안 맞는다 適性に欠ける.
‖── 검사 명 適性検査.
적성【敵性】명 敵性. ¶～ 국가 敵性国家.
적세【敵勢】명 敵勢. ¶～가 약해지다 敵勢が衰える.
적소【適所】명 適所. ¶적재 ～ 適材適所.
적소【謫所】명 配所; 流罪地.
적손【嫡孫】명 嫡孫.
적송【赤松】명 赤松. ＝소나무.
적송【積送】명하타 積送.
적수【赤手】명 赤手; 素手; 徒手; 空手. ＝맨손.
‖── 공권 명 赤手空拳. ¶～으로 성공하다 素手で成功する. ── 단신(單身) 명 金を持たない身. ── 성가(成家) 명하자 素手で財を成すこと.
적수【敵手】명 敵手. ¶호～ 好敵手.
적습【敵襲】명 敵襲. ¶～을 받다 敵襲を受ける / ～에 대비하다 敵襲に備える.
적시【摘示】명하타 摘示.
적시【適時】명 適時. ¶～ 안타 適時安打; タイムリーヒット.
적시【敵視】명하타 [↗적대시] 敵視.
적시다 타 浸す; ぬ(濡)らす; 湿す. ¶수건을 물에 ～ タオルを水に浸す / 비로 옷을 ～ 雨で服を濡らす.
적신【賊臣】명 賊臣.
적-신호【赤信號】명 赤信号. ¶～로 바뀌었다 赤信号に変わった / 건강의 ～ 健康の赤信号.
적실【嫡室】명 嫡室; 正室.
적실【敵失】명 敵失; 敵側の失策. ¶～에 의한 1점으로 이겼다 敵失による一点で勝った.
적심【賊心】명 賊心. ① 盗もうとする心. ② 謀反心.

적-십자【赤十字】명 赤十字.
‖── 병원 명 赤十字病院. ──사 명 赤十字社.
적아【摘芽】명 摘芽. ＝적심(摘心).
적악【積惡】명하자 積悪; 悪事を働くこと.
적어도 부 ① 少なくとも. ¶～ 만 원은 된다 少なくとも一万ウォンにはなる / ～ 이것만은 알아 두게 少なくともこれだけは覚えておけ. ② せめて. ¶～ 논어 정도는 읽어야지 せめて論語ぐらいは読まねばね. ③ 仮にも 仮初めにも; いやしく(苟)も. ¶～ 남자라면 仮にも男なら / ～ 대학생이 아니냐 仮初めにも大学生ではないか / ～ 양심에 부끄러운 행동을 해서는 안 된다 いやしくも良心に恥じる行動をするな. ④ いくら少なく見積もっても; 控え目に見ても.
적어-지다 자 少なくなる; 減る. ¶수입이 ～ 収入が減る.
적업【適業】명 適業.
적역【適役】명 適役; はまり役. ¶중재라면 그가 ～이다 仲裁なら彼が適役である.
적역【適譯】명 適訳. ¶이 말의 ～을 찾아냈다 この語の適訳を見つけた.
적연【寂然】명하형 寂然. ──히 부 寂然と.
적열【赤熱】명하타 赤熱.
적외-선【赤外線】명 赤外線.
‖── 사진 명 赤外線写真. ── 요법 명 赤外線療法.
적요【摘要】명하타 摘要. ¶출납부의 ～란 出納簿の摘要欄.
적요【寂寥】명하형 せきりょう(寂寥). ¶～한 늦가을의 황야 寂寥とした晩秋の荒野.
적용【適用】명 適用. ──-하다 타 適用する; 当てはめる. ¶규칙의 ～ 범위 規則の適用範囲.
적운【積雲】명 積雲. ＝뭉게구름.
적위【赤緯】명〔天〕赤緯.
적응【適應】명하자 適応. ¶어떤 환경에도 ～하는 교육 どんな環境にも適応する教育.
‖──-증 명 適応症.
적의【適宜】명하형 適宜. ¶～의 조치 適宜な処置.
적의【敵意】명 敵意. ¶한때 ～를 품었다 一時敵意を抱いていた.
적이 부 多少; 幾らか; 少少; ちょっと. ¶그 소식에 ～ 놀랐다 その知らせに少少驚いた / ～ 안심했다 幾らか安心した. ──-나 부 ① 多少でも; 幾らかでも. ¶～ 후회하니 다행이다 多少でも後悔するから幸いだ. ②“적이”の反語の意: とても; たくさん. ¶흥, 고소를 한다니 ～ 두렵군 ほお, 告訴するってこりゃ全く恐れ入ったわい. ──-나-하면 부 多少でも都合〔立場〕がよかったら. ¶～ 가보련만 都合が多少でも許せば行って見るんだが.
적임【適任】명 適任. ¶～자 適任者.
적자【赤字】명 赤字. ¶의외의 ～를 냈다 意外の赤字を出した.
적자【賊子】명 賊子; 不忠不孝の者. ¶난신 ～ 乱臣賊子.

적자【嫡子】명 嫡子.
적자【適者】명 適者.
—— 생존 명 適者生存.
적장【敵將】명 敵将.
적재【適材】명 適材. ¶～적소의 인사 適材適所の人事.
적재【積載】명하타 積載. ¶～량 積載量.
적적-하다【寂寂—】형 ひっそりとして寂しい. ¶적적한 생활 寂しい暮らし. 적적-히 부 寂寂・せきせきと; 物静かに; 寂しく.
적절【適切】명하형 適切. ¶～한 비유 適切な比喩. ——히 부 適切に; ぴったりと. ¶～ 조치하였다 適切に処置した.
적-점토【赤粘土】명〖地〗赤粘土.
적정【滴定】명〖化〗滴定.
적정【適正】명하형히부 適正.
‖—— 가격 명 適正価格.
적정【敵情】명 敵情. ¶～을 살피다 敵情を探る.
적조【赤潮】명 赤潮.
적조【積阻】명하자 永い間音信が途絶えること.
적중【的中】명하자 的中〔適中〕. ¶예상이 ～했다 予想が当たった.
적지【適地】명 適地. ¶양식의 ～이다 養殖の適地である.
적지【敵地】명 敵地.
적지-않이 부 少なからず; 大いに; はなはだ. 준 적잖이. ¶～ 놀랐다 少なからず驚いた.
적진【敵陣】명 敵陣.
적처【嫡妻】명 本妻; 正妻. ＝장가처.
적철-광【赤鐵鑛】명 赤鉄鉱.
적체【積滯】명하자 積み滞ること; 渋滞. ¶～가 10km에 이르다 渋滞が十キロメートルに及ぶ.
적출【摘出】명하타 摘出. ¶탄환의 ～ 수술 弾丸の摘出手術.
적출【嫡出】명 嫡出.
‖——-자 명 嫡出子.
적출【積出】명하타 積み出し. ＝출하(出荷). ¶～항 積み荷港.
적치【敵治】명 敵の統治.
적침【敵侵】명 敵の侵入〔侵略〕.
적탄【敵彈】명 敵弾.
적토【赤土】명〖鑛〗赤土; しゃど(赭土). ＝석간주(石間硃).
적평【適評】명 適評.
적폐【積弊】명 積弊. ¶다년의 ～를 일소하다 多年の積弊を一掃する.
적-포도주【赤葡萄酒】명 赤ぶどう(葡萄)酒.
적하【積荷】명 積み荷.
‖—— 보험 명 積み荷保険.
적함【敵艦】명 敵艦.
적합【適合】명하형 適合. ¶여성에게 ～하다 女性に適している.
적-혈구【赤血球】명〖生〗赤血球.
적화【赤化】명하자타 赤化; 共産主義化. ¶～ 정책 赤化政策.
적화【赤禍】명 赤禍; 共産主義によるわざわい.
적확【的確】명하형히부 的確〔適確〕. ¶～한 판단 的確な判断.
적히다 피동 書かれる; 記録される. ¶이름이 ～ 名前が書かれる.
전 명 縁; へり. ¶화롯～ 火鉢の縁.
전【前】명 前; 以前. ¶나이 먹기 ～에 年取る前に / ～에 만난 일이 있다 前に会った事がある.
전【煎】명 薄く切った材料に小麦粉のころもを被せて, フライした食べ物の総称.
전【磚·塼·甎】명 せん(塼·磚·甎); 煉瓦に似た東洋建築用材の一種.
전【廛】명 店; 商店.
전【錢】의명 銭《補助貨幣の単位; ウォンの1/100》.
전【全】관 "すべて·全部·とてもひどい"などの意. ¶～ 도둑놈 ひどい泥棒 / ～ 깍쟁이 ひどいしみったれ.
전-【全】두 全. ¶～사회 全社会 / ～국민 全国民.
전-【前】두 前·ぜん; 元. ¶～반부 前半部 / ～국회 의원 元国会議員.
-전【展】미 展. ¶미술～ 美術展.
-전【傳】미 伝. ¶자서～ 自叙伝 / 링컨～ リンカン伝.
전가【傳家】명 ① 親が子に家を譲ること. ② 伝家. ¶～의 비법 伝家の秘法.
전가【轉嫁】명하타 転嫁. ¶책임을 ～하다 責任を転嫁する.
전각【殿閣】명 殿閣.
전각【篆刻】명 てんこく(篆刻).
전갈【全蠍】명〖動〗さそり(蠍).
전갈【傳喝】명하타 言付け; 言づて; 伝言.
전개【展開】명하자타 展開. ¶아름다운 경치가 ～되다 美しい景色が広がる / 대논전을 ～하였다 大論戦を展開した / 정육면체의 ～도 正六面体の展開図.
‖——-식 명〖數〗展開式.
전갱이 명〖魚〗あじ.
전거【典據】명 典拠; よりどころ. ¶～가 있어서 믿을 수 있다 典拠があるから信がおける.
전거【轉居】명하자 転居; 宿替え; 引越し.
전격【電擊】명하타 電撃.
‖—— 작전 명 電撃作戦.
전결【專決】명하타 専決. ¶～ 사항 専決事項.
전경【全景】명 全景. ¶～을 촬영하다 全景を撮影する.
전경【前景】명 前景. ¶～이 좋다 前景がよい.
전고【典故】명 典故; 典拠となる「故事.
전고【戰鼓】명 戦鼓; 陣太鼓.
전곡【田穀】명 ☞ 밭곡식.
전곡【全曲】명 全曲. ¶～을 연주하다 全曲を演奏する.
전곡【錢穀】명 銭と米穀.
전골 명 すき焼き; 寄せなべ(鍋).
‖——-틀 명 "전골"を煮る器.
전공【前功】명 前功.
전공【專攻】명하타 専攻. ¶국제법을 ～하다 国際法を専攻する.
‖—— 과목 명 専攻科目.
전공【電工】명 [↗전기 공업·전기공] 電工.

ㅈ

전공【戰功】명 戦功. ¶ ~을 세우다 戦功を立てる.
전과【全科】명 ① 全科; 全学科, または全教科. ¶~를 수료하다 全科目を修める. ② ☞ 전과서.
‖——-서(書) 명 全科参考書.
전과【全課】명 全課. ①すべての課; その課全体. ②すべての課目.
전과【前科】명 前科. ¶~ 3범 前科三犯.
‖——-자 명 前科者.
전과【前過】명 前過. ¶~를 뉘우치다 前過を悔いる.
전과【戰果】명 戦果. ¶혁혁한 ~ 赫赫たる戦果.
전과【轉科】명하자 転科.
전관【前官】명 前官.
‖—— 예우 명 前官礼遇.
전관【專管】명하타 専管. ¶~ 수역 専管水域.
전광【電光】명 電光. ①いなびかり. =번개. ②電気の光.
‖—— 뉴스 명 電光ニュース. —— 석화 명 電光石火. ¶~와 같이 빠른 솜씨 電光石火の早業〔早技〕.
전교【全校】명 全校. ¶~생이 모였다 全校生が集まった.
전교【傳敎】[1] 명하자 〘史〙 王の命令. =하교(下敎).
전교【傳敎】[2] 명하자 伝教; 宣教; 伝道.
전교【轉交】명하타 ① 書類などを人を経て交付すること. ② "人伝に受け取るようにする"の意《手紙の封筒などに用いる語》.
전교【轉校】명하자 転校. =전학(轉學).
전구【前驅】명 前駆; 先駆. ¶~ 증상 前駆症状.
전구【電球】명 電球; たま. ¶~가 끊어졌다 たまが切れた.
전구【轉句】명 転句; 転. * 기승전결(起承轉結).
전-국【全—】명 水を割らない酒やしょうゆ(醬油)などの原液; 諸味. =진국. ¶~ 간장 生醬油.
전국【全局】명 全局. ¶~을 내다보다 全局を見通す.
전국【全國】명 全国. ¶~구 국회의원 全国区国会議員.
전국【戰局】명 戦局. ¶~이 유리하게 전개되다 戦局が有利に展開する.
전국【戰國】명 戦国.
‖—— 시대 명 戦国時代.
전군【全軍】명 全軍. ¶~을 지휘하다 全軍を指揮する.
전군【前軍】명 前軍; 先陣; 先鋒; 先手.
전권【全權】명 全権. ¶~을 위임하다 全権を委任する.
‖—— 대사 명 全権大使. —— 위원 명 全権委員.
전극【電極】명 〘物〙 電極. =전기극(電氣極).
전근【轉勤】명하자 転勤.
전기【全期】명 全期.
전기【前記】명하타 前記. ¶반대 이유는 ~와 같음 反対の理由は前記の通り.
전기【前期】명 前期. ¶~ 이월금 期繰り越し金.
전기【傳奇】명하자 伝奇. ¶~ 소 伝奇小説.
전기【傳記】명 伝記. ¶~ 작가 伝 作家.
전기【電氣】명 電気. ¶손에 ~가 했다 手に電気が来た / ~를 켜다〔 다〕 電気をつける〔消す〕.
‖—— 계기 명 電気計器. —— 공 명 電気工業. —— 공학 명 電気工学. —— 기관차 명 電気機関車. —— 난로(煖爐) 명 電気ストーブ; 気暖房器. —— 냉장고 명 電気冷蔵庫. —— 다리미 명 電気アイロン. —— 담요 명 電気蒲団. ——-력 명 電気力. ——-료 명 電気料. —— 면도기(面刀器) 명 電気かみそり(剃刀); シェーバー. —— 밥솥 명 電気がま(釜); 電気炊飯器. —— 세탁기 명 電気洗濯機. —— 야금 명 電気冶金. —— 용접 명 電気熔接. —— 인두 명 電気ごて(鏝). ——-장 명 電場; 電界. —— 저항 명 電気抵抗. —— 전도 명 電気伝導. —— 청소기 명 電気掃除機. —— 축음기 명 電気蓄音機. ㊟ 전축. —— 풍로(風爐) 명 電気こんろ. —— 해리 명 〘化〙 電気解離. ㊟ 전리(電離). —— 회로 명 電気回路; サーキット. —— 히터 명 電気ヒーター. 전깃-불 명 電灯(の光); 電光. 전깃-줄 명 電線. =전선.
전기【電機】명 電機.
전기【戰記】명 戦記; 軍記.
전기【戰機】명 戦機.
전기【轉記】명하타 転記.
전기【轉機】명 転機; 変わり目. ¶인생의 ~를 맞이하다 人生の転機を迎える / 하나의 ~를 마련하다 一つの転機をこしらえる.
전-나무 명 〘植〙 もみ(樅).
전-날【前—】명 前日.
전-남편【前男便】명 前夫; 先夫.
전납【全納】명하타 全納; 完納.
전납【前納】명하타 前納. =예납(豫納).
전-내기【全—】명 生酒; 醇酒.
전년【前年】명 前年.
전념【專念】명하자 専念. ¶연구에 ~하다 研究に専念する.
전능【全能】명하형 全能. ¶전지 ~ 全知全能.
전단【全段】명 全段. ¶~짜리 광고 全段抜きの広告.
전단【專斷】명하타 専断. ¶인사 관리를 ~하다 人事の管理を専断する.
전단【傳單】명 伝単; 宣伝ビラ.
전단【戰端】명 戦端. ¶~을 열다 戦端を開く.
전달【傳達】명하타 伝達. ¶명령 ~ 命令伝達 / 중요 사항을 ~하다 重要事項を伝達する.
전-달【前—】명 前月; 先月.
전담【全擔】명하타 全部を受けもつこと. ¶비용을 ~하다 費用を全部受け持つ.

ㅈ

전담【專擔】[명][하타] 専担；専門に担当すること. ¶군사 과목을 ~하다 軍事科目を専担する.

전답【田畓】[명] 田畑.

전당【全黨】[명] 全党. ¶~ 대회 全党大会.

전당【典當】[명][하타] 質物を担保に金銭を貸借すること. ──-잡다 [타] 質に取る. ¶카메라를 ~잡다 カメラを質に取る. ──-잡히다 [타] 質に入れる.

‖──-물(物) [명] 質物；質種〔質草〕. ──-포(鋪) [명] 質屋；質店. ──-표(票) [명] 質札；質券.

전당【殿堂】[명] 殿堂；殿宇；堂宇. ¶미의 ~ 美の殿堂.

전대【前代】[명] 前代.

‖── 미문 [명] 前代未聞. ¶~의 불상사 前代未聞の不祥事.

전대【戰隊】[명] 戦隊.

전대【轉貸】[명][하타] 転貸；転貸し；又貸し.

전-대차【轉貸借】[명] 転貸借. ¶가옥의 ~ 家屋の転貸借.

전도【全都】[명] 全都；都〔都市〕全体.

전도【全圖】[명] 全図.

전도【前途】[명] 前途. ¶~ 요원 前途遼遠／~ 유망한 청년 前途有望な青年.

전도【前渡】[명][하타] 前渡し.

‖──-금(金) [명] 前金·前金.

전도【傳道】[명][하타] 伝道. ¶기독교를 ~하다 キリスト教を伝道する.

‖──-사 [명]〔基〕伝道師.

전도【傳導】[명][하타]〔物〕伝導.

‖──-율 [명] 伝導率.

전도【顚倒】[명][하자타] 転倒〔顚倒〕. ¶본말〔주객〕~ 本末〔主客〕転倒.

‖── 온도계 [명] 転倒温度計.

전동【轉動】[명][하자타] 転動. ¶~ 장치 転動装置.

전동【顫動】[명][하자타] せんどう(顫動).

‖──-음(音) [명] 顫動音.

전동【電動】[명] 電動.

‖──-기 [명] 電動機. ──-력 [명] 電動力. ── 발전기 [명] 電動発電機. ──-차 [명] 電動車.

전두【前頭】[명] 前頭；頭の前部. ¶~골 前頭骨／~근 前頭筋.

전-두리 [명] 丸い器の縁；丸い蓋の縁〔へり〕.

전등【電燈】[명] 電灯；電気〈俗〉. ¶~을 끄다 電灯を消す／~을 켜다 電気をつける.

전라【全裸】[명] 全裸；すはだか.

전락【轉落】[명][하자] 転落. ¶창부로 ~하다 夜の女に転落する；しょうふ(娼婦)に身を落とす.

전란【戰亂】[명] 戦乱.

전람【展覽】[명][하타] 展覧.

‖──-회 [명] 展覧会. ¶미술 ~ 美術展覧会.

전래【傳來】[명][하자] 伝来. ¶조상 ~의 보도 父祖伝来の宝刀.

전략【前略】[명][하자] 前略.

전략【戰略】[명] 戦略. ¶~ 기지 戦略基地.

‖── 공군 [명] 戦略空軍. ── 단위 [명] 戦略単位. ── 폭격 [명] 戦略爆撃.

전량【全量】[명] 全量.

전력【全力】[명] 全力. ¶~을 다하다 全力を尽くす.

전력【前歷】[명] 前歴.

전력【電力】[명] 電力.

‖──-계 [명] 電力計. ──-선 [명] 電力線. ──-화 [명][하자타] 電力化.

전력【戰力】[명] 戦力. ¶~의 증강 戦力の増強.

전력【戰歷】[명] 戦歴. ¶빛나는 ~ 輝かしい戦歴.

전령【傳令】[명] 伝令. ¶~을 보내다 伝令を出す.

전례【典例】[명] 典例.

전례【典禮】[명] 典礼.

전례【前例】[명] 前例；先例. ¶~가 없다 前例がない.

전로【轉爐】[명]〔工〕転炉.

전류【電流】[명] 電流. ¶~가 통하다 電流が通ずる.

‖──-계 [명] 電流計；アンメーター.

전륜【前輪】[명] 前輪·前輪.

전리【電離】[명][하자] 電離.

‖──-권 [명] 電離圏. ──-도 [명] 電離度. ── 전류 [명] 電離電流. ──-층 [명] 電離層. ──-함(函) [명]〔物〕電離箱.

전리【戰利】[명] 戦利.

‖──-품 [명] 戦利品.

전립【戰笠】[명]〔史〕陣笠.

전립-선【前立腺】[명]〔生〕前立せん(腺).

‖── 비대증 [명] 前立腺肥大症. ──-암 [명] 前立腺がん(癌). ──-염 [명] 前立腺炎.

전말【顚末】[명] てんまつ(顚末)；始末；首尾. ¶사건의 ~ 事件の顚末.

‖──-서 [명] 顚末書. ＝시말서.

전망【展望】[명][하타] 展望. ¶새로운 ~이 열리다 新しい展望が開ける.

‖──-대 [명] 見晴らし台. ──-차 [명] 展望車.

전매【專賣】[명][하타] 専売.

‖──-권 [명] 専売権. ── 특허 [명] ① 専売特許. ②《俗》☞ 특기(特技). ──-품 [명] 専売品.

전매【轉賣】[명][하타] 転売.

전면【全面】[명] 全面. ¶~에 걸쳐서 全面にわたって.

‖── 광고 [명] 全面広告. ──-적 [명][관] 全面的.

전면【前面】[명] 前面. ¶이 건물의 ~ 사진은 훌륭하다 この建物の前面写真はすばらしい.

전멸【全滅】[명][하자] 全滅.

전모【全貌】[명] 全貌；全容. ¶사건의 ~가 밝혀지다 事件の全貌が明らかになる.

전모【剪毛】[명][하자] せんもう(剪毛). ① 毛を刈りとること. ② 毛織物の仕上げ工程の一つ；シャーリング.

전몰【戰歿】[명][하자] 戦没〔戦歿〕；戦死. ¶~자 戦没者.

전무【全無】[명][하형] 皆無.

전무【專務】[명] 専務. ① 専門的

に受けもつ人. ② ↗전무 이사.
‖── 이사 명 専務理事; 専務取締役.
とりしまりやく.
전-무식【全無識】명 一文不知; 文盲. ＝일자 무식(一字無識).
전무 후무【前無後無】명하형 空前絶後.
전문【全文】명 全文. ¶ ～ 삭제 全文削除.
전문【前文】명 前文.
전문【專門】명하타 専門. ¶ ～가 専門家 / 그의 ～은 영문학이다 彼の専門は英文学である.
‖── 교육 명 専門教育. ── 대학 명 (二年制の) 短期大学. 준 전문대. ──-어 명 専門語; 術語. ──-의 명 専門医. ──-점 명 専門店. ── 학교 명 専門学校.
전문【電文】명 電文.
전문【傳聞】명하타 伝聞; 聞き伝え. ¶ 남에게서 ～한 바에 의하면 人から伝聞したところによると.
전박【前膊】명 前腕; ぜんはく(前膊). ＝전완(前腕).
전반【全般】명 全般. ¶ ～에 걸쳐 全般にわたって / 사회 ～의 문제 社会全般の問題.
‖──-적 명관 全般的.
전반【前半】명 前半.
‖──-기 명 前半期. ──-전 명 前半戦.
전-반사【全反射】명하자 全反射.
‖── 프리즘 명 全反射プリズム.
전-반생【前半生】명 前半生.
전방【前方】명 前方. ① 前の方; 前面. ¶ ～에 보이는 섬 前方に見える島. ② 戦場の第一線.
전-방【廛房】명 店; 商店.
전배【前杯】명 ☞ 전작(前酌).
전번【前番】명 先般; 先ごろ; 先だって. ¶ ～에 말씀드린 물건 先般申し上げた品物.
전범【戰犯】명 [↗전쟁 범죄인] 戦犯.
전법【戰法】명 戦法.
전변【轉變】명하자 転変. ¶ 유위 ～ 有為転変.
전별【餞別】명하타 せんべつ(餞別); はなむけ(贐・餞); 手向け. ¶ ～의 말 はなむけの言葉.
전병【煎餠】명 ☞ 부꾸미.
‖──-코 명《俗》平たい鼻.
전보【電報】명하자 電報. ¶ ～를 치다 電報を打つ.
‖── 발신지 명 電報発信紙; 頼信紙. ── 용지(用紙) 명 "전보 발신지"の俗称. 전봇-대 명 電柱.
전보【塡補】명하타 てんぽ(塡補); ほてん(補塡). ¶ 부족량을 ～하였다 不足分を塡補した.
전보【轉補】명하자 転補.
전복【全鰒】명〔貝〕あわび(鮑).
전복【顚覆】명하자타 転覆〔顚覆〕. ¶ 배가 ～하였다 船が転覆した.
전부【全部】명부 全部; 全体; すべて; 皆. ¶ ～가 다 그렇다고 할 수는 없다 全部が全部そうとはかぎらない / ～ 써버리다 全部使ってしまう.
‖── 판결 명 全部判決.
전부【前夫】명 前夫; 先夫.
전부【前部】명 前部; 前の部分. ¶ ～ 갑판 前部甲板.
전분【澱粉】명 でんぷん(澱粉). ＝녹말.
전비【全備】명하타 全備. ¶ ～ 중량 全備重量.
전비【前非】명 前非. ¶ ～를 뉘우치다 前非を悔いる.
전비【戰費】명 戦費.
전비【戰備】명 軍備.
전사【前史】명 前史. ¶ 자본주의의 발달 ～ 資本主義の発達前史.
전사【前事】명 前事; 以前にあった事.
전사【戰士】명 戦士. ¶ 무명 ～의 무덤이다 無名戦士の墓である / 산업 ～ 産業戦士.
전사【戰史】명 戦史.
전사【戰死】명하자 戦死. ¶ 월남 전쟁에서 ～하였다 ベトナム戦争で戦死した.
전사【轉寫】명하타 転写.
‖──-지 명 転写紙.
전산【全山】명 全山; 山全体.
전산【電算】명 [↗전자 계산기] 電算. ¶ ～ 조판 コンピューター組版.
‖──-기 명 [↗전자계산기] 電算機. ──-화(化) 명하타 コンピュータリゼーション; コンピューター化. ¶ ～ 작업 コンピューター化の作業.
전상【戰傷】명하자 戦傷. ¶ ～사 戦傷死 / ～을 입다 戦傷を受ける.
전-색맹【全色盲】명 全色盲.
전생【前生】명〔佛〕前生; 前世.
전생【轉生】명하자 転生.
전-생애【全生涯】명 全生涯. ＝일평생.
전서【全書】명 全書. ¶ 육법 ～ 六法全書.
전서【前書】명 前書; 前信.
전서【傳書】명하자 伝書. ¶ ～구 伝書ばと(鳩).
전서【篆書】명 てんしょ(篆書).
전선【全線】명 全線. ¶ ～ 불통 全線不通.
전선【前線】명 前線. ¶ ～의 장병 前線の将兵 / 한랭 ～ 寒冷前線.
전선【電線】명 電線. ¶ 해저 ～ 海底電線.
‖──-주(柱) 명 ☞ 전주(電柱). ──-줄 명 ☞ 전선(電線).
전선【戰船】명 兵船; 軍船.
전선【戰線】명 戦線. ¶ ～을 이탈하다 戦線を離脱する.
전설【前說】명 前説. ¶ ～을 뒤집다 前説をくつがえす.
전설【傳說】명 伝説; 言い伝え. ¶ ～상의 영웅 伝説上の英雄 / ～적인 명연주 伝説的名演奏.
전성【全盛】명하형 全盛. ¶ ～ 시대 全盛時代.
전성【展性】명〔物〕展性.
전성【轉成】명하자 転成.
‖──-어 명 転成語. ── 어미 명 転成語尾.
전성【顫聲】명 震える声.
전성-관【傳聲管】명 伝声管.
전세【前世】명 前世; 前生. ¶

~의 인연 前世の因縁.

전세【專貰】명 貸し切り. ¶~ 버스 貸し切りバス.

전세【傳貰】명 保証金を払って他人の不動産を借りること.
‖──-권(權) 명 保証金を払って他人の不動産を使用·収益する権利. 전셋-집 명 "전세"で借りた家.

전세【戰勢】명 戦勢. ¶불리한 ~ 不利な戦勢.

전-세계【全世界】명 全世界.

전-세기【前世紀】명 前世紀. ¶~의 유물 前世紀の遺物.

전소【全燒】명하자 全焼; 丸焼け. ¶집이 ~되다 家が丸焼けになる.

전속【專屬】명하자 専属.
‖── 가수 명 専属歌手. ── 부관 명 専属副官.

전속【轉屬】명하자 転属. ¶~ 명령 転属命令.

전-속력【全速力】명 全速力; フルスピード. ¶~으로 달리다 全速力で走る.

전손【全損】명 全損; 丸損.

전송【電送】명하타 電送. ¶~ 사진 電送写真.

전송【傳送】명하타 伝送. ¶~선 伝送線 / 명령을 ~하다 命令を伝送する.

전송【餞送】명 見送り. ──-하다 타 見送る. ¶성대한 ~ 盛んな見送り.

전송【轉送】명하타 転送. ¶우편물을 새 주소로 ~하다 郵便物を新しい住所に転送する.

전수【全數】명 全数; 全体の数量. ¶~ 조사 全数調査.

전수【專修】명하타 専修. ¶~과목 専修科目.

전수【傳受】명하타 伝受.

전수【傳授】명하타 伝授. ¶비의를 ~하다 秘義を伝授する.

전-술【全—】명 純粋な酒; 生酒; 生一本. =전내기.

전술【前述】명하자 前述. ¶~한 바와 같이 前述〔件〕の如く.

전술【戰術】명 戦術. ¶~ 단위 戦術単位.
‖──-가 명 戦術家. ── 폭격 명 戦術爆撃.

전승【全勝】명하자 全勝; 丸勝ち. ¶~ 우승 全勝優勝.

전승【傳承】명하타 伝承. ¶민간 ~ 民間伝承.
‖── 문학 명 伝承文学.

전승【戰勝】명하자 戦勝. ¶~국 戦勝国.

전-시【全市】명 全市.

전시【展示】명하타 展示; ディスプレー. ¶~회 展示会 / 작품을 ~하다 作品を展示する.

전시【戰時】명 戦時; 戦争中.
‖── 공채 명 戦時公債. ── 국제법 명 戦時国際法. ── 금제품 명 戦時禁制品. ── 봉쇄 명 戦時封鎖. ── 산업 명 戦時産業. ── 체제 명 戦時体制.

전신【全身】명 全身; 総身. ¶~ 미용법 全身美容法 / ~의 힘을 넣다 全身〔渾身〕の力をこめる.
‖── 마취 명하타 全身麻酔. ── 불수 명 全身不随.

전신【前身】명 前身. ¶~을 감추다 前身を隠す.

전신【電信】명 電信.
‖──-기 명 電信機. ──-환(換) 명 電信為替.

전신【轉身】명하자 転身. ¶실업가에서 정치가로 ~하다 実業家から政治家へと転身する.

전실【前室】명 前妻; 先妻.
‖── 자식(子息) 명 先妻腹の子.

전심【全心】명 全心.

전심【專心】명하자 専心; 専念. ¶~ 전력 専心全力.

전아【全我】명〔哲〕 全我; 自我全体.

전아【典雅】명하형 典雅. ¶~한 춤 典雅な舞い.

전압【電壓】명 電圧. ¶~이 낮다 電圧が低い.
‖──-계 명 電圧計; ボルトメーター. ── 강하 명 電圧降下.

전액【全額】명 全額. ¶~을 지급하다 全額を支払う.

전-야【田野】명 田野; 野良; 田畑と林野.

전야【前夜】명 前夜. ¶혁명 ~ 革命の前夜.
‖──-제 명 前夜祭.

전약【前約】명 前約; 先約.

전언【前言】명 前言; 前に言った言葉. =전설(前說). ¶~을 취소하다 前言を取り消す.

전언【傳言】명하타 伝言; ことづけ; ことづて.
‖──-판 명 伝言板.

전업【專業】명 専業. ¶~ 주부 専業主婦.

전업【轉業】명하자 転業.

전역【全域】명 全域. ¶~에 걸쳐서 全域にわたって.

전역【全譯】명하타 全訳.

전역【戰役】명 戦役.

전역【戰域】명 戦域.

전역【轉役】명하자 転役. ¶예비역으로 ~시켰다 予備役に転役させた.

전연【全然】부 ☞ 전혀.

전열【前列】명 前列.

전열【電熱】명 電熱.
‖──-기 명〔電〕 電熱器. ──-선 명 電熱線.

전열【戰列】명 戦列. ¶~에 복귀하다 戦列に復帰する.

전염【傳染】명하자 伝染. ¶홍역이 ~하고 있다 はしかが伝染中である.
‖──-병 명 伝染病. ──-성 명 伝染性. ¶~간염 伝染性肝炎.

전엽-체【前葉體】명〔植〕前葉体; 原葉体.

전옥【典獄】명 ① 典獄. ②〔史〕 監獄.

전와【轉訛】명하타 てんか(転訛).
‖──-어 명 転訛語.

전완【前腕】명 前腕; 前膊.
‖──-골 명 前腕骨.

전용【專用】명하타 専用. ¶대통령 ~기 大統領の専用機.

ㅈ

‖——-권 명 専用権. —— 어장 명 専用漁場. ——-전 명 専用栓.
전용【轉用】명하타 転用. ¶예산의 ~은 허용되지 않는다 予算の転用は許されない.
전우【戰友】명 戦友. ¶~애에 불타고 있다 戦友愛に燃えている.
전운【戰雲】명 戦雲. ¶~이 위급을 고하다 戦雲急を告げる.
전원【田園】명 田園〔田苑〕.
‖—— 도시 명 田園都市. —— 생활 명 田園生活. —— 시인 명 田園詩人.
전원【全員】명 全員.
전원【全院】명 全院; 院全体.
‖—— 위원회 명 全院委員会.
전원【電源】명 電源. ¶~ 개발 電源開発.
전월【前月】명 前月; 先月.
전위【前衛】명 前衛.
‖—— 예술 명 前衛芸術. ——-파 명 前衛派; アバンギャルド.
전위【傳位】명하타 伝位; 王位を伝えること.
전위【電位】명 電位.
‖——-계 명 電位計. ——-차 명 電位差. ¶~ 적정 電位差滴定.
전위【轉位】명하자 転位.
전유【專有】명하타 専有. ¶~ 면적 専有面積.
전율【戰慄】명하자 せんりつ(戦慄). ¶~할 범죄 戦慄すべき犯罪.
전-음부【全音符】명〔樂〕全音符. =온음표.
전의【戰意】명 戦意. ¶~를 상실하다 戦意を失う〔喪失する〕.
전의【轉義】명 転義.
전이【轉移】명하타 転移. ¶암조직의 ~ がん組織の転移.
전인【全人】명 全人; 完全な人格を備えた人.
‖—— 교육 명 全人教育.
전인【前人】명 前人; 先人. ¶~ 미답의 분야 前人未踏の分野.
전일【全日】명 全日. ① 一日中. ② 毎日.
‖——-제 명 全日制.
전일【前日】명 前日; 先日. =전날. ¶크리스마스 ~ クリスマス前日.
전일【專一】명하타 専一; 一つの事に一心になること. ¶오직 ~ 자애하시길 빕니다 御自愛専一のほどをお祈りします.
전임【前任】명 前任. ¶~자가 다시 온다 前任者がまた来る.
전임【專任】명하타 専任.
‖—— 강사 명 専任講師.
전임【轉任】명하자 転任. ¶~지 転任地.
전입【轉入】명하자 転入. ¶~학 転入学.
전자【前者】명 ① ☞ 지난번. ② 前者. ¶~에 비해 후자가 크다 前者に比べて後者が大きい.
전자【電子】명 電子; エレクトロン. ¶~ 에너지 電子エネルギー.
‖—— 계산기 명 電子計算機; コンピューター. 준 전산기(電算機)·전산(電算). —— 공학 명 電子工学; エレクトロニクス. —— 레인지 명 電子レンジ. —— 렌즈 명 電子レンズ. —— 론 명 電子論. —— 시계 명 電子時計. —— 오르간 명 電子オルガン. —— 음악 명 電子音楽. —— 장치 명 電子装置. ——-파 명 電子波. —— 현미경 명 電子顕微鏡.
전자【電磁】명 電磁. =전자기.
‖—— 개폐기 명 電磁開閉器. —— 유량계 명 電磁流量計.
전자【篆字】명 てんじ(篆字).
전-자기【電磁氣】명〔物〕電磁気; 電磁.
‖——-력 명〔物〕電磁力. ——-장 명〔物〕電磁場. ——-파 명〔物〕電磁波.
전작【田作】명 畑での農作. また, その作物; 畑作.
전작【前作】명 前作. ① 前に栽培する作物. ② 以前の作品.
전작【前酌】명 (宴会などに出る前に)既に飲んだ酒. =전배(前杯). ¶~이 있다 下地が入っている.
전장【全長】명 全長. ¶~ 10미터 全長十メートル.
전장【前章】명 前章; 前の章.
전장【前場】명 前場; (取り引き所で)午前の立ち会い.
전장【前裝】명하타〔軍〕前装; 先込め; 口装.
‖——-총 명 前装銃.
전장【電場】명 ☞ 전기장(電氣場).
전장【戰場】명 戦場; 戦地.
전재【全載】명하타 (小説·論文などを)一度に全部載せること.
전재【戰災】명 戦災. ¶~ 고아 戦災孤児 / ~를 입다 戦災にあう.
전재【轉載】명하타 転載. ¶무단 ~를 금함 無断転載を禁ずる.
전쟁【戰爭】명하자 戦争. ¶~터 戦場 / 교통 ~ 交通戦争.
‖—— 문학 명 戦争文学. —— 범죄 명 戦争犯罪. ¶~인 戦争犯罪人; 戦犯《준말》.
전적【全的】명 全的. ¶~으로 지지를 받다 全的に支持を受ける.
전적【典籍】명 典籍; 書物.
전적【戰跡】명 戦跡.
전적【戰績】명 戦績.
전적【轉籍】명하타 転籍.
전전【戰前】명 戦前.
‖——-파 명 戦前派; アバンゲール.
전전【輾轉】명하자 輾転.
‖—— 반측(反側) 명하자 輾転反側.
전전【轉戰】명하자 転戦. ¶각지로 ~하였다 各地に転戦した.
전전【轉轉】명하자 転転. ¶일자리를 찾아 ~하다 職を求めて転転(と)する.
전전【前前】관 前前; 先先.
‖——-날 명 おととい; 一昨日. =그저께. ——-년(年) 명 おととし; 前前年; 一昨年. =그러께. ——-달 명 前前月; 先先月. =지지난달. ——-번(番) 명 この前の前; 先般. =지지난번.
전전 긍긍【戰戰兢兢】명하자 戦戦恐恐〔戦戦兢兢〕. ¶해고될까 하여 ~하고 있다 首になりはしないかと戦戦兢兢している. 준 전긍.
전정【前庭】명 前庭. =앞뜰.

ㅈ

전정【前程】명 前程; 前途. =앞길.
전정【剪定】명하타 せんてい(剪定). ¶과수를 ～하다 果樹を剪定する.
‖── 가위 명 はなばさみ(花鋏); きばさみ(木鋏).
전제【前提】명 前提. ¶～ 조건 前提条件 / 결혼을 ～로 교제하다 結婚を前提に交際する.
전제【專制】명 ① 專制. ¶～적 폭군 專制的な暴君. ② ↗전제 정치.
‖── 군주 명 專制君主. ── 정치 명 專制政治; 專政. ──-주의 명 專制主義.
전조【前兆】명 前兆; きざし; 前触れ. ¶지진의 ～ 地震の前触れ.
전조【前條】명 前条.
전조【前朝】명 前朝; 先朝.
전조【轉調】명하자〔樂〕転調.
전조-등【前照燈】명 前照灯; ヘッドライト. =전등(前燈).
전죄【前罪】명 前罪. ¶～를 뉘우치다 前罪を悔いる.
전주【前主】명 前主. ① 前の君主. ② 前の持ち主.
전주【前奏】명〔樂〕前奏.
‖──-곡 명 前奏曲; プレリュード.
전주【前週】명 前週; 先週. ¶～의 토요일 前週の土曜日.
전주【電柱】명 電柱; 電信柱.
전주【箋註·箋注】명 箋註〔箋注〕.
전주【錢主】명 金元; 貸元; スポンサー.
전중-파【戰中派】명 戦中派.
전지【田地】명 田地. =전답.
전지【全知】명 全知.
‖── 전능 명하형 全知全能. ¶～하신 하느님 全知全能の神.
전지【全紙】명 全紙; 全判.
전지【前肢】명 前肢; 前足. =앞다리.
전지【剪枝】명하타 せんし(剪枝); せんてい(剪定).
전지【電池】명 電池; バッテリー. ¶건～ 乾電池.
전지【戰地】명 戦地; 戦場. =싸움터.
전지【轉地】명하자 転地.
‖── 요양 명하자 転地療養; 出養生.
전직【前職】명 前職. ¶그의 ～은 교사다 彼の前職は教師である.
전직【轉職】명하자 転職; 転業. ¶～을 희망하였다 転職を希望した.
전진【前進】명하자 前進. ¶～ 기지 前進基地 / 일보 ～하였다 一歩前進した.
전진【戰陣】명 戦陣; 戦場.
전진【戰塵】명 戦塵. ¶～을 씻다〔피하다〕 戦塵を洗う〔逃れる〕.
전질【全帙】명 全巻; 丸本.
전집【全集】명 全集. ¶가곡 ～ 歌曲全集.
전차【前借】명 前借; 前借り; 先借り; うち借り. ──-하다 타 前借する; 前借りする.
‖──-금 명 前借金; 前借り.
전차【電車】명 電車. ¶무궤도 ～ 無軌道電車.
전차【戰車】명 戦車; タンク.
전차【轉借】명하타 転借; 又借り. ¶돈을 ～하다 金を又借りする.
전채【前菜】명 前菜; つきだし; オードブル.
전채【前債】명 前債.
전채【戰債】명 戦債.
전처【前妻】명 前妻; 先妻.
‖── 소생(所生) 명 先妻の子.
전천【全天】명 全天; 空の全体.
‖── 사진기 명 全天写真機.
전-천후【全天候】명 全天候. ¶～ 농업 全天候農業.
‖──-기 명 全天候機.
전철【前哲】명 前哲; 先哲.
전철【前轍】명 ぜんてつ(前轍); 前者のわだち(轍). ¶～을 밟다 前轍を踏む; 二の舞いをする.
전철【電鐵】명 [↗전기 철도] 電鉄.
전철-기【轉轍器】명 転轍器; ポイント.
전체【全體】명 全体. ¶회사 ～의 의견 会社全体の意見.
‖──-주의 명 全体主義.
전초【前哨】명 前哨. ¶～ 부대 前哨部隊.
‖──-전 명 前哨戦.
전촌【全村】명 全村; 村全体.
전축【電蓄】명 [↗전기 축음기] 電蓄.
전출【轉出】명하자 転出. ¶～ 신고 転出届け / 지점으로 ～하다 支店に転出する.
전치【全治】명하타 全治; 完治. ¶～ 2주의 상처였다 全治二週間のけがであった.
전치-사【前置詞】명〔言〕前置詞.
전칭【全稱】명〔論〕全称.
‖── 판단 명 全称判断.
전토【田土】명 田畑. =전답(田畓).
전토【全土】명 全土. ¶한국 ～를 덮다 韓国全土を覆う.
전통【傳統】명 伝統. ¶～을 지키다 伝統を守る / ～ 예능 伝統芸能.
‖──-주의 명 伝統主義.
전투【戰鬪】명하자 戦闘; たたかい. ¶처절한 ～ 凄烈な戦闘 / 전선에서 작은 ～가 계속되다 前線で小競り合いが続く.
‖── 경찰대 명 戦闘警察隊. 준 전경(戰警). ──-기 명 戦闘機. ──-력 명 戦闘力. ──-모 명 戦闘帽. ──-적 명관 戦闘的. ── 폭격기 명 戦闘爆撃機. ──-함 명 戦闘艦. 준 전함(戰艦).
전파【全破】명하자타 全壊. ¶～ 가옥 全壊家屋.
전파【電波】명 電波. ¶우주 ～ 宇宙電波.
‖──-계 명 電波計. ── 망원경 명 電波望遠鏡. ── 병기 명 電波兵器. ── 은하 명〔天〕電波銀河. ──-원 명 電波源. ── 탐지기 명 電波探知機; レーダー.
전파【傳播】명하자타 伝播. ¶사상의 ～ 思想の伝播.
전파 수신기【全波受信機】명 全波受信機; オールウェーブ.

전패【全敗】명하자 全敗. ¶～한 팀 全敗チーム.
전편【全篇】명 全編〔全篇〕. ¶이 책의 ～에 넘치는 염전 사상 この本の全編にみなぎる厭戦思想.
전편【前篇】명 前編.
전폐【全廢】명하타 全廃.
전폐【前弊】명 以前からの弊害.
전폭【全幅】명 全幅；あらん限り. ¶～적인 신뢰 全幅の信頼.
전표【傳票】명 伝票.
전하【殿下】명 殿下. ¶황태자 ～ 皇太子殿下.
전하【電荷】명〖電〗電荷. ¶～ 보존의 법칙 電荷保存の法則.
전-하다【傳—】타 伝える. ①(金品を)渡す. ¶돈을 전해 주다 金を渡してやる. ②(人を介して)知らせる；言い知らせる. ¶진실을 ～ 真実を伝える／전할 말씀이 있으시면 제가 전해 드리죠 伝言がありましたらお取り次ぎ致します／소문이 전해지다 噂が伝わる. ③譲る；教える. ¶가보를 자손에게 ～ 家宝を後の者に伝える／비전을 ～ 秘伝を伝える. ④受け継ぐ. ¶면면히 전해 오는 전통 脈脈と伝わる伝統／예로부터 전하는 바에 의하면 昔から伝わる所によると. ⑤(文物を)他の所に移す. ¶해외에서 전해 온 제법 海外から伝えられた製法.
전학【轉學】명하자 転学；転校. ¶타교로 ～하다 他校に転学する.
전함【戰艦】명 ①軍艦. ②[↗전투함] 戦艦.
전항【前項】명 前項.
전해【電解】명하타〖化〗[↗전기 분해] 電解.
‖── 공업 명 電解工業. ── 부식(腐飾) 명 電解腐食. ──-조 명 電解槽. ──-질 명 電解質.
전행【專行】명하타 専行. ¶독단 ～ 独断専行.
전향【轉向】명하타 転向. ¶투수에서 타자로 전향하다 投手から打者に転向する.
전혀【全—】부 全然；全く；まるっきり；根から；皆目；さっぱり；てんで. ¶～ 모르다 からきし〔つゆほども；まるきり；根から〕知らない／성공할 가망은 ～ 없다 成功の見込みはまるっきり無い／～ 다르다 まったく違う／～ 상대하지 않다 頭から相手にしない.
전형【典型】명 典型. ¶정치가의 한 ～ 政治家の一典型／～적인 신사 典型的(な)紳士.
전형【銓衡】명하타 選考. ¶합격자를 ～하다 合格者を選考する.
‖── 위원 명 選考委員.
전호【前號】명 前号. ¶～에서 계속되다 前号から続く.
전호【電弧】명〖物〗電弧；アーク.
전화【電化】명하자타 電化. ¶철도의 ～ 鉄道の電化.
전화【電話】명하자 電話. ¶～를 걸다 電話をかける／～가 걸리다 電話がかかる／～를 받다 電話口にでる／내일 ～하겠습니다 明日電話します.
‖── 교환 명 電話交換. ¶～기 電話交換機. ──-국 명 電話局. ──-기 명 電話機. ── 번호 명 電話番号. ¶～부 電話帳；電話番号簿. ── 박스, ── 부스 명 電話ボックス. ──-선 명 電話線.
전화【戰火】명 戦火；戦争. ¶～를 입다 戦火に見舞われる.
전화【戰禍】명 戦禍. ¶～를 입다 戦禍をこうむる.
전화【轉化】명하자타 転化.
‖──-당 명〖化〗転化糖.
전화위복【轉禍爲福】명하자 災いを転じて福となすこと.
전환【轉換】명 転換；変換. ──하다 자타 転換する；転ずる；変換する. ¶성～ 性転換／기분을 ～하다 気分を転換する.
‖──-기 명 転換器. ──-로 명 転換炉. ── 사채 명 転換社債.
전황【戰況】명 戦況；旗色. ¶～이 호전되었다 戦況が好転した.
전회【前回】명 前回.
전회【轉回】명하자타 転回. ＝회전(回轉).
전횡【專橫】명 専横. ──하다 자 ほしいままにする；横暴に振る舞う. ¶～적으로 権柄ずくで.
전후【前後】명 前後；前後ろ. ＝앞뒤. ¶사십 ～의 사나이 四十前後の男／～ 분별 없이 前後不覚にも.
전후【戰後】명 戦後.
‖──-파 명 戦後派. ＝아프레게르.
전훈【戰勳】명 戦勲；戦功.
전휴【全休】명하타 全休；(仕事などを)まる一日休むこと.
전-휴부【全休符】명 全休符. ＝온쉼표.
절[1] 명 寺.
절[2] 명 敬礼；お辞儀；えしゃく.
절【節】명 節. ¶제1장 제2～ 第一章第二節.
절[3] 준 "저를(わたしを〔に〕)"の略語. ¶～ 따라오시오 わたしについて来なさい.
-절【節】미 ①節；節日. ¶성탄～ 聖誕祭；クリスマス. ②時節.
절간【—間】명《俗》寺.
절감【切感】명하타 切〔痛切〕に感じること. ＝통감(痛感). ¶역부족을 ～하다 力不足を切に感じる.
절감【節減】명하타 節減. ¶경비의 ～ 経費の節減.
절개【切開】명하타 切開. ¶제왕 ～ 帝王切開.
절개【節槪】명 節義と気概.
절거덕 부하자타 ①くっついていた粘り気のある物が離れる音，またはそのさま：べたり. ¶～하고 떨어지다 べたりと離れる. ②平たいものにつく時に出る音. ③固い物がつき当たる音：がちん；がちゃん. ¶기차의 연결기가 ～하고 붙다 汽車の連結器ががちゃんとくっつく. 준 절걱. ──-거리다 자타 べたべた〔がたがた〕となる；がちゃんがちゃんする. ──── 부하자타 がたがた；べたべた；がちゃがちゃ.
절거덩 부하자타 金物などが触れ合って引っ掛かる音：がたん；がち

ん. ㅆ절꺼덩. ㅆ절커덩. ——-거리다 자타 がちんがちんとなる. ———— 부하자타 がちんがちん.

절경【絶景】명 絶景. ¶천하의 ~ 天下の絶景.

절교【絶交】명하자 絶交. ¶~장을 보냈다 絶交状を送った.

절구 명 うす(臼).

‖——-떡 명 臼もち. ——-질 명하자 臼でつくこと. ——-통 명 ①臼. ②太っている人; ずんどう《特に太った女性を指す》. 절굿-공이 명 きね(杵).

절구【絶句】명 絶句. ¶오언 ~ 五言絶句.

절규【絶叫】명하자 絶叫. ¶구원을 ~하다 救いを求めて絶叫する.

절그렁 부하자타 薄い金属が落ちたりふれあったりする音: がちゃん; がちん. ——-거리다 자타 がちんがちんする. ———— 부하자타 がちんがちん.

절기【節氣】명 節気.

절다[1] 자 塩に漬かる.

절다[2] 자 片足をひきずって歩く.

절단【切斷】명하타 切断. ¶오른발을 ~하다 右足を切断する.

‖——-면 명 切断面.

절대【絶大】명하형 絶大.

절대【絶代】명 絶代. ¶~의 명공 絶代の名工 / ~ 가인(佳人) 絶世の美人.

절대【絶對】㊀명 絶対. ¶~적인 존재 絶対的(な)存在. ㊁부 [↗절대로] 絶対に. ¶~ 그렇지 않다 絶対(に)そうでない. ——-로 부 絶対に; 決して; 断じて. ¶~ 안 가겠다 絶対(に)行かない.

‖—— 개념 명〔哲〕絶対概念. ——군주제 명 絶対君主制. ——-권 명 絶対権. —— 다수 명 絶対多数. ——-량 명 絶対量. ¶수입의 ~ 収入の絶対量. —— 안정 명 絶対安静. —— 압력 명〔物〕絶対圧力. ——온도 명〔物〕絶対温度. —— 음악 명 絶対音楽. ——-자 명〔哲〕絶対者. ——-주의 명 絶対主義. 절댓-값 명〔數〕絶対値.

절도【絶島】명 [↗절해 고도(絶海孤島)] 絶島; 離れ島.

절도【節度】명 節度. ¶~를 지키다 節度を守る.

절도【竊盜·窃盜】명 窃盗.

‖——-범 명 窃盗犯. ——-죄 명 窃盗罪.

절뚝-거리다 자타 片足をひきずって歩く. 절뚝-절뚝 부하자타 片足をひきずって歩くさま.

절뚝발-이 명 片足の不自由な人.

절량【絶糧】명 食糧が尽きること.

절렁-거리다 자타 (薄い金属や鈴が)ちゃらちゃらと鳴る〔鳴らす〕; りんりんと鳴る〔鳴らす〕. 절렁-절렁 부하자타 ちゃらちゃら.

절레-절레 부 首をしきりに左右にふるさま.

절로 부 ①↗저절로. ¶~ 고개가 수그러지다 おのずから頭が下がる. ②↗저리로. ¶~ 가거라 あっちへ行け.

절룩-거리다 자타 片足をややひきずって歩く. 절룩-절룩 부하자타 片足をややひきずって歩くさま.

절륜【絶倫】명하형 絶倫; 抜群. ¶정력 ~ 精力絶倫.

절름-거리다 자타 片足を少しひきずって歩く. 절름-절름 부하자타 片足を少しひきずって歩くさま.

절름발-이 명 ☞ 절뚝발이.

절망【切望】명하타 切望.

절망【絶望】명하자 絶望. ¶인생에 ~하다 人生に絶望する.

‖——-적 명관 絶望的.

절멸【絶滅】명하자 絶滅. ¶성병의 ~ 性病の絶滅.

절명【絶命】명하자 絶命.

절묘【絶妙】명하형 絶妙. ¶~한 컨트롤 絶妙なコントロール.

절무【絶無】명하형 絶無; 皆無.

절미【節米】명하자 節米. ¶~ 운동 節米運動.

절박【切迫】명하자 切迫. ¶~한 국제 정세 切迫した国際情勢.

절반【折半】명하타 折半; 半分; 二等分. ¶이익금을 ~씩 나누어 갖다 益金を半分ずつ分け持つ.

절버덕 부하자타 浅い水を荒荒しく踏む音: ぼちゃぼちゃ. ——-거리다 자타 ぼちゃぼちゃする. ———— 부하자타 ぼちゃぼちゃ.

절버덩 부하자타 深い水に重い石を投げたときに出る音: どぶん; とぶん. ——-거리다 자타 どぶんどぶんと音がする. ———— 부하자타 どぶんどぶん.

절벅 부하자타 浅い水を踏んだ時の音: ぼちゃ. ——-거리다 자타 ぼちゃぼちゃする. ———— 부하자타 ぼちゃぼちゃ.

절벙 부하자타 深い水の中に重いものが落ちる時の音: どぶん. ——-거리다 자타 どぶんどぶんする. ———— 부하자타 どぶんどぶん.

절벽【絶壁】명 絶壁.

절사【節士】명 節士; 高節の士.

절삭【切削】명하타 切削. ¶~ 공구 切削工具.

절색【絶色】명 絶色.

절선【折線】명〔數〕折線. ＝꺾은선.

‖—— 그래프 명〔數〕折線グラフ. ＝꺾은선 그래프.

절세【絶世】명 絶世. ＝절대(絶代). ¶~의 미인 絶世の美人.

절승【絶勝】명 絶勝. ¶~지 絶勝の地.

절식【絶食】명하자 絶食; 断食.

‖—— 요법 명〔醫〕絶食療法.

절식【絶息】명하자 絶息; 絶命.

절식【節食】명하자 節食.

절실【切實】명하형 切実. ¶~한 요구 切実な要求. ——-히 부 切実に. ¶외국어의 필요성을 ~ 느꼈다 外国語の必要を切実に感じた.

절쑥-거리다 자타 片足をややひきずって歩く. 절쑥-절쑥 부하자타 片足をややひきずって歩くさま.

절약【節約】명하타 節約. ¶경비의

～ 経費の節約.

절연【絶緣】명 하타 絶縁. ¶ 그와는 ～했다 彼とは絶縁した / ～ 기구 絶縁器具.

‖――물 명 絶縁物. ――선 명 絶縁線. ――유 명 絶縁油. ―― 재료 명 絶縁材料. ――체 명 絶縁体.

절연【節煙】명 하자 節煙. ¶ ～ 운동 節煙運動.

절음【絶飮】명 하자 断酒; 禁酒.

절음【節飮】명 節飲; 節酒.

절의【節義】명 節義. ¶ ～를 중히 여기다 節義を重んじる.

절이다 타 塩漬けにする.

절전【節電】명 하자 節電. ¶ ～ 주간 節電週間.

절절[1] 부 加熱して非常にあついさま. ¶ 방이 ～ 끓는다 オンドルが焼けつくほど熱い.

절절[2] 부 手に持って左右にゆっくり振るさま: ゆらゆら.

절절-이【節節―】부 (言葉の)一言一言; 句句毎に.

절절-하다【切切―】형 切切である; 切実だ. ¶ 절절한 권유 懇ろな勧め. **절절-히** 부 切切と; 切に.

절접【切椄】명 切り接〔継〕ぎ.

절정【絶頂】명 絶頂. ¶ 산의 ～ 山の絶頂 / 인기 ～ 人気絶頂.

절제【切除】명 하타 切除. ¶ 맹장 ～ 수술 盲腸の切除手術.

절제【節制】명 하타 節制. ¶ 술을 ～하다 酒を節制する.

절조【節操】명 節操.

절주【節酒】명 하자 節酒. ＝절음(節飮). ¶ ～ 운동 節酒運動.

절지 동물【節肢動物】명〔動〕節足動物.

절차【節次】명 手続き; 手順; 手筈. ¶ ～를 밟다 手続きを取る.

절차 탁마【切磋琢磨】명 하자타 切磋琢磨. ¶ 서로 ～하다 互いに切磋琢磨する.

절찬【絶讚】명 하타 絶賛. ¶ ～을 받다 絶賛を博する.

절창【絶唱】명 絶唱. ¶ 고금의 ～ 古今の絶唱.

절충【折衷】명 하타 折衷〔折中〕. ¶ ～안 折衷案.

‖――주의 명〔法〕折衷主義.

절충【折衝】명 하타 折衝. ¶ ～에 임하다 折衝にあたる.

절취【切取】명 切(り)取り. ¶ ～선 切取り線.

절취【竊取】명 하타 窃取. ¶ 남의 재물을 ～하다 人の財物を窃取する.

절치【切齒】명 하자 切歯.

‖―― 부심 명 하자 切歯腐心.

절친【切親】명 하형 히부 きわめて親しいこと. ¶ 예전부터 ～하게 지내고 있다 昔からじっこんにしている.

절커덕 부 하자타 ☞ 절거덕. ＞잘카닥. ㊅절컥. ――거리다 자타 ☞ 절거덕거리다. ―――― 부 하자타 ☞ 절거덕절거덕.

• **절커덩** 부 하자타 ☞ 절거덩. ＞잘카당. ――거리다 자타 ☞ 절거덩거리다. ―――― 부 하자타 ☞ 절거덩절거덩.

절토【切土】명 하자〔土〕(土の)切
取り.

절통【切痛】명 하형 히부 ひどく恨
しいこと.

절판【絶版】명 하자타 絶版.

절편 명 丸くまたは方形に花紋
がたで押したしろもち(白餅). ＝절병(
餅).

절품【切品】명 하자 品切れ. ＝품
(品切). ¶ ～이 되다 品切れになる.

절품【絶品】명 絶品. ¶ 고금의 ～ 古今の絶品.

절필【絶筆】명 하자 絶筆.

절하【切下】명 하타 切り下げ. ¶ 평가 ～ 平価切り下げ.

절해【絶海】명 絶海.

‖―― 고도 명 絶海の孤島.

절호【絶好】명 하형 絶好. ¶ ～의 기회 絶好の機会〔チャンス〕.

절후【節候】명 ☞ 절기(節氣).

젊다 형 若い. ¶ 젊은 혈기 若気 / 젊은 아내 若妻 / 나이보다 젊어 보이다 年より若く見える.

젊디-젊다 형 非常に若い.

젊은-이 명 若者; 若い人; 若人; 年若; 年弱. ¶ 늙은이도 ～도 老いも若きも / ～에게 어울리는 양복 若向きの洋服.

점【占】명 하타 占い; ぼくぜい(卜筮)·卜占; 八卦. ¶ ～치다 占う.

점【點】명 ㊀명 点. ① しるしの黒点. ¶ ～을 찍다 ちょんを打つ. ② 小さい染み〔まだら〕. ③ 字を書くときに一点でうつ字画. ④ 文章の区切りに打つしるし: 読点; 訓点. ⑤ 指摘された事項を表わす部分. ¶ 무례한 ～ 無礼の段 / 문제～ 問題点 / 의심스러운 ～이 있다 あやしい節〔不審のかど〕がある / 그 ～을 잘 모르겠다 そこの所がよくわからない. ⑥ 斑·ぶち. ⑦〔數〕二つの線のまじわる位置. ⑧ あざ(痣). ¶ 푸른 ～ 青痣. ⑨ 成績を表わす点数. ¶ 백～ 100点. ㊁ 의명 ① 時を表わす語: 刻. ＝시(時). ¶ 지금 몇 ～이냐 今何時なの. ② 品物の数を表わすときに添える語: 点. ¶ 의류 열 ～ 衣類十点. ③ (碁で)碁盤の目または石の数をかぞえる語: 目. ¶ 두 ～ 놓고 두는 바둑 二目の置き碁. ④ しずくをかぞえるのに使う語: 滴. ¶ 낙숫물이 한 ～ 두 ～ 떨어지다 雨垂れが一滴二滴〔点点〕と落ちる. ⑤ (肉などの)一切れ. ¶ 고기 한 ～ 肉の一切れ.

점감【漸減】명 하타 漸減.

점거【占據】명 하타 占拠. ¶ 건물을 ～하다 建物を占拠する.

점검【點檢】명 하타 点検. ¶ 인원 ～ 人員点検.

점-괘【占卦】명 占いのけ(卦). ㊅괘(卦). ¶ ～가 나쁘다 算が合わぬ / 좋은 ～가 나왔다 よい卦が出た.

점근【漸近】명 하자 漸近. ¶ ～선 漸近線.

점-대【占―】명 ぜいちく(筮竹). ¶ ～를 흔들다 筮竹を鳴らす.

점도【粘度】명 粘度.

점두【店頭】명 店頭; 店先. ¶～에 서다 店頭に立つ.
‖── 매매 명 店頭売買.
점등【漸騰】명하자 漸騰. ¶물가가 ～하다 物価が漸騰する.
점등【點燈】명하자 点灯. ¶～ 사육 点灯飼育 / ～ 시간 点灯時間.
점락【漸落】명하자 漸落. ¶물가가 ～하다 物価が漸落する.
점령【占領】명하자타 占領. ¶～지 占領地 / 무혈 ～ 無血占領.
점막【粘膜】명 粘膜. ¶코의 ～ 鼻の粘膜.
점멸【點滅】명하자타 点滅. ¶～ 신호 点滅信号.
‖──-기 명 点滅器.
점묘【點描】명하타 点描. ¶～화 点描画.
점-박이【點─】명 あざ・ほくろ・斑点などがある人, または獣.
점방【店房】명 店; 店舗.
점벙 부 水に浸ったってすぐ浮かぶさま, またはその音: ぽちゃん; ぽちゃん. ──-거리다 자타 しきりにじゃぶじゃぶする. ──── 부하자타 じゃぶじゃぶ.
점보〔jumbo〕명 ジャンボ. ¶～ 사이즈 ジャンボサイズ.
‖── 제트 명 ジャンボジェット.
점복【占卜】명하타 占卜; 占い.
점상【點狀】명 点状.
점선【點線】명 点線; 点点〈児〉.
점성【粘性】명〔物〕粘性.
점성-술【占星術】명 占星術. ＝점성학.
점수【點數】명 点数; 点; ポイント. ¶전시회의 출품 ～ 展示会の出品点数 / ～가 후하다 点が甘い.
점술【占術】명 占術; 占い術.
점심【點心】명 昼飯; お昼; 昼食. ¶～을 먹다 昼飯をとる; 昼食を食べる. ──-하다 자 昼食の支度をする; お昼をとる.
‖──-때 명 昼食時; 昼頃. ──-밥 명 昼飯. ──-참 명 昼食時間の休憩.
점안【點眼】명하자 点眼. ¶～수 点眼水.
점액【粘液】명 粘液.
‖──-질 명 粘液質.
점역【點譯】명하타 点訳; 普通の文字を点字に直すこと.
점용【占用】명하타 占用. ¶도로의 ～ 道路の占用.
점원【店員】명 店員.
점유【占有】명하타 占有. ¶～ 재산 占有財産.
‖──-권 명 占有権. ──-물 명 占有物.
점입 가경【漸入佳境】명하자 次第に佳境に入ること; だんだん興味深くなること.
점자【點字】명 点字. ¶～ 신문 点字新聞.
점잔 명 言行が卑しからず重重しいこと; おとなしやかなこと. ──-부리다 자 おとなしやかに振る舞う; 上品ぶる. ──-빼다 자 おとなしやかな振りをする; もったいぶる; 取り澄ます. ¶～ 빼는 여자 気取った女 / 짐짓 ～ 뺀 얼굴을 하다 取り澄ました顔をする. ──-피우다 자 もったいぶる; おとなしやかに振る舞う.
점잖다 형 ①(威厳があって)おうよう(鷹揚)だ. ¶점잖지 못하다 おとなげない / 점잖아지다 大人びる / 점잖게 고개를 끄덕이다 おうようにうなずく. ②上品だ; 物柔らかだ. ¶점잖은 신사 物柔らかな紳士. 점잖-이 부 おうように; 上品に; 物柔らかく.
점재【點在】명하자 点在; 散点. ¶～하는 민가 点在する民家.
점-쟁이【占─】명 占方; 占師; ぼくしゃ(卜者); 易者; 陰陽師. ¶길거리의 ～ 大道易者.
점적【點滴】명하타 点滴; しずく; したたり. ¶～ 주사 点滴注射.
점점【漸漸】부 ますます; いよいよ; 徐徐に; だんだん; なおなお(猶猶・尚尚); 次第に. ¶～ 더 멀리 ますます遠く / 바람이 ～ 거세어지다 風がいよいよはげしくなる.
점점-이【點點─】부 点点と; ここかしこに; あちらこちらに. ¶～ 꽃이 피어 있다 点点と花が咲いている / 민가가 ～ 흩어져 있다 民家が点点と散らばっている.
점주【店主】명 店主; 店の主.
점-줄【點─】명 文章中の無言のしるし "……" の称. ＝무언표(無言標).
점증【漸增】명하자 漸増.
점지 명하타 (神仏が)申し子を与えること. ¶관음 보살이 ～해 주신 아이 観音様の申し子.
점진【漸進】명하자 漸進.
‖──-적 명관 漸進的. ¶～ 개혁 漸進的改革. ──-주의 명 漸進主義.
점차【漸次】부 漸次; 徐徐に; 逐次; 次第に; だんだん. ¶～ 증가하고 있다 漸次増加している / ～로 진보한다 漸次進歩する.
점차【點差】명 点差.
점착【粘着】명 粘着. ¶～성 粘着性 / ～ 테이프 粘着テープ.
‖──-력 명 粘着力. ──-제 명 粘着剤.
점철【點綴】명하자타 点綴. ¶인가가 ～하여 있다 人家が点綴している.
점-치다【占─】타 占う; ぼく(卜)する; はっけ(八卦)を見る. ¶길일을 ～ 吉日を卜する.
점토【粘土】명 粘土; へな.
‖──-암 명〔鑛〕粘土岩. ──-질 명〔地〕粘土質.
점파【點播】명하타 点播《播種法の一つ》.
점판-암【粘板岩】명〔鑛〕粘板岩.
점퍼〔jumper〕명 ☞ 잠바.
‖── 스커트 명 ジャンパースカート.
점포【店鋪】명 店舗; 店; 店屋. ¶～가 즐비하다 店舗が並んでいる.
점프〔jump〕명하자 ジャンプ.
‖── 볼 명 ジャンプボール.
점핑〔jumping〕명하자 ジャンピング.
점-하다【占─】타 占める. ¶다수를 ～ 多数を占める.
점호【點呼】명하타 点呼.

ㅈ

접화【點火】명 点火; 火をともし. ——하다 자 点火する; 火をともす. ¶～식(式) 火入れ式/～되다 とも(点)る; とぼ(点)る.
‖——약 명 点火薬. —— 장치 명 点火装置.
접획【點畫】명 点画; 点と画.
접【椄】명〔植〕接ぎ木. ——하다 타 接ぎ木をする.
접 의명 果物·白菜·大根などの百個単位の語. ¶무 세 ～ 大根三百本.
접객【接客】명하자 接客.
‖——업 명 接客業.
접견【接見】명하자타 接見; 引見; 目通り. ¶공사를 ～하다 公使を接見する.
접경【接境】명하자 接境.
접골【接骨】명하타 接骨; 骨つぎ; 整骨; 整復. ¶～술 接骨術/～의 接骨医; 骨接ぎ.
접근【接近】명하자 接近; 近づくこと; アプローチ. ¶～시키다 近寄せる; 寄せつける/어떤 남자도 ～시키지 않는다 どんな男も近寄せない.
접다 타 ① 畳む; 折る. ¶접어 넣다 折り込む; 畳み込む/우산을 ～ かさを畳む/종이를 ～ 紙を折る. ② ☞ 접어 주다.
접대【接待】명 接待; もてなし; サービス; 人あしらい; 応接. ——하다 타 接待する; 取り持つ; 扱う. ¶～계 接待係/손님 ～를 하다 客の応接をする.
‖——부 명 接待婦; 商売人; ホステス; 玉〈俗〉.
접대【椄臺】명 接ぎ台. =접본(椄本).
접두-사【接頭辭】, 접두-어【接頭語】명 接頭辞; 接頭語.
접-때 명부 さきごろ; 先だって; この前; 先の日. ¶～ 온 사람 先だって来た人.
접목【椄木】명하자 接ぎ木. ¶감나무를 ～하다 柿の接ぎ木をする.
접미-사【接尾辭】, 접미-어【接尾語】명 接尾辞; 接尾語.
접-바둑 명 置き碁; 込み碁.
접본【椄本】명 台木; 接ぎ台. =접대(椄臺).
접-붙이【椄—】, 접-붙이기【椄—】명하타 接ぎ木(をすること).
접-붙이다【椄—】타 接ぎ木をする.
접사【接辭】명 接辞. =접어.
접선【接線】명하자 ①〔數〕接線〔切線〕. ¶호에 ～을 긋다 弧に接線を引く. ② 接すること; つながること. ¶간첩과 ～하다 スパイと接する.
접속【接續】명하자타 接続. ¶～ 열차 接続列車/문장의 ～이 좋지 않다 文章の接続がよくない.
‖——곡 명 接続曲. ——범 명 接続犯. ——사 명 接続詞.
접수【接收】명하타 接収. ¶땅의 ～에 반대하였다 土地の接収に反対した.
접수【接受】명하타 接受; 受け付け; 受け入れ. ¶～국 接受国.
접수【椄穗】명하타〔植〕接〔継〕ぎ穂. =접지(椄枝).
접시 명 皿. ¶한 ～, 두 ～ 一皿二皿/받침 ～ 受け皿.
‖——꽃 명〔植〕たちあおい(立葵); はなあおい. —— 천칭(天秤) 명 上皿天秤.
접신【接神】명하자 み霊が乗り移ること.
접안【接岸】명하자 接岸. ¶제일 부두에 ～하다 第一埠頭に接岸する.
접안-경【接眼鏡】명 接眼鏡; 接眼レンズ.
접어【接語】명하자 ① 言葉を交わすこと. ② 接辞.
접어-들다 자 ①(日にち·年が)近づいてくる; せまってくる; 入る. ¶장마철에 ～ 梅雨に入る; 雨期に差し掛かる/늘그막에 ～ 老いを迎える. ② ある地点を越すかまたは別れ道に入る. ¶고개로 ～ 峠へさし掛かる.
접어-주다 타 ①(目下をある程度)大目に見てやる; 寛大に遇する. ②(下手な人に)ハンディキャップを与える. ¶두 점 접어주는 바둑 二目の置き碁〔こみ碁〕.
접영【蝶泳】명 泳法の一つ; バタフライ.
접-의자【摺椅子】명 折り畳み椅子.
접-자【摺—】명 折り尺; しょうしゃく(摺尺).
접전【接戰】명하자 接戦; 合戦.
접점【接點】명〔數〕接点〔切点〕.
접종【接種】명하타 接種. ¶예방 ～ 予防接種.
접종【接踵】명하자 接踵; 物事があい次いで起こること. ¶～하는 유괴 사건 相次いで起こる誘拐事件.
접지【接地】명〔物〕接地; アース.
‖——선 명 接地線. =어스선(線).
접지【椄枝】명하타 穂木; つぎ穂. =접수(椄穗).
접지【摺紙】명하자 折り紙; 紙を折ること.
‖——기 명〔印〕紙折り機.
접-질리다 자타 挫く; すじちがいする. ¶발목을 ～ 足首をくじく.
접착【接着】명하자타 接着; くっつくこと. また, くっつけること.
‖——제 명 接着剤.
접촉【接觸】명 接触. ① 触ること; 触れること. ——하다 자타 接触する; 触る; 触れる. ¶～ 사고 接触事故. ② 付き合うこと. ——하다 자타 接触する; 付き合う. ¶사업상의 ～을 가지다 事業上の付き合いを持つ/외부와의 ～을 끊다 外部との接触を絶つ.
‖——반응 명 接触反応. —— 전염 명 接触伝染. ——제 명 接触剤.
접-칼【摺—】명 折り畳み式の刀.
접-하다【接—】자타 接する. ① 触れる. ¶점과 점이 ～ 点と点が接する. ② くっつく; 届きつながる. ¶하늘과 바다가 접하는 경계 空と海の接する境. ③ ぶつかる; 出会う; 応対する. ¶처음으로 접하는 어려운 사

건 はじめて接する難事件 / 비보에 ~ 悲報に接する / 많은 사람을 ~ 多くの人に接する.

접합【接合】명하자타 接合. ¶ ~제 接合剤 / ~ 생식 接合生殖.
‖——-면 명 接合面. ——-자 명〔生〕接合子. ——-체 명 接合体.

접히다 피동 ①折られる; 畳まれる. ¶ 접힌 곳 折れ目 / 종이가 ~ 紙が折り畳まれる. ②ひとから大目に見られる〔扱われる〕. ③(囲碁などで)込みだしを与えられる.

젓 명 塩辛. ¶ 새우~ 小海老の塩辛 / 멸치~ 片口いわしの塩辛.

젓-가락【箸—】명 はし(箸). ㊟ 젓갈·저(箸). ¶ ~질 はしの上げ下ろし / ~통 はし箱.

젓-갈 명 塩辛にした物.
‖——-붙이 명 塩辛の類.

젓-갈【箸—】명 ↗젓가락.

젓-국 명 塩辛の汁.

젓다 타 ①かきまぜる; かきまわす; かくらん(攪乱)する. ¶ 국을 ~ おつゆをかきまわす. ②漕ぐ; さお(棹)さす. ¶ 노를 ~ ろ(櫓)を漕ぐ〔操る〕. ③(意志を表わすため) 手や頭を振る. ¶ 싫다고 머리를 ~ 嫌だと首を横に振る.

정¹ 명 石切りのみ(鑿); 石のみ. ¶ ~으로 돌을 쪼다 のみで石をうがつ.

정【疔】명 ちょう(疔); 急性のはれもの.

정【情】명 情. ①気持ち. ¶ 연민의 ~ 憐憫の情. ②なさけ; 情誼; 愛情. ¶ ~을 통하다 情を交わす. ③真心; 誠意. ¶ 우국의 ~ 憂国の情. ④〔心〕感情; 主観的(な)意識. ¶ ~에 약하다 情にもろい.

정【町】의명 町. ①距離の単位《60間》. ②地積の単位《3,000坪》.

정【挺】의명 ちょう(挺). =자루. ¶ 장총 열 ~ ライフル十挺.

정² 부 ほんとうに; まことに; 実に. ¶ ~ 가고프냐 ほんとうに行きたいのかね.

정-【正】두 正. ①正しいの意. ¶ ~위치 正位置. ②副に対する主の意. ¶ ~사 正使. ③負でない意.

-정【整】미 なり(也)《金額の下に付ける語》. ¶ 일금 일천만 원~ 一金一千万ウォン也.

정가【正價】명 正価; かけ値のない値段. ¶ ~ 판매 正価販売.

정가【定價】명 定価. ¶ ~는 얼마입니까 定価はいくらですか / ~표 正札.

정각【正刻】명 きっかり〔かっきり〕その時刻. ¶ ~ 열 시다 きっかり十時である.

정각【定刻】명 定刻. ¶ ~ 퇴청 定時退勤 / ~에 김포를 날아 올랐다 定刻にキムポ(空港)を飛び立った.

정간【停刊】명하타 停刊.

정갈-스럽다, 정갈-하다 형 清潔だ; こざっぱりしている; こぎれいだ. ¶ 내복이 ~ 下着がきれいである. 정갈-히 부 清潔に; こざっぱりと.

정감【情感】명 情感. ¶ ~이 넘치는 말 情感にあふ(溢)れる言葉.

정강【政綱】명 政綱.

정강【精鋼】명 精鋼.

정강-마루 명〔生〕けいこつ(脛骨)の隆起した前面の部分.

정강이 명 すね(脛); はぎ(脛); 向こうずね. ¶ ~를 차다 向こうずねを蹴る / ~뼈 脛骨.

정객【政客】명 政客.

정거【停車】명 停車. ——-하다 자타 停車する; 止まる.
‖——-장 명 停車場; 駅.

정격【正格】명 正格.
‖—— 활용 명〔言〕正格活用. ¶ 동사의 ~ 動詞の正格活用.

정견【定見】명 定見. ¶ ~을 가지다 定見を持つ / ~이 없다 定見がない.

정견【政見】명 政見. ¶ ~ 발표 政見発表.

정결【貞潔】명하형 貞潔. ¶ ~한 부인 貞潔な婦人.

정결【淨潔】명 浄潔; 清潔. ¶ ~한 생애 清潔な生涯. ——-히 부 浄潔に.

정결【精潔】명하형스형히부 清らかでしょうしゃ(瀟洒)なこと.

정경【政經】명 政経; 政治と経済. ¶ ~ 분리 政経分離 / ~ 유착 政経癒着.

정경【情景】명 情景. ¶ 심중의 ~을 읊은 노래 心中を詠じた歌 / 눈물겨운 ~ 涙ぐましい情景.

정계【正系】명 正系; 正統. ¶ ~ 출신 正系の出身.

정계【政界】명 政界. ¶ ~ 은퇴 政界引退 / ~의 거물 政界の大物 / ~의 쇄신 政界の刷新 / ~에서 물러나다 政界から身を退く.

정계【晶系】명〔鑛〕晶系. =결정계(結晶系).

정고【艇庫】명 艇庫; ボート入れの倉庫.

정곡【正鵠】명 せいこく(正鵠); 黒星; 図星. ¶ ~을 찌르다 正鵠を射る / ~을 얻은 논설 正鵠を得た論説.

정골【整骨】명하자 整骨; ほねつぎ; 接骨. ¶ ~의(醫) 接骨医.

정공【正攻】명하타 正攻. ¶ ~법을 쓰다 正攻法を用いる.

정공【精工】명하타 精工; 精巧に工作すること. また, その工作物.

정과【正果】명 果物などを蜂蜜や砂糖水で煮つめた食品.

정관【定款】명〔法〕定款.

정관【精管】명〔生〕精管. =수정관(輸精管).

정관【靜觀】명하타 静観. ¶ 정국의 추이를 ~하다 政局の推移を静観する.

정-관사【定冠詞】명 定冠詞.

정광【精鑛】명〔鑛〕精鉱.

정교【正教】명〔宗〕正教. ①正しい宗教. ②ギリシア正教.

정교【政教】명 政教; 政治と教育. ¶ ~ 분리 政教分離 / ~ 일치 政教一致.

정교【情交】명하자 情交.

정교【精巧】명 하형 히부 精巧. ¶～한 솜씨 精巧な手際. ——-롭다 형 精巧だ. ——-로이 부 精巧に.

정-교사【正教師】명 正教員; 教師; 教員.

정-교회【正教會】명 正教会.

정구【庭球】명 庭球; テニス. ＝테니스.

정국【政局】명 政局. ¶～ 안정 政局の安定 / ～이 긴박해지다 政局が緊迫する / ～은 예단을 허용치 않는다 政局は予断を許さない.

정군【整軍】명 하자 整軍; 軍隊を整備すること.

정권【政權】명 政権. ¶～을 잡다 政権をにぎる / 독재 ～ 独裁政権 / ～ 교체 政権交代.

정규【正規】명 正規; 正式の規定. ¶～의 과정 正規の課程.
‖——-군 명 正規軍.

정극【正劇】명〔演〕正劇; 音楽劇·舞踊劇などに対する一般演劇の称.

정근【精勤】명 하형 精勤. ¶～상 精勤賞.

정글〔jungle〕명 ジャングル; 密林.
‖—— 짐 명 ジャングルジム.

정금【正金】명 正金. ① 純金. ② 金銀貨幣; 現金.

정기【正氣】명 正気. ¶천지의 ～ 天地の正気.

정기【定期】명 定期.
‖—— 간행물 명 定期刊行物. 준 정기물. —— 거래(去來) 명〔經〕定期取り引き. ——-권 명 [↗정기 승차권] 定期券. —— 대부 명 定期貸し付け. —— 상환 명 하타〔經〕定期償還. ——-선 명 定期船. —— 승차권 명 定期乗車券. —— 시험 명 定期試験. —— 연금 명〔法〕定期年金. —— 예금 명〔經〕定期預金. —— 적금 명〔經〕定期積み金. —— 총회 명 定期総会. ——-편 명 定期便. —— 항공로 명 定期航空路. —— 휴업 명 하자 定期休業.

정기【精氣】명 精気. ¶산천의 ～를 타고 나다 山川の精気を受けて生まれる.

정-나미【情—】명 愛着心; 愛想. ¶～가 떨어지다 愛想が尽きる.

정남【正南】명 [↗정남방(正南方)] 正南.

정-남방【正南方】명 正南方.

정낭【精囊】명〔生〕精嚢.

정내【廷內】명 廷内; 法廷内.

정녀【貞女】명 生娘; 処女.

정년【停年】명 定年〔停年〕. ¶～제 定年制; 停年制 / ～ 퇴직하였다 定年退職した.

정념【情念】명 情念. ¶끝없는 사랑의 ～ 果てしなき愛の情念.

정녕【丁寧·叮寧】부 間違いなく; きっと; 必ず. ¶～ 네가 한 짓이렷다 間違いなくそなたがしたことであろうぞ. ——-코 부 間違いなしに; 必ずや.

정-다각형【正多角形】명〔數〕正多角形.

정-다면체【正多面體】명〔數〕正多面体.

정-다시다【情—】자 愛想が尽きる; こりごりする; 忌ま忌ましくなる.

정-단층【正斷層】명〔地〕正断層.

정담【政談】명 하자 政談.

정담【情談】명 ① 打ち解け話. ¶～을 나누다 打ち解け話を交わす. ② 情話.

정담【鼎談】명 ていだん(鼎談).

정답【正答】명 正答.

정-답다【情—】형 睦まじい; 慕わしい; 親密だ. ¶정다운 친구가 되다 仲良しになる / 정답게 이야기하다 しっぽり語る. 정-다이 부 睦まじく; したわしく; したしく; なかよく. ¶～ 놀다 睦まじくあそぶ.

정당【正當】명 하형 히부 正当. ¶～한 이유 正当な理由 / ～한 거래 正当な取り引き / 그의 제의는 ～하다 彼の申し出では正当である.
‖—— 방위 명 하자 正当方衛. ——-성 명 正当性.

정당【政黨】명〔政〕政党. ¶보수 ～ 保守政党.
‖—— 내각 명 政党内閣. —— 정치 명 政党政治.

정당【精糖】명〔化〕精糖.

정대【正大】명 하형 正大. ¶공명 ～ 公明正大.

정도【正道】명 正道. ¶～를 걷다 正道を歩む.

정도【程度】명 程度; 位; 程; ほどあい. ¶숟가락 하나 ～의 소금 匙一杯位の塩 / 농담도 ～껏 해라 冗談も程程にしろ / 교육의 ～가 낮다 教育の程度が低い / 전문가 빰칠 ～의 실력이다 玄人裸足の実力である / 실수도 좋지만 ～ 문제다 しくじるのもよいが程度の問題である / 30분 ～의 거리다 三十分程の距離である / 이 ～라면 아쉬운 대로 참지 この分ならまあまあ我慢しよう.

정도【精度】명〔物〕[↗정밀도(精密度)] 精度.

정독【精讀】명 하타 精読; 熟読.

정돈【停頓】명 停頓; 行き詰まり. ——-하다 자 停頓する; ゆきづまる. ¶～ 상태에 빠지다 停頓状態に陥る.

정돈【整頓】명 整頓. ——-하다 타 整頓する; 片付ける. ¶책장을 ～하다 本棚を整頓する.

정동【正東】명 ↗정동방(正東方).

정동【精銅】명 精銅.

정-동방【正東方】명 正東; 真東. 준 정동(正東).

정-들다【情—】자 なじ(馴染)む; 情が移る; 慕わしくなる; 親しくなる. ¶정들자 이별 なじむや否やお別れ / 정든 땅 なじみの土地.

정-떨어지다【情—】자 愛想が尽きる; いやになる.

정략【政略】명 政略. ¶그는 ～가다 彼は政略家である.
‖—— 결혼, ——-혼 명 政略結婚.

정량【定量】명 定量.
‖—— 분석 명〔化〕定量分析.

정려【精勵】명 하자 精励. ¶각고 ~ 刻苦精励 / 근무에 ~하다 勤務に精励する.
정력【精力】명 精力. ¶왕성한 ~ 旺盛な精力 / ~을 소모하다 精力を消耗する.
‖——적 명 관 精力的.
정련【精練】명 하타 精練. ¶문제를 ~하다 問題を精練する / ~ 공장 精練工場 / ~제 精練剤.
정련【精鍊】명 하타 精錬. ① よくねりきたえること. ¶~된 군대 精錬された軍隊. ② 金属を抽出して精製すること. ¶구리를 ~하다 銅を精錬する.
‖——소 명 ☞ 제련소(製鍊所).
정렬【整列】명 하자 整列. ¶운동장에 ~하다 運動場に整列する.
정령【政令】명〔法〕政令.
정령【精靈】명 精霊. ① 死者の魂; みたま(御霊); 霊魂. ② 精; 草木や無生物などに宿るという霊. ¶숲의 ~ 森の精霊 / 나무의 ~ 木精; 木霊. ③〔哲〕生活力の根源.
‖—— 숭배 명〔宗〕精霊崇拝.
정례【定例】명 定例; しきたり. ¶~ 회의 定例会議.
정로【正路】명 正路; 正しい道. =정도(正道).
정론【正論】명 正論. ¶~을 펴다 正論を吐く.
정론【定論】명 定論. ¶학계의 ~ 学界の定論.
정론【政論】명 政論. ¶~의 쟁점 政論の争点.
정류【定流】명 定流; 方向が一定な水流〔電流〕.
정류【停留】명 停留. ——하다 자 타 停留する; 留まる.
‖——소 명 停留所. =정류장(場).
정류【精溜】명 하타〔化〕精留.
‖——탑 명〔化〕精留塔.
정류【整流】명 하타 整流.
‖——관 명〔物〕整流管. ——자 명 整流子. —— 회로 명 整流回路.
정률【定律】명 定律.
정률【定率】명 定率.
‖——세 명〔法〕定率税.
정리【廷吏】명〔法〕廷吏.
정리【定理】명 定理. ¶피타고라스의 ~ ピタゴラスの定理.
정리【情理】명 情理; 人情と道理. ¶~를 다하다 情理を尽くす.
정리【整理】명 整理; 始末. ——하다 타 整理する; 整える. ¶교통 ~ 交通整理 / 장부를 ~하다 帳簿を整理する.
‖—— 공채 명〔經〕整理公債.
정립【定立】명〔哲〕定立.
정립【鼎立】명 하자 ていりつ(鼎立). ¶세 후보가 ~하다 三人の候補が鼎立する.
정-말【正—】㊀명 本当; まこと; 真実. ¶~ 같은 거짓말 本当のようなうそ / 그것만은 ~이다 それだけは真実である. ㊁부 ↗정말로. ——로 부 本当に; まことに; 正に. ¶~ 곤란하다 まことに困る / ~ 드릴 말씀이 없습니다 本当に申し訳ありません / 그녀는 ~ 아름다운 여자였습니다 彼女はまことに美しい女でした.
정맥【精麥】명 하자 精麦.
정맥【靜脈】명 静脈.
‖——류 명〔生〕静脈瘤. ——혈 명〔生〕静脈血.
정면【正面】명 正面; 真向き; まとも. ¶~에 자리를 잡다 正面に座を占める / ~으로 쳐들어 가다 真っ正面から打ってかかる / ~으로 충돌하다 まともにぶつかる / 역 ~에 은행이 있다 駅の真向きに銀行がある.
‖—— 공격 명 하타 正面攻撃; 正攻. ——도 명 正面図. —— 충돌 명 하자 正面衝突.
정명【定命】명 定命; 定められた寿命.
정모【正帽】명 正帽. ¶정복 ~ 正服正帽.
정묘【精妙】명 하형 精妙. ¶~한 세공 精妙な細工. ——히 부 精妙に.
정무【政務】명 政務. ¶~에 쫓기다 政務に追われる.
‖—— 장관 명 政務長官. —— 차관 명 政務次官.
정문【正門】명 正門; 表門. ¶~으로 들어가다 正門から入る.
정문【頂門】명 ① ☞ 숫구멍. ② ☞ 정수리.
‖—— 일침 명 頂門の一針. ¶남의 실패를 ~으로 삼다 他人の失敗を頂門の一針とする.
정물【靜物】명 静物.
‖——화 명 静物画.
정미【正味】명 正味; 中身; 正目〈老〉. ¶~ 백 그램 正味百グラム.
정미【精米】명 하자 精米.
‖——기 명 精米機. ——소 명 精米所. =방앗간.
정밀【精密】명 하형 히부 精密. ¶~ 검사 精密検査 / ~한 지도가 필요하다 精密な地図が欲しい.
‖—— 과학 명 精密科学. —— 기계 명〔機〕精密機械. ——도 명 精密度; 精度.
정박【碇泊·渟泊】명 停泊. ——하다 자 停泊する; いかり(錨)を下ろす; 泊まる. ¶항구에 ~하다 港に停泊する〔泊まる〕.
정-반대【正反對】명 正反対. ¶~의 방향 正反対の方向.
정-반-합【正反合】명〔哲〕正反合.
정-받이【精—】명〔生〕☞ 수정(受精).
정방【正方】명 正方.
‖—— 정계 명〔鑛〕正方晶系. ——형 명〔數〕正方形.
정배【正配】명 本妻. =적처(嫡妻).
정백【精白】명 精白; 純白.
‖——미 명 精白米.
정벌【征伐】명 하타 征伐; 征討; 退治. ¶산적을 ~하다 山賊を征伐する.
정범【正犯】명〔法〕正犯. =주범. ¶공동 ~ 共同正犯.
정법【定法】명 定法. ¶~대로 처

ㅈ

리하다 定法通りに処理する.
정변【政變】명 政変. ¶～이 일어나다 政変が起こる.
정병【精兵】명 精兵. ¶휘하의 ～ きか(麾下)の精兵.
정보【情報】명 情報. ¶～량이 많다 情報量が多い / ～를 수집하다 情報を集める.
‖―― 과학 명 情報科学. ―― 기관 명 情報機関. ――-망 명 情報網. ―― 산업 명 情報産業. ――-원 명 情報員. エージェント. ―― 통신 산업 명 情報通信産業. ――-화 사회 명 情報化社会.
정보【町步】의명 町歩. ¶이백 ～의 논 二百町歩の田.
정복【正服】명 正服; 制服.
정복【征服】명하타 征服. ¶～자 征服者 / ～욕 征服欲 / 히말라야를 ～하였다 ヒマラヤを征服した.
정복【整復】명하타 整復; もとの正常な状態にもどすこと.
정본【正本】명 正本; 原本. ¶조약의 ～ 条約の正本.
정-부【正否】명 正否. ¶～를 판단하다 事の正否を判断する.
정-부【正負】명 正負.
정부【正副】명 正副. ¶～ 두 통의 서류 正副二通の書類 / ～ 양 회장 正副の両会長.
정부【政府】명 政府. ¶～의 방침 政府の方針 / 한국 ～를 지지하다 韓国政府を支持する.
‖―― 기업 명 政府企業. ――-미, ―― 보유미 명 政府米; 政府保有米. ――-안 명 政府案. ―― 위원 명 政府委員.
정부【情夫】명 情夫; かくしおとこ; 色男〈俗〉. ¶～를 만들다 情夫をこしらえる / ～를 두다 男をもつ.
정부【情婦】명 情婦; かくしおんな; 色女〈俗〉. ¶～ 집에 드나들다 情婦の家に通う / ～를 두다 色女を囲う.
정-부의장【正副議長】명 正副議長.
정-부통령【正副統領】명 正副大統領. ¶～ 선거 正副大統領選挙.
정북【正北】명 [↗정북방(正北方)] 正北.
정-북방【正北方】명 正北の方向.
정분【情分】명 情合い; 情誼; よしみ(誼). ¶부부의 ～ 夫婦の情合い / ～이 두텁다 情誼に篤い.
정비【正比】명 正比; 普通の比.
정비【正妃】명 正妃. ＝중전·곤전.
정비【整備】명하타 整備. ¶～된 법체계 整備された法体系 / 자동차를 ～하다 自動車を整備する.
‖――-공 명 整備工. ¶～ 훈련 整備工訓練.
정-비례【正比例】명〔數〕正比例.
정-비례【定比例】명 定比例.
정사【正史】명 正史.
정-사【正邪】명 正邪. ¶～ 곡직 正邪曲直.
정사【正使】명〔史〕正使.

ㅈ

정사【政事】명 政事; 政. ¶～에 관계하다 政事にかかわる.
정사【情死】명하자 情死; 心中. ¶억지 ～ 無理心中 / ～ 미수 心中未遂.
정사【情事】명 情事; 色事. ¶～에 빠지다 情事にふける.
정사【精舍】명〔佛〕精舎. ¶기원～ 祇園精舎.
정사【精査】명하타 精査.
정-사각형【正四角形】명〔數〕正四角形. ＝정방형(正方形).
정-사면체【正四面體】명〔數〕正四面体.
정-사영【正射影】명 正射影.
정-사원【正社員】명 正式の社員.
정산【精算】명하타 精算. ¶운임을 ～하다 運賃を精算する.
정-삼각형【正三角形】명〔數〕正三角形.
정상【正常】명 正常. ¶～ 판단 正常な判断.
‖―― 가격 명 正常価格. ――-적 명관 正常的. ¶～으로 발달하였다 正常的に発達した. ――-화 명하자타 正常化. ¶～를 꾀하다 正常化を図る.
정상【定常】명 定常. ¶～ 전류 定常電流.
‖――-류 명〔物〕定常流. ―― 상태 명〔物〕定常状態. ――-파 명〔物〕定常波.
정상【頂上】명 頂上; トップ. ¶～을 노리다 頂上を目差す.
‖―― 회담 명 頂上〔サミット〕会談.
정상【情狀】명 情状; 実情.
‖―― 참작(參酌) 명하타 情状酌量. ¶그의 잔혹한 소행은 ～의 여지가 없다 彼の残酷な所行は情状酌量の余地がない.
정상-배【政商輩】명 政商の輩.
정색【正色】명하자 真顔になること; 態度を改めること; 色を正すこと. ¶～하고 대들다 色を正して詰め寄る.
정색【呈色】명하자 呈色.
‖―― 반응 명〔化〕呈色反応.
정서【正西】명 [↗정서방(正西方)] 真西.
정서【正書】명하타 正書; かいしょ(楷書).
정서【淨書】명하타 浄書; 清書.
정서【情緖】명 情緒. ¶～ 불안정 情緒不安定 / ～가 풍부하다 情緒が豊かである.
정-서방【正西方】명 真西.
정-서향【正西向】명 真西の方向.
정석【定石】명 定石; 定法. ¶～대로 하다 定石どおりにする.
정석【定席】명 定席.
정선【定先】명 (碁の)定先. ¶～으로 두다 定先で打つ.
정선【停船】명하자 停船. ¶엔진 고장으로 ～하다 エンジンの故障で停船する / ～을 명령하다 停船を命令する.
정선【精選】명하타 精選; よりぬき. ¶양서를 ～하여 추천하다 良書をよりぬいて推薦する.
정설【定說】명 定説. ¶종래의 ～을

뒤엎었다 従来の定説をくつがえした / ～을 따르다 定説に従う.

정성【定性】명 定性.
‖── 분석 명〔化〕定性分析.

정성【精誠】명 真心；丹念；誠；御念. ¶～을 다한〔～어린〕선물 真心を込めた贈り物 / ～을 다하여 말하다 誠をこめて言う / 온 ～을 다하다 心の限りを尽くす / ～을 바치다 誠を捧げる. ──-스럽다 형 真心を込める；誠を尽くす. ──-껏 부 真心を込めて；御念を入れて；丹念に. ¶～ 노모를 모시다 まことを尽くして老母に尽くす.

정세【情勢】명 情勢〔状勢〕；様子；成り行き. ¶세계의 ～ 世界の情勢 / 국제 ～ 国際情勢.

정세【精細】명하형히부 精細；詳細.

정소【精巣】명〔生〕精巣.

정수【井水】명 井戸水.

정수【正數】명〔數〕☞ 양수(陽數).

정수【定數】명〔數〕☞ 상수(常數).

정수【浄水】명하자타 浄水；清水. ‖──-기 명 浄水器. ──-장 명 浄水場.

정수【艇首】명 ていしゅ(艇首)；(船の)へさき.

정수【精粋】명하형 精粋.

정수【精髓】명 精髄；神髄. ¶동양 문화의 ～ 東洋文化の精髄 / 무사도의 ～ 武士道の花.

정수【静水】명 静水.

정수【整數】명〔數〕整数.
‖──-론 명 整数論.

정수리【頂─】명 脳天. ¶～를 때리다 脳天を殴りつける.

정숙【貞淑】명 貞淑. ──-하다 형 淑やかだ. ¶～한 아내 しとやかな妻. ──-히 부 淑やかに.

정숙【静粛】명하형히부 静粛. ¶～히 하다 静粛にする.

정승【政丞】명〔史〕丞相.

정시【正視】명하타 正視. ¶～할 수 없는 참상 正視に耐えない惨状.
‖──-안 명〔生〕正視眼.

정시【定時】명 定時. ¶～ 운행 定時運行 / ～ 통화 定時通話.
‖──-제 명 定時制. ¶～ 고교 定時制高校.

정식【正式】명 正式；本式. ¶～ 절차 正式の手続き / ～으로 영어를 배우다 本式に英語を習う.
‖── 재판 명 正式裁判.

정식【定式】명 定式. ¶～화되다 定式化される.

정식【定食】명 定食. ¶한～ 韓定食 / 양～ 洋定食.

정식【定植】명하타 定植.

정식【整式】명〔數〕整式.

정신【挺身】명하자 ていしん(挺身). ¶～대 挺身隊.

정신【精神】명 ①精神；心；魂；心魂. ¶건전한 몸에 건전한 ～이 깃들인다 健全な精神は健全な体に宿る / ～을 차려서 해라 心をこめてやれよ / 민족의 ～ 民族の精神 / 창업 ～ 創業の精神 / 민주 헌법의 ～ 民主憲法の精神 / (일에) ～을 쏟다 魂をこめる；心魂を傾ける. ②気；正気. ¶～을 잃다 気を失う / ～이 돌다 気が狂れる〔狂う〕；頭が変になる / ～을 긴장시키다 気を張りつめる / ～이 아찔해지다 気が遠くなる. ──-나가다 자 気が抜ける. ¶정신나간 소리 마라 気の抜けたことをいうな. ──-나다 자 気が付く. ──-들다 자 気が付く；気を取り戻す；正気に返る. ──-없다 자 忙殺される；大わらわである. ¶저 회사는 기술 개발에 ～ あの会社は技術開発に大わらわである. ──-차리다 자 気が付く；心をこめる；気を取り直す；気をしっかりもつ；気を付ける〔入れる〕. ¶이제는 정신차리겠지 こうなったからには気を取り直すだろうよ.
‖── 감정 명 精神鑑定. ── 공학 명 精神工学. ──-과 명 精神科. ── 교육 명 精神教育. ── 노동 명하자 精神労働. ──-력 명 精神力. ── 문화 명 精神文化. ── 박약 명 精神薄弱；精薄《준말》. ──-병 명 精神病. ── 병원 명 精神病院；狂院. ── 분석 명 精神分析；サイコアナリシス. ── 분열증 명 精神分裂症. ── 안정제 명 精神安定剤；トランキライザー. ── 요법 명 精神療法. ── 위생 명 精神衛生. ── 의학 명 精神医学. ──-적 명관 精神的；内的. ¶～으로 피로하다 精神的に疲れる. ── 착란 명 精神錯乱.

정실【正室】명 正室；本妻；正妻.

정실【情實】명 情実. ¶～ 인사가 행해지다 情実人事が行われる / ～에 사로잡히다 情実にとらわれる.

정압【定壓】명〔物〕定圧.
‖── 비열 명 定圧比熱. ── 열량계 명 定圧熱量計.

정애【情愛】명 情愛；なさけ；愛情. ¶부모 자식 간의 ～ 親子の情愛.

정액【定額】명 定額. ¶～ 저금 定額貯金.
‖── 보험 명 定額保険. ──-세 명 定額税. ── 요금 명 定額料金.

정액【精液】명 精液；ザーメン.

정양【静養】명하자타 静養. ¶병후의 ～ 病後の静養.

정어리 명〔魚〕いわし(鰯)；まいわし；サーディン. ¶～ 말림 いわしの丸干し.

정언-적【定言的】명관 定言的.
‖── 명령 명 定言的命令. ── 삼단논법 명 定言的三段論法.

정업【正業】명 正業；堅気の職業.

정-역학【静力學】명〔物〕静力学.

정연-하다【整然─】형 整然としている. ¶질서 ～ 秩序整然としている / 이론의 조리가 ～ 理路整然としている. 정연-히 부 整然と.

정열【情熱】명 情熱；熱情. ¶～가 情熱家 / ～적인 시인 情熱的な詩人 / ～을 기울이다〔불태우다〕情熱を傾ける〔もやす〕.

정염【正塩】명〖化〗正塩. =중성염(中性塩).
정염【情炎】명 情炎. ¶~을 불태우다 情炎を燃やす.
정예【精鋭】명 精鋭. ¶~ 부대 精鋭部隊.
정오【正午】명 正午.
정오【正誤】명 正誤. ¶~를 살피다 正誤をしらべる.
‖——-표 명 正誤表.
정온【定溫】명 定温.
‖——-기(器) 명 定温器. —— 동물 명〖動〗定温〔温血〕動物.
정온【靜穩】명하형 静穏. ¶~한 나날 静穏な日日.
정욕【情慾】명 情欲; 欲情. ¶~을 누르다 情欲を制する/~을 못 채우다 情欲が満たされない.
정용【整容】명하자 整容.
정우【政友】명 政友.
정원【定員】명 定員. ¶버스의 ~ バスの定員/~ 초과 定員超過/~제 定員制.
정원【庭園】명 庭園; 庭. ¶~수 庭園樹.
‖——-사(師) 명 園丁; 庭師.
정월【正月】명 正月; 一月; むつき(睦月)〈雅〉. ¶음력 ~ 보름께 小正月/~ 초사흘 正月三日/~ 초하루의 아침 하늘 (年の)初空.
정위【定位】명 定位.
정유【精油】명하자 精油. ① 芳香油. ¶동백 ~ つばき(椿)の精油. ② 石油を精製すること.
‖—— 공장 명 精油工場. ——-소 명 精油所.
정육【精肉】명 精肉; 上肉.
‖——-점 명 精肉店; 肉屋.
정-육면체【正六面體】명〖數〗正六面体.
정은【正銀】명 ☞ 순은(純銀).
정의【正義】명 正義. ¶~를 관철하다 正義を貫く/~감 正義感/~의 편(便) 正義の味方.
정의【定義】명 定義. ¶~를 내리다 定義を下す.
정의【情意】명 情意.
‖—— 상통 명하자 情意相通ずること. —— 투합 명 情意投合.
정의【情義】명 情義.
정의【情誼】명 情誼. ¶동숙의 ~ 同宿の情誼.
정의【精義】명 精義. ¶헌법 ~ 憲法精義.
정인【情人】명 情人.
정일【定日】명하자 定日.
‖—— 시장 명 定日市場. —— 출급(出給) 어음 명 定日払い手形.
정자【丁字】명 [↗정자형(丁字形)] 丁字.
‖——-로 명 丁字路. ——-보 명 丁字形に組んだ梁. ——-자 명 丁字定規. =티(T)자. ——-형 명 丁字形. ㊂ 정자(丁字).
정자【正字】명 正字.
‖——-법 명 正字法.
정자【亭子】명 亭; あずまや(東屋・四阿). ¶작은 ~ 小亭.
‖—— 나무 명 家の近所または道端にある大樹.
정자【精子】명 精子; 精虫.
정작 一명 肝心な物品; 本物. 二부 いざ; まさに. ¶~ 당하면 꽁무니를 빼고 달아난다 いざとなれば尻を巻いて逃げる.
정장【正章】명 勲章・記章などの正式のもの.
정장【正裝】명하자 正装. ¶~하고 의식에 참석하였다 正装で儀式に出た.
정장【整腸】명 整腸.
‖——-제 명 整腸剤.
정장【艇長】명 ていちょう(艇長).
정-장석【正長石】명〖鑛〗正長石.
정재【淨財】명 浄財. ¶~를 모으다 浄財を募る.
정쟁【政爭】명 政争. ¶~에 말려들다 政争にまきこまれる.
정저【井底】명 井戸の底.
‖——-와(蛙) 명 井の中のかわず.
정적【定積】명 定積. ① 一定の乗積. ② 一定の面積または体積.
‖—— 비열 명〖物〗定積比熱. =정용 비열(定容比熱).
정적【政敵】명 政敵. ¶~을 실각시키다〔쓰러뜨리다〕 政敵を失脚させる〔倒す〕.
정적【靜的】명관 静的. ¶~인 묘사 静的(な)描写.
정적【靜寂】명 静寂. ¶밤의 ~ 夜の静寂.
정-적분【定積分】명〖數〗定積分.
정전【正殿】명〖史〗正殿; 宮殿の中心となる表御殿.
정전【征戰】명하타 征戦.
정전【停電】명하자 停電. ¶태풍으로 ~되었다 台風で停電になった.
정전【停戰】명하자 停戦. ¶~ 명령 停戦命令.
‖—— 협정 명하자 停戦協定.
정-전기【正電氣】명 正電気. =양(陽)전기.
정-전기【靜電氣】명 静電気. =마찰전기.
정전 유도【靜電誘導】명〖物〗静電誘導.
정절【貞節】명 貞節; 操. ¶~을 지키다 操を守る.
정점【定點】명 定点. ¶~ 관측 定点観測.
정점【頂點】명 頂点; ピーク. ¶삼각형의 ~ 三角形の頂点.
정정【正正】명하형 正正.
‖—— 당당 명하형히부 正正堂堂. ¶~한 태도 正正堂堂たる態度/~하게 싸우다 正正堂堂と闘う.
정정【訂正】명 訂正. ——-하다 타 訂正する; 直す. ¶자구(字句)를 ~하다 字句を訂正する.
정정【亭亭】명하형 かくしゃく(矍鑠); 年をとっていてなお達者なこと. ¶나이를 먹었는데도 ~하다 老いてなお矍鑠としている.
정정【政情】명 政情. ¶~의 불안 政情の不安.
정정【淨淨】명하형 清浄.
정제【精製】명하타 精製; リファイン. ¶원유의 ~ 原油の精製.

——-면 명 精製綿. ——-염 명 精製塩. ——-품 명 精製品.
정제【整除】명하타〘數〙 整除.
정제【錠劑】명 錠剤; タブレット.
정조【貞操】명 貞操; 操. ¶ ~를 지켰다 操を守り抜いた / ~를 팔다 操を売る / ~ 관념이 희박하다 貞操観念が薄い.
‖——-권 명 貞操権. ——-대 명 貞操帯. —— 의무 명 貞操義務.
정조【情調】명〘心〙 情調. ¶ 불유쾌한 ~ 不愉快な情調.
정조【情操】명〘心〙 情操. ¶ 미적 ~ 美的情操.
정족【鼎足】명 ていそく(鼎足). =솥발. ‖——지-세(之勢) 명 三方に割拠して対立する形勢.
정족-수【定足數】명 定足数. ¶ ~에 미달하다 定足数に満たない.
정종【正宗】명 正宗; 日本酒.
정좌【正坐】명하자 正座; 端座. ¶ 불단을 향하여 ~하다 仏壇に向かって正座する.
정좌【靜坐】명하자 静座.
정주【正株】명〘經〙 正株; 現品の株券.
정주【定住】명 定住; 固着. ——-하다 자 定住する; 住み着く; 居着く; 固着する.
정주-학【程朱學】명 程朱学; 理学. =성리학(性理學).
정중【正中】명 正中. ¶ ~선 正中線.
정중【鄭重】명하형 丁重; 丁寧. ¶ ~한 인사 丁重なあいさつ(挨拶) / 아주 ~하게 다루다 至極丁寧に扱う. ——-히 부 丁重に; てあつく; ねんごろに.
정지【停止】명하자타 停止. ¶ 급~ 急停止 / 일시 ~ 一時停止 / 발행을 ~하다 発行を停止する / 차를 ~시키다 車を停止させる.
‖—— 신호 명 停止信号. —— 조건 명 停止条件.
정지【靜止】명하자 静止. ¶ ~ 상태 静止状態.
‖—— 마찰 명〘物〙 静止摩擦. —— 위성 명 静止衛星.
정지【整地】명하자 整地; 地ならし. ¶ ~ 작업 整地作業.
정지【整枝】명하자 整枝.
정직【正直】명 正直; まとも; 真っ当〈俗〉. ——-하다 형 正直だ; まっとうだ; 真っ直ぐだ. ¶ ~한 사람 正直な人 / ~은 최선의 방책 正直は最善の策.
정직【定職】명 定職. ¶ ~을 잃다〔가지다〕 定職を失う〔持つ〕.
정직【停職】명하자 停職.
정진【挺進】명하자 ていしん(挺進).
‖——-대 명〘軍〙 挺進隊.
정진【精進】명하자 精進. ¶ 불도에 ~하다 仏道に精進する.
정질【晶質】명〘物〙 晶質; 結晶質.
정-짜【正—】명 本物.
정차【停車】명하자타 停車. =정거.
정차【艇差】명 艇差《ボートとボートとの距離》.

정착【定着】명 定着. ——-하다 자타 定着する; 落ち着く. ¶ 한국어로 ~한 외래어 韓国語として定着した外来語 / 한 가지 일에 ~하다 一つの仕事に定着する / 유목민이 물가에 ~하였다 遊牧民が水辺に定着した.
‖——-액 명 定着液.
정찬【正餐】명 せいさん(正餐); ディナー.
정찰【正札】명 正札. ¶ ~이 붙은 상품 正札付きの商品.
‖——-제(制) 명 正札付きの販売制度. —— 판매 명 正札販売.
정찰【偵察】명하타 偵察; 斥候. ¶ ~ 비행 偵察飛行 / 적정을 ~하다 敵情を偵察する.
‖——-기 명 偵察機.
정채【精彩】명 精彩. ¶ ~를 발하다 精彩を放つ.
정책【政策】명 政策. ¶ 외교 ~ 外交政策 / ~ 금융 政策金融.
정처【正妻】명 正妻; 本妻. =본처(本妻)·정실(正室).
정처【定處】명 一定の場所. ¶ ~ 없이 방황하다 当てもなくさすらう.
정청【政廳】명 政庁.
정체【正體】명 正体; 得体. ¶ ~를 나타내다 正体を現す / ~ 불명의 여자 謎の女 / ~를 알 수 없는 녀석 得体の知れぬ奴.
정체【政體】명 政体. ¶ 입헌 민주 ~ 立憲民主政体.
정체【停滯】명 停滞. ——-하다 자 停滞する; 滞る; つか(支)える. ¶ 자금의 ~ 資金の停滞 / 무역이 ~하다 貿易が停滞する.
‖—— 전선 명〘氣〙 停滞前線.
정체【整體】명 整体.
‖—— 요법 명 整体療法.
정초【正初】명 正月の初旬.
정초【定礎】명 定礎. =머릿돌.
‖——-식 명 定礎式.
정충【精蟲】명 精虫; 子種. =정자(精子).
정취【情趣】명 情趣; 味わい; 趣; 情調; 情味; 情致. ¶ ~가 풍부하다 情趣に富む.
정치-망【定置網】명 台網; 立て〔建て〕網.
정치【政治】명 政治; まつりごと.
‖——-가 명 政治家. —— 결사 명 政治結社. —— 교육 명 政治教育. —— 권력 명 政治権力. —— 단체 명 政治団体. ——-력 명 政治力. ——-범 명 政治犯. —— 사상 명 政治思想. —— 사회 명 政治社会; 政界. ——-열 명 政治熱. —— 운동 명 政治運動. —— 의식 명 政治意識. ——-인(人) 명 政治家. —— 자금 명 政治資金. ——-적 명관 政治的. ¶ ~ 결단 政治的決断. —— 철학 명 政治哲学. —— 체제 명 政治体制. —— 풍토 명 政治風土. —— 활동 명 政治活動.
정치【情致】명 情致; おもむき.
정치【精緻】명하형 せいち(精緻).
정칙【正則】명 正則; 正式.
정칙【定則】명 定則; 決まり.

ㅈ

정크 〔junk〕 명 ジャンク.
정탐【偵探】명하타 ☞ 탐정(探偵). ¶ 적진을 ~하다 敵陣を探る.
‖—꾼 명 回し者; スパイ.
정태【靜態】명 静態.
‖— 경제 명 静態経済.
정토【征討】명 征討.
정토【淨土】명〘佛〙浄土; 仏土; 浄界.
‖—교 명 浄土教. — 발원(發願) 명 極楽往生の願い. — 변상 명 浄土変相. — 왕생(往生) 명 ☞ 극락 왕생. —종 명 浄土宗.
정통【正統】명 正統; 嫡流. ¶ ~성에 이의를 제기하다 正統性に異議をさしはさむ. ‖—파 명 正統派. — 학파 명 正統学派.
정통【精通】명하자 精通; 熟知. ¶ 고사에 ~한 사람 古事に精通した人 / ~한 소식통 精通の消息筋.
정파【政派】명 政派. ¶ 정당 ~ 政党政派.
정판【精版】명 ① オフセット. ② オフセット印刷.
정판【整版】명하자〘印〙整版.
정평【定評】명 定評. ¶ ~이 있는 출판사 定評のある出版社.
정표【情表】명 贈り物をして心の印とすること.
정풍【整風】명 整風. ¶ ~ 운동 整風運動.
정-하다【定—】타 定める; 決める. ¶ 태도를 ~ 態度を決める / 일정을 ~ 日割りをきめる.
정-하다【淨—】형 清い. ¶ 정하게 하다 清める. 정-히 부 清く; きれいに; 清らかに.
정학【停學】명하타 停学. ¶ ~ 처분 停学処分.
정한【定限】명 定限.
‖— 이자(利子) 명〘法〙定限利息.
정한【情恨】명 情と恨み.
정한【精悍】명하형 せいかん(精悍).
정합【整合】명하자 整合.
정해【正解】명하타 正解. ¶ ~를 밝히다 正解を明かす.
정해【精解】명하타 精解; 詳解.
정현【正弦】명〘數〙☞ 사인(sine).
정형【定形】명 定形.
정형【定型】명 定型.
‖—시 명 定型詩.
정형【整形】명하타 整形.
‖— 수술 명 整形手術. — 외과 명 整形外科.
정호【正號】명 正号(正数を表わす記号; "+"); プラス.
정혼【定婚】명하자 縁定め; 婚約. ¶ 그들은 ~한 사이였다 二人は婚約の間柄であった.
정화【正貨】명 正貨; 正金.
‖— 준비 명 正貨準備.
정화【淨火】명 浄火.
정화【淨化】명하타 浄化. ¶ ~ 장치 浄化装置 / 폐는 혈액을 ~한다 肺は血液を浄化する.
‖—조 명 浄化槽.
정화【情火】명 情火. =정염(情炎).
정화【精華】명 精華. ¶ 인술의 ~ 仁術の精華.
정화-수【井華水】명 早朝に汲んだ井戸水(祈るときの供え水または韓薬の煎用).
정확【正確】명하형 正確. —— 부 正確に; きちんと; ちゃんと. ¶ ~ 지급하였다 きちんと払った.
정확【精確】명하형히부 精確. ¶ ~한 자료 精確な資料.
정황【情況】명 ① 状況〔情況〕. ② 気の毒な事情.
정회【停會】명하자 停会. ¶ ~를 선언했다 停会を宣言した.
정훈【政訓】명〘軍〙政訓; 軍人に対する教養·報道·宣伝などを扱うこと. ¶ ~ 장교 政訓将校.
정휴【定休】명 [↗정기 휴업(休業)] 定休; 定期休日.
정-히【正—】부 正に; まさしく; 確かに. ¶ ~ 영수함 正に領収しました / ~ 그렇다면 確かにそうならば.
젖 명 乳. ① 乳汁. ¶ 이 소는 ~이 잘 난다 この牛はよく乳を出す. ② 乳房; おっぱい. ¶ 아직 어머니의 ~이 그리운 나이 まだ母の乳が恋しい年頃.
젖-가슴 명 胸乳; 胸.
젖-꼭지 명 ① 乳首·ちくび. ②〘醫〙乳頭.
젖-내 명 乳の臭い; 乳臭. ——나다 자 乳臭い; くちわき(口脇)が白い; くちばし(嘴)が黄色い. ¶ 젖내나는 풋내기 乳臭い青二才.
젖-니 명 乳歯. =배냇니. ¶ ~를 갈다 乳歯が抜け替わる.
젖다[1] 자 (後ろに)傾く; かしぐ.
젖다[2] 자 ① ぬ(濡)れる; 湿る; 浸る. ¶ 눈물에 젖은 얼굴 涙にぬれた顔 / 비에 ~ 雨にぬれる. ② 染み付く; 染まる. ¶ 악습에 ~ 悪習に染まる. ③ 慣れる. ¶ 귀에 젖은 목소리 耳慣れの声.
젖-동생【—同生】명 乳弟; 乳人子〔乳母子·乳女子〕〈雅〉.
젖-떨어지다 자 離乳する; 乳離れする. ¶ 젖떨어진 강아지 같다 乳離れした犬ころみたいだ(至極ねだることのたとえ).
젖-떼다 타 乳離れさせる; 離乳する.
젖-뜨리다 타 反らす; 反り返す. ¶ 문을 활짝 열어 ~ 門をすっかり開けっ放す / 몸을 뒤로 ~ 身を反らす.
젖-먹이 명 乳児; 乳飲み子.
젖-몸살 명〘醫〙乳腺炎(乳の張れ·痛みなどによる身の疲れ).
젖배-곯다 자 乳飲み子が飢える.
젖-병【—甁】명 ほにゅう(哺乳)瓶.
젖-비린내 명 ① 乳臭いにおい. ② 幼稚な感じ. ——나다 자 ① 乳臭いにおいがする. ② 幼稚で子供っぽい. 준 비린내나다.
젖-빛 명 乳色; 乳白色.
‖— 유리(琉璃) 명 す(磨)りガラス; つやけしガラス; 曇りガラス.
젖-소 명 乳牛.
젖-어머니 명 乳母; めのと; おんば.
젖-털 명 男の胸毛〔乳毛〕.
젖-통이 명 乳房.
젖혀 놓다 타 ① ひっくり返して置

く. ②裏返しにして開けて置く. ③後回しにする；あっちのけにする.

혀-지다 㐃 裏返る；そり返る；反る. >잦혀지다.

히다 㐉 反らす；めく(捲)る；のけ反る. ¶잘난듯이 가슴을 ~ 偉そうに胸を反らす / 문을 밀어 젖히고 들어가다 戸を排して入る / 7페이지를 ~ 七ページを捲る / 모자를 젖혀 쓰다 帽子をあみだにかぶる / 형을 젖혀 놓고 나서다 兄を差し置いて出しゃばる.

제【除】명하타 除. ①〔數〕[↗제법] 除法. ②除去.

제【祭】명 祭祀の俗称.

제【題】명 題. ①[↗제목] 題目；タイトル. ②〔史〕[↗제사] 題詞.

제¹ 一대 ①"わたし"の意の謙譲語：手前《助詞"가"の前までだけ用いる》. ¶~가 가겠습니다 わたしが行きます. ②"自己"·"自身"の意《助詞"가"の前でだけ用いられ, 主に第三者の立場から言う》. ¶~ 일은 ~가 한다 自分の事は自分でする. 二준 ①"나의"の謙譲語"저의"の略語：わたしの；手前の. ¶~ 생각은 이러합니다 手前の考えはこうであります/이것은 ~ 것입니다 これはわたしのものです. ②"자기(=自分)"の謙譲語"저의"の略語：自己の；自身の. ¶~것 주고 뺨맞는다《俚》酒買ってしり(尻)切られる/~ 꾀에 넘어간다《俚》騙す騙すで騙される.

제【弟】대 弟；同年輩の間柄で手紙に使う謙称.

제² 대 [↗저기] あそこ(に)；あちらに. ¶그 놈이 ~ 있구먼 そいつがあそこにいるな.

제【諸】관 諸；もろもろ(の)；各種(の). ¶~ 단체 諸団体.

제³ 준 "적에"の略語：時に；折に. ¶학교에 갈 ~ 비가 왔다 学校に行こうとするや雨が降った.

제-【第】두 第. ¶~일과 第一課/~이의 전선 第二戦線.

-제【制】미 制. ¶공화~ 共和制.

-제【祭】미 祭；まつり. ¶예술~ 芸術祭/위령~ 慰霊祭.

-제【製】미 製. ¶외국~ 外国製.

-제【劑】미 剤. ¶소화~ 消化剤.

제-각각【一各各】부 各各；それぞれ. ¶~ 멋대로 해산하였다 各各勝手に解散した.

제-각기【一各其】부 めいめい(銘銘)；各各；まちまちに. ¶표는 ~ 가져 주십시오 切符はめいめいお持ち下さい/~ 말하다 口口に言う.

제강【製鋼】명하자 製鋼. ¶~소 製鋼所.

제거【除去】명 除去；払い. ——하다 타 除去する；取り除く；とりのける；除く. ¶방해자를 ~하다 妨害者を取り除く/잡초를 ~하다 雑草をとる/치석을 ~하다 歯石を取り除く.

제-격【一格】명 ①それ相応の格式. ②身分にふさわしい格式. ¶그 직무는 그에게 ~이다 その職務は彼に適する.

제고【提高】명하타 (望ましい方へ)高めること；高揚. ¶사기를 ~하다 士気を高揚する.

제곱 명하타〔數〕二乗；自乗. ‖——근 명 平方根；自乗根. ——비 명 自乗比. ——수 명 自乗数.

제공【提供】명 提供. ——하다 타 提供する；供する. ¶정보~자 情報提供者/주식을 ~하다 酒食を供する.

제공【諸公】명 諸公. ¶국회의원 ~ 国会議員諸公.

제공-권【制空權】명 制空権. ¶~을 장악하다 制空権を握る.

제과【製菓】명 製菓. ¶~업 製菓業/~점 ベーカリー.

제관【祭官】명 祭官；祭りを主宰する人.

제관【製罐】명 製缶.

제구【制球】명〔野〕制球；(ボールの)コントロール. ‖——력 명 制球力.

제구【祭具】명 祭具.

제구【諸具】명 もろもろの道具〔器具〕.

제-구실 명 自分の役目〔役割〕. ¶~도 못한다 自分の役目も果たせない；一人前でない.

제국【帝國】명 帝国. ¶대영 ~ 大英帝国. ¶~주의의 몰락 帝国主義の没落.

제국【諸國】명 諸国. ¶동남아 ~ 東南亜諸国.

제군【諸君】대 諸君；諸子. ¶학생 ~ 学生諸君.

제금【提琴】명〔樂〕提琴；バイオリン. ‖——가 명 提琴家；バイオリニスト.

제기¹ 명 穴のあいたコインなどを薄紙で包み羽根のようにして足でけあげる遊び道具.

제기【祭器】명 祭器.

제기【提起】명 提起. ——하다 타 提起する；申し立てる. ¶이의를 ~하다 異議を申し立てる.

제기² 감 ↗제기랄.

제기다¹ 자 ①[↗알제기다] 星目になる. ②外れて抜け出る；そっと逃げる.

제기다² 자 訴状·願書などに題辞を記す.

제기다³ 타 ①ひじ(肘)やかかと(踵)で突く. ②手斧などでこつこつと削る. ③水や汁などを少しずつ注ぎ落とす. ④(銭打ちで)指定された銭をぴたり当てる.

제기랄 감 ちえっ；くそ(糞)；こん畜生. ¶~, 이번에도 틀렸군 ちえっ, こんどもだめか/~, 종일 비만 오네 ちくしょう, 一日中雨だね.

제꺽¹ 부하자 ☞재깍¹.

제꺽² 부 物事を手ぎわよく成しとげるさま：さっさと；手早く；じかに. ¶무슨 일이고 ~ 해치운다 何事でもさっさと片付けてしまう/~ 투자하다 じかに投資する. ——부 てきぱきと；はきはきと.

제-날, 제-날짜 명 定めた日. ¶~에 어김없이 오다 定めた日に間違いな

ㅈ

く来る.
제너럴 〔general〕 [명] ゼネラル.
제너레이션 〔generation〕 [명] ゼネレーション. ¶로스트 ~ ロストゼネレーション.
제다【製茶】[명][하자] 製茶.
제단【祭壇】[명] 祭壇. ¶~을 차리다 祭壇を設ける.
제-달 [명] 決めた月; 期限が満ちた月.
제당【製糖】[명] 製糖.
제대【除隊】[명][하자] 除隊. ¶만기로 ~하다 満期で除隊する.
제대【梯隊】[명]〔軍〕ていたい(梯隊).
제대【臍帯】[명]〔生〕さいたい(臍帯); せいたい; へそのお. =탯줄.
제-대로 [一][명] そのまま; ありのまま; 十分. ¶~의 상태 ありのままの状態. [二][부] ろく(碌)に; ろくろく(碌碌). ¶~ 읽지도 쓰지도 못한다 ろくに読み書きも出来ない / 질문에 ~ 답변도 못 한다 質問にろくに答えることすら出来ない.
제도【制度】[명] 制度. ¶의회 ~ 議会制度 / 봉건 ~ 封建制度.
제도【製陶】[명][하자] 製陶; 陶磁器を作ること.
제도【製圖】[명][하자] 製図; 作図.
‖——기 [명] 製図器. ——판 [명] 製図板.
제도【諸島】[명] 諸島. ¶남양 ~ 南洋諸島.
제도【濟度】[명][하타]〔佛〕済度.
제독【制毒】[명][하자타] 制毒.
제독【除毒】[명][하자] 除毒.
제독【提督】[명] 提督.
제동【制動】[명][하자] 制動. ¶~을 걸다 制動をかける.
‖——기 [명] 制動機; ブレーキ.
제등【提燈】[명] 提灯.
‖—— 행렬 [명] 提灯行列.
제-딴은 [부] 自分の考えでは; 自分なりには; 自分のつもりでは. =제깐에는. ¶~ 잘 했다고 생각하겠지 自分なりにはよくしたものと考えるだろう.
제-때 [명] 何かがあるそのとき; 適期. ¶~에 나타나다 適期にあらわれる / ~에 대다 間に合う.
제라늄 〔geranium〕[명]〔植〕ゼラニウム.
제련【製鍊】[명][하타]〔工〕製錬.
‖——소 [명] 製錬所.
제령【制令】[명] 制令; 法度.
제례【祭禮】[명] 祭礼. ¶~를 집행하다 祭礼を執り行う.
제로 〔zero〕[명] ゼロ; 零. ¶놈의 인격은 ~다 奴の人格はゼロである.
제록스 〔Xerox〕[명] ゼロックス.
제막【除幕】[명][하자] 除幕.
‖——식 [명] 除幕式.
제-매【弟妹】[명] 弟妹. ¶~를 사랑하다 弟妹を慈しむ.
제멋-대로 [부] 自分勝手に; 気ままに; 好き放題(に); 身勝手に. ¶~다 好き放題である / ~ 굴다 勝手きまま(気儘)にふるまう.
제면【製棉】[명][하자] 製棉.
제면【製麪】[명][하자] せいめん(製麺).
‖——기 [명] 製麺機.
제-명【一命】[명] 持って生まれた〔天から授かった〕寿命.
제명【除名】[명][하타] 除名. ¶~ 처분했다 除名処分した.
제명【題名】[명] 題名.
제모【制帽】[명] 制帽.
제목【題目】[명] 題目. ① 主題; テーマ. ② 題号; 題名. ¶"산"이라는 ~의 책 "山"という題目の本.
제문【祭文】[명] 祭文; 祝詞. ¶~을 읽다 祝詞を読む.
제물 [명] ① 食べ物を煮るとき初めからあった水, または, それ自体から出た水. ② まじりけのない物.
‖——낚시 [명] 毛針; 虫ばり; 擬餌針. ——장(欌) [명] 造り付けのたんす(箪笥); フィクスチュア.
제물【祭物】[명] 供え物; 供物. =제수(祭需). ¶~로 바치다 供え物にする.
제물-로 [부] ひとりでに; おのずから; おのずと. ¶~ 화가 풀렸다 おのずと怒りがしずまった.
제물-에 [부] ひとりでに; おのずと. ¶~ 문이 닫혔다 ひとりでに戸がしまった.
제미나르 〔도 Seminar〕[명] ゼミナール; ゼミ; セミナー. =세미나.
제민【濟民】[명][하자] 済民. ¶경세 제민 経世済民.
제-바닥 [명] ① 物の本質. ② もとから住んでいる所. ¶~ 사람 地の者 / ~술 地酒.
제-바람 [명] 外の力によらず自分の動作による影響; 自分のせい. ¶~에 제가 놀라다 自分の動作に自分が驚く.
제반【諸般】[명][관] 諸般の; いろいろの; 種種の; 各般の. ¶~ 사정에 의해 諸般の事情により.
제발 [부] 何とぞ; どうぞ; 是非; どうか; なにぶん. ¶~ 살려 주시오 何とぞ助けて下さい / ~ 부탁합니다 是非お願いします.
‖—— 덕분(德分), ——덕분에 [부] こい願わくば; どうか; 何とぞ.
제방【堤防】[명] 堤防; 堤; 土手. ¶~을 쌓다 堤防を築く / 홍수 때문에 ~이 무너지다 大水のために堤が切れる.
제-백사【除百事】[명][하자] (一事に専念するため)他の事はすべてさしおくこと. =파제 만사(破除萬事). ¶~하고 달려오너라 なにはさておき, 飛んで来い.
제번【除煩】[명][하자] 煩わしいあいさつ(挨拶)を省くの意《手紙の書き出しの語》: 前略. ¶~하옵고 前略致しまして.
제법 [명][부] 案外; わりあいに; かなり; なかなか; 結構. ¶못할 줄 알았는데 ~이야 駄目だと思っていたところ案外だね / ~ 미녀다 なかなかの玉だね / ~ 맛있다 結構おいしい.
제법【除法】[명]〔數〕除法; 割算.
제법【製法】[명] 製法.
제법【諸法】[명]〔佛〕諸法; 万法.
‖—— 실상 [명] 諸法実相.
제보【提報】[명][하자] 情報を提供すること.
제복【制服】[명] 制服; ユニホーム.

¶ ～을 입다 制服を着る.
제복【祭服】명 ①祭服；斎服. ② "최복(衰服)"の誤り.
제본【製本】명하타 製本. ¶ ～소 製本屋.
제분【製粉】명하자타 製粉. ¶ ～소 製粉所.
제-붙이, 제살-붙이 명 自分の血族；血筋；血統. ¶ ～끼리는 어딘가 다르다 血筋は争われない.
제비[1] 명 くじ(籤)；抽選〔籤〕；引き札. ──-뽑다 자 くじを引く；抽選する.
제비[2] 명〔鳥〕つばめ(燕)；つばくら.
‖──-꽃 명〔植〕すみれ(菫). ＝오랑캐꽃. ──-도요, ──-물떼새 명〔鳥〕つばめちどり. ──-붓꽃 명〔植〕かきつばた(杜若). ──-족(族) 명 つばめ；ジゴロ；年上の女の愛人.
제빙【製氷】명하자 製氷. ¶ ～ 공장 製氷工場 / ～기 製氷機.
제사【祭祀】명 祭祀；祭り；祭事；法事. ¶ 조상의 ～ 祖先の祭祀 / ～를 지내다 祭事をとり行なう. 제삿-날 명 祭日；斎日. 제삿-밥 명 法事を終えた後に食べる飯.
제사【製絲】명 製糸. ¶ ～ 공장 製糸工場 / ～ 회사 製糸会社.
제사【題詞】명 題詞；題辞.
제사【題辭】명 題辞；題言.
제사【第四】수관 第四.
‖── 계급 명 第四階級. ──-기 명〔地〕第四紀. ──의 불 명 第四の火. ──종 우편물 명 第四種郵便物.
제-사날로 부 自ら；自分から；ひとりで. ¶ ～ 한 짓이다 自分からしたことである.
제산-제【制酸劑】명 制酸剤.
제-살이 명하자 自活.
제삼【第三】수관 第三.
‖── 계급 명 第三階級. ──-국 명 第三国. ──-기 명 第三紀. ── 세력 명 第三勢力. ──의 불 명 第三の火. ──-인칭 명 第三人称. ──-자 명 第三者；局外者. ── 제국 명 第三帝国. ──차 산업 명 第三次産業. ──차 산업 혁명 명 第三次産業革命.
제상【祭床】명 供え物をのせるおぜん(膳).
제생【濟生】명하자 済生；生命を「すくうこと.
제서【題書】명 題字.
제석【帝釋】명〔佛〕帝釈.
‖──-천 명〔佛〕帝釈天.
제석【除夕】명 除夕；除夜；大晦日の夜. ＝제야(除夜).
제설【除雪】명하자 除雪；雪かき.
‖──-차 명 除雪車.
제설【諸說】명 諸説. ¶ ～이 분분하다 諸説が紛紛としている.
제세【濟世】명하자 済世. ¶ ～ 구민의 길 済世救民の道.
‖── 안민 명하자 済世安民.
제소【提訴】명하타 提訴. ¶ 당국에 ～하다 お上〔当局〕に訴える.
제수【弟嫂】명 弟嫁. ＝계수(季嫂).
제수【除授】명하타〔史〕除授；王がじかに官吏に任命すること.
제수【除數】명〔數〕除数.
제수【祭需】명 ①祭祀用の品物. ②供物.
‖──-전(錢) 명 祭祀用の金.
제스처〔gesture〕명 ジェスチャー.
제습【除濕】명 除湿. ¶ ～기 除湿器〔機〕.
제시【提示】명하타 提示；呈示. ¶ 증거를 ～하다 証拠を示す.
제시【題詩】명하자 題詩.
제-시간【─時間】명 定められた時間；定刻. ¶ ～에 돌아오다 定刻に帰る.
제식【制式】명 制式. ＝규정.
제씨【諸氏】명 諸氏；みなさん.
제-아무리 부 いくらなんでも〔なんだって〕；どんなに…しても；どれほど…であっても. ¶ ～ 잘난 체해 보아도 별 수 없다 いくら偉ぶってみてもしようがない.
제악【諸惡】명 諸悪. ¶ ～의 근원 諸悪の根源.
제안【提案】명하타 提案.
‖──-권 명 提案権.
제압【制壓】명 制圧. ──-하다 타 制圧する；圧する；制する. ¶ 적을 ～하다 敵を制圧する.
제야【除夜】명 除夜. ＝제석(除夕). ¶ ～의 종이 울리다 除夜の鐘が鳴る.
제약【制約】명하타 制約. ¶ 시간의 ～을 받다 時間に制約される.
제약【製藥】명 製薬. ¶ ～ 회사 製薬会社.
제어【制御】명하타 制御〔制禦〕. ¶ 자동 ～ 장치 自動制御装置.
제언【提言】명 提言. ¶ 영재 교육의 필요를 ～하다 英才教育の必要を提言する.
제언【諸彦】명 諸彦；諸氏. ＝제현(諸賢). ¶ 강호 ～ 江湖の諸彦.
제염【製鹽】명하자 製塩. ¶ ～업 製塩業 / 천일 ～ 天日製塩.
제오【第五】수관 第五.
‖──-열 명 第五列；スパイ.
제왕【帝王】명 帝王；みかど；皇帝；天子. ¶ 암흑가〔무관〕의 ～ 暗黒街〔無冠〕の帝王.
‖── 신권설 명 帝王神権説. 준 신권설. ── 절개 명 帝王切開.
제외【除外】명 除外. ──-하다 타 除外する；とりのける. ¶ 특수한 예는 이를 ～한다 特殊な例はこれを除外する.
제욕【制慾】명하자 制欲；禁欲.
제우스〔Zeus〕명 ゼウス.
제웅 명〔民〕藁人形《陰暦正月十四日の夜, 道に捨てるとその年の厄除けになるという》.
제원【諸元】명 諸元；いろいろの因子；もろもろのファクター.
제위【帝位】명 帝位；王位.
제위【諸位】명 諸位；みなさま.
제유【製油】명하자 製油. ¶ ～ 공장 製油工場.
제육 명 [←저육(猪肉)] 豚肉.
제육-감【第六感】명 第六感.
제의【提議】명하타 提議. ¶ 공동 연구를 ～하다 共同研究を提議する.

ㅈ

제이【第二】[수][관] 第二. ¶ ～의 청춘 第二の青春.
‖── 성징 [명] 第二性徴. ──-심 [명] 第二審. ──-의 [명] 第二義. ── 인칭 [명] 第二人称. ──차 산업 [명] 第二次産業. ──차 세계 대전 [명] 第二次世界大戦.
제일【祭日】[명] 祭日; 法事の日. =제삿날.
제일【第一】[一][수][관] 第一; 最初; 一番; 随一. ¶ 세계 ～의 시인 世界第一の詩人. [二][부] 一番(に); もっとも. ¶ ～ 좋다 最もいい.
‖── 강산(江山) [명] 絶勝地. ──-선 [명] 第一線. ──-심 [명] 第一審; 初審. ──-위 [명] 第一位. ──-의 [명]〔哲〕第一義. ── 인상 [명] 第一印象. =첫인상. ──-인-자 第一人者. ──차 산업 [명] 第一次産業.
제자【弟子】[명] 弟子; 門人; 門弟. ¶ ～를 기르다 弟子を育てる.
제자【諸子】[명]〔史〕諸子. ¶ ～ 백가 諸子百家. [준] 제가(諸家).
제자【題字】[명] 題字.
제-자리 [명] もとの場所. ¶ ～로 돌아가다 元の場に戻る / ～에 놓다 もとの場所に置く.
‖──-걸음 [명][하자] 足踏み. ¶ 교섭은 ～이다 交渉は足踏み状態である. ──-넓이뛰기 [명] 立ち幅跳び. ──-높이뛰기 [명] 立ち高跳び.
제작【製作】[명][하타] 製作; 作製. ¶ 공동 ～ 共同製作.
제장【諸將】[명] ① 諸将. ②〔民〕戦死した神霊.
제재【制裁】[명][하타] 制裁. ¶ 철권 ～ 鉄拳制裁.
제재【製材】[명][하타] 製材. ¶ ～소 製材所.
제적【除籍】[명][하타] 除籍. ¶ ～당한 불량 학생 除籍された不良学生.
제전【祭典】[명] 祭典. ¶ 미의 ～ 美の祭典.
제절【諸節】[명] ①(他所の)家族のようす〔ぐあい〕. ¶ 댁내 ～이 균안(均安)하십니까 御家族皆様お変わりはございませんか. ②(一人の)ようす·ぐあい. ¶ 자당(慈堂) ～이 안녕하십니까 母堂の御機嫌よろしゅうございますか. ③すべてのこと; 一切; 一般. ¶ 침선(針線) ～ (女性がなすべき)針仕事一切.
제정【制定】[명] 制定. ──-하다 [타] 制定する; 制する. ¶ 헌법을 ～했다 憲法を制定した.
제정【帝政】[명] 帝政. ¶ ～ 러시아 帝政ロシア.
제정【祭政】[명] 祭政; 祭事と政治. ‖── 일치 [명] 祭政一致.
제정【提呈】[명] 呈上. ──-하다 [타] 呈上する; 差し上げる. ¶ 신임장을 ～하다 信任状を呈上する.
제-정신【─精神】[명] 本性; 本心; 正気. ¶ ～이 들다 正気づく/ ～을 잃다 正気を失う.
제제【濟濟】[명][부][하형] ① 済済·さいさい; 多くて盛んなさま. ② 厳かで立派なこと.
‖── 다사 [명] 済済多士.
제제【製劑】[명][하타] 製剤; 製薬. ¶ 생약 ～ 生薬製剤.
제조【製造】[명][하타] 製造. ¶ 부품을 ～하다 部品を製造する.
‖──-업 [명] 製造業.
제졸【諸卒】多くの兵卒.
제주【祭主】[명] 祭主; 祭事の主宰者.
제주【祭酒】[명] 祭祀用の酒.
제지【制止】[명][하타] 制止. ¶ 독주를 ～하다 独走を制止する.
제지【製紙】[명][하자] 製紙. ¶ ～업 製紙業 / ～ 공장 製紙工場.
제-지내다【祭──】[자] 祭祀を行なう.
제-집 [명] 自家; 自宅. ¶ ～에 당도하다 自家にたど(辿)り着く.
제-짝 [명] ひとそろい(一揃)になるその対, また, 組み; 連れ. ¶ ～을 찾다 自分の対〔連れ〕を捜す〔求める〕.
제창【提唱】[명] 提唱. ──-하다 [타] 提唱する; 唱える. ¶ 신생활을 ～하였다 新しい生活を提唱した.
제창【齊唱】[명][하타] 斉唱. ¶ 교가 ～ 校歌斉唱.
제창 [부] 願った通りに; 願ったり叶ったり; 思った通りに. ¶ 눈대중으로 사 왔는데 신이 ～ 맞는구나 目加減で買って来た靴が思った通りに合うね.
제책【製册】[명][하타] 製本.
제천【祭天】[명][하자] 祭天; 天を祭ること.
제-철 [명] (着物·食べ物などの)適期; 時季.
제철【製鐵】[명][하자] 製鉄.
‖──-소 [명] 製鉄所.
제쳐-놓다 [타] ①とりのける; わきにのけておく; よけておく. ②別に選んでおく. ③後まわしにする; 差し置く. ¶ 일을 제쳐놓고 외출을 하다 仕事を差し置いて外出をする.
제초【除草】[명][하자] 除草; 草取り.
‖──-기 [명] 除草器; 草取り. ──-제 [명] 除草剤; 除草薬.
제출【提出】[명][하타] 提出. ¶ ～ 서류 提出書類 / 사표를 ～하였다 辞表を提出した.
제출물-로 [부] 自分の力で; 自分の好きなように; 気ままに. 「に」.
제출물-에 [부] 気ままのあげく〔果て
제충【除蟲】[명][하자] 除虫.
‖──-국 [명]〔植〕除虫菊.
제치다 [타] のける; 除外する; よける; とり除く.
제트(jet) [명] ジェット.
‖──-기 [명] ジェット機. ── 기류 [명] ジェット気流; ジェットストリーム. ── 엔진 [명] ジェットエンジン. ── 연료 [명] ジェット燃料. ── 코스터 [명] ジェットコースター.
제판【製版】[명][하자] 製版.
제팔 예술【第八藝術】[명] 第八芸術. =영화(映畫).
제패【制霸】[명][하타] 制覇. ¶ 세계 ～를 계획하다 世界制覇をもくろむ.
제표【除標】[명]〔數〕割り算の符号

さぅ(“÷”); 除号. ＝나눗셈표.
제풀-로, 제풀-에 부 おのずから; おのずと; 自然と〔に〕; ひとりでに. ¶ 숙독하면 ~ 이해가 된다 熟読すればおのずと理解ができる.
제-하다【除—】 타 ① 差し引く. ¶ 수입에서 세금을 ~ 収入から税金を差し引く. ②〔數〕☞ 나누다②. ③ の(除)ける; 除く.
제한【制限】 명하타 制限. ¶ 산아 ~ 産児制限.
‖── 선거 명 制限選挙. ── 시간 명 制限時間.
제한【際限】 명 際限; きり; はて. ¶ 욕망에는 ~이 없다 欲望にはきりが無い.
제해-권【制海權】 명〔法〕制海権. ¶ ~을 장악하다 制海権を握る.
제행【諸行】 명〔佛〕諸行.
‖── 무상 명하형 諸行無常.
제헌【制憲】 명 憲法制定; 制憲. ¶ ~ 의회 制憲議会.
‖──-절 명 制憲節《大韓民国憲法の制定を記念する国慶日》.
제혁【製革】 명하자 製革.
제현【諸賢】 명 諸賢; 諸彦; 皆様. ¶ ~의 비판을 바란다 諸賢の御批判を請う.
제형【梯形】 명 ていけい(梯形). ＝사다리꼴.
제형【諸兄】 명 諸兄; 皆様. ¶ 독자 ~ 読者諸兄.
제형【蹄形】 명 蹄形; U字形.
제호【除號】 명〔數〕☞ 제표(除標).
제호【題號】 명 題号. ¶ 잡지의 ~를 바꾸다 雑誌の題号を変える.
제화【製靴】 명하자 製靴.
제후【諸侯】 명 諸侯.
제휴【提携】 명하자 提携. ¶ 기술 ~ 技術提携.
젠장 감 ↗젠장맞을·젠장칠. ──-맞을, ──-칠 감 しゃく(癪)にさわって吐き出す語: えいくそ; 畜生; しまった.
젠-체하다 자 気取る; もったいぶる; うぬぼれる; それらしい様子をする. ¶ 젠체하는 여자 気取る女.
젠틀맨〔gentleman〕명 ジェントルマン; 紳士.
젤라틴〔gelatine〕명 ゼラチン.
젤리〔jelly〕명 ジェリー.
젯-날【祭—】 명 [↗제삿날] 祭日.
젯-밥【祭—】 명 祭祀に供える飯.
젱겅-거리다 자 ☞ 쟁강거리다. 젱겅-젱겅 부하자 ☞ 쟁강쟁강.
젱그렁 부하자 ☞ 쟁그랑. ──-거리다 자 ☞ 쟁그랑거리다. ──── 부하자 ☞ 쟁그랑쟁그랑.
조¹ 명〔植〕あわ(粟). ¶ ~밥 粟飯.
조【條】 명 条; くだり; 箇条. ¶ 제3~ 第三条.
조【組】 명 組.
조【調】 명 調. ① 気品を保つための行動: 気取り·体裁. ② ☞ 곡조(曲調). ③〔史〕物納租税の一つ《特産物を納めた》.
조【條】 의명 “さような条件で”という意. ¶ 사례금~로 드리는 촌지 謝礼金の名目で上げる寸志.
조【朝】 의명 朝; 王朝. ¶ 고려 ~ 高麗朝 / 조선~ 朝鮮朝.
조【調】 의명 調《“そんな口振りや行動の意”》; 腰; けんまく(見幕); 勢い; 調子. ¶ 시비~로 대어들다 けんか(喧嘩)腰で食いかかる.
조【兆】 수 ① 兆; 億の万倍. ② ☞ 징조(徵兆).
조² 관 あれ; あの. <저. ¶ ~ 사람 あの人.
조가【弔歌】 명 弔歌.
조가비 명 貝殻.
조각 명 ① 切れ; 切れ端; はしくれ; かけら. ¶ 한 ~ 一片; ひときれ / 헝겊 ~으로 만든 인형 小布れでこしらえた人形. ② 原状が壊されて切れになった物. ¶ 유리 ~ ガラス割れ. ──-나다 자 意見の違いで互いに別れる. ──── 부 切れ切れ; ばらばら; こなみじん; 寸寸. ¶ ~ 부서지다 こなみじんに砕ける / ~ 찢어발기다 寸寸に切り裂く.
‖──-달 명 弦月; 弓張り月; 片割れ月. ──-배 명 扁舟; 小舟; 一葦. ──-보(褓) 명 小布れを縫い合わせたふろしき.
조각【組閣】 명하자 組閣.
조각【彫刻】 명 彫刻. ──-하다 타 彫刻する; 彫る; 刻みつける. ¶ ~가 彫刻家.
‖──-기 명 彫刻機. ──-도 명 彫刻刀. ── 석판 명 彫刻石版.
조간【朝刊】 명 朝刊. ¶ ~지 朝刊紙.
조갈【燥渴】 명 のど(喉)が乾くこと.
‖──-증(症) 명 喉が乾く病気.
조감【鳥瞰】 명하타 鳥瞰《鳥観とも書く》.
‖──-도 명 鳥瞰図.
조강【粗鋼】 명 粗鋼.
조강【糟糠】 명 かす(滓)とぬか(糠).
‖──-지-처(之妻) 명 糟糠の妻. ¶ ~ 불하당(不下堂) 糟糠の妻は堂より下ろさず.
조개 명〔動〕貝.
‖── 관자(貫子) 명 貝柱; 肉柱. ──-구름 명 ☞ 권적운(卷積雲). ──-무지 명 ☞ 패총(貝塚). ──-볼 명 貝殻のように中央がふくらんでいるほお(頰). ──-젓 명 貝類の塩辛. ──-탄 명 豆炭. 조갯-살 명 む(剝)きみ(身). また, 乾かしたむきみ.
조객【弔客】 명 弔客.
조건【條件】 명 条件.
‖── 반사 명〔生〕条件反射. ── 반응 명 条件反応. ──-부(附) 명 条件付き; 条件付け. ¶ ~ 확률 条件付き確率.
조건 준 [↗조것은] あれは. <저건.
조걸 준 [↗조것을] あれを. <저걸.
──-로 준 [↗조것으로] あれで.
조-것 대 あれ; あのもの. <저것. 준 조거. *요것.
조-게 준 [↗조것이] あれが. <저게.
조견-표【早見表】 명 早見表.
조경【造景】 명하타 造園. ¶ ~사 造園師.

ㅈ

조계【租界】명 租界. ¶～지 租界地/공동 ～ 共同租界.
조고【祖考】명 亡くなった祖父.
조곡【組曲】명〔樂〕組曲.
조공【彫工】명 彫り師.
조공【朝貢】명하타 朝貢; 貢ぎ; 貢ぎ物; 年貢. ¶～을 바치다 貢ぎ物を捧げる.
조과【造果】명 菓子類の称.
조광【粗鑛】명〔鑛〕粗鉱.
조광【躁狂】명하자 躁狂; 騒ぎ狂うこと. ¶～증 躁狂症.
조광-권【租鑛權】명 租鉱権.
조교【助敎】명 助教.
조교【調敎】명하자 調教. ¶개를 ～하다 犬を調教する/～사 調教師.
조-교수【助敎授】명 助教授.
조국【祖國】명 祖国. ¶～애 祖国愛/～을 떠나서 살다 祖国を離れて暮らす.
조규【條規】명 条規. ¶～에 따르다 条規に従う. 「맣다.
조그마-하다 형 やや小さい. ㊜ 조그
조그만 관 [↗조그마한] やや小さい. ¶～시내 小川.
조그만큼 부 わず(僅)かに; 少し(く); いささか; ちょっと(だけ). ¶술을 ～ 마셨다 酒を少しだけ飲んだ.
조그맣다 형 ↗조그마하다.
조금 부 少し; わず(僅)か; ちょっと; 寸分; いささ(些)か; 少少. ¶～ 더 왼쪽으로 もう少し左の方に/～ 이르다 少し早すぎる/아주 ～ ほんの僅か. ——— 부하형 少しずつ; わずかながら.
‖——도 부 少しも; ちっとも; 全然.

ㅈ

조급【早急】명 気早や. ——하다 형 早急だ; 気早だ. ——히 부 早急に; 速やく. ¶～ 와 주시오 早急に来て下さい/～ 연락하였다 早急に連絡を取った.
조급【躁急】명 躁急; せっかち; 性急. ——하다 형 躁急だ; せっかちだ. ¶～한 성격 躁急〔せっかち〕な性格. ——히 부 躁急に; せっかちに; せわしく; 慌ただしく. ¶～ 재촉하다 せっかちにせき立てる.
조기 명〔魚〕いしもち(石持·石首魚); ぐち; しろぐち. ¶～젓 いしもちの塩辛.
조기【弔旗】명 弔旗. =반기(半旗). ¶～를 달다 弔旗を掲げる.
조기【早起】명하자 早起き. ¶～ 체조 早起き体操/～회 早起き会.
조기【早期】명 早期. ¶～ 치료 早期治療/～ 교육 早期教育/～ 재배 早期栽培.
조깅〔jogging〕명 ジョギング. ¶～ 슈즈 ジョギングシューズ.
조끔 부 ☞ 조금.
조끼[1] 명 チョッキ; 胴衣. ¶방탄 ～ 防弾チョッキ〔胴衣〕.
조끼[2]〔jug〕명 ジョッキ《ビール用の取っ手のついた大型コップ》.
조난【遭難】명하자 遭難. ¶～자 遭難者/～ 신호 遭難信号.
‖——선 명 遭難船.
조다 타 のみで彫る.

조단【操短】명 [↗조업 단축(操業短縮)] 操短《준말》.
조달【調達】명하자타 調達. ¶현지 ～ 現地調達/여비를 ～하다 旅費を調達する.
‖——청 명 調達庁.
조당【粗糖】명 粗糖.
조-당수 명 あわ(粟)の重湯.
조대【釣臺】명 釣り台.
조도【照度】명〔物〕照度.
‖——계 명 照度計.
조독【爪毒】명 つめあと(爪跡)に生ずる炎症. ——들다 자 爪跡に炎症が生ずる.
조동【粗銅】명 粗銅. ¶～을 정련하다 粗銅を精錬する.
조-동사【助動詞】명〔言〕助動詞.
조동아리 명 ☞ 주둥아리.
조라-떨다 자 軽軽しく振る舞う; かるはずみである.
조락【凋落】명하자 ちょうらく(凋落). ¶～의 가을 凋落の秋.
조람【照覽】명하타 照覧.
조랑 마차【一馬車】명 小馬がひく馬車. 「こうま; ポニー.
조랑-말 명 体の小さな馬; 小馬
조랑-조랑 부 ☞ 주렁주렁.
조략【粗略】명하형 粗略〔疎略〕; いい加減; ぞんざい.
조러-하다 형 ☞ 저러하다. 조러조러-하다 형 ☞ 저러저러하다.
조런 감 ☞ 저런.
조렇다 형 ↗조러하다. <저렇다.
조력【助力】명하타 助力; 手助け; 助太刀.
조력 발전【潮力發電】명 潮力発電.
조련【調練】명하타 調練. ¶～사 調教師/신병을 ～하다 新兵を調練する.
조령 모개【朝令暮改】명 朝令暮改; 朝改暮変. ¶～의 정책 朝令暮改の政策.
조례【弔禮】명 弔問の礼儀.
조례【條例】명 条例.
조례【朝禮】명 朝礼.
조로【早老】명 早老.
조로【朝露】명 朝露.
‖——인생 명 露のような人生.
조로아스터-교【—敎】〔Zoroaster〕명〔宗〕ゾロアスター教.
조록 부 ☞ 주룩. ———— 부하자 ☞ 주룩주룩. 「장.
조롱【鳥籠】명 とりかご(鳥籠). =새
조롱【嘲弄】명하타 ちょうろう(嘲弄); あざけりなぶること. ¶사람을 ～하다 人をばかにしてなぶる.
조롱-박 명〔植〕ひょうたん(瓢簞); ひさご.
조롱이 명〔鳥〕つみ.
조롱-조롱 부 ☞ 주렁주렁.
조루【早漏】명 早漏. ¶～증 早漏症.
조류【鳥類】명〔動〕鳥類; 鳥. ¶～ 도감 鳥類図鑑.
조류【潮流】명 潮流; 潮瀬. ¶시대의 ～ 時代の流れ.
조류【藻類】명〔植〕藻類; 藻.
조르다 타 ① 締〔絞〕める; くく(括)る.

¶목을 ～ 首を絞める / 허리띠를 ～ ベルトを締める. ②せがむ; ねだる; せびる. ¶어머니를 졸라서 사 달랬다 母にせがんで買って貰った / 용돈을 ～ 小遣いをせびる. ③催促する; せ(急)き立てる; 責付く; 促す. ¶빨리 하라고 ～ 早くしろとせき立てる.

조르르 早 ☞ 주르르.

조르륵 早 ☞ 주르륵.

조름 명〔魚〕えら(鰓).

조리【笊籬】 명 研いだ米をよなげ(淘)るのに使う取っ手のある小形のざる(笊).

조리【條理】 명 条理; 筋; 筋道; つじつま(辻褄). ¶～가 서지 않는 말 筋の立たない話.

조리【調理】 명하타 ①養生; 摂生. ¶병후에는 ～를 잘 해야 한다 病後には養生をよくすべきである. ②調理. ¶생선을 ～하다 魚を調理する / ～사(士) 板場; 板前; 料理人.

‖――대 명 調理台.

조리 早 ☞ 저리.

조리개 명 (写真機などの)しぼり.

조리다 타 煮る; 煮付ける; 煮しめる; 煮詰める. ¶생선을 ～ 魚を煮付ける.

조리-돌리다 타 罪人をさらし者にして世人の見せしめにする.

조리차-하다 타 (支出を)切り詰める; 引き締める; 詰める.

조리-치다 자 うたた寝をする; 仮寝をする.

조림 명 煮物; 煮付け; 煮しめ. ¶생선 ～ 魚の煮付け / 감자 ～ いも(薯)の煮付け.

조림【造林】 명하자타 造林.

조립【組立】 명하타 組み立て. ¶～식 책장〔주택〕 組立式の本棚〔住宅〕/ ～공 組立工.

조릿-조릿 早하형 気が気でないさま: ひやひや; はらはら.

조마【調馬】 명하자 調馬.

‖――사 명 調馬師; 調教師.

조마-조마 早하형 あぶあぶ; 怖じ怖じ; おずおず; はらはら; びくびく; ひやひや. ¶시간에 늦을까봐 ～했다 時刻に遅れはしまいかとはらはらした / 곡예를 보면서 ～하였다 サーカスを見ながらひやひやした.

조막 명 小さいこぶし(拳).

‖――손 명 手ん棒. ――손 이 명 手ん棒(の人).

조만【早晩】 早 早晩; そのうちに; いつかは.

‖――간(間) 早 遅かれ早かれ; そのうちに; いつかはきっと. ¶～ 사람은 죽게 마련이다 遅かれ早かれ人は死ぬものである.

조-만큼 早 ☞ 저만큼.

조망【眺望】 명 眺望; 眺め; 見晴らし; 遠見. ――하다 타 眺望する; 見晴らす; 眺める. ¶～권 眺望権 / ～이 트이다 眺望が開ける.

조매【嘲罵】 명하타 嘲罵; あざけりののしること.

조매-화【鳥媒花】 명〔植〕鳥媒花.

조면【粗面】 명 粗い面.

‖――암 명〔鑛〕粗面岩.

조면【繰綿】 명하자 繰り綿.

‖――기 명 綿繰り機.

조명【助命】 명하타 助命.

조명【照明】 명하타 照明. ¶～ 담당 照明係 / ～ 기구 照明器具.

‖――등 명 照明灯. ――탄 명 照明弾.

조모【祖母】 명 祖母. ＝할머니.

조목【條目】 명 条目; 箇条. ＝조항·항목. ――― 早 条目ごとに. ¶～ 심의하다 逐条審議する.

조몰락-거리다 타 ☞ 주물럭거리다. 조몰락-조몰락 早하타 ☞ 주물럭주물럭.

조묘【粗描】 명하타 粗描.

조무래기 명 小僧; 小わっぱ(童); 小僧っ子.

조문【弔文】 명 弔文.

조문【弔問】 명하타 弔問.

‖――객 명 弔客.

조문【條文】 명 条文; くだり(件).

조물【造物】 명 造物; 造化.

‖――주 명 造物主; 造化の神.

조미【調味】 명하타 調味.

‖――료 명 調味料.

조밀【稠密】 명 稠密. ¶인구 ～ 지역이다 人口稠密地域である. ――하다 형 稠密だ; 密だ. ――히 早 稠密に; ぎっしりと.

조바심 명하자 焦り; いらだ(苛立)ち; 焦燥感. ¶～나다 いらだつ; 焦りを感じる.

조바위 명 昔の婦人がかぶった防寒帽.

조반【造反】 명하자 造反; 謀反.

조반【朝飯】 명 朝飯; 朝食.

‖―― 석죽(夕粥) 명하자 朝は飯を食べ, 夕べにはかゆ(粥)をすす(啜)る暮らし.

조발【早發】 명하자 早発.

‖――성 치매 명 早発性痴呆.

조발【調髮】 명하자 調髪; 整髪.

조-밥 명 あわ(粟)飯.

조방【粗放】 명하형 粗放.

‖―― 농업 명 粗放農業.

조병【造兵】 명하자 造兵.

‖――창 명 造兵廠. ――학 명 造兵学.

조복【粗服】 명 粗服; 粗末な服.

조복【朝服】 명〔史〕朝服.

조복【調伏】 명〔佛〕調伏.

조부【祖父】 명 祖父. ＝할아버지.

조-부모【祖父母】 명 祖父母.

조분【鳥糞】 명 鳥の糞.

‖――석 명 鳥糞石.

조붓-하다 형 やや狭い; 狭い方だ. 조붓-이 早 やや狭く. ¶눈을 ～ 뜨다 目を細く開く.

조비【祖妣】 명 祖妣; 死んだ祖母.

조-빼다【操―】 자 もったいぶる; 気取る; 上品ぶる. ¶조빼는 태도 もったいぶる態度.

조뼛-조뼛 早하형 ☞ 주뼛주뼛.

조사【弔詞·弔辭】 명 弔辞.

조사【助詞】 명〔言〕助詞. ¶접속 ～ 接続助詞.

조사【助辭】 명 [↗어조사(語助辭)] 助辞.

조사【祖師】 명 祖師.

ㅈ

조사【釣師】명 ☞ 낚시꾼.
조사【朝使】명 朝廷の使者.
조사【照射】명하자타 照射. ¶ 방사선 ~ 放射線の照射.
조사【調査】명 調査. ¶ 수질 ~ 水質調査 / ~단 調査団.
조-사료【粗飼料】명 粗飼料.
조산【早産】명하타 早産.
‖——아 명 早産児; 早生児.
조산【助産】명하타 助産.
‖——원(員) 명 助産婦; 産婆.
조산 운동【造山運動】명〖地〗造山運動.
조삼 모사【朝三暮四】명 朝三暮四.
조상【弔喪】명하타 弔問; お悔やみ. ¶ ~하러 가다 お悔やみに行く.
조상【祖上】명 祖先; 先祖; 父祖. ¶ ~ 전래의 물건 父祖〔祖先〕伝来の品 / ~ 대대 先祖代代.
‖——굿 명하자〖民〗祖先の霊を慰めるためのみこ(巫女)の神事. ——숭배 명 祖先崇拝.
조상【彫像】명 彫像.
조상-육【俎上肉】명 そじょう(俎上)の魚.
조색【調色】명하자 調色. ¶ ~판 調色板; パレット / 이중 ~ 二重調色.
조생【早生】명 早生. ① ☞ 조산(早産). ② わせ(早生).
조서【詔書】명 詔書.
조서【調書】명 調書. ¶ 용의자로부터 ~를 받다 容疑者から調書をとる.
조석【朝夕】명 ① 朝夕; 朝晩. ¶ ~으로 노력한 보람도 없이 朝夕努力したかい(甲斐)もなく. ② [↗조석반] 朝夕の飯. ¶ ~을 끓이다 飯を炊く.
조석【潮汐】명 [↗조석수] ちょうせき(潮汐).
‖—— 마찰 명 潮汐摩擦. —— 발전 명 潮汐発電. ——표 명 潮汐表.
조선【造船】명하자 造船. ¶ ~업 造船業 / ~소 造船所.
조선【朝鮮】명 朝鮮.
‖——말, ——어 명 韓国語. ——옷 명 ☞ 한복(韓服). —— 종이 명 ☞ 한지(韓紙). ——집 명 ☞ 한옥(韓屋).
조섭【調攝】명하타 摂生. =조리.
조성【助成】명하타 助成. ¶ 연구를 ~하다 研究を助成する.
‖——금 명 助成金.
조성【造成】명하타 造成. ¶ 택지를 ~하다 宅地を造成する.
조성【組成】명하타 組成. ¶ 화합물의 ~을 연구하다 化合物の組成を研究する.
조세【早世】명하자 早世; 早死に.
조세【租稅】명 租税; 税; 税金.
‖——법 명 租税法; 税法.
조소【彫塑】명 彫塑.
조소【嘲笑】명하타 嘲笑. ¶ 세인의 ~를 사다 世人の嘲笑を買う / 모두에게서 ~를 받다 皆に嘲笑される.
조속【早速】명하형 速やか; 早急. ¶ ~한 조치를 취하다 速やかな処置を取る. ——히 부 速やかに; 早く. ¶ ~ 완성해라 早く完成せよ.
조손【祖孫】명 祖孫.

ㅈ

조수【助手】명 助手. ¶ 기관 ~ 機関助士 / ~를 고용하다 助手を雇う.
조수【鳥獸】명 鳥獣.
조수【潮水】명 潮水・潮; 潮; うしお; 海水. ¶ ~의 간만 潮の干満 / ~가 써다 潮が干る〔引く〕.
조숙【早熟】명 早熟. ——하다 형 早熟だ; ませる. ¶ ~한 아이 ませた子供; おませ〈俗〉.
조시【弔詩】명 弔詩.
조식【粗食】명하자 粗食. ¶ 조의 ~ 粗衣粗食.
조신【祖神】명 祖先のみたま.
조신【朝臣】명 朝臣.
조신【操身】명하형 身持ちをつつしむこと; つつましく振る舞うこと.
조실 부모【早失父母】명하자 幼時に親を亡くすこと.
조심【操心】명하자타 気をつけること; 用心; 注意. ——하다 자타 用心する; 慎む; 気をつける; 注意する. ¶ ~해서 찾다 注意して捜す / 음식을 ~하다 食べ物に注意する. ——스럽다 형 用心深い; 慎ましい; 控え目だ. ¶ 조심스러운 사람 慎重な人 / 조심스러운 태도 慎ましい態度.
‖——성(性) 명 慎み; たしなみ. ¶ ~이 많다 慎しみ〔用心〕深い / ~이 없는 행동 たしなみのない振る舞い.
조아리다 타 ぬか(額)ずく; (恐縮して)頭を下げる. ¶ 머리를 조아리고 사과하다 平身低頭して謝る / 불전에 ~ 仏前にぬかずく.
조악【粗惡】명하형 粗悪. ¶ ~품 粗悪品.
조야【粗野】명하형 粗野. ¶ ~한 말씨 粗野な言葉遣い.
조야【朝野】명 朝野.
조약【條約】명 条約. ¶ ~을 체결하다 条約を締結する.
‖—— 개정 명 条約改正.
조약【調藥】명하자 調薬; 薬を調剤すること.
조약-돌 명 砂利; さざれ石; くり(栗)石.
조어【祖語】명〖言〗祖語.
조어【釣魚】명하자 魚つり.
조어【造語】명 造語. ¶ ~ 성분 造語成分 / ~ 요소 造語要素.
조언【助言】명하타 助言; 口添え; アドバイス. ¶ ~자 助言者.
조업【祖業】명 祖業. ¶ ~을 계승하다 祖業を継ぐ.
조업【操業】명하자 操業. ¶ ~시간 操業時間.
‖—— 단축 명 操業短縮; 操短《준말》. ——도 명 操業度.
조역【助役】명 助役. ① 手伝うこと. また手伝う人. ② (鉄道の駅で) 助役《"계장(係長)"や "부역장(副驛長)"の旧称》.
조연【助演】명하타 助演. ¶ ~ 남우 助演男優.
조영【造營】명하타 造営. ¶ 불전을 ~하다 仏殿を造営する.
조예【造詣】명 造詣. ¶ ~가 깊다 造詣が深い.
조용조용-히 부 (もの)静かに; 物やわらかに. ¶ ~ 타이르다 物やわらかに

論す.
조용-하다 형 静かだ; 物静かだ. ¶ 조용한 마음 静心 / 거리가 ～ 通りが静かである / 아이들이 조용해지다 子供らが静まりかえる. **조용-히** 부 静かに; 物静かに. ¶～ 여생을 보내다 心静かに余生を送る / ～해라 静かにしろ.
조우【遭遇】 명하자타 遭遇. ¶ 적과 ～하다 敵に遭遇する.
‖——-전 명 遭遇戦.
조운【漕運】 명하타 漕運; 船で物を運ぶこと. ¶～업 漕運業.
조울-병【躁鬱病】 명〔醫〕そううつ(躁鬱)病.
조원【造園】 명하자 造園; 築庭. =조경(造景). ¶～ 기사 造園技師; 庭師.
조위【弔慰】 명 弔慰. ——-하다 타 弔慰する; 悔やむ.
‖——-금 명 弔慰金.
조율【調律】 명하타 調律.
‖——-사 명 調律師.
조음【潮音】 명 潮音; しおさい(潮騷). =해조음(海潮音).
조의【弔意】 명 弔意. ¶ 삼가 ～를 표하다 謹んで弔意をあらわす.
조의【粗衣】 명 粗衣. ¶～ 조식에 만족하다 粗衣粗食に甘んずる.
조의【朝議】 명 朝議. ¶～가 정해지다 朝議が決まる.
조인【鳥人】 명 鳥人; 飛行士.
조인【釣人】 명 ☞ 낚시꾼.
조인【調印】 명하자 調印. ¶ 평화 조약에 ～하였다 平和条約に調印した.
조인트〔joint〕명 ジョイント. ¶～ 리사이틀 ジョイントリサイトル / ～ 콘서트 ジョイントコンサート.
조자리 명 ☞ 주저리.
조작【造作】 명하타 ① 造作. ② ねつぞう(捏造); 作為; からくり; でっちあげ. ¶～한 흔적이 보인다 作為のあとが見える / ～이 들통나다 からくりがばれる / 사건을 ～하다 事件を捏造する〔でっちあげる〕.
조작【操作】 명하타 操作. ¶ 원격 ～ 遠隔操作 / 기계를 ～하다 機械を操作する / 장부를 ～하다 帳簿をやりくりする.
조잔-거리다 명 ☞ 주전거리다. **조잔-조잔** 부하타 ☞ 주전주전.
조잘-거리다 자 うるさく〔口数多く〕しゃべる; ぺちゃぺちゃしゃべる. **조잘-조잘**[1] 부하자 ぺちゃぺちゃ; ぺちゃくちゃ.
조잘-조잘[2] 부하형 ☞ 주절주절.
조잡【粗雜】 명하형 粗雑; そほん(粗笨). ¶～한 계획 粗雑な計画.
조잡-스럽다 형 ☞ 주접스럽다.
조장【助長】 명하타 助長. ¶ 사행심을 ～하다 射倖心を助長する.
조장【組長】 명 組長; 組頭.
조장【鳥葬】 명 鳥葬; 死体を鳥についばませる葬法.
조재【造材】 명하타 造材; 製材.
조전【弔電】 명 弔電.
조절【調節】 명하타 調節. ¶ 체온 ～ 기능 体温調節機能 / 온도를 ～하다 温度を調節する.
‖—— 유전자 명〔生〕調節遺伝子.
조정【朝廷】 명 朝廷; 廟堂. ¶ ～에 출사하다 朝廷に仕える.
조정【漕艇】 명하자 ① 漕艇; ボートをこぐこと. ② ボートレース; 競漕. =조정 경기.
조정【調停】 명하타 調停. ¶～ 위원 調停委員 / 분쟁을 ～하다 紛争を調停する.
‖——-법 명 調停法.
조정【調整】 명하타 調整. ¶ 의견의 ～ 意見の調整 / 음량을 ～하다 音量を調整する.
조제【粗製】 명하타 粗製.
‖—— 남조 명하타 粗製濫造. ——-품 명 粗製品.
조제【調製】 명하타 調製. ① 注文に応じてつくること. ② ととのえつくること.
조제【調劑】 명하자타 調剤; 調合. ¶ 약을 ～하다 薬を調剤する.
조조【早朝】 명 早朝. ¶～ 할인 早朝割引.
조조【粗造】 명하타 粗造. =조제(粗製).
조족지-혈【鳥足之血】 명 鳥の足の血の意(《"蚊のなみだ"のように量のごく少ないこと》).
조종【弔鐘】 명 ① 弔鐘; 哀悼の鐘. ② 事の終末.
조종【祖宗】 명 祖宗; 始祖と中興の祖.
‖—— 기업 명 祖宗基業; 祖宗から伝わる王業.
조종【操縱】 명 操縦. ——-하다 타 操縦する; 操る. ¶ 뒤에서 남편을 ～하다 後ろから亭主を操る.
‖——-간 명 操縦桿. ——-사 명 操縦士. ——-석 명 操縦席.
조주【助奏】 명하자〔樂〕助奏; オブリガート.
조주【助走】 명하자 助走. =도움닫기.
조준【照準】 명하타 照準. ¶～이 어긋나다 照準が狂う.
‖——-기 명 照準器.
조증【躁症】 명 せっかちな性.
조지다 타 ① 四隅のほぞ(枘)をしっかりとはめこむ. ② 言動をきびしく取り締まる. ¶ 다시는 나서지 못하게 조져라 二度とでしゃばらないようしたたか取り締まれ. ③ したたかなぐる; ひどく叩く.
조직【組織】 명하타 組織. ¶ 마약 밀매의 ～ 麻薬密売の組織 / 조합을 ～하다 組合を組織する.
‖——-망 명 組織網. —— 배양 명 組織培養. ——-법 명 組織法. ——-적 명관 組織的. ¶～적인 활동 組織的(な)活動. ——-학 명 명 組織学.
조짐【兆朕】 명 徴候〔兆候〕; 兆し; しるし(徴・験); 前触れ. ¶ 좋은 ～ 良いきざし / ～이 보이다 兆候が見える.
조짜【造—】 명 にせ物; まがい物.
조차【租借】 명 租借.
‖——-지 명 租借地.
조차【潮差】 명 潮差; 干満の海面の差.

ㅈ

조차【操車】명하자 操車.
‖——-장 명 操車場.
조차 조 "…도, 따라서"の意：…さえ；…までも；…だに〈雅〉；…すら〈雅〉《前の語を強調する語》. ¶죽음~ 마다하지 않는다 死さえ辞さない / 이름~ 못 쓴다 名前だに書けない.
조찬【粗餐】명 そさん(粗餐). ¶~을 대접하다 粗餐を呈する.
조찬【朝餐】명 ちょうさん(朝餐)；あさめし；あさげ.
조처【措處】명하타 ☞ 조치(措置).
조척【照尺】명 照尺. =가늠자.
조청【造清】명 人造の蜜；みずあめ(水飴).
조촐-하다 형 ①こぢんまりとして清潔だ；無駄がなくつづまやかである. ②行動が端正だ；つづましい. ③容貌が清楚だ. 조촐-히 부 こぢんまりと；つづまやかに；優雅に；こざっぱりと.
조춤-거리다 자 ☞ 주춤거리다. 조춤-조춤 부하자 ☞ 주춤주춤.
조총【弔銃】명 弔銃. ¶~을 쏘다 弔銃をうつ.
조총【鳥銃】명 鳥銃. ① ☞ 새총. ② 火縄銃の旧称.
조추【早秋】명 早秋；初秋.
조춘【早春】명 早春；初春.
조충【條蟲】명 ☞ 촌충(寸蟲).
조치【措置】명하타 措置；処置；処理. =조처(措處). ¶응급 ~ 応急処置 / 단호한 ~를 취하다 断固たる措置をとる.
조칙【詔勅】명 詔勅；詔.
조카 명 おい(甥).
‖——-딸 명 めい(姪). ——-며느리 명 甥の妻. ——-벌 명 甥·姪に当たる間柄.
조커 (joker) 명 ジョーカー.
조타【操舵】명하자 操舵.
‖——-수 명 操舵手. =키잡이. ——-실 명 操舵室.
조탄【粗炭】명 粗炭；低質の石炭.
조탕【潮湯】명 潮湯；塩風呂.
조퇴【早退】명하자 早引き(け).
조파【早播】명하타 種を早めにまくこと.
조파【條播】명하타〔農〕条播；筋ま(播)き.
조판【組版】명하자 組み版；植字.
조폐【造幣】명하자 造幣.
‖—— 공사 명 造幣公社. ——-권 명 造幣権.
조포【弔砲】명 弔砲.
조포【粗暴】명하형 粗暴.
조품【粗品】명 粗品. ¶~을 증정합니다 粗品を進呈致します.
조합【組合】명하자 ① 組合. ¶노동~ 労働組合. ②〔数〕組み合わせ.
‖——-비 명 組合費. ——-원 명 組合員. ——-장 명 組合長. ——-주의 명 組合主義.
조합【調合】명하타 調合. ¶약을 ~하다 薬を調合する.
조항【條項】명 条項. =조목(條目).

조행【操行】명 操行. =품행(品行).
조혈【造血】명하자 造血. ¶~ 작용 造血作用. ——-기 명 造血器. ——-제 명 造血剤.
조형【造形】명하자 造形〔造型〕.
‖—— 미술 명 造形美術.
조혼【早婚】명하자 早婚. ¶~하는 습관 早婚の習わし.
조화【弔花】명 弔花；手向け花.
조화【造化】명 造化；自然. ¶~의 묘 造化の妙 / 신의 ~ 神の造化.
‖——-신(神) 명 ☞ 조물주(造物主). —— 신공(神功) 명 造物主がなした業. ——-옹(翁) 명 조물주(造物主).
조화【造花】명 造花.
조화【調和】명하자 調和；釣り合い. ¶~의 미 調和の美. ——-롭다 형 調和している；釣り合っている.
‖—— 급수 명〔数〕調和級数. —— 수열 명〔数〕調和数列. —— 평균 명 調和平均.
조회【朝會】명하자 朝会. =조례(朝禮).
조회【照會】명하타 照会；問い合わせ. ¶신원을 ~하다 身元を照会する.
조흔【爪痕】명 そうこん(爪痕)；つめあと.
조흔【條痕】명 条痕.
‖——-색 명 条痕色.
족【足】㊀명 脚《牛·豚などの膝から下の部分》. ㊁의명 足. =켤레. ¶군화 3 ~ 軍靴三足.
족 부 ☞ 죽.
-족【族】미 族. ¶아랍~ アラブ族 / 몽고~ 蒙古族 / 히피~ ヒッピー族.
족가【足枷】명 あしかせ(足枷). =차꼬.
족골【足骨】명 足骨.
족근-골【足根骨】명 足根骨.
족당【族黨】명 族党；族類. =족속(族屬).
족대기다 타 ①せめたてる；こら(堪)えきれないほどいびる. ②やたらに我を張る.
족두리 명 婦人の礼装用の冠.
족발【足—】명 (屠殺した)牛·豚の足首.
족보【族譜】명 族譜；家譜；家系図.
족-부족간【足不足間】부 足りても足らなくても；足ろうが足るまいが.
족생【簇生】명하자 簇生；叢生.
족속【族屬】명 族属；血縁関係の一族.
족쇄【足鎖】명 罪人の足にはめる鎖；足鎖.
족외-혼【族外婚】명 族外婚.
족자【簇子】명 掛け物；掛け軸；軸(物)；幅(物). ¶~를 걸다 掛け物〔軸〕を掛ける.
‖——-걸이 명 掛け竿；軸掛け.
족자리 명 (陶器などの)取っ手. ¶냄비의 ~ なべの耳.
족장【族長】명 族長.
족적【足跡·足迹】명 足跡；足跡.
족제【族弟】명 族弟；一族の弟に当たる男.
족제비 명〔動〕いたち(鼬).

족족[1] 의명 動詞の語尾"-는", 依存名詞"데"の下に付いて"一つ毎に, …する度に, ことごとく, 残らず"の意を表わす語. ¶보는 ~ 잡아내라 見つけ次第摘み出せ / 하는 ~ 실패하다 手を着ける度に失敗する.
족-족[2] 부 ☞ 죽죽.
족질【族姪】명 一族のおい(甥).
족집게 명 毛抜き; ちょうし(鑷子).
족척【族戚】명 親戚; 親族.
족치다 타 ①規模をちぢめて小さくする. ②しめつけてへこます. ③ひどくさいな(苛)む; せめたてる.
족친【族親】명 親族; 縁者.
족탕【足湯】명 牛の足とひざ(膝)の肉を入れて煮つめた汁.
족-편【足—】명 牛の足·皮·尾などを煮つめた寒天状の食べ物.
족하【足下】명 足下《書簡に用い相手に敬意を示す語》.
족-하다【足—】형 ①充分だ; 満足だ; 足る. ¶족한 것을 알다 足るを知る / 그것으로 족합니다 それで充分です. ②(量が)足りる. ¶열 개면 ~ 十個あれば足りる. **족-히** 부 優に; 充分に. ¶~ 맞겨룰 수 있다 優に太刀打ちできる.
족형【族兄】명 親戚の兄.
족흔【足痕】명 化石に残った(動物の)足跡.
존〔zone〕명 ゾーン. ¶스트라이크 ~ ストライクゾーン / ~ 디펜스 ゾーンディフェンス.
존경【尊敬】명 尊敬. ——-하다 타 尊敬する; 尊·たっとぶ; 敬う. ¶~하는 이 尊敬する人 / 연장자를 ~하다 年長を尊ぶ.
‖——-어 명 尊敬語.
존귀【尊貴】명 尊貴. ——-하다 형 尊い.
존대【尊待】명하타 尊待; 敬い高めること.
‖——-어(語) 명 敬語.
존데〔도 Sonde〕명 ゾンデ.
존득-거리다 자 ①食べ物のこしが強くて弾力性の歯ごたえがする. ②やや強くて弾性がある. **존득-존득** 부하형 強くて粘り気のあるさま.
존립【存立】명하자 存立. ¶국가 ~의 문제 国家存立の問題.
존망【存亡】명 存亡. ¶국가 ~에 관한 사건 国家の存亡にかかわる事件.
‖——지-추(之秋) 명 存亡の秋.
존명【存命】명하자 存命.
존부【存否】명 存否.
존-불〔John Bull〕명 ジョンブル〈俗〉.
존-비【尊卑】명 尊卑.
‖—— 귀천 명 尊卑貴賤.
존속【存續】명하자 存続. ¶~ 기간 存続期間.
존속【尊屬】명 尊属.
‖—— 살해 명 尊属殺. ——-친 명 尊属親.
존숭【尊崇】명하타 尊崇. ¶신불을 ~하다 神仏を尊崇する.
존안【尊顔】명 尊顔; お顔. ¶~을 뵙다 尊顔を拝する.
존엄【尊嚴】명하형히부 尊厳. ¶법의 ~ 法の尊厳 / ~사 尊厳死.
존영【尊影】명 尊影.
존의【尊意】명 尊意; 尊慮; 尊旨.
존자【尊者】명〖佛〗尊者. ¶가섭 ~ 迦葉尊者.
존장【尊長】명 尊長; 長上.
존재【存在】명 存在; 有. ——-하다 자 存在する; 存する; 在〔有〕る. ¶위대한 ~ 偉大な存在 / 신의 ~를 믿다 神の存在を信じる.
‖——-론 명 存在論. ——-사 명 存在詞. —— 이유 명 存在理由.
존절 명하타히부〔←준절(撙節)〕節約すること; 倹約すること. ¶돈을 ~히 써라 お金を倹約して使え.
존조리 부 ていねいに; じゅんじゅん(諄諄)と; 親切に. ¶~ 타이르다 諄諄と諭す.
존존-하다 형 織り目がこまかく詰んでいる. ¶발이 존존한 무명베 織り目がこまかい木綿.
존중【尊重】명 尊重. ——-하다 타 尊重する; 重んじる; 尊〔貴〕ぶ. ¶민의를 ~하다 民意を尊重する / 소수 의견을 ~하다 少数意見を尊ぶ. ——-히 부 尊重して.
존체【尊體】명 尊体; おからだ; 御身; 賢台. ¶~ 만안하심을 앙축하나이다 尊体お健やかなるをお喜び申し上げます.
존치【存置】명하타 存置. ¶연구소의 ~ 研究所の存置.
존칭【尊稱】명하타 尊称.
존폐【存廢】명 存廃. ¶제도의 ~를 의논하다 制度の存廃を話し合う.
존한【尊翰】, **존함**【尊緘·尊函】명 尊簡; 貴簡; お手紙.
존함【尊啣·尊銜】명 尊名; お名前. ¶~은 익히 듣고 있습니다 尊名はかねがねうかがっております.
졸【卒】명 ①(将棋で)"卒·兵"の字をきざんだ駒. ②↗졸업. ¶서울대(大)~ ソウル大卒.
졸〔도 Sol〕명〖化〗ゾル; コロイド溶液.
졸가리 명 ①葉のない枝. ②粗筋.
졸개【卒—】명 手下; ちんぴら.
졸고【拙稿】명 拙稿; 自分の原稿の謙称.
졸곡【卒哭】명 死後三箇月目のひのと(丁)の日やい(亥)の日に行なう祭祀.
졸금-거리다 자타 ☞ 질금거리다. **졸금-졸금** 부하자타 ☞ 질금질금.
졸깃-졸깃 부하형 柔靭で弾力のある歯ごたえがするさま: しこりしこり; しこしこ.
졸년【卒年】명 卒年; 没年.
졸-년월일【卒年月日】명 亡くなった年月日.
졸다 자 居眠りする; まどろむ. ¶전차 안에서 ~ 電車の中で居眠る / 졸면서 운전하다 うとうとしながら運転する.
졸도【卒倒】명하자 卒倒; 昏倒. ¶그 자리에서 ~하였다 その場で卒倒した.
졸때기 명 ①ちっぽけ; 規模が小さいこと. ¶~ 회사 ちっぽけな会社. ②駆け出し; 三下やっこ(奴); ちんぴら; しがない人物. ¶그런 ~가

무슨 일을 해 そんな三下に何ができるものか. ③ ☞ 졸(卒)①.
졸라-대다 타 (しつこく)ねだる〔せがむ〕. ¶돈을 달라고 ~ お金をくれとせがむ.
졸라-매다 타 きつくしめる; しめくくる. ¶허리띠를 ~ 帯をしめくくる.
졸랑-거리다 자 軽軽しく振る舞う; おっちょこちょいに出しゃばる. ㅆ촐랑거리다. **졸랑-졸랑** 부하형 しきりに軽軽しく振る舞うさま: おっちょこちょい.
졸래-졸래 부하형 ☞ 줄레줄레.
졸렌 〔도 Sollen〕 명 ゾルレン; 当為.
졸렬 【拙劣】 명 拙劣. ——하다 형 拙劣だ; つたな(拙)い; まず(拙)い. ¶~한 문장 拙ない〔拙劣な〕文章.
졸론 【拙論】 명 拙論.
졸리다1 자 眠い; 眠たい. ¶몹시 ~ 無性に眠い / 졸린 눈을 비비다 眠たい目をこする.
졸리다2 피동 ねだられる; せがまれる; 催促される. ¶빚쟁이에게 ~ 借金取りにせがまれる.
졸막-졸막 부하형 種種雑多; 大小いくつかのものが入り交じってその差が目立つさま. <줄먹줄먹.
졸망-졸망 부하형 ①表面がでこぼこであるさま. ②ごちゃごちゃ; 細細ましいものが集まっているさま.
졸문 【拙文】 명 拙文. ①まず(拙)い文章. ②自分の文章の謙称. ¶~이 눈에 드셨다니 영광입니다 拙文がお目にとまったとは光栄の至りであります.
졸병 【卒兵】 명 卒兵; 兵卒.
졸부 【猝富】 명 (にわか)成金. ¶~가 되다 にわか成金になる.
졸속 【拙速】 명하형 拙速. ¶~을 피하다 拙速を避ける.
졸아-들다 자 減っていく; 縮まる; 少なくなる; 小さくなる. ¶분량이 ~ 分量が減っていく / 된장국이 ~ みそ(味噌)汁が煮つまる / 논물이 ~ たんぼの水が干あがる.
졸아-붙다 자 焦げつく; 煮つく; 煮つまる; 煮えて水気がなくなる. ¶찌개가 바짝 ~ お汁が焦げつく.
졸아-지다 자 (だんだん)減っていく; 縮んでいく; 少なくなる; 小さくなる.
졸업 【卒業】 명하타 卒業. ¶~식 卒業式 / 그 일에는 벌써 ~했을 텐데 そのことにはもう卒業したはずだがね.
‖—— 논문 명 卒業論文. —— 증서 명 卒業証書. =졸업장(卒業状).
졸음 명 眠気. ¶~ 운전 居眠り運転 / ~이 오다 眠気がさす; 眠気をもよおす / ~을 깨다 眠気をさます.
졸이다 타 ①減らす; 煮詰める. ②気遣う; (気を)揉む. ¶마음 졸이며 기다렸다 気を揉みながら待った.
졸자 【拙者】 拙者. ㊀명 愚者; 愚か者. ㊁대 自分の謙称.
졸작 【拙作】 명 ①拙作; 駄作. ②自分の作品の謙称. =졸저(拙著).
졸-잡다 타 ☞ 줄잡다.
졸-장부 【拙丈夫】 명 小心者; 気の小さい男; 度量の狭い男.
졸저 【拙著】 명 拙著. =졸작②.
졸졸 부 ①少量の水が絶え間なく流れる音: さらさら; ちょろちょろ; ちろちろ. ¶시냇물이 ~ 흐르다 小川がさらさら流れる. ②細い紐などが引かれるさま: ずるずる. ③子供や小犬などがつきまとうさま: ちょろちょろ; ぞろぞろ. ¶아이들이 ~ 따라오다 子供たちがぞろぞろついてくる / 강아지가 ~ 따라오다 小犬がちょろちょろついてくる. <줄줄. ——거리다 자 さらさら〔ちょろちょろ〕流れる.
졸중 【卒中】, **졸-중풍** 【卒中風】 명 卒中.
졸지 【猝地】 형 にわ(俄)か; だしぬけ; 突然; 不意; 急. ¶~의 일이라서 놀랐다 突然の事なので驚いた. ——에 부 俄かに; だしぬけに; 不意に; 急に. ¶~ 가난뱅이가 되다 どか貧になる / 불이 나서 ~ 알거지가 되었다 火事で一夜に裸の身となった.
‖—— 풍파(風波) 명 だしぬけに起こる騒動.
졸책 【拙策】 명 拙策; 下策; 拙計.
졸품 【拙品】 명 まず(拙)い作品や品物.
졸필 【拙筆】 명 ①拙筆; まず(拙)い物書き. ②字がへたな人. ③自分の筆跡の謙称.
졸-하다 【卒—】 자 卒す; 亡くなる.
졸-하다 【拙—】 형 愚鈍だ; 無能だ; 偏狭だ; 大人気ない; せせこましい.
좀1 명 ①〖蠹〗きくいむし(木食い虫). =나무좀. ②〖蠹〗しみ. =반대좀. ③物事に少しずつ損を与える物や人のたとえ. ¶~이 먹다 むしばむ. ——이 쑤시다 구 むずむずする; じ(焦)れったくなる.
좀2 부 ↗조금. ¶값이 ~ 비싸다 ちょっと値が高い / ~ 어려울지도 몰라 ちとむずかしいかも知れない / ~ 더 오른쪽 もうちょいと右の方 / 그를 ~ 본받아라 少しは彼を見習え / ~ 위험하다 少少危ない / ~ 모자라는 사나이야 ちょっと甘い男だよ / ~ 있다가 이렇게 말했다 ややあってこう言った / 새삼 말씀드리기는 ~ 뭣합니다만 今更言うのはちょっと何ですが / ~ 생각해 보자 まあ考えてみよう.
좀3 부 いかほどにか; どんなにか. ¶~ 아팠을까 どんなにか痛かったろう.
좀- 두 ①度量や規模などが小さく細細しいことを表わす語. ¶~도둑 こそどろ. ②小形の意.
좀-것 명 ちっぽけな物または小さい人.
좀-꾀 명 浅知恵.
좀-더 부 もう〔今〕少し; もうちょっと; もそっと; もっと. ¶~ 앞으로 와라 もそっと前に来い / ~ 참아 보아라 今少しがまんしてみなさい.
좀-되다 형 人となりがみみっちい; しみったれだ. ¶좀된 사내 しみったれな男.
좀-먹다 자타 むしば(蝕)む. ①しみ〔虫〕が食う. ¶좀먹은 옷 むしばんだ服

く. ② ある物事に少しずつ害を及ぼす；(病気·悪弊などが)体や心を少しずつそこなう. ¶청소년의 마음을 좀먹는 환경 青少年の情緒をむしばむ環境.

좀상좀상-하다 형 細細しい；多くの物が皆みみっちい.

좀-생원【—生員】명 しみったれ者.

좀생이 명《俗》〔天〕すばる(昴).

좀-스럽다 형 ① 規模が小さい；ちっぽけだ. ② こせこせしている；心が狭い；みみっちい.

좀-약【—藥】명 しみよけ剤《ナフタリンなど》.

좀-처럼, 좀체 부 めったに；なかなか. ¶～ 외출하지 않는다 めったに外に出ない / 이런 기회는 ～ 없다 こんな機会はめったにない / ～ 결심이 안 선다 なかなか決心がつかない.

좀쳇-것 명 並の〔ありふれた〕もの.

좀팽이 명 ① 体が小さくしみったれな者. ② くだらない物；がらくた.

좁다 형 狭い. ¶길이 ～ 道が狭い / 마음이 ～ 心が狭い；気が小さい / 넓은 것 같으면서도 좁은 이 세상 広いようで狭いこの世.

좁-다랗다 형 とても狭い. ¶좁다란 방 狭苦しい部屋.

좁-쌀 명 ① あわ(粟). ¶～떡 あわもち. ② ひどく小さい物や人のたとえ. ¶～ 친구 小さくて幼い友.
‖—— 미음(米飮) 명 粟で炊いたおかゆ(粥). ——-뱅이 명 ① 身のかさがひどく小さい人. ② 量見が狭くせせこましい人. —— 영감(令監) 명 こせこせしい老人.

좁히다 타 狭める；縮める. ¶간격을 ～ 間隔を狭める / 선두와의 차가 점점 좁혀지다 先頭との差がだんだん狭まる.

종¹ 명 (にんにく·ねぎ(葱)などの)しん(芯). ¶～이 나오다 芯が出る.

종² 명 ↗종작. ¶～잡다 だいたいを推しはかる.

종³ 명〔史〕召し使い；しもべ(僕)〈雅〉；小者.

종【鐘】명 鐘；鈴；ベル. ¶～을 치다 鐘をつ(撞)く / ～이 울리다 ベル〔鐘〕が鳴る.

종-【從】¹ 두〔史〕従；職位をあらわす語. ¶～삼품 従三品.

종-【從】² 두 従；いとこ(従兄弟)やまたいとことの関係を表わす語. ¶～형제 いとこ(従兄弟).

-종【宗】미 宗. ¶화엄～ 華厳宗.

-종【種】미 種；種類の意. ¶재래～ 在来種.

종가【宗家】명 宗家；家元.

종가【終價】명 (取引所の立ち会いで)前場·後場での最終の時価；終わり値；大引け値段.

종가-세【從價稅】명 従価税.

종각【鐘閣】명 鐘楼；鐘つき堂.

종간【終刊】명하자 終刊. ¶～호 終刊号.

종강【終講】명하자 終講；閉講.

종-개념【種槪念】명 種概念.

종결【終決】명하자 終決；結了. ¶토론이 ～되었다 討議が終決した.

종결【終結】명하타 終結；しまい；終わり. ¶심의를 ～하였다 審議を終えた.
‖—— 어미 명〔言〕終結語尾.

종계【種鷄】명 種鶏.

종곡【種穀】명 穀物の種子.

종곡【種麴】명 たねこうじ(種麹).

종관【縱貫】명하타 縦貫. ¶～ 철도 縦貫鉄道.

종교【宗教】명 宗教.
‖——-가 명 宗教家. —— 개혁 명 宗教改革. —— 교육 명 宗教教育. ——-극 명 宗教劇. ——-사 명 宗教史. —— 심리학 명 宗教心理学. —— 음악 명 宗教音楽. —— 재판 명 宗教裁判. —— 철학 명 宗教哲学. ——-학 명 宗教学. ——-화 명 宗教画.

종국【終局】명 終局；大詰め；大尾. ¶인생의 ～을 맞다 人生の終局をむかえる.

종군【從軍】명하자 従軍.
‖—— 기자 명 従軍記者. —— 기장 명 従軍記章.

종굴-박 명 小さなひさご.

종규【宗規】명 宗規；宗教規約.

종극【終極】명 終極；窮極；最後. ¶～의 목적 終極の目的.

종금 이후【從今以後】명부 今後；以後；これからのち.

종기【腫氣】명 出物；出来物；かさ(瘡)；お出来；は(腫)れ物. ¶악성의 ～ 悪性のできもの.

종내【終乃】부 つい(遂·終)に；結局；とうとう；ひっきょう(畢竟). ¶～ 항복하고 말았다 とうとう降参してしまった.

종-내기【種—】명 種類·系統などの同異をさす語. ＝종락(種落).

종-다래끼 명 こかご(小籠)；小さい釣りかご(籠).

종다리 명〔鳥〕ひばり(雲雀).

종-다수【從多數】명하자 多数の意見にしたがうこと.
‖——-결(決) 명하타 多数決.

종단【宗團】명 宗教団体.

종단【縱斷】명하타 縦断. ¶～ 비행 縦断飛行.
‖——-면 명 縦断面.

종달-거리다 자 (不平がましく)しきりにぶつぶついう；くどくどいう. 종달-종달 부하자 ぶつぶつ.

종달-새 명 ☞ 종다리.

종답【宗畓】명 祖先の祭祀用の田. ＝종중답(宗中畓).

종당【從當】부 当然；以後必ず.

종대【縱隊】명 縦隊.

종도【宗徒】명 宗徒.

종돈【種豚】명 種豚.

종두【種痘】명하자 種痘.
‖——-법 명〔醫〕種痘法.

종란【種卵】명 種卵.

종람【縱覽】명하타 縦覧；自由に見ること. ＝종관(縱觀). ¶공문서를 ～하다 公文書を縦覧する.

종래【從來】명부 従来；従前. ¶～의 방침대로 従来の方針通り.

종량-세【從量稅】명 従量税.

종려【棕櫚】[명] ☞ 종려나무.
‖——-나무 [명]〔植〕しゅろ(棕櫚). ——-모 [명] 棕櫚毛. ——-비 [명] 棕櫚ぼうき(箒). ——-유 [명] 棕櫚油. ——-죽 [명]〔植〕棕櫚竹.
종렬【縱列】[명][하자] 縦列.
종렬【縱裂】[명][하자] 縦裂.
종례【終禮】[명][하자] 学校で日課が終わったあと職員と学生が集まって交わすあいさつ.
종료【終了】[명][하타] 終了. ¶시합~ 試合終了.
종루【鐘樓】[명] 鐘楼; 鐘つき堂.
종류【種類】[명] 種類. ¶같은 ~의 책 同じ種類の本.
종마【種馬】[명] 種馬. ¶~ 목장 種馬牧場.
종막【終幕】[명] 終幕; 大詰め; フィナーレ. ¶~을 고하다 終幕を告げる.
종말【終末】[명] 終末; おわり; しまい. ¶비참한 ~을 맞다 惨めな終末を迎える.
‖——-론 [명]〔宗〕終末論. —— 처리장 [명] 終末処理場.
종매【從妹】[명] 従妹; いとこ.
종목【種目】[명] 種目. ¶경기 ~ 競技種目.
종묘【宗廟】[명] 宗廟; 大廟.
종묘【種苗】[명] 種苗; 種と苗.
종무【宗務】[명] 宗務.
종-무소식【終無消息】[명] ついに何らかの消息もないこと.
종문【宗門】[명] ①宗家の門中. ②〔佛〕宗門; 宗派.
종물【從物】[명]〔法〕従物.
종미【終尾】[명] 終尾; おわり.
종반【終盤】[명] (将棋・囲碁の)終盤; 寄せ; どん詰まり〈俗〉; (転じて)最終段階. ¶~을 맞다 終盤を迎える.
종발【鍾鉢】[명] "중발(中鉢)"より小さく"종지"より平たい器《おかずを盛る》.
종발【終發】[명][하자] 終発. ¶~ 열차 終発列車.
종범【從犯】[명] 従犯; ほうじょはん(幇助犯). ¶~자 従犯者.
종법【從法】[명] 従法; 助法.
종별【種別】[명][하타] 種別. ¶채집한 식물을 ~로 나누다 採集した植物を種別する.
종부【宗婦】[명] 本家の一番上の嫁.
종-사【宗社】[명] 宗廟と社稷.
종사【宗嗣】[명] 宗家の子孫.
종사【從事】[명][하자] 従事. ¶상업〔연구〕에 ~하다 商業〔研究〕に従事する / 교육〔문필〕에 ~하다 教育〔文筆〕に携わる.
종산【宗山】[명] ↗종중산(宗中山).
종상【鐘狀】[명] 鐘状.
‖——-화 [명] 鐘状花. —— 화산 [명] 鐘状火山; トロイデ.
종서【縱書】[명][하타] 縦書き. ¶~로 쓰다 縦書きにする.
종선【縱線】[명] 縦線. ¶~을 긋다 縦線を引く.
종성【終聲】[명] 終声. =받침.
종-소리【鐘—】[명] 鐘の音.
종속【從屬】[명][하자] 従属. ¶대국에 ~하다 大国に従属する / ~적 지위 従属的な地位.
‖—— 관계 [명] 従属関係. ——-국 [명] 従属国. ——-범 [명] 従属犯; 加担犯. ——-절 [명] 従属節.
종손【宗孫】[명] 本家の長孫.
종손【從孫】[명] 従孫; 兄弟の孫.
종시【終始】[명][하자] 終始.
‖—— 일관 [명][하자] 終始一貫. =시종 일관.
종시【終是】[부] 終わりまで; 終わるまで; つい(遂)に; 最後まで. ¶~ 말하지 않았다 遂に話さなかった.
종-시가【從時價】, 종-시세【從時勢】[명][하자] 時価にしたがうこと.
종-시속【從時俗】[명][하자] 風習にならうこと. ㊟종속(從俗).
종식【終熄】[명][하자] 終息. ¶내란이 ~했다 内乱が終息した.
종신【終身】[명][하자] ①一生を終えること. ②臨終. ③終身; 生涯; 終生. ——-토록 [부] 一生涯.
‖—— 고용제 [명] 終身雇用制. —— 보험 [명] 終身保険. —— 연금 [명] 終身年金. ——-형 [명] 終身刑. —— 회원 [명] 終身会員.
종심【終審】[명] 終審. ¶~에서도 무죄의 판결을 받았다 終審でも無罪の判決を受けた.
종씨【宗氏】[명] 親戚ではないが同姓の人; 同姓.
종씨【從氏】[명] 自分または人のいとこ(従兄弟)を敬って言う語.
종아리 [명] ふく(脹)らはぎ(脛); こむら; ふくらっぱぎ. ——-맞다 [피동] (罰として)ふくらはぎをむちで打たれる. —— 때리다, —— 치다 [타] むちでふくらはぎを打つ.
‖——-채 [명] ふくらはぎを打つむち.
종알-거리다 [자] (不平を)ぶつぶつ言う; つぶや(呟)く. <중얼거리다. 종알-종알 [부][하자] ぶつぶついうさま.
종양【腫瘍】[명]〔醫〕しゅよう(腫瘍).
종언【終焉】[명][하자] しゅうえん(終焉).
종업【從業】[명][하자] 従業.
‖——-원 [명] 従業員. ¶~ 지주 제도 従業員持ち株制度.
종업【終業】[명][하타] 終業. ¶~식 終業式 / ~종이 울리다 終業の鐘が鳴る.
종연【終演】[명][하자타] 終演; 跳ね. ¶~을 알리는 북 跳ね太鼓 / 8시 ~ 예정 八時終演の予定.
종영【終映】[명][하자타] 終映.
종요-롭다 [형] 重要だ; 非常に大切だ. 종요-로이 [부] 重要に; 非常に大切に.
종용【慫慂】[명][하타] しょうよう(慫慂). ¶출마를 ~하였다 出馬を慫慂した.
종우【種牛】[명] 種牛.
종유-동【鍾乳洞】[명] 鍾乳洞.
종유-석【鍾乳石】[명] 鍾乳石. =돌고드름.
종-으로【縱—】[부] ☞ 세로.
종이 [명] 紙. ¶~돈 紙銭 / 종잇조각 紙切れ / ~ 한 장의 차이 紙一重の差 / ~ 쓰레기 紙ゴミ.

ㅈ

‖——-쪽 명 紙切れ; 紙くず. 종잇-장(張) 명 紙の一枚一枚.

종일【終日】명부 終日; 一日中; 朝から晩まで. ¶~토록 내리는 비 終日の雨/~ 선 채였다 丸一日立ち通しであった.

종자【從者】명 従者; 供人; 供. ¶~를 거느리고 가다 従者を従えて行く.

종자【種子】명 種子; 種.
‖—— 식물 명 種子植物.

종-자매【從姉妹】명 従姉妹; いとこ.

종-자음【終子音】명〔言〕終声となる子音. =받침.

종작 명 だいたいの推測. ㊟종. ——없다 형 はかり知りがたい; 定見がない. ㊟종없다. ¶종작없는 마음 そぞろごころ. ——없이 부 定見もなく; あてど(も)なく. ㊟종없이.

종잘-거리다 자 無駄口をたたく; べちゃべちゃしゃべりまくる; くだらないことをしゃべる. 종잘-종잘 부하자 ぺちゃくちゃ; べちゃべちゃ.

종-잡다 타 推しはかる; 推量〔推測〕する. ¶종잡을 수 없는 말 取り留めも無い〔ちぐはぐな〕話 / 그의 심중을 종잡지 못하겠다 彼の心中を推し量ることができない.

종장【終章】명 終章.

종장【終場】명 (取引所で)後場.

종적【蹤迹】명 蹤跡; ゆくえ. ¶~을 감추다 ゆくえ〔足跡〕をくらます; 姿を消す.
‖—— 부지(不知) 명 行方知らず.

종적【縱的】명관 物事の上下, すなわち縦に関する状態. ¶~ 관계 縦の関係/~ 행정 縦割り行政.

종전【從前】명 従前; 以前; 今まで. ¶~대로 従前どおり; 前の如く/~과 같은 관계 従来通りの関係.

종전【終戰】명하자타 終戦.

종점【終點】명 終点; ターミナル. ¶~에서 내리다 終点で降りる.

종정【宗正】명 ①宗派の長. ②韓国仏教の最大宗派である曹渓宗の最高統轄者.

종제【從弟】명 従弟; いとこ.

종조【宗祖】명 宗祖; 一宗派の開祖. =교조(教祖).

종족【宗族】명 宗族.

종족【種族】명 種族.
‖—— 보존 명 種族保存.

종종【種種】一명 種種; いろいろ; さまざま. 二부 時時; たまたま; ときたま; たびたび; しばしば; ひょいひょい. ¶~ 비가 오다 しばしば雨が降る/비슷한 사건이 ~ 일어났다 同じような事件がしばしば起こった/~ 얼굴을 내밀다 ひょいひょい顔を出す.

종종-거리다 자 ①恨みがましくこぼす. <중중거리다. ②小刻み〔小股〕に歩く; せかせかと歩く.

종종-걸음 명 刻み足; 小走り. ¶~으로 약속 장소에 갔다 小走りに待ち会わせの場所へ行った. ——치다 자 小走りする.

종종-머리 명 髪を両側に三段組みにあみ, その端をリボンで束ねた女の子の髪型.

종주【宗主】명 宗主.
‖——-국 명 宗主国. ——-권 명 宗主権.

종주【縱走】명하자타 縱走; 縦断. ¶한반도를 ~하는 산맥 韓国半島を縦走する山脈.

종중【宗中】명 一族; 一門.
‖——-답(畓) 명 ☞종답(宗畓). ——-산(山) 명 一族所有の山.

종지 명 しょうゆ(醬油)·とうがらしみそ(味噌)などを入れる小さな器.
‖——-뼈 명 膝蓋骨; 膝皿.

종지【宗旨】명 宗旨. ¶~가 다른 종교 宗旨が違う宗教/~를 바꾸다 宗旨を変える.

종지【終止】명하자타 終止.
‖—— 기호 명 終止記号. ——-부 명 終止符; ピリオド. =마침표. ¶~를 찍다 終止符を打つ.

종질【從姪】명 いとこ(従兄弟)の息子.

종-질녀【從姪女】명 いとこ(従兄弟)の娘.

종착【終着】명하자 終着.
‖——-역 명 終着駅.

종창【腫脹】명 は(腫)れ; むくみ.

종축【種畜】명 種畜; 繁殖用家畜. ‖—— 목장, ——-장(場) 명 種畜牧場.

종축【縱軸】명〔數〕縦軸. =세로축·와이축(Y軸).

종탑【鐘塔】명 鐘塔.

종파【宗派】명 宗派.

종파【縱波】명 ①〔物〕縦波. ②縦波; 船の進む方向に平行する波.

종편【終篇】명하타 終編; 篇末.

종피【種皮】명 種皮; 種の皮.

종합【綜合】명하타 総合. ¶분석과 ~ 分析と総合.
‖—— 개발 명 総合開発. —— 경제 명 総合経済. —— 고등 학교 명 総合高等学校. —— 대학 명 総合大学. —— 병원 명 総合病院. —— 소득세 명 総合所得税. —— 예술 명 総合芸術. —— 잡지 명 総合雑誌.

종핵【種核】명 種の核.

종형【從兄】명 従兄; いとこ.

종-형제【從兄弟】명 いとこ(従兄弟).

종횡【縱橫】명 縦横. ¶~으로 뻗은 철도망 縦横に走る鉄道網.
‖—— 무진 명 縦横無尽. ¶~의 대활약 縦横無尽の大活躍.

좇다 타 ①追う. ¶유행을 ~ 流行を追う. ②服従する; 服する. ③(大勢に)従う. ¶여론을 ~ 世論に従う.

좇아-가다 타 (後ろから)ついて行く; (人に)従う.

좇아-오다 타 (後ろから)ついて来る; 追って来る.

좋다¹ 형 ①いい; 良〔善〕い. ㉠好ましい; 望ましい; すぐれている. ¶좋은 물건 いい品物/좋은 날씨 いい天気/스타일이 ~ スタイルがいい/사람이 ~ 人が良い. ㉡愉快だ; 楽しい. ¶기분이 ~ 気持ち〔気分〕がいい〔よい〕/기분이 좋지 않다 気分

ㅈ

がすぐれない. ㉢ 美しい. ¶ 경치가 ～ 景色が良い / 참으로 좋은 달밤이다 実にいい月夜である. ㉣ 立派だ. ¶ 집안이 ～ 家柄がいい / 솜씨가 ～ 腕がいい. ㉤ 賢い. ¶ 머리도 좋고 성품도 ～ 頭もいいし気だてもいい. ㉥ 効き目がある. ¶ 이 약은 눈에 ～ この薬は目にいい. ㉦ 有益だ. ¶ 이 책이 더 ～ この本がもっといい / 많을수록 ～ 多い程いい. ㉧ よろ(宜)しい; 構わない. ¶ 돌아가도 ～ 帰ってもよろしい / 술을 마셔도 ～ 酒を飲んでもいい. ㉨ 適当だ. ¶ 좋은 예이다 ちょうどいい例である / 놀기에 좋은 장소 遊ぶのにいい場所. ㉩ めでたい; よろこばしい. ¶ 이 좋은 날에 今日の良き日に; このめでたい日に. ㉪ 親しい. ¶ 사이가 ～ 仲が良い〔いい〕. ㉫ (反語として)悪い. ¶ 염치가 ～ 恥知らずだ / 넉살이 ～ ずうずうしい / 꼴 ～ いい面の皮だ; いいざまだ. ② 好きだ. ¶ 어떠한 사람이 좋은가 どういう人が好きなのか. ③ (名詞形動詞に付いて)やす(易)い; 難しくない. ¶ 읽기 ～ 読みやすい / 오르기 ～ 登りやすい.

좋다², **좋아** 감 よろ(宜)しい; よし; 結構だ.

좋아-지다 자 ① よくなる. ¶ 건강이 좋아진다 健康がよくなるよ. ② 好きになる. ¶ 한 달만 같이 살면 좋아질 거다 一箇月ばかり一緒に暮らせば好きになるだろう.

좋아-하다 타 ① うれ(嬉)しがる; 喜ぶ. ¶ 시험에 합격하고 ～ 試験に受かってよろこぶ. ② 好む. ¶ 독서를 ～ 読書を好む / 과일을 ～ 果物を好む. ③ 好く. ¶ 좋아하는 사람 好きな人 / 서로 ～ 互いに好き合う; 好いて好かれる.

좋이 부 ① よく. ② かなり. ¶ 재산을 ～ 모았다 かなり財産を作った. ③ 優に. ¶ ～ 삼만이 넘는 관중 優に三万を越える観衆.

좌【左】명 左. ¶ ～에 예시한 문장 左に例示した文章 / ～로 가라 左に行け / ～향 ～ 左向け左.

좌【座】座. ㊀ 명 座する所; 席. ㊁ 의명 仏像を数える語.

좌견 천리【坐見千里】명 座して遠くの先〔未来〕を見通すこと.

좌경【左傾】명 하자 左傾. ¶ ～ 사상 左傾思想.

좌고【左顧】명 하자 左顧.

‖── 우면 명 하자 左顧うべん(右眄).

좌고【坐高】명 座高. ＝앉은키.

좌고【坐賈】명 座商. ＝앉은장사.

좌골【坐骨】명〖生〗坐骨.

‖── 신경 명〖生〗坐骨神経. ¶ ～통 坐骨神経痛.

좌구【坐具】명 座具; 敷き物.

좌금【座金】명 座金; ワッシャー. ＝따리쇠.

좌기【左記】명 左記. ¶ ～와 같음 左記の通り〔如し〕.

좌담【座談】명 하자 座談. ¶ ～ 형식으로 얘기하다 座談の形で話す.

‖──-회 명 座談会.

좌르르 부 ① 水がどっと勢いよく流れ落ちる音: しゃあしゃあ. ② 固く小さい物が一度に流れ落ちる音: がらがら.

좌변【左邊】명 ① ☞ 왼편짝. ② 左辺; 左の辺.

좌-불안석【坐不安席】명 하자 (不安·心配などで)一所に長く座って居られないこと; 居ても立っても居られないこと.

좌상【左相】명〖史〗左相; 左議政の別称.

좌상【坐商】명 座商.

좌상【坐像】명 座像.

좌상【座上】명 ① 座中. ＝좌중. ② 座席での頭〔長〕.

좌상【挫傷】명 하자 挫傷; 打ち身; くじき. ＝타박상. ¶ ～을 입다 挫傷を受ける.

좌석【坐席·座席】명 座席; 席. ¶ ～에 앉다 座席につく.

‖── 지정권 명 座席指定券.

좌선【坐禪】명 하자 座禅.

좌선-성【左旋性】명 하타〖生〗左旋性. ＝좌회전성(左回轉性).

좌시【坐視】명 하타 座視. ¶ ～할 수 없다 座視するにしのびない.

좌-심방【左心房】명〖生〗左心房.

좌-심실【左心室】명〖生〗左心室.

좌안【左岸】명 左岸.

좌약【坐藥】명 座薬; 座剤. ¶ 치질의 ～ じ(痔)の座薬.

좌열【左列】명 左列.

좌완【左腕】명 左腕. ＝왼팔. ¶ ～ 투수 左腕投手.

좌욕【坐浴】명 座浴; 腰湯.

좌우【左右】명 하타 左右. ① 左と右. ¶ 도로 ～에 道路の左右に / ～로 엇갈리다 右左に行きかう. ② 尊長に対する敬称(手紙に使う). ③ ↗좌지 우지. ¶ 정치를 ～하다 政治を牛耳る. ④ 側; 側近. ¶ ～를 물리다 左右を退ける. ⑤ 左翼と右翼; 左派と右派. ¶ ～ 합작 左右合作. ──-간(間) 부 とにかく; 何はともあれ.

좌우-명【座右銘】명 座右の銘.

좌-의정【左議政】명〖史〗左議政; 朝鮮朝議政府の正一品の官職.

좌익【左翼】명 左翼.

‖──-수 명 左翼手; レフト. 준 좌익.

좌장【座長】명 座長.

좌절【挫折】명 하자 ざせつ(挫折). ¶ 정치 운동에서 ～하다 政治運動に挫折する / ～감에 시달리다 挫折感にさいなまれる.

좌정【坐定】명 하자 "앉음(＝座ること)"の敬称.

좌제【坐劑】명 座剤. ＝좌약(坐藥).

좌중【座中】명 座中. ¶ ～의 명물 座中の花形.

좌지 우지【左之右之】명 하타 思うままにすること; 牛耳ること.

좌창【挫創】명 ざそう(挫創). ＝좌상(挫傷).

좌천【左遷】명 하자 左遷; 左降. ¶ 지방 지사로 ～되었다 地方支社に左遷された.

좌초【坐礁】명 하자 座礁; かくざ

(擱坐). ¶배가 ~했다 船が座礁〔擱坐〕した.
좌충 우돌【左衝右突】명하자 左右八方やたらに突きあたること.
좌측【左側】명 左側. =왼쪽.
‖— 통행 명하자 左側通行.
좌파【左派】명 左派. ¶~ 진영 左派の陣営.
좌판【坐板】명 座板.
좌편【左便】명 左側. =왼편.
좌표【座標】명〔數〕座標. ¶엑스~ x座標/…을 ~로 삼다 …を座標とする.
‖——축 명〔數〕座標軸.
좌하【座下】명 座下; 侍史.
좌향【坐向】명 墓や屋敷の向き.
좌현【左舷】명 さげん(左舷).
좌-회전【左廻轉】명하자타 左折. ¶십자로를 ~하다 十字路を左折する/~ 금지 左折禁止.
좌흥【座興】명 座興. ¶~으로 노래를 부르다 座興に歌をうたう/~을 돋우는 솜씨가 좋다 座持ちがうまい.
좍 부하자 広く拡がるさま. ¶소문이 ~ 퍼졌다 噂がぱっと拡がった.
좍좍 부하자 ①大きい雨粒や水が激しく注ぐさま. またその音: じゃあじゃあ; ざあざあ. ¶물을 ~ 뒤집어썼다 水をざあざあ(と)あびた. ②よど(淀)みなく文章を読み下ろすさま: すらすら. ¶논어를 ~ 읽어 내리다 論語をよどみなく読み下ろす. ③みるみる広く広がるさま.
좔좔 부하자 水が勢いよく流れるさま: ざあざあ; じゃあじゃあ; そうそう(淙淙). ¶~ 흐르는 냇물 淙淙たる川の流れ. ——거리다 자 (水が) ざあざあと流れる.
좽이 명 投網; 投げ網. ¶~질을 하러 가다 投網を打ちに行く.
죄【罪】명 罪. ①悪行. ¶~와 벌 罪と罰/~를 밝히다 罪をただ(糺)す. ②とが(咎). ¶남을 속인 ~를 받다 人をだました咎を受ける/~를 미워하되 사람을 미워하지 않다 罪を憎んで人を憎まず. ③不法行為; 犯罪. ¶~를 범하다 罪を犯す. ④〔佛〕罪業.
죄과【罪科】명 罪科; とが(咎).
죄과【罪過】명 罪過; 罪. ¶저지른 ~ 犯した罪.
죄다[1] 타 ①締める; 引き締める. ¶고삐를 ~ 手綱を引き締める. ②締める; 狭める. ¶볼트를 ~ ボルトを締める. ③気をも(揉)む: 心を焦がす. ¶마음을 ~ 気を揉む. ④つついて削る.
죄다[2] 부 何もかもすべて; すっかり; 皆; 全部. ¶~ 읽었다 すっかり読んだ/눈이 ~ 녹았다 雪がすっかりなくなった/~ 팔려 버렸다 皆売り切れた. ㊅ 죄.
죄만【罪萬】명하형스형 ↗죄송만만.
죄명【罪名】명 罪名.
죄목【罪目】명 罪目.
죄-받다【罪—】자 罰を受ける; 罰が当たる.
죄상【罪狀】명 罪状. ¶~을 밝히다 罪状を明らかにする.
죄송【罪悚】명하형 恐縮; 恐れ多いこと. ¶~합니다만 恐縮ですが; はばか(憚)りながら/바쁘신데 ~합니다만 お忙しいところ恐れ入りますが. ——히 부 恐縮に; 恐れ多く. ——스럽다 형 恐れ多い. ——스레 부 恐縮に; 恐れ多く.
‖— 만만(萬萬) 명하형 はなはだ恐縮であること. ㊅ 죄만.
죄수【罪囚】명 囚人.
죄-스럽다【罪—】형 恐れ多い; すまない.
죄악【罪惡】명 罪悪; つみ; とが.
‖——감 명 罪悪感.
죄어-들다 자 引き締まる; 食い入る; 食い込む. ¶결박한 밧줄이 몸에 ~ 縛った綱が体に食い入る/팔에 밧줄이 ~ 腕になわが食い込む.
죄어-치다 타 ①締めつける. ②せつ(責付)く〈俗〉; せっつく〈俗〉.
죄업【罪業】명〔佛〕罪業.
죄이다 피동 締めつけられる. ¶나사가 꼭 ~ ねじがかたく締めつけられる.
죄인【罪人】명 ①罪人. ¶~ 취급 罪人あつかい. ②父母の喪中の人が自身を言う語.
죄인【罪因】명 罪因.
죄-주다【罪—】타 悪事を働いた者を苦しめる; 罰を与える.
죄증【罪證】명 罪証; 犯罪の証拠. ¶~을 제시하였다 罪証を提示した.
죄질【罪質】명 罪質.
죄-짓다【罪—】자 罪を犯す.
죄책【罪責】명 罪責. ¶~감 罪責感.
죄형【罪刑】명 罪刑.
‖— 법정주의 명 罪刑法定主義.
죔-쇠 명 締め金. ¶혁대의 ~를 늦추다 バンドの締め金を緩める.
죔-틀 명 物を締める器具の総称; 締め具.
주【主】명 主. ①主人; あるじ(主); 主. ②〔天主教〕↗천주(天主). ③〔基〕↗구세주(救世主).
주【州】명 州. ¶유타 ~ ユータ州.
주【洲】명 ①洲. ¶삼각~ 三角洲. ②〔地〕州. ¶아시아~ アジア州.
주【株】株. ㊀명 ①↗주식. ¶자산~ 資産株. ②↗주권. ¶~를 팔아 버리다 株を手放す. ㊁의명 株券または樹木を数える語. ¶2천 ~ 二千株.
주【註】명 注; ノート. ¶~를 달다 注を付ける.
주【週】명 週. ¶~ 5일 근무 週五日勤務.
주-【駐】두 駐. ¶~미(美) 대사 駐米大使.
주가【株價】명 株価. ¶평균 ~ 平均株価/~가 폭락하였다 株価が暴落した.
‖— 지수 명 株価指数.
주간【主幹】명 主幹. ——하다 타 (ある仕事の)中心になって処理する; 主管する. ¶편집 ~ 編集主幹.
주간【週刊】명 週刊.
‖— 신문 명 週刊新聞. ——지 명 週間誌; ウィークリー.
주간【週間】명 週間. ¶~ 일기 예보 週間天気予報/교통 안전 ~ 交

ㅈ

通安全週間.
주간【晝間】명 昼間·昼. ¶~ 이동 인구 昼間移動人口.
주-개념【主槪念】명〔論〕主概念. =주사(主辭).
주객【主客】명 主客·主客. ¶~이 다 같이 主客共に.
‖── 전도 명하자 主客転倒.
주객【酒客】명 酒客. ①酒好き; 飲み助. ②酒を飲む人.
주거【住居】명 住居; 住まい; 住みか(処). ──-하다 자 居住する; 住む. ¶~를 옮기다 住居を移転する.
‖──-지(地) 명 居住地. ──-지(址) 명 住居址. ── 침입죄 명 住居侵入罪.
주거니 받거니 구 やりとり; やったりもらったり; 飲みつ勧めつ.
주걱 명 ①[↗밥주걱] 飯じゃくし(杓子); しゃもじ(杓文字)〈宮中女〉. ②[↗구둣주걱] くつべら(靴篦).
‖──-턱 명 杓子のように長く前に突き出たあご(顎).
주검 명 しかばね; しがい(死骸). =송장.
주격【主格】명〔言〕主格.
‖── 조사 명〔言〕主格助詞.
주견【主見】명 自分の意見; 主観.
주경【州境】명 州境.
주경 야독【晝耕夜讀】명하자 昼耕夜誦.
주-고도【走高跳】명 ☞ 높이뛰기.
주고-받다 타 取り交わす; やりとりする. ¶편지를 ~ 手紙を取り交わす / 술잔을 ~ 杯をやりとりする.

ㅈ

주곡【主穀】명 主食とする穀物.
주공【奏功】명 奏功. ──-하다 자 奏功する; 功を奏する.
주공【鑄工】명 鋳物師.
주-공격【主攻擊】명〔軍〕主力部隊による攻撃. 준 주공(主攻).
주관【主管】명하타 主管. ¶~ 사항 主管事項 / 이것은 그가 ~한다 これは彼が主管している.
주관【主觀】명 主観.
‖──-성 명 主観性. ──-적 명관 主観的. ¶~ 판단 主観的(な)判断. ──-주의 명 主観主義.
주광【酒狂】명 酒狂; 酒乱; 酒狂い.
주-광도【走廣跳】명 ☞ 멀리뛰기.
주광-색【晝光色】명 昼光色. ¶천연 ~ 天然昼光色.
주광-성【走光性】명 走光性; 光走性. =추광성(趨光性).
주광 전구【晝光電球】명 昼光灯.
주교【主敎】명〔天主敎〕主教; 司教; ビショップ.
주교【舟橋】명 浮き橋; 舟橋. =배다리.
주구【走狗】명 走狗. ¶권력의 ~ 権力の走狗(犬).
주구【誅求】명하타 ちゅうきゅう(誅求). ¶가렴 ~ かれん(苛斂)誅求.
주군【主君】명 主君. =임금.
주권【主權】명 主権.
‖──-국 명 主権国. ──-자 명 主権者. ── 재민 명 主権在民.
주권【株券】명〔經〕株券; 株. 준 주(株).
주근【主根】명〔植〕主根.
주근-깨 명〔生〕そばかす(雀斑).
주근-주근 부하형 気性や態度がしつこいさま: ねちねち; ねばねば.
주금【走禽】명 走禽.
‖──-류 명〔鳥〕走禽類.
주금【株金】명 株金.
주금【鑄金】명 鋳金.
주급【週給】명 週給. ¶~제 급료 週給制給料.
주기【朱記】명하타 朱の書き入れ; 朱筆.
주기【酒氣】명 酒気. ¶~를 띠다 酒気を帯びる.
주기【周忌】명 回忌; 周忌.
주기【週期·周期】명 周期.
‖── 운동 명 周期運動. ──-율 명〔化〕周期律. ¶~표 周期表; 元素周期律表.
주-기도문【主祈禱文】명〔基〕主の祈り. 준 주도문.
주기-성【走氣性】명〔生〕走気性; 酸素走性. =추기성(趨氣性).
주낙 명 はえ縄; なわづり; のべなわ. ¶~배 はえ縄船.
주-내다【註―】자 (文に)注を付ける; 注釈する.
주년【周年·週年】명 周年. ¶창립 10 ~ 創立十周年.
주-놓다【籌―】자 数取りをする.
주눅 명 いじけること; 気後れ. ──들다 자 いじける; 縮こまる; 臆する. ¶주눅든 사람〔태도〕 いじけた人〔態度〕/ 주눅들게 하다 いじけさせる. ──-좋다 형 臆面もない; 厚かましい.
주니어〔junior〕명 ジュニア. ¶~ 스타일 ジュニアスタイル.
‖──-급 명 ジュニア級.
주다¹ 타 与える; やる. ①授ける; 取らせる. ¶상을 ~ ほうびを取らせる / 신이 점지해 준 아이 神が授けて下さった子 / 수당을 ~ 手当を給する / 말에게 물을 ~ 馬に水をやる. ②かかせる; 被らせる. ¶손해를 ~ 損害を与える / 타격을 ~ 打撃を加える / 남 앞에서 창피를 ~ 人前で恥をかかす. ③(巻いた綱などを)ほどいてやる. ¶닻을 ~ いかり(錨)を下ろす. ④(くぎなどを)打つ. ¶못을 ~ くぎ(釘)を打つ〔打ち込む〕.
주다² 보동 動詞の転成語尾 "-아·-어"に付いて他人のために動作する意の補助動詞: …(して)やる. ¶읽어 ~ 読んでやる / 편지를 써~ 手紙を書いてやる / 가르쳐 ~ 教えてやる / 때려 ~ なぐってやる / 한 대 먹여 줄까 一発お見舞いするか / 집을 비워 ~ 家を明け渡す.
주단【紬緞】명 絹織物の総称.
주단【綢緞】명 上等の絹織物.
주달【奏達】명하타 奏達; 奏上.
주당【酒黨】명 酒党; 酒徒.
주도【主都】명 主都.
주도【主導】명하타 主導. ¶~적 위

치 主導的地位 / ～권을 장악하다 主導権を握る.
주도【州都】명 (アメリカなどの)州都.
주도【周到】명하형 周到. ¶용의 ～한 계획 用意周到な計画.
주도【酒道】명 酒席における道理.
주도【酒徒】명 酒徒；酒飲み(友達).
주독【酒毒】명 酒毒；酒焼け；アルコール中毒. ¶～이 올라 붉어진 얼굴 酒焼けで赤くなった顔.
‖——-코 명 ざくろ(石榴)鼻.
주동【主動】명하자 主動. ¶～적 主動的 / 파업의 ～자는 그였다 ストライキの主動者は彼であった.
주-되다【主—】자 重〔主〕立つ. ¶재계의 주된 인물 財界の重立った人.
주둔【駐屯】명하자 駐屯. ¶～군 駐屯軍 / 군대가 ～하다 軍隊が駐屯する.
주둥아리 명《俗》① 口. ¶함부로 ～를 놀리다 つまらないことを喋る；軽軽しく口を叩く. ② くちばし(嘴). ¶새의 ～ 鳥の嘴. >조동아리.
주둥이 명《俗》↗주둥아리. —— 싸다 형《俗》おしゃべ(喋)りだ；口軽い.
주란【酒亂】명 酒乱；酒狂.
주란-사【—紗】명 ガス織り.
‖——-실 명 ガス糸.
주람【周覽】명하타 周覧.
주랑【柱廊】명 柱廊；コロネード.
주량【柱梁】명 柱梁；大黒柱.
주량【酒量】명 酒量. ¶～이 늘다 酒量があがる.
주럽 명 疲労症. ——-떨다 자 疲れを休める.
주렁-주렁 부 ①(果物などの)鈴なりになっているさま：ふさふさ. ¶바나나가 ～ 열려 있다 バナナがふさふさ(と)なっている. ② 一人に多くの人がくっついているさま：ぞろりと. ¶아이가 ～ 딸린 과부 ぞろりとこぶ(瘤)付きのやもめ.
주력【主力】명 主力.
‖—— 부대 명 主力部隊. ——-함 명 主力艦.
주력【走力】명 走力.
주력【注力】명하자 力を注ぐこと. ¶공부에 ～하다 勉強に力を注ぐ.
주력【呪力】명 じゅりょく(呪力).
주련【柱聯】명 柱聯；柱掛け；柱かくし. ¶～을 걸다 柱聯をかける.
주렴【珠簾】명 珠簾；玉すだれ；玉垂れ.
주례【主禮】명하타 礼式の主宰者《特に婚礼の》.
주로【走路】명 走路；コース.
주-로【主—】부 主に；主として；多くは. ¶～ 청년이 모인다 主に青年が集まる.
주루【走壘】명하자 走塁.
주루【酒樓】명 酒楼；料理屋.
주룩 부 ① 水が狭いところをさっと流れる音：ちょろり. ② 雨がまばらに降るさま：ちょろり. ———— 부하자 ちょろりちょろり；ざあざあ.
주류【主流】명 主流. ①(川の)本流. ¶한강의 ～ 漢江の主流. ② 思想などの支配的傾向. ¶～파 主流派.
주류【酒類】명 酒類.
주류【駐留】명하자 駐留.
주륙【誅戮】명하타 ちゅうりく(誅戮).
주르르 부 ① 早い足取りで進み出るさま：すうっと；ばたばた. ¶～ 달려가다 ばたばたかけて行く. ② 水が狭い穴や面を流れるさま：じゃあ. ¶양동이의 물이 ～ 새다 バケツの水がじゃあと漏れる / 눈물을 ～ 흘리다 涙をぽろっとこぼす. ③ 物が滑るように流れ落ちるさま：ぽろぽろ；するり；つるり. ¶원숭이가 ～ 나무에서 내려오다 猿がするする(と)木から降りる / 비탈길에서 ～ 미끄러졌다 坂道でつるり(と)滑った.
주르륵 명하자 水などが広い穴や面を流れる音：じゃあっ. ——-거리다 자 じゃあじゃあと音を立てる. ——-—— 부하자 じゃあじゃあ.
주름 명 ① しわ(皺). ¶～이 잡히다 しわが寄る / 김을 쐬어서 ～을 펴다 ゆのし(湯熨)をかけてしわをなくす. ② (衣服の)ひだ(襞). ¶～ 치마 ギャザースカート / 스커트의 ～ スカートのひだ. ——-잡다 타 ① ひだをつける. ② 万事を総括する；牛耳る. ¶재계를 주름잡는 걸물 財界を牛耳る傑物. ——-잡히다 자 ↗주름살잡히다. ——-지다 자 ↗주름살지다. ¶피부가 ～ 皮膚がしわむ.
‖—— 상자(箱子) 명 (カメラ·アコーディオンなどの)蛇腹.
주름-살 명 しわ(皺)の寄った筋〔肌〕. ¶이마에 ～을 짓다 額にしわを寄せる. ——-잡다 타 スカートなどのひだ(襞)をつける. ——-잡히다 자 しわ〔ひだ〕が寄る；しわ(皺)む. ㊟주름잡히다. ¶옷에 주름이 잡히다 服にしわがよる. ——-지다 자 (皮膚·紙·服などが)しわよ(皺寄)る. ㊟주름지다.
주리다 자 飢える；かつ(飢)える. ① ひもじくなる. ¶농민이 굶～ 農民が飢える / 아이가 배를 주리고 기다리고 있다 子供が腹を減らして待っている. ② 強く望んでいる. ¶애정에 ～ 愛情に飢える.
주마【走馬】명 走馬. ① 馬を走らすこと. ② 走る馬.
‖—— 가편(加鞭) 명하타 走る馬に鞭を当てること. —— 간산(看山) 명하타 大ざっぱに目を通すこと. ——-등 명 走馬灯；回りどうろう(灯籠).
주막【酒幕】명 路傍で酒食を売り客を泊める家：旗亭；はたごどころ(旅籠所).
주말【週末】명 週末；ウイークエンド. ‖—— 여행 명 週末旅行.
주맥【主脈】명 主脈.
주머니 명 ① きんちゃく(巾着)；袋；財布. ② ポケット, 転じて所持金. ¶～ 사정 懐ぐあい.
‖——-떨이 명하자 財布をはたいて飲み食いする遊び. ——-칼 명 (ポケット入れの)ナイフ. 주머닛-돈 명 持ち合わせのお金.
주먹 명 こぶし(拳)；にぎりこぶし；げ

んこつ(拳骨). ¶ ~을 쥐다 こぶしを固める / ~을 먹이다 拳骨〔鉄拳〕をくらわす.
‖——구구(九九) 명 ① 指折りの計算. ② 大まかな計算. ——다짐 명하타 ① 腕力沙汰. ② 力ずくで脅しつけること. ——밥 명 ① 握り飯; お結び. ② (手で)つか(摑)み食いする飯. ——질 명하자 拳骨をふるって打つか脅かすこと. ——코 명 団子鼻. ¶ ~에 대구 입 団子鼻にたら(鱈)の口《醜い人相のたとえ》.
주명-곡【奏鳴曲】명 〔樂〕奏鳴曲; 「ソナタ.
주모【主謀】명하타 首謀. ¶ 반란의 ~자 反乱の首謀者.
주모【酒母】명 ① 酒母; もと. =술밑. ② 酒を売る女.
주목【朱木】명 〔植〕いちい(櫟·一位); あららぎ.
주목【注目】명하타 注目; 注視. ¶ ~을 끌다 目を引く / ~의 대상 注目の的 / ~을 받다 注目を浴びる / 전원 ~ 全員注目.
주-목적【主目的】명 主目的.
주무【主務】명 主務. ——하다 타 主管する.
‖——관 명 主務官. —— 관청 명 主務官庁. —— 장관(長官) 명 主務大臣.
주무르다 타 ① いじ(弄)る; いじくる; もてあそぶ. ¶ 시계를 주물러서 부수다 時計をいじくりまわして壊す. ② (人を)思いのままにもてあそ(弄)ぶ. ¶ 잘 주물러서 승낙시키다 よく丸め込んで承諾させる. ③ も(揉)む. ¶ 어깨를 ~ 肩をもむ.
주무시다 자 "眠る"の敬語: お休みになる; およ(御寝)る.
주문【主文】명 〔法〕主文; 判決主「文.
주문【朱門】명 朱門. ① 朱の門. ② 身分の高い人の家.
주문【注文】명하타 注文; あつら(誂)え. ¶ ~품 注文品 / ~하신 물품 御用命の品 / 초밥 1인분을 ~하다 すし一人前を注文する / 너는 너무 ~이 많다 君は注文が多すぎる / 물품을 ~처에 발송하다 品物を注文先に仕向ける.
‖—— 생산 명 注文生産. ——서 명 注文書.
주문【呪文】명 じゅもん(呪文). ¶ ~을 외다 呪文を唱える.
주문【奏聞】명하타 奏聞; 奏上. =주달(奏達).
주물【鑄物】명 鋳物. ¶ ~공 鋳物師; 鋳物職人 / ~ 가마 鋳物のかま(釜) / ~ 공장 鋳物工場.
주물럭-거리다 타 ① いじ(弄)くり回す; もてあそ(弄)ぶ. ② も(揉)みたくる. >조몰락거리다. **주물럭-주물럭** 부하타 しきりにいじくり回す〔もてあそぶ·もみたくる〕さま.
주미【駐美】명하자 駐米. ¶ ~ 대사 駐米大使.
주민【住民】명 住民.
‖—— 등록 명 住民登録. ——세 명 住民税. —— 투표 명 住民投票.
주밀【周密】명하형히부 周密. ¶ ~한 관찰 周密な観察.
주박【酒粕】명 酒かす(粕). =지게미
주발【周鉢】명 (しんちゅう(真鍮)製の)お鉢.
‖—— 대접 명 (真鍮製の)鉢と平鉢.
주방【廚房】명 台所; くりや(厨); キッチン. ¶ ~장 コック長.
주번【週番】명 週番. ¶ ~ 사관 週番士官.
주범【主犯】명 主犯; 首罪.
주법【走法】명 走法; 走り方.
주법【奏法】명 [↗연주법] 奏法. ¶ 피아노 ~ ピアノの奏法.
주벽【酒癖】명 酒癖. ¶ ~이 나쁘다 酒癖が悪い.
주변 명 やり繰り; かい性; 融通. ¶ ~이 없다 かい性がない; 融通がきかない.
‖——머리 명《俗》☞ 주변. ——성(性) 명 やり繰り算段; かい性.
주변【周邊】명 周辺; めぐり; 周縁. ¶ 도시의 ~ 都市の周辺 / ~을 둘러보다 あたりを見回す.
주보【酒保】명 (軍隊の)酒保; ピーエックス.
주보【週報】명 週報; ウイークリー. ¶ 시사 ~ 時事週報.
주봉【主峰】명 主峰.
주부【主部】명 主部. ¶ ~와 술부 主部と述部.
주부【主婦】명 主婦.
주불【駐佛】명 駐仏. ¶ ~ 대사 駐仏大使.
주비【籌備】명하타 計画して準備すること.
주빈【主賓】명 主賓; 正客. ¶ ~의 축사 主賓の祝辞.
주뼛-주뼛 부하형 おずおず; こわごわ; 恐る恐る. ¶ ~하며 묻다 おずおずと尋ねる.
주사【主事】명 ① 主事; 事務を主管する人; 主任. ② 他人に対する尊称. ③ 第六級公務員の別称.
주사【主辭】명 〔論〕主辞; 主語.
주사【朱砂】명 朱砂; 辰砂; すさ. =진사(辰砂).
주사【走査】명하타 走査. ¶ ~ 방식에 따라 走査方式によって.
‖——선 명 走査線.
주사【注射】명하타 注射. ¶ 링거 ~ リンゲル注射 / ~약 注射薬 / 예방 ~ 予防注射 / ~기 注射器 / ~를 놓다 注射を打つ.
주사【酒邪】명 悪い酒癖.
주사【酒肆】명 酒屋.
‖—— 청루(青樓) 명 酒屋と揚げ屋.
주사위 명 さい(賽); さいころ; ダイス. ¶ ~는 던져졌다 さいは投げられた / ~ 모양으로 썰다 あられに切る.
주사-파【主思派】명 主思派; 主体思想派.
주산【主山】명 〔民〕墓·家·町の後ろにある山.
주산【珠算】명 珠算; そろばん.
주-산물【主産物】명 主産物.
주-산지【主産地】명 主産地.
주살【誅殺】명하타 ちゅうさつ(誅殺).
주살-나게 부《俗》ひ(引)っき(切)りな

しに; のべつ幕なしに; 引きも切らず; 続けざまに. ¶~ 차가 지나간다 引っきりなしに車が通る.

주상【主上】명 主上; 王. =임금.

주상【奏上】명하타 奏上. =상주(上奏).

주상【柱狀】명 柱状.

주색【主色】명 主色.

주색【朱色】명 朱色.

주색【酒色】명 酒色; 酒と女. ¶~에 빠지다 酒色におぼれる.

‖── 잡기(雜技) 명 酒色とばくち.

주서【朱書】명하타 朱書.

주서〔juicer〕명 ジューサー.

주석【主席】명 主席.

주석【朱錫】명〖化〗① しんちゅう(真鍮). =놋쇠. ② すず(錫).

주석【柱石】명 柱石. ¶국가의 ~ 国家の柱石.

‖──-지-신 명 柱石の臣.

주석【酒席】명 酒席; 酒盛りの席. ¶~을 마련하다 酒席を設ける.

주석【註釋】명하타 注釈; 注解. ¶~을 달다 注釈をつける.

주선【周旋】명 周旋; あっせん(斡旋); 取り持ち. ──-하다 타 周旋する; 取り持つ. ¶친구의 ~으로… 友人の取り持ちで… / 일자리를 ~하다 勤め口を周旋する.

주선【酒仙】명 酒仙. =주호(酒豪).

주섬-주섬 부하타 多くの物を拾い収めるさま.

주성【主星】명〖天〗主星.

주성【走性】명〖生〗走性; 趨性.

주-성분【主成分】명 主成分.

주세【酒稅】명 酒税.

주소【住所】명 住所; すみか; 住まい. ¶좌기의 ~로 이사하였습니다 左記の住所に移転致しました.

‖──-록 명 住所録. ── 부정 명 住所不定.

주술【呪術】명 じゅじゅつ(呪術); まじな(呪)い. ¶~사 まじない師/~을 부리다 まじないをする.

주스〔juice〕명 ジュース. ¶레몬 ~ レモンジュース.

주승【主僧】명 主僧; 住僧.

주시【注視】명 注視; 注目. ──-하다 타 注視する; 見詰める. ¶정세를 ~하다 情勢を注視する.

주식【主食】명 主食. ¶쌀을 ~으로 하다 米を主食とする.

주식【株式】명 株式. 준 주(株).

‖── 공개 명 株式公開. ── 금융 명 株式金融. ── 배당 명 株式配当. ── 분할 명 株式分割. ── 시장 명 株式市場. ── 회사 명 株式会社.

주식【酒食】명 酒食. ¶~을 제공하다 酒食を供する.

주신【主神】명 主神.

주신【酒神】명 酒神; 酒の神.

주심【主審】명 主審. ¶야구의 ~ 野球の主審.

주아【主我】명 主我.

‖──-주의 명 主我主義.

주악【奏樂】명하자 奏楽.

주안【主眼】명 主眼. ¶교육의 ~점 教育の主眼点.

주안【酒案】명 ☞ 술상.

‖──-상(床) 명 酒とさかな(肴)のぜんだ(膳立)て. =술상.

주야【晝夜】명 昼夜; 日夜. ¶~를 가리지 않고 일하다 昼夜の別なく働く.

‖── 겸행 명하타 昼夜兼行. ¶~으로 해내다 昼夜兼行でなし遂げる. ── 불식(不息) 명하자 日夜を休まないこと. ── 장천(長川) 부 夜昼かまわず続けて. 준 장천. ¶~ 흐르는 물 昼夜をおかず流れる水.

주어【主語】명〖言〗主語; サブジェクト.

주어-지다 자 (前提などが) 与えられる. ¶주어진 조건하에 与えられた条件のもとに.

주업【主業】명 主業; 本業.

주역【主役】명 主役; 立て役. ¶~을 맡다 主役を演ずる.

주역【周易】명 周易.

주연【主演】명하자 主演. ¶~ 여우 主演女優.

주연【周緣】명 周縁; まわり; ふち. =둘레.

주연【酒宴】명 酒宴; 酒盛り.

주옥【珠玉】명 珠玉. ¶~ 같은 명편 珠玉の名編.

주요【主要】명하형 主要. ¶~한 역할〔인물〕 主要な役割〔人物〕/ ~ 수출품 主要輸出品.

주운【舟運】명 舟運.

주워-내다 타 拾い出す.

주워-담다 타 拾い入れる.

주워-대다 타 (言い訳などを) 並べ立てる. ¶이유를 ~ 理屈を並べ立てる.

주워-듣다 타 聞きかじる. ¶조금 주워들은 이야기입니다만 ちょっと聞きかじった話なんですが.

주워-먹다 타 拾って食べる; あさ(漁)り食う. ¶이것저것 ~ あれこれあさり食う.

주워-섬기다 타 (見聞きした事を)次次と並べ立てる; 枚挙する.

주위【周圍】명 周囲; 回り; ぐるり. ¶~를 돌다 周囲を回る / ~를 배려하다 周囲を配慮する.

주유【注油】명하자 注油. ¶엔진에 ~하다 エンジンに注油する.

‖──-기 명 注油器. ──-소 명 注油所; ガソリンスタンド.

주유【周遊】명하자 周遊. ¶세계를 ~하다 世界を周遊する.

‖── 천하 명하자 周遊天下.

주육【酒肉】명 酒肉.

주음【主音】명 主音; 基調音; キーノート. =으뜸음.

주의【主意】명 主意.

‖──-설 명〖哲〗主意説. =주의주의(主意主義). ──-주의 명〖哲·心〗主意主義; 主意説.

주의【主義】명 主義; イズム. ¶상업~ 商業主義 / 술은 마시지 않는 ~다 酒は飲まない主義である.

‖──-자 명 主義者. ¶이상~ 理想主義者.

주의【注意】명 注意. ──-하다 자타 注意する; 気を付ける. ¶소매치

ㅈ

기에 ~하다 すりに用心する / ~를 받다 注意を受ける.
주익【主翼】명 (飛行機の)主翼.
주인【主人】명 主人; 主; あるじ(主). ¶집 ~ 家の主〔あるじ〕; 大屋 / 책방 ~ 本屋のあるじ / ~ 양반은 계십니까 ご主人はご在宅ですか / 이 차의 ~은 누구냐 この車の主はだれだ.
‖——-공 명 主人公. ——-장(丈) 명 主人の敬称: だんな(旦那)さん.
주인【主因】명 主因. ¶사건 발생의 ~ 事件発生の主因.
주일【主日】명〔基〕主の日; 日曜日. =주일날. ¶~ 예배 主の日の礼拝.
‖—— 학교 명 日曜学校.
주일【週日】명 週日; (ある日からの)七日間.
주일【駐日】명 駐日. ¶~ 대사 駐日大使.
주임【主任】명 主任. ¶~ 변호인 主任弁護人 / 수사 ~ 捜査主任.
‖—— 교수 명 主任教授.
주입【注入】명하타 注入. ¶약품을 ~하다 薬品を注入する.
‖—— 교육 명 注入教育; 詰込み教育.
주자【走者】명 走者. ① 走る人. ¶릴레이의 제일 ~ リレーの第一走者. ②〔野〕ランナー. ¶~ 일소 홈런 走者〔ランナー〕一掃ホームラン.
주자【奏者】명 奏者. ¶오르간 ~ オルガン奏者.
주자【鑄字】명하자 金属で活字を鋳造すること. また, その活字.
주자-학【朱子學】명 朱子学.
주장【主張】명 主張. ——-하다 타 主張する; 申し立てる; 言い張る. ¶권리를 ~하다 権利を主張する. ——-삼다 타 ①(何かを)主とする. ¶도리(道理)를 ~ 道理を重んずる. ②(何かを)言い張る.
주장【主將】명 主将. ¶유도부의 ~ 柔道部の主将.
주장【主掌】명하타 主宰して行なうこと. また, その人.
주재【主宰】명하타 主宰. ¶모임을 ~하다 会を主宰する.
주재【駐在】명하자 駐在.
‖——-국 명 駐在国. ——-소 명 駐在所.
주저【主著】명 主著.
주저【躊躇】명 ちゅうちょ(躊躇). ——-하다 자타 躊躇する; ためらう; 渋る. ¶~없이 행하다 躊躇なく行なう / 고백하기를 ~하다 打ち明けるのをためらう / 모두 ~하고 손을 대려 하지 않는다 みな尻込み(を)して手を出そうとしない.
주저리 명 ごたごたと入り交じってぶら下がるか束になっているもの. ————— 부 ごたごたした物が乱雑にぶら下がったさま.
주저-앉다 자 ①座り込む. ¶털썩 ~ べたり〔ぺたん〕と座る / 풀썩 ~ へなへなとくずおれる. ②(物の底が)落ち込む; へこ(凹)む. ③(仕事を)中途でなげうつ.
주저-앉히다 타 ①座らせる; 座りこませる. ②(底を)へこ(凹)ませる. ③(仕事を)中途で放棄させる.
주저주저-하다【躊躇躊躇—】자 ため い続ける; まごまごする; しりご(尻)込みする.
주전【主戰】명하자 主戦. ¶~론 主戦論 / ~ 투수 主戦投手.
주전【鑄錢】명하자 鋳銭.
주전-거리다 타 しきりに間食いをする. 주전-주전 부하타 しきりに間食いをするさま.
주전-부리 명하자 間食いをする癖.
주전-자【酒煎子】명 やかん(薬缶).
주절-주절 부하형 ひもなどが雑然と垂れ下がったさま: ごちゃごちゃ; ごじゃごじゃ. >조잘조잘².
주점【酒店】명 酒屋. =술집.
주접 명 (いろいろな原因で)生物が衰える状態. ——-들다 자 いじける; (病気勝ちで)発育が悪い; 委縮する. ¶주접든 나무 しな(萎)びた〔いじけた〕木 / 주접든 아이 発育の悪い子供.
주접-떨다 자 意地汚く振る舞う; ひどく欲張る.
주접-스럽다 형 ①どんらん(貪婪)だ; 食い意地が汚らしい. ¶음식에 ~ 食い意地が張っている. ②(くだらない物にまで)欲張ってふしだらだ.
주정【主情】명 主情.
‖——-주의 명〔哲〕主情主義.
주정【舟艇】명 舟艇. ¶상륙용 ~ 上陸用舟艇.
주정【酒酊】명하자 酔っ払って管をまくこと; 酒乱. ¶남편의 심한 ~ 때문에 울다 酒乱の夫に泣く.
‖——-꾼 명 酒癖の悪い人; 酔っ払い; 酔いどれ. ¶~의 싸움질로 온 마을이 시끄럽다 酔いどれのけんかで村中が騒がしい. ——-뱅이 명《俗》酒癖の悪い人.
주정【酒精】명 酒精; アルコール.
‖—— 음료 명 アルコール飲料.
주제 명 ↗주제꼴. ¶되지 못한 ~에 큰 소리만 친다 なってない癖に大言壮語ばかり吐く / 하지도 못하는 ~에 입찬 소리만 한다 出来もしない癖に口幅ったいことばかり言う / ~ 파악도 못하고 말참견을 하다 おこがましくも口出しをする. ——-넘다 형 生意気だ; おこがましい; 身の程知らずだ. ¶주제넘은 말을 하다 生意気な口をきく / 주제넘은 행동 出過ぎた行動 / 주제넘은 말입니다마는 おこがましい話ですが.
‖——-꼴 명 ①粗末な身なり·格好. ②分に過ぎた言動を"…にもかかわらず"の意をこめてあざける語: (…の)癖(に). (준) 주제.
주제【主題】명 主題; テーマ. ¶종교를 ~로 한 문학 宗教を主題とした文学.
‖——-가 명 主題歌; テーマソング. —— 음악 명 主題音楽; テーマミュージック.
주제【主劑】명 主剤; 主薬. ¶아스피린을 ~로 한 정제 アスピリンを主剤とした錠剤.
주조【主調】명 主調; 基調.

‖——-음 명 主調音. ＝주조(主調).
주조【酒造】명하자 酒造; 造酒. ¶～업 酒造業.
주조【鑄造】명 鋳造. ——-하다 타 鋳造する; 鋳る. ¶솥을 ～하다 かま(釜)を鋳る / 활자를 ～하다 活字を鋳造する.
주종【主從】명 主従. ¶～ 관계 主従関係.
주주【株主】명 株主.
‖—— 총회 명 株主総会.
주중【週中】명 (その)週内.
주지【主旨】명 主旨; 主意. ¶글의 ～를 읽다 文の主旨を読みとる.
주지【住持】명〔佛〕住持; 住職. ¶～ 스님 方丈さん.
주지【周知】명하타 周知. ¶～의 사실 周知の事実.
주지 육림【酒池肉林】명 酒池肉林.
주지-주의【主知主義】명〔哲〕主知主義; 主知説.
주차【駐車】명하자 駐車; パーキング. ¶～ 금지 駐車禁止.
‖——-장 명 駐車場.
주창【主唱】명하타 主唱. ¶새 학설을 ～하다 新学説を主唱する.
주책 명 しっかりした考え; 定見; 主義. ——-없다 형 無定見だ; (きまった考えを持たず)身の振り方がそこつ(粗忽)である. ——-없이 부 無定見に. ¶～ 굴다 粗忽に振る舞う.
‖—— 망나니 명 無定見な人をさげすむ語. —— 바가지 명 無定見な人をあざけ(嘲)る語.
주철【鑄鐵】명 鋳鉄.
주청【奏請】명하타〔史〕奏請.
주체 명하타 煩わしいもの, 厄介なものを始末·処理すること. また, その物事. ¶～할 수 없이 많은 돈 手に余る程ある金. ——-스럽다 형 煩わしい; 手に負えない; 手に余る. ¶주체스러워하다 持て余す. ——(를) 못하다 구 持て余す; てこずる. ¶일이 밀려 ～ 仕事がたまっててこずる / 시간이 남아돌아 ～ 時間を持て余す.
주체【主體】명 主体. ¶청년을 ～로 한 집회 青年を主体とした集会.
‖——-성 명 主体性.
주체【酒滯】명 酒にもたれること.
주초【週初】명 週初; 週の初め.
주최【主催】명하타 主催. ¶～자 主催者 / 운동 대회를 ～하다 スポーツ大会を主催する.
주추【柱—】명 柱の下に敷く石.
‖주춧-돌 명 礎; 礎石.
주축【主軸】명 主軸.
주춤 부하자 ①たじろぐさま: たじたじ; どぎまぎ. ②二の足を踏むさま: ぐずぐず. ——-거리다 자 たじたじする; ぐずぐずする. ———— 부하자 たじたじ; ぐずぐず; まごまご.
주치-의【主治醫】명 主治医.
주택【住宅】명 住宅; すみか. ¶～지 住宅地 / 집단 ～ 集団住宅.
‖——-난 명 住宅難. ——-비 명 住宅費. —— 은행 명 住宅銀行.
주-특기【主特技】명 主な特技.
주파【走破】명하자 走破. ¶전 코스를 ～하다 全コースを走破する.
주파【周波】명〔物〕周波.
‖——-수 명〔物〕周波数; 振動数. ——-수 변조 명〔物〕周波数変調; FM.
주판【籌板·珠板】명 そろばん(算盤). ¶～을 놓다 そろばんをはじく; 算を入れる.
‖——-질 명하자타 計算; 損得·利害を打算すること.
주평【週評】명 週評.
주-폭도【走幅跳】명 ☞ 멀리뛰기.
주필【主筆】명 主筆.
주필【朱筆】명 朱筆. ¶～로 정정하다 朱筆を入れる.
주한【駐韓】명하자 駐韓. ¶～ 미군의 주둔 駐韓米軍の駐留.
주해【註解·注解】명하타 注解; 注釈. ㊟주(註).
주행【走行】명하자 走行. ¶～ 거리 走行距離.
주향【走向】명〔地〕走向〔層向〕.
주혈 흡충【住血吸蟲】명〔動〕住血吸虫.
주형【鑄型】명 鋳型. ＝거푸집.
주호【酒豪】명 酒豪; 上戸.
주홍【朱紅】명 ①↗주홍빛. ②朱; 赤色の顔料.
‖——-빛 명 朱色; ひ(緋); 紅.
주화【鑄貨】명하자 鋳貨.
주황【朱黃】명 ↗주황빛.
‖——-빛 명 だいだい(橙); かばいろ(樺色).
주효【奏效】명하자 奏効. ¶주사가 ～했다 注射が効いた.
주-효【酒肴】명 しゅこう(酒肴); 酒とさかな(肴).
주휴【週休】명 週休.
주흥【酒興】명 酒興.
죽【粥】명 かゆ(粥). ¶～을 먹다 粥をすす(啜)る〔食べる〕.
죽 부 ①一列に並んださま: ずっと; ずらりと. ¶～ 한 줄로 늘어 서다 ずっと一列に並ぶ / ～ 늘어 앉다 ずらりと居座る. ②動作の滞りないさま; 多くの物を一度にさっと見るさま: ざっと. ¶부하를 ～ 훑어보다 部下をざっと見回す. ③紙·布などを一気に裂くさま: ばりばり(と). ¶종이를 ～ 찢다 紙をばりばりと破る. ④線を一気に引くさま: すっと. ¶줄을 ～ 긋다 線をすっと引く. ⑤飲み物を一気に飲みこむさま: ぐっと; 一息に. ¶물을 단숨에 ～ 들이마시다 水を一息に飲みこむ. ⑥長い間, または始めから終わりまで; ずっと; (…)すがら; (…)どおし. ¶하루 종일 ～ 자다 ひもすがら〔一日中ずっと〕寝る. ㅛ쭉.
죽겠다 보동 "死にそうだ"の意で感情が極度に達したことを表わす語: たまらない. ¶배고파 ～ とてもひもじい; 腹がへってたまらない / 우스워 ～ おかしくてたまらない / 더워 ～ 暑くてならない.
죽기【竹器】명 竹の器.
죽는-소리 명하자 苦痛や困難を大げさに誇張する語.
죽는-시늉 명하자 "死ぬまね"の意で

ㅈ

苦痛などを大げさに誇張する身振り.
죽다[1] 자 ①死ぬ. ㉠息を引き取る；くたばる〈俗〉；(僧侶が)寂する；没する. ㉡(将棋の石·駒などが)取られる. ②(植物が)枯れる；萎れる. ¶나무가 ～ 木が枯れる. ③(活気などが)衰える〔なくなる〕；しょげる. ¶기가 ～ しょげ返る；うち萎れる. ④(金物などが)つやが無くなる. ⑤(刃物が)鈍くなる. ⑥(動いていた物が)止まる. ¶팽이가 ～ こま(独楽)が止まる. ⑦(火が)消える. ¶난롯불이 ～ ストーブの火が消える. **죽을 똥을 싸다** 구 ①ひどい目に会う. ②(物事を)力を入れてする. **죽을 지경이다** 구 やりきれない；たまらない. ¶분해 ～ 悔しくてたまらない. **죽자 사자** 구 死にもの狂いになって；命をかけて. ¶～ 다투다 命懸けで争う.
죽다[2] 형 落ちこんでいる；へこんでいる. ¶콧날이 ～ 鼻筋が低い.
죽데기 명 製材した残りの板切れ《薪用にする》.
‖——-널판 명 背板.
죽도【竹刀】명 竹刀；たけみつ(竹光).
죽림【竹林】명 竹林.
‖── 칠현 명 竹林の七賢.
죽마【竹馬】명 竹馬；高足.
‖── 고우(故友) 명 竹馬の友.
죽-맞다 자 意気が相通ずる.
죽물【竹物】명 竹の器. ＝대그릇.
죽-세공【竹細工】명 竹細工.
죽순【竹筍】명 竹の子. ¶우후(雨後) ～ 雨後のたけのこ(筍).
죽어-지내다 자 ①抑圧された生活をする. ②赤貧洗うが如き暮らしをする.
죽은 목숨 명 ①生きるすべ(術)のない命；望みない命. ②自由のない人；生きがいのない人.
죽을둥-살둥 부 死にもの狂いで；必死になって；むやみやたら. ¶～ 달아나다 必死になって逃げる / ～ 모르고 덤벼들다 死にもの狂いになって飛び掛かる.
죽을-병【—病】명 望みのない病.
죽을-상【—相】명 死相；死にそうな表情. ¶～이 되어 가지고 애원하다 死に顔になって哀願する.
죽음 명 死. ¶～의 세계 死の世界 / ～을 각오하다 死を覚悟する.
‖──의 상인 명 死の商人. ──의 재 명 死の灰.
죽의 장막【竹—帳幕】명 竹のカーテン.
죽이다 타 ①殺す. ㉠命を奪う. ¶사람을 ～ 人を殺す / 찔러 ～ 刺し殺す；突き殺す. ㉡(機能を)止まらす. ¶숨을 ～ 息を殺す. ②(火を)消す. ③気勢を抑える；くじ(挫)く. ¶기(氣)를 ～ 気勢を抑える；鼻っ柱をへし折る / 감정을 ～ 感情を抑える. ④(糊気を)薄める. ¶옷의 풀을 ～ 着物の糊を薄める. ⑤(角を)そ(殺·削)ぐ. ¶모서리를 ～ 角ばった部分をそぐ. ⑥枯らす. ¶나무를 ～ 木を枯らす.
죽자꾸나-하고 부 死を決して；死にもの狂いで；必死に.
죽장【竹杖】명 竹の杖.
‖── 망혜(芒鞋) 명 竹の杖とわらじ.
죽-죽 부 ①多くの列を作って立ち並んでいるさま. ②動作に滞りのないさま：ずんずん. ¶앞으로 ～ 나아가다 ずんずんと先に〔前へ〕進む. ③(紙·布のなどを)続けざまに裂くさま：ばりばり(と). ④続けざまに線を引くさま. ⑤続けざまに吸いとるさま：ちゅうちゅう(と). ¶젖을 ～ 빨다 乳をちゅうちゅう(と)吸う. ＞족족. ㅆ쭉쭉.
죽지 명 ①腕のつけ根. ②翼のつけ根.
죽창【竹槍】명 竹やり(槍).
죽-치다 자 ちっきょ(蟄居)する；(部屋に)引きこも(籠)る；と(閉)じこもる. ¶죽치고 들어앉아 공부하다 部屋にこもって勉強する.
죽통【粥筩】명 まぐさおけ(秣桶)；飼い葉桶. ＝구유.
준-【準】두 準. ¶～우승자 準優勝者 / ～사원 準社員.
준-강도【準強盜】명 準強盗.
준거【準據】명하타 準拠. ¶～ 집단〔社〕準拠集団.
준걸【俊傑】명 俊傑.
준-결승【準決勝】명 準決勝. ¶준～ 準準決勝.
준공【竣工】명하타 竣工〔竣功〕；落成.
‖——-식 명 竣工式；落成式.
준-교사【準教師】명 準教師.
준-금치산【準禁治産】명〖法〗準禁治産.
준-급행【準急行】명 ↗준급행 열차.
‖── 열차 명 準急列車.
준동【蠢動】명하자 しゅんどう(蠢動). ¶게릴라가 ～하고 있다 ゲリラが蠢動している.
준득-거리다 자 ①(チューインガム·貝柱のように)しこしこする. ②やや乾いたものがきょうじん(強靱)でよく切れない. ＞존득거리다. **준득-준득** 부하형 しこしこ；しこりしこり.
준령【峻嶺】명 峻嶺.
준로【峻路】명 峻路；けわしい道.
준론【峻論】명 峻論.
준마【駿馬】명 駿馬.
준-말 명 略語.
준민【俊敏】명하형 俊敏.
준법【遵法】명하자 遵法〔順法〕.
‖── 정신 명 遵法精神.
준봉【峻峰】명 峻峰.
준봉【遵奉】명하타 遵奉〔順奉〕.
준비【準備】명하타 準備；したく(支度)；そなえ. ¶시험 ～ 試験準備 / 회의 ～를 하다 会議の準備をする / ～가 잘 되어 있다 準備がいい.
‖——-금 명 準備金；引き当て金. ── 서면 명〖法〗準備書面. ── 운동 명 準備運動. ── 체조 명 準備体操.
준-사관【準士官】명〖軍〗準士官.
준설【浚渫】명하타 浚渫.
‖——-선 명 浚渫船.
준성【準星】명〖天〗準星；クェーサー.
준수【俊秀】명하형 俊秀.
준수【遵守】명하타 遵守〔順守〕. ¶

법을 ～하다 法を遵守する.
준엄【峻嚴】 명하형 しゅうげん(峻厳).
준열【峻烈】 명하형히부 しゅんれつ(峻烈).
준용【準用】 명하타 準用.
준위【准尉】 명 准尉.
준장【准將】 명 准将; 代将.
준재【俊才】 명 俊才; 俊士.
준족【駿足】 명 しゅんそく(駿足). ¶ ～의 주자 駿足のランナー.
준지 【準紙】 명 校正刷り; ゲラ刷り.
준칙【準則】 명 準則; 準規.
‖——주의 명 準則主義.
준-평원【準平原】명〖地〗準平原.
준-하다 【準—】 자 準ずる; ならう. ¶ 이하 이에 준함 以下これに準ず
준행【遵行】 명하타 遵行.しる.
준험【峻險】 명하형 しゅんけん(峻険).
준-현행범【準現行犯】명〖法〗準現行犯.
줄¹ 一명 ① 綱·縄などの総称. ¶ ～다리기 綱引き / ～을 치다 縄を張る / ～로 묶다 縄で縛る〔束ねる〕. ② 線; ライン; 線条〈雅〉. ¶ ～을 긋다〔치다〕 線〔ライン〕を描く〔引く〕; 棒を引く. ③ 列; 行列. ¶ ～을 짓다 列をつくる / ～지어 서다 並ぶ; 列をなす. ④ 年の大体の範囲; 代; 坂. ¶ 나이 오십～에 들었다 年が五十の坂にさしかかった. 二 의명 ① 列をなした人〔物〕を数える語: 列; 行. ¶ 한 ～ 一列 / (글의) 두 ～ (文の) 二行. ② (野菜·魚などの) 一筋に編んだ物を数える語: 連. ¶ 가다랑어포 한 ～ かつおぶし一連.
줄² 명 やすり(鑢). ¶ ～로 쓸다 鑢をかける.
줄³ 의명 用言の後に付いて推量·仕方の意を表わす語《語尾"ㄴ·ㄹ"の後に付く》: …だろうと; すべ(術). ¶ 갈 ～ 알았다 行くだろうと思った / 할 ～(을) 모른다 (どうするのか)やり方を知らない; できない.
줄 〔joule〕 의명〖物〗ジュール.
줄거리 명 ① 葉の落ちた枝〔茎〕. ¶ 풀의 ～ 草の茎. ② (物事の)大筋; 要点; (小説などの)あらまし. ③ (植物の)葉柄·葉脈などの総称.
줄곧 부 ひっきりなしに; 続けて; ずっと; 立て続けに. ¶ ～ 같이 행동했다 ずっと一緒に動いた / (지금까지) ～ 기다렸지요 (今まで)ずっと待っていたのです.
줄기 명 ① (木の)幹. ¶ 나무 ～ 木の幹. ② (水などの)流れ; 筋. ¶ 등～ 背筋 / 폭포의 물 ～ 滝の糸 / 물～를 따라 올라가다 流れに沿ってさかのぼ(溯)る. ③ (山の)分かれた部分; 山脈. ¶ 산～ 山脈. ④ (にわか雨の)一降り. ¶ 한 ～ 쏟아졌다 雨が一頻り降った. ——— 부 多くの筋に; 筋毎に. ¶ ～ 꽃이 피었다 筋毎に花が咲いた. ——차다 형 (勢いが)激しい; たゆみない; 根気強い. ¶ 줄기찬 노력 たゆみない努力 / 줄기차게 비가 오다 土砂降りに降る.
줄깃-줄깃 부하형 ☞ 졸깃졸깃.
줄-넘기 명 縄跳び. ——하다 자 縄跳びをする; 縄を跳ぶ.
줄다 자 (数量が)減る; 少なく〔小さく〕なる; 縮む. ¶ 물이～ 水が減る / 손님이 ～ 客足が引く / 자동차의 속도가 ～ 自動車の速度が落ちる / 옷길이가 ～ 服の丈がつまる.
줄-다리기 명하자 綱引き.
줄-닿다 一자 列をなす; 引き続く. ¶ 손님이 ～ 客が引き続く. 二타 立て続けにする; 続けざまにする. ¶ 약을 줄닿아 먹다 薬を連用する.
줄달음-질 명 一息に走ること; まっしぐらに走ること. ——하다 자 つっ走る. ——치다 자 つっ走る; 一散に走る.
줄-담배 명 立て続けにタバコを吸うこと; チェーンスモーク. ¶ ～를 피우다 続けざまにタバコを吸う.
줄-대 다 자 引き続く; 連続する. ¶ 관람객이 줄대어 찾아온다 観客がひきもきらずやってくる.
줄 레-줄 레 부하자 おっちょこちょいがそそっかしく振る舞うさま: ちょこちょこ. ＞졸래졸래.
줄-모 명 (列を作るように)縦·横に整然と植える苗.
줄-목 명 (ある事に関係する)瀬戸際; 間際.
줄-무늬 명 しま(縞)模様; しま(縞).
줄-바둑 명 ざる(笊)碁.
줄-밥 명 やすり(鑢)のひき屑.
줄-사닥다리 명 縄ばしご(梯子); 釣りばしご(梯子). ㊜ 줄사다리.
줄어-들다 자 次第に減る; 少なく〔小さく〕なる; 縮む. ＞졸아들다. ¶ 손님이 ～ 客足が引く.
줄어-지다 자 しだいに減る.
줄이다 타 減らす; 少なく〔小さく〕する; 縮める. ¶ 지출을 ～ 支出を減らす / 수명을 ～ 命を縮める / 경비를 ～ 経費を切り詰める.
줄 임-표【—標】명 省略の符号"…"の称. ＝종종이.
줄-자 명 巻き尺; 巻き差し; メジャー.
줄-잡다 타 少なめに〔控え目に·内輪に〕見積もる; 割り引く. ¶ 줄잡아서 백만원은 필요하다 少なく見積もっても百万ウォンは要る.
줄줄 부 ① かなりの水が流れる音. また, そのさま: ざあざあ; どくどく; だらだら; だくだく. ¶ 비가 ～ 내리다 雨がざあざあ降る / 피가 ～ 흐르다 血がだらだらと流れる. ② 太いものや長いものが長長と引きずられるさま: ぞろぞろ; ずるずる. ¶ 치맛자락을 ～ 끌다 チマのすそ(裾)をぞろぞろと引きずる. ③ 人の後ろに付きまとうさま: ぞろぞろ. ¶ 여자 궁둥이를 ～ 따라 다니다 女のしり(尻)を追い回す / 많은 사람이 ～ 따라오다 大勢の人がぞろぞろと付いてくる. ④ よど(淀)みなく読む〔そら(諳)んじる〕さま: すらすら. ¶ 책을 ～ 읽다 本をすらすらと読む. ＞졸졸.
——거리다 자 ① ざあざあ〔どくどく,

だくだく〕と流れる. ② ぞろぞろ〔ずるずる〕と引きずる. ③ ぞろぞろと付いてくる. ④ すらすらと読む〔そら(諳)んじる〕.

줄줄-이 부 ① 列ごとに; 各列に. ② 多くの列をなして; 幾列にも. ¶ ~ 늘어서다 多くの列をなして立ちならぶ.

줄-지다 자 (物の表面に) ひびが入る〔入る〕; 割れ目が生じる; 筋が生じる.

줄-질 명 やすり(鑢)をかける事. ――하다 타 鑢をかける.

줄-짓다 자 列をなす; 並ぶ. ¶ 줄지어 서다 立ち並ぶ.

줄-치다 타 ① 棒〔線〕を引く. ② 縄を張る.

줄-타기 명하자 綱渡り.

줄-타다 자 綱渡りをする.

줄-팔매 명 石を挟んだ紐の両端を振り回して弾みをかけ片方のひも(紐)を放しながら石を飛ばすこと.

줄-행랑 【一行廊】 명 《俗》 逃げること; 高飛び. =도망. ――놓다, ――치다 자 高飛びをする; 逃げる; 避ける; どろんをきめこむ.

줌 ㊀명 ↗주먹. ㊁의명 一握りの分量; 握り. ¶ 한 ~의 쌀 一握りの米.

줌 렌즈 〔zoom lens〕 명 ズームレンズ.

줍다 타 拾う; 拾い上げる. ¶ 지갑을 ~ 財布を拾う.

줏대 【主―】 명 定見; 主観. ¶ ~ 없는 사람 定見のない人; 骨なし / ~ 없이 굴다 無定見に振る舞う.
‖――-잡이 명 中心となる人.

중 명 〔佛〕 僧; 僧侶; (お)坊さん; 出家; びく(比丘); 坊主.

중 【中】 ㊀명 中. ① [↗중등(中等)] (程度の)中間; 中位; 中程; 中ごろ; 普通; 並. ¶ ~ 정도의 성적 中の成績. ② 中; 内; 内部. ¶ 그 ~에서도 その中でも / 이 ~에서 하나를 골라라 この中から一つをえらべ / 십~ 팔구까지는 十中八九までは. ③ ↗중국(中國). ㊁의명 中・中; …する間〔途中〕. ¶ 오늘 ~에 今日中に / 오전 ~에 午前中に.

중- 【重】 두 重. ¶ ~수소 重水素 / ~금속 重金属 / ~과실 重過失.

중간 【中間】 명 中間; 中. ① (二つの物の)間. ¶ ~ 합금 中間合金 / ~ 주파 中間周波 / ~ 무역 中間貿易 / ~에 서서 알선하다 中に立って取りもつ. ② 途中; …間. ¶ ~역 中間駅 / ~ 배당 中間配当 / ~ 예보 中間予報. ③ 真ん中; 中程. ¶ ~치 中間値 / ~축 中間軸 / ~ 정도의 성적 中程の成績.
‖―― 계급 명 中間階級. ―― 고사 명 中間考査; 中間試験. ―― 노선 명 中間路線. ―― 보고 명하타 中間報告. ―― 선거 명 中間選挙. ―― 숙주 명 中間宿主. ――-자 명 〔物〕 中間子. ―― 착취 명하자 中間搾取. ――-층 명 中間層. ――-치 명 並製; 大小の, または品質の中間ぐらいのもの. ――-파 명 中間派.

중간 【重刊】 명하타 重刊. =중각(重刻). ¶ ~본 重刊本.

중개 【仲介】 명하타 仲介; 仲立ち; 橋渡し. ¶ 주식 매매를 ~하다 株の売買を仲介する / ~를 부탁하다 橋渡しを頼む.
‖―― 무역 명 仲介貿易. ―― 상인 명 仲介商人. ――-업 명 仲介業. ――-인 명 仲介人; 仲立ち人; 仲買; ブローカー.

중-거리 【中距離】 명 中距離. ¶ ~ 경주 中距離競走.
‖―― 탄도탄 명 中距離弾道弾; IRBM.

중건 【重建】 명하타 重建.

중견 【中堅】 명 中堅. ¶ ~ 간부 中堅幹部.
‖――-수 명 〔野〕 中堅手. =센터필더. ―― 작가 명 中堅作家.

중-경상 【重輕傷】 명 重軽傷.

중계 【中繼】 명하타 中継.
‖――-국 명 中継局. ―― 방송 명 中継放送; 中継《준말》. ――-차 명 中継車. ――-항 명 中継港.

중고 【中古】 명 中古. ① 中世. ② 中古. ¶ ~차 中古車 / ~품 中古品.
‖――-사 명 中古史; 中世史.

중공 【中共】 명 中共. ¶ ~군 中共軍.

중-공업 【重工業】 명 重工業.

중과 【重課】 명하타 重課.

중과 【衆寡】 명 衆寡; 多寡.
‖―― 부적(不適) 명 衆寡敵せず.

중-과실 【重過失】 명 〔法〕 重過失. ㊔ 중과(重過).

중-괄호 【中括弧】 명 中かっこ(括弧) ({ }).

중구 【中歐】 명 中欧; 中央ヨーロッパ.

중구 【衆口】 명 衆口; 多くの人のことば.
‖―― 난방(難防) 명 衆口ふさ(塞)ぎ難し.

중국 【中國】 명 〔地〕 中国.
‖――-어 명 中国語. ―― 요리 명 中国料理. ――-인 명 中国人.

중궁(-전) 【中宮(殿)】 명 中宮; 王妃の尊称. ㊔ =중전(中殿).

중권 【中卷】 명 (上・中・下三部の本の)中巻; 中の巻き.

중-근동 【中近東】 명 中近東; 西南アジア.

중-금속 【重金屬】 명 〔化〕 重金属.

중급 【中級】 명 中級. ¶ ~ 영어 中級英語.

중기 【中企】 명 ↗중소 기업.

중기 【中期】 명 中期. ¶ ~채 中期債.

중기 【重機】 명 重機. ① ↗중기관총(重機關銃). ② 重工業用の機械類.

중-기관총 【重機關銃】 명 重機関銃; 重機《준말》.

중기-중기 부 同じ大きさのものが, あちこちむらがっていたり, 動いているさま.

중-길【中—】명 並; 並製.
중년【中年】명 中年. ¶~ 신사 中年の紳士.
‖——-기 명 中年期.
중-노동【重労働】명 重労働.
중-노인【中老人】명 中老の人.
중농【中農】명 中農.
중농【重農】명 重農.
‖——-주의【重農主義】명〖經〗重農主義.
중뇌【中脳】명 中脳.
중-늙은이【中—】명 ☞ 중노인.
중단【中段】명 中段.
중단【中断】명하자타 中断. ¶계획의 ~ 計画の中断 / 행렬이 ~되다 行列がとぎれる〔とだえる〕
중대【中隊】명〖軍〗中隊.
중대【重大】명하형히부 重大. ¶~ 사건〔문제〕重大事件〔問題〕.
‖——-시 명하타 重大視; 重視.
중-대가리 명《俗》坊主頭; いがぐりあたま.
중-대문【中大門】명《俗》中門.
중덜-거리다 자 不平をしきりにつぶやく; しきりにぼやく; ぶつぶつ言う. 중덜-중덜 부하자 ぶつぶつ.
중도【中途】명 中途; 半途; 半ば. ¶~ 퇴학 中途退学 / 일을 ~에서 팽개치다 仕事を中途で投げ出す.
중도【中道】명 中道. ① 中途. ② 片寄らない穏当な〔正しい〕道. ¶~파 中道派 / ~ 정치 中道政治 / ~를 걷다 中道を歩む.
중도【重盗】명하타〖野〗重盗; ダブルスチール.
중독【中毒】명 中毒; 毒あたり. ¶모르핀 ~ モルヒネ中毒 / 알코올 ~ アルコール中毒; アル中《준말》.
‖——-량 명 中毒量. ——-자 명 中毒者.
중-동【中—】명 真ん中にあたる部分; 中程の部分.
‖——-무이 명하타 中途半端で止めること; 中途で仕事を投げ出しにすること.
중동【中東】명 中東. ¶~ 전쟁 中東戦争.
중등【中等】명 中等.
‖—— 교육 명 中等教育. —— 학교 명 中等学校.
중략【中略】명하타 中略.
중량【重量】명 重量; 重さ; 目方. =무게. ¶~이 모자라다 重量〔目方〕が足りない / ~을 속이다 重量〔目方; 量目〕をごまかす.
‖——-급 명 重量級; ヘビー級. —— 분석 명〖化〗重量分析. =무게 분석.
중력【重力】명 重力. ¶~의 법칙 重力の法則.
‖—— 가속도 명 重力加速度. ——-댐 명 重力ダム. ——-장 명 重力場. —— 질량 명 重力質量. ——-파 명〖物〗重力波.
중령【中領】명〖軍〗中領《日本の二佐に当たる》.
중론【衆論】명 衆論.
중류【中流】명 中流. ¶~ 가정 中流家庭 / 강의 ~ 川の中流.
중립【中立】명 中立. ¶~을 지키다 中立を守る.
‖——-국 명 中立国. ¶영세 ~ 永世中立国. ——-주의 명 中立主義. —— 지대 명 中立地帯.
중망【衆望】명 衆望; 世間の人望. ¶~을 얻다 衆望をになう.
중매【仲買】명하타 仲買.
‖——-상(商) 명 仲介商人; 仲買人. ——-인(人) 명 ① 中間商人. =중상(中商). ② ☞ 거간꾼.
중매【中媒】명하타 中媒〔仲媒〕; 仲立ち; 媒酌. ——-들다 자 仲立ち〔仲人〕をする; 結婚を取り持つ. ——-서다 자 ☞ 중매들다.
‖—— 결혼 명 媒酌結婚. ——-인 자 仲人; 媒酌人; 月下氷人. ——-쟁이 명 "중매인"の俗っぽい表現.
중-모음【重母音】명 重母音; 複母音.
중목【衆目】명 衆目.
‖—— 소시(所視) 명 衆人環視の中.
중문【中門】명 中門; 中の門. =중대문(中大門).
중문【重文】명 重文.
중미【中美】명 中米; 中央アメリカ.
중반【中盤】명 中盤. ①(囲碁·将棋などで)勝負の中ほどの局面. ¶~전 中盤戦. ② 物事が中期の段階に入ること.
중방【中枋】명 [↗중인방(中引枋)] 腰なげし(長押); なげし(長押).
중-배【中—】명 ① 細長い物のふくれた中央の部分; 腹. =중복(中腹). ②(家畜の)一腹の子の中で二番目の子. ——-부르다 형 (細長い物の腹が)ふくらむ.
중벌【重罰】명 重罰.
중범【重犯】명 重犯. ① 再犯; 累犯. ② 重犯罪.
중병【重病】명 重病; 大病; 重患. ¶~을 앓다 重病を患う.
중-병아리【中—】명 若鶏; 半ば育ったひよこ.
중복【中伏】명 中伏.
‖—— 허리 명 中伏前後の最も暑い日ごろ.
중복【中腹】명 ① 中腹; 山腹. ¶산 ~에서 쉬다 山の中腹で休む. ② ☞ 중배①.
중복【重複】명 重複. ——-하다 타 重複する; 重ねる; ダブる〈俗〉. ¶~된 조항 重複した条項.
중부【中部】명 中部. ¶~ 지방 中部地方.
중비【中飛】명〖野〗中飛; センターフライ.
중뿔-나다【中—】자 でしゃばる; 横合いから口出しをする; 差し出る; 差し出がましく振る舞う. ¶중뿔나게 굴지 말게 差し出がましい口をきくな.
중사【中士】명〖軍〗中士《旧制度の軍曹に当たる》.
중산【中産】명 中産. ¶~층 中産層. ‖—— 계급 명 中産階級.

중산-모자【中山帽子】명 山高帽子. ㊟ 중산모.
중상【中傷】명하타 中傷. ¶동료를 ～하다 同僚を中傷する / ～을 받다 中傷を受ける.
중상【重傷】명하타 重傷; 重手; 深手.
중상-주의【重商主義】명〖經〗重商主義; マーカンティリズム.
중상 학파【重商學派】명 重商学派.
중생【衆生】명〖佛〗衆生. ¶～을 제도하다 衆生を済度する.
중생-대【中生代】명〖地〗中生代.
중생 동물【中生動物】명 中生動物.
중생 식물【中生植物】명 中生植物.
중석【重石】명〖鑛〗重石; タングステン.
중석기 시대【中石器時代】명 中石器時代.
중-선거구【中選擧區】명 中選挙区.
중성【中性】명 中性.
‖── 모음(母音) 명 中性母音; ハングルの母音"ㅣ". ── 미자 명〖物〗中性微子; ニュートリノ. ── 비료 명 中性肥料. ── 세제 명 中性洗剤. ──-자 명 中性子; ニュートロン. ── 토양 명 中性土壌.
중성【重星】명〖天〗① 重星. ＝다중성(多重星). ② 連星.
중세【中世】명 中世《韓国史では高麗時代》.
중세【重稅】명 重税.
중소【中小】명 中小.
‖── 기업 명 中小企業. ── 기업 은행 명 中小企業銀行.
중-속환이【─俗還─】명 げんぞく(還俗)した人〔僧〕. ㊟ 속환이.
중-솥【中─】명 中ぐらいの大きさのかま(釜).
중쇄【重刷】명하타 重刷; 増刷.
중쇠【中─】명 [↗맷돌 중쇠] (ひきうすの)へそ(臍).
중수【重水】명〖化〗重水.
중수【重修】명하타 修造; 古い建物などを修理すること.
중-수소【重水素】명〖化〗重水素.
중순【中旬】명 中旬; 月半ば.
중시【重視】명하타 重視. ¶사태를 ～하다 事態を重視する.
중-시조【中始祖】명 家門を中興した祖先.
중식【中食】명 ☞ 점심(點心).
중신【重臣】명 重臣.
중심【中心】명 中心. ① 真ん中; 中央. ¶태양의 ～ 太陽の中心. ② 核心; 重点; 焦点. ¶～ 세력 中心勢力 / 도시의 ～ 지역 都市の中心地域. ③ (周囲をめぐるものの)まんなかの部分. ¶달은 지구를 ～으로 돈다 月は地球を中心にして回る. ④ 平衡. ¶몸의 ～을 잃다 体の中心を失う. ⑤ 定見; 主体性. ¶～이 없는 사람 ふぬ(腑抜)けな人. ⑥〖數〗(円などの) 中心点.
‖──-각 명〖數〗中心角. ──-력 명 中心力. ── 운동 명 中心運動. ── 인물 명 中心人物. ¶소동의 ～ 騒乱の立て役者. ──-점 명 中心点. ──-체 명 中心体.
중심【重心】명 ☞ 무게 중심(中心).
중쏠쏠-하다【中─】형 大きさが中ぐらいでまあまあだ.
중씨【仲氏】명 ① 他人の二番目の兄の敬称. ② ☞ 중형(仲兄).
중압【重壓】명하타 重圧. ¶～ 重圧感.
중앙【中央】명 ① 中央. ¶과녁의 ～에 맞다 的の中央に当たる. ② 首都. ¶～으로 전근되다 中央に転勤される.
‖── 금고 명 中央金庫; 国庫. ── 기관 명 中央機関. ──-부 명 中央部. ── 분리대 명 中央分離帯. ── 위원회 명 中央委員会. ── 은행 명 中央銀行. ── 처리 장치 명 中央処理装置《コンピューターの本体》. ── 정부 명 中央政府. ── 집권 명 中央集権. ──-청 명 中央庁; 中央官庁. また, その庁舎.
중액【重液】명〖化〗重液《四塩化炭素など》.
중-양자【重陽子】명〖物〗重陽子; デューテロン.
중언 부언【重言復言】명하타 同じ事をくり返して言うこと.
중얼-거리다 자 独り言を言う; (ぶつぶつと)つぶや(呟)く; むにゃむにゃ言う. >종알거리다. 중얼-중얼 부하자 ぶつぶつ(と); むにゃむにゃ(と); ぐずぐず(と).
중역【重役】명 重役.
중역【重譯】명하타 [↗이중 번역] 重訳. ──-본 명 重訳本.
중엽【中葉】명 中葉; 中ごろ. ¶19세기 ～ 十九世紀の中葉.
중외【中外】명 中外. ① 国内と国外; 世界. ¶～에 천명하다 中外に宣明する. ② 内と外.
중요【重要】명 重要; 大切. ──하다 형 重要だ; 大切だ. ¶～한 문서 重要な文書 / 사태를 ～시하다 事態を重要視する.
‖── 무형 문화재 명 重要無形文化財.
중용【中庸】명 中庸; 偏らず, 中正なこと. ¶～을 지키다 中庸を守る.
중용【重用】명하타 重用.
중우【衆愚】명 衆愚.
‖── 정치 명 衆愚政治.
중원【中原】명 中原. ① 広い野原の中央. ② 中国本土の中心地帯.
중위【中位】명 中位; 中ぐらい; 中程度. ¶～의 성적 中位の成績.
‖──-수 명〖數〗中位数.
중위【中尉】명〖軍〗中尉.
중위【中衛】명 中衛; ハーフバック.
중위【重圍】명하타 重囲; 幾重にも取り囲むこと.
중-위도【中緯度】명 中緯度.
중유【重油】명 重油.
중은【重恩】명 重恩.

중음【中音】명 ① 中音；中位の高さ〔強さ〕の音声. ② 中音；アルト；テノール.
중의【衆意】명 衆意；多数の意見. ¶ ~에 따르다 衆意に従う.
중의【衆議】명 衆議；衆論.
중이【中耳】명〘生〙中耳.
‖——염 명 中耳炎.
중인【中人】명〘史〙両班よりは下, 平民よりは上の階級の人.
중인【衆人】명 衆人；多くの人.
‖—— 소시(所視), —— 환시 명 衆人環視. ¶ ~리(裡)에 衆人環視の中で.
중-인방【中引枋】명 なげし(長押). ㊂ 중방(中枋).
중임【重任】명 重任. ① 重大な任務；大任. ¶ ~을 맡다 重任を負う ② 再び同じ職務につく. ¶ 회장직에 ~되다 会長に重任される.
중-입자【重粒子】명〘物〙重粒子；バリオン.
중장【中章】명 (文章·詩歌を三部に分けた時の)中の章.
중장【中將】명〘軍〙中将.
중-장비【重裝備】명 重装備.
중재【仲裁】명하타 仲裁. ¶ 싸움을 ~하다 けんかの仲裁をする.
‖——인 명 仲裁人；仲人；留め役. —— 재정 명 仲裁裁定. —— 재판 명 仲裁裁判.
중적【衆敵】명 衆敵.
중전【中殿】명〘史〙↗중궁전(中宮殿). ‖—— 마마(媽媽) 명 王妃の敬称.
중-전기【重電機】명 重電機. =중전(重電).
중-전차【中戰車】명 中型戦車.
중-전차【重戰車】명 重戦車.
중절【中絶】명하타 中絶；中断. ¶ 임신 ~ 妊娠中絶.
중절-거리다 자 ぶつぶつ〔ぐずぐず〕(と)盛んにつぶや(呟)く. 중절-중절 부하자 ぶつぶつ；ぐずぐず(と).
중절-모【中折帽】, **중절 모자**【中折帽子】명 中折れ帽子；中折れ《준말》；ソフト.
중점【重點】명 重点. ¶ ~을 두다 重点を置く.
‖——적 명관 重点的. ¶ ~으로 살피다 重点的に調べる. ——주의 명 重点主義.
중정【重訂】명 重訂；(本などの)二度目の校訂. ¶ ~판 重訂版.
중조【重曹】명［↗중탄산 소다］重曹；重炭酸ソーダ.
중졸【中卒】명［↗중학 졸업］中卒. ¶ ~자 中卒者.　「人.
중죄【重罪】명 重罪. ¶ ~인 重罪
중주【重奏】명하타 重奏. ¶ 4~ 四重奏.
중중-거리다 자 恨めしそうにつぶや(呟)く；ぶつぶつ言う；ぐずぐず言う. 중중-중중 부하자 ぶつぶつ(と)；ぐずぐず(と).
중중 첩첩【重重疊疊】부하형히부 重重畳畳；重畳《준말》；幾重にも重なっているさま. ㊂ 첩첩(疊疊).
중증【重症】명 重症. ¶ ~ 환자 重症患者.
중지【中止】명 中止 ——하다 타 中止する；よす；止める. ¶ 사격 ~ 打ち方止め / 계획이 ~되다 計画が中止される〔流れる〕
‖—— 미수 명 中止未遂. ——범 명 中止犯. ——부 명 中止符.
중지【中指】명 中指.
중지【衆智】명 衆知. ¶ ~를 모으다 衆知を集める.
중지-상【中之上】명 中の上.
중지-중【中之中】명 中の中.
중지-하【中之下】명 中の下.
중진【中震】명 中震；中程度の地震《震度：四度》.
중진【重鎭】명 重鎮；大家；大御所. ¶ 문단의 ~ 文壇の重鎮.
중진-국【中進國】명 中進国.
중질【中質】명 中質.
중징【重徵】명하자 重徴；重い租税を取り立てること.
중차-대【重且大】명하형 重かつ大；重にしてかつ大なること. ¶ ~한 임무 重かつ大なる任務.
중참【中站】명 中休み《簡単な食事と酒などが伴う》.
중창【重唱】명〘樂〙重唱. ¶ 삼 ~ 三重唱.
중책【重責】명 重責. ¶ ~을 맡다 重責を担う.
중천【中天】명 中天；中空；半天. ¶ ~에 걸린 달 中天にかかった月.
중첩【重疊】명하타 重畳. ¶ 파란 ~ 波瀾重畳.
중추【中秋】명 中秋〔仲秋〕.
중추【中樞】명 中枢. ¶ ~ 신경 中枢神経.
중추【仲秋】명 仲秋〔中秋〕；陰暦の八月.
‖——월(月) 명 (仲秋の)明月. —— 절(節) 명 陰暦八月十五日の節日.
중축【中軸】명 中軸.
중춘【仲春】명 仲春.
중층【中層】명 中層；上層と下層の間の中程の層.
‖——운 명 中層雲.
중-치【中—】명 ☞ 중간치.
중침【中針】명 中ぐらいの大きさ〔太さ〕の縫い針.
중-크롬산【重—酸】〔chrome〕명〘化〙重クロム酸. ¶ ~나트륨 重クロム酸ナトリウム.
중-키【中—】명 中背；普通の身長. ¶ ~의 청년 中背の青年.
중탄산 나트륨【重炭酸—】〔natrium〕명〘化〙重炭酸ナトリウム；炭酸水素ナトリウム；酸性炭酸ナトリウム；《俗》重炭酸ソーダ；重曹《준말》.
중탕【重湯】명 ゆせん(湯煎)；湯の中に食べ物の入った器を入れて煮たり煮直したりすること.
중태【重態】명 重体；危篤. ¶ ~에 빠지다 重体に陥る.
중-턱【中—】명 (山·坂などの)中腹. ¶ 산~ 山の中腹.

중토【重土】명 重土. ① 酸化バリウム. ② 農作に適しない粘土質の土. ‖——수 명 重土水.
중퇴【中退】명하타 中退; 中途退学.
중파【中波】명〖物〗中波.
중파【中破】명하타 中破; 中程度の破損.
중판【重版】명하타 重版.
‖——본 명 重版本.
중편【中篇】명 中編. ¶~ 소설 中編小説.
중평【衆評】명 衆評.
중포【重砲】명 重砲.
‖——병 명 重砲兵.
중폭【中幅】명 中幅.
중폭【重爆】명 [↗중(重)폭격기]. 重爆撃機.
중-폭격기【中爆擊機】명 中型の爆撃機. =중폭(中爆).
중-폭격기【重爆擊機】명 重爆撃機; 重爆《준말》.
중품【中品】명 並製〔中質〕の品物.
중풍【中風】명 中風; 中気; 風疾.
‖——증(症) 명 中風; 風疾. =중풍.
중하【仲夏】명 仲夏《陰暦の五月》.
중하【重荷】명 重荷.
중-하다【重—】형 重い. ① 病気などの程度がはなはだしい. ¶중한 병에 걸렸다 重い病気にかかった. ② 大切だ; 大事だ; 重要だ. ¶나에게 중한 사람 わたしにとって大事な人. ③ (任務などが)重大だ. 중-히 부 重く. ¶~ 여기다 重んじる.
중학【中學】명 [↗중학교] 中学. ¶~생 中学生.
중-학교【中學校】명 中学校.
중한【中限】명〖經〗中ぎり(限); 中物. ¶~ 거래 中限取り引き.
중합【重合】명하자타 ① 重ね合わせること. ②〖化〗重合.
‖——체 명〖化〗重合体; ポリマー.
중핵【中核】명 中核; 中心.
중형【中型】명 中型〔中形〕.
중형【仲兄】명 仲兄; 次兄.
중형【重刑】명 重刑. ¶~을 과하다 重刑を科する.
중혼【重婚】명하자 重婚. ¶~죄 重婚罪.
중화【中和】명하자타 中和. ¶~점 中和点 / ~성 中和性 / 염기로 산을 ~시키다 塩基で酸を中和させる.
‖—— 반응 명 中和反応. ——열 명 中和熱.
중화【中華】명 中華. ¶~ 사상 中華思想.
‖—— 민국 명〖地〗中華民国; 台湾. ㊟ 민국. —— 인민 공화국 명〖地〗中華人民共和国; 中国.
중-화기【重火器】명 重火器. ¶~ 중대 重火器中隊.
중화학 공업【重化學工業】명 重化学工業.
중환【重患】명 重患. ① ☞ 중병(重病). ② ↗중환자(重患者).
중-환자【重患者】명 重病患者.
중후【重厚】명하형 重厚. ¶~한 인품 重厚な人柄.
중흥【中興】명하자타 中興. ¶민족의 ~ 民族の中興.
줴-뜯다 타 ↗쥐어뜯다.
쥐[1] 명 けいれん(痙攣); しび(痺)れ; 引きつ(攣)り; こむら〔こぶら〕(腓)返り. ¶다리에 ~가 나다 足に痺れがくる; 腓返りがおこる.
쥐[2] 명〖動〗ねずみ(鼠).
쥐-구멍 명 ねずみ(鼠)穴. ——(을) 찾다 구 ひどく責められるか, または面目を失ってあわてふためく. ¶~이라도 찾고 싶은 심정이다 穴にでも入りたい気持ちである.
쥐-꼬리 명 ねずみ(鼠)のしっぽ. ——만하다 형 ほんの少しだ; すずめ〔蚊〕の涙ほどだ. ¶쥐꼬리 만한 수입 すずめ〔蚊〕の涙ほどの収入.
쥐다 타 握る. ① 持つ; つか(掴)む. ¶주먹을 ~ こぶし(拳)を握る〔つくる〕/ 막대기를 ~ 棒を掴む / 손에 땀을 ~ 手に汗を握る. ② (権利などを)手におさめる; 掌握する. ¶주도권을 ~ 主導権を握る.
쥐-덫 명 ねずみ(鼠)取り(器); ねずみ(鼠)落とし.
쥐-띠 명〖民〗ね(子)の年(の生まれ).
쥐락-펴락 부하타 人を思いのままに使うさま.
쥐-벼룩 명〖蟲〗ねずみのみ(鼠蚤).
쥐-뿔 명 とるに足りないこと〔物〕. ¶~도 모른다 何にも知らない. ——같다 형 つまらない; 何の取り柄もない. ¶~ 같은 소리 그만둬라 つまらない話は止めろ. ——나다 자 つまらないことをする; 突飛なことをする.
쥐-색【—色】명 ねずみ(鼠)色. =쥣빛.
쥐-약【—藥】명 猫いらず.
쥐어-뜯다 타 むしる; 取りむしる; か(掻)きむしる; むしり取る. ¶머리(채)를 ~ 髪を取りむしる / 풀을 ~ 草をむしり取る.
쥐어-박다 타 (こぶし(拳)で)小突く.
쥐어-주다 타 つか(掴)ませる; 握らせる. ¶얼마간 ~ いくらか掴ませる.
쥐어-지르다 타 (こぶし(拳)で強く)殴る; げんこつ(拳骨)を食らわせる; ぶん殴る. ㊟ 줴지르다.
쥐어-짜다 타 ① (洗濯物などを)すっかり絞る; ね(捩)じる. ¶국민의 고혈(膏血)을 ~ 人民のこうけつ(膏血)を絞り取る. ② (しきりに)せがむ; (ひっきりなしに)せびる; (ゆすりがましく)ねだる.
쥐어-흔들다 타 つか(掴)みゆさぶる〔ゆすぶる〕. ¶멱살을 ~ のどもと(喉元)〔の人〕をつかみゆさぶる.
쥐엄-발이 명 足先が内曲がりの足.
쥐엄-쥐엄 감 (幼子に) 握握をさせる時にかける語: おにぎりおにぎり; にぎにぎ.
쥐엄-질 명하자 幼子が手を握ったりひろげたりすること; 握握.
쥐여-지내다 자 人に抑えられて暮らす; 取っちめられ通しである; 頭を押さえられ通しである. ¶마누라에게 ~ かかあ(嬶)天下である. ㊟ 줴

지내다.

쥐-오르다 자 (手足が)けいれん(痙攣)をおこす；しび(痺)れがくる；こむらがえ(腓返)りをおこす.

쥐-잡듯, 쥐-잡듯이 부하타 一匹も逃がさず〔一つも残さず〕；徹底的に；しらみつぶ(虱潰)しに. ¶～ 잡아내다 虱潰しに検挙する.

쥐-젖 명 細長いいぼ(疣).

쥐죽은 듯하다 형 ①しんと静まりかえっている；げき(闃)として声無し；物音一つしない. ¶장내는 ～ 場内はしんとして物音ひとつしない. ②(怖くて) 息もつかない；息を殺す. **쥐죽은 듯이** 부 しんと；息を殺して；じっと.

쥐-포【―脯】 명 かわはぎの干物.

쥘-부채 명 扇；扇子.

쥣-빛 명 ねずみ色.

즈런-즈런 부하형 暮らしに余裕のあるさま.

즈로즈 명 ←드로어즈(drawers).

즈봉 〔프 jupon〕 명 ズボン. ＝양복 바지.

즈음 의명 局面；所；ころ(頃)；程；際. ㊟즘. ¶요～ 만나지 못하고 있다 ここの所〔この頃〕会っていない / 헤어질 ～에 입을 열었다 別れ際にものを言った.

즈음-하다 자 臨む；際する；当たる. ¶이별에 즈음하여 別れに臨んで〔際して〕.

즈크 〔네 doek〕 명 ズック.

즉【卽】 부 すなわ(即)ち；言いかえれば；とりもなおさず. ¶서울, ～ 한국의 수도 ソウル即ち韓国の首都.

즉각【卽刻】 명부 即刻；即時(に). ＝즉시. ¶～ 해결하다 即時(に)解決する / ～ 달려가다 直ぐ様駆けて行く.

즉결【卽決】 명하타 即決.
‖―― 심판 명 即決裁判. ―― 처분 명하타 即決処分.

즉금【卽今】 명부 即今；ただいま；目下. ¶～의 정세 即今の情勢.

즉납【卽納】 명하타 即納. ¶수수료를 ～하다 手数料を即納する.

즉답【卽答】 명하자타 即答. ¶～을 피하다 即答を避ける.

즉매【卽賣】 명하타 即売；直売.

즉사【卽死】 명하자 即死. ¶차에 받혀 ～했다 車にはねられて即死した.

즉석【卽席】 명 即席. ¶～ 라면 即席ラーメン / ～에서 해치우다 その場でやって退ける.
‖―― 연설 명 即席演説.

즉시【卽時】 ㊀명 即時；即刻. ㊁부 即時に；すぐに；直ちに；早速；次第. ¶～ 오너라 すぐ来い / ～ 서다 直ちに止まる / ～ 신청하다 すぐ申し込む. ―――― 부 その時毎にすぐ.
‖――-범 명 即時犯；即成犯. ―― 취득 명〔法〕即時取得. ―― 항고 명 即時抗告.

즉위【卽位】 명하자 即位. ¶～식 即位式.

즉응【卽應】 명하자타 即応. ¶사태에 ～하다 事態に即応する.

즉일【卽日】 명 即日；当日. ¶～ 귀향 即日帰郷.

즉효【卽效】 명 即効〔即功〕. ¶～약 即効薬.

즉흥【卽興】 명 即興.
‖――-곡 명 即興曲. ――-극 명 即興劇. ――-적 명관 即興的.

즐겁다 형 ①楽しい；愉快だ. ¶즐거움 楽しみ / 즐거운 가정 楽しい家庭. ②うれしい. ¶즐겁게 이야기하다 楽しく話す / 즐거운 비명을 지르다 うれしい悲鳴をあげる. **즐거이** 부 楽しく；うれしく. ¶～ 놀았다 楽しく遊んだ.

즐기다 ㊀타 楽しむ；好む；エンジョイする；(…に)親しむ. ¶인생을 ～ 人生を楽しむ〔エンジョイする〕/ 자연을 ～ 自然に親しむ / 술을 ～ 酒を好む；酒に親しむ / 즐겨 먹는 생선 好んで食べる魚 / 꽃을 ～ 花を愛でる. ㊁자 心を楽しく保つ.

즐비【櫛比】 명하형 しっぴ(櫛比)；整然と並んでいること. ¶～하게 늘어선 집 櫛比する家並 / 인가가 ～하다 人家が櫛比している.

즙【汁】 명 汁. ¶레몬～ レモンの汁.

즙액【汁液】 명 汁液；汁.

증【症】 명 ①[↗증세(症勢)] 症. ¶헛헛～ 空腹感. ②↗화증(火症). ③↗싫증.

증【證】 명 証. ①↗증거. ②↗증명서. ¶학생～ 学生証明書 / 차량 검사～ 車検証.

증가【增加】 명하자타 増加. ¶인구의 자연 ～ 人口の自然増加.
‖―― 수열 명〔數〕増加数列.

증간【增刊】 명하타 増刊. ¶임시 ～ 臨時増刊.

증감【增減】 명하자타 増減. ¶수입의 ～ 収入の増減.

증강【增強】 명하타 増強. ¶체력의 ～ 体力の増強.

증거【證據】 명 証拠；あか(証)し. ¶～를 내세우다 証拠だてる / ～를 잡다 証拠をとらえる.
‖――-금 명 証拠金. ―― 능력 명 証拠能力. ――-물 명 証拠物. ――-인 명 証拠人. ＝증인. ―― 재판주의 명 証拠裁判主義. ―― 항변 명 証拠抗弁.

증결【增結】 명하타 増結. ¶3량을 ～했다 三両を増結した.

증권【證券】 명 証券.
‖―― 거래소(去來所) 명 証券取引所. ―― 회사 명 証券会社.

증기【蒸氣】 명 蒸気.
‖―― 기관 명 蒸気機関. ―― 기관차 명 蒸気機関車. ――-선 명 蒸気船；汽船. ―― 소독 명하타 蒸気消毒. ――-압 명 蒸気圧. ―― 터빈 명 蒸気タービン.

증-나다【症―】 자 腹が立つ；嫌気がさす；しゃく(癪)にさわる.

증-내다【症―】 자 かんしゃく(癇癪)を起こす.

증대【增大】 명하자타 増大. ¶수요의 ～ 需要の増大 / 잡지의 ～호 雑誌の増大号.

증량【增量】 명하자타 増量. ¶약의 ～ 薬の増量.

증류【蒸溜】명하타 蒸留. ¶ ~액 蒸留液.
‖——기 명〔物〕蒸留器. ——수 명 蒸留水. ——주 명 蒸留酒.
증명【證明】명하타 証明; あか(証)し. ‖——서 명 証明書.
증모【增募】명하타 増募.
증발【蒸發】명하자 蒸発. ¶ 물의 ~ 水の蒸発 / 배우가 ~했다 俳優が蒸発した.
‖——계 명〔物〕蒸発計. ——량 명 蒸発量. ——열 명〔物〕蒸発熱; 気化熱. —— 접시 명〔化〕蒸発皿.
증배【增配】명하타 増配.
증보【增補】명하타 増補. ¶ 사전의 ~판 辞典の増補版.
증빙【證憑】명하자 しょうひょう(証憑); 証拠.
‖—— 서류 명 証憑書類.
증산【蒸散】명하자 蒸散.
‖—— 작용 명〔植〕蒸散作用.
증산【增産】명하자타 増産.
증상-맞다【憎狀—】, 증상-스럽다【憎狀—】형 (見るからに)憎らしい.
증서【證書】명 証書; 証文. ¶ 졸업 ~ 卒業証書.
증설【增設】명하타 増設.
증세【症勢】명 病症; 症状; 症候. ¶ 병의 ~ 病気の症状.
증세【增稅】명하자 増税.
증손【曾孫】명 そうそん(曾孫); ひ(曾)孫; ひこ.
‖——녀(女) 명 ひまご娘. ——자(子) 명 ☞ 증손.
증쇄【增刷】명하타 増刷.
증수【增水】명하자 増水.
증수【增收】명하자타 増収. ¶ ~를 꾀하다 増収をはかる.
증수【增修】명하타 増修.
증식【增殖】명하자타 増殖. ¶ ~로 増殖炉 / 암세포의 ~이 빨랐다 がん細胞の増殖が早かった.
증액【增額】명하타 増額. ¶ 예산의 ~ 予算の増額.
증언【證言】명하타 証言. ¶ ~대 証言台 / 목격자의 ~이 중요하다 目撃者の証言が重要である.
증여【贈與】명하타 贈与.
‖——세 명 贈与税.
증오【憎惡】명하타 憎悪. ¶ ~감 憎悪の念.
증원【增員】명하타 増員. ¶ 공장의 ~ 계획 工場の増員計画.
증원【增援】명하타 増援. ¶ ~ 부대 増援部隊.
증인【證人】명 証人. ¶ 의회의 ~ 신문 議会の証人喚問.
증자【增資】명하자타 増資.
‖——주 명 増資株.
증정【贈呈】명하타 贈呈. ¶ 기념품을 ~하다 記念品を贈呈する.
증정【增訂】명하타 増訂.
증조【曾祖】명 [↗증조부] そうそ(曾祖); ひいじじ.
‖——모 명 そうそぼ(曾祖母); おおおば; ひいばば. ——부 명 そうそふ(曾祖父). 준 증조.
증좌【證左】명 証左.
증지【證紙】명 証紙. ¶ 수입 ~ 収入証紙.
증진【增進】명하자타 増進. ¶ 학력의 ~ 学力の増進.
증차【增車】명하자타 増車; 車両を増やすこと. ¶ 버스를 ~하다 バスを増車する.
증축【增築】명하타 増築; 建て増し. ¶ ~ 공사 増築工事.
증파【增派】명하타 増派. ¶ 부대를 ~하였다 部隊を増派した.
증편【增便】명하타 増便; 増発.
증폭【增幅】명하타 増幅.
‖——기 명 増幅器; アンプ. ——률 명 増幅率.
증표【證票】명 証票.
증-하다【憎—】형 不恰好だ; みっともない; ていさいが悪い.
증험【證驗】명하타 ① 証験; 証拠. ② 実地に経験すること.
증회【贈賄】명하자 ぞうわい(贈賄). =증뢰(贈賂). ¶ ~죄 贈賄罪.
증후【症候】명 症候.
‖——군 명 症候群.
지 의명 ある動作があった時から今までの間《必ず終声"ㄴ"の下に付く》: …(して)から; …(して)以来. ¶ 헤어진 ~ 3년 別れてから三年; 訣別以来三年.
지-【至】부 "まで"の意: 至. ¶ 자1일 ~3일 一日から三日まで; 自一日至三日.
-지 미 "漬け物"の意. ¶ 오이~ きゅうりの漬け物 / 짠~ 塩漬け.
지가【地價】명 地価. ¶ ~ 증권 地価証券.
지가【紙價】명 紙価. ¶ 낙양의 ~를 올리다 洛陽の紙価を高める.
지각【地殼】명〔地〕地殻.
‖—— 변동 명 地殻変動. —— 수축설 명 地殻収縮説. —— 운동 명 地殻運動.
지각【知覺】명하타 知覚. ——나다 자 物心がつく; 分別がつく. ——들다 자 分別がつく. ——없다 형 分別が無い. ¶ 지각없는 짓 無分別な振る舞い. ——없이 부 無分別に.
‖——머리 명 "지각"の卑語. —— 신경 명 知覚神経.
지각【遲刻】명하자 ① 遅刻. ¶ ~생 遅刻生. ② ☞ 지참(遲參).
지갑【紙匣】명 ① 紙箱. ② 財布; 金入れ. ¶ 가죽 ~ 革の財布.
지검【地檢】명 [↗지방 검찰청] 地検. ¶ ~ 검사 地検の検事.
지게 명 チゲ; しょいこ(背負い子). ¶ ~를 지다 背負い子を担ぐ.
‖——꾼 명 背負い子で荷物を運ぶ人夫. ——질 명하자 背負い子で荷物を運ぶこと. ——차(車) 명 フォークリフト.
지게미 명 ① 酒かす. ② 目やに.
지겹다 형 懲り懲りだ; あきあきする; うんざりする. ¶ 보기만 해도 ~ 見ただけでうんざりする.
지경【地境】명 ① 地境; 地界. ② 立場; 境遇. ¶ 파산할 ~에 이르렀다 破産の羽目に陥った.

ㅣ고【至高】명하형 至高; 最高. ¶ ~한 정신 至高の精神.
ㅣ골【指骨】명 指骨; 指の骨.
ㅣ골【趾骨】명 しこつ(趾骨); 足指の骨.
지공【至公】명 ☞ 지공 무사.
‖── 무사(無私) 명하형 いた(至)って公平で私のないこと. ── 지평 명하형 至公至平.
지관【支管】명 支管.
지관【地官】명 地相人; 地相師. =풍수(風水).
지괴【地塊】명〖地〗地塊.
지구【地球】명 地球.
‖── 과학 명 地球科学. ── 물리학 명 地球物理学. ──-의 명 地球儀. ── 위성 명 地球衛星. ── 자기 명 地球磁気; 地磁気. ── 자기장 명 地球磁場. ── 조석 명 地球ちょうせき(潮汐).
지구【地區】명 地区. ¶ 풍치 ~ 風致地区.
지구【地溝】명〖地〗地溝.
지구【持久】명하형 持久.
‖──-력 명 持久力. ──-전 명 持久戦.
지국【支局】명 支局.
지그럭-거리다 자 ①つまらない事で言い争う. ②ぶつぶつ不平を言う〔並べる〕; くどくど愚痴をこぼす. 지그럭-지그럭 부하자 しきりにうるさく; くどくどしく.
지그르르 부하자 水や油が煮詰まって焦げ付く音: じじじ.
지그시 부 ①おもむろに力を加えて押すかまたは引くさま: そっと; じわっと. ¶ 환부를 ~ 누르다 患部をそっと押さえる. ②おもむろに目をつぶるさま: そっと. ¶ ~ 눈을 감다 静かに目をつぶる. ③忍びこら(堪)えるさま: じっと. ¶ 아픔을 ~ 참다 痛みにじっと堪える.
지그재그〔zigzag〕 명 ジグザグ; Z字形; 電光形. ¶ ~ 데모 ジグザグデモ.
지극【至極】명하형히부 至極. ¶ ~히 당연하다 至極当然である.
지근【至近】명 至近. ¶ ~ 거리 至近の距離 / ~탄 至近弾.
지근-거리다 자타 ①うるさくねだる; うるさく悩ます; 小突く. ②(ある物を)軽くしきりに押さえつけて壊す. ③軽く続けざまにか(嚙)む. ④頭がずきずき(と)痛む. 지근-지근 부하자타 ①ねちねちと; しつこく. ②軽く続けざまに. ③ずきずきと.
지근덕-거리다 자타 "지근거리다"の強勢語. 지근덕-지근덕 부하자타 "지근지근"の強勢語.
지글-거리다 자 (少量の水が)じじと音を立てて煮え立つ; 煮詰まる; じりじりと沸く. 지글-지글 부하자 ぐつぐつ; じりじり. ¶ 된장국이 ~ 끓다 味噌汁がぐつぐつと煮え立つ.
지금【只今】一 명 今; 現在. ¶ ~ 같으면 아직 괜찮다 今ならまだ間に合う / ~은 무리지만 반년후 같으면 인수하겠다 今は無理だが半年後なら引き受けよう / ~의 이야기를 정리하면… 今の話を整理すると. 二 부 今; ただ今. ¶ ~ 당장 와다오 今すぐ来てほしい / ~ 전화하고 있는 중입니다 今電話中であります. ──-껏 부 (今の)今まで; 今に至るまで; 今だに; 今以って. ¶ ~껏 대답이 없다 今だに返事がない.
지금【地金】명 ①地金. ②地金.
지금-거리다 자 飯に混じった砂などが口の中でざくざくする. 지금-지금 부하자 ざくざく(と).
지급【支給】명하타 支給; 支払い. ¶ 여비 ~ 旅費の支給.
‖── 거절 명〖法〗支払い拒絶. ── 보증 명〖法〗支払い保証. ── 불능 명〖法〗支払い不能. ── 어음 명 支払い手形. ── 유예 명〖法〗支払い猶予. ──-인〖法〗支払い人. ── 장소 명〖法〗支払い場所. ── 정지 명〖法〗支払い停止. ── 준비금 명 支払い準備金. ──-지 명〖法〗支払い地.
지급【至急】명하형히부 ①至急. ¶ ~을 요하다 至急を要する. ② ↗지급 전보.
‖──-전, ── 전보 명 至急電報.
지긋지긋-하다 형 ①ぞっとする程だ. ②こりごりする; 愛想がつきる; うんざりする. ¶ 비도 지긋지긋하게 온다 こう降られてはまったくうんざりする. 지긋지긋-이 부 うんざりする程.
지긋-하다 형 かなりの年輩である. ¶ 나이가 지긋한 신사 かなりの年配の紳士; 中年の紳士.
지기【志氣】명 志気; 意志と節操; 意気ごみ. ¶ ~를 펴고 살다 意気込んで暮らす.
지기【知己】명 知己.
-지기[1] 미 一定のまき種で田畑の面積を表わす語. ¶ 한 마~ 一斗播きの田〔畑〕.
-지기[2] 미 番人の意を表わす語. ¶ 문~ 門番 / 등대~ 灯台守.
지껄-이다 자 口をたたく; しゃべ(喋)りまくる; ぬか(吐)す; 駄弁をろう(弄)する. ¶ 쓸데없는 말을 ~ むだ口をたたく.
지끈 부하자 (堅い物が)壊れるか折れる音: ぱちん(と); がちゃん(と); ぽきっ(と). ¶ 지팡이가 ~ 부러지다 つえがぽきっと折れる. ──-거리다 자 がちゃんがちゃん(と)する; ぽきっぽきっ(と)する. ──-── 부하자 がちゃんがちゃん; ぽきっぽきっ.
지끈둥 부 "지끈"の強勢語.
지나-가다 一 자 過ぎる. ①通る; 過ぎて行く; 通過する. ¶ 버스가 ~ バスが通る. ②経る; た(経)つ. ¶ 지나간 세월 過ぎ(去っ)た年月. ③(数量・程度・限度が)過ぎる. ¶ 기한이 ~ 期限が切れる. 二 타 ①通り過ぎる. ¶ 숲을 ~ 森を(通り)過ぎる. ②(立ち寄らないで)素通りする. ¶ 문앞을 ~ 門前を素通りする.
지나다 자타 過ぎる. ①通る; 通過する; 通り過ぎる; 通って行く. ¶ 학교 앞을 ~ 学校の前を過ぎる / 길을 ~ 道を通って行く〔通る〕. ②(ほかの所に)移って行く.

ㅈ

¶ 지나는 길에 들르다 通り掛け〔通りがかり〕に立ち寄る. ③ (時が)た(経)つ; 経る; 過ぎ去る. ¶ 시간이 ~ 時間が経つ / 지난 날 過ぎ(去り)し日. ④ 終わりになる; 終了する; すむ. ¶ 한물 지난 생선 出盛りを越した魚; 終い物 / 축제가 ~ 祭りが過ぎる. ⑤ (数量・期間・限度を)越す. ¶ 기한이 지난 약속 어음 期間の切れた約束手形.

지나-다니다 [자][타] 往来する; 往き来する; 通る. ¶ 한길을 지나다니는 사람들 大通りを往来する人人.

지나-새나 [부] 明けても暮れても; 夜昼なく; 朝な夕なに.

지나-오다 [자][타] ① 通り過ぎて来る; 素通って来る. ¶ 학교 앞을 ~ 学校の前を素通って来る. ② (時の流れにつれて)経験する; 経る; 暮らす.

지나치다 [자][타] ① 度を過ごす; 度が過ぎる. ㉠ 度を越す. ¶ 지나친 장난 度はずれのいたずら / 지나치게 공부하다 勉強をやり過ぎる. ㉡ (言動が)度を外れる; 過激である. ¶ 지나친 행동 度を越した行動. ② 通り過ぎる. ¶ 극장 앞을 ~ 劇場の前を通り過ぎる / 한 정거장 ~ 一駅(乗り)越す.

지난【至難】 [명][하형] 至難. ¶ ~한 계획 至難な計画.

지난-날 [명] 過ぎ(去り)し日〔日日〕. ¶ ~의 추억 過ぎし日の思い出.

지난-달 [명] 先月; 前の月.

지난-번【—番】 [명] 先般; 先ごろ; このあいだ; この前.

지남【指南】 [명][하타] 指南.

‖——-석(石), ——-철(鐵) [명]〖物〗① ☞ 자석(磁石). ② ☞ 자침(磁針).

지내다 ㊀[자] 暮らす; 過ごす. ¶ 독신으로 ~ 独り身で通す〔暮らす〕. ㊁[타] ① (ある経験を)経る. ¶ 형사를 지낸 사람 刑事上がりの人. ② (冠婚・葬祭を)執り行なう. ¶ 장사 ~ 葬式を行なう.

지내-보다 [타] ① 付き合ってみる. ¶ 사람은 지내보지 않으면 알 수 없다 人は付き合ってみなければ分からない. ② 経験してみる. ③ (気をつけずに)いいかげん(加減)に見る.

지네 [명]〖動〗むかで(百足).

지-노【紙—】 [명] こよ(紙撚)り; かんぜよ(観世縒)り.

지느러미 [명]〖動〗ひれ(鰭). ¶ 가슴 ~ 胸鰭 / 꼬리 ~ 尾鰭 / 등 ~ 背鰭.

지능【知能】 [명] 知能. ¶ ~이 높다 知能が高い.

‖—— 검사 [명] 知能検査. ——-범 [명] 知能犯. —— 연령 [명] 知能年齢; 精神年齢. —— 지수 [명] 知能指数. =아이큐(I.Q.).

지니다 [타] ① (物を身につけて)持つ; 保つ. ¶ 돈을 ~ 金を持つ; 金を身につける. ② (人格などを)備える; つける. ¶ 덕을 ~ 徳を備える / 매력을 지닌 여자 魅力のある女性. ③ (原型を)保つ. ¶ 원형을 ~ 原型を保つ〔失わない〕. ④ (ある事を)覚えている.

지다¹ [자] ① (…に)なる; 陰が生ずるか洪水が出る. ¶ 그늘 ~ 陰が生ずる. ② 敵同士になる. ¶ 원수진 사이 敵同士の間柄. ③ 目立つ; いちじるしい特徴がある. ¶ 모가 ~ 角が立つ; 角張る.

지다² [자] ① (日が)暮れる; 傾く; 沈む; 入る; 落ちる; 没する. ¶ 서산으로 해가 ~ 日が西に沈む / 달이 ~ 月が傾く. ② (花などが)散る. ¶ 꽃이 ~ 花が散る / 꽃처럼 ~ 花と散る. ③ 落ちる; なくなる; 消える. ¶ 때가 ~ あか(垢)がぬける.

지다³ [자] 負ける; 敗〔破〕れる. ¶ 싸움에 ~ 戦に負ける〔敗れる〕.

지다⁴ [타] ① ↗등지다. ② 背負う; 担う. ¶ 짐을 ~ 荷を負う / 등에 ~ 後ろに担ぐ; 背負う. ③ 負う. ¶ 빚을 ~ 借金を負う. ④ (責任などを)負う; 持つ. ¶ 책임을 지고 일하다 責任を持って働く. ⑤ 被る; 着る. ¶ 그에게는 많은 신세를 지고 있다 彼には大変恩を着ている.

지다⁵ [보동] 用言の語尾 "-아"·"-어"に付いてものの成り行きを表わす語: …なる. ¶ 상태가 좋아~ 具合が良くなる / 예뻐~ 美しくなる / 넓어~ 広くなる; 広がる.

지다⁶ [준] ↗지우다.

-지다 [미] 名詞に付いてそのようになっている状態を表わす語: …だ; …である; …ている. ¶ 기름~ 脂っこい; 地味が肥えている / 값~ 高価だ; 高貴である / 값진 희생 高価な犠牲.

지당【至當】 [명][하형][히부] 至当; ごく当然であること; いた(至)って理にかな(叶)うこと. ¶ ~한 처사 至当な仕打ち / ~한 말씀 もっと(尤)もなおことば.

지대【支隊】 [명] 支隊.

지대【至大】 [명][하형] 至大. ¶ ~한 공적 至大なる功績.

지대【地代】 [명] 地代; 借地料.

지대【地帶】 [명] 地帯. ¶ 산악 ~ 山岳地帯.

지-대공【地對空】 [명] 地対空. ¶ ~미사일 地対空ミサイル.

지-대지【地對地】 [명] 地対地. ¶ ~미사일 地対地ミサイル.

지덕【地德】 [명] 地徳; 家の敷地または大地の恵み. ——-사납다 [형] 道が悪くてとても歩きにくい.

지덕【智德】 [명] 知徳; 知と徳. ¶ ~을 겸비하다 知徳を合わせ備える.

지도【地圖】 [명] 地図; マップ.

‖—— 투영법 [명] 地図投影法.

지도【指導】 [명][하타] 指導. ¶ 선생의 ~를 받다 先生の指導を受ける / 단체의 ~자 団体の指導者.

지독【至毒】 [명][하형][히부][스형] (とても)ひど(酷)いこと. ¶ ~한 구두쇠 ひどいしみったれ / ~히 단단하다 とても固い.

지동【地動】 [명] 地動. ① ☞ 지진(地震). ② 大地の動くこと. ③ 地球の公転と自転.

‖——-설 [명] 地動説.

지둔【至鈍】 [명][하형] いた(至)って愚

かなこと.

지둔【遲鈍】 명하형 のろまで鈍いこと.

지드럭-거리다 타 ☞ 자드락거리다. 지드럭-지드럭 부하타 ☞ 자드락자드락.

지딱-거리다 타 荒荒しくする; 荒荒しくぶちこわす. 지딱-지딱 부하타 荒荒しく. 지딱-이다 타 手当たり次第ぶちこわす.

지라 명〘生〙☞ 비장(脾臟).

지랄 명하자 ① 気まぐれな行動をけな(貶)す語. ② 下品で乱暴な言行; 気違いじみた振る舞い. ¶ 한참 ~을 떨다 ひとしきり気違い沙汰を演ずる. ③〘醫〙↗지랄병.
‖——-병 명〘醫〙てんかん(癲癇).

지략【智略】 명 知略. ¶ ~이 뛰어나다 知略にたける.

지런-지런 부하형 ① 液体があふ(溢)れるほど器に満ちているさま: なみなみ. ② 物と物の先端が今にも触れそうなさま: すれすれ.

지렁이 명〘動〙みみず(蚯蚓).

지레¹ 명 てこ(梃子). =지렛대.
‖——-질 명하타 てこで物を動かすこと. 지렛-대 명 ☞ 지레. 지렛목 명 てこの支点.

지레² 부 前もって; あらかじめ; 先だって. =미리. ¶ ~ 겁을 집어먹다 事に先だって怯える.
‖—— 짐작(斟酌) 명하타 早合点; 早のみ込み. ¶ ~으로 실수하다 早とちりする.

지력【地力】 명 地力.

지력【知力】 명 知力〔智力〕.

지력【智力】 명 智力〔知力〕.

지령【指令】 명하타 指令; 指図. ¶ ~을 받다 指令を受ける.

지령【紙齡】 명 新聞の年齢〔発行号数〕.

지령【誌齡】 명 雑誌の年齢〔発行号数〕.

지론【持論】 명 持論; 持説. ¶ ~을 굽히지 않다 持論を曲げない.

지뢰【地雷】 명 地雷.

지루-하다 형 退屈だ; あきあきする. ¶ 지루한 여행 退屈な旅行.

지류【支流】 명 支流.

지류【紙類】 명 紙のたぐい.

지르다¹ 타 ① 刺す; 突く; 挿す. ¶ 비녀를 ~ かんざし(簪)を挿す / 주머니에 손을 ~ ポケットに手を突っこむ. ② 差す. ㉠ 差し渡す; 差し通す. ¶ 빗장을 ~ かんぬき(閂)を差す〔通す; 掛ける〕. ㉡ か(賭)ける. ¶ 판에 돈을 ~ ばくち〔ポット〕に金を賭ける. ㉢ 混ぜる. ¶ 술에 물을 ~ 酒に水を割る / 다른 약을 ~ 他の薬を混ぜる. ③ 近道する. ④ 起こらせる; 付ける. ¶ 아궁이에 불을 ~ たき口に火を付ける. ⑤ ☞ 찌르다①㉢. ⑥ 摘む; 刈り取る; くじ(挫)く; そ(殺)ぐ. ⑦ 濃い色でくま(隈)取って淡い色を浮き立たせる.

지르다² 타 声を張り上げる; 叫ぶ. ¶ 소리를 ~ 声を上げる; 大声を出す / 비명을 ~ 悲鳴を上げる.

지르-되다 자 (正常でなく)遅く成長する.

지르르 부 ① 潤いやつやつや(艶)のあるさま: すべすべ; つやつや. ——-하다 형 すべすべする; つやつやしい. ¶ 윤기가 ~ 흐르는 머리 つやつやしい髪. ② 関節などのしび(痺)れるさま: びりびり. ——-하다 형 びりびりする.

지르-신다 타 履物のかかと(踵)を崩して突っ掛ける.

지르-잡다 타 つまみ洗いをする.

지르코늄 〔zirconium〕 명〘化〙ジルコニウム《記号: Zr》.

지르콘 〔zircon〕 명〘鑛〙ジルコン.

지르퉁-하다 형 ふてくされる; むっとしている; 不愛想だ; つんとしている. ¶ 지르퉁한 얼굴 むっとした顔. 지르퉁-히 부 むっとして.

지름 명〘數〙直径; 差し渡し.

지름-길 명 近道; 早道.

지리【地利】 명 地利. ① 地の利. ¶ ~를 얻다 地の利を得る. ② 土地から生ずる利益.

지리【地理】 명 地理. ① 土地の状態. ¶ ~ 사정에 밝은 그 고장 사람이다 土地勘のある現地人である. ② 地表の諸状態. ③ ↗지리학. ④ ↗풍수 지리.
‖——-학 명 地理学.

지리다¹ 타 (大小便をこらえきれず)漏らす; 垂れる; 失禁する.

지리다² 형 小便臭い. ¶ 지린 냄새가 난다 小便臭い.

지리 멸렬【支離滅裂】 명하자 支離滅裂.

지린-내 명 小便のにお(臭)い.

-지마는 어미 …(する)が; …けれども. ¶ 먹기는 하~ 맛은 없다 食べるのは食べるんだが口にはまずい / 키는 크~ 힘은 없다 背は高いが力はない. 준 -지만.

지망【志望】 명하타 志望. ¶ ~자 志望者.

지망-지망 부하형히부 ① そこつ(粗忽)に振る舞うさま; 軽率にしゃべ(喋)るさま. ② 愚鈍で何事にも不注意なさま.

지맥【支脈】 명 支脈.

지맥【地脈】 명〘地〙地脈.

지면【地面】 명 地面; 地べた.

지면【知面】 명하자 ① 初めて顔を合わせて知り合いになること. ② 合って顔を見分け得ること. ¶ ~이 있는 사이 顔見知りの間柄.

지면【紙面】 명 紙面.

지면【誌面】 명 誌面.

지명【地名】 명 地名.

지명【地鳴】 명하자 地鳴り. =지진(地震).

지명【知名】 명하형 知名. ¶ ~ 인사(人士) 知名の士 / ~도가 높다 知名度が高い.

지명【知命】 명하자 知命. ① 天命を知ること. ② 五十歳.

지명【指名】 명하타 指名; 名指し. ¶ ~당하다 指名を受ける / 과장의 ~ 課長の指名.
‖—— 수배 명하타〘法〙指名手配. —— 입찰 명하타 指名入札. —— 타자 명 指名打者. —— 투표 명 指名投票.

ㅈ

지모【智謀】知謀. ¶ ～가 풍부하다 知謀に富む.
지목【地目】명 地目.
‖── 변경 명하자타 地目変更.
지목【指目】명하타 指目; 目をつけること. ¶ 범인으로 ～하다 犯人であると指目する.
지묵【紙墨】명 紙墨; 紙と墨.
지문【地文】명 ① 地文. ㉠ 大地のありさま. ㉡ ↗지문학. ② 地の文; 戯曲で, 解説とせりふ(台詞)以外の文章.
‖──-학 명 地文学.
지문【指紋】명 指紋. ¶ ～을 채취하다 指紋を取る; 指紋をおうなつ(押捺)する.
지물【地物】명 地物; 地上に存在するもの. ¶ ～을 이용해서 숨다 地物を利用して隠れる.
지물【紙物】명 紙の総称.
‖──-상(商) 명 紙を扱う商人; 紙屋. ──-포(鋪) 명 紙屋.
지반【地盤】명 地盤. ① 地面; 地殻. ¶ 연약한 ～ 軟弱な地盤. ② 工作物などの基礎. ③ 根拠; 勢力範囲. ¶ 선거의 ～을 굳히다 選挙の地盤を固める.
‖── 침하 명 地盤沈下.
지방【地方】명 地方. ¶ 중부 ～ 中部地方 / ～ 유세 地方遊説.
‖── 검찰청 명 地方検察庁. (준) 지검(地檢). ── 경찰청 명 地方警察庁. ── 공무원 명 地方公務員. ── 도로 명 地方道. ── 법원 명 地方法院. (준) 지법(地法). ──-병 명 地方病; 風土病. ──-비 명 地方費. ──-색 명 地方色; ローカルカラー. ── 선거 명 地方選挙. ──-세 명 地方税. ── 은행 명 地方銀行. ── 의회 명 地方議会. ── 자치 명〖法〗地方自治. ¶ ～ 단체 地方自治団体. ── 장관 명 地方長官. ──-지 명 地方紙. ──-청 명 地方庁; 地方の行政官庁. ──-판 명 地方版; ローカル版. ── 행정 명 地方行政.
지방【脂肪】명 脂肪; あぶら(膏).
‖──-간 명 脂肪肝. ── 과다증 명 脂肪過多症. ──-산 명 脂肪酸. ── 세포 명 脂肪細胞. ── 조직 명 脂肪組織. ──-종 명〖醫〗脂肪腫. ──-질 명〖生〗脂肪質.
지방【紙榜】명 紙でこしらえたいはい(位牌).
지배【支配】명하타 支配.
‖── 계급 명 支配階級. ──-권 명 支配権. ──-인 명 支配人.
지번【地番】명 地番.
지범-거리다 타 食べ物を無遠慮にあれこれとつまみ食いする. 지범-지범 부하타 ずけずけ; つかつか.
지변【支辨】명하타 支弁.
지변【地變】명 地変. ¶ 천재 ～ 天災地変.
지병【持病】명 持病. ＝고질(痼疾).
지보【至寶】명 至宝. ¶ 신극계의 ～ 新劇界の至宝.
지복【至福】명 至福. ¶ ～의 때 至福の時.
지부【支部】명 支部. ¶ 남부 ～ 南部支部.
지부럭-거리다 타 からかう; じらして苦しめる; いじめる. >자부락거리다. ¶ 공연히 ～ わけもなくいじめる. 지부럭-지부럭 부하타 しきりにいじめるさま.
지분【持分】명〖法〗持ち分; 持ち前.
지분【脂粉】명 脂粉.
지분-거리다 자타 いじわるくからかう; 人をうるさくいじめる. ¶ 여자를 ～ 女をからかう. 지분-지분 부하자타 いじわるくからかうさま; いじめるさま.
지불【支拂】명 支払い. ① 代金を渡すこと. ②〖法〗☞ 지급(支給). ──-하다 타 支払う; 払う; 払い渡す. ¶ 현금으로 ～하다 現金で支払う.
지붕 명 ① 屋根. ¶ ～을 이다 屋根をふ(葺)く. ② 覆い.
‖── 물매 명 屋根のこうばい(勾配).
지빠귀 명〖鳥〗つぐみ(鶫).
지사【支社】명 支社. ¶ ～ 근무를 하다 支社勤務をする.
지사【志士】명 志士. ¶ 우국 ～ 憂国の志士.
지사【知事】명〖法〗[↗도지사(道知事)] 知事.
지사-제【止瀉劑】명 ししゃ(止瀉)剤; 下痢どめの薬.
지상【地上】명 地上. ¶ ～ 낙원 地上の楽園 / ～에 내리다 地上に降り立つ.
‖──-경 명〖植〗☞ 땅위줄기. ──-군 명 地上軍; 陸軍. ──-권 명〖法〗地上権. ── 배수 명 地上排水. ── 식물 명 地上植物.
지상【至上】명 至上; 最善. ¶ 예술 ～주의 芸術至上主義.
‖── 명령 명 至上命令. ──-신 명 至上神.
지상【地相】명 地相. ① 地の吉凶を鑑定すること. ② 地形.
지상【紙上】명 紙上; 紙面. ¶ ～을 떠들썩하게 하다 紙上をにぎ(賑)わす / ～ 토론회 紙上討論会.
지상【誌上】명 誌上; 誌面.
지-새다 자 夜が明ける; 月が傾いて朝になる. ¶ 지새는 달 有り明けの月.
지-새우다 타 夜をあかす; 夜あかしをする. ¶ 뜬눈으로 하룻밤을 ～ まんじりともせず一夜を明かす.
지서【支署】명 支署.
지선【支線】명 支線.
지선【至善】명하형 至善; 最高の善(に至ること). ¶ 지고 ～한 사람 至高至善の人.
지설【持說】명 持説; 持論.
지성【至誠】명 至誠. ──-껏 부 至誠を尽くして.
‖── 감천(感天) 명하자 至誠に天が感動すること.
지성【知性】명 知性. ¶ ～이 결여된 사람 知性に欠ける人.
‖──-인 명 知性人. ──-적 명관 知性的.
지세【地稅】명〖法〗地税; 地租.
지세【地勢】명 地勢. ¶ ～가 험하다 地勢が険しい.

지소【支所】명 支所.
지소-사【指小辭】명〔言〕指小辞.
지속【持續】명하자타 持続. ¶ 젊음을 ~하다 若さを持続する / 대단한 ~력 大変な持続力.
지속【遲速】명 遅速.
지수【指數】명 指数. ¶ 물가 ~ 物価指数 / 불쾌 ~ 不快指数.
지순【至純】명하형 至純.
지스러기 명 くず(屑); 残り物. ① よ(選)り残り. ¶ ~ 고치 屑繭. ② 裁断やくりぬいた後の残り.
지시【指示】명하타 指示. ¶ 방침을 ~하다 方針を指示する / ~ 사항 指示事項 / 상사의 ~를 어기다 上役の指示にそむく.
‖── 대명사(代名詞) 명 指示代名詞. ──-약 명〔化〕指示薬. ── 형용사 명 指示形容詞.
지식【知識】명 知識. ¶ 해박한 ~ 該博な知識 / 예비 ~ 予備知識.
‖── 계급 명 知識階級; インテリゲンチャ. ── 산업 명 知識産業. ──-인 명 知識人. ──-층 명 知識層.
지신【地神】명 地神.
지심【地心】명〔地〕地心.
‖── 경도 명 地心経度. ── 위도 명 地心緯度. ── 지평 명 地心地平. ── 천정 명 地心天頂.
지싯-거리다 자 意地悪くねだる; せびる; 小突く. 지싯-지싯 부하자 しつこくねだるさま.
지아비 명 ①(目上に)自分の夫を卑下していう語. ② 下女の夫の称.
지악【至惡】명하형스형 ① 極悪; ひどく薄情でむごいこと. ②(ある事に)気を張って飛び掛かること.
지압【指壓】명하타 指圧.
‖──-법 명 指圧法. ── 요법 명 指圧療法.
지약【持藥】명 持薬. ¶ ~으로 사용하다 持薬として用いる.
지양【止揚】명하타 止揚; 揚棄; アウフヘーベン.
지어-내다 타 作り〔こしらえ〕出す; 考え出す. ¶ 문장을 ~ 文章を作り出す.
지어미 명 (目上に)自分の妻を卑下していう語.
지언【至言】명 至言.
지엄【至嚴】명하형 至厳; ごく厳かな〔きび(厳)しい〕こと. ¶ ~하신 분부 至厳なる仰せ.
지업【紙業】명 紙の生産や売買をする業. ¶ ~상(商) 紙屋.
지에 명 ↗지에밥.
‖──-밥 명 こわ(強)飯; おこわ.
지엔피【G.N.P.←gross national product】명 ジーエヌピー.
지역【地役】명〔法〕地役.
‖──-권 명 地役権.
지역【地域】명 地域. ¶ 오염 ~ 汚染地域 / ~간의 대립 감정을 없애다 地域間の対立感情をなくす / 격심한 ~ 격차도 없애야 한다 激しい地域格差もなくさねばならない.
‖── 개발 명 地域開発. ── 구분 명 地域区分. ── 균등 개발법 명 地域均等開発法. ── 단체 명〔法〕地域団体. ── 대표제 명 地域代表制. ── 사회 명 地域社会. ──적 분업 명 地域的分業.
지연【地緣】명 地縁.
‖── 단체 명 地縁団体. =지역 단체(地域團體).
지연【遲延】명 遅延. ──-하다 자타 遅延する; 引き延ばす. ¶ 지급이 ~되었다 支払いが遅延された.
‖── 작전 명 遅延〔引き延ばし〕作戦.
지열【地熱】명〔地〕地熱.
‖── 발전 명 地熱発電.
지엽【枝葉】명 枝葉. ¶ ~ 말절 枝葉末節 / 그것은 ~적인 문제다 それは枝葉の問題である.
지옥【地獄】명 地獄; ならく(奈落). ¶ ~에 떨어지다 地獄に落ちる / 시험 ~ 試験地獄.
지용【智勇】명 知勇. ¶ ~을 겸비한 사람 知勇謙備の士.
지우【知友】명 知友. ¶ ~ 관계 知友関係.
지우【知遇】명하자 知遇. ¶ 그의 ~를 얻다 彼の知遇を得る.
지우개 명 ①(黒板ふきなどのような)字消し. ②〔↗고무지우개〕消しゴム; ゴム消し.
지우다[1] 타 ①(なかったものを)あらしめる; なす. ¶ 그늘을 ~ 影を投ずる. ②(特徴などを)つける. ¶ 인상 ~ 印象づける.
지우다[2] 타 ① 絶つ; 引き離す. ¶ 숨을 ~ 息を絶つ / 아이를 ~ (胎児を)流す. ② 落とす; こぼ(零)す. ¶ 눈물을 ~ 涙を零す. ③(多くのものの中から一部を)減らす; 取り移す; 分ける. ¶ 물을 조금 ~ 水を少し注ぎ出す.
지우다[3] 타 (跡形を)無くす; 消す; 落とす; 流す. ¶ 글씨를 ~ 字を消す / 명부에서 ~ 名簿から消す / 때를 ~ あか(垢)を流す〔取る〕.
지우다[4] 타 弓の弦を外す.
지우다[5] 사동 負かす; 勝つ.
지우다[6] 사동 負わす; 背負わす. ¶ 짐〔책임〕을 ~ 荷〔責任〕を負わす / 빚을 ~ 借金を負わせる.
지-우산【紙雨傘】명 唐傘; 番傘. ¶ ~을 받다 傘を差す.
지원【支援】명하타 支援. ¶ ~ 단체 支援団体 / ~을 받다 支援を受ける.
지원【志願】명하타 志願. ¶ ~자 志願者 / 법과를 ~하다 法科を志願する.
지위【地位】명 地位; 位. ¶ ~가 오르다 地位があがる / 높은 ~ 高い地位 / 여성의 ~ 향상을 꾀하다 女性の地位向上をはかる.
지육【脂肉】명 脂肉; 脂身.
지육【智育】명 知育.
지은-이 명 著者; 著作者.
지의【地衣】명〔植〕地衣.
‖──-대 명〔植〕地衣帯. ──-류 명〔植〕地衣類.
지이【地異】명 地異. ¶ 천변 ~ 天変

地異.

지이다 [보형] (願わくは) …成らんことを; …ますよう(に); …たまえ; …あれ. ¶ 병이 나아~ 願わくは病が直りますように.

지인【知人】 [명][하자] 知人; 知り合い. ¶ ~ 관계 知人関係 / ~을 믿고 상경하다 知人を頼って上京する.

지-인-용【智仁勇】 [명] 知仁勇.

지자【知者】 [명] 知者.

지자【智者】 [명] 智者; 賢い人.

지-자기【地磁氣】 [명] ☞ 지구 자기.

지장【支障】 [명] (差し)障り; 差し支え; 支障. ¶ ~이 있다〔없다〕 差し支えがある〔ない〕 / ~이 생기다 差し支えが生じる / ~이 있어서 못 가다 障りがあって行けない.

지장【地藏】 [명]〖佛〗 ↗지장 보살.

‖── 보살 [명]〖佛〗 地蔵ぼさつ(菩薩); 地蔵《준말》.

지장【指章】 [명] 指印; つめいん(爪印); ぼいん(拇印). =손도장. ¶ ~을 찍다 拇印を押す.

지장【智將】 [명] 知将.

지저귀다 [자] さえず(囀)る; (鳥が)鳴く. ¶ 카나리아가 ~ カナリヤが囀る.

지저-깨비 [명] (木材をけずるときにできる)こけら(杮); 木っ端; 木端; 木くず(屑); 切れ端.

지저분-하다 [형] ① 汚らわしい; むさくるしい; むさい〈俗〉; 汚されている. ¶ 지저분한 얘기 下品な話. ② 雑然と〔ごちゃごちゃ〕している; 取り乱されて〔散らされて〕いる. ¶ 지저분한 거리 雑然とした通り.

지적【地積】 [명] 地積. ¶ ~ 측량 地積測量.

지적【地籍】 [명] 地籍.

‖── 대장 [명] 地籍台帳. =토지 대장. ──-도 [명] 地籍図.

지적【知的】 [명][관] 知的. ¶ ~인 얼굴 知的な顔立ち.

지적【指摘】 [명] 指摘; 指目. ── 하다 [타] 指摘する; 指す. ¶ 결점을 ~하다 欠点を指摘する.

지적-지적 [부][하형] 水がほとんど乾いて残り少なくなっているさま: じめじめ. >자작자작.

지전【紙錢】 [명] 紙銭.

지전【紙廛】 [명] 紙屋. =지물포.

지절【志節】 [명] 志節; 志操.

지절-거리다 [자] しゃべ(喋)りまくる; (でたらめを)ぺちゃぺちゃしゃべ(喋)り続ける. >재잘거리다. 지절-지절 [부][하자] ぺちゃぺちゃ.

지점【支店】 [명] 支店; 分店. ¶ ~을 내다 支店を出す / ~ 근무 支店詰め / ~장 支店長.

지점【支點】 [명] 支点.

지점【地點】 [명] 地点. ¶ 통과〔반환〕 ~ 通過〔折り返し〕地点.

지정【至正】 [명][하형] 至正; いた(至)って正しいこと.

지정【地釘】 [명]〖建〗 基礎用のくい(杭). ── 다지다, ── 닺다 [자] (建築物などの地盤を固めるため)基礎用の杭を打つ.

지정【至情】 [명] ① 至情; 真心. ② いた(至)って近いしんせき(親戚).

지정【至精】 [명][하형] 至精. ¶ 지순 ~ 至純至精.

지정【指定】 [명][하타] 指定. ¶ ~석 定席·指定席 / 중요 문화재의 ~을 받다 重要文化財の指定を受ける / ~ 후견인 指定後見人.

‖── 통화 [명] 指定通貨.

지정-학【地政學】 [명] 地政学.

지조【地租】 [명]〖法〗 地租.

지조【志操】 [명] 志操; (堅い)操. ¶ ~를 지키다 操を立てる.

지족【知足】 [명][하자] 知足; (身の程をわきま(弁)えて)足るを知ること.

지존【至尊】 [명][하형] 至尊; 王.

지주【支柱】 [명] 支柱; つっかい棒; 支え柱. ¶ 당의 이론적 ~ 党の理論的支柱.

지주【地主】 [명] ① 地主. ¶ ~계급 地主階級. ② その地に住む人.

지주【持株】 [명] 持ち株. ¶ ~ 회사 持ち株会社.

지주【蜘蛛】 [명]〖動〗 ☞ 거미.

지중【地中】 [명] 地中; 地下.

‖──-선 [명] 地下〔地中〕線路. ── 식물 [명]〖植〗 地中植物.

지중-해【地中海】 [명]〖地〗 地中海.

‖──성 기후 [명] 地中海性気候. ── 식 농업 [명] 地中海式農業.

지지 [명][감] 幼児に汚い物を指していう語: ばば(屎).

지지【支持】 [명][하타] 支持. ¶ ~자 支持者 / 의회의 ~를 받다 議会の支持を受ける.

지지【地支】 [명] 十二支.

지지【地誌】 [명] 地誌. ¶ 향토의 ~ 郷土の地誌.

지지【遲遲】 [부][하형] 遅遅; とてものろいさま. ¶ ~한 遅遅たる.

‖── 부진(不進) [명][하자] 遅遅として進まぬこと.

지지고 볶다 [타] ① (食べ物を)煮たりい(煎〔炒〕)たりする. ②《俗》 人をいたたまれぬほどさいな(苛)ます. ③《俗》 (髪を)縮らす; パーマをする.

지지난-달 [명] 前前月; 先先月.

지지난-밤 [명] 一昨晩; おとといの夜〔晩〕.

지지난-번【一番】 [명] この前の前; 先般.

지지난-해 [명] 一昨年; 先先年; おととし.

지지다 [타] ① (水をひたひたに入れて)煮詰める. ② 鉄板焼きにする. ¶ 계란을 ~ 卵を煎りつける. ③ 焦がす; 焼く. ¶ 환부를 ~ 患部を焼く.

지지러-뜨리다 [타] ① (驚いて)身をすく(竦)める; 肝をつぶす; 縮み上がらせる. ② (生物の)生長を妨げる; いじけさす.

지지러-지다 [자] ① (驚いて身が)すく(竦)む; 縮み上がる; 肝をつぶす. ② (生物が病気などで)よく育たない; いじける. >자지러지다¹.

지지르다 [타] ① 気勢をそ(殺)ぐ. ② (重しなどで)押さえつける. ¶ 돌로 지질러 놓다 石で押さえて置く.

지지름-돌 [명] 重し.

지지리 부 ひどく；この上もなく；はなは(甚)だ；いたって；あきあきするほどに《さげすむ時に使う》. ¶ ～ 고생만 하는구나 えらい苦労ばかりするね / ～ 못난 놈 ろく(碌)でなし奴.

지지-하다 형 ①だらだらと長びくばかりで大したことがない. ②つまらない；くだらない.

지직-하다 형 (練り物などが)やや水っぽい；柔らかめだ.

지진【地震】 명〔地〕地震.
‖——-계 명 地震計. —— 단층 명 地震断層. ——-대 명 地震帯. ——-파 명 地震波. ——-학 명 地震学.

지진-아【遅進兒】 명 遅進児. ¶ 학업 ～ 学業遅進児.

지질【地質】 명〔地〕地質.
‖——-도 명 地質図. —— 시대 명 地質時代. —— 조사 명 地質調査. ——-학 명 地質学.

지질【脂質】 명 脂質.

지질【紙質】 명 紙質.

지질리다 피동 押さえつけられる.

지질-맞다 형 非常にたわいない；くだらない；つまらない.

지질-지질 부하형 ①水気の多いさま：じめじめ；じくじく. ②くだらないさま.

지질-하다 형 つまらない；くだらない；取るに足りない；ばからしい. ¶ 인품이 ～ 人柄が取るに足りない.

지짐-거리다 자 雨が降ったり止んだりする. **지짐-지짐** 부하자 続けざまに雨が降ったり止んだりするさま.

지짐-이 명 少量の汁でからめ(鹹目)に煮付けたものの総称.

지짐-질 명하자 "전병"·"저냐"·"누름적"·卵・とうふなどをフライパンなどでからからに焼く.

지참【持參】 명하타 持参. ¶ 도시락을 ～할 것 弁当持参のこと.
‖——-금 명 持参金. ——인불 어음 명 持参人払い手形.

지참【遲參】 명하자 遅参.

지척【咫尺】 명 しせき(咫尺)；ごく近い距離. ¶ ～지간 咫尺の間.

지척-거리다 타 足を引きずりながら歩く；よろよろ歩く. **지척-지척** 부하타 よろよろ.

지천【至賤】 명하형 ①きわめて卑しいこと. ②あまり多くて特に重宝がられないこと. ¶ 돈이 ～으로 많다 金が有り余るほどある.

지청【支廳】 명 支庁.

지청구 명하타 わけもなく人をとがめ恨むこと.

지체 명 代代伝来した門閥. ¶ ～ 높은 사람 家柄のよい人.

지체【肢體】 명 肢体. ¶ ～ 부자유아 肢体不自由児.

지체【遲滯】 명 遅滞. ——-하다 자 遅滞する；手間を取る. ¶ ～ 없이 遅滞なく；す(透)かさず / ～ 없이 철수하다 さっさと引き揚げる.

지축【地軸】 명〔地〕地軸. ¶ ～을 흔드는 울림 地軸を揺るがす響き.

지출【支出】 명하타 支出；出費. ¶ 다달의 ～을 줄이다 月月の支出を減らす.

지층【地層】 명〔地〕地層.

지치 명〔植〕紫. ＝자초(紫草).

지치다[1] 자 くたびれる；弱り切る；疲れ果てる. ¶ 기다림에 ～ 待ちわ(侘)びる；待ちあぐ(倦)む；待ちくたびれる.

지치다[2] 타 (氷や雪などの上を)滑る. ¶ 얼음지치기 氷すべり.

지치다[3] 타 (かんぬきを渡さずに)門だけを閉じる.

지친【至親】 명하형 ①この上もなく親しいこと. ②父と子または兄と弟との間柄.

지침【指針】 명 指針. ¶ ～서 指針書；手引き / 복무 ～ 服務指針 / 활동 ～ 活動指針.

지칫-거리다 자 ①(いさぎよく去らず)ぐずぐずと立ちしぶる. ②小またでちょこちょこ歩く. **지칫-지칫** 부하자 ①ぐずぐず. ②ちょこちょこ.

지칭【指稱】 명하타 指称.

지키다 타 守る. ①見守る；見つめる；見届ける. ¶ 정세의 변화를 지켜보다 情勢の変化を見守る / 임종을 지켜 보다 最期を見届ける. ②保つ；保護する；防御する. ¶ 성을 굳게 ～ 城を堅く守る / 나라를 ～ 国を守る. ③監視する；見張る. ¶ 짐을 ～ 荷物を見張る. ④(操などを)保つ；持する；立てる；全うする. ¶ 순결을 ～ 純潔を守る / 지조〔절개〕를 ～ 操〔節〕を立てる / 비밀을 ～ 秘密を守る. ⑤遵守する. ¶ 아버지의 유훈을 ～ 父の遺訓を守る.

지킴 명 守り神；守護神.

지탄【指彈】 명하자타 つまはじ(爪弾)き；指弾；非難；そしり. ¶ 세상의 ～을 받다 世の指弾を受ける.

지탱【支撐】 명하자타 (長い間)支えること；持ちこたえること. ¶ 한 집안의 살림을 ～하다 一家の暮らしを支える / 이것으로 일주일간은 ～하겠지 これで一週間は持つだろう.

지통【止痛】 명하자 止痛；痛みを止めること. ¶ ～제 止痛剤.

지파【支派】 명 支派；支流.

지팡이 명 つえ(杖). ¶ ～를 짚다 杖を突く / ～에 의지하다 杖にすがる.

지퍼 〔zipper〕 명 ジッパー；ファスナー；チャック.

지평【地平】 명 地平.
‖—— 거리 명〔地〕地平距離. ——-면 명 地平面. ——-선 명 地平線；地平《준말》. ¶ ～상에 태양이 떠오르다 地平線上に太陽が昇る.

지폐【紙幣】 명〔經〕紙幣；札. ¶ 소액 ～ 少額紙幣.
‖—— 발행 은행 명 紙幣発行銀行. —— 본위 제도 명 紙幣本位制度.

지표【地表】 명 地表.
‖—— 식물 명 地表植物.

지표【指標】 명 指標. ¶ 경제 ～ 経済指標.

지푸라기 명 わらくず(藁屑).

지프 〔jeep〕 명 ジープ.

지피다[1] 자 (悪霊などが)取り付く；乗り移る. ¶ 신령이 무당에게 ～ 御霊がみこ(巫女)に乗り移る.

지피다² 타 (火を)くべる; たきつける. ¶타다 남은 장작을 ～ 燃えさしの薪をくべる.

지피 지기【知彼知己】명하자 彼を知り己れを知ること.

지필【紙筆】명 紙筆; 筆紙. ¶～로 이루 다 표현할 수 없다 紙筆に尽くせない; 筆紙に尽くし難い.
‖——-묵(墨) 명 紙と筆と墨.

지하【地下】명 地下. ¶～에 잠든 벗 地下に眠る友.
‖——-경 명〔植〕☞ 땅속줄기. —— 경제 명 地下経済. —— 공작 명 地下工作. ——-도 명〔土〕地下道. —— 배수 명 地下排水. —— 상가(商街) 명 地下の商店街; 地下街. ——-수 명 地下水. ——-실 명 地下室. —— 운동 명〔社〕地下運動; 地下活動. —— 자원 명 地下資源. —— 조직 명〔社〕地下組織. ——-철 명 [↗지하 철도] 地下鉄. ——-층 명 地階. —— 케이블 명 地下ケーブル.

지학【地學】명 地学.

지한-제【止汗劑】명 止汗剤.

지함【紙函】명 紙のケース.

지핵【地核】명〔地〕地核.

지행【知行】명 知行; 知識と行為. ‖—— 합일설 명 知行合一説.

지향【志向】명하자타 志向; 意向. ¶통일을 ～하다 統一を志向する.
‖——-성 명〔哲〕志向性.

지향【指向】명하자타 指向. ¶도시 ～의 젊은이들 都会指向の若者たち. ——-없다 형 定めがない; 当て(ど)がない. ——-없이 부 定めなく; 当てもなく. ¶～ 걷다 当て無しに歩く.
‖——-성 명 指向性. ¶～ 안테나 指向性アンテナ.

지혈【止血】명하자 止血; 血止め.
‖——-제 명〔藥〕止血剤.

지협【地峽】명〔地〕地峡. ¶파나마 ～ パナマ地峡.

지형【地形】명〔地〕地形.
‖——-도 명 地形図. —— 윤회 명 地形輪廻; 浸蝕輪廻. —— 측량 명 地形測量. ——-학 명 地形学.

지형【紙型】명〔印〕紙型. ¶～을 뜨다 紙型を取る.

지혜【智慧·知慧】명 知恵. ¶～가 없다 知恵が無い / ～를 모으다〔빌리다〕知恵を合わせる〔借りる〕. ——-롭다 형 知恵がある; 賢い. ——-로이 부 賢しく; 賢明に.

지호【指呼】명하타 指呼; 指さして呼ぶこと.
‖——지-간(之間) 명 指呼の間. ¶～에 바라보다 指呼の間に望む. 준 지호간(指呼間).

지화-법【指話法】명 指話法.

지화자 감 歌舞の調子に乗って唱える歌声; 勝負に勝った人に賛嘆と喜びを唱えてやる歌声.

지환【指環】명 指輪. ☞ 가락지.

지효【遲效】명 遅効. ¶～성 비료 遅効性肥料.

지휘【指揮】명하타 指揮; 指図. ¶～법 指揮法 / 삼군을 ～하다 三軍を指揮する / 오케스트라를 ～하다 オーケストラを振る.
‖——-관 명〔軍〕指揮官. ——-권 명 指揮権. ¶～을 발동하다 指揮権を発動する. ——-대 명 指揮台. ——-도 명〔軍〕指揮刀. ——-봉 명 指揮棒. ① タクト. ¶～을 흔들다 タクトを振る. ②〔軍〕指揮官の指揮棒. ——-소 명 指揮所; シーピー(C.P.). ——-자 명 指揮者; コンダクター. ——-탑 명 指揮塔. —— 통수권 명 指揮統帥権.

직【職】명 [↗관직·직업·직책] 職. ¶어떤 ～에 앉히다 ある職に就かせる.

직 부하자 ① 線·字画などを一気に引くさま: さっと; すうっと. ② 紙·布などを引き裂く音. また, そのさま: びりっ(と). ③ 人·鳥などが水のようなふん(糞)を出すさま: ちっ.

직각【直角】명〔數〕直角.
‖—— 삼각형 명 直角三角形. —— 좌표 명 直角座標. —— 프리즘 명 直角プリズム.

직각【直覺】명하타 直覚; 直観.
‖——-설, ——-주의 명 直覚説; 直覚主義.

직간【直諫】명하타 ちょっかん(直諫). ¶사장에게 ～하다 社長に直諫する.

직감【直感】명하타 直感. ¶～력 直感力 / ～이 들어맞다 直感が当たる.

직-거래【直去來】명하자타 直取り引き.

직격【直擊】명 直撃. ¶～탄을 맞다 直撃弾に当たる.

직결【直結】명하타 直結. ¶국민 생활에 ～된 정책 国民生活に直結する政策.

직경【直徑】명〔數〕☞ 지름.

직계【直系】명 直系. ¶～ 제자 直系の弟子.
‖—— 가족 명 直系家族. —— 비속 명 直系卑属. —— 존속 명 直系尊属. ——-친 명 直系親. —— 친족 명 直系親族. —— 혈족 명 直系血族.

직계【職階】명 職階.
‖——-급 명 職階給. ——-제 명 職階制.

직고【直告】명하타 ありのままを告げること. ¶이실(以實) ～하다 事実をありのままに告げる.

직공【職工】명 職工.

직공【織工】명 織工; 織物工.

직관【直觀】명하타 直観.
‖——-상 명〔心〕直観像. ——-설 명〔哲〕直観説. ——-적 명관 直観的; 直覚的. ¶～인 판단 直観的(な)判断. ——-주의 명 直観主義.

직교【直交】명하자 直交. ¶～ 좌표 直交座標.

직구【直球】명〔野〕直球; ストレート.

직권【職權】명 職権. ¶남의 ～을 침해하다 人の職権を侵す.
‖—— 남용 명하자 職権乱用. —— 명령 명 職権命令. —— 처분 명하타〔法〕職権処分.

직근【直根】명〔植〕直根. =곧은뿌리.

직급【職級】명 職級.
직급【職給】명 職給.
직기【織機】명 織機; 機.
직납【直納】명하타 直納.
직녀【織女】명 織女; 機織り姫.
‖——-성 명〔天〕織女(星); 機織り姫; たなばた(ひめ); ベガ.
직능【職能】명 職能.
‖—— 대표제 명 職能代表制.
직답【直答】명하자타 直答·; 即答. ¶～을 피하다 直答〔即答〕を避ける.
직렬【直列】, 직렬 연결【直列連結】명〔物〕直列; 直列接続; 直列連結. ¶직렬형 발동기 直列型発動機.
직류【直流】명 直流.
‖—— 발전기 명〔物〕直流発電機. —— 전동기 명〔物〕直流電動機. —— 전류 명〔物〕直流電流; 直流《준말》.
직립【直立】명하자 直立. ¶～ 부동의 자세 直立不動の姿勢.
‖——-경 명〔植〕直立茎. =곧은 줄기. —— 원인 명〔人類〕直立猿人; ピテカントロプスエレクトゥス.
직매【直賣】명하타 直売. ¶산지 ～ 産地直売.
직면【直面】명하자타 直面. ¶난국에 ～하다 難局に直面する.
직명【職名】명 職名.
직무【職務】명 職務; 仕事; 勤め. ¶～ 태만 職務怠慢/～ 권한 職務権限/～를 충실히 수행하다 職務を充実に勤める/～ 태만의 비난을 면치 못한다 こうしょく(曠職)のそしりを免れない.
‖——-급 명 職務給. —— 범죄 명〔法〕職務犯罪. —— 질문 명 職務質問.
직물【織物】명 織物. ¶～을 짜다 織物を織る.
직방【直放】명 効き目が直ちに現われること. ¶이 약을 먹으면 ～으로 낫는다 この薬を飲めばすぐ治る.
직배【直配】명하타 直配. ¶산지로부터 ～되어 오는 생선 産地から直配されてくる魚.
직봉【職俸】명 職務と俸給.
직분【職分】명 職分; 役目; 分. ¶～을 다하다 分を尽くす; 役目を果たす.
직사【直射】명하자타 直射. ¶～ 광선 直射日光.
‖—— 도법 명 直射図法. ——-포 명〔軍〕直射砲.
직-사각형【直四角形】명 長方形; くけい(矩形); さし形.
직선【直線】명 直線. ¶～을 긋다 直線を引く.
‖—— 거리 명 直線距離. ——-미 명 直線美. —— 운동 명 直線運動. ——-형 명〔數〕直線形.
직선【直選】명하타 ↗직접 선거.
직설-법【直說法】명 直説法.
직성【直星】명 人の行年によってその人の運を受け持つという九つの星. ——(이) 풀리다 구 望みがかなって満足に思う.

직소【直訴】명하타 直訴; 直願.
직속【直屬】명하자 直属. ¶～ 기관을 설치하다 直属機関を設ける.
직손【直孫】명 直系の孫.
직송【直送】명하타 直送. ¶산지 ～ 産地直送.
직수굿-하다 형 (気が引けて)素直だ; 従順だ.
직-수입【直輸入】명하타 直輸入.
직-수출【直輸出】명하타 直輸出.
직시【直視】명하자타 直視. ¶현실을 ～하다 現実を直視する.
직신-거리다 자 ねちねち(と)ねだる〔せがむ〕. >작신거리다. 직신-직신 부하자 ねちねち(と).
직언【直言】명하타 直言. ¶사장에게 ～하다 社長に直言する.
‖——적 명령 명〔哲〕直言的命令. ——적 판단 명 直言的判断.
직업【職業】명 職業; 生業; 職. ¶～ 야구 職業〔プロ〕野球/～ 군인 職業軍人/～을 구하다 職を求める. ㊜ 업(業).
‖—— 교육 명 職業教育. —— 단체 명 職業団体. ——-병 명 職業病. —— 선수 명 職業選手; プロの選手. —— 소개소 명 職業紹介所. —— 안정법 명 職業安定法. —— 여성 명 職業女性〔婦人〕. —— 의식 명 職業意識.
직역【直譯】명하타 直訳. ¶딱딱한 ～ 生硬な直訳.
직영【直營】명하타 直営. ¶회사의 ～ 식당 会社直営の食堂.
직원【職員】명 職員. ¶사무 ～ 事務職員. ‖——-록 명 職員録.
직위【職位】명 職位.
직유-법【直喩法】명 ちょくゆ(直喩)法.
직-육면체【直六面體】명〔數〕直六面体.
직인【職人】명 職人; 匠人.
직인【職印】명 職印; 役印. ¶～을 찍다 役印を押す.
직임【職任】명 職務上の任務.
직장【直腸】명〔生〕直腸.
‖——-암 명〔醫〕直腸がん(癌).
직장【職場】명 職場; 勤め口; 勤め先. ¶～ 결혼 職場結婚/～에 나가다 勤めに出かける.
직전【直前】명 直前. ¶출발 ～ 出発直前〔間際〕/골 ～에서 앞지르다 ゴール直前で追い抜く.
직접【直接】㊀명 直接. ¶사고의 ～ 원인 事故の直接原因. ㊁부 直接(に); じきじき(直直); じか(直)に. ¶～ 듣다 直接聞く/내의 없이 와이셔츠를 ～ 입다 下着なしに直にワイシャツを着る/본인에게 ～ 전했다 本人に直に伝えた.
‖—— 거래(去來) 명 直取引; 直接取り引き. —— 경험 명〔哲〕直接経験. —— 금융 명 直接金融. —— 담판 명하자타 直接〔直〕談判; 直談《준말》. ¶사장과 ～하다 社長と直談判する. —— 민주제 명 直接民主制. —— 비료 명 直接肥料. —— 사격 명하타 直接射撃. —— 선거 명하타 直接選挙. ——-세 명〔法〕直接税; 直税《준말》.

ㅈ

——-적 명관 直接的. —— 추리 명〔論〕直接推理. —— 투자 명 直接投資. —— 행동 명하자 直接行動. —— 화법 명 直接話法.
직정【直情】명 直情.
‖—— 경행 명하자 直情径行.
직제【職制】명 職制. ¶ ~를 고치다 職制を改める.
직조【織造】명하타 製織. ¶ ~ 기계 製織機械 / ~ 공장 織物工場.
직종【職種】명 職種. ¶ ~이 바뀌다 職種が変わる.
직직 부하타 ① 履き物を引きずる音: ずるずる. ② 字画を無造作に書いたり, 紙などを引き裂く音: さっさっ; びりびり. ——-거리다 타 ① 続けざまにずるずると引きずる. ② 引き続いてびりびりと引き裂く.
직진【直進】명하자 直進. ¶ 빛은 ~한다 光は直進する.
직책【職責】명 職責; 職務上の責任. ¶ ~을 다하다 職責を果たす.
직통【直通】명하자 直通. ¶ ~ 전화 直通電話.
직파【直派】명 (同族の)直系.
직파【直播】명하타 ちょくはん(直播); じきま〔じかま〕(直播)き. ¶ 볍씨를 ~하다 もみ(籾)を直播きする.
직판【直販】명하타 直接販売; 直販.
직필【直筆】명 直筆.
직하【直下】명하자 直下. ① 真下. ¶ 적도 ~ 赤道直下. ② まっすぐに下ること. ¶ 급전 ~ 急転直下.
직할【直轄】명하타 直轄. ¶ …의 ~로 옮기다 …の直轄に移す.
직함【職銜】명 肩書. ¶ 명함에 ~을 열기하다 名刺に肩書きを並べる.
「直航便.
직항【直航】명하자 直航. ¶ ~편
직행【直行】명하자 直行. ¶ ~ 열차 直行列車.
직후【直後】명 直後; すぐあと. ¶ 조반 ~ 朝飯の直後.
진【津】명 ① やに(脂); ぬら〈俗〉; 樹皮などから分泌する粘液. ¶ 송~ 松脂 / ~이 많다 脂っこい / 토란의 ~ 里芋のぬら. ② たばこのニコチン. ③ 水蒸気·煙などが立ちこめて生じる粘っこい水.
진【陣】명〔軍〕陣. ¶ 배수의 ~ 背水の陣 / ~을 치다 陣〔陣営〕を張る.
진〔gin〕명 ジン.
진〔jean〕명 ジーンズ. ¶ 블루 ~ ブルージーンズ.
진-¹ 두 "水気のある·乾かない"の意を表わす語. ¶ ~밥 水気だっぷりの飯 / ~창 どろぬま / ~걸레 ぬれ雑巾.
진-² 두 "濃い"の意を表わす語. ¶ ~보라 濃い紫 / ~간장 濃いしょうゆ(醬油).
진가【眞假】명 真偽; しんがん(真贋). ¶ 골동품의 ~ 骨董品の真贋.
진가【眞價】명 真価. ¶ ~를 발휘하다 真価を発揮する.
진-간장【—醬】명 長い間保管されて濃くなったしょうゆ(醬油); 日増しの醬油.
진갑【進甲】명 還暦の翌年〔満61歳〕の誕生日.
진개【塵芥】명 ごみあくた〔ちりあくた〕(塵芥); じんかい(塵芥); ごみ.
진객【珍客】명 珍客.
진-걸레 명 ぬれぞうきん(雑巾).
진격【進擊】명하자 進撃. ¶ 파죽지세로 진격하다 破竹の勢いで進撃する.
진경【珍景】명 珍貴な風景; 珍しい景色.
「い.
진경-제【鎭痙劑】명 ちんけい(鎮痙)剤.
진공【眞空】명〔物〕真空. ¶ ~ 포장 真空パック.
‖—— 건조기 명 真空乾燥機. ——계 명〔物〕真空計. ——-관 명 真空管. —— 방전 명〔物〕真空放電. —— 상태 명 真空状態. —— 제동기 명 真空制動機. —— 청소기 명 真空掃除機.
진공【進攻】명하자 進攻. ¶ 적진 깊숙이 ~하다 敵陣深く進攻する.
진공【進貢】명하타 進貢.
진-구덥 명 他人のくだらないことの後始末. ¶ 부하의 실패의 ~을 치르다 部下の失敗のしりぬぐ(尻拭)いをさせられる.
진-구렁 명 ぬかるみ; 泥沼. ¶ ~에 빠지다 泥沼にはまりこむ.
진-국【眞—】명 ① 生まじめ(真面目)な人. ② ☞ 전(全)국.
진군【進軍】명하자 進軍.
‖—— 나팔 명 進軍らっぱ.
진귀【珍貴】명하형 珍貴.
진급【進級】명하자타 進級. ¶ ~이 빠르다 進級が早い / ~시험이 어려웠다 進級試験が難しかった.
진기【珍奇】명하형 珍奇. ¶ ~한 것을 좋아하다 珍奇を好む / ~한 사건 珍奇な事件.
진-나다【津—】형 しっこくねだられてへとへとになる.
「る日.
진-날 명 (雨や雪などで)じめじめす
진념【軫念】명하타 しんねん(軫念); 憂え思うこと; 思いやること.
진노【震怒】명하자 震怒; げきりん(逆鱗).
진눈-깨비 명 みぞれ(霙). ¶ ~가 오다 みぞれが降る.
진단【診斷】명하타 診断. ¶ 기업〔건강〕~ 企業〔健康〕診断.
‖——-서 명 診断書.
진단【震檀·震壇】명 大韓民国の異称.
진달래 명〔植〕つつじ(躑躅).
‖——-꽃 명 つつじの花.
진담【珍談】명 珍談; 一つ話. ¶ ~으로 웃기다 珍談で笑わせる.
진담【眞談】명 本当の話.
진대 명 しつこくせびること; 無理やりにうるさくねだる振る舞い. ——붙이다 자 無理やりにうるさくねだる; しつこくせびる.
진도【進度】명 進度. ¶ 학과의 ~표 学科の進度表 / ~가 더디다 進度がおそい.
진도【震度】명〔地〕震度. ¶ ~가 강

하다 震度が強い.
진동 명 そでつ(袖付)けの幅.
진동【振動】 명하자 振動. ¶ 유리창이 ～하다 窓ガラスが振動する.
‖── 공해 명 振動公害. ──-면 명 振動面. ──-수 명 〔物〕振動数; 周波数.
진동【震動】 명 震動; 震え動くこと. ──-하다 자타 震動する; 震える. ¶ 지진으로 대지가 ～하다 地震で大地が震動する.
진두【陣頭】 명 陣頭. ¶ ～ 지휘 陣頭指揮 / ～에 서다 陣頭に立つ.
진드근-하다 형 大変落ち着いている. 진드근-히 부 大変落ち着いて; じっと.
진드기 명 〔動〕だに(壁蝨). ㊜ 진디.
진득-거리다 자 ① ねばねばする. ② きょうじん(強靱)でなかなか断ち切れない. 진득-진득 부하자형 粘っこいさま: ねばねば.
진득-하다 형 態度や行動が落ち着いて我慢強い. 진득-이 부 落ち着いて; じっと. ¶ 아픔을 ～ 참다 痛みをじっとこらえる.
진디 명 ①〔蟲〕☞ 진딧물. ② ↗진드기.
진딧-물 명 〔蟲〕油虫; ありまき(蟻巻). 진딧물 내리다 구 油虫がつく.
진-땀【津─】 명 ①(苦しいときに出る)脂汗. ¶ ～을 빼다 脂汗を流す/ ～이 나다 脂汗が出る; 冷汗をかく. ② 死に際に流す汗.
진력【盡力】 명 명하자 尽力. ¶ 공익을 위하여 ～하다 公益の為に尽力する.
진로【進路】 명 進路; 行く手. ¶ 졸업 후의 ～ 卒業後の進路 / 태풍의 ～ 台風の進路.
진료【診療】 명하타 診療. ¶ 조기 ～ 早期診療.
‖──-소 명 診療所.
진루【進壘】 명하자 〔野〕進塁.
진리【眞理】 명 真理.
진망-궂다 형 (言行が)軽卒で無作法である.
진맥【診脈】 명하타 診脈; 検脈〔見脈〕. ¶ 검온 ～ 検温検脈.
진-면목【眞面目】 명 真面目; 真価. ¶ ～을 발휘하다 真骨頂を発揮する.
진무【鎭撫】 명하타 ちんぶ(鎮撫). ¶ 반란군을 ～하러 가다 反乱軍の鎮撫に向かう.
진-무르다 자 ただ(爛)れる. ¶ 상처가 ～ 傷がただれる.
진문【珍問】 명 珍問; 変わった質問. ¶ ～ 진답 珍問珍答.
진문【珍聞】 명 珍聞; 奇聞.
진문【陣門】 명 陣門.
진물 명 できものからし(滲)みでる液.
진물【珍物】 명 珍物; 珍品.
진물-진물 부하형 目の縁や皮膚のただれたさま. ＞잔물잔물.
진미【珍味】 명 珍味. ¶ 산해 ～ 山海の珍味〔珍〕.
진미【眞味】 명 真味.
진미【陳米】 명 陳米; 古米.
진-반찬 명 水気のあるおかず.
진-발 명 ぬれた足; 泥足.
진배【進拜】 명하자타 目上にまみえること.
진배-없다 형 異なるところがない; …(も)同然だ; 劣らない. ¶ 거저나 진배없는 가격 ただ(も)同然の値段. 진배-없이 부 …(も)同然に; 異なるところなく.
진-버짐 명 〔韓醫〕しっせん(湿癬)《しっしん(湿疹)類の皮膚病》.
진범【眞犯】, 진-범인【眞犯人】 명 真犯人.
진법【陣法】 명 〔軍〕陣法.
진보【珍寶】 명 珍宝.
진보【進步】 명하자 進歩. ¶ 장족의 ～를 하다 長足の進歩をとげる / 과학이 ～하다 科学が進歩する.
‖──-적 명관 進歩的. ¶ ～인 의견 進歩的な意見. ──-당 명 進歩党.
진본【珍本】 명 珍本; 珍書.
진본【眞本】 명 昔の本や書画などの本物.
진부【眞否】 명 真否; 実否. ＝진위. ¶ 일의 ～를 확인하다 ことの真否〔実否〕を確かめる.
진부【陳腐】 명 陳腐. ──-하다 형 陳腐だ; 古臭い. ¶ ～한 표현 陳腐な〔古臭い〕表現.
진-분홍【─粉紅】 명 濃い桃色.
진사【辰砂】 명 〔鑛〕しんしゃ(辰砂).
진사【陳謝】 명하자타 陳謝. ¶ 실언을 ～하다 失言を謝る.
진상【眞相】 명 真相. ¶ 사건의 ～ 事件の真相 / ～을 폭로하다 真相を暴く / ～ 조사 위원회 真相調査委員会.
진상【進上】 명 進上; 献呈. ──-하다 타 進上する; 進じる; 献じる. ¶ ～품 献上品.
진서【珍書】 명 珍書; 珍本.
진서【眞書】 명 ① 漢文の尊称. ② かいしょ(楷書)の俗語.
진-선-미【眞善美】 명 真善美.
진설【陳設】 명하타 (祝宴などで)料理をおぜん(膳)に整えること.
진성【眞性】 명 真性. ① 真症. ¶ ～ 콜레라〔뇌염〕 真性コレラ〔脳炎〕. ② 天性. ¶ 인간의 ～은 선이다 人間の真性は善である.
진세【塵世】 명 じんせい(塵世); この世.
진솔 명 ① 真新しい衣服. ② ↗진솔옷.
‖──-옷 명 春秋に着るからむし(苧)の着物. ㊜ 진솔.
진수【珍羞】 명 ちんしゅう(珍羞); 珍しくてうまい食べ物.
‖── 성찬(盛饌) 명 すばらしいごちそう(御馳走).
진수【眞髓】 명 神髄〔真髄〕; エッセンス. ¶ 예도의 ～를 맛보다 芸道の神髄を味わう.
진수【進水】 명하타 進水. ¶ ～식 進水式.
진수【鎭守】 명하타 鎮守.
진술【陳述】 명하타 陳述. ¶ ～서 陳述書 / 의견을 ～하다 意見を述べる.
진스〔jeans〕 명 ☞ 진(jean).
진실【眞實】 명하형히부 真実; 本当; まこと. ¶ ～을 말하다 本当を述べる / ～을 구명하다 真実を究明

きゅうめいする. ——-로 부 真実に；本当に；まことに；真に.
진심【眞心】명 真心；赤心；本気. ¶～으로 축하한다 心から祝う／～으로 그런 소릴 하는건가 正気でそんなことを言うのか／～을 피력하다 赤心をひれき(披瀝)する.
진압【鎭壓】명하타 鎮圧；鎮定. ¶내란 ～ 内乱鎮圧／폭동을 ～하다 暴動を抑える.
진앙【震央】명〔地〕震央.
진애【塵埃】명 じんあい(塵埃)；あくた；ちりほこり.
진액【津液】명〔生〕体液.
진언【進言】명하자타 進言. ¶개혁안을 ～하다 改革案を進言する.
진열【陳列】명하타 陳列. ¶～대 陳列台／～실 陳列室；ショールーム／보석을 ～하다 宝石を陳列する.
‖——-창 명 陳列窓；ショーウインドー；飾り窓.
진영【眞影】명 真影.
진영【陣營】명 陣営. ¶자유 ～ 自由陣営.
진-옴 명 かいせん(疥癬)に急性しっしん(湿疹)を併発する皮膚病.
진용【陣容】명 陣容. ¶～을 재정비하다 陣容を立て直す.
진원【震源】명〔地〕震源.
‖——-지 명 震源地.
진위【眞僞】명 真偽；しんがん(真贋). ¶일의 ～를 규명하다 事の真偽を糾す.
진의【眞意】명 真意. ¶～를 알고 싶다 真意を知りたい／～를 파악할 수 없다 真意をつかみかねる.
진의【眞義】명 真義. ¶～를 이해하다 真義を理解する.
진인【眞因】명 真因；本当の原因.
진-일 명하자 (洗濯や炊事などの)水仕事.
진입【進入】명하자 進入. ¶～등 進入灯／고속 도로 ～로 高速道路の進入路.
진자【振子】명〔物〕振り子；振子. ¶보정 ～ 補正振り子.
‖—— 시계 명 振り子時計.
진-자리 명 ①お産をした場所. ②みどりごの大小便で湿っぽくなった床. ③人の死んだ場所.
진작【振作】명하자타 振作；振起. ¶사기 ～ 士気振作.
진작 부 すでに；と(疾)うに；とっくに；以前に；少し早く. ¶～ 갔어야 했는데 とっくに行くべきだったのに／～ 왔으면 만났지 もう少し早ければ会えたのに.
진장【陳醬】명 ①黒豆のこうじで醸した濃いしょうゆ(醬油). ②↗진간장.
진재【震災】명 震災.
진저〔ginger〕명〔植〕ジンジャー. ¶～ 비스킷 ジンジャービスケット.
‖—— 에일 명 ジンジャーエール.
진저리 명 ①胴震い；(放尿後の)身震い. ②こりごりの身震い. ——-나다 자 ①胴震いする；身震いがする. ②こりごりする；うんざりする. ——-치다 자 うんざりして身震いする；戦慄する.
진전【進展】명하자 進展. ¶교섭이 ～을 보이다 話し合いが進展を見せる／이 문제는 어떻게 ～될까 この問題はどう進展するだろうか.
진절-머리 명 うんざり；ひどい身震い. ——-나다 자 うんざりする；嫌気がさす；身震いがする. ¶말이 길어서 진절머리가 난다 話がくどくどしくてうんざりする.
진정【眞正】명하형 真正. ¶～한 민주주의 真正な民主主義.
진정【眞情】명 真情. ¶～으로 心から／～을 토로하다 真情を吐露する.
진정【陳情】명하자타 陳情. ¶～서를 제출하다 陳情書を出す.
진정【進呈】명 進呈. ——-하다 타 進呈する；進上する；進ずる. ¶무료 ～ 無料〔無代〕進呈.
진정【鎭定】명 鎮定；鎮め. ——-하다 타 鎮める；定める. ¶소란을 ～시키다 騒ぎを鎮める.
진정【鎭靜】명하자타 鎮静. ¶신경을 ～시키다 神経を和らげる／사태가 ～되도록 힘쓰다 事態の鎮静に尽力する.
‖——-제 명〔藥〕鎮静剤.
진-종일【盡終日】명 一日中. ¶～ 놀고 먹다 一日中遊んでくらす.
진좌【鎭座】명하자 鎮座.
진주【眞珠】명 真珠；パール. ¶인조 ～ 人造真珠／～ 세공(품) 真珠細工.
‖——-조개 명〔貝〕真珠貝；あこやがい(阿古屋貝).
진주【進駐】명하자타 進駐.
진중【珍重】명하타히부 珍重.
진중【陣中】명 陣中；戦場. ¶～ 근무 陣中勤務.
진중【鎭重】명하형히부 (人柄が)重重しく奥ゆかしいこと.
진지 명 ご飯(“飯”の敬語).
‖진짓-상(床) 명 ごぜん(御膳).
진지【陣地】명〔軍〕陣地. ¶～를 구축하다 陣地を築く.
진지【眞摯】명하형 しんし(真摯)；まじめでひたむきなこと. ¶～하게 이야기하다 まじめに話す.
진지러-뜨리다 타 いしゅく(畏縮)させる；縮み上がらせる.
진지러-지다 자 いしゅく(畏縮)する；縮み上がる.
진진【津津】명하형 ①津津；絶えずわき出るさま. ¶흥미 ～한 문제 興味津津たる問題. ②とてもおいしいさま. ——-히 부 津津と.
진짜【眞—】명 ①本物. ¶～같이 만들다 本物のように作る／～ 다이아몬드 本物のダイヤ. ②《俗》本当；真実のこと. ¶～ 나이 本当の年. ——-로 부 本当に；真実に；本気で. ¶～ 하는 말인가 本気で言うのか.
진-찬합【—饌盒】명 水気のあるおかずとさかな(肴)を入れる重箱.
진찰【診察】명하타〔醫〕診察. ¶～료〔권〕診察料〔券〕／～을 받다 診

ㅈ

察を受ける.

진창 명 ぬかるみ. ¶～길 泥んこの道 / ～에 빠지다 ぬかるみに足を踏み込む.

진척【進陟】명하자 しんちょく(進捗); 進行; 進展; はか. ¶공사 ～ 상황 工事の進捗状況 / 전혀 ～이 없구나 全然はかが行かないね〔はかどらないね〕.

진천【震天】명 震天.

‖── 동지 명하자 震天動地.

진출【進出】명하자 進出. ¶결승에 ～하다 決勝に進出する.

진충【盡忠】명하자 尽忠.

‖── 보국 명하자 尽忠報国.

진취【進取】명하타 進取. ¶～의 기상 進取の気性 / ～적인 정신 進取の精神.

진취【進就】명하자 しだいに成就して行くこと. ‖──-성(性) 명 成就して行き得る可能性.

진-치다【陣─】자 陣取る; 陣する; 陣を張る.

진탕【─宕】부 飽きるほどたくさん; いやになるほど; 思いっきり. ¶～ 마시다 思いっきり飲む.

‖──-만탕(宕) 부 思う存分; 飽きるまで.

진탕【震盪·振盪】명하자 しんとう(震盪·振盪). ¶뇌～ 脳震盪.

진-태양【眞太陽】명 真太陽.

‖──-시 명 真太陽時. ──-일 명 真太陽日.

진토【塵土】명 じんど(塵土); ちりと土.

진통【陣痛】명하자〔醫〕陣痛. ¶～이 일어나다 陣痛が起こる.

진통【鎭痛】명하자타 鎮痛.

‖──-제 명〔藥〕鎮痛剤.

진퇴【進退】명하자 進退.

‖── 양난(兩難), ── 유곡(維谷) 명 進退きわまること.

진펄 명 泥海; ぬかるみの原.

진폐【塵肺】명 じんぱい(塵肺).

진폭【振幅】명〔物〕振幅. ¶～이 크다 振幅が大きい.

‖── 변조 명 振幅変調; AM.

진폭【震幅】명〔地〕震幅.

진품【珍品】명 珍品. ¶비장하고 있는 ～ 秘蔵の珍品.

진품【眞品】명 正真の品物; 本物. ＝진짜.

진-풍경【珍風景】명 珍しい風景.

진피【眞皮】명〔生〕真皮.

진피【陳皮】명〔韓醫〕陳皮; 乾かしたみかんの皮.

진 피즈〔gin fizz〕명 ジンフィーズ.

진필【眞筆】명 真筆; 真跡.

진-하다【盡─】자 尽きる; 果てる. ¶운이 ～ 運が尽きる.

진-하다【津─】형 (液体の濃度·色·化粧などが)濃い; こってりしている. ¶진한 요리 こってりした料理 / 국이 ～ お汁が濃い.

진학【進學】명 進学. ──-하다 자 進学する; 上級の学校に進む. ¶～률 進学率 / 문과에 ～하다 文科に進む.

진항【進航】명하자 進航.

진해【鎭咳】명하자타 ちんがい(鎮咳); せきどめ.

‖──-제 명〔藥〕鎮咳剤.

진행【進行】명하자타 進行. ¶의사 ～을 꾀하다 議事の進行をはかる / ～중인 열차 進行中の列車.

‖──-계 명 進行係. ──-성 명〔醫〕進行性. ──-형 명 進行形.

진-행주 명 ぬ(濡)れふきん(布巾).

진형【陣形】명 陣形. ¶～을 정돈하다 陣形を整える.

진혼【鎭魂】명하타 鎮魂.

‖──-곡 명 鎮魂曲. ──-제 명 鎮魂祭.

진홍【眞紅】, **진홍-색** 명 真紅〔深紅〕; 真っ赤; 深紅色.

진화【進化】명하자 進化.

‖──-론 명〔生〕進化論.

진화【鎭火】명하자 鎮火. ¶겨우 ～되었다 ようやく鎮火された.

진휼【賑恤】명하타 しんじゅつ(賑恤〔振恤〕); きゅうじゅつ(救恤). ¶～금 賑恤金.

진-흙 명 ① 赤どろ. ② 泥土; 泥んこ〈俗〉; どろ.

‖──-탕 명 ぬかるみ. ¶무릎까지 빠지는 ～ ひざまで没するぬかるみ.

진흥【振興】명하자타 振興. ¶～책 振興策 / 산업을 ～하다 産業を振興する.

질 명〔工〕陶土.

질【帙】명 ① 数巻から成る書物の一そろい. ② ちつ(帙); 書物の巻数の順序.

질【質】명 ① 質; 物が成り立つもと. ¶～이 좋다〔나쁘다〕 質がいい〔悪い〕. ② たち(質); 生まれつき; 天性. ¶이번 감기는 ～이 고약하다 こんどのかぜはたちが悪い.

질【膣】명〔生〕ちつ(膣); ワギナ; バギナ.

질겅-거리다 타 小刻みにか(嚙)み続ける. **질겅-질겅** 부하타 くちゃくちゃ. ¶껌을 ～ 씹다 ガムをくちゃくちゃ嚙む.

질고【疾苦】명 疾苦.

질곡【桎梏】명 しっこく(桎梏); 束縛. ¶농노제의 ～ 農奴制の桎梏.

질권【質權】명〔法〕質権. ¶～ 설정 質権設定.

질-그릇 명 うわぐすり(釉薬)を塗らない土器; 土焼き; 素焼き.

질금-거리다 자타 (水などが)ちびちび(と)もれたり止んだりする. ¶눈물을 ～ 涙をにじます. **질금-질금** 부 하자타 じくじく; ちょびちょび.

질기다 형 ① (肉などが)こわ(強)い; 堅い. ¶이 쇠고기는 ～ この牛肉は堅い〔強い〕. ② (品物などが)丈夫で持ちがよい; (木綿糸·布·紙などが)強い. ③ (気が)粘り強い; しつこい.

질-기와 명 うわぐすり(釉薬)をかけて焼いたかわら(瓦).

질깃-질깃 부하형 ① (品物が)きょうじん(強靭)なさま. ② (性格が)しつこいさま. ③ (食べ物などが) 堅くてよくか(嚙)み切れないさま. >졸깃졸깃. ㅆ찔깃찔깃.

질깃-하다 형 やや堅そうだ; きょうじん(強靭)だ.

ㅈ

질끈 [부] (鉢巻きなどを)しっかと縛るさま. ¶머리띠를 ～ 동여 매고 鉢巻きをしっかと結んで.
질녀【姪女】 [명] めい(姪). ＝조카딸.
질다 [형] ①(こねた物や飯が)水っぽい. ②ぬかる;どろどろする. ¶길이 ～ 道がぬかる.
질-동이 [명] 陶器の水がめ(瓶).
질-뚝배기 [명] 素焼きの器.
질뚝-하다 [형] ☞ 잘똑하다.
질량【質量】 [명]〖物〗質量.
‖── 단위 [명] 質量単位. ── 보존 법칙 [명] 質量保存の法則. ── 작용의 법칙 [명] 質量作用の法則. ── 중심 [명] 質量中心.
질러-가다 [자] 近道をして行く.
질러-먹다 [타] 生煮えのものを性急に食べる.
질러-오다 [자] 近道をして来る.
질력-나다 [자] すっかり飽きる;飽き飽きする. ¶똑같은 나날의 생활에 ～ 毎日の同じ暮らしにすっかり飽きる.
질룩-하다 [형] 長い物の一部がくぼんでいる;(浅く)くび(括)れている. >잘록하다. 질룩-질룩 [부][하형] 長い物の一部があちこちくぼんでいるさま.
질름-거리다¹ [자] なみなみとあふ(溢)れこぼれる. ㅆ찔름거리다¹. 질름-질름¹ [부][하자] なみなみ(と).
질름-거리다² [타] (物を少しずつ数回に分けて)ちびちびと与える. ㅆ찔름거리다². 질름-질름² [부][하타] ちびちび;ちょびりちょびり.
질리다 [一][자] ①飽き飽きする;嫌気がさす;こりる. ¶이 일에는 질렸다 この仕事には飽きた. ②あっけに取られる; あき(呆)れ(返)る; たじろぐ; あきれ果てる; 参る; 閉口する. ¶상대의 기세에 ～ 相手の気勢にたじろぐ. ③青ざめる;血の気が引く. ¶파랗게 ～ 青くなる. ④(色に)むらができる. ⑤(費用が)かかる. [二][피동] 突かれる;け(蹴)られる.
질문【質問】 [명][하자타] 質問. ¶대표 ～ 代表質問 / 빗나간 ～ 的外れの質問 / ～ 공세를 받다 質問攻めにあう.
질박【質樸·質朴】 [명][하형] 質朴. ¶～한 성격 質朴な性格.
질벅-거리다 [자] どろどろする;じくじくする. ¶못가는 몹시 질벅거렸다 池のほとりはひどくじめじめしていた. 질벅-질벅 [부][하형] じめじめ;じくじく. ¶길이 ～하다 道がじめじめする.
질-병【一瓶】 [명] 陶土製の瓶.
질병【疾病】 [명] 病気;病;疾病. ¶～으로 죽다 病気で死ぬ.
질부【姪婦】 [명] おい(甥)の妻.
질빵 [명] 背負い〔しょ(背負)い〕ひも(紐).
질산【窒酸】 [명]〖化〗硝酸.
‖──-균 [명] 硝酸菌. ── 나트륨 [명] 硝酸ナトリウム. ── 섬유소 [명] 硝酸繊維素;ニトロセルロース. ── 암모늄 [명] 硝酸アンモニウム;硝安《준말》. ──-염 [명] 硝酸塩. ──-은 [명] 硝酸銀. ── 칼륨 [명] 硝酸カリウム;煙硝;硝石. ── 칼슘 [명] 硝酸カルシウム.
질색【窒塞】 [명][하자] ぞっと〔ぎょっと〕すること;(ぞっとするほど)ひどく嫌うこと. ¶그것은 딱 ～이다 それはまっぴら御免だ / 영어는 ～이다 英語は鬼門〔苦手〕だ.
질서【秩序】 [명] 秩序. ¶～를 어지럽히다 秩序を乱す / ～있게 행동하다 秩序正しく行動する.
‖──-범 [명]〖法〗秩序犯.
질소【窒素】 [명]〖化〗窒素《記号:N》. ¶～ 화합물 窒素化合物.
‖── 고정 [명] 窒素固定. ── 공업 [명] 窒素工業. ──산화물 [명] 窒素酸化物. ──질 비료 [명] 窒素肥料. ──화-물 [명] 窒化物. ── 화합물 [명] 窒素化合物.
질-솥 [명] どがま(土釜). ＝토정(土鼎).
질시【嫉視】 [명] しっし(嫉視);ねた(妬)み;そね(嫉)み. ──-하다 [타] 嫉視する;妬む;嫉む. ¶～ 반목 嫉視反目.
질식【窒息】 [명][하자] 窒息. ¶연기에 싸여서 ～하다 煙にまかれて窒息する / 규칙이 너무 많아서 ～할 것 같다 規則ずくめで窒息しそうだ.
‖──-사 [명][하자] 窒死;窒息死. ── 성 가스 [명] 窒息性ガス.
질의【質疑】 [명][하타] 質疑. ¶～ 시간을 마련하다 質疑の時間を設ける.
질점【質點】 [명]〖物〗質点.
질정【叱正】 [명][하타] しっせい(叱正).
질주【疾走】 [명][하자] 疾走. ¶전력으로 ～했다 全力で疾走した / 대초원을 ～하다 大草原を疾走する.
질질 [부] ①引きずるさま:ずるずる;ぞろぞろ. ¶옷자락을 ～ 끌다 すそ(裾)をずるずる(と)引きずる. ②油気や潤いでつやつや光るさま:てかてか;つるつる;ぬるぬる. ¶기름이 ～ 흐르다 油がてかてか光る. >잘잘. ③粒や液体などが少しずつ漏れ落ちるさま:だらだら. >잴잴. ¶(군)침을 ～ 흘리다 よだれをだらだら流す. ④仕事や時間などを延び延びにするさま:ずるずる. ¶교섭을 ～ 끌다 交渉を長引かせる. ⑤抵抗せず屈伏するさま.
질책【叱責】 [명][하타] しっせき(叱責). ¶엄한 ～을 받다 厳しい叱責を受ける/엄하게 ～하다 きびしく叱責する.
질척-거리다 [자] じめじめする. ¶땅이 ～ 土がべとつく. 질척-질척 [부][하자형] じくじく;じめじめ. ¶길이 ～해지다 道がじめじめになる.
질척-하다 [형] どろどろする;じくじくする;じめじめする. ¶간밤의 비로 길이 ～ 昨夜の雨で道がじくじく湿っている.
질커덕-거리다 [자] (水気が多過ぎて)どろどろする. 질커덕-질커덕 [부][하자형] どろどろ.
질커덕-하다 [형] (粘土などが)どろどろである. >잘카닥하다.
질컥-거리다 [자] どろどろ〔じめじめ〕する. 질컥-질컥 [부][하자형] どろどろ;じめじめ.
질컥-하다 [형] どろどろ〔じめじめ〕している.
질타【叱咤】 [명][하타] しった(叱咤). ¶

~ 격려하다 叱咤激励する.
질탕【佚宕·佚蕩】명하형히부 遊びごとが度をすぎること. ¶~하게 놀았다 思い残すことなく遊んだ.
질-탕관【—湯罐】명 (薬をせん(煎)じる)小形の器物.
질투【嫉妬·嫉妒】명 しっと(嫉妬); ねた(妬)み; 焼きもち; そね(嫉)み. —-하다 타 嫉妬する; ねたむ; そねむ; 焼く〈俗〉. ¶여자의 ~심 女の嫉妬心/~가 나다 妬む; 焼ける.
질퍼덕-거리다 자 ぬかる; じくじくする. 질퍼덕-질퍼덕 부하자형 ぐちゃぐちゃ; じめじめ; じくじく.
질퍼덕-하다 형 じめじめする. ¶길이 ~ 道がぬかる.
질퍽-거리다 자 じくじくする; ぬかる. 질퍽-질퍽 부하자형 じめじめ; ぐちゃぐちゃ.
질퍽-하다 형 じめじめしている. ¶비로 땅이 질퍽해졌다 雨で地面がぐちゃぐちゃになった.
질펀-하다 형 ①広広としている. ¶질펀한 들판 広広とした野原. ②のんべんだらりと座り込んでいる. 질펀-히 부 ①広広と. ②のんべんだらりと. ¶~ 앉아 있다 だらりと座りこんでいる.
질풍【疾風】명 疾風; はやて.
‖— 경초 명 疾風にけいそう(勁草)を知る. — 노도 명 疾風怒濤; シュトゥルムウントドラング. — 신뢰 명 疾風迅雷. ¶~의 기세〔진격〕疾風迅雷の勢い〔進撃〕.
질항【姪行】명 おい(甥)に当たる間柄. =조카뻘.
질-항아리 명 素焼きのかめ(瓶).
질-화로【—火爐】명 素焼きの火鉢.
질화-물【窒化物】명 ☞ 질소화물.
질환【疾患】명 疾患; 病気. =질병.
질-흙 명 ① ☞ 진흙. ②陶土.
짊어지다 타 背負う; しょ(背負)う. ①(荷物を)担う; 担ぐ. ¶무거운 짐을 짊어지고 비칠거리다 重荷を背負ってよろける. ②(負債を)負う. ¶빚을 ~ 借金を背負う. ③(責任などを)担う. ¶미래의 한국을 ~ 未来の韓国を担う.
짐 명스형 荷物; 荷. ①運送する品物. ¶~꾸리기 荷作り; 荷ごしら(拵)え/한 ~의 쌀 一荷の米/~을 싣다 荷物を積む/~을 풀다 積み荷を下ろす. ②負担; 責任; 任務; お荷物. ¶자식이 ~이 된다 子が荷になる. ③厄介なもの. ¶~스러운 일을 부탁받다 荷厄介な事を頼まれる.
짐【朕】대 朕.
짐-꾼 명 荷担ぎ; 仲仕.
짐-마차【—馬車】명 荷馬車.
짐-말 명 荷馬.
짐-바리 명 荷駄. ¶~로 나르다 荷駄で運ぶ.
짐-배 명 荷船; はしけ(ぶね).
짐-삯 명 荷物の運送料.
짐-수레 명 荷車. ¶~를 끌다 荷車をひ(挽)く.
짐승 명 けだもの(獣). ①獣; 動物. ¶네 발 ~ 四足の動物; 四つ足. ②残忍·野蛮な人のたとえ: 畜生. ¶이 ~ 같은 놈 このけだものめ.
짐작 명 [←침작(斟酌)] 推量; 心当たり; 見当; 推し当て; 見込み; にら(睨)み. —-하다 타 汲み取る; 商量する; 目星をつける; あん(按)ずる; 踏む. ¶~이 빗나가다 睨みが外れる/이 사태로 ~하건대 この事態から見るに/~이 안 간다 見当がつかない.
짐짐-하다 형 ①(食べ物が)塩気だけでなんの味もない. ②ちょっと気にかかる.
짐짓 부 わざと; 故意に; ことさら(殊更)(に). ¶~ 모른 체하다 殊更(に)知らん振りをする/~ 못 들은 체하다 わざと聞かないふりをする.
짐-짝 명 荷作りした荷物.
집 ㊀명 ①家; うち. ㉠(人が住む)家屋; 家宿(り); すみか(住み処); 宅. ¶빈 ~ 空屋/이 ~(의) 주인 この家の主/살 ~을 구하다 すみかを捜す/우리 ~에 오너라 わたしの所〔うち〕へおいでよ. ㉡家族; 家庭. ¶빈한한 ~ 貧寒な家/~ 없는 아이 家なき子. ②動物のすみか(棲み処); 巣. ¶거미가 ~을 짓다 くもが巣を張る. ③(刀の)さや(鞘)·すずりばこ(硯箱)などのような入れ物. ¶칼~ 刀のさや. ④(囲碁の)目; 眼; 地. ⑤↗집사람. ㊁의명 ①家を数える語: 軒. ¶한 ~ 一軒. ②(囲碁の)目の単位: 目. ¶백이 다섯 ~이겼다 白が五目勝った.
-집 미 酒屋·店などの意を表わす語: 屋. ¶꽃~ 花屋/술~ 飲み屋/빵~ パン屋/요릿~ 料理屋.
집게 명 やっとこ(鋏); ニッパー.
‖—-발 명 (かに類の)はさみ(鋏). —-발톱 명 はさみの爪. —-벌레 명〘蟲〙はさみむし(鋏虫). —-뼘 명 親指と人指し指を広げた長さ. ㊜ 집뼘. —-손가락 명 人差〔人指〕し指; 食指.
집결【集結】명하자타 集結. ¶함대가 ~하다 艦隊が集結する.
집계【集計】명하타 集計. ¶투표의 ~ 投票の集計.
집-고양이 명 飼い猫.
집광【集光】명하자 集光.
‖——기, ——경 명〘物〙集光器; 集光鏡.
집-구석 명《俗》①家の中. ②家. =집①.
집권【執權】명하자 執権.
집권【集權】명하타 集権. ¶중앙 ~ 제도 中央集権制度.
집기【什器】명 じゅうき(什器); じゅうもつ(什物).
집념【執念】명하타 執念; 執着心. ¶~을 불태우다 執念を燃やす.
집다 타 ①取る. ㉠(指でものを)つま(摘·抓)む. ¶반찬을 접시에 집어 담다 おかずを小皿に取る/쌀 속의 티를 집어 내다 米の中からごみをつまみだす. ㉡(やっとこなどで)挟む.

ㅈ

¶ 젓가락으로 ～ おはし(箸)で挟む. ② 拾う. ¶ 활자를 골라 집어 내다 活字を拾う.

집단【集團】 명 集団; 集まり.
‖── 검진 명 集団検診. ── 방위 명 集団防衛. ── 심리학 명 集団心理学. ── 안전 보장 명 集団安全保障. ── 요법 명 集団療法. ── 의식 명 集団意識. ── 지도 명 集団指導. ── 학습 명 集団学習. ──-혼 명 集団婚; 群婚.

집달【執達】 명하타 執達.
‖──-관 명〔法〕執行官.

집-대성【集大成】 명하타 集大成. ¶ 연구의 ～ 研究の集大成.

집도【執刀】 명하자 執刀. ¶ A박사 ～로 수술했다 A博士の執刀で手術した.

집-돼지 명 飼い豚.

집-들이 명하자 新居祝いに知り合いを招待すること.

집-모기 명〔蟲〕家蚊.

집무【執務】 명하자 執務. ¶ ～ 시간이 길다 執務時間が長い.

집-문서【─文書】 명 家屋の権利証書.

집물【什物】 명 じゅうもつ(什物); じゅうき(什器).

집배【集配】 명하타 集配. ¶ ～원 集配員; 集配手 / ～ 트럭 集配トラック.

집백【執白】 명 (碁で)白をとって打つこと.

집-보기 명 留守(番); 留守居.

집-비둘기 명 いえばと(家鳩); どばと(土鳩).

집사【執事】 명 執事. ¶ A교회의 ～ A教会の執事.

집-사람 명 "自分の妻"を言う語: 家内. ㊟ 집.

ㅈ

집산【集散】 명하자타 集散. ¶ 이합 ～ 離合集散.
‖──-지 명 集散地. ¶ 쌀의 ～ 米の集散地.

집성【集成】 명하타 集成. ¶ ～ 사진 集成写真.

집-세【─貰】 명 家賃; たな(店)賃. ¶ ～가 비싸다 家賃が高い.

집시〔Gipsy, Gypsy〕명 ジプシー.

집-안 명 ① 家族; 身内. ¶ ～ 사람들끼리만으로 혼례를 지냈다 身内の者だけで結婚式を済ました / ～을 통솔하다 家を束ねる. ② 家柄; 家門; 家筋; 家庭. ¶ ～의 명예를 높이다 家名をあげる. ③ 家〔屋敷〕の中.
‖──-간(間) 명 身内の間柄. ── 싸움 명 内輪もめ. ① お家騒動. ② 内争; 内紛. ──-일 명 家事; 家政.

집약【集約】 명하타 集約. ¶ 다수의 의견을 ～하다 多数の意見を集約する.
‖── 농업 명 集約農業.

집어-넣다 타 ① 投ずる; 投じる; 投げ込む. ¶ 감옥에 ～ 獄に投ずる; ろう(牢)に投げ込む. ② 入れる. ¶ 품속에 ～ ふところにしまい込む. ③ 繰り込む. ¶ 수선비를 예산에 ～ 修繕費を予算に繰り込む.

집어-던지다 타 ほうり投げる; 投げつける.

집어-등【集魚燈】 명 集魚灯.

집어-먹다 타 つま(抓·摘·撮)む; つまで〔取って〕食べる. ¶ 손가락〔젓가락〕으로 ～ 指〔箸〕でつまんで食べる.

집어-삼키다 타 ①(つまんで)うのみ〔まるのみ〕にする; 飲み下す. ¶ 집어삼킬 듯이 보다 食い入るように見詰める. ②(人の物を)横取りする; ふんだくる.

집어-세다 타 ① 無遠慮にむさぼ(貪)り食う. ② むてっぽうに駆り立てる. ③(人の物を)着服する.

집어-치우다 타 ほうり出す; ほうる; 投げ出す; 引き払う. ¶ 학업을 ～ 学業をほうり出す / 시험을 ～ 試験をほうる.

집-오리 명〔鳥〕あひる(家鴨). ㊟ 오리.

집요【執拗】 명 しつよう(執拗). ──하다 형 執拗だ; しつこい. ¶ ～하게 물고 늘어지다 執拗に食い下がる / ～하게 자기 주장을 굽히지 않는다 執拗に自説を曲げない.

집-임자 명 家主; 大家. ＝집주인.

집적【集積】 명하자타 集積. ¶ 원료의 ～지 原料の集積地.
‖── 회로 명 集積回路; IC.

집적-거리다 타 手出しをする. ①(軽率に)なんでも手をつける〔出す〕; 手を染める; 食い散らす. ¶ 이것저것 집적거려 보았으나 결국 아무것도 안 되었다 いろいろと手を着けて見たが結局何にもならなかった. ②(むやみに人を)小突きまわす; つつく; 挑む. **집적-집적** 부하타 ①(人のことに)よけいなおせっかいをするさま. ②(むやみに人を)小突きまわすさま.

집정【執政】 명하자 執政.
‖──-관 명 執政官.

집주【集註·集注】 명 集注. ¶ 논어 ～ 論語集注.

집-주인【─主人】 명 ① 亭主; 家長; 一家の長; 所帯主; 戸主. ② 家主; 大家〔大屋〕. ＝집임자.

집중【集中】 명하자타 集中. ¶ ～ 공격 集中攻撃 / ～력 集中力 / 주의를 ～시키다 注意を集中させる.
‖── 사격 명하자 集中射撃. ── 포화 명〔軍〕集中砲火. ── 호우 명〔氣〕集中豪雨.

집-쥐 명 家ねずみ.

집진【集塵】 명 しゅうじん(集塵). ¶ ～기 集塵器.

집-집 명 家家.
‖──-마다, ──-이 부 家並み; 軒並みに; 家ごとに. ¶ ～마다〔～이〕 국기를 달다 家並みに国旗をかかげる.

집착【執着】 명하자 執着. ¶ 돈에 ～하다 金に執着する / 구습에 ～하다 旧習になずむ.

집-채 명 家の一棟全部; 家屋全体. ──-같다 형 (かさ(嵩)が)家のように大きい. ¶ ～같은 파도 山のような大波.

집총【執銃】 명하자 執銃.

집-치장【─治粧】 명하자 家を手入れしてきれいに飾ること.

집-터 명 ① 家の敷地. ② 屋敷のあと; 家跡.

집-토끼 명 かと(家兎); 飼いうさぎ(兎).

집-파리 명〔蟲〕いえばえ(家蠅).

집필【執筆】 명하타 執筆. ¶ ~자 執筆者 / 소설을 ~ 중이다 小説を執筆中である.

집하【集荷】 명하자타 集荷. ¶ ~장 集荷場.

집합【集合】 명하자타 集合. ¶ 현지 ~ 現地集合 / 아침 8시에 ~하다 朝八時に集合する / 짝수의 ~ 偶数の集合.
‖—— 개념 명〔論〕集合概念. ——과 명 集合果. ——론 명〔數〕集合論. —— 명사 명〔言〕集合名詞. ——체 명 集合体.

집행【執行】 명 執行. ——하다 타 執行する; 執り行なう. ¶ 형을 ~하다 刑を執行する.
‖——권 명〔法〕執行権. —— 기관 명 執行機関. ——력 명 執行力. ——부 명 執行部. —— 위원 명 執行委員. —— 유예 명〔法〕執行猶予. —— 정지 명〔法〕執行停止.

집화【集貨】 명하자타 集貨.

집회【集會】 명 集会. ——하다 자 集会する; 集う. ¶ ~의 자유 集会の自由 / ~장 集会場 / ~를 열다 集会を開く.

집흑【執黑】 명 (碁で)黒を取って打つこと.

집히다 피동 つま(摘·抓)まれる; にぎられる; 取(ら)れる; はさまれる. ¶ 손에 집히는 대로 던지다 手あたり次第投げつける.

짓 명 仕業; まね(真似); 業; 振る舞い; 事; 行動; 挙動; しぐさ(仕草). ¶ 당치도 않은 ~ もっての外の事 / 미친 ~ 気違い沙汰 / 이놈의 ~이다 こいつの仕業である / 난폭한〔엉뚱한·턱없는〕 ~을 하다 むちゃをやる / 하는 ~이 밉다 仕振りが〔やり方が〕憎い / 못할 ~을 하다 罪なことをする.

짓- 두 動詞の前に付いて"やたらに·めちゃくちゃに·容赦なく"などの意を表わす語. ¶ ~누르다 やたらに押え付ける / ~밟다 踏みにじる / ~눌리다 ひし(拉)げる / ~이기다 にじ(躙)る.

짓-거리 명하자 ① 興に乗ってするしぐさ(仕草). ②《俗》☞ 짓.

짓고-땡 명《俗》① 花札でするとばく(賭博)のひとつ. ② 希望どおりに仕事が順調に進むこと.

짓-궂다 형 意地悪い. ¶ 짓궂게 굴다 意地悪をする / 짓궂은 말을 하다 嫌がらせを言う. 짓-궂이 부 意地悪く.

짓다 타 ① 作る. ㉠ (着物を)仕立てる. ¶ 양복을 ~ 洋服を仕立てる. ㉡ (表情などを)表わす; …顔をする. ¶ 울상을 ~ 泣き顔をする / 어두운 표정을 ~ 顔を曇らす. ㉢ (建物などを)建てる; 構える. ¶ 새로〔다시〕 ~ 建て直す / (새가) 보금자리를 ~ 巣を食う / 성을 ~ 城を構える. ㉣ (作物を)栽培する. ¶ 벼 농사를 ~ 米を作る. ㉤ 炊く. ¶ 밥을 ~ 飯を炊く. ㉥ 形成する; 形づくる. ¶ 열〔줄〕을 ~ 列を成す〔作る〕. ㉦ 創作する; (本を)著す. ¶ 시를 ~ 詩を作る. ㉧ 作り〔でっち〕上げる. ¶ 지어낸 이야기 作り話. ㉨ (結び目を)結ぶ; こしらえる. ② (結びを)つける. ¶ 결말을 ~ 結末〔けり〕をつける. ③ 犯す. ¶ 큰 죄를 ~ 大罪を犯す. ④ (薬を)調剤する. ⑤ 命名する; 名付ける. ¶ 조선한 배 이름을 태평호라고 ~ 新造船を太平丸と名付ける.

짓-마다 타 ① こなごなに壊す. ② したた(強)かなぐる; うんとなぐる.

짓-밟다 타 踏みつける; 踏みしだ(拉)く; 踏みにじ(躙)る; 踏んづける. ¶ 화단의 꽃을 ~ 花壇の花を踏みにじる / 남의 친절을 ~ 人の親切を踏みにじる / 말굽으로 ~ 馬蹄に掛ける.

짓-밟히다 피동 踏みにじられる; じゅうりん(蹂躙)される; 踏みつけられる. ¶ 화초가 짓밟혀 있다 草花が踏みしかれている.

짓-시늉 명 しぐさ(仕草)のまね.

짓-씹다 타 (こなみじん(粉微塵)に)か(噛)み砕く; かみしだく; がりがりとかむ.

짓-이기다 타 にじ(躙)る; ひし(拉)ぐ; めった切りにする; みじん切りにする; 散散にこ(捏)ね返す; す(擂)りつぶ(潰)す; めちゃくちゃにする.

짓-찧다 타 つ(搗)き砕く.

징[1] 명 (靴などの)びょう(鋲); 裏金. ¶ ~을 박다 鋲を打つ.

징[2] 명 [←정(鉦)]〔樂〕どら(銅鑼); しょう〔かね〕(鉦); たたきがね. ¶ ~이 울리다 銅鑼が鳴る.

징거-두다 타 ① (衣服を)仕付けて〔仮縫いして〕置く. ② (前もって)準備して置く.

징거-매다 타 (服がほころ(綻)ばないように)粗目に刺し縫いする.

징건-하다 형 (食べたものが)消化されないでもた(凭)れ気味である; もたれる.

징검-다리 명 飛び石の橋.

징검-돌 명 ① (浅瀬などの)飛び石. ② 敷石; 石畳; 踏み石.

징검-징검 부 ① 粗目に縫い込むさま. ② おおまた(大股)に歩くさま.

징계【懲戒】 명하자타 懲戒; 戒め. ¶ ~권 懲戒権 / ~ 면직 懲戒免職. ‖——벌 명 懲戒罰. —— 처분 명 懲戒処分.

징그다 타 ① (服などが長持ちするように)刺し縫いする. ② 長い衣服の一部分を縫いあげする.

징그럽다 형 ① いやらしい; (鳥肌が立つぐらい)気味が悪い. ¶ 징그러운 소리만 하다 いやらしいことばかり言う. ② ぞっとする程むご(惨)い.

징글징글-하다 형 ① 大変気味が悪い; 不快な気持ちがする. ② ぞっとするほどいやらしい.

징모【徵募】 명하타 徵募.

징발【徵發】 명하타 徵発. ¶ 식량의 ~ 食糧の徵発.

징벌【懲罰】 명하타 懲罰. ¶ ~을

받다 懲罰を受ける.
징병【徵兵】명하타 徵兵.
‖── 검사 명하타 徵兵検査. ── 기피 명 徵兵忌避. ── 제도 명 徵兵制度.
징빙【徵憑】명 ちょうひょう(徵憑). ① 徵証; あか(証)し; しるし. ②〔法〕事実を証明すべき材料となる物. ¶~ 서류 徵憑書類.
징세【徵稅】명하자 徵稅.
징수【徵收】명 徵収; 取り立て. ──하다 타 徵収する; 取り立てる. ¶원천 ~ 源泉徵収.
징악【懲惡】명하타 懲悪. ¶권선~ 勧善懲悪.
징역【懲役】명〔法〕懲役; 懲役刑. ¶~ 5년의 형 懲役五年の刑.
‖──살이 명하자 懲役生活; 服役. ──수 명 懲役囚.
징용【徵用】명하타 徵用. ¶~공 徵用工/~되다 徵用される.
징-잡이 명 どら(銅鑼)を鳴らす人.
징조【徵兆】명 徵兆; 兆し; 前ぶれ; 徵候; 前兆; しるし(徵). ¶봄의 ~ 春の兆し/눈은 풍년의 ~ 雪は豊年のしるし.
징집【徵集】명하타 徵集. ¶장정을 ~하다 壮丁を徵集する.
‖── 연도 명 徵集年度.
징치【懲治】명하타 懲治; 戒めて治めること.
징크-판【─版】〔zinc〕명 ジンク版. =아연판(亜鉛版).
징크스〔jinks, jinx〕명 ジンクス.
징표【徵表】명〔論〕徵表.
징후【徵候】명 徵候; 前ぶれ; きざし; しるし(徵). ¶대지진의 ~가 있었다 大地震の徵候があった.
짖다 자 ①(犬が)ほ(吠)える. ¶짖는 개 吠える犬. ②(からす(烏)·かささぎ(鵲)などが)やかましく鳴く. ③"지껄이다"(=しゃべる)をふざけて言う語.
짙다 형 濃い. ①(色彩·化粧·味などが)濃厚だ; こってりしている. ¶짙은 화장 厚化粧/가을빛이 짙은 계곡 秋の色深き渓谷. ②(煙·霧などが)深い. ¶짙은 안개 濃い霧. ③(草木などが)密生している. ¶짙은 눈썹 濃い眉毛. ④(嫌疑が)濃厚だ. ¶살인의 혐의가~ 殺人の疑いが濃い. ⑤(液体の濃度が)高い.
짙-푸르다 형 濃い緑色である; 濃い青である.
짚 명 わら(藁). ¶보릿~ 麦わら.
짚-가리 명 わらづか(藁塚).
짚-나라미 명 わらくず(藁屑).
짚다 타 ①(つえ(杖)を)つく. ②脈を取る. ¶맥을 ~ 脈を取る. ③(床に手を)つく. ¶손을 짚고서 사과하다 手をついてあやまる. ④(クイズなどで)あてる. ¶잘못 ~ 見込み〔見当〕違いをする. ⑤推量をする; 推し量る.
짚-단, 짚-뭇 명 わらたば(藁束).
짚-방석【─方席】명 わらざ(藁座); 円座.
짚-불 명 わらび(藁火).
짚-수세미 명 わら(藁)で作ったたわし.
짚-신 명 わらじ(草鞋); 草履; わらぐつ(藁沓).
‖── 감발 명하자 足を布で包んで草鞋をはくこと. ──골 명 草鞋の形を整える木型. ──벌레 명〔動〕草履虫.
짚-여물 명 (牛馬の)わらまぐさ(藁秣).
짚이다 자 思い当たる; 心あたりがある; 推し量られる. ¶짚이는 데가 있다 思い当たる節がある.
짚-자리 명 ①わら(藁)ごも; わら(藁)ござ. ②わら(藁)を敷いた席.
짜개 명 (豆などの)片割れ.
‖── 김치 명 きゅうり(胡瓜)を裂いて具の物を入れて漬けたキムチ. ──반(半) 명 片割れ; 二つに割った半分.
짜개다 타 裂く; 割る. ¶호두를 ~ くるみを割る.
짜개-지다 자 割れる; 裂ける.
짜그라-뜨리다 타 ☞ 찌그러뜨리다.
짜그라-지다 자 ☞ 찌그러지다.
짜글-거리다 자 ①(汁などが)煮詰まってじじと音を立てる. ②じりじりと心を焦がす. **짜글-짜글** 부하자 じじと; じりじり.
짜금-거리다 타 にちゃにちゃ食べる. 짜금-짜금 부하타 にちゃにちゃ.
짜-깁기 명하타 掛けは(接)ぎ; 掛けつ(接)ぎ.
짜-깁다 타 掛けは(接)ぎ〔掛けつ(接)ぎ〕をする.
짜다[1] 타 ①組む. ㉠(家具などを)組み立てる; 作る. ¶장농을 ~ たんすを組む/판을 ~ 版を組む. ㉡(組織などを)作る; 編成する. ¶대오를 ~ 隊伍を組む/예산안을 ~ 予算案を組み上げる/…로 짜여 있다 …で組織されている. ②絞〔搾〕る. ㉠(水気をとるために)ね(捩)じりしめる. ¶걸레를 ~ 雑巾を絞る/우유를 ~ 牛乳を搾る. ㉡(頭を)ひね(捻)る; 練る; 巡らす. ¶머리를 ~ 頭を絞る/지혜를 ~ 知恵を巡らす〔絞る〕/묘계를 ~ 妙計を案ずる/작전을 ~ 作戦を練る/계획을 ~ 計画を立てる. ㉢ 搾取する; 搾り取る. ¶백성의 고혈을 ~ 民のこうけつ(膏血)を搾る. ③(ひも(紐)·糸などで)織る; 編む. ¶털실로 양말을 ~ 毛糸で靴下を編む. ④("상투"を)結う. ⑤《俗》泣く. ⑥(うみ(膿)などを)押し出す; (にきびを)つぶ(潰)す.
짜다[2] 형 ①から(鹹)い; 塩辛い; しょっぱい. ¶짠 맛 塩辛い味; 塩味/반찬이 너무 ~ おかずがからすぎる. ②けちで渋い. ¶어째 저렇게 짜게 굴까 なんであんなに渋いんだろう. ③《俗》(点などが)辛い; きつい; 酷だ.
짜드라 오다 자 (多くのものが)どっと押し寄せる.
짜드라 웃다 자 (大勢の人が)いっせいにどっと笑う.
짜드락-거리다 자타 うるさくからみつく; しつこく悩ます; ねちねちねだる. 짜드락-짜드락 부하자타 ねちねち.
짜드락-나다 자 (かくしていたことが)

ㅈ

ばれる；露顕する.
짜득짜득-하다 형 ☞ 찌득찌득하다.
짜들다 자 ☞ 찌들다.
짜디-짜다 형 ひどく塩辛い.
짜뜰름-거리다 자타 ちびちび(と)くれる；けちけちした与え方をする. <찌뜰름거리다. **짜뜰름-짜뜰름** 명하자타 ちび(り)ちび(り).
짜랑-거리다 자타 ☞ 쩌렁거리다. **짜랑-짜랑** 부하자타 ☞ 쩌렁쩌렁.
짜랑짜랑-하다 형 ☞ 쩌렁쩌렁하다.
짜르랑 부 薄い金属が響く音：ちりん；ちゃりん. ——-거리다 자타 ちりんちりん(と)ひびく〔鳴る〕. ———— 부하자타 ちりんちりん.
짜르르 부하형 ☞ 찌르르.
짜르륵 부하자타 ☞ 찌르륵. ——-거리다 자타 ☞ 찌르륵거리다. ———— 부하자타 ☞ 찌르륵찌르륵.
짜름-하다 형 やや短い.
-짜리 미 ①身なりでその人をいやしめて呼ぶ語. ¶양복~ 洋服まとい；洋服を着た人. ②"値するもの"の意. ¶백원~ 담배 百ウォンどころのタバコ / 이건 얼마~나 될까 この品はいくら位のものだろうか. ③ある数·量のものをさす語. ¶한되~ 一升もの〔入り〕.
짜릿-하다 형 ①(筋肉·骨節がにわかに)ぴりっとする. ②(胸に)こたえる；じいんと来る. **짜릿-짜릿** 부하형 ぴりぴり.
짜부라-뜨리다 타 ☞ 찌부러뜨리다.
짜부라-지다 자 ☞ 찌부러지다.
짜이다 자 ①組まれる；編成される. ②調う；きちんとそろう；釣り合う；似合う. 준 째다.
짜임 명 組織；構成；組み立て.
‖**——-새** 명 仕組み；結構；体裁. ¶문장의 ~ 文章の結構.
짜장 명부 誠(に)；本当(に)；いかにも. ¶~ 잘난 듯이 행동하다 いかにも偉そうに振る舞う.
짜증【—症】 명 かんしゃく(癇癪)；かん(癇)；向かっ腹；嫌気；(子供の)虫(気). ——-나다 자 癇癪が起こる；苛立たしくなる. ——-내다 자 癇癪を起こす；腹を立てる.
짜-하다 형 (うわさが)ぱっと知れわたって〔広がって〕いる.
짝[1] 명 ①(二個以上がそろって)一組·対になるものの一つ. ②対をなすものの片方；片一方. ¶~을 이루다 対になる；対をなす；ペアをなす / ~을 지어 주다 添わせる；めあ(娶)わせる / 구두 한 ~이 없어졌다 片方の靴がなくなった. ③共に事を行なう人；相棒；相方；連れ合い. ④(漢詩で)二句が一対になる句の語.
짝[2] 의명 ①冠形詞"아무(=なんの·なんら)"に付き"곳(=所)"の意を表わす語. ¶아무 ~에도 못 쓸 놈 何の役にも立たない奴. ②冠形詞"무슨(=なんたる)"に付いて"꼴(=ざま·格好)"の意を表わす語. ¶무슨 ~이냐 何たる様だ. ③↗편짝.
짝[3] 의명 ①(牛馬の)荷駄の片方の荷《ふつう一俵をさす》. ②(牛などの)あばら(肋肉)の片方.
짝[4] 부하자 ☞ 쩍.
짝-귀 명 両耳が同じくないふぞろいの耳. また, その人.
짝-눈 명 両目が同じくないふぞろいの目.
짝-맞추다 타 つがいにする；合わせる；一そろい(揃)い〔一組〕にする.
짝-사랑 명 片恋；おかぼ(岡惚)れ；横恋慕.
짝-수【—數】 명 偶数.
짝-없다 형 ①むちゃだ；ばか(馬鹿)げている. ②窮〔極〕まる；この上ない；たぐ(類)いない. ¶무례하기 ~ 無礼窮まる / 부끄럽기 ~ 恥ずかしい限りである. **짝-없이** 부 むちゃに；窮〔極〕まりなく；この上なく.
짝자그르-하다 형 うわさが広まって騒騒しい；(…の)うわさで持ち切りである.
짝-짓다 타 ①一そろ(揃)い〔一対〕にする；つがいにする；組み合わせる. ②めあ(娶)わせる；添わせる. ¶저 둘을 짝지어 주자 あの二人を添わせてやろう.
짝짜꿍 명하자 乳飲み子が両手を打つこと.
짝짜꿍이 명하자 ①ひそかなたくら(企)み；からくり. ②言いあらそい.
짝짝[1] 부하형 ①ねばってひどくべたつくさま：べたべた. ②(まき(薪)などが)一気に裂ける音. また, そのさま：びりびり.
짝짝[2] 부하자 舌鼓を打ったり舌を鳴らしたりする音：くちゃくちゃ；ちゅっちゅっ(と). ¶껌을 ~ 씹다 ガムをくちゃくちゃかむ. ——-거리다[1] 타 しきりに舌鼓を打ちながら食べる.
짝짝-이 명 (対の物)びっこ(跛)；片ちんば；ちぐはぐ. ¶구두를 ~로 신다 靴をかたちんばに履く / ~ 장갑 ちぐはぐ〔片ちんば〕の手袋.
짝-채우다 타 ①(一そろ(揃)いのものの)欠けを充たす；対にする. ②連れ添わせる；めあわせる.
짝-하다 자타 相棒〔対·つがい〕になる〔する〕；相手をする〔になる〕；組む.
짠득-거리다 자 ☞ 찐득거리다. **짠득-짠득** 부하자형 ☞ 찐득찐득.
짠-맛 명 塩辛い味.
짠-물 명 ① ☞ 바닷물. ②塩辛い物からしみ出た汁.
짠지 명 大根の塩漬け.
짠-하다 형 ☞ 찐하다.
짤그랑 부하자타 ☞ 쩔그렁. ——-거리다 자타 ☞ 쩔그렁거리다. **짤그랑-짤그랑** 부하자타 ☞ 쩔그렁쩔그렁.
짤깃-짤깃 형 하형 ☞ 쫄깃쫄깃.
짤까닥 부하자타 ☞ 쩔꺼덕. ——-거리다 자타 ☞ 쩔거덕거리다. ———— 부하자타 ☞ 쩔꺼덕쩔거덕.
짤깍 부하자타 ①↗짤까닥. ②カメラのシャッターを押す音：ぱちり. ——-거리다 자타 ①↗짤까닥거리다. ②続けざまにシャッターを押す. ———— 부하자타 ①↗짤까닥짤까닥. ②続けざまにシャッターを押すさま：

ㅈ

ぱちりぱちり.

짤끔 부하자타 ☞ 찔끔. ――거리다 자타 ☞ 찔끔거리다. ――――― 부하자타 ☞ 찔끔찔끔.

짤따랗다 형 よほど短い.

짤뚝-거리다 자타 ☞ 찔뚝거리다. 짤뚝-짤뚝¹ 부하자타 ☞ 찔뚝찔뚝.

짤뚝-하다 형 (あり(蟻)のように)腰が深くくび(括)れている. <찔뚝하다. 짤뚝-짤뚝² 부하형 あちこちがくびれているさま.

짤랑-거리다 자타 ☞ 절렁거리다. 짤랑-짤랑 부하자타 ☞ 절렁절렁.

짤래-짤래 부 ☞ 절레절레. 준 짤짤.

짤록-거리다 자타 ☞ 절룩거리다. 짤록-짤록¹ 부하자타 ☞ 절룩절룩.

짤록-하다 형 (物が)浅くくび(括)れている. <찔룩하다. 짤록-짤록² 부하형 (ものが)あちこち括れているさま.

짤름-거리다 자타 ☞ 찔름거리다¹·². 짤름-짤름¹·² 부하자타 ☞ 찔름찔름.

짤막-하다 형 短めである. 짤막-이 부 短めに. 짤막-짤막 부하형 あれこれが短めなさま.

짤쏙-거리다 자타 ☞ 절쑥거리다. 짤쏙-짤쏙 부하자타 ☞ 절쑥절쑥.

짤짤¹ 부하타 ↗짤래짤래.

짤짤² 부 ☞ 절절².

짤짤³ 부 あちこちやたらに出歩き回るさま. ――거리다 자 やたらに出歩きまわる.
‖――-이 명 あちこち出歩き回る人.

짧다 형 ①短い. ㉠長くない. ¶짧은 띠 短い帯/짧은 거리 短い距離/짧은 시간 短い時間/길이가 ~ 長さが短い. ㉡(高さが)低い. ¶짧은 장대 短いさお(竿). ㉢(範囲·程度が)及ばない; 足りない; 浅い. ¶식견이 ~ 識見が足りない. ②(資本などが)充分でない; 少ない; わずかだ. ¶짧은 밑천으로 わずかの元手で. ③(食べ物に)やかましい; えり好み〔好き嫌い〕がはげしい.

짧아-지다 자 短くなる; つづまる.

짬 명 透き; 透き間. ①(空間的な)間; 継ぎ目. ②(時間的に)暇; 間; 合間. ¶책을 읽을 ~이 났다 本を読む暇が明いた/일의 ~을 보아 仕事の間を見て.

짬-나다 자 ①透き間ができる. ②手がすく; 暇が明く; 暇ができる.

짬뽕 명하자타 ちゃんぽん.

짬짜미 명하타 ①(二人だけの) ひそかな約束; 前もっての打ち合わせ. ②(勝負事の) 八百長.

짬짬-이 부 合間に; ひまひまに. ¶일하는 ~ 한대 피우다 仕事の合間に一服する.

짭짤-하다 형 ①やや塩辛い. ②かなりよい. ㉠結構だ; 程よい. ¶짭짤한 솜씨 結構な腕前〔できばえ〕. ㉡暮らしに事欠かない. 짭짤-히 부 ①やや塩辛く. ②結構に; かなりよく.

짭짭 부하타 ☞ 쩝쩝. ――거리다 타 ☞ 쩝쩝거리다.

짭짭-하다 형 口寂しくてなにかを食べたい.

짱알-거리다 자 ☞ 찡얼거리다. 짱알-짱알 부하자 ☞ 찡얼찡얼

-째 미 ①"ありのまま·そのまま"の意: …ごと; から(搦)み; …まま. ¶뼈~ 먹다 骨ごと食べる/뿌리~ 뽑다 根ごとに引き抜く; 根こそぎにする. ②名詞や基本数の下に付いて順序を表わす語: …目. ¶둘~ 딸 二番目の娘/셋~ 집 三軒目の家.

째깍 부하자타 ①硬いものが折れるかふれ合う時の音: ぽきん; かちん; かちっ. ②(時計の)歯車の音: かちかち. ――거리다 자타 ①しきりにぽきんぽきんと折(れ)る. ②かちかちと音がする〔音を立てる〕. ――――― 부하자타 ぽきんぽきん; かちんかちん; かちかち.

째다¹ 자 (着物·靴などが小さくて)きつい; きゅうくつだ; 堅い.

째다² 자 (人手·物資が)足りなくて困る; 不足する; 窮する. ¶재료가 ~ 材料に窮する.

째다³ 타 (切り)裂く; 切開する; 切り開く. ¶종기를 ~ は(腫)れ物を切開する.

째리다 자《俗》にら(睨)む.

째보 명 としん(兎唇).

째어-지다, 째-지다 자 ①裂ける. ②(暮らしに)ひどく窮する. ¶째지게 가난하다 食うや食わずの暮らしである.

째푸리다 자타 ☞ 찌푸리다.

짹-소리 명 ☞ 찍소리.

짹-짹 부 すずめ(雀)の鳴き声: ちいちい; ちゅうちゅう. <찍찍. ――거리다 자 (雀などが)しきりにちゅうちゅう鳴きたてる.

쨀쨀 부 ①(身の物を) ふしだらに落としたりなくすさま. ②涙をちょぴりちょぴり流すさま. ③液体などが少しずつ流れ出るさま. <찔찔.

쨍 부 金属が触れ合って鳴るきつい音: かちん; がちゃん.

쨍그랑 부하자타 うすい金物などが落ちて鳴る音: がちゃん. <쟁그렁. ¶접시가 ~ 깨지다 皿ががちゃんと割れる. ――거리다 자타 がちゃんがちゃん(と)音がする. また, その音を立てる. ――――― 부하자타 がちゃんがちゃん.

쨍그리다 타 ☞ 찡그리다.

쨍쨍 부 ①照り付けるさま: かんかん; じりじり. ¶볕이 ~ 내리 쬐다 太陽〔日〕がかんかん(と)照りつける. ②氷などの固いものが裂けて鳴る響き.

쨍쨍-거리다 자 (不平を)がみがみ言う; ごてる〈俗〉.

쩌개다 타 (木などを) 割る.

쩌금-거리다 타 ☞ 짜금거리다. 쩌금-쩌금 부하타 ☞ 짜금짜금.

쩌렁-거리다 자타 薄い金物が触れあっていんいんと響く. 쩌렁-쩌렁 부하자타 いんいんと.

쩌렁쩌렁-하다 형 声が立つ; 声が通る. >짜랑짜랑하다. ¶쩌렁쩌렁한 음성 よく通る声.

쩌쩌 감 ①しきりに舌打ちをする音. ②牛を左の方に追う時の声

こえ: ほう.

쩍 [부] ① 物が二つに裂かれたさま: ぽっかり; ぽかんと; ぱくっと. ¶수박이 ~ 갈라지다 すいかがぽかっと割れる. ② 大きく開ける〔広げる〕さま: ぱくり; あんぐり. >짝[4].

쩍쩍[1] [부][하타] ☞ 짝짝[2]. ——-거리다 [타] ☞ 짝짝거리다[2].

쩍쩍[2] [부][하형] ☞ 짝짝[1].

쩍-하면 [부] [↗뻔쩍하면] ことごとに; ややもすれば; ともすれば.

쩔그렁 [부][하자타] 薄い金物が触れあって鳴る音: かちん; かちゃん; ちゃりん. ——-거리다 [자][타] がちゃつく; かちゃかちゃする〔させる〕. ———— [부][하자타] かちゃかちゃ.

쩔꺼덕 [부][하자타] ① 粘り気のあるものが勢いよくべたつくか離れる時の音. また, そのさま: べたりと. ② (錠前・かぎなどが)かかるときの音: がちゃり. ¶~하고 쇠를 채우다 がちゃりと錠をかける. ③ 平たいものが触れ合って出る音: がちゃん. ⊥절꺼덕. ——-거리다 [자][타] ① (粘っこいものが)しきりにべたりべたりと音をたてる. ② がちゃがちゃする〔させる〕; がちゃりがちゃりする〔させる〕. ———— [부][하자타] ① べたりべたり. ② がちゃ(り)がちゃ(り).

쩔꺽 [부][하자타] ↗쩔꺼덕. ——-거리다 [자][타] ↗쩔꺼덕거리다. ———— [부][하자타] ↗쩔꺼덕쩔꺼덕.

쩔뚝-거리다 [자][타] 片足をひどく引きずって歩く. >짤뚝거리다. ⊥절뚝거리다. 쩔뚝-쩔뚝 [부][하자타] 片足をひどく引きずって歩くさま.

쩔뚝발-이, 쩔뚝-이 [명] 片足の具合が悪くて歩行の不自由な人.

쩔렁-거리다 [자][타] 鈴や薄い金属が触れ合って音を出す; じゃらじゃら〔かちゃかちゃ〕する; ちりんちりんと鳴る. ⊥절렁거리다. 쩔렁-쩔렁 [부][하자타] じゃらじゃら; かちゃかちゃ; ちりんちりん.

쩔레-쩔레 [부] しきりにかぶり(頭)を振るさま. ⊥절레절레.

쩔룩-거리다 [자][타] "절룩거리다"の強勢語. 쩔룩-쩔룩 [부][하자타] "절룩절룩"の強勢語.

쩔름-거리다 [자][타] "절름거리다"の強勢語. ⊥절름거리다. 쩔름-쩔름 [부][하자타] "절름절름"の強勢語.

쩔름발-이 [명] ☞ 쩔뚝발이.

쩔쑥-거리다 [자][타] "절쑥거리다"の強勢語. 쩔쑥-쩔쑥 [부][하자타] "절쑥절쑥"の強勢語.

쩔쩔[1] [부] ↗쩔레쩔레. >짤짤[1].

쩔쩔[2] [부] 熱が高く非常に熱いさま. >짤짤[2].

쩔쩔[3] [부] あちこちせわしくほっつき歩くさま: せかせか. >짤짤[3]. ——-거리다 [자] (あちこち)せわしくほっつきまわる.

쩔쩔-매다 [자] ① (差し迫った困難などで)途方に暮れる; あわてふためく; (暮らし・金などに)窮する; ぴいぴいする. ② てんてこ舞い(を)する. ¶주문이 쏟아져서 ~ 注文が殺到しててんてこ舞いをする. ③ (圧倒されて)たじたじとなる; たじろぐ; 閉口する.

쩝쩝 [부][하자타] 舌打ちをする〔舌鼓を打つ〕さま. ——-거리다 [타] (しきりに)舌打ちをする; 舌鼓を打つ.

쩟 [부] 舌打ちをする声: ちえっ.

쩡쩡 [부][하자] ① ばね・ぴんと張った物などをはじく時の音. ② (川に張った)氷などが裂ける響き. ③ 権勢をふるうさま; 羽振りのいいさま. ——-거리다 [자] 羽振りをきかせる.

쩨꺽 [부][하자타] ☞ 째깍. ——-거리다 [자][타] ☞ 째깍거리다. ———— [부][하자타] ☞ 째깍째깍.

쩨쩨-하다 [형] ① つまらない; くだらない. ② けちだ; しょっぽい; みみっちい; あたじけない. ¶쩨쩨한 녀석 けちくさい奴/쩨쩨하지 않다 きっぷがいい/쩨쩨한 소리 마라 けちな事を言うな/쩨쩨하게 굴면 일이 안됩니다 けちったら仕事がうまく行きません.

쩽그렁 [부][하자타] ☞ 쨍그랑. ——-거리다 [자][타] ☞ 쨍그랑거리다. ———— [부][하자타] ☞ 쨍그랑쨍그랑.

쪼가리 [명] かけら; 片割れ; 破片.

쪼개다 [타] 割る; 裂く; 分ける. ¶사과를 둘로 ~ りんごを二つに割る/장작을 ~ 薪を割る.

쪼개-지다 [자] ① 別れる; 分かれる. ¶나라가 둘로 ~ 国が二つに分かれる. ② 割れる; 裂ける. ¶수박이 짝하고 ~ すいかがぽかんと割れる.

쪼그라-들다 [자] 縮(か)む; 縮(こ)まる; しな(萎)びる; 減る. ¶때리면 쪼그라든다 打つと縮こまる.

쪼그라-뜨리다 [타] (力んで)へこ(凹)ませる; つぶ(潰)す; 縮こませる.

쪼그라-지다 [자] ① (かさが)縮まる; 小さくなる; へこむ; (つぶ(潰)れて)ぺちゃんこになる. ② (老いぼれて)しな(皺)びる; しわ(皺)む.

쪼그리다 [타] ① へこ(凹)ます; (おし)つぶ(潰)す; 小さくする. ② (手足・身を)曲げる; かが(屈)める; しゃがむ; うずくま(蹲)る.

쪼글-쪼글 [부][하형] ☞ 쭈글쭈글.

쪼다 [타] ① (鳥が)つつく; ついば(啄)む. ② (のみ・たがねで)刻む〔彫る〕.

쪼들리다 [자] (…に)悩まされる; 困る; 窮する; も(揉)まれる. ¶돈에 ~ 金に窮する/빚쟁이에게 ~ 債鬼に責められる/늘 ~ いつもぴいぴいする.

쪼록 [부] 狭い所を勢いよく流れていた水がにわかに切れる音. <쭈룩. ⊥조록. ———— [부][하자] しきりに"쪼록"の音をたてるさま.

쪼르르 [부] ① 短い足を早目に運ばせて進むさま; ねずみ(鼠)などがちょろちょろ動き回るさま. ② 水が狭い所を流れるさま. また, その音: ちょろちょろ. ③ ずぶぬれになったさま: びっしょり. ④ 小さいものが斜面を滑るさま: ずるずる. ⑤ 子供や犬などが追いて来るさま: ちょろちょろ. ⊥조르르.

쪼르륵 [부][하자타] ① 狭い所を流れ

ていた水がにわかに切れる音: ちょろっ. <쭈르륵. ㅗ조르륵. ② ひもじくて腹が鳴る音: ぐうっ. ——-거리다 자타 しきりに"쪼르륵"音がする〔音を立てる〕. ———— 부하자타 ちょろっちょろっ; ぐうぐう.

쪼뼛-쪼뼛 부하형 ☞ 쭈뼛쭈뼛.

쪼뼛-하다 형 ☞ 쭈뼛하다.

쪼아-먹다 타 ついば(啄)む; つつく. ¶ 새가 나무 열매를 ~ 鳥が木の実をついばむ.

쪽[1] 명 (婦人の髪を)後ろで束ねてかんざし(簪)をさすようにしたまげ(髷).

쪽[2] 명 (割れたものの)かけら.

쪽[3] 명 〖植〗 あい(藍).

쪽[4] 명 側; 方; 口. ¶ 오른〔맞은편〕~ 右〔向こう〕側/동~ 東の方; 東側/한~ 구석 片隅/아버지

쪽[5] 부 ☞ 쭉. ∟~ 父方.

쪽-대문【—大門】명 母屋に通じるくぐ(潜)り戸.

쪽-마루 명 一・二枚の板を横に敷いた細長い縁側.

쪽매 명 板切れを継ぎ合わせて作ったもの; 寄せ木.

‖——-붙임 명하타 寄せ木細工.

쪽-못쓰다 자 ① ぐうの音も出ない. ② (あまり好きで)目がない.

쪽-문【—門】명 わきど(脇戸); くぐ(潜)り戸.

쪽-박 명 小さいひさご(瓢). ¶ ~을 차다 物もらいをする; こじきになる.

쪽-발이 명 ① 一本脚のもの. ② (牛の足のように)二またになったもの. ③ 日本人の卑称.

쪽-배 명 丸木を割って中をくりぬいて作った船.

쪽지【—紙】명 ① 紙切れ; 紙切れに書いた手紙やメモ. ② 合札; ふせん(付箋).

쪽-쪽 부 ☞ 쭉쭉.

쫀득-거리다 자 ① (弾力のある食べ物が)口の中でにちゃにちゃする. ② (やや乾いたものが)堅くてなかなか(噛)み切れない. 쫀득-쫀득 부하자형 しこしこ.

쫀쫀-하다 형 織り目が細かい; 布目が詰んでいる.

쫄깃-쫄깃 부하형 (歯でかむと)やや堅く弾力性があるさま: しこしこ.

쫄딱 부 すっかり; 完全に. ¶ 회사가 ~ 망했다 会社が完全につぶれた.

쫄딱-쫄딱 부하형 (物事を)幾度かに分けて少しずつするさま: ちびちび; 少しずつ. ¶ 돈을 ~ 쓰다 金をちびちびと使う.

쫄래-쫄래 부하형 ☞ 쫄레쫄레.

쫄리다 자 ① (ひどく) せがまれる〔ねだられる〕; 責められる. ㅗ졸리다[2]. ② (ひどく)締め付けられる; きりりと縛ら〔結ば〕れる.

쫄쫄 부 ① 水がほそぼそと勢いよく流れるさま: ちょろちょろ. ② うるさい程つきまとうさま: ぞろぞろ. <쭐쭐. ——-거리다 자 ① (水が) ちょろちょろ流れる. ② しつこく付きまと(纏)う.

쫄쫄쫄 부 水がほそぼそ流れるさま ちょろちょろ.

쫑그리다 타 (犬・馬などが)耳をそばだ(欹)てる. <쭝그리다.

쫑긋-거리다 타 ① (話を切り出そうとして)口をもぐもぐさせる. ② (犬・馬などが耳を)ぴくぴくさせる; そばだ(欹)てる. ¶ 귀를 ~ 耳をぴくぴくさせる. <쭝긋거리다. 쫑긋-쫑긋 부하타 もぐもぐ; ぴくぴく.

쫑알-거리다 자 (不平を) しきりにつぶやく; ぶつぶつ言う. <쭝얼거리다. 쫑알-쫑알 부하자 ぶつぶつ.

쫓겨-나다 자 [↗쫓기어 나다] 締め出される; 追い払われる〔出される〕. ¶ 공직에서 ~ 公職を追われる/집에서 ~ 家を追われる/주인에게 ~ 主人に締め出しを食う.

쫓기다 자 追われる. ① (人・動物などが) 追いかけられる. ¶ 적에게 ~ 敵に追われる/쫓고 쫓기며 追いつ追われつ. ② (仕事などに)追い回される; とり紛れる. ¶ 일에 ~ 仕事に追われる.

쫓다 타 追う. ① (うるさいものなどを)追い払う; 追いのける; 追い出す. ¶ 파리를 ~ はえ(蠅)を追(い払)う/마귀를 ~ 悪魔をはらう. ② (後を)追いかける. ¶ 전속력으로 뒤를 ~ 全速力で後を追う.

쫓아-가다 타 ① 追いかける; おっかける; 追う. ¶ 소매치기를 ~ すり(掏摸)を追いかける. ② ついて行く; 付き従う. ③ 追いつく.

쫓아-내다 타 追い出す; 追い払う; つま(抓)み出す. ¶ 세든 사람을 ~ 間借り人を追い立てる.

쫓아-오다 타 ① 追ってくる; 追いかけて来る. ¶ 개가 한 달음에 쫓아왔다 犬が一はしりに追ってきた. ② ついて来る; 後をつける:

쫘르르 부 ☞ 좌르르.

쫙 부하자 たちまち広まるさま: ぱっと. ㅗ좍. ¶ 소문은 삽시간에 ~ 퍼졌다 うわさはたちまちぱっと広まった.

쫙-쫙 부하자 ☞ 좍좍.

쫠-쫠 부하자 ☞ 좔좔. ——-거리다 자 ☞ 좔좔거리다.

쬐다 ㊀자 照る; 照りつける. ¶ 해가 ~ 日が照る/저녁해가 들이 ~ 西日が照り込む. ㊁타 (日・火に)当たる; さら(晒)す; 浴びる. ¶ 불을 ~ 火にあたる/화로에 손을 ~ 火鉢に手をあぶ(炙)る/햇볕을 ~ 日光を浴びる; 日向ぼっこをする.

쭈그러-들다 자 ☞ 쪼그라들다.

쭈그러-뜨리다 타 ☞ 쪼그라뜨리다.

쭈그러-지다 자 ☞ 쪼그라지다.

쭈그렁-이 명 ① 縮み込んだ〔ぺちゃんこになった〕もの; しわくちゃの物; へこ(凹)んだもの. ② しな(萎)びた老人; おいぼれ(老耄). ③ 実りの悪い実.

쭈그리다 타 ☞ 쪼그리다.

쭈글-쭈글 부 しわくちゃ; しわしわ; くちゃくちゃ; くしゃくしゃ. ——-하다 형 しわくちゃだ; くしゃくしゃだ; しな(萎)びている. ¶ 늙어서 ~한 노인 老いてしわくちゃな〔萎びた〕老人

찜 명하자 鳥·魚·肉·野菜などを色色の薬味と一緒に煮つめた料理.

찜부럭 명 不気嫌; むずかり; かん(癇). ――-내다 자 むずかる; かんしゃく(癇癪)を起こす. ――-부리다 자 むっとなる; むずかる.

찜-질 명하자 ① 湿布; あんぼう(罨法). ② 砂浴; 湯浴.

찜찜-하다 형 何となく気まずい; 気恥ずかしい; 気にかかる. ¶ 찜찜한 생각이 들다 気まずい思いがする.

찝찔-하다 형 ① やや塩からい; しょっぱい. ② (物事のはこびが)気にくわない.

찡그리다 타 しか(顰)める; ひそめる. ¶ 얼굴을 ～ 顔をしかめる.

찡긋-거리다 타 しかめ顔でしきりに合図をする. 찡긋-찡긋 부하타 しきりに顔や目をしかめるさま.

찡등-그리다 타 気に入らないので顔をしかめる.

찡얼-거리다 자 (子供が)むずかる; ぐずる. 찡얼-찡얼 부하자 しきりにむずかるさま.

찡찡-거리다 자 ぶつぶつ〔ぐずぐず〕こぼす. ＞쨍쨍거리다.

찢기다 피동 ① 破(ら)れる; (引き)裂かれる. ② あちこち引っ張られる.

찢다 타 ① (引き)裂く; 破る; 破く〈俗〉. ¶ 귀청을 찢는 포성 耳をつんざく砲声 / 종이를 ～ 紙を(引き)裂く. ② 方方で引っ張る.

찢-뜨리다 타 (紙などを)何気なく裂く.

찢어-발기다 타 ずたずたに裂く; 八つ裂きにする; ちぎる.

찢어-지다 자 破れる; 破ける〈俗〉; 裂ける. ¶ 옷이 ～ 服が裂ける / 갈기갈기 ～ きれぎれになる / 장지의 찢어진 곳 障子の破れたところ.

찧다 타 ① つ(搗)く. ¶ 쌀을 ～ 米を搗く / 칠분도로 찧은 쌀 七分搗きの米 / 찧으면 분량이 준다 搗けば目減りする / 찧고 까불다 勝手に人を上げ下ろししてなぶる. ② (重い物を上げ下ろしして)地をならす.

ㅊ

ㅊ ハングル子音の第十番目の字.

차【車】 명 ① 車·; 自動車·電車など車の総称. ¶ ～를 잡다 車を拾う / ～에 깔리다 車にひかれる / ～에서 내리다 車を降りる〔捨てる〕/ ～를 타다 車に乗る. ② 将棋の駒の一つ《飛車にあたる》.

차【茶】 명 茶; 煮花. ¶ ～밭 茶園·; 茶畑 / ～의 앙금이 찻잔에 앉다 茶の渋が湯飲みにつく / 진한 ～ 濃い茶; 渋茶 / ～를 따다 茶をつむ / ～를 끓이다 (お)茶を入れる.

차【差】 명 差; 違い. ¶ 1점 ～ 一点の差 / 빈부의 ～ 貧富の差 / 별로 ～가 없다 あまり差はない; 大した差はない.

차【次】 의명 ある機会に他の事までなすことを表わす語: ついで(序)(に). ¶ 서울 갔던 ～에 대공원을 구경하였다 上京したついでに大公園を見物した.

차- 두 粘り気があるとの意; もち(糯)…. ¶ ～조 もちあわ(糯粟).

-차【次】 미 ① 名詞の下に付いて "하려고(=…するため)"の意を表わす語. ¶ 연구～ 상경했다 研究のため上京した. ② 数字の次に付けて回数·度数を表わす語; 次. ¶ 제1～ 대회 第一次大会 / 1～ 방정식 一次方程式.

차-가다 타 さら(攫·掠)って行く; ひったくって行く; か(掻)っ払って行く. ¶ 소리개가 병아리를 とびがひよこをさらって行く.

차감【差減】 명 差し引き. ――-하다 타 差し引く; 差し引きする. ¶ ～잔액 差し引き残高.

차갑다 형 冷たい; 冷やっこい〈俗〉. ¶ 차가운 물 冷やっこい水 / 차가워하다 冷たく感じる / 차가워지다 冷たくなる / 차가운 눈으로 바라보다 冷たい目付きで見つめる.

차고【車庫】 명 車庫. ¶ 차를 ～에 넣다 車を車庫に入れる.

차고-앉다 타 何かの職務を引き受けてその地位に収まる.

차곡-차곡 부 物を整然と積み上げたり積み重ねたりまたは畳んだりするさま: きちんきちん(と).

차관【次官】 명 次官. ¶ 내무부 ～ 内務部次官 / ～보 次官補.

차관【借款】 명 借款. ¶ 대일 ～ 対日借款.

차관【茶罐】 명 茶瓶. ＝다관(茶罐).

차광【遮光】 명하자 遮光.
‖――-막 명 遮光幕. ―― 재배 명 遮光栽培. ――-판(板) 명 シャッター.

차근-차근 부 順順に; きちんきちん(と); きちょうめん(几帳面)に; 丹念に; しみじみ. ――-하다 형 丹念〔周到〕だ; きちょうめんだ. ¶ ～ 타이르다 しみじみ言い聞かす / 심경을 ～ 털어놓다 心境をしみじみと打ち明ける.

차근-하다 형 落ち着いている. 차근-히 부 落ち着いて.

차기【次期】 명 次期. ¶ ～ 정권 次期政権 / ～ 전투기 次期戦闘機.

차기【茶器】 명 茶器.

차꼬 명〖史〗あしかせ(足枷).

차-나무【茶―】 명〖植〗茶の木.

차남【次男】 명 次男; 次郎.

차내【車内】 명 車内. ¶ ～ 금연 車内

禁煙 / ～ 광고 車内広告.

차녀【次女】 명 次女.

차다¹ 자 満〔充〕ちる. ①みなぎ(漲)る; いっぱいになる; ふさ(塞)がる. ¶물이 ～ 水が満ちる / 지폐가 꽉 찬 지갑 札のぎっしりした財布 / 기백에 차 있다 気迫に満ちている. ②(まるいものが)欠けたところがない. ¶달이 ～ 月が満ちる. ③(一定の数に)達する; そろ(揃)う. ¶인원이 ～ 人数が揃う. ④(期限が)明ける; 達する. ¶임기가 ～ 任期が満ちる / 연한(年限)이 ～ 年が明ける.

차다² 타 ①け(蹴)る; けと(蹴飛)ばす〈俗〉. ¶차서 떨어뜨리다 けお(蹴落)とす / 공을 높이 ～ ボールを高く蹴る / 자리를 차고 일어나다 席を蹴って立つ / 제비가 물을 ～ つばめが水をかす(掠)める. ②舌打ちする. ¶쳇 하고 혀를 ～ ちぇっと舌打ちする. ③蹴る; 拒絶する; は(撥)ね付ける. ¶그 제안을 찼다 その提案を蹴った.

차다³ 타 ①着ける; つるす; 帯びる; 差す; 下〔提〕げる; 帯する. ¶권총을 허리에 ～ ピストルを腰に着ける〔帯びる〕/ 칼을 ～ 刀を帯びる〔差す〕/ 향낭(香囊)을 ～ におい(香)袋をつるす / 기저귀를 ～ おむつをする. ②てじょう(手錠)・あしかせをはめる.

차다⁴ 형 ①冷ややかに感じる; 冷たい. ¶찬 음료 冷たい飲み物 / 찬 술 冷や酒 / 차게 하다 冷やす / 차지다 冷たくなる. ②人情が薄い; 冷淡だ. ¶성격이 ～ 性格が冷たい.

차닥-거리다 타 ☞ 처덕거리다. **차닥-차닥** 부하타 ☞ 처덕처덕.

차단【遮断】 명하타 遮断. ¶교통이 ～되다 交通が遮断される / 검은 휘장으로 빛을 차단하다 黒いカーテンで光を遮断する.

‖──-기 명 (電気回路の)遮断器. ──-기 명 (踏み切りの)遮断機.

차대【次代】 명 次代.

차대【車臺】 명 車台; シャーシー.

차도【車道】 명 車道.

차도【差度・瘥度】 명 病気が治る度合; 快方. ¶어제부터 ～가 있다 昨日から病勢がよくなった〔好転した〕; 快方に向かった.

차-돌 명 ①〖鑛〗石英. ②がっちりして抜け目のない人のたとえ.

‖──-박이 명 牛のあばらの霜降り.

차등【差等】 명 差等; 等差; ちがい. ¶실적에 따라 ～을 매기다 実績によって差等をつける.

차디-차다 형 ひどく冷たい.

차라리 부 むしろ; いっそ; 却〔返・反〕って; どうせだめなら. ¶～ 죽어버리고 싶다 いっそ死んでしまいたい / ～ 술이나 마시자 いっそ(のこと)酒でも飲もうや.

차랑-하다 형 ☞ 치렁하다. **차랑-거리다** 자 ☞ 치렁거리다. **차랑-차랑** 부하자 ☞ 치렁치렁.

차량【車輛】 명 車両《본디 "車輛"》.

‖── 검사 명 車両検査; 車検《준말》. ¶～증 車両検査証. ── 정비 명 車両整備.

차려 감 気を付け《号令》.

차례【次例】 명 ①順序; 順番; 順; 番. ¶～로 서다 順に並ぶ / ～를 기다리다 順を待つ / ～가 되다 順番になる. ②回; 回数. ¶두 ～나 실패하였다 二回も失敗した. ③目次. ¶책의 ～ 本の目次. ──── 부 順順に; 順次に; つぎつぎに; 順番に. ¶의견을 ～ 말하다 意見を順順に述べる.

차례【茶禮】 명 民俗的な節日および祖先の誕生日などに行なう簡略な祭祀. ＝다례(茶禮).

차륜【車輪】 명 車輪; 車. ＝수레바퀴.

차리다 타 ①整〔調〕える; こしらえる; 設ける. ¶밥상을 ～ ぜんだ(膳立)てをする. ②気をつける. ¶제정신을 ～ 正気に返る. ③(体面・世間体を)つくろう; (礼儀を)わきまえる. ¶예의를 차릴 줄 모르는 사나이 礼儀を弁えない男. ④道理を弁える; 物心がつく. ⑤準備を整える; 支度する; 手はずをきめる. ¶떠날 채비를 ～ 出発の準備を整える. ⑥身ごしらえをする; 着飾る; 装う. ¶곱게 ～ 艶やかに装う / 화려하게 차려 입다 晴れやか〔はなやか; はでやか〕に着飾る. ⑦開く; 張る. ¶살림을 ～ 世帯を張る / 가게를 ～店を開く. ⑧利を図る; 実を取る.

차림 명 姿; なり; 服装; 格好. ¶등산 ～ 山姿 / 잠옷 ～ 寝巻き姿 / 남자 ～을 하다 男のなりをする.

‖──-새 명 装い; 身なり; 身だしな(嗜)み. ¶눈에 띄는 ～ 目立つ装い. ──── 명 なりふ(形振)りすがた; かっこう; 身なり; 様子.

차림-표【──表】 명 献立表; メニュー. ＝식단(食單).

차마【車馬】 명 車馬. ＝거마. ¶～ 통행 금지 車馬通行禁止.

차마 부 動詞の上に付いて"堪えられない・見兼ねる"の意を表わす語: とても; どうしても; とうてい. ¶～ 볼 수 없다 (とても)見るに忍びない; 見るに見兼ねる / ～ 볼 수가 없어서 충고했다 とうてい見るに見兼ねて忠告した.

차-멀미【車──】 명하자 車酔い.

차명【借名】 명하자 人の名を借りること. ¶～ 예금 他人名義の預金.

차밍 〔charming〕 명하형 チャーミング; 魅力的. ¶～ 스쿨 チャーミングスクール.

차-바퀴 명 車輪. ＝수레바퀴.

차반【茶盤】 명 茶盤; 茶盆.

차변【借邊】 명 〖經〗借り方.

차별【差別】 명하타 差別; (分け)隔て; 別ち. ¶～을 두다 隔てをつける / 남녀의 ～없이 개방하다 男女の差別なく開放する.

‖── 대우 명하타 差別待遇. ── 요금 명 差別料金.

차분-하다 형 落ち着いている; 物静かだ. ¶차분한 성격 物静かな性格

/ 차분한 빛깔 落ち着いた色. 차분-히 [부] 沈着に；落ち着いて；じっくり(と). ¶ ~ 생각하였다 じっくり(と)考えた.

차비【車費】 [명] 車賃；車代；運賃. ＝찻삯.

차석【次席】 [명] 次席.

‖── 검사 [명] 次席検事.

차선【次善】 [명] 次善. ¶ ~책 次善の策.

차선【車線】 [명] 車線. ¶ 편도 3~ 片がわ三車線.

차세【此世】 [명] この世. ＝이승.

차손【差損】, 차손-금【差損金】 [명] 差損；差損金.

차송【差送】 [명][하타] 差遣. ＝차견

차수【次數】 [명]〖數〗次数.

차압【差押】 [명][하타]〖法〗"압류(押留)"の旧称；差押え.

차액【差額】 [명] 差額；マージン. ¶ ~이 생기다 差額が生ずる / ~을 먹다 マージンを取る.

차양【遮陽】 [명] ひさし(庇·廂). ① 軒に差し出した小屋根. ②(帽子の)つば.

차-오르기 [명] (機械体操の)け(蹴)上がり.

차-올리다 [타] け(蹴)上げる. ¶ 공을 ~ ボールをけ上げる.

차용【借用】 [명][하타] 借用. ¶ 무단 ~ 無断借用 / 일시 ~ 時借り / 강제 ~ 強制借りあげ.

‖───금(金) [명] 借金；借りた金. ───물(物) [명] 借り物. ───어 [명] 借用語；外来語. ─── 증, ──증서 [명] 借用証；借用証書.

차원【次元】 [명] 次元. ¶ 삼~ 三次元 / 자네와 나는 ~이 다르다 君と僕は次元が違う.

차월【借越】 [명]〖經〗借り越し. ───하다 [자] 借り越す；借りすぎる.

차위【次位】 [명] 次位；つぎの位. ¶ 인기 투표에서 ~가 되었다 人気投票で次位になった.

차이【差異】 [명] 差異；差；違い；隔たり；開き. ¶ 성격의 ~ 性格の違い / 큰 ~는 없다 たいした差異はない / 형과는 열두 살 ~가 있다 兄とは一回り違う.

차이나-타운〔Chinatown〕[명] チャイナタウン.

차익【差益】 [명] 差益. ¶ ~금 差益金 / ~금을 노리는 상거래 さや(鞘)取りの取り引き；さや取り引き.

차일【遮日】 [명] 日よけ；日覆い. ¶ 창문의 ~을 내리다 窓の日よけを下ろす.

차일 피일【此日彼日】 [부][하타] (約束などを)今日明日と延ばすこと. ¶ 약속을 ~ 미루어 왔다 約束を今日明日と延ばして来た.

차임【借賃】 [명][하타] 借り賃.

차임〔chime〕[명] チャイム.

차입【借入】 [명] 借り入れ. ───하다 [타] 借り入れる. ¶1000만 원을 ~하다 一千万ウォンを借り入れる.

차입【差入】 [명] 差し入れ. ───하다 [타] 差し入れる. ¶ 구치소에 의류를 ~하다 拘置所に衣類を差し入れる.

차자【次子】 [명] 次男.

차자【借字】 [명] 借り字；借字；当て字.

차작【借作】 [명][하타] 人の手を借りて物〔文〕を作ること；また，その物.

차장【次長】 [명] 次長.

‖── 검사 [명] 次席検事.

차장【車掌】 [명] 車掌. ¶ 기차 ~ 汽車の車掌.

차점【次點】 [명] 次点. ¶ ~으로 낙선하다 次点で落選する / ~에 울다 次点に泣く.

‖───자 [명] 次点者.

차제【此際】 [명] この際. ¶ ~에 분명히 해 두자 この際はっきりしておこう.

차조 [명]〖植〗もちあわ(糯粟). ¶ ~밥 糯粟の飯.

차-좁쌀 [명] もちあわ(糯粟).

차-종【車種】 [명] 車種.

차주【次週】 [명] 次週；来週.

차주【車主】 [명] 車の持ち主.

차주【借主】 [명] 借り主；借り手.

차중【車中】 [명] 車中. ¶ ~담이 즐거웠다 車中談が楽しかった.

차지 [명] 何かを占めること；また，その分；所有；占有. ───하다 [타] 占める；占有する；領する. ¶ 장소를 ~하다 場所を取る / 책상이 방을 반이나 ~하다 机が部屋を半分も占める / 승리를 ~하다 勝ちを占める / 여기 있는 것은 자네들 ~다 ここにある物はお前たちの分だ.

차지【借地】 [명][하자] 借り地；借地. ¶ ~ 계약 借地契約.

‖───권 [명] 借地権. ───료 [명] 借地料；地代.

차지〔charge〕[명][하타] チャージ.

차지다 [형] 粘い；粘っこい；(メリケン粉などの練りの)足〔腰〕が強い. ¶ 흙이 ~ 土が粘っこい.

차질【蹉躓·蹉跌·差跌】 [명][하자] さてつ(蹉跌)；狂い；つまず(躓)き；手違い. ¶ 계획의 ~ 計画の狂い / ~의 첫단계 蹉跌の第一歩 / ~을 가져오다 蹉跌を来たす.

차징〔charging〕[명][하자] チャージング.

차차【次次】 [부] だんだん；次第に；漸次；ようや(漸)く. ¶ ~ 좋아지다 漸次よくなる / ~ 동이 트기 시작했다 漸く空が白み始めた.

차-차-차〔cha-cha-cha〕[명]〖樂〗チャチャチャ.

차창【車窓】 [명] 車窓.

차체【車體】 [명] 車体；ボディー. ¶ ~ 중량 車体重量.

차축【車軸】 [명] 車軸.

차출【差出】 [명][하타] ① えり抜いて差し出すこと. ¶ 열명 ~하시오 十名差し出しなさい. ②〖史〗役人を任命すること.

차츰 [부] 漸次；次第に. ¶ 의식도 ~ 뚜렷해졌다 意識も次第にはっきりして来た. ──── [부] 次第に；漸次(に)；おいおい；だんだん.

차치【且置】 [명][하타] [↗차치 물론(勿論).] さておくこと. ¶ 만사 ~하고 何はさておき / 그런 문제는 ~하고라도 이것은 어쩔 작정인가 そのような問題はさておいて，これはどうするつも

りかね.

차탄【嗟歎】명하타 さたん(嗟嘆·嗟歎). ¶재주 없음을 ~하다 不才をなげく.

차터〔charter〕명 チャーター.

차트〔chart〕명 チャート; 掛け図. ¶~식 チャート式.

차편【車便】명 車の便; 車の往来にことづけること. ¶~을 이용하다 車の便を利用する.

차폐【遮蔽】명하타 遮蔽. ¶바깥 빛을 ~하다 外の光を遮蔽する.

‖——-물 명 遮蔽物.

차표【車票】명 (汽車·電車·バスなどの)切符; チケット. ¶~를 끊다 切符を買う / 왕복 ~ 往復切符.

차하-지다【差下—】자 (一方が)他方より劣る.

차한【此限】명 この限り. ¶비상시에는 ~에 부재하다 非常の場合にはこの限りでない.

차호【次號】명 次号. ¶~에 계속됨 次号につづく.

차회【次回】명 次回; 次の折; 次の回.

차후【此後】명부 こののち; 今後. ¶~ 10년간 今後十年間.

착【着】의명 衣服を数える単位: 着. ¶양복 1~ 洋服一着.

착¹ 부 ①すきまなく密着したさま: きちっと; ぴったり; ぴたり; ひたと. ¶~ 붙다 ぴったり張り付く / 옷에 ~ 달라붙은 떡 着物にべったりとくっついたもち. ②ひどくしな(撓)っているかまたは曲がっているさま: ぐにゃっと; だらりと. <척.

착² 부 物腰が上品でゆったりしているさま.

-착【着】미 着. ①到着の意を表わす語. ¶김포 공항~ 金浦空港着. ②到着順を表わす語. ¶일~이었다 第一着であった.

착각【錯覺】명 錯覚; 勘違い. ——-하다 자 錯覚する; まが(紛)う; 間違える. ¶눈의 ~ 目の錯覚 / 어둠에서 아우를 형으로 ~했다 やみ(闇)のなかで弟を兄と間違える.

착검【着劍】명하자 着剣.

착공【着工】명하자 着工. ¶~식 着工式 / ~이 늦어지다 着工が遅れる.

착공【鑿空·鑿孔】명하자 さっくう(鑿空); 穴を掘りうがつこと.

착근【着根】명하자 着根.

착란【錯亂】명하형 錯乱. ¶정신 ~ 精神錯乱 / ~ 상태 錯乱状態.

착륙【着陸】명하자 着陸. ¶동체 ~ 胴体着陸 / ~에 실패했다 着陸に失敗した.

‖—— 거리 명 着陸距離.

착모【着帽】명하자 着帽.

착발【着發】명하자 着発. ①到着と出発; 発着. ②〔軍〕物体に当たった瞬間に爆発すること. ¶~ 신관 着発信管.

착복【着服】명하타 着服. ①衣服を着ること. ②こっそり盗んで自分のものにすること. ¶공금을 ~하다 公金を着服する.

착살-맞다 형 ☞ 칙살맞다.

착살-부리다 자 ☞ 칙살부리다.

착살-하다 형 ☞ 칙살하다.

착상【着床】명하자〔生〕着床.

착상【着想】명 着想; 思いつき; アイデア. ——-하다 타 思いつく. ¶기발한 ~ 奇抜な思いつき / ~을 얻다 着想を得る.

착색【着色】명 着色. ¶인공 ~료 人工着色料.

‖—— 유리(瑠璃) 명 着色ガラス.

착생【着生】명하자 着生. ¶~난이 많다 着生蘭が多い.

‖—— 식물 명 着生植物.

착석【着席】명하자 着席.

착수【着水】명하자 着水.

착수【着手】명 着手. ——-하다 타 着手する; 取り掛かる; 乗り出す. ¶연구〔공사〕에 ~하다 研究〔工事〕に着手する.

‖——-금(金) 명 手付け(金). —— 미수 명〔法〕着手未遂.

착시【錯視】명하타 錯視; 錯覚して見誤ること.

착신【着信】명하자 着信. ¶~용 전화 着信用電話.

착실【着實】명 着実; 地道; まとも. ——-하다 형 着実だ; まじめだ; まともだ. ¶~한 성격 着実な性格 / ¶~하게 진보하다 着実に進歩する. ——-히 부 着実に; 地道に; まともに. ¶~ 살다 まともに暮らす.

착안【着岸】명하자 着岸.

착안【着眼】명하자 着眼; 着目. ¶여성의 기호에 ~한 신상품 女性のしこう(嗜好)に着眼した新商品.

‖——-점(點) 명 着眼点.

착암-기【鑿岩機】명 削岩機; ドリル. ¶~로 구멍을 뚫다 削岩機で穴をあける.

착염【錯塩】명〔化〕錯塩.

착오【錯誤】명하타 錯誤. ¶시행 ~ 試行錯誤. =착류(錯謬).

착용【着用】명 着用. ——-하다 타 着用する; 着る. ¶군복을 ~하다 軍服を着用する.

착유【搾油】명하자 搾油.

착유【搾乳】명하자 搾乳. ¶~기 搾乳機.

착-이온【錯—】명〔化〕錯イオン.

착임【着任】명하자 着任.

착잡【錯雜】명하형히부 錯雑; 錯綜. ¶~한 심경 錯雑した心境.

착정【鑿井】명하자 さくせい(鑿井).

‖——-기 명 ボーリングマシン.

착즙【搾汁】명하자 搾汁. ¶~기 搾汁機.

착지【着地】명하자 着地. ¶~불(拂) 着地払い.

착착¹ 부 ねばっこい物がべたつくさま: べたべた.

착착² 부 ☞ 척척².

착착【着着】부 物事が順序を追ってはかどるさま: 着着(と); ずんずん. ¶일이 ~ 진행되었다 仕事が着着進行した.

착취【搾取】명하타 搾取. ¶~ 당하다 搾取される / 중간 ~ 中間搾取.

‖── 계급 [명] 搾取階級.
착탄【着彈】[명] 着弾.
‖── 거리 [명] 着弾距離.
착하【着荷】[명][하자] 着荷.
착-하다 [형] 善良だ; おとなしい. 착-히 [부] 善良に; おとなしく. ¶ 착한 아이 おとなしい子; いい子/착한 행동 良〔善〕い行ない.
착함【着艦】[명][하자] 着艦.
착화【着火】[명][하자] 着火; 点火. ¶ ~ 장치 着火装置.
‖───점 [명] 着火点; 発火点.
찬【饌】[명] ↗반찬(飯饌).
찬가【讚歌】[명] ① 賛歌. ¶ 사랑의 ~ 愛の賛歌. ② 賛美歌.
찬-가게【饌─】[명] おかずの店; 食料品店.
찬-가위【饌─】[명] キッチン用のはさみ(鋏).
찬-거리【饌─】[명] おかずの材料.
찬-국 [명] 冷たいすまし汁. =냉국.
찬-기【─氣】[명] 冷気; 冷え.
찬동【贊同】[명][하타] 賛同. ¶ 취지에 ~하다 趣旨に賛同する.
찬란【燦爛·粲爛】[명] さんらん(燦爛); ひかり輝くさま; まばゆくはなやかなさま. ───하다 [형] さんらんとしている. ¶ 금색 ~한 보관 金色さんらんたる宝冠. ───히 [부] さんらんと; へい(炳)として. ¶ ~ 빛나다 さんらんと輝く.
찬모【饌母】[명] 料理専担の家政婦.
찬-물 [명] 冷や水; つめたい水; (お)ひや; 冷水. =냉수. ───을 끼얹다 [구] 茶茶を入れる.
찬미【讚美】[명][하타] 賛美. =찬송. ¶ 조국을 ~하다 祖国を賛美する.
찬-바람 [명] ① 冷たい風; 冷風; 寒風. ② 秋風; 木枯らし.
찬-밥 [명] 冷や飯. ¶ ~을 먹이다 冷や飯を食わせる/~을 찌다 冷や飯を蒸し返す.
찬부【贊否】[명] 賛否. ¶ ~ 동수 賛否同数/~를 묻다 賛否を問う.
찬불【讚佛】[명][하자]〖佛〗賛仏.
찬-비 [명] 冷雨; 冷たい雨.
찬사【讚辭】[명] 賛辞; ほめ言葉. ¶ ~를 보내다 賛辞を送る/~를 아끼지 않다 賛辞を惜しまない.
찬성【贊成】[명][하타] 賛成. ¶ 제안에 ~하다 提案に賛成する/~ 의견 賛成意見/나는 대~이다 僕は大賛成だ.
‖── 투표 [명] 賛成投票.
찬송【讚頌】[명][하타] 賛美.
‖───가(歌) [명] 賛美歌.
찬-술 [명] 冷や酒; かん(燗)をしていない酒. ¶ ~로 마시다 冷や酒で飲む.
찬술【撰述】[명][하타] 撰述; 本を著述すること.
찬스〔chance〕[명] チャンス; 機会. ¶ ~를 놓치다 チャンスを逃がす.
찬양【讚揚】[명][하타] 美をたたえ善をあら(彰)わすこと; ほめたたえること.
‖───대(隊) [명]〖基〗聖歌隊.
찬연【燦然·粲然】[명][하형] さんぜん(燦然·粲然); 光りきらめくさま. ───히 [부] 燦然と. ¶ ~ 빛나는 공적이었다 燦然と輝く功績であった.
찬의【贊意】[명] 賛意. ¶ ~를 표하다 賛意を表わす.
찬-이슬 [명] 冷たい露; 夜露. ¶ ~ 맞는 놈《俚》盗人; 夜盗.
찬자【撰者】[명] 撰者.
찬장【饌欌】[명] 茶だんす; (台所の)戸棚; 食器棚.
찬조【贊助】[명][하타] 賛助. ¶ ~금 賛助金/~를 얻다 賛助を得る.
‖── 연설 [명] 賛助演説. ── 출연 [명] 賛助出演. ── 회원 [명] 賛助会員.
찬집【撰集】[명][하타] 撰集.
찬찬-하다¹ [형] 注意深い; 几帳面だ; 綿密だ. 찬찬-히 [부] 几帳面に; 注意深く.
찬찬-하다² [형] (仕事振りや言動が)急がずゆっくりしている; 気長だ. <천천하다. 찬찬-히 [부] ゆっくり(と); 気長く. ¶ 얼굴을 ~ 보다 しげしげ(と)〔まじまじと〕顔を見る.
찬-칼【饌─】[명] 包丁.
찬탄【讚嘆·贊嘆】[명][하타] 賛嘆. ¶ 그를 ~해 마지 않았다 彼を賛嘆して止まなかった.
찬탈【簒奪】[명][하타] さんだつ(簒奪).
찬표【贊票】[명] 賛成票.
찬합【饌盒】[명] 重箱.
찰- [두] 名詞の上に付いて粘り気のあることを表わす語. =차-. ¶ ~벼 もちいね(糯稲).
찰-가난 [명] 赤貧; 極貧.
찰-거머리 [명] ① へばりついて離れないひる(蛭). ② ねちねちと人にまと(纏)いついて悩ます人.
찰-것 [명] もちごめ(糯米)·もちあわ(糯粟)などで料理した食べ物.
찰과-상【擦過傷】[명] 擦過傷; すり傷. =찰상(擦傷).
찰그랑 [부][하자] 薄い金属がたがいに触れ合って出す音: がちゃ(ん)と. <철그렁. ───거리다 [자] がちゃがちゃする. ─── ─── [부][하자] がちゃがちゃ.
찰-기【─氣】[명] 粘り気. ¶ ~있는 떡 粘り気のあるもち(餅)/~가 많다 腰〔足〕が強い.
찰-기장 [명] もちきび(糯黍).
찰깍 [부][하자타] ① 粘り気のある物がへばり付くさま: べったり; べたっと. ② ねちねちした物を強くたたく音: ぴしゃぴしゃ. <철꺽. ───거리다 [자][타] ① べたべたとくっつく. ② ぴしゃぴしゃと音がする. ─── ─── [부][하자타] ① べたべた(と). ② ぴしゃぴしゃ(と).
찰나【刹那】[명] 刹那; 瞬間; 拍子; 途端. ¶ ~의 쾌락 刹那の快楽.
‖───주의 [명] 刹那主義.
찰딱 [부] 粘り気または水気のあるものが強くひっつくさま: べたっと. <철떡. ───거리다 [자] しきりに引っついたり離れたりする; べたべたする. ─── ─── [부][하자] べたべた.
찰-떡 [명] もちごめ(糯米)のもち(餅). ───같다 [형] 愛情が深く細やか

で離れがたい. ——-같이 [부] 離れがたく; 愛情細やかに.

찰람-거리다 [자] 水が少しずつ揺れあふれる. <철럼거리다. 찰람-찰람 [부][하자] 水が少しずつ揺れあふれるさま.

찰랑 [부][하자] 広く浅い水がゆれるさま. また, その音. <철렁. ——-거리다 [자] 続けざまに水が揺れる; しきりにさざなみを立てる. ————[1] [부][하자] 続けざまに水の揺れるさま. また, その音.

찰랑-하다 [형] (小さい容器の)水が満ちあふれそうだ; なみなみだ. <철렁하다. 찰랑-히 [부] なみなみと. 찰랑-찰랑[2] [부][하형] なみなみ. <철렁철렁. ¶술을 ~하게 따르다 なみなみ(と)酒を注ぐ.

찰바닥 [부][하자타] 浅瀬などをぼちゃぼちゃと歩き渡るような音: ぼちゃぼちゃ; じゃぶん; ざぶん. <철버덕. ——-거리다 [자][타] ぼちゃぼちゃ〔じゃぶんじゃぶん〕音をたてる〔音がする〕. ———— [부][하자타] じゃぶじゃぶ; ざぶんざぶん.

찰박 [부][하자타] 浅瀬, または水たまりなどを踏むときの音; ぴちゃっ. <철벅. ——-거리다 [자][타] ぴちゃぴちゃ歩く; ぴちゃぴちゃさせる. ———— [부][하자타] ぴちゃぴちゃ.

찰-밥 [명] ①もちごめ(糯米)の飯; 白蒸し. ②こわ飯; おこわ.

찰방 [부][하자타] 深い水にやや重いものが落ちこむ音; どぶん; どぶり. <철벙. ——-거리다 [자][타] 続けざまにどぶんと音を立てる〔音がする〕. ———— [부][하자타] どぶんどぶん.

찰-벼 [명] もちいね(糯稲).

찰상【擦傷】 [명] 擦傷; かすりきず.

찰싸닥 [부][하자타] 水面を平たい物などで打つ音: びしゃっ; ぴしゃり(と). <철써덕. ——-거리다 [자][타] びしゃっびしゃっと打つ〔音がする〕. ———— [부][하자타] びしゃっびしゃっ.

찰싹 [부][하자타] 水面·顔などを平たいもので軽く打つ音: びしゃっ; ぴしゃり; ぺたぺた. <철썩. ——-거리다 [자][타] びしゃっびしゃっと打つ〔音がする〕. ———— [부][하자타] びしゃっびしゃっ; ぴしゃりぴしゃり; ぴちゃぴちゃ.

찰찰 [부] ☞ 철철.

찰카닥 [부][하자] ①互いにくっついた粘っこいものが離れるさま. また, その音: べたっ. ②硬質のものがふれあう時や錠前がかかるとき, または外れるときの音: かちっ; かちり. ¶라이터를 켜는 소리가 ~ 났다 ライターをつける音がかちっとした. ③平ったいものがぶっつかるときの音. <철커덕. (준) 찰칵. ——-거리다 [자] 続けざまにぺたぺた〔かちっかちっ〕と音がする. ———— [부][하자] ぺたぺた; かちっかちっ.

찰카당 [부][하자] 錠前がかかったりまたは硬質のものがぶっつかるときに出る音: かちん; かちゃん. <철커덩. (준) 찰캉. ——-거리다 [자] 続けざまにかちんかちん〔かちゃんかちゃん〕と音がする. ———— [부][하자] かちんかちん; かちゃんかちゃん.

찰칵 [부][하자] ↗찰카닥. ——-거리다 [자] ↗찰카닥거리다. ———— [부][하자] ↗찰카닥찰카닥.

찰캉 [부][하자] ↗찰카당. ——-거리다 [자] ↗찰카당거리다. ———— [부][하자] ↗찰카당찰카당.

찰-흙 [명] 粘土·ねばつち.

참[1] [명] 誠(《"実·真"로도 씀》). ①本当(の事); 真実; 真理. ¶ ~사람 真人間. ②真心; 誠意.

참【站】 [명] 仕事を休む時間.

참 [의명] "何かをしようとする時; 何かをするところ"の意を表わす語. ¶…하려는 ~에 …するところへ / 막 …하려는 ~이다 …するところである.

참〔charm〕 [명] チャーム. ①魅力. ②魔力.

참[2] [부] "참말로(=ほんとうに; まことに; 実に; どうも; 何と(も))·과연(=果して)"の意味で用いる語. ¶ ~ 예쁘군 ほんとにきれいだね / ~ 오래간만일세 やあしばらくだね / ~ 고맙다 どうもありがとう.

참- [두] ①"本当; 本物; 真実"の意を表わす語. ¶ ~말 ほんとうの話. ②品位や質がずっといいことを表わす語. ¶ ~먹 上質の墨 / ~숯 堅炭.

참가【參加】 [명][하자] 参加. ¶ ~ 신청서 参加申し込み; エントリー / ~인원 参加人員 / 경기에 ~하다 競技に参加する.

참-개구리 [명]〔動〕とのさまがえる(殿様蛙).

참-게 [명]〔動〕しなもくずがに.

참견【參見】 [명] おせっかい; お世話; 口出し; 手出し. ——-하다 [자][타] おせっかいをする; 口出しをする; でしゃばる. ¶쓸데없는 ~ 마라 余計な口出しをするな; いらぬ手出しはよせ; 余計なお世話だ / 말~을 하다 口を狭む.

참고【參考】 [명][하타] 参考. ¶ ~ 서적 参考書籍 / 전례를 ~로 하였다 前例を参考にした.
‖—— 문헌 [명] 参考文献. ——-서 [명] 参考書. ——-인 [명] 参考人.

참관【參觀】 [명][하타] 参観. ¶수업 ~ 授業参観 / 공장 ~ 工場参観.
‖——-인 [명] ①参観人. ②〔法〕選挙の立ち会い人.

참극【慘劇】 [명] 惨劇. ¶전원 사상(死傷)의 ~ 全員死傷の惨劇.

참-기름 [명] ごまあぶら(胡麻油).

참-깨 [명]〔植〕ごま(胡麻). ¶ ~를 볶다 胡麻をい(炒)る.

참-나무 [명] ①ぶな科に属するならがしわ(楢柏)などの総称. ②くぬぎ.

참다 [타] ①堪〔耐〕える; こら(堪)える; 我慢する; 忍ぶ. ¶아픔을 ~ 痛みを堪える / 노여움을 ~ 怒りをこらえる〔抑える〕/ 모욕을 꾹 ~ 侮辱をじっとこらえる / 참고 견디다 堪え忍ぶ / 웃음을 ~ 笑いを殺す / 눈물을 ~ 涙をおさえる. ②時を待つ. ——-못해 [부] こらえかねて; たまりかねて. ¶ ~ 때렸다 たまりかねて殴りつけた.

ㅊ

참담【慘憺】명하형히부 さんたん(慘憺). ¶～한 패배 慘憺たる敗北／고심 ～ 苦心慘憺.
참-답다 형 真実に満ちている；真だ；誠しやかだ. ¶참다운 행복 真の幸福／참다운 인간이 되다 真人間になる.
참-대 명〘植〙まだけ(真竹).
참-돔 명〘魚〙まだい(真鯛).
참-되다 형 ほんとうである；かざりけがない. ¶참된 영웅 真の英雄／참되게 살다 誠をもって生きる.
참-뜻 명 真意；真義；本意. ¶～을 깨닫다 真意を悟る.
참렬【參列】명하자 参列. ¶기념식에 ～하다 記念式に参列する.
참례【參禮】명하자 参列；列席.
참-마 명〘植〙やまのいも(山の芋)；山芋；自然薯.
참-말 명 真実の話；本当の話. ¶농담을 ～로 듣다 冗談を真に受ける. ——-로 부 実に；まことに；本当に；いかにも；何とも. ¶～ 훌륭하다 まことにりっぱである.
참-맛 명 本当の味；だいごみ(醍醐味)；真髄. ¶낚시의 ～을 맛보다 釣りの醍醐味を味わう.
참-먹 명 上質の墨.
참모【參謀】명하자 参謀. ¶선거 ～ 選挙参謀.
‖—— 총장 명 参謀総長. —— 본부 명 参謀本部.
참-밀 명〘植〙小麦. 준 밀.
참-밥【站—】명 仕事の休みに食べる飯；間食.
참배【參拜】명 参拝；参詣. ——-하다 자 参拝する；詣でる. ¶～인으로 혼잡하다 参拝人で込む.
참변【慘變】명 むご(惨)たらしい事件や事故.
참-빗 명 つまぐし(爪櫛). ¶～으로 머리를 빗다 爪櫛で髪をす(梳)く.
참사【參事】명하자 参事.
‖——-관 명 参事官；外務部公務員の官職の一つ.
참사【慘死】명하자 惨死.
참사【慘事】명 惨事. ¶유혈의 ～ 流血の惨事.
참-사람 명 真人間.
참-사랑 명 真の愛情.
참살【慘殺】명하타 惨殺. ¶～ 시체 惨殺死体.
참상【慘狀】명 惨状. ¶이루 말할 수 없는 ～ 名状しがたい〔言語に絶する〕惨状.
참-새 명〘鳥〙すずめ(雀).
‖——-구이 명 焼き鳥.
참-새우 명〘動〙くるまえび(車蝦).
참석【參席】명하자 出席；列席. ¶식에 ～하다 式に列する／축하회에 ～하다 祝賀会に列席する.
참선【參禪】명하자〘佛〙参禅；参究；座禅. ¶～자 参禅者.
참섭【參涉】명 関係〔干渉〕すること；おせっかい. ——-하다 자타 関係する；立ち入る. ¶남의 일에 ～하다 人のおせっかいをする.
참소【讒訴·譖訴】명 ざんそ(讒訴). ——-하다 타 讒訴する；讒する. ¶～당하다 讒に合う.
참-수【斬首】명하타 ざんしゅ(斬首)；打ち首；首切り.
참-숯 명 堅炭.
‖——-불 명 堅炭の炭火.
참신【斬新】명 斬新. ——-하다 형 斬新だ；きわだって新しい. ¶～한 디자인 斬新なデザイン.
참-억새 명〘植〙すすき(薄·芒).
참언【讒言】명 ざんげん(讒言)；中傷. ¶～에 울다 讒言に泣く.
참여【參與】명 参与；立ち会い. ——-하다 자 参与する；あずかる. ¶국정에 ～하다 国政に参与する.
참예【參詣】명하자 参詣. ¶～자가 끊이지 않다 参詣者が絶えない.
참-외 명〘植〙まくわうり(真桑瓜).
참-으로 부 実に；本当に；まことに；全く(のところ). ¶～ 이상한 일 世にも不思議な事／～ 재미있었다 実におもしろかった／인간이란 ～ 알 수 없는 것이군 人間って本当に分からないものだなあ.
참을-성【—性】명 こら(堪)え性；忍耐性. ¶～이 많다 辛抱強い；我慢強い／～이 없다 辛抱〔こらえ性〕がない／～있게 기다리다 我慢強く待つ.
참의-원【參議院】명〘法〙参議院.
참작【參酌】명 参酌；斟酌；酌量. ——-하다 타 参酌する；斟酌する；酌量する；汲み入れる. ¶사정을 ～하여 事情を斟酌して／정상 ～의 여지가 없다 情状酌量の余地が無い.
참전【參戰】명하자 参戦. ¶～ 용사 参戦勇士.
참정【參政】명하자 参政.
‖——-권 명 参政権.
참조【參照】명하타 参照. ¶사전을 ～하다 辞典を参照する.
참-조기 명〘魚〙いしもち(石首魚·石持)；ぐち〈俗〉.
참죄【斬罪】명 ざんざい(斬罪)；打ち首. ¶～에 처하다 打ち首にする.
참주【僭主】명 せんしゅ(僭主).
참참【站站】명 間をおいて休む時間. ——-이 부 時時；時折；間をおいて. ¶～ 아프다 間をおいて痛む；時時痛む.
참치 명 ① ↗참치방어. ② "다랑어(＝まぐろ)"を食用として称する語.
참치-방어【-魴魚】명〘魚〙つむぶり.
참칭【僭稱】명하타 せんしょう(僭称). ¶왕을 ～하다 王を僭称する.
참패【慘敗】명하자 惨敗；ぼろ負け. ¶～당하다 惨敗を喫する.
참-하다 형 ① しと(淑)やかだ；つつ(慎)ましい. ¶참한 색시 しとやかな〔つつましい〕娘；気立てのよい娘. ② こぎれいだ；適当だ；ちょうど合う；ぴったりだ.
참형【斬刑】명 ざんけい(斬刑)；打ち首.
참호【塹壕】명 ざんごう(塹壕). 준 호(壕). ¶～를 파다 塹壕を掘る.
참혹【慘酷】명 惨酷〔残酷〕；残忍. ——-하다 형 残酷だ；むごい；むごたらしい. ¶～한 형벌 残酷な刑罰. ——-히 부 残酷に.
참화【慘禍】명 惨禍；いたましいわ

ㅊ

ざわい. ¶ 지진의 ~ 地震の惨禍 / ~를 입다 惨禍を被る.
참회【懺悔】[명][하타] ざんげ(懺悔). ¶ 죄를 ~하다 罪を懺悔する.
‖——-록 [명] 懺悔録.
참획【參劃】[명][하자] 参画.
찹쌀 [명] もちごめ(糯米).
‖——-떡 [명] 糯米のあんこもち(餅). ——-밥 [명] 糯米の飯.
찻-간【車間】[명] ① 車内. ②(列車の)箱〈俗〉. ¶ 이웃 ~ 隣の箱.
찻-길【車—】[명] ① 線路; 軌道; レール. ② 車道.
찻-삯【車—】[명] 車賃; 車代. =차비(車費).
찻-숟가락【茶—】[명] ちゃさじ(茶匙). ㊟ 찻숟갈.
찻-잔【茶盞】[명] ちゃわん(茶碗); 茶飲み.
찻-장【茶欌】[명] 茶だんす.
찻-종【茶鍾】[명] 茶わん; 茶飲みのわん; 湯飲み.
찻-집【茶—】[명] お茶屋; 喫茶店. =다방(茶房).
창 [명] 履物の底裏; 靴底; 底.
창【窓】[명] [↗창문] 窓. ¶ 채광(採光)~ 明かり取り / ~을 열다〔닫다〕 窓を開ける〔閉める〕.
창【唱】[명][하자타] ① 歌うこと. =가창(歌唱). ② 歌曲の調子, または"잡가(雜歌)"調·"판소리"調で歌うこと.
창【槍】[명] やり(槍). ¶ ~으로 찔러죽이다 槍で突き殺す.
창-가【窓—】[명] 窓辺.
창가【唱歌】[명][하자타] 唱歌. ¶ ~를 부르다 唱歌を歌う.
창간【創刊】[명][하타] 創刊.
‖——-호 [명] 創刊号; 初号.
창-갈이 [명](履物の)底の張りかえ. ——-하다 [타] 底を張りかえる; 靴底をかえる.
창건【創建·刱建】[명][하타] 創建.
창고【倉庫】[명] 倉庫; 蔵〔倉〕. ¶ ~지기 蔵番.
‖——-료(料) [명]〖經〗倉敷料. ——-업 [명]〖經〗倉庫業.
창공【蒼空】[명] 蒼空; 青空. ¶ 끝없는 ~ 果ての無い青空.
창구【窓口】[명] 窓口. ¶ 민간 무역의 ~ 民間貿易の窓口.
창-구멍【窓—】[명] 窓·障子などにあけた穴.
창군【創軍】[명] 創軍.
창궐【猖獗】[명][하자] しょうけつ(猖獗). ¶ 유행성 감기가 몹시 ~하다 流感が猖獗をきわめる.
창극【唱劇】[명]〖劇〗 役者が歌とせりふ(台詞)で演ずる古典劇.
‖——-조(調) [명] "창극(唱劇)"を演ずる曲調.
창-나다 [자] すり減るかすり切れて穴があく; 底〔裏〕に穴があく.
창난-젓 [명] めんたい(明太)のはらわた(腸)の塩辛.
창달【暢達】[명][하자] ちょうたつ(暢達). ¶ 언론의 ~ 言論の暢達.
창당【創黨】[명][하자] 立党.
창-대【槍—】[명] やりえ(槍柄).
창-던지기【槍—】[명] やりな(槍投)げ. =투창(投槍).
창도【唱道】[명][하타] 唱道. ¶ 사회 평등을 ~하다 社会平等を唱道する.
창도【唱導】[명][하타] 唱導.
창립【創立】[명][하타] 創立; 創設. ¶ ~ 기념일 創立記念日 / ~자 創立者 / 회사를 ~하였다 会社を創立した.
창망【滄茫·蒼茫】[명][하형] そうぼう(蒼茫); あおあおとして遠く広いこと. ¶ ~한 대해 蒼茫たる大海.
창-문【窓門】[명] 窓. ¶ ~을 닫다〔열어젖히다〕 窓を閉める〔開け放す〕.
창백【蒼白】[명] そうはく(蒼白). ——-하다 [형] 蒼白だ; 青白い. ¶ ~한 얼굴이었다 蒼白な顔だった.
창법【唱法】[명] 唱法; 歌唱法. ¶ 벨칸토 ~ ベルカント唱法.
창병【瘡病】[명]〖韓醫〗 梅毒; かさ〈俗〉. =양매창(楊梅瘡).
창-살【窓—】[명] 連子; 障子などの桟; 窓格子.
창상【創傷】[명] 創傷; 切り傷.
창생【蒼生】[명] そうせい(蒼生); 人民; たみ(民).
창설【創設】[명][하타] 創設; 創立. ¶ ~ 멤버 創設メンバー / 회사를 ~하였다 会社を創設した.
창세【創世】[명] 創世; 世界の初め.
‖——-기 [명] 創世記.
창술【槍術】[명] そうじゅつ(槍術).
창시【創始】[명] 創始. ——-하다 [타] 創始する; 開く. ¶ ~자 創始者; 草分け.
창안【創案】[명][하타] 創案.
창알-거리다 [자] むずかる; だだをこねる. <칭얼거리다. **창알-창알** [부][하자] 続けざまにむずかるさま.
창업【創業】[명][하타] 創業. ¶ 회사를 ~하였다 会社を創業した / ~은 쉬우나 지키기는 어렵다 創業は易く守成は難し.
‖——-비 [명] 創業費; 創立費.
창연【蒼然】[명][하형] そうぜん(蒼然). ¶ 모색 ~ 暮色蒼然 / 고색 ~한 기물 古色蒼然たる器物 / 고색 ~한 사당 物さびた社. ——-히 [부] 蒼然と.
창의【創意】[명][하자] 創意. ¶ ~성이 풍부하다 創意に富む.
창이【創痍】[명] そうい(創痍); 切り傷; 創傷. ¶ 만신 ~ 満身創痍.
창자 [명] 小腸·大腸の総称; 腸; はらわた(腸); わた. ¶ 생선의 ~ 魚のわた.
창작【創作】[명][하타] 創作. ¶ 훌륭한 ~ 立派な創作 / 장편의 ~을 시작하다 長編の創作にかかる.
창제【創製】[명][하타] 創製.
창조【創造】[명][하타] 創造. ¶ ~력 創造力 / ~적 능력 創造的能力 / ~의 기쁨 創造の喜び / 천지~ 天地創造.
창졸【倉卒】[명][하형][히부] 倉卒〔草卒〕; あわただしくにわかなさま.
‖——-간 [명] 倉卒の間; とっさ(咄嗟)の間.

창-짝【窓—】명 窓の扉.
창창【蒼蒼】명하형 そうそう(蒼蒼). ① あおあおとしたさま. ¶ 천공이 ~하다 天空蒼蒼たり / ~한 큰나무 蒼蒼たる大樹. ② 前途がはるかなさま; ゆくさきの有望なさま. ¶ 앞길이 ~한 청년 前途蒼蒼たる青年.
창출【創出】명하자타 ① 創出; 新たに生ずること. ② 初めてつくり出すこと.
창-칼 명 小刀; 切り出し.
창-턱【窓—】명 窓の敷居.
창-틀【窓—】명 窓枠.
창파【滄波】명 そうは(蒼波); あおなみ.
창포【菖蒲】명 ①〔植〕しょうぶ(菖蒲); あやめ(古語). ② 菖蒲の根.
창피【猖披】명 恥; 恥辱; はずかしめ. ——하다 형, ——스럽다 형 恥ずかしい. ¶ ~를 당하다 恥をかく〔さらす〕; 顔をつぶす / 남 앞에서 ~를 주다 人前で恥をかかす〔はずかしめる〕.
창해【滄海】명 そうかい(蒼海·滄海); 青い海.
‖—— 일속 명 蒼海のいちぞく(一粟); 大海の一滴.
창호【窓戸】명〔建〕窓と戸; 建具. ——하다 자 紙で窓や障子を張る.
‖——-지(紙) 명 ① 障子紙. ② 朝鮮紙の一つ. 창홋-가게 명 建具屋.
창화【唱和】명하자 唱和; 一人が唱え, ほかの人がそれに和すること. ¶ 만세 ~ 万歳唱和.
창황【蒼黃·蒼皇·蒼惶】명하형 倉皇; あわただしいさま. ——히 부 倉皇として; あわただしく. ¶ ~ 물러갔다 倉皇として立ち去った.
‖—— 망조(罔措) 명 倉皇としてなすべき術を知らぬこと.
찾다 타 ① 捜〔探〕す. ㉠ 探る. ¶ 범인을 ~ 犯人を捜す / 손으로 더듬어 ~ 手探りで捜す. ㉡ 見付ける; 捜し出す; 見出す; か(嗅)ぎ当てる. ¶ 분실한 시계를 ~ なくした時計を見付ける / 안주할 땅을 ~ 安住の地をさがす / 범인의 은신처를 ~ 犯人の隠れ家を嗅ぎ当てる. ㉢ 求める; たど(辿)る. ¶ 셋집을 ~ 借家を捜す / 일자리를 ~ 職をさがす. ② 尋ねる. ㉠ 訪う; 訪問する; 訪ねる; 訪れる〈雅〉. ¶ 은사를 ~ 恩師を訪う / 선생님 댁을 ~ 先生のお宅を尋ねる / 명승 고적을 ~ 名勝旧跡を訪う. ㉡ 探り求める. ¶ 본원을〔유래를〕~ 本源〔由来〕を尋ねる. ③ 引く; 調べる. ¶ 옥편〔사전〕을 ~ 字引〔辞書〕を引く / 사전으로 ~ 辞書で調べる. ④ 取り戻す; 請け戻す; 請け出す; おろす; 下げる. ¶ 예금을 ~ 預金をおろす; 貯金を下げる / 저당 잡힌 물건을 ~ 質種を請け出す.
찾아-가다 타 ① 取り戻して行く. ② 尋ねる; 訪問する.
찾아-내다 타 見付ける; 捜し出す; 発見する.
찾아-보다 타 ① 尋ねて見る; 会って見る. ② 捜して見る. ¶ 사전을 ~ 辞典を引いて見る.
찾아-오다 타 ① 尋〔訪〕ねて来る. ¶ 친구가 ~ 友人が尋ねて来る. ②(貸した物とか預けた物を)取り戻す. ¶ 화물을 ~ 貨物を引き取って来る / 은행에서 십만원을 ~ 銀行から十万ウォンをおろして来る.
채¹ 명 ①(車の)長柄; かじ(梶); かじぼう(梶棒). ② かつぎ棒.
채² 명 ① ↗채찍. ② むち(鞭). ③〔樂〕ばち(撥).
채³ 명 細長い物の長さを言う語. ¶ 머리~ 髪のたば(束)ね.
채⁴ 명 むら. =얼룩.
채⁵ ㊀명 棟; 屋. ¶ 바깥 ~ 離れ屋 / 안 ~ 母屋. ㊁의명 ① 家屋を数える単位: 棟; 軒. ¶ 한 ~ 一軒 / 집 두 ~ 家二棟. ② かさの大きい物体などを数える単位. ¶ 짐수레로 한 ~ 荷車で一車 / 이불 다섯 ~ 布団五枚.
채⁶ 명 千切り. ¶ ~ 썰다 千切りにする.
채⁷【菜】명 野菜などを調味したおかず〔浸し物〕.
채⁸ 의명 ある状態がひき続いたきりであること: …まま(儘); …なり; …きり. ¶ 미해결인 ~ 남아 있다 未解決のまま残っている / 입은 ~로 자다 着たなりで寝る〔床に着く〕/ 간 ~ 돌아오지 않다 行ったなり〔きり〕帰らない.
채⁹ 부 ま(未)だ; いま(未)だ. ¶ 일년도 ~ 못된다 まだ一年足らずである / 날이 ~ 밝기도 전에 떠났다 まだ夜が明けきらない内に発った.
채결【採決】명하타 採決. ¶ 다수결로 ~하다 多数決で採決する.
채광【採光】명하자 採光. ¶ ~이 잘되는 방 採光のいい部屋.
‖——-권 명 採光権. ——-창 명 採光窓; 切り窓; 明かり窓.
채광【採鑛】명하자 採鉱.
채굴【採掘】명하타 採掘. ¶ ~권 採掘権 / 금을 ~하다 金を採掘する.
채권【債券】명 債券. ¶ ~을 발행하다 債券を発行する.
채권【債權】명〔法〕債権. ¶ ~자 債権者.
‖——-법 명 債権法. —— 증권 명 債権証券.
채귀【債鬼】명 債鬼; 借金取り.
채-그릇 명 編み枝で編んだ入れものの総称.
채근-하다 타 せきたてる; せっ(責)つく; 催促する. ¶ 빨리 떠나자고 ~ 早く出かけようとせきたてる〔せっつく〕/ 원고를 ~ 原稿を催促する.
채금【採金】명하자 砂金などを採取すること.
채기【彩器】명 絵の具を水に溶かす器; 絵の具皿.
채널〔channel〕명 チャンネル. ¶ ~권 チャンネル権.
채다¹ 자 値上がる. ¶ 물가가 바짝 ~ 物の値段がぐんと上がる.
채다² 타 いきなり引っぱる; ひったく

ㅊ

る. ¶ 돈을 채어 도망가다 金をひったくって逃げる.

채다[3] 타 いちはやく感づく; 気づく. ¶ 전혀 눈치 채지 못했다 とんと気がつかなかった.

채다[4] 타 ↗채우다[1.2.3].

채다[5] 피동 ①け(蹴)られる. ¶ 허리를 ~ 腰を蹴られる. ②横取りされる; ひったくられる. ③(恋人に)振られる. ¶ 여자에게 ~ 女に振られる.

채단【采緞】 명 (結婚に際して)新郎の家から新婦の家に送る青·紅などのチマ·チョゴリ用の生地.

채독【菜毒】 명 ①胃腸を害する野菜の毒気. ②〔醫〕☞ 채독증.

‖——증(症) 명 野菜類を生で食べることによっておこる病気.

채-뜨리다 타 ①いきなり引っぱる. ②いちはやくひったくる.

채록【採錄】 명 하타 採録.

채료【彩料】 명 絵の具.

채마【菜麻】 명 そさい(蔬菜); 野菜.

‖——밭, ——전(田) 명 野菜畑. = 남새밭.

채무【債務】 명 債務.

‖—— 보증 명〔法〕債務保証.

채문【彩文·彩紋】 명 彩文. ①いろどり; あや. ②波のもよう.

‖—— 토기 명 彩文土器.

채-반【—盤】 명 ①編み枝で編んだ縁のない平たい入れ物. ②珍味; ごちそう(御馳走)《里からの帰りしなに新婦がもってくる食べ物》.

채-발 명 ほっそりとした足.

채비【—備】 명 支度; 用意; 準備. =차비. ——하다 자 支度(を)する. ¶ 외출할 ~를 하다 よそ行きの支度をする / 반격할 ~를 하다 反撃の準備をする.

채산【採算】 명 하타 採算. ①収支が引き合うこと; 利益があること. ¶ ~을 도외시하다 採算を度外視する / 독립~제 独立採算制 / ~이 맞다 採算が合う; 採算がとれる. ②収支を計算すること. また, その計算.

채색【彩色】 명 ①彩色·彩色; 色づけ. ——하다 자 彩色する; 彩る. ¶ ~을 하다 彩色をほどこす / 도자기의 ~이 아름답다 焼き物の色づけが美しい.

‖——화(畫) 명 ☞ 채화.

채석【採石】 명 하자 採石.

‖——장 명 採石場; 石切り場.

채소【菜蔬】 명 そさい(蔬菜); 野菜; 青物. ¶ ~를 가꾸다 野菜を作る.

‖——밭 명 蔬菜畑.

채송-화【菜松花】 명〔植〕まつばぼたん.

채식【菜食】 명 하자 菜食.

‖——주의 명 菜食主義.

채신 명 "처신"をさげす(蔑)んで言う語. ——머리 없다 형《俗》☞ 채신없다. ——머리 없이 부《俗》☞ 채신없이. ——사납다 형 身持ちが悪くみっともない; ふしだらだ; ぶざまだ. ——없다 형 軽はずみで威厳がない. ——없이 부 軽はずみに; だらしなく; ふしだらに.

채용【採用】 명 하타 採用. ¶ 주휴 2일제의 ~ 週休二日制の採用 / 사원으로 ~하다 社員に採用する.

채우다[1] 타 ①帯びさせる; はいよう(佩用)させる. ②錠·ボタンなどをかける. ¶ 자물쇠를 ~ 錠を下ろす / 단추를 ~ ボタンをはめる. ③手首·足首に刑具をかける; はめる. ¶ 수갑을 ~ 手錠をかける.

채우다[2] 타 ①物を冷水につけて冷やす. ¶ 수박을 물에 ~ すいか(西瓜)を水にひたす. ②物を氷につけて保つ; さます. ㊜ 채다.

채우다[3] 타 ①補う; 埋め合わせる. ¶ 머릿수를 ~ 頭をそろえる. ②満たす; 詰める. ¶ 목욕탕에 물을 ~ 浴槽に水を満たす / 못에 물을 ~ 池に水をたた(湛)える / 상자에 상품을 ~ パックに商品を詰める. ③みたす; 欲望を充足させる. ¶ 정욕을 ~ 情欲をみたす / 제 배를 ~ 私腹を肥やす. ④一定の期限をみたす. ¶ 날짜를 ~ 日数を満たす.

채원【菜園】 명 菜園.

채유【菜油】 명 (菜)種油.

채유【採油】 명 하자 採油. ¶ ~권 採油権 / 유채씨에서 ~하다 菜種から採油する.

채자【採字】 명 하자 文選.

‖——공 명 文選工.

채전【債錢】 명 借金.

채점【採點】 명 하타 採点. ¶ ~표 採点表 / ~이 후하다 採点が甘い.

채종【採種】 명 하자 採種.

‖——밭, ——전(田) 명 採種ほ(圃); 採種畑.

채종【菜種】 명 菜種.

‖——유 명 ☞ 채유(菜油).

채주【債主】 명 貸し主.

채-질 명 하타 むち(鞭)で打つこと.

채집【採集】 명 하타 採集. ¶ 식물〔민요〕~ 植物〔民謡〕採集.

채찍 명 むち(鞭). ¶ 사랑의 ~ 愛の鞭. ㊜ 채.

‖——질 명 하타 むち打ち. ¶ ~을 하다 むち打つ; むちを加える / 노구에 ~하다 老軀にむち打つ.

채취【採取】 명 하타 採取. ¶ 혈액 ~ 血液採取 / 지문을 ~하다 指紋を取る〔採取する〕.

‖——권 명〔法〕採取権.

채치다[1] 자 "채다[1]"の強勢語.

채치다[2] 타 "채다[2]"の強勢語.

채-치다[3] 타 ①むち(鞭)打つ. ②促す; 催促する.

채-치다[4] 타 野菜や果物などを千切りにする.

채-칼 명 千切り用の器具.

채탄【採炭】 명 하자 採炭.

‖——기 명 採炭機.

채택【採擇】 명 하타 採択. ¶ 결의안〔의견〕을 ~하다 決議案〔意見〕を採択する.

채플〔chapel〕 명 チャペル.

채필【彩筆】 명 彩筆; 絵の具筆.

채혈【採血】 명 하자 採血.

채화【採火】 명 하자 凸レンズで太陽から聖火を採ること.

채화【彩畫】명〖美〗彩画. ＝채색화.
‖——-기(器) 명〖工〗彩画を施した陶器.
책【冊】명 本; 書物; 書籍. ¶～벌레 本虫; 本好き / ～을 읽다 本を読む / 책을 쓰다 本を書く / ～을 펴서 읽다 本をひもとく.
책【柵】명 ①さく(柵). ＝울짱. ②しがらみ.
책【責】명하타 ① ☞ 책임. ② ↗책망(責望).
-책【責】미 責任者の意. ¶조직～ オルグ〔オルガナイザー〕.
-책【策】미 策; はかりごとの意. ¶해결～ 解決策 / 타개～ 打開策.
책-가위【冊—】, **책-가의**【冊加衣】명 ブックカバー.
책-꽂이【冊—】명 本立て; 書架.
책동【策動】명하타 策動; 策略をめぐらして行動すること. ¶그가 뒤에서 ～하고 있는 것 같다 彼が陰で策動しているらしい / 파업을 ～하다 ストライキを策動する.
책-뚜껑【冊—】명 書物の表紙; 本の扉.
책략【策略】명 策略; はかりごと; 策謀. ¶～을 쓰다 策略を用いる〔めぐらす〕. ‖——-가 명 策略家.
책력【冊曆】명 暦本; 暦書; と(綴)じ暦. ＝역서(曆書).
책망【責望】명 しかり; とが(咎)め. ——-하다 타 咎める; 詰る; 難ずる. ¶～을 받다 咎めを受ける / 너무 ～ 말라 あまり咎め立てるなよ.
책명【冊名】명 書目; 書名.
책모【策謀】명 策謀. ＝책략(策略).
책무【責務】명 責務; 職責と義務. ¶우리들 젊은이의 ～ 我ら若人の責務 / ～를 완수하다 責務を全うする.
책-받침【冊—】명 下敷き.
책-방【冊房】명 本屋; 書店.
책-보【冊褓】명 (本をつつむ)ふろしき.
책사【冊肆】명 ☞ 서점(書店).
책사【策士】명 策士. ＝모사(謀士)·술사(術士).
책-상【冊床】명 机; デスク. ¶～ 앞에 앉다 机に向かう.
‖——-다리 명하자 膝組み; あぐら. ¶～를 하다 あぐらをかく. ——-머리 명 机の前. ——-물림 명 世情にうとい人. ＝책상 퇴물. ——-보(褓) 명 テーブルクロース.
책-송곳【冊—】명 本をと(綴)じるとき使うきり(錐).
책원【策源】, **책원지**【策源地】명 策源地. ¶악의 ～ 悪の策源地.
책임【責任】명 責任; 責め. ¶～자 責任者 / 어버이로서의 ～ 親としての責任 / ～을 다하다 責任を果す / ～전가 責任転嫁 / ～을 지고 사임하다 責任を負って辞任する. ——-지다 자 責任を負う; 責めを負う.
‖——-감 명 責任感. —— 내각제 명〖政〗責任内閣制. —— 보험 명 責任保険.
책자【冊子】명 ☞ 서책. ¶소～ パンフレット.
책-잡다【責—】타 とが(咎)める; なじ(詰)る.
책-잡히다【責—】피동 とが(咎)められる; なじ(詰)られる.
책장【冊張】명 本のページ. ¶～을 넘기다 本をめくる.
책-장【冊欌】명 本棚. ¶붙박이 ～ 取り付けの本棚.
책정【策定】명하타 策定. ¶기본 방침을 ～하다 基本方針を策定する.
책제【冊題】, **책-제목**【冊題目】명 本の題目.
책-치레【冊—】명하자 本に意匠を施すこと.
책-하다【責—】타 なじ(詰)る; 責める. ＝책망하다. ¶몹시 ～ 取詰める / 남의 잘못을 들어 ～ 人の非を鳴らす.
책-하다【策—】타 策する; はかる. ＝획책하다.
챔피언〔champion〕명 チャンピオン.
챙 명 ↗차양(遮陽).
챙기다 타 取りまと(纏)める; 取りそろえる; 始末する. ¶잘 ～ きちんと取りそろえる / 짐을 챙겨서 상경하다 荷物を取り纏めて上京する.
처【妻】명 妻; 家内; 女房. ＝아내. ¶내연의 ～ 内縁の妻.
처【處】명 処. ①中央行政機関の一つ. ¶법제 ～ 法制処. ②行政事務を取り扱う部署の名称. ¶노무 ～ 労務処.
처- 두 動詞にかぶせて, "やたらに·たくさん"などの意を表わす語. ¶분을 ～바르다 白粉をたっぷり塗りつける.
-처【處】미 (…する)所の意. ¶접수～ 受付け.
처가【妻家】명 妻の実家〔里〕.
‖——-살이 명하자 妻の実家の厄介になって暮らすこと.
처결【處決】명하타 処決. ¶미결의 안건을 ～하다 未決の案件を処決する.
처남【妻男】명 妻の男兄弟.
처-넣다 타 突っ込む; 詰め込む; ほうり込む; ぶち込む〈俗〉. ¶감옥에 ～ ろうや(牢屋)へぶち込む / 헛간에 ～ 物置へほうり込む.
처네 명 ①掛けぶとんの上に重ねる薄いふとん. ②(子供をおんぶする時まわす)ねんねこばんてんのような小さいふとん.
처녀【處女】명 処女; 娘; 乙女; きむすめ. ¶～ 연설 処女演説 / 한창 나이의 ～ 若盛りの娘.
‖——-궁 명〖天〗処女宮. ＝쌍녀궁(雙女宮). ——-림 명 処女林. ＝원시림(原始林). ——-막 명〖生〗処女膜. —— 생식 명〖生〗処女生殖. ＝단성 생식(單性生殖). ——-성 명 処女性. ——-자리 명〖天〗乙女座. —— 출판 명 処女出版.
처녑 명〖生〗はんすうい(反芻胃)の第三胃. ＝백엽·천엽.
‖——-회(膾) 명 "처녑"の刺し身.
처단【處斷】명하타 処断.
처-대다[1] 타 火に投じて燃やしてしまう.
처-대다[2] 타 継ぎ足す; つぎ込む.
처덕【妻德】명 妻のおかげ.
처덕-거리다 타 ①洗濯棒で洗濯物

ㅊ

ものを続けざまに打つ. ② (のり(糊)などを) 無造作に塗りつける. 처덕-처덕 부하자 べたべた; べとべと. ¶ 전단을 ~ 붙이다 ビラをべたべたと張る.

처-든지르다 타 《俗》 ☞ 처먹다. ㊟ 처지르다.

처-때다 타 やたらにた(焚)く.

처-뜨리다 타 垂れさせる.

처량 【凄涼·凄涼】 명하형히부 せいりょう(凄涼). ①すさ(凄)まじくもの寂しいこと. ¶ ~한 옛 싸움터 凄涼たる古戦場. ② 物悲しく哀れなこと. ¶ ~한 신세 物悲しい身の上/~하게 울다 物哀れに泣く.

처럼 조 体言に付いて, "(…)のように"·"(…)と同じく"などの意を表わす補助詞. ¶ 예년~ 例年のように/가족~ 여기다 家族なみに扱う/산~ 쌓였다 山と積まれた/해결한 것~ 보인다 解決したかに見える/얼음~ 차갑다 氷のように冷たい.

처렁 부하자타 金属がぶつかってなる音; ちゃりん. >차랑. ㅅ저렁.
——거리다 자타 金属の音がちゃりんとひびきわたる. ——— 부하자타 ちゃりんちゃりん.

처리 【處理】 명하타 処理. ¶ 뒤~ 後始末; 後片付け/화학 ~ 化学処理/척척 ~하다 てきぱきと片付ける/사건은 대강 ~되었다 事件は大体片づいた/야무지게 ~해 나가다 決まりよくかたづけて行く/그것은 자네가 적당히 ~하게 それは君が適当に処理したまえ.

처마 명 〔建〕 軒; ひさし(庇). ¶ ~를 잇대고 있다 軒をつらねる/~를 달아 내다 軒を張り出す.
‖——끝 명 軒先. ——높이 명 軒丈. ——밑 명 軒下. ¶ ~에서 비를 긋다 軒下をで雨宿りする. 처맛-기슭 명 軒のふち.

처-매다 타 (ひもなどで)しっかり巻く〔くくる〕; 巻き縛る.

처-먹다 타 ①むやみやたらに食う. ②《俗》食らう.

처-먹이다 타 ①むやみやたらに食わせる. ②《俗》食らわす.

처-박다 타 ①(強く)打ち込む. ¶ 말뚝을 ~ くい(杭)を打ち込む. ②むやみやたらに押し込むか詰め込む. ③閉じ込める; 押し込める. ¶ 집에 처박혀 있다 家に閉じ籠っている.

처방 【處方】 명 〔醫〕 処方. ¶ 의사의 ~ 医者の処方.
‖——전 명 処方箋.

처벌 【處罰】 명 処罰. ——하다 타 処罰する; 罰する. ¶ ~을 받다 処罰を受ける; 処罰される.

처복 【妻福】 명 りっぱな妻をめとったしあわせ.

처-부모 【妻父母】 명 妻の親.

처분 【處分】 명하타 処分. ¶ 퇴학 ~ 退学処分/가혹한 ~ 酷な処分/토지를 ~하다 土地を処分する/~에 맡기겠습니다 お計らいにお任せ致します.

처사 【處士】 명 処士; 野にいて仕官しない人.

처사 【處事】 명하자 仕打ち; 仕向け; 事の取り扱い. ¶ 심술궂은 ~ 人悪な仕打ち/매정한 ~ つれない仕打ち.

처-삼촌 【妻三寸】 명 妻のおじ.

처상 【妻喪】 명 妻の死; 妻の喪.

처서 【處暑】 명 処暑《二十四節気の一つ》.

처세 【處世】 명하자 処世; 世渡り. ‖——술 명 処世術. ¶ ~에 능한 사람 処世術に長けた人. ——훈 명 処世訓.

처소 【處所】 명 居所; 居所. ¶ ~를 정하다 居所を定める.
‖——격 조사(格助詞) 명 〔言〕 副詞格助詞の一つ; 動詞や他の用言の内容となる場所を限定する助詞《"에서"·"로"など》.

처숙 【妻叔】 명 妻の叔父.

처-시하 【妻侍下】 명 かかあ天下.

처신 【處身】 명 身のふり方; 身持ち. ——하다 자 身を持する. ¶ ~하기가 난처하다 身のふり方に困る. ——사납다 형 →치신사납다. ——없다 형 →치신없다. ——없이 부 →치신없이.

처연 【凄然】 부하형 せいぜん(凄然); さびしくうら悲しいさま.

처우 【處遇】 명 処遇; もてなし. ¶ 억류자의 ~ 문제 抑留者の処遇問題.

처음 명부 初〔始〕め; はな(端); かわきり. ¶ ~부터 始め〔のっけ·はな(端)〕から/~ 듣는 이야기다 耳新しい話である/~부터 컨디션이 나쁘다 端から調子が悪い/~부터 마음이 내키지 않는다 はじめから気が進まない/~뵙겠습니다 初めまして《あいさつの言葉》; お見知りおきください/~부터 상대하지 않는다 頭から相手にしない.

처자 【妻子】 명 妻子·妻.

처자 【處子】 명 ☞ 처녀(處女).

처장 【處長】 명 "処"の部署長.

처-쟁이다 타 ぎっしりと積みあげる.

처절 【凄切】 명하형 せいせつ(凄切); 身にしみて悲しいこと.

처절 【悽絶】 명하형 せいぜつ(凄絶). ¶ ~한 전투 凄絶な戦闘.

처제 【妻弟】 명 妻の妹; 義妹.

처-조모 【妻祖母】 명 妻の祖母.

처-조부 【妻祖父】 명 妻の祖父.

처-조카 【妻—】 명 妻のおい(甥)またはめい(姪).

처족 【妻族】 명 妻の一族.

처지 【處地】 명 ①立場; 置かれた境遇; 環境. ¶ 고립 무원의 ~ 孤立無援の立場/곤란한 ~에 놓여 있었다 困難な立場にあった. ②間柄. ¶ 친한 ~ 親しい仲. ③地位; 身分.

처-지다 자 ①沈む. ②(張っていたものが)垂れる. ¶ 앞머리가 ~ 前髪が垂れる/옷을 앞이 처지게 입다 衣服を前下がりに着る. ③取り残される; 立ちおくれる. ¶ 혼자 쓸쓸히 ~ 独り寂しく取り残される.

처-지르다 타 ①(たき口などに)むやみにまき(薪)をくべる. ② ☞ 처대다[1].

③ ↗처든지르다.
처참【悽慘】[명] せいさん(凄惨). ——-하다 [형] 凄惨だ；見る影もない；きわめて惨たらしい. ¶～한 광경 凄惨な光景／～하기 이를 데 없는 사고 현장 凄惨きわまる事故現場. ——-히 [부] 惨たらしく.
처처【處處】[명] 処処；いたる所；ここかしこ；所所. ＝곳곳.
처첩【妻妾】[명] さいしょう(妻妾).
처치【處置】[명] 処置；処理；始末；手当て. ——-하다 [타] 処置する；始末する；片付ける〈俗〉. ¶응급 ～ 応急手当；急場の処置／～ 곤란하다 始末におえない.
‖——-료 [명] 処置料.
처치〔church〕[명] チャーチ；教会.
처-하다【處—】[자][타] 処する. ¶역경에 처한 사람 逆境にある人／비상시에 처하여 非常時に際して／참수에 ～ 切り首にする.
처형【妻兄】[명] 妻の姉.
처형【處刑】[명][하타] 処刑.
척〔chuck〕[명]〖工〗チャック.
척【尺】[의명] 尺. ＝자.
척【隻】[의명] 隻；そう(艘). ¶군함 다섯 ～ 軍艦五隻.
척¹ [부] ☞ 착¹.
척² [부] 手間取らずく行なうさま：ぽんと；さっと. ¶십만 원을 ～ 내 놓다 ぽん〔さっ〕と十万ウォンを出す.
척결【剔決】[명][하타] てっけつ(剔決). ¶부패를 ～하다 腐敗を剔決する／환부를 ～하다 患部を剔決する.
척골【蹠骨】[명]〖生〗しょこつ(蹠骨)；中足骨.
척관-법【尺貫法】[명] 尺貫法.
척도【尺度】[명] 尺度；ものさし. ¶우열을 가리는 ～ 優劣をきめる尺度.
척분【戚分】[명] 親類に当たる間柄.
척사【擲柶】[명] ☞ 윷놀이.
‖——-회(會) [명] "윷놀이"の集い.
척색【脊索】[명]〖生〗せきさく(脊索).
‖—— 동물 [명]〖生〗脊索動物.
척수【脊髓】[명]〖生〗せきずい(脊髄).
‖——-막 [명] 脊髄膜. —— 반사 [명] 脊髄反射. —— 신경 [명] 脊髄神経. ——-염 [명] 脊髄炎.
척식【拓植·拓殖】[명][하자타] 拓殖.
척주【脊柱】[명]〖生〗せきちゅう(脊柱). ＝척추.
척지【尺地】[명] 尺地；せきち(尺地).
척-지다【隻—】[자] 互いに恨みをいだく.
척-짓다【隻—】[자] 恨みをいだくようなことをする.
척척¹ [부] 物がよく張りつくさま：べたべた. ＞착착. ㅗ쩍쩍.
척척² [부] ①手ぎわよく処置するさま：てきぱき；しゃきしゃき. ＞착착. ¶무슨 일이든 ～ 처리하다 何事でもてきぱき片付ける／살림을 혼자서 ～ 꾸려나가다 家事を一人で切りまわす. ＞착착. ②手間取ったり，行き詰まったりしないでてきぱきするさま：さっさと；ずんずん；とんとん；すらすら. ¶일이 ～ 진행되다 仕事がとんとん運ぶ〔ずんずん進む〕；事がすらすら運ぶ／어려운 문제를 ～ 풀다 難問をすらすら(と)解く.
척추【脊椎】[명] せきつい(脊椎).
‖——-골 [명] 脊椎骨. —— 동물 [명] 脊椎動物. ——-염 [명] 脊椎炎. —— 카리에스 [명] 脊椎カリエス.
척출【剔出】[명][하타] てきしゅつ(剔出). ¶환부의 ～ 患部の剔出.
척탄【擲彈】[명][하자] てきだん(擲弾).
‖——-통 [명] 擲弾筒.
척토【瘠土】[명] せきど(瘠土)；せきち(瘠地).
척화【斥和】[명][하자] 和議を退けること.
‖——-비(碑) [명]〖史〗朝鮮朝の末期，大院君が鎖国攘夷の旨を刻んで各所に立てた石碑.
척후【斥候】[명][하타] 斥候.
‖——-대 [명] 斥候隊. ——-병 [명] 斥候兵.
천 [명] 布；きれ. ¶새하얀 ～ 雪白の布／～이 닳아서 보풀이 일다 生地がすれて毛羽立つ.
천【千】[수] 千.
-천【川】[미] "川"を表わす語.
천거【薦擧】[명][하타] 推薦；推挙. ¶운영 위원으로 ～하였다 運営委員に推挙した.
천격【賤格】[명] ①卑しい品格. ②☞ 천골. ——-스럽다 [형] はしたない；下品である.
천견【淺見】[명] 浅見；短見. ＝천문(淺聞). ¶～ 단려 浅見短慮.
‖—— 박식(薄識) [명] 浅はかな見聞と知識.
천계【天界】[명]〖佛〗天界.
천고【千古】[명] 千古；永久. ¶～ 불멸의 영웅 千古不滅の英雄.
‖—— 불후 [명][하자] 千古不朽.
천고 마비【天高馬肥】[명] 天高く馬肥ゆ.
천골【賤骨】[명] ①ひせん(卑賤)な骨相. ②卑しい生まれ.
천공【天空】[명] 天空；大空.
천공【穿孔】[명][하자타] せんこう(穿孔). ‖——-기 [명] 穿孔機.
천구【天球】[명] 天球.
‖——-의 [명] 天球儀. —— 좌표 [명] 天球座標.
천국【天國】[명] 天国. ¶지상 ～ 地上の天国.
천군 만마【千軍萬馬】[명] 千軍万馬；「多くの兵馬」.
천권【擅權】[명][하자] 専権；かってに権力をふるうこと；権力をほしいままにすること.
천극【天極】[명] 天極.
천근【千斤】[명] ①千斤. ②せんきん(千鈞).
‖—— 역사(力士) [명] 力持ち.
천금【千金】[명] 千金；万金. ¶일확 ～을 꿈꾸다 いっかく(一攫)千金を夢みる／～을 쓰다 千金をついやす.
천기【天氣】[명] 天気.
천기【天機】[명] 天機.
‖—— 누설(漏泄) [명] 天機を漏らすこと.
천-냥【千兩】[명] 千両. ¶～짜리 보

ㅊ

조개 千両えくぼ.
천녀【天女】명 天女; 女神.
천년【千年】명 千年.
‖── 만년 명 ☞ 천만년. ──-설 명〔基〕千年説. ── 왕국 명〔基〕千年王国.
천노【賤奴】명 せんど(賤奴).
천단【擅斷】명하타 専断.
천당【天堂】명 天国; 極楽.
천대【賤待】명하타 ① おろそ(疎)かにもてなすこと; 手荒にあしらうこと. ② ぞんざいに取り扱うこと.
천더기, 천덕-꾸러기【賤—】명 冷遇される人. また, ぞんざいに取り扱われる物.
천도【天道】명 天道. ¶～에 어긋나다 天道に背く.
‖──-교 명〔宗〕天道教; 《韓国固有の宗教の一つ; 東学の精神を受け継ぐ》.
천도【遷都】명하자 遷都; 都移り; 都替え.
천도【薦度】명하타〔佛〕引導.
천동-설【天動說】명〔天〕天動説.
천둥 명하자 [←천동(天動)] 雷. ¶～ 치다 雷が鳴る.
천랑-성【天狼星】명〔天〕てんろう(天狼)星.
천래【天來】명 天来. ¶～의 묘음 天来の妙音.
천량 명 [←전량(錢糧)] 生活に必要な財.
천려【千慮】명 千慮.
‖── 일실 명 千慮の一失.
천려【淺慮】명 浅慮.
천렵【川獵】명하자 川狩り; 川漁.
천루【賤陋】명하형 せんろう(賤陋); 学問や考えなどがあさくてせまいこと.
천륜【天倫】명 天倫.
천리【千里】명 千里.
‖── 건곤(乾坤) 명 広い天地. ──-구(駒), ──-마 명 千里のこま(駒). ── 만리(萬里) 명 極めて遠い距離.
천리【天理】명 天理. ¶～에 어긋나다 天理に背く.
천막【天幕】명 天幕; テント. ＝텐트. ¶～을 치다 テントを張る.
천만【千萬】㊀명 千万. ㊁부 千万.
‖──-년 명 千万年. ── 다행(多幸) 명하형히부 非常に幸いなこと. ── 뜻밖 명 まったく意外なこと; 勿怪. ──-리(里) 명 ↗천리 만리. ──-번(番) 명 千万回. ── 부당(不當) 명하형 [↗천부당 만부당] 不当千万. ¶～하다 不当千万だ. ── 불가(不可) 명하형 全くよろしくないこと. ──-에 감 意外な事や言葉に対して, 不同意または謙遜を表わす言葉: どういたしまして; 滅相もない; とんでもない. ──-의 말씀 명 全く意外な〔とんでもない〕言葉. ¶～입니다 どう致しまして/～, 아주 형편없습니다 どうして, どうして, からきしだめですよ. ──-인 명 千万人; 数多い人.
천명【天命】명 天命. ¶～을 알다 天命を知る; 五十歳になること.
천명【賤名】명 ① 卑しい名の意《自分の名をへりくだっていう語》. ② 子供たちにつける卑しい名《独り子や病弱な子供の長寿をねがって"개똥이"·"돼지"などとつける》.
천명【闡明】명하타 せんめい(闡明). ¶중외에 ～하다 中外に闡明する.
천문【天文】명 天文.
‖── 단위 명 天文単位. ──-대 명 天文台. ──-시 명 天文時. ── 지리 명 天文と地理. ──-학 명 天文学. ¶～적 숫자 天文学的数字. ── 항법 명 天文航法.
천민【賤民】명 せんみん(賤民).
천박【淺薄】명하형 浅薄; あさはか. ¶～한 생각 あさはかな考え.
천방 지방【天方地方】, **천방 지축**【天方地軸】명 ① 思慮分別なくでたらめに振る舞うこと. ② 急ぐあまり, 方向さえわきま(弁)えずやみくもに行動すること.
천벌【天罰】명 天罰. ¶～을 내리다 天罰が下る.
천변【川邊】명 川辺. ＝냇가.
천변【千變】명 千変.
‖── 만화 명하자 千変万化. ¶～하는 세상 千変万化する世相.
천변【天變】명 天変.
‖── 지이 명 天変地異.
천병【天兵】명 天兵; 天子の兵.
천부【天賦】명하타 天賦. ¶～의 재능 天賦の才能.
천부당 만부당【千不當萬不當】명하형 "とんでもない"の意. ¶～한 말 とんでもない話. ㊟ 천만 부당.
천분【天分】명 天分; 天性. ¶～을 타고나다 天分に恵まれる.
천분-율【千分率】명 千分率; 千分比; パーミル.
천불【千佛】명〔佛〕千仏.
천사【天使】명 天使. ¶백의의 ～ 白衣の天使.
천산【天産】명 天産.
‖──-물 명 天産物.
천산-지산 부하자 あれこれ言って口実をもうける様子. ¶～ 하지 말고 四の五の言わずに.
천상【天上】명 天上.
‖──-계 명 天上界. ── 천하 명 天上天下. ── 천하 유아 독존 명 天上天下唯我独尊.
천생【天生】명부 天性〔天成·天生〕.
‖── 배필(配匹) 명 天が定めた似合いの夫婦. ── 연분(緣分), ── 인연(因緣) 명 天が定めた縁. ── 재주 명 天生の才能.
천석-꾼【千石—】명 千石取りの大地主.
천성【天性】명 天性. ¶～이 정직하다 根が正直である.
천세【千歲】명 千歳.
‖──-력(曆) 명 未来の百年間の暦書. ──-후(後) 명 ↗천추 만세후.
천세-나다 자 羽がはえて飛ぶように売れる; 引っ張りだこだ.
천수【千手】명〔佛〕[↗천수 관음] 千手.

‖——-경 명 〔佛〕 千手経. —— 관음 명 〔佛〕 千手観音. —— 다라니 명 〔佛〕 千手陀羅尼.

천수【天水】명 天水.

‖—— 농경(農耕) 명 雨水による耕作. ——-답(畓) 명 天水田.

천수【天授】명하타 天授. ¶ ～의 수명 天授の寿命.

천수【天壽】명 天寿. ¶ ～를 다하다 天寿を全うする.

천수【泉水】명 泉水.

천시【賤視】명하타 べっし(蔑視); さげすむこと.

천식【喘息】명 ぜんそく(喘息). ¶ ～ 환자 喘息持ち / ～의 발작 喘息の発作.

천신【天神】명 天神; 天の神.

‖—— 지기 명 天神地祇.

천신 만고【千辛萬苦】명하자 千辛万苦. ¶ ～끝에 승리를 거두다 千辛万苦のすえ勝利をおさめる.

천심【天心】명 天心. ① 空のまんなか. ¶ 달이 ～에(떠)있도다 月天心にあり. ② 天の心. ¶ 인심이 ～이다 人心がすなわち, 天心である.

천안【天顔】명 天顔. ＝용안. ¶ ～을 가까이서 배알하다 天顔にしせき(咫尺)する.

천애【天涯】명 天涯. ¶ ～ 고독 天涯孤独 / ～의 고아 天涯の孤児.

천야만야-하다【千耶萬耶—】형 (千尋も万尋もなる)きわめて高〔深〕い. ¶ 천야만야한 골짜기 千尋の谷.

천양【天壤】명 天壌.

‖—— 무궁 명하형 天壌無窮. —— 지-간(之間) 명 ☞ 천지간. ——지-차(之差) 명 しょうじょう(霄壌)の差; 雲泥の差.

천언 만어【千言萬語】명 千言万語.

천업【賤業】명 せんぎょう(賤業); いやしい職業.

천여【天與】명하타 天与. ¶ ～의 재능 天与の才能.

천역【賤役】명 せんえき(賤役); いやしい役務.

천연【天然】㊀명 天然. ¶ ～의 양항〔요새〕 天然の良港〔要塞〕. ㊁부 非常によく似ているさま: そっくり. ¶ 웃는 것까지 ～ 제 아비로군 笑うのまでその父親にそっくりだ. ——-하다 형 ① さり気ない. ¶ ～하게 앉아 있다 さり気なく座っている. ② そっくりだ. ——-히 부 さり気なく; 事もなげに. ——-스럽다 형 実しやかだ; 事もなげだ. ¶ 천연스러운 얼굴 けろりとした顔 / 천연스럽게 거짓말을 하다 実しやかに嘘をつく.

‖—— 가스 명 天然ガス. —— 기념물 명 天然記念物. ——-두 명 天然痘. ——-림 명 天然林. ——-물 명 天然物. ——-미(美) 명 ☞ 자연미. —— 비료 명 天然肥料. ——-빙 명 天然氷. ——-색 명 天然色. ——-색 영화 명 天然色映画. ——-색 사진 명 天然色写真. —— 섬유 명 天然繊維. —— 염료 명 天然染料. —— 자원 명 天然資源. —— 조림 명 天然造林.

천연【遷延】명하타 遷延. ¶ 교섭이 ～되다 交渉が遷延する.

천엽【千葉】명 ① 八重; 幾重にもかさなった花びら. ②〔生〕☞ 처녑.

천왕【天王】명〔佛〕天王.

‖——-문(門) 명 〔佛〕 寺の入口にある四天王を安置した門. —— 성 명〔天〕天王星.

천우【天佑】명 てんゆう(天佑); 天助.

‖—— 신조 명하타 天佑神助.

천운【天運】명 天運. ＝천수(天數). ¶ ～에 맡기다 天運にまかせる.

천원【天元】, 천원-점【天元點】명 (碁の)天元.

천원【泉源】명 泉源; 泉の源.

천은【天恩】명 天恩. ¶ ～을 입다 天恩に浴する.

천의【天意】명 天意.

천이【遷移】명하자 遷移.

천인【千仞】명 千尋.

천인【天人】명 天人.

‖—— 공노(共怒) 명하자 天人共に怒ること《天人共に許さずの意》. ＝신인 공노(神人共怒). ¶ ～할 횡포 天人共に許せざる横暴.

천인【賤人】명 せんじん(賤人); 卑しい身分の人.

천일【天日】명 天日; 太陽.

‖——-염 명 天日塩.

천일 기도【千日祈禱】명 千日間のお祈り.

천일 야화【千一夜話】명 千一夜物話; アランビアンナイト.

천자【天子】명 天子.

천자【天資】명 天資. ＝천품(天稟). ¶ ～ 영명 天資英明.

천자【穿刺】명하타 〔醫〕 せんし(穿刺).

천자【擅恣】명하형 せんし(擅恣); ほしいままにしてはばからないこと.

천자 만태【千姿萬態】명 千姿万態.

천자 만홍【千紫萬紅】명 千紫万紅.

천자-문【千字文】명 千字文.

천작【淺酌】명하자 浅酌; 程よく酒を飲むこと.

천잠【天蠶】명〔蟲〕天蚕; 山繭. ＝멧누에. ¶ ～사 天蚕糸.

천장【天—】명 天井. ① 部屋の上方の板張り. ¶ ～에서 비가 새다 天井から雨が漏る / ～이 높다 天井が高い. ② 株式相場の最高値.

‖——-널 명 天井板. ——-틀 명 天井板をはめる井の字形の枠.

천장【遷葬】명하타 ☞ 이장(移葬).

천장 지구【天長地久】명 天長地久; 天地が永遠に変わらないように物事が永久に続くこと.

천재【千載】명 千載. ＝천세(千歲).

‖—— 일시(一時), —— 일우 명 千載一遇.

천재【天才】명 天才. ¶ 어학의 ～ 語学の天才 / ～적인 두뇌 天才的な頭. ‖—— 교육 명 天才教育.

천재【天災】명 天災.

‖—— 지변 명 天災地変.

천적【天敵】명 天敵.

천정【天井】명 ☞ 천장.

‖—— 부지(不知) 명 天井知らず. ¶ ～로 물가가 오르다 天井知らずに物価が上がる. ——-화 명 天井画.

ㅊ

천정【天定】명 天の定め.
‖── 배필(配匹) 명 ☞천생 배필. ── 연분(緣分) 명 ☞천생 연분.
천정【天頂】명 天頂.
‖── 거리 명〔天〕天頂距離. ──-의 명〔天〕天頂儀. ──-점 명〔天〕天頂点.
천제【天帝】명 天帝. ＝하느님.
천주【天主】명 ① 中国の神の名. ②〔佛〕大自在天の別称. ③〔佛〕諸天の王. ④〔天主教〕天主.
‖──-경(經) 명 ☞"주(主)의 기도". ──-교 명 天主教. ＝가톨릭교. ── 교회 명 天主教会; カトリック教会. ── 삼위 명 聖三位.
천지【天地】명 ① 天地. ㉠ 天と地. ¶자유 ~ 自由の天地 / ~ 만물 天地万物. ㉡ 宇宙; 世界; 世の中. ② きわめて多いこと. ¶서울엔 장사 ~다 ソウルには商売だらけである. ──-에 부 意外の事に驚き感嘆して発する語. 준 천제.
‖──-간(間) 명 天地の間. ── 개벽 명하자 天地かいびゃく(開闢). ── 신명 명 天地神明. ¶~에 맹세하다 天地神明に誓う. ──-인 명 天地人; 三才. ── 창조 명 天地創造.
천직【天職】명 天職. ¶~으로 삼다 天職とする.
천직【賤職】명 卑しい職業.
천진【天眞】명하형 天真.
‖── 난만 명하형 天真らんまん(爛慢). ¶~한 어린이 天真爛慢な子供. ── 무구(無垢) 명하형 けがれがなく無邪気なこと.
천차 만별【千差萬別】명하형 千差万別.
천창【天窓】명 天窓.
천천-하다 형 緩慢だ; ゆっくりしている; ゆったりしている. 천천-히 부 ゆるやかに; ゆっくり(と). ¶~ 걷다 ゆっくり歩く / ~ 일어서다 徐に立ちあがる.
천체【天體】명 天体.
‖── 관측 명 天体観測. ──-력 명 天体暦. ＝천체 일표. ── 망원경 명 天体望遠鏡. ── 물리학 명 天体物理学. ── 사진 명 天体写真. ── 역학 명 天体力学.
천추【千秋】명 千秋; 千年. ¶하루가 ~ 같은 생각 一日千秋の思い.
‖── 만세 명 ① 千万年. ② 千秋万歳. ── 만세후(萬歲後) 명 長寿を全うした後の《目上の死後の敬称》. 준 천세후(千歲後).
천출【賤出】명 下女·遊女出のめかけ(妾)から生まれた子孫.
천측【天測】명하자 天測.
‖── 기계(機械) 명 天測器械.
천층 만층【千層萬層】명 ① 数多くの層. ② 幾重ものかさなり. 준 천만층.
천치【天癡·天痴】명 白痴; ばか. ¶~ 바보 大ばか三太郎.
천칭【天秤】명 [↗천평칭] てんびん(天秤). ¶~에 달다 天秤にかける.
천칭【賤稱】명하타 せんしょう(賤称); べっしょう(蔑称).
천태 만상【千態萬象】명 千態万状; 千差万別の状態.
천-트다【薦—】자 ① 人の推薦を受ける. ② 無経験の事にはじめて手をつける.
천파 만파【千波萬波】명 千波万波. 준 천만파.
천편 일률【千篇一律】명 千編一律. ¶~적인 내용 千編一律の内容.
천평-칭【天平秤】명 てんびん(天秤). 준 천칭.
천품【天稟】명 てんぴん(天稟); 天分; うまれつき. ＝천자(天資). ¶뛰어난 ~을 지니다 すぐれた天分を持つ.
천하【天下】명 天下. ¶~에 알려지다 天下に知れわたる / 대원군의 ~ 大院君の天下 / ~를 잡다 天下をとる. ──-없어도 부 いやでもおうでも; ぜひとも. ──-없이 부 世にその類例がなく; いくら; どうあっても. ──-에 부 意外なこと·心外なことに"そんなこともあり得るだろうか"という意を含んで発する語.
‖── 대세(大勢) 명 天下の大勢. ── 명창(名唱) 명 天下の歌うたい; 世にまれな歌うたい. ── 무적 명 天下無敵. ── 무쌍 명하형 天下無双. ── 일색(一色) 명 絶世の美人. ── 일품 명 天下一品. ── 장사(壯士) 명 世にまれな力持ち. ── 태평 명하형 天下太平.
천-하다【薦—】타 薦める; 推薦する.
천-하다【賤—】형 卑しい. ¶천한 직업 いやしい職業 / 천한 말씨 下品な言葉づかい.
천학【淺學】명하형 浅学.
‖── 비재 명 浅学非才.
천해【淺海】명 浅海.
‖── 어업(漁業) 명 浅海漁業.
천행【天幸】명 天幸; 天のめぐみ.
천험【天險】명하형 天険.
‖──-지-지(之地) 명 天険の地.
천협【淺狹】명하형 浅狭. ① 浅くせまいこと. ② 浅はかで度量の狭いこと.
천형【天刑】명 天刑. ＝천벌(天罰).
‖──-병 명 ☞문둥병.
천혜【天惠】명 天恵; 天の恵み.
천황【天皇】명 天皇.
‖──-씨(氏) 명〔史〕中国太古時代の伝説的皇帝.
천후【天候】명 天候. ＝기후(氣候). ¶악~ 悪天候.
철[1] 명 ① 季節. ¶~에 맞는 옷 季節に応じた衣服. ② もっとも盛んな時; (物の)出盛り; しゅん(旬). ¶꽁치의 ~ サンマの旬.
철[2] 명 物心. ¶~이 들 나이 物心がつく年ごろ.
철【鐵】[1] 명 ① 鉄. ② ↗철사(鐵絲).
철【鐵】[2] 명 ↗번철(燔鐵).
-철【綴】미 と(綴)じたものの意をあらわす語: と(綴)じ. ¶서류~ 書類綴じ / 신문~ 新聞の綴じ込み.
철각【鐵脚】명 鉄脚; 健脚.

ㅊ

철갑【鐵甲】명 ① 鉄甲. ② ある物を他の物で覆った上皮.
‖——상어 명〖魚〗ちょうざめ; からちょうざめ. ——선(船) 명 亀甲船.
철강【鐵鋼】명 鉄鋼. ＝강철.
‖——업 명 鉄鋼業.
철거【撤去】명하타 撤去. ¶레일을 ～하다 レールを撤去する〔取り払う〕.
철-겹다 형 季節遅れ〔外れ〕だ.
철골【鐵骨】명 鉄骨. ＝철근(鐵筋).
‖—— 구조 명 鐵筋構造.
철공【鐵工】명 鉄工.
‖——소 명 鉄工所.
철-공장【鐵工場】명 ☞ 철공소.
철관【鐵管】명 鉄管.
철광【鐵鑛】명 鉄鉱.
철교【鐵橋】명 鉄橋.
철권【鐵拳】명 鉄拳. ¶～ 제재를 가하다 鉄拳制裁を加える.
철궤【鐵軌】명 線路; レール.
철궤【鐵櫃】명 鉄のひつ(櫃).
철그렁 부하자 うすい金属がふれ合ってなる音: ちゃりん. ＞찰그랑. ㅗ절그렁. ——거리다 자 ちゃりんちゃりんする. ———— 부하자 ちゃりんちゃりん.
철근【鐵筋】명 鉄筋. ¶～ 콘크리트 鉄筋コンクリート.
철기【鐵器】명 鉄器.
‖—— 시대 명 鉄器時代.
철기【鐵騎】명 鉄騎.
철-길【鐵—】명 鉄道; レール.
철꺽 부하자 ① 強くくっつくさま: べたべた; べったり(と). ② ねばりけのある物を強く打ちたたくさま. また, その音. ——거리다 자타 ① べたべたとべたつく. ② ねばりけのあるものをしきりにたたく. ———— 부하자타 ① ぺたぺた; べたべた. ② ねばりけのあるものをしきりに打ちたたくさま.
철-끈【綴—】명 と(綴)じひも.
철-나다 자 物心がつく. ¶철난 뒤로는 형과 싸운 적이 없다 物心がついてからは兄とけんかしたことがない.
철도【鐵道】명 鉄道. ＝철로. ¶～의 건널목 鉄道踏み切り / ～가 불통되다 鉄道が不通になる.
‖——교 명 鉄道橋. ㊟철교. ——망 명 鉄道網. —— 운임 명 鉄道運賃. —— 자살 명 鉄道自殺; 鉄道往生; 飛び込み自殺. ——청 명 鉄道庁《国鉄の管轄官庁》. ——편 명 鉄道便.
철두 철미【徹頭徹尾】명하형 부 徹頭徹尾; あくまで. ¶그 제안에는 ～ 반대한다 その提案にはあくまで反対する.
철-둑【鐵—】명 ↗철롯둑.
철-들다 타 ☞ 철나다.
철-따라 부 季節にしたがって.
철-딱서니, 철-딱지 명《俗》☞ 철².
철떡 부 ぬれたものやねばりけのあるものが強くくっつくさま. また, その音: べったり. ＞찰딱. ——거리다 자 べたつく. ———— 부하자 べたべた; べったり.
철렁 부 広く深いところにたまった水が一度ゆれうごくさま. また, その音. ＞찰랑. ——거리다 자 広く深いところにたまった水がゆれうごく. ———— 부하자 水がしきりにゆれうごくさま.
철로【鐵路】명 鉄路. ＝철도.
‖철롯-둑 명 (線路の)築堤. ㊟철둑.
철리【哲理】명 哲理. ¶심원한 ～ 深遠な哲理.
철마【鐵馬】명 汽車.
철-만나다 자 シーズンに入り非常に盛んである.
철망【鐵網】명 ① 鉄網; 金網. ② ↗철조망.
철면【凸面】명 凸面.
‖——경 명 凸面鏡. ＝볼록 거울.
철면-피【鐵面皮】명하형 鉄面皮. ¶예사로 거짓말을 할 수 있는 ～한 놈 平気で嘘のつける鉄面皮な奴.
철모【鐵帽】명 鉄帽; 鉄かぶと.
철-모르다 자 分別をわきまえない.
철문【鐵門】명 鉄門.
철물【鐵物】명 金物.
‖——전(廛), ——점(店) 명 金物屋.
철버덕 부 浅い水を踏むさま: また, その音: じゃぶじゃぶ. ㅗ절버덕. ——하다 자타 じゃぶじゃぶ音がする〔音を立てる〕. ——거리다 자타 じゃぶじゃぶする. ———— 부하자타 じゃぶじゃぶ.
철버덩 부하자타 深い水に重いものが落ちるさま; また, その音: どぶん. ㅗ절버덩. ——거리다 자타 どぶんどぶん落ちる; どぶんどぶん音がする〔音を立てる〕. ———— 부하자타 深い水に重いものがしきりに落ちるさま: どぶんどぶん.
철벅 부하자타 浅い水を踏むさま; また, その音: じゃぶじゃぶ; ぴちゃぴちゃ. ㅗ절벅. ——거리다 자타 じゃぶじゃぶする〔音を立てる〕. ———— 부하자타 じゃぶじゃぶ; ぴちゃぴちゃ. ¶빗속을 ～ 걷다 雨の中をぴちゃぴちゃと歩く.
철벙 부 深い水に重いものが落ちるさま; また, その音: どぶん. ㅗ절벙. ——하다 자타 どぶんと落ちる〔落とす〕. ——거리다 자타 どぶんどぶん(と)落ちる〔落とす〕. ———— 부하자타 どぶんどぶん.
철벽【鐵壁】명 鉄壁. ¶～ (같은) 수비 鉄壁の守り〔守備〕/ 금성 ～ 金城鉄壁.
철병【撤兵】명하자 撤兵. ¶점령지로부터 ～하였다 占領地から撤兵した.
철봉【鐵棒】명 鉄棒. ¶～으로 치다 鉄棒でなぐる / ～을 하다 鉄棒をする.
철-부지【—不知】명 世間知らず. ¶자네는 꽤나 ～군 君はずいぶん世間知らずだね.
철분【鐵分】명 鉄分.
철분【鐵粉】명 鉄粉; 鉄の粉末.
철사【鐵砂】명 鉄砂; 砂鉄.
철사【鐵絲】명 針金. ¶구리 ～ 銅線.
철삭【鐵索】명 鉄索; 鋼索; ケーブル.
철-새 명 渡り鳥; 候鳥.

철색【鐵色】명 鉄色.
철석【鐵石】명 鉄石. ——-같다 형 鉄石のように固い. ——-같이 부 鉄石のように固く.
‖—— 간장(肝臟) 명 鉄石心腸; 鉄心石腸.
철선【鐵線】명 鉄線. ＝철사.
철수【撤收】명하타 撤収; 撤退. ¶부대가 ～했다 部隊が撤収した.
철시【撤市】명하자 市場·店が一斉に門を閉じて休むこと.
철심【鐵心】명 鉄心. ① 堅固な精神; 鉄石心. ② 物のしんに鉄を入れたもの.
‖—— 석장 명 鉄心石腸. ＝철석 간장.
철써덕 부하자타 水を平たいもので打つさま; また, その音. ＞찰싸닥. ——-거리다 자타 ぴしゃりぴしゃりと打つ〔音がする〕. ———— 부하자타 ぴちゃりぴちゃり〔ぴしゃりぴしゃり〕.
철썩 부하자타 ① 水などを平たいもので打つ音: ぴちゃり〔ぴしゃり〕. ¶빰을 ～치다 びんたをぴしゃりと打つ. ② 波が岩壁などにぶつかる音: ぴちゃり. ＞찰싹. ——-거리다 자타 ① 水を平たいものでしきりに打つ. ② 波が岩壁にしきりにぶつかる. ———— 부하자타 ぴしゃりぴしゃり; ぴちゃりぴちゃり.
철야【徹夜】명하자 徹夜. ¶～ 운전 終夜運転／～로 공부하다 徹夜で勉強する.
철-없다 형 かんぜな(頑是無)い. ¶철없는 아이 頑是無い子供. 철-없이 부 頑是無く.
철옹-성【鐵甕城】, **철옹 산성**【鐵甕山城】명 堅固にとり囲んだもののたとえ. 「投手.
철완【鐵腕】명 鉄腕. ¶～ 투수 鉄腕
철의 장막【鐵—帳幕】명 鉄のカーテン. ＝아이언 커튼.
철인【哲人】명 哲人. ¶～ 소크라테스 哲人ソクラテス.
철인【鐵人】명 鉄人.
철자【綴字】명 てつじ(綴字); ていじ《字音と母音が結合して字を作ること》. ¶～를 틀리다 綴りをまちがえる.
‖——-법 명 綴字法. ＝맞춤법.
철장【鐵杖】명 てつじょう(鉄杖).
철재【鐵材】명 鉄材.
철저【徹底】명 徹底. ——-하다 형 徹底している. ¶～한 현실주의자 徹底した現実主義者／철저한 개혁 徹底的な改革. ——-히 부 徹底的に; 完膚なきまで; とことんまで. ¶명령이 ～ 미치지 않다 命令が徹底しない.
철제【鐵製】명 鉄製. ¶～의 갑옷 鉄のよろい(鎧).
철제【鐵劑】명 鉄剤; 鉄の成分を含んでいる薬剤.
철조【鐵條】명 鉄条.
‖——-망 명 鉄条網.
철주【鐵舟】명 鉄製の小船.
철-질【鐵—】명하자 (フライパンに)油を引いてやくこと.
철쭉 명〘植〙つつじ(躑躅). ＝철쭉나무. ‖——-꽃 명 つつじの花. ——-나무〘植〙つつじ.
철창【鐵窓】명 鉄窓; 刑務所.
‖—— 생활(生活) 명하자 ☞ 감옥살이. —— 신세(身勢) 명 獄につながれた身.
철책【鐵柵】명 てっさく(鉄柵). ¶～을 둘러치다 鉄柵をめぐらす.
철천지-원【徹天之冤】, **철천지-한**【徹天之恨】명 天までとどく恨み.
철철 부 水などの満ちあふれるさま.
철철-이 부 季節ごとに.
철-체【鐵—】명 底に鉄線を張ったふるい; 金網ふるい.
철칙【鐵則】명 鉄則; アイアンロー. ¶임금 ～ 賃金鉄則.
철커덕 부하자타 粘り気のあるものがぶつかったり, くっついてから離れる音. ㊀ 철컥. ⊿절커덕. ＞찰카닥. ——-거리다 자타 ねばりけのあるものがしきりにぶつかったり, くっついてから離れる音がする〔音を立てる〕. ———— 부하자타 粘り気のある物がぶつかり合ったり離れるさま.
철커덩 부 重い金属が強くぶつかり合う音: がちゃん. ㊀ 철컹. ⊿절커덩. ＞찰카당. ——-하다 자타 がちゃんとする. ——-거리다 자타 がちゃんがちゃんする. ———— 부하자타 がちゃんがちゃん.
철컥 부하자타 ↗철커덕. ——-거리다 자타 ↗철커덕거리다. ———— 부하자타 ↗철커덕철커덕.
철컹 부하자타 ↗철커덩. ——-거리다 자타 ↗철커덩거리다. ———— 부하자타 ↗철커덩철커덩.
철탑【鐵塔】명 鉄塔. ① 鉄の塔. ② 高圧送電線などの鉄柱.
철통【鐵桶】명 てっとう(鉄桶). ① 鉄製のおけ(桶). ② 防備や団結などが堅固で少しのすきまもないこと. ——-같다 형 堅固だ. ¶철통같은 진지 鉄桶の陣. ——-같이 부 堅固に.
철퇴【撤退】명하자 撤退; 撤収.
철퇴【鐵槌】명 てっつい(鉄槌). ¶～를 내리다 鉄槌を下す.
철판【凸板】명 凸板. ¶～ 인쇄 凸板印刷.
철판【鐵板】명 鉄板.
철편【鐵片】명 鉄片.
철폐【撤廢】명하타 撤廃. ¶관세〔차별·군비〕를 ～하다 関税〔差別·軍備〕を撤廃する.
철필【鐵筆】명 鉄筆. ① ペン. ② 印刻に用いる鉄筆. ③ がり版用の原紙を切る鉄筆.
철-하다【綴—】타 と(綴)じる; とじ込む. ¶문서를 ～ 文書を綴じる.
철학【哲學】명 哲学. ¶경영의 ～ 経営の哲学／이것이 나의 ～이다 これが僕の哲学である.
‖——-자 명 哲学者. ——-적 명관 哲学的.
철혈【鐵血】명 鉄血.
‖—— 재상 명 鉄血宰相《ビスマルクの異名》. —— 정책 명 鉄血政策.

ㅊ

철형【凸形】명 凸型.
철화【鐵火】명 鉄火.
철확【鐵―】명 鉄のうす(臼).
철회【撤回】명하타 撤回. ¶제안을 ～하다 提案を撤回する.
첨가【添加】명하타 添加. ¶식품 ～물 食品添加物/감미를 ～하다 甘味を添加する.
‖――-어(語) 명 ☞ 교착어(膠着語).
첨단【尖端】명 先端. ¶시대의 ～을 가다 時代の先端を行く.
‖―― 기술 명 先端技術. ―― 방전 명〔物〕先端放電. ―― 산업 명 先端産業.
첨벙 부 ☞ 텀벙. ――-거리다 자타 ☞ 텀벙거리다. ―――― 부하자타 ☞ 텀벙텀벙.
첨병【尖兵】명 先兵.
첨부【添付】명하타 添付. ¶～ 서류 添付書類/명세서를 ～하다 明細書を添付する.
첨삭【添削】명하타 添削. =증산(增刪).
첨서【添書】명하타 添書; 添え書き; 追って書き.
첨설【添設】명하타 增設.
첨예【尖銳】명하형 先鋭.
‖――-화 명하자 先鋭化.
첨자【添字】명 添字.
첨작【添酌】명하자 酒を注ぎ足して杯を満たすこと.
첨잔【添盞】명하타 酒の入っている杯に酒をつ(注)ぎ加えること. =첨배(添杯).
첨지【僉知】명 年寄りを見下げて呼ぶ語.
첨지【籤紙】명 ふせん(付箋).
첨탑【尖塔】명 せんとう(尖塔). ¶교회의 ～ 教会の尖塔.
첩【妾】㊀명 めかけ(妾) ¶～을 두다 妾〔女〕を囲う〔蓄える〕/～이 본처로 들어앉다 妾が本妻に直る. ㊁대 しょう(妾)《むかし, 夫人が自分を指した謙譲語》.
첩【貼】의명 ちょう(貼); 散薬の包み. ¶약 세～ 薬三貼.
-첩【帖】미 帳. ¶사진～ 写真帳.
첩경【捷徑】㊀명 しょうけい(捷径). ①近道; 早道. ②手っ取り早い方法. ¶외국어를 배우는 ～ 外国語を学ぶ捷径. ㊁부 多分; おそらく. ¶～ 그리 될 게다 多分そうなるだろう.
첩로【捷路】명 近道. =지름길.
첩-박다 타 門を閉めその上に横木を打ちつける.
첩보【捷報】명 勝報.
첩보【諜報】명 ちょうほう(諜報). ¶～ 기관 諜報機関.
첩부【貼付】명하타 ちょうふ(貼付)《"てんぷ"は慣用読み》.
첩실【妾室】명 めかけ(妾). =작은집.
첩-약【貼藥】명 薬材を調合して紙に包んだ薬.
첩자【諜者】명 ちょうじゃ(諜者); 間者; スパイ.
첩첩【疊疊】명하형 [↗중중첩첩] 畳畳; 幾重にも重なりあうさま.
――-이 부 幾重にも重なり合って.
‖―― 산중(山中) 명 深い山奥. ―― 수심(愁心) 명 積み重なった心配.
첩출【妾出】명 しょうしゅつ(妾出); めかけ(妾)腹; しょうふく(妾腹). =서출(庶出).
첫 관 物事のはじまりの意. ¶～사랑 初恋/～눈 初雪/～무대 初舞台.
첫-가을 명 初秋; 秋口.
첫-걸음 명 ①第一歩. ②初歩.
첫-겨울 명 初冬.
첫-국밥 명 産後はじめて取る飯.
첫-기제【―忌祭】명 三週忌後, 初めての命日に行なう祭り.
첫-길 명 ①はじめての道. ②嫁入り〔婿入り〕に行く道.
첫-나들이 명하자 ①初めての外出. ②(新妻の)初めての外出.
첫-날 명 初日; はじめの日. ¶공연의 ～ 公演の初日.
‖――-밤 명 初夜. =초야. ¶～을 지내다 新枕を交わす. ―― 저녁 명 ☞ 첫날밤.
첫-눈[1] 명 初印象. ¶～에 마음에 들다 一目で気に入る.
첫-눈[2] 명 初雪.
첫-닭 명 初鶏; 一番鶏.
첫-돌 명 初めての誕生日.
첫-딸 명 最初に生まれた娘.
첫-마디 명 最初の一言.
첫-말 명 最初の言葉.
첫-머리 명 はじめ; しょっぱな. ¶～는 재미가 없었다 はじめはおもしろくなかった/글의 ～ 書き出し.
첫-물 명 ①衣服を新調してから洗濯するまでの間. ¶이것은 ～ 옷이다 これはお初の服だ. ②初物; 初穂. =맏물.
첫물-지다 자 (その年の)初めての洪水になる.
첫-밥 명 蚕にはじめて与える桑の葉.
첫-배 명 ①(家畜などの)初子. =맏배. ②年に数回はらむ獣が, その年はじめて子を生むこと. また, その子.
첫-번【―番】명 第一の番.
첫-봄 명 初春.
첫-사랑 명 初恋.
첫-새벽 명 早暁; あかつき.
첫-서리 명 初霜.
첫-소리 명〔言〕初声《一つの音節で初めに発声される音. "날"では"ㄴ"》. =초발성(初發聲)·초성(初聲).
첫-솜씨 명 はじめて手がけて仕上げた出来ばえ. ¶～치고는 잘 됐다 はじめにしてはよく出来た.
첫-술 명 食べはじめのひとさじ(匙).
첫-아기 명 初子; 初産児.
첫-아들 명 最初のむすこ.
첫-얼음 명 初氷. ¶～이 얼다 初氷が張る.
첫-여름 명 初夏.
첫-이레 명 子供が生まれて七日め.
첫-인사【―人事】명하자 初対面のあいさつ(挨拶)をすること.
첫-인상【―印象】명 第一印象;

ファーストインプレッション.
첫-잠 [명] 寝入りばな(端).
첫-정 【—情】[명] 初の愛情.
첫-째 [一][수] 第一. ¶ 문단에서 ~가는 주호 文壇随一の酒豪 / 인내가 ~다 忍耐が第一である. [二][명] ☞ 맏. [三][부] 第一.
첫-차 【—車】[명] 始発列車〔バス〕.
첫-판 [명] 手初め; しはじめ.
첫-추위 [명] (その冬の)はじめての寒さ.
첫-해 [명] 初年.
첫-행보 【—行步】[명] ①はじめての出歩き. ② 最初の行商.
청 [명] 物の薄い膜からできた部分. ¶ 귀~ 鼓膜. ② ☞ 목청.
청 【青】[명] ↗청색(青色).
청 【晴】[명] ↗청천(晴天).
청 【請】[명][하타] [↗청탁·청촉] 請うこと. ¶ ~을 들어 주다 請いを容れる; 頼みを聞き入れる.
청 【廳】① ↗대청. ② 庁《政府組織法上の外局の一つ》. ¶ 국세~ 国税庁.
-청 【廳】[미] 官庁·庁舎の意. ¶ 중앙~ 中央(政)庁.
청가 【請暇】[명][하자] 請暇; 休暇を請うこと.
청각 【青角】[명] [↗청각채] [명]〔植〕ふのり(布海苔).
청각 【聽覺】[명]〔生〕聴覚. ¶ ~ 기 聴覚器.
‖— 중추 [명] 聴覚中枢.
청강 【聽講】[명][하자] 聴講.
‖——-생 [명] 聴講生.
청강-수 【青剛水】[명]《俗》塩酸.
청-개구리 【青—】[명]〔動〕あおがえる(青蛙).
청결 【清潔】[명] 清潔. ——-하다 [형] 清潔だ; きれいだ. ——-히 [부] 清潔に; きれいに.
청골 【聽骨】[명]〔生〕耳小骨.
청과 【青果】[명] 青果. ¶ ~ 시장 青果市場.
청관 【聽官】[명]〔生〕☞ 청기(聽器).
청-교도 【清教徒】[명] 清教徒; ピューリタン.
청구 【請求】[명][하타] 請求. ¶ ~액 請求額 / 교통비를 ~하다 交通費を請求する.
‖——-권 [명]〔法〕請求権. ——-서 [명] 請求書.
청국-장 【清麴醬】[명] 納豆のお汁.
청귤 【青橘】[명] 青みかん(蜜柑).
청기 【聽器】[명] 聴器. =청관(聽官).
청-기와 【青—】[명] 青かわら(瓦).
청납 【聽納】[명][하타] ききいれること.
청-널 【廳—】[명] 敷板.
청년 【青年】[명] 青年; 若者; 若人. ¶ 전도 유망한 ~ 前途有望な青年.
‖——-기 [명] 青年期. ——-단 [명] 青年団. — 자제(子弟) [명] 前途が有望な若者たち.
청-녹색 【青綠色】[명] 青味がかったみどり.
청담 【清談】[명] 清談; 芸術·学問などの高尚なはなし.
청담 【晴曇】[명] 晴曇; 陰晴.
청-대 【青—】[명] 切り出して間もない青い竹.
청대-콩 【青—】[명] 青豆.
청동 【青桐】[명]〔植〕あおぎり(青桐). =벽오동(碧梧桐).
청동 【青銅】[명] 青銅; ブロンズ.
‖——-기 [명] 青銅器. ——-기 시대 [명] 青銅器時代. — 화로(火爐) [명] 青銅の火鉢.
청둥-오리 [명]〔鳥〕☞ 물오리.
청등 【青燈】[명] 青色の電灯.
청람 【晴嵐】[명] せいらん(晴嵐); 晴れた日のかすみ.
청랑 【晴朗】[명][하형] 晴朗. ¶ 날씨가 ~하다 天気晴朗である.
청량 【清涼】[명][하형] 清涼.
‖— 음료 [명] 清涼飲料. ——-제 [명] 清涼剤.
청려 【清麗】[명][하형] 清麗.
청력 【聽力】[명] 聴力. ¶ ~이 무뎌지다 聴力が鈍る.
‖——-계 [명] 聴力計.
청렴 【清廉】[명][하형] 清廉. ¶ ~한 정치가 清廉な政治家.
‖— 결백 [명] 清廉潔白. ¶ ~ 결백을 주장하다 清廉潔白を主張する.
청룡 【青龍】[명]〔天·民〕青竜.
‖——-도, — 언월도(偃月刀) [명] 青竜刀.
청류 【清流】[명] 清流.
청매 【青梅】[명] 青梅.
청-머루 【青—】[명] 青い山ぶどう.
청명 【清明】[명][하형] 清明. ¶ ~한 달빛 清やかな月の光 / ~한 푸른 하늘 澄み渡った青空.
‖——-주(酒) [명] 清明の季節に醸した酒; 春酒.
청문 【聽聞】[명][하타] ① うわさ(噂). ② 聴聞. ¶ ~회 聴聞会.
청-바지 【青—】[명] 青ズボン《特に, ジーンパンツの称》.
청백 【清白】[명][하형][히부] 清白; 清廉潔白.
‖——-리(吏) [명] 清吏; 清白な役人.
청백-색 【青白色】[명] 青白色.
청백-자 【青白瓷】[명] 白の地に青い上薬をかけた陶磁器.
청병 【請兵】[명][하자] 出兵を要請すること; 援兵を請うこと.
청복 【清福】[명] 清福; 幸福. ¶ ~을 빕니다 ご清福を祈ります.
청부 【請負】[명][하타] 請負. =도급(都給).
‖— 살인(殺人) [명] 人の依頼で殺人すること.
청빈 【清貧】[명][하형] 清貧. ¶ 욕심 안 부리고 ~하게 살다 清貧に甘んずる.
청사 【青史】[명] 青史; 歴史; 記録. ¶ ~에 이름을 남기다 青史に名を残す.
청사 【廳舍】[명] 庁舎.
청사 등롱 【青紗燈籠】, **청사-롱** 【青紗籠】, **청사 초롱** 【青紗—籠】[명] 赤と青のさ(紗)で張った釣りとうろう(灯籠).
청-사진 【青寫眞】[명] 青写真. ¶ 아직 ~ 단계다 まだ青写真の段階だ.
청산 【青山】[명] 青山. ¶ 인간 도처 유~ 人間いたる所に青山あり.

‖── 유수(流水) 명 立て板に水; 懸河の弁.
청산【青酸】명〖化〗青酸. =시안화 수소. ‖── 칼리 명〖化〗青酸カリ. =시안화 칼륨.
청산【清算】명하타 清算. ¶빚을 ~하다 借金を清算する / 삼각 관계의 ~ 三角関係の清算.
‖── 거래(去來) 명 清算取り引き. ── 계정(計定) 명〖經〗清算勘定. ──-인 명 清算人.
청상【青孀】명 ↗청상 과부.
‖── 과부(寡婦) 명 年若のやもめ.
청색【青色】명 青色.
청서【青書】명 青書; (イギリスの)ブルーブック. =블루북.
청서【清書】명 清書. =정서(淨書). ¶원고를 ~하다 原稿を清書する.
청소【清掃】명하타 清掃; 掃除. ¶~ 당번 清掃当番.
‖──-차 명 清掃車.
청-소년【青少年】명 青少年. ¶~ 교육 青少年教育.
청송【青松】명 青松; 青い松. ¶백사 ~ 白砂青松.
청수【清水】명 清水.
청수【清秀】명하형 清秀; 清くひいでていること.
청순【清純】명하형 清純; 純潔. ¶~한 소녀 清純な少女.
청승 명 みじめで哀れっぽい様子. ──-궂다, ──-맞다 형 みすぼらしく哀れっぽい. ──-스럽다 형 見た目にいかにも哀れげだ; しょんぼりして哀れっぽい.
‖──-꾸러기 명 みすぼらしく哀れっぽい人.
청신【清新】명하형 清新. ¶~한 기운 清新の気.
청-신경【聽神經】명 聴神経.
청-신호【青信號】명 青信号.
청-실【青─】명 青色の糸.
‖── 홍실(紅─) 명 結納に使う藍色と赤色の絹糸の束.
청심【清心】명하자 ① 心を清めること. また, その心. ② 心気の熱を解くこと.
‖── 과욕(寡慾) 명하자 心を清らかにし欲を抑えること. ──-환(丸) 명〔韓醫〕心気の熱を解く丸薬.
청아【清雅】명하형 清雅. ──-하다 형 清雅だ; 清らかだ. ¶~한 음성 清雅な音声.
청안【青眼】명 青眼.
‖──-시(視) 명하타 青眼で見ること.
청-약불문【聽若不聞】명하타 聞いても聞かないふりをすること. =청이불문.
청어【青魚】명〖魚〗にしん(鰊). =비웃. ¶말린 ~알 数の子.
청옥【青玉】명〖鑛〗サファイア.
청와【青瓦】명 ☞ 청기와. ¶~대 青瓦台(大韓民国大統領の官邸).
청-요리【清料理】명 ☞ 중국 요리.
청우【晴雨】명 晴雨. ¶~ 겸용 晴雨兼用.
‖──-계 명 晴雨計; バロメーター.

청운【青雲】명 青雲. ¶~의 뜻 青雲の志.
청원【請援】명하자 たすけを請うこと.
청원【請願】명하타 請願.
‖── 경찰 명 請願警察. ──-권 명 請願権.
청유【清遊】명하자 清遊.
청음【清音】명 清音.
청음-기【聽音機】명 聴音機.
청일【清逸】명하형 清逸; 清く浮世ばなれしてこと.
청일 전쟁【清日戰爭】명〖史〗日清戦争.
청자【青瓷·青磁】명 青磁. ¶고려 ~ 高麗青磁.
청작【清酌】명 ① 清らかな酒. ② さいし(祭祀)につかう酒.
청장【清醬】명 薄口のしょうゆ(醤油).
청장【廳長】명 庁長. ¶국세~ 国税庁長.
청-장년【青壯年】명 青壮年.
청절【清節】명 堅いみさお; 汚れのない節操.
청정【清淨】명하형 清浄. ¶~ 야채 清浄野菜 / ~한 공기 清浄な空気. ──-히 부 清浄に.
‖──-심 명 清浄心. ── 재배 명 清浄栽培.
청조【清朝】명 [↗청조체·청조 활자] 清朝.
‖──-체(體) 명 清朝体(楷書体の一つ). ── 활자 명 清朝活字; 清朝.
청종【聽從】명하타 聴従; 他人のことばを聞き入れ従うこと.
청주【清酒】명 ① 清酒; 澄んだ酒. ② ☞ 정종(正宗).
청죽【青竹】명 青竹.
청중【聽衆】명 聴衆. ¶~이 회장에 차고 넘치다 聴衆が会場にあふ(溢)れる.
청-지기【廳─】명〖史〗両班の家の召し使い.
청진【聽診】명하타 聴診.
‖──-기 명 聴診器.
청징【清澄】명하형 清澄.
청-쭙다【請─】타 ごく高位の人に請う; ごく高位の人を招く.
청처짐-하다 형 締まりがない.
청천【青天】명 青天.
‖── 백일 명 青天白日. ¶~의 몸이 되다 青天白日の身となる / ~ 기 青天白日旗 / ~ 만지홍기 青天白日万地紅旗(中華民国の国旗). ── 벽력 명 青天のへきれき(霹靂); 思いもよらぬ事変.
청천【清泉】명 清泉; 清水.
청천【晴天】晴天. ¶~의 난류 晴天乱気流.
청첩【請牒】명 ↗청첩장.
‖──-인(人) 명 招待人. ──-장 명 招待状.
청청-하다【青青─】형 いきいきとして青い; 青青としている. ¶청청한 초원 青青とした草原.
청청-하다【清清─】형 声が清くすんでいる.

ㅊ

청초【清楚】[명][하형][히부] せいそ(清楚). ¶ ~한 아름다움 清楚な美しさ.

청춘【青春】[명] 青春. ¶ ~을 구가하다 青春を謳歌する.
‖——-기 [명] 青春期.

청출어-람【青出於藍】[명] しゅつらん(出藍).

청취【聽取】[명][하타] 聴取.
‖——-료 [명] 聴取料. ——-율 [명] 聴取率. ——-자 [명] 聴取者.

청칠【青漆】[명] 青色の漆.

청탁【清濁】[명] 清濁. ¶ ~ 병탄 清濁併せ呑む / ~을 가리다 清濁を分かつ.

청탁【請託】[명][하타] 請託. ¶ 업자의 ~을 거절하다 業者の請託を断る.

청태【青太】[명] 青豆. ＝청대콩·푸르대콩.

청태【青苔】[명] ① 青ごけ. ②〖植〗ぼたんあおさ. ③ のり(海苔).

청풍【清風】[명] 清風. ¶ 재계에 ~을 불어넣다 財界に清風を吹き入れる.

청-하다【請—】[타] ① 招ずる; 招く; 招待する. ¶ 손님을 청해서 연회를 열다 客を招じて宴を開く. ② 請う; 求める. ¶ 면회를 ~ 面会を求める / 가르침을 ~ 教えを仰ぐ. ③ 眠りを誘う. ④ (料理を)注文する.

청한【清閑】[명][하형] 清閑. ¶ ~을 즐기다 清閑を楽しむ.

청향【清香】[명] 清らかな香り.

청허【聽許】[명][하타] 聴許. ¶ ~하시다 御聴許になる.

청혈【清血】[명] 清らかな血; 生き血.
‖——-제(劑) [명] 血を清める薬剤.

청혼【請婚】[명][하자] 求婚.

청홍【青紅】[명] ↗청홍색.
‖——-기(旗) [명] 赤旗と青旗. ——-색(色) [명] 赤色と青色.

청화【青化】[명]〖化〗青化; シアン化.

청훈【請訓】[명][하자] 請訓. ¶ 본국 정부에 ~하다 本国政府に請訓する.

청흥【清興】[명] 清興; きよらかな興味.

체¹ [명] ふるい(篩). ¶ ~에 치다 ふるいにかける. 「증.

체【滯】[명][하자] ① 食もたれ. ② ↗체

체【體】[명] 文章·文字·絵などのスタイル.

체² [의명] それらしく装うさま. ¶ 난 ~하는 얼굴 自慢顔 / 젠 ~하다 見栄を切る; 大きな顔をする / 학자인 ~하다 学者を気どる / 미친 ~하다 気違いの真似をする / 모르는 ~하다 知らない振りをする; 知らん顔をする.

체³ [감] 残念に思ったり, 期待に反するときに出す舌打ち: ちぇ(っ).

-체【體】[미] 体. ¶ 육면~ 六面体 / 건강~ 健康体 / 조직~ 組織体.

체감【遞減】[명][하자타] 逓減; 次第に減ること. ¶ 지력 ~ 地力逓減 / ~ 법칙 逓減法.

체감【體感】[명] 体感.
‖—— 온도 [명] 体感温度.

체강【體腔】[명]〖生〗たいこう(体腔). ¶ ~ 동물 体腔動物.

체격【體格】[명] 体格. ¶ 훌륭한 ~ 立派な体格 / ~이 좋다 体格が良い.

체결【締結】[명][하타] 締結. ¶ 조약 ~ 条約の締結.

체경【滯京】[명][하자] 滞京. ¶ ~중 滞京中.

체경【體鏡】[명] 姿見.

체계【體系】[명] 体系. ¶ 학문 ~ 学問体系 / ~화하다 体系化する.
‖——-적 [명][관] 体系的. ¶ ~ 연구 体系的研究.

체공【滯空】[명][하자] 滞空. ¶ ~ 시간 滞空時間.
‖—— 기록 [명] 滞空記録.

체구【體軀】[명] たいく(体軀). ＝몸뚱이. ¶ 당당한 ~ 堂堂たる体軀.

체급【體級】[명] 体重別階級; (ボクシング·レスリング·重量あげなどでの)重量階級.

체기【滯氣】[명] 軽い食もたれ.

체납【滯納】[명][하타] 滞納. ¶ 소득세를 ~하다 所得税を滞納する.
‖—— 처분 [명] 滞納処分.

체내【體內】[명] 体内.
‖—— 수정 [명] 体内受精.

체념【諦念】[명] ていねん(諦念). ① 道理をわきまえて悟る心. ② 断念; あきら(諦)め. ——-하다 [타] 断念する; 諦める. ¶ 자업 자득이라고 ~하다 自業自得と諦める.

체능【體能】[명] ある仕事に堪えうる身体の能力.

체당【替當】[명] 立て替え. ——-하다 [타] 立て替える. ¶ 대금을 ~하다 代金を立て替える.

체대【體大】[명][하형] からだつ(体付)きが大きいこと.

체득【體得】[명][하타] 体得. ¶ 일의 요령을 ~하다 仕事のこつを体得する.

체력【體力】[명] 体力. ¶ ~ 검정 体力検定 / ~을 기르다 体力を養う / ~의 한계 体力の限界.

체련【體鍊】[명][하자] 体練.

체류【滯留】[명][하자] 滞留; 滞在. ¶ ~ 기간 滞留期間.

체리〔cherry〕[명] チェリー.

체-머리 [명] 頭がゆれ動く病気.
——-흔들다 [자] 病的に頭を振る.

체메 [명] 恥しらず. ¶ 너같은 ~는 처음 본다 お前のような恥しらずは見たことがない.

체면【體面】[명] 体面; 面目; 世間体. ¶ ~ 손상 つらよごし / ~이 서다 顔が立つ / ~을 유지하다 体面を保つ / ~을 더럽히다 体面を汚す / ~을 손상하다 体面を傷つける.

체발【剃髮】[명][하자] ていはつ(剃髪). ¶ ~하고 불문에 들다 剃髪して仏門に入る.

체벌【體罰】[명][하타] 体罰. ¶ ~을 주다 体罰を与える.

체병【滯病】[명] 食もたれ.

체불【滯拂】[명][하자타] ① 支払いが遅れること. ② 未払い. ¶ ~ 노임 未払い労賃.

체색【體色】명 体色. ¶～ 변화 体色変化.
체-세포【體細胞】명〔生〕体細胞.
체소【體小】명하형 からだつ(体付)きの小さいこと.
체송【遞送】명하타 逓送; 順送り. ＝체전(遞傳).
체스〔chess〕명 チェス《西洋将棋》.
체신【遞信】명 逓信.
‖——-부 명 逓信部; 中央行政各部の一つ《郵政省にあたる》.
체액【體液】명〔生〕体液.
체약【締約】명하자 締約.
체양【體樣】명 態様; ありさま. ＝체형(體形).
체어〔chair〕명 チェア.
‖——-맨 명 チェアマン.
체언【體言】명〔言〕体言.
체온【體溫】명 体温.
‖——-계 명 体温計; 検温計. —— 조절 명 体温調節.
체외【體外】명 体外.
‖—— 수정 명 体外受精.
체위【體位】명 体位. ¶～ 의 향상〔저하〕体位の向上〔低下〕.
체육【體育】명 体育.
‖——-관 명 体育館; ジム. —— 대학 명 体育大学. 준 체대. —— 포장 명 体育褒章. ——-회 명 体育会.
체인〔chain〕명 チェーン.
‖—— 스토어 명 チェーンストア.
체인지〔change〕명하자타 チェンジ.
‖——-업 명하자〔野〕チェンジアップ. ——-오버 명하타〔經〕チェンジオーバー. —— 오브 페이스 명〔野〕チェンジオブペース.
체장【體長】명 体長. ¶～을 재다 体長をはかる.
체재【滯在】명하자 滞在; 滞留. ¶～지 滞在地.
체재【體裁】명 体裁. ＝체제(體制). ¶회사로서의 ～가 갖추어졌다 会社としての体裁が整った.
체적【體積】명〔數〕体積. ＝부피.
체절【體節】명〔動〕体節. ¶～ 동물 体節動物 / ～ 기관 体節器官.
체제【體制】명 ① ☞ 체재(體裁). ② 体制. ¶～ 형질 体制形質 / 전시 ～ 戦時体制 / 반～ 反体制 / 자본주의 ～ 資本主義体制 / ～ 비판 体制批判 / 현～를 지키다 現体制を守る.
체조【體操】명하자 体操. ¶～ 경기 体操競技 / 맨손 ～ 徒手体操 / 실내 ～ 室内体操.
체중【體重】명하형 体重. ¶～계 体重計 / ～을 달다 体重をはかる〔のせる〕.
체증【滯症】명〔韓醫〕食もたれの症状. 준 체(滯).
체증【遞增】명하자 逓増.
체-질 명하타 ふる(篩)うこと.
체질【體質】명 体質. ¶～이 약하다 体質が弱い / 기업의 ～이 중요하다 企業の体質が重要である.
‖—— 개선 명하타 体質改善.
체취【體臭】명 体臭. ¶권위주의적 ～가 강하다 権威主義的体臭が強い.
체측【體側】명 体の側面.
체커〔미 checker〕명 チェッカー.
체크〔check〕명하자타 チェック. ① 小切手. ② 格子じまの模様. ¶～무늬의 손수건 チェックのハンカチ. ③ 照らし合わせのしるし《✓》. ¶입구에서 ～하다 入口でチェックする.
‖——-아우트 명 チェックアウト. ——-오프 명 チェックオフ. ——-인 명 チェックイン. —— 프라이스 명〔經〕チェックプライス. —— 포인트 명 チェックポイント.
체통【體統】명 (身分や地位にふさわしい)体面. ¶부장으로서의 ～을 지키다 部長の体面を保つ.
체포【逮捕】명하타 逮捕. ¶범인을 ～하다 犯人を逮捕する.
‖—— 감금죄 명 逮捕監禁罪.
체표【體表】명 体表; 体の表面. ‖—— 면적 명〔生〕体表面積.
체-하다【滯—】자 食もたれする; 食滞する.
체-하다 보동 それらしい様子〔振り〕をする《語尾"-ㄴ"·"-은"·"-는"の下に付く》. ¶잘난 ～ 偉ぶる; 容体ぶる; 大束をきめる; 大きな顔をする; 見識ばる / 경기가 좋은 ～ 空景気をつける / 자는 ～ 狸寝入りをする / 짐짓 태연한 ～ 平気に構える; 平気を装う / 모른 체하고 지나치다 つれなく通りすぎる; 知らない振りをして通りすぎる / 보고도 못 본 ～ 見て見ぬ振りをする / 죽은 ～ 死んだ振りをする.
체험【體驗】명하타 体験. ¶～을 이야기하다〔살리다〕体験を語る〔生かす〕/ 고난을 ～하다 苦しみを体験する.
체현【體現】명하타 体現. ¶이상을 ～하다 理想を体現する.
체형【體刑】명하타 体刑.
체형【體形】명 体形. ＝체양(體樣).
체형【體型】명 体型. ¶비만형의 ～ 肥満型の体型.
체화【滯貨】명 滞貨; ストック. ¶～량이 늘다 滞貨量が増す.
첼로〔cello〕명〔樂〕チェロ. ＝셀로.
첼리스트〔cellist〕명 チェリスト.
쳄발로〔이 cembalo〕명 チェンバロ.
쳇-바퀴 명 ふるい(篩)の丸い枠.
쳇-불 명 ふるい(篩)の網〔布〕.
쳐-가다 타 (たまっている汚物を)取って行く; (ふんにょう(糞尿)などを)くみ取って行く. ¶쓰레기를 ～ ごみをさらえて行く.
쳐-내다 타 (たまっている汚物などを)取り除く; (とぶなどを)さら(浚〔渫〕)う. ¶우물을 ～ 井戸をさらう.
쳐다-보다 타 [↗치어다 보다] 見あげる; 見(つめ)る. ¶하늘을 ～ 空を見あげる.
쳐-들다 타 持ちあげる; もた(擡)げる. ¶머리를 ～ 頭を持ちあげる / 반항심이 고개를 ～ 反抗心が頭を擡げる / 칼을 머리 위로 ～ 刀を頭上に振りかざす.
쳐-들어가다 자 攻め込む; 攻め入

る；討ち入る. ¶ 적진에 용감하게 ～ 勇敢に敵陣に攻め込む/몇이서 친구집에 ～ 何人かで友の家に不意討ちを食わす.

쳐-들어오다 타 攻め込んで来る；攻め寄せる.

쳐-부수다 타 打ち破る. ¶ 적을 ～ 敵を撃砕する.

쳐-죽이다 타 打ち殺す；切り殺す. ¶ 칼로 ～ 刀に掛ける.

초 명 ろうそく(蠟燭). ¶ 촛대 蠟燭立て/～가 다 타다 蠟燭が尽きる.

초【抄】명하타 [↗초록(抄錄)] 抄. ¶ 사기 ～ 史記抄.

초【草】[1] 명 草. ①[↗기초(起草)] 起草. ②[↗초서] 草書.

초【草】[2] 명 ①[↗갈초] まぐさ；飼い葉. ②[↗건초] 干し草.

초【醋】명 酢. ¶ …에 ～를 치다 …に酢をかける〔加える〕.

초【秒】의명 秒. ¶ ～ 읽기 秒読み/1～의 착오도 없다 一秒の狂いもない.

초-【初】두 初. ¶ ～ 여름 初夏/～봄 早春/～하루 一日.

초-【超】두 超. ¶ ～특급 超特急/～자연 超自然/～당파 超党派.

-초【初】미 初. ¶ 건국～ 建国初/내달～ 来月の掛かり/9회～에 九回の表に.

-초【草】미 草. ¶ 일년～ 一年生草本；一年草.

초가【草家】, **초가-집**【草家—】명 わらぶきや(藁葺き屋)；草屋；あしや(葦屋). ¶ ～ 지붕 草葺きの屋根；藁屋根；草屋根.

초-가을【初—】명 初秋・はつあき；早秋.

초간【初刊】명 初刊. ＝원간.
‖——-본(本) 명 初刊の本.

초-강대국【超強大國】명 超強大国.

초개【草芥】명 そうかい(草芥).

초-겨울【初—】명 初冬・はつふゆ.

초경【初更】명 初更；とり(酉)の刻《午後六時前後》.

초경【初經】명 初経；初潮.

초-경합금【超硬合金】명〖化〗超硬合金.

초계【哨戒】명하타 しょうかい(哨戒). ¶ ～기 哨戒機.
‖——-정 명〖軍〗哨戒艇.

초고【草稿·草藁】명 草稿；草案. ¶ 교정 투성이의 ～ 直しだらけの草稿.

초-고속도【超高速度】명 超高速度. ¶ ～ 촬영 超高速度撮影/～ 윤전기 超高速度輪転機.

초-고온【超高溫】명 超高温.

초-고추장【醋—醬】명 す(酢)をかけたとうがらし(唐辛子)みそ(味噌).

초고층 빌딩【超高層—】〔building〕명 超高層ビル《三十階以上のビルディング》.

초과【超過】명하자타 超過. ¶ ～ 요금 超過料金/예정을 ～하다 予定を超過する.
‖—— 이윤 명 超過利潤. —— 근무 명 超過勤務；オーバータイム；超勤《준말》. ＝오버 타임. ¶ ～ 시간 超過勤務時間〔増し時間〕. —— 근무수당 명 超過勤務手当；超勤手当. —— 수화물 명 超過手荷物.

초교【初校】명 初校. ＝초준(初準). ¶ ～지(紙) 初校の刷り.

초-국가주의【超國家主義】명 超国家主義.

초극【超克】명하타 超克. ¶ 자아의 ～ 自我の超克.

초근【草根】명 草根；草の根. ¶ ～ 목피 草根木皮.

초근-초근 부하형 ☞ 추근추근.

초급【初級】명 初級. ¶ ～ 대학 短期大学/～ 영문법 初級英文法.

초급【初給】명 初給；初任給. ＝초봉.

초기【抄記】명하타 抄記. ＝초록(抄錄).

초기【初忌】명 ①一周忌. ② ☞ 첫기제(忌祭).

초기【初期】명 初期. ¶ ～ 작품 初期の作品/～ 조건 初期条件/～ 미동 初期微動.

초-꼬슴【初—】명 手初め；し始め. ¶ 그것을 ～으로 … それを手初めに….

초-꽂이 명 しょくだい(燭台)・とうろう(灯籠)などのろうそく(蠟燭)さし.

초-나흗날【初—】명 その月の四日. ¶ 삼월 ～ 三月四日.

초-나흘【初—】명 ↗ 초나흗날.

초년【初年】명 ①人生の初期. ②初年；初めの頃. ¶ 광무 ～ 光武初年/～생 初年生.
‖—— 고생(苦生) 명 若い時になめた苦労. ——-병 명 初年兵.

초-다짐【初—】명하타 一時しの(凌)ぎの腹ごしらえ；口しのぎ.

초단【初段】명 初段. ¶ 검도의 ～을 따다 剣道の初段を取る.

초-단파【超短波】명 超短波；メートル波. ¶ ～ 방송 超短波放送.

초-닷새【初—】명 ↗초닷샛날.
‖ 초닷샛-날 명 その月の五日. ¶ 정월 ～ 一月五日.

초당【草堂】명 草堂；草ぶ(葺)き〔草屋〕の離れ.

초당【超黨】명 ↗초당파(超黨派).

초-당파【超黨派】명 超党派. ¶ ～ 외교 사절 超党派外交使節.

초대【初代】명 初代. ¶ ～ 대통령 初代大統領.

초대【招待】명하타 招待. ¶ ～석〔일〕 招待席〔日〕/파티에 ～되다 パーティに招待される〔招かれる〕；～받은 손님 招かれた客.
‖——-권 명 招待券. ——-연 명 招待宴. —— 외교 명 招待外交. ——-장 명 招待状.

초-대면【初對面】명하타 初対面. ¶ ～인 사람 初対面の人/～의 인사 初対面のあいさつ(挨拶).

초-대작【超大作】명 超大作. ¶ 화제의 ～ 話題の超大作.

초-대형【超大型】명 超ど(弩)級. ¶ ～함 超弩級艦.

초도【初度】명 初度；初回；最初

‖── 순시 [명][하타] 初度巡視.
초동【初冬】[명] 初冬. ＝초겨울.
초동【樵童】[명] しょうどう(樵童); 子供のきこり(樵).
초두【初頭】[명] ① 初頭. ¶ 20 세기 ～ 二十世紀初頭. ② 当初. ＝애초.
초-들다 [타] 取り上げて言う; 取り立てる; 口に出す. ¶ 초들어 말할 만한 일도 없다 取り立てて言うほどの事もない.
초등【初等】[명] 初等.
‖──-과 [명] 初等科. ── 교육 [명] 初等教育. ── 수학 [명] 初等数学.
초라-하다 [형] ① みすぼらしい; しがない. ¶ 초라한 집 みすぼらしい家 / 초라한 식사 粗末な食事 / 초라한 생활 しがない〔うらぶれた〕暮らし. ② しおれている; 生気がない. ¶ 초라한 모습 やつれ果てた姿. <추레하다.
초래【招來】[명] 招来. ──-하다 [타] 招来する; 来たす; もたら(齎)す. ¶ 파국을 ～하다 破局を来す / 화를 ～하다 災いを招く.
초려【草廬】[명] そうろ(草廬). ＝초가. ¶ 삼고 ～ 三顧草廬.
초려 【焦慮】 [명][하타] 焦慮; 焦心.
초련 [명] 新米·旬の野菜などが出回る前に未熟のもので食いつなぐこと.
초련【初鍊】[명][하타] ①(切り出しの木の枝をそ(削)ぎ皮をは(剝)ぐなどして)最初の手入れをすること. ② 荒仕上げ.
초례【醮禮】[명][하자] 結婚式.
‖──-청(廳) [명] 結婚の式場.
초로【初老】, **초로-기**【初老期】[명] 初老; 初老い. ¶ ～의 신사 初老の紳士.
초로【草露】[명] 草露. ¶ ～ 같은 목숨 露の間の命.
‖── 인생(人生) [명] はかない人生.
초록【抄錄】[명][하타] 抄録; 抜き書き. ㊣ 초(抄). ¶ 강연 내용을 ～하다 講演の内容を摘録する.
초록【草綠】, **초록-빛**【草綠─】[명] 緑; (草)緑色. ¶ 짙은 ～ 深緑 / 초록은 동색(同色); 초록은 한 빛《俚》 ㉠ 類は類を呼ぶ; 光ある物は光ある物を友とす. ㉡ 名こそ違え結局同じことのたとえ.
초롱 ㊀[명] (石油などの)缶. ㊁[의명] 石油などを缶いっぱい入れたものを数える語.
초롱【─籠】[명] ちょうちん(提灯); とうろう(灯籠). ¶ 매다는 ～ 釣り灯籠 / 회전 ～ 回り灯籠.
‖──-불 [명] ともしび(灯し火).
초롱초롱-하다 [형] (目がきれいに)さ(冴)えている; 澄んでいる.
초름-하다 [형] ① 十分でない. ② やや足りない; かちかちである.
초립【草笠】[명] そうりつ(草笠); 小冠者がかぶった黄色の冠.
‖──-둥이 [명] 小冠者.
초막【草幕】[명] いおり(庵); そうあん(草庵); 草のいおり; 草屋. ¶ ～을 짓다 庵を結ぶ.
초-만원【超滿員】[명] 超満員.
초면【初面】[명] 初対面. ¶ ～인 사람 初対面の人.
초목【草木】[명] 草木. ¶ 산천 ～ 山川草木.
‖──-회 [명] 草木灰《肥料とする》.
초-무침【醋─】[명] 酢あえ.
초문【初聞】[명] 初耳. ¶ 그건 금시 ～이다 それは初耳だ〔耳新しい〕.
초미【焦眉】, **초미지-급**【焦眉之急】[명] 焦眉(の急).
초반 【初盤】[명] (碁·将棋の)序盤. ¶ ～전 序盤戦.
초발【初發】[명] 初発; 始まり; 起こり. ¶ ～ 환자 初発患者.
초-밥【醋─】[명] すし(寿司·鮨).
초벌【初─】[명] 前ごしらえ. ＝애벌. ¶ ～ 도배 下張り / ～ 칠 粗塗り; 下塗り / ～ 그림 下絵 / ～ 구이 素焼き.
초범【初犯】[명] 初犯.
초벽【初壁】[명][하자] ① 粗塗り. ② 下塗りまたは粗塗りの壁. ¶ ～을 바르다 壁の下塗りをする.
초병【哨兵】[명] しょうへい(哨兵); ほしょう(歩哨).
초보【初步】[명] 初歩; 手ほど(解)き. ¶ 영어 ～ 英語の初歩 / ～ 단계 初歩の段階.
초복【初伏】[명] 初伏《三伏の》.
초본【抄本】[명] 抄本. ¶ 호적 ～ 戸籍抄本.
초본【初本·草本】[명] 草本; 草稿; 詩文の下書き.
초본【草本】[명] 〔植〕 草本. ¶ ～ 식물 草本植物 / 일년생 ～ 一年生草本. ‖──-대 [명] 草本帯.
초-봄 【初─】 [명] 初春; 早春; 春先.
초봉【初俸】[명] 初給. ¶ ～ 60만원 初給六十万ウォン.
초부【樵夫】[명] きこり; しょうふ(樵夫).
초비【草肥】[명] 草肥; 緑肥.
초-비상【超非常】[명] 超非常. ¶ ～ 시국 超非常時局.
초빈【招賓】[명][하자] 招客.
초빙【招聘】[명] しょうへい(招聘). ──-하다 [타] 超聘する; 招ずる; へい(聘)する; 招く. ¶ 회장으로 ～하다 会長に招聘する.
초사【焦思】[명][하타] 焦思; 思いを焦がすこと; いらだ(苛立)つ思い.
초-사흗날【初─】[명] 三日; 初三. ¶ 삼월 ～ 三月三日.
초-사흘【初─】[명] ↗초사흗날.
초산 【初產】 [명][하자] 初産. ¶ ～이지만 순산했다 初産だが安産した.
‖──-부 [명] 初産婦.
초산【硝酸】[명] 〔化〕 ☞ 질산(窒酸).
초산【醋酸】[명] 〔化〕 ☞ 아세트산.
초상【初喪】[명] 喪中; 喪; 折れ口《人の死にあうこと》; 不幸. ──-나다 [자] 人が死ぬ; 不幸がある. ¶ 동네에 ～(이) 났다 町内に折れ口が出た. ‖──-집 [명] 喪家.
초상【肖像】[명] 肖像. 「画.
‖──-권 [명] 肖像権. ──-화 [명] 肖像
초색【草色】[명] ① 草色. ② 菜

ㅊ

食〔栄養不足〕で黄ばんだ顔色.
초생【初生】 명 初生; 初めて生まれる〔生ずる〕こと.
‖——-아 명 初生児; 新生児.
초서【草書】 명 草書; 崩し字. ¶ ～체 草体 / ～로 쓰다 草書(体)で書く.
초석【草席】 명 わらむしろ(藁筵); わらごも(藁薦).
초석【硝石】 명〔化〕硝石. ＝질산칼슘.
초석【礎石】 명 礎石; 礎. ¶ ～을 단단히 놓다 礎石をしっかり据える / 나라의 ～ 国の礎.
초설【初雪】 명 初雪. ＝첫눈.
초성【初聲】 명 (一音節の)最初に発音される子音.
초속【初速】 명 初速; 初速度.
초속【秒速】 명 秒速. ¶ ～ 20미터의 바람 秒速二十メートルの風.
초속【超俗】 명하자 超俗: ＝초세(超世). ¶ ～적인 생활 超俗的な生活.
초순【初旬】 명 初旬; 上旬. ¶ 9월 ～ 九月初旬.
초승【初—】 명 陰暦で, その月のはじめの四五日; 月はじめ. ¶ 훗달 ～께 来月の初めごろ.
‖——-달 명 新月; 三日月.
초식【草食】 명하자 草食. ¶ ～ 동물 草食動物.
‖——-류(類) 명〔動〕草食獣. ——-성 명 草食性.
초-신성【超新星】 명〔天〕超新星.
초심【初心】 명 初心. ① 初一念. ② まだ物事に慣れぬこと; うぶ(初·初心).
‖——-자 명 初心者. ¶ ～답지 않은 솜씨 素人離れした腕.
초심【初審】 명〔法〕初審.
초싹-거리다 타 そそっかしく振る舞う〔ふざけ回る〕. 초싹-초싹 부 そそっかしく振る舞う〔ふざけ回る〕さま.
초-아흐레【初—】 명 ↗초아흐렛날.
‖**초-아흐렛날** 명 その月の九日. ¶ 구월 ～ 九月九日.
초안【草案】 명 草案; 下書き; 草稿; 原案. ¶ 원고의 ～ 原稿の草案.
초암【草庵】 명 そうあん(草庵).
초야【初夜】 명 初夜. ¶ 신혼 ～ 結婚の初夜.
‖——-권 명〔史〕初夜権.
초야【草野】 명 草野; 片田舎.
초약【草藥】 명 草薬. ＝초재(草材).
초-여드레【初—】 명 ↗초여드렛날.
‖**초-여드렛날【初—】** 명 その月の八日. ¶ 섣달 ～ 十二月八日.
초-여름【初—】 명 初夏.
초역【抄譯】 명하타 抄訳.
초연【初演】 명하타 初演. ¶ 우리 나라 ～의 오페라 本邦初演のオペラ.
초연【招宴】 명하타 招宴.
초연【硝煙】 명 硝煙. ¶ ～이 피어오르다 硝煙が立ちのぼる.
‖—— 탄우 명 硝煙弾雨.
초연【悄然】 명하형 しょうぜん(悄然). ——-히 부 悄然と(して). ¶ 홀로 ～ 孤影悄然として / ～ 돌아가다 悄然と引き返す.
초연【超然】 명하형 超然. ¶ ～ 내각 超然内閣 / ～주의 超然主義 / 시류에 ～하다 時流に超然としている / ～한 태도 超然とした態度. ——-히 부 超然と(して).
초열【焦熱】 명 焦熱.
‖—— 지옥 명〔佛〕焦熱地獄; 炎熱地獄.
초-열흘【初—】 명 ↗초열흘날.
‖**초-열흘날** 명 その月の十日.
초엽【初葉】 명 初葉; はじめの頃. ¶21세기 ～ 二十一世紀の初葉.
초엽【草葉】 명 草葉.
초-엿새【初—】 명 ↗초엿샛날.
‖**초-엿샛날** 명 その月の六日. ¶ 이월～ 二月六日.
초옥【草屋】 명 草屋; 草堂.
초원【草原】 명 草原.
초월【超越】 명하자타 超越. ¶ 시대를 ～한 명저 時代を超越した名著 / 이해를〔세속을〕～하다 利害〔世俗〕を超越する.
초유【初有】 명 初めてあること; 初めてのこと.
초유【初乳】 명〔生〕初乳.
초-음속【超音速】 명 超音速. ¶ ～ 제트기 超音速ジェット機.
초-음파【超音波】 명 超音波. ¶ ～ 가공 超音波加工 / ～ 진단 超音波診断.
초-이레【初—】 명 ↗초이렛날.
‖**초-이렛날** 명 その月の七日. ¶ 사월 ～ 四月七日.
초-이튿날 명 その月の二日. ¶ 이월 ～ 二月二日.
초-이틀【初—】 명 ↗초이튿날.
초인【超人】 명 超人; スーパーマン. ＝초인간. ¶ ～적 超人的.
‖——-주의 명〔哲〕超人主義.
초-인간적【超人間的】 명관 超人間的; 超人的.
초인-종【超人鐘】 명 呼び鈴; ベル. ¶ ～을 누르다 呼び鈴を押す.
초일【初日】 명 初日. ¶ 전람회의 ～ 展覧会の初日 / 공연의 ～ 公演の初日.
초-읽기【秒—】 명 秒読み.
초임【初任】 명하자 初任.
‖——-급 명 初任給.
초입【初入】 명하자 入り口; 掛かり; 初〔始〕め; 口. ¶ 산길의 ～ 上り口 / 등산길의 ～ 登山口 / 오른쪽으로 꼬부라져서 ～에 있는 집 右へまがって掛かりの家.
초자【硝子】 명 硝子; ガラス. ＝유리(琉璃).
‖——-막 명〔動〕硝子膜. ＝유리막. ——-체 명〔生〕硝子体. ＝유리체.
초-자연【超自然】 명 超自然. ¶ ～의 힘 超自然の力 / ～주의 超自然主義 / ～적 超自然的.
초-잡다【草—】 타 草する; 草稿を作る; 下書きをつくる; 起草する. ¶ 원안을 ～ 原案を草する.
초장【初章】 명 ① 音楽や歌曲の第一章. ② 三章からなる "시조(時調)"の初めの章.

초장【初場】명 ① 商売を始めた当初. ② 事の初め; 初手; 初っぱな; のっけ. ¶ ~부터 のっけから / ~에 얻어맞고 좀 주춤하다 出ばなをたたかれてちょっとひるむ.

초-장【醋醬】명 酢を入れて調味したしょうゆ(醬油); 三杯酢.

초재【草材】명 韓国の韓薬材.

초재【礎材】명 礎材; 基礎になる材料.

초-저녁【初—】명 ① 宵の口; 宵; 夕暮れ. ¶ ~ 달 夕月 / 봄의 ~ 春の宵. ②《俗》☞ 초장(初場)②.

‖——-잠 명 宵寝.

초전【招電】명 召電; 人を呼ぶために打つ電報.

초절【超絶】명하자타 超絶. ¶ ~한 작품 超絶した作品.

초점【焦點】명 焦点; フォーカス. ¶ 화제의 ~ 話題の焦点 / ~을 맞추다 焦点を合わす.

‖—— 거리 명 焦点距離. ——-면 명 焦点面.

초조【初潮】명 初潮; 初経.

초조【焦燥】명 焦燥. ——-하다 형 焦躁している; いらだ(苛立)たしい; いらいらしている. ¶ ~감 焦燥感 / ~함을 느끼다 焦燥を感じる.

초주검-되다【初—】자 半死半生になる; 死にかかる.

초지【初志】명 初志; 初念; 初一念. ¶ ~를 관철하다 初志〔初一念; 初心〕を通す〔を貫く〕.

초지【抄紙】명하자 抄紙; 紙をす(漉・抄)くこと. ¶ ~기 抄紙機.

초지【草地】명 草地; 牧草地.

초지【草紙】명 下書き用の紙.

초-지대【草地帶】명 草地帯.

초진【初診】명 初診. ¶ ~료 初診料 / ~ 환자 初診の患者.

초창【草創】명 草創; 草分け; 事業を起こしはじめること. ¶ ~기 草創期 / 회사의 ~기 시절 会社の草創時代.

초청【招請】명 招請; 招待. ——하다 타 招請する; 招待する; 呼ぶ; 招く. ¶ ~장 招請状 / ~ 강연 招請講演 / ~되다 呼ばれる.

초체【草體】명 草体; 草書体.

초초【草草】부하형 取り急ぐあまり粗略〔簡略〕なさま: 草草; そうそう(忽忽); 手短か.

초추【初秋】명 初秋. =초가을.

초춘【初春】명 初春. =초봄.

초출【初出】명하자 初出; 初めて出ること.

초췌【憔悴】명 しょうすい(憔悴); やつれること. ——-하다 형 憔悴している. ¶ 몹시 ~해진 얼굴 憔悴しきった〔やつれはてた〕顔.

초치【招致】명하타 招致. ¶ 올림픽의 ~ 운동이 치열하다 オリンピックの招致運動がしれつ(熾烈)である.

초침【秒針】명 秒針.

초코 명 [↗초콜릿] チョコ.

초콜릿〔chocolate〕명 チョコレート. ¶ ~빛 チョコレート色 / ~ 선디 チョコレートサンデー.

초크〔chalk〕명 チョーク.

초크 코일〔choke coil〕명〔物〕チョークコイル.

초탈【超脫】명하자 超脱. ¶ 세속을 ~했다 世俗を超脱している.

초토【焦土】명 焦土. ¶ 공습으로 ~화되다 空襲で焦土と化す.

‖—— 전술 명 焦土戦術.

초-특가【超特價】명 超特価. ¶ ~품 超特価品.

초-특급【超特急】명 超特急.

‖—— 열차 명 超特急列車.

초-파리【醋—】명〔蟲〕しょうじょうばえ(猩猩蠅).

초-파일【初八日】명 [←초팔일]〔佛〕☞ 파일(八日).

초판【初—】명 初めの局面や時期; 初手; 初め; 初っぱな(端). ¶ ~부터 세게 나오다 初手から強く出る.

초판【初版】명 初版; 第一版; 初刷. ¶ ~은 매진되었다 初版は売り切れた.

초필【抄筆】명 細筆.

초하【初夏】명 初夏; 孟夏. =초여름.

초-하다【抄—】타 抄する; 抜き書きする; 抄録する.

초-하루【初—】명 ↗초하룻날.

‖초-하룻날 명 一日. ¶ 유월 ~ 六月一日.

초학【初學】명하타 初学; 初学び. ¶ ~자 初学者.

초함【哨艦】명 しょうかん(哨艦).

초항【初項】명 ①〔數〕初項; 第一項. ② 初めの条項.

초행【初行】명하자 初めて行くこと. また, その道.

초-현대적【超現代的】명관 超現代的.

초-현실주의【超現實主義】명 超現実主義.

초-현실파【超現實派】명〔美〕超現実派.

초호【初號】명 初号. ① 創刊号. ¶ 잡지의 ~ 雑誌の初号. ② ↗초호 활자.

‖—— 활자 명 初号活字.

초혼【初婚】명하자 初婚.

초혼【招魂】명하타 招魂. ¶ ~제 招魂祭.

초화【草花】명 草花.

초회【初回】명 初回.

촉【鏃】명 長い物の先に付けたとが(尖)ったものの総称. ¶ 펜~ ペン先 / 화살~ 矢じり(鏃) / 장부~ ほぞ(枘)の端.

촉【燭】의명 [↗촉광(燭光)] しょく(燭). ¶ 10~의 전구 十燭の電球.

촉각【觸角】명〔動〕触角. ¶ ~을 곤두세우다 触角を逆立てる〔とがらす〕.

촉각【觸覺】명〔生〕触覚. ¶ ~이 발달되었다 触覚が発達した.

‖—— 기관 명 触覚器官.

촉감【觸感】명 ① 触感; 肌触り. ¶ ~이 부드러운 속옷 肌触りのよい〔柔らかい〕肌着. ②〔生〕触覚.

촉광【燭光】しょっこう(燭光). ㊀명 ろ

ㅊ

うそく(蠟燭)の光. ㊁ [의명] 〔物〕 光度の単位. ㊟ 촉(燭). ¶ 표준 ~ 標準燭光.

촉구 【促求】 [명][하타] 促すこと. ¶ 맹성을 ~하다 猛省を促す / 결심을 ~하다 決心を促す.

촉루 【燭涙】 [명] ☞ 촛농.

촉망 【屬望·囑望】 [명] 嘱望. ——-하다 [자] 嘱望する; 目する. ¶ 장래가 ~되다 未来が嘱望される.

촉매 【觸媒】 [명] 〔化〕 触媒. ¶ ~제 触媒剤 / ~ 반응 触媒反応.

촉박 【促迫】 [명][하형] 促迫; 切迫; 差し迫ること. ¶ 기일이 ~하다 期日が差し迫っている.

촉발 【觸發】 [명][하자] 触発. ¶ 그의 성공에 촉발되어서 … 彼の成功に触発されて….

촉-새 [명] 〔鳥〕 シベリアあおじ(蒿雀). ¶ ~같이 나서다 そそっかしくでしゃばる.

‖—— 부리 [명] 先がとが(尖)ったもののたとえ.

촉성 【促成】 [명][하타] 促成.

‖—— 재배 [명] 促成栽培.

촉수 【觸手】 [명][하타] ① 〔動〕 触手. ¶ ~ 동물 触手動物. ② 物を取る手; 右手. ③ 手をつけること; 触れること. ¶ ~ 엄금 触手厳禁 / ~를 뻗치다 触手をのばす.

촉수 【觸鬚】 [명] 〔動〕 しょくしゅ(触鬚).

촉심 【燭心】 [명] ろうそくのしん(芯).

촉진 【促進】 [명][하타] 促進. ¶ 공사의 ~ 工事の促進.

촉진 【觸診】 [명][하자] 触診.

촉촉-하다 [형] やや湿っぽい; 少しじめじめしている. <축축하다. ¶ 촉촉한 감촉 しっとりした感触. **촉촉-히** [부] しっとり. ¶ ~ 젖다 しっとり(と)ぬれる.

촉탁 【囑託】 [명][하타] 嘱託. ¶ 회사의 ~ 会社の嘱託 / 학교의 ~의(사) 学校の嘱託医.

‖—— 살인 [명] 嘱託殺人.

촉-하다 【促—】 [형] ① 時期が急迫している. ② 声や音節が短急だ.

촌 【村】 [명] 村; 田舎; 村里; 地方. ¶ ~색시 村娘.

촌 【寸】 [의명] ① 親族関係を表わす親等. ¶ 4~ 이내의 친족 四親等以内の親族. ② 寸. =치.

촌가 【寸暇】 [명] 寸暇. =촌극(寸隙). ¶ ~를 틈타 독서하다 寸暇を盗んで読書する / ~도 없다 寸暇もない.

촌가 【村家】 [명] 村家; 田舎家.

촌각 【寸刻】 [명] 寸刻; 一刻. =촌음(寸陰). ¶ ~을 다투다 寸刻を争う.

촌거 【村居】 [명][하자] 村居; 田舎住まい.

촌-구석 【村—】 [명] "田舎"の強調語; へんぴ(辺鄙)な田舎; 片田舎.

촌극 【寸隙】 [명] すんげき(寸隙); 寸暇.

촌극 【寸劇】 [명] 寸劇; ショー.

촌-길 【村—】 [명] 田舎道.

촌-놈 【村—】 [명] "田舎の人"をあざける語.

촌-뜨기 【村—】 [명] ☞ 시골뜨기.

촌락 【村落】 [명] 村落; 村.

촌로 【村老】 [명] 村老; 村翁.

촌리 【村里】 [명] 村里; 村落. =촌락(村落).

촌명 【村名】 [명] 村名; 村の名.

촌묘 【寸描】 [명] 寸描; スケッチ.

촌민 【村民】 [명] 村民; 村人; 百姓. ¶ ~ 야인 田夫野人.

촌-백성 【村百姓】 [명] 田舎の人; 百姓; 村民.

촌보 【寸步】 [명] 寸歩. ¶ ~도 못 움직이다 寸歩も動けない.

촌부 【村婦】 [명] 村婦.

촌-부자 【村夫子】 [명] 村夫子; 村儒; 村学究. =촌학구. ¶ ~연한 풍모 村夫子然とした風貌.

촌-사람 【村—】 [명] 田舎人; 田舎者.

촌-색시 【村—】 [명] ① 田舎娘. ② 田舎っぽい娘.

촌속 【村俗】 [명] 村俗. ¶ ~을 따르다 村俗に従う.

촌수 【寸數】 [명] 親戚の近さをあらわす数; 親等. ¶ ~가 먼 친척 遠縁の親類.

촌-스럽다 【村—】 [형] 田舎臭い; 田舎っぽい; やぼったい; どろくさい. ¶ 촌스러운 프릴 달린 원피스 田舎くさいフリル付きのワンピース.

촌시 【寸時】 [명] 寸時. =촌음(寸陰). ¶ ~를 아껴서 독서하다 寸時を惜しんで読書をする.

촌야 【村野】 [명] 村野.

촌옹 【村翁】 [명] 村翁; 村老.

촌음 【寸陰】 [명] 寸陰; 寸時. ¶ ~을 아끼다 寸陰〔分陰〕を惜しむ.

촌장 【村長】 [명] 村長; むらおさ(村長).

촌중 【村中】 [명] ① 村の中. ② 村全体.

촌지 【寸志】 [명] 寸志; 薄志.

촌지 【寸地】 [명] 寸地; 寸土.

촌지 【寸紙】 [명] 寸紙; 寸簡; 寸書. =촌저(寸楮).

촌척 【寸尺】 [명] 寸尺; 寸と尺. ¶ ~을 다투다 寸尺を争う.

촌철 【寸鐵】 [명] 寸鉄.

‖—— 살인 [명] 寸鉄人を刺す.

촌충 【寸衷】 [명] 寸衷. =촌성(寸誠).

촌충 【寸蟲】 [명] 〔動〕 さなだむし(真田虫); 条虫.

촌탁 【忖度】 [명] そんたく(忖度); 推量; 推察. ——-하다 [타] 忖度する; 推し量る. ¶ 상대의 심중을 ~하다 相手の心中を推し量る.

촌토 【寸土】 [명] 寸土; 寸地. ¶ ~를 다투는 싸움 寸土を争う戦い.

촌-티 【村—】 [명] 田舎じみた傾向; 田舎臭い気味. ¶ ~가 나다 いなかびる.

촌평 【寸評】 [명][하타] 寸評. ¶ ~을 가하다 寸評を加える.

촐랑-거리다 [자] ① (深く狭い器の水が)続けざまに揺れ波立つ; なみなみとする. <출렁거리다. ② 軽率に振る舞う; おっちょこちょいに出しゃばる. **촐랑-촐랑** [부][하자] ① なみなみ(と). ② 軽率に振る舞うさま: おっちょこちょいに. ¶ ~ 돌아다니다 ちょこまかと歩きまわる.

ㅊ

촐랑-이 명 おっちょこちょい; そそっかしく振る舞う人; 慌て者.
촐촐-하다 형 ☞ 출출하다.
촘촘-하다 형 (織物などの)目が詰んでいる; ぎっしりしている; 目が細かい. 촘촘-히 부 目が詰んでいるさま; ぎっしりしているさま. ¶ 올이 촘촘한 (옷)감 目の詰んだ生地 / 촘촘한 나뭇결 つんだ木目.
촙 〔chop〕 명 チョップ. ① (牛・豚などの)あばらぼね(肋骨)のついた厚切りの肉. ② (テニスで)ボールをたたき切るように強く打つこと. ③ (レスリングで)相手をたたき切るように強く打つこと. ④ ("태권도(跆拳道)"で)相手を手で切るように打つこと. =수도(手刀).
촛-농 【—膿】 명 ろうそく(蠟燭)のろう(蠟). =촉루(燭涙). ¶ ~이 흐르다 ろうそくの蠟が流れる.
촛대 【—臺】 명 しょくだい(燭台); ろうそく(蠟燭)立て. =촉대(燭臺).
촛-불 명 ろうそくの炎. ¶ 꺼질 듯한 ~ 残燭 / ~을 밝히다 燭を取る.
총[1] 명 馬のたてがみ(鬣)と尾の毛; ばす(馬尾毛).
총[2] 명 わらじ(草鞋)などの前べりにわら(藁)を細くよ(撚)りたてたもの.
총 【銃】 명 銃; 鉄砲. ¶ 전장 ~ 先込めの銃 / 후장~ 元込めの銃 / ~을 메다 鉄砲をかつぐ.
총- 【總】 두 総. ¶ ~공격 総攻撃 / ~선거 総選挙.
총가 【銃架】 명 銃架.
총각 【總角】 명 未婚の青年; チョンガー. ¶ ~ 처녀 チョンガーと処女. ‖— 김치 명 小さい大根を漬けたキムチ.
총-개머리 【銃—】 명 だいじり(台尻); 銃の床尾.
총-걸다 【銃—】 자 さじゅう(叉銃)する.
총검 【銃劍】 명 銃剣. ¶ 조국을 위해 ~을 들다 祖国のために銃剣をとる / ~으로 찌르다 銃剣で突く.
‖——술 명 銃剣術.
총격 【銃擊】 명하타 銃撃. ¶ ~전 銃撃戦.
총-결산 【總決算】 명하타 総決算.
총경 【總警】 명 総警; 警察官の階級の一つ《警視に当たる》.
총계 【總計】 명하타 総計; 総和. ¶ ~를 내다 総計を出す / 수입의 收入の総計.
총-계정 【總計定】 명 総勘定. ¶ ~ 원장 総勘定元帳.
총-공격 【總攻擊】 명하타 総攻撃.
총괄 【總括】 명하타 総括. ¶ ~ 질문 総括質問 / ~ 연습 総げいこ(稽古); 総ざらい / 문제점을 ~하다 問題点を総括する.
‖——적 명관 総括的.
총구 【銃口】 명 銃口; 筒先. =총부리. ¶ ~를 들이대다 銃口を向ける.
총국 【總局】 명 総局.
총권 【總權】 명 総権. ¶ ~을 쥐다 総権を握る.
총기 【銃器】 명 銃器. ¶ ~를 휴대하다 銃器を携帯する.
총기 【聰氣】 명 ① そうめい(聡明)さ. ② 記憶力. =지닐총. ¶ ~가 좋다 記憶力が良い.
총기 【總記】 명 ① 全体を総括する記述. ② 総記; 図書分類の一つ.
총-대 【銃—】 명 銃. ¶ ~를 메다 銃をかつぐ / ~를 잡다 銃をとる.
총-대리점 【總代理店】 명 総代理店.
총-대장 【總大將】 명 総大将; 総帥.
총독 【總督】 명 総督.
‖——부 명 総督府.
총-동원 【總動員】 명하타 総動員.
총람 【總攬】 명하타 総覧. =총할(總轄). ¶ 한때 국무를 ~했다 一時国務を総覧した.
총량 【總量】 명 総量; 締め高. ¶ 사용 연료의 ~ 使用燃料の総量.
총력 【總力】 명 総力; 全力. ¶ ~을 기울이다 総力を傾ける.
‖——전 명 総力戦.
총령 【總領】 명하타 総領; すべてを治めること.
총론 【叢論】 명 そうろん(叢論). ¶ 문학 ~ 文学叢論.
총론 【總論】 명 総論.
총리 【總理】 명하타 ① 総理; すべてを管理すること. ② ↗국무 총리. ③ 〖史〗 総理《内閣総理大臣の略称》. ¶ 국무 ~ 国務総理 / 부~ 副総理 / ~ 공관 総理官邸.
‖— 대신 명 総理大臣; 首相.
총림 【叢林】 명 そうりん(叢林); 樹木のおいしげっている林.
총망 【悤忙】 명 そうぼう(悤忙). ——하다 형 慌ただしい. ¶ ~ 지간 悤忙の間 / 몹시 ~하다 悤忙を極める. ——히 부 慌ただしく.
총명 【聰明】 명하형 そうめい(聡明). ¶ ~한 아이 聡明な子供.
‖——기(記) 명 ① 備忘録. ② 送り状. — 예지(叡智) 명하형 聡明と英知. — 호학(好學) 명하자 聡明で学問を好むこと.
총목 【總目】 명 総目; 全体の目録.
총무 【總務】 명 総務. ¶ ~부 総務部 / 모임의 ~직을 맡다 会の総務を引き受ける.
‖——처 명 総務処《内閣官房にあたる》.
총-받이 【銃—】 명 《俗》 戦闘部隊の最前列; 第一線. =총알받이.
총보 【總譜】 명 ① 総譜; スコア. ② (囲碁で)勝負の一部始終を一目で見られるように表わした棋譜.
총-본부 【總本部】 명 総本部.
총본사 【總本寺】, **총-본산** 【總本山】 명 〖佛〗 総本山.
총-부리 【銃—】 명 銃口; 筒先. ¶ ~를 들이대다 筒先を向ける.
총-사냥 【銃—】 명하타 銃猟.
총-사령관 【總司令官】 명 総司令官.
총-사령부 【總司令部】 명 総司令部.
총-사직 【總辭職】 명하자타 総辞職

ㅊ

そうじしょく. ¶ 내각 ~ 内閣総辞職.
총살【銃殺】명 하타 銃殺.
‖——-형 명 銃殺刑. 「판.
총상【銃床】명 銃床. =총개머리
총상【銃傷】명 銃傷; 銃創. ¶ ~을 입다 銃傷を負う.
총상【總狀】명 総状; ふさ(房)の形.
‖——-화 명 総状花. —— 꽃차례〔화서〕명〔植〕総状花序.
총생【叢生】명 하자 そうせい(叢生). ¶ 초목이 ~하다 草木が叢生する.
총서【叢書】명 そうしょ(叢書); シリーズライブラリー. ¶ 경제학 ~ 経済学叢書. 「総選挙.
총선【總選】, 총-선거【總選擧】명〔法〕
총설【總說】명 総説; 総論.
총설【叢說】명 そうせつ(叢説); 諸家の説を集めた本.
총성【銃聲】명 銃声.
총수【總收】명 [↗총수입] 総収.
총수【總帥】명 総帥; 総大将. ¶ 삼군의 ~ 三軍の総帥/신흥 재벌의 ~ 新興財閥の総帥.
총수【總數】명 総数. ¶ 인구 ~ 人口総数.
총-수입【總收入】명 総収入.
총신【銃身】명 銃身; 筒. =총열.
총신【寵臣】명 ちょうしん(寵臣).
총아【寵兒】명 ちょうじ(寵児). ¶ 문단의 ~ 文壇の寵児.
총안【銃眼】명 銃眼.
총-알【銃—】명 銃丸; 銃弾; 鉄砲玉. =총탄. ¶ ~을 재다 弾をこめる.
총애【寵愛】명 하타 ちょうあい(寵愛). ¶ ~를 받다 寵愛を受ける.
총액【總額】명 総額. ¶ 지출 ~ 支出総額/~주의 総額主義.
총-영사【總領事】명 総領事. ¶ ~관 総領事館.
총-예산【總豫算】명 総予算.
총원【總員】명 総員. ¶ ~ 백명 総員百名.
총-유탄【銃榴彈】명 じゅうりゅうだん(銃榴弾).
총의【總意】명 総意. ¶ 국민의 ~에 근거하다 国民の総意に基づく.
총장【總長】명 総長. ① 全体の事務を管理する長官. ¶ 검찰 ~ 検察総長. ② 総合大学の長. ¶ 대학 ~ 大学総長.
총재【總裁】명 総裁; プレジデント. ¶ 당의 ~ 党の総裁.
총점【總點】명 総点.
총중【叢中】명 一群のうち.
총-지배인【總支配人】명 総支配人.
총-지휘【總指揮】명 하타 総指揮. ¶ ~자 総指揮者.
총-질【銃—】명 하자 銃撃.
총창【銃創】명 銃創; 銃傷.
총창【銃槍】명 ① 銃とやり(槍). ② 先端に剣をつけた銃.
총-채 명 はた(叩)き; ちり(塵)払い; ダスター. ¶ ~로 털다 はたきをかける.
총천연색 영화【總天然色映畫】명 "天然色映画"の強調語.

총체【總體】명 総体. =전부(全部)
‖——-적 명 관 総体的.
총총 부 하형 히부 無数の星がきらきら光るさま. ¶ 하늘엔 별이 ~하다 空には無数星がきらきら光っている
총총【蔥蔥】명 하형 히부 木がうっそうと生い茂っているさま. ——-들이 부 ぎっしり立ち並ぶさま.
총총【怱怱】부 하형 히부 草草; 慌ただしいさま; 忙しいさま. ¶ ~히 떠나다 慌ただしく出発する.
총총【叢叢】부 하형 히부 ぎっしり立ち並ぶさま; むらがるさま.
총총-거리다 자 急いでばたばた歩く; 小刻みにせかせかと歩く. <충충거리다. ⊥종종거리다.
총총-걸음 명 急ぎ足. ⊥종종걸음.
총칙【總則】명 総則. ¶ 민법 ~ 民法総則/규약의 ~ 規約の総則.
총칭【總稱】명 하타 総称; 総名. ¶ 조각·회화·건축 따위를 ~하여 조형 미술이라고 한다 彫刻·絵画·建築などを総称して造形美術という.
총탄【銃彈】명 銃弾. =총알.
총통【總統】명 総統.
총판【總販】명 하타 [↗총판매] 一手販売.
총평【總評】명 하타 総評. ¶ 심사원장의 ~ 審査員長の総評.
총포【銃砲】명 銃砲. ¶ ~상 銃砲商.
총할【總轄】명 하타 総轄. =총람(總攬). ¶ 사무를 ~하다 事務を総轄する.
총화【銃火】명 銃火.
총화【總和】명 ① 総和; 総計. ② 全体の和合. ¶ 국민 ~ 全国民の和合.
총화【叢話】명 そうわ(叢話); さまざまの話を集めた本.
총회【總會】명 総会. ¶ 정기 ~ 定期総会/주주 ~ 株主総会.
‖——-꾼 명 総会屋.
총획【總畫】명 総画. ¶ ~색인 総画索引.
촬영【撮影】명 撮影. ——-하다 타 撮影する; 撮る. ¶ 영화 ~ 映画撮影/~을 금함 撮影を禁ず.
‖——-기 명 撮影機; ムービーカメラ. —— 대본 명 撮影台本; コンティニュイティ; コンテ《준말》. ——-소 명 撮影所.
최-【最】두 最; "最も"の意をあらわす語. ¶ ~하위 最下位/~첨단 最先端.
최강【最強】명 最強. ¶ 세계 ~의 팀 世界最強のチーム.
최고【最古】명 最古. ¶ ~의 건축물 最古の建築物.
최고【最高】명 最高. ¶ ~ 권위 最高権威/~의 기분 最高の気分/~의 인파 最高の人出.
‖——-가(價), —— 가격 명 最高価格. —— 법원 명 最高裁判所. ——-봉 명 最高峰. ¶ 히말라야의 ~ ヒマラヤの最高峰/의학계의 ~ 医学界の最高峰. —— 속도 명 最高速度. ——-신 명 最高神; 至上神. —— 학부

ㅊ

명 最高学府.
최고【催告】명하타 催告. ¶ ~장 催告書.
최-고급【最高級】명 最高級. ¶ ~품 最高級品.
최-고도【最高度】명 最高の度数·段階.
최-고조【最高潮】명 最高潮; クライマックス. ¶ 인기가 ~에 이르다 人気が最高潮に達する.
최근【最近】명 最近. ¶ ~의 세계 정세 最近の世界情勢 / ~에는 지출이 늘었다 最近は出費が増えた / ~에 와서는 이상한 일이 아니다 最近では珍しい事ではない.
최-근세【最近世】명 最近世.
최-근친【最近親】명 最近親.
최다【最多】명하형 最多. ¶ ~수 最多数.
최단【最短】명하형 最短. ¶ ~ 거리 最短距離.
최대【最大】명하형히부 最大; マキシマム. ¶ ~ 다수의 최대 행복 最大多数の最大幸福.
‖── 공약수 명 最大公約数. ── 압력 명 ① 最大圧力. ②〖物〗飽和蒸気圧. ──-한 명부 最大限; 最大限度. ¶ ~의 능력을 발휘하다 最大限の能力を発揮する.
최량【最良】명하형 最良; 最善. ¶ ~의 조건 最良の条件.
최루【催淚】명 催涙.
‖── 가스 명 催涙ガス. ──-탄 명 催涙弾.
최면【催眠】명 催眠. ¶ ~ 상태 催眠状態.
‖──-술 명 催眠術; メスメリズム. ¶ ~을 걸다 催眠術をかける. ── 요법 명〖醫〗催眠療法. ──-제 명 催眠剤.
최상【最上】명 最上; 最高. ¶ ~위 最上位 / ~의 기쁨 最上の喜び.
‖──-급 명 最上級. ¶ ~의 물건 最上級の物〔品〕.
최선【最善】명 最善; ベスト. ¶ ~의 노력 最善の努力 / ~을 다하다 最善を尽くす.
최-선봉【最先鋒】명 一番のせんぽう(先鋒).
최-성기【最盛期】명 最盛期; 全盛期. ¶ 로마 제국의 ~ ローマ帝国の最盛期.
최소【最小】명하형 最小; ミニマム. ¶ ~의 노력으로 최대의 효과를 거두다 最小の努力で最大の効果をあげる.
‖── 공배수 명 最小公倍数. ── 공분모 명 最小公分母. ──-한 명부 最小限; 最小限度; ミニマム. ¶ 피해를 ~으로 막다 被害を最小限にくいとめる.
최소【最少】명하형 最少. ¶ ~의 인원수 最少の人数.
‖──-율 명〖生〗最少律〔最小律〕; 最少量の法則.
최신【最新】명 最新. ¶ ~ 기술 最新の技術 / ~식 最新式 / ~판의 사전 最新版の辞典.
최신-형【最新型】명 最新型.
최심【最深】명하형 最深. ¶ 대양의 ~부 大洋の最深部.
최악【最惡】명하형 最悪. ¶ ~의 상태 最悪の状態 / ~의 경우에 대비하다 最悪の場合に備える.
최-우수【最優秀】명 最優秀. ¶ ~ 선수 最優秀選手; MVP.
최음-제【催淫劑】명 さいいん(催淫)剤; びやく(媚薬).
최장【最長】명하형 最長. ¶ ~ 거리 最長距離.
최저【最低】명하형 最低. ¶ ~ 기온 最低気温.
‖── 온도계 명 最低温度計. ── 임금제 명 最低賃金制. ──-한 명부 最低限; 最低限度.
최적【最適】명하형 最適. ¶ 사회에는 자네가 ~일세 司会には君が最適だ.
최-전선【最前線】명 最前線; 第一線. ¶ ~의 장병들 最前線の将兵.
최종【最終】명 最終; 大切り; ラスト. ¶ ~ 단계 最終段階.
‖──-심 명〖法〗最終審理. ──-회 명 最終回.
최초【最初】명 最初; 初手. ¶ ~의 기자 회견 初の記者会見 / 무슨 일이나 ~가 중요하다 何事も最初が肝心だ.
최하【最下】명 最下.
최혜-국【最惠國】명 最恵国.
‖── 대우 명〖經〗最恵国待遇. ── 약관 명〖法〗最恵国約款.
최후【最後】명 最後〔最期〕; 最終. ¶ 그와 ~로 만난 것은 彼と最後に会ったのは / ~의 발악(發惡) 最後のあが(足搔)き; 土壇場の抵抗 / 로마 제국의 ~ ローマ帝国の最期 / 어이없는 ~를 마치다 あえない最期を遂げる.
‖──의 만찬 명〖基〗最後のばんさん(晩餐). ──의 심판 명〖基〗最後の審判. ── 통첩 명 最後通牒.
최-후미【最後尾】명 最後尾. ¶ 행렬의 ~ 行列の最後尾.
추【錘】명 おもり. ① ↗저울추. ② はかりの分銅のようにひも(紐)に垂れ下がって揺れるようにできているものの総称. ¶ 낚싯줄에 ~를 달다 釣糸におもりをつける / ~를 매달다 下げ振りを釣り下げる.
추가【追加】명하타 追加. ¶ 책의 ~ 주문 本の追加注文 / 식사를 2인분 ~하다 食事を二人前追加する.
‖── 시험 명 追加試験; 追試験《준말》. ── 예산 명 追加予算.
추간 연골【椎間軟骨】명〖生〗ついかん(椎間)板.
추격【追擊】명하타 追撃; 追い討ち. ¶ ~전 追撃戦 / 적을 ~하다 敵を追撃する / ~을 따돌리다 追撃をかわす.
추경【秋耕】명하타 秋耕. =가을갈이.
추경【秋景】명 秋景.
추계【秋季】명 秋季. =추기(秋期). ¶ ~ 운동회 秋季運動会.
추계【推計】명하타 推計. ¶ 50년 후의 인구의 ~ 五十年後の人口

ㅊ

じんこうの推計.
‖——-학 명 推計学; 推計統計学.
추고【追考】명하타 追考. ¶~해 보면 追考して見ると.
추고【推考】명하타 推考; 推して考えること.
추곡【秋穀】명 秋穀. ¶~ 수매 가격 秋穀買い上げ価格.
추골 【椎骨】 명 〔生〕 ついこつ(椎骨). =척추골(脊椎骨).
추골【槌骨】명〔生〕ついこつ(槌骨).
추광【秋光】명 秋光. =추색.
추구【追求】명하타 追求. ¶이윤을 ~하다 利潤を追求する.
추구【追究】명하타 追究〔追窮〕. ¶진리의 ~ 真理の追究.
추구【推究】명하타 推究.
추국【秋菊】명 秋菊.
추궁【追窮】명하자타 追窮〔追及〕. ¶책임의 ~ 責任の追及 / 심하게 ~하다 厳しく問い詰める.
추근-추근 부하형 粘り強くしつこいさま: ねちねち. ¶~하게 性懲りもなく / ~ 듣기 싫은 말을 하다 ねっちりといやみを言う / ~ 달라붙다 ねちねちと食い下がる. ——-히 부 ねちねち(と); しつこく.
추급【追給】명하타 追給.
추기【秋期】명 秋期.
추기【追記】명하타 追記.
추기【樞機】명 枢機.
‖——-경 명〔天主教〕枢機卿; カーディナル.
추기다 타 おだ(煽)てる; あお(煽)る; 扇動する. ¶사람을 추기어 나쁜 일을 시키다 人を唆して悪い事をさせる / 한창 ~ 盛んにアジる.
추남【醜男】명 ぶおとこ(醜男); しこお.
추납【追納】명하타 追納.
추녀 명 軒.
‖—— 마루 명 隅棟. =활개장 마루. —— 허리 명 軒の反りあがった部分.
추녀【醜女】명 醜女; しこめ; ぶおんな; 醜婦; ずぶ.
추념【追念】명하타 ① 追念; 過去の事を思い起こすこと. ② 追悼.
추다[1] 타 おべっかを言う; (わざと)ほめたたえる. ¶명인이니 한국 제일이니 하고 추어대다 名人だの韓国第一だのとほめちぎる.
추다[2] 타 舞う; 踊る. ¶춤을 ~ 舞いを舞う; 踊りを踊る.
추단【推斷】명하타 推断. ¶~을 내리다 推断を下す.
추대 【推戴】 명하자타 すいたい(推戴). ¶위원장으로 ~하였다 委員長に祭り上げた〔推戴した〕.
추도【追悼】명하타 追悼; 追弔. ¶~문 追悼文 / ~사 追悼の辞.
추돌【追突】명하타 追突. ¶~ 사고 追突事故.
추락【墜落】명하자 墜落. ¶~사 墜落死 / 골짜기에 ~하다 谷間に墜落する.
추랭【秋冷】명 秋冷. ¶~지후 안녕하십니까 秋冷の候ご元気ですか.
추량【秋涼】명 秋涼; 秋の涼しさ. ¶~지후 秋涼の候.
추량【推量】명하타 推量. =추측. ¶나의 ~으로는 わたしの推量では / 그의 말투로 ~컨대 彼の口裏から推量すると / 그것은 단지 ~에 불과하다 それは推量に過ぎない.
추레-하다 형 みすぼらしい; 小汚くだらりとしている. >초라하다. ¶추레한 옷차림 小汚い身なり / 복장이 ~ 服装が小汚くだらりとしている.
추력【推力】명 推力.
추렴 명하타 [←출렴(出斂)] 拠出; 費用を出しあう〔持ち寄る〕こと. ¶비용을 ~하다 費用を出しあう / 술~ 割り勘で飲むこと.
추록【追錄】명하타 追録.
추론【追論】명하타 追論; 追究して論議すること.
추론【推論】명하타 推論. ¶사실로부터 ~하다 事実から推論する.
추리【推理】명하타 推理. ¶간접 ~ 間接推理.
‖—— 소설 명 推理小説; ミステリー. ——-식 명〔論〕推理式; 三段論法.
추리다 타 選び出す; え(選)る; よる; 要約する. ¶이야기를 추려서 간단히 하다 話を要約する / 요점을 추려서 이야기하다 要点をかいつま(摘)んで話す.
추맥【秋麥】명 秋ま(蒔)きの麦.
추면【錐面】명〔數〕☞ 뿔면.
추명【醜名】명 醜名. ¶~을 남기다 醜名を残す.
추모【追慕】명하타 追慕. ¶옛날을 ~하다 昔日を追慕する / ~의 정을 금할 수 없다 追慕の情に堪えない.
추문【醜聞】명 醜聞; スキャンダル. ¶스타의 ~ スターの醜聞.
추물【醜物】명 醜い物や人.
추미【追尾】명하타 追尾; 追跡.
추밀【樞密】명 枢密.
‖——-원 명〔史〕枢密院.
추방【追放】명하타 追放; 放逐. ¶~령 追放令 / 악서 ~ 悪書追放 / 독재자를 국외로 ~하다 独裁者を国外に追放〔放逐〕する.
추분【秋分】명 秋分.
‖——-점 명〔天〕秋分点.
추비【追肥】명하타 追肥; 追い肥; 補肥. ¶~를 주다 追肥をやる.
추산【推算】명하타 推算. ¶대강의 수를 ~하다 概数を推算する.
추상【抽象】명 抽象. ¶~ 대수학 抽象代数学.
‖—— 개념 명〔論〕抽象概念. ——-론 명 抽象論. —— 명사 명 抽象名詞. —— 예술 명 抽象芸術; アブストラクトアーツ. ——-적 명관 抽象的; アブストラクト. ¶~인 말만 하다 抽象的な事ばかり言う.
추상【秋霜】명 秋霜. ¶~ 삼척 秋霜三尺. ——-같다 형 (権威·志操·刑罰などが)非常に厳しい. ——-같이 부 (権威·刑罰などが)非常に厳しく.
‖—— 열일 명 秋霜烈日.
추상【追想】명 追想; 追憶. ——-하다 타 追想する; 思いしのぶ. ¶~

ㅊ

록 追想録/옛일을 ~하다 昔の事を思いしのぶ.

추상【推上】 명하타 (重量挙げで)両腕による押し上げ；プレス.

추상【推想】 명하타 推し量ること. また，その考え.

추상-체【錐狀體】 명〖生〗すいじょうたい(錐状体). ＝추체(錐體).

추색【秋色】 명 秋色；秋景. ¶나날이 ~이 짙어져 간다 日に日に秋色が増していく.

추서【追敍】 명하타 追叙；死後の叙位・叙勲.

추석【秋夕】 명 旧暦の八月十五日のお盆；仲秋節. ＝중추절·한가위.

추성【秋聲】 명 秋声.

추세【趨勢】 명 すうせい(趨勢)；すうこう(趨向). ¶시대의 ~ 時代の趨勢.

추소【追訴】 명하타 追訴.

추송【追送】 명하타 追送. ①追って送ること. ②見送ること.

추송【追頌】 명하타 ついしょう(追頌)；死後その功績・善行などを表彰すること.

추수【秋收】 명하타 秋の取り入れ；秋の収穫. ＝가을걷이. ¶~ 때 刈り入れ時；秋の取り入れ時.

‖── 감사일(感謝日), ── 감사절(節) 명〖基〗収穫感謝祭.

추스르다 타 ①物をきちんと取りそろ(揃)える. ②取りまと(纏)める；収拾してうまく御する.

추시【追試】 명하타 [↗추가 시험] 追試.

추신【追伸·追申】 명하타 追伸；二伸；後書き；追って書き. ¶아버지는 편지에 꼭 ~을 붙인다 父は手紙に必ず追伸を付ける.

추심【推尋】 명하타 ①尋ね捜して持って来ること. ②(銀行などでの)取り立て.

‖── 어음 명 取り立て手形.

추썩-거리다 타 (肩・着ている衣服などを)しきりに上げたり下げたりする. >초싹거리다. **추썩-추썩** 부하타 肩や着ている衣服などをしきりに上げたり下げたりするさま.

추악【醜惡】 명 醜悪. ──-하다 형 醜悪だ；醜く汚らわしい. ¶~한 싸움 醜悪な争い/~한 모습 醜悪な姿.

추앙【推仰】 명 あが(崇)め慕うこと. ──-하다 타 仰ぐ；敬う. ¶무인의 귀감으로 ~되다 武人の鑑と仰がれる.

추야【秋夜】 명 秋夜.

추어【鰍魚·鰌魚】 명 ☞미꾸라지.

‖──-탕(湯) 명 どじょう汁；どじょう入りのあつもの. ㊜추탕.

추어 내다 타 ↗들추어 내다.

추어 올리다 타 ①はま(嵌)っている物を取り出して押し上げる；持ち上げる. ②おだ(煽)て上げる；おべっかを言う. ¶추어 올려서 비위를 맞추다 ちやほやして気嫌を取る.

추어 주다 타 おだ(煽)てる；おべっかをいう. ¶추어 주고 한 잔 사게 하다 煽てあげて一杯おごらせる/추어 주니 기분 좋아하더라 ちやほやされていい気になっていた.

추억【追憶】 명하타 追憶；思い出. ¶~에 잠기다 追憶にふける.

추우【秋雨】 명 秋雨. ¶춘풍 ~ 春風秋雨.

추워-하다 자 寒がる.

추월【秋月】 명 秋月. ¶~을 상완(賞玩)하다 秋月をめでる.

추월【追越】 명 追い越し；追い抜き. ──-하다 타 追い越す. ¶~ 금지 追い越し禁止.

추위 명 寒さ. ¶~에 약한 체질이다 寒さに弱い性である/~가 풀리다 寒さが和らぐ/~가 몸에 스미다 寒さが身に染みる. ──-타다 자 寒がる；寒さに弱い.

추이【推移】 명하자 推移. ¶시대의 ~ 時代の推移.

추인【追認】 명하타 追認. ¶의회에서 ~되었다 議会で追認された.

추잉 검 〔chewing gum〕 명 チューインガム. ㊜껌.

추잠【秋蠶】 명 秋蚕；秋ご(蚕).

추잡【醜雜】 명 わいざつ(猥雑)；ひわい(卑猥). ── 하다 형 猥雑だ；卑猥だ；みだ(淫)らだ. ¶~한 이야기 淫らな話；汚い話；猥褻な話/~한 행위 淫らな行為/~한 싸움의 양상을 보이다 泥仕合の様相を呈する. ──-스럽다 형 ☞추잡하다. ¶여자에게 추잡스러운 말을 하다 女にいやらしいことを言う.

추장【酋長】 명 しゅうちょう(酋長).

추저분-하다【醜──】 형 乱雑で汚らわしい；不潔だ；汚い.

추적【追跡】 명하타 追跡；追尾. ¶~자 追跡者/범인을 ~하다 犯人を追跡する/적군을 급히 ~하다 敵軍を急追する.

‖── 조사 명 追跡調査. ── 망상 명 追跡妄想.

추접-스럽다 형 汚らしい；汚らわしい；不潔だ. ¶듣기에도 추접스러운 이야기 聞くも汚らわしい話/매수 따위의 추접스러운 수법을 쓰지 마라 買収などの汚らわしい手を使うな.

추접지근-하다 형 汚らしい.

추정【推定】 명하타 推定. ¶~ 연령 推定年齢/사망 ~ 시각 死亡推定時刻.

추종【追從】 명하타 追従. ¶~자 追従者/~을 불허(不許)하다 追随を許さない/여론에 ~하다 世論に追従する.

추증【追贈】 명하타〖史〗追贈. ¶정이품이 ~되었다 正二品に追贈された.

추지다 형 水気がある；湿っている；ぬ(濡)れている.

추진【推進】 명하타 推進. ¶도시 계획을 ~하다 都市計画を推進する/고체 연료 ~ 로켓 固体燃料推進ロケット.

‖──-기 명 推進機. ＝프로펠러.

추징【追徵】 명하타 追徴.

‖ ──-금 명 追徴金. ── 처분 명 追徴処分. ──-세 명 追徴税.

추찰【推察】 명하타 推察. ¶말하는

투로 ~컨대 口ぶりから推察すると.

추천【推薦】명 推薦; 推挙. ——하다 타 推薦する; 薦める. ¶양서를 ~하다 良書を推薦する.

‖——-서 명 推薦書. ——-장 명 推薦状. =추천서.

추천【鞦韆】명 しゅうせん(鞦韆); ぶらんこ. =그네.

추첨【抽籤】명하자 ちゅうせん(抽籤); くじ(籤)引き. ¶~권 富札; 抽籤券 / ~ 번호 抽籤番号 / ~을 하다 くじを引く.

추축【樞軸】명 枢軸.

‖——-국 명 枢軸国.

추출【抽出】명하타 抽出. ¶표본 ~ 標本抽出; サンプリング / 공통성을 ~하다 共通性を抽出する.

추측【推測】명 推測; 推し当て. ——-하다 타 推測する; 推し量る. ¶~컨대 推測するに; さだめし; さぞかし / 단순한 ~에 지나지 않다 単なる推測に過ぎない.

‖——-통계학 명 推測統計学. =추계학(推計學).

추칭【追稱】명 追称; ついしょう(追頌).

추켜-들다 타 持ち上げる; 高く上げる.

추켜-잡다 타 つか(攫)み上げる. ¶치맛자락을 ~ スカートのすそ(裾)をつま(撮)み上げる.

추키다 타 たくし上げる; まくり上げる; (衣服のずれを)揺すり上げる.

추탕【鰍湯】명 ↗추어탕(鰍魚湯).

추태【醜態】명 醜態. ¶~를 부리다 醜態を演ずる.

추토【追討】명하타 追討. ¶역적을 ~하다 逆賊を追討する.

추파【秋波】명 秋波; 流し目; 色目; ウィンク. ¶~를 던지다 秋波を送る; 色目を使う.

추파【秋播】명하타 秋の種まき.

추풍【秋風】명 秋風.

‖—— 낙엽(落葉) 명 ① 秋風による落ち葉. ② 勢力などが落ち葉の散るように衰えることのたとえ. ——-선(扇) 명 秋のうちわ; 季節はずれで役に立たない物のたとえ.

추-하다【醜—】형 醜い; 汚らわしい; 汚らしい; あ(悪)し〈雅〉. ¶추한 유산 싸움 醜い遺産争い.

추한【醜漢】명 醜漢.

추행【醜行】명 醜行. ¶~을 폭로하다 醜行を暴露する.

추향【趨向】명 すうこう(趨向); すうせい. ¶~성 趨向性.

추호【秋毫】명 しゅうごう(秋毫). ¶~의 결점도 없다 秋毫の欠点もない.

추후【追後】명부 過ぎ去った後; 追って. =나중·후(後). ¶결정은 ~ 송달한다 決定は追って送達する.

추흥【秋興】명 秋の趣.

축【祝】명 ↗축문(祝文). ¶~을 읽다 祭文〔祝詞〕を奉読する.

축【軸】一 명 軸; 心棒. ¶수레 바퀴의 ~ 車の軸. 二 의명 ① 暦二十冊を数える単位. ② 紙類を数える単位《朝鮮紙は二十枚単位の十巻, 巻紙は一巻》.

ㅊ

축¹ 의명 部類; 同類; 中間. ¶~에 들다 数に入る; 中間に入る / 물건 ~에도 들지 못하다 物の数にもはいらない / 사람 ~에 못 끼이다 人数に入らない.

축² 부 物が下に垂れ下がったさま; だらりと; だらっと. ¶오른팔이 ~ 늘어져 있다 右腕がだらっと垂れている / 추가 ~ 늘어져 있다 錘がだらりとたれている.

축가【祝歌】명 祝歌; 祝い歌.

축-가다【縮—】자 ☞ 축나다.

축객【祝客】명 祝いの客.

축객【逐客】명하자 ① 逐客; 客を追うこと. ② 逐臣.

축관【祝官】명 祭祀で祭文を奉読する人.

축구【蹴球】명 しゅうきゅう(蹴球); フットボール; サッカー. ¶~ 시합 サッカー試合 / 미식 ~ 米式蹴球; アメリカンフットボール.

축국【蹴鞠】명〔史〕けまり(蹴鞠).

축귀【逐鬼】명하자 雑多な鬼神を追い払うこと.

축기【縮氣】명하자 おじけ(怖じ気); おぞけ(怖気). ¶~가 들다 怖じ気づく; おぞけづく.

축-나다【縮—】자 ① 減る; 足りなくなる. ¶돈이 ~ お金が減る. ② 衰弱する. ¶몸이 ~ 体が衰える.

축-내다【縮—】타 足りなくする; 減らす.

축농-증【蓄膿症】명〔醫〕ちくのう(蓄膿)症.

축다 자 湿る; しっとりとぬれる.

축대【築臺】명 高く築き上げた台地《石垣·胸壁など》.

축도【祝禱】명〔基〕[↗축복 기도] しゅくとう(祝禱). ¶~를 올리다 祝禱をあげる.

축도【縮圖】명 縮図. ¶인생의 ~ 人生の縮図.

‖——-기 명 縮図器; パンタグラフ. ——-법 명 縮図法.

축력【畜力】명 畜力. ¶~을 이용하다 畜力を利用する.

축록【逐鹿】명 ちくろく(逐鹿).

축류【畜類】명 畜類.

축문【祝文】명 祝文; 祝詞.

축미【縮米】명 一定量から減った米の量.

축배【祝杯】명 祝杯. ¶~를 들다 祝杯を挙げる.

축복【祝福】명하자타 祝福. ¶~받은 가정 祝福された家庭 / 전도를 ~하다 前途を祝う.

‖—— 기도(祈禱) 명〔基〕しゅくとう(祝禱).

축사【畜舍】명 畜舎.

축사【祝辭】명하자 祝辞. ¶~를 하다 祝辞を述べる / 주빈의 ~ 主賓の祝辞.

축사【縮寫】명하타 縮写. ¶원도를 ~하다 原図を縮写する.

축산【畜産】명 畜産.

‖——-업 명 畜産業. ——업 협동 조합 명 畜産業協同組合. 준 축협. ——-학 명 畜産学.

축생【畜生】명 畜生; けだもの(獣).

‖——-계 명〔佛〕畜生界. ——-도 명〔佛〕畜生道.
축성【築城】명하자 築城.
축소【縮小】명하자타 縮小. ¶군비 ～ 軍備縮小／원형을 ～하다 原物を縮少する.
‖—— 균형 명〔經〕縮小均衡. ——-판 명 縮小版. —— 해석 명〔法〕縮小解釈.
축쇄【縮刷】명하타 縮刷.
‖——-판 명 縮刷版.
축수【祝手】명하자타 両手を合わせて祈ること.
축수【祝壽】명하자타 長寿を祈ること. 「(祝捷).
축승【祝勝】명하자 祝勝. =축첩
축야【逐夜】명부 毎晩; 夜毎.
축약【縮約】명하타 縮約.
축양【畜養】명하타 畜養; 畜産.
축어-역【逐語譯】명하타 逐語訳; 逐字訳. =직역(直譯).
축연【祝宴】명 祝宴. ¶～에 참석하다 祝宴に列する.
축우【畜牛】명 畜牛.
축원【祝願】명하자타 ①神仏に願掛けをすること. ②↗축원문.
‖——-문(文) 명 発願の旨を書いた文章.
축음-기【蓄音機】명 蓄音機. ¶～를 틀다 蓄音機をかける.
‖——-판 명 音盤; レコード.
축의【祝意】명 祝意.
축의【祝儀】명 祝儀; 祝いの儀式. ¶～금 祝儀.
축이다 타 ぬ(濡)らす; 湿らせる; 湿す. ¶천을 더운 물에 ～ 布を湯で湿す／목을 ～ のどを潤す.
축일【祝日】명 祝日; 式日.
축일【逐一】명부 逐一; いちいち.
축일【逐日】명부 逐日; 日を追って; 日ましに; 一日一日.
축재【蓄財】명하자타 蓄財. ¶부정 ～ 不正蓄財／～의 재간이 있다 蓄財の才がある; 蓄財振りがうまい.
축적【蓄積】명하자타 蓄積. ¶자본 ～ 資本の蓄積.
축전【祝典】명 祝典. ¶창립 백년의 ～ 創立百年の祝典.
축전【祝電】명 祝電. ¶～을 치다 祝電を打つ.
축전-기【蓄電器】명 蓄電器; コンデンサー; キャパシター.
축전-지【蓄電池】명 蓄電池; バッテリー; 二次電池.
축제【祝祭】명 祝祭; お祭り. ¶～로 아이들이 들떠 있다 お祭りで子供たちがうきうきしている.
‖——-일 명 祝祭日.
축제【築堤】명하자 築堤.
축조【逐條】명하타 逐条. ¶～ 설명하다 逐条説明する.
‖—— 심의 명 逐条審議.
축조【築造】명하타 築造. ¶진지를 ～하다 陣地を築造する.
축주【祝酒】명 祝い酒.
축지【縮地】명하자 縮地; 道術により地脈を縮めて距離を短かくすること.
‖——-법(法) 명 縮地法.
축-지다【縮—】자 ①人としての値打ちが下がる〔劣る〕. ②病気で弱る; 衰弱する. =축나다.
축차【逐次】명부 逐次; 順次.
축척【縮尺】명 縮尺. ¶～ 5만분의 1 縮尺五万分の一.
축첩【蓄妾】명하자 ちくしょう(蓄妾); めかけ(妾)を囲うこと.
축축 부 ①引き続き垂れ下がるさま: だらりだらり; ぶらりぶらり. ②ことごとく力が抜けているさま. ¶모두 힘이 빠져서 ～ 늘어졌다 皆へとへとに伸びてしまった. >촉촉.
축축-하다 형 じめじめしている. >촉촉하다. ¶축축한 공기 湿っぽい空気／옷이 ～ 衣服がじとじとする／축축해지다 湿る／땅이 ～ 土がじめじめする. **축축-이** 부 じめじめと; じっとり; じとじと.
축출【逐出】명하타 追い出すこと. ¶클럽으로부터 ～되다 クラブから追い出される.
축토【築土】명 (堤などを築くために)土を盛り上げること.
축퇴【縮退】명 縮退.
‖——-성 명〔天〕縮退星.
축판【縮版】명 [↗축쇄판] 縮版.
축포【祝砲】명 祝砲. ¶식전에서 ～를 쏘다 式典で祝砲をうつ.
축하【祝賀】명하타 祝賀; 祝い. ¶～식 祝賀式／신년 ～ 新年のお祝い／～연 賀宴; 祝賀のさかもり／생일을 ～하다 誕生日を祝う／～합니다 おめでとう; おめでとうございます／진심으로 ～ 드립니다 心からお祝い申し上げます.
‖——-회 명 祝賀会.
축합【縮合】명〔化〕縮合.
‖—— 중합 명〔化〕縮合重合; 縮重合; 重縮合.
축항【築港】명하자 築港.
축협【畜協】명 ↗축산업 협동 조합.
축혼【祝婚】명 祝婚. ¶～가 祝婚歌. 「봄갈이.
춘경【春耕】명 春耕; 田打ち. =
춘경【春景】명 春景; 春色.
춘계【春季】명 春季. =춘기(春期). ¶～ 대청소 春季大掃除.
춘곤【春困】명 春の気だるさ.
춘광【春光】명 春光; 春景.
춘국【春菊】명〔植〕春菊. =쑥갓.
춘궁【春窮】명 春窮. =보릿고개.
‖——-기 명 春窮期.
춘기【春氣】명 春気.
춘기【春期】명 春期.
춘기【春機】명 春機. ¶～ 발동기 春機発動期; 思春期.
춘면【春眠】명 春眠.
춘몽【春夢】명 春夢.
춘부【春府】, **춘부 대인**【春府大人】, **춘부-장**【春府丈·椿府丈】명 他人の父親に対する敬称; 父御; 父君.
춘분【春分】명 春分.
‖——-점 명 春分点.
춘사【椿事】명 ちんじ(椿事); 珍事; 意外の不幸なできごと.
춘-삼월【春三月】명 春たけなわな陰暦の三月.

ㅊ

춘색【春色】명 春色. ＝봄빛.
춘설【春雪】명 春雪.
춘소【春宵】명 春宵. ＝춘야(春夜). ¶～ 일각 치천금 春宵一刻千金に値す.
춘신【春信】명 春信; 花信.
춘심【春心】명 春心. ＝춘정.
춘야【春夜】명 春夜. ＝봄밤.
춘양【春陽】명 春陽. ＝봄볕.
춘우【春雨】명 春雨. ＝봄비.
춘월【春月】명 春月.
춘의【春意】명 春意; 情欲.
춘잠【春蠶】명 春蚕.
춘장【春丈】명 ↗춘부장.
춘절【春節】명 春節. ＝봄철.
춘정【春情】명 春情; 欲情. ¶～을 돋우다 春情をあおる / ～을 알게 되다 色気がつく.
춘추【春秋】명 春秋. ① 春秋; 春と秋. ② 目上の年齢の敬称. ¶～가 높다 春秋高し. ③ 歴史.
‖——-복(服) 명 合い着. —— 시대 명〖史〗春秋時代. —— 필법 명 春秋の筆法.
춘파【春播】명하타 春ま(蒔)き.
춘풍【春風】명 春風. ¶～ 태탕 春風たいとう(駘蕩).
‖—— 추우 명 春風秋雨. ① 春風と秋雨. ② 過ぎた年月. —— 화기(和氣) 명 春ののどかな日和.
춘-하-추-동【春夏秋冬】명 春夏秋冬.
춘한【春寒】명 春寒.
춘화【春花】명 春花; 春の花.
‖—— 추월 명 春花秋月.
춘화【春畫】, 춘화-도【春畫圖】명 春画; 枕絵; ポルノ.
출가【出家】명하자 出家. ¶어려서 ～하다 幼くして僧籍に入る.
‖—— 득도 명하자 出家得度.
출가【出嫁】명 嫁入ること. ——-하다 자 嫁入りする; 嫁ぐ; 嫁に行く. ¶～ 시키다 嫁がせる.
‖—— 외인(外人) 명 嫁いだ娘は他人にほかならぬこと.
출가【出稼】명하자 出稼ぎ.
출간【出刊】명하타 ☞ 출판(出版).
출감【出監】명하자 出監; しゅつろう(出牢); 出獄.
출강【出講】명하자 出講.
출격【出擊】명하자타 出撃. ¶～ 명령 出撃命令.
출결【出缺】명 出欠. ¶～ 상태를 조사하다 出欠を取る.
출고【出庫】명하타 出庫; 倉出〔蔵出〕し. ¶～ 전표 出庫伝票; 蔵出し伝票 / ～를 제한하다 出庫を制限する.
출관【出棺】명하자 出棺.
출구【出口】명하타 ① 出口; 出所. ② 商品を港外に送り出すこと.
‖—— 통로 명 出口への通路.
출국【出國】명하자 出国. ¶～ 관리 出国管理 / ～ 금지 조치 出国禁止措置.
출근【出勤】명하자 出勤. ¶～ 시간에 늦다 出勤時間に遅れる / 시차 ～ 時差出勤.
‖——-부 명 出勤簿.
출금【出金】명하자타 出金. ¶～ 전표 出金伝票.
출납【出納】명하타 出納.
‖—— 검사 명 出納検査. ——-계 명 出納係り. —— 공무원 명 出納公務員. ——-부 명 出納簿. ¶금전 ～ 金銭出納簿.
출동【出動】명하자 出動.
출두【出頭】명하자 出頭. ¶～인 出頭人 / ～를 명령하다 出頭を命ずる.
출람【出藍】명하자 [↗청출어람(青出於藍)] しゅつらん(出藍). ¶～지예(之譽) 出藍の誉れ / ～지재(之材) 出藍の材.
출렁-거리다 자 ① 水がだぶだぶと揺れる. ② 大波がざぶりざぶりと揺れる. ＞출랑거리다. 출렁-출렁 부하자 ① だぶだぶ. ¶물을 너무 마셔서 뱃속이 ～하다 水を飲み過ぎて腹がだぶつく. ② ざぶりざぶり.
출력【出力】명 出力; アウトプット. ¶～ 10만 킬로와트의 발전소 出力十万キロワットの発電所.
출로【出路】명 出路; 出口. ¶～를 막다 出路をふさぐ.
출루【出壘】명하자 出塁.
출마【出馬】명하자 出馬. ¶재～ 再出馬 / 또 선거에 ～하였다 またもや選挙に出馬した.
출몰【出沒】명하자 出没. ¶해적이 ～하다 海賊が出没する.
출문【出門】명하자 出門; 門外に出ること.
출발【出發】명하자 出発; 出立. ¶～지 出発地; 発地 / 인생의 ～ 人生の門出 / 정각 한 시에 ～하다 正一時に出発した.
‖——-선 명 出発線; スタートライン. —— 신호 명 出発信号. ——-점 명 出発点.
출범【出帆】명하자 出帆; 船出; 「出港.
출병【出兵】명하자 出兵; 派兵. ¶해외 ～ 海外出兵.
출비【出費】명하자 出費; かかり. ¶～가 늘어날 뿐이다 出費がかさむばかりである.
출사【出師】명하자 出師; 出兵.
‖——-표 명 出師の表.
출사【出寫】명하자 (写真師が)出張して写真を撮ること.
출산【出産】명하자 出産; お産. ¶～ 휴가 産休《준말》/ ～율 出産率.
출상【出喪】명하자 ひつぎ(棺)を乗せたこし(輿)を喪家から出すこと.
출생【出生】명 出生. ——-하다 자타 出生する; 生まれる. ¶～과 경력을 조사하다 出自と経歴を調べる / 달이 못 차서 ～하다 月足らずして生まれる.
‖——-률 명 出生率. —— 신고(申告) 명하자 出生届. ——-지 명 出生地; 生地. ——지-주의 명〖法〗出生地主義; 生地主義. ＝속지주의(屬地主義).
출석【出席】명하자 出席. ¶～자 出席者 / ～ 인원 出席人数.
‖—— 명령 명〖法〗出席命令. ——-

ㅊ

부 [명] 出席簿.
출세【出世】[명][하자] 出世. ¶입신 ~ 立身出世 / ~가 빠르다 出世が早い / 평민에서 ~하다 布衣より身を起こす.
‖——작 [명] 出世作.
출소【出所】[명][하자] 出所; 出獄. =출감(出監).
출수【出穗】[명][하자] 出穗·穗. ¶~기 出穗期.
출신【出身】[명] 出身. ¶~지 出身地 / 군인〔학자〕~ 軍人〔学者〕上がり / ~교 出身校 / 강원도 ~ 江原道出身.
‖—— 성분 [명] 出身成分.
출아【出芽】[명][하자타] 出芽.
‖——법 [명]〔植〕出芽法.
출-애굽【出埃及】[명]〔基〕出エジプト. ‖——기 [명]〔基〕出エジプト記.
출어【出漁】[명][하자] 出漁·出漁.
출연【出捐】[명][하타] しゅつえん(出捐).
출연【出演】[명][하자] 出演. ¶찬조 ~ 賛助出演 / ~자 出演者 / ~료 出演料; ギャランテー; ギャラ《준말》.
출영【出迎】[명][하타] 出迎え. ¶~을 받다 出迎えを受ける / 역에 ~을 나가다 駅へ出迎えに行く.
출옥【出獄】[명][하자] 出獄; 出所. ¶가~ 仮出獄.
출원【出願】[명] 出願; 願い出. ——하다 [자][타] 出願する; 願い出る. ¶~자 出願者 / 특허 인정을 ~하다 特許認定を出願する.
출입【出入】[명][하자타] ①出入; 出入·出はいり. ¶~증 通門証; 門鑑 / 사람의 ~이 많은 집 人の出入りの激しい家 / ~ 금지 立ち入り禁止. ②外出·外出. ¶주인은 ~하고 안 계십니다 主人は留守です.
‖——구 [명] 出入口; 戸口; ゲート. —— 국 관리 [명] 出入国管理. ——금 [명] 出金と入金.
출자【出資】[명][하자] 出資. ¶~자 出資者 / 새 회사에 ~하다 新会社に出資する.
‖——금 [명] 出資金.
출장【出張】[명][하자] 出張. ¶~ 여비 出張旅費 / ~처 出張先.
‖——소 [명] 出張所; 出先機関.
출장【出場】[명][하자] 出場. ¶~ 자격 出場資格 / 보트 레이스에 ~하다 ボートレースに出場する.
출전【出典】[명] 出典. ¶~을 명시하다 出典を明示する.
출전【出戰】[명][하자] ①出戦; 戦いに出ること. ②出場; 試合に出ること.
출정【出廷】[명][하자] 出廷.
출정【出征】[명][하자] 出征. ¶~ 장병 出征将兵.
출제【出題】[명][하자] 出題. ¶~자 出題者.
출중【出衆】[명][하형] 出色; 出群; ぴか一〈俗〉; 衆にぬきんでること. =출류(出類). ¶~한 솜씨 出色の出来ばえ / ~한 인물 衆に秀でた人物. ——나다 [형] 衆にぬきんでる; 衆に秀でる.
출진【出陣】[명][하자] 出陣.
출처【出處】[명] 出処〔出所〕; 出所. ¶소문의 ~ うわさの出所 / ~를 밝히다 出所を明かす.
출초【出超】[명][하자]〔經〕[↗수출 초과] 出超; 輸出超過.
출출-하다 [형] ややひもじい; ひだるい.
출타【出他】[명][하자] 外出; 他出. ¶아버지는 ~중이십니다 父は外出中です.
출토【出土】[명][하자] 出土.
‖——품 [명] 出土品.
출판【出版】[명][하타] 出版. ¶~사 出版社 / 자비 ~ 自費出版 / ~의 자유 出版の自由 / 책을 ~하다 本を出版する.
‖—— 계약 [명] 出版契約. ——권 [명] 出版権. ——물 [명] 出版物.
출품【出品】[명][하자타] 出品. ¶전시회에 ~하다 展示会に出品する.
출하【出荷】[명][하자타] 出荷. ¶~량 出荷量.
출학【黜學】[명][하타] 学生を学校から追い出すこと.
출항【出航】[명][하자] 出航. ¶아침 일찍 ~하다 朝早く出航する.
출항【出港】[명][하자] 出港. ¶내일 ~할 예정입니다 明日出港の予定です.
출현【出現】[명][하자] 出現. ¶신제품의 ~ 新製品の出現.
출혈【出血】[명][하자] 出血. ¶내~ 内出血 / ~ 서비스 出血サービス / ~ 다량 出血多量.
‖—— 수출 [명][하타] 出血輸出.
출화【出火】[명][하자] 出火. ¶~ 지점 火元 / 공장에서 ~하였다 工場から出火した.
출회【出廻】[명][하자] 出回ること. ¶푸성귀가 ~하다 野菜が出回る.
춤[1] [명] 踊り; 舞踊; 舞; 舞踏; ダンス. ¶사자 ~ しし(獅子)舞 / 사교~ 社交ダンス / ~을 추다 踊りを踊る; (舞を)舞う.
춤[2] [명] 物の高さや丈. ¶항아리의 ~이 낮다 つぼの丈が低い.
춤[3] [명] ↗허리춤.
춤[4] [의명] (長い物の)一握りの分量; 握り. ¶짚 한 ~ わら(藁)一握り.
춤-추다 [자] 踊る; 舞う. ¶(음악에 맞추어) ~ 舞を奏でる / 한 곡 ~ 一差し舞う.
춥다 [형] 寒い. ¶추운 지방 寒い地方 / 추워서 얼어죽을 것 같다 寒くて凍えそうだ / 추워서 떨다 寒くて震える / 점점 추워지다 だんだん寒くなる / 오늘 아침은 몹시 ~ 今朝はひどく冷え込む.
충【蟲】[명] ①虫·虫. ②↗회충.
충격【衝擊】[명][하자] 衝撃; ショック. ¶~사 ショック死 / ~을 주다 ショックを与える / 심한 ~을 받다 激しい衝撃を受ける.
‖—— 시험 [명] 衝撃試験. —— 요법 [명] 衝撃療法. ——적 [명][관] 衝撃的. ¶~인 사건〔뉴스〕 衝撃的な事件〔ニュース〕. ——파 [명] 衝撃波.
충고【忠告】[명][하자타] 忠告; 忠言; 意見. ¶~를 받아들이다 忠告

を(受け)入れる / ～를 무시하다 忠告を無視する.

충-나다【蟲―】자 (物に)虫がつく; 害虫が発生する.

충당【充當】명 充当. ――-하다 타 充当する; 当てる. ¶인건비에 ～하다 人件費に当てる / 이익금은 전년의 적자에 ～하다 利益金は前年の赤字に充当する.

충돌【衝突】명하자 衝突; 突き当たり. ¶의견의 ～ 意見の衝突 / 정면 ～ 正面衝突 / 기차와 자동차가 건널목에서 ～했다더라 汽車と自動車が踏み切りで衝突したそうだ.

충동【衝動】명하타 衝動. ¶～을 억제하다 衝動を抑える / 일시적 ～에 휩쓸리다 一時の衝動にかられる.

충렬【忠烈】명하형 忠烈.
‖――-사 명 忠烈祠.

충령【忠靈】명 忠霊. ¶～탑 忠霊塔.

충류【蟲類】명 虫類.

충만【充滿】명하자 充満. ¶가스가 실내에 ～해 있다 ガスが室内に満ちている.

충매-화【蟲媒花】명 虫媒花.

충복【忠僕】명 忠僕.

충분【充分】명하형 充分〔十分〕. ¶그것으로 ～하다 それで充分である / ～한 보수를 받다 充分な報酬をもらう / 5만 원만 있으면 ～하다 五万ウォンもあれば(事)足りる. ――-히 부 十分〔充分〕(に). ¶식량은 아직 ～ 남아 있다 食糧はまだ十分残っている / ～ 즐기다 充分楽しむ.
‖―― 조건 명〔論〕充分条件.

충성【忠誠】명하자스형 忠誠. ¶～을 맹세하다 忠誠を誓う.

충수【蟲垂】명〔生〕虫垂. =충양돌기(蟲様突起). ¶～염 虫垂炎.

충순【忠順】명하형히부 忠順.

충신【忠臣】명 忠臣. ¶～은 불사이군 忠臣は二君に仕えず.

충신【忠信】명 忠信; 忠義と信実.

충실【充實】명하형 充実. ① 元気で力が充満していること. ¶기력 ～ 気力充実. ② (中味・設備が)充分に備わっていること. ¶～한 생활〔내용〕充実した生活〔内容〕/ 군비의 ～ 軍備の充実. ――-히 부 充実に.

충실【忠實】명 忠実. ――-하다 형 忠実だ; 地道だ. ¶직무에 ～하다 職務に忠実である / ～하게 번역하다 忠實に訳す. ――-히 부 忠実に. ¶～ 이행하였다 忠実に履行した.

충심【衷心】명 衷心; 真心; 衷情. ¶～으로 감사하다 衷心より感謝する.

충양 돌기【蟲様突起】명〔生〕虫様突起. =충수(蟲垂).
‖――-염 명〔醫〕虫様突起炎《虫垂炎の旧称》.

충언【忠言】명하자타 忠言.
‖―― 역이(逆耳) 명 忠言耳に逆らう.

충용【充用】명 充用. ――-하다 타 充用する; 当てる.

충용【忠勇】명하형 忠勇. ¶～ 무쌍 忠勇無双.

충원【充員】명하자 充員. ¶부족한 인원수를 ～하다 不足数を充員する.

충의【忠義】명 忠義.

충이다 타 (穀物が入っているかます(叺)などを)揺する; ゆすぶる.

충재【蟲災】명 虫害.

충적【沖積·冲積】명하자 沖積.
‖―― 광상 명 沖積鉱床. ――-기 명〔地〕沖積期. ――-세 명〔地〕沖積世. ――-층 명 沖積層〔統〕. ――-토 명 沖積土. ―― 평야 명 沖積平野.

충전【充電】명하자 充電; 蓄電. ¶축전지에 ～하다 蓄電池に充電する / 새 창작을 위한 ～ 기간 新たな創作のための充電期間.
‖――-기 명 充電器.

충전【充塡】명하타 じゅうてん(充塡). ¶충치에 시멘트를 ～하다 虫歯にセメントを充塡する.
‖――-제 명 充塡剤.

충절【忠節】명 忠節. ¶～을 다하다 忠節を尽くす.

충정【衷情】명 衷情; 至情; まごころ. ¶～을 호소해 왔다 衷情を訴えて来た.

충족【充足】명하타하형히부 充足. ¶욕망을 ～시키다 欲望を充足させる / ～감 充足感.
‖――-률 명〔哲〕充足律. ―― 이유의 원리 명 充足理由の原理.

충직【忠直】명하형히부 忠直.

충천【衝天】명하자 衝天; 沖天. ¶의기 ～ 意気衝天.

충충-하다 형 (水や色などが)さ(冴)えない; くすんでいる; どんよりしている. 충충-히 부 冴えないさま; どんより; くすんで.

충치【蟲齒】명 虫歯; うし(齲歯).

충해【蟲害】명 虫害; 食害. ¶～에 대한 예방 虫害に対する予防; 虫食いの予防.

충혈【充血】명〔醫〕充血. ¶～된 눈 充血した目; 血目.

충혼【忠魂】명 忠魂.
‖――-비 명 忠魂碑. ――-탑 명 忠魂塔.

충-효【忠孝】명 忠孝.
‖―― 겸전(兼全), ―― 쌍전(雙全) 명하형 忠孝双全〔両全〕.

췌언【贅言】명하자 ぜいげん(贅言). ¶～을 요하지 않는다 贅言を要しない.

췌장【膵臟】명〔生〕すいぞう(膵臓). =이자. ¶～염 膵臓炎 / ～암 膵臓癌.

취 명〔植〕"곰취(=おたからこ)·단풍취(=もみじはぐま)·참취(=しらやまぎく)"などの山菜の総称.

취객【醉客】명 酔客; 酔漢.

취결【就結】명〔經〕(為替・手形の)取組み. ――-하다 타 取り組む.

취관【吹管】명〔化〕吹管.

취광【醉狂】명 酔狂.

취급【取扱】명하타 取り扱い; 扱い. ¶～ 주의 取扱注意 / 기계의 ～에 익숙해지다 機械の取り扱いに慣れる / 노인 ～을 하다 老人扱いをする / 우체국에서 ～한다 郵便

局で取り扱う.

취기【臭氣】명 臭気.

취기【醉氣】명 酔気; 酔い. ¶ ~가 돌다 酔いがまわる / ~가 깨다 酔いが覚〔醒〕める.

취담【醉談】명하자 酔言; 酔語.

취득【取得】명하타 取得. ¶ 장물 ~죄 贓物故買罪 / 권리를 ~하다 権利を取得する.

‖——-세 명 取得税. —— 원가 명 取得原価.

취락【聚落】명 集落. ¶ ~ 유적 集落遺跡.

취로【就勞】명하자 就労. ¶ ~ 일수 就労日数 / ~ 규칙 就労規則.

취리【取利】명하자 金や穀物を貸して利息を取ること; 利回し.

취면【就眠】명하자 就眠. ¶ ~ 시간 就眠時間.

‖—— 운동 명〔植〕就眠運動.

취면【醉眠】명하자 酔眠.

취명【吹鳴】명하타 吹鳴. ¶ 사이렌의 ~ 시험 サイレンの吹鳴テスト.

취몽【醉夢】명 酔夢.

취미【趣味】명 趣味. ¶ ~가 고상한 넥타이 趣味のいいネクタイ / 여행이 ~다 旅行が趣味である / ~가 다양하다 趣味が広い.

취사【炊事】명하자 炊事. ¶ ~장 炊事場 / ~ 도구 炊事道具.

‖——-병 명 炊事兵; 飯炊き兵.

취사【取捨】명하타 取捨; 用捨.

‖—— 선택 명하타 取捨選択.

취산【聚散】명하자 集散. =집산(集散).

취산-꽃차례【聚撒—次例】명〔植〕集散花序.

취색【翠色】명 すいしょく(翠色); 緑(色).

취생몽사【醉生夢死】명하자 酔生夢死. ¶ ~의 무리 酔生夢死の徒.

취소【取消】명 取り消し. ——-하다 타 取り消す; 取り止める. ¶ 계약 ~ 契約の取り消し / 그 계획은 ~한다 その計画は取り止めにする.

취소【臭素】명〔化〕☞ 브롬.

취송【翠松】명 青い松.

취수-탑【取水塔】명 取水塔.

취식【取食】명하자 ① 食事を取ること. ② 人の物をおくめん(臆面)もなく食べること. ¶ 무전 ~ 無銭飲食.

취안【醉眼】명 酔眼. ¶ ~ 몽롱 酔眼もうろう(朦朧).

취안【醉顔】명 酔顔.

취약【脆弱·脃弱】명하형 ぜいじゃく(脆弱). ¶ ~점 弱味 / ~한 육체 脆弱な体 / ~성 脆弱性.

취언【醉言】명 ☞ 취담(醉談).

취업【就業】명하자 就業. ¶ ~ 시간 就業時間.

‖—— 규칙 명 就業規則. —— 인구 명 就業人口; 有業人口.

취역【就役】명하자 就役. ¶ 미국 항로에 ~하다 アメリカ航路に就役する.

취옥【翠玉】명 ① すいぎょく(翠玉); エメラルド. ② [↗비취옥] ひすい(翡翠).

취우【驟雨】명 しゅうう(驟雨); 村雨; にわか雨. =소나기.

취음【取音】명하자 当て字; 借字. ¶ "아시아"의 ~자는 "亞細亞"이다 "アジア(Asia)"の当て字は"亜細亜"である.

취의【趣意】명 趣意; 旨趣; 旨. =취지(趣旨). ¶ 내방의 ~ 来訪の趣意 / 본회 설립의 ~ 本会設立の趣意.

취임【就任】명 就任. ——-하다 자 就任する; 就く. ¶ ~식 就任式 / 교장으로 ~하다 校長に就任する / ~ 인사 就任のあいさつ.

취입【吹入】명하타 吹き込み; 吹き入れ. ¶ 레코드에 ~하다 レコードに吹き込む.

취재【取材】명하자 取材. ¶ 전설에서 ~한 소설 伝説から取材した小説.

취적【就籍】명하자 就籍. ¶ ~지 就籍地.

취주【吹奏】명하타 吹奏. ¶ 관악기를 ~하다 管楽器を吹奏する.

‖——-악 명 吹奏楽. —— 악기 명 吹奏楽器. —— 악단 명 吹奏楽団; ブラスバンド.

취중【醉中】명 酒に酔っている間. ¶ ~에 진담이 난다 酔って本性を顕わす.

취지【趣旨】명 趣旨; 旨; 趣; 趣意. ¶ 용건의 ~에 따라서는 御用の向きによっては / 그 ~를 설명하다 趣旨〔旨〕を説明する.

취직【就職】명하자 就職. ¶ ~ 시험 就職試験 / ~난 就職難 / ~을 알선하다 就職をあっせん(斡旋)する.

취처【娶妻】명하자 嫁取り; 妻をめと(娶)ること.

취침【就寢】명하자 就寝; 就床. ¶ ~ 시간 就寝時間.

취태【醉態】명 酔態. ¶ 꼴불견의 ~를 부리다 ぶざまな酔態をさらす.

취택【取擇】명하타 選択.

취하【取下】명하타 取り下げ; 願い下げ. ¶ 고소 ~ 告訴の願い下げ / 신청을 ~하다 申し込みを引っ込める.

취-하다【取—】타 取る. ① 自分のものとする. ¶ 식사를〔영양을〕 ~ 食事〔栄養〕を取る / 중간을 ~ 中を取る. ② 解釈する. ③ 構える. ¶ 포즈를 ~ ポーズを取る〔作る〕/ 강경한 태도를 ~ 強硬な態度を取る. ④ 講ずる. ¶ 수단을〔조처를〕 ~ 手段〔処置〕を取る / 취할 길은 오직 하나뿐이다 取るべき道はただ一つだけである / 연락을 ~ 連絡をつける〔取る〕. ⑤ (金などを)借りる.

취-하다【醉—】자 酔う. ¶ 제 정신을 잃을 정도로 ~ 正体もなく酔う / 묘기에 ~ 妙技に酔う / 곤드레만드레 ~ べろべろに酔う.

취학【就學】명하자 就学.

‖——-률 명 就学率. —— 아동 명 就学児童. —— 연령 명 就学年齢. =학령(學齡).

취한【醉漢】명 酔っ払い; 酔いどれ; とら(虎)〈俗〉; 酔漢.

취합【聚合】명하자 しゅうごう(聚合).

취항【就航】명하자 就航. ¶뉴욕 항로에 ~하다 ニューヨーク航路に就航する.

취향【趣向】명 趣向. ¶재미있는 ~ おもしろい趣向 / 멋진 ~의 넥타이 趣味のいいネクタイ.

취흥【醉興】명 酔興; 酒興.

-측【側】미 ある名詞の下で"そちら"の意を表わす語; 側. ¶정부~ 政府側 / 선생~의 요구 先生側の要求.

측각-기【測角器】명 測角器; 角度計.

측간【測桿】명 そっかん(測桿); ポール. =측량(測量)대.

측간【廁間】명 かわや(厠). =뒷간.

측거-기【測距器】, **측거-의**【測距儀】명 測距儀; 距離計.

측광【測光】명하타〔物〕測光.

측근【側近】명 側近.

측근【側根】명〔植〕側根. =곁뿌리.

측도【測度】명하타 測度.

측량【測量】명하타 測量. ¶토지〔삼각〕~ 土地〔三角〕測量 / ~할 수 없다 推し量れない.

‖── 기계 명 測量器械. ──-법 명 測量法. ──-사 명 測量士. ──-선 명 測量船.

측로【側路】명 側道; わき道.

측면【側面】명 側面. =옆면. ¶~에서 본 그림 側面から見た図 / 작가의 알려지지 않은 ~ 作家の知られざる側面.

‖── 공격 명 側面攻撃. ──-도 명 側面図.

측문【仄聞】명하타 そくぶん(仄聞); うわさに聞くこと. ¶~한 바에 의하면 仄聞したところによれば.

측문【側門】명 側門.

측문【側聞】명하타 側でもらい聞きすること.

측벽【側壁】명 側壁.

측선【側線】명 側線. ¶열차를 ~으로 옮기다 列車を側線に移す / 어류의 ~ 魚類の側線.

측실【側室】명 側室; そばめ.

측심【測深】명하자 測深; 深さを測ること.

‖──-연(鉛) 명 測鉛. ──-의 명 測深儀; 測深器.

측아【側芽】명〔植〕側芽. =곁눈.

측연【惻然】명하형 そくぜん(惻然); あわれみいたむさま. ──-히 부 惻然と.

측연【測鉛】명 ☞ 측심연.

측우-기【測雨器】명〔氣〕☞ 우량계.

측은【惻隱】명하형 そくいん(惻隱); あわれみ. ¶~한 마음 惻隱の情. ──-히 부 惻隱に; あわれに.

측점【測點】명 測点.

측정【測定】명하타 測定. ¶~ 기구 測定器具 / 체력 ~ 体力測定 / 거리를 ~하다 距離を測定する〔測る〕.

측지【測地】명하자 測地.

‖──-선 명〔數〕測地線. ──-학 명 測地学.

측편【側扁】명하형 側扁; ひらたいこと.

측후【測候】명하타 測候; 気象の観測.

‖──-소 명 測候所.

츱츱-하다 형 けちくさくてあつかましい. ¶돈에 ~ 金に意地汚い.

층【層】명 層. ①階層. ¶중간~ 中間層. ②かさなり. ¶충적~ 沖積層 / 전리~ 電離層. ③建物の階. ¶이~집 二階建て; 二階家.

층계【層階】명 ①階段. ¶~를 오르다 階段を上る / ~식의 객석 階段式の客席. ② ☞ 계층(階層).

‖──-참(站) 명 踊り場.

층-나다【層─】자 (一様でなく)等差が生じる; 差ができる.

층대【層臺】명 ↗층층대(層層臺).

층류【層流】명〔物〕層流.

층상【層狀】명 層状.

‖── 화산 명〔地〕層状火山; 成層火山; コニーデ.

층수【層數】명 階数; 段の数.

층운【層雲】명〔氣〕層雲. =층구름.

층적-운【層積雲】명 層積雲; うね雲. =층쌘구름.

층-지다【層─】자 層をなす.

층-집【層─】명 二階以上の家.

층층【層層】명 層層; 幾重の層; 重なっている各層. ──-이 부 幾層も; 幾重にも. ¶돌을 ~ 쌓아 올리다 石を幾層にも積み上げる.

‖──-다리 명 梯子段. ──-대(臺) 명 階段. ── 시하(侍下) 명 父母·祖父母と共に暮らしていて, かしずくべき人が多いこと.

층하【層下】명하타 (劣っていて)他のものと差別をつけること. ¶~를 두다 人を差別立てする / ~가 생기다〔지다〕差等ができる.

치¹ 의명 ①"이(=方·人)"の卑語. ¶그 ~ そいつ; それ; その者 / 저 ~ あいつ; あれ. ②指定された多くの物のうちの一つ: …分; …物. ¶석달~ 三ケ月分 / 오늘 ~ 今日の分. ③節気の名に付けて, その時分には天気が荒れることを表わす語. ¶입춘~ 立春荒れ / 그믐 ~ みそか荒れ.

치² 의명 長さの単位; 寸. =촌. ¶두 ~ 닷 푼 二寸五分 / 한 ~ 앞도 모르는 세상 一寸さきは闇の世.

치- 두 上に向くことを表わす語. ¶~받다 突き上げる / 눈을 ~뜨다 上目をつかう.

치가【治家】명하자 家を治めること.

치가 떨리다【齒─】구 悔しいか, または忌ま忌ましくて歯をかむ; 歯ぎしりする.

치-감다 타 上向きに巻く; 巻き上げる.

치강【齒腔】명〔生〕しこう(歯腔).

치경【齒莖】명 歯茎. =잇몸.

치고 조 ①体言に付いて, "例外なく; すべて"の意を表わす補助詞《後に否定文が続く》: …で; …ならば; …として(は). ¶네 물건~ 쓸만한 것이라곤 없더라 君の物でろくなものはひとつもなかったよ. ② ☞ 치고는 ②.

치고-는 조 ①"치고"の強調語.

¶사람~ 못할 일이오 人間としてはやれないことです. ②"その中では·例外的に"などの意を表わす補助詞:…にしては;…割合(に〔と〕). ¶서양 사람~ 키가 작다 西洋人にしては背が低い / 값싼 물건~ 쓸만하다 安物にしては割合に使えるね / 젊은 사람~ 점잖다 若い人にしてはおちついている.

치고-서 조 "치고"の強調語.

치골【恥骨】 명 〖生〗恥骨.

치골【齒骨】 명 〖生〗歯骨.

치과【齒科】 명 歯科. ¶~의(사) 歯科医; 歯医者.

‖── 대학 명 歯科大学.

치관【齒冠】 명 〖生〗歯冠.

치구【齒垢】 명 歯くそ.

치국【治國】 명하자 治国.

‖── 안민 명하자 治国安民. ── 평천하 명하자 治国平天下.

치근【齒根】 명 歯根. =이촉.

치근-거리다 타 ①ねちねちとつきまとう. ②うるさくねだる. **치근-치근** 부하타 ねちねち.

치근덕-거리다 타 しつこくつきまとって悩ます; うるさくねだる. **치근덕-치근덕** 부하타 ねちねち.

치-긋다 타 上向きに(線を)引く; 線を上へ引く.

치기【稚氣】 명 稚気.

치기-배【—輩】 명 すり·かっ払いなどのこそ泥棒のやから(輩).

치다[1] 자 ①(風·吹雪などが)吹きまくる; 吹きすさ(荒)ぶ. ¶눈보라가 ~ 吹雪が吹きまくる / 바람이 휘몰아 ~ 風が吹き荒ぶ. ②稲妻が光る; 雷が落ちる. ③(波などが)打つ. ¶파도 치는 바닷가 波打つ海辺. ④霜がおりる.

치다[2] 타 ①打つ. ㉠(手·物で)たた(叩)く; 殴る. ¶사람을 ~ 人を打つ〔殴る〕/ 책상을 ~ テーブルを叩く / 못을 ~ くぎ(釘)を打つ. ㉡(音を出すため)叩いて鳴らす; 弾く. ¶북을 ~ 大鼓を打つ〔叩く〕/ 종을 ~ 鐘を打つ〔突く, 鳴らす〕. ㉢(金属を鍛えるため)打って作る. ¶칼을 ~ 刀を打つ. ㉣切り落とす. ¶목을 ~ 首を打つ. ②(もちを)つ(搗)く. ③(カードなどを)切る; (花札·カードなどの)遊びをする. ¶딱지를 ~ 面こをやる. ④(敵を)討つ; 攻める. ¶적의 요새를 ~ 敵の要塞を攻める. ⑤(人の非を)突く; 非難〔攻撃〕する. ⑥(手足や羽などを)強く振る. ¶꼬리를 ~ 尾を振る / 날개를 ~ 羽ばたく / 헤엄~ 泳ぐ. ⑦(葉などを)刈る; はさみ(鋏)を入れる; 摘む; 取り除く. ¶순을 ~ 芽を摘む / 가지를 ~ 枝を刈る. ⑧(野菜などを)千切りにする. ¶무를 채~ 大根を千切りにする. ⑨当たりを取る. ¶히트를 ~ ヒットする.

치다[3] 타 ①打つ. ㉠(鉛筆などで)印をつける; 線を引く〔掛ける〕. ¶먹줄을 ~ 墨縄を掛ける / 틀린 곳에 줄을 ~ 誤った所に線を引く. ㉡(電信などを)送る. ¶전보를 ~ 電報を打つ. ②(はんこなどを)押す. ¶도장을 ~ 印〔はんこ〕を押す. ③占う. ¶점을 ~ 占いをする; 占う. ④(試験を)受ける. ¶졸업 시험을 ~ 卒業試験を受ける. ⑤(前もって)…とする; 見なす; 見立てる; 見積もる. ¶찬성으로 ~ 賛成と見なす / 그건 그렇다 치고 それはそうだとして / 죽은 셈치고 일하다 死んだ積もりで働く.

치다[4] 타 ①(液·粉などを)掛ける; 振り掛ける; さ(注)す. ¶소금을 ~ 塩を(ふり)掛ける / 샐러드에 소스를 ~ サラダにソースを掛ける / 기계에 기름을 ~ 機械に油を引く. ②(ふるいで)ふる(篩)う. ¶모래를 체로 ~ 砂を篩う.

치다[5] 타 ①(幕·網などを)ひろげて掛ける; 張る; つ(吊)る. ¶그물을 ~ 網を掛ける〔張る〕/ 모기장을 ~ 蚊帳を吊る / 비상선을 ~ 非常線を張る / 발을 ~ すだれ(簾)をかける. ②(びょうぶ(屏風)·壁·塀などを)巡らす. ¶병풍을 ~ 屏風を立てる / 마당에 담을 ~ 庭に垣を巡らす. ③(ゲートルなどを)巻きつける; (ひもで)くくり結ぶ. ¶각반을 ~ ゲートルを巻く. ④叫ぶ. ¶소리쳐 부르다 声を張り上げて呼ぶ. ⑤ふざける. ¶장난을 ~ いたずらをする / 못된 장난을 ~ 悪ふざけをする. ⑥(わざと)気勢よく出る; (大げさに)振る舞う. ¶풍을 ~ ほら(法螺)を吹く / 공갈을 ~ 恐喝する. ⑦身震いする. ¶진저리 ~ 身震いする.

치다[6] 타 ①(ござ·かますなどを)編む. ¶돗자리를 ~ ござを編む〔織る〕. ②打ちひも(紐)をよる; なう.

치다[7] 타 ①(家畜·かきん(家禽)を)飼う. ¶돼지〔누에〕를 ~ 豚〔蚕〕を飼う. ②(枝を)出す. ③(みつばち(蜜蜂)が)みつ(蜜)を醸す. ¶꿀을 ~ 蜜を作る. ④(動物が)子を産み殖やす. ¶개가 새끼를 ~ 犬が子を産む. ⑤(慈善や営業のため)客を置く; 泊まらせる. ¶하숙을 ~ 下宿人を置く; 下宿屋をする.

치다[8] 타 ①(た(溜)まった不潔なものを)取り除く; 掃除する. ¶눈을 ~ 雪をか(掻)く / 수채를 ~ 下水をさら(浚)う. ②土を起こして田畑を作る; 開墾する.

치다[9] 타 ひ(轢)く. ¶자동차가 사람을 ~ 自動車が人を轢く / 사람을 치고 달아나다 轢き逃げ(を)する.

치다[10] 타 ↗치우다.

치다[11] 피동 ↗치이다[2].

치다꺼리 명하타 ①(事を)やりのけること; 処理; 切り回し. ¶손님 ~ 客のもてなし. ②(人の)世話をやくこと; めんどうを見ること. ¶남편 ~ 夫の世話 / 아이들 ~에 바쁘다 子供たちの世話で忙しい / 사건의 뒤~를 맡다 事件の後始末を受け持つ / 남의 빚 ~를 하였다 人の借金のしりぬぐ(尻拭)いをした.

치-닫다 자 上の方に向かって走る; 駆け上がる.

치대다¹ 타 洗濯物・こ(捏)ねた物などを何かに当ててこすること. ¶ 빨래를 ~ 洗濯物をもみ洗う / 밀가루 반죽을 ~ ねりメリケン粉をこね返す.

치-대다² 타 上の方に当てる; 上向きに当てる.

치도-곤【治盜棍】명 ①〖史〗じょうけい(杖刑)に用いるこんぼう(棍棒)の一種. ②ひどい〔さんざんな〕目にあうこと. ¶ ~ 맞다 ひどい目にあう / ~을 안기다 さんざんな目にあわす.

치둔【癡鈍】명하형 痴鈍; おろかでにぶいこと.

치-뜨다 타 上目使いをする; 目を上向きに開ける.

치-뜨리다 타 上に投げ上げる; ほうり上げる. ¶ 지붕 위로 ~ 屋根の上に投げ上げる.

치렁-거리다 자 長いものが垂れて軽く揺れる; ゆらゆらする. ¶ 버들가지가 ~ 柳の枝がゆらゆらする. **치렁-치렁** 부하자형 ゆらゆら.

치렁-하다 형 だらりとぶら下がっている.

치레 명하타 ①飾りつけ; 装飾. ¶ 옷~ 着飾り / 겉~ 上べかざり; 見てくれ. ②見掛けだけをよくすること. ¶ 인사 ~ 上べだけを装うこと.

치료【治療】명하타 治療. ¶ 눈을 ~하다 目を治療する.

치루【痔瘻·痔漏】명〖醫〗じろう(痔瘻).

치르다 타 ①支払う. ¶ 값을 ~ 代金を(支)払う. ②ある仕事をしとげる. ¶ 시험을 ~ 試験を受ける / 손님을 ~ 客をもてなす.

치를 떨다【齒―】구 ①けちで物を出ししぶる; けちけちする. ¶ 돈 한 푼에 ~ 一文の金にけちけちする. ②憤って歯をくいしばる; 悔しがって歯ぎしりする.

치마 명 ①チマ《婦人用のも(裳)》. ②スカート. ③上下まちまちの色紙を張ったたこ(凧)の下半部.
‖――-폭(幅) 명 反物を継ぎ合わせて作ったチマの幅. **치맛-바람** 명 ①もすそ(裳裾)から起こる風. ②羽振りをきかせる女性の気勢. **치맛-자락** 명 裳裾. ¶ ~을 끌면서 걷다 裳裾を引きずって歩く.

치매【癡呆】명 ちほう(痴呆).
‖――-증 명 痴呆症.

치-매기다 타 番号などを下から上へと逆に付けていく.

치-먹다 자 ①番号などが下から上へと逆になっていく. ②地方の産物が都で売れる.

치-먹이다 타 地方の産物を都会に持って来て売る.

치명【致命】명하자 致命. ①命にかかわること. ②〖天主教〗殉教.
‖――-상 명 致命傷. ¶ ~을 입다 致命傷を受ける / 그 상처가 ~이 되었다 その傷が致命傷となった. ――-적 명관 致命的. ¶ ~인 타격 致命的(な)打撃. ――-타(打) 명 致命的打擊.

치밀【緻密】명하형히부 ちみつ(緻密). ①綿密なこと. ¶ ~한 계획 緻密な計画 / 관찰이 ~하다 観察が緻密である / 두뇌가 ~하다 頭脳が緻密である. ②きめのこまかいこと.

치-밀다 ㊀자 ①(下から上へ)突き上がる. ¶ 죽순이 흙을 치밀고 올라오다 たけのこが土をつき上げて出る. ②感情・煙などがこみ上げる; 突き上げる. ¶ 슬픔이 ~ 悲しみがこみ上げる. ㊁타 (下から上へ)突き上げる; 押し上げる.

치-받다 ㊀자 (上に向いて)突き上がる. ㊁타 (上に向いて)押し上げる; 支え上げる; 突き上げる.

치-받이 명 (上り坂の)のぼりの方向. ¶ 가파른 ~ 急な上り坂.

치-받치다 ㊀자 煙などが吹き上がる. ¶ 불길이 ~ 火炎が吹き上がる. ㊁타 (下を支えて)上に押し上げる. ¶ 막대로 장미를 ~ ばらを棒で支え上げる.

치병【治病】명하자 治病; 病気をなおすこと.

치부【致富】명하자 金持ちになること; 豊かになること.

치부【恥部】명 恥部. ① ☞ 음부(陰部). ②恥ずべき部分. ¶ 도시의 ~ 都会の恥部.

치부【置簿】명하자타 ①金銭・物品の出納を記録すること. ② ↗치부책. ③心に刻んでおくこと.
‖――-장(帳), ――-책(冊) 명 (金銭・物品の)出納帳.

치사【恥事】명하형스형 言動が卑しくてけち臭いこと. ¶ ~하게 굴다 さもしげに振る舞う.

치사【致死】명하타 致死; 死なせること. ¶ 과실 ~ 過失致死.
‖――-량 명 致死量.

치사【致謝】명하타 謝意を表すること.

치-사랑 명 目上に対する愛.

치산【治山】명하자 ①墓を手入れすること. ②治山; 植林などをして山を整備すること. ¶ ~ 치수 治山治水.

치산【治産】명하자 治産. ①暮らしの手段をたてること. ②〖法〗財産をみずから管理すること. ¶ 금~자 禁治産者.

치-살리다 타 おだ(煽)て上げる; べたぼめする; ほ(誉)めたた(称)えすぎる.

치석【齒石】명 歯石; 歯塩; 歯くそ. =치구(齒垢).

치성【致誠】명하자 ①誠をつくすこと. ②神仏に誠をささげること.

치세【治世】명하자 治世. ①よく治まっている世の中; 太平の世. ②世を治めること. ¶ 나폴레옹의 ~ ナポレオン治世.

치-솟다 자 ①上に突き上がる; 立ち上がる. ¶ 연기가 ~ 煙が立ちのぼる. ②感情・力などがわき上がる; こみ上げる. ¶ 울분이 ~ しゃく(癪)がこみ上げる; 憤りがこみ上げる.

치수【一數】명 尺・寸の数; 寸法; サイズ. ¶ 양복 ~를 재다 洋服の寸法をはかる. ――-내다 타 長さの寸法を決める. ――-대다 타 寸法をはかって決める.

치수【治水】명하자〖土〗治水. ¶ ~ 공사 治水工事 / 치산 ~ 治山治水.

ㅊ

치수【齒髓】명〔生〕歯髄.
‖——-염 명〔醫〕歯髄炎.
치술【治術】명 治術. ① 治療の方法; 医術. ② 国を治める方法; 政治のしかた.
치신 명 "처신(處身)(＝身持ち)"の卑語. ——머리-사납다 형 "치신사납다"の卑語. ——머리-없다 형 "치신없다"の卑語. ——-사납다 형 身持ちが悪くてだらしない. ——-없다 형 身持ちが軽はずみでみっともない; 大人げない. ——-없이 부 大人げなく; 威厳がなく.
치아【齒牙】명 歯牙; "이(＝歯)"の上品な称.
치아【穉兒】명 稚児; おさなご. ＝치자(穉子).
치안【治安】명하타 治安. ¶ ～을 유지하다 治安を維持する.
‖—— 경찰 명〔法〕治安警察. —— 본부 명〔法〕治安本部《警察庁に当たる》. —— 총감 명〔法〕治安総監《警察官の最高階級; 警察庁長官に当たる》.
치약【齒藥】명 歯磨き.
치어【稚魚】명 稚魚.
치어다-보다 타 見上げる; 仰ぎ見る. 준 쳐다보다. ¶ 사람의 얼굴을 ～ 人の顔を見上げる.
치열【齒列】명 歯列; 歯並び; 歯並み. ＝잇바디. ¶ ～ 교정 歯列矯正.
치열【熾烈】명하형 しれつ(熾烈). ¶ ～한 경쟁 熾烈な競争 / 전투가 ～해지다 戦闘が熾烈になる. ——-히 부 熾烈に; 激しく.
치-올리다 타 ほうり〔投げ〕上げる; 押し上げる.
치와와〔chihuahua〕명〔動〕チワワ; 犬の一品種.
치외 법권【治外法權】명〔法〕治外法権.
치욕【恥辱】명 恥辱; 恥; 辱め. ¶ ～을 씻다 恥をすすぐ / ～을 당하다 恥辱を受ける; 辱められる.
치우다 타 物をある所から別の所へ移す; 事物の位置を変える; 散らばっている物をかたづける〔整える〕; じゃまものをなくする. ¶ 방을 ～ 部屋を片付ける〔整頓する〕/ 책상 위를 ～ 机の上を整頓する / 저 물건을 치워라 あれを片付けろ / 일을 해～ 仕事をすます / 물건을 ～ 物をしまう / 연모를〔연장을〕 ～ 道具をしまう / 가구를 ～ 家具を整える / 옷장을 ～ たんす(箪笥)を外の所に移す; たんすの中を整頓する.
치우-치다 자 (一方に)かたよる; 偏する. ¶ 치우친 판정을 하다 かたよった判定をする / 치우친 생각 かたよった考え / 영양이 한쪽으로 ～ 栄養がかたよる.
치유【治癒】명하자 治癒.
치은【齒齦】명 しぎん(歯齦); 歯茎. ＝잇몸. ‖——-염 명〔醫〕歯齦炎.
치음【齒音】명〔言〕歯音《"ㅅ·ㅈ·ㅊ"などの称》.
치이다¹ 자 ① わな(罠)や重い物に引っかかって押さえられる. ¶ 덫에 ～ わなにかかる. ② 他の力に押される. ¶ 차에 ～ 車にひ(轢)かれる. ③ 反物の織り目が崩れてもつれる; 衣服や布団の綿が一方にもつれる. 준 치다.
치이다² 피동 (代金が)掛かる. 준 치다. ¶ 비싸게 ～ 高く付く / 한 개만 원씩 ～ 一個に付き一万ウォン掛かる.
치이다³ 사동 片付けさせる; 整頓させる; しまうようにさせる.
치이다⁴ 사동 かじ(鍛冶)屋に刀·かま(鎌)などを作らす〔打たせる〕.
치이다⁵ 사동 不潔なものを取り除かす; 掃除〔清掃〕をさせる.
치인【癡人】명 痴人; ばかな人.
치자【治者】명 治者; 統治者.
치자【梔子】명〔植〕くちなしく(梔子·卮子·山梔子)の実.
치자【穉子】명 稚子. ① おさなご; 稚児. ② 幼い息子.
치자【癡者】명 ☞ 치인(癡人).
‖—— 다소(多笑) 명 おろかな人はよく笑うということ.
치장【治粧】명하타 飾ること; 化粧すること; おめかし; 身じたく; 身じまい; 装い. ¶ 몸～을 하다 身なりを飾る / 곱게 ～한 아가씨 美しく装ったお嬢さん.
치적【治績】명 治績. ¶ ～을 올리다 治績をあげる.
치정【癡情】명 痴情. ¶ ～ 살인 痴情殺人 / ～ 끝에 상해 사건을 일으키다 痴情の果てに傷害事件を起こす.
치조【齒槽】명〔生〕歯槽.
‖——-골 명〔生〕歯槽骨. —— 농루 명〔醫〕歯槽のうろう(膿漏). —— 농양 명〔醫〕歯槽のうよう(膿瘍).
치졸【穉拙·稚拙】명하형 稚拙. ¶ ～한 필치로 稚拙な筆づかいで / 하는 짓이 ～하다 やり方が稚拙である.
치죄【治罪】명하타 治罪; 罪をしらべただして罰すること.
치중【置重】명하자 (ある部分に)重点を置くこと. ¶ 외교 정책에 ～하다 外交政策に重点を置く.
치즈〔cheese〕명 チーズ.
치지【致知】명 致知. ¶ 격물 ～ 格物致知.
치지【置之】명하타 ほっておくこと.
‖—— 도외(度外) 명하타 ほっておいて問題視しないこと; 度外視すること. ¶ 이익을 ～하다 利益を度外視する.
치질【痔疾】명〔醫〕じ(痔).
치차【齒車】명 歯車. ＝톱니바퀴.
치-치다 타 ① (線画を)上の方に向けて描く. ② ほうり上げる; 投げ上げる.
치켜-세우다 타 おだ(煽)てる; ほめたたえる. ¶ 치켜세워서 한잔 내게 하다 おだてて一杯おごらせる.
치키다 타 (上に)引き上げる; からげる. ¶ 옷자락을 ～ すそをからげる.
치킨〔chicken〕명 チキン.
‖—— 라이스 명 チキンライス.
치타〔cheetah〕명〔動〕チーター.
치태【癡態】명 痴態; ばかげたふる

ㅊ

まい. ¶주정뱅이가 ～를 부리다 酔っぱらいが痴態を演ずる.

치통【歯痛】명 歯痛. ¶～약 歯痛の薬.

치프〔chief〕명 チーフ.

치하【治下】명 治下；統治下. ¶일본 제국 ～ 日本帝国の治下／공산 ～ 共産治下.

치하【致賀】명하타 祝賀の意を述べること.

치한【癡漢】명 痴漢. ¶～이 출몰하다 痴漢が出没する.

치핵【痔核】명 いぼじ(痔).

치화【癡話】명 痴話.

치환【置換】명하타 置換.

칙령【勅令】명 勅令.

칙명【勅命】명 勅命.

칙사【勅使】명 勅使. ¶～를 보내다 勅使を遣わす.

칙살-맞다 형 しぶ(仕振)りが憎らしくけち臭い. ＞착살맞다. ¶부자인데도 칙살맞게 굴다 金持ちのくせにけち臭く振る舞う.

칙살-부리다 자 けち臭いことをする. ＞착살부리다.

칙살-스럽다 형 することが細かくけち臭い.

칙서【勅書】명 勅書.

칙어【勅語】명 勅語.

칙유【勅諭】명 勅諭.

칙칙-폭폭 부 蒸気機関車が煙を出しながら走る音：チチポポ.

칙칙-하다 형 ①色がくすんでいる. ¶칙칙한 빛깔 くすんだ色. ②(髪や林などが)密で濃く見える；詰んでいる.

칙허【勅許】명 勅許.

친-【親】두 ①親族を称するときに"直系"·"まこと〔実〕の"·"近い"などの意を表わす語. ¶～할아버지 実の祖父／～동생 実の弟〔妹〕／～조카 実のおい(甥). ②ある語の前に付いてそれと親しい仲であることを表わす語：親. ¶～정부파 親政府派.

친가【親家】명 実家. ① ☞ 친정(親庭). ②〔佛〕僧の生みの親の居る俗家.

친견【親見】명하타 親見；親しく実状を見ること.

친고【親告】명하타 親告；本人自ら告げること.

‖——-죄 명〔法〕親告罪.

친교【親交】명 親交. ¶～를 돈독히 하다 親交を深める.

친구【親舊】명 友人；親友；親しい友；仲よし. ¶둘도 없는 ～ 無二の親友.

친권【親權】명〔法〕親権.

‖——-자 명〔法〕親権者.

친근【親近】명 親近；非常に親しいこと. ——-하다 형 親しい. ¶～감을 품다 親近感を抱く／～성을 발견하다 親近性を見いだす. ——-히 부 親しく.

친림【親臨】명하자 親臨.

친모【親母】명 実母；生みの母. ＝친어머니.

친목【親睦】명하형 しんぼく(親睦). ¶～회 親睦会.

‖——-계(契) 명 親睦を図るためのたのもし(頼母子)講.

친밀【親密】명하형 親密. ¶～한 사이 親密な間柄. ——-히 부 親密に.

친부【親父】명 実の父；実父. ＝친아버지.

친-부모【親父母】명 生〔産〕みの親.

친분【親分】명 親密な情.

친산【親山】명 親の墓.

친상【親喪】명 親の喪.

친생-자【親生子】명〔法〕親子；実親子；実子.

친서【親書】명하타 親書. ¶대통령의 ～ 大統領の親書.

친선【親善】명 親善. ¶～ 경기 親善試合／～ 사절 親善使節.

친소【親疏】명 親疎. ¶～의 구별 없이 교제하다 親疎の別なく付き合う. ——-간(間)에 부 親しい人と疎い人とにかかわらず. ¶～ 경우는 밝아야 한다 親疎にかかわらずことの理ははっきりせねばならない.

친숙【親熟】명하형히부 親熟；極めて親しいこと.

친-아버지【親—】명 実父；実の父.

친애【親愛】명하타 親愛；親しみ愛すること. ¶～감 親愛感／～의 정 親愛の情／～하는 벗 親愛なる友.

친-어머니【親—】명 実母；生みの母.

친왕【親王】명 親王.

친우【親友】명 親友. ¶둘도 없는 ～ 無二の親友.

친위【親衛】명 親衛. ¶～병 親衛兵／～대 親衛隊.

친일【親日】명 親日. ¶～ 정책 親日政策／～파 親日派.

친-자식【親子息】명 実子；生みの子.

친전【親展】명하타 親展；親披. ¶～의 편지 親展の手紙.

친절【親切】명하형히부 親切. ¶～한 사람 親切な人／～을 원수로 갚다 親切を仇で返す／～하게 가르치다 親切に教える.

친정【親征】명하타 親征；天子自ら征伐すること.

친정【親政】명하자 親政；天子自ら政治を行なうこと.

친정【親庭】명 嫁いだ女の里；実家. ¶싸우고 ～에 돌아갔다 けんか(喧嘩)して里に帰った.

‖——-댁(宅) 명 "친정"の尊称.

——-살이 명하자 実家で暮らすこと.

친제【親弟】명 実弟. ＝친아우.

친족【親族】명 親族；親類；親戚；身より〈老〉.

‖—— 결혼 명 近親婚. ——-법 명〔法〕親族法. ——-회 명〔法〕親族会. —— 회의 명 親族会議.

친지【親知】명 知り合い.

친찬【親撰】명하자 王が詩文を親しく作ること. また，その詩文.

친척【親戚】명 しんせき(親戚)；親類；身内. ¶～(뻘)이 된다 親戚に当たる.

친친 부 かたく巻いたり縛ったりするさま：くるくる；ぐるぐる. ¶새끼로 ～ 동이다 縄でぐるぐる(と)巻く／팔에 붕대를 ～ 감다 腕に包帯をく

るくると巻く.

친친-하다 형 湿っぽくて感じがよくない.

친탁【親—】명하자형 顔立ちや性格が父系に似ていること.

친필【親筆】명 親筆.

친-하다【親—】一형 親しい. ¶친한 친구 親しい友人/친한 사이 親しい間柄. 二자타 親しく交わる; 親しくする. ¶저 남자와는 너무 친하지 않는 것이 좋다 あの男とは余り近くしない方がいい. 친-히 부 親しく. ①仲よく. ②自ら; 手ずから. ¶~ 손에 들고 보시다 親しく手にして御覧になる.

친-할머니【親—】명 実の祖母.

친-할아버지【—親】명 祖父.

친형【親兄】명 実兄.

친-형제【親兄弟】명 実の兄弟.

친화【親和】명하자 親和.
‖——-력 명하자〔化〕親和力.

칠【漆】명하타 ①[↗옻칠] 漆. ②塗り; 塗料として用いる物質.

칠【七】수 七; 七つ. =일곱. ¶~년 七年/죽림 ~현 竹林の七賢.

칠거지-악【七去之悪】명 七去; 七出.

칠공【漆工】명 漆工; ぬし(塗師); 塗り師. =칠장이.

칠-그릇【漆—】명 漆器.

칠기【漆器】명 ①↗칠목기(漆木器). ②漆器; 塗り物; 漆塗りの器物. =칠그릇.

칠난【七難】명 七難.
‖—— 팔고(八苦) 명 七難八苦; あらゆる苦しみ.

칠독【漆毒】명 漆の毒.

칠-뜨기【七—】명《俗》☞ 칠삭둥이.

칠렁-하다 형 (大きい器に水が)なみなみとしている; いっぱいだ. ¶물을 칠렁하게 붓다 水をなみなみと注いだ. 칠렁-히 부 なみなみと. 칠렁-칠렁 부하형 なみなみ.

칠면-조【七面鳥】명 七面鳥.

칠-목기【漆木器】명 漆塗りの木製の器. 준 칠기.

칠물【漆物】명 漆塗りの器物の総称; 塗り物.

칠보【七寶】명 ①〔佛〕銀や銅などの下地に色とりどりのエナメルを溶かし付けて花·鳥·人物などの模様を入れる細工.
‖—— 단장(丹粧) 명하자 いろいろな金銀珠玉で身を飾ること.

칠분-도【七分搗】명 七分づ(搗)き. ¶~미(米) 七分づき(の米).

칠-붓【漆—】명 塗り用の筆.

칠삭-둥이【七朔—】명 ①七箇月目に生まれた月足らずの子. ②間抜け.

칠색【七色】명 七色.

칠색【漆色】명 漆のつや(艶).

칠석【七夕】명 七夕. ¶~물이 지다 七夕の日に雨が降って大水が出る.

칠성【七星】명〔天〕[↗북두 칠성] 七星. ¶~님께 빌다 七星さまに祈る.

칠-성사【七聖事】명〔天主教〕七つのサクラメント〔秘蹟〕.

칠-소반【漆小盤】명 漆塗りのおぜん(膳).

칠순【七旬】명 七旬. ①よわい(齢)七十歳. ②七十日.

칠십【七十】수 七十.

칠야【漆夜】명 真っ暗い夜.

칠언【七言】명〔文〕七言.
‖—— 율시(律詩) 명 七言律詩; 七律. —— 절구 명 七言絶句.

칠오-조【七五調】명 七五調.

칠요【七曜】명 [↗칠요일] 七曜.

칠월【七月】명 七月.

칠음【七音】명 ①〔樂〕七音; 七声; 音楽の七音. ②音韻上の七つの音声.

칠-일【漆—】명하자 漆塗り; 漆塗りの仕事.

칠장【漆欌】명 漆を塗ったたんす(箪笥).

칠-장이【漆匠—】명 漆塗りを業とする人; ぬし(塗師).

칠전 팔기【七顚八起】명하자 七転八起; 七転び八起き; 多くの困難を経ること.

칠전 팔도【七顚八倒】명하자 七転八倒.

칠즙【漆汁】명 漆の液.

칠지【漆紙】명 漆を塗った紙.

칠촌【七寸】명 ①七寸. =일곱 치. ②父の六親等. また, 自分の六親等の子.

칠칠【七七】명 七つの七日.
‖——-일 명 七七日. =사십 구일. ——-재(齋) 명〔佛〕四十九日目の法事. =사십구일재.

칠칠-하다 형 ①(野菜などが)すくすくと伸びている. ¶칠칠한 배추 よく伸びた白菜. ②こぎれいだ; こざっぱりしている; むらやよごれがなくきれいだ. ③びんしょう(敏捷)だ.

칠판【漆板】명 黒板. =흑판. ¶~지우개 黒板ふき/~을 지우다 黒板をふく.

칠포【漆布】명 ①漆を塗った布. ②ひつぎ(棺)の上に張る漆塗りの布.

칠피【漆皮】명 エナメル塗りの皮.

칠-하다【漆—】타 塗る. ¶페인트를 ~ ペンキを塗る.

칠함【漆函】명 漆塗りのひつ(櫃).

칠현-금【七絃琴】명〔樂〕七絃琴.

칠흑【漆黒】명 漆黒. ¶~같은 머리 漆黒の髪.

칡 명〔植〕くず(葛).

칡-덤불 명 くず(葛)のつる(蔓)が茂ったくさむら(叢).

칡-덩굴 명 くず(葛)のつる(蔓).

침 명〔生〕つば(唾); つばき. =타액(唾液). ¶~을 뱉다 唾を吐く.

침【針】명 針. ①時計の針. ②〔植〕☞ 가시.

침【鍼】명 はり(鍼). ¶~놓다 はりを打つ.

침-감【沈—】명 渋抜き; 渋を抜いたかき(柿).

침강【沈降】명하자 沈降. ¶적혈구 ~ 속도 赤血球の沈降速度.

침공【侵攻】명하타 侵攻; 侵略. ¶적의 ~을 막다 敵の侵攻をくいとめる.

침공【針工】명 ①針仕事. ②縫い賃.

침공【針孔】명 ①針の耳穴. ②縫

い目.
침공【鍼孔】명 はり(鍼)を打つ穴.
침구【寢具】명 寝具; 夜具.
침구【鍼灸】명〔韓醫〕しんきゅう(鍼灸); はり(鍼)ときゅう(灸).
‖——-술 명 鍼灸術.
침낭【寢囊】명 寝袋; シュラーフザック; スリーピングバッグ.
침노-하다【侵擄—】타 少しずつ侵して奪う.
침-놓다【鍼—】자 ☞ 침주다.
침닉【沈溺】명하자 ちんでき(沈溺). ¶주색에 ~하다 酒色に溺れる.
침-담그다【沈—】타 渋抜きのためかき(柿)を塩水に浸す.
침대【寢臺】명 寝台; ベッド.
‖——-차 명 寝台車.
침독【鍼毒】명 はり(鍼)の毒気.
침략【侵略】명하타 侵略. ¶~전쟁 侵略戦争 / ~주의 侵略主義.
침례【浸禮】명〔基〕浸礼; バプテスマ. ‖——-교 명〔基〕浸礼教; バプテスト教会.
침로【針路】명 針路. ¶~를 북북서로 잡아라 針路を北北西にとれ.
침-맞다【鍼—】자 ①はり(鍼)を打ってもらう. ②ひそかに物を盗まれる.
침목【枕木】명 まくら(枕)木.
침몰【沈沒】명하자 沈没.
침묵【沈默】명 沈黙. ——-하다 자 沈黙する; 黙る. ¶~은 금이다 沈黙は金なり.
침범【侵犯】명하타 侵犯. ¶영공을 ~하다 領空を侵犯する.
침불안 식불안【寢不安食不安】명 寝ても食べても〔さめても〕心配なこと.
침사【沈思】명하타 沈思; 熟慮. ¶~묵고하다 沈思黙考する.
침상【針狀】명 針状; 針形.
침석【枕席】명 枕席. ①枕と敷きもの. ② ☞ 잠자리¹①.
침선【針線】명하자 針線; 針と糸; 裁縫.
침소【寢所】명 寝床; ねや〈雅〉.
침소 봉대【針小棒大】명하자타 [←침소 방대] 針小棒大.
침수【沈水】명하자 沈水; 水に沈むこと. ¶~ 해안 沈水海岸.
침수【浸水】명하자 浸水; 水にひたること. ¶~ 가옥 浸水家屋.
침수【寢睡】명하자 睡眠の敬語. ¶~드시다 お眠りあそばす.
침술【鍼術】명〔韓醫〕針術.
침식【侵蝕】명하타 侵食; 次第に侵してそこなうこと.
침식【浸蝕】명하타〔地〕浸食.
‖——-곡 명 浸食谷. —— 윤회 명 浸食輪廻. —— 평야 명 浸食平野.
침식【寢食】명 寝食. ¶~을 같이하다 寝食を共にする.
‖—— 불안(不安) 명 寝ても食べても不安なこと.
침실【寢室】명 寝室; 寝間.
침엽【針葉】명〔植〕針葉; 針状・鱗片状の葉.
‖——-수 명〔植〕針葉樹.
침울【沈鬱】명하형 ちんうつ(沈鬱); いんうつ(陰鬱). ¶어쩐지 마음이 ~하다 何となく心がうっとうしい / ~한 분위기가 감돈다 いんうつな雰囲気がただよう. ——-히 부 ちんうつに; いんうつに. ¶~ 앉아 있다 ちんうつに座っている.
침윤【浸潤】명 浸潤. ¶폐 ~ 肺の浸潤.
침의【寢衣】명 寝間着; パジャマ.
침의【鍼醫】명 しんい(鍼医); 針医.
침입【侵入】명하자타 侵入. ¶가택 ~ 家宅侵入 / ~자 侵入者.
침-쟁이【鍼—】명《俗》"침의(鍼醫)(=針医)"をさげすんで呼ぶ語.
침적【沈積】명하자 沈積; 堆積. ¶~암 沈積岩.
침전【沈澱】명하자 沈殿.
‖—— 광물 명 沈殿鉱物. ——-물 명 沈殿物. ——-제 명 沈殿剤. ——-지 명 沈殿池. =침징지(沈澄池).
침전【寢殿】명 寝殿; 寝間.
침-점【—占】명 方向などを定めるときにする占いの一つ《手のひらのつば(唾)を指ではじいてより多く飛んだ方をとる》.
침제【浸劑】명〔藥〕浸剤; ふりだし.
침-주다【鍼—】자 はり(鍼)を打つ.
침중【沈重】명하형 沈重. ①なりがおちついて重重しいこと. ②病気が重いこと.
침지【浸漬·沈漬】명하타 水に浸しぬ(濡)らすこと.
침-질【鍼—】명하자 はり(鍼)を打つこと.
침착【沈着】명하형 沈着; 落ち着いていること. ¶~하게 굴다 沈着にふるまう.
침체【沈滯】명하자 沈滞. ①久しく役職が昇進しないこと. ②事がよくはかどらないこと. ¶사업이 ~ 상태다 事業が沈滞状態である / 경기가 ~하다 景気が沈滞する.
침침-하다【沈沈—】형 ①うす暗い; 曇っている. ¶날씨가 ~ 天気がどんより曇っている / 방 안이 ~ 部屋の中がうす暗い. ②目がかす(翳)んで見える; ぼうっとして見える. ¶눈이 ~ 目がかすんで見える.
침탈【侵奪】명하타 侵奪; 侵し奪うこと.
침통【沈痛】명하형 沈痛. ¶~한 표정으로 듣고 있었다 沈痛なおももちで聞いて居た. ——-히 부 沈痛に.
침통【鍼筒】명 はり(鍼)入れの筒.
침투【浸透】명하자 浸透. ①しみとおること. ② ☞ 삼투(滲透). ¶~ 작용 浸透作用.
침팬지〔chimpanzee〕명〔動〕チンパンジー.
침하【沈下】명하자 沈下; 沈降. ¶지반이 ~하다 地盤が沈下する.
침해【侵害】명하타 侵害.
침-흘리개 명 よだれ(涎)を流すくせのある人.
침-흘리다 자 よだれ(涎)を垂れる. ①つば(唾)を流す. ②欲しがる; うらや(羨)ましがる.
칩〔chip〕명 チップ. ①ばくち(博打)で, 点数を計算する算木. ②細切りにして油であげた料理. ¶감자 ~ ポテトチップ. ③集積回路を作りつけた半導体の細片.
칩거【蟄居】명하자 ちっきょ(蟄居).

¶시골에 ～하다 田舎に蟄居する.
칩떠-보다 [타] 上目を使う；にらみ上げる.
칫-솔 【歯—】 [명] 歯ブラシ.
‖——-질 [명][하자] 歯ブラシで歯を磨く動作.
칭격 【稱格】 [명] 〔言〕 人称または物称.
칭량 【稱量】 [명][하타] 称量. ①目方を計ること. ¶정확히 ～해 보아라 正確に称量してみろ. ②事情・都合を推し量ること.
칭명 【稱名】 [명][하자] 称名；偽名を称すること.
칭병 【稱病】 [명][하자] 病気にかこつけること.
칭송 【稱頌】 [명][하타] ほ(誉)めたた(称)えること.
칭얼-거리다 [자] むずかる；だだをこねる. 칭얼-칭얼 [부][하자] しきりにむずかるさま.
칭찬 【稱讚】 [명][하타] 称賛. ¶～의 소리가 높다 称賛の声が高い.
칭탁 【稱託】 [명][하타] かこつけ；口実とすること. ¶병을 ～하다 病気にかこつける.
칭탄 【稱嘆】 [명][하타] 称嘆. ¶～의 소리를 지르다 称嘆の声をあげる.
칭탈 【稱頉】 [명][하자] 事にかこつけること；言いのがれ.
칭-하다 【稱—】 [타] 称する；言う；呼ぶ.
칭호 【稱號】 [명] 称号. ¶박사 ～ 博士の称号.

ㅋ

ㅋ ハングル字母の第十一番目の字.
카 〔car〕 [명] カー. ¶마이 ～ マイカー／케이블 ～ ケーブルカー／오픈～ オープンカー／미니～ ミニカー.
‖—— 스테레오 [명] カーステレオ. —— 페리 [명] カーフェリー.
카 [부][감] ①大変辛いかまたはきついにおいのする食べ物を飲みこんだ際に発する声：ひい；はあ. ②疲れきって寝ている際にのどぼとけ(喉仏)から出る声：ぐう. ＜커.
카나리아 〔canaria〕 [명] 〔鳥〕 カナリヤ. ＝금사조(金絲鳥).
카나마이신 〔kanamycin〕 [명] 〔藥〕 カナマイシン.
카네기 홀 〔Carnegie Hall〕 [명] カーネギーホール.
카네이션 〔carnation〕 [명] 〔植〕 カーネーション.
카누 〔canoe〕 [명] カヌー；丸木舟. ¶～를 젓다 カヌーをこぐ.
카니발 〔carnival〕 [명] カーニバル；謝肉祭. ¶바다의 ～ 海のカーニバル.
카덴차 〔이 cadenza〕 [명] 〔樂〕 カデンツァ；カデンツ.
카드 〔card〕 [명] カード. ¶펀치 ～ パンチカード／크레디트 ～ クレジットカード／～식 (목록) カード式(目録)／～로 정리하다 カードで整理する.
‖——-놀이 [명] カードプレー；トランプ遊び. —— 섹션 [명] カードセクション.
카드뮴 〔cadmium〕 [명] 〔化〕 カドミウム《記号：Cd》. ¶만성 ～ 중독 慢性カドミウム中毒.
카디건 〔cardigan〕 [명] カーディガン.
카랑-카랑 [부][하형] ①(水などが)あふれるほどにいっぱいであるさま：なみなみ. ¶～하게 술을 따르다 なみなみと酒をつぐ. ②(みそ(味噌)汁などが)実は少なく汁が多いさま：じゃぶじゃぶ. ③水を多く飲んで腹がいっぱいになったさま：だぶだぶ. ＜크렁크렁. ⊥가랑가랑.
카랑카랑-하다 [형] ①晴れ渡って寒い. ②声音が甲高く透き通っている.
카레 〔curry〕 [명] カレー；カリー.
‖—— 가루 [명] カレー粉. —— 라이스 [명] カレーライス；ライスカレー；カレー《준말》.
카로틴 〔carotin〕 [명] 〔化〕 カロチン.
카르 〔도 Kar〕 [명] 〔地〕 カール；圏谷.
‖——-호 [명] 〔地〕 カール湖；圏谷湖.
카르보닐-기 【—基】 〔carbonyl〕 [명] 〔化〕 カルボニル基.
카르복시-기 【—基】 〔carboxyl〕 [명] 〔化〕 カルボキシル基.
카르스트 〔도 Karst〕 [명] 〔地〕 カルスト. ¶～ 지형 カルスト地形.
카르테 〔도 Karte〕 [명] 〔醫〕 カルテ；診療記録；病症録.
카르텔 〔도 Kartell〕 [명] 〔經〕 カルテル；企業(家)連合.
카리스마 〔charisma〕 [명] カリスマ.
‖——-적 [명][관] カリスマ的. ¶～인 존재 カリスマ的(な)存在.
카리에스 〔라 caries〕 [명] 〔醫〕 カリエス. ¶척추 ～ せきつい(脊椎)カリエス.
카메라 〔camera〕 [명] カメラ；写真機. ¶～에 담다 カメラにおさめる／～에 필터를 달다 カメラにフィルターを付ける／～를 전당 잡히다 カメラを質に入れる／～의 플래시를 받다 カメラのフラッシュを浴びる.
‖——-맨 [명] カメラマン. —— 앵글 [명] カメラアングル. —— 워크 [명] カメラワーク；撮影技術. —— 포지션 [명] カメラポジション.
카멜레온 〔라 chameleon〕 [명] 〔動〕 カメレオン.
카무플라주 〔프 camouflage〕 [명][하타] カムフラージュ；偽装.
카민 〔carmine〕 [명] カーミン；洋紅.
카바레 〔프 cabaret〕 [명] キャバレー.
카바이드 〔carbide〕 [명] 〔化〕 カーバイド.

ㅋ

카본 〔carbon〕 [명] カーボン.
‖── **블랙** [명] カーボンブラック. ── **페이퍼** [명] カーボン紙; 複写紙; 炭酸紙. ¶ ~로 복사한 문서 カーボン紙で取った写し〔コピー〕.
카뷰레터 〔carburetor〕 [명] キャブレター.
카비네-판 【─判】 〔프 cabinet〕 [명] 〖寫〗 キャビネ; カビネ.
카빈-총 【─銃】 〔carbine〕 [명] 〖軍〗 カービン銃.
카세인 〔casein〕 [명] カゼイン; 乾酪素.
카세트 〔cassette〕 [명] カセット.
‖── **테이프 리코더** [명] カセットテープレコーダー.
카스텔라 〔포 castella〕 [명] カステラ.
카스트 〔caste〕 [명] (印度の)カスト; カースト.
카시오페이아-자리 〔Cassiopeia〕 [명] 〖天〗 カシオペイア座.
카약 〔kayak〕 [명] カヤック.
카올린 〔도 Kaolin〕 [명] カオリン; 高陵土.
카우보이 〔cowboy〕 [명] カウボーイ.
카운슬러 〔counsellor〕 [명] カウンセラー.
카운슬링 〔counselling〕 [명] カウンセリング.
카운터 〔counter〕 [명] カウンター. ¶ ~ 지불로 カウンター払いで / ~에서 문의해 주십시오 カウンターでお尋ね下さい / ~에 앉다 カウンターに座る.
카운터-블로 〔counterblow〕, **카운터-펀치** 〔counterpunch〕 [명] 〖拳闘〗 カウンターブロー; カウンターパンチ.
카운트 〔count〕 [명][하자타] カウント. ¶ 볼 ~ ボールカウント / 풀 ~ フールカウント《야구》 / ~는 원 스리이다 カウントはワンスリーである.
‖──**-아웃** [명] カウントアウト. ¶ ~이 되다 カウントアウトになる.
카이저 수염 【─鬚髯】 〔도 Kaiser〕 [명] カイゼルひげ(髭).
카인 〔Cain〕 [명] 〖宗〗 カイン. =가인.
‖──**의 후예** [명] カインのこうえい(後裔).
카지노 〔프 casino〕 [명] カジノ.
카카오 〔스 cacao〕 [명] カカオ.
‖──**-나무** [명] 〖植〗 カカオ.
카키-색 【─色】 〔khaki〕 [명] カーキ色.
카타르 〔catarrh〕 [명] 〖醫〗 カタル《"加答児"는 취음》. ¶ 위~ 胃カタル; 胃炎 / 장~ 腸カタル; 腸炎.
카타르시스 〔catharsis〕 [명] 〖哲·醫〗 カタルシス.
카탈로그 〔catalogue〕 [명] カタログ.
카테고리 〔category, 도 Kategorie〕 [명] 〖哲〗 カテゴリー; はんちゅう(範疇). ¶ ~로 나누다 カテゴリーに分ける.
카테터 〔도 Katheter〕 [명] 〖醫〗 カテーテル; 消息子.
카톨릭 〔Catholic〕 [명] ☞ 가톨릭.
카투사 【KATUSA←Korean Augmentation Troops to the United States Army】 [명] 駐韓米陸軍に配属されている韓国兵.
카트리지 〔cartridge〕 [명] カートリッジ.
카페 〔프 café〕 [명] カフェー. ¶ ~의 호스티스 カフェーのホステス.
카페인 〔caffeine〕 [명] 〖化〗 カフェイン; テイン; 茶素.
카페테리아 〔cafeteria〕 [명] カフェテリア.
카펫 〔carpet〕 [명] カーペット; じゅうたん(絨毯).
카프롤락탐 〔caprolactam〕 [명] 〖化〗 カプロラクタム.
카프리치오 〔이 capriccio〕 [명] 〖樂〗 カプリッチオ.
카프리치오소 〔이 capriccioso〕 [명] 〖樂〗 カプリッチオソ.
카피 〔copy〕 [명] コピー. ¶ ~를 뜨다 コピーを取る.
‖──**-라이터** [명] コピーライター; (特に広告の)文案作成者. ──**라이트** [명] コピーライト; 版権; 著作権. ──**-지** [명] コピー紙; 複写用紙.
칵 [부][하자] のど(喉)にひっかかったものを吐き出す声: げえっ; があっ.
칵-칵 [부][하자타] 続けざまにげえー〔があっ〕と言う声. ──**-거리다** [자][타] げえーげえー〔がーっがーっ〕言う.
칵테일 〔cocktail〕 [명] カクテル. ¶ ~ 라운지 カクテルラウンジ / 환희와 비애의 ~ 歓喜と悲哀のカクテル.
‖── **글라스** [명] カクテルグラス. ── **드레스** [명] カクテルドレス. ── **파티** [명] カクテルパーティー.
칸 ㊀[명] 四方を囲んだ線の中. ㊁[의명] 家の間数を数える語: 間. ¶ 한 ~ 방 一間の部屋.
칸 〔khan〕 [명] 汗; ハン(汗); タタール族の君主や中央アジアの高官の称号. =한(汗).
칸나 〔canna〕 [명] 〖植〗 カンナ.
칸델라 〔candela〕 [의명] 〖物〗 カンデラ《光度の単位; 記号: cd》.
칸디다-증 【─症】 〔Candida〕 [명] 〖醫〗 カンディダ症.
칸-막이 [명][하자타] 仕切り; 間仕切り. ¶ ~ 커튼 仕切りのカーテン.
칸초네 〔이 canzone〕 [명] 〖樂〗 カンツォーナ; カンツォーネ. =칸초나.
칸타빌레 〔이 cantabile〕 [부] 〖樂〗 カンタービレ. ¶ 안단테 ~ アンダンテカンタービレ.
칸타타 〔이 cantata〕 [명] 〖樂〗 カンタータ.
칸토 〔이 canto〕 [명] ① 歌曲; 旋律. ② 合唱曲の最高音部.
칸트 〔Kant〕 [명] カント《ドイツの哲学者》.
‖── **학파** [명] 〖哲〗 カント学派. ── **철학** [명] 〖哲〗 カント哲学.
칼[1] [명] 刀; やいば(刃); 刃物; 小刀; 剣; 刀剣; 包丁; 太刀. ¶ 황금으로 만든 ~ 黄金作りの太刀 / ~로 마구 찌르다 刀で突き立てる / ~로 목을 베다 太刀で首をはねる / ~을 차다 刀を差す / ~을 갈다 刀を研ぐ / ~을 뽑다 刀を抜く / ~을 칼집에 꽂다 刀をさやに収める / ~ 쓰는 솜씨가 날쌔다 太刀さばき(捌)きが軽い / ~을 휘두르는 기세가 날카롭다 太刀先が鋭い / ~로 저미다 包丁を入れる / ~로 물 베기《俚》 刀の水切り《争ってすぐ仲直りをすることのたとえ》.
칼[2] [명] 〖史〗 くびかせ(首枷). ¶ ~을 씌우다 首枷をかける.
칼-국수 [명] 切り麦〔切りめん(麵)〕のように作った食品《熱くして食べる》.

ㅋ

칼-금 명 刃物による細かいきず；切り目；刻み目.
칼-깃 명 風切(羽).
칼-끝 명 刃先；切っ先；太刀先. ¶ ~이 날카롭다 刃先が鋭い.
칼-나물 명 寺で"鮮魚"を指す隠語.
칼-날 명 (刃物の)刃；白刃. ¶ ~ 길이가 세 치의 단도 刃渡り三寸の匕首 / ~을 밟는 곡예 刃渡りの曲芸 / 시퍼런 ~의 번쩍임 白刃のひらめき / ~이 무디다 刃が鈍い / ~이 날카롭다 刃が鋭い.
칼데라 〔스 caldera〕 명 〖地〗 カルデラ.
‖— **지형** 명 カルデラ地形. — **호수** 명 カルデラ湖.
칼-등 명 刃物の峰.
칼라 〔collar〕 명 カラー；えり. ¶ 소프트 ~ ソフトカラー / 더블 ~ ダブルカラー.
칼락 부하자 病弱な人のせき(咳)の声：ごほん. <컬럭. **—-거리다** 자 しきりにごほんとせきをする. **——** 부 ごほんごほん.
칼럼니스트 〔columnist〕 명 (新聞の)コラムニスト；特約寄稿家.
칼로리 〔calorie〕 명 의명 〖物〗 カロリー《記号：cal》. ¶ 2,000 ~의 음식 2,000カロリーの食べ物 / ~가 많다〔적다〕 カロリーが多い〔少ない〕.
‖**—-미터** 명 〖物〗 カロリメーター；熱量計. — **섭취량** 명 カロリー摂取量. — **함유량** 명 カロリー含有量.
칼륨 〔라 kalium〕 명 〖化〗 カリウム《記号：K》.
‖— **명반** 명 カリウムみょうばん(明礬). **—-염** 명 カリウム塩.
칼리 〔라 kali〕 명 〖化〗 カリ. =가리(加里).
‖— **비누** 명 カリせっけん(石鹼). — **비료** 명 カリ肥料.
칼리지 〔college〕 명 カレッジ. ¶ 이튼(Eton) ~ イートンカレッジ.
칼리포르늄 〔californium〕 명 〖化〗 カリフォルニウム《記号：Cf》.
칼리프 〔calif, caliph〕 명 (イスラム教国の)カリフ.
칼-맞다 자 刀剣で切られる.
칼모틴 〔Calmotin〕 명 〖化〗 カルモチン.
칼-부림 명하자 刀〔刃物〕ざんまい(三昧). ¶ ~ 사태에 이르다 刃物三昧に及ぶ.
칼뱅-교 【—教】〔Calvin〕 명 〖基〗 カルビン教会.
칼뱅-주의 【—主義】〔Calvin〕 명 〖基〗 カルビン主義.
칼슘 〔calcium〕 명 〖化〗 カルシウム《記号：Ca》. ¶ ~ 화합물 カルシウム化合物.
칼-싹두기 명 ねり粉をそばきりまたは短冊切りにして煮た食べ物；切りめん(麵).
칼-쓰다 자 〖史〗 くびかせ(首枷)をかけられる〔はめられる〕.
칼-씌우다 타 〖史〗 くびかせ(首枷)をかける〔はめる〕.
칼-자국 명 切り傷；刀傷；とうこん(刀痕)；切り目；刻み目. ¶ ~이 있는 얼굴 切り傷のある顔 / ~을 내다 刻み目〔切り目〕をつける.
칼-자루 명 ① (刀剣の)つか(柄). ¶ ~에 손을 대다 柄に手をかける. ② 実権；力. ¶ ~를 쥔 사람 実権を握っている人.
칼-잡이 명 (牛・豚などの)とさつ(屠殺)者.
칼-질 명하자 刃物仕事；刃物で切ったり削ったり刻んだりすること.
칼-집 명 (刀の)さや(鞘). ¶ ~에서 칼을 뽑다 刀の鞘を払う / 제 ~에 들어가다 鞘に収まる.
칼-춤 명 剣舞. ¶ ~을 추다 剣舞を舞う.
칼-침 명 刀で刺すか，または刺されること. **—-맞다** 피동 刀に刺される.
칼칼-하다 형 ① のどがからからだ. ② ひりひりと辛い.
칼-코등이 명 (刃物の)つか(柄)口の口金. =검비(劍鼻). 준 코등이.
칼크 〔라 calc〕 명 〖化〗 カルキ.
칼피스 〔Calpis〕 명 カルピス.
캄보 〔combo〕 명 コンボ《7-8人で編成されたジャズ楽団》.
캄브리아-기 【—紀】〔Cambria〕 명 〖地〗 カンブリア紀.
캄캄-하다 형 真っ暗だ. ① 全く暗い. ¶ 캄캄한 밤 真っ暗な夜；暗夜. ② 前途が暗い. ¶ 앞길이 ~ お先が真っ暗だ.
캄플라지 명하타 ←카무플라주.
캅셀 〔도 Kapsel〕 명 カプセル. =교갑·캡슐.
캉캉 부하자 小大のほえ声：きゃんきゃん. <컹컹. **—-거리다** 자 きゃんきゃんほえる.
캐-내다 타 ① 掘り出す. ② さぐり出す.
캐다 타 ① (うず(埋)もれている物を)掘る. ¶ 석탄을〔감자를〕 ~ 石炭〔芋〕を掘る. ② さぐり出す；明かす. ¶ 자연의 신비를 ~ 自然の神秘をさぐる / 근본〔근원〕을 ~ 元をたずねる〔明かす〕.
캐디 〔caddie, caddy〕 명 キャデー.
캐러멜 〔caramel〕 명 キャラメル；カラメル.
캐러밴 〔caravan〕 명 キャラバン；隊商.
캐럴 〔carol〕 명 キャロル；カロル. ¶ 크리스마스 ~ クリスマスキャロル.
캐럿 〔carat〕 의명 カラット. ¶ 18 ~의 금 18カラットの金.
캐-묻다 타 ↗캐어묻다. ¶ 준엄하게 ~ きびしく問い詰める.
캐비닛 〔cabinet〕 명 キャビネット.
캐비아 〔caviar〕 명 キャビア；カビア；ちょうざめの卵の塩づけ.
캐비지 〔cabbage〕 명 〖植〗 キャベツ；玉菜；かんらん(甘藍).
캐빈 〔cabin〕 명 キャビン；ケビン.
캐스터 〔caster〕 명 ① (テレビニュースなどの)キャスター. ② (スパイスの)カスター；キャスター.
캐스터네츠 〔castanets〕 명 〖樂〗 カスタネット.
캐스트 〔cast〕 명 キャスト；配役.
캐스팅 보트 〔casting vote〕 명 キャスチングボート；カスティングボート. ¶ ~를 쥐다 キャスチングボートを握る.
캐시 〔cash〕 명 キャッシュ；現金. ¶ ~ 카드 キャッシュカード.
캐시미어 〔cashmere〕 명 カシミヤ.

캐시밀론 〔Cashmilon〕 [명] カシミロン.

캐어-묻다 [타] 根掘り葉掘り聞きただす；問い詰める. [준] 캐묻다. ¶ 죄상을 ~ 罪状を聞きただす.

캐주얼 〔casual〕 [명] カジュアル. ¶ ~ 웨어 カジュアルウェア.

캐처 〔catcher〕 [명]〖野〗キャッチャー；捕手.

캐치 〔catch〕 [명][하자타] キャッチ. ¶ 정보를〔볼을〕 ~하다 情報〔ボール〕をキャッチする.
‖── 볼 [명] キャッチボール.

캐터펄트 〔catapult〕 [명]〖軍〗カタパルト. ¶ ~로 발사하다 カタパルトで発射する.

캐터필러 〔caterpillar〕 [명] キャタピラー；カタピラー；無限軌道.
‖── 트랙터 [명] キャタピラートラクター.

캐피털리즘 〔capitalism〕 [명]〖經〗キャピタリズム；資本主義.

캑 [부][하자] のど(喉)にかかったものを吐き出すためにせき(咳)こむ声：がーっ.

캑-캑 [부][하자타] 続けざまにがーっと出す声. ──-거리다 [자타] がーっがーっと声を出す.

캔디 〔candy〕 [명] キャンデー. ¶ 아이스 ~ アイスキャンデー.

캔버스 〔canvas〕 [명] カンバス；キャンバス.

캔슬 〔cancel〕 [명][하타] キャンセル；取り消し.

캘리코 〔calico〕 [명] キャラコ.

캘리퍼스 〔callipers, calipers〕 [명] カリパス；キャリパス.

캘린더 〔calendar〕 [명] カレンダー；暦.

캠 〔cam〕 [명]〖機〗カム《回転運動を往復運動に変える装置》. ¶ ~축 カム軸.

캠퍼 〔camphor〕 [명]〖藥〗カンフル《強心剤の一種》.
‖── 주사 [명] カンフル注射.

캠퍼스 〔campus〕 [명] キャンパス.

캠페인 〔campaign〕 [명] キャンペーン.

캠프 〔camp〕 [명][하자] キャンプ.
‖── 생활 [명] キャンプ生活. ──-촌 [명] キャンプ村. ──-파이어 [명] キャンプファイア.

ㅋ

캠핑 〔camping〕 [명][하자] キャンピング；野営；テント生活. ¶ ~ 가다 キャンプに行く.

캡 〔cap〕 [명] キャップ.
‖──-램프 [명]〖鑛〗キャップランプ.

캡션 〔caption〕 [명] (新聞などの)キャプション.

캡슐 〔capsule〕 [명] カプセル. ＝캅셀. ¶ 우주 ~ 宇宙カプセル / 타임 ~ タイムカプセル / ~을 회수하다 カプセルを回収する.

캡틴 〔captain〕 [명] キャプテン.

캥 [부] きつね(狐)の鳴く声：こん.

캥거루 〔kangaroo〕 [명]〖動〗カンガルー.

캥-캥 [부][하자] きつね(狐)が続けざまに鳴く声：こんこん. ──-거리다 [자] こんこん鳴く.

캬라멜 〔caramel〕 [명] ☞ 캐러멜.

캭 [부][하자] のど(喉)にひっかかったものを吐き出す声：がーっ. ＊ 칵·캑.

캭-캭 [부][하자] のど(喉)にひっかかったものを吐き出そうと続けざまに出す声：がーっがーっ. ──-거리다 [자] がーっがーっと声を出す.

캬 [부][하자] きつね(狐)が不気味に鳴く声：こん. ＊ 캥.

캬-캬 [부][하자] きつね(狐)が不気味に続けて鳴く声：こんこん. ──-거리다 [자] こんこん鳴く.

커 [부][감] ① きつい酒や食べ物を飲みこむ際に発する声：ひい；はあ. ② 疲れきって寝込んでいる際にのどぼとけ(喉仏)で出す音：ぐう. ＞카.

커녕 [조] "それはさておいて；むしろそれよりは" という意味を表わす助詞：…どころか；…(は)さておいて. ¶ 붓(은)~ 연필도 없다 筆どころか鉛筆もない / 주기(는)~ 말도 없더라 くれるどころかそんな話もなかったよ / 즐겁기(는) ~ 불쾌하였다 楽しいどころか不愉快だったよ / 정직하기(는) ~ 거짓말장이다 正直どころか大うそつきである.

커닝 〔cunning〕 [명][하자] カンニング.
‖── 페이퍼 カンニングペーパー.

커-다랗다 [형] とても大きい. ¶ 커다란 사나이 大の男 / 광고를 커다랗게 내다 広告をでかでかと出す. [준] 커닿다.

커다래-지다 [자] とても大きくなる. [준] 커대지다.

커런트 〔currant〕 [명] カレンズ；種なしの干しぶどう(葡萄).

커렌시-주의【─主義】 〔currency〕 [명] カレンシー主義；通貨主義.

커리큘럼 〔curriculum〕 [명]〖教〗カリキュラム；教育課程.

커머셜 〔commercial〕 [명] コマーシャル.
‖── 메시지 [명] コマーシャルメッセージ；CM. ── 송 [명] コマーシャルソング；シーエムソング.

커뮤니케이션 〔communication〕 [명] コミュニケーション. ¶ 매스 ~ マスコムミュニケーション.

커뮤니티 〔community〕 [명] コミュニティー.

커미셔너 〔commissioner〕 [명] (プロ野球の)コミッショナー.

커미션 〔commission〕 [명] コミッション. ¶ 1할의 ~ 一割のコミッション / ~을 받다 コミッションをもらう.

커버 〔cover〕 [명][하타] カバー. ¶ ~를 씌우다 カバーをかける / ~를 벗기다 カバーを取り去る / 삼루를 ~하다 サードベースをカバーする.
‖── 걸 [명] (雑誌などの)カバーガール. ── 글라스 [명] (顕微鏡の)カバーグラス.

커브 〔curve〕 [명] カーブ. ¶ 아웃 ~ アウトカーブ / 인 ~ インカーブ / 날카로운 ~ 鋭いカーブ / 급~를 틀다 (自動車が)急カーブを切る / ~를 던지다 カーブを投げる / ~로 괴롭히다 カーブで攻める.

커스터드 〔custard〕 [명] カスタード. ¶ ~ 푸딩 カスタードプディング.

커-지다 [자] 大きくなる；広がる. ¶ 사업이 ~ 事業が広がる / 형보다 더 ~ 兄よりも大きくなる / 키가 ~ 背がのびる.

커터 〔cutter〕 [명] カッター.

커트 〔cut〕 [명][하타] (テニス·ピンポンな

どの)カット.
‖——-라인 カットライン; デッドライン; 及落線; 合格圏の最低線. ¶~ 선상에 있다 及落線上にある.
커튼〔curtain〕명 カーテン; 窓掛け. ¶창의 ~ 窓のカーテン/~을 올리다〔내리다〕 カーテンをあげる〔おろす〕/~을 치다 カーテンをしめる/~을 젖히다 カーテンをあげる/~으로 방을 칸막이하다 カーテンでへやを仕切る.
커틀릿〔cutlet〕명〘料理〙カツレツ; カツ《준말》. ¶비프〔포크〕 ~ ビーフ〔ポーク〕カツレツ.
커팅〔cutting〕명 カッティング.
커프스〔cuffs〕명 カフス. ¶~를 걷어 올리다 カフスをまくし上げる.
‖—— 단추, —— 버튼 명 カフスボタン. ——-커버 명 カフスカバー. =일토시.
커플〔couple〕명 カップル.
커플링〔coupling〕명 カップリング.
커피〔coffee〕명 コーヒー《"珈琲"로 씀은 취음》. ¶냉~ アイスコーヒー/~를 블랙으로 마시다 コーヒーをブラックで飲む.
‖—— 세트 명 コーヒーセット. ——-숍 명 コーヒーショップ. ——-포트 명 コーヒーポット; コーヒー沸かし.
-컨대 준 [↗하건대] …するに. ¶원~ 무사하기를 願わく無事であらんことを.
컨디셔너〔conditioner〕명 コンディショナー; 調節装置. ¶에어 ~ エアコンディショナー; エアコン《준말》.
컨디션〔condition〕명 コンディション; 調子. ¶~이 좋다〔나쁘다〕 コンディションが良い〔悪い〕/~을 유지〔조절〕하다 コンディションを保つ〔調える〕/몸의 ~이 나쁘다 体調が悪い.
컨베이어〔conveyor〕명 コンベヤー. ¶벨트 ~ ベルトコンベヤー.
‖—— 시스템 명 コンベヤーシステム; 流れ作業.
컨설턴트〔consultant〕명 コンサルタント; 経営顧問.
‖—— 엔지니어 명 コンサルタントエンジニア; 技術顧問.
컨테이너〔container〕명 コンテナー.
컨트롤〔control〕명하타 コントロール; コン《준말》. ¶~이 좋은〔나쁜〕 투수 コントロールの良い〔悪い〕投手.
‖—— 타워 명 コントロールタワー.
컨트리 클럽〔country club〕명 カントリークラブ.
컬〔curl〕명하타 カール. ¶머리를 ~하다 髪をカールする/~이 풀리다 カールがとれる.
컬러〔color〕명 カラー. ¶로컬 ~ ローカルカラー.
‖—— 사진 명 カラー写真. —— 텔레비전 명 カラーテレビ. —— 필름 명 カラーフィルム.
컬럭 부하자 ☞ 콜록.
컬렉션〔collection〕명 コレクション; 収集(品).
컬컬-하다 형 ①のど(喉)がからからだ. ②(味が)きつい; ひりひりする. >칼칼하다.
컬티베이터〔cultivator〕명〘機〙カルチベーター; カルチ《준말》; こううんき(耕耘機); 耕作機.
컴백〔comeback〕명하자 カムバック; 返り咲き; 再起. ¶무대에 ~하다 舞台にカムバックする.
컴컴-하다 형 ① 暗い; 真っ暗だ. >캄캄하다. ↗껌껌하다. ② 腹黒い; どんよく(貪欲)だ.
컴퍼스〔compass〕コンパス. ¶~로 재다 コンパスで測る/~가 길다 コンパスが長い.
컴퓨터〔computer〕명 コンピューター; 電子計算機; 電算機〔電算〕《준말》.
‖—— 그래픽스 명 コンピューターグラフィックス. —— 범죄 명 コンピューター犯罪. —— 음악 명 コンピューター音楽.
컴퓨토피아〔computopia〕명 コンピュートピア.
컵〔cup〕명 カップ. ¶우승 ~ 優勝カップ/~ 라면 カップヌードル.
컷〔cut〕명 カット; 切断. ¶검열에서 ~당하다 検閲でカットされる/짧은 머리로 ~을 살린 스타일 ショートヘアでカットをいかしたスタイル.
‖—— 글라스 명 カットグラス. ——-백 명 (映画の)カットバック. ——-인 명 (映画の)カットイン. ——-인-플레이 명〘野〙カットインプレー. —— 필름 명 カットフィルム.
컹컹 부하자 犬のほ(吠)え声: わんわん. ——-거리다 자 わんわん吠える.
케라틴〔keratin〕명〘化〙ケラチン.
케미스트〔chemist〕명 ケミスト.
케미스트리〔chemistry〕명 ケミストリー; 化学.
케송〔프 caisson〕명 ケーソン; 潜函.
‖——-병 명〘醫〙ケーソン病.
케이블〔cable〕명 ケーブル. ¶해저 ~ 海底ケーブル.
‖—— 카 명 ケーブルカー.
케이스〔case〕명 ケース. ¶테스트 ~ テストケース/~ 바이 ~ ケースバイケース/모델 ~ モデルケース.
케이 에스【KS←Korean Industrial Standards】명 韓国工業規格; ケーエス. ¶~ 마크 ケーエスマーク.
케이 오【K.O.←knock out】명 ケーオー; ノックアウト.
‖——-승 명 ケーオー勝ち.
케이크〔cake〕명 ケーキ; 洋菓子.
케이프〔cape〕명 ①(防寒用・幼児用の)ケープ; 肩マント. ②みさき(岬).
케일〔kale〕명〘植〙ケール《キャベツに似た野菜》.
케첩〔ketchup〕명 ケチャップ.
케케-묵다 형 古臭い; かび(黴)臭い; 陳腐だ. ¶케케묵은 생각 古臭い考え/케케묵은 이론 古臭い理論/케케묵은 이야기를 하다 古臭い話をする/어째서 또 그런 케케묵은 일을 끄집어 내는가 なんでまたそんな古臭いことを持ち出すのかね.
켄트-지【—紙】〔Kent〕명 ケント紙.
켈로이드〔도 Keloid〕명〘醫〙ケロイド. ¶원폭 ~ 原爆ケロイド.

켕기다 ㊀[자] ① 張りつめる；ぴんと張る．② 気にかかる；気後れする．㊁[타] ① つっ張る；ひき締める．② 互いにつ(突)っか(支)う．

켜 [명] (重なった物の)層；重ね．

켜-내다 [타] (まゆから糸を)つむ(紡)ぎ出す．

켜다 [타] ① つける；ともす；とぼす；(マッチを)す(擦)る．¶ 전등을〔라디오를〕 ～ 電灯〔ラジオを〕つける／불을 ～ 火をともす〔つける〕／촛불을 ～ ろうそくをともす．② (水・酒などを)一気に飲む；あお(呷)る．③ (のこぎりで)ひ(挽)く．¶ 재목을 ～ 材木をひく／이 나무는 켜기 힘들다 この木は挽きにくい．④ (まゆから糸を)つむ(紡)ぐ．⑤ (弦楽器などを)弾く；かき鳴らす．⑥ (背伸び・あくびを)する．⑦ 雄が雌を呼ぶ；人が獣を呼ぶために泣きまねをする．

켜이다 [피동] ① (電灯・ラジオなどが)つけられる；ともされる．② 飲まされる．③ (糸が)つむ(紡)ぎ出される．④ (材木が)ひ(挽)かれる．⑤ (弦楽器が)弾かれる．⑥ (背伸びを)させられる．⑦ (雌が雄に)呼ばれる．

켜-지다 [자] つ(点)く；とも(点・灯)る．¶ 전등불이 ～ 電灯がつく〔ともる〕／이 성냥은 켜지지 않는다 このマッチはつかない．

켜켜-이 [부] 重ね重ねに；層ごとに．

켤레[1] [명]〔數〕 共役．‖──-각 [명]〔數〕共役角．── 운동 [명]〔生〕共役運動．켤렛-점 [명]〔數〕共役点．

켤레[2] [의명] …足；…組；…対．¶ 구두 한 ～ 靴一足／양말 두 ～ 靴下二足．

켯-속 [명] (物事の)いきさつ．

코[1] [명] 鼻．¶ 빨간〔주독이 오른〕 ～ 赤鼻；ざくろ鼻／납작 ～ あぐら鼻／～를 찌르는 냄새 鼻を突くにおい／～가 막히다 鼻がつまる／～를 쥐다〔당기다〕 鼻をつまむ／～를 풀다 鼻をかむ／～를 흘리다 鼻をたらす／～를 후비다 鼻をほじくる〔ほじる〕／～가 우뚝하다 鼻が高い／～가 메어서 잠을 잘 수 없다 鼻が詰まってねむれない／～를 맞대고 일하고 있다 鼻をつき合わせて働いている／～가 납작해지다 鼻を折られる／추어 올리는 통에 ～가 높아지다 ちやほやされててんぐ(天狗)になる／～ 아래 진상(進上)이 제일이라《俚》そで(袖)の下を使うのが特効である．

코[2] [명] ① 物の突き出た先．② 編み目．¶ ～가 성기다 編み目があらい／～를 늘리다 増し目をする．

-코 [준] …して(《"하고"の略語》)．¶ 결～ 決して／맹세～ 誓って．

코-감기【─感氣】[명]〔醫〕 鼻風邪．¶ ～에 걸리다 鼻風邪をひく．

코-걸이 [명] ① けんか(喧嘩)などで手指を相手の鼻穴に突っこんで後ろに押し倒すこと．② 鼻にかけるもの《鼻眼鏡など》．

코-골다 [자] いびき(鼾)をかく．¶ 코고는 사람 鼾をかく人／드렁드렁 ～ 高鼾をかく／코고는 소리가 우레 같다 かんせい(鼾声)雷の如し．

코-끝 [명] 鼻先；鼻面．¶ ～으로 다루다 鼻先であしらう．

코끼리 [명]〔動〕象．¶ 인도〔아프리카〕 ～ インド〔アフリカ〕象．

코-납작이 [명] ① 鼻ぺちゃ；鼻つぶれ《鼻の低い人の卑語》．② 鼻を折られた人；恥をかいた人；恥かき．

코냑〔프 cognac〕[명] コニャック．

코너〔corner〕[명] コーナー．¶ ～를 찌르다 コーナーを切る／주자가 ～를 돌다 走者がコーナーを回る．‖── 아웃 [명] コーナーアウト．── 킥 [명] コーナーキック．

코넷〔cornet〕[명]〔樂〕コルネット．

코-높다 [형] 鼻が高い；ごうまん(傲慢)だ；横柄だ．

코-담배 [명] か(嗅)ぎタバコ．¶ ～를 맡다 嗅ぎタバコをかぐ．

코-대답【─對答】[명][하자] 鼻であしらう答え．

코데인〔codeine〕[명]〔化〕コデイン．

코드〔chorde〕[명]〔樂〕コード．

코드〔code〕[명] コード．¶ 프레스 ～ プレスコード／～ 북 コードブック．

코드〔cord〕[명] (電線など)コード．¶ ～리스 폰 コードレス電話．‖── 스위치 [명] コードスイッチ．

코-딱지 [명] 鼻くそ．¶ ～를 후비어 내다 鼻くそをほじくり出す．

코-떼다 [자] 鼻を折られる；やりこめられる；恥をかく．＊ 코싸쥐다．

코-뚜레 [명] ↗쇠코뚜레．

코란〔Koran〕[명]〔宗〕コーラン．

코랄〔chorale〕[명]〔樂〕コラール；聖歌；聖歌の合唱曲．

코랑-코랑 [부] 袋などの中のものが少し足りないさま：がさがさ；だぶだぶ．<쿠렁쿠렁．

코러스〔chorus〕[명] コーラス．‖── 걸 [명] コーラスガール．

코레스폰던트〔correspondent〕[명] コレスポンデント；通信記者．

코로나〔corona〕[명]〔天〕コロナ．‖── 방전 [명]〔物〕コロナ放電．

코로넷〔coronet〕[명] コロネット；(貴族・王族の)宝冠．

코뤼붕겐〔도 Chorübungen〕[명]〔樂〕コールユーブンゲン；合唱練習曲集．

코르덴 [명] 〔←corded velveteen〕 コールテン．¶ ～ 바지 コールテンのズボン．

코르셋〔corset〕[명] コルセット．

코르크〔cork〕[명] コルク；キルク；木栓．¶ ～ 마개를 한 병 コルク栓をした瓶／～ 마개를 하다 コルク(栓)をはめる／～ 마개를 뽑다 コルク(栓)を抜く．‖──-나무 [명]〔植〕 コルクがし(樫)．──-질(質) [명] コルク質；コルクを成す物質；木栓質．── 조직 [명] コルク組織．──-층 [명] コルク層．

코르티손〔cortisone〕[명]〔生〕コーチゾン．

코리다 [형] ☞ 고리다．

코리어〔Korea〕[명] 韓国；コリア．

코리언〔Korean〕[명] コリアン．① 韓国人．② 韓国語．

코린-내 [명] ☞ 고린내．

코린트-식【式─】〔Corinth〕[명]〔建〕コ

リント式.
코-맹맹이 [명] 鼻詰まりの人; 鼻声の人.
코-머거리 [명] 鼻つんぼ; 鼻詰まりの人.
코먹은 소리 [명] 鼻が詰まって出る不自然な声; 鼻詰まりの声. ¶감기로 ~가 나다 風邪で鼻詰まりの声がする.
코멘테이터 〔commentator〕 [명] コメンテーター; ニュース解説者.
코멘트 〔comment〕 [명][하타] コメント; 説明; 論評. ¶노~ ノーコメント.
코멧 〔comet〕 [명] 〖天〗コメット; すいせい(慧星).
코묻은 돈 [명] 子供らのポケットモニー.
코뮈니케 〔프 communiqué〕 [명] コミュニケ; コンミュニケ; (外交上の)声明書. ¶공동 ~ 共同コミュニケ.
코뮤니스트 〔communist〕 [명] コミュニスト; 共産主義者.
코뮤니즘 〔communism〕 [명] コミュニズム; 共産主義.
코미디 〔comedy〕 [명] コメディー; 喜劇. ¶라디오~ ラジオコメディー.
코미디언 〔comedian〕 [명] コメディアン; 喜劇俳優.
코믹 〔comic〕 [명][하형] コミック. ¶~한 모습 コミックな身なり.
코민테른 〔러 Komintern〕 [명] コミンテルン.
코민포름 〔Cominform←Communist Information Bureau〕 [명] コミンフォルム.
코-밑 [명] 鼻の下.
‖── 수염 [명] ☞ 콧수염.
코-바늘 [명] かぎばり(鉤針).
‖──-뜨기 [명][하타] 鉤針編み.
코발트 〔cobalt〕 [명] 〖化〗コバルト《記号: Co》.
‖── 그린 [명] コバルトグリーン《緑色の顔料》. ── 블루 [명] コバルトブルー《青色の顔料》. ──-색 [명] コバルト(色); 空色. ── 옐로 [명] コバルトイエロー. ── 유리(瑠璃) [명] コバルトガラス. ── 폭탄 [명] コバルト爆弾.
코-방귀 [명] ① 人をこばか(小馬鹿)にして鼻を鳴らすこと. ② 人の忠言や意見をせせら笑うこと. ¶~만 뀌다 鼻(の先)であしらう; 人を馬鹿にしている.
코방아-찧다 [자] ①(うつぶせに倒れて)鼻柱を打つ. ② ひどい目にあう.
코-배기 [명] 《俗》鼻高; 鼻が高く大きい人. ¶양~ 西洋人; 外人.
코브라 〔cobra〕 [명] 〖動〗コブラ; めがねへび.
코-비뚤이 [명] 鼻曲がり.
코-빼기 [명] "鼻"の卑語. ¶~도 볼 수 없다 鼻っ面も見えない; 顔出しもしない.
코-뼈 [명] 鼻骨. =비골(鼻骨).
코뿔-소 [명] 〖動〗さい(犀). =무소.
코사인 〔cosine〕 [명] 〖數〗コサイン.
코-세다 [형] 鼻っぱしらが強い; 鼻息が荒い.
코스 〔course〕 [명] コース. ¶등산〔지그재그〕 ~ 登山〔ジグザグ〕コース / 마라톤 ~ マラソンのコース / 예정 ~ 予定のコース / 고난에 찬 ~ 苦難に満ちたコース.
‖── 라인 [명] コースライン. ── 로프 [명] (水泳の)コースロープ.
코스모스 〔cosmos〕 [명] 〖植〗コスモス.
코스모스 〔그 kosmos〕 [명] 〖哲〗コスモス.
코스튬 〔costume〕 [명] コスチューム.
‖── 주얼 [명] コスチュームジュエル《装身具》. ── 플레이 [명] コスチュームプレー; 時代劇.
코스트 〔cost〕 [명] コスト. ¶~ 업〔다운〕 コストアップ〔ダウン〕/ ~를 낮추다 コストを下げる.
‖── 인플레이션 [명] コストインフレ; コストインフレーション.
코시컨트 〔cosecant〕 [명] 〖數〗コセカント. =코세크.
코-싸쥐다 [자] 鼻を折られる; ひどい目に会う.
코-안경 【—眼鏡】 [명] 鼻眼鏡.
코알라 〔koala〕 [명] 〖動〗コアラ; こもりぐま.
코-앞 [명] 鼻先; 目の前. ¶~에 들이대다 鼻先に突きつける.
코-약 【—藥】 [명] 鼻薬.
코-웃음 [명] ちょうしょう(嘲笑); 冷笑. ──-치다 [타] 冷笑する; あざわらう.
코인 〔coin〕 [명] コイン; 硬貨. ¶~로커 コインロッカー.
코일 〔coil〕 [명] コイル. ¶~ 스프링 コイルばね.
코-주부 【—主簿】 [명] 鼻の大きい人の別の呼び名.
코즈머폴리턴 〔cosmopolitan〕 [명] コスモポリタン; 世界主義者; 世界人.
코즈메틱 〔cosmetic〕 [명] コスメチック; チック《준말》.
코-찡찡이 [명] ① 鼻詰まりの人の別の呼び名. ② 鼻ぺちゃの人. [준] 찡찡이.
코-청 [명] 鼻中隔.
코치 〔coach〕 [명][하타] コーチ; コーチャー. ¶3루 ~ 三塁コーチャー / 피칭 ~ ピッチングコーチ.
코-침 [명] 人の鼻の孔にこよ(紙縒)りなどを差し込んでくすぐること. ──-주다 [타] ① 鼻の孔にこよ(紙縒)りなどを差し込んでくすぐらせる. ② 人を怒らせる.
코카 〔coca〕 [명] 〖植〗コカ《南米ペルーに産するコカ科の低木》.
‖──-콜라 [명] コカコーラ.
코카인 〔cocaine〕 [명] 〖化〗コカイン.
‖── 중독 [명] 〖醫〗コカイン中毒.
코케트 〔프 coquette〕 [명][하형] コケット; 色っぽい女.
코코넛 〔coconut〕 [명] ココナッツ; ココナット; ヤシの実.
코코아 〔cocoa〕 [명] ココア.
‖──-나무 [명] 〖植〗☞ 카카오 나무.
코코-야자 【—椰子】 〔coco〕 [명] ☞ 야자나무.
코크스 〔coke, 도 Koks〕 [명] コークス; がいたん(骸炭).
코-털 [명] 鼻毛. ¶~을 뽑다 鼻毛を

ㅋ

抜く / ～이 센다 鼻毛が白くなる《仕事がはかどらないのでひどく気苦労することのたとえ》.

코트 〔coat〕 명 コート. ¶반～ 半コート / 레인 ～ レーンコート.

코트 〔court〕 명 コート.

코트라 【KOTRA←Korea Trade Promotion Corporation】 명 大韓民国貿易振興公社.

코튼 〔cotton〕 명 コットン.
‖——-지 명 コットン紙; コットン《준말》.

코티지 〔cottage〕 명 コッテージ; 山小屋.

코팅 〔coating〕 명 コーティング. ¶～을 한 렌즈 コーテッドレンズ.

코퍼레이션 〔corporation〕 명 コーポレーション.

코펠 명 [←도 Kocher] (登山用の)コッヘル.

코-풀다 자 鼻をかむ.

코프라 〔copra〕 명 コプラ.

코-피 명 鼻血. ¶～를 흘리다 鼻血を流す[出す].

코-하다 자 《兒》 ねんねする; 眠る.

코-허리 명 鼻筋の少しへこんだ部分. ¶～가 저리고 시다 甚だしく悲痛である.

코-흘리개 명 はなた(洟垂)らし; はなた(洟垂)れ. ¶아직 ～다 まだ洟垂らしだ.

콕 〔cock〕 명 コック. ¶가스의 ～ ガスのコック / 전동차의 비상～ 電車の非常コック.

콕 부 하자 ① 物の先が他の物につきあたって刺さるさま: ぐっと. ② 鳥がくちばしでつつくさま: こつこつ(と). ③ 先のとが(尖)ったもので強く突き刺すさま: ぶすっ(と); ぽつん(と). ¶～ 점을 찍다 ぽつんと点を打つ. ④ にお(臭)いなどが鼻をつくさま: つんと.

콕-콕 부 하자 ① 物の先が他の物に続けざまに刺さるさま: ぐっぐっと. ② 鳥がくちばしで続けざまに突くさま: こつこつと. ③ 先のとが(尖)ったもので強く続けざまに突き刺すさま: ぶすっぶすっ(と); ぽつんぽつん(と). ④ にお(臭)いなどが続けざまに鼻をつくさま: つんつん(と). ⑤ 関節炎などで痛むさま: ずきずき; ちくちく. ¶뼈마디가 ～ 쑤시다 骨っ節がずきずき〔ちくちく〕うずく.

콘 〔cone〕 명 (アイスクリームの)コーン.

콘 〔corn〕 명 コーン; とうもろこし(玉蜀黍). ¶팝～ ポップコーン.
‖—— 밀 명 コーンミール; ひ(挽)きわ(割)りのとうもろこし. —— 비프 명 ☞ 콘드 비프. —— 수프 명 コーンスープ. ——-스타치 명 コーンスターチ; とうもろこしのでんぷん(澱粉). ——-플레이크 명 コーンフレークス.

콘덴서 〔condenser〕 명 コンデンサー.

콘덴스트 밀크 〔condensed milk〕 명 コンデンスミルク; 練乳.

콘도 〔condo〕 명 コンド; コンドミニアム.

콘돔 〔condom〕 명 コンドーム; サック.

콘드 비프 〔corned beef〕 명 コーンビーフ.

콘사이스 〔concise〕 명 コンサイス. ¶～판 コンサイス版.

콘서트 〔concert〕 명 〖樂〗 コンサート; 音楽会; 演奏会.
‖—— 그랜드 명 (演奏会用の)グランドピアノ. ——-마스터 명 〖樂〗 コンサートマスター. —— 홀 명 コンサートホール.

콘센트 〔consent〕 명 〖電〗 [←concentric+plug] コンセント; 差し込み.

콘솔 〔console〕 명 コンソール. ¶～형 コンソール型.

콘체르타토 〔이 concertato〕 명 〖樂〗 コンチェルタート; コンツェルタート.

콘체르토 〔이 concerto〕 명 〖樂〗 コンチェルト; コンツェルト.

콘체른 〔도 Konzern〕 명 〖經〗 コンツェルン.

콘크리트 〔concrete〕 명 コンクリート; ベトン. ¶철근 ～ 鉄筋コンクリート.
‖—— 도로 명 コンクリート道路. —— 믹서 명 コンクリートミキサー. —— 블록 명 コンクリートブロック. —— 포장 명 コンクリート舗装.

콘택트 렌즈 〔contact lens〕 명 コンタクトレンズ.

콘테스트 〔contest〕 명 コンテスト; コンクール. ¶음악 ～ 音楽コンテスト / 미용 ～ 美容コンテスト.

콘트라베이스 〔contrabass〕 명 〖樂〗 コントラバス; (ダブル)バス; ダブルベース. ＝콘트라바스.

콘트라파고토 〔이 contrafagotto〕 명 〖樂〗 コントラファゴット.

콘트랄토 〔이 contralto〕 명 〖樂〗 コントラルト. ＝알토(alto).

콘티넨털 탱고 〔continental tango〕 명 〖樂〗 コンチネンタルタンゴ.

콜 〔call〕 명 コール.
‖—— 걸 명 コールガール. —— 레이트 명 コールレート. —— 론 명 コールローン; コール《준말》; 短資. —— 머니 명 コールマネー; コール《준말》; 短資. —— 사인 명 コールサイン. —— 시장 명 コール市場; 短資市場.

콜 〔coal〕 명 コール; 石炭.
‖—— 타르 명 〖化〗 コールタール; 石炭タール.

콜드 게임 〔called game〕 명 〖野〗 コールドゲーム.

콜드 크림 〔cold cream〕 명 コールドクリーム; 油性クリーム.

콜드 퍼머넌트 〔cold permanent〕 명 コールドパーマ; コールドウェーブ. 준 콜드 파마.

콜라 〔cola〕 명 〖植〗 コーラの木. ¶코카～ コカコーラ.

콜라주 〔프 collage〕 명 〖美〗 コラージュ; 張り付け絵.

콜랑 부 하자 ① 器に入れた液体が揺れてあふ(溢)れ出る音: ざんぶり. ② ぴったりつかずふくれ上がったさま: ふんわり. <쿨렁. ——-거리다 자 ざんぶざんぶと音がする; ふんわりふくれ上がる. ——-—— 부 하자 ざんぶざんぶと; ふんわり; ふわっと.

콜레라 〔cholera〕 명 〖醫〗 コレラ《"虎列剌"로 씀은 취음》.
‖──-균 명 コレラ菌.
콜레스테롤 〔cholesterol〕 명 〖醫〗 コレステロール；コレステリン.
콜로니 〔colony〕 명 コロニー.
콜로라투라 〔이 coloratura〕 명 〖樂〗 コロラチュラ.
‖── 소프라노 명 コロラチュラソプラノ.
콜로이드 〔colloid〕 명 〖化〗 コロイド；にかわ(膠)質.
‖── 연료 명 コロイド燃料. ── 용액 명 〖化〗 コロイド溶液. ── 입자 명 〖化〗 コロイド粒子. ── 화학 명 コロイド化学.
콜로타이프 〔collotype〕 명 〖印〗 コロタイプ；はりばん(玻璃版).
콜록 부하자 せき(咳)の音：ごほん. <쿨럭. ──-거리다 자 ごほんごほんと咳をする；せ(咳)き上げる；せ(咳)き込む. ¶아버지가 천식으로 ～ 父がぜんそく(喘息)で咳き上げる. ──── 부하자 ごほんごほん.
콜론 〔colon〕 명 コロン《記号：》.
콜콜¹ 부하자 小さな穴から水がわき出て流れる音：こんこん. <쿨쿨¹. ──-거리다¹ 자 こんこんと流れ出る.
콜콜² 부하자 子供が寝息を出して眠っているさま：すやすや；すうすう. <쿨쿨². ──-거리다² 자 すやすやといびき(鼾)をかく.
콜콜-히 부 非常に悲しむさま：悲しげに；しょげて.
콜트 〔Colt〕 명 コルト《ピストルの一つ》.
콤마 〔comma〕 명 コンマ. ¶～로 끊다 コンマで切る.
‖── 이하 명 コンマ以下.
콜호즈 〔러 kolkhoz〕 명 コルホーズ；集団農場.
콤바인 〔미 combine〕 명 コンバイン；刈り取り脱穀機.
콤비 명 [←combination] コンビ. ¶명～ 名コンビ.
콤비나트 〔러 combinat〕 명 〖經〗 コンビナート. ¶석유 화학 ～ 石油化学コンビナート.
콤비네이션 〔combination〕 명 コンビネーション.
콤팩트 〔compact〕 명하형 コンパクト. ¶～ 거울 コンパクトの鏡.
‖── 디스크 명 コンパクトディスク；CD《준말》.
콤플렉스 〔complex〕 명 コンプレックス. ¶비타민 비 ～ ビタミンBコンプレックス／인피어리어리티 ～ インフェリオリティーコンプレックス；コンプレックス《준말》；劣等感.
콧-구멍 명 鼻孔；鼻の穴. ¶～이 막히다 鼻孔がつまる.
콧-김 명 鼻息. ¶～이 세다 鼻息が荒い.
콧-날 명 鼻筋；びりょう(鼻梁). ¶～이 선 사람 鼻筋の通った人.
콧-노래 명 鼻歌. ¶～를 부르다 鼻歌を歌う／～를 부르면서 일하다 鼻歌まじりで仕事をする.
콧-대 명 鼻柱；鼻っ柱；はなっぱし. ¶～가 세다 鼻っ柱が強い／～를 꺾어 놓다〔주다〕 鼻っ柱をへしおる／～가 높다 鼻が高い／～를 꺾이다 鼻を折られる.
콧-등 명 鼻の背；鼻筋；鼻面；鼻先；鼻っ面；鼻っ柱. =비척(鼻脊). ¶～이 세다 鼻っ柱が強い；鼻息が荒い／말의 ～을 어루만지다 馬の鼻面をなでる.
콧-마루 명 鼻筋；びりょう(鼻梁).
콧-물 명 鼻汁；鼻；鼻水；水っぱな(洟). =비액(鼻液)・비체(鼻涕). ¶～을 흘리다 鼻汁〔水っ洟〕をたらす／～을 훌쩍거리다 鼻水〔水っ洟〕をすする／감기가 들어 ～이 나와서 야단이다 風邪で水っ洟が出て困る.
콧-방울 명 小鼻；鼻翼. ¶～을 씰룩이다 小鼻を動かす.
콧-병 【─病】 명 鼻の病気. ¶～든 병아리 같다《俚》 鼻の病気にかかったひよこ(雛)のようだ《こくりこくりと居眠りばかりしている人のたとえ》.
콧-살 명 鼻じわ.
콧-소리 명 ① 鼻声. ¶～로 말하다 鼻声で言う／～를 내다 鼻声を出す. ② 鼻音.
콧-수염 【─鬚髥】 명 くちひげ(口髭). ¶～을 기르다 口髭をはやす.
콧-숨 명 鼻息.
콧-잔등 명 ↗콧잔등이.
콧-잔등이 명 "코허리"の卑語.
콩¹ 명 〖植〗 豆；大豆. ¶볶은 ～ い(炒)り豆／～을 원료로 하여 만든 조미료 豆から作った調味料／알알이 모두 고른 ～ 粒ぞろいの大豆／～을 흩뿌리다 豆をばらまく／～을 물에 담가서 불리다 豆を水にふやかす／～을 훌훌 뿌리다 豆をぱらぱら(と)まく／～ 볶아 먹다가 가마솥 깨뜨린다《俚》 豆をい(炒)ってかま(釜)を割る《些細なことで災難を招くの意》／～ 심은 데 ～ 나고 팥 심은 데 팥 난다《俚》 豆を植えれば豆が生え，小豆を植えれば小豆が生える《原因によって結果が発生するの意》.
콩² 부하자 小さくとも重い物が堅い地面に落ちた際の音：ことん. <쿵.
콩-가루 명 黄な粉；豆の粉.
콩-가지 명 豆の枝.
콩-강정 명 い(炒)り豆をあめ(飴)にまぶした菓子の一種.
콩-국 명 煮た大豆をひ(碾)きつぶして搾った汁；豆乳.
콩-기 명 ① 馬が大豆を充分に食べて元気に満ちていること. ② びんしょう(敏捷)で元気はつらつな人のたとえ.
콩-기름 명 豆油. =태유(太油).
콩-깍지 명 大豆のさや(莢). ¶～를 벗기다 豆をむ(剝)く.
콩-깻묵 명 まめかす(豆粕). =대두박(大豆粕).
콩-꼬투리 명 豆のさや(莢).
콩-나물 명 まめも(豆萌)やし.
‖──-밥 명 豆萌やし入りの飯. ──-죽 명 豆萌やし入りのかゆ(粥).
콩다콩 부 ① 物がしきりに落ちるときの音：こんこん. ② うす(臼)をつく音：ごどんごどん；ことんことん.

ㅋ

콩닥 [부][하자] 小さいうす(臼)をつく音: ごとん. ―-거리다 [자] ごとんごとん(と)音を出す. ――― [부][하자] ごとんごとん.

콩닥닥 [부][하자타] 小太鼓などで調子を合わせる音: とんとこ; とことん. <쿵덕덕. ―-거리다 [자][타] とんとこ〔とことん〕と音がする〔音を立てる〕. ――― [부][하자타] とんとことんとこ; とことんとことん.

콩-대 [명] 豆の茎; 豆がら(幹).

콩-댐 [명][하타] ふやかした大豆をひ(碾)いてオンドル(温突)の油紙に塗りつけること.

콩-떡 [명] 米の粉に豆を混ぜて蒸したもち(餅).

콩-멍석 [명] ① 豆を乾かすために敷いたわらごも. ② 虫などにかまれてあちこちはれあがっているさま.

콩-무리 [명] ↗콩버무리.

콩-밥 [명] ① 豆混ぜ飯. ②《俗》刑務所の囚人用の飯. ―-먹다 [자]《俗》臭い飯を食う; ろうやにつながれる.

콩-밭 [명] 豆畑. ¶ ~에 가서 두부를 찾는다《俚》 豆畑で豆腐を求める《せっかちな人のたとえ》.

콩-버무리 [명] うるち(粳)の粉に豆を混ぜて蒸し上げたもち.

콩-볶듯 [부] ① 乱射する銃声のたとえ. =콩튀듯. ② せっかちで短気にふるまうさま: せかせかと.

콩-설기 [명] 米の粉に豆を幾段も重ね入れて蒸したもち.

콩-소 [명] 豆または豆のあんこ.

콩소메 〔프 consommé〕 [명]〔料理〕コンソメ; 澄んだスープ.

콩-알 [명] ① 豆粒. ② ひどく小さい物のたとえ. 「あめ.

콩-엿 [명] い(炒)った豆を混ぜこんだ

콩-잎 [명] 豆の葉.

콩-자반 【一佐飯】 [명] 煮豆《豆をしょうゆ(醬油)で煮つめたおかず》. ¶ ~ 반찬 煮豆のおかず.

콩-장 【一醬】 [명] い(炒)り豆にしょうゆ(醬油)·ごま(胡麻)油·ごま(胡麻)塩·とうがらし(唐辛子)·ねぎ(葱)などをまぶしたおかず. =두장(豆醬).

콩-죽 【一粥】 [명] ふやかした大豆をひ(碾)きその汁に米を入れて炊いたおかゆ. =두죽(豆粥).

콩-짚 [명] 豆がら(幹).

콩-짜개 [명] 割り豆.

콩-찰떡 [명] もちごめ(糯米)の粉に, 黒豆を幾段も重ね入れて蒸したもち.

콩켜-팥켜 [명] 物事が入り交じって見分けのつかないさま: ごちゃごちゃ; めちゃくちゃ(滅茶苦茶).

콩-콩 [부][하자타] 小さくて重い物が堅い地面に続けざまに落ちる音: ことんことん. <쿵쿵. ―-거리다 [자][타] ことんことん(と)音がする〔音を出す〕.

콩쿠르 〔프 concours〕 [명] コンクール. ¶ 음악 ~ 音楽コンクール.

콩-탕 【一湯】 [명] 冷や水に豆の粉を入れて煮詰めた後, 野菜の葉を細かく刻んで入れ, さらに煮なおして調味した汁.

콩-튀듯 [부][하자] ① ↗콩튀듯팥튀듯. ② ☞ 콩볶듯.

‖―-팥튀듯 [부][하자] 逆上しじだんだ(地団駄)を踏むことのたとえ: 怒り狂って; かっかとなって.

콩트 〔프 conte〕 [명] コント; 掌編.

콩팔-칠팔 [부][하자] 筋道の立たないことを取りとめなくしゃべ(喋)りまくるさま. 「신장(腎臟).

콩팥 [명] ① 大豆と小豆. ②〔生〕☞

콩풀 [명] 張り物に生ずる空気のはいったふくらみ.

콰이어 〔choir〕 [명] クワイヤ; (教会の)聖歌隊. また, その聖歌隊席.

콱 [부][하자] ① 力強く突き刺すさま: ぶすっと; きゅっと. ¶ 단검으로 ~ 찌르다 短剣でぶすっと突く. ② (ひどい寒さ·熱気, またはにおいなどで)息がつまりそうなさま: ぐっと; むっと; つんと. ¶ 악취가 ~ 코를 찌르다 悪臭がむっと鼻をつく / 숨이 ~ 막히다 息がぐっとつまる.

콱-콱 [부][하자] ① しきりに力強く突き刺すさま: ぶすっぶすっと. ② (熱気·においなどで)息がつまりそうなさま: むっむっと; つんつんと. ―-거리다 [자] ① ぶすっぶすっと突く. ② (においが)つんつん(と)つく; (息が)ぐっとつまる.

콸콸 [부][하자] 狭い穴から水が勢いよく流れ出る音: どくどく; だくだく; がばがば; ざあざあ. ¶ 피가 ~ 흐르다 血がどくどくと流れ出る / 물이 ~ 흐르다 水がざあざあ(と)流れる. <퀄퀄. ―-거리다 [자] (水などが)どくどく〔だくだく〕(と)流れ出る.

쾅 [부][하자] ① 鉄砲·大砲などを撃つときや爆発するときの音: どん; どかん. ② 重い物の落ちる音: どしん. <쿵. ㅆ광.

쾅-쾅 [부][하자타] ① 続けざまに強くたたいたりぶつけたりまたは爆発する音: どんどん; どかんどかん. ¶ 문을 ~ 두드리다 戸をとんとん(と)たたく. ② しきりに重い物の落ちる音: どしんどしん. ―-거리다 [자][타] ① とんとん〔どかんどかん〕と叩く〔音が鳴る〕. ② どしんどしん(と)落ちる音がする〔音を立てる〕.

쾌 [의명] 連. ① 干しめんたい(明太)二十匹を一単位として数える語. ②〔史〕10両を一単位とした銭, すなわち一両の銭差し10束. =관(貫).

쾌감 【快感】 [명] 快感. ¶ ~을 느끼다 快感を覚える.

쾌거 【快擧】 [명] 快挙. ¶ 애국자의 ~ 愛国者の快挙 / 근래의 드문 ~다 近来にまれ(稀)な快挙である.

쾌-남아 【快男兒】 [명] 快男児.

쾌도 【快刀】 [명] 快刀. ¶ ~ 난마를 끊다 快刀乱麻を断つ.

쾌락 【快樂】 [명] 快楽. ¶ 인생의 ~ 人生の快楽 / ~을 추구하다 快楽を追う / ~에 빠지다 快楽にふける.

‖―-설 [명] 快楽説. ―-주의 [명] 快楽主義. =쾌락설. ―-주의자 [명] 快楽主義者; エピキュリアン.

ㅋ

쾌락【快諾】명 하타 快諾. ¶자금의 원조를 ～하다 資金の援助を快諾する.
쾌보【快報】명 快報; 吉報. ¶～에 접하다 快報に接する.
쾌상【―床】명 文房具などを入れる観音開きの家具.
쾌속【快速】명 하형 快速.
‖――-선 명 快速船. ――-정 명 快速艇. 준 쾌정(快艇).
쾌-속력【快速力】명 快速力. ¶～을 내다 快速力を出す.
쾌승【快勝】명 하자 快勝. ¶압도적인 ～ 圧倒的(な)快勝.
쾌심【快心】명 快心. ――-하다 형 心地よい; 愉快だ.
‖――-사(事) 명 満足で愉快なこと. ――-작(作) 명 (芸術品などの)快心の作. ＝회심작(會心作)·쾌작(快作).
쾌유【快癒】명 하자 快癒; 全癒; 本復; 全快. ＝쾌차(快差). ¶～를 빌다 快癒を祈る.
쾌음【快飮】명 하자 酒を愉快に飲むこと.
쾌재【快哉】명 かいさい(快哉). ¶～를 부르다 快哉を叫ぶ.
쾌저【快著】명 すぐれた著書.
쾌적【快適】명 하형 快適. ¶～한 온도 快適な温度/비행기로 ～한 여행을 계속하다 飛行機で快適な旅を続ける.
쾌전【快戰】명 快戦.
쾌조【快調】명 快調; 好調. ＝호조(好調). ¶～의 컨디션 快調のコンディション.
쾌주【快走】명 하자 快走. ¶～정 快走艇.
쾌차【快差】명 하자 快癒; 全癒. ¶병이 ～하다 病気が快癒する.
쾌척【快擲】명 하타 金銭を気持ちよく喜捨すること.
쾌청【快晴】명 하형 快晴. ¶～한 일요일 快晴の日曜日/오래간만의 ～한 날씨 久しぶりの上天気/～한 가을 하늘 晴れやかな秋空.
쾌-하다【快―】형 ①愉快である; 心地よい. ②病気がよくなっている. ③することがさっぱりしている.
쾌-히 부 愉快に; 快く; さっぱりと; てきぱきと. ¶～ 떠맡다 快く引き受ける/～ …하다 …するにやぶさ(吝)かでない/～ 협력하다 快く協力する.
쾌한【快漢】명 快漢; 快男子.
쾌활【快活】명 快活. ――-하다 형 快活〔陽気〕である. ¶성품이 ～하다 気性が快活である/～한 태도 快活な態度/～하게 떠들다 陽気に騒ぐ. ――-히 부 快活〔陽気〕に.
쾨쾨-하다 형 悪臭がある; くさい. ＜퀴퀴하다.
쾨헬〔도 Köchel〕명〖樂〗[↗쾨헬 번호(番號)] ケッヘル《K. と略する》. ¶～ 551번 ケッヘル551番《交響曲ジュピター》.
쿠냥〔중 姑娘〕명 クーニャン.
쿠데타〔프 coup d'État〕명 クーデター. ¶～를 일으키다 クーデターを起こす〔行なう〕.
쿠렁-쿠렁 부 하형 袋などの中身がつまり切らず余裕のあるさま: がさがさ; だぶだぶ. ＞코랑코랑.
쿠션〔cushion〕명 クッション. ¶～이 좋은 의자 クッションのよい椅子.
쿠키〔미 cookie, cooky〕명 クッキー.
쿠킹〔cooking〕명 クッキング; 料理(法).
쿠페〔프 coupé〕명 クーペ; ふたり乗りの自動車.
쿠폰〔coupon〕명 クーポン.
‖――-권 명 クーポン券. ――-제 명 クーポン制.
쿡〔cook〕명 コック; 料理人.
쿡-쿡 부 하자 ①物を強く突き刺すさま: ぐっと; ぶすっと; ぶすりと. ②くちばし(嘴)や先のとが(尖)った物でかたい物をつつくさま: こつこつ. ③先のとが(尖)った物がしきりにつくように痛いさま: ちくちく; きりきり. ¶배가 ～ 쑤시다 腹がちくちく〔きりきり〕痛む. ＞콕콕. ――-거리다 자 ぶすっぶすっと突き刺す; こつこつとつっつく.
쿨러〔cooler〕명 クーラー; 冷房〔冷却〕装置.
쿨렁 부 하자 ①器の液体がゆれる音: ぼちゃん. ②張り物に空気が入ってふくれ上がったさま: ぼこんと; ぷくっと. ＞콜랑. ――-거리다 자 ①ぼちゃんぼちゃん音を立てる. ②ぼこんぼこん〔ぷくっぷくっ〕とふくれ上がる. ―――― 부 하자 ぼちゃんぼちゃんと; がばがば. ¶통 속의 술이 ～ 소리를 내다 たる(樽)の酒ががばがば音を立てる. ②ぼこんぼこん〔ぷくっぷくっ〕とふくれ上がる.
쿨롬〔coulomb〕의명〖物〗クーロン《電気量の単位; 記号: C》.
쿨룩 부 하자 (病弱な人が)口をすぼめてせ(咳)き上げる音: ごほん. ＞콜록. ――-거리다 자 ごほんごほん(と)咳き上げる. ―――― 부 하자 ごほんごほん.
쿨쿨[1] 부 하자 水が勢いよく流れ出る音: どくどく; こぼこぼ. ＞콜콜[1]. ――-거리다[1] 자 どくどく〔こぼこぼ〕流れる.
쿨쿨[2] 부 하자 熟睡している人の寝息; また, そのさま: ぐうぐう. ＞콜콜[2]. ――-거리다[2] 자 ぐうぐういびき(鼾)をかく.
쿵 부 하자 ①重いものが堅い地面に落ちる音: どしん; どんと; がたり; すってんころりと. ¶～ 넘어지다 すってんころりところぶ/～하고 의자 넘어지는 소리가 났다 がたっと椅子の倒れる音がした. ＞콩[2]. ②太鼓を鳴らす音: どん. ③遠くからきこえる大砲の音: どん. ㅛ꿍.
쿵더-쿵 부 하자 "쿵덕"を律動的に表わす言葉: ごどんごどん. ―――― 부 하자 どんどこどんどこ.
쿵덕 부 하자 (うす(臼)をつく際)きね(杵)で一回つく音: ごどん. ＞콩닥. ――-거리다 자 どんどこどんこ(と)音がする. ―――― 부 하자 どんどこどんどこ.

ㅋ

쿵-쾅 [부][하자타] 鉄砲·大砲などが入りまじってなる音：どんどん. ㅆ꿍꽝. ——-거리다 [자][타] どんどんどんどん(と)音がする〔音を立てる〕. ——— [부][하자타] どんどんどんどん.

쿵-쿵 [부][하자타] ① 重いものが堅い地面に続けざまに落ちる音：どしんどしん；どんどんと. >콩콩. ② 太鼓を続けざまに鳴らす音：どんどん. ③ 遠くからしきりにきこえる大砲の音：どんどん. ——-거리다 [자][타] どしんどしん〔どんどん〕(と)音がする〔音を立てる〕.

쿼츠 〔quartz〕 [명] クォーツ；石英.

쿼터 〔quarter〕 [명] クォーター. ¶ 제2 ～ 第二クォーター.
‖——-타임 [명] (バスケットボールの)クォータータイム. ——-파이널 [명] クォーターファイナル； 準準決勝.

쿼테이션 〔quotation〕 [명] クォーテーション；引用(文).
‖—— 마크 [명] クォーテーションマーク；引用符号《“ ”》. =따옴표.

퀀셋 〔Quonset〕 [명] クォンセット；かまぼこ型プレハブ建築物《宿舎·兵舎·倉庫用》.

퀄퀄 [부][하자] 水が大目の穴から勢いよくほとばし(迸)り出る音：だくだく；どくどく. ㅆ꿜꿜. ——-거리다 [자] だくだく〔どくどく〕(と)ほとばしり出る.

쾅 [부][하자] ① 爆発物が爆発する音：どん；どかん. ② 重いものが落ちる音：どしん. >쾅.

쾅-쾅 [부][하자타] ① 爆発物が続けざまに爆発する音：どんどん；どかんどかん. ② 重いものが続けざまに落ちる音：どしんどしん. ——-거리다 [자][타] どんどん〔どかんどかん；どしんどしん〕(と)音がする〔音を立てる〕.

퀘스천 〔question〕 [명] クエスチョン；疑問.
‖—— 마크 [명] クエスチョンマーク；疑問符号《？》.

퀘이커-파 【—派】〔Quaker〕 [명] クエーカー《キリスト教の一派》；フレンド派.

퀭-하다 [형] (病気などで) 目がへこんで生気がない.

퀴닌 〔quinine〕 [명] キニーネ.

퀴륨 〔curium〕 [명] 〖化〗キュリウム《記号：Cm》.

퀴리 〔curie〕 [의명] 〖物〗キュリー；放射能の単位《記号：C》.

퀴즈 〔quiz〕 [명] クイズ. ¶ ～의 답을 맞히다 クイズを当てる.
‖—— 쇼 [명] クイズショー. —— 프로 [명] クイズ番組.

퀴퀴-하다 [형] かび臭い；むっとする；いやなにお(臭)いがする. >쾨쾨하다.

퀸 〔queen〕 [명] クィーン.

퀸텟 〔quintette〕 [명] 〖樂〗クインテット.

큐 〔cue〕 [명] キュー. ¶ ～를 잡다 キューを握る / ～를 보내다 キューを出す.
‖—— 라이트 [명] (テレビカメラの)キューライト. —— 볼 [명] (ビリヤードの)突き玉；手玉.

큐라소 〔네 curaçao〕 [명] キュラソー《リキュールの一種》.

큐브 〔cube〕 [명] キューブ；立方体；正六面体.

큐비즘 〔cubism〕 [명] 〖美〗キュービズム；立体派.

큐 시 【QC←quality control】 [명] キューシー；品質管理.

큐-열 【Q熱】 [명] 〖醫〗キュー熱.

큐피 〔kewpie〕 [명] キューピー.

큐 피 드 〔Cupid〕 [명] (ローマ神話の)キューピッド；恋愛の神.

크기 [명] サイズ；大きさ；…大；大いさ. ¶ 모자의 ～ 帽子のサイズ / 팥알만한 ～ あずき大 / 엽서 반절 ～의 카드 葉書半切大のカード / 각의 ～를 재다 角の大いさを測る / 색은 다르지만 ～는 똑같다 色は違うが大きさは等しい.

크나-크다 [형] とても大きい；(事が)重大だ；大変だ. ¶ 크나큰 인물 偉大な人物 / 크나큰 비용 大変な費用 / 크나큰 포부를 지니다 大きな抱負を持つ / 크나큰 재산을 만들다 巨大な財産を作る.

크낙-새 [명] 〖鳥〗きたたき. =골락새.

크다 [一][형] 大きい. ① ㉠ (標準より)大きい；(物が)かさばっている；(人物が)偉大だ. ¶ 큰 업적 大いなる業績 / 큰 인물 大物 / 큰 잘못 大きい誤り / 좀〔꽤〕 ～ やや〔かなり〕大きい / 짐이 ～ 荷(物)が大きい / 5는 3보다 ～ 五は三より大きい / 크게 떠들다 大いに騒ぐ / 크게 도움이 되다 大いに助かる / 큰 덩치다 でっかい図体である / 큰 방죽도 개미 구멍으로 무너진다《俚》千丈土手もあり(蟻)の穴から潰れる. ㉡ 高い. ¶ 큰 산 高い〔大きい〕山 / 키가 ～ 背〔丈〕が高い. ㉢ (範囲が)広い. ¶ 큰 벌판 広い野原 / 국토가 ～ 国土が広い / 불〔분쟁〕이 커지다 火事〔紛争〕が大きくなる. ㉣ 心が広い. ¶ 마음이 큰 사람 心の大きい人 / 도량이 ～ 度量が広い / 담이 ～ 胆っ玉が太い. ② はなはだしい；ひどい；激しい. ¶ 큰 타격 大きい痛手 / 큰 손해를 입다 甚大な損害を被る / 의견이 크게 대립되다 意見が激しく対立する. [二][자] 成長する；長ずる；伸びる；大きくなる. ¶ 커감에 따라 成長するに〔長ずるに〕従って / 키가 ～〔커지다〕 背が伸びる / 쑥쑥 ～ すくすく伸びる / 그는 커서 과학자가 되었다 彼は長じて科学者になった / 커서 무엇이 될래 大きくなったら何になるの.

크디-크다 [형] とても大きい.

크라운 〔cown〕 [명] クラウン；王冠.

크라이시스 〔crisis〕 [명] クライシス；危機； 恐慌； (劇などの)危機一髪の場面.

크라프트-지 【—紙】〔craft〕 [명] クラフト紙.

크래커 〔cracker〕 [명] クラッカー. ¶ 치즈 ～ チーズクラッカー.

크랭크 〔crank〕 [명] クランク. ¶ 손으로 ～를 돌려 기계를 움직이다 手でクランクを回して機械を動かす.
‖——-샤프트 [명] クランクシャフト.

——-업 명〔映畫〕クランクアップ；撮影終了. ——-인 명〔映畫〕クランクイン；撮影開始. ——-축 명 クランク軸.

크러셔〔crusher〕명 クラッシャー；粉砕機.

크러치〔crutch〕명 (ボートの)クラッチ.

크렁-크렁 부 하형 ①水がなみなみとあふれそうなさま：なみなみ(と). ¶ 글라스에 ～ 따르다 グラスになみなみ(と)つぐ. ②汁物の実は少なく汁が多いさま：じゃぶじゃぶ. ②水を飲み過ぎておなかがだぶつくさま：だぶだぶ. >카랑카랑. ㅿ그렁그렁.

크레디트〔credit〕명 クレジット；信用. ¶ 장기〔단기〕～ 長期〔短期〕クレジット.

‖—— 카드 명 クレジットカード.

크레바스〔프 crevasse〕명〔地〕(氷河などの)クレバス.

크레센도〔이 crescendo〕명〔樂〕クレッシェンド.

크레오소트〔creosote〕명〔藥〕クレオソート.

‖——-유 명 クレオソート油.

크레용〔프 crayon〕명 クレヨン. ¶ 빨간 ～ 赤のクレヨン / ～으로 그리다 クレヨンで描く.

크레이터〔crater〕명 (月などの)クレーター；噴火口.

크레이프〔crape, crepe〕명 クレープ.

크레인〔crane〕명〔機〕クレーン；起重機. ¶ ～으로 들어올리다 クレーンで釣り上げる.

크레졸〔cresol〕명〔化〕クレゾール.

‖—— 비눗물 명 クレゾールせっけん(石鹼)液；リゾール. ——-수 명 クレゾール水.

크레파스〔craypas〕명 クレパス.

‖——-화(畫) 명〔美〕クレパスで描いた絵.

크로노미터〔chronometer〕명〔物〕クロノメーター《携帯用時計》.

크로마뇽-인【—人】〔프 Cro-Magnon〕명〔人類〕クロマニョン人.

크로스〔cross〕명 クロス.

‖——-레이트 명〔經〕クロスレート；クロス《준말》. ——-바 명 クロスバー. ——-스티치 명 クロスステッチ. —— 스파이크 명 (バレーボールの)クロススパイク. ——-카운터 명〔拳闘〕クロスカウンター. ——-킥 명 クロスキック.

크로켓〔프 croquette〕명 (料理の)コロッケ.

크로키〔프 croquis〕명〔美〕クロッキ「ー；スケッチ.

크롤〔crawl〕, **크롤 스트로크**〔crawl stroke〕명〔水泳〕クロール(ストローク).

크롬〔chrome〕명〔化〕クロム；クローム《記号：Cr》.

‖——-강 명 クロム鋼. —— 니켈강 명 クロムニッケル鋼. —— 망간강 명 クロムマンガン鋼. —— 명반 명 クロムみょうばん(明礬).

크루프〔croup〕명〔醫〕クルップ；クループ.

‖——성 폐렴 명 クルップ性肺炎.

크리스마스〔Christmas〕명〔基〕クリスマス.

‖—— 선물 명 クリスマスの贈り物. —— 이브 명 クリスマスイブ. —— 축가(祝歌) 명 ノエル. —— 카드 명 クリスマスカード. —— 캐럴 명 クリスマスカロル. —— 트리 명 クリスマスツリー. —— 파티 명 クリスマスパーティー.

크리스천〔Christian〕명 クリスチャン. ¶ ～ 같지 않은 언행 クリスチャンらしくない言行.

크리스털〔crystal〕명 クリスタル.

‖—— 검파기 명 クリスタル検波器. ＝광석 검파기. —— 글라스 명 クリスタルガラス. —— 리시버 명 クリスタルレシーバー.

크리켓〔cricket〕명 クリケット.

크림〔cream〕명 クリーム. ¶ 화장용 ～ 化粧用クリーム / ～빵 クリームパン.

‖—— 소다 명 アイスクリームソーダ；クリームソーダ《준말》.

큰-가래 명 すき(鋤)の柄に二本の長い綱をつけて二人が引っ張り一人が柄を取って土を掘り起こす農具.

큰-갓 명 縁の広い"갓".

큰-고래 명〔動〕ながすくじら(長須鯨)；せみくじら(背美鯨).

큰-곰 명 ①ひぐま(羆). ②↗큰곰자리.

‖——-자리 명〔天〕大熊座.

큰-글씨 명 大きな文字〔筆跡〕.

큰-기침 명 하자 (威厳を示すため, または心を落ち着かせるための)大きいせきばら(咳払)い.

큰-길 명 大通り；表通り.

큰-놈 명 ①一人前の男. ②《俗》長男.

큰-누나 명《兒》☞ 큰누이.

큰-누이 명 大姉. ＝맏누이.

큰-눈 명 大雪・大雪. ¶ ～이 올 듯하다 大雪になりそうだ / ～으로 고생하다 大雪で難儀する.

큰-달 명 大の月《陽曆では31日, 陰曆では30日の月》.

큰-댁【—宅】명 "큰집"の敬語.

큰-도장【—圖章】명 太鼓判；大きな印章.

큰-독 명 大きいかめ(甕).

큰-돈 명 大金. ＝거금. ¶ ～을 벌다 大金をもうける / ～을 들여 만들다 大金を投じてつくる.

큰-따님 명 "큰딸"の敬語.

큰-딸 명 長女. ＝맏딸.

큰-마음 명 ①広い心；寛大な心. ②奮発；思い切って金を出すこと. ¶ ～ 먹고 팁을 줬다 チップを奮発した / ～ 먹고 택시를 타다 奮発してタクシーに乗る / 고급 양복을 ～ 먹고 해 입다 上等な背広を張り込む.

큰-말 명〔言〕"ㅕ·ㅜ·ㅓ·ㅡ·ㅔ"などの陰性母音でできた語；"작은 말"と語意は同じながら表現の感じが大きい語《"동동"にたいし"둥둥", "파랗다"にたいし"퍼렇다"など》.

큰-매부【—妹夫】명 大姉の夫.

큰-머리 명 하자〔史〕婦人が礼装

のときに被かぶるかつら(鬘).

큰-문【一門】명 (寺院や邸宅などの)三門中の真ん中の一番大きい門.

큰-물 명 大水; 洪水. ¶ ~로 제방이 무너지다 大水で堤防が決壊した. —— **지다** 자 大水〔洪水〕になる.

큰-방【一房】명 ①(広くて)大きい部屋; 大部屋. ¶ ~으로 옮기다 大部屋に移す. =대방(大房). ② 家で一番目上の婦人が住まう部屋. ③ 寺で僧がふだん住んでいる部屋.

큰-부처 명 大仏.

큰-북 명〖樂〗大太鼓.

큰-불 명 ① 大火; 大火事; 大火災. ¶ ~이 되다 大火〔大火事〕になる. ② 巨獣の狩りに用いる弾丸. ——**-놓다** 자 ① 大火を起こす. ② 巨獣用の弾丸を撃つ.

큰-비 명 大雨; 豪雨. ¶ ~로 하천이 범람하다 大雨で川がはんらん(氾濫)する / 엊저녁 ~에 피해는 없었나 ゆうべの大雨で被害はなかったのか / ~로 애를 먹었다 大雨で往生した.

큰-사람 명 ① 大きい人; 背の高い人. ② 偉い人; 大物.

큰-사랑【一舍廊】명 ① 広い客室〔応接間〕. ② 最年長の男の居間.

큰-사위 명 長女の婿.

큰-살림 명하자 大規模の所帯〔世帯〕.

큰-상【一床】명 ① 宴会などで豪華な料理で主賓をもてなすぜん(膳). ② 大きな食卓. —— **받다** 자 (結婚・還暦の祝いのとき)主賓用の膳を受ける. ——**-물림** 명 結婚式後新郎のお膳の残り物を包んでお里に送ること. =퇴상(退床)・상물림.

큰-선비 명 (学識・徳望の優れた)大学者.

큰-소리 명 ① 大声. ¶ 멀리서 ~로 부르다 遠くから大声で呼ぶ / ~로 이야기하였다 声高に話した. ② どなり声; 大きくののし(罵)りわめく声. ③ 大言; 大口; 高言; 大言壮語; ほら(法螺). ④ ことを成した後にこれ見よがしに言う高言. —— **치다** 자 大きなことを言う; ほらを吹く; 大口をたたく; 大言を吐く. ¶ ~를 탕탕 치다 大きなことを吹きまく(捲)る.

큰-소매 명 幅の広いそで(袖).

큰-손 명 大手; 大手筋. ¶ 증권가의 ~ 相場の大手.

큰-손녀【一孫女】명 一番年上の孫娘.

큰-손님 명 ① 貴賓. ② 大勢のお客.

큰-손자【一孫子】명 一番年上の孫.

큰-솥 명 おおがま(大釜).

큰-스님 명 大和尚; 生き仏のような高僧.

큰-아가씨 명 ① ☞ 큰아씨. ② 嫁が一番年上のこじゅうと(小姑)を呼ぶ語.

큰-아기 명 ① 年ごろ(頃)の娘. ② "長女"の愛称.

큰-아들 명 長男. =장자(長子).

큰-아버지 명 伯父.

큰-아씨 명 昔, 嫁入りした長女, または長男の妻を下男・下女が呼んだ語.

큰-아이 명 "長男・長女"の愛称.

큰-애 명 ↗큰아이.

큰-어머니 명 伯母.

큰-언니 명《兒》☞ 큰형.

큰-오빠 명 妹が一番年上の兄を呼ぶ語.

큰-이 명 ① 他人の長兄. ② 他人の本妻〔正室〕.

큰-일 명 ① 大事; 重大なこと; 大変(なこと); 一大事; とんだこと. ¶ ~ 앞의 작은 일 大事の前の小事 / 그것은 ~이다 それは大変〔大事〕だ / ~을 하다 大事をなす / 저 사람이 죽으면 ~이다 あの人が亡くなったら大事だ / ~을 저질러 놓았구나 とんだことをしてくれたね. ② 大儀式; 大行事. =대사(大事). —— **나다** 자 大事〔大変なこと〕になる.

큰-자귀 명 ちょうな(手斧).

큰-절¹ 명하자 女性がする最も丁寧なお辞儀《額に両手の甲を重ねつけてゆっくりと両ひざを曲げながら座ってから深深と頭を下げる》.

큰-절² 명 本山; 主な寺.

큰-제사【一祭祀】명 亡くなった父の祖父または祖母のさいし(祭祀).

큰-조카 명 長兄の長男. =장질(長姪)・장조카.

큰-집 명 ① 本家; 宗家. =종가(宗家). ② めかけ(妾)やその子孫が本妻やその子孫の家を呼ぶ語. ③ "刑務所"の隠語. ¶ ~에 들어가다 刑務所に入る.

큰-처남【一妻男】명 妻の男兄弟のうち一番年上の人.

큰-체하다 자 偉ぶる; 気取る; 大きい面をする.

큰-춤 명 盛装して踊る正式の踊り. —— **보다** 자 盛大なきょうえん(饗宴)の光栄に浴する.

큰-치마 명 もすそ(裳裾)が地面に引きずられる程長いチマ.

큰-칼 명〖史〗大きなくびかせ(首枷)《長さ約135センチ》.

큰코 다치다 구 ひどい目にあう.

큰-톱 명 大きいのこぎり(鋸). =대톱.

큰-판 명 大きく構えた場.

큰-할머니 명 祖父の長兄の妻.

큰-할아버지 명 祖父の長兄.

큰-형【一兄】명 長兄; 大兄.

큰-형수【一兄嫂】명 大兄の妻.

큰-활 명 大弓.

클라리넷〔clarinet〕, **클라리오넷**〔clarionet〕명〖樂〗クラリネット.

클라리온〔clarion〕명〖樂〗クラリオン.

클라이맥스〔climax〕명 クライマックス. ¶ 이야기는 ~에 달했다 話はクライマックスに達した.

클라이밍〔climbing〕명〖登山〗クライミング. ¶ 록 ~ ロッククライミング.

클래스〔class〕명 クラス. ¶ ~ 대항 토

론회 クラス対抗討論会 / 하이 ~ ハイクラス.
‖——-메이트 명 クラスメート.
클래시시즘 〔classicism〕 명 クラシシズム; 古典主義.
클래식 〔classic〕 명하형 クラシック. ¶~한 건축물 クラシックな建築物.
‖—— 음악 명 クラシック音楽.
클랙슨 〔Klaxon〕 명 クラックション. =혼(horn). ¶~을 울리다 クラックションを鳴らす.
클러치 〔clutch〕 명 〖機〗 クラッチ.
클럽 〔club〕 명 クラブ. ¶~의 3 クラブの 3《プレイングカードの》/ ~에 입회하다 クラブに入会する.
‖—— 활동 명 クラブ活動.
클레이 코트 〔clay court〕 명 (テニスの) クレーコート.
클레임 〔claim〕 명 〖經〗 クレーム. ¶~을 붙이다 クレームを付ける.
클로로-필 〔chlorophyll〕 명 〖植〗 クロロフィル; 葉緑素.
클로르 〔도 Chlor〕 명 〖化〗 ☞ 염소(塩素).
‖——-칼크 명 クロルカルキ; さらし粉. =표백분(漂白粉).
클로버 〔clover〕 명 〖植〗 クローバ; クローバー; うまごやし. =토끼풀. ¶네 잎 ~ 四つ葉のクローバ.
클로즈 〔clause〕 명 〖言〗 クローズ; 節.
클로즈 게임 〔close game〕 명 (競技の) クロスゲーム. =백열전(白熱戰).
클로즈-업 〔close-up〕 명하자타 (映画の) クローズアップ; 大写し. ¶~된 화면 大写しの画面 / 그녀의 얼굴을 ~하기 위하여 카메라가 접근했다 彼女の顔をクローズアップさせるためにカメラが接近した.
클리닉 〔clinic〕 명 クリニック.
클리닝 〔cleaning〕 명하타 クリーニング.
클리토리스 〔clitoris〕 명 クリトリス; 陰核; さね(核)〈俗〉.
클린 룸 〔clean room〕 명 クリーンルーム. =청정실(清淨室).
클린 빌 〔clean bill〕 명 〖經〗 クリーンビル; 無担保の為替手形.
클린싱 크림 〔cleansing cream〕 명 クレンジングクリーム; クリンシングクリーム.
클린-업 〔clean-up〕 명하자타 〖野〗 クリーンアップ. ¶~ 트리오 クリーンアップトリオ. 「チ.
클린치 〔clinch〕 명하자 〖拳闘〗 クリン
클린 히트 〔clean hit〕 명 〖野〗 クリーンヒット.
클립 〔clip〕 명 クリップ. ¶서류를 ~으로 끼우다 書類をクリップで留める.
큼직-큼직 부하형 皆が大きいさま. ¶~하게 쓰다 でかでかと書く / 광고를 ~하게 내다 広告をでかでかと出す.
큼직-하다 형 かなり〔相当に; 結構〕大きい; でかい〈俗〉. ¶큼직한 몸집 大振りの体 / 큼직한 그릇에 담다 大振りの容器に盛る. **큼직-이** 부 かなり〔相当に〕大きく.
킁킁 부하자 息を鼻孔からとぎれとぎれに鳴らす音: くんくん. ㅆ끙끙.
——-거리다 자 くんくんとしきりに鼻を鳴らす.
키¹ 명 ① 背; 丈; 背丈; 身長; 身丈〈老〉. ¶~가 크다〔작다〕 背丈が高い〔低い〕/ ~ 대보기를 하다 背比べをする / ~는 작아도 담은 크다 背は低いが肝は大きい《背が低く勇敢な人をおだてるかほめる語》/ ~ 크고 싱겁지 않은 사람 없다《俚》 背高で間抜けでない人は無い / 도토리 ~ 재기 どんぐりの背比べ. ② 高さ.
키² 명 み(箕). ¶~로 까불다 箕であおる.
키³ 명 かじ(舵). ¶~의 손잡이가 작다 舵柄が短い / ~를 잡다 舵を取る.
키 〔key〕 명 キー. ¶마스터 ~ マスターキー / ~를 보지 않고 타이프를 치다 キーを見ないでタイプを打つ / 그가 이 문제의 ~를 쥐고 있다 彼がこの問題のキーを握っている.
‖——-노트 명 (音楽などの) キーノート. ——-보드 명 (楽器・電算機などの) キーボード; けんばん(鍵盤). —— 스테이션 명 キーステーション; 親局. —— 워드 명 キーワード. —— 펀처 キーパンチャー. —— 포인트 명 キーポイント; 主眼点; 解決点.
키-꺽다리 명 ☞ 키다리.
키-내림 명하타 み(箕)でふるい下ろすこと《穀類をみ(箕)に入れて高く持ち上げ徐徐に少しずつ下ろしながら風により雑物を吹き飛ばして実をよりわける》.
키니네 〔네 kinine〕 명 ☞ 퀴닌.
키다¹ 자 ↗켜이다.
키다² 타 ↗키우다.
키-다리 명 背高; のっぽ〈俗〉.
키드 〔kid〕 명 キッド(皮革).
키부츠 〔히 kibbutz〕 명 (イスラエルの) キブツ.
키-순 【—順】 명 背順. =신장순(身長順). ¶~으로 늘어서서 행진하다 背順に並んで行進する.
키스 〔kiss〕 명하자 キス; せっぷん(接吻). ¶작별 ~를 하다 別れのキスをする. 「リング.
키슬링 〔kissling〕 명 (登山用の) キス
키우다 타 育てる; はぐく(育)む. ¶어린애를 우유로 ~ 子供を牛乳で育てる / 금이야 옥이야 하고 ~ ちょう(蝶)よ花よと育てる / 장미〔제자〕를 ~ ばら〔弟子〕を育てる / 일류 상인으로 ~ 一流の商人に仕立てる.
키-잡이 명 かじと(舵取)り; だしゅ(舵手).
키-질 명 み(箕)で穀物をふるうこと. ——-하다 타 ひ(簸)る.
키친 〔kitchen〕 명 キチン; キッチン. ¶다이닝 ~ ダイニングキチン / 리빙 ~ リビングキチン.
키퍼 〔keeper〕 명 ↗골 키퍼.
킥 〔kick〕 명하타 〖蹴球〗 キック. ¶코너 ~ コーナキック.
킥 부하자 こら(堪)え切れずにくすっと笑いを漏らすさま: くすっ. ¶~ 웃다 くすっと笑う. 「ール.
킥-볼 〔kick ball〕 명 〖蹴球〗 キックボ

킥-복싱 〔kick-boxing〕 명 キックボクシング；タイ式ボクシング.

킥-아웃 〔kick out〕 명하타 (アメリカンフットボールで)キックアウト.

킥-오프 〔kick off〕 명하타 〖蹴球〗 キックオフ. ＝시축(始蹴).

킥-킥 부하자 こら(堪)え切れずしきりにくすくす笑うさま：くすくす. ——-거리다 자 くすくす笑う.

킨제이 보고 【—報告】〔Kinsey〕 명 キンゼー報告.

킬 〔keel〕 명 キール；竜骨.

킬 〔kill〕 명하자 (テニスなどの)キル.

킬러 〔killer〕 명 (バレーボールなどの)キラー.

킬로 〔ユ kilo〕 의명 두 キロ《記号：k》. ¶～수 キロ数.

‖——-그램 의명 キログラム《kg》. ——그램 원기 명 キログラム原器. ——그램 칼로리 의명 キロカロリー《記号：kcal》. ——-리터 의명 キロリットル《kl》；キロ《준말》. ——-미터 의명 キロメートル《km》；キロ《준말》. ——-볼트 의명 キロボルト《kV》. ——-사이클 의명 キロサイクル《kc》. ——-암페어 의명 キロアンペア《kA》. ——-와트 의명 キロワット《kW》. ——-톤 의명 キロトン《kt》. ——-헤르츠 의명 キロヘルツ《kHz》.

킬킬 부하자 笑いをこら(堪)えながら出す声：くっくっ. ㅆ낄낄. ——-거리다 자 しきりにくっくっ笑う.

킷-값 명 背丈が大きいだけの働き. ¶～을 하다 (大きい)背丈だけの働きをする.

킹 〔king〕 명 キング；王.

킹-사이즈 〔king-size〕 명 キングサイズ；特大型.

킹-코브라 〔king cobra〕 명 〖動〗 キングコブラ.

킹킹 부하자 子供がせがんだりだだ(駄駄)をこねる声：うんうん；やんやん. ——-거리다 자 しきりにうんうん〔やんやん〕言う.

킹-펭귄 〔king penguin〕 명 〖鳥〗 キングペンギン.

ㅌ

ㅌ ハングル字母の第十二番目の字.

타【他】명 他；ほか；他人；べつ；よそ. ¶～의 추종을 불허하다 他の追随を許さない.

타【打】의명 ダース. ¶연필 5 ～ 들이 鉛筆5ダースづめ.

타-【他】두 "別・他"の意. ¶～방면 他方面/～고장 他郷.

타가【他家】명 他家. ¶～ 사람 他家の人.

타개【打開】명하타 打開. ¶～책 打開策/국면의 ～에 노력하였다 局面の打開に努力した/위기를 ～하다 危機を打開する.

타격【打擊】명 打撃. ① 激しくうつこと. ② 損害；痛手；ショック. ¶～을 받다 打撃を受ける/공황의 ～으로 파산했다 恐慌のあお(煽)りで破産した. ③ (野球で)バッティング；(ボクシングで)パンチ. ¶～전 打撃戦/～은 우수하다 打撃は優秀である.

‖——-률 명 打撃率；打率. ——-수 명 打撃数；アットバット. 준 타수(打數). ——-순 명 打撃順. 준 타순.

타견【他見】명 他見. ① 他人が見る所. ② 他人の意見.

타결【妥結】명하자 妥結. ¶교섭이 원만히 ～되었다 交渉が円満に妥結された.

타계【他系】명 他系；違う系統.

타계【他界】명하자 他界. ¶조부는 작년에 ～하셨다 祖父は昨年他界した.

타고【打鼓】명하자 鼓を打つこと.

타고-나다 타 生まれつく；先天的に持って生まれる. ¶타고난 성격 生まれつきの性格/타고난 목소리 地声/타고난 기질 もち前の気質/타고난 겁쟁이 生まれつきの憶病者/타고난 장사꾼 근성 根からの商人根性.

타-고을【他—】명 よそのくに；よその地方.

타-고장【他—】명 他郷；よそ(余所)(の所).

타-곳【他—】명 よそ；ほかのところ.

타공【打共】명하자 共産主義およびその国家を打倒すること.

타관【他官】명 ☞ 타향(他鄕). ¶～ 사람 他郷の人. ——-타다 자 他郷になじまない.

타교【他校】명 他校. ¶～ 학생 他校生徒.

타구【打球】명 〖野〗 打球；打った球.

타구【唾具】명 たん(痰)つぼ.

타국【他國】명 他国；よその国. ¶～ 땅 他国の土/～인 他国人.

타군【他郡】명 他郡；よその郡.

타기【唾棄】명하타 だき(唾棄). ¶～할 만한 인물 唾棄すべき人物.

타기【惰氣】명 惰気.

‖—— 만만 명하형 惰気満満.

타끈-하다 형 しみったれで強欲だ.

타-내다 타 (目上から金品を)せがんでもらう；もらいうける；せびる.

타념【他念】명 他念；余念. ¶～ 없이 他念無く.

타농【惰農】명 惰農；なまけ百姓.

타-누르기 명 (相撲で)相手を押さえつけて倒す技.

타닌 〔tannin〕 명 〖化〗 タンニン酸.

타다[1] 자 ① 焼ける. ㉠ 燃える；燃焼する. ¶불탄 자리 焼け跡/타기

쉽다 燃えやすい / 잘 타지 않다 よく燃えない / 산이 ～ 山が焼ける. ㉡(黒く)焦げる; 日焼けする. ¶볕에 탄 얼굴 日焼けした顔 / 볕에 타지 않도록 하다 日に焼けないようにする / 밥이 ～ ご飯が焦げる. ②(胸が)焦がれる. ¶애가 ～ 胸が焦がれる / 애가 타게 기다리다 待ち焦がれる. ③(色彩が)極めて鮮やかである. ¶만산이 타는듯한 단풍 燃えるような満山の紅葉. ④(干からびて)立ち枯れる. ¶가물어서 곡식이 ～ 日照りで作物が立ち枯れる.

타다² [타] ①乗ずる. ㉠(乗り物などに)乗る; 乗り込む. ¶타는 맛〔기분〕 乗りごこち / 말을〔비행기를〕 ～ 馬〔飛行機〕に乗る / 물결을〔전파를〕 ～ 波〔電波〕に乗る. ㉡機会を利用する; つけいる. ¶…을 틈타 …に乗じて / 혼란을 틈타(서) どさくさまぎ(紛)れに / 틈을 ～ すき〔機会〕に乗ずる. ②(綱を)渡る; また(跨)ぐ. ③(山の背や屋根を)伝わる. ¶산등성이를 타고 걷다 山の尾根伝いに歩く / 지붕을 타고 도망쳤다 屋根伝いに逃げた. ④氷の上を歩く; 滑って行く. ¶얼음을 ～ 氷滑りをする.

타다³ [타] 入れる; (液体·固体などを)混ぜる; 割る. ¶약을 ～ 薬を混ぜる / 독약을 ～ 毒を盛る / 물에 설탕을 ～ 水に砂糖を入れる / 술에 물을 ～ 酒に水を割る; 酒を水増しする.

타다⁴ [타] ①(賞·給与などを)もらう; 受ける; さずかる. ¶배급을 ～ 配給をもらう / 우등상을 ～ 優等賞をもらう. ②天から授かる. ¶타고난 성격 生まれつきの性格 / 복을 ～ 福を授かる.

타다⁵ [타] ①(髪を左右に)分ける. ¶가르마를 ～ 髪を分ける. ②(ひょうたん(瓢簞)などを)割る; 二つにひ(挽)き割る. ¶수박을 ～ すいか(水瓜)を割る / 박을 ～ ふくべ(瓢)を挽く. ③(ひきうす(臼)で)ひ(碾)く. ¶콩〔팥〕을 ～ 豆〔小豆〕を碾く.

타다⁶ [타] ①(オルガン·琴などを)弾く; 奏でる. ¶피아노를 ～ ピアノを弾く / 비파를 ～ びわ(琵琶)をひく. ②(綿を)打つ.

타다⁷ [타] ①かぶ(気触)れる. ¶옻을 ～ 漆にかぶれる. ②(はにかみなどに)敏感である. ¶부끄럼을 ～ はにかむ. ③季節まけする. ¶여름을 ～ 夏まけ〔夏ばて; 夏やせ〕する.

타닥-거리다 [자][타] ①軽くこつこつとたたく. ②(疲れて)とぼとぼ歩く. ③細細と暮らしていく. ④(力にあまる仕事に)あえぎあえぎ働く. <터덕거리다. **타닥-타닥** [부][하자타] とぼとぼ(と); あえぎあえぎ.

타달-거리다 [자][타] ①重い足どりで歩く. ②(ひび割れた陶器などが)にぶい音を出す. ③(空車が凸凹道を)がたがたと揺れながら〔音を出しながら〕通る. <터덜거리다. **타달-타달** [부][하자타] がたがた(と); からころ.

타당【妥當】 [명][하형] 妥当. ¶～한 점도 없지 않다 妥当な点も無きにしもあらず.
‖——-성 [명] 妥当性. ¶보편 ～ 普遍妥当性.

타도【打倒】 [명][하타] 打倒. ¶원수를 ～하다 仇敵を打倒する.

타도【他道】 [명] よその道.

타동【他洞】 [명] よその洞〔村·町〕.

타동【他動】 [명] 他動.
‖—— 면역 [명]〖生〗他動免疫. ——-사 [명]〖言〗他動詞.

타드랑 [부][하자타] ひびの入った鉄の器がものに当たって出す音: がちゃん. <터드렁. ㊜타랑. ——-거리다 [자][타] がちゃんと鳴る〔鳴らす〕. ——— [부][하자타] がちゃんがちゃん.

타락【墮落】 [명][하자] 堕落. ¶～한 중 堕落僧 / ～한 여자〔정치〕 堕落した女〔政治〕.

타락-줄 [명] 髪綱; 毛綱.

타랑 [부][하자타] [↗타드랑] がちゃん. ——-거리다 [자][타] 続けざまにがちゃんがちゃんと音がする〔音を立てる〕. ——— [부][하자타] がちゃんがちゃん.

타래 [의명] 糸や縄などの一巻きの分量を示す単位.

타래-타래 [부][하형] (糸や綱などを)一巻きずつそろ(揃)えたさま. <트레트레.

타래-박 [명] つるべ(釣瓶).

타력【他力】 [명] 他力. ¶～ 본원 他力本願.

타력【惰力】 [명] 惰力. ¶～으로 달리다 惰力で走る.

타령【打令】 [명] ①〖樂〗 音曲の一つ. ¶방아 ～ きね(杵)つき節. ②口癖; 決まり文句. ¶돈 ～ 金だ, 金だとの口癖 / 만나면 술 ～이야 会えば酒だ, 酒だと口癖さ.

타르 (tar) [명]〖化〗タール. ¶석탄 ～ 石炭タール.

타매【唾罵】 [명][하타] だば(唾罵); つば(唾)を吐きかけてののし(罵)ること.

타맥【打麥】 [명][하자] 麦打ち.

타면【打綿】 [명][하자] 綿打ち. =탄면(彈綿). ‖——-기(機) [명] 打綿機; 綿打ち機. =솜틀.

타문【他聞】 [명] 他聞. ¶～을 꺼리다 他聞をはばか(憚)る.

타물【他物】 [명] 他物.

타박 [명][하타] 責めつけること; ひどくけなすこと; けちをつけること.

타박【打撲】 [명][하타] 打撲.
‖——-상 [명] 打撲傷.

타박-거리다 [자] とぼとぼと重い足どりで歩く. <터벅거리다. **타박-타박¹** [부][하자] とぼとぼ.

타박-타박² [부][하형] 食べ物などが水気がなくてぱさぱさなさま. <터벅터벅.

타방【他方】 [명] ①↗타방면(他方面). ②↗타지방(他地方).

타방【他邦】 [명] 他邦; 異邦. =타국(他國).

타-방면【他方面】 [명] 他方面. ㊜타방(他方).

타봉【打棒】 [명] 打棒. ¶～에 불이 붙다 打棒に火花を散らす.

타분-하다 형 ①(魚·肉などが)臭みがかったにおいがする. ②↗고리타분하다. <터분하다.
타블로이드〔tabloid〕명 タブロイド. ¶~판 タブロイド判.
타사【他社】 명 他社. ¶~ 제품 他社の製品.
타사【他事】 명 他事.
타산【他山】 명 他山.
‖──지-석(之石) 명 他山の石. ¶~으로 삼다 他山の石とする.
타산【打算】 명하타 打算.
‖──-적 명관 打算的.
타살【他殺】 명하자타 他殺. ¶~ 혐의 他殺の疑い.
타살【打殺】 명하타 打ち殺すこと. =박살(撲殺).
타상【打傷】 명 [↗타박상] 打ち傷.
타색【他色】 명 ①他の色. ②〖史〗朝鮮朝の四つの党派の中で自分の属しない他の党派.
타생【他生】 명〖佛〗他生. ¶~의 인연 他生の縁.
타서【他書】 명 他書; 他の本.
타석【他席】 명 ①別席. ②人の座席.
타석【打席】 명 打席.
‖──-수 명〖野〗打席数.
타-석기【打石器】 명 ↗타제 석기(打製石器).
타선【打線】 명〖野〗打線. ¶불을 뿜는 ~ 火を吹く打線.
타선【唾腺】 명 ↗타액선(唾液腺).
타성【他姓】 명 他姓. =이성(異姓). ‖──-바지 명 自分と姓が異なる人人.
타성【惰性】 명 惰性. ¶지금까지의 ~으로 今までの惰性で.
타세【他世】 명 他世.
타소【他所】 명 よそ(余所). =타처.
타수【打數】 명 [↗타격수] 打数. ¶5~ 3안타 五打数三安打.
타수【舵手】 명 だしゅ(舵手); 舟のかじ(舵)とり.
타순【打順】 명 [↗타격순] 打順.
타시【他市】 명 他市; よその市.
타-악기【打樂器】 명 打楽器.
타애【他愛】 명〖倫理〗他愛; 利他.
타액【唾液】 명 だえき(唾液). =침.
‖──-선(腺) 명〖生〗唾液腺. =침샘. 준 타선(唾腺).
타언【他言】 명 他言.
타-오르다 자 燃え立つ. ①(火が)燃えあがる. ②(感情·情熱が)燃える. ¶타오르는 정열 燃える情熱/타오르는 분노 燃え立つ憤怒.
타용【他用】 명하타 他用.
타울-거리다 자 目的を果たすために努める. <터울거리다. 타울-타울 부하자 せっせと.
타운〔town〕명 タウン.
타워〔tower〕명 タワー.
타원【楕圓】 명〖數〗だえん(楕円).
‖── 운동 명 楕円運動. ──-율 명 楕円率. 준 타율(楕率). ──-체 명 楕円体. ──체-면 명 楕円体面. ──-형(形) 명 楕円形. =긴둥근꼴.
타월〔towel〕명 タオル. ¶~천의 잠옷 タオルのパジャマ.
타율【他律】 명 他律.
타율【打率】 명 [↗타격률] 打率. ¶3할 5푼의 ~ 三割五分の打率.
타의【他意】 명 他意. ¶~는 없다 他意は無い/~ 없음을 보이다 他意のないことを示す.
타이〔tie〕명 タイ. ¶~로 끝나다 タイに終わる.
‖── 기록 명 タイ記録. ── 스코어 명 タイスコア. ──-핀 명 [↗넥타이핀] タイピン.
타이거〔tiger〕명 タイガー.
타-이르다 타 教え諭す; たしな(窘)める; いい聞かせる. ¶도리를 ~ 筋道をいい聞かせる/장난을 꾸짖어 ~ いたずらをたしなめる.
타이머〔timer〕명 タイマー. ¶셀프 ~ セルフタイマー.
타이밍〔timing〕명 タイミング. ¶~을 놓치다〔맞추다〕タイミングをはずす〔合わせる〕/~이 맞지 않다 タイミングが合わない.
타이어〔tyre〕명 タイヤ.
타이트〔tight〕명하형 タイト.
타이틀〔title〕명 タイトル. ¶~을 차지하다 タイトルを取る.
‖── 매치 명 タイトルマッチ.
타이푼〔typhoon〕명 タイフーン. =태풍(颱風).
타이프〔type〕명 タイプ.
‖──-라이터 명 タイプライター. 준 타이프.
타이피스트〔typist〕명 タイピスト.
타인【他人】 명 他人; 人; よその人. ¶~ 명의로 재산을 등록하다 他人名義で財産を登録する.
‖── 소시(所視) 명 他人の見るところ. ¶~에 人の見るところで. ──자본 명 他人資本.
타일【他日】 명부 他日; 後日; 別の日.
타일〔tile〕명 タイル. ¶~ 붙임 タイル張り/~을 깔다〔붙이다〕タイルを張る.
타임〔time〕명 タイム. ¶~을 재다 タイムを測る〔取る〕.
‖── 레코드 명 タイムレコード. ──리코더 명 タイムレコーダー. ── 머신 명 タイムマシン. ── 스위치 명 タイムスイッチ. =타이머. ──-아웃 명 タイムアウト. ──-업 명 タイムアップ. ──-워치 명 ☞ 스톱 워치. ── 캡슐 명 タイムカプセル.
타임리〔timely〕명하형 タイムリー.
‖── 에러 명 タイムリーエラー. ──히트 명 タイムリーヒット.
타임스〔Times〕명 タイムズ. ¶런던 ~ ロンドンタイムズ.
타자【打字】 명하자 タイプすること; 印字. ‖──-기(機) 명 タイプライター. ──-원(員) 명 タイピスト.
타자【打者】 명 打者; バッター; ヒッター. ¶선두 ~ 先頭打者.
타작【打作】 명하타 ①脱穀; 穀粒を穂から取り離すこと. =마당질. ②地主と小作人が決めた割合によって収穫物を分ける小作制度.
‖──-꾼 명 秋の取り入れをする人. ── 마당 명 秋の取り入れをする庭〔場所〕.

타전【打電】명하자 打電.
타점【打店】명 他店.
타점【打點】[1] 명하타 ① 筆で点を打つこと. ② 心の中で決めること.
타점【打點】[2] 명〔野〕打点. ¶ ~왕 打点王 / 타수 3, ~ 2 打数三, 打点二.
타제【打製】명하타 打製.
‖── 석기 명 打製石器. ＝뗀 석기. 준 타석기(打石器).
타-제품【他製品】명 他の製品. 준 타제(他製).
타조【駝鳥】명〔鳥〕だちょう(駝鳥).
타종【他宗】명 他宗.
타종【他種】명 他の種類.
타종【打鐘】명하자 鐘を打つこと.
‖── 신호 명 鐘による信号.
타죄【他罪】명 余罪.
타지【他地】명 他郷.
타지【他紙】명 他紙.
타지【他誌】명 他誌.
타-지방【他地方】명 よその地方. 준 타방(他方).
타진【打診】명하타 打診. ¶ 흉부를 ~하다 胸部を打診する / 의향 ~ 意向打診.
타진【打盡】명하타 打尽; 一度に皆捕えること. ¶ 일망 ~하다 一網打尽にする.
타짜 명 ↗타짜꾼.
‖──-꾼 명 (とばくの)ぺてん師; いかさま師; いんちき屋.
타책【他策】명 他の方策; 他のはかりごと.
타처【他處】명 他所; よそ. ¶ ~에서 온 사람 よそから来た人.
타천【他薦】명하타 他薦. ¶ 자천 ~의 후보 自薦他薦の候補.
타촌【他村】명 よその村.
타태【惰怠】명하형 惰怠; 怠惰. ＝태만(怠慢).
타태【墮胎】명하타〔醫〕堕胎. ＝낙태(落胎).
타토【他土】명 ① よその地方. ②〔佛〕この世でない世界; 浄土.
타파【他派】명 他派; ほかの党派.
타파【打破】명하타 打破. ¶ 현상 ~ 現状打破 / 인습을 ~하다 因習を打破する.
타합【打合】명 打ち合わせ. ──-하다 타 打ち合わせる.
타향【他鄕】명 他郷. ¶ ~에서 병들다 他郷で病む.
‖──-살이 명하자 他国暮らし.
타협【妥協】명 妥協; 折り合い. ──-하다 타 妥協する; 折り合う. ¶ ~적인 태도 妥協的(な)態度.
‖──-안 명 妥協案. ── 정치 명 妥協政治.
타화 수분【他花受粉】명〔植〕他家受粉.
탁 부하자 ① 固い物が突き当たるか割れる音: ばたっ; こつん; ぷすっ; とん; はっしと. ¶ 화살이 ~하고 과녁에 명중했다 矢がぷすっと的に当たった / 머리를 ~ 때리다 頭をこつんと殴る. ② 手の平で打つ音: ぴしゃり; ぴしゃっ; ぽん. ¶ ~ 무릎을 치다 ぽんとひざを打つ / 어깨를 ~ 치다 肩をぽんとたたく. ③ 締めつけられていた物または, つっぱっていた物が急にほどけるか切れる音〔さま〕: ぱちん; ぷすっ; ぷっつり. ¶ 활시위가 ~ 끊어지다 弓の弦がぷっつりと切れる. ④ 締めつけられたものが急に解けるさま: すうっ. ¶ 가슴이 ~ 틔다 胸がすうっとする. ⑤ 広く見渡されるさま: ずっと. ¶ ~ 트인 시야 すっきりした視野 / 남쪽이 ~ 트이다 南側がずっと開けている. ⑥ 息がぐっと詰まるさま: ぐっと; むっと. ¶ 숨이 ~ 막히다 息がぐっとつまる.
탁견【卓見】명 卓見. ＝탁식(卓識).
탁고【託孤】명하타 託孤. ¶ ~ 기명 託孤寄命.
탁고【託故】명하타 託故; 事にかこつけること.
탁구【卓球】명 ピンポン. ¶ ~ 외교 ピンポン外交.
‖──-공 명 ピンポン球. ──-대 명 ピンポン台.
탁랑【濁浪】명 濁浪. ¶ ~에 휩쓸리다 濁浪に呑まれる.
탁론【卓論】명 卓論.
탁류【濁流】명 濁流. ¶ 도도히 흐르는 ~ とうとう(滔滔)と流れる濁流 / ~가 소용돌이치다 濁流が渦巻く.
탁마【琢磨】명하타 たくま(琢磨). ¶ 절차 ~ せっさ(切磋)琢磨.
탁발【托鉢】명하자〔佛〕たくはつ(托鉢). ‖──-승 명〔佛〕托鉢僧.
탁본【拓本】명 拓本; 石刷り. ＝탑본(搨本).
탁상【卓上】명 卓上.
‖── 공론(空論) 명 机上の空論. ── 시계 명 置き時計. ── 연설 명 卓上演説; テーブルスピーチ. ── 일기 명 卓上日記. ── 전화 명 卓上電話.
탁생【托生】명하자 托生. ¶ 일련 ~ 一蓮托生.
탁선【託宣】명 託宣; 神のお告げ. ＝신탁(信託).
탁설【卓說】명 卓説. ¶ 명론 ~ 名論卓説.
탁성【濁聲】명 濁声; だみ声.
탁세【濁世】명 ① 濁世; 末世. ②〔佛〕この世; 末世. ＝속세(俗世). ¶ ~ 진토 濁世塵土.
탁송【託送】명하타 託送.
‖── 수화물(手貨物) 명 託送手荷物. ── 전보 명 託送電報.
탁수【濁水】명 濁水; 濁り水.
탁식【卓識】명 卓識. ＝탁견.
탁신【託身】명하자 人に身を寄せる〔ゆだ(委)ねる〕こと.
탁아-소【託兒所】명 託児所.
탁언【託言】명 託言; かこつけ; 言付け.
탁연【卓然】명하형 卓然; ひときわ優れているさま. ──-히 부 卓然と.
탁월【卓越】명하형 卓越. ¶ ~한 재능 卓越した才能.
탁음【濁音】명〔言〕濁音. ＝유성음(有聲音).
탁의【託意】명하자 自分の意中を他の事に託して話すこと.

탁의【濁意】명 汚れた心.

탁자【卓子】명 卓子；テーブル.
‖——-장(欌) 명 上下に引き出しや開き戸のない茶だんす. 탁잣-밥 명 仏飯. 탁잣-손 명 腕木；腕金.

탁절【卓絶】명하형 卓絶. ¶ 고금에 ~한 작품 古今卓絶の作品.

탁족【濯足】명하자 濯足. =세족(洗足). ‖——-회(會) 명 渓流に足を入れて野遊びするあつまり.

탁주【濁酒】명 濁酒；どぶろく(濁酒)；白馬〈俗〉.

탁지【度地】명하타 測地；土地を測量すること.

탁출【卓出】명하형 卓出；傑出.

탁-탁¹ 부 ① 物事をすみやかにさば(捌)いて始末をつけるさま：てきぱき；ぱっぱっ. ② 多くの物や人が続けざまに倒れるさま：ばたばた. ③ 物をしきりにたた(叩)くか，またはほこりなどをはたくさま：はたはた；ばたばた. ¶ 먼지를 ~ 털다 ちりをばたばた(と)はたく. ④ つば(唾)をしきりに吐きすてるさま，またはその音：ぱっぱっ；ぺっぺっ. ⑤ 息が詰まるさま：ぐっぐっ. ¶ 숨이 ~ 막히다 息がぐっぐっと詰まる. <턱턱.

탁-탁² 부하자 ① かたい物がしきりにつよく打ちあたるかまたははじける音：かつかつ；ぱちぱち；ぽきぽき. ¶ 콩이 ~ 튀다 豆がぱちぱちはじく / ~ 소리내며 타오르다 ぱちぱち燃えあがる. ② けったり，たた(叩)いたりするさま. また，その音. ——-거리다 자 しきりにぱちぱち〔ぽき(ん)ぽき(ん)〕と音がする.

탁탁-하다 형 ① 織り目が細かくつんでいる. <톡톡하다. ② (暮らしが)ゆたかである.

탁필【卓筆】명 卓筆.

탁-하다【濁—】형 ① 濁っている. ㉠ (液・空気などが)澄んでいない. ¶ 물이〔공기가〕~ 水〔空気〕が濁っている. ㉡ (世・精神が)清らかでない. ¶ 탁한 세상 濁った世の中. ㉢ (顔色・音などが)さ(冴)えない. ¶ 탁한 빛깔 冴えない色 / 감기로 목소리가 탁해지다 かぜでだみ声である. ② (人がはっきりせず)ずぼらだ.

탁행【卓行】명 ずば抜けた行ない.

탄【炭】명 ① ↗석탄(石炭). ② ↗연탄(煉炭)·구멍탄.

탄가【炭價】명 炭価；石炭の値段. ¶ ~ 인상 炭価引き上げ.

탄-값【炭—】명 炭価.

탄갱【炭坑】명 炭坑；石炭坑. ¶ ~ 도시 炭坑都市.

탄고【炭庫】명 炭庫.

탄광【炭鑛】명 [↗석탄광] 炭鉱. ¶ ~ 노동자 炭鉱労働者.

탄-내【炭—】명 ① 練炭や炭が燃えるときのにおい. ② 《俗》 ☞ 일산화탄소.

탄대【彈帶】명 ☞ 탄띠.

탄도【彈道】명 弾道.
‖—— 유도탄 명 誘導弾. ——-탄 명 [↗탄도 유도탄] 弾道弾；弾道ミサイル. ——-학 명 弾道学.

탄두【彈頭】명 弾頭. ¶ 핵~ 核弾頭 / ~ 미사일 弾頭ミサイル.

탄-띠【彈—】명 ① 弾倉をつけたベルト. =탄대(彈帶). ② 弾丸の底部にはめた銅製の帯.

탄력【彈力】명 弾力.
‖—— 섬유 명 弾力〔弾性〕繊維. ——-성 명 弾力性. ¶ ~ 있는 사고 방식 弾力性に富む考え方 / ~ 있는 피부 張りのある肌. —— 조직 명 〘生〙 弾性組織.

탄로【坦路】명 ↗탄탄 대로(坦坦大路).

탄로【綻露】명하자타 (秘密などが)露見する〔ばれる〕こと.

탄막【彈幕】명〘軍〙 弾幕.

탄말【炭末】명 石炭や炭の粉末.

탄명-스럽다 형 ぼんやりしている.

탄미【嘆美】명하타 嘆美.

탄복【歎服】명하타 感心；感服.

탄사【歎辭】명 嘆辞.

탄산【炭酸】명〘化〙 炭酸.
‖—— 가스 명 炭酸ガス. —— 가스 중독 명 炭酸ガス中毒. —— 나트륨 명 炭酸ナトリウム. =탄산 소다. —— 동화 작용 명 炭酸同化作用. =탄소 동화 작용. —— 마그네슘 명 炭酸マグネシウム. —— 석회 명 炭酸石灰. =탄산 칼슘. ——-수 명 炭酸水. —— 암모늄 명 炭酸アンモニウム.

탄상【炭床】명 ☞ 탄층(炭層).

탄생【誕生】명하자 誕生.
‖——-석 명 誕生石. ——-일 명 誕生日. ——-지 명 誕生地.

탄성【彈性】명〘物〙 弾性.
‖—— 고무 명 弾性ゴム. ——-률 명 〘物〙 弾性率. —— 진동 명 弾性振動. ——-체 명 弾性体.

탄성【歎聲】명 嘆声. ¶ 신음하는 듯 ~을 내다 うめ(呻)くような嘆声を発する.

탄소【炭素】명〘化〙 炭素.
‖——-강 명 炭素鋼. —— 강화법 명 〘工〙 炭素鋼化法. =시멘테이션(cementation). —— 고정 명〘生〙 炭素固定. —— 동화 작용 명〘植〙 炭素同化作用. ——-봉 명 炭素棒. —— 호등 명 炭素弧灯；アーク灯.

탄소【嘆訴】명하타 嘆訴；愁訴.

탄수화-물【炭水化物】명〘化〙 炭水化物；含水炭素.

탄식【歎息】명하타 嘆息；嘆くこと. ¶ 하늘을 쳐다보고 장~하다 天を仰いで長嘆息する.

탄신【誕辰】명 誕辰；誕生日.

탄-알【彈—】명 弾丸；たま.

탄압【彈壓】명하타 弾圧. ¶ ~에 항거하다 弾圧に抵抗する.

탄약【彈藥】명 弾薬. ¶ ~ 상자 弾薬箱 / ~을 장전하다 弾薬をそうてん(装塡)する. ‖——-고 명 弾薬庫. ——-차 명 弾薬車.

탄우【彈雨】명 弾雨. ¶ 포연 ~ 속을 뚫고 나가다 砲煙弾雨の中をくぐ(潜)る.

탄우지-기【呑牛之氣】명 呑牛の気；牛をもの(呑)む気概.

탄원【歎願】명하타 嘆願.
‖——-서 명 嘆願書.

탄일【誕日】명 誕生日；誕辰.

탄저【炭疽】명 ☞ 탄저병.
‖——-병 명 炭疽病. ——-옹(癰) 명〖醫〗たんそよう(炭疽癰)；炭疽病にかかった家畜にできるは(腫)れもの.
탄전【炭田】명 炭田.
탄좌【炭座】명 一定量以上の石炭が埋蔵されていると認められた地域の石炭鉱区の集まり.
탄주【炭柱】명〖鑛〗炭柱. ¶안전 ~ 安全炭柱 / ~식 채탄 炭柱式採炭.
탄주【彈奏】명하타 弾奏. ¶~ 악기 弾奏楽器.
탄지 명 キセルに残ったタバの燃えさし.
탄지【彈指】명하자 弾指；つめ(爪)または指を弾くこと.
탄진【炭塵】명 炭塵. ¶~ 폭발 炭塵爆発.
탄질【炭質】명 炭質.
탄차【炭車】명 炭車.
탄착 거리【彈着距離】명 ①弾着距離；着弾距離. ②最大射程.
탄착-점【彈着點】명 弾着点.
탄창【彈倉】명 弾倉.
탄층【炭層】명 炭層；石炭層；炭床.
탄탄【坦坦】명하형히부 坦坦；坦然. ‖—— 대로 명 坦坦(たる)大路.
탄탄-하다 형 堅固である；がっちりしている；けんろう(堅牢)である. <튼튼하다. ¶탄탄한 건물 がっちりした建物 / 탄탄한 사람 しっかり屋. 탄탄-히 부 堅固に；がっちりと.
탄피【彈皮】명 やっきょう(薬莢).
탄-하다 타 ①(人のことに)おせっかいする. ②口答えをしながらけんかごし(喧嘩腰)に出る.
탄핵【彈劾】명하타 弾劾.
‖—— 소추권 명 弾劾訴追権. ——-주의 명 弾劾主義.
탄화【炭火】명 炭火. =숯불.
탄화【炭化】명하자〖化〗炭化.
‖——-도 명 炭化度. ——-물 명〖化〗炭化物. —— 석회 명〖化〗炭化石灰；炭化カルシウム. —— 수소 명 炭化水素. —— 칼슘 명 炭化カルシウム；カーバイド.
탄환【彈丸】명 弾丸. =탄알. ¶~을 재다 弾丸をこめる.
‖—— 열차 명 弾丸列車.
탄회【坦懷】명 たんかい(坦懐). ¶허심 ~ 虚心坦懐.
탄흔【彈痕】명 だんこん(弾痕).
탈 명 仮面. ①面；マスク. ¶도깨비 ~ 鬼の面 / ~놀음 仮面劇 / ~을 쓰다〔벗다〕仮面を被る〔脱ぐ〕. ②本心を包み隠した顔. ¶(위선의) ~을 쓰다 (偽善の)仮面を被る；猫をかぶる.
탈【頉】명하자 ①事故；変事；故障. ②病気；たた(祟)り. ③言い掛かり；けち；難癖. ¶~을 잡다 言い掛かり〔因縁〕をつける.
탈각【脫却】명하자타 脱却.
탈각【脫殼】명하자타 脱殻. ①殻を脱ぐこと. ②旧来の思想・生活から脱却すること.
탈겁【脫劫】명하자 悩みまたはいんうつ(陰鬱)さがなくなること.
탈-것 명 乗り物.
탈격【奪格】명 奪格.
탈고【脫稿】명하타 脱稿.
탈곡【脫穀】명하자 脱穀.
‖——-기 명 脱穀機.
탈구【脫句】명 脱句.
탈구【脫臼】명하자〖醫〗だっきゅう(脱臼)；ほねちがい.
탈기【脫氣·奪氣】명하자 気抜け；気落ち.
탈-나다【頉—】자 ①変事〔事故〕が生じる；故障になる. ②病気になる.
탈-내다【頉—】타 故障を起こす.
탈-냉전【脫冷戰】명 脱冷戦. ¶지금은 ~ 시대다 今や脱冷戦時代である.
탈-놀음 명 仮面劇.
탈당【脫黨】명하자 脱党；離党. ¶~하여 정계를 떠나다 脱党して政界から身を引く / ~ 성명을 내다 脱党の声明を出す.
탈락【脫落】명하자 脱落. ①抜け落ちること. ¶고교 ~자 高校脱落者 / 예선에서 ~하였다 予選で落ちた. ②〖言〗二つ以上の音節が接続するとき一方の母音や子音, または音節が省略されること.
탈락-거리다 자 (ぶらさがった物などが)しきりに揺れ動く；ぱたつく. <털럭거리다. 탈락-탈락 부하자 ぶらぶら；ぱたぱた.
탈력【脫力】명하자 脱力；体の力が抜けること. ¶~감 脱力感.
탈로【脫路】명 脱路；抜け道.
탈루【脫漏】명하자 脱漏；遺漏.
탈리도마이드〔thalidomide〕명〖藥〗サリドマイド.
탈립-기【脫粒機】명 脱粒機；とうもろこし(玉蜀黍)の粒取り機.
탈립-성【脫粒性】명 脱粒性；穂からもみ(籾)の落ちる性質.
탈면【頉免】명하타 責任を免れること.
탈모【脫毛】명하자 脱毛.
‖——-제 명 脱毛剤. ——-증 명 脱毛症.
탈모【脫帽】명하자 脱帽. ¶~ 명함판 사진 脱帽名刺判写真.
탈무드〔히 Talmud〕명〖宗〗タルムード.
탈문【脫文】명 脱文；文または句「が脱けること.
탈-바가지 명 ①ひさご(瓢)作りの能面または仮面. ②《俗》☞ 탈. ③《俗》鉄かぶと；ファイバー.
탈-바꿈 명하자〖動〗変態；形を変えること.
탈바닥 부하자타 平たいものが浅い水を打つ音：ぴちゃ；ぼちゃり. <털버덕. ——-거리다 자타 続けざまにぼちゃぼちゃ〔ぴちゃぴちゃ〕する. ———— 부하자타 ぴちゃぴちゃ；ぼちゃりぼちゃり.
탈박 부하자타 底の丸いものが浅い水を打つ音： ぴちゃっ. <털벅. ——-거리다 자타 しきりにぼちゃぼ

E

ちゃ〔ぴちゃぴちゃ〕する. ——— [부][하자타] ぴちゃぴちゃ.
탈방 [부][하자타] 小さな石ころなどが水に落ちるさま. また, その音: ぼちゃん; ざぶん. <털벙. ——-거리다 [자][타] ぼちゃんぼちゃん〔ざぶん ざぶん〕と音がする〔音をたてる〕. ——— [부][하자타] ぼちゃんぼちゃん; ざぶんざぶん.
탈법【脱法】[명][하자] 脱法. ¶ ~ 행위 脱法行為.
탈산【脱酸】[명][하자]〖化〗脱酸.
탈상【脱喪】[명][하자] 除喪.
탈색【脱色】[명][하자] 脱色; 色抜き. ¶ ~제 脱色剤 / ~법 脱色法.
탈선【脱線】[명][하자] 脱線. ¶ 이야기가 ~하다 話が脱線する.
‖—— 행위 [명] 脱線行為.
탈세【脱税】[명][하자타] 脱税; ほぜい(逋税).
탈속【脱俗】[명][하자] 脱俗; 超俗; 俗離れ. ¶ 출가 ~ 出家脱俗.
탈수【脱水】[명][하자] 脱水. ¶ 칼슘의 ~ 작용 カルシウムの脱水作用.
‖——-기 [명] 脱水機. ——-제 [명] 脱水剤. —— 증상 [명] 脱水症状.
탈신【脱身】[명][하자] 身を引くこと.
‖—— 도주(逃走) [명] 身を抜いて逃げること; 脱走「こと.
탈실【脱失】[명][하자] 脱けてなくなる
탈싹 [부][하자] 小さな人または物が急に崩れ落ちるさま. また, その音: どさり; どかっ. <털썩. ——-거리다 [자] 続けざまにどさりどさり(と)する. ——— [부][하자] どさりどさり; 続けざまにどかっと.
탈-쓰다 [자] ① 仮面をかぶる. ㉠ 顔にマスクをつける. ㉡ 本心を包み隠す; 猫をかぶる. ② (顔つきや身ぶりが)だれ(誰)かにそっくりである.
탈어【脱語】[명] 脱語.
탈-없다【頉—】[형] つつが(恙)ない. ① (ものごとに)差し障りや事故がない; 順調である. ② 病がない; 息災である. 탈-없이 [부] 差し障りなく; つつがなく; 順調に; 無事に. ¶ ~ 지내다 つつがなく暮らす.
탈영【脱營】[명][하자] 脱営.
‖——-병 [명] 脱営兵; 脱走兵.
탈옥【脱獄】[명][하자] 脱獄; ろう破り. =탈감(脱監).
‖——-수 [명] 脱獄囚.
탈의【脱衣】[명][하자] 脱衣.
‖——-실 [명] 脱衣室. ——-장 [명] 脱衣場.
탈자【脱字】[명] 脱字; 落字; 欠字. ¶ ~를 써 넣다 欠字を書き入れる.
탈-잡다【頉—】[타] なんとかして粗を捜し出す; けち〔言い掛かり, 難癖〕を付ける.
탈장【脱腸】[명][하자]〖醫〗脱腸; ヘルニア.
‖——-대 [명] 脱腸帯; ヘルニアバンド. ——-증 [명] 脱腸症.
탈적【脱籍】[명][하자] 脱籍; (戸籍·兵籍·党籍などから)脱け落ちること.
탈정【奪情】[명][하자타] 奪情; むりやりに人の情を奪うこと.
탈주【脱走】[명][하자] [↗탈신 도주(脱身逃走)] 脱走. ¶ ~병 脱走兵 / 집단 ~ 集団脱走.
탈지【脱脂】[명][하자타] 脱脂.
‖——-면 [명] 脱脂綿. —— 요법 [명] 脱脂療法. ——-유 [명] 脱脂乳.
탈진【脱盡】[명][하자] 脱力; 気力が尽きること. 「俗).
탈진【脱塵】[명][하자] 脱塵. =탈속(脱
탈출【脱出】[명][하자] 脱出; 脱去. ¶ 극적인 국외 ~에 성공하다 劇的に国外脱出に成功する.
탈-춤 [명] 仮面を付けておどる踊り; 仮面舞踏. =가면무(舞).
탈취【脱臭】[명][하자] 脱臭.
‖——-제 [명] 脱臭剤.
탈취【奪取】[명] 奪取. ——-하다 [타] 奪取する; 奪い取る; 乗っとる. ¶ 진지를 ~하다 陣地を奪い取る / 회사를 ~하다 会社を乗っとる.
탈타리 [명] [↗빈탈타리] すってんてん〈俗〉; すっからかん〈俗〉. <털터리.
탈탈[1] [부] ごみなどをはたくさま. また, その音: ばたばた.
탈탈[2] [부][하자타] がたがた. <털털. ——거리다 [자][타] がたがたする〔させる〕; がたつく.
탈탈-이 [명] ぼろ自動車. ¶ ~ 버스 おんぼろバス.
탈태【脱胎】[명] 脱胎.
탈태【奪胎】[명][하자] [↗환골 탈태(換骨脱胎)] 脱胎.
탈토【脱兎】[명] 脱兎.
‖——지-세(之勢) [명] 脱兎の勢い.
탈퇴【脱退】[명][하자] 脱退. ¶ ~자 脱退者 / ~ 성명을 발표하다 脱退声明を発表する.
탈피【脱皮】[명][하자] 脱皮. ¶ 뱀의 ~ 蛇の脱皮 / 구태로부터의 ~ 旧態からの脱皮.
탈-하다【頉—】[자] 差し支えによって欠席する旨を知らせること.
탈항【脱肛】[명]〖醫〗だっこう(脱肛).
‖——-증 [명] 脱肛症.
탈화【脱化】[명][하자] 脱化. ¶ 번데기에서 ~하다 さなぎ(蛹)から脱化する.
탈화【脱靴】[명][하자] 靴を脱ぐこと.
탈환【奪還】[명] 奪還; 奪回; 奪い返すこと. ——-하다 [타] 奪還する; 奪い返す. ¶ 진지를 ~했다 陣地を奪還した / ~전 奪還戦.
탈회【脱會】[명][하자] 脱会; 退会. ¶ 기어코 협회에서 ~하였다 つい(遂)に協会から脱会した.
탐【貪】[명][하타] [↗탐욕(貪慾)] どんよく(貪欲). * 탐하다.
탐관【貪官】[명] どんかん(貪官); 官職をむさぼること; どんよく(貪欲)な官吏.
‖—— 오리 [명] 貪官汚吏.
탐광【探鑛】[명][하자] 探鉱.
탐구【探究】[명][하타] 探究. ¶ 과학적 ~ 科学的探究 / 미의 본질을 ~하다 美の本質を探究する.
탐구【探求】[명][하타] 探求. =탐색(探索). ¶ 진리의 ~ 真理の探求.
탐-나다【貪—】[자] 欲望にかられる; 欲しがる. ¶ 탐나는 토지 手に入れ

ㅌ

たい地所.

탐-내다【貪—】타 ほしがる；欲張る；むさぼる. ¶ 남의 물건을 ～ 人の物を欲しがる.

탐닉【耽溺】명 たんでき(耽溺)；ふけ(耽)ること. ——-하다 자 耽溺する；耽る；おぼ(溺)れる. ¶ 주색에 ～하다 酒色に溺れる.

탐독【耽讀】명하타 たんどく(耽読)；読みふけ(耽)ること. ¶ 소설을 ～하다 小説を耽読する.

탐라【耽羅】명 "제주도(＝済州島)"の古名.

탐리【貪吏】명 どんり(貪吏)；利をむさぼる役人. ＝탐관.

탐리【貪利】명하자 どんり(貪利)；利をむさぼること.

탐망【探望】명하타 ① さぐって見ること. ② ひそ(密)かに望むこと.

탐매【探梅】명하자 観梅；梅見.

탐문【探問】명하타 探問.

탐문【探聞】명하타 探聞. ¶ ～ 수사 聞き込み捜査 / ～한 바에 의하면 探聞したところに依れば.

탐미【耽美】명하자 たんび(耽美).

‖——-주의 명 耽美主義；唯美主義. ——-파 명 耽美派；唯美派.

탐방【探訪】명하타 探訪.

‖——-기 명 探訪記. —— 기사 명 探訪記事. —— 기자 명 探訪記者.

탐방 부하자타 小さくて重い物が深い水に落ちる音〔さま〕：どぶん；ぽちゃん. ＜텀벙. ——-거리다 자타 続けざまにどぶんどぶん音がする〔音をたてる〕；ぽちゃぽちゃする. ——— 부하자타 どぶんどぶん；ぽちゃんぽちゃん；ぴちゃぴちゃ.

탐사【探査】명하타 探査. ¶ 대륙붕 ～ 大陸棚探査 / 회사의 내정을 ～하다 会社の内情を探る.

탐상【探賞】명하타 探勝してその景色をほ(誉)め楽しむこと.

탐색【貪色】명하자 ☞ 호색(好色).

탐색【探索】명하자 探索. ¶ 범인의 행방을 ～하다 犯人の行くえを探索する / 그는 삼라운드까지는 ～전을 벌일 것이다 彼は第三ラウンドまでは様子見に出るだろう.

탐-스럽다 형 心〔目〕が引かれるほど好ましい；ふくよかで見栄えがする；欲をそそる程見事だ.

탐승【探勝】명하자 探勝.

‖——-객 명 探勝客.

탐식【貪食】명하자타 どんしょく(貪食).

탐심【貪心】명 たんしん(貪心)；① どんよく(貪欲)な心. ② 不当な欲望.

탐애【貪愛】명하자 とんあい(貪愛)；① 他人のものを欲しがり自分のものは惜しむこと. ② 愛情に執着すること.

탐오【貪汚】명하형 欲深くて汚いこと.

탐욕【貪慾】명하형 どんよく(貪欲)；どうよく(胴欲). ——-스럽다 형 貪欲である.

‖——-가(家) 명 貪欲者；欲張り.

탐장-질【貪贓—】명하자타 役人が財貨をむさぼり取ること.

탐재【貪財】명하자 たんざい(貪財)；財貨をむさぼ(貪)ること.

탐정【探情】명하타 (人の)腹をそれとなく探ること.

탐정【探偵】명하타 探偵.

‖——-가 명 探偵(家). ——-꾼 명 探偵屋. —— 소설 명 探偵〔推理〕小説.

탐조【探照】명하타 (遠く)照らして探すこと.

‖——-등 명 探照灯；サーチライト. ¶ ～으로 비추다 探照灯で照らす.

탐지【探知】명하타 探知. ¶ 음모를 ～하다 陰謀をかぎ出す.

‖——-기 명 探知機. ¶ 전파 ～ 電波探知機. ——-꾼 명 探知する人.

탐춘【探春】명하자 探春；春の風物を訪ねて遊ぶこと.

‖——-객 명 探春客.

탐측【探測】명하타 探測. ¶ ～ 기구 探測気球.

탐탁-하다 형 好ましい；気に入る；好みにかな(適)っている. ¶ 탐탁하지 않다 好ましくない；ぞっとしない；気に入らない / 양식은 별로 탐탁하지 않다 洋食はあまりぞっとしない. 탐탁-히 부 好ましく. 탐탁-스럽다 형 ☞ 탐탁하다.

탐탐〔도 Tam-tam〕명〔樂〕タムタム；どら(銅鑼).

탐탐【眈眈】부 たんたん(眈眈) ——-하다 형 たんたん(眈眈)として(ねらって)いる. ¶ 호시 ～ 기회를 노리다 虎視眈眈と機会をねらう. ——-히 부 眈眈と.

탐폰〔도 Tampon〕명〔醫〕タンポン；綿球；止血栓.

탐-하다【貪—】타 むさぼ(貪)る；欲張る；あ(飽)きることなく欲しがる. ¶ 안일을 ～ 安逸をむさぼる / 폭리를 ～ 暴利をむさぼる.

탐학【貪虐】명하형 たんぎゃく(貪虐)；欲深くてむごいこと.

탐험【探險】명하타 探検〔探険〕. ¶ (남극) ～대 (南極)探検隊 / ～ 소설 探検小説.

‖——-가 명 探検家〔者〕.

탑【塔】명 塔. ¶ 사리～ 舎利塔 / 텔레비전～ テレビ塔 / 돌〔오중〕～ 石〔五重〕の塔 / ～을 세우다 塔を立てる.

탑-기단【塔基壇】명 塔身の下部の基壇.

탑문【搨文】명 石刷り.

탑본【搨本】명하타 拓本.

탑비【塔碑】명 塔と石碑.

탑삭 부 だしぬけに食いつくかまたはひっつかむさま：がぶり(と)；ぱくりと；むずと. ＜텁석. ——-거리다 타 (しきりに)かぶり〔ぱく〕つく；ぱっとひっつかむ. ———— 부하타 がぶりがぶり(と)；むずむずと.

탑삭-나룻 명 短くもじゃもじゃしたほおひげ(頬髭). ＜텁석나룻.

탑삭-부리 명 ひげのもじゃもじゃした人. ＜텁석부리.

탑새기-주다 타 人のすることをだめ(駄目)にする；台無しにする.

탑소록-하다 형 ☞ 텁수룩하다. 탑소

록-이 [부] ☞ 텁수룩이.
탑승【搭乘】[명] 搭乘.
‖——-객 [명] 搭乘客. ——-원 [명] 搭乘員.
탑신【塔身】[명] 塔身; 塔の基壇と相輪とのあいだの部分.
‖——-석(石) [명] 石塔の塔身をなす石.
탑영【塔影】[명] 塔影; 塔の影.
탑재【搭載】[명][하타] 搭載. ¶ ~량 搭載量 / ~물 搭載物 / ~포 搭載砲 / 대포를 ~하다 大砲を搭載する.
탓 [명][하타] ① (失敗·不首尾などに終わった事を…に帰する)せい(所為); わけ; 故. ¶ …~이다 …のせいである / 실패를 불운의 ~으로 하다 失敗を不運のせいにする / 남의 ~으로 돌리다 人のせいにする / 이번 잘못은 자네 ~이야 今度の失敗は君のせいである. ② (失敗などを)恨みとが(咎)めること. * 탓하다.
탓-하다 [타] (失敗·不成功などを)恨む; とが(咎)める; なじ(詰)る. ¶ 누구를 원망하고 누구를 탓하랴 誰をか恨み誰をかとがめん.
탕【湯】[1] [명] ① 汁物. ② (やや実が多く, 汁の少ない)祭祀に供するあつもの(羹).
탕【湯】[2] [명] 湯; ふろ(風呂)や温泉などの浴場. ¶ 남~ 男湯 / 여~ 女湯.
탕[1] [부] 中空なさま: がらんどう; から(っぽ). <텅[1].
탕[2] [부][하자] 銃砲などを撃つ音: (ず)どん. <텅[2]. ㅆ땅.
-탕【湯】[미] ① 湯薬; せん(煎)じ薬《名詞の語尾についてせんやく(煎薬)の名をあらわす》. ¶ 갈근~ かっこんとう(葛根湯) / 쌍화~ 双和湯. ② 汁物《名詞の語尾に付いてその名を表わす》. ¶ 곰~ 肉汁.
탕감【蕩減】[명] 帳消し; 棒引き.
——-하다 [타] 帳消し〔棒引き〕にする.
탕개 [명] 縛るか, または張った縄·ひも(紐)などがゆるまないようにくさびをはさんでねじり締めつけるもの.
——-틀다 [타] 縛りまたは張った縄がゆるまぬように固くねじり締める.
‖——-목(木) [명] 固くねじった縄のよ(縒)りが戻らないように差し込んだくさび(楔). ——-줄 [명] 固くねじ締めてくさびをはさんだ縄.
탕객【蕩客】[명] ほうとうもの(放蕩者).
탕관【湯罐】[명] (すえもの(陶物)作りの)薬をせんじる缶.
탕-국물【湯—】[명] 汁物の汁.
탕기【湯器】[명] 汁物やなべもの(鍋物)を盛る器.
탕-메【湯—】[명] さいし(祭祀)に供える飯とあつもの(羹).
탕면【湯麪】[명] あつもの(羹)をかけたそば.
탕반【湯飯】[명] あつもの(羹)をかけた飯. =장국밥.
탕부【蕩婦】[명] いんぷ(淫婦); ふしだらな女.
탕산【蕩産】[명][하자] [↗탕진 가산(蕩盡家産)] とうさん(蕩産); 破産.
탕-솥【湯—】[명] 湯沸かしがま(釜).
탕수【湯水】[명] 熱湯; 煮え湯.
‖——-량 [명] 湯量. ¶ ~이 풍부한 온천 湯量の豊富な温泉.
탕수-육【糖水肉】[명] 中国料理の一つ《肉にてんぷら(天麩羅)のあんか(餡掛)け》.
탕아【蕩兒】[명] とうじ(蕩児); 女たらし.
탕액【湯液】[명] せんやく(煎薬)をしぼった液汁.
탕약【湯藥】[명] せん(煎)じ薬; せんやく(煎薬). =탕제(湯劑).
탕제【湯劑】[명] ☞ 탕약(湯藥).
탕진【蕩盡】[명][하타] とうじん(蕩尽); 身代をはたくこと. ¶ 가산을 ~하다 家産をつぶす.
탕치【湯治】[명][하타] 湯治. ¶ ~ 요법 湯治療法 / ~객 湯治客.
탕-치다【蕩—】[타] ① 身代をはたく. ② 借金を帳消し〔棒引き〕にする.
탕-탕[1] [부] 多くのものがすっかり空になっているさま: からから; がらがら. <텅텅.
탕-탕[2] [부][하자] ① 銃砲をうったりまたは爆竹が爆発する音: ぱんぱん; (ず)どん(ず)どん. ② 床板などをしきりに打つ音〔さま〕: ぽんぽん; ばたんばたん; どんどん. <텅텅. ㅆ땅땅. ——-거리다 [자][타] しきりに打つ; ぽんぽん〔ばたんばたん〕音がする〔音を出す〕.
탕탕[3] [부][하자] 大言壮語するさま; 大いにいきま(息巻)くさま: ぽんぽん. ¶ 큰 소리만 ~ 치다 大きなことばかり吹きまくる.
탕탕【蕩蕩】[부][하형] とうとう(蕩蕩). ① 広くて大きい様子. ② 平易なさま. ③ 水が勢いよく流れるさま. ④ 法度のすたれたさま.
‖—— 평평(平平) [명][하형] どちらにもかたよらないさま. ㊜ 탕평(蕩平).
탕파【湯婆】[명] 湯たんぽ; たんぽ(湯婆). =각파(脚婆).
탕-하다【湯—】[자] 湯あみをする.
탕화【湯火】[명] 熱湯と熱火.
탕화【湯花】[명] 湯花〔湯華〕; 湯の花.
태[1] [명] すずめ(雀)などの害鳥を追う鳴子の一種.
태[2] [명] 瀬戸物·しんちゅう(真鍮)のひび(罅); 割れ目; 裂け目.
태【胎】[명]〔生〕 胎; 胎盤とへそ(臍)の緒の総称. =삼[1].
태【態】[명] 態; 品; 柄. =맵시.
태가【駄價】[명] 駄賃; 運賃. ¶ 지나가던 김에 실어다 주고 받은 ~ 行き掛けの駄賃.
태-가다 [자] 器にひび(罅)が入る.
태고【太古】[명] 太古; 大昔.
‖——-대 [명]〔地〕 太古代; 始元代. ——-사 [명] 太古史. ——-적 [명] 太古時代. ——-층 [명]〔地〕 太古層.
태공【太公】[명] [↗국태공(國太公)] 太公.
태공-망【太公望】[명]《俗》 釣りをする人. =강태공(姜太公).
태교【胎敎】[명] 胎教.
태국【泰國】[명]〔地〕 タイの漢音.
태권【跆拳】[명] 韓国固有の拳法《手で打ち足でける武術》; テ

クォヌ. ‖──-도(道) 명 武道としての"태권".

태그 〔tag〕 명 (プロレスリングなどで) 選手の二人一組; タッグ. ¶ ～팀 タッグチーム.

‖── 매치 명 タッグマッチ.

태극【太極】명〖哲〗太極; 易学で言う宇宙万物の生ずる根元; 宇宙の本体.

‖──-기 명 太極旗; 大韓民国の国旗. ──-선(扇) 명 太極をえがいたうちわ(団扇).

태기【胎氣】명 懐妊の兆し.

태-깔【態─】명 ① 格好と色彩. ② きょうまん(驕慢)な態度. ──-스럽다 형 驕慢だ. ──-스레 부 驕慢に.

태껸 명하자 柔軟な手足の動作で護身をする韓国固有の武道. ＊ 태권(跆拳).

태-나다 자 [↗태어나다] 生まれる.

태내【胎內】명 胎内.

태다 타 ↗태우다1-3

태도【態度】명 態度; 身ぶり; 素振り; 様子; 身がまえ; 物腰. ¶ 강경한〔당당한〕 ～ 強硬な〔堂堂たる〕態度 / ～가 이상하다 様子がおかしい / ～를 바꾸다〔밝히다〕 態度を変える〔明らかにする〕/ ～를 취하다 態度を取る / 불만을 ～에 나타내다 不満を素振りに見せる.

태동【胎動】명하자 胎動. ① 胎児の動き. ¶ 5개월쯤부터 ～을 느낀다 五箇月ごろから胎動を感ずる. ② ある事が起ころうとする動き; 芽ばえ. ¶ 보수 합동의 ～이 보인다 保守合同の胎動が見られる.

태두【泰斗】명 [↗태산 북두] 泰斗. ¶ 물리학의 ～ 物理学の泰斗.

태란【胎卵】명 胎生と卵生.

태류【苔類】명〖植〗たいるい(苔類); せんたい(蘚苔)植物の一つ.

태만【怠慢】명 怠慢; 怠り. ＝태홀(怠忽). ──-하다 형 怠慢だ. ¶ 직무 ～의 이유로 견책받다 職務怠慢のかど(廉)でけんせき(譴責)される. ──-히 부 怠慢に; なおざり〔おろそか〕に. ¶ ～ 하다 怠る; 怠ける; おろそかにする.

태-먹다 자 ☞ 태가다.

태몽【胎夢】명 懐妊のきざしに見る夢.

태묘【太廟】명 そうびょう(宗廟).

태무【殆無】명하형 ほと(殆)んど無いこと.

태-무심【太無心】명 てんで心にないこと. ──-하다 자 てんでむとんちゃく(無頓着)である.

태반【殆半】명 大半; 過半. ¶ 일의 ～은 끝냈다 大半の仕事は終えた.

태반【胎盤】명〖生〗胎盤; えな(胞衣).

태백【太白】명 ↗태백성.

‖──-성 명 太白星; 金星; 宵の明星; 夕ずつ〈雅〉.

태벌【笞罰】명〖史〗ちばつ(笞罰).

태-부족【太不足】명하형 大いに足りないこと.

태블릿 〔tablet〕 명 タブレット.

태산【泰山】명 泰山. ¶ ～ 같은 반석 위에 올려 놓다 泰山の安きに置く.

‖── 북두 명 泰山北斗; 山斗; 泰斗. ── 준령 명 泰山しゅんれい(峻嶺).

태-상왕【太上王】명 禅位した王. ＝태왕(太王). 준 상왕(上王).

태-상황【太上皇】명 王が譲位後に受ける尊称; 上皇. ＝태황제(太皇帝).

태생【胎生】명 ① 生まれ. ¶ ～은 대구입니다 生まれは大邱です / 그는 토박이 서울 ～이다 彼は生粋のソウル生まれである / ～은 속일 수 없는 법이다 素姓は争われないものである. ②〖生〗胎生.

‖── 동물 명 胎生動物. ──-지(地) 명 出生地.

태서【泰西】명 泰西. ＝서양(西洋). ¶ ～ 각국 泰西各国.

태선【苔蘚】명 こけ(苔); せんたい(蘚苔). ＝이끼.

태세【太歲】명 その年の干支.

태세【胎勢】명 子宮内の胎児の姿勢.

태세【態勢】명 態勢; 身構え. ¶ ～를 갖추다 態勢を整える / 싸울 ～를 취하다 けんか(喧嘩)の身構えをする / 전투 ～를 취하다 戦闘態勢を取る.

태수【太守】명〖史〗太守.

태아【胎兒】명 胎児. ¶ ～를 유산시키다 胎児を流す.

태아【胎芽】명 胎芽. ①〖植〗養分をたくわえ, 自然に脱落して再び一つの個体となる芽. ②〖醫〗せきつい(脊椎)動物で, 妊娠後二箇月までの受精卵.

태양【太陽】명 太陽. ① 日; 日輪; おてんとさま. ＝해. ¶ 작열하는 ～ しゃくねつ(灼熱)する太陽 / ～이 뜨다〔지다〕 太陽が昇る〔沈む〕/ ～ 광선이 강하다 太陽光線が強い. ② いつも光り輝いて万物をはぐく(育)み希望を与えるもの. ¶ 민족의 ～ 民族の太陽.

‖──-계 명 太陽系. ──-년 명 太陽年. ──-등 명 太陽灯. ¶ ～을 쬐다 太陽灯を照射する. ──-력 명 太陽暦; 陽暦《준말》. ＝신력(新曆). ── 물리학 명 太陽物理学. ── 숭배 명 太陽崇拝. ── 전지 명 太陽電池. ── 전파 명 太陽電波. ── 중심설 명 太陽中心説. ── 흑점 명 太陽黒点. 준 흑점.

태어-나다 자 生まれ(落ち)る; 出生する. 준 태나다. ¶ 태어난 곳 生まれ(たところ); 出生地 / 죽는 사람과 태어나는 사람 死ぬ人と生まれる人 / 태어난 이래 生まれ落ちてこのかた / 태어날 때부터 生まれながら / 태어나서 처음(으로) 生まれてから初めて / 가난하게 ～ 貧乏に生まれる / 부농의〔가난한〕 집에 ～ 富農の家〔貧家〕に生まれる / 다시 ～ 生まれ変わる.

태업【怠業】명 怠業; サボタージュ; サボ《준말》. ──-하다 자 怠業する; サボる〈俗〉. ¶ ～ 전술로 임금 인상 투쟁을 하다 怠業戦術で賃上げ闘争をする.

태-없다 형 ① 高〔様子〕ぶらない;

けんそん(謙遜)である. ② 不格好だ; やぼだ. 태-없이 부 ① 高ぶらずに. ② やぼに.

태연【泰然】명 泰然; 平気; 平然. ――-하다 형 泰然としている; 平気だ; つれない. ¶ ~한 태도 平然たる態度 / ~한 얼굴 さらぬ顔 / 남은 무어라해도 나는 ~하다 人は何と言おうとわたしは平気である / ~한 얼굴을 하다 平気な〔何食わぬ〕顔をする / ~하게 말하다 事も無げに言う. ――-히 부 泰然〔平然〕と; 平気に; 事無げに; てん(恬)として. ――-스럽다 형 泰然〔平然〕としている; てん(恬)としている; 平気だ.

‖―― 자약 명 泰然自若. ¶ ~하다 落ち着き払っている; 泰然自若としている.

태엽【胎葉】명 ぜんまい(発条). ¶ ~을 감다 ぜんまいを巻く / ~이 풀리다 ぜんまいがゆるむ / ~이 느슨하다 ぜんまいの巻きがゆるい.

태왕【太王】명 ☞ 태상왕(太上王).

태우다¹ 타 ① 焼く. ㉠ (火をつけて)燃やす. ¶ 낙엽을〔종이를〕~ 落ち葉〔紙〕を燃やす / 담배를 ~ タバコを吸う〔ふかす〕/ 쓰레기를 ~ ごみを焼く / 전쟁으로 집을 (불)~ 戦争で家を焼く / 시가를 깡그리 태워 버리다 市街を焼き払う. ㉡ (皮膚を)日に焼く. ¶ 햇볕에 등을 ~ 日に背中を焼く. ② 焦がす. ㉠ 焼いて黒焦げにする. ¶ 밥을 새까맣게 ~ 飯を真っ黒に焦がす / 다림질하다가 셔츠를 ~ アイロンを掛けるうちシャツを焦がす. ㉡ 気をも(揉)む; 思い悩む; いらいらする. ¶ 애를 ~ 思いを焦がす / 기다리는 사람이 오지 않아 속을 ~ 待ち人が来ないのでいらいらする. 준 태다.

태우다² 타 ① 乗せる. ¶ 기차에 ~ 汽車に乗せる / 버스에 ~ バスに乗っける / 태워주다 乗せてやる. ② 危ない所に行かせるか, または渡らせる. ¶ 줄을 ~ 綱を渡らす. 준 태다.

태우다³ 타 ① 義務的に, または同情的に分けてやる; 分け与える. ¶ 재산을 ~ 財産を分け与える. ② (かけ事で)金品をか(賭)ける. 준 태다.

태우다⁴ 一 타 (頭髪などを)分けさせる. ¶ 가르마를 ~ 髪の分け目をつける / 밭골을 ~ 畑の溝をつける. 二 사동 (豆などをひ(碾)きうす(臼)で)ひ(碾)き割らす; ひ(碾)かせる.

태음【太陰】명 太陰.

‖――-년 명 太陰年. ――-년-차 명 太陰年差; 約一年周期に起こる太陰運行の変化. ――-력 명 太陰暦; 陰暦. ＝구력(舊曆). ―― 태양력 명 太陰太陽暦.

태의【胎衣】명 胎衣; えな(胞衣).

태자【太子】명 [↗황태자] 太子.

‖――-궁(宮) 명 ① 皇太子に対する敬称. ＝춘궁(春宮). ② 皇太子の宮殿. ＝동궁(東宮). ――-비 명 皇太子妃.

태작【駄作】명 駄作.

태전【苔田】명 のり(海苔)の養殖場.

태점【胎占】명 胎児の性別を占うこと.

태조【太祖】명 太祖. ¶ 이~ 李太祖.

태중【胎中】명 胎中; 腹ごも(籠)り. ＝태상(胎上).

태질 명하타 ① 強く投げ〔たたき〕つけたり倒すこと. ② 台に稲束をたた(叩)いてもみつぶ(籾粒)をとること. ――-치다 타 (強く)投げ付ける; 叩きつける. 준 태치다.

태-짐【駄―】명 載せたり背負ったりして運ぶ荷物; 積み荷.

‖――-꾼 명 担ぎ荷の運搬人.

태초【太初】명 太初.

태-치다 타 ↗태질치다.

태클〔tackle〕명하자 タックル. ¶ 맹렬한 ~ 猛烈なタックル.

태평【太平】명하형 太平. ① 太平〔泰平〕; 平和. ¶ 천하 ~ 天下太平 / ~ 세대 太平無事の世 / ~을 구가하다 太平をおうか(謳歌)する / ~의 꿈을 깨뜨리다 太平の夢を破る. ② のんき; 気楽; おおどか. ¶ ~하게 살아가다 のんきに暮らす / 무사~한 사람이다 のんき〔気楽〕な人だ. ――-히 부 ① 太平に. ② のんきに; 気楽に. ――-스럽다 형 太平である; のんきだ.

‖――-가 명 太平をおうか(謳歌)する歌. ―― 성대(聖代) 명 太平の御代. ―― 성사(盛事) 명 太平な時代のよろこばしい事. ―― 세계(世界) 명 太平な世の中. ――-소(簫) 명〔樂〕唐人笛; チャルメラ. ＝날라리. ―― 연월(烟月) 명 太平で安楽な歳月.

태평【泰平】명하형히부 泰平; (心身・家が)安らかなこと.

‖――-꾼 명 泰平な人.

태평-양【太平洋】명〔地〕太平洋.

‖―― 전쟁 명 太平洋戦争. ―― 함대 명 太平洋艦隊.

태풍【颱風】명 台風; タイフーン; 野分〈雅〉. ¶ ~ 경보 台風警報 / ~ 주의보 台風注意報 / ~의 피해 台風の被害 / ~의 눈〔氣〕台風の目 / ~이 가져온 피해 台風がもたらした被害 / ~에 휩쓸리다 台風に見舞われる.

태허【太虛】명 太虚. ① おおぞら. ＝하늘. ②〔哲〕空虚; じゃくまく(寂寞)たる宇宙の本体.

태형【笞刑】명〔史〕ちけい(笞刑); たた(叩)き.

태환【兌換】명하타 だかん(兌換). ① 引き換えること. ②〔經〕紙幣を正貨と引き換えること.

‖――-권 명 兌換券. ―― 은행 명 兌換銀行. ―― 제도 명〔經〕兌換制度. ―― 지폐 명 兌換紙幣; 兌換券.

태후【太后】명 [↗황태후] 太后.

택길【擇吉】명하자 吉日を選ぶこと. ＝택일(擇日).

택시〔taxi〕명 タクシー; タク《준말》; メータク〈俗〉《미터제로 달리는 택시》. ¶ 개인 ~ 個人タクシー / ~ 타는 곳 タクシー乗り場 / ~를 잡다 タクシーを拾う / ~를 타다 タクシーに乗る / ~를 세우다 タクシーをとめる.

‖―― 드라이버 명 タクシードライバ

—. ——-미터 명 タクシーメーター.

택인【擇人】명하자 (雇うべき)人を選ぶこと.

택일【擇一】명 択一; 選一. ——-하다 자 (二者のうちで)一つを選ぶ. ¶양자 ～ 両者択一.

택일【擇日】명하자 吉日を選ぶこと; 日取り. =택길(擇吉).

택지【宅地】명 宅地. ¶～ 조성 宅地造成/～를 사다 宅地を買う.

택진【宅診】명하타 宅診.

택-하다【擇—】타 選ぶ; 取る. ¶둘 중에 하나를 ～ 二つのうち一つを選ぶ/명분보다 오히려 실리를 ～ 名よりもむしろ実を選ぶ/겉보다도 실속있는 것을 ～ 上べよりも実のあるものを選ぶ/길일을 ～ 佳き日を選ぶ/다수결을 ～ 多数決を取る/명리를 버리고 실리를 ～ 名を捨てて実を取る.

택호【宅號】명 官職の名, または婦女の里の地名にちな(因)んで人の家を呼ぶ語《たとえば, 이 간사댁 (=李幹事宅), 부산 댁 (=釜山宅)など》.

탤런트〔talent〕명 タレント.

‖—— 머니 명 タレントマネー.

탤크〔talc〕명 タルク; 滑石.

탬버린〔tambourine〕명〘樂〙タンバリン. 「준 탭.

탭-댄스〔tap dance〕명 タップダンス.

탯-거리【態—】명《俗》姿; 様子; なり形; なりふり; 格好. =태(態).

탯-돌 명 (脱穀するときに用いる)稲束のたた(叩)き石.

탯-자리개 명 (脱穀の際)稲や麦を束ねてくくる縄.

탯-줄【胎—】명〘生〙へそ(臍)の緒; ほぞ(臍)の緒〈老〉. =제서(臍緖). ¶～을 끊다 へその緒を切る/～ 잡듯 한다《俚》へその緒をつかむよう《物をしっかりとつかむことのたとえ》.

탱고〔tango〕명 タンゴ. ¶～를 추다 タンゴを踊る.

탱커〔tanker〕명 タンカー; 油槽船.

탱크〔tank〕명 タンク. ①気体·液体を収容する容器. ¶가스 ～ ガスタンク. ②戦車.

‖—— 로리 명 タンクローリー.

탱탱 부하형 張っているさま; また, はち切れそうなさま: ぴんと. <팅팅. ㅆ땡땡.

탱화【幀畫】명〘佛〙描いて壁にかける仏像. 준 탱(幀).

터[1] 명 ①敷地; 台地; 場所. ¶빈～ 空き地; 原っぱ; 広っぱ/성～ じょうし(城址)/쓰레기 ～ ごみ捨て場; ちりづか(塵塚)/～를 차지하다 場所を占める〔ふさぐ〕/애들이 공～에서 놀고 있다 子供らが広っぱで遊んでいる. ②(物事の)基; 土台; 基礎·いしずえ.

터[2] 명 ↗터수. ¶잘 아는 ～ よく知っている間柄.

터[3] 의명 語尾"-ㄹ·-을"の下に付いて予定の意を表わす語《普通次に来る"이"が結び付いて"테"になる》: 予定; はず(筈); つ(積)もり. ¶할 ～이다 するつもりだ/자네도 해줄 테지 君もやってくれるだろうな/틀림없을 테지 間違いない(だろう)な/조금만 더 노력하면 완성될 텐데 もう一苦労で出来あがるんだが(なあ)/너만 옳다면 불평은 없을～ お前さえ正しければそれで文句はないはず/그만한 일은 자네도 알고 있을 ～이다 それくらいの事は君だって知っている筈だ/나갈 ～이니 기다려라 出て行くから待ってくれ.

터널〔tunnel〕명 トンネル. ①すいどう(隧道). =굴(窟). ②野球で, ゴロのボールをまたま(股間)から取り逃すこと.

터-놓다 타 ①(さえぎるものを)取りのける; 開ける; 開放する. ¶둑을 ～ せき(堰)を切る〔切り落とす〕/방을 ～ 部屋をぶっこぬく. ②(禁じたことを)解く; 解除する. ③わけへだてなくつきあう; うち明ける; 打ち解ける; 腹を割る. ¶(속을) 터놓고 이야기하다 腹を割って話す/터놓고 지내는 사이 気の置けない間柄. 「닿다.

터-다지다 자 地がためをする. 준 터

터-닦다 자 ①地ならしをする; 敷地をなら(均)す. ②(物事の)基礎を固める.

터-닿다 자 ↗터다지다.

터덕-거리다 자 ①とぼとぼ〔よぼよぼ〕と歩く. ②やっと暮らして行く; どうにかこうにか暮らす. ③あえぎあえぎ身を動かす. ④こつこつとたた(叩)く. >타닥거리다. 터덕-터덕 부하자 ①とぼとぼ(と). ②やっと; どうにかこうにか. ③あえぎあえぎ.

터덜-거리다 자 ①足をひきずるように歩く; とぼとぼ歩く. ②ひびいった音がする. ③空車ががたがたと音を立てながら通る. >타달거리다. 터덜-터덜 부하자 とぼとぼ; がたがた.

터드렁 부하자타 ひびいった金物が響き鳴る音: がらん. >타드랑. 준 터렁. ——-거리다 자타 がらんがらんと鳴る〔鳴らす〕. ——— 부하자타 がらんがらん.

터득【攄得】명 会得; 体得. ——-하다 타 会得する; 体得する; 悟る. ¶진리를 ～하다 真理を悟る.

터뜨리다 타 ①破裂させる; 爆発させる. ¶왁하고 울음을 터뜨렸다 どっとばかり泣き崩れた/웃음을 ～ 噴き出す/여분을 ～ 余憤をもらす/샴페인을 ～ シャンペンを抜く. ②暴く. ¶부정을 ～ 不正を暴く.

터럭 명 人や獣の毛.

터릿〔turret〕명〘機〙[↗터릿 선반(旋盤)] ターレット.

‖—— 선반 명〘機〙ターレット旋盤.

터무니 명 ①土台〔礎〕の跡. ②根拠. ——-없다 형 根拠がない; とてつ(途轍)もない; 途方もない; とんでも〔滅相も〕ない. ¶터무니없는 계획 途方もない計画/터무니없는 값 とんでもない値段/터무니없는 거짓말 でたらめなうそ(噓)/터무니없는 값을 매기다 法外な値をつける/터무니없는 소리를 하다 途方もない事

こと〔とんでもない話〕を言う / 터무니없는 의심을 받다 痛くもない腹を探られる / 그것은 터무니없는 소리다 それはでたらめな話である / 터무니없는 말을 지껄였다 あらぬ事を口走った.
――-없이 부 途方〔とてつ〕もなく; むやみに; 法外に. ¶～ 이익이 많은 장사 ぼろい商売 / ～ 비싸다 むやみに高い.

터미널〔terminal〕명 ターミナル. ¶고속 버스 ～ 高速バスターミナル / ～ 스테이션 ターミナルステーション.

터벅-거리다 자 てくてく〔とぼとぼ〕歩く; てくる〈俗〉. >타박거리다. **터벅-터벅** 부하자 てくてく; とぼとぼ.

터벅터벅-하다 형 (粉食などが)水気が少なくてこわ(強)い; ばさばさする; かすかすする.

터번〔turban〕명 ターバン.

터보건〔toboggan〕명 トボガン.

터보제트 엔진〔turbojet engine〕명 ターボジェットエンジン.

터보프롭 엔진〔turboprop engine〕명 ターボプロップエンジン.

터부〔taboo〕명 タブー. ¶그것은 ～로 되어 있다 それはタブーになっている.

터부룩-하다 형 髪の毛や草木などがぼうぼうと生えている. **터부룩-이** 부 ふさふさと; ぼうぼう.

터분-하다 형 (くさりかけた塩辛のように)味が新鮮でない. >타분하다.

터빈〔turbine〕명 タービン. ¶증기 ～ 蒸気タービン.

터-세다 형 地相が悪い; その場で災いが起こりやすい.

터수 명 ① 暮らし向きの程度や状態. ¶사는 ～가 넉넉하지 않다 暮らし向きが楽でない. ② 付き合い関係; 間柄. ¶친한 ～에 그건 너무하다 親しい間柄でそれはあんまりだ.

터울 명 一人の母が産む子供の年の差; としちがい. ¶두 살 ～로 낳다 二つちがいに(子を)産む / ～이 잦다 年の差が少ない / 한 살 ～이다 年子である.

터울-거리다 자 (目的を果たそうと)あがく; あくせくする; 力む. >타울거리다. **터울-터울** 부하자 あくせくと.

터-잡다 자 ①(敷地・場所などを)きめる. ② 土台が固まる.

터전 명 基盤; よ(拠)り所. =기지(基地). ¶생활 ～을 잃다 生活のより所を失う.

터-주【一主】 명《民》(家の)守り神; 地神; 主.
‖**터줏-님** 명 "터주"の敬称. **터줏-대감**(大監) 명《俗》(その地や団体などでの)古顔〔最古参〕を戯れに言う語.

터-주다 타 禁じたことを取り除く; 解除する; 解く; (ふさがったものを)通す.

터지다 자 ①(事が)突発〔勃発〕する; 起こる. ¶전쟁이 ～ 戦争が起こる〔始まる〕. ②(塊をなしたものが)割れる; (張り)裂ける; 爆発〔破裂〕する; はち切れる; はじける. ¶포탄이 ～ 砲弾が破裂する / 이마가 ～ 額が割れる / 혈관이 ～ 血管が破れる / 열매가 여물어 터져서 씨가 튀어나오다 実が弾けて種子が跳び出す / 배가 터질 것 같다 おなかがはち切れそうだ / 가슴이 터질듯한 기분이다 張り裂ける思いだ. ③(土手などが)切れる; 決壊する; ほころ(綻)びる. ¶봇둑이 ～ せき(堰)が切れる / 옷솔기가 ～ 縫い目がほつれる. ④(潜めていたことが)表面にあらわれる; ばれる; 漏れる. ¶독직 사건〔비밀〕이 ～ とくしょく(瀆職)事件〔秘密〕がばれる. ⑤《俗》ぶん殴られる; たたかれる. ¶깡패에게 얻어 ～ ごろつきに殴られる. ⑥(積もった感情・笑いなどが)一度にどっと出る; …しだす; ぶちまける. ¶분노가 ～ かんしゃく(癇癪)が破裂する / 울음이 ～ わっと泣きだす / 터져나오는 환성 沸き上がる歓声 / 부아가 ～ 堪忍袋の緒が切れる / 박수가 터져 나오다 拍手が沸き起こる / 참았던 웃음이 터져 나오다 こらえていた笑いが吹き出る.

터치〔touch〕명하자타 タッチ. ① 手をつけ触ること. ¶～의 차이 タッチの差 / 저 피아니스트의 ～는 부드럽다 あのピアニストのタッチは柔らかい. ② 人を感動させるかまたは同感を起こさせること. ③ ある事物に関して短く論ずること. ④(排球で)前衛が相手方のコートに向かってボールを素早く打ち込む攻撃法. ⑤(野球で)ボールをランナーに当てること. ¶～가 안 되어 세이프 タッチに成らずセーフ. ⑥(ラグビーで)ゴールラインに触ったりゴールラインを横切ってゴールの中にボールを当てること.
‖――-다운 명하자 タッチダウン. ――-라인 명 タッチライン. ―― 아웃 명하타 タッチアウト.

터크〔tuck〕명 (洋裁で)タック.

터틀-넥〔turtleneck〕명 タートルネック; とっくり.

터프〔tough〕명 タフ. ¶～ 가이 タフガイ.

턱[1] 명 ① あご(顎〔腭〕). ¶아래～ 下顎; おとがい(頤)〈雅〉/ 위～ 上顎 / ～이 빠지다 顎がはずれる / 사람을 ～으로 부리다 人を顎で使う / ～을 치켜올리다 あごをしゃくる. ② あごの外の部分. ③ 平面の中の少しつき出た所.

턱[2] 명 人にちそう(馳走)すること; おごり. ¶생남 ～ 男の子の出産を祝うおごり / 한 ～ 내시오 一杯おごりなさい.

턱[3] 명 ① 理由; わけ; 道理; はず(筈). ¶그럴 ～이 있나 そんなわけはあるまい / 용서할 ～이 없다 許す筈がない. ② それ位の程度. ¶아직 그 ～인가 まだそれ位なのか.

턱[4] 부 ① ある動作を気品と重味を持ってするさま; また, ある動作を大様に落ち着いてするさま: 平然と; でんと. ¶폭도 앞에 ～ 나섰다 暴徒の前に平然と進み出た / ～

앉아서 한마디 하다 でんと座って一言いう. ② 緊張をゆるめるさま: ゆる(緩)り; 気楽に. ¶ 마음을 ~ 놓고 쉬십시오 ごゆるりとお休みください.

턱-걸이 명 하자 ① 懸垂. ② けんか, または相撲などで相手のあごを押してつき倒す技. ③ 人にたよって暮らすことのたとえ. ¶ ~로 지내다 人に頼って暮らす〔身を寄せている〕. ④《俗》合格・昇進・昇給などの運動.

턱-끈 명 あごひも(顎紐).

턱-까불다 자 (息を引き取る際に)あごがかくがくとふるえる.

턱-밀이 명 하타 (相撲で)相手のあごを手で押しつけて攻撃を阻む技.

턱-밑 명 ① あご(顎)の下. ② ごく近い所のたとえ; 目の前.

턱-받이 명 よだれ(涎)掛け.

턱-뼈 명〖生〗あご骨. =악골(顎骨).

턱-살 명《俗》☞ 턱[1].

‖——-**밑** 명《俗》☞ 턱밑.

턱시도〔미 tuxedo〕명 タキシード. =디너 코트.

턱-없다 형 ① 理不尽である; 途方もない; ばかばかしい; べらぼうだ; むちゃだ. ¶ 턱도 없는 비평 めちゃな批評 / 턱없는 소리를 하다 めちゃをいう / 턱도 없이 싸다 めっぽうに安い / 턱없는 짓을 하다 むちゃな事をする / 턱없는 값으로 팔리다 ばか値に売れる. ② (身分)不相応だ. **턱-없이** 부 むちゃ〔めちゃ〕に; 途方もなく; 法外に. ¶ ~ 비싸다 むやみに高い / ~ 싼 물건이다 法外に安い品物である.

턱-주가리 명《俗》したあご(下顎); おとがい. =아래턱.

턱-지다[1] 자 段になる.

턱-지다[2] 자 おごるべき義理またはわけがある; 借りがある.

턱-짓 명 하자 あごで意思を表わす振り; あご使い.

턱-찌끼 명 食べ残し(た物).

턱-턱 부 ① 物事のけじめをつけて手際よくさば(捌)くさま: ぱっぱっと; てきぱき. ¶ 맡은 일을 ~ 해내다 受け持った仕事をてきぱき(と)やりとげる. ② 物がつづけざまに倒れるさま: ばたばた. ¶ 병사들이 ~ 쓰러지다 兵士がばたばた(と)倒れる. ③ つば(唾)をしきりに吐きつけるさま. ④ しきりに息がつまるさま: ぐっぐっ(と). ¶ 숨이 ~ 막히다 息がぐっぐっ(と)詰まる. ⑤ 物をしきりにたた(叩)いたり, ごみ・ほこりをはたくさま. また, その音: ばたばた. > 탁탁.

턴〔turn〕명 ターン. ¶ U~ ユーターン / 퀵~ クイックターン.

‖——-**버클** 명 引き締めねじ; ターンバックル. ——-**테이블** 명 ターンテーブル.

털 명 ① 毛. ㉠ (人・動物の)身に生える細い糸のようなもの. ¶ 몸의 ~ 身の毛 / ~이 함초롬한 말 毛並みの美しい馬 / ~이 많다 毛深い / ~을 쥐어뜯다 毛を(かき)むし(毟)る / ~이 빨리 자라다 毛足が早い. ㉡ 髪(の毛). ¶ 텁수룩한 머리~ ぼさぼさした髪の毛. ㉢ 羽毛; 羽. ¶ ~도 아니 난 것이 날기부터 하려 한다《俚》羽も生えぬうちに飛ぼうとする《愚かな人が身の程も知らずに大事を図る意》. ㉣ ↗털실. ㉤〖植〗葉・茎の表面に生えた糸のようなもの《タンポポの冠毛など》. ② 物の表面に生じたけば(毳).

털-가죽 명 毛皮. =모피.

털-갈다 자 毛変わりする; (毛が)抜け替わる. ¶ 털갈이 毛替わり; 羽抜け / 털갈이하는 새 羽抜け鳥.

털-게 명〖動〗けがに(毛蟹).

털-구멍 명 毛穴.

털-끝 명 ① 毛の先. ② ささい(些細)なもの; 毛頭. ¶ ~만큼도 少しも; 毛頭 / 그런 일은 ~만큼도 없다 そんなことは毛頭ない.

털-내의【—內衣】명 毛織りの肌着.

털-너널 명 毛物で大きくつくった足袋《寒い時や遠方に行くときに履き重ねる》.

털다 타 ① はたく. ㉠ (ごみなどを)払う; 払いのける; 振るい払う. ¶ 천장의 그을음을 ~ 天井のすすを払う / 이불을 ~ ふとんをはたく / 먼지를 ~ ちり〔ごみ〕をはたく / 눈을 털어 버리다 雪を払い除ける / 물방울을 ~ しずくを振るい落とす. ㉡ (財物を)全部出す; 使い果たす. ¶ 호주머니를〔있는 돈을 몽땅〕~ 財布の底をはたく. ② (心を)ぶちまける. ¶ 마음속을 탁 털어놓고 이야기하다 腹を割って話す / 모조리 탁 털어 놓아라 何もかもぶちまけてしまえ. ③ (どろぼうなどが)金品をかす(掠)め取る; 荒らす. ¶ 학교 털이 学校荒らし / 빈집을 ~ 空き巣を荒らす.

털럭 부 하자 走ったりまたは, 一方の物だけが一度揺れる音, またはそのさま. ¶ ~신〔구두〕どた靴. > 탈락. ——-**거리다** 자 がたがたと揺れる; がたがたする. ¶ 털럭거리는 시외버스 がたがた揺れる市外バス. ——-—— 부 하자 がたがた.

털리다 ㈠ 피동 はたかれる; 払われる; 振るい落とされる; (どろぼうなどに)すっかり盗まれる; さらわれる; ばくちなどで有り金をすっかり巻き上げられる. ¶ 그에게 몽땅 털렸다 その女にすっかり絞られた / 도둑에게 돈을 ~ 泥棒に持ち金をさらわれる / 몸에 걸친 것까지 몽땅 ~ 身ぐるみはがれる. ㈡ 사동 はたかせる; 振るい払わせる.

털-모자【—帽子】명 毛帽子.

털-목도리 명 獣の毛や毛糸編みの首巻き.

털-방석【—方席】명 獣毛作りのざぶとん; 毛を入れてつくったざぶとん.

털-배자【—褙子】명 中に毛をあてた婦人用の長めのチョッキ.

털버덕 부 하자타 平たいものが浅い

水面を荒荒しく踏む音：ぴちゃ．＞탈바닥．——-거리다 자타 ぴちゃぴちゃいわせる〔する〕．———— 부하자타 ぴちゃぴちゃ．

털-버선 명 ☞ 털너널．

털벅 부하자타 (平たいものが)浅い水面を踏む音： ぽちゃん．＞탈박．——-거리다 자타 ぽちゃぽちゃさせる〔する〕．———— 부하자타 ぽちゃぽちゃ．

털벙 부하자타 水面に重たい石などを投げて出る音：どぶん．＞탈방．——-거리다 자타 どぶんどぶん(と)音がする〔音を出す〕．———— 부하자타 どぶんどぶん．

털-보 명 毛深い人．

털-복숭아 명 毛の多い"유월도(六月桃)"を指す語．

털-붓 명 毛筆．＝모필(毛筆)．

털-붙이 명 ① 毛皮．② 毛織り物．

털-빛 명 毛色．

털-셔츠 〔shirts〕 명 毛シャツ．

털-신 명 毛や毛皮でつくった防寒靴．

털-실 명 毛糸；ウール．¶순모 ～ 純毛の毛糸／가느다란 ～ 細目の毛糸／～로 뜨개질을 하다 毛糸で編み物をする／～을 찌다 毛糸を蒸す．

털썩 부하자 ① 人が急に座りこむさま．また，その音：ぺったりと；ぺたりと；どっかり；どかっと．＞탈싹．¶～ 주저앉다 ぺたりと座る；どっかと腰を下ろす／～ 툇마루에 주저앉다 ぺったりと縁側にすわる．② やや厚く広いものが急に落ちたり，またはやや重いものを下ろす音；また，そのさま：どっかり；どっさり；どすん．¶짐을 ～ 내려놓다 荷物をどっかり(と)下ろす．——-거리다 자 しきりにどっさりする．———— 부 ぺたりぺたり；どっさりどっさり．

털어-놓다 타 (秘密や悩みなどを)うち明ける；ぶちまける．¶털어놓기를 망설이다 うち明けるのをためらう／마음속을 ～ 胸をうち明かす〔ぶちまける〕／사정을 ～ 事情を打ち明ける．

털어-먹다 타 使い果たす；無くす；はたく．¶재산을 ～ 身代をはたく．

털-올실 명 獣の毛でよった一本よ(縒)りの糸．

털-옷 명 毛皮作りの衣服；毛織り物．

털-장갑 【—掌匣】 명 毛の手袋．

털-찝 명 金使いが荒いほうとう(放蕩)者をまき上げる側から言う語：かも．

털터리 명 [↗빈털터리] すってんてん；すかんぴん．＞탈타리．

털털 부하자타 ① 心はせくが体は意のままに動かずあぶなげな足どりで歩くさま：よろよろ；ひょろひょろ．② ひび入った陶磁器などをたた(叩)いて鳴らす音：がちゃがちゃ．＞탈탈．——-거리다 자 ① よろよろ歩く．② がちゃがちゃする．

털털-이 명 ① 大ざっぱで気どらない人．② (おん)ぼろ車；がた自動車．

털털-하다 형 儀式ばらない；大ざっぱで堅苦しくない．털털-히 부 大ざっぱに．

털-토시 명 毛を中に当てた腕ぬき．

털-파리 명 〖蟲〗けばえ．

텀벙 부하자타 重く大きい物が深い水に落ちこむ音；また，そのさま：どぶん；ぼちゃん．＞탐방．——-거리다 자타 どぶんどぶん〔ぼちゃんぼちゃん〕と音がする〔音をたてる〕．———— 부하자타 どぶんどぶん．

텀블링 〔tumbling〕 명하자 ① ☞ 공중제비．② タンブリング．

텁석 부 急にかみついたり握るさま：ぱくっと；ぱっと；ぎゅっと．＞탑삭．——-거리다 타 しきりにぱくつく；しきりに強く握りしめる．———— 부하타 ぱっぱっと；ぱくっぱくっと．

텁석-나룻 명 もじゃもじゃしたひげ；不精ひげ(髭)．

텁석-부리 명 ひげのもじゃもじゃした人．

텁수룩-하다 형 もじゃもじゃしている；ぼうぼう(茫茫)としている．¶텁수룩한 머리털 ぼさぼさの髪の毛／머리를 텁수룩하게 기르다 髪を茫茫とのばす．텁수룩-이 부 むしゃくしゃ；茫茫と；もじゃもじゃと；ぼさぼさと．¶수염이 ～ 나다 ひげがもじゃもじゃに生える．

텁지근-하다 형 口当たりが悪くさっぱりしない．

텁텁-이 명 大ざっぱな人；堅苦しくない人．

텁텁-하다 형 ① 舌ざわりが悪くさっぱりしない．② 目がかすんで〔どんよりして〕いる．③ (性格が)堅苦しく〔ややこしく〕ない．

텃-고사 【—告祀】 명 地神祭．

텃-도지 【—賭地】 명 敷地の使用料．

텃-마당 명 共同脱穀場．

텃-밭 명 敷地に付いている畑．

텃-새 명 季節的に移動しない鳥；留鳥．

텃-세 【—貰】 명 借地料．

텃-세 【—勢】 명하자 先に居着いた者があとから来た人を軽んじること；(先に居着いたのを鼻にかけ)あとの者をないがしろにすること．

텅[1] 부 中に何もないさま：がらんと．＞탕[1]．¶～ 빈 교실〔집〕 がらんどうの教室〔家〕．

텅[2] 부하자 銃砲などの撃つ音：どん；ずどん．＞탕[2]．

텅스텐 〔tungsten〕 명 〖化〗タングステン《記号：W》．

‖——-강 명 タングステン鋼．＝볼프람강(Wolfram鋼)．

텅-텅[1] 부 空いて何もないさま：がら(ん)がら(ん)と；からから．＞탕탕[1]．¶～ 비어 있는 버스 がらんがらんと空いているバス／지갑이 ～ 비었다 財布ががらがらだ．

텅-텅[2] 부하자타 銃砲がつづけざまに発射されたり何かで床をつづけて鳴らす音：ずどんずどん；どんどん；どたばた．＞탕탕[2]．——-거리다 자타 ずどんずどん〔どんどん〕鳴る〔鳴らす〕．

텅텅³ 부 大言壮語するさま: でかでか; でこでこ. >탕탕³. ¶큰 소리만 ~치다 でかでかと大口をたたく.

테¹ 명 ①たが(箍). ¶~가 헐거워지다〔벗겨지다〕 箍がゆるむ〔外れる〕/ 통에 ~를 메우다 たる(樽)にたがをかける. ②(物の)へり(縁). ③ ☞ 테두리. 「かせ.

테² 의명 かせいと(桛糸)を数える語:

테너〔tenor〕 명〘樂〙 テナー; テノール.

테니스〔tennis〕 명 テニス. ¶~ 코트 テニスコート / ~를 치다 テニスをやる.

테두리 명 枠. ①縁; へり; 輪. =윤곽. ¶안경 ~ 眼鏡の縁 / ~가 달린 모자 縁のついた帽子 / ~를 붙이다 縁を取る / 금 ~ 金覆輪 / 은 ~ 銀覆輪. ②範囲; 限界. ¶~ 밖 枠外 / 법률의 ~를 벗어난 행동 法律の枠をこえた行動 / 예산의 ~ 안에서 해나가다 予算の枠内でやりくりする. ㊟테.

테라마이신〔Terramycin〕 명〘藥〙 テラマイシン.

테라스〔프 terrasse〕 명 テラス.
‖── 하우스 명 テラスハウス.

테러〔terror〕 명 ①テロル. ②[↗테러리스트·테러리즘] テロ. ¶적색 ~ 赤テロ.

테러리스트〔terrorist〕 명 テロリスト. =폭력 혁명주의자. ㊟테러.

테러리즘〔terrorism〕 명 テロリズム. =폭력주의. ㊟테러. 「油.

테레빈-유【—油】〔terebin〕 명 テレビン

테르븀〔라 terbium〕 명〘化〙 テルビウム《記号: Tb》.

테르펜〔terpen〕 명〘化〙 テルペン.

테리어〔terrier〕 명 テリア; テリヤ.

테마〔라 thema〕 명 テーマ.
‖── 뮤직 명 テーマミュージック. ── 소설 명 テーマ小説. =주제 소설. ── 송 명 テーマソング.

테-메우다 타 たが(箍)をかける.

테-밀이 명하타〘建〙 (戸や窓の)桟の角に少し縁を出すこと.

테-밖 명 範囲外; 枠外; 圏外; 局外. ¶~의 사람 局外の人.

테석-테석 부하형 滑らかでなく粗いさま: ざらざら; がさがさ.

테스트〔test〕 명하타 テスト. ¶탄성 ~ 弾性試験〔テスト〕.
‖── 케이스 명 テストケース. ── 파일럿 명 テストパイロット. =시험 비행사. 「局内.

테-안 명 範囲内; 枠内; 圏内;

테이블〔table〕 명 テーブル; 卓. ¶~을 두들기며 卓をたたいて.
‖── 매너 명 テーブルマナー. ──-스푼 명 テーブルスプーン. ── 스피치 명 テーブルスピーチ. ──-클로스 명 テーブルクロース.

테이프〔tape〕 명 テープ. ¶~를 끊다 テープを切る《ゴールインする》/ ~에 녹음하다 テープに録音する.
‖── 리코더 명 テープレコーダー.

테일〔tail〕 명 ①テール. ②尾のようなもの. ③髪を三つに分けて編み垂らしたもの.
‖──-라이트 명 テールライト. =미등(尾燈).

테제〔도 These〕 명 テーゼ. ①〘哲〙定立. ②(政治活動の)綱領.

테크네튬〔technetium〕 명〘化〙 テクネチウム《記号: Tc》.

테크노크라시〔technocracy〕 명 テクノクラシー.

테크노크라트〔technocrat〕 명 テクノクラート. =기술 관료(技術官僚).

테크놀러지〔technology〕 명 テクノロジー.

테크니션〔technician〕 명 テクニシャン. ①専門技術者. ②技巧家.

테크니컬〔technical〕 명 テクニカル.
‖── 녹아웃 명 テクニカルノックアウト. ── 텀 명 テクニカルターム. =전문어(專門語). ── 파울 명 テクニカルファウル. 「ラー.

테크니컬러〔technicolor〕 명 テクニカ

테크닉〔technic〕 명 テクニック.

테토론〔Tetoron〕 명 テトロン.

테트로도톡신〔tetrodotoxin〕 명〘化〙 テトロドトキシン.

테플론〔Teflon〕 명 テフロン.

텍사스 리거〔Texas leaguer〕 명 テキサスリーガー. =텍사스 히트.

텍스〔tex〕 명 テックス. ¶내수 ~ 耐水テックス.

텍스처〔texture〕 명 テクスチュア.

텍스트〔text〕 명 テキスト. ①原文; 原典. ②脚本; 上演台本. ③↗테스트북.
‖──-북 명 テキスト; 教科書; 教本.

텍타이트〔tektite〕 명〘鑛〙 テクタイト.

텐〔ten〕 명 テン; 十. ¶베스트 ~ ベストテン.

텐스〔tense〕 명 テンス; 時制.

텐트〔tent〕 명 テント. ¶~를 치다〔걷어치우다〕 テントを張る〔たたむ〕.

텔레그래프〔telegraph〕 명 テレグラフ.

텔레라이터〔telewriter〕 명 テレライター. =전기 사자기(電氣寫字機).

텔레-미터〔telemeter〕 명 テレメーター. =원격 측정 장치.

텔레비, 텔레비전〔television〕 명 テレビ; テレビジョン.
‖── 전화 명 テレビ電話. ── 카메라 명 テレビジョンカメラ; テレビカメラ.

텔레타이프〔teletype〕, **텔레타이프라이터**〔teletypewriter〕 명 テレタイプ.

텔레파시〔telepathy〕 명 テレパシー.

텔레팩스〔Telefax〕 명 テレファックス.

텔레폰〔telephone〕 명 テレフォン. ¶~ 서비스 テレフォンサービス.

텔레프린터〔teleprinter〕 명 テレプリンター. =텔레타이프.

텔렉스〔Telex〕 명 テレックス; 加入者電信.

텔로프〔Telop〕 명 テロップ.

텔루르〔도 Tellur〕 명〘化〙 テルル; テルリウム《記号: Te》. =텔루륨.

텔스타 위성【—衛星】〔Telstar〕 명 テルスター衛星.

템 의명 思ったより多いことを表わす語: 以上; あまり《一般に名数の下に助詞"이나"をつけて用いる》. ¶두 달 ~이나 걸린다 二箇月

E

あまりもかかる.
템페라 〔이 tempera〕 명 〖美〗テンペラ.
템포 〔tempo〕 명 テンポ. ¶빠른 ～ 急調／급 ～ 急テンポ／～가 느리다 テンポがおそい.
텡-쇠 명 見掛けによらず弱い人.
토 명 ①(漢文を読むときの)送り仮名; (漢字につける)振り仮名. ¶～를 달다 送り〔振り〕仮名を振る. ② ☞ 조사(助詞).
토【土】 명 土. ①五行の一つ. ②↗토요일.
토 〔toe〕 명 トー.
‖── 댄스 명 トーダンス. ── 슈즈 명 トーシューズ. ── 킥 명 トーキック.
토건【土建】 명 [↗토목 건축] 土建. ¶～업 土建業／～ 업자 土建屋.
토공【土工】 명 ①土工. ② ☞ 미장이.
토관【土管】 명 土管. ¶～을 묻다 土管を埋める.
토-광【土—】 명 (板を敷かない)土間のままの物置.
토괴【土塊】 명 土塊; つちくれ 〈雅〉; 土のかたまり. ＝흙덩이.
토교【土橋】 명 土橋・土橋. ＝흙다리.
토굴【土窟】 명 どくつ(土窟).
토금【土金】 명 〖鑛〗 土砂の中に混じっている金.
토-금속【土金屬】 명 [↗토류 금속(土類金屬)] 土金属.
토기【土器】 명 土器; 土焼き; かわらけ(土器); 素焼き; がき(瓦器). ¶승문식 ～ 縄文式土器.
‖──-장(匠)(이) 명 土器をつくることを業とする人. ──-점 명 土器を焼いて売る店; 土器店. ＝옹기점.
토기【吐氣】 명 吐き気. ＝욕지기.
토끼 명 〖動〗 うさぎ(兎). ¶～가 깡충깡충 뛰어다니다 兎がぴょんぴょん(と)はねまわる／～ 사냥을 가다 兎狩りに行く／두 마리 ～를 잡으려다가 하나도 못 잡는다《俚》二兎を追う者も一兎をも得ず.
‖──-뜀 명 兎跳び. ──-띠 명 卯の年に生まれ. ──-집 명 うさぎ小屋. ──-털 명 うさぎの毛. ──-풀 명 〖植〗 クローバ. ＝클로버. ──-해 명 卯の年; うさぎどし.
토나카이 〔tonakai〕 명 トナカイ. ＝순록(馴鹿).
토너먼트 〔tournament〕 명 トーナメント.
토농【土農】, **토농-이【土農—】** 명 土着農民.
토닉 〔tonic〕 명 トニック.
토닥-거리다 타 よく鳴らないものを軽く叩いてとんとんと音を出す. ＜투덕거리다. ㅆ또닥거리다. 토닥-토닥 부하타 とんとん.
토단【土壇】 명 土壇; 土で築いた壇.
토담【土—】 명 土塀; ついじ(築地). ¶～을 두르다 土塀〔ついじ〕をめぐらす.
‖──-집 명 土塀の家. ＝토옥(土屋).
토대【土臺】 명 土台. ①土で築いた台. ②木造建築物の下で上部の重みをささえる横材. ③建築物の基礎・礎. ¶～를 앉히다〔궂히다〕 土台を据える〔固める〕. ④(物事の)基本; 基; 基礎; 本〔元〕; ベース. ¶…을 ～로 한 …を土台とした／성공의 ～를 쌓다 成功の土台を築く／경험을 ～삼다 経験を土台とする.
토라지다 자 ①食もたれする. ②すねる; ふて(腐)る; 膨れる. ¶토라져서 말을 안 듣다 へそ(臍)をまげる／토라져서 누워 버리다 ふて寝をする／일도 안하고 토라져 있다 仕事もせずにふてくされている.
토란【土卵】 명 〖植〗 里芋; あかめいも(赤芽芋); 芋; つるのこいも; はたけいも. ＝우자(芋子).
‖──-국 명 澄まし汁またはみそ(味噌)汁に里芋を入れて煮た吸い物. ──-줄기 명 いもがら(芋幹); ずいき(芋茎). ¶날～는 떫다 青いずいきはえぐい.
토력【土力】 명 (植物を育てる)地力.
토렴 명하타 [←퇴염(退染)] 冷や飯やそばに湯を繰り返しかけて暖めること.
토로【吐露】 명 吐露. ──-하다 타 吐露する; 吐く. ¶의견〔진정〕을 ～하다 意見〔真情〕を吐露する／심정을 ～하다 心情を吐く.
토록 一조 …の様に; …まで. ¶이～ 풍부한 어휘 このように豊富な語彙／이～ 작은 옷 こんなに小さい服 二준 ↗-하도록. ¶개선～ 힘써라 改めるように努めよ／영원～ 변하지 않는 마음 永遠に変わらぬ心.
토론【討論】 명하타 討論; 議論; 討議. ¶반대 ～ 反対討論／활발한 ～ 活発な議論／～을 끝내다 討論を打ち切る／～의 대상을 당면 문제에 국한시키다 討論の対象を当面の問題に限局する.
토룡【土龍】 명 ☞ 지렁이.
토류【土類】 명 〖化〗 土類.
‖── 금속 명 土類金属. 준 토금속(土金屬).
토륨 〔라 thorium〕 명 〖化〗 トリウム《記号: Th》.
토리 一명 糸をおだまきに巻いたもの. 二의명 丸く巻いた糸のかたまりを数える単位.
‖──-실 명 おだまきの糸; 糸巻きに巻いた糸.
토리첼리의 진공【—眞空】 〔Torricelli〕 명 〖物〗 トリチェリの真空.
토-마루【土—】 명 土間; 土だけで築いた廊下の間.
토마토 〔tomato〕 명 〖植〗 トマト.
‖── 케첩 명 トマトケチャップ.
토막 一명 切れ; 小切れ; 切れ端; きれっぱし; 端くれ. ¶나무 ～ 木の切れ／반 ～ 半切れ; 半片／고등어의 ～ さば(鯖)の切り身. 二의명 ①切れ端を数える語. ¶생선 한 ～ 魚の一切れ／역사의 한 ～ 歴史のひとこま(一齣). ②(話などの)くさり. ──-내다, ──-치다 타 輪切り〔ぶつ切り〕にする; 小切れに切る; ずたずたに切る. ¶시체를 토막

내다 死体をばらす / 생선을 토막치다 魚を切り身にする. ——— 부 ずたずた; きれぎれに; とぎれとぎれ.
‖── 고기 명 ぶつ切りの肉. ──극 명 寸劇. ── 나무 명 棒切れ. ──-말 명 内容を要領よくまとめて一言で表わす語.
토막【土幕】명 土小屋.
‖──-민 명 土小屋に住む人.
토목【土木】명 [↗토목 공사] 土木.
‖── 건축 명 土木建築. ㊟ 토건(土建). ── 공사 명 土木工事. ── 공학 명 土木工学. =토목학. ──-과 명 土木科. ── 기사 명 土木技師.
토민【土民】명 土民.
토-박이【土—】명 [↗본토박이] 土地っ子〈俗〉; 生え抜き. ¶ 서울～ 生粋のソウル人.
토-방【土房】명 土間; 土場.
토벌【討伐】명하타 討伐. ¶～대 討伐隊 / 공비 ～ 共匪討伐 / 비적을 ～하다 ひぞく(匪賊)を討伐する / 반란군을 ～하다 叛乱軍を征討する.
토벽【土壁】명 土壁·つちかべ. =흙벽.
토붕【土崩】명하자 土崩.
‖── 와해 명하자 土崩瓦解.
토브랄코〔tobralco〕명 トブラルコ.
토사【土砂】명 土砂; 土と砂. ¶～의 유출 土砂の流出.
‖──-도(道) 명 鋪装していない道路.
토사【吐瀉】명 [← 상토 하사(上吐下瀉)] としゃ(吐瀉); 吐き下し. ¶～제 吐瀉剤 / ～물 吐瀉物.
토사【兎舍】명 うさぎ(兎)小屋.
토산【土山】명 土山.
토산【土産】명 ↗토산물.
‖──-물(物) 명 土産; 地物; 物産. ¶～인 생선류 地付きの魚類. ──-종(種) 명 その地方で産する種, または種類. ㊟ 토종(土種).
토산-불알 명 [←퇴산 불알] そけい(鼠蹊)ヘルニアによって一方のいんのう(陰嚢)が大きくなったもの.
토산불-이 명 [←퇴산 불이] "토산불알"をもっている人.
토색【土色】명 土色; 土気色.
토색【討索】명하타 金品を無心すること.
‖──-질 명하자 金品を無心する行ない.
토석【土石】명 土石; 土と石.
‖──-류(流) 명 洪水で流される土砂.
토선【土船】명 土船; 土を運ぶ船.
토설【吐說】명하타 秘めていた事を始めて明かすこと.
토성【土性】명 土性; 土の性質.
토성【土星】명〖天〗土星.
토성【土城】명 土城. ① 土で築き上げた城. ② 標的の後方に設けた矢を防ぐ堤.
토-세공【土細工】명 土細工.
토속【土俗】명 土俗; その土地の風俗.
‖──-학 명 土俗学.
토순【兎脣】명 としん(兎唇).
토스〔toss〕명하자타 トス.
토스터〔toaster〕명 トースター.
토스트〔toast〕명 トースト.
토시 명 [←투수(套手)] 腕首覆い; 腕ぬ(貫)き; (剣道の)こて(籠手). ¶～를 끼다 腕貫きをはめる.
토신【土神】명 土神; どくじん(土公神).
토실-토실 부하형 ふっくらと肉付きのよいさま: まるまる; ぽちゃぽちゃ; ぽってり. <투실투실. ¶～한 몸집 丸丸とした体付き / ～ 살이 쪘다 丸丸と太っている.
토-씨 명 ☞ 조사(助詞).
토악-질【吐—】명하타 吐き出すこと. ① おうと(嘔吐); へど. ② (不当に取った)人の金品を戻すこと.
토약【吐藥】명〖藥〗吐き薬; 吐剤. =토제(吐劑).
토양【土壤】명 土壌. ¶～이 기름지다 土壌〔土地〕が肥えている.
‖── 미생물 명 土壌微生物. ── 반응 명 土壌反応. ── 소독 명 土壌消毒. ── 침식 명 土壌侵食. ──-학 명 土壌学.
토어【土語】명 ① 土語. ¶ 아프리카～ アフリカ土語. ② ☞ 사투리.
토역【土役】명 土仕事. =흙일.
‖──-꾼 명 土仕事に従事する人. ──-일 명 ☞ 흙일.
토역【吐逆】명하자 ☞ 욕지기.
토연【土煙】명 土煙; つちけぶり; 砂煙.
토옥【土屋】명 ☞ 토담집.
토요【土曜】명 [↗토요일] 土曜; 半ドン〈老〉.
‖──-일 명 土曜日. ¶～은 반공일이다 土曜(日)は半休である.
토욕【土浴】명하자 ① (鶏の) 砂浴び. ② 馬が地にころんで背中をこすること.
토우【土雨】명 ☞ 흙비.
토우【土偶】명 土偶; 土人形.
토의【討議】명하타 討議. ¶～에 부치다 討議に付する / ～를 중단하다 討議を打ち切る / 대책을 ～하다 対策を討議する / 좀더 ～하고 결론을 내기로 하자 もう少しも(揉)んでから結論を出すことにしよう.
토인【土人】명 ① 土人; 土着の人. ② ☞ 흑인(黑人).
토일렛〔toilet〕명 トイレット.
‖── 룸 명 トイレットルーム. ── 파우더 명 トレットパウダー. ── 페이퍼 명 トイレットペーパー.
토장【土葬】명하타 土葬.
토장【土醬】명 ☞ 된장.
토정【吐精】명하자 射精. =사정.
토제【土製】명 土製.
토제【吐劑】명 吐剤; 吐き薬.
토족【土足】명 土足. ① 履物をはいたままの足. ② 泥足. ¶～ 엄금 土足厳禁.
토종【土種】명 その土地産の種. また, その地特産の品種. =토산종(土産種). ¶～ 닭 地鳥.
토주【土柱】명〖地〗土柱·つちばしら.
토주【土酒】명 地酒.
토지【土地】명 土地. ① 土; 土壌. ¶ 비옥한 ～ 肥沃な〔肥えた〕土地 / 토박한 ～ やせた土. ② 地所;

地面；耕地；宅地．¶탐나는 ～ 手に入れたい地所/～ 분할 地割り/～ 점유권 土地の占有権/～를 측량하다 土地を測量する/～를 빌리다 地面〔土地〕を借りる/～를 가지고 있다 土地を持っている/그는 ～ 사기꾼이다 彼は地面師である. ③ ☞ 토질(土質). ④ ☞ 영토.
‖── 개량 명 土地改良. ¶～ 조합 土地改良組合. ── 개혁 명 土地改革. ── 대장 명 土地台帳. =지적 대장(地籍臺帳). ──-법 명 土地法. ── 사용권 명 土地使用権. ── 소유권 명 土地所有権. ── 수용 명 土地収用. ¶～법 土地収用法.

토질【土疾】명 ① 風土病；地方病. ②《俗》肺ジストマ.

토질【土質】명 土質. ¶～ 분석 土質分析.

토착【土着】명하자 土着. ¶～화 土着化
‖──-민 명 土着民. ＊ 본토박이.

토출【吐出】명하타 ①(食べたものを)吐き出すこと. ②心中を吐露すること.

토치〔torch〕명 トーチ.

토치카〔러 totschka〕명 ①トーチカ. ②鉄面皮な人.

토크〔toque〕명 トーク；トック.

토큰〔token〕명 トークン；(バスや地下鉄の)代用硬貨.

토키〔talkie〕명 トーキー. =발성 영화.

토탄【土炭】명 泥炭.

토털〔total〕명 トータル.

토테미즘〔totemism〕명 トーテミズム.

토템〔totem〕명 トーテム.
‖── 폴 명 トーテムポール.

토파즈〔topaz〕명〖鑛〗トパーズ. =황옥(黃玉).

토파【討破】명하타 他人の言論を攻撃して論破すること.

토퍼〔topper〕명 トッパー.

토평【討平】명하타 討ち平らげること.

토폴로지〔topology〕명 トポロジー. ①位相. ②位相幾何学.

토풍【土風】명 土風；土俗.

토피【土皮】명 草や木でおおわれた土地の表面. =지피(地皮).

토피카〔라 topica〕명 論点；観点.

토픽〔topic〕명 トピック. ¶해외 ～ 海外トピック.

토-하다【吐—】타 吐く. ①(食べたものを)吐き出す；戻す；へどを吐く；返す. ¶먹은 것을 ～ 食べた物を戻す/약을 ～ 薬を戻す/뱃멀미로 ～ 船に酔って上げる. ②(口の中のものを)吐き出す. ¶피〔핏덩이〕를 ～ 血〔血反吐〕を吐く. ③考えていることを語る〔話す〕. ¶기염을 ～ 気炎を吐く〔熱を吹く〕/열변을 ～ 熱弁をふるう；舌端火を吐く.

토혈【吐血】명하자 吐血；血を吐くこと. ¶위병이 악화해서 ～했다 胃病が悪化して吐血した.

토형【土型】명 土型；土製の鋳型.

토호【土豪】명 土豪.
‖──-질 명하자 土豪が権勢をかさにかけてむこ(無辜)の民を圧制したこと.

토후【土侯】명 土侯.
‖──-국 명 土侯国.

톡 부 ①ものの一部分が急に突き出るさま：ぽこっと. ②軽くたたくさま. また, その音：こつん. ③何かが急に破れるさま. また, その音：ぽん；ぱちん；ぱん. ¶풍선이 밟혀서 ～ 터졌다 風船がふまれてぱんと破れた. ④何かが急にひっかかるさま. また, その音：こつん. ⑤急に跳ねるさま. また, その音：ぴょん. ¶벼룩이 ～ 튀었다 のみがぴょんと跳ねた. <툭.

톡-배다 형 織り目が細かく詰まっている.

톡신〔toxin〕명 トキシン；毒素.

톡탁 부하자타 互いにうち合う音：こつん. <툭탁. ──-거리다 자타 こつんこつんと音がする. ──── 부하자타 こつんこつん.

톡탁-치다 타 善しあ(悪)しの見さかいなく取り片付けてしまう. <툭탁치다.

톡-톡 부 ①つづけて軽くたたくさま. また, その音：ごつごつ. ②何かがつづけて破裂するさま. また, その音：ぱんぱん：ぽんぽん；ぱちんぱちん. ¶콩이 ～ 튀다 豆がぱちぱちはじける. ③つづけて何かが跳ねるさま. また, その音：ぴょんぴょん. ¶벼룩이 ～ 튀다 のみがぴょんぴょん(と)はねる.

톡톡-하다 형 ①汁が煮詰まって濃い. ②織り目が細かく詰んでいる；堅固で分厚い. <툭툭하다.

톡톡-히 부 非常に多く；ずいぶん；たっぷり. ¶돈을 ～ 벌다 お金をたっぷりもう(儲)ける/꾸지람을 ～ 듣다 お叱りを手痛くうける.

톤〔ton〕의명 トン. ¶채탄 목표 5만 ～ 採炭目標五万トン.

톤〔tone〕명 トーン.

톤-세【稅】〔ton〕명 トン税. =돈세(噸稅).

톤-수【—數】〔ton〕명 トン数. ¶발송 ～ 発送トン数/화물의 적재 ～ 貨物の積載トン数.

톨 一명 くり(栗)などの個個の粒. 二의명 くりなどを数える単位：粒. ¶밤 한 ～ 栗一粒.

톨-게이트〔tollgate〕명 トールゲート.

톰방 부하자타 堅くて小さいものが深い水に落ちる音. また, そのさま：どぶん；どぼん. ──-거리다 자타 どぼん〔どぶん〕と音をたてる〔音がする〕. ──── 부하자타 どぶんどぶん；どぼんどぼん.

톱 명 のこぎり(鋸)；のこ《준말》. ¶실～ 糸鋸/～으로 켜다 鋸で引く.

톱〔top〕명 トップ. ¶클라스의 ～ クラスのトップ/～ 모드 トップモード.

톱-날 명 のこめ(鋸目)；のこぎり(鋸)の目〔歯〕. ¶～을 세우다 鋸の目を立てる.

톱 뉴스〔top news〕명 トップニュース.

톱-니 명 ①のこぎり(鋸)の歯. ¶～가 무디다 鋸の目がつぶれる. ②〖植〗きょし(鋸歯).

‖――-바퀴 명 歯車；ギア；ギヤ.

톱 매니지먼트〔top management〕명 ① トップマネージメント. ② 最高経営層.

톱-밥 명 のこくず; のこぎりくず(鋸屑); おがくず.

톱-손 명 のこぎりの柄.

톱-장이【―匠―】명 こび(木挽)き; のこぎり(鋸)の使い手.

톱-질 명하자 のこぎり(鋸)で木などを切ること.

톱-칼 명 刀形ののこぎり(鋸). =거도(鋸刀).

톱-코트〔topcoat〕명 トップコート.

톱톱-하다 형 汁が煮詰まって濃い.

톳 ㊀명 のり(海苔)四十枚の束. ㊁의명 のり(海苔)の束を数える単位: 束; じょう(帖)《10枚》.

통¹ 명 ① ズボンのまた(股)·そで(袖)などの幅. ②〔鑛〕鉱脈の幅.

통² ㊀명 中身の詰んだ白菜·ふくべ(瓢)などのかさ(嵩). ㊁의명 中身の詰んだ白菜·ふくべ(瓢)などを数える単位: 株; 玉. ¶ 배추 백 ~ 白菜百株.

통【桶】 ㊀명 おけ(桶); ておけ(手桶); たご(担桶); たる(樽). ¶ 물~ 水桶 / 손잡이가 달린 ~ 手桶 / ~으로 물을 긷다 桶で水を汲む / ~에 물을 채우다 桶に水を張る / ~밑이 빠지다 桶の底が抜ける. ㊁의명 桶などにつまったものを数える単位: おけ(桶); たる(樽). ¶ 술 한 ~ 酒一樽.

통【筒】 명 筒.

통【統】 명 ①〔史〕朝鮮朝の民戸編制の一つの単位《五戸を一つの"統"とし, 5統を1里とする》. ② 統; 市の行政区画の一つ《"洞"の下, "班"の上》. ③〔地〕統.

통³ 의명 ① ある物事の複雑な渦中. ¶ 싸움 ~에 휩쓸리다 けんかの渦中に巻き込まれる. ② ぐる; 仲間. ¶ 한 ~이 되다 ぐるになる. ③ はずみ. ¶ 넘어지는 ~에 倒れたはずみで / 마구 몰아대는 ~에 혼이 났다 やたらに責めたてるのには往生した. ④ 反物を数える単位: 反; 匹. ¶ 당목 한 ~ 金巾一疋.

통【通】 의명 手紙·文書などを数える単位: 通. ¶ 한 ~의 편지 一通の手紙 / 진단서 두 ~ 診断書二通.

통⁴ 부 ① ↗온통. ¶ ~으로 すっかり. ② 全然; 全く; からきし; まるで; 一向; さっぱり; まるきり. ¶ 술은 ~ 못한다 酒はからきしだめだ / 범인으로서는 ~ 모르겠다 凡人にはさっぱりわからない / 칠칠치 못한 녀석이라 ~ 미덥지 못하다 たわいのない奴で一向たよりにならない / 해보기는 했으나 ~ 재미가 없더라 やってはみたもののさっぱり面白くなかったよ / ~ 몰랐다 全く知らなかった / 그는 아는 체하나 이야기는 ~ 알아듣지 못한다 彼は独り合点している見たいだが話は一向にわからない. ③ ↗통째.

통⁵ 부 空のおけ(桶)や小太鼓などをたたいて出す音: ごん. <퉁.

-통【通】 미 その方面に精通していることを表わす語: …通. ¶ 소식~ 消息通; 事情通 / 소식~에 의하면 消息筋によると / 그는 그 방면에 정보~이다 彼はその方面の情報通である.

통-가리 명〔鑛〕採鉱途中ぴたりと鉱脈が絶えた母岩.

통-가죽 명 丸洗いして着る服.

통각【痛覺】 명 痛覚.

통감【痛感】 명하타 痛感. ¶ 중요성을 ~하다 重要性を痛感する.

통-감자 명 丸のままのじゃがいも.

통-거리 명 全部; 丸ごと; すべて; 皆. ¶ ~로 사다 丸ごと買い占める. * 도거리·통짜.

통-것 명 丸のままのもの.

통겨-주다 타 (秘密を)そっと知らせてやる; 明かす.

통겨-지다 자 ① ばれる; 現われる. ② 外れる. ③ (機会を)失う. <퉁겨지다.

통격【痛擊】 명하타 痛撃. ¶ ~을 가하다 痛撃を加える.

통견【洞見】 명하타 洞見; 洞察.

통경【通經】 명하자 通経. ①〔韓醫〕初めて月経があること. ② 滞っていた月経を通じるようにすること.

‖――-제 명 通経剤.

통계【統計】 명 ① 全部合わせて数えること. ② 統計. ¶ ~적 統計的 / ~를 잡다 統計を取る.

‖―― 기관 명 統計機関. ―― 도표 명 統計図表; 統計グラフ. ―― 숫자 명 統計数字. ―― 연감 명 統計年鑑. ――-표 명 統計表. ――-학 명 統計学.

통고【通告】 명하타 通告. ¶ ~서 通告書 / ~를 받다 通告を受ける / 4일 전에 ~하다 四日前に通告する / 사전에 ~하였다 事前に通告した.

통-고금【通古今】 명하자 ① 昔も今も変わりがないこと. ② 古今を通じてくわしく知っていること.

통-고추 명 ふさのままのとうがらし(唐辛子).

통곡【痛哭】 명하자 つうこく(痛哭); ひどく泣きわめくこと.

통곡【慟哭】 명하자 どうこく(慟哭); 大きな声をあげて悲しく泣くこと. ¶ 유해 앞에서 ~하다 遺体の前でどうこく(慟哭)する / 묘 앞에서 ~하다 墓前にこく(哭)する.

통과【通過】 명하자타 通過. ¶ 검사를 ~하다 検査に通過する / 이럭저럭 시험에 ~하다 どうにか試験にパスする / 예선을 ~하다 予選を通る / 법안이 ~하다 法案が通る / 급행 열차가 ~하다 急行列車が過ぎ去る / 버젓이 ~하다 まか(罷)り通る / 검문소를 ~시키다 検問所を通す.

‖――-세 명 通過税. ―― 의례 명 通過儀礼. ―― 화물 명 通過貨物.

통관【通關】 명하자타 通関. ¶ ~ 절차 通関手続き.

‖――-업 명 通関業; 商品の税関通過を補助仲介または代理する営業.

통관【通觀】[명][하자] 通観. ¶ 세계의 정세를 ～하다 世界の情勢を通観する.
통괄【統括】[명][하타] ① 統括. ② 統轄.
통교【通交】[명][하자] 通交〔通好〕; 互いによしみを通ずること.
통권【通卷】[명] 通巻. ¶ ～ 38호 通巻三十八号.
통규【通規】[명] 通規; すべてにあてはまる規則. ＝통칙(通則).
통근【通勤】[명][하자] 通勤. ¶ ～자 通勤者 / 시차 ～ 時差通勤 / 걸어서 ～하다 歩いて通勤する.
‖── 열차 [명] 通勤列車.
통-금 [명] ①(あれこれを)ひっくるめた値段. ② 物をひっくるめて売り渡す価格.
통금【通禁】[명] ↗통행 금지(通行禁止). ¶ ～ 시간 (夜間)外出禁止時間.
통기【通氣】[명][하자] ☞ 통풍(通風).
통기【通寄】[명][하타] ☞ 통지(通知).
통기다 [타] ☞ 퉁기다.
통-기둥 [명] 一本の通し柱.
통-기타【筒―】〔guiter〕[명] 共鳴箱のある普通のギターの俗称.
통-김치 [타] [명] 白菜や大根の丸漬けのキムチ.
통-나무 [명] 丸太; 丸木; ごろた. ¶ ～를 엮다 丸太を組む / ～로 버티다 丸太ん棒でつっぱる / ～로 울짱을 두르다 丸太でさく(柵)を囲む / 넘어질 듯한 담을 ～로 떠받치다 倒れそうな塀を丸太で支える.
‖───배 [명] 丸木船.
통념【通念】[명] 通念. ¶ 사회 ～ 社会通念.
통뇨【通尿】[명][하자] 小便をよく通じるようにすること.
통-단 [명] 大きくくくった束.
통달【通達】[명][하자타] 通達. ¶ ～서 通達書 / 민법에 ～하다 民法に通達する / 여러 가지 기예〔연예〕에 ～하고 있다 諸道に通じている.
통-닭 [명] 鶏の丸焼き. または丸揚げ. ¶ ～ 구이 鶏の丸焼き.
통독【通讀】[명][하타] 通読. ¶ 대강 한 번 죽 ～하다 ひと通り通読する.
통람【通覽】[명][하타] 通覧.
통렬【痛烈】[명][하형] 痛烈. ¶ ～하게 공격하다 痛烈に攻撃する / ～한 비난을 퍼붓다 痛烈な非難を浴びせる.
───히 [부] 痛烈に.
통령【通靈】[명][하자] 神霊とあい通ずること. ＝통신(通神).
통례【通例】[명] 通例. ¶ 그것은 ～로 되어 있다 それは通例になっている.
통로【通路】[명] 通路; ルート. ¶ 좁은 ～ 狭い通路 / 군중을 헤치고 ～를 만들다 群衆をかき分けて通路を作る.
통론【通論】[명] 通論; 汎論. ¶ 언어학 ～ 言語学通論 / 그것은 천하의 ～이다 それは天下の通論である.
통리【通理】[명][하자] 通理. ① 事理に明るいこと. ② 事理に通達すること. ③ 一般に共通する道理.
통-마늘 [명] 丸ごとのにんにくの玉.
통매【痛罵】[명][하타] つうば(痛罵). ¶ 배신 행위라고 ～하다 裏切り行為であると痛罵する.
통-메우다【桶―】[자] ① たがをはめる. ② 狭い場所に多くの人が集まる.
통메-장이【桶―匠―】[명] おけや(桶屋).
통명【通名】[명] 通名; 通称.
통모【通謀】[명][하타] 通謀.
‖───죄 [명]〖法〗外国政府に通謀して国家に戦端を開かしめるなどで成り立つ罪.
통-모자【―帽子】[명] 筒状の帽子.
통문【通文】[명] 回覧; 回し状.
통-밀다 [타] おしなべる; ひっくるめる. ＝통틀다.
통-밀어 [부] あれこれ区別なく平均して; おしなべて; ひっくるめて. [준] 밀어. ¶ ～ 얼마요 ひっくるめていくらですか.
통박【痛駁】[명][하타] 痛烈にはんぱく(反駁)すること.
통법【通法】[1] [명] 通法; 一般に共通する法則.
통법【通法】[2] [명] 通法; いろいろの単位で表わされた数量を一つの単位で改めなおすこと.
통변【通辯】[명][하타] 通弁. ＝통역(通譯).
‖───꾼 [명] ① ☞ 통역. ②《俗》あちこち言い回って仲を裂く人.
통보【通報】[명][하타] 通報; 知らせ. ¶ 기상 ～ 気象通報.
통-보리 [명] 丸麦.
통분【通分】[명][하타]〖數〗通分. ¶ ～모 通分母 / 계산하기 쉽게 ～하다 計算しやすく通分する.
통분【痛憤·痛忿】[명][하형] 痛憤.
통비【通比】[명]〖數〗通比.
통사【通史】[명] 通史.
통사【痛史】[명] 悲痛な史実.
통-사정【通事情】[명][하자] 自分の苦情を人に訴えたり, 人の苦情をく(汲)み取ること.
통산【通算】[명][하타] 通算. ¶ 본형(本刑)에 ～하다 本刑に通算する / ～ 성적은 3승 2패가 되었다 通算成績は三勝二敗となった.
통상【通常】[명] 通常. ＝보통.
‖───복 [명] 通常服; カジュアル. ── 우편 [명] 通常郵便. ¶ ～물 通常郵便物. ── 전보 [명] 通常電報.
통상【通商】[명][하자] 通商. ¶ ～ 촉진 通商促進 / …나라와 ～을 시작하다 …国と通商を始める.
‖── 조약 [명] 通商条約. ＝통상 항해 조약(航海條約). ── 협정 [명] 通商協定.
통선【通船】[명] 通船; 通い船. ¶ ～료 通船料.
통설【通說】[명] 通説. ¶ ～로 되어 있다 通説とされている / ～을 뒤엎다 通説をくつがえす.
통성【通性】[명] [↗통유성] 通性. ¶ 조류의 ～ 鳥類の通性 / 금속의 ～ 金属の通性.
통성【通姓】[명] ↗통성명(通姓名).

통-성명【通姓名】명 하자 互いに名のりあうこと；初対面のあいさつを交わすこと. ㊜ 통성(通性).

통소【洞簫】명〔樂〕☞ 퉁소.

통-속 명 ① 気脈を通じる一味；ぐる；さくら；秘密団体. ¶ 한 ~이 되어 ぐるになって. ② 秘密の約束.

통속【通俗】명 通俗.
‖── 문학 명 通俗文学. ── 소설 명 通俗小説. ──-적 명 관 通俗的. ¶ ~이다 通俗的だ；俗っぽい. ──-화 명 하자타 通俗化.

통솔【統率】명 統率. ──-하다 타 統率する；統べる. ¶ ~력 統率力；リーダーシップ / 부하를 ~하다 部下を統率する / 집안을 ~하다 家を束ねる / 잘 ~하다 押さえをきかす.

통수【通水】명 하자 通水. ① 水が通ずるようにすること. ② (水道のない地域に) 給水すること.

통수【統帥】명 하타 統帥. =통령(統領)·통솔.
‖──-권 명 統帥権；兵馬の権.

통-술【桶—】명 たる(樽)に入れて醸した酒；たるざけ(樽酒).

통신【通信】명 하타 通信；コミュニケーション. ¶ ~의 비밀 通信の秘密 / 파리로부터의 ~에 의하면 パリからの通信によれば / ~을 계속하다 通信を続ける.
‖── 교육 명 通信教育. ──-망 명 通信網. ──-비 명 通信費. ──-사 명 通信士. ──-사 명〔史〕通信使；朝鮮朝から日本に差し遣わした使臣《高宗十三年に修信使と改称》. ── 사업 명 通信事業. ── 위성 명 通信衛星. ── 판매 명 通信販売；メールオーダー；通販《준말》.

통심【痛心】명 하자타 痛心；心を痛めること.

통-심정【通心情】명 하자 互いに情義を通じ合うこと. =통인정(通人情). ㊜ 통정(通情).

통약【通約】명 하타〔數〕通約；約分.

통양【痛痒】명 つうよう(痛痒). ¶ ~을 느끼지 않다 痛痒を感じない.

통어【統御】명 하타 統御；すべおさめること.

통언【痛言】명 하자타 痛言. ① 手ひどく言うこと. また, そのことば. =극언(極言). ② 耳にいたいほどの直言.

통업【統業】명 国を統治すること.

통역【通譯】명 하타 通訳. =통변(通辯)·통사(通事). ¶ 동시 ~ 同時通訳 / 영어 ~ 英語の通訳 / ~을 부탁하다 通訳を頼む.
‖──-관 명 通訳(官). ── 장교 명〔軍〕通訳将校. ── 정치 명 通訳政治.

통용【通用】명 通用. ──-하다 자 通用する；通ずる. ¶ ~ 화폐 通用貨幣 / 일반적으로 ~되는 문제였다 一般に通ずる問題であった / 그 돈은 어디서나 ~됩니다 その金はどこでも通用します / ~되지 않게 되었다 通用しなくなった.
‖──-금(金) 명 広く通用される金貨. ── 금지 명 하타 (貨幣などの)通用禁止. ── 기간 명 通用期間. ¶ 이 차표의 ~은 당일에 한합니다 この切符の通用期間は当日限りです. ──-문 명 通用門. ──-어 명 通用語；通り言葉.

통운【通運】명 하타 通運；運送.
‖── 기관 명 通運機関. ── 회사 명 通運会社.

통유【通有】명 하자 通有. ¶ 동양인 ~의 심리 東洋人通有の心理.

통-으로 부 ↗온통으로.

통음【痛飮】명 하타 痛飲. ¶ 밤을 새워 ~했다 夜を明かして痛飲した.

통음【通音】명 하자 音信を通ずること.

통의【通誼】명 つうぎ(通誼).

통-인정【通人情】명 하자 ☞ 통사정(通事情).

통일【通日】명 通日；一月一日から数えた日数. ¶ 2월 20일은 ~수 50일이다 二月二十日は通日五十一日である.

통일【統一】명 하타 統一. ¶ ~을 결하다 統一を欠く.
‖── 국가 명 統一国家. ──-안 명 統一案. ── 원리 명 統一原理. ── 전선 명 統一戦線. ── 천하 명 하자 統一天下. ㊜ 통천하(統天下). ──-체 명 統一体.

통-자【—字】명 一かたまりになっている活字.

통자【通刺】명 하자 名刺を通じること.

통장【通帳】명 通帳；通い(帳). ¶ 저금 ~ 貯金通帳 / 은행 ~ 銀行の通い / ~으로 물건을 사다 通いで物を買う.

통장【統長】명 "통(統)②"の長.

통-장수【桶—】명 ① おけや(桶屋). ② おけに塩辛を入れて売り歩く人.

통-장이【桶匠—】명 おけや(桶屋).

통-장작【—長斫】명 (割っていない)丸太のままのまき(薪).

통전【通電】명 하자 通電.

통절【痛切】명 하형 히부 痛切. ¶ ~하기 짝이 없다 痛切きわまりない.

통점【痛點】명〔心〕痛点.

통정【通情】명 ① ↗통심정. ② ↗통사정. ③ 一般の人情. ④ (男女が)情を通ずること；密通. ──-하다 자 情を通ずる；密通する.

통제【統制】명 하타 統制；コントロール. ¶ ~를 강화〔완화〕하다 統制を強化〔緩和〕する / ~를 풀다 統制を外す.
‖── 경제 명 統制経済. ──-력 명 統制力. ──-법 명 統制法. ──-부 명 統制府. ──-품 명 統制品.

통-조각 명 一つになっている切れっぱし.

통-조림【桶—】명 缶詰め. ¶ 쇠고기 ~ 牛肉の缶詰め；牛缶 / ~업자 缶詰め業者 / ~을 따다 缶詰めをあける.
‖──-통 명 缶詰めの缶.

통-줄【筒—】명 丸やすり；丸い穴

の仕上げに用いるやすり.

통증【痛症】명 ひどく痛む症状; 痛み. ¶～을 견디다 痛みに堪える/～을 느끼다 痛みを感ずる/～을 누그러뜨리다〔가라앉히다〕 痛みを和らげる〔鎮める〕/～을 없애다 痛みを除く/～이 누그러지다〔멎다〕 痛みが和らぐ〔止む〕.

통지【通知】명하타 通知; 知らせ; 報知. =통기(通寄). ¶슬픈 ～ 悲報/착하 ～ 着荷通知/～가 있는 대로 通知のあり次第/추후 ～가 있을 때까지 追って通知あるまで/～를 받다 通知を受ける/변경이 있을 때마다 ～하겠습니다 変更の都度ご通知します/채용의 ～가 있었다 採用の知らせがあった.

‖――-서 명 通知書. ―― 예금 명 通知預金. ――-표 명 [↗생활 통지표] 通知表; 通信簿.

통짜 명 (分けていない)一つのかたまり; 一つになっているもの. * 통거리. ――-로 부 かたまり(のまま)で.

통-짜 다[1] 자 (多くの者が)示し合ってぐるになる.

통-짜 다[2] 타 (各部分を集め合わせて)一つに組み立てる.

통째 부 ☞ 통째로.

통째-로 부 丸ごと; 丸〔塊〕のまま. ¶～ 담그다 丸漬けにする/～ 먹다 丸ごと食べる/～ 삶다 丸のまま煮る/～ 삼키다 丸のまま飲み込む/사과를 ～ 씹어 먹다 りんごを丸かじりする/급료를 ～ 빼앗기다 給料を丸取りされる/뱀이 개구리를 ～ 삼켰다 蛇がかえる(蛙)を丸のみにした.

통찰【洞察】명하타 洞察; 透察; 通察; 察し. ¶～력 洞察力; 読み/～이 빠르다 察しが早い/～력이 있다 洞察力がある; 読みが深い.

통-천하【通天下】명하자 天下にあまね(普)く通じること.

통-천하【統天下】명 ① 全世界. ② ↗통일 천하(統一天下).

통철【洞徹】명하타 洞徹. ① 透き通ること. ② はっきりと知りつくすこと.

통철 명【通徹】명하자 通徹.

통첩【通牒】명하타 つうちょう(通牒). ¶～을 발하다 通牒を発する/최후 ～을 수교하다 最後通牒を手渡す.

통촉【洞燭】명하타 了察の敬語. ¶부디 ～하시기를 なにとぞご了察の程を.

통치【通治】명하타 一薬で万病に効あること. ¶만병 ～ 万病に利くこと〔効能があること〕.

통치【統治】명 統治. ――-하다 타 統治する; 治める. ¶～자 統治者; 治者; ルーラー/일국을 ～하다 一国を統治する/영국의 ～하에 있다 イギリスの統治下にある.

‖――-권 명 統治権. ―― 기관 명 統治機関.

통-치마 명 筒状に縫い合わせたチマ〔スカート〕.

통칙【通則】명 通則. =통규(通規). ¶대학 ～ 제8조에 의해서 大学通則第八条に依り.

통칭【通稱】명 通称; 通り名; 俗称. ¶～으로 부르다 通り名で呼ぶ/～ X로 통하고 있다 通称Xで通っている.

통쾌【痛快】명하형히부 痛快. ¶그 ～함 その痛快さ/～하기 짝이 없는 痛快極まる/～하게 느끼다 痛快に感ずる/～한 홈런을 날렸다 痛快なホームランをとばした.

‖――-감(感) 명 痛快な気持ち.

통타【痛打】명하타 痛打.

통탄【痛歎】명하타 痛嘆. ¶퇴폐적인 풍조를 ～하다 廃退的な風潮を痛嘆する/독직 사건의 빈발은 ～할 일이다 汚職事件の頻発は痛嘆すべきことである.

통탕 부하자타 ① 板などを続けざまにたたいたり踏み鳴らしたりする時に出る音: どんどん; どたばた; どすん; ぽんぽん; ぱたぱた. ② 銃を続けざまに撃つ音: ずどん; ぽんぽん. <퉁탕. ――-거리다 자타 ① どたんばたんする〔させる〕; ばたつく〔ばたつかせる〕. ¶마루를 ～거리며 뛰어다니다 床をぱたぱたとはね回る. ② ずどんずどんと撃つ. ――-―― 부하자타 ① どたんばたん; ぱたぱた. ② ずどんずどん; ぽんぽん.

통-터지다 자 一度にどっと出る.

통-통[1] 부 床などを踏み鳴らしたりしきりにたたく音: どんどん; ぽんぽん; ぱたぱた. ¶～배 ぽんぽん蒸気. <퉁퉁[1]. ――-거리다 자타 どんどんとうち続ける; どたばたする〔させる〕.

통통[2] 부 体がはれあがったり肥えているさま: 丸丸(と); ぽってり; ふっくら; むくむく. <퉁퉁[2]. ――-하다 형 ふっくら(と)〔丸丸(と); ぶくぶく(と)〕している. ¶～하게 살찐 사람 ふっくらと肥えた人/～한 몸집 丸丸としたからだつき. ――-히 부 丸丸と; ふっくらと; ぶくぶくと.

통통-걸음 명 急ぎ足; 地だんだを踏むような歩み. <퉁퉁걸음.

통-틀다 타 ひっくるめる.

통-틀어 부 ひ(引)っくる(包)めて; 全部で; 通じて. ¶～ 친 가격 ひっくるめた値段/좋고 나쁜 것 가리지 않고 ～서 いいも悪いも突っ込みで/～ 얼마요 ひっくるめていくらですか.

통판【通販】명 [↗통신 판매] 通販.

통-팥 명 ひ(碾)いていない小豆.

통폐【通弊】명 通弊. ¶입시 지옥은 이 나라 교육의 ～이다 入試地獄はこの国の教育の通弊である.

통-폐합【統廢合】명하타 企業などを廃合して一つにすること.

통풍【通風】명하자 通風; 風通し. =환기. ¶～ 구멍 通風孔/～장치 通風装置/～이 잘 되어 있다 風通しがいい.

‖――-권 명 通風権. ――-기 명 通風器. =벤틸레이터.

통풍【痛風】명〘醫〙痛風.

통-하 다【通―】자타 ① 通じる; 通ずる. ㉠ (遮えるものがなく)開ける. ¶사방으로 ～ 四方に通じる/칸막이를 떼어 두 방울 한 방으로 통하게 하

다 二つのへやをぶち抜いて一室にする. ㉡ 経路を通じて動く：流れる；通う. ¶공기가〔피가〕 ~ 空気〔血〕が通う / 전류가 ~ 電流が通う / 전류를 ~ 電流を通じる / 전화가 ~ 電話が通じる / 대변이 잘 ~ 便がよく通ずる. ㉢ 親しくつきあう. ¶정의를 ~ 誼を通じる. ㉣ (意味·主張などが)通る；了解される；知らせる. ¶잘 통하는 강의 通りのいい講義 / 이야기가 통하는 사람 話せる人 / 뜻이 ~ 意味が通る / 뜻을〔의사를〕 ~ 意〔意思〕を通じる / 말이 통하지 않다 話が通じない / 서로 이야기가 ~ お互いに話が通じる / 이치를 말해도 그에게는 통하지 않는다 道理を説いても彼には通じない. ㉤ 知られる；通る. ¶괴짜로 통하고 있다 変わり者で通っている. ㉥ 相通ずる；通う. ¶두 사람의 마음이 ~ 二人の心が通う / 이 두 글자의 뜻은 서로 통한다 この二つの字の意味は共に通じる. ㉦ 詳しく知っている；精通する. ¶내부 사정에 통한 사람 内部事情に通じている人 / 고금에 ~ 古今に通じる / 영어에 ~ 英語に通じている. ㉧ (道などが) …に至る. ¶…로 통하는 길 …へ〔に〕通ずる〔至る〕道 / 안뜰로 통하는 문 中庭に通じる戸口. ㉨ 開通する；通る. ¶기차가 ~ 汽車が通る / 다리를 ~ 橋を通じる / 철도가 통한다 鉄道が通じている. ㉩ 密通する；内通する. ¶기맥을 ~ 気脈を通じる / 정을 ~ 情を通じる / 적과 ~ 敵に通じる. ㉪ …にわた(亘)る. ¶일년을 통하여 一年を通じて / 전국을 통해 全国を通じて. ㉫ (間に)介する；(…を)経る；通す. ¶김씨를 통해 고씨를 알다 金氏を通じて高氏を知る / 신문을 통해 新聞を通じて / 입시를 통해서 본 젊은이들의 경향 入試を通して見た若者の傾向 / 사람을 통해서 교섭하다 人を通して交渉する. ② 通る. ㉠ 通用する. ¶…이름으로 ~ …の名で通る / 대가로 ~ 大家で通る / 그 돈은 어디에서나 통합니다 そのお金はどこでも通用します / 영어는 전세계에서 통한다 英語は世界中で通用する. ㉡ 許容される. ¶억지가 ~ 無理が通る〔利く〕/ 그런 변명은 해보았자 통하지 않는다 そんな言い訳をしたって通らない.

통-하정【通下情】명 하자 下情に通ずること.

통학【通學】명 하자 通学. ¶기차 ~ 汽車通学 / ~ 정기권 사용자 通学定期券使用者.
‖── 구역 명 通学区域. ──-생 명 通学生. ── 열차 명 通学列車.

통한【痛恨】명 하타 痛恨. ¶일대 ~사(事) 一大痛恨事.

통할【統轄】명 하타 統轄. ¶회장은 회무를 ~한다 会長は会務を統轄する.

통합【統合】명 하타 統合；〔哲〕ジンテーゼ. ¶삼군 ~ 三軍統合 / 기업 ~ 企業統合 / 의견이 ~되다 意見がまと(纏)まる.
‖──-군 명〔軍〕統合軍.

통항【通航】명 하자 通航；航行. ¶~료 通航料 / 운하를 ~하다 運河を通航する.
‖──-권 명〔法〕通航権.

통행【通行】명 하자타 通行；行き来. ¶좌측 ~ 左側通行 / 일방 ~ 一方〔片側〕通行 / ~을 방해하다 通行を妨げる / 사람의 ~이 잦다 人の通りが多い / 차의 ~이 심하다 車の通りが激しい / 사람의 ~이 거의 없다 人の行き来がほとんど無い.
‖── 규정 명 通行規定. ── 금지 명 通行禁止；通せん坊；通行止め. ㊜ 통금(通禁). ¶~ 지역 通行止め地域 / 우마 제차 ~ 牛馬諸車通行禁止 / 도로 공사로 ~가 되어 있다 道路工事で通せん坊になっている. ──-료 명 通行料. ──-세 명 通行税. ──-인 명 通行人. ──-증 명 通行証.

통혈【通穴】명 하자 ① 空気穴. ② 〔鑛〕坑道と坑道とが相通じるように貫くこと. また, その穴.

통혼【通婚】명 하자 ① 結婚の意思を打診すること. ② 両家の間で婚姻関係を結ぶこと.

통화【通貨】명 通貨；サーキュレーション.
‖── 개혁 명 通貨改革. ──-고 명 [↗통화 발행고] 通貨高. ── 관리 명 通貨管理. * 관리 통화(管理通貨). ──-량 명 通貨量. ── 발행고 명 通貨発行高. ── 수축 명 通貨収縮；デフレーション. ── 위조죄 명 通貨偽造罪. ── 인플레이션 명 通貨インフレーション. ── 정책 명 通貨政策. ── 통제 명 通貨統制. ── 팽창 명 インフレーション；インフレ《준말》.

통화【通話】㊀ 명 하자 通話. ① お互いに話をすること. ② 電話で話をすること. ¶즉시 ~ 即時通話/ ~중 通話中 / ~료 通話料 / ~중에 전화가 끊어지다 話中に電話が切れる. ㊁ 의명 一定の時間内の通話. ¶한 ~ 3분 이내 一通話三分以内 / 지금 것은 다섯 ~였습니다 ただいまのは五通話でした.

통효【通曉】명 通暁. ① (物事に)明るいこと；通達. ──-하다 자 通暁する；明るい. ¶영문학에 ~하고 있다 英文学に通暁している. ② 徹夜；夜明かし. ──-하다 자 徹夜する；夜明かしをする.

통-후추 명 粒のままのこしょう(胡椒).

톺다[1] 타 くまなく探す；探索する.

톺다[2] 타 麻を和らげるため蒸す前に)麻用のくしです(梳)く.

톺아-보다 타 くまなく探してみる.

퇴【退】명 ① 退くこと. ② ↗툇마루. ③ ↗툇간.

퇴【堆】명 たい(堆)；大陸棚の中で特に浅い部分《魚群が多く集まる》.

퇴각【退却】명 하자타 ① 退却. ¶

오직 ～이 있을 뿐 ただ退却あるのみ/후방으로 ～하다 後方へ退却する/부대를 ～시키다 部隊を引き上げる. ② 金品を退けて返すこと.

퇴거【退去】명 退去; 立ち退き. ——-하다 자 退去する; 立ち退く; 引き下がる; 引き払う. ¶～를 명령하다 退去を命じる; 立ち退きを申し渡す.

퇴경【退京】명하자 退京.

퇴고【推敲】명하타 すいこう(推敲). =고퇴(敲推). ¶원고를 ～하다 原稿を推敲する.

퇴관【退官】명하자 退官. =퇴임(退任).

퇴교【退校】명하자 退校. =퇴학(退學). ¶～ 처분 退校処分.

퇴군【退軍】명하자 退軍; 退陣.

퇴궐【退闕】명하자 宮殿から引き下がること.

퇴근【退勤】명하자 退勤; 引け. ¶회사의 ～ 시각 会社の引け時/～ 무렵의 혼잡 退勤の混雑.

퇴기【退妓】명 ぎせき(妓籍)から除かれたキーセン(妓生).

퇴기다 타 ① はじく; はねかえす. ¶물을 ～ 水をはじく. ② (物を)指ではじく; ぷいと放つ. <튀기다.

퇴김 명하타 (たこ(凧)あげのとき)糸をはじいて凧をさかさまにすること. <튀김. ——-주다 타 糸をはじいて凧をさかさまにする. <튀김주다.

퇴-내다 타 食べたり持ったり, またはしたいことを飽きるほどする.

퇴단【退團】명하자 退団. ¶소년단을 ～하다 小年団を退団する.

퇴락【頹落】명하자 すたれること.

퇴령【頹齡】명 たいれい(頹齡); 老齢.

퇴로【退路】명 退路. ¶적의 ～를 차단하다 敵の退路を遮断する/～를 끊다 退路を絶つ.

퇴리【退吏】명 退職した役人.

퇴-만앙 명 遅く植えた苗.

퇴물【退物】명 ① 目上から譲り受けたもの; さがりもの. ② 断られたもの. =퇴물림. ③ 職から退いた人を見下げて言う語. ¶기생 ～ 妓生上がり/유녀(遊女) ～ つとめ上がり/배우 ～ 役者崩れ.

퇴-물림【退—】명 お下がり(もの). ① 宴会·祭礼などのおぜん(膳)の残り物. ② ☞ 퇴물. ¶형님의 ～ 兄貴のお下がり.

퇴박-맞다【退—】자 退けられる; 断わられる.

퇴박-하다【退—】타 は(撥)ね返す; 退ける; 拒絶する; 断る; 押しやる. ¶계획을 퇴박하고 채용치 않았다 計画を押しやって採用しなかった.

퇴보【退步】명하자 退歩. ¶기술이 ～하다 技術が退歩する〔後戻りする〕.

퇴비【堆肥】명 堆肥; 積み肥. =두엄. ¶～ 증산 堆肥増産.

퇴사【退社】명하자 退社. ① 退勤. ¶다섯 시에 ～하다 五時に退社する. ② 退職.

퇴산【退散】명하자 退散. ¶놀라서 ～했다 驚いて退散した.

퇴색【退色·褪色】명 退色; 色焼け; 色変わり. ——-하다 자 退色する; あ(褪)せる; 色焼けする; 白ける; さ(褪)める. ¶～한 모자 退色した帽子/선명한 빛깔일수록 ～하기 쉽다 あざやかな色ほど退色しやすい/옷이 ～하다 (着古して)七つ下がりになる; 衣服が色焼けする/빨아도 ～하지 않는 색 洗ってもさめない色/양복의 색깔이 ～하다 洋服の色がさめる/사진이 ～하다 写真が白ける.

퇴석【退席】명하자 退席. =퇴장(退場). ¶도중에서 ～했다 途中で退席した/적당한 때를 살펴 ～하다 頃合を見はからって退座する.

퇴석【堆石】명하자 たいせき(堆石). ‖——층 명〔地〕堆石層; 堆石が集まって成している地層.

퇴성【退城】명하자 退城; 下城.

퇴세【頹勢】명 退勢. ¶사운의 ～를 만회하다 社運の退勢をばんかい(挽回)する.

퇴속【退俗】명하자〔佛〕僧が再び俗人になること. =환속.

퇴속【頹俗】명 衰退して乱れた風俗. =퇴풍(頹風).

퇴송【退訟】명하자 訴訟を退けること.

퇴식【退息】명하자 退いて休息すること.

퇴신【退身】명하자 関係した事から身を引くこと.

퇴실【退室】명하자 退室.

퇴양【退讓】명하자 退譲; 他人に遠慮して退くこと.

퇴역【退役】명하타 退役. ¶～ 군인 退役軍人.

퇴열【退熱】명하자 解熱すること; 熱が下がること. ——-시키다 타 熱をさまして平熱に戻す.

퇴영【退嬰】명하자 たいえい(退嬰). ¶～적 退嬰的.

퇴옥【頹屋】명하자 たいおく(頹屋); 古くなってくずれた家屋.

퇴운【頹運】명 たいうん(頹運).

퇴원【退院】명하자 退院. ¶완쾌해서 ～하다 全快して退院する.

퇴위【退位】명하자 退位. ① 帝王の位を退くこと. ¶임금이 ～하다 王様が退位する/재위 십년에 ～하였다 在位十年にして退位した. ② 位置を後ろに退けること.

퇴-일보【退一步】명하자 一歩後ろに退くこと.

퇴임【退任】명하자 退任.

퇴장【退場】명하자타 ① 退場. ¶조용히 ～하여 주십시오 お静かに退場願います. =퇴석(退席). ② 競技の途中反則などによって退くこと.

퇴장【退藏】명하자타 ① しりぞきかくれること. ② 退蔵; 外に出さないで持っていること. ¶～ 물자 退蔵物資/～ 화폐 退蔵貨幣.

퇴적【堆積】명하자타 たいせき(堆積); うずたかく積む〔積まれる〕こと.

¶～물 堆積物. ②〘地〙↗퇴적 작용.
‖――암 명 堆積岩. ―― 작용 명〘地〙堆積作用. ――층 명〘地〙堆積層. ―― 평야 명〘地〙堆積平野. ＝충적(冲積) 평야.

퇴전【退轉】명하자 退転. ¶불～ 不退転.

퇴정【退廷】명하자 退廷. ¶～을 명하다 退廷を命ずる.

퇴조【退朝】명하자 退朝；朝廷から退出すること. ＝퇴정(退廷).

퇴조【退潮】명하자 退潮. ①ひきしお. ＝썰물. ②物事の勢いがおとろえること. ¶경기의 ～ 景気の退潮／～의 조짐 退潮のきざし.

퇴좌【退座】명하자 ☞ 퇴석(退席).

퇴주【退酒】명 さいし(祭祀)の時, 供えた酒のお下がり.

퇴직【退職】명하자 退職；退社.
‖――금 명 退職金. ¶～을 계산에 넣고서 돈을 꾸다 退職金を見込んで借金する／쥐꼬리만한 ～ 蚊の涙ほどの退職金. ―― 소득 명 退職所得. ―― 수당 명 退職手当. ―― 연금 명 退職年金.

퇴진【退陣】명하자타 退陣. ¶보급로가 끊겨서 ～했다 補給路を絶たれて退陣した.

퇴-짜【退―】명 [←퇴자(退字)] ①〘史〙上納の麻布と木綿の質が悪くて"退"の字がおされて返されたもの. ②退けられたもの. ―― 놓다 타 ①上納するものなどを退ける. ②拒絶する；ひじ(肘)鉄砲を食わせる；突っぱねる；はねつける. ¶남의 부탁을 ～ 人の願いをつっぱねる. ―― 맞다 자 ①上納したものが退けられる. ②拒絶される；はねかえされる. ¶여자한테 퇴짜를 맞다 女から肘鉄砲を食う.

퇴청【退廳】명하자 退庁；役所から退出すること. ¶～ 시간 退庁時間.

퇴축【退縮】명하자 ちぢまり退くこと.

퇴출【退出】명 退出；退き出ること. ――하다 자 退出する；まか(罷)る；まかり出る.

퇴치【退治】명하타 退治. ¶문맹 ～ 운동 文盲退治運動／산적을 ～하다 山賊を退治する／해충을 ～하다 害虫を退治(す)る.

퇴침【退枕】명 ひき出しが付いている木まくら(枕).

퇴토【堆土】명 たいど(堆土)；うずたかく積みかさねた土.

퇴-판 명 飽き飽きした場面.

퇴패【頹敗】명하자 風俗·道徳·文化などがすたれ行くこと. ＝퇴비(頹圮).

퇴폐【頹廢】명하자 退廃；たいとう(頹唐)；廃退. ¶～ 풍조 退廃した風潮／～적인 음악 退廃〔廃退〕的音楽／도덕이 ～하다 道徳が退廃する.
‖―― 문학 명 退廃文学. ――주의 명 退廃主義. ――파 명 退廃派；デカダンス.

퇴풍【頹風】명 退廃した風俗.

퇴피【退避】명하자타 退避. ¶～ 명령 退避命令／부녀자와 병자를 ～시키다 婦女子と病人を退避させる.

퇴-하다【退―】타 ①品物を受けないで退き返す；退ける；受けない；拒絶する. ②戻す；返す. ③余分の分量をとり出す；減らす.

퇴학【退學】명하자타 退学；退校；放校. ¶중도 ～ 中途退学／～시키다 退校させる／～ 처분은 처음부터 각오한 바이다 退学処分は元より覚悟の上である.
‖――생 명 退学生.

퇴행【退行】명하자 退行. ①あとにさがること；あとじさりすること. ②他日に延期すること. ③☞ 퇴화(退化). ④〘天〙惑星が天球上を西に向かって運行すること. ⑤〘心〙発達または進化において以前の状態〔時期〕に戻ること.
‖――기 명 退行期；病勢がおいおい回復する時期. ――성 명 退行性. ¶～ 질환 退行性疾患.

퇴혼【退婚】명하자 婚約をある一方が退けること.

퇴화【退化】명하자 退化. ＝퇴행(退行). ¶문명의 ～ 文明の退化.
‖―― 기관 명〘生〙退化器官.

퇴회【退會】명하자 退会.

툇간【退間】명 母屋の横につけ足した部屋；張出しの部屋. 준퇴(退).

툇-마루【退―】명 縁側；縁. ¶넓은 ～ 広縁／～ 끝 縁先／～에 걸터앉다 縁側に腰(を)かける.

투【套】명 ①慣例化された事柄；くせ；やり口；しぐさ. ¶말～가 나쁘다 言葉つき〔口のききよう〕が悪い／읽는〔읊는〕～ 読み振り. ②事の法式·格式. ¶셰익스피어～의 문장 シェークスピア張りの文章. ③物事のやり方；手並み. ¶하는 ～가 좀 해본 사람이다 手並みがちょっとは手慣れた人だ.

투〔two〕명 ツー. ¶～ 다운 ツーダン／～ 런 ツーラン.
‖―― 스텝 명 ツーステップ. ――피스 명 ツーピース.

투각【透刻】명 透かし彫り. ¶～으로 된 교창 透かし彫りの欄間.

투강【投江】명하타 川に投げること.

투견【鬪犬】명하자 闘犬. ＝투구(鬪狗). ¶～ 대회 闘犬大会.

투계【鬪鷄】명하자 闘鶏；け(蹴)合い；鶏合わせ；とりあ(鶏合)わせ. ¶～를 구경하다 闘鶏を見物する.

투고【投稿】명하자 投稿. ＝기고(寄稿). ¶독자 ～ 환영 読者の投稿歓迎／신문에 ～하다 新聞に投稿する.
‖――란 명 投稿欄.

투과【透過】명하자 透過；透き通ること. ¶빛이 ～하다 光が透過する／유리는 빛을 ～시킨다 ガラスは光を通す.
‖――성 명 透過性.

투광【投光】명하자 投光. ¶～ 장치 投光装置.
‖――기 명 投光器；プロジェク

ター.

투구 명 かぶと(兜). ¶ ~ 끈 兜の緒 / 갑옷 ~로 무장하다 よろい(鎧)かぶとに身を固める.

투구【投球】 명하자 投球; ピッチング; 球を投げること. ¶전력 ~ 全力投球 / 3루에 ~하다 三塁に投球する / ~기(機) ピッチングマシン.

투구【鬪狗】 명하자 ☞ 투견(鬪犬).

투그리다 자 (獣が)たけ(哮)りね(睨)める.

투기【投棄】 명하타 投棄; なげすてること. ¶~ 처분 投棄処分.

투기【投機】 명 投機. ① 山事. ¶ ~적 投機的 / ~심 投機心; 山気 / ~ 모험을 하는 사람 山師 / ~사 勝負師 / ~심을 일으키다 山っ気を出す / ~를 하다 山をかける〔張る〕. ②〖經〗市価の変動を予期してその差額を得るために行なう取り引き.

‖── 거래 명 投機取り引き. ── 공황 명 投機恐慌; 投機活動によって起こる恐慌. ── 매매 명 投機売買; 投機的に売買する行為. ── 사업 명 投機事業; 相場. ¶~에 돈을 대다 相場を張る. ──-상 명 投機商. ── 시장 명 投機市場. ──-열(熱) 명 投機事業に注ぐ熱.

투기【妬忌】 명하자 やきもち; ねたみ嫌うこと. ¶~하지 말라 焼きもちを焼くな.

투기【鬪技】 명하자 闘技. ① 運動などの技を競うこと. ¶~장 闘技場. ② 取りくんで競う競技.

투깔-스럽다 형 (物事や品物の模様が)荒っぽい; 粗暴だ; がさつだ.

투덕-거리다 자타 (響きのよくないものを)力強くたたいて音を出す. > 토닥거리다. ㅆ뚜덕거리다. **투덕-투덕** 부하자 たたいてしきりに音を出すさま: とんとん(と).

투덕투덕-하다 형 顔がまるまると太ってふくぶくしい; むくむく肥えている.

투덜-거리다 자 不平を鳴らす; ぶつぶつ言う; ぐずぐず言う; ごねる; ぼやく〈俗〉; ぶつくさ言う; 愚痴をこぼ(零)す; ぶうぶう言う; ごてつく. ¶월급이 적다고 ~ 月給が少ないと不平を鳴らす / 마음에 들지 않아 ~ 気に入らないのでぐずぐず言う / 사례금이 적다고 ~ 礼金が少ないとごねる / 무엇을 투덜거리고 있느냐 何をぼやいているのか / 그렇게 투덜거리지 말게 そうぶうぶう言うなよ. ㅆ뚜덜거리다. **투덜-투덜** 부하자 ぶうぶう; ぐずぐず; ぶつぶつ. ¶뒤에서 ~하다 陰でぶつぶつ言う / 마음이 차지 않아 ~하다 気に入らないのでぶつぶつ言う.

투도【偸盜】 명하타 ちゅうとう(偸盗); 人のものを盗むこと. また, その人. ＝투절(偸竊).

투레-질 명하자 乳飲み子が唇を合わせてぶぶぶと音を出すこと.

투료【投了】 명하자 (碁・将棋など で)勝負の途中に一方が負けたことを認めて対局を終わらせること.

투망【投網】 명 投網. ＝챙이. ¶~질 網打ち / ~을 던지다 投網を投げる / ~질하러 가다 投網を打ちに行く.

투매【投賣】 명 投げ売り; 捨て売り; たたき売り; 乱売. ──-하다 하타 乱売する; 投げる; 叩き売る. ¶~품 投げ; 投げ物; 投げ売り品; 見切り品/~ 시장 投げ売り市場/ 상품을 ~하다 商品を捨て売りする / 철지난 물건을 ~하다 時季後れの品を見切って売る / 상품을 반값으로 ~하다 商品を半値で叩き売る.

투명【透明】 명하형 透明. ¶무색 ~ 無色透明 / ~한 황색 あめいろ(飴色).

‖──-도 명 透明度. ── 수지 명 無色透明な人造樹脂《尿素樹脂の異称》. ──-체 명 透明体.

투묘【投錨】 명하자 とうびょう(投錨); いかり(錨)を下ろすこと. ¶항구에 ~하다 港に投錨する.

‖──-지 명 錨地.

투미-하다 형 間がぬけている; とんまだ; 愚鈍だ. ¶투미한 녀석 鈍なやつ(奴).

투박-스럽다 형 厚ぼったい; 粗悪に見える. ¶투박스러운 양복 粗悪な洋服 / 투박스러운 양복감 厚ぼったい洋服地.

투박-하다 형 格好は悪いが丈夫だ; 粗悪だ; ごつい. ¶투박한 천 粗布 / 투박한 외투 粗製の不体裁な外套.

투베르쿨린 〔도 Tuberkulin〕 명〖醫〗ツベルクリン.

‖── 반응 명 ツベルクリン反応.

투병【鬪病】 명하자 闘病. ¶~ 생활 闘病生活 / 결핵과의 ~에 몇 해를 보냈다 結核との闘病に数年を費やした.

투사【投射】 명하타〖物〗投射. ＝입사(入射). ¶~ 도법 投射図法 / 광선이 수면에 ~되다 光線が水面に投射される.

‖──-각 명 ☞ 입사각(入射角). ── 광선 명 ☞ 입사 광선. ──-영 명 ☞ 투영(投影). ──-율 명 投射率; (バスケットボールなどで)シュートして成功させる率. ──-점 명 ☞ 입사점(入射點).

투사【透寫】 명하타 透写; トレース; 引き写し; しきうつし. ¶그림을 ~하다 絵を透写する.

‖──-지 명 透写紙; トレーシングペーパー.

투사【鬪士】 명 闘士. ① 戦闘や競技に従う人. ② 社会運動などで活躍する人.

‖──-형 명 闘士型.

투생【偸生】 명하자 死ぬべき時に命を惜しんで恥をさらしながら生き残ろうとすること; 命を盗むこと.

투서【投書】 명하자타 ① 投書. ¶국회에 ~하다 国会に投書する. ② ☞ 투고. ‖──-함 명 投書函.

투석【投石】 명하자 投石; 石投し

げ. ¶ ~ 사건 投石事件 / ~전이 벌어졌다 投石戦が起こった.

-투성이 미 …まみれ; …だらけ; …みどろ. ¶ 피~ 血みどろ〔だらけ〕/ 땀~ 汗みどろ / 빚~ 借金だらけ / 상처~ 傷だらけ / 흙~ 泥だらけ / 모순~ 矛盾だらけ / 비듬~의 머리 ふけだらけの頭 / 먼지~가 됐다 ほこり(埃)だらけになった / 피~가 되어서 쓰러졌다 朱に染まって倒れた / 땀~가 되다 汗にまみれる / 진흙~가 되다 泥にまみれる.

투수【投手】명 投手; ピッチャー. ¶ 명~ 名投手 / 선발 ~ 先発投手 / 구원 ~ リリーフピッチャー / ~ 교체 投手リレー / 주전 ~ 主戦投手 / ~전 投手戦 / ~가 등판하다 投手が登板する.

투수【透水】명하자 透水; 水がしみとおること. ¶ ~성 透水性.

‖——-층 명〖地〗 透水層. =사력층(砂礫層)·사암층(砂岩層).

투숙【投宿】명하자 投宿. ¶ ~객(客) 投宿者 / 호텔에 ~하다 ホテルに投宿する〔投ずる〕.

투시【透視】명하타 透視. ¶ ~력 透視力 / 뢴트겐 ~ レントゲン透視.

‖——-도 명 透視図. —— 도법 명 透視図法. =투시 화법. ㊟ 투시법 ——-법 명 ☞ 투시 도법. —— 화법 명 透視画法.

투신【投身】명하자 ①(ある事に)身を投ずること. ¶ 정계에 ~하다 政界に身を投ずる. ② 投身; 身投げ; 高い所から, または車に身を投げること. ¶ ~ 자살 投身自殺; 飛び込み自殺 / 강에 ~ 자살하다 川に身投げをする.

투실-투실 부하형 健康に肥えたさま: まるまると. >토실토실.

투심【妬心】명 しっと(嫉妬)心.

투심【偸心】명〖佛〗 盗人の心.

투심【鬪心】명 闘心.

투안【偸安】명하자 とうあん(偸安); 安楽をむさぼること. ¶ ~지몽 偸安の夢.

투약【投藥】명하자 投薬. ¶ 경구 ~ 経口投薬 / 잘 조제해서 ~하다 さじ(匙)加減して投薬する / 환자에게 ~하다 患者に投薬する.

‖——-구 명 投薬窓口.

투어【套語】명 とうご(套語); ありきたりの言葉; 決まり文句. =상투어.

투어〔tour〕명 ツアー. ¶ 스키 ~ スキーツアー.

투어리스트〔tourist〕명 ツーリスト. ¶ ~ 걸 ツーリストガール / ~ 클래스 ツーリストクラス.

투여【投與】명하타 投与. ¶ 환자에게 약을 ~하다 患者に薬を投与する.

투영【投影】명 投影. ¶ 문학은 시대 정신의 ~이다 文学は時代精神の投影である.

‖——-도 명 投影図. —— 도법 명 投影図法. —— 렌즈 명〖物〗投影レンズ. ——-면 명 投影面. ——-법 명〖美〗[↗투영 도법] 投影法. ——-선 명 投影線.

투옥【投獄】명 投獄; ろう(牢)に入れること. ——-하다 타 投獄する; 獄に投げ込む〔投ずる〕. ¶ 억울한 죄로 ~되었다 無実の罪で投獄された.

투우【鬪牛】명하자 闘牛. ① 牛合わせ. ② よく闘う牛.

‖——-사 명 闘牛士; マタドール. ——-장 명 闘牛場.

투-원반【投圓盤】명 円盤投げ.

투-융자【投融資】명 投融資. ¶ 재정 ~ 財政投融資.

투입【投入】명하타 投入. ① 一定の人員以外の人をもっと入れること. ¶ 병력을 계속 ~하였다 兵力をつづけて投入した. ② 投げ入れること. ③ (資本や労働力を)投ずること; つぎ込むこと. ¶ 자본을 ~하다 資本を投入する〔投ずる〕/ 전재산을 사회 사업에 ~하였다 全財産を社会事業に注ぎ込んだ. ④ 薬品の材料を入れること.

투자【投資】명하자 投資; インプット; 放資. ¶ ~가 投資家 / 재고 ~ 在庫投資 / 설비 ~ 設備投資 / 견실한 ~ 堅実な投資 / 이제부터는 토지에 ~해 보았자 これからは土地に投資してみたって… / 다행히 ~해서 돈을 벌었다 幸いに投資してもうかった.

‖—— 경기 명 工場の拡張または機械設備などへの投資によって起こる景気. —— 시장 명 投資市場. —— 신탁 명 投資信託. —— 자산 명 投資資産. —— 회사 명 投資会社. =지주 회사(持株會社).

투장【鬪將】명 闘将.

투쟁【鬪爭】명 闘争; 争闘; 戦〔闘〕い. ——-하다 자 闘争〔争闘〕する; 争う. ¶ 임금 인상 ~ 賃上げ闘争 / 노사가 서로 ~하다 労使が相争う / ~ 정신 闘魂 / 노사간의 ~ 労使の争い.

투전【鬪牋】명하자 韓国のばくち(具)の一つ.

‖——-꾼 명 "투전"のばくち打ち.

투정, 투정-질 명 ねだること; だだをこねること; すねること. ——-하다 타 ねだる; だだをこねる; すねる. ¶ 음식 ~을 하다 食べ物に不平や苦情を言う / ~만 부리다 文句ばかり言う.

투조【透彫】명 透かし彫り.

투지【鬪志】명 闘志; 闘魂; 負けじ魂; 闘心; ファイト; ファイティングスピリット. =투쟁심·투쟁 정신. ¶ ~ 만만 闘志満満 / ~가 넘치다 闘志がみなぎ(漲)る / ~가 충일해 있다 闘志があふれている / 불굴의 ~ 不屈の闘魂 / ~를 불태우다 闘魂を燃やす.

투찰【透察】명하타 透察.

투창【投槍】명하자 投げやり(槍); やり(槍)投げ. =재블린(javelin).

투척【投擲】명하타 とうてき(投擲).

‖—— 경기 명 投擲競技. ¶ ~에 참가하다 投擲競技に参加する.

투철【透徹】명하형히부 透徹; 道理があきらかで確かなこと. ¶ ~한

이론 透徹した理論 / 애국심에 ～하다 愛国心に徹する.

투타【投打】 명 〖野〗 投球力と打撃力；ピッチングとバッティング.

투-포환【投砲丸】 명 砲丸投げ.

투표【投票】 명하자타 投票. ¶ 무효 ～ 無効投票 / 무기명 ～ 無記名投票 / 지명 ～ 指名投票 / ～의 집계 投票の集計 / 찬성도 반대도 빠짐없이 ～하자 賛成も反対も漏れなく投票しよう / 인기 ～에서 차위가 되다 人気投票で次位になる.

‖——-권 명 投票権. ¶～을 행사하다 投票権を行使する. ——-소 명 投票所. ¶～ 참관인 投票所参観人. —— 용지 명 投票用紙. (준)투표지. ——-율 명 投票率. ¶～이 높다 投票率が高い. ——-인, ——-자 명 投票人. ——-함(函) 명 投票箱.

투하【投下】 명하타 投下；放下. ¶폭탄을 ～하다 爆弾を投下する.

투하【投荷】 명하타 投げ荷；打ち荷.

투함【投函】 명하타 とうかん(投函). ¶편지를 ～하다 手紙を投函する.

투합【投合】 명하형 投合. ¶의기 ～하다 意気投合する.

투항【投降】 명 投降. ——-하다 자 投降する；投ずる. ¶～병 投降兵 / 적에게 ～하다 敵に下る；敵軍に投ずる.

투-해머【投—】 〔hammer〕 명 ハンマー投げ.

투호【投壺】 명하자 とうこ(投壺)；矢をつぼ(壺)の中に投げ入れる遊戯. ‖——-살 명 投壺に用いる矢.

투혼【鬪魂】 명 闘魂. ¶불굴의 ～ 不屈の闘魂.

투화【透化】 명하타 透化.

툭 부 ① 一部分が膨されている〔は(腫)れた〕さま：ぷくり. ¶～ 불거진 이마 高く突き出た額. ② 軽くたた(叩)くさま. また, その音：とん；こつん. ¶팔꿈치로 ～ 치고 지나가다 ひじ(肘)でとんと打って通り過ぎる. ③ 何かが急に破裂するさま. また, その音：ぱん；ぷっつり；ぽっつり. ¶고무공이 ～ 터지다 ゴムまりがぱんと破れる / 실이 ～ 끊어지다 糸がぷっつり〔ぽっつり〕切れる. ④ 急に何かがひっかかるさま. また, その音：こつん. ¶문턱에 ～ 걸려 너머지다 敷居づまにこつんとひっかかって倒れる. ⑤ 急に跳ねるさま. また, その音：ぽん；ぴょん. ¶토끼가 ～ 튀어나왔다 うさぎ(兎)がぴょんと跳び出て来た. ＜톡.

툭박-지다 형 頑丈で飾り気がない；鈍く単純だ；おろかで鈍い.

툭-탁 부하자타 互いに打ち合うさま. また, その音：とんとん；こつんこつん. ＞톡탁. ——-거리다 자타 どたばたする. ——— 부하자타 とんとん；どたばた.

툭탁-치다 타 帳消しにしてしまう. ＞톡탁치다.

툭-툭 부 ① あちこちが膨されたりは(腫)れたさま： ぷくぷく. ② 続けて軽く打つさま. また, その音：とんとん. ③ 続けざまに破裂するさま. また, その音：ぱんぱん. ④ 出しなに数回すれるさま. また, その音：こつんこつん. ⑤ 続けざまに跳ねるさま. また, その音：ぴょんぴょん. ⑥ 物事を出まかせにぶつぶつ言うさま：つけつけ. ¶～ 잔소리를 하다 つけつけと小言を言う / ～ 말을 해대다 ぽんぽんものを言う. ＞톡톡.

툭툭-하다 형 ① 織り目が詰んで厚い〔細かい〕. ② 汁が濃い. ＜톡톡하다.

툭-하면 부 ややもすれば；ともすると〈口〉；ともすれば；どうかすると. ¶～ 결석한다 ともすると欠席する / ～ 잘 운다 ちょっとしたことにもすぐ泣く / ～ 칼부림이다 どうかすると刃物三昧に及ぶ.

툰드라 〔러 tundra〕 명 〖地〗 ツンドラ；凍原. ＝동토대(凍土帶).

툴륨 〔thulium〕 명 〖化〗 ツリウム《記号：Tm》.

툴툴-거리다 자 ぶつぶつ〔ぶうぶう〕不平を鳴らす.

툴툴-하다 자 怒った顔つきで不平を鳴らす〔言う〕；ぐずぐず〔ぶうぶう〕言う.

툼벙 부하자타 大きく長いものが深い水に落ち込む音. また, そのさま：どぶん. ＞톰방. ——-거리다 자타 しきりにどぶんと音を出しながら沈んだり浮かんだりする. ——— 부하자타 どぶんどぶん.

툽상-스럽다 형 不格好で粗野だ；無骨だ；下品だ；野卑だ；ごつごつしている. (준)투상스럽다.

툽툽-하다 형 汁が濃い. ＞톱톱하다.

퉁[1] 명 ① 質の悪い黄銅〔しんちゅう(真鍮)〕. ¶～부처 質の悪いしんちゅうで作った仏像 / ～ 주발 質の悪いしんちゅうで作った食器. ② 質の悪いしんちゅうで作った有孔銭《お金の別称》.

퉁[2] 부 ① うつろな木の筒をたたく音：どん. ② 太鼓をたたく音：どん. ③ 大砲をうつ音：ずどん. ＞통.

퉁겨-지다 자 ①(組み合ったものが)はずれる；抜け出る. ②(隠していたものが意外に)あらわれる；ばれる；見つかる. ＞통겨지다.

퉁그스-족【—族】 〔Tungus〕 명 ツングース(族).

퉁기다 타 ① 支えていたものを抜けるようにはねる；はずす；はじけさせる. ②(骨組みを)はじけさせる；だっきゅう(脱臼)させる. ③ 潮時をはずれさせる.

퉁명-스럽다 형 つっけんどんだ；ぶっきらぼうだ；無愛想だ；木で鼻をくくる《동사적》. ¶퉁명스럽게 ぷいと / 퉁명스러운 대답 つっけんどんな返事 / 그렇게 퉁명스럽게 말 안 해도 좋으련만 そんなにつっけんどんに言わなくてもいいのだが / 퉁명스러운 대답을 하다 無愛想な返事をする.

퉁바리-맞다 자 ひじてつ(肘鉄)を食う；わけもなく拒絶される；けんもほろろにやられる. (준)퉁맞다.

퉁-방울 명 質の悪い黄銅製の鈴

す. ¶ ～ 눈 どんぐり眼〔目〕.
‖——-이 명 出目の人.

퉁소 명 〖樂〗 [←통소(洞簫)] どうしょう(洞簫)《尺八に似た笛》.

퉁어리-적다 형 無分別だ; うかつ(迂闊)だ; 軽率だ.

퉁-탕 부하자타 ① 板をやたらにたたいたり踏みならす音: どんどん; どたばた. ② 小銃をうちまくる音: どんどん; ぽんぽん; ぱんぱん. >통탕. ——-거리다 자타 どんどん〔ずどんずどん〕と音を出す〔音が出る〕. ——-—— 부하자타 どたんばたん; どんどん; ずどんずどん.

퉁퉁¹ 부하자타 ① どんどん. ② ずどんずどん. >통통¹. ——-거리다 자타 どんどん〔ずどんずどん〕と音がする〔音を出す〕.

퉁퉁² 부하자 (はれたり肥えたりして)体つきが太いさま: むくむく; ぶくぶく; ぼってり. >통통². ¶ ～하게 살찐 사람 ぼってり(と)太った人 / ～ 부은 익사체 ぶくぶく膨れあがったできしたい(溺死体) / 울어서 눈이 ～ 붓다 泣いて瞼がはれ上がる.

퉁퉁-걸음 명 地だんだを踏むような歩み. >통통걸음.

퉁퉁-증 【─症】 명 ① (事が意のごとくならず)いらいらしてよく腹を立てる病症; いらいら; 当たり散らし. ② 腹の中でむかむかする症候.

퉤-퉤 부 やたらにつば(唾)をはき捨てる音: ぺっぺっ.

튀각 명 油で揚げたこんぶ(昆布).

튀개 명 スプリング.

튀기 명 血統が違う種族の間にできた動物または人間の子; 混血児; 合いの子〈卑〉. =잡종·혼혈아·잡종아(兒). ¶ 파란 눈의 ～ 青い目の混血児.

튀기다¹ 타 ① 急に力強く放つ; はじ(弾)く; 弾きとばす; はねる. ¶ 손톱으로 ～ つめで弾く / 주판을 ～ そろばんを弾く. ② 急に跳ね返らせる; 飛ばす; 飛び散らす: 跳ねる; 跳ねかす〈俗〉. ¶ 물방울을 튀기면서 헤엄을 치다 しぶきをあげて泳ぐ / 자동차가 흙탕물을 ～ 自動車が泥水を飛ばす / 입아귀에 침방울을 ～ 口角に泡を飛ばす / 흙탕물을 튀기며 걷다 どろをはねて歩く / 양복에 흙탕을 ～ 洋服に泥をはねかす.

튀기다² 타 (油で)揚げる. ¶ 감자를 기름에 ～ じゃがいもを油で揚げる / 튀김을 ～ てんぷらを揚げる / 튀김이 다 튀겨지다 てんぷらが揚がる.

튀김¹ 명 てんぷら《"天麩羅"로 씀은 취음》; 揚げ物; フライ. ¶ 새우 ～ えびてんぷら / ～ 덮밥 てんぷらどんぶり(丼); 天丼 / 영계 ～ ひなどりの空揚げ / 야채 ～ 精進揚げ / 여러 가지 야채 ～ 五色揚げ / ～ 냄비 揚げなべ(鍋) / 굴～ かきフライ.

튀김² 명 たこ(凧)あげで糸をはじいてたこ(凧)をさかさにする技. >퇴김. ——-주다 타 凧あげで凧をさかさにする.

튀다 자 ① (破裂·跳ね返り·弾む力で)跳ぶ; 跳ねる; はぜる; 弾む. ¶ 콩이 튀는 소리 豆のはぜる音 / 잘 튀는 공 跳ね返りの強いボール; 弾みのいいゴムまり / 공이 ～ まりが弾む / 흙탕물〔물방울〕이 ～ どろ〔しずく〕が飛ぶ / 불똥이 ～ 火花が飛び散る / 불티가 풀풀 ～ 火の粉がばらばらと降る / 공이 튀어서 되돌아오다 ボールが跳ね返る. ② 急に逃げる; 飛ぶ; 高飛びする. ¶ 도둑이 ～ どろぼうが逃げる / 범인이 서울로 ～ 犯人がソウルに飛ぶ. ③ 〖鑛〗 (鉱石を水によなげた結果)金がない.

튀어-나오다 자 跳ね出る; 飛び出る; 飛び出す. ¶ 여기를 누르면 구슬이 튀어나온다 ここを押すとたまが飛び出る / 아이가 골목에서 불쑥 ～ 子供が露地からひょっこり飛び出す / 못에서 개구리가 ～ 池からかえる(蛙)が飛び出す.

튀튀 〔프 tutu〕 명 チュチュ《短いバレー用のスカート》.

튀-하다 타 (羽毛をはぎ取るため)湯がく; さっと湯につける. ¶ 통닭을 뜨거운 물에 ～ 鶏を熱い湯にさっとつける.

튜너 〔tuner〕 명 チューナ. ¶ FM ～ FMチューナ.

튜닉 〔tunic〕 명 チューニック(コート).
‖—— 코트 명 ☞ 튜닉.

튜바 〔tuba〕 명 〖樂〗 チューバ.

튜브 〔tube〕 명 チューブ. ① 管; 筒. ② 練った薬剤·歯磨き·絵の具などを絞り出して使う筒型容器; 絞り出し. ¶ ～에 든 치약 チューブ入りの歯みがき; 練り歯磨き. ③ (自動車などのタイヤに空気を入れる)ゴムの管. ¶ 자전거 ～ 自転車(の)チューブ. ④ 水泳の下手な人が用いる自動車のチューブのようなもの. ¶ 수영 ～ 水泳用のチューブ.

튤립 〔tulip〕 명 〖植〗 チューリップ.

트다¹ 자 ① 発芽する; 芽が出る; 芽ぐむ. ¶ 싹이 ～ も(萌)え出る / 나무의 움이 ～ 木の芽が萌え出る. ② (夜が)明ける; 明けそめる; 白む. ¶ 동틀 무렵 明けそめる頃. ③ ひび·あかぎれ(皹)が切れる; 荒れる. ¶ 온통 튼 손 皹だらけの手 / 살갗이 ～ 皹が切れる / 손이 ～ 手にあかぎれが切れる.

트다² 타 ① (ふさがったものを)通ずるようにする; 開く. ¶ 둑을 튼 듯이 せき(堰)を切ったように / 길을 ～ 道を開く / 은행과 거래를 ～ 銀行と取り引きを始める. ② (人と交わる時の敬語づかいをやめて)君付けにする; 親しくする. =허교(許交)하다.

트라이 〔try〕 명하자타 トライ.

트라이아스-기 【─紀】 명 〔Triassic Period〕 〖地〗 三畳紀.

트라이앵글 〔triangle〕 명 トライアングル. =삼각철(三角鐵).

트라이얼 〔trial〕 명 トライアル. ① 試練; 苦難. ② 審問. ③ (自転車競技で)独走時間競走. ④ 試行; こころみ. ¶ ～ 앤드 에러 トライアルアンドエラー; 試行錯誤.

트라코마〔trachoma〕, 트라홈〔도 Trachom〕명 トラコーマ；トラホーム. ¶～에 걸리다 トラホームにかかる.
트라피스트〔Trappists〕명〔天主教〕トラピスト.
트래버스〔traverse〕명 トラバース.
트래블러〔traveller〕명 トラベラー.
‖——스 체크〔traveller's check〕명 トラベラーズチェック.
트래직〔tragic〕명 トラジック；悲劇的.
트랙〔track〕명 トラック.
‖—— 경기 명 トラック(競技).
트랙터〔tractor〕명 トラクター. ＝견인차(牽引車)·견인 자동차.
트랜스〔trans〕명 トランス. ＝변압기.
트랜스미션〔transmission〕명 トランスミッション. ＝변속기.
트랜스미터〔transmitter〕명 トランスミッター.
트랜스시버〔transceiver〕명 トランシーバー.
트랜싯〔transit〕명 トランシット. ＝전경의(轉鏡儀).
트랜지스터〔transistor〕명 トランジスター. ‖—— 라디오 명 トランジスターラジオ. (준)트랜지스터.
트램폴린〔trampolin〕명 トランポリン《体操用具の一つ》.
트랩〔trap〕명 タラップ. ¶자동 ～ 自走タラップ／비행기의 ～에 오르다 飛行機のタラップに上がる.
트랭퀼라이저〔tranquillizer〕명〔藥〕トランキライザー. ＝정신 안정제.
트러블〔trouble〕명 トラブル. ¶～ 메이커 トラブルメーカー；紛糾を起こす人／～을 일으키다 トラブルをひき起こす.
트러스〔truss〕명〔建〕トラス；結構.
트러스트〔trust〕명〔經〕トラスト；企業合同.
트럭〔truck〕명 トラック.
트럼펫〔trumpet〕명〔樂〕トランペット.
트럼프〔trump〕명 トランプ；プレーイングカード.
트렁크〔trunk〕명 トランク.
트렁크스〔trunks〕명 トランクス；ボクシングなどではくパンツ.
트레-머리 명하자 束髪. ¶～의 여성 束髪の女性.
트레-방석【—方席】명 らせんじょう(螺線状)に編んだござ(座).
트레이너〔trainer〕명 トレーナー.
트레이닝〔training〕명 トレーニング.
‖—— 캠프 명 トレーニングキャンプ. —— 팬츠 명 トレーニングパンツ.
트레이드〔trade〕명 トレード.
‖—— 네임 명 トレードネーム. —— 마크 명 トレードマーク. —— 머니 명 トレードマネー.
트레이서〔tracer〕명〔化〕トレーサー.
트레이싱 페이퍼〔tracing paper〕명 トレーシングペーパー.
트레일러〔trailer〕명 トレーラー.
‖—— 버스 명 トレーラーバス. —— 하우스 명 トレーラーハウス.
트레킹〔trekking〕명 トレッキング；山歩き.
트레-트레 부하형 幾重にも巻かれているさま：くるくる. ＞타래타래.
트렌치 코트〔trench coat〕명 トレンチコート.
트로이 전쟁【—戰爭】〔Troy〕명〔史〕トロイア(トロヤ)戦争.
트로이카〔러 troika〕명 トロイカ.
트로트〔trot〕명 [↗폭스 트롯] トロット.
트로피〔trophy〕명 トロフィー.
트롤〔trawl〕명 [↗트롤망] トロール.
‖——망 명 トロール網. ——선 명 トロール船. —— 어업 명 トロール漁業.
트롤리〔trolley〕명 [↗트롤리 버스] トロリー.
‖—— 버스 명 トロリーバス. ——선 명 トロリー線.
트롬본〔trombone〕명〔樂〕トロンボーン.
-트리다 미 ☞ -뜨리다.
트리엔날레〔이 triennale〕명〔美〕トリエンナーレ. ¶～전 トリエンナーレ展.
트리오〔trio〕명〔樂〕トリオ. ¶클린업 ～ クリーンアップトリオ／가요제의 ～ 歌謡祭のトリオ.
트리튬〔tritium〕명〔化〕トリチウム. ＝삼중 수소(三重水素).
트리플〔triple〕명 トリプル.
‖—— 크라운 명 トリプルクラウン. —— 플레이 명 トリプルプレー.
트리핑〔tripping〕명 トリッピング.
트릭〔trick〕명 トリック. ①ずるい策略；ごまかし. ¶～을 쓰다 トリックを用いる／～에 걸리다 トリックにかかる. ② ↗트릭 워크.
‖—— 워크 명 トリック撮影；トリックウォーク.
트릴〔trill〕명〔樂〕トリル. ＝전음(顫音).
트림 명하자 おくび；げっぷ〈俗〉. ——하다 자 げっぷをする；おくびを出す. ¶～이 나오다 げっぷが出る.
트립신〔라 trypsin〕명〔生〕トリプシン.
트릿-하다 형 ①胃がもた(靠)れ(気味である)；(消化不良で)胸がつかえる. ¶속이 ～ 食もたれする. ②《俗》(態度·やりかたなどが)煮え切らない；めろめろだ；はきはきしない. ¶트릿한 사내 煮え切らない男／트릿한 대답 煮え切らない返事.
트위드〔tweed〕명 ツイード；スコッチ織の一種.
트위스트〔twist〕명 ツイスト.
트윈〔twin〕명 ツイン. ¶～ 베드 ツインベッド／～룸 ツインルーム.
트이다 자 ①開·あける. ㉠ふさ(塞)がり，または閉ざされていた物が開く. ¶길이 ～ 道が開ける. ㉡広広としている. ¶탁 트인 광장 開けた広場／남쪽이 트인 집 南が開けた家／시야가 ～ 視界が開ける／이 땅은 바다를 향해 트여 있다 この土地は海に向いて開けている. ㉢(運が)よくなる；向く. ¶운이 ～ 運が開ける；運が向く. ㉣人情に通じ物分かりがよい；さば(捌)ける. ¶속이 트인 사람 開けた〔さばけた〕人. ㉤文明·繁華の状態が進む. ¶트인 세상 開けた世. ②(穴が)明く. ③白む；夜明けになる. ¶동이 ～ 東の空が白む. (준)틔다.
트적지근-하다 형 もた(靠)れ気味である；食もたれ気味だ.

트집 명 ①割れ目; さけ目. ②けちをつけること; 言い掛かり; 難癖; いちゃもん〈俗〉. ¶~을 잡아 내쫓다 言い掛かりをつけて追い出す. ── 나다 자 割れ目が生ずる. ── 잡다 타 けちをつける; 言い掛かりをつける; 文句をつける. ¶이러니 저러니 트집을 잡다 何や彼やと文句をつける.
‖──-쟁이 명 けちばかりつける人.

특가【特價】명 特価. ¶~품 特価品/~ 판매 特価販売.

특강【特講】명 特講. ¶국문학 ~ 国文学特講.

특공-대【特攻隊】명 特攻隊; 特別攻撃隊. ¶~를 조직하여 적진을 기습하다 特攻隊を組織して敵陣を奇襲する.

특권【特權】명 ①特別な権能. ②特権. ¶~ 의식 特権意識/~을 잃다 特権を失う/~을 주다 特権を与える.
‖── 계급 명 特権階級. =특권층.

특근【特勤】명하자 勤務時間外の勤務.
‖── 수당 명 超勤手当.

특급【特急】명 [↗특급 열차·특별 급행] 特急. ¶~ 열차 特別急行列車; 特急列車.

특급【特級】명 特級. ¶~ 청주 特級清酒/~주 特級酒.

특기【特技】명 特技; お手の物; 手の物; おはこ(十八番); 得手. ¶수영이라면 나의 ~다 泳ぎなら僕のお手のものだ.
‖──-병(兵) 명 特技兵.

특기【特記】명하타 特記. ¶~ 사항 特記(すべき)事項/~할 만한 걸작 特記すべき傑作.

특대【特大】명 特大.
‖──-호(號) 명 特大号.

특대【特待】명하타 特待; 特別の待遇. =특우(特遇).
‖──-생 명 特待生. =장학생.

특등【特等】명 特等. ¶~석 特等席/~품 特等品.
‖──-실 명 特等室.

특례【特例】명 特例. ¶~는 인정치 않는다 特例は認めない.
‖──-법 명 ☞ 특별법.

특매【特賣】명하타 特売. ¶~품 特売品. ‖──-장 명 特売場.

특명【特命】명 ① ☞ 특지(特旨). ②特命. ㉠特別命令. ¶~으로 석방하다 特命で釈放する. ㉡特別任命.
‖── 전권 공사 명 特命全権公使. ── 전권 대사 명 特命全権大使.

특무【特務】명 特務; 特別な任務. ‖── 기관 명 特務機関.

특발【特發】명하자 特発; 外界の作用によらず自然に伝染病が発生すること.
‖──-성 명〘醫〙特発性. ¶~ 질환 特発性疾患/~ 탈모증 特発性脱毛症.

특배【特配】명하타 特配.

특별【特別】명하형 特別; 別格. ¶~ 수사반 特別捜査班/~ 서비스 特別サービス/~ 편성의 열차 特別仕立ての列車/~ 주문한 양복 べつあつら(別誂)えの洋服/~한 조처 特別の処置/~ 취급을 하다 別物扱いにする; 別段の扱いをする/~난 것도 없다 変てつもない. ──-히 부 特別に; わざわざ. ¶~ 정한 경우를 제외하고 特別に定めた場合を除いて/~ 부탁할 일이 있다 折り入って頼みたい事がある/그 사람이 ~ 나쁘다는 것도 아니다 彼が殊更に悪いというわけでもない.
‖──(교육) 활동 명 特別(教育)活動. ── 방송 명 特別放送. ── 배당 명 特別配当. ㊟특배(特配). ──-법 명 特別法. ── 보좌관 명 特別補佐官. ── 사면 명 特赦. ── 세 명 特別税. ── 소비세 명 特別消費税. ──-시 명 特別市. ── 회원 명 特別会員.

특보【特報】명하타 特報; 特別の報道. ¶선거 ~ 選挙特報.

특사【特使】명 特使; 特別につかわす使者. ¶대통령 ~ 大統領(の)特使/외국에 ~를 파견하다 外国に特使を派遣する.

특사【特赦】명하타 特赦(“특별 사면”の略称).

특산【特産】명 特産. ¶~물 特産物.

특상【特上】명 特別に高級なこと. また, その物.

특상【特賞】명 特賞. ¶~을 주다〔받다〕特賞を与える〔受ける〕.

특색【特色】명 特色. ①他と異なること. ¶~ 있는 문장 色彩〔特色〕のある文章/~을 이루다 特色をなす/~ 지우다 特色づける. ② ☞ 특장(特長).

특선【特選】명하타 特選. ①特別にえり分けること. ②特に優秀と認められた作品. ¶~작(품) 特選作(品).

특설【特設】명하타 特設. ¶~ 경기장 特設競技場/~링 特設リング.

특성【特性】명 特性; 特質; キャラクター. =특질(特質). ¶…의 ~을 나타내다 …の特性を現わす/이 물건은 ~이 있다 この品物は特性がある.

특수【特殊】명하형 特殊. ¶~한 特殊な〔の〕/~ 촬영 特殊撮影/~ 수요 特殊需要/~한 재능 特殊な才能/~ 아동 特殊児童.
‖──-강 명〘化〙特殊鋼. ── 교육 명 特殊教育. ①身体障害者や精神異常者のために特別に行なう教育. ②天才教育. ③特殊の学科だけを中心にして行なう教育. ── 법인 명 特殊法人. ── 상대성 이론 명 特殊相対性理論. ──-성 명 特殊性. ── 취급 우편 명 特殊取り扱い郵便. =특수 우편. ── 학교 명 特殊学校.

특애【特愛】명하타 特に愛すること. また, そのような愛.

특약【特約】명하타 特約; 特別な約束, または契約. ¶~점 特約店

/ AP～ AP特約.

특용【特用】명하자타 特用.

‖——림 명 特用林. —— 작물 명 特用作物.

특유【特有】명하타 特有. ¶ 마늘 ～의 냄새 にんにく(大蒜)特有のにおい / 이 지방 ～의 거센 바람 この地方特有の強風.

‖——물 명 特有物. ——성 명 特有性. —— 재산 명 特有財産.

특이【特異】명하형 特異. ¶ ～(한) 체질 特異(な)体質 / ～한 맛 乙な味 / ～한 재능 特異な才能 / 특별히 ～한 점은 볼 수 없다 格別に特異な点は認められない.

‖——성 명 特異性. —— 아동 명 特異児童. ＝특수 아동. ——질 명〖醫〗特異質.

특임【特任】명하타 特任.

특작【特作】명 特作. ¶ 초～ 超特作.

특장【特長】명 特長; 特殊の長所. ＝특색(特色).

특전【特典】명 特典. ¶ 회원의 ～ 会員の特典 / ～을 입다 特典に与る.

특전【特電】명 特電. ¶ 로이타 ～ ロイター特電.

특점【特點】명 特異点.

특정【特定】명하타 特定. ¶ ～한 사람 特定の人.

‖——물 명〖法〗特定物. ——인 명 特定の者. —— 재산 명 特定財産. —— 횡선 수표 명 特定線引き小切手.

특제【特製】명 特製. ——하다 타 特別に製する. ¶ ～품 特製品.

특종【特種】명 ① 特種; 特別な種類. ② [↗특종 기사] 特種.

‖—— 기사 명 特種(の記事). 준 특종.

특주【特酒】명 ① 特別の方法でかも(醸)した酒; 銘酒. ② ☞ 동동주.

특지【特旨】명 特旨; 特別のおぼしめし. ¶ ～로써 特旨によって.

특지【特志】명 特志. ① よいことのために惜しまない志. ② ☞ 특지가.

‖——가 명 特志家; 篤志家.

특진【特進】명하자 特進. ¶ 2계급 ～ 二階級特進.

특질【特質】명 特質. ¶ 고려 문화의 ～ 高麗文化の特質 / 영국인의 ～ 英国人のキャラクター.

특집【特輯】명 特集. ¶ ～호 特集号.

특징【特徵】명 特徴. ¶ ～ 있는 걸음걸이 特徴の有る歩き方 / ～을 이루다 特徴をなす / …의 ～을 보이고 있다 …の特徴を示している. * 특색.

특채【特採】명하타 特別採用.

특천【特薦】명하타 特薦.

특청【特請】명하타 特別に請うこと; 特別な要請.

특출【特出】명하형 特出. ¶ ～품 飛び切り上等の品 / 많은 중에서 ～하다 多くのなかで特出している.

특칭【特稱】명 特称.

‖—— 긍정 판단 명〖論〗特称肯定判断. —— 명제 명〖論〗特称命題. —— 부정 판단 명〖論〗特称否定判断.

특특-하다 형 (布地などの)織り目が詰んで分厚い. ＞탁탁하다.

특파【特派】명하타 特派.

‖——원 명 特派員. ¶ ○○ 일보 런던 ～ ○○日報ロンドン特派員.

특품【特品】명 特によい品物; 飛び切り上等の品.

특필【特筆】명하타 特筆. ＝특서(特書). ¶ ～할 만한 사건 特筆すべき事件 / 대서 ～하다 特筆大書する.

특허【特許】명하타 特許. ¶ ～를 얻은 발명 特許を得た発明 / ～ 회사 特許会社 / ～를 얻다 特許を取る / ～를 출원하다 特許を出願する.

‖——권 명 特許権. —— 대리업 명 特許代理業. —— 등록(登錄) 명 特許登録. —— 발명 명 特許発明. ——법 명 特許法. —— 심판 명 特許審判. ——증 명 特許証. ——청 명 特許庁. —— 침해 명 他人の特許権を侵害すること. ——품 명 特許品.

특혜【特惠】명 特恵. ¶ ～ 대우 特恵待遇 / ～를 주다 特恵を与える.

‖—— 관세 명 特恵関税. ——국 대우 명 特恵国待遇.

특활【特活】명 ↗특별 활동·특별 교육 활동.

특효【特效】명 特効. ¶ ～가 있는 약 特効のある薬 / 신경통에 ～가 있다 神経痛に特効がある.

‖——약 명 特効薬; 秘薬.

특-히【特—】부 [↗특별히] 特別; 特に; ことさら; こと(殊)に; なかんずく; なかでも; とりわけ; ひとしお; ひときわ; わけて. ¶ ～ 마음이 끌리는 작품 特に心がひかれる作品 / ～ 중대한 일 特に重大な事 / ～ 유의하다 特に留意する / ～ 이렇다 할 장점도 없다 特にこれと言う長所もない / 그들은 세다, ～ F군은 세다 彼等は強い, わけてF君は強い / ～ 뛰어나다 殊にすぐれている / 나는 ～ 마늘이 싫다 私はとりわけにんにくが嫌いだ.

튼실-하다 형 強壮だ; がっしりしている.

튼-입구【—口】명 匚《漢字部首の一つ; 匹·區などの匚》.

튼튼-하다 형 丈夫だ. ① (体が)健やかだ; 達者だ; がっちりしている. ¶ 튼튼하게 자라다 丈夫に〔健やかに〕育つ / 몸을 튼튼하게 하다 体を丈夫にする / 튼튼해지다 丈夫になる. ② こわれにくい; 堅固だ; がんじょうだ; しっかりしている; 強い. ¶ 튼튼한 건물 がんじょうな建物 / 튼튼한 밧줄〔양말〕 丈夫な綱〔靴下〕 / 뼈대가 ～ 骨組みがしっかりしている / 나이는 먹었지만 다리는 ～ 年を取っているものの足はしっかりしている / 이 옷감은 튼튼해서 오래 간다 この織り物は丈夫で長持ちする / 튼튼한 것은 보증하겠습니다 丈夫なことはお請け合い致します. 튼튼-히 부 丈夫に; 堅固に; がん

じょうに.

틀 명 ①物の形をつくったり取ったりするもとになるもの: 型. ¶(쇳물을) ~에 부어 주조하다 型に入れて鋳る / ~에 박히다 型にはまる / 춤의 ~이 잡히다 踊りの型が決まる / ~에 박힌 인사말 型にはまった〔決まり〕文句のあいさつ. ②物を入れたりさし込んだりするための物: 縁; 枠; フレーム. ¶콘크리트의 ~ コンクリートの枠組み / 창~ 窓枠 / 장지문 ~ 障子の枠 / 수~ ししゅう(刺繡)台. ③《俗》機械. ¶새끼 ~ 縄ない機. ④ ↗재봉틀. ⑤ 重重しくがっちりした態度. =틀거지. ¶~이 진 인물 重重しくがっしりした人物.

틀-국수 명 機械で打ったそば.

틀-누비 명 ミシンで縫ったさしぬい.

틀-니 명 取り外しのできる入れ歯〔義歯〕.

틀다 타 ①ね(捩)じる. ㉠物の両端を反対側に回す; ひね(捻)る; よじる. ¶상투를 ~ まげ(髷)を結いあげる / 닭의 모가지를 ~ 鶏の首をねじる〔捻る〕/ 손목을 ~ 手首を捩じる / 몸을 ~ 体を捻る. ㉡(栓などを)捻って動かす; 掛ける; (ぜんまいなどを)巻く. ¶라디오를 ~ ラジオをつける〔掛ける〕/ 시계 태엽을 ~ 時計のぜんまいを巻く / 고동을 틀어 가스가〔물이〕 나오게 하다 栓を捻ってガス〔水〕を出す. ②(方向·進路などを)変える; 振る. ¶태풍이 진로를 북쪽으로 ~ 台風が進路を北に振る / 현관을 조금 동쪽으로 틀어서 짓다 玄関を少し東に振って建てる. ③(事を)妨げる; 邪魔する. ¶계획을 ~ 計画の邪魔をする. ④(打綿機で)綿を打つ.

틀리다 ㊀자 ①間違う; 違う; 合わない; 狂う; 間違える《타동사적》; 誤る《타동사적》. ¶계산을 ~ 計算を間違える / 답을 ~ 答えを誤る / 철자를 ~ つづ(綴)りを間違える / 답의 자릿수가 ~ 答えのけた(桁)が違う / 틀리지 않다 間違っていない / 시계를 일부러 한 시간 틀리게 해 놓다 時計をわざと一時間狂わせる. ②(事が)すっかりだめになる. ¶잘 되었나—틀렸어 うまく行ったか—だめだったよ / 이젠 틀렸다고 생각하다 もうだめだと思う / 나같은 늙정이는 이제 틀렸어 おれ(俺)みたいな老いぼれはもうだめだ. ③仲たがいする. ㊁피동 ねじ(捩)られる; ひね(捻)られる. ¶병마개가 ~ (瓶の)栓がねじられる.

틀림 명 ①間違い; 誤り; 相違. ¶내 기억에 ~이 있다면 わたしの記憶に誤りがあれば / ~이 있어서 바로잡았다 誤りがあったので正した. ②仲たがい; いがみあい. ——**-없다** 형 間違いない; 違いない; 確かだ. ¶틀림없는 물건 確かな品 / 틀림없는 사실이다 紛れもない事実だ / 틀림없는 사나이다 間違いない男である / 거의 ~ 先ずまちがいない / 솜씨는 ~ 腕は確かだ / 누군가 뒤에서 꼬드기고 있음에 ~ だれかが後ろでつっついているに違いない / 그에게 맡겨 두면 ~ 彼に任せておけば大丈夫だ / 실패할 것은 ~ 失敗は請け合いだ / 그가 살아 있다는 것은 틀림 없는 사실이다 彼が生きていることは確かな事実である. ——**-없이** 부 間違いなく; てっきり; さだめし; きっと; さぞかし; 正しく; 正に. ¶~ 그는 온다 間違いなく彼は来る / ~ 그녀인 줄 알았다 てっきり彼女だと思った / ~ 속은 줄 알고 체념하고 있었다네 てっきりだまされたとあきら(諦)めていたよ / ~ 그것이다 てっきりそれに違いない / ~ 만족했겠지요 定めし満足したでしょう / ~ 그런 이야기였습니다 確かそんな話でした / ~ 추측한 대로다 正しく推測した通りである / ~ 내가 잃은 그 시계다 正しくわたしのなくした時計である / 편지는 ~ 받았습니다 お手紙は正にいただきました / ~ 내일은 날씨가 갠다 大丈夫明日は天気だ.

틀수-하다 형 大様だ; 奥ゆかしい; 奥ゆかしく寛大だ. ¶틀수한 인품 奥ゆかしい人柄.

틀-스럽다 형 いかめしく大様だ; 奥ゆかしい所がある. **틀-스레** 부 大様に; 奥ゆかしく.

틀어-넣다 타 ねじこむ; ねじ入れる; (狭い所に)押し込む.

틀어-막다 타 ①(詰め込んで穴を)ふさ(塞)ぐ; 封じ込む; 詰める. ¶구멍을 ~ 穴を詰める. ②(言動の自由を)封ずる; 押し止める; 口止めをする. ③じゃまする; 無理に妨げる.

틀어-박다 타 ①(小さい穴に無理に)押し込める; ね(捩)じ込める; 詰め込める. ②(物を)しまいこんだままほったらかしておく.

틀어-박히다 자 閉じこ(籠)もる; 引きこ(籠)もる; 引っ込む; しけこむ〈俗〉; くすぶ(燻)る. ¶집에 ~ 家に閉じ籠もる〔引き籠もる〕/ 서재에 ~ 書斎に籠もる / 온종일 집에 ~ 一日中家に燻っている.

틀어-지다 자 ①(まっすぐになるべき列などが)横に曲がる; それる. ②よじ(捩)れる; よ(縒)れる; ね(捩)じれる. ③仲たがいになる; 透きが生ずる. ¶그와는 틀어졌다 彼とは仲たがいした. ④(計画·仕事などが)失敗する; 食い違う; 駄目になる; 狂う. ¶계획이 ~ 計画が狂う / 예상이 ~ 予想〔見込み〕が狂う〔外れる〕/ 예정이 ~ 予定が狂う.

틀-지다 형 いかめしくて大様だ; 奥ゆかしい.

틈 명 透き. ①割れ目; 裂け目; 透き間; 間; 空き間. ¶벽 ~ 壁の透き間 / ~새기 바람 透き間風 / 물샐 ~ 없는 경계 水も漏らさぬ警戒 / ~을 메우다 透き間を埋める / 비집고 들어갈 ~도 없다 割り込む透きもない / 문~으로 손을 내밀다 戸の透きから手を出す / 문과 기둥 사이에 ~이 나다 戸と柱の間が透く. ②暇; 間; 間合い; 手すき; 片手間. ¶~만 있으면 折さえあ

れば / ~이 있으면 暇があれば / ~나실 때에 お手すきの折りに / ~이 있다〔없다〕 暇がある〔ない〕 / ~을 노리다 透きをねらう / ~을 엿보다 間をうかがう / 잠깐의 ~도 없다 ちょっとの暇もない / 책을 읽을 ~이 없다 本を読む暇がない / ~을 보아 외출하다 透きを見て出かける / 잠잘 ~도 없다 寝る間もない / ~을 보아 말을 꺼내다 間を見計らって話を切り出す / ~이 나다 手が明く / 오늘은 선약으로 ~이 없다 今日は先約でふさ(塞)がっている / 잠깐 ~좀 내실 수 있습니까 ちょっとの間手があけられますか. ③ 不和; ひび(罅); 間隙. ¶ (둘 사이에) ~이 생기다 (二人の間に)不和が生ずる; ひびが入る; 間隙を生ずる.

틈-나다 자 ① 暇が空く; 暇ができる; 手が空く. ¶ 틈나는 대로 暇ができ次第 / 겨우 틈이 났다 ようやく暇が空いた. ② (二人の間に)ひび(罅)が入る; 不和になる.

틈-내다 자 暇をつくる; 都合をつける. ¶ 어떻게든 틈내어 모임에 나가다 何とか都合して会に出る / 틈낼 수 있었는데 기별이 없어서 가지 못했다 都合がつけられたものの知らせがなくて行けなかった.

틈-바구니, 틈-바귀 명 《俗》 ☞ 틈①. ¶ 두 사람 ~에 끼어서 난처하게 됐다 二人の中に挟まって閉口した.

틈-새기 명 ごく狭い透き間; はざま. ¶ 상자의 ~ 箱の狭いすきま / ~바람 すきま風.

틈-타다 자 (機会などを)利用する; …に乗ずる; …に付け込む; …に投ずる. ¶ 야음을 틈타서 夜陰に乗じて / 그 기회를 ~ その機会に乗ずる / 약점을 ~ 弱みに付け込む / 그가 없음을 틈타서 집에 숨어들었다 彼の留守に乗じて家に忍び込んだ.

틈틈-이 부 すき間ごとに; 暇あるごとに; 暇暇に; …の片手間に. ¶ ~ 하는 일 片手間の仕事 / 장사하는 ~ 공부하다 商売の片手間に勉強する.

틔다 자 ↗트이다.

틔우다 타 ① 開かす; (仕切りなどを)取り除く; (穴などを)明かす. ② わからせる; 目覚ませる; さば(捌)けるようにする.

티[1] 명 ① ほこり(埃); ごみ; 微塵. ¶ 눈에 ~가 들어가다 目にごみが入る. ② 傷; 欠点. ¶ 옥에 ~ 玉に傷 / ~없는 어린이들 いたいけな子供ら.

티 〔tea〕 명 ティー.
‖——-룸 명 ティールーム. —— 세트 명 ティーセット. ——-스푼 명 ティースプーン. —— 파티 명 ティーパーティー.

티 〔tee〕 명 (ゴルフの)ティー.
‖—— 그라운드 명 ティーグラウンド. —— 샷 명 ティーショット.

티[2] 의명 気配; 気振り; 素振り. ¶ 관료 ~ 官僚の臭味 / 그런 ~도 없이 さり気もなく / 조금도 ~를 안 내다 おくびにも出さない / 어른〔촌〕 ~가 나다 大人〔田舎〕びる / 학자〔벼락부자〕 ~를 내다 学者風〔成金風〕を吹かせる / 대가연(大家然)한 ~를 보이다 大家のような素振りを見せる.

티격-나다 자 仲たがいする; ひび(罅)が入る. ¶ 티격난 사이 仲たがいの間柄.

티격-태격 부하자 言い争うさま: なんだかんだと.

티끌 명 ちり(塵); ほこり; ごみ; じんあい(塵埃). ¶ ~ 모아 태산《俚》 ちりも積もれば山となる / 양심 따위는 ~만큼도 없다 良心などはちり程もない.
‖—— 세상(世上) 명 この世; 俗界; 塵界. =속세(俗世).

티눈 명 (足の)魚の目. =계안창(鷄眼瘡). ¶ 발에 ~이 생겼다 足に魚の目ができた.

티-뜯다 타 ① (何かについている)ごみを取り除く. ② あら捜しをする; 欠点をあげる; けちをつける.

티록신 〔thyroxin〕 명 〖生〗 チロキシン《甲状腺ホルモン》.

티몰 〔도 Thymol〕 명 〖化〗 チモール.

티-보다 타 あらさがしをする; 欠点をさがす.

티-브이 【T.V.←television】 명 ティービー; テレビジョン; テレビ《준말》.

티-비 【T.B.←tubercle bacillus】 명 〖醫〗 ティービー; 結核症.

티석-티석 부하형 さ(冴)えずつやのないさま; また, 手触りが荒くなめらかでないさま: ざらざら.

티 셔츠 〔T shirts〕 명 ティーシャツ.

티슈 페이퍼 〔tissue paper〕 명 ティッシュペーパー; 薄葉紙.

티-엔-티 【T.N.T.←trinitrotoluene】 명 ティーエヌティー.

티-오 【T.O.←table of organization】 명 ① 組織表; 編成表. ② 定員.

티오 황산 나트륨 【—黄酸—】 명 〖化〗 〔sodium thiosulfate〕 チオ硫酸ナトリウム.

티-자 【T—】 명 丁定規.

티적-거리다 타 嫌がらせを言いながらしつこくうるさがらせる; 言い掛かりをつける. **티적-티적** 부하타 しつこく嫌がらせを言うさま.

티처 〔teacher〕 명 ティーチャー.

티커 〔ticker〕 명 チッカー.

티-케이-오 【T.K.O.←technical knockout】 명 ティーケーオー; テクニカルノックアウト.

티켓 〔ticket〕 명 チケット.

티크 〔teak〕 명 〖植〗 チーク.

티타늄 〔라 titanium〕, **티탄** 〔도 Titan〕 명 〖化〗 チタニウム; チタン《記号: Ti》.

티푸스 〔도 Typhus〕 명 チフス. ¶ 발진 ~ はっしん(発疹)チフス.

티-하다 자 (ある様子や癖などを)表わす; 吹かす.

티형-강 【T型鋼】 명 T型鋼.

틴 〔teen〕 명 ティーン. ¶ 하이 ~ ハイティーン / 로 ~ ローティーン.
‖——-에이저 명 ティーンエージャー.

팀〔team〕명 チーム. ¶최강 ～ 最強チーム / 오합지졸로 이루어진 ～ 寄せ集めのチーム / ～ 플레이 チームプレー / ～의 일원이다 チームの一員である; チームに加わっている.
‖——-워크 명 チームワーク.

팀파니〔timpani〕명〖樂〗チンパニー; ティンパニ. =케틀드럼.

팁〔tip〕명 チップ; 茶代; 心付け; 祝儀; 手当て. ¶～을 주다 チップをやる〔切る〕/ ～을 받다 チップをもらう / ～을 두둑하게 주다 チップをはずむ / ～을 뿌리다 チップをばらまく.

팃-검불 명 枯れた芝やわら(藁)などのくず(屑).

팅크 명〖藥〗〔←tincture〕(ヨード)チンキ.

팅팅 부하형 膨れ上がったさま. ㅆ띵띵.

ㅍ

ㅍ "한글"字母の第十三番目の字.

파 명〖植〗ねぎ(葱); 根深〈雅·方〉. ¶양～ たまねぎ(玉葱) / 실～ 細ねぎ / 왕～ 太ねぎ.

파【派】명 派. ¶좌～ 左派 / 전후～ 戦後派 / 독립해서 한 ～를 세우다 独立して門戸を張る.

파【破】명 ① 壊れ物; 傷物. ② 人の欠点.

파〔이 fa〕명〖樂〗ファ.

파겁【破怯】명하자 なれなれしいこと; 無遠慮なこと.

파격【破格】명하자 破格. ¶～적인 대우〔승진〕破格の待遇〔昇進〕/ ～적인 행동 型破りな行動.

파견【派遣】명 派遣. ——-하다 타 派遣する; 遣わす; 差し向ける. ¶특사를 ～하다 特使を遣わす / 심부름꾼을 ～하다 使いを差し向ける.
‖——-군 명 派遣軍. —— 부대 명 派遣部隊.

파경【破鏡】명 破鏡. ¶～의 쓰라림을 겪다 破鏡の憂き目を見る.

파계【破戒】명하자타 破戒.
‖——-승 명〖佛〗破戒僧.

파고【波高】명 波高.
‖——-계 명 波高計.

파고다〔pagoda〕명 パゴダ.

파고-들다 자타 ① 深く中に入る. ② 深く染み込む. ③ 食いこむ; 食い入る. ¶남의 지반에 ～ 人の地盤へ食い入る. ④ (物事を)掘り下げる; 究明する. 「순.

파곳〔fagott〕명〖樂〗ファゴット. =바

파공【罷工】명하자〖天主教〗主の日及び大祝日に肉体労働を禁ずること.

파과【破瓜】명 [↗파과지년(破瓜之年)] 破瓜.
‖——-기 명 破瓜期.

파광【波光】명 波光.

파괴【破壞】명 破壞. ——-하다 타 破壞する; 壊す; ぶちこわす〈俗〉. ¶집을 ～하다 家を壊す / 건설을 위한 ～ 建設のための破壞 / ～적인 언동 破壞的言動.
‖—— 강도 명〖土〗破壞強度. —— 시험 명 破壞試験. ——-주의 명 破壞主義.

파구【波丘】명〖物〗波頭.

파국【破局】명하자 破局. ¶～에 직면하다 破局に直面する.

파근파근-하다 형 ① (食べ物に)粘り気または水気がなくばらばら〔ばさばさ〕している. ② 足取りが重く気怠い.

파근-하다 형 足がくたびれてだるい.

파급【波及】명하자 波及. ¶전국에 ～하다 全国に波及する / 국제 문제에 ～되는 사건 国際問題に連なる事件 / 영업 부진이 종업원에 대한 저임금으로 ～되다 営業不振が従業員の低賃金にしわ(皺)寄せする.

파기【破棄】명하타 破棄. ¶조약〔원판결〕을 ～하다 条約〔原判決〕を破棄する / 서류를 ～ 환송(還送)하다 書類を差し戻す.

파-김치 명 ねぎ(葱)の漬け物. =총저(葱菹). ¶～가 되다 疲れてすっかりくたくたになることのたとえ.

파-나다【破—】자 (品物が)壊れたり破れたりして使えなくなる.

파나마 모자【—帽子】〔Panama〕명 パナマ帽子.

파나마 운하【—運河】〔Panama〕명〖地〗パナマ運河.

파-나물 명 そうさい(葱菜); ねぎ(葱)のお浸し.

파-내다 타 掘りだす. ¶석탄을 ～ 石炭を掘りだす.

파노라마〔panorama〕명 パノラマ.
‖—— 사진기 명 パノラマ写真機. —— 촬영 명 パノラマ撮影.

파니 부 何もせずに遊んでいるさま: ぶらぶら. <퍼니.

파다【頗多】명하형히부 すこぶ(頗)る多いこと. ¶그러한 예는 ～하다 そのような例はいくらでもある.

파다【播多】명하형히부 うわさ(噂)が広まっていること.

파다 명 ① (地·穴などを)掘る; しゃくる. ¶우물을 ～ 井戸を掘る. ② 深く究める; 掘り下げる. ¶진상을 ～ 真相をきわめる. ③ 彫る; 刻む. ¶도장을 ～ 印章を彫る. ④ 全力を注ぐ; がっつく〈学〉. ⑤ えり(衿)ぐりをく(刳)る.

파닥-거리다 자타 (しきりに)ばたつく〔ばたつかせる〕. 파닥-파닥 부하자타 ばたばた; ぴちぴち.

ㅍ

파닥-이다 자 타 ①(鳥などが羽を)ばたつかせる. ②(魚が底を)ぴちぴちさせる〔する〕. <퍼덕이다. ㅆ파딱이다.
파담【破談】명 하자 破談.
파당【派黨】명 派党.
파도【波濤】명 波. ¶~를 가라앉히다 波を静める/~치다 波打つ/~가 밀리다 波が寄る/~가 일다 波立つ/~가 거칠다〔높다〕 波が荒〔高〕い.
파독【破毒】명 하자타 毒気をなくすこと.
파동【波動】명 波動. ¶정치 ~ 政治波動.
‖── 광학 명〔物〕波動光学. ──설 명 波動説. ── 역학 명〔物〕波動力学.
파드닥 부 하자 鳥や魚が強く羽や尾を打つ音: ぱたっ; ぴちっ. <퍼드덕. ──거리다 자 しきりにばたばた〔ぴちぴち〕する. ──── 부 하자 ばたばた; ぴちぴち.
파드득 부 하자 軟便が激しくでるときの音: ぴりりっ. <푸드득. ㅆ빠드득. ──거리다 자 しきりにぴりりっぴりりっとする. ──── 부 하자 ぴりりっぴりりっ.
파딱-거리다 자 타 ①(鳥が羽を)ばたつかせる. ②(魚が)ぴちぴち跳ねる. <퍼떡거리다. ㅅ파닥거리다. **파딱-파딱** 부 하자타 ぱたぱた; ぴちぴち.
파뜩 부 하형 ①ある考えが急に浮かぶさま: はっと; はたと. ¶~ 생각이 들다 はっと気がつく. ②行動を素早くするさま: ぱっと; ひらりと. <퍼뜩. ──── 부 하형 しきりにぱっと〔はっと; ひらりと〕するさま.
파라-고무〔Para+프 gomme〕명 パラゴム.
‖──나무 명〔植〕パラゴムの木.
파라노이아〔라 paranoia〕명〔醫〕偏執病.
파라다이스〔paradise〕명 パラダイス.
파라-메트론〔parametron〕명〔物〕パラメトロン.
파라솔〔프 parasol〕명 パラソル.
파라슈트〔parachute〕명 パラシュート.
파라오〔Pharaoh〕명〔史〕ファラオ.
파라티온〔도 Parathion〕명 パラチオン.
파라티푸스〔도 Paratyphus〕명〔醫〕パラチフス.
‖──균 명〔醫〕パラチフス菌.
파라핀〔paraffin〕명〔化〕パラフィン.
‖──유 명〔化〕パラフィン油.
파락-호【破落戶】명 ならず者; ごろつき.
파란 명 うわぐすり(釉薬).
파란【波瀾】명 はらん(波瀾). ¶~ 많은 일생 波瀾に富んだ一生/~을 일으키다 波瀾を起こす.
‖── 곡절 명 波瀾曲折. ── 만장 명 波瀾万丈. ── 중첩 명 波瀾重畳.
파랄림픽〔Paralympic〕명 パラリンピック.
파랑 명 青色; 青い染料(“緑”とも言う). <퍼렁.
‖──새 명 ①吉兆の象徴とされる青い鳥. ②〔鳥〕ぶっぽうそう(仏法僧). ──이 명 青色のもの. ──콩 명 青いだいず(大豆).
파랑【波浪】명 波浪; 波. ¶~ 주의보 波浪注意報.
파랗다 형 非常に青い. <퍼렇다.
파래 명〔植〕あおのり(青海苔).
파래-박 명 船中の水を汲みだすふくべ(瓠).
파래-지다 자 ①青くなる; 青ばむ. ¶나뭇잎이 ~ 木の葉が青ばむ. ②青ざめる; 青白くなる.
파-렴치【破廉恥】명 하형 破廉恥. ¶~한 행위 破廉恥な行ない.
파르께-하다 형 やや青味がかっている. <푸르께하다.
파르대대-하다 형 嫌らしく青っぽい. <푸르데데하다.
파르댕댕-하다 형 青黒い. <푸르뎅뎅하다.
파르르 부 ①少ない水があふ(溢)れるように沸き立つさま; また, その音: ぐつぐつ; くらくら. ②せっかちな人が激怒するか衝撃で体の一部にけいれん(痙攣)を起こすさま: ぷりぷり; ぴりり; ぶるぶる. ③紙などに火が付いて燃え上がるさま: めらめら. <퍼르르. ㅅ바르르.
파르무레-하다 형 薄青い. <푸르무레하다.
파르스름-하다 형 薄く青味がかっている. <푸르스름하다.
파르족족-하다 형 薄汚く青ずんでいる. <푸르죽죽하다.
파르테논〔Parthenon〕명 パルテノン.
파릇-파릇 부 하형 青青.
파리 명〔蟲〕①はえ(蠅); はい〈俗〉. ¶~를 쫓아 버리다 蠅を追(い払)う/(파리채로) ~를 잡다 蠅をたたく/설탕에 ~가 꾀다 砂糖に蠅がたかる. ②☞ 집파리. ── 날리다 자 (商売が)上がったりである; 客足が遠い.
‖──똥 명 蠅のくそ(糞). ── 목숨 명 ①蠅の命. ②はかな(儚)い命. ──채 명 蠅叩き; 蠅打ち. ──통(筒) 명 蠅取り器《ガラス製》.
파리【玻璃】명 ①ガラス. ②水晶.
‖──모(母) 명 溶けたガラスの塊.
파리-하다 형 やつ(窶)れて青白い.
파마 명 [←퍼머넨트웨이브] パーマ.
파-먹다 타 ①(中味を)えぐって〔ほじくって〕食べる; 食い入る; 食い込む. ②居食いする.
파면【波面】명 波面.
파면【罷免】명 하타 ひめん(罷免). ¶~되다 罷免になる; くびになる〈俗〉.
파멸【破滅】명 하자 破滅. ¶일신의 ~을 가져오다 身の破滅を招く.
파문【波紋·波文】명 波紋. ¶~이 번지다 波紋が広がる/~을 던지다〔일으키다〕 波紋を投げかける.
파문【破門】명 하타 破門. ¶~에 처하다 破門に処する.
파-묻다¹ 타 ①埋める. ㉠(掘って)埋める. ㉡(顔などを)差し付ける. ¶어머니 가슴〔손수건〕에 얼굴을 파묻고 울다 母の胸に顔をさしつけて〔ハンカチに顔を埋めて〕泣く. ②

ㅍ

(事を)葬る；も(揉)み消す. ¶ 사건을 어둠속에 ~ 事件を闇のなかに葬る.

파-묻다² 타 根掘り葉掘り尋ねる.

파-묻히다 피동 埋もれる；埋まる；埋められる. ¶ 집이 눈에 ~ 家が雪に埋もれる.

파물【破物】 명 壊れ物；傷物.

파-밑동 명 ねぎ(葱)の根元. ＝총백(葱白).

파발【擺撥】 명〔史〕飛脚の宿駅.

‖——-꾼 명 飛脚；早打ち. ¶ ~을 보내다 飛脚を立てる. ——-마(馬) 명 早馬.

파방-치다【罷榜—】 자 所帯を畳む. 「際.

파방-판【罷榜—】 명 終局；引け

파-밭 명 ねぎ(葱)畑.

파벌【派閥】 명 派閥. ¶ ~ 싸움 派閥争い.

파벽【破壁】 명 破壁；こわれた壁.

‖——-토 명 破壁の土.

파별【派別】 명하타 派別；派分け. ¶ 당파의 ~ 党派の派分け.

파병【派兵】 명하자 派兵. ¶ 해외에 ~하다 海外に派兵する.

파사드〔프 façade〕명 ファサード.

파사 현정【破邪顯正】 명하자〔佛〕破邪顕正. ¶ ~의 칼을 뽑다 破邪顕正の剣を抜く.

파삭-하다 형 (すっかり乾いて)壊れ易い；もろ(脆)い；ばさばさしている. <퍼석하다. 파삭-파삭 부하형 ばさばさ；ぼくぼく；かりかり. ¶ 가뭄으로 흙이 ~해지다 日照りで土がぼくぼくになる.

파산【破產】 명하자 破産. ¶ ~에 직면하다 破産にひん(瀕)する / ~ 직전에 있다 破産の一歩手前である.

‖—— 관재인 명〔法〕破産管財人. —— 선고 명〔法〕破産宣告. —— 절차(節次) 명〔法〕破産手続き. 「破算.

파산【破算】 명하자 (そろばんでの)御

파상【波狀】 명 波状.

‖—— 공격 명 波状攻撃. ——-운 명 波状雲. —— 운동 명〔生〕波状運動. —— 평원 명〔地〕☞ 준평원(準平原).

파상【破傷】 명하자타 破傷.

‖——-풍 명〔醫〕破傷風. ¶ ~균 破傷風菌 / ~ 혈청 破傷風血清.

파색【破色】 명 破色；原色に白を少し混ぜた色.

파생【派生】 명하자 派生. ¶ ~적인 문제 派生的問題.

‖——-어 명〔言〕派生語.

파석【破石】 명하자 石·鉱石などを割ること.

파선【破船】 명 破船；こわれた船.

파손【破損】 명 破損. ——-하다 자타 破損する；傷付ける；損ずる. ¶ 유리창을 ~하다 窓ガラスを壊す.

파송【派送】 명하타 ☞ 파견(派遣).

파쇄【破碎】 명하자타 破砕.

파-쇠【破—】 명 ① 金属容器のかけら. ② くずてつ(屑鉄)；スクラップ.

파쇼〔이 fascio〕명 ファッショ.

파숑〔프 Passion〕명〔樂〕パション.

파수【把守】 명하타 見張ること；警戒して守ること. また, その人. —— 보다 타 見張る；番をする.

‖——-꾼 명 番人；見張り；物見. ——-막(幕) 명 番人の詰所；番人小屋. ——-병(兵) 명 警備兵；番兵. ＝보초병.

파스【PAS】 명〔藥〕パス.

파스너〔fastener〕명 ファスナー.

파스칼의 원리【—原理】〔Pascal〕명〔物〕パスカルの原理.

파스텔〔pastel〕명 パステル.

‖——-화 명〔美〕パステル画.

파스피에〔프 passepied〕〔樂〕명 パスピエ. 「ンダセリ.

파슬리〔parsley〕명〔植〕パセリ；オラ

파슬-파슬 부하형 粉のかたまりなどがすっかり乾いてもろく砕けるさま：ぽろぽろ；ぱらぱら. <퍼슬퍼슬.

파시【波市】 명 海上で開かれる魚市.

파시스트〔fascist〕명 ファシスト.

‖——-당 명 ファシスト党.

파시즘〔fascism〕명 ファシズム.

파식【波蝕】 명하타 波食.

‖—— 대지 명〔地〕波食台地.

파식【播植】 명하타 種をまくか, 植えつけること.

파악【把握】 명 把握. ——-하다 타 把握する；つか(摑)む. ¶ 진상의 ~ 真相の把握 / 대의를 ~하다 大意をつかむ / 요점을 ~하다 要点を押さえる.

파안 대소【破顔大笑】 명하자 破顔大笑

파약【破約】 명하자타 破約. ¶ 책임진 것을 ~하다 請け合ったのを破約する.

파업【罷業】 명 ① ひぎょう(罷業). ① ストライキ；スト《준말》. ——-하다 자 罷業する；ストライキをやる. ¶ ~이 일어나다 罷業が起こる. ② 仕事〔業務〕をやめること.

‖——-권 명 罷業権. —— 기금 명 罷業基金.

파열【破裂】 명하자타 破裂.

‖——-음 명〔言〕破裂音.

파오〔중 包〕명 包《蒙古のまんじゅうがた(饅頭型)組立式の家》.

파옥【破屋】 명 破屋；あばら家. ¶ ~을 수리하다 破屋を修理する.

파옥【破獄】 명하자 破獄；脱獄；ろうやぶ(牢破)り. ＝탈옥.

파우더〔powder〕명 パウダー.

파우치〔pouch〕명 パウチ.

파운데이션〔foundation〕명 ファウンデーション.

파운드〔pound〕의명 ポンド.

‖—— 블록 명 ポンドブロック. —— 지역 명 ポンド地域.

파운틴 펜〔fountain pen〕명 ファウンティンペン.

파울〔foul〕명 ファウル.

‖—— 라인 명 ファウルライン. —— 볼 명 ファウルボール.

파워〔power〕명 パワー. ¶ 블랙 ~ ブラックパワー / 스튜던트 ~ スチューデントパワー.

파의【罷議】 명하자타 相談を止め

ること.
파이〔pie〕명 パイ. ¶ 애플 ～ アップルパイ / 크림 ～ クリームパイ.
파이【ユ Ⅱ, π】명 パイ.
파이다 피동 → 패다.
파이렉스 유리【—琉璃】〔Pyrex〕명〘化〙パイレックスガラス.
파이버〔fiber〕명 ファイバー.
파이어〔fire〕명하타 ファイア. ¶ 캠프 ～ キャンプファイア.
파이어니어〔pioneer〕명 パイオニア.
파이트〔fight〕명 ファイト.
‖—— 머니 명 ファイトマネー.
파이팅〔fighting〕감 がんばれ; ファイト.
‖—— 스피릿 명 ファイティングスピリット.
파이프〔pipe〕명 パイプ. ¶ 꼬불꼬불한 ～ だかん(蛇管) / 납으로 만든 ～ 鉛管 / ～가 막히다 パイプが詰まる / ～를 잇다 パイプをつなぐ.
‖—— 라인 명 パイプライン. —— 오르간 명 パイプオルガン.
파인더〔finder〕명 ファインダー.
파인애플〔pineapple〕명 パイナップル; パインアップル; パイン《준말》.
파인 플레이〔fine play〕명 ファインプレー; 美技; 妙技.
파일 명 [←팔일(八日)]〘佛〙陰暦四月八日の釈迦誕生日.
파일【破日】명 陰暦の毎月五日·十四日·二十三日の総称《不吉な日とされる》.
파일〔file〕명 ファイル.
‖——-북 명 ファイルブック.
파일럿〔pilot〕명 パイロット. ¶ 테스트 ～ テストパイロット.
파임-내다 타 後になって気が変わり, ことを駄目にする.
파자【破字】명 分字; 漢字の字画をくずして寄り合わせるなぞ(謎)《"姜"の字を分解して"八王女"とするなど》.
파자마〔pajamas〕명 パジャマ.
파-잡다 타 あらを探す; 欠点をほじくり出す.
파장【波長】명〘物〙波長. ¶ ～이 길다 波長が長い.
‖——-계 명 波長計.
파장【罷場】명하자 ①"과장(科場)"·"백일장(白日場)"などが終わること. また, その時. ②市をしまうこと.
‖——-머리 명 市や試験が終わるころ.
파쟁【派争】명하자 派争.
파적【破寂】명하자 ①寂しさを紛らわすこと. ②退屈しのぎ.
파종【破腫】명하자타 はれ物をはり(鍼)で突いてうみ(膿)を出すこと.
파종【播種】명하자 はしゅ(播種); たねま(種蒔)き; 種下ろし. =종파(種播). ¶ 밀의 ～을 하다 小麦の種をま(播)く / 밭에 ～하러 가다 畑に種蒔きに行く.
파죽지-세【破竹之勢】명 破竹の勢い.
파지【破紙】명 ほご(反故); かみくず(紙屑); や(破)れ〈俗〉. ¶ ～가 나오다 やれが出る.
파직【罷職】명하타 罷職; 官職を免ずること.

파찰-음【破擦音】명〘言〙はさつおん(破擦音).
파천【播遷】명하자 王が都を離れて身を逃れること.
파초【芭蕉】명〘植〙ばしょう(芭蕉).
‖——-선 명 芭蕉扇.
파출【派出】명하타 派出.
‖——-부 명 派出婦; お手伝い. ——-소(所) 명 交番; 駐在所. ¶ ～ 근무 交番勤務.
파충-류【爬蟲類】명〘動〙はちゅう(爬虫)類. ¶ 빙하기에 사멸한 ～의 화석 氷河期に死滅した爬虫類の化石.
파-치【破—】명 壊れ物; 不用の物; 半端; 傷物. ¶ ～가 나다 おしゃかになる / ～니까 싸게 하겠습니다 半端物ですから安くします.
파크〔park〕명하자 パーク. ①公園. ②駐車すること.
파킨슨-병【—病】〔Parkinson〕명〘醫〙パーキンソン病.
파킹〔parking〕명 パーキング. ¶ ～ 미터 パーキングメーター.
파탄【破綻】명하자 はたん(破綻). ¶ 계획에 ～이 생기다 計画に破綻を生ずる.
파토스〔ユ pathos〕명〘哲〙パトス. =페이소스.
파투【破鬪】명 (花札遊びなどで)いかさまがあってその場が無効になること. ——-나다 자 花札遊びが無効になる.
파트〔part〕명 パート.
‖——-타임 명 パートタイム. ¶ ～으로 일하다 パートタイムで働く.
파트너〔partner〕명 パートナー.
파티〔party〕명 パーティー. ¶ 댄스 ～ ダンスパーティー.
파파【派派】명 同宗から分かれ出た多くの派. ——-이 부 (各)派ごとに.
파파〔papa〕명《兒》パパ.
파파 노인【皤皤老人】명 白髪の老人.
파파야〔papaya〕명〘植〙パパイア.
파편【破片】명 破片; 割れ; 欠け〈老〉. ¶ 유리의 ～ ガラスの破片.
파피루스〔papyrus〕명 パピルス.
파-피리 명 ねぎの葉でつくった笛.
파-하다【破—】타 敵を打ち破る.
파-하다【罷—】자타 ①(事を)終える. また, 終わる. ¶ 파할 시각 引け時 / 파할 무렵 引け際 / 일을 파하고 돌아가다 仕事を終えて帰る / 학교는 다섯 시에 파한다 学校は五時に引ける. ②別れる.
파한【破閑】명하자 暇つぶし; 時間つぶし.
파행【跛行】명하자 はこう(跛行). ¶ ～ 상태 跛行状態.
파-헤치다 타 暴く. ①不正や秘密などを明るみに出す. ②中の物をとり出す. ¶ 무덤을 ～ 墓を暴く.
파혈【破血】명하타〘韓醫〙体中の悪い血を薬を使って取り除くこと. ‖——-제(劑) 명 "파혈(破血)"させる薬剤.
파형【波形】명 波形.
파호【破戶】명하자 囲碁で, 相手の目をつぶすこと; 目つぶし.

파혼【破婚】[명][하자] 破婚. ¶두 사람은 ~했다 二人は破婚した.

파회【罷會】[명][하자]〔佛〕法事を終えること.

파흥【破興】[명][하자·타] 興ざめ；興ざまし.

팍 [부][하형] ① 強くつ(衝)くさま，またはその音：こつん；ぷすっ. ② 力なく倒れるさま，またはその音：ばったり. <퍽.

팍삭 [부] ① 力なく座りこむさま：べたりと. ② 水気のない物がこわれてばらばらになるさま：ばさっと. <퍽석. ——— [부][하형] へたへた；ばさっぱさっと.

팍신-하다 [형] 柔らかくふわふわしている；ふんわりしている；ふわっとしている. <퍽신하다. **팍신-팍신** [부][하형] ふんわりふんわり；ふわっふわっ.

팍팍 [부] ① しきりにつ(衝)くか刺すさま：ぷすぷす；ぶすぶす. ② 力なげに倒れるさま：ばたばた. ③ ぬかるみに足がめりこむさま：ぷすっぷすっ. <퍽퍽.

팍팍-하다 [형] ① 疲れて足が重い. ② 食べ物がのど(咽喉)につかえるほどぱさぱさしている. <퍽퍽하다.

판 ㊀[명] 場；場面；現場；幕；段；所. ¶남이 나설 ~이 아니다 他人が出る幕じゃない / 지금 읽고 있는 ~이오 今読んでいる所だ. ㊁[의명] 勝負事の回数を数える単位. ¶바둑 한 ~ 碁一局.

판【板】[명] ① 板. ¶빨래~ 洗濯板. ② 盤. ¶바둑 ~ 碁盤. ③ ☞ 판(版)①.

판【版】[명] 版. ① 印刷版. ② ☞ 활판. ¶~에 박은 듯한 잔소리 お決まりの小言 / ~에 박은 듯한 사람 定規に当てたような人 / ~에 박힌 양식 紋切り型〔形〕/ ~에 박은 것 같다 判を押したようだ / ~에 박은 듯이 型のとおり / ~을 거듭하다 版を重ねる.

판【瓣】[명] 弁. ① ☞ 화판(花瓣). ② バルブ. ¶안전~ 安全バルブ. ③ ☞ 판막(瓣膜).

판【判】[의명] 判. ¶신서~ 책 新書判の本.

판가【販價】[명] ↗판매 가격.

판-가름 [명][하타] 是非·優劣をきめること. ¶승부가 ~나다 勝負が分かれる.

판각【板刻】[명][하타] 板刻.
‖——-본 [명] 板刻本；刻本. ㊟ 판본.

판각【板閣·版閣】[명]〔佛〕經書の刻本を保管する楼閣.

판-검사【判檢事】[명] 判事と検事.

판결【判決】[명][하타] 判決. ¶최종심에서 무죄 ~을 받았다 最終審で無罪の判決を受けた / 공평한 ~을 내리다 公平な判決を下す.
‖——-례 [명] 判決例；判例《준 말》. ——-문 [명] 判決文. —— 주문 [명] 判決主文.

판공-비【辦公費】[명] 公務の処理に要る費用. ＝기밀비.

판관【判官】[명] 判官；審判官；裁判官.
‖—— 사령(使令) [명] 妻に頭の上がらない男のべっしょう(蔑称).

판국【—局】[명] ① 事件が起きた局面；場面；時局；場. ¶야구 구경을 할 정도로 한가로운 ~이 아니다 野球見物をするどころじゃない. ②〔民〕敷地·墓地の位置や地形.

판권【版權·板權】[명] 版権. ¶~을 양도하다 版権を譲り渡す.
‖—— 소유 [명] 版権所有. ——-장(張) [명] 奥付；版権証書.

판금【板金】[명] 板金.

판금【販禁】[명] ↗판매 금지.

판-나다 [자] ① けりがつく；結末がつく；勝負が終わる. ② 身代をたたむ；家産がつぶれる.

판다〔panda〕[명]〔動〕パンダ.

판-다르다 [형] ☞ 판이(判異)하다.

판단【判斷】[명][하타] 判断. ¶운명 ~ 身の上判断 / 결핵으로 ~하다 結核と見立てる / 상황 ~을 잘못하다 状況判断を誤る / 높은 견지에서 ~하다 高所から判断する / 사람은 외관으로 ~할 수 없다 人は見掛けによらないものである / ~에 맡기다 判断に任せる.
‖——-력 [명] 判断力.

판도【版圖】[명] 版図. ¶~를 넓히다 版図を広げる.

판도라의 궤【—櫃】〔Pandora〕[명] パンドラの箱.

판독【判讀】[명][하타] 判読. ¶~하기에 애쓰다 判読に苦しむ.

판-돈 [명] とばくば(賭博場)の掛け金. —— 떼다 [자] てら銭をとる. ¶(노름판을 빌려주고) 판돈을 떼는 사람 胴取り；胴親.

판둥-거리다 [자] ぶらぶらする；なまける. <펀둥거리다. **판둥-판둥** [부][하자] ぶらぶら.

판들-거리다 [자] ぶらぶらする；なまける；のらくらする. <펀들거리다. ㅆ빤들 거리다. **판들-판들** [부][하자] ぶらぶら；のらりくらり.

판-들다 [타] 財産を使い果たす.

판-때리다 [타] 是非·善悪を分かち決める.

판례【判例】[명]［↗판결례(判決例)］判例. ¶~를 남기다 判例を残す.
‖——-법 [명] 判例法.

판로【販路】[명] 販路；さば(捌)け口；売れぐち. ¶이 물건은 ~가 없다 この品物は捌け口がない.

판리【辦理】[명][하타] 弁理；物事を弁別して処理すること.

판막【瓣膜】[명]〔生〕弁膜. ＝판(瓣).

판-막다 [자] 勝ちによってけりをつける.

판-막음 [명][하자] その場の最後の勝利.

판매【販賣】[명][하타] 販売. ¶독점 ~ 一手販売 / ~ 상품 販売商品 / ~ 전술 販売戦術.
‖—— 가격 [명] 販売価格. ㊟ 판가(販價). —— 금지 [명] 販売禁止. ㊟ 판금. ——-액 [명] 販売額. ——-원(員) [명] 売り子；中売；売人〈俗〉. ——-점 [명] 販売店. —— 회사 [명] 販売

会社.
판면【板面】명 板面；板の表面.
판면【版面】명 版面；印刷版の表面.
판명【判明】명하자 判明. ¶ 범인이 ~되다 犯人〔ホシ〕が判明する／그의 행방이 ~되다 彼の行方が判明する.
판목【板木】명 厚さ6センチメートル以上，幅が厚さの三倍以上の材木.
판목【版木】명 版木；文字·絵などを刻んだ印刷用の板.
판-몰이 명하타 とば(賭場)の金を独占すること.
판무【辦務】명하타 弁務；事務を処理すること.
‖——-관 명 弁務官.
판-무식【判無識】명 ☞ 전무식(全無識).
판-물리다 타 (相撲場で)土俵際まで押し寄せた見物人を後に引かす.
판-박이 명 ① 印刷した本. ② そっくりのもの；型通りのもの；お決まり；お定まり. ③ 移し絵.
판-밖 명 局外；圏外.
판-벌이다 자 ばくち(博打)を始める.
판벽【板壁】명 板壁.
판별【判別】명하타 判別. ¶ 선악을 ~하다 善悪を判別する.
판본【板本·版本】명 ↗판각본(板刻本).
판사【判事】명 判事.
판상【板狀】명 板状.
‖—— 절리 명〔地〕板状節理.
판상【辦償】명하타 弁償.
판-상놈【—常—】명 祖先から身分が低い人；下種.
판-설다 형 事情にうとい.
판-세【—勢】명 物事の成り行き；形勢.
판-소리 명〔樂〕朝鮮朝の英祖時代以来，庶民が"창극(唱劇)"につけて歌った歌.
판수 명 盲人の易者.　「しい.
판수-익다 형 全体の事情にくわ
판시【判示】명하타 判示.
판-시세【—時勢】명 ある場面の情勢.
판식【版式】명 版式；印刷版の様式.
판야〔포 panja〕명〔植〕パンヤ.
판연【判然】명하형 判然. ¶ ~하지 않다 判然としない／부정은 ~한 것이다 不正は判然たるものだ. ——-히 부 判然と. 준 판히.
판-유리【板琉璃】명 板ガラス.
판이【判異】명하형 大いに異なること.
판자【板子】명 ① 板. ② ☞ 송판(松板). ¶ 얇게 켠 ~ そ(殺)ぎ板.
‖——-벽(壁) 명 板壁. 판잣-집 명 バラック；掘建小屋.
판장【板牆】명 ☞ 널판장. ¶ ~으로 둘러쳐다 板塀で囲んだ／~이 되다《俚》板塀になる《老いぼれて死にかかることのたとえ》.
판재【板材】명 ① 板材. ② 棺材.

판정【判定】명하타 判定. ¶ 이 경기는 ~을 보류한다 この試合は判定を預かりにする.
‖——-승(勝) 명하자 判定勝ち.
판제【辦濟】명하타 弁済.
판-주다 타 ある場でもっとも優れた人にきめる.　「なか.
판-중【—中】명 群れをなしている中
판지【板紙】명 板紙；ボール紙；布目紙；厚紙.
판-짜다 타 一味を組む.
판-차리다 타 場を設ける.
판책【版冊】명 版刷りの書物.
판-초코【板—】명 板チョコ；板状のチョコレット.
판-치다 자 牛耳る；ある場でもっともすぐれる；羽振りをきかせる；幅を利かせる.
판타지〔fantasy, 도 Phantasie〕명〔樂〕ファンタジー.
판타지스튁〔도 Phantasiestück〕명〔樂〕ファンタジスティック.　「ジア.
판타지아〔이 fantasia〕명〔樂〕ファンタ
팔탈롱〔프 pantalon〕명 パンタロン.
판테온〔Pantheon〕명 パンテオン.
판판-이 부 しょっちゅう；その都度.
판판-하다 형 平たい；平坦だ. <펀펀하다. 판판-히 부 平たく.
판-하다 형 平坦で広い. <펀하다. 판-히 부 平たく；広広と.
판행【版行】명하타 版行.
판형【判型】명〔印〕判型.
판화【版畫】명 版画. ¶ ~를 박다 版画を刷る.
판-히【判—】부 ↗판연(判然)히.
팔 명 腕；手. ¶ 소매에 ~을 꿰다 そで(袖)に手を通す／~을 비틀어 올리다 腕をね(捩)じあげる／~을 꼬집다 腕をつねる／~이 들먹거리다 腕が鳴る.
팔【八】수 八；八つ；八つ.
팔-가락지 명 腕輪. 준 팔찌.
팔각【八角】명 八角. ＝팔모.
‖——-기둥 명〔數〕八角柱. ——-당 명 八角堂. ——-정(亭) 명 八角の亭. ——-형 명 八角形.
팔-걸이 명 ① ひじか(肘掛)け；きょうそく(脇息). ② 相撲の技の一つ《片手で相手の足をつか(摑)み，頭と体で押し倒すこと》. ③ 足で体を浮かせて両腕を交互に動かす泳ぎ.
‖—— 의자 명 肘掛け椅子.
팔경【八景】명 八景. ¶ ~을 두루 다니다 八景をめぐる.
팔계【八戒】명〔佛〕八戒.
팔고【八苦】명〔佛〕八苦. ¶ 칠난 ~ 七難八苦.
팔곡【八穀】명 八つの穀物《いね(稻)·きび(黍)·むぎ(麦)·まめ(豆)·あわ(粟)·ごま(胡麻)·ひえ(稗)·コーリャン(高粱)》.
팔구【八九】명 八か九.
‖——-분 명 八九分. ——-십(十) 명 八十か九十.
팔-꾸머리 명《俗》☞ 팔꿈치.
팔-꿈치 명 ひじ(肘). ¶ ~로 겨드랑이를 찌르다 肘でわき(脇)を突く／~로 밀어제치다 肘で押しのける.

팔-난봉 명 ほうとうもの(放蕩者); 道楽者; 極道者.

팔다 타 ①売る. ¶부르는 값으로 ~ 付け値で売る / 싸구려로 마구 팔아 버리다 二束三文で売りとばす / 낱개로 떼어서 ~ ばらで売る / 싸게 ~ 叩き売る. ②かた(騙)る; 名を売る. ¶친구를 ~ 友を騙る. ③目をそらす. ④穀物を買う. ⑤(女が)身を売る.

팔-다리 명 手と足.
‖——-뼈 명 手足の骨.

팔달【八達】명하자 ①道が八方に通じること. ②あらゆることに通じること; 精通していること.

팔도【八道】명 朝鮮朝の行政区域《京畿·忠清·慶尚·全羅·江原·黄海·平安·咸境の各道》.
‖—— 강산(江山) 명 韓国の山水. —— 명산(名山) 명 韓国の全名山.

팔-등신【八等身】명 八等身. ¶~ 미인 八等身の美人.

팔딱 부하자 跳びあがるさま: ぴょんと; ぱっと. <펄떡. ——-거리다 자 しきりにぴょん〔ぱっ〕と跳びあがる. ———— 부하자 ぴょんぴょん; ぱっぱっ.

팔뚝 명 腕; 小手. ¶~ 시계 腕時計.

팔라듐〔palladium〕명〔化〕パラジウム《記号: Pd》.

팔락 부하자 風になびくさま. また, その音: ひらひら; はたはた. <펄럭. ——-거리다 자 はたはた〔ひらひら〕する. ———— 부하자 ひらひら; はたはた.

팔랑 부하자 風になびくさま: ひらひら; ひらっと; ぱらりと. <펄렁. ¶나뭇잎이 ~ 떨어지다 木の葉がぱらりと散る. ——-거리다 자 ひらひらする. ———— 부하자 ひらひら.
‖——-개비 명 ①風車. ②おっちょこちょい.

팔러〔parlor〕명 パーラー. ¶뷰티 ~ ビューティパーラー.

팔레트〔프 pallette〕명 パレット.
‖——-나이프 명〔美〕パレットナイフ.

팔리다 자 ①売れる. ¶이 책은 잘 팔린다 この本はよく売れる. ②気をうばわれる. ¶노는 데 정신이 ~ 遊びに気をうばわれる.

팔림-새 명 売れ行き. ¶~가 시원찮다 売れ行きが思わしくない.

팔매 명 つぶて.
‖——-질 명하자 つぶてを打つこと. ——-치기 명하자 つぶて打ち.

팔-모【八—】명 八角.
‖——-정(亭) 명 ☞ 팔각정. —— 지붕 명 八角の屋根. —— 항아리 명 八角のつぼ(壺).

팔목 명 手首.

팔-밀이 명하자타 ①結婚式の日に新郎が新婦の家についたとき, 新婦側の人が新郎を出迎えて式場まで案内する礼. ②自分の責任を人に押しつけること.

팔방【八方】명 八方. ¶사방 ~으로 연락하다 四方八方に連絡をとる.
‖—— 미인 명 八方美人. ——-천(天) 명〔佛〕天を八つの方角に分けていうこと.

팔-베개 명 手まくら(枕); ひじまくら(肘枕). ¶~하고 낮잠자다 肘枕で昼寝する.

팔분 쉼표【八分一標】명〔樂〕八分休止符.

팔분 음표【八分音標】명〔樂〕八分音符.

팔-불용【八不用】, **팔-불출**【八不出】, **팔-불취**【八不取】명 愚か者; 馬鹿者.

팔-뼈 명 腕の骨.

팔삭【八朔】명 陰暦八月一日.
‖——-둥이 명 ①八か月目に生まれた月足らずの子. ②間抜け.

팔순【八旬】명 八十(“八十路”로도 씀). ¶~을 바라보다 八十に手が届く.

팔시간 노동제【八時間勞動制】명 八時間労働制.

팔-심 명 腕力. ¶~이 세다 腕っ節が強い.

팔십【八十】수명 八十; 八十〈雅〉. ¶~세 八十歳; 傘寿.

팔싹 부하자 ①煙やほこりが立つさま: ぱっと. ②急に座りこむさま: ぺたりと. <펄썩. ———— 부 ぱっぱっと; ぺたりぺたり.

팔-씨름 명하자 腕相撲.

팔아 내다 타 ①よく売りさば(捌)く. ②売って金銭で納める.

팔아-먹다 타 ①売る. ㉠売ってしまう; 売り払う〔渡す〕; 売り込む; 売り飛ばす. ¶가짜를 ~ にせ物を売り付ける / 정보를 ~ 情報を売り込む / 몸을 ~ 春を売る; ひさぐ. ㉡(家の物を)売り食いをする; 売りつな(繋)ぎをする. ②(気を)うばわれる; 夢中になる. ③穀物を買って食う.

팔-오금 명 ひじ(肘)を曲げた内側.

팔음【八音】명〔樂〕雅楽に用いる金·石·糸·竹·ほう(匏)·土·革·木の八つの楽器. また, その音.

-팔이 미 …売り子; …売り. ¶신문 ~ 新聞売り.

팔자【八字】명 一生の運; 星回り; 定め; 身分. ¶좋은 ~를 타고 나다 いい星回りの下に生まれる / 매달 백만원씩 들어온다니 ~ 좋으시군요 月に百万ウォンも入るとはいいご身分ですね / ~ 고치다 身分を改める《㉠再嫁する. ㉡成り上がりになる》.
‖—— 걸음 명 ↗여덟팔자 걸음. ——-땜 명하자 何か辛い目にあい, その代わりに悪運を免れるようになること.

팔-재간【—才幹】명 相撲で腕を使う技.

팔절-판【八切判】명 八つ切り版.

팔-죽지 명 二の腕; 腕の付け根.

팔-짓 명하자 手振り.

팔짝 부 ①戸や窓を急にあけるさま: さっと; ぱっと. ②軽く跳びあがるか, または飛ぶさま: さっと; ぱっと; ぽんと. <펄쩍. ——-거리다 자타 ぱっと〔さっと〕跳びあがる〔飛ぶ〕. ———— 부하자타 ぱっぱっと;

さっさっと. ── 뛰다 자 (滅相もないと)とびあがる. <펄쩍 뛰다.
팔짱 명 腕組み. ──-꽂다 자 腕を組む. ──-끼다 자 腕を組む; 手をこまぬく. ¶ 팔짱을 낀 채 보고만 있다 手をこまぬいて〔束ねて〕見ている / 팔짱을 끼고 생각에 잠기다 腕組みをして考えこむ. ──-지르다 자 手をこまぬ(拱)く.
팔찌 명 ① ↗팔가락지. ② (弓を射るときの)こて(籠手); とも(鞆).
팔초-하다 형 面長であご(顎)が尖っている.
팔촌 【八寸】 명 ① 八寸. ② 八親等.
팔팔 부 ① 少量の水がたぎるさま: ぐらぐら. ② 体やオンドルのごく熱いさま: かっか. ③ 小さなものが勢いよく動くさま: ぴんぴん; ぱたぱた; きびきび. <펄펄. ── 뛰다 자 (無実の罪をきせられたときなど, とびあがるほど)強く否定する. <펄펄 뛰다.
팔팔-하다 형 ① せっかちで冷ややかだ. ② 生き生きしている; ぴんぴんしている. ¶ 팔팔한 젊은이 ぴちぴちした若者. <펄펄하다.
팔푼-이 명 出来損ない.
팔-회목 명 手首.
팝 뮤직 〔미 pop music〕 명 ☞ 포퓰러 뮤직.
팝-송 〔미 pop song〕 명 ポップソング.
팝 아트 〔pop art〕 명 ポップアート.
팝-콘 〔미 popcorn〕 명 ポップコーン.
팡 부하자 急に破れるかは(撥)ねる音. <펑.
팡당 부하자타 小さくて重いものが浅い水に落ちる音: とぶん; ぽちゃん. <펑덩. ──-거리다 자타 ぽちゃんぽちゃんする. ──-── 부하자타 ぽちゃんぽちゃん.
팡파르 〔프 fanfare〕 명 ファンファーレ.
팡파-지다 형 まろ(円)やかに平ったい; 丸く横太りしている.
팡파짐-하다 형 平べったく広い.
팡-팡 부하자 ① 水などが勢いよく流れ出るかほとばし(迸)るさま: どくどく. ② 雪が勢いよく降るさま: どんどん. ③ しきりに鳴る鋭い銃声: ぽんぽん: ぱんぱん. <펑펑.
팡팡-거리다 자타 ① 小石などがあさせ(浅瀬)などに続けざまに落ち込む. ② 金をやたらに使う; 金に糸目をつけない. <펑펑거리다.
팥 명 〖植〗 あずき(小豆). ¶ ~으로 메주를 쑨대도 곧이 듣는다《俚》 小豆でこうじ(麴)を作るといっても真に受ける《人を信ずることが度を過ぎることのたとえ》.
팥-가루 명 あずき(小豆)を煮てつくった粉.
팥-고물 명 (もち(餅)にまぶすために)あずき(小豆)を蒸してつぶ(潰)した粉. ¶ 떡에 ~을 묻히다 餅に小豆粉をまぶす.
팥-고추장 명 豆とあずき(小豆)で作ったとうがらしみそ(味噌).
팥-꼬투리 명 あずき(小豆)のさや(莢).
팥-단자 【─團子】 명 あずき(小豆)粉をまぶした団子.
팥-떡 명 あずき(小豆)粉をまぶしたもち.
팥-물 명 あずきを蒸してこ(漉)した汁《あずきがゆ(粥)を炊く》.
팥-밥 명 あずき飯; 赤飯.
팥-비누 명 あずきの皮をむいてつくった粉《昔, せっけん(石鹼)の代用とした》.
팥-소 명 あずき(小豆)のあん(餡); あんこ〈俗〉. ¶ ~를 넣은 떡 あんこもち(餡餅) / 둥글게 빚은 ~ あん(餡)ころ / ~를 핥다 あんをなめる.
팥-죽 【─粥】 명 あずきがゆ(粥).
팥-편 명 あずき汁を小麦粉に混ぜ蜂蜜をかけて煮たもの.
패 【牌】 명 ① パイ(牌); 札. ¶ 붉은 ~ 赤札. ② 組; 輩; 連中; ともがら. ¶ 싸움~ やくざ / 두 ~로 가르다 二組に分ける / 젊은 ~들은 아랫자리에 앉아 있다 若い連中は下座に座っている.
패 【覇】 명 (囲碁で)こう(劫)(争い).
패가 【敗家】 명하자 破産すること; 身代をす(擂)ること.
‖── 망신(亡身) 명하자 身代をつぶ(潰)し身を滅ぼすこと.
패각 【貝殼】 명 貝殻. =조가비.
패-거리 【牌─】 명 《俗》 やから; 連中.
패검 【佩劍】 명하자 はいけん(佩剣); 差し料.
패관 【稗官】 명 ① 〖史〗 稗官; 昔民間の風説·巷談を集めて記録し, 王に上奏した役人. ② 物語を作る人.
‖── 문학 명 稗官文学. ── 소설 명 稗官小説; 世間話を主題にした小説.
패국 【敗局】 명 衰退した政局·局面.
패군 【敗軍】 명 敗軍.
‖──지-장 명 敗軍の将. ㊅ 패장. ¶ ~은 병법을 논하지 않는다 敗軍の将, 兵を語らず.
패권 【覇權】 명 覇権. ¶ ~을 잡다 覇権を握る / ~을 다투다 覇権を争う.
패기 【覇氣】 명 覇気; 意気込み. ¶ ~가 있다〔없다〕 覇気がある〔ない〕.
‖── 만만 명하형 覇気満満.
패-나다 【覇─】 자 (囲碁で)こう(劫)になる.
패다[1] 자 (稲などの)穂が出る.
패다[2] 타 ぶんなぐる; 殴りつける.
패다[3] 타 (おので薪などを)割る.
패다[4] ㊀ 피동 掘〔えぐ〕られる; しゃくれる; へこむ. ¶ 길이 ~ 道が凹む / 낙숫물로 추녀밑의 땅이 ~ 雨だれで軒下が掘れる. ㊁ 사동 掘らせる; えぐ(抉)らせる.
패담 【悖談·誖談】 명하자 道理にはずれたことば. =패설.
패덕 【悖德】 명 背徳; 道徳·正道などにもとること.
패도 【佩刀】 명하자 ☞ 패검(佩劍).
패랭이 명 ① 〖史〗 竹編みの笠《身分の低い人や親の喪に服している人が被る》. ② ↗패랭이꽃.
‖──-꽃 명 〖植〗 からなでしこ(唐撫子). =석죽.
패러그래프 〔paragraph〕 명 パラグラフ.

패러독스 〔paradox〕 [명] パラドックス.
패러프레이즈 〔paraphrase〕 [명][하타] パラフレーズ.
패럿 〔farad〕 [의명] 〖物〗 ファラッド.
패려 【悖戾】 [명][하형] 背戾; ねじ(拗)けたこと; ひねくれたこと. ――-궂다 [형] 言動が礼儀にもとっている.
패례 【悖禮】 [명][하형] はいれい(悖礼); 礼儀にもとること.
패류 【貝類】 [명] 〖動〗 貝類.
‖――-학 [명] 貝類学.
패륜 【悖倫】 [명][하형] 背倫; 破倫.
‖――-아 [명] 背倫児.
패리 【悖理】 [명][하형] 背理.
패망 【敗亡】 [명][하자] 敗亡.
패멸 【敗滅】 [명][하자] 敗滅. ¶ 적은 ~했다 敵は敗滅した.
패목 【牌木】 [명] 立て札.
패물 【貝物】 [명] さんご(珊瑚)·こはく(琥珀)·水晶·たいまい(玳瑁)などで造った飾り物.
패물 【佩物】 [명] ① 装身具. ② ☞ 노리개①.
‖―― 삼건(三件) [명] さんご(珊瑚)·こはく(琥珀)·黄色いこはくなどで飾った装身具.
패배 【敗北】 [명] 敗北. ――-하다 [자] 敗北する; 敗〔破〕れる. ¶ ~를 맛보다 敗北を喫する / 논쟁은 자네의 ~일세 議論は君の負けさ / ~시키다 敗北させる; 破る.
패병 【敗兵】 [명] 敗兵.
패보 【敗報】 [명] 敗報. ¶ ~가 들어오다 敗報が届く.
패-보다 【敗―】 [자] 失敗する.
패사 【敗死】 [명][하자] 敗死.
패산 【敗散】 [명][하자] 戦に敗れて散らばること.
패색 【敗色】 [명] 敗色; 負け色. ¶ ~이 짙어지다 敗色〔負け色〕が濃くなる.
패설 【悖說·誖說】 [명][하자] ☞ 패담(悖談).
패설 【稗說】 [명] ① ちまた(巷)の説話. ② ↗패관 소설.
패세 【敗勢】 [명] 敗勢; 負け色; 敗色.
패션 〔fashion〕 [명] ファッション. ¶ ~북 ファッションブック.
‖―― 모델 [명] ファッションモデル. ―― 쇼 [명] ファッションショー.
패소 【敗訴】 [명][하자] 敗訴. ¶ 원고의 ~가 되다 原告の敗訴となる.
패쇠 【敗衰】 [명][하자] 負けて弱まること.
패스 〔pass〕 [명] パス. ① 無料入場〔乗車〕券; 定期券. ¶ 우대 ~ 優待パス. ② 合格; 通過. ――-하다 [자][타] パスする; 合格〔通過〕する. ③ (球技で)ボールを味方に渡すこと. ――-하다 [타] パスする. ¶ ~ 워크 パスウォーク.
‖――-포트 [명] パスポート.
패습 【悖習】 [명] 道理にもと(悖)る習慣や風習.
패-싸움 【牌―】 [명][하자] 組を組んでするけんか(喧嘩).
패-싸움 【覇―】 [명] (碁で)こう(劫)争い.
패-쓰다 【覇―】 [자] ① 巧妙な手段で危機を逃がれる. ② (囲碁で)こう(劫)にする.
패악 【悖惡】 [명][하형] 道理にもとる凶悪なこと.
패업 【敗業】 [명][하자] 事業に失敗すること.
패업 【覇業】 [명] 覇業. ¶ ~을 이루다 覇業を遂げる.
패역 【悖逆·誖逆】 [명][하형] 背逆; 人倫法度にたが(違)いもとること.
‖―― 무도 [명][하형] 悪逆無道.
패연 【沛然】 [명][하형] はいぜん(沛然). ――-히 [부] 沛然と. ¶ ~ 비가 쏟아지기 시작하다 沛然と雨が降りだす.
패옥 【敗屋】 [명] 廃屋; あばら屋.
패왕 【覇王】 [명] 覇王.
패용 【佩用】 [명][하타] はいよう(佩用). ¶ 훈장을 ~하다 勲章を佩用する / 평복에 약장을 ~하다 平服にりゃくじゅ(略綬)を佩用する.
패운 【敗運】 [명] 衰え傾く運勢.
‖――-살(煞) [명] 〖民〗 運が衰える兆候.
패인 【敗因】 [명] 敗因.
패자 【悖子】 [명] 人倫に背いた子.
패자 【敗者】 [명] 敗者. ¶ ~끼리 敗者同志 / ~전 敗者戦.
패자 【覇者】 [명] 覇者. ¶ 전국 시대의 ~ 戦国時代の覇者.
패잔 【敗殘】 [명] 敗残.
‖――-병 [명] 敗残兵.
패-잡다 【牌―】 [자] (とば(賭場)で)親になる.
패적 【敗敵】 [명] 敗敵. ¶ ~을 좇다 敗敵を追う.
패전 【敗戰】 [명][하자] 敗戦. ¶ ~국 敗戦国.
‖―― 투수 [명] 敗戦投手.
패주 【敗走】 [명][하자] 敗走. ¶ 적을 ~시키다 敵を敗走させる.
패-차다 【牌―】 [자] ① 人に指差されることを覚悟する. ② (よくないことから)札付き者となる; あだな(綽名)がつく.
패착 【敗着】 [명][하자] (碁で)敗着. ¶ 그 점이 ~이었다 その点が敗着だった.
패-채우다 【牌―】 [타] (よくないことで)札付き者にする.
패총 【貝塚】 [명] 貝塚. =조개무지.
패키지 〔package〕 [명] パッケージ. ¶ ~투어 パッケージツアー.
패킹 〔packing〕 [명] パッキング.
패턴 〔pattern〕 [명] パターン; パタン.
패퇴 【敗退】 [명][하자] 敗退. ¶ 일회전에서 ~하다 一回戦で敗退する.
패퇴 【敗頹】 [명][하자] はいたい(敗頹).
패트런 〔patron〕 [명] パトロン.
패트롤 〔patrol〕 [명][하자] パトロール.
‖―― 카 [명] パトロールカー.
패-패 【牌牌】 [명] 各組; 組ごと.
패-하다 【敗―】 [자] ① 敗れる; 負ける. ¶ 선전의 보람없이 패하였다 善戦空しく敗れた / 어이없이 ~ あっけなく〔もろくも〕敗れる; 取りこぼす. ② 破産する; 身代限りになる; 滅びる. ③ やつ(窶)れる; やせ衰える.
패혈-증 【敗血症】 [명] 敗血症.
팩 [부] 小柄な体がもろく倒れるさま: ばたり. <퍽. ――-하다 [자] ばた

りとする.
팩스 〔fax〕 명 ファックス.
팩시밀리 〔facsimile〕 명 ファクシミリ.
팩터 〔factor〕 명 ファクター.
팩-팩 부 ① 小柄の者がつづけざまにもろく倒れるさま: ばたばた. <픽픽. ② 小さい身で負けまいと飛びかかるさま. ——-하다 자 ばたばたする; しきりに飛びかかる.
팩-하다 형 ☞ 팍하다.
팬 〔fan〕 명 ファン. ¶ 프로 야구의 ~ プロ野球のファン〔常連〕. 「ン.
팬 〔pan〕 명 パン. ¶ 프라이~ フライパ
팬더 〔panda〕 명 〔動〕 ☞ 판다.
팬둥-거리다 자 怠けてばかりいる; ぶらぶらしている. <핀둥거리다. **팬둥-팬둥** 부하자 なまけてばかりいるさま: ぶらりぶらり; ごろごろ.
팬들-거리다 자 ぶらぶらする; 怠けてばかりいる. <핀들거리다. **팬들-팬들** 부하자 ぶらぶら; ごろごろ.
팬잔-례 【—禮】 명하자 初めて女の子をもうけた人が友達にせびられておご(奢)ること.
팬지 〔pansy〕 명 〔植〕 さんしきすみれ(三色菫); パンジー.
팬츠 〔pants〕 명 パンツ. ¶ ~를 입다 パンツをは(穿)く.
팬-케이크 〔pancake〕 명 パンケーキ.
팬터그래프 〔pantograph〕 명 パンタグラフ. ① 集電器. ② 写図器.
팬터마임 〔pantomime〕 명 パントマイム; 無言劇.
팬티 〔panty〕 명 パンティー.
‖— 스타킹 명 パンティーストッキング.
팸플릿 〔pamphlet〕 명 パンフレット.
팻말 【牌—】 명 立て札; 高札. ¶ ~을 세우다 立て札を立てる.
팽 부 ① すばやく一回回るさま: くるっと. ② 急に目まいがするさま: くらっ. ——-하다 자 (目が)くらくらする.
팽개-질 명하자 投げだす仕草.
팽개-치다 타 [←팡개치다] なげう(抛)つ. ① 投げ棄てる. ¶ 편지를 책상 위에 ~ 手紙を机になげうつ / 가방을 팽개친 채 놀러가다 かばんを投げだしたまま遊びに行く. ② (中途で)放り出す; 放る; なげやりにする; あきら(諦)める. ¶ 일을 중도에서 ~ 物事をなげやりにする / 목사직을 ~ 牧師職をなげうつ / 공부를 ~ 勉強をほうる.
팽그르르 부 ① 滑るようにまわるさま: くるくる. ② 涙ぐむさま. <핑그르르.
팽글-팽글 부하자 続けざまに滑らかにまわるさま: くるくる. <핑글핑글.
팽대 【膨大】 명하자 膨大.
팽만 【膨滿】 명하형 膨満.
팽배 【澎湃·彭湃】 명하자 ほうはい(澎湃). ¶ 평화를 희구하는 소리가 ~하게 일어나다 平和を求める声が澎湃として起こる.
팽이 명 こま(独楽). ¶ ~를 돌리다 こまを回す.
‖——-채 명 こまのむち(鞭). ——-치기 명하자 こま回し.

팽창 【膨脹】 명하자 膨張. ¶ ~하는 도시 인구 膨張する都市人口.
‖— 계수 명 〔物〕 膨張係数. ——률 명 〔物〕 膨張率.
팽팽 부 続けざまに早く回るさま: くるくると. <핑핑.
팽팽-하다 형 ① ぴんと張っている. ¶ 연줄이 ~ たこ(凧)の糸が張り切っている. ② (両側が)釣り合っている; 五分五分だ; 伯仲している. ¶ 팽팽한 승부 持ち合い勝負. <핑핑하다. ③ 偏狭だ. **팽팽-히** 부 きりきりと; ぴんと.
팽팽-하다 【膨膨—】 형 膨れている; いっぱいふくれあがっている. **팽팽-히** 부 ふっくらと; ぴんと; ぷっと.
팽-하다 형 ちょうどよい頃合いだ; 程よい; 適当だ.
퍅 부 かよわい体がもろく倒れるさま: ばたっと.
퍅성 【愎性】 명 偏屈で怒りっぽい性質. 「い.
퍅-하다 【愎—】 형 偏屈で怒りっぽ
퍼-내다 타 汲み取る; すく(掬)い出す. ¶ 배 밑바닥의 물을 ~ 舟底の水を汲みだす.
퍼니 부 なすことなく遊んでいるさま: ぶらぶら; ごろごろ.
퍼더버리고 앉다 구 足を崩して座る.
퍼더-버리다 타 ぶざまに手足をのばして座る; ひざ(膝)をくずす.
퍼덕-이다 자타 ① (鳥が)羽をばたつかせる; ばたばたする. ② (魚が)ぴちぴち跳ねる; ぴちぴちする.
퍼드덕 부하자 鳥が羽を, 魚が尾を強く打つ音: ばたばた; ぴちぴち. >파드닥. ——-거리다 자 しきりにばたばた〔ぴちぴち〕させる. —— 부하자 ばたばた; ぴちぴち.
퍼떡-거리다 자타 ① (鳥が)羽をしきりにばたつかせる. ② (魚が)力強く水を打ってぴちぴち音を出す. ㄴ퍼덕거리다. **퍼떡-퍼떡** 부하자타 ばたばた; ぴちぴち.
퍼-뜨리다 타 広める. ① あまねく行なわれるようにする; 普及する. ② 言い触らす; 吹聴する; まき散らす. ¶ 남의 흉을 ~ 人の悪口を言い触らす / 소문을 ~ うわさ(噂)をまき散らす / 전염병을 ~ 伝染病をまき散らす.
퍼뜩 부하형 急に思いだすとか, とっさに思い当たるさま: はっと; はたと. >파뜩. ¶ ~ 생각이 들었다 はっと気がついた; はたと思い当たった. ——— 부하형 続けざまにはっと〔はたと〕するさま.
퍼렁 명관 青; 青い色の染料. >파랑.
‖——-이 명 青色のもの.
퍼렇다 형 ひどく青い; 青青としている. >파랗다. ¶ 아직 매실은 ~ まだうめ(梅)の実は青い.
퍼레이드 〔parade〕 명 パレード. ¶ ~를 벌이다 パレードをくりひろげる.
퍼레-지다 자 青ざめる; 青くなる.
퍼르르 부하형 ① 水が沸き立つさま: ぐらぐら; くらくら. ② かんしゃ

ㅍ

く(癇癪)を起こすさま: かっと; わなわなと. ③小刻みに震えるさま: ぶるぶる. ④薄い紙や細木などが燃えあがるさま: めらめら. >파르르. ㅅ버르르.

퍼머넨트 〔permanent〕 명 パーマネント.
‖── 웨이브 명 パーマネントウェーブ; パーマ《준말》.

퍼-먹다 타 ①(飯などをちゃわん(茶碗)に)よそって食べる. ②やたらに多く食べる; がつがつ食う.

퍼-붓다 ㊀자 (雨·雪などが)降り注ぐ; 降りしきる. ¶퍼붓는 비로 흠뻑 젖다 降り注ぐ雨でびしょぬれになる / 비오듯 퍼붓는 탄환 속을 弾丸が雨あられと降る中を. ㊁타 ①汲んで注ぐ; つ(注)ぐ. ②(暴言·非難などを)浴びせる; どやしつける. ¶통렬한 비난을 ~ 痛烈な非難を浴びせる / 입정사납게 욕을 ~ 口汚くののし(罵)る.

퍼블릭 〔plublic〕 명 パブリック.
‖── 릴레이션 명 パブリックリレーション. ── 스쿨 명 パブリックスクール.

퍼석-하다 형 ばさばさ〔かさかさ〕してこわれ易い; もろ(脆)い. >파삭하다. **퍼석-퍼석** 부하형 ばさばさ; かさかさ. ¶이 빵은 ~해서 맛이 없다 このパンはばさばさしてうまくない.

퍼센트 〔percent〕 의명 パーセント.

퍼센티지 〔percentage〕 명 パーセンテージ.

퍼스트 〔first〕 명 ファースト.
‖── 레이디 명 ファーストレディー. ── 베이스 명 ファーストベース.

퍼슬-퍼슬 부하형 塊が水気がないうえにもろ(脆)くてくだけやすいさま: ぼろぼろ.

퍼지다 자 ①広がる. ㉠先(の方)が広くなる. ¶소나뭇가지의 퍼진 모양이 매우 좋다 松の枝の広がりが見事だ. ㉡広く行き渡る; うわさが立つ〔広まる〕. ¶불이 사방으로 ~ 火が四方に広がる / 소문이 온 동네에 ~ うわさが町中に広まる / 감기가 ~ かぜがはやる. ②(酒·毒が)利く; 回る. ¶독기운이 빨리 ~ 毒の回りが早い. ③子孫が栄える; (種などが)繁殖する. ④(草木が)伸び広がる; 張る; はびこる. ⑤(飯などが)炊き殖えする; 蒸れる. ¶밥이 ~ 米が炊き殖えする. ⑥(洗濯物の)しわ(皺)がよく伸びる; (アイロンが)よくかかる.

퍼텐셜 〔potential〕 명〖物〗ポテンシャル. ‖── 에너지 명 ポテンシャルエネルギー; 位置エネルギー.

퍼티 〔putty〕 명〖化〗パテ.

퍼펙트 게임 〔perfect game〕 명 パーフェクトゲーム.

퍼프 〔puff〕 명 パフ; パッフ; おしろいたたき.

퍽 〔puck〕 명 (アイホッケーの)パック.

퍽¹ 부 ①強く突き刺すさま. また, その音: ぶすっと; きゅっと. ②もろくぱたりとくずお(頽)れるさま. また, その音: ばさっと; へなへな(と). ③ぬかるみに深くはまり込むさま. また, その音: ぶすっと. >팍. ──-하다 자 ぶすっと〔きゅっと〕する; ばさっと〔どしんと〕する.

퍽² 부 ずいぶん; すごく; 非常に; 甚だ; ど…《명사·형용사 앞에 붙어서》. ¶~ 훌륭한 사람 どえらい人 / ~ 자극적인 광고 どぎつい広告 / ~ 더운 날이다 とても暑い日だ.

퍽석 부하형 ①へなへなと座り込むさま. また, その音: べたりと; どたりと. ¶방에 들어 오자마자 ~ 주저앉았다 部屋に入って来るなり, べたりと座りこんだ. ②もろ(脆)くてかさかさしたものが崩れるか砕けるさま. また, その音: ばさっと. >팍삭. ──-── 부하형 ①べたりべたり; どたりどたり. ②ばさっばさっ.

퍽신-하다 형 ばさばさしている; ふわふわしている. >팍신하다. **퍽신-퍽신** 부하형 ばさばさ; ふわふわ.

퍽-퍽 부 ①続けざまに強く突き刺すさま. ②続けざまによわよわしく倒れるさま. ③雪や雨が降り注ぐさま. ④ぬかるみなどを踏んで深深とめり込むさま. >팍팍.

퍽퍽-하다 형 ①(食べ物が水気が足りなくてのどが詰まる程)ばさばさしている. ②疲れて足がだるい. >팍팍하다.

펀더기 명 ひろびろとした原っぱ.

펀둥-거리다 자 何もせずに怠けてばかりいる; ぶらぶらする. ㅆ뻔둥거리다. **펀둥-펀둥** 부하자 ぶらぶら; ごろごろ.

펀드 〔fund〕 명 ファンド.

펀들-거리다 자 ぬくぬくと怠けてばかりいる. ㅆ뻔들거리다. **펀들-펀들** 부하자 ぶらぶら; のらくら.

펀처 〔puncher〕 명 パンチャー.

펀치 〔punch〕 명 パンチ. ¶~ 카드 パンチカード.
‖──-기 명 パンチ機; パンチャー. ──-화 명〖美〗ポンチ絵.

펀칭 백 〔punching bag〕 명 パンチングバック.

펀펀-하다 형 平たい; 平べったい. >판판하다. **펀펀-히** 부 平(べっ)たく.

펀-하다 형 平たくて広広としている. **펀-히** 부 平たく広広と.

펄 명 ①↗개펄. ②野原.

펄떡 부하자 ①力を入れて軽く跳ぶ〔跳ねる〕さま: ぽんと. ②激しく脈打つさま. >팔딱. ──-거리다 자 ①ぽんと跳ぶ〔跳ねる〕. ②脈がどきっと打つ. ──-── 부하자 ①ぴちぴち(と); ぴんぴん(と). ¶물고기가 ~ 뛰다 魚がぴんぴんと跳ねる. ②どきっどきっと.

펄럭 부하자 風になび(靡)くさま. また, その音: はたはた; へんぽん(翩翻)と; ひらひら. >팔락. ──-거리다 자 はたはた〔ひらひら〕する. ¶옷자락이 ~ すそ(裾)がひらつく. ──-이다 자 翻る; 翻す; はためく. ¶국기가 바람에 ~ 国旗が風にはためく. ──-── 부하자 はたはた; ひらひら. ¶~ 노트장을 넘기다 ぺらぺらとノートをめく(捲)る.

펄렁 부 (物が)風に軽くなび(靡)くさま. また, その音: ひらっと. >팔랑. ──-거리다 자 ひら(っ)ひら(っ

と)する. ―――― 부하자 ひら(っ)ひら(っ)(と).

펄썩 부하자 ① 煙やほこりが立つさま：ぱっと. ② 勢いよく座るさま：どかっと. >팔싹. ―――― 부하자 ぱっぱっと；どかっどかっと.

펄쩍 부 ① 戸や蓋などを急に開くさま. ② 急に跳びあがるさま：ぱっと；さっと. >팔짝. ――거리다 자타 (しきりに)ぱっと跳びあがる〔さっと開く〕. ―――― 부하자타 ぱっぱっと；さっさっと. ――뛰다 자 (無実のとがを受けたりして)とんでもないといな(否)む；頭から否定する. >팔짝뛰다.

펄프〔pulp〕명 パルプ.

펌블〔fumble〕명하타 ハンブル.

펌프〔pump〕명 ポンプ.

‖―― 우물 명 ポンプ井戸.

펑 부 鈍く破裂するかはぜる音：ぱぁん. ㅍ뻥.

펑덩 부 重い物が深い水に落ちる音：どぶん. >팡당. ――거리다 자타 つづけてどぶんと落ちる〔落とす〕. ―――― 부하자타 どぶんどぶん.

펑크 명〔puncture〕《俗》パンク. ① 自動車などのタイヤが破れること. ② 衣服などが古びて穴があくこと. ③ 手違いが起こること. ④ 秘密がばれること. * 빵꾸. ――나다 자《俗》① タイヤなどが破れる. ② 計画などに手違いが生じる. ③ 衣服などが古びて穴があく.

펑-퍼지다 자 まる(円)やかで横広に広がる. >팡파지다.

펑퍼짐-하다 형 平たく横広に広がっている. >팡파짐하다.

펑-펑 부 ① 水などが勢いよく流れ出るさま：どくどく；だくだく；じゃあじゃあ；こんこん(滾滾). ¶ 수돗물이 ～ 쏟아져 나오다 水道の水がじゃあじゃあと流れ出る / 샘이 ～ 솟구쳐 나온다 泉がこんこんと湧いている / 상처에서 피가 ～ 쏟아졌다 傷口から血がどくどく(と)流れ出た. ② 雪などが降りしきるさま：こんこん. ¶ 눈이 ～ 쏟아진다 雪がこんこんと降る. ③ 続けざまに破裂する音：ぽんぽん. ¶ 불꽃이 ～(터져) 오르다 花火がぽんぽん上がる. ④ 続けざまに鳴る銃声. >팡팡. ――거리다 자타 ① どんどん〔ぽんぽん〕と音がする. または音を出す. ② (水などが)どくどく〔こんこん〕と流れ出る. ③ 大きな物が深い水に続けざまに落ちる. ④ 続けざまに浪費する.

페넌트 레이스〔pennant race〕명 ペナントレース.

페널티〔penalty〕명 ペナルティー.

‖―― 골 명 ペナルティーゴール. ―― 에어리어 명 ペナルティーエリア. ―― 킥 명 ペナルティーキック.

페놀〔phenol〕명〘化〙フェノール.

‖―― 수지 명 フェノール樹脂.

페니〔penny〕의명 ペニー.

페니실린〔penicillin〕명 ペニシリン.

‖―― 쇼크 명〘醫〙ペニシリンショック. ―― 알레르기 명〘醫〙ペニシリンアレルギー.

페달〔pedal〕명 ペダル. ¶ 자전거의 ～을 밟다 自転車のペダルを踏む.

페더〔feather〕명 フェザー.

‖――급 명 フェザー級. ―― 웨이트 명 フェザーウェート. =페더급.

페던트〔pedant〕명 ペダント.

페르뮴〔fermium〕명〘化〙フェルミウム《記号：Fm》.

페르소나〔라 persona〕명 ペルソナ.

페르시아〔Persia〕명〘史〙ペルシア.

‖――만 명〘地〙ペルシア湾.

페리-보트〔ferryboat〕명 フェリーボート.

페리-스코프〔periscope〕명 ペリスコープ.

페미니스트〔feminist〕명 フェミニスト.

페미니즘〔feminism〕명 フェミニズム.

페서리〔pessary〕명 ペッサリー.

페스트〔pest〕명〘醫〙ペスト.

페시미즘〔pessimism〕명 ペシミズム.

페어 플레이〔fair play〕명 フェアプレー.

페이〔pay〕명 ペイ. ¶ ～ 데이 ペイデー.

페이드-아웃〔fade-out〕명 フェードアウト.

페이드-인〔fade-in〕명 フェードイン.

페이브먼트〔pavement〕명 ペーブメント.

페이소스〔pathos〕명 ペーソス. =파토스.

페이스〔pace〕명 ペース. ¶ 자기 ～를 지키다 自分のペースを守る / 상대방의 ～에 말려들다 相手のペースに巻き込まれる.

페이스 밸류〔face value〕명〘經〙フェースバリュー. =액면 가격.

페이지〔page〕명 ページ. ¶ ～를 매기다 ページを打つ〔付ける〕/ ～를 넘기다 ページをめくる(捲る).

페이퍼〔paper〕명 ペーパー. ¶ 레터 ～ レターペーパー.

‖――백 명 ペーパーバック. ―― 플랜 명 ペーパープラン.

페인터〔painter〕명 ペインター.

페인텍스〔paintex〕명 ペインテックス.

페인트〔feint〕명 フェイント.

페인트〔paint〕명 ペイント；ペンキ. ¶ 에나멜 ～ エナメルペイント.

페인팅 나이프〔painting knife〕명 ペインティングナイフ.

페치카〔러 pechka〕명 ペチカ；ペーチカ.

페티코트〔petticoat〕명 ペチコート.

페팅〔petting〕명 ペッティング.

페퍼〔pepper〕명〘植〙ペパー.

페퍼민트〔peppermint〕명 ペパーミント.

페-하【도 PH】명〘化〙ペーハー.

펜〔pen〕명 ペン. ¶ ～을 잡은 자리에 생기는 못 ペンだこ(胼胝) / ～(촉)을 갈다 ペン先を代える.

펜 네임〔pen name〕명 ペンネーム.

펜-대〔pen〕명 ペン軸.

펜맨-십〔penmanship〕명 ペンマンシップ.

펜스〔fence〕명 フェンス.

펜스〔pence〕의명 ペンス.

펜슬〔pencil〕명 ペンシル.

펜싱〔fencing〕명 フェンシング.

펜-촉【―鏃】명 ペン先.

펜치 명〔pinchers〕☞ 뻰찌.

펜-클럽〔P.E.N. club〕명 ペンクラブ.

펜타건〔Pentagon〕명 ペンタゴン.
펜토믹 편제【—編制】〔pentomic〕명〔軍〕ペントミック編制.
펜팔〔penpal〕명 ペンパル.
펜-화【—畫】〔pen〕명 ペン画.
펠리컨〔pelican〕명〔鳥〕ペリカン.
펠트〔felt〕명 フェルト.
펨프〔pimp〕명 ペンプ.
펩신〔pepsin〕명〔化〕ペプシン.
펩티드〔peptide〕명〔化〕ペプチド.
펫〔pet〕명 ペット.
펭귄〔penguin〕명〔鳥〕ペンギン.
펴-내다 타 ①(たたんだものを)広げてだす. ②耐える; 忍ぶ; 堪える. ③発行する; 広める; 頒布する.
펴다 타 ①(畳んだものや巻き物を)広げる; 開く; あける; 延べる. ¶ 지도를 ～ 地図をひろげる / 책을 ～ 本をひらく. ②伸ばす. ㉠(曲がったもの·ひだなどを)伸ばす. ¶ 허리를 ～ 腰を伸ばす. ㉡(羽·手足などを)ひろげる. ¶ 날개를 ～ 翼を張る. ㉢(勢力を)張る. ㉣のびのびとした気持ちで行動する. ¶ 기를 ～ 羽を伸ばす. ③(肩·胸などを)張る. ④(品物を)ひろげる. ⑤敷く. ㉠(床を)延べる. ¶ 자리를 ～ 床を敷く. ㉡施行〔発布〕する. ¶ 신정을 ～ 新政を敷く / 법률〔계엄령〕을 ～ 法律〔戒厳令〕を敷く. ⑥うち明ける. ⑦(暮らしを)楽にする. ⑧(心を)安める.
펴이다 피동 ①(絡まっていたものが)ほぐれる. ②(暮らしが)楽になる; 豊かになる; 具合がよくなる.
펴지다 자 ①(たたんでいたものなどが)広がる; 開く. ¶ 우산이 ～ 傘が開く. ②(曲がったもの·ひだ·しわなどが)伸びる. ③(すぼんでいたものが)開く.
편【便】명 ①↗인편(人便). ②側. ㉠方. ¶ 이 ～에 こちらの方に; こちら側に. ㉡仲間; 組. ¶ 우리 ～ 味方 / 미국 ～에 서다 アメリカ側に立つ. ③便. ¶ 기차 ～ 汽車便 / ～이 닿는 대로 便のあり次第. ④(物事をいくつかに分けて考えるときの)一方; …方. ¶ 근면한 ～입니다 勤勉な方です / 살아 수모(羞侮)를 겪을 바에야 차라리 죽는 ～이 낫다 生きて恥をさら(曝)すくらいなら, むしろ死んだ方がました.
편【便·偏】의명 ↗편짝.
편【編】명 編. ¶ 생물학회 ～ 生物学会編.
편【篇】의명 編. ¶ 이 책은 동양～이다 この本は東洋編である.
편-가르다【便—】자타 組み分けする《勝負などを決めるために》.
편각【偏角】명〔地·數〕偏角.
편간【編刊】명하타 書物をへんさん(編纂)して発行すること.
편-갈리다【便—】피동 組に分けられる.
편-거리【片—】의명 こうらいにんじん(高麗人参)を斤単位に分けるとき, その数の単位.
편견【偏見】명 偏見. ¶ ～을 갖다 偏見を持つ〔抱く〕.
편곡【編曲】명하자타〔樂〕編曲.
편광【偏光】명〔物〕偏光.
‖——-경 명〔物〕偏光鏡. —— 프리즘 명〔物〕偏光プリズム. —— 현미경 명 偏光顕微鏡.
편굴【偏屈】명하형 偏屈.
편급【褊急·偏急】명하형 偏急; 度量が狭くて性急なこと.
편년【編年】명 編年; 年代順に歴史をへんさん(編纂)すること.
‖——-사 명 編年史. ——-체 명 編年体.
편달【鞭撻】명하타 べんたつ(鞭撻).
편당【偏黨】명하자 一つの党派に傾くこと.
편대【編隊】명하타 編隊.
‖—— 비행 명 編隊飛行.
편도【片道】명 片道.
‖—— 무역 명 片道貿易.
편도【扁桃·匾桃】명〔植〕扁桃.
‖——-선 명 扁桃せん(腺). ¶ ～염 扁桃腺炎. ——-유 명 扁桃油.
편동-풍【偏東風】명 偏東風; 東寄りの風.
편두-통【偏頭痛】명 偏頭痛.
편-들다【便—】타 肩を持つ; 味方する.
편람【便覽】명 便覧.
편력【遍歷】명하자 遍歴. ¶ 여러 나라를 ～하다 諸国を遍歴する.
편류【偏流】명하자 偏流.
편리【便利】명 便利; 利便. ——하다 형 便利だ. ¶ 제법 ～하게 되어 있다 なかなか便利に出来ている / 운반하기에 ～하다 持ち運びに便利だ.
편린【片鱗】명 へんりん(片鱗). ¶ ～을 엿볼 수 있게 하다 片鱗をうかが(伺)わせる.
편마-암【片麻岩】명 片麻岩.
편면【片面】명 片面.
편모【偏母】명 片親の母.
‖—— 슬하, —— 시하(侍下) 명 片親のひざもと(膝元).
편모【鞭毛】명 べんもう(鞭毛).
‖——-균 명 鞭毛菌. —— 운동 명〔生〕鞭毛運動. —— 조류 명〔植〕鞭毛藻類. ——-충 명〔動〕鞭毛虫.
편무【片務·偏務】명 片務.
‖—— 계약 명 片務契約.
편-무역【片貿易】명 片貿易.
편물【編物】명 編物. ¶ ～을 하다 編物をする.
편발【辮髮·編髮】명 べんぱつ(辮髮).
편법【便法】명 便法. ¶ ～을 강구하다〔취하다〕便法を講ずる〔取る〕.
편벽【偏僻】명 偏屈. ——하다 형 偏屈だ; 偏っている. ——되다 형 偏っている. ——되이 부 偏屈に.
편복【便服】명 便服; ふだん着.
편상-화【編上靴】명 編み上げ靴.
편서【便書】명 つてによる書状.
편서-풍【偏西風】명 偏西風.
편선【便船】명 軽便な船.
편성【編成】명하타 編成. ¶ 시간표 ～ 時間割編成 / 예산을 ～하다 予算を編成する.
‖——-표 명 編成表.
편수[1] 명 野菜類をあん(餡)にした夏向きのまんじゅう(饅頭)の一つ.
편수[2] 명 工匠の頭.

‖── 용상(聳上) 명 (重量挙げで)片手で持ちあげること.
편수【編修】명하타 編修. ¶ 교과서의 ~ 教科書の編修.
‖──-관(官) 명 (教育部の)教材編修官.
편술【編述】명하타 へんさん(編纂).
편승【便乗】명 便乗. ① (乗り物に)乗せてもらうこと. ② 機会に乗ずること. ──-하다 자 便乗する. ① 乗せてもらう. ② 機会に乗ずる.
편식【偏食】명하타 偏食. ¶ ~을 고치다 偏食を直す.
편신【偏信】명하타 偏信; 一方だけを信じること.
편심【偏心】명 ① 心がかたよっていること. また, その心. ＝편의(偏意). ②〖物〗偏心.
편-쌈【便―】명하자 [↗편싸움] ① 組に分かれてけんか(喧嘩)や勝負事をすること. ② 旧正月に, 二組に分れて石と棒を使って争う遊戯.
편안【便安】명하형 ① 無事であること. ② 楽であること. ¶ 부모를 ~하게 해드리다 親を楽にさせる / 손님의 마음을 ~하게 해 주다 客の気持ちを寛がせる. ──-히 부 無事に; 楽に. ¶ ~ 앉다 安座する / ~ 자다 安らかに眠る.
편암【片岩】명〖鑛〗片岩.
편애【偏愛】명하타 偏愛; えこひいき(依怙贔屓). ¶ 장남을 ~하다 長男を偏愛する.
편액 【扁額·遍額】 명 扁額. 준 액(額).
편언【片言】명 片言.
편영【片影】명 片影. ¶ 새의 ~조차 볼 수 없다 鳥の片影も認められない.
편운【片雲】명 片雲; ちぎ(千切)れ雲.
편육【片肉】명 煮て薄く切った牛肉.
편의【便宜】명 便宜. ¶ ~를 도모하다 便宜を図る / 모든 ~를 제공하다 あらゆる便宜を与える.
‖──-주의 명 便宜主義; 御都合主義.
편이【便易】명하형 便利でたやすいこと.
편익【便益】명 便益. ──-하다 형 便利で有益だ. ¶ ~을 주다 便益を与える.
편입【編入】명하타 編入. ¶ 제3학년에 ~되었다 第三学年に編入された.
편자 명 ていてつ(蹄鉄); ばてい(馬蹄); てってい(鉄蹄). ¶ ~를 대다 蹄鉄を打つ; そうてい(装蹄)する.
‖── 고래 명 ていてつ(蹄鉄)型のオンドルの坑道.
편자【編者】명 編者; へんさん(編纂)者; 編集者. ¶ 사전의 ~ 辞典の編者.
편작【編作】명하타 竹細工をしたりむしろ(筵)などを編むこと.
편재【偏在】명하자 偏在. ¶ 물자의 ~ 物資の偏在.
편재【遍在】명하자 遍在. ¶ 물자가 ~해 있다 物資が遍在している.
편저【編著】명하타 編著; 編集して著すこと.
편적-운【片積雲】명 片積雲.
편전【便殿】명 便殿.
편전-지【便箋紙】명 びんせん(便箋). ＝편지지.
편제【編制】명하타 編制. ¶ 전시 ~(로 하다) 戦時編制(にする).
‖──-표 명 編制表.
편조-식【偏條植】명〖農〗縦か横のいずれにだけ並べる田植え.
편주【扁舟·片舟】명 小舟.
편중【偏重】명 偏重. ① 一方に偏ること. ──-하다 형 偏って重い. ② 偏って一方ばかり重んずること. ──-하다 타 偏重する; 偏る. ¶ 학력에만 ~하다 学歴だけに偏重する.
편지 【片紙·便紙】 명 手紙; 書状; 手簡. ──-하다 자 手紙を出す. ¶ ~를 띄우다 手紙を立てる / 아버지한테서 ~가 왔다 父から手紙が着いた / ~에 문안 手紙には当然見舞いの文句を欠かせないとの意.
‖──-지(紙) 명 便箋. ──-틀 명 書簡の文範. ＝간독(簡牘).
편집 【偏執】 명하타 偏執; 片意地.
‖──-광 명〖醫〗偏執狂. ──-병 명〖醫〗偏執病. ＝파라노이아. ──-질 명 偏執質.
편집【編輯】명하타 編集. ¶ ~원 編集員 / ~을 담당하다 編集を担当する.
‖── 위원 명 編集委員. ──-인 명 編集人. ── 회의 명 編集会議.
편-짓다【片―】타 ① (木材を)用途によってえ(選)り分ける. ② (こうらいにんじん(高麗人参)を)大小のものによ(選)り分けて一定の数量にする.
편-짜다【便―】자 組み分けする; 組を組む.
편-짝【便―】의명 相対する組のどちらかの一方. 준 편.
편차【偏差】명 偏差. ＝편의(便倚).
편찬【編纂】명 へんさん(編纂). ──하다 타 編纂する; せん(撰)する. ¶ 자서전을 ~하다 自叙伝を編纂する.
편-찮다【便―】형 ① 安らかでない; 楽でない. ② 病んでいる.
편충【鞭蟲】명〖動〗べんちゅう(鞭虫).
편취 【騙取】 명하타 へんしゅ(騙取); かた(騙)り. ¶ 금전을 ~하다 金銭を騙し取る.
편측【片側】명 ☞ 한 쪽.
편-층운【片層雲】명 片層雲.
편친【偏親】명 片親. ¶ ~ 슬하에서 양육되었다 片親に育てられた.
편토【片土】명 一片の土地.
편파【偏頗】명하형 へんぱ(偏頗); 片手落ち. ¶ ~적인 심판 偏頗的審判.
편편-이【片片―】부 きれぎれに; ちりぢり. ¶ 벚꽃이 ~ 흩날리다 桜が片片と散り乱れる.
편편-이【便便―】부 人づてごとに.
편편-찮다【便便―】형 居心地が悪

ㅍ

わるい.

편편-하다【便便―】형 ①(何事もなく)安らかである；和やかだ. ②(物の表面が)平たい. 편편-히 부 安らかに；平たく.

편평【扁平】명하형히부 へんぺい(扁平). ¶ ~한 모양 扁平な形.

‖――-족 명 扁平足.

편-하다【便―】형 ①安らかだ；楽だ. ¶내일도 오늘만큼 시원하면 편하겠는데 明日も今日ぐらい涼しいと楽なんだが. ②気楽だ；心配ない. ¶생활이 편하게 되다 暮らしが楽になる. ③やす(易)い；たやすい. ¶쓰기 ~ 使いやすい / 보기 ~ 見易い. 편-히 부 安らかに；楽に；易く；気楽に；ゆっくり；緩りと〈老〉. ¶의자에 ~ 앉다 いすにゆったり掛ける / ~ 앉다 ひざ(膝)を崩す.

편향【偏向】명하자 偏向. ¶ ~ 교육 偏向教育.

편협【偏狭·褊狭】명하형 偏狭. ¶ ~한 인물 偏狭な人物.

편형【扁形】명 へんけい(扁形)；平たい形.

‖―― 동물 명〔動〕扁形動物.

펼치다 타 拡げる；延べる；敷く；ひもと(繙)く. ¶책상 위에 지도를 ~ 机の上に地図を広げる.

폄【貶】명하타 けなすこと；そし(謗)ること.

폄직【貶職】명 免職させられること.

폄-하다【貶―】타 けなす；おとし(貶)める. ¶가난한 사람을 ~ 貧乏人をけなす / 남의 작품을 ~ 人の作品をけなす.

평【坪】의명 坪. ①土地面積の単位《六尺四方》. ②立体の単位《六尺立方》. ③布・ガラス・壁などの面積単位《一尺平方》. ④彫刻・銅版などの広さの単位《一寸平方》. ¶땅 ~수를 재다 地坪を測る / ~뜨기로 농작물을 베다 坪刈りをする.

평【評】명하타 評；評判；通り. ¶신문에서는 ~이 나빴다 新聞では不評だった / 상사에게 ~이 좋지 않다 上役に不首尾だ.

평-【平】두 平. ¶ ~교사 平教師 / ~사원 平社員.

평가【平價】명 平価.

‖―― 절상 명 平価切り上げ. ―― 절하 명 平価切り下げ.

평가【評價】명하타 評価；〔經〕値踏み. ¶재능도 없는 주제에 자기를 과대 ~하다 才能もないくせに(おのれを)買い被っている / 실력을 높이 ~해 주다 実力を買ってやる / 복장으로 사람을 ~함은 나쁘다 服装で人を測るのは悪い / 높이 ~받다 点数を稼ぐ.

평각【平角】명〔數〕平角.

평결【評決】명하타 評決. ¶배심원은 유죄의 ~를 내렸다 陪審員は有罪の評決を下した.

평교【平交】명 同年輩の友人.

‖――-간(間) 명 同年輩の仲.

평균【平均】명하타 平均；なら(均)し；並み. ¶ ~ 5만원의 벌이 均し五万ウォンのもう(儲)け / ~ 이상의 실력 並み以上の実力.

‖――-값 명〔數〕平均値. ――-대 명 平均台. ―― 물가 지수 명〔經〕平均物価指数. ――-수 명〔數〕平均数. ―― 수명 명 平均寿命. ―― 수준 명 平均水準. ――-시 명［↗평균 태양시］平均時. ―― 연령 명 平均年齢. ―― 이윤율 명 平均利潤率. ――-점 명 平均点. ―― 정오 명 平均正午. ―― 태양 명 平均太陽. ¶ ~년 平均太陽年 / ~시 平均太陽時. ―― 풍속 명〔氣〕平均風速. ―― 해면 명〔地〕平均海面.

평-나막신【平―】명 平たいぽくり(木履).

평년【平年】명 平年. ¶ ~과 윤년 平年とうるうどし(閏年).

‖――-작 명 平年作. ㈜ 평작(平作).

평다리-치다【平―】자 あぐらをかく.

평단【評壇】명 評壇.

평당【坪當】명 坪当たり. ¶ ~ 시가 坪当たりの時価.

평등【平等】명하형 平等. ¶법 앞에는 만인이 ~하다 法の前には万人が平等である.

‖――-관 명 平等観. ――-권 명 平等権. ―― 사상 명 平等思想. ―― 선거 명 平等選挙.

평론【評論】명하타 評論. ¶시사 ~ 時事評論.

‖――-가 명 評論家. ¶경제 ~ 経済評論家. ――-집 명 評論集.

평맥【平脈】명 平脈；健康な時の脈拍.

평면【平面】명 平面. ¶ ~상의 한 점 平面上の一点 / ~적인 관찰 平面的な見方.

‖――-각 명 平面角. ――-경 명 平面鏡. ―― 곡선 명 平面曲線. ―― 기하학 명〔數〕平面幾何学. ――-도 명 平面図. ―― 도형 명 平面図形. ―― 삼각법 명〔數〕平面三角法. ――-체 명 平面体. ―― 측량 명 平面測量.

평-미레【平―】명 斗か(搔)き；升かき. =평목(平木).

‖――-질 명하타 斗搔きを使うこと；す(摺)り切り. ¶ ~로 민 한 되의 쌀 升の摺り切り一杯の米.

평미리-치다【平―】타 なら(均)す；平均する.

평민【平民】명 平民；小民；ほい(布衣)；常民. ¶ ~ 출신이다 生まれは平民である / ~ 재상 平民宰相. ‖――-주의 명 平民主義.

평반【平盤】명 平盤.

평-반자【平―】명 紙張りの平たい天井.

평방【平方】명〔數〕☞ 제곱. ¶3미터 ~ 三メートル平方.

‖――-근(根) 명〔數〕☞ 제곱근.

평범【平凡】명하형히부 平凡；並み；尋常；月並み；常. ¶ ~한 인간으로서는 생각조차 할 수 없는 일뿐이다 並みの人間では思いもつかない事ばかりである / ~한 문구 月並みな文句 / ~한 디자인 在り来たりのデザイン.

평복【平服】명 平服; 普段着. ¶ ~ 차림으로 외출하다 普段着のままで出かける / ~인 채로 普段着のままで.
평사【平射】명하자 平射.
‖── 도법 명 平射図法. ──-포 명 平射砲.
평-사원【平社員】명 平社員. ¶ ~에 비해 간부가 너무 많은 회사 頭でっかちの会社.
평상【平床·平牀】명 木製の寝台の一種.
평상【平常】명 [↗평상시] 平常. ¶ ~ 상태를 유지하다 平常の状態を保つ.
‖──-복 명 普段着; ケジュアル. ──-시 명 平常時; 普段; 日頃. ¶ ~대로의 복장 普段のままの服装. (준) 평시(平時)·상시(常時). ──-일 명 平常日. =평일(平日).
평생【平生】명 ☞ 일생(一生). ¶ ~ 독신으로 지내다 生涯独身で通す / 그의 은혜는 ~ 잊을 수 없다 彼の恩は終生忘れ得ない / ~을 함께 하다 末始終添いとげる. ──-토록 부 一生涯; 命のあるまで; いつまでも.
‖── 소원(所願) 명 一生の願い. ──지-계(之計) 명 一生の生計.
평석【評釋】명하타 評釈. ¶ 시가를 ~하다 詩歌を評釈する.
평성【平聲】명 平声. ① 四声の一つ. ② 漢字音の四声の一つ.
평소【平素】명부 平素. ¶ ~부터의 마음 가짐 常日頃の心がけ / ~에 소원했음을 사과하다 平素の疎遠を謝する / ~ 생각하고 있던 일 不断思っていたこと / ~대로의 영업 平素通りの営業.
평수【坪數】명 坪数; 坪単位での広さ.
평-수위【平水位】명 平水位.
평승【平僧】명 平僧.
평시【平時】명 [↗평상시(平常時)] 平時.
‖── 공법, ── 국제 공법 명 ☞ 평시 국제법. ── 국제법 명 平時国際法. ── 봉쇄 명 平時封鎖. ── 점령 명 平時占領. ── 징발 명 平時徴発. ── 편제 명 平時編制.
평신【平身】명하자 平伏して礼をしてから体を元に戻すこと.
평신【平信】명 平常の音信. = 평서(平書).
평-신도【平信徒】명 一般の信徒.
평심【平心】명 ↗평심 서기.
‖── 서기(舒氣) 명하자 心を平穏に持つこと. また, その心.
평안【平安】명하형히부 平安. ¶ ~을 빌다 平安を祈る / 민심을 ~히 하다 人心を安んずる.
평야【平野】명 平野.
평어【評語】명 ① 評語; 評言. ② 秀·優·美·良·可など, 学科の成績を表わす語.
평열【平熱】명 平熱. ¶ 겨우 ~로 내렸다 やっと平熱に下がった.
평온【平溫】명 平温; 平均温度.
평온【平穩】명하형히부 平穏. ¶ ~무사 平穏無事 / 세상이 ~해졌다 世の中が静かになってきた / ~해지다 和ぐ / 심중이 ~치 못하다 心中が平らかでない / ~한 꿈길을 더듬다 円かな夢路をたどる.
평원【平原】명 平原. ¶ 대~을 개척하다 大平原を開拓する.
평유【平癒】명하자 平癒; 平復.
평음【平音】명 "ㄱ"·"ㄷ"·"ㅂ"などのような普通の音.
평의【評議】명하타 評議.
‖──-원 명 評議員. ──-회 명 評議会.
평이【平易】명하형 平易. ¶ ~하게 설명하다 平易に説明する / ~한 문장 平明な文章.
평인【平人】명 ① 平民. ② 病のない人. ③ 喪主に対して喪主でない人.
평일【平日】명 平日.
평자【評者】명 評者.
평작【平作】명〖農〗① ↗평년작. ② 畝間を作らないで作物を栽培すること.
평저【平底】명 平たい底.
평전【平田】명 ① 平田; へいたん(平坦)で広広とした田畑. ② 高い所にある平地.
평전【評傳】명 評伝.
평점【評點】명 評点.
평정【平正】명하형 平正; 公平正直であること.
평정【平定】명하타 平定. ¶ 천하를 ~하다 天下を平定する / 반적을 ~하다 賊を平らげる / 난리를 ~하다 乱を鎮める.
평정【平靜】명하형히부 平静. ¶ 애써 ~을 가장하다 努めて平静を装う / 마음의 ~을 잃다 心を取り乱す / ~을 유지하다 平静を保つ.
평정【評定】명하타 評定. ¶ 가격을 ~하기가 힘들다 値段の定めがつかない.
‖──-법 명 評定法.
평좌【平坐】명하자 平座.
평준【平準】명하타 平準. ¶ ~화 平準化. ‖──-법 명 平準法. ──-점 명 平準点.
평지 명〖植〗油菜. =유채(油菜).
평지【平地】명 平地.
‖── 낙상(落傷) 명하자 ① 平地で倒れてけがをすること. ② 思わぬ不幸に出合うこと. ── 풍파(風波) 명 平地にはらん(波瀾)を起こすこと.
평직【平織】명 ① 平織り. ② 一種類の糸だけで織ること.
평-천하【平天下】명하자 天下を平定すること.
평-치【平—】명《俗》平安道の人を卑しめて呼ぶ語.
평탄【平坦】명하형 ① へいたん(平坦). ¶ ~한 길 平坦な道. ② 心の穏やかなこと. ③ 物事が順調にはかどること.
평토【平土】명하자 ひつぎ(棺)を下ろして土をなら(均)すこと.
‖──-장(葬) 명하타 土まんじゅう(饅頭)墓でない平地に埋葬すること《主に暗葬》. (준) 평장. ──-제(祭) 명 ① "평토"をしてからあげる祭り. ② ☞ 봉분제(封墳祭).

평판【平板】명 平板.
‖── 측량 명 平板測量.
평판【平版】명〖印〗平版.
‖── 인쇄 명 平版印刷.
평판【評判】명하타 評判. ¶ 일반의 ～ 大方の評判 / ～이 나쁘다 評判が悪い / 세상의 ～ 世間の評判; 下馬評 / 세인의 ～을 꺼리다 世人の取り沙汰を気にする / 나쁜 ～이 나다 悪声が立つ / ～에 오르다 口の端に上る / ～이 좋다 人受けがいい.
평평【平平】명하형히부 平平. ¶ ～한 길 平らな道 / ～하게 하다 平らめる.
평-하다【評─】타 ↗비평(批評)하다.
평행【平行】명하형 平行.
‖───맥 명〖植〗平行脈. ───면 명 平行面. ───봉 명 平行棒. ───선 명〖數〗平行線. ── 운동 명 平行運動. ── 이동 명〖物〗平行移動. ───자 명 平行定規.
평형【平衡】명하형 平衡. ¶ 한 발로 몸의 ～을 유지하다 片足で体の平均を保つ.
‖── 감각 명〖生〗平衡感覚. ── 기관 명 平衡器官. ───추 명 平衡重り. ── 하천 명 平衡河川.
평화【平和】명하형 平和. ¶ 가정의 ～를 어지럽히다 家庭の平和を乱す / 비둘기는 ～의 상징이다 はと(鳩)は平和の象徴である. ───롭다 형 平和である. ¶ 평화로운 세상 安らかな世. ───로이 부 平和に. ───스럽다 형 ☞ 평화롭다.
‖── 공세 명 平和攻勢. ── 공존 명 平和共存. ── 봉사단 명 平和部隊. ── 산업 명 平和産業. ── 운동 명 平和運動. ───적 공존 명 平和的共存. ── 조약 명 平和条約. ＝강화 조약. ───주의 명 平和主義. ── 통일 명 平和統一. ── 혁명 명 平和革命.
평-활【平─】명 練習用弓.
평활【平滑】명하형 平滑.
‖───근 명〖生〗平滑筋.
평활【平闊】명하형 へいかつ(平闊).
평회【評會】명 評会.
폐【肺】명〖生〗肺. ＝폐장(肺臟)·허파. ¶ ～는 혈액을 정화한다 肺は血液を浄化する.
폐【弊】명스형 ① ↗폐단(弊端). ② 人に迷惑をかけること. ¶ ～스러운 일을 의논하다 厄介な事を相談する.
폐-【弊】두 自分に関する物·事をへりくだって言う語: 弊. ¶ ～교 弊校 / ～사 弊社 / ～가 弊家 / ～점 弊店.
폐가【廢家】명하자 廃家.
폐-간【肺肝】명 肺肝.
폐간【廢刊】명하타 廃刊. ¶ 잡지가 ～되다 雑誌が廃刊になる.
폐강【閉講】명하자 閉講.
폐갱【廢坑】명 廃坑.
폐거【閉居】명하자 閉居. ＝칩거(蟄居).
폐-결핵【肺結核】명〖醫〗肺結核.
폐경-기【閉經期】명 閉経期.
폐-곡선【閉曲線】명 閉曲線. ＝닫힌 곡선.
폐공【廢工】명하타 勉強·仕事などを止めること.
폐관【閉管】명 閉管; (楽器などの)一方はふさ(塞)がり他方は開かれた管.
폐관【閉館】명하자 閉館.
폐광【廢鑛】명하자 廃鉱.
폐교【閉校】명하자 ① 閉校. ② 廃校「こう.
폐교【廢校】명하자 廃校. ¶ 경영난으로 ～되었다 経営難で廃校になった.
폐구【閉口】명하자 閉口; 口を閉じて答えぬこと.
‖───음(音) 명〖言〗口を閉じて両唇を丸めないでだす音(ハングルの“으”など).
폐군【廢君】명 廃位された君主. ＝폐주(廢主).
폐궁【廢宮】명하자 宮殿を廃すること. また, その宮殿.
폐기【廢棄】명하타 廃棄. ¶ ～ 처분 廃棄処分.
폐-끼치다【弊─】자 迷惑をかける. ¶ 그 때는 폐를 끼쳤습니다 その折りはお世話になりました / 폐를 끼쳐서 미안합니다 お手数をかけて済みません / 되도록 남에게 폐를 끼치지 않도록 해라 なるべく人に迷惑をかけないようにせよ.
폐농【廢農】명하자 廃農.
폐다 자 ↗펴이다.
폐단【弊端】명 ① 煩わしく面倒なこと. ② 弊害. 준 폐(弊).
폐동【廢洞】명하자 廃村.
폐-동맥【肺動脈】명〖生〗肺動脈.
폐-디스토마【肺─】〔distoma〕명〖醫〗肺臓ジストマ.
폐렴【肺炎】명〖醫〗肺炎.
폐로【肺癆】명〖韓醫〗はいろう(肺癆). ＝노점(癆漸).
폐로【閉路】명 閉路.
폐-롭다【弊─】형 ① 煩わしい. ② 気むずかしい. 폐-로이 부 煩わしく; 気むずかしく.
폐륜【廢倫】명하자 結婚をしないか, またはできないこと.
폐립【廢立】명하타 廃立.
폐막【閉幕】명하자 閉幕. ¶ 만국 박람회가 ～되었다 万国博覧会が閉幕となった.
폐멸【廢滅】명하자 廃滅.
폐무【廢務】명하자 廃務.
폐문【肺門】명〖生〗肺門.
‖── 림프선 명〖生〗肺門リンパせん(腺).
폐문【閉門】명하자 閉門. ¶ ～ 시간까지는 돌아온다 閉門時刻までには帰る. 「利用.
폐물【廢物】명 廃物. ¶ ～ 이용 廃物
폐방【廢房】명하자 部屋を使わずに置くこと. また, その部屋.
폐백【幣帛】명 ① 新婦がしゅうと(舅)·しゅうとめ(姑)に初対面の際, 進上するなつめ(棗)·ほしし(脯)など. ② 婚礼のとき, 新郎が新婦に贈る青·紅のどんす(緞子). ③ 弟子が初めてお目にかかる師に

ㅍ

贈るお礼物. ④ 目上を訪ねるときのお礼物.
폐병【肺病】명 肺病.
폐부【肺腑】명 はいふ(肺腑). ¶ ～를 찌르는 말 肺腑を衝く言葉 / ～를 찌르다〔도려내다〕肺腑をえぐる.
폐비【廢妃】명하타 王妃の位を退かせること, また, その王妃.
폐사【吠舍】명 バイシャ; 印度の四姓中, 農工商に従事する三番目の階級; 平民. ＝비사(毗舍).
폐사【廢寺】명 廃寺.
폐산【廢山】명하자 廃坑.
폐색【閉塞】명하자타 へいそく(閉塞). ¶ 장～ 腸閉塞.
‖——기 명 閉塞器. ——선 명〔軍〕閉塞船. —— 전선 명〔氣〕閉塞前線.
폐석【廢石】명 廃石; ぼた.
폐선【廢船】명 廃船.
폐쇄【閉鎖】명하타 閉鎖. ¶ ～적인 성격 閉鎖的性格 / ～된 사회 閉鎖社会.
‖——기 명 (砲の)閉鎖機. ——성 결핵 명 閉鎖性結核. —— 혈관계 명〔動〕閉鎖血管系.
폐수【廢水】명 廃水. ¶ 공장 ～ 工場廃水.
폐-수종【肺水腫】명〔醫〕肺すいしゅ(水腫).
폐-순환【肺循環】명 肺循環.
폐습【弊習】명 弊習. ＝폐풍(弊風).
폐시【閉市】명하자 市をしまうこと.
폐식【閉式】명하자 閉式.
폐식【廢食】명하자 食事をとらぬこと.
폐안【廢案】명 廃案.
폐암【肺癌】명 肺がん(癌).
폐액【廢液】명 廃液. ¶ 공장의 ～ 工場の廃液.
폐어【廢語】명 廃語. ＝사어(死語).
폐업【閉業】명하자 閉業.
폐업【廢業】명하자 廃業. ¶ ～을 위한 재고품 정리 판매 店仕舞い売り出し.
폐열【肺熱】명 肺熱.
폐엽【肺葉】명 肺葉.
폐옥【弊屋】명 弊屋.
폐옥【廢屋】명 廃屋; あばら(荒)ら屋. ¶ ～을 개수하다 廃屋を改修する.
폐왕【廢王】명 廃位された王.
폐원【閉院】명하자타 閉院. ① 学院·病院などをしまうこと. ② 国会で会期を終えること.
폐원【廢園·廢苑】명 廃された庭園.
폐위【廢位】명하타 廃位.
폐유【廢油】명 廃油. ¶ ～ 방출 廃油の垂れ流し.
폐인【廢人】명 廃人. ¶ 미쳐서 완전히 ～이 되었다 気が狂って全く廃人になった.
폐일언-하고【蔽一言—】一言でいえば; とにかく. ¶ ～ 다시 만나자 とにかく改めて会うことにしよう.
폐장【肺臟】명〔生〕肺臓. ＝폐.
‖—— 디스토마 명〔動〕☞ 폐디스토마. ——암 명 ☞ 폐암. —— 외과 명 肺臓外科.
폐장【閉場】명하자 閉場.
폐적【廢嫡】명하타 廃嫡.
폐절【廢絶】명하자 廃絶.
폐점【閉店】명하자 閉店; 店仕舞い. ¶ 이제 ～이다 もう看板だ.
폐정【閉廷】명하자 閉廷. ¶ ～을 선언하다 閉廷を宣言する.
폐정【弊政】명 弊政. ¶ ～을 바로잡다 弊政を改める.
폐-정맥【肺靜脈】명 肺静脈.
폐주【廢主】명 ☞ 폐군(廢君).
폐지【閉止】명하자타 閉止. ¶ 월경 ～ 月経閉止.
폐지【廢止】명하타 廃止. ¶ ～할 기색이다 廃止する模様だ / 제복 ～ 制服廃止 / 낡은 제도를 ～하다 古い制度を廃止する.
‖——안 명 廃止案.
폐직【廢職】명하자 廃職.
폐질【肺疾】명〔醫〕肺疾. ＝폐결핵. ¶ ～로 고생하다 肺疾で苦しむ.
폐질【廢疾】명 廃疾.
폐차【廢車】명하자 廃車. ¶ 자동차의 ～ 自動車の廃車.
‖—— 처분 명하자타 廃車処分.
폐첨【肺尖】명〔生〕はいせん(肺尖). ¶ ～을 앓다 肺尖を病む.
‖—— 카타르 명〔醫〕肺尖カタル.
폐출【廢黜】명하타 はいちゅつ(廃黜).
폐-출혈【肺出血】명 肺出血.
폐충【肺蟲】명 肺臓に寄生する吸虫の総称.
폐-충혈【肺充血】명 肺充血.
폐-침윤【肺浸潤】명 肺浸潤.
폐퇴【廢頹】명하형 はいたい(廃頽).
폐-페스트【肺—】〔pest〕명〔醫〕肺ペスト.
폐포【肺胞】명〔生〕肺胞.
폐품【廢品】명 廃品; くずもの(屑物); ぽんこつ〈俗〉. ¶ ～ 처리 お払い / ～ 회수 廃品回収.
폐풍【弊風】명 弊風; 弊習. ¶ ～을 고치다 弊風を改める / ～에 물들다 弊風に染まる.
폐하【陛下】명 陛下. ¶ ～의 대리로서 陛下の名代として.
폐-하다【廢—】타 廃する. ¶ 학업을 ～ 学業を廃する / 허례를 ～ 虚礼を廃する / 왕정을 ～ 王政を廃する.
폐합【廢合】명하타 廃合. ¶ 부과의 ～ 部課の廃合 / ～ 정리 廃合整理.
폐해【弊害】명 弊害. ¶ 관료주의의 ～ 官僚主義の弊害 / ～를 수반하다 弊害を伴う.
폐허【廢墟】명 はいきょ(廃墟). ¶ 폐허가 되다 廃墟と化す.
폐혈【肺血】명 肺血.
폐-혈관【肺血管】명 肺血管.
폐-활량【肺活量】명 肺活量.
‖——계 명 肺活量計.
폐회【閉會】명하자 閉会. ¶ 총회를 ～하다 総会を閉会する / ～를 선언하다 閉会を宣言する.
‖——식 명 閉会式.
포【砲】명 ①〔↗대포(大砲)〕砲; 大砲; 火砲. ¶ ～진지 砲陣地. ② ☞ 총포(銃砲).

포【脯】명 [↗포육(脯肉)] 干し肉; ほしし(脯); ほしじし(乾肉). ¶대구~ ひだら(干鱈); 干しだら(鱈).

포【鮑】명〔貝〕☞ 전복(全鰒).

포 의명〔印〕[↗포인트] ポ. ¶9 ~ 활자 9ポ活字.

-포 미 期間·間の意を表わす語. ¶달~나 된다 一箇月間にもなる.

포가【砲架】명 砲架.

포개다 타 重ねる; 積み重ねる. ¶신문을 겹쳐 ~ 新聞を折り重ねる.

포갬-포갬 부 物を重ねるさま: かさねがさね.

포격【砲撃】명하타 砲撃. ¶적의 ~에 응전하다 敵の砲撃に応戦する.

포경【包茎】명〔醫〕包茎. =우멍거지. ¶~ 수술 包茎手術.

포경【捕鯨】명하자 捕鯨.

‖——-선 명 捕鯨船.

포고【布告·佈告】명하타 布告. ¶선전 ~ 宣戦布告.

포괄【包括】명하타 包括. ¶~적으로 말하다 包括的に述べる.

포교【布教】명하타 布教. ¶~에 종사하다 布教に従事する.

‖——-사(師) 명 布教師.

포교【捕校】명〔史〕"포도 부장(捕盗部將)"の別称.

포구【匍球】명〔野〕ほきゅう(匍球); グラウンダー; ゴロ.

포구【浦口】명 浦; 潟.

포구【砲口】명 砲口; 砲門. ¶~를 적에게 돌리다 砲口を敵に向ける.

‖—— 장전 명하타 砲口装塡.

포구【捕球】명하자〔野〕捕球.

포근-하다 형 ①柔〔軟〕らかい; ふくよかだ. ②暖かい; なごやかだ; のどかだ. ¶포근한 이불 ふくよかなふとん/포근한 날씨 あたたかい天気. **포근-히** 부 ①柔〔軟〕らかく. ②暖かく. **포근-포근** 부하형 非常にふくよかなさま.

포기 ㊀명 草木の根本の部分: 株. ¶~ 나누기 株分け/국화의 ~를 나누다 菊の株を分ける. ㊁의명 根のついた植物を数える語: 株; 本. ¶배추 한 ~ 白菜一株/풀 한 ~ 草一本.

포기【抛棄】명하타 放棄. ¶권리를 ~하다 権利を放棄する/승부를 ~하다 勝負を投げる/시험을 ~하다 試験を振る.

포네틱 사인〔phonetic sign〕명 フォネティックサイン. =발음 기호.

포네틱스〔phonetics〕명 フォネティックス. =음성학.

포니-테일〔pony-tail〕명 ポニーテール.

포님〔phoneme〕명 フォーニム.

포닥 부 ①鳥が羽ばたく音: ばたばた. ②魚が尾を打ち鳴らす音: ぴちぴち. ——-거리다 자타 続けざまにばたばた〔ぴちぴち〕する〔させる〕. ——— 부하자타 ばたばた; ぴちぴち.

포단【蒲團】명 ①がま(蒲)で作った丸い座布団. ②敷布団の別称. =이불.

포달 명 悪たれ口; 毒言. ——-스럽다 형 (性格が)冷たく毒毒しい. ——-부리다 자 悪態をつく; 毒づく. ——-지다 형 口汚い; 話しぶり·行いが憎くて毒毒しい.

포대【布袋】명 布袋; 布の袋.

포대【包袋】명 袋. =부대(負袋).

포대【砲臺】명 砲台. ¶~를 구축하다 砲台を築く.

‖——-경(鏡) 명〔軍〕砲台鏡.

포대기 명 ねんねこ; ねんねこばんてん. =강보(襁褓).

포덕【布德】명〔宗〕"천도교(天道教)"の伝道.

포도【捕盗】명하자 泥棒を捕まえること.

‖—— 군관(軍官) 명〔史〕"포도 부장(捕盗部將)"の別称. —— 군사(軍士) 명 "포도청(捕盗廳)"の軍卒. —— 대장(大將) 명 포도청(捕盗廳)"の頭. 준 포장(捕將). —— 부장(部將) 명 "포도청"役職の一つ. =포교(捕校). ——-청(廳) 명〔史〕犯罪者を捕まえる役所.

포도【葡萄】명 ぶどう(葡萄). ¶~주 葡萄酒/~원 葡萄園/햇볕에 말린 ~ ぶどうの日干し/포돗빛 ぶどう色/~상 葡萄状.

‖——-나무 명〔植〕ぶどうの木. ——-당 명〔化〕葡萄糖. ——상 구균 명 葡萄状球菌.

포도【鋪道】명 舗道.

포도동 부하자 鳥類が急に飛び立つ音: はたはた; ばたばた. <푸두둥. ——-거리다 자 続け様にはたはたする; はばたく. ——— 부하자 はたはた; ばたばた.

포동-포동 부 むくむく; むっちり; ぶよぶよ; 丸丸; ぽてぽて; ぽちゃぽちゃ; ぽってり. ——-하다 형 むっちりしている; ぶよぶよだ; 丸い; ふくよかだ; ふっくら(と)している. ¶~(하게) 살찐 아기 むくむく〔丸丸〕(と)太った赤ん坊/~ 살집 좋은 몸매 むっちり(と)太ったからだつき/소녀의 몸은 사춘기가 되면 ~해진다 少女の体は年頃になるとむっちりする/아기의 손발이 ~하다 赤ん坊の手足がぶよぶよ(と)している/~한 볼 ふっくら(と)したほお(頰).

포드닥 부 小さい鳥や魚が羽や尾を打つ音: ばたばた; ぴちぴち. <푸드덕. ——-거리다 자 続けざまにばたばた〔ぴちぴち〕する. ——— 부하자 ばたばた; ぴちぴち.

포드득 부하자타 ①やわらかな便を力んで出すときの音: びりっ. ②固い物をひどく摩擦するときの音: きいきい. ㅅ보드득. ㅆ뽀드득. ——-거리다 자타 続け様にびりびりっする〔させる〕. また, きいきいする. ——— 부하자타 びりびりっ; きいきい.

포드등 부 素早く羽ばたくさま: ばたばた. ——-거리다 자타 続けざまに羽ばたきする; ばたばたする〔させる〕.

포란【抱卵】명하자 抱卵; めんどりが卵をかかえてあたためること.

포로【捕虜】명 捕虜; とりこ(虜). ¶~ 송환 捕虜送還/~의 몸 捕らわれの身/사랑의 ~가 되다 恋のとりこになる/~ 수용소 捕虜収容

所/～ 교환 捕虜交換/～의 인도 捕虜の引き渡し.
포룸〔라 forum〕명 フォーラム.
포류【蒲柳】명〔植〕ほりゅう(蒲柳); かわやなぎ. =갯버들.
‖——지-질(之質) 명 蒲柳の質.
포르노그라피〔pornography〕명 ポルノグラフィー; ポルノ《준말》; 春画.
포르르 부하자 ① 水が煮えたつさま. また, その音: ぐらぐら. ② 勢いよく燃えるさま: めらめら. ③ 葉などが軽くなびくさま: ぶるぶる. ④ 小鳥が急に飛び立つ音: ばたばた. <푸르르.
포르말린〔formalin〕명 ホルマリン.
포르테〔이 forte〕명〔樂〕フォルテ.
포르테냐 음악【—音樂】〔스 porteña〕명 ポルテニア音楽.
포르티시모〔이 fortissimo〕명〔樂〕フォルティッシモ《略語: ff》.
포르티시시모〔이 fortississimo〕명〔樂〕フォルティッシッシモ《略号: fff》.
포리【捕吏】명〔史〕捕吏; 捕り方; 捕り手; 与力; 目明かし; おか(岡)っぴ(引)き. ¶～가 뒤를 쫓다 とりてが後を追う.
포마드〔pomade〕명 ポマード.
포만【飽滿】명하자형 飽満.
포말【泡沫】명 ほうまつ(泡沫). ① 泡. ② はかないこと; むなしいこと.
‖—— 회사 명 泡沫会社.
포면【布面】명 布の表面.
포목【布木】명 麻布と綿布.
‖——-상(商) 명 反物商. ——-점(店) 명 反物屋.
포문【砲門】명 砲門; 砲口. ¶～을 열다 砲門を開く.
포물-선【抛物線】명〔數〕放物線. ¶～을 그리며 낙하하다 放物線を描いて落下する/～면 放物線面; 放物面.
포물-체【抛物體】명〔物〕放物体.
포미【砲尾】명 砲尾.
‖—— 장전(裝塡) 명하타 砲尾そうてん(装塡).
포민【浦民】명 浦辺に住む人.
포박【捕縛】명 捕縛. ——-하다 타 捕縛する; 縛する; 絡める. ¶도둑을 ～하다 泥棒を捕縛する; 盗人を絡める/순순히 ～당하다 神妙に縄にかかる.
포백【布帛】명 ふはく(布帛); 麻布と絹.
‖——-척(尺) 명 ぬい物の尺. =바느질자.
포백【曝白】명하타 布をさらすこと. =마전[1].
포범【布帆】명 布の帆.
포병【抱病】명하자 持病.
‖——-객(客) 명 持病のある人. 준 병객(病客).
포병【砲兵】명 砲兵. ¶～의 엄호 사격 砲兵の援護射撃.
‖——-대(隊) 명 砲兵隊.
포복【抱腹】명하자 抱腹.
‖—— 절도(絶倒) 명하자 抱腹絶倒. 준 절도(絶倒).
포복【匍匐】명하자 ほふく(匍匐); 四つんば(這)い. ¶～해서 전진하다 匍匐して前進する.
포-볼〔four+balls〕명〔野〕フォアボール. =사구(四球).
포부【抱負】명 抱負. ¶자신 만만하게 ～를 말하다 自身満満と抱負を語る/～가 크다 抱負が大きい.
포비슴〔프 fauvisme〕명 フォービズム.
포삭-하다 형 砕けやすい; もろい; ぼろぼろだ; ぼろぼろだ. <푸석하다. **포삭-포삭** 부하형 ぼろぼろ; ぼろぼろ. <푸석푸석.
포삼【包蔘】명 包装した"홍삼(紅蔘)".
포삼【圃蔘】명 栽培したこうらいにんじん(高麗人参).
포상【布商】명 反物屋.
포상【褒賞】명하타 褒賞. ¶～ 수여 褒賞授与.
포석【布石】명하자 布石; 布局. ¶차기 총재 선거를 위한 ～ 次期総裁選への布石/바둑의 ～을 연구하다 囲碁の布石を研究する.
포석【鋪石】명 敷石; 切り石; 敷がわら(瓦); 石畳. ¶대리석의 ～이 깔려 있다 大理石の敷石が敷いてある.
포섭【包攝】명하타 包摂. ① 抱き込むこと. ¶유력자를 ～하다 有力者を抱き込む. ②〔論〕ある概念がより一般的な概念に包括される従属関係.
포성【砲聲】명 砲声; 筒音. ¶은은한 ～ 殷殷たる砲声/～이 요란한 싸움터 砲声激しい戦場/귀청을 찢는 듯한 ～ 耳をつんざく砲声.
포수【砲手】명 砲手; 鉄砲打ち. ¶～가 잇따라 쓰러지다 鉄砲打ちが次次に倒れる.
포수【捕手】명〔野〕捕手; キャッチャー.
포술【砲術】명 砲術. ¶～가 砲術家/～을 배우다 砲術を習う.
포스 아웃〔force out〕명〔野〕フォースアウト.
포스터〔poster〕명 ポスター.
‖—— 컬러 명 ポスターカラー.
포스트〔post〕명 ポスト. ¶사회적 ～ 社会的ポスト/골 ～ ゴールポスト. ‖—— 카드 명 ポストカード; 郵便葉書.
포슬-포슬 부하형 粉などが乾いてぼろぼろになるさま: ぱらぱら. <푸슬푸슬. ≒보슬보슬.
포승【捕繩】명 捕り縄; 縄; 早縄. ¶범인을 ～으로 묶다 犯人にとりなわをかける/～에 걸리다 なわに掛かる/～을 둘러서 범인을 묶다 犯人になわを打つ/～에 묶이다 縛につく; 早縄をもらう/순순히 ～을 받다 神妙になわに掛かる.
포시【布施】명〔佛〕☞ 보시(布施).
포식【捕食】명하타 捕食. ¶뱀이 개구리를 ～하더라 蛇がかえる(蛙)を捕食していたよ.
포식【飽食】명 飽食. ——-하다 타 飽食する; 腹いっぱい食う.
‖—— 난의(煖衣) 명하자 飽食暖衣.
포신【砲身】명 砲身; 筒.

포실-하다 형 豊かだ; 富んでいる; 暮らしが楽だ.
포악【暴惡】명하형스형 暴悪. ¶～한 범인 暴悪な犯人. ——-부리다 자 暴悪を振るう.
‖——-질 명 暴悪な仕種.
포안【砲眼】명 砲眼.
포에지〔프 poésie〕명 ポエジー.
‖—— 퓌르 명 ポエジーピュール.
포에틱스〔poetics〕명 ポエティックス.
포엠〔프 poème〕명〖文〗ポエム.
포연【砲煙】명 砲煙.
‖—— 탄우(彈雨) 명 砲煙弾雨.
포열【砲列】명 砲列. ¶～을 펴다 砲列を敷く.
포옹【抱擁】명하타 抱擁. ¶아내를 ～하다 妻を抱擁する.
포용【包容】명하타 包容. ¶～력 包容力 / ～하는 아량이 있다 包容する雅量がある.
‖——-성 명 包容性.
포워드〔forward〕명 フォーワード.
포위【包圍】명 包囲. ——-하다 타 包囲する; 取り囲む; 取りこめる; 巻く; おっとりこめる. ¶～ 공격 包囲攻撃 / 성을 ～하다 城を巻く / ～를 풀다 囲みを解く / 사방을 적에게 ～당하다 四方を敵に囲まれる.
‖——-망(網) 명 包囲網. ¶적의 ～을 뚫다 敵の囲みを破る. ——-선 명 包囲線; 取り囲んだ線.
포유【哺乳】명하타 ほにゅう(哺乳).
‖——-기(期) 명 哺乳期. —— 동물 명 哺乳動物. ——-류 명 哺乳類. ¶인간은 ～에 속한다 人間は哺乳類に属する.
포육【哺育】명하타 ほいく(哺育).
포육【脯肉】명 干し肉; ほしじし(乾肉); ほしし(脯). 준 포.
포음【砲音】명 砲声.
포의【布衣】명 ほい(布衣). ① 布衣; 官位のない人. ② 麻などの布製の衣服.
포의【胞衣】명〖生〗胞衣; えな; よな. =혼돈피(混沌皮)·혼원의(混元衣).
포인터〔pointer〕명〖動〗ポインター.
포인트〔point〕명 의명 ポイント; ポ《준말》. ¶9～ 활자로 짜다 9ポ活字で組む.
포자【胞子】명〖植·動〗胞子.
‖——-낭(囊) 명〖生〗胞子嚢. —— 생식 명〖生〗胞子生殖. —— 식물 명〖植〗胞子植物. ——-엽 명〖植〗胞子葉; 芽胞葉. ——-충 명〖動〗胞子虫.
포장【布帳】명 とばり(帳); ほろ(幌); 幕; カーテン.
‖—— 마차 명 幌馬車.
포장【包裝】명하타 包装; 荷造り. ¶～용 包装用.
‖——-지 명 包装紙; 掛け紙. =포지(包紙).
포장【包藏】명하타 包蔵.
포장【褒章】명 褒章.
포장【鋪裝】명하타 舗装.
‖—— 도로 명 舗装道路; ペーブメント.
포장【褒奬】명하타 褒奨; 褒揚.
포졸【捕卒】명〖史〗捕り手. =포도군사(捕盜軍士).
포좌【砲座】명 砲座.
포주【庖廚】명 → 푸주.
포즈〔pose〕명 ポーズ. ¶～를 취하다〔바꾸다〕ポーズを取る〔変える〕.
포지션〔position〕명 ポジション.
포지티브〔positive〕명 ポジティブ; ポジ《준말》.
포진【布陣】명하자 布陣.
포진【布陳】명하타 展覧会·ショーウィンドーなどに物を陳列すること.
포-진지【砲陣地】명 砲陣地.
포-집다 타 ① 重ねて取る〔つ(摘)まむ〕. ② 器を積み重ねる.
포차【砲車】명 砲車.
포착【捕捉】명 ほそく(捕捉). ——-하다 타 捕捉する; 捕らえる. ¶적함대의 동태를 ～하다 敵の艦隊の動きを捕捉する / 그 뜻은 ～하기 어렵다 その意味は捕捉し難い.
포척【布尺】명 布製の尺.
포촌【浦村】명 ☞ 갯마을.
포충-망【捕蟲網】명 捕虫網. =곤충망(昆蟲網).
포치〔porch〕명 ポーチ.
포커〔poker〕명 ポーカー.
‖—— 페이스 명 ポーカーフェース.
포켓〔pocket〕명 ポケット.
‖—— 머니 명 ポケットマネー. —— 북 명 ポケットブック.
포크〔fork〕명 フォーク.
‖—— 볼 명〖野〗フォークボール.
포크〔pork〕명 ポーク. ¶～ 커틀릿 ポークカツ.
포크 댄스〔folk dance〕명 フォークダンス.
포크 송〔folk song〕명 フォークソング.
포타주〔프 potage〕명 ポタージュ.
포탄【砲彈】명 砲弾. ¶～이 터지다 砲弾が破裂する.
포탈【逋脫】명하타 ほだつ(逋脫); 脱税.
포탑【砲塔】명 砲塔. ¶선회 ～ 旋回砲塔.
포태【胞胎】명하자 子をはらむこと; みごもること. =임신·잉태.
포터〔porter〕명 ポーター.
포터블〔portable〕명 ポータブル. ¶～ 라디오 ポータブルラジオ.
포토〔photo〕명 ↗포토그래프. ¶～뉴스 フォトニュース.
‖——-그래프 명 フォトグラフ. ——-몽타주 명 フォトモンタージュ. ——-스튜디오 명 フォトスタジオ.
포트〔port〕명 [↗포트 와인] ポート.
‖——-랩 명 ポートラップ. —— 와인 명 ポートワイン.
포트〔pot〕명 ポット. ¶커피 ～ コーヒーポット.
포폄【褒貶】명하타 ほうへん(褒貶); 褒めることとけなすこと. ¶훼예 ～ 毀誉褒貶.
포퓰러〔popular〕명하형 ポピュラー.
‖—— 뮤직 명 ポピュラーミュージック. —— 송 명 ポピュラーソング.
포플러〔poplar〕명〖植〗ポプラ. =미루나무.
포플린〔poplin〕명 ポプリン.
포피【包皮】명 包皮. ① 物の表面を包む皮. ② 陰茎のきとう(亀

ㅍ

頭)を包む皮.
‖──염 명〔醫〕包皮炎.
포학【暴虐】 명 하형 暴虐. ¶～한 군주 暴虐な君主/온갖 ～한 짓을 다 하다 暴虐の限りを尽くす.
‖── 무도(無道) 명 하형 暴虐無道.
포함 명 하자 みこ(巫女)が神託を受けてどな(怒鳴)ること. ── 주다 자 巫女が神託を受けて怒鳴る.
포함【包含】 명 包含. ──하다 자 타 包含する; 含む; 込める. ¶～되다 含まる; 含まれる/세금을 ～하다 税金を含む/복잡한 뜻이 ～되어 있다 複雑な意味が含まれている/여관비에 팁도 ～시켰다 旅館代にチップも含めた/종개념은 유개념에 ～된다 種概念は類概念に含まれる/운임까지 ～해서 오만 원 運賃共五万ウォン/포장까지 ～해서 삼백 그램 風袋共三百グラム.
포함【砲艦】 명 砲艦.
포합【抱合】 명 하자타 抱合.
‖──어 명〔言〕抱合語.
포화【砲火】 명 砲火. ¶～를 퍼붓다 砲火を浴びせる.
포화【飽和】 명 하자〔物·化〕飽和. ¶～량 飽和量.
‖── 상태 명 飽和状態. ¶습도가 ～에 이르다 湿度が飽和状態に達する. ── 용액 명 飽和溶液. ── 인구 명 飽和人口. ── 증기 명 飽和蒸気. ── 증기압 명 飽和蒸気圧. =최대 증기압. ── 화합물 명 飽和化合物.
포환【砲丸】 명 砲丸. ¶투～ 砲丸投げ.
‖── 던지기 명 砲丸投げ. =투포환.
포획【捕獲】 명 捕獲. ──하다 타 捕獲する; 取る. ¶고래를 ～하다 鯨を捕獲する/～량이 늘다 捕獲量が増す.
포효【咆哮】 명 ほうこう(咆哮). =포호(咆號). ──하다 자 咆哮する; 哮る; 哮り立つ; 吠える. ¶사자의 ～ 獅子の咆哮/호랑이의 ～하는 소리를 듣고서 오싹해졌다 虎のほえ声を聞いてぞっとした.
폭【幅】 ㊀ 명 ① 幅; 幅員. ¶강의 ～ 川幅/장롱의 ～ たんすの幅/～이 넓은 띠 幅広帯. ②(知識·事業などの)範囲; 間口. ¶～ 넓은 사람 間口が広い人/～ 넓은 교제 広い交際/연구의 ～을 넓히다 研究の間口を広げる. ㊁ 의명 掛け軸·絵などの数, または, 紙·反物·板などを数える語: 幅; の(幅). ¶한 ～과 네 ～ 一幅と四幅/저 세 사람의 춤은 마치 한 ～의 그림 같다 あの三人の踊りはまるで三幅対である/기(旗) 30여 ～ 旗三十余流れ.
폭[1] 의명 割り; 程度; 割合. ¶이틀～은 되겠지 二日ぐらいはかかるだろう/노력한 ～치고는 성과가 나쁘다 努力の割には結果がよくない.
폭[2] 부 ① 心行くまで休むさま: ふかく; ぐっすり. ¶잠이 ～ 들었다 ぐっすり寝込んでいる. ② 強く突き刺すかまたは, 突き刺さるさま: ぷすっと; きゅっと; ぷすりと; ずぶりと. ¶송곳으로 ～ 찌르다 きり(錐)でぷすっと刺す/종이를 ～ 뚫다 紙にぷすっと穴をあける. ③ 表に現われないように包み覆うさま: すっぽり. ¶이불을 ～ 덮다 ふとんをすっぽり被る. ④ よく煮たてるさま: よく; 充分に. ¶국을 ～ 끓이다 汁を充分に煮立てる. ⑤ 残りなく皆: すっかり. ¶～ 쏟아 주다 すっかりぶちあけてやる. ⑥ 浅く鮮やかに掘られたさま: ぼこっと. ¶땅에 구멍이 ～ 패다 地面にぼこっと穴があく. ⑦ 泥などにはまり込むさま: ずぼっと; ぶすっと. ¶진흙에 ～ 빠지다 泥土にずぼっとはまる. ⑧ ばたっと一度にくずおれるさま: ばったり. ¶～ 쓰러지다 ばったり倒れる; つんのめる.
폭거【暴擧】 명 暴挙.
폭격【爆擊】 명 하타 爆撃. ¶무차별 ～ 無差別爆撃/융단 ～ じゅうたん(絨毯)爆撃/무턱대고 ～하다 むやみに爆撃する/～을 받다 爆撃される.
‖──기 명 爆撃機.
폭군【暴君】 명 暴君; タイラント. ¶～같이 굴다 暴君ぶりを発揮する.
폭도【暴徒】 명 暴徒. ¶～를 진압하다 暴徒を鎮圧する/～의 손에 쓰러지다 凶徒の手に倒れる.
폭동【暴動】 명 暴動. ¶～죄 暴動罪/～이 일어나다 暴動が起こる/～을 일으키다 暴挙を起こす/농민 ～ 百姓いっき(一揆).
폭등【暴騰】 명 하자 暴騰; 奔騰. ¶물가가 ～하다 物価が奔騰する/시가가 ～했다 時価が暴騰した/～하는 물가의 대책을 강구하다 暴騰する物価の対策を練る/쌀값이 ～했다 米価が暴騰した.
폭락【暴落】 명 하자 暴落; 急落; がた落ち. ¶주가가 ～했다 株価が暴落した/시세가 ～되었다 がら(瓦落)が来た.
폭력【暴力】 명 暴力; 暴. ¶～에 의한 제재는 나쁘다 暴力による制裁はよくない/～을 가하다 暴力を加える/～을 휘두르다 暴力をふるう/～에 호소하다 暴力に訴える.
‖──단 명 暴力団. ¶～을 근절하다 暴力団を根絶やしにする. ──배 명 暴力を振るう不良輩; ぐれん隊〈俗〉. ──주의 명 暴力主義; テロリズム. ¶～자 暴力主義者; テロリスト. ── 혁명 명 暴力革命.
폭렬【爆裂】 명 하자 爆裂. ¶～음 爆裂音.
폭로【暴露】 명 暴露. ──하다 자 타 暴露する; 暴く; ばらす; すっぱ抜く. ¶～ 기사 暴露記事/음모가 ～되다 陰謀が暴露する/정계의 이면을 ～하다 政界の裏面を暴く/비밀을 ～하다 秘密をばらす〔すっぱ抜く〕/재계의 내막을 모조리 ～하다 財界の裏幕を総まく(捲)りする.
‖── 문학 명 暴露文学. ── 소설 명 暴露小説. ── 전술 명 暴露戦術.

폭론【暴論】명 暴論. ¶～을 하다 暴論を吐く.

폭뢰【爆雷】명 爆雷.

폭리【暴利】명 暴利. ¶～를 탐하다 暴利をむさぼ(貪)る／～를 단속하다 暴利を取り締まる.

‖── 행위 명 暴利行為.

폭명【爆鳴】명하자 爆鳴.

‖── 가스 명 爆鳴ガス. ＝폭명기. ──-기 명 爆鳴気.

폭민【暴民】명 暴民.

폭발【暴發】명하자 暴発；突発. ¶노여움이 ～하다 いかりが暴発する.

폭발【爆發】명하자 爆発. ¶핵～ 核爆発／폭탄이 ～하다 爆弾が爆発する／～로 집이 날아가 버리다 爆発で家がふっ飛ぶ.

‖── 가스 명 爆発ガス. ──-물 명 爆発物. ¶～ 단속 爆発物の取り締まり. ──-약 명 爆発薬. (준) 폭약(爆藥). ──-적 명관 爆発的. ¶～인 인기 爆発的(な)人気. ──-탄 명 爆発弾. (준) 폭탄.

폭사【暴死】명하자 暴死；急死. ＝폭졸(暴卒).

폭사【爆死】명하자 爆死. ¶공습을 만나 ～했다 空襲に会って爆死した／지뢰를 건드려 ～했다 地雷に触れて爆死した.

폭삭 부 ①腐り切ったさま：すっかり. ¶달걀이 ～ 곪았다 卵がすっかり腐り切った. ②残りなくくつがえすさま：すっかり. ¶물을 ～ 엎지르다 水をすっかりこぼす. ③くずお(頽)れるさま〔音〕：ぺたりと. ④(もろいものが)急に崩れるか落ち込むさま. また, その音：ばさりと. <푹석. (준)폭. ──── 부하형 "폭삭"の畳語.

폭서【暴暑】명 ☞ 혹서(酷暑).

폭서【曝書】명하자 ばくしょ(曝書)；書物のむしぼし.

폭설【暴雪】명 (突然の)大雪；豪雪；どか雪.

폭소【爆笑】명하자 爆笑. ¶～가 일어나다 爆笑が起こる／～를 자아내다 爆笑を誘う.

폭스〔fox〕명 フォックス.

‖── 테리어 명 フォックステリア. ── 트롯 명 フォックストロット.

폭식【暴食】명하타 暴食. ¶폭음～ 暴飲暴食.

폭신-하다 형 ふわりとしている；ふわふわ〔ふかふか〕している；ふくよかだ；柔〔軟〕らかだ. ¶폭신한 이불 ふかふか(と)した〔ふかふかの〕ふとん／폭신한 솜옷 ふくよかな綿入れ. <푹신하다. 폭신-폭신 부하형 ふわふわ；めくめく；ふかふか. ¶～한 이불 ふわふわのふとん.

폭심【爆心】명 爆心. ¶～지 爆心地

폭압【暴壓】명하타 暴圧.

폭약【爆藥】명 [↗폭발약] 爆薬. ¶～고 爆薬庫.

폭양【暴陽·曝陽】명하타 ①焼きつけるような日照り. ＝뙤약볕. ②かんかん照りつける日にあたること.

폭언【暴言】명하자 暴言. ¶～을 하다 暴言を吐く.

폭염【暴炎】명 ☞ 혹서(酷暑).

폭우【暴雨】명 暴雨. ¶도중에 ～를 만나다 途中で暴雨に会う.

폭음【暴飮】명하타 暴飲. ¶～ 폭식 暴飲暴食.

폭음【爆音】명 爆音. ¶요란한 ～ ごうごう(轟轟)たる爆音／귀청을 찢는 듯한 ～ 耳をつん裂くばかりの爆音.

폭정【暴政】명 暴政. ¶～을 하다 暴政をしく.

폭주【暴走】명하자 暴走. ¶～하는 트럭 暴走するトラック／～ 택시 神風タクシー／～족 雷族.

폭주【暴酒】명 暴飲(する酒).

폭주【輻輳·輻湊】명하자 ①[↗폭주병진] ふくそう(輻輳〔輻湊〕)；ラッシュ. ¶기사가 ～하다 記事が輻湊する／～를 피하다 輻湊を避ける. ②〔生〕両眼の注視線が目の前の一点に集まること.

폭죽【爆竹】명 爆竹. ¶～ 소리 爆竹の音／～을 터뜨리다 爆竹を鳴らす.

폭탄【爆彈】명 [↗폭발탄] 爆弾. ¶～ 성명 爆弾声明／～을 투하하다 爆弾を投下する／～이 폭발하다 爆弾が爆発する.

‖── 선언 명 爆弾宣言.

폭투【暴投】명하타〔野〕暴投；ワイルドピッチ.

폭파【爆破】명하타 爆破. ¶～ 작업 爆破作業／～하여 바위를 깨뜨리다 爆破して岩を砕く.

폭포【瀑布】명 [↗폭포수] 瀑布；滝；玉水《미칭》；たるみ(垂水). ¶～의 줄기 滝の糸.

‖──-수(水) 명 滝；瀑布. ＝비천(飛泉). (준) 폭포.

폭-폭 부 ①続けざまに突き刺すさま, またはうず(疼)くさま：ぶす(り)ぶす(り)；ずきんずきん. ¶～ 찌르다 ぶすりぶすり(と)突き刺す／상처가 ～ 쑤신다 傷がずきんずきん(と)疼く. ②すみずみまで腐るさま. ③よく煮えるさま. また, 蒸されるさま. ④続けざまにたっぷりとぶちまけたりすく(掬)い上げて盛るさま. ⑤所かまわず暴言を吐くさま. <푹푹. ⑥炎·煙·蒸気などが上がるさま：ぽっぽと. ¶～ 김을 내뿜다 ぽっぽと湯気を立てる.

폭풍【暴風】명 暴風；あらし(嵐). ¶～권 暴風圏／～ 전(야)의 고요 嵐の前の静けさ／～을 안고 있는 정세 嵐をはら(孕)んだ情勢／～을 만나다 暴風に会う.

‖── 경보 명〔氣〕暴風警報.

폭풍【爆風】명 爆風. ¶～으로 유리창이 깨지다 爆風で窓のガラスが割れる.

폭풍-설【暴風雪】명 暴風雪；猛吹雪.

폭풍-우【暴風雨】명 暴風雨；あらし(嵐)；荒れ；大荒れ；吹き降り. ¶～를 만나다 あらしに会う／～로 연락선이 결항하다 暴風雨のために連絡船が欠航する.

폭한【暴寒】명 酷寒.

폭한【暴漢】명 暴漢. ¶～에게 습격당하다 暴漢に襲われる.

ㅍ

폭행【暴行】명하자 暴行; 手込め《강간》. ¶집단 ～ 集団暴行 / ～을 하다 暴行を働く / 불량자에게 ～을 당하다 不良に手込めにされる.
‖── 외설죄 명 暴行わいせつ(猥褻)罪. ──-죄 명 暴行罪.
폰〔phon〕의명 ホン; フォン. ¶공장이 백 ～이나 소음을 내다 工場が百ホンもの騒音を発する.
폴〔fall〕명 (レスリングの)フォール.
폴〔pole〕명 ポール.
‖── 점프 명 ポールジャンプ.
폴딱 부하자 軽く一度跳ねるさま: ぴょん; ふわりと. <풀떡. ──-거리다 자 ぴょんぴょん跳ねる. ───── 부하자 ぴょんぴょん.
폴라로이드〔Polaroid〕명 ポラロイド.
‖── 카메라 명 ポラロイドカメラ.
폴라리스〔Polaris〕명 ポラリス.
폴락-거리다 자 (かぜに)はたはた(と)ひらめく〔はためく〕. <풀럭거리다. 폴락-폴락 부하자 ひらひら; はたはた.
폴랑 부하자 風にゆるくひるがえるさま: ひらり. <풀렁. ──-거리다 자 ひらひらなびく; ひらひらひるがえる. ───── 부하자 ひらりひらり.
폴로〔polo〕명 ポロ.
‖── 셔츠 명 ポロシャツ.
폴로네즈〔프 polonaise〕명〖樂〗ポロネーズ.
폴로늄〔polonium〕명〖化〗ポロニウム《記号: Po》. 「合体.
폴리머〔polymer〕명〖化〗ポリマー; 重
폴리비닐 알코올〔polyvinyl alcohol〕명〖化〗ポリビニールアルコール.
폴리아미드 수지【─樹脂】〔polyamide〕명〖化〗ポリアミド樹脂.
폴리-에스테르〔polyester〕명〖化〗ポリエステル.
폴리-에틸렌〔polyethylene〕명〖化〗ポリエチレン. 「ニー.
폴리포니〔polyphony〕명〖樂〗ポリフォ
폴립〔polyp〕명〖動·醫〗ポリップ.
폴싹 부 (煙·ちりなどが)にわかに立ち上がるさま: ぱっと. <풀썩. ───하다 자 (煙やちりなどが)ぱっとする. ───── 부하자 ぱっぱっ(と).
폴짝 부 急に戸を開閉するさま: ぱっと; ぱたんと. <풀쩍. ──-거리다 타 しきりに戸をぱたんぱたん開閉させる. ───── 부하타 ぱたんぱたん.
폴카〔polka〕명 ポルカ.
폴폴 부 ①少量の水が沸き返るさま: ふつふつ. ②鳥·雪·ごみなどが飛び散るさま: ほろほろ; ひらひら; 紛紛と. <풀풀. ¶꽃이 ～ 떨어지다 花がほろほろと散る / 눈이 ～ 날리다 雪が紛紛ととび散る.
폼〔form〕명 フォーム; 型. ──-잡다 자《俗》身構えをする. ──-재다 자《俗》もったいぶった態度をとる.
폼 플라스틱〔foam plastic〕명 フォームプラスチック.
퐁-소리【砲─】명 砲声.
퐁 부 ①小さい穴があく音: ぽん. ②大きくへ(屁)をひる音: ぷん; ぷう. <풍. ㅍ뿡.
퐁당 부 小さくて重いものが深い水みに落ち込む音: どぶん; ざぶん. ¶～ 물에 빠지다 どぶんと水に落ち込む. <풍덩. ──-거리다 자타 どぶんどぶんと音がする〔音をたてる〕. ───── 부하자타 どぶんどぶん.
퐁-퐁 부 ①狭い口から水が勢いよく流れ出る音: どくどく; ごぼごぼ. ②小さい発動機などからガスの噴き出る音: ぽんぽん. ③続けざまにへ(屁)をひる音: ぷうぷう. ──-거리다 자타 しきりに"퐁퐁"と音がする〔音を立てる〕.
푄〔도 Föhn〕명〖氣〗フェーン.
표【表】명 表. ①上; 表; 表面; 外側. ②しるし. =표지(標識). ③自分の意思を王に差し出す文書. ¶출사～ 出師の表. ④要項を順序だてて記したもの; リスト. ¶시간～ 時間表 / 일람～ 一覧表 / 여러 가지 ～ 諸表. ⑤↗표적(表迹). ＊표(表)하다.
표【票】명 票; 切符; チケット; 券. ¶왕복～ 往復切符 / 배급～ 제도 配給切符制 / 군～ 軍票 / 계산～ 計算票 / 전～ 伝票 / 꼬리～ 荷札 / 투～ 投票 / ～읽기 票読み.
표【標】명하타 標; しるし; 目じるし; 札; マーク. ¶분필로 ～를 하다 チョークでしるしをする / 양수～ 量水標 / 삼각～ 三角印.
표결【表決】명하타 表決.
‖───권 명 表決権. =의결권.
표결【票決】명하타 票決. ¶～에 부치다 票決に付す / 이견이 없으시면 ～에 들어가겠습니다 御異見がなければ票決に移ります.
표고 명〖植〗しいたけ(椎茸).
‖───버섯 명 "표고"の明らかな言い方. ¶봄에 나는 ～ 春子.
표고【標高】명 標高; 海抜.
‖───점 명 標高点.
표구【表具】명하타 表具.
‖───사 명 表具師; 表具屋; 経師屋; 大経師.
표기【表記】명하타 表記. ¶～법 表記法 / ～ 가격 表記価格 / ～의 주소로 表記の住所へ.
표기【標記】명하타 標記.
표기【標旗】명 標旗; 目じるしの旗; しるしばた; はたじるし.
표-끊다【票─】자 切符を買う.
표-나다【表─】자 目につく; 目立つ.
표독【慓毒】명하형 残忍で毒毒しいこと. ───스럽다 형 毒毒しい; とげだ(棘立)っている. ¶표독스러운 말씨 棘立った言い方.
표류【漂流】명 漂流. ───하다 자 漂流する; 漂う. ¶로빈슨 ～기 ロビンソン漂流記.
표-리【表裏】명 表裏; 裏表. ¶～ 일체 表裏一体 / ～가 있는 사람 裏表がある人; 陰日向のある人 / ～없이 일하다 陰日向なく働く.
‖── 부동 명하형 表裏不同; 外面と内心が異なること. ── 상응 명하자 表裏相応. ── 일체 명하자 表裏一体.
표막【表膜】명 表面を包んでいる

かっている. >파르댕댕하다.

푸르디-푸르다 형 真っ青である; ひじょうに青い.

푸르락-누르락 부하자 興奮して顔色が青ざめたり黄色くなったりするさま.

푸르락-붉으락 부하자 ☞ 붉으락푸르락.

푸르르 부하자 ① 水が狭い器でにわかに沸き返る音. また, そのようす: ふつふつ. ② 急に燃え立つさま: ぱっと. ③ 葉などが軽く揺ぐさま. ④ 小鳥などが急に飛び上がるさま. また, その音: ばたばた. >포르르.

푸르무레-하다 형 くすんで青味がかっている. >파르무레하다.

푸르스름-하다 형 青味がかっている; やや青い. >파르스름하다. ¶ 푸르스름해지다 青ばむ.

푸르죽죽-하다 형 どす青い. >파르족족하다.

푸르퉁퉁-하다 형 どす青い. ¶ 푸르퉁퉁한 얼굴 青膨れの顔.

푸른-곰팡이 명 〖植〗 青かび(黴).

푸릇-푸릇 부 点点と青いさま. >파릇파릇. ——-하다 형 点点と青い. ¶ 새싹이 ~ 돋는다 新芽が青青と芽生える.

푸만-하다 형 [←포만(飽滿)하다] (腹が)くちい; 胃がもたれる.

푸새[1] 명 のりづ(糊付)け. ——-하다 타 糊付けをする.

푸새[2] 명 雑草.

푸서 명 (織り糸の)ほどけ口; ほぐれ口.

푸서리 명 草やぶ(藪); 草むら(叢).

푸석-돌 명 もろい石. ㊟ 석돌.

푸석-이 명 ① もろ(脆)くてこわれやすいもの; もろ(脆)いもの. ② (体質や性格の)もろ(脆)い人.

푸석-하다 형 (かさば(嵩張)ったものが)ばさばさしてもろ(脆)い; 砕けやすい. >포삭하다. **푸석-푸석** 부하형 ばさばさ; ぼくぼく. ¶ 가뭄으로 흙이 ~해지다 日照りで土がばさばさになる.

푸성귀 명 青物; 青菜; 菜っ葉; 野菜. ¶ ~ 밭 菜畑.

푸슬-푸슬 부하형 粉などが水気が足りなくてよくこご(凝)らないさま: ぼろぼろ; ばらばら; ばさばさ. ㄴ부슬부슬.

푸새 명하타 のりづ(糊付)けした布を足で踏み, アイロン掛けにすること.

푸접-없다 형 心安いところがない; すげない; そっけない; にべ(も)ない. ¶ 푸접없는 대답 にべもない返事. **푸접-없이** 부 つれなく; すげなく; にべもなく.

푸-조기 명 〖魚〗 ぐちの一種.

푸주【—廚】, 푸줏-간【—廚間】 명 肉屋. =고깃간.

‖푸주-한(漢) 명 肉屋(を営む者).

푸지다 형 どっさりあって見目よい; たっぷりあっておいしそうに見える.

푸짐-하다 형 ① (食べ物や品物などが)たっぷりあってにぎにぎ(賑賑)しい; ふんだんだ. ¶ 안주가 푸짐한 주연 酒肉を取りそろ(揃)えた酒宴 / 잔치가 ~ 宴会がすばらしくにぎやかだ / 밥상을 푸짐하게 차리다 おぜん(膳)を賑わす. ② 大げさでにぎやかだ. **푸짐-히** 부 ① たっぷりと. ② にぎやかに; 騒騒しく.

푸코 전류【—電流】〔Foucault〕 명 〖物〗 フーコー電流; 渦巻き電流. =맴돌이 전류.

푸-푸 부 しきりにぷうぷうする音.

푸-하다 형 ふっくら(と)している; 柔らかくふくらんでいる.

푹 부 ① 深いさま: ふかく; ふかぶかと; ぐっすり; たっぷり. ¶ 잠이 ~ 들다 ぐっすり寝入る. ② 深く突き刺すさま: きゅっと; ぶすっと; ぶすりと; ぐさりと. ¶ 송곳으로 ~ 찔렀다 きり(錐)でぶすっと突き刺した / 굵은 주사기를 팔뚝에 ~ 찌르다 太い注射器を腕にぶすりと刺す / 호주머니에 손을 ~ 찔러 넣다 ポケットに手をつっ込む. ③ 表にあらわれないように包みかぶせるさま: すっぽり. ¶ 모자를 ~ 내려 쓰다 帽子を目深にかぶる / 이불을 ~ 쓰다 ふとんをすっぽりかぶる. ④ 充分に. ¶ ~ 삶아라 充分に煮なさい. ⑤ 余すことなく全部: すっかり; ぐっと. ⑥ 深く掘られているさま: ぼこっと. ¶ 구덩이가 ~ 패였다 くぼみがぼこっと掘られている. ⑦ にわかに減るさま: どっかり. ¶ 수입이 ~ 줄다 収入がどっかり減る. ⑧ 気を落としてうなだれるさま: がっくり(と). ¶ 머리를 ~ 떨어뜨리다 がっくり(と)首をたれる. ⑨ 泥などにはまりこむさま: すぽっと. ¶ 수렁에 ~ 빠지다 どろぬまにすぽっとはまる. ⑩ べたりとくずおれるさま: ばたっと; ばったり; どっと. ¶ ~ 쓰러지다 ばたっと倒れる. ⑪ ↗푹석[1]. ⑫ 小さくへ(屁)を出す音: ぷ. >폭.

푹석[1] 부 ① すっかり腐ったさま: ぼこぼこ; ぼろぼろ. ② ぺたりとくずおれるさま: べたりと. >폭삭. ㊟ 푹.

푹석[2] 부 かさかさしたものがもろくくずれるさま: ばさと. ——— 부하형 ばさばさ.

푹신-하다 형 ふくよかだ; ふかふかしている. >폭신하다. **푹신-푹신** 부하형 ふかふか; ふわふわ. ¶ ~한 이불 ふわふわの布団; ふかふか(と)した布団.

푹-푹 부 ① ぷすぷす; ぶすぶす. ¶ 종이에 구멍을 ~ 뚫다 紙にぶすぶす(と)穴をあける / 화살이 과녁에 ~ 꽂히다 矢が的にぷすぷす突き刺さる. ② すっかり腐るさま. ③ 充分に煮えるさま. ¶ 콩을 ~ 삶다 豆を充分に煮る. ④ 充分に入れるかまたは注ぐさま. ⑤ 蒸し暑いさま. また, 強い熱気が立ちこめるさま: むしむし; むんむん. ¶ ~ 찌는 무더운 날 むしむしする暑い日 / ~ 김을 내뿜다 ぽっぽと湯気を立てる.

푹푹-하다 형 紙や布地などが厚ぼったくもろ(脆)い.

푹-하다 형 (冬の天気などが)ほかほかと暖かい. =푸근하다.

푼 의명 ① 昔の金銭の単位: 文. ¶동전 한 ～ 銭一文. ② 尺度の単位: 分. ¶두 치 닷 ～ 二寸五分. ③ 比率の単位: 分. ¶1할 3 ～ 一割三分 / 월리 5 ～의 고리 月利五分の高利. ④ 重量の単位: 分. ¶한돈 닷 ～의 분동 一匁五分の分銅.

푼-거리 명 分売; ばら売り; 少量に分けて売買すること.
‖— 나무 명 小束にしてばら売りする薪. ㊟푼나무. ——-질 명하자 ① 小売りの薪を買ってたくこと. ② 物をちびちび買って使うこと.

푼-내기 명 ① 小銭のかけ事. ② ☞ 푼거리.
‖— 흥정 명하자 小銭による売買; 少額の取り引き.

푼더분-하다 형 ① 福福しい; ふくよかだ. ② 豊かだ; たくさん(沢山)だ; どっさりある.

푼-돈 명 目腐れ金; はした金; 端銭; はした銭; ばら銭; 小銭に. ¶～을 모으다 小銭をためる.

푼사 【—絲】 명 絹の片糸.
‖——-실 명 (ししゅう(刺繡)に用いる)絹の片糸.

푼사 의명 数え残りのはした金.

푼수 【—數】 명 [←분수(分數)¹] ① 程度; 分. ② 身の程; 分際. ③ 身の程も知らずにそそっかしく振る舞うこと. また, その人. ¶～를 떨다 分別がなくてばかなことを仕出かす.

푼-어치 명 はした金で勘定ができるぐらいの品物.

푼주 명 口が大きく底の狭い陶器.

푼-치 명 ① 分と寸. ② ほんのわずかなちがい.

푼푼-이 부 一銭二銭と. ¶～ 모아 저금한다 小遣い銭をた(溜)めて貯金する.

푼푼-하다 형 ゆとりがある; ふくよかだ; 充分だ. ¶푼푼한 생활 ゆとりのある暮らし. 푼푼-히 부 充分に; ふくよかに.

풀-소 명 夏に草を食べて育った牛. ‖— 고기 명 "풀소"の肉《味がうまくない》.

풀¹ 명 のり(糊). ¶～을 묽게 하다 糊を引き伸ばす / ～을 쑤다 糊をつくる / ～을 먹이다 糊付けする / ～의 응어리를 없애다 糊の粒粒をなくす / ～이 끈적거리다 糊が粘つく.

풀² 명 草. ¶한 무리의 ～ 一むらの草 / ～을 뽑다 草をむしる / ～을 뜯다 摘み草をする / ～이 지면을 뻗어 나가다 草が土をはう / ～밭에 누워 뒹굴다 草の上に寝ころぶ / ～을 뜯어 먹다 草を食う / ～을 베다 草刈りをする / ～이 우거지다 草が生い茂る.

풀 〔full〕 명 フル. ¶～ 코스 フルコース / ～ 스피드 フルスピード.

풀 〔pool〕 명 プール. ¶모터 ～ モータープール / ～ 개장(開場) プール開き / 실내 ～ 室内プール.
‖— 계산 명 プール計算.

풀-갓 명 草刈りの割り当て区域.

풀-개다 자 のり(糊)を練る.

풀-기 【—氣】 명 ① のり(糊)気. ② 元気. ¶젊은 애가 통 ～가 없다 若い者が全く元気がない. ㊟풀.

풀-꺾다 자 〖農〗 苗代の肥料にする草を刈る.

풀-꺾이 명하자 苗代の肥料用の草を刈ること.

풀다 타 ① 解く. ㉠ (もつれ·縛りなどを)ほどく; ほぐす; 外す. ¶끈을 ～ ひもを解く / 여장을 ～ 旅装を解く / 엉킨 실을 ～ 糸のもつれをほどく / 뻐근한 어깨를 ～ 肩のこ(凝)りをほぐす / 머리를 ～ 髪をほどく / 단추를 ～ ボタンを外す / 짐을 ～ 積み荷を下ろす / 괄호를 ～ 括弧を開く / 보따리를 ～ 包みを広げる / 뱃짐을 ～ 船荷を陸揚げする. ㉡ や(遣)る; 晴らす. ¶숙원을 ～ 宿恨を晴らす / 의심을 ～ 疑いを晴らす / 분한 마음을 풀 길이 없다 無念やる方ない / 맺힌 감정을 ～ 感情のもつれをほぐす. ㉢ (夢·占いなどを) 解明する. ¶꿈을 ～ 夢を解く. ㉣ (禁令などを)解除する. ¶경계를 ～ 警戒を解く / 통제를 ～ 統制を緩める. ㉤ 解する; 判ずる; 解きほぐす. ¶쉽게 풀 수 있는 문제 楽楽(と)解ける問題 / 수수께끼를 ～ 謎を解く / 수학을 ～ 数学を解する / 암호문을 ～ 暗号文を判ずる / 문제를 ～ 問題を解きほぐす. ② (飢渇などを)いや(癒)す; なおす. ¶갈증을 ～ 渇を癒す. ③ 溶く; 交〔混〕ぜる. ¶계란을 ～ 卵を交ぜる / 물감을 물에 ～ 染め粉を水に溶く. ④ 耕す; 起こす; 田を作る. ¶개펄에 논을 ～ 潟を埋めて田にする. ⑤ 人を動員する. ¶형사 끄나불을 풀어 놓다 刑事の手先を配置する. ⑥ ↗몸풀다. ⑦ ひ(放)る; かむ. ¶코를 ～ 鼻をかむ.

풀-떡¹, 풀떼기 명 のり(糊)のような雑穀のかゆ(粥).

풀떡² 부하자 軽く一度跳ぶさま: さっと; ぴょんと. >폴딱. ——-거리다 자 しきりにぴょんぴょんと跳ぶ. ———— 부하자 ぴょんぴょん.

풀럭-거리다 자 風にはためく. ¶깃발이 ～ 旗がはためく. 풀럭-풀럭 부하자 はたはた; ひらひら.

풀렁 부하자 風になびいてはためくさま: ひらっと. >폴랑. ——-거리다 자 ひらひら(と)はためく. ———— 부하자 ひらひら.

풀리다 자 ① 解ける. ㉠ ほどける; ほぐれる. ¶고삐에서 풀려난 말 綱から放れた馬 / 허리띠가 ～ 帯が解ける / 매듭이 ～ 結びが解ける / 엉킨 것이 ～ もつれがほぐれる. ㉡ 晴れる. ¶긴장되었던 마음이 ～ 張り切った気持ちが緩む / 개운찮은 마음이 ～ 心のしこりが解ける / 의심이〔혐의가〕 ～ 疑いが晴れる / 감정이 ～ 腹が癒える / 싸운 감정이 아직 풀리지 않고 있다 けんかのあとがまだくすぶ(燻)っている / 기분이 ～ 気分がほぐれる / 노여움이 ～ 怒りが解ける. ㉢ 答えが出る. ¶수수께끼가 ～ なぞが解ける / 문제가 ～ 問題が解け

る．㉣制約・束縛などが除かれる．¶여행 금지가 ～ 旅行禁止が解ける／일에서 풀려 나다 仕事から放免される／단속이 ～ 取り締まりが緩む．②消える；なくなる．¶멍이 ～ あざ(痣)が消える／응어리가 ～ こ(凝)りがほぐれる．③(気温が)和らぐ；緩む．¶추위가 ～ 寒さが和らぐ．④溶ける；混ざる．¶설탕이 물에 ～ 砂糖が水に溶ける／가루 비누가 물에 잘 ～ 粉せっけん(石鹸)が水に混ざる．

풀-막【—幕】 명 草小屋；とまや(苫屋)；草のいおり(庵)〈雅〉．

풀-매기 명하자 草取り；草むしり．

풀-매듭 명 ほどき目．

풀-매미 명〖蟲〗ちっちぜみ(蟬)．

풀-머리 명하자 解きほぐした髪；ざんばら髪．¶그 여자는 머리를 감고 ～로 있었다 その女は洗い髪姿でいた／～ 채로 외출하다 ざんばら髪のまま外出する．

풀-먹이다 자 のりづ(糊付)けする．¶풀먹인 옷에서 와삭와삭 소리가 나다 のり(糊)気のある服からばりばり音がする．

풀무 명 ふいご(鞴)．

‖——-질 명하자 ふいごで風を送ること．

풀-밭 명 草地．

풀-백〔fullback〕명〖蹴球〗フルバック．

풀-벌 명 草原．

풀 베이스〔full base〕명〖野〗フルベース；満塁．

풀-비 명 ほうきのように作ったのりづ(糊付)け用のはけ(刷毛)．

풀-빛, 풀-색【—色】 명 草色．

풀-솜 명 絹綿；真綿．¶～ 이불 真綿の布団．

풀-숲 명 くさむら(草叢)；くさやぶ(草藪)．

풀 스톱〔full stop〕명 フルストップ；ピリオド；終止符．

풀 스피드〔full speed〕명 フルスピード．¶～로 달리다 フルスピードで走る．

풀-쌀 명 のり(糊)に使う米．

풀-썩 부 煙・ほこりなどが急にたつさま：ふわっと；ばっと．＞폴싹．——-하다 자 ふわっとたつ；ばっとする．¶먼지가 ～나다 ほこりがばっと立つ．——-거리다 자 しきりに煙・ほこりなどがたつ．———— 부하자 ふわっふわっと．

풀-쑤다 자 ①のり(糊)をこしらえる．②(財産を)とうじん(蕩尽)する．

풀쑥 부 ①だしぬけに突き出すさま：ぷいと；にゅっと．¶～ 손을 내밀다 にゅっと手を出す．②不意に話し出すさま：ひょいと．⊥불쑥．

풀어 내다 타 解く．①解きほぐす．¶엉킨 실을 ～ もつれ糸を解きほぐす．②解き明かす．¶힘든 문제를 ～ 難しい問題を解き明かす．③☞ 풀어 먹이다②．

풀어 놓다 타 ①解き放す；放つ；釈放する．¶호랑이를 들에 ～ 虎を野に放つ／개를 ～ 犬を解き放す／죄인을 ～ 罪人を釈放する．②(秘密裏に)配置する．¶형사를 ～ 刑事を方方へ配置する．

풀어 먹이다 타 ①(各自に)分け与える．②〖民〗食べ物を供えて悪鬼を追い払う．

풀어-쓰기 명 ハングル音節単位の子音や母音をローマ字式に横書きにすること；子音と母音をほどいて書くこと．

풀어-지다 자 ①解ける．㉠ほどける；ほぐれる．¶매듭이 ～ 結び目がほどける／(바느질)땀이 ～ 針目がほつれる．㉡(誤解などが)晴れる；なくなる；消える．¶원한이 ～ 恨みが晴れる．㉢解決される．㉣(禁令などが)解除される．②(物が)液体に溶ける．¶물에 ～ 水に溶ける．③(固い物などが)軟らかくなる；延びる．¶국수가 ～ うどんが延びる．④暖かくなる；和らぐ．¶날씨가 ～ 天気が暖かくなる．

풀-오버〔pull-over〕명 プルオーバー．

풀이 명하타 解釈；解くこと．

-풀이 미하자 厄払いをすること．¶액～하다 厄払いをする．

풀-잎 명 草の葉．¶～을 비비다 草の葉をも(揉)む／～ 소리 草の葉音．

‖—— 피리 명 草笛．

풀-장【—場】〔pool〕명 プール；水泳場．

풀-젓개 명 のり(糊)を作るときに用いる，かくはんぼう(攪拌棒)．

풀-죽다 자 ①のりけ(糊気)がなくなる．¶풀죽은 옷은 보기 흉하다 糊気がなくなった着物は見苦しい．②(気が)めいる；しお(萎)れる；しょげ返る．¶돈을 잃고 ～ 金をなくして萎れる／꾸지람을 듣고 풀이 죽어 있다 叱られてしょげている／일자리를 구하지 못하고 풀이 죽어 집으로 돌아왔다 仕事先を求め得ずしょげて帰って来た．

풀-질 명하자 のりづ(糊付)けをすること．¶귀얄로 ～을 하다 はけ(刷毛)で糊付けをする．

풀짝 부하타 急に戸を開けたり閉めたりするさま：ばっと．＞폴짝．——-거리다 타 しきりに戸を開けたり閉めたりして出入りする．———— 부하타 ぱっぱっと．

풀쳐-생각 명하자 断念して自ら慰めること．

풀-치마 명 ひも(紐)を付けて胴体にぐるりとまとうチマ．

풀-칠 명하자 ①のりづ(糊付)け．¶종이에 ～을 하다 紙に糊付けをする．②ここう(糊口)；やっと飢えをしのぐこと；口過ぎ．¶겨우 입에 ～하다 やっと口に糊する／입에 ～하기 어렵게 되다 口が干あがる．

풀 카운트〔full count〕명〖野〗フルカウント．

풀-칼 명 のり(糊)べら．

풀-판【—板】 명 のり(糊)を練る板．

풀풀 부 (鳥・雪など)軽く小さいものが勢いよく飛びかうさまや，ちりなどがもうもうと立つさま：紛紛；ぱらぱら．＞폴폴．¶눈이 ～ 날다 雪が紛紛と飛び散る／불티가 ～ 튀다 火の粉がばらばらと降る．

풀풀-하다 형 短気だ；性急だ．

풀-하다 자 のりづ(糊付)けする．

품¹ 명 ① 上着の胸幅; 身幅. ¶ ~이 솔다 上着の胸幅が狭い / ~이 좁은 옷 身幅の狭い服. ② 胸と衣服とのすきま. ¶ ~이 넓다 胸と衣服とのすきまが広い. ③ 懐. ¶ 어머님의 ~에 안기다 母の懐に抱かれる / ~에 품다 懐にする / 단도〔비수〕를 ~에 감추다 あいくちを懐に忍ばせる.

품² 명 手間; 労力. ¶ ~이 들다 手間がかかる.

품【品】명 ① ↗품질. ② ↗물품. ③ 品格; 風柄; 人柄. ④〖史〗品; 位; 位階. ¶ 정일 ~ 正一品.

품³ 의명 動詞の後に用いて, 動作や格好を表わす語: …つき; …振り. ¶ 글씨 쓰는 ~ 字の書き振り / 생긴 ~ 生まれつき / 술 마시는 ~이 좋다 飲みっぷりがよい.

품-값 명 労賃; 労銀. ¶ ~이 비싸다 労賃が高い.

품-갚다 자 人の労力に対して労力で報いる.

품-갚음 명하자 労力の報い.

품격【品格】명 品格; 風柄; 人体. ¶ ~이 떨어지다 品格が下がる / ~이 높다 気高い.

품결【稟決】명하타 りんぎ(稟議)で〔上申して〕決定すること.

품계【品階】명〖史〗昔の役人の職位と官等.

품관【品官】명〖史〗職位・官等を持つ役人の総称.

품귀【品貴】명하형 品枯れ; 品薄. ¶ 이 옷감은 요즘 ~ 상태다 この生地はこのごろ品薄である / ~ 상태가 되다 品枯れになる.

품급【品級】명 位階.

품-꾼 명 ↗품팔이꾼.

품다¹ 타 抱く. ① 腕でかかえる; 抱く. ¶ 가슴에 단도를 ~ 懐にあいくちを忍ばせる / 알을 ~ 卵を暖める / 비수를 ~ どすをのむ〈俗〉. ② (恨みや喜びなどを心に)含む. ¶ 의심을 ~ 疑いを挟む / 심중에 은밀히 적의를 ~ 心中ひそかに敵意を含む / 원한을 ~ 恨みを持つ / 큰뜻을 ~ 大志〔大望〕をいだ(懐)く / 노염을 ~ 怒りを含む / 그에게 원한을 품고 있다 彼に含むところがある / 살의를 ~ 殺意をいだく / 못된 생각을 ~ 邪悪な考えをいだく.

품다² 타 (たまり水を)続けざまにく(汲)み出す.

품-돈 명 労賃.

품등【品等】명 品等. ¶ ~별 品等別 / ~에 따라 값을 매기다 品等によって値段をつける.

품류【品類】명 品類; 品柄.

품명【品名】명 品名.

품목【品目】명 品目. ¶ 수출품의 ~ 輸出品の品目.

품별【品別】명하타 品別; 品分け. ¶ 잡힌 물고기를 ~하다 とれた魚を品分けする.

품사【品詞】명〖言〗品詞.
‖——론(論) 명 品詞論. —— 전성(轉成) 명〖言〗ある品詞が他の品詞に変わること.

품-삯 명 労賃; 手間賃; 手間代; 賃銭. ¶ ~을 받다 手間代を取る / 약간의 ~으로 살다 わずかな賃銭で暮らす.

품성【品性】명 品性. ¶ ~이 비열하다 品性が下劣である / 그런 말을 하면 ~을 의심받는다 そんな事を言うと品性を疑われる.

품성【稟性】명 ひんせい(稟性); ひんぷ(稟賦); ひんしつ(稟質). =부성(賦性). ¶ ~이 훌륭한 사람 稟性の立派な人.

품-속 명 懐; ぽっぽ〈俗〉; 胸のうち. ¶ ~에 집어넣다 懐〔ぽっぽ〕にしまい込む.

품신【稟申】명하타 上申.

품-안 명 懐; 懐中. ¶ 어린애를 ~에 안다 子供を懐にいだく.

품-앗이 명하자 野良仕事の助け合い.

품위【品位】명 ① 品位; 柄; 品; 品格; 見識. ¶ ~를 높이다 品位を高める / ~가 있다 品がある; ノーブルだ / 그런 일을 하면 ~가 떨어진다 そんな事をしては品格が下がる / ~ 없는 사람 柄の悪い人 / ~가 없다 下品である. ②〖史〗品位.

품의【稟議】명하타 りんぎ(稟議); うかが(伺)い. ¶ ~서 稟議書.

품재【品才】명 品性と才能.

품절【品切】명하자 品切れ. =절품.

품정【品定】명하타 品定め. =품평(品評).

품종【品種】명 品種. ¶ ~ 개량 品種改良 / 육용(肉用) ~ 肉用品種.

품질【品質】명 品質; 品柄; たち. ¶ ~이 나쁜 펜 品の悪いペン / ~ 관리 品質管理 / ~이 좋지 못하다 品柄がよくない / ~ 보증이 붙은 品質保証付きの / ~을 알 수 없는 물품 性の知れない品 / ~을 높이다 品質を高める.

품-팔다 자 労賃をもらって働く.

품-팔이 명하자 賃金労働; 賃仕事. ‖——꾼 명 手間取り.

품평【品評】명하타 品評; 品定め; 品題. ‖——회 명 品評会.

품-하다【稟—】타 上申する; 申し上げる.

품행【品行】명 品行; 行跡; 行状; 身持ち; 素行; 身性〔身状〕. ¶ ~이 나쁨 不品行; 不身持ち / ~이 나쁜 남자 身持ちの悪い男 / ~이 나쁘다 素行が悪い / ~이 방정하다 品行方正である.

풋- 두 "新しい物; 未熟なもの; 初物"などを表わす語. ¶ ~열매 花落ち / ~것 走り; 初物.

풋-감 명 あおがき(青柿).

풋-거름 명 緑肥; 草肥え.

풋-것 명 初物; 走り.

풋-고추 명 あおとうがらし(青唐辛子). ¶ ~절이 김치 青唐辛子を入れたキムチ《塩漬けのキムチに青唐辛子を入れるのが当然のように, 互いに親しい仲の人たちを言う語》.

풋-곡식【—穀食】명 充分に実らない穀物.

풋-과실【—果實】명 未熟の果物

풋-김치 명 春·秋の初物の若い大根や白菜で漬けたキムチ. =청저(青菹).
풋-나무 명 しば(柴); そだ.
풋-나물 명 春の新芽のあえもの.
풋-내 명 (新芽·若葉などの)青くさいにおい《比喩的にも使う》. ¶ ~나는 의견 青くさい意見.
풋-내기 명 ① 新米; 素人; 初心者; 青二才; 駆け出し; ぴいぴい. ¶ ~ 기자 新米〔新前·駆け出し〕の記者 / ~ 의사 竹の子医者 / 아직 ~다 まだ青二才である / ~ 주제에 건방진 소리 마라 ひよこのくせに生意気言うな. ② 慎重を欠き, 血気にはやる人.
풋-담배 명 味も知らずに吸うたばこ.
풋-대추 명 ① 干していないなつめ(棗)の実. ② 未熟のなつめの実.
풋-돈냥【—兩】명 何かの弾みで手に入ったわずかなお金.
풋-머리 명 初物の出回る時期.
풋-바심 명하타 青刈りをして脱穀すること. 준 바심.
풋-배 명 充分に熟していないなし(梨).
풋-벼 명 充分に実らない稲.
풋-볼〔football〕명 フットボール; サッカー. =축구.
풋-사과【—沙果】명 充分に熟していないりんご(林檎).
풋-사랑 명 ① 幼い日の恋. ② 気まぐれの恋; 仮初めの恋; 淡い恋. ¶ 하룻밤의 ~ 一夜の淡い恋.
풋-솜씨 명 慣れない手ぎわ; 新米のまずい手ぎわ; 下手な手ぎわ.
풋-술 명 味も知らずに飲む酒.
풋-워크〔footwork〕명 フットワーク.
풋-잠 명 寝ついたばかりの浅いねむり; うたた寝; 仮寝.
풋-장기【—將棋】명 へぼ将棋.
풋-콩 명 まだ充分に実らないさや(莢)の中の豆; 枝豆.
풍【風】[1] 명 [↗허풍] ほら(法螺); うそ. ¶ 마구 ~을 떨다 ほらを吹(きま)く(る); 大袈裟に言う / ~을 치다 話が大きい / ~을 떨어도 분수가 있지 ほらを吹くにもほどがある.
풍【風】[2] 명〔韓醫〕① 脳·筋肉などの感覚を失う病気《中風など》. ② 原因不明の皮膚病.
풍 부 ① 物が水に落ちる音: ぽん; どぶん. ② 大きな穴があく音: ぱん; ぽん; ぽっかり; ぽっつり. ③ 大きくひるへ(屁)の音. >퐁. ㅆ뿡.
-풍【風】미 風俗·様式の意を表わす語: 風. ¶ 서양~ 西洋風.
풍간【諷諫】명하타 ふうかん(諷諫); 遠回しにいさ(諫)めること.
풍격【風格】명 風格; 人柄; おもむき. ¶ ~이 훌륭한 사람 風格の立派な人 / ~이 있는 글씨 風格のある字.
풍경【風景】명 ① 風景; 景色; 眺め. ¶ 시골 ~ 田舎の景色 / 전원 ~ 田園風景 / 일가 단란한 ~ 一家だんらん(団欒)の風景 / ~을 그리다 風景を描く / ~을 해치다 風景を害する. ② ↗풍경화.
‖——-화 명 風景画. ¶ ~ 소품 석 점을 출품하였다 風景画の小品三点を出品した. 준 풍경.
풍경【風磬】명 風鈴; ふうたく(風鐸). ¶ 처마끝의 ~이 울리다 軒端の風鈴が鳴る / ~을 달다 風鈴をつ(吊)る. ——-치다 자 風鈴をしきりに鳴らす; 転じてしきりに出入りをする.
풍골【風骨】명 風骨; 風姿. ¶ 남보다 뛰어난 ~ 人にまさる風骨 / 선인의 ~을 지니다 仙人の風骨を帯びる.
풍광【風光】명 風光. =경치.
‖—— 명미 명하형 風光明美.
풍교【風教】명 風教. =풍화[1](風化).
풍구【風—】명 ① とうみ(唐箕). =풍차(風車). ② ☞ 풀무.
‖——-질 명하자 唐箕にかけること. ¶ ~해서 왕겨를 제거하다 唐箕にかけてもみがら(籾殻)を除く.
풍금【風琴】명〔樂〕風琴; オルガン.
풍급【風級】명〔氣〕↗풍력 계급.
풍기【風紀】명 風紀. ¶ ~ 문란 風紀びんらん(紊乱) / ~를 문란케 하다 風紀を乱す.
풍기【風氣】명 風気. ① 風俗. ② 風度と気象. ③〔韓醫〕中風; 中気.
풍기다 자타 ① におわす; (においを)漂わす. ¶ 악취를 ~ 悪臭を放つ / 향기를 ~ 香りを漂わす / 학자 냄새를 ~ 学者臭い / 장미꽃 향기가 은은히 ~ ばらの香りがほの(仄)かに漂う / 향수 냄새를 물씬 풍기는 성장한 여인 香水をぷんとにおわす盛装の女. ②(鶏などが驚いて)四方に散る; (鳥が)飛び立つ; (鳥を)飛び立たせる. ③(穀物を)ひ(簸)る; 吹き分ける.
풍난【風難】명 風難; 風災.
풍년【豊年】명 豊年; 豊作の年; 当たり年; 生り年. ¶ 금년은 ~이다 今年は豊年である.
‖—— 거지 명 多くの人が利得を得ている反面, 自分だけが漏れていることのたとえ; びんぼうくじ(貧乏籤)を引いたこと. —— 기근(饑饉) 명 豊年に穀物の価格があまり安くて農民の打撃が大きな現象. —— 풀덩이 명 ふくよかで見栄えがするもののたとえ.
풍덩 부 重く大きい物が水に落ち込む音: どぶん. >퐁당. ——-거리다 자 どぶんどぶんと落ちる. ——— 부하자 どぶんどぶん.
풍뎅이 명〔蟲〕こがねむし(黄金虫). ¶ ~의 유충(幼蟲) 地虫; 根切り虫.
풍도【風度】명 風度. ¶ 대인의 ~ 大人の風度.
풍동【風洞】명〔物〕風洞.
풍-떨다【風—】자 [↗허풍떨다] ほら(法螺)を吹く.
풍란【風蘭】명 ①〔植〕ふうらん(風蘭). ②〔美〕風になびく蘭.
풍랑【風浪】명 風浪; 風と波. ¶ ~에 시달리는 일엽 편주 風浪にも(揉)まれる一葉の小舟 / ~과 싸우다 風浪と戦う.

ㅍ

풍력【風力】명 ① 風力；風勢. ② ある人の威力.
‖——-계 명〔氣〕風力計. —— 계급 명〔氣〕風力階級. ㊜ 풍급(風級). —— 발전 명 風力発電. ¶ ~기 風力発電機.

풍로【風爐】명 こんろ(焜炉)；七厘〔七輪〕. ¶ 석유 ~ 石油こんろ / 전기 ~ 電気こんろ.

풍류【風流】명 風流；数寄〔数奇〕. ¶ ~객 風流人 / ~를 즐기다 風流をたしな(嗜)む / ~가 없는 남자 無風流〔無粋〕な男 / ~를 좋아하다 数寄を好む.

풍림【風林】명 ① 防風林. ② 風致林.

풍만【豊滿】명하형 豊満. ¶ ~한 육체 豊満な肉体 / ~한 가슴 ゆたかな胸の膨らみ / 그녀의 ~한 육체미에 매혹되었다 彼女の豊満な肉体美に魅せられた.

풍매【風媒】명〔植〕風媒.
‖——-화 명〔植〕風媒花.

풍모【風貌】명 ふうぼう(風貌)；風采；ようぼう(容貌). ¶ 당당한 ~ 堂堂たる風貌.

풍문【風聞】명 風聞；うわさ(噂)；風説；風のたより. ¶ 단순한 ~에 지나지 않는다 単なる噂にすぎない / 근거없는 ~ より所のない噂.

풍물【風物】명 ① 風物；景物. = 경치. ¶ ~시 風物詩 / 전원의 ~ 田園の風物. ②〔樂〕農楽に用いるはやし(囃子)道具の総称.
‖——-장이 명 農楽に用いるはやし道具を作る職人.

풍미【風味】명 ① 風味. ¶ ~있는 요리 風味ある料理 / ~가 좋은 風味のよい. ② 人柄がいき(粋)でみや(雅)びやかなこと；風雅であること.

풍미【風靡】명하자타 ふうび(風靡). ¶ 일세를 ~하다 一世を風靡する.

풍미【豊味】명 ゆたかな味；ゆたかな感じ.

풍미【豊美】명하형 ゆたかで美しいこと. = 풍염(豊艶).

풍병【風病】명〔韓醫〕① 神経の故障で起こる病気の総称. = 풍증(風症). ② ☞ 문둥병.

풍부【豊富】명 豊富. ——-하다 형 豊富だ；豊かだ. ¶ ~한 자원 豊富な資源 / ~한 재능 豊かな才能 / 화제가 ~한 사람 話題の豊富な人 / 내용을 ~히 하다 内容を豊富にする / 수산(자원)이 ~하다 水産に豊かである.

풍비 박산【風飛雹散】명하자 四方に飛び散ること；散りぢりになること.

풍산【豊産】명하자 豊富に産すること. また, その産物.

풍상【風霜】명 風霜；風雪. ¶ 오랜 ~에 견디다 長い風霜に耐える / 모진 ~을 겪다 きびしい風霜を経る；きびしい苦労や困難にあう.
‖—— 우로(雨露) 명 風と霜と雨と露.

풍선【風扇】명 ① あお(煽)いで風を起こす器具《扇風機など》. ② 風を起こして穀物を吹き分ける農具の一つ.

풍선【風船】명 風船；風船玉. ¶ ~껌 風船ガム / ~을 부풀리다 風船玉をふくらます / ~이 터지다 風船玉が割れる〔張り裂ける〕.

풍선【風選】명 風選；風力を利用して軽いものを飛散させ, 比重の重いものだけを選別する方法.

풍설【風雪】명 風雪. = 눈바람. ¶ ~을 무릅쓰고 진군하다 風雪を冒して進軍する.

풍설【風說】명 風説；うわさ；浮説；謡言. = 풍문(風聞). ¶ ~을 퍼뜨리다 風説を立てる〔流す〕/ ~이 떠돌고 있다 風説が流布している.

풍성【風成】명 風成.
‖——-암 명〔地〕風成岩. ——-층 명〔地〕風成層. ——-토 명〔地〕風成土. = 풍적토(風積土).

풍성【豊盛】명하형 豊かで多いこと；ふんだんにあること. ¶ ~한 자금 豊か〔ふんだん〕な資金. ——-히 부 ふんだんに. ———— 부하형히부 有り余る程多いさま.

풍세【風勢】명 風勢；風の勢い. ¶ ~가 심해지다 風勢がつのる.

풍속【風俗】명 風俗；手風〈雅〉. ¶ 옛날 그대로의 ~ 昔ながらの風俗/ ~이 문란해지다 風俗が乱れる.
‖——-도(圖), ——-화 명 風俗画. ——-범(犯), —— 사범(事犯) 명 風俗犯罪. —— 소설 명 風俗小説.

풍속【風速】명 風速；風足. ¶ 최대 ~ 15km 最大風速十五キロメートル.
‖——-계 명 風速計. = 풍력계.

풍수【風水】명 ① 風水；陰陽道で風土や水勢を見きわめていい住居·埋葬の地を定める術. ② ☞ 지관(地官).
‖——-도(圖) 명 風水説による地勢図. ——-설 명 風水説；風水に関する学説. ——-쟁이 명 地相見の俗称. = 지관(地官). —— 지리 명 地形·方位·五行などで吉凶を判断して埋葬の地を決める理論. = 풍수 지리설.

풍수【豊水】명 豊水；水量の豊かなこと. ¶ ~기 豊水期.

풍수지-탄【風樹之歎】명 風樹の嘆.

풍수-해【風水害】명 風水害.

풍습【風習】명 風習；習わし；しきたり；風儀. ¶ 진기한 ~ 珍しい風習 / 옛 ~을 지키다 昔の風習を守る / 기묘한 ~ 奇妙な習わし.

풍식【風蝕】명〔地〕風食. ¶ ~ 작용 風食作用.

풍신【風信】명 風信.

풍신【風神】명 風神. ① 風の神；風伯. ② 風骨；風采. ¶ ~이 좋다 風采がりっぱだ；風骨がよい.

풍아【風雅】명 風雅. ——-하다 형 風雅だ；みやびやかだ. ¶ ~한 멋이 있는 그림 風雅の趣のある絵 / 장식이 ~하다 装飾が雅びやかだ.

풍악【風樂】명 韓国固有の音楽. ¶ ~을 잡히다 楽を奏する.

ㅍ

풍압【風壓】명〖物〗風圧. ¶ ～에 견디다 風圧に耐える.
‖——-계 명〖氣〗風圧計.
풍어【豐漁】명 豊漁；大漁. ¶ ～로 흥청대다 豊漁でにぎ(賑)わう.
풍염【豐艶】명하형 豊艶. ¶ ～한 미인 豊艶な美人.
풍요【豐饒】명하형 ほうじょう(豊饒). ¶ ～한 사회 豊かな社会 / ～한 가을 豊饒の秋.
풍우【風雨】명 風雨. ¶ ～ 주의보 風雨注意報 / ～를 무릅쓰고 가다 風雨が冒して行く.
풍운【風雲】명 風雲. ¶ ～의 뜻 風雲の志.
‖——-아 명 風雲児. —— 조화(造化) 명 雨風の予測し難い変化.
풍월【風月】명하자 風月. ¶ ～을 벗삼다 風月を友とする.
풍위【風位】명 風位；風向.
풍위【風威】명 風威；風の威力.
풍자【諷刺】명 風刺；あてこすり. ——-하다 타 風刺する；諷する；皮肉る. ¶ ～적인 만화 風刺的(な)漫画 / 시국을 ～한 글 時局を諷した文 / 소설로 정치를 ～하다 小説で政治を皮肉る.
‖—— 문학 명 風刺文学. ——-화 명 風刺画.
풍작【豐作】명 豊作；上作；満作. ¶ ～의 해 豊作の年 / 농작물의 ～과 흉작 作物の出来と不出来 / ～으로 쌀값이 떨어지다 豊作で米価が下落する.
풍장 명〖樂〗農楽に用いるはやしもの(囃子物)を民俗的に言う語.
풍장【風葬】명 風葬.
풍재【風災】명 風災；風害.
풍적-토【風積土】명 風積土. ＝풍성토(風成土).
풍전【風前】명 風前.
‖—— 등촉(燈燭), —— 등화(燈火) 명 風前のともしび.
풍정【風情】명 風情；風致のある趣.
풍조【風潮】명 風潮. ¶ 세상 ～에 따르다 世の風潮に従う / 세상 ～에 역행하다 世の風潮に逆らう.
풍족【豐足】명하형히부 豊かで不足のないこと. ¶ ～한 군자금 豊かな軍資金 / ～한 생활 豊かな暮らし〔生活〕/ ～하게 쓰다 ふんだんに使う / ～하게 하다 豊かにする / 자원이 ～하다 資源に恵まれている.
풍증【風症】명〖韓醫〗☞ 풍병①.
풍지【風紙】명 ↗문풍지.
풍진【風塵】명 風塵. ① 風に吹き立つちり. ② 俗世間.
‖—— 세계(世界) 명 安らかでない世間.
풍차【風車】명 ① 風車. ② とうみ(唐箕). ＝풍구.
풍채【風采】명 風采；かっぷく(恰幅). ＝풍신(風神). ¶ ～가 시원치 못한 사나이 風采のあがらぬ男 / ～가 좋다 恰幅がいい.
풍취【風趣】명 風趣；おもむき；風韻；風致. ¶ ～있는〔없는〕 おもむきのある〔ない〕 / ～있는 사나이 風韻のある男 / 겨울의 쓸쓸한 경치에도 또한 ～가 있다 冬枯れの景色にもまた(それなりの)おもむきがある.
풍치【風致】명 風致；おもむき；あじわい. ＝풍취. ¶ ～를 더하다 風致を増す；おもむきを添える / ～를 해치다 風致を害する.
‖——-림(林) 명 風致林. —— 지구 명 風致地区.
풍치【風齒】명〖韓醫〗神経障害によって起こる歯痛《洋医学の歯周炎に当たる》.
풍-치다 자 ↗허풍치다.
풍토【風土】명 風土.
‖——-기(記) 명 風土記. ¶ 인물～기 人物風土記. ——-병 명 風土病. ——-색 명 風土色.
풍파【風波】명 風波. ① 荒れ；波風. ¶ ～가 일다 風波が立つ. ② 争い；も(揉)め事. ¶ ～가 끊이지 않다 風波〔もめ事〕が絶えない / 가정에 ～가 일다 家庭にいざこざが立つ / 평지 ～를 일으키다 平地にはらん(波瀾)を起こす. ③ (人生の)難儀；荒波. ¶ 세상 ～에 시달리다 浮き世の荒波にもまれる.
풍편【風便】명 風の便り. ＝바람결.
풍-풍 부 ① 穴から水がほとばしり出る音：どくどく；ごぼごぼ. ② へ(屁)をしきりにひる音：ぶうぶう.
풍한【風寒】명 風邪. ＝감기.
풍해【風害】명 風害. ＝풍재(風災). ¶ ～를 입다 風害を被る.
풍해【風解】명하자〖化〗風解；風化.
풍향【風向】명 風向；風向き. ¶ ～계 風向計 / ～이 바뀌다 風向きが変わる.
풍협【豐頰】명 ふっくらとしたほお(頰).
풍화【風化】[1] 명 風化；教育と政治により教化すること. ＝풍교(風教)·풍성(風聲).
풍화【風化】[2] 명하자〖地·化〗風化. ¶ ～ 작용 風化作用 / ～되기 쉽다 風化し易い.
‖——-물 명 風化物. —— 석회 명 風化石灰.
풍화【風和】명하형 風がや(止)み波が静まること；な(凪)ぐこと.
풍-흉【豐凶】명 豊凶. ＝풍겸(豐歉). ¶ ～을 점치다 豊凶を占う.
풍흉-술【豐胸術】명 豊胸術.
퓨리터니즘〔puritanism〕명〖基〗ピューリタニズム.
퓨리턴〔puritan〕명〖基〗ピューリタン.
퓨마〔puma〕명〖動〗ピューマ.
퓨젤-유【—油】〔fusel〕명〖化〗ヒューゼル油.
퓨즈〔fuse〕명 ヒューズ. ¶ ～가 끊어지다 ヒューズが飛ぶ〔切れる〕.
퓰리처-상【—賞】〔Pulitzer〕명 ピューリツァー賞.
프라스코〔포 frasco〕명〖化〗フラスコ.
프라이〔fry〕명하타 フライ. ¶ 새우 ～ えびフライ.
‖——-팬 명 フライパン.
프라이드〔pride〕명 プライド.
프라이머리〔primary〕명 プライマリー.
‖—— 스쿨 명 プライマリースクール.
프라이버시〔privacy〕명 プライバシー. ¶ ～를 침해당하다 プライバシーを侵

ㅍ

おかされる.

프라이오리티 〔priority〕 명 プライオリティ; プリオリティー.

프락치 〔러 fraktsiya〕 명 フラク; フラクション(fraction).

프랑 〔프 franc〕 의명 フラン.

프래그머티즘 〔pragmatism〕 명 〖哲〗 プラグマチズム; 実用主義じつようしゅぎ.

프러시안 블루 〔prussian blue〕 명 プロシアンブルー.

프런트 〔front〕 명 フロント.

프런티어 스피릿 〔frontier spirit〕 명 フロンティアスピリット.

프레스 〔press〕 명 プレス. ¶ ~ 클럽 プレスクラブ.

프레스코 〔이 fresco〕 명 〖美〗 フレスコ.

프레온 〔Freon〕 명 〖化〗 フレオン; フロン. ¶ ~ 가스 フレオンガス.

프레임 〔frame〕 명 フレーム.

프레젠트 〔present〕 명하타 プレゼント.

프렌치 드레싱 〔French dressing〕 명 フレンチドレッシング.

프렌치 토스트 〔French toast〕 명 フレンチトースト.

프렐류드 〔prelude〕 명 プレリュード; 前奏曲ぜんそうきょく.

프로 명 プロ. ① [↗프로그램] 番組ばんぐみ. ¶ 방송〔교양〕 ~ 放送ほうそう〔教養きょうよう〕プロ / ~ 편성 プロ編成へんせい / ~를 짜다 番組をくむ. ② ↗프로덕션. ③ ↗프롤레타리아. ¶ ~ 문학 プロ文学ぶんがく. ④ [↗프로페셔널] 職業的しょくぎょうてき. ¶ ~ 야구 プロ野球やきゅう. ⑤ [↗프로센토] パーセント(%).

프로그램 〔program〕 명 プログラム; 番組ばんぐみ. ¶ ~을 짜다 プログラムを組くむ. 준 프로.

프로덕션 〔production〕 명 プロダクション. 준 프로.

프로듀서 〔producer〕 명 プロデューサー; PDピーディー(준말); 制作者せいさくしゃ.

프로모터 〔promoter〕 명 プロモーター.

프로세스 〔process〕 명 プロセス. ¶ 작업의 ~ 作業さぎょうのプロセス.

프로젝트 〔project〕 명 プロジェクト. ¶ ~팀 プロジェクトチーム.

프로카인 〔procain〕 명 〖藥〗 プロカイン.

프로테스탄트 〔protestant〕 명 〖基〗 プロテスタント.

프로텍터 〔protector〕 명 プロテクター.

프로톤 〔proton〕 명 〖物·化〗 プロトン; 陽子ようし.

프로파간다 〔propaganda〕 명 プロパガンダ; 宣伝せんでん.

프로판 〔propane〕 명 〖化〗 プロパン.
‖── 가스 명 プロパンガス.

프로페셔널 〔proffessional〕 명 プロフェッショナル; プロ(준말).

프로펠러 〔propeller〕 명 プロペラ. ¶ ~ 비행기 プロペラ飛行機ひこうき.

프로포즈 〔propose〕 명하자타 プロポーズ.

프로필 〔profile〕 명 プロフィール.

프록 코트 〔frock coat〕 명 フロックコート; フロック(준말).

프롤레타리아 〔프 prolétariat〕 명 プロレタリア. 준 프로.
‖── 독재 명 プロレタリア独裁どくさい. ── 문학 명 プロレタリア文学ぶんがく.

프롤레타리아트 〔도 Proletariat〕 명 プロレタリアート.

프롤로그 〔prologue〕 명 プロローグ.

프롬프터 〔prompter〕 명 〖劇〗 プロンプター.

프루츠 〔fruits〕 명 フルーツ.
‖── 펀치 명 フルーツポンチ.

프리 〔free〕 명 フリー.
‖── 랜서 명 フリーランサー; フリーランス. ── 배팅 명 フリーバッティング. ── 스로 명 フリースロー. ── 스타일 명 フリースタイル. ── 킥 명 フリーキック. ── 패스 명 フリーパス.

프리깃 〔frigate〕 명 フリゲート.
‖──-함 명 フリゲート艦かん.

프리-리코딩 〔prerecording〕 명 プレレコーディング; プレレコ(준말).

프리마 돈나 〔이 primadonna〕 명 プリマドンナ.

프리미엄 〔premium〕 명 プレミアム. ¶ ~이 붙다 プレミアムが付つく / ~을 붙이다 プレミアムをつける.

프리저 〔freezer〕 명 フリーザー.

프리즘 〔prism〕 명 〖物〗 プリズム. ¶ 분광용 ~ 分光用ぶんこうようプリズム / 편광 ~ 偏光へんこうプリズム.

프린세스 〔princess〕 명 プリンセス.

프린스 〔prince〕 명 プリンス.

프린트 〔print〕 명하타 プリント; 印刷いんさつ(物ぶつ).
‖── 배선 명 プリント配線はいせん.

프릴 〔frill〕 명 (衣裳いしょうの)フリル.

프탈-산 【─酸】 명 〔phthalic acid〕 〖化〗 フタル酸さん.

프토마인 〔ptomain〕 명 〖生〗 プトマイン. ¶ ~ 중독 プトマイン中毒ちゅうどく.

플라네타륨 〔도 Planetarium〕 명 〖天〗 プラネタリウム. =천상의(天象儀).

플라멩코 〔스 flamenco〕 명 フラメンコ; (スペインの)踊おどり.

플라밍고 〔flamingo〕 명 〖鳥〗 フラミンゴ.

플라빈 〔프 flavine〕 명 〖化〗 フラビン.

플라스마 〔plasma〕 명 〖生·物〗 プラズマ; プラスマ. =플래즈마.

플라스틱 〔plastic〕 명 プラスチック.
‖── 공해 명 プラスチック公害こうがい. ── 모델 명 プラスチックモデル. ── 반도체 명 プラスチック半導体はんどうたい. ── 폭탄 명 プラスチック爆弾ばくだん.

플라워 〔flower〕 명 フラワー. ¶ ~ 디자인 フラワーデザイン.

플라이 〔fly〕 명 フライ. ¶ 센터 ~ センターフライ.
‖──-급(級), ──-웨이트 명 フライ級きゅう; フライウェート.

플라이트 〔flight〕 명하자 フライト.

플라타너스 〔platanus〕 명 〖植〗 プラタナス.

플라토닉 러브 〔platonic love〕 명 プラトニックラブ.

플란넬 〔flannel〕 명 フランネル.

플랑크톤 〔plankton〕 명 〖生〗 プランクトン; 浮遊生物ふゆうせいぶつ.

플래시 〔flash〕 명 フラッシュ. ¶ ~를 터뜨리다 フラッシュをたく / 뉴스 ~ ニュースフラッシュ / ~건 フラッシュガン / ~백 フラッシュバック.
‖──-라이트 명 フラッシュライト; フラッシュ(준말).

플래카드 〔placard〕 명 プラカード.

ㅍ

플래티나 〔platina〕 명 プラチナ.
플랜 〔plan〕 명 プラン. ¶～을 짜다〔세우다〕 プランを練る〔立てる〕.
플랜트 〔plant〕 명 プラント.
‖── 수입 명 プラント輸入. ── 수출 명 プラント輸出.
플랫 〔flat〕 명 フラット. ¶200미터를 25초 ～으로 달렸다 二百メートルを二十五秒フラットで走った.
플랫폼 〔platform〕 명 プラットホーム.
플러그 〔plug〕 명 プラグ.
플러스 〔plus〕 명하타 プラス.
‖──-극 명 プラス極. ── 마이너스 명 プラスマイナス. ── 알파 명 プラスアルファ.
플런저 〔plunger〕 명 〖機〗 プランザー.
플레어 〔flare〕 명 フレア; フレヤー.
‖── 스커트 명 フレアスカート.
플레이 〔play〕 명 プレー. ¶파인 ～ ファインプレー / 트리플 ～ トリプルプレー / 페어 ～ フェアプレー.
‖── 보이 명 プレーボーイ. ── 볼 명 プレーボール. ──-오프 명 プレーオフ.
플레이어 〔player〕 プレーヤー.
플레이트 〔plate〕 명 プレート. ¶～ 전류 プレート電流 / 해양 ～ 〖地〗 海洋プレート / ～를 밟다 〖野〗 プレートを踏む.
플로어 〔floor〕 명 フロア.
‖── 쇼 명 フロアショー.
플롯 〔plot〕 명 プロット.
플루오르 〔도 Fluor〕 명 〖化〗 フルオル《記号: F》; 弗素; フッ素.
‖── 수지 명 〖化〗 弗素樹脂. ──-화 명 〖化〗 弗化; フッ化. ──-화물 명 〖化〗 弗化物.
플루토늄 〔plutonium〕 명 〖化〗 プルトニウム《記号: Pu》. ¶～ 폭탄 プルトニウム爆弾 / ～ 리사이클 プルトニウムリサイクル / ～의 해상 수송 プルトニウムの海上輸送.
플루트 〔flute〕 명 〖樂〗 フルート.
플리즈 〔please〕 감 プリーズ.
플린트 〔flint〕 명 フリント.
‖── 유리(琉璃) 명 フリント〔鉛〕ガラス.
피[1] 명 血. ①〖生〗 血液. ¶～가 나다〔흐르다〕 血が出る〔流れる〕 / ～가 멎다 血が止まる / ～가 배어 있다 血がにじんでいる / ～도 눈물도 없다 血も涙もない / ～투성이가 되다 血まみれになる / ～가 쏟아지다 血がほとばしる. ② 血筋; 血統. ¶～를 나눈 형제 血を分けた兄弟 / ～를 (이어)받다 血を引く / ～는 물보다 진하다 血は水より濃い. ③ 血気. ¶～가 끓다 血が沸く.
피[2] 명 〖植〗 ひえ(稗)(草).
피[3] 부하자 ① あざけ(嘲)る声: ふん. ¶～ 웃다 ふんと笑う. ② ゴムまりなどから空気の抜ける音: しゅー.
피- 【被】 두 被. ¶～선거권 被選挙権 / ～상속인 被相続人.
피-가수 【被加數】 명 〖數〗 被加数.
피각 【皮角】 명 〖醫〗 皮角.
피-감수 【被減數】 명 〖數〗 被減数.
피검 【被檢】 명하자 ① 検挙されること. ② 検査を受けること.
피겨 〔figure〕 명 フィギュア.
‖── 스케이팅 명 フィギュアスケーティング.
피격 【被擊】 명하자 攻撃を受けること.
피견 【披見】 명하타 披見; ひらいて見ること.
피고 【被告】 명 〖法〗 被告. ¶～석 被告席 / ～에게 유리한 증언 被告に有利な証言.
‖──-인 명 被告人.
피-고름 명 血うみ(膿).
피곤 【疲困】 명 疲労; くたびれ疲れること. ──-하다 형 疲れている. ¶～해서 녹초가 되다 くたくたに疲れる / 몹시 ～하다 へとへとになる.
피골 【皮骨】 명 皮と骨.
‖── 상접(相接) 명하형 やせこけて皮と骨ばかりになること.
피-교육자 【被教育者】 명 被教育者; 教育を受ける人.
피근-피근 부하형 (片意地を張って)人の言うことをきかないさま. ¶～통 말을 안 듣는다 意地を張って一向言うことを聞かない.
피-나다 자 ① 血が出る. ② ひどく苦労(を)する. ¶피나게 번 돈 身を削ってもうけた金.
피난 【避難】 명하자 避難.
‖──-민 명 避難民. ──-살이 명 避難生活. ──-처(處) 명 避難所.
피날레 〔이 finale〕 명 フィナーレ.
피넛 〔peanut〕 명 ピーナッツ.
피네 〔이 fine〕 명 〖樂〗 フィネ.
피-눈물 명 血涙; 血の涙. ¶～을 짜다 血涙をしぼる.
피다[1] 자 ① (花が)咲く; 開く. ¶일찍 피는 꽃 開きの早い花 / 매화꽃이 ～ 梅の花が咲く / 벚꽃이 반쯤 ～ 桜が半開きになる / 일제히 ～ 咲きそろ(揃)う / 한창 ～ 咲き誇る. ② 肥えて血色がよくなる; なまめく. ¶한창 핀 처녀 花盛りの娘 / 한창 필 나이 若盛りの年頃. ③ 火がつく; おこ(熾)る. ④ (暮らし向きが)豊かになる. ¶살림이 좀 피었다 暮らしがやや楽になった.
피다[2] 타 ↗피우다.
피대 【皮帶】 명 調べ帯; 帯革〔帯皮〕; ベルト. ＝피댓줄. ¶굴대에 ～를 걸다 軸にベルト〔帯皮〕をかける.
피동 【被動】 명 受け身; 受動. ¶～적이다 受動的である.
‖──-사(詞) 명 受け身の動詞.
피둥-피둥 부하형 ① 肥えていて元気な人の肌がつややかでぴんとしているさま. ¶아직도 ～하다 いまだしゃんとしている. ② のら(り)くら(り). ¶～ 놀기만 한다 (いつも)のらりくらり遊んでばかりいる.
피드-백 〔feedback〕 명하타 フィードバック.
피-디 【PD】 명 ①〔producer〕 プロデューサー. ②〔program director〕 ピィーディー; プログラムディレクター.
피-딱지[1] 명 血が固まって出来たかさぶた(瘡蓋); 凝血.
피-딱지[2] 명 こうぞ(楮)のかす(滓)で作った粗い紙.

피-땀 명 ① 血の汗. =혈한(血汗). ② 血と汗. ¶ ~의 결정 血と汗の結晶.
피-똥 명 血便.
피뜩 부 ちらつくさま: ちらっと; ちらり; ふと; ひょいと. ――――― 부 ひょいひょい; ちらちら.
피라미 명〖魚〗おいかわ(追川); はや(鮠); はえ〈関西方〉.
피라미드〔pyramid〕명 ピラミッド.
피란【避亂】명 하자 避難. ¶ ~가다 乱を避けて住まいを移す.
‖――-민(民) 명 避難民. ――-살이 명 하자 避難地での暮らし. ――-지(地) 명 ① 乱を避けて住むのに都合のよい所. ② 避難地. =피란처(處).
피랍【被拉】명 拉致されること.
피력【披瀝】명 하타 ひれき(披瀝). ¶ 진심을 ~하다 真心を打ち明ける / 심정을 정확하게 ~한 편지 胸の内を書きつらねた手紙.
피로【披露】명 하타 披露; ひろめ; おひろめ. ¶ 결혼을 ~하다 結婚を披露する / 개점 ~ 開店披露.
‖――-연 명 披露宴.
피로【疲勞】명 하형 疲労; くたびれ; 疲れ. ¶ 정신적 ~ 気疲れ / ~의 기색이 짙다 疲労の色が濃い / ~가 겹쳐서 병이 났다 疲れが重なって病を得た / 신경〔눈〕이 ~하다 神経〔目〕が疲れる.
‖―― 곤비(困憊) 명 하자 疲労こんぱい(困憊).
피로 전기【―電氣】〔pyro〕명 ピロ電気; 焦電気.
피뢰【避雷】명 하자 避雷.
‖――-기(器) 명 避雷器. ――-침(針) 명 避雷針; 雷よけ.
피륙 명 反物; 太物; 切れ地; 布地. ¶ ~점 反物屋.
피리 명〖樂〗笛; 縦笛; ぴりぴり〈児〉. ¶ ~를 불다 笛を吹く / 나뭇잎 ~ しばぶえ(柴笛).
‖――-새 명〖鳥〗うそ(鷽).
피리어드〔period〕명 ピリオド.
피린계 약제【―系藥劑】〔pyrine〕명 ピリン系薬剤; ピリン剤.
피마-자【蓖麻子】명 ひまし(蓖麻子); とうごま(唐胡麻); 唐胡麻の種.
‖――-유(油) 명 ひまし油.
피막【皮膜】명 皮膜.
피막【被膜】명 被膜.
피망〔프 piment〕명〖植〗ピーマン.
피-맺히다 자 ① (皮下に)充血する; 血がにじむ; 青黒いあざ(痣)ができる. ② 胸に血がにじむような嘆かわしい思いがする. ¶ 피맺힌 사연 悲痛窮まるいわ(曰)く.
피명【被命】명 하자 被命; 命令を受けること.
피물【皮物】명 獣の皮; 獣皮.
피-바다 명 血の海. ¶ 온통 ~를 이루고 있다 一面血の海になっている.
피-범벅 명 血だらけ; 血まみ(塗)れ.
피병【避病】명 하자 病気を避けて移住すること.
피보험-자【被保險者】명 被保険者. ¶ ~의 부담금 被保険者の負担金.
피복【被服】명 被服; 衣服. ¶ ~은 회사에서 지급하였다 被服は会社で支給した.
피복【被覆】명 하타 被覆. ¶ 절연체로 ~하다 絶縁体で被覆する.
‖――-선 명 被覆線; 絶縁線.
피봉【皮封】명 ☞ 겉봉.
피부【皮膚】명 皮膚; 肌; 生皮; 地. ¶ 화상으로 ~가 따끔따끔하다 やけどで皮膚がぴりぴりする / 반들반들한 ~ つややかな皮膚 / 구릿빛의 ~ 赤銅色の肌 / 사람의 ~ 人肌 / ~가 주름지다 皮膚がしわばむ / ~가 거칠어지다 地が荒れる / ~를 손질하다 肌を磨く.
‖――-과 명 皮膚科. ――-병 명〖醫〗皮膚病. ――-암 명〖醫〗皮膚がん(癌). ――-염 명〖醫〗皮膚炎. ―― 이식 명 植皮. ¶ ~술 植皮術. ―― 호흡 명〖生〗皮膚呼吸.
피-붙이 명 ① 血族. ② 直系の子孫.
피-브이-시【PVC←polyvinyl chloride】명 ピーブイシー; ポリ塩化ビニル; 塩化ビニル樹脂.
피비린내-나다 형 血なまぐさい. ¶ 피비린내나는 사건 血なまぐさい事件.
피-사리 명 하자 ひえ(稗)抜き; ひえ取り.
피사-체【被寫體】명 被写体.
피살【被殺】명 하자 殺されること.
피상【皮相】명 皮相; 上面; 上辺; 表面.
‖――-적 명 관 皮相(的); 通り一遍. ¶ ~인 해석이다 通り一遍の解釈だ / ~인 의견 皮相的な見解; 皮相の見 / ~인 이해만으로는 소용없다 上面の理解だけでは役に立たない.
피상속-인【被相續人】명 被相続人.
피새 명 気短でおこりっぽい性格. ――-내다 자 短気でよく腹を立てる. ――-여물다 형 気短でおこりっぽい. ――-나다 자 発覚する; ばれる〈俗〉. ――-놓다 자 緊要な振りをして邪魔だてする.
피서【避暑】명 하자 避暑; 暑気払い; 暑さしの(凌)ぎ. ¶ ~하러 가다 避暑に行く.
‖――-지 명 避暑地.
피선【被選】명 하자 選ばれること.
피선거-권【被選擧權】명 被選挙権.
피소【被訴】명 하자 被訴.
피스톤〔piston〕명 ピストン.
‖――-간(桿) 명 ピストン棒. ―― 수송 명 ピストン輸送.
피스톨〔pistol〕명 ピストル.
피습【被襲】명 하자 襲われること.
피-승수【被乘數】명 被乗数.
피신【避身】명 하자 身を避けること; 身をかくすこと.
피아【彼我】명 彼我; 相互. ¶ ~의 세력이 백중하다 彼我の勢力が伯仲する.
‖――-간(間) 명 彼我の間; 相互間.
피아노〔piano〕명〖樂〗ピアノ. ¶ ~반주 ピアノ伴奏 / ~ 조율사 ピアノ調律師 / 그랜드 ~ 平台ピアノ;

グランドピアノ / ～를 치다 ピアノを弾く / ～에 맞춰서 노래하다 ピアノに合わせて歌う.

피아니스트〔pianist〕명 ピアニスト.

피아니시모〔이 pianissimo〕명〔樂〕ピアニッシモ《記号: pp》.

피-아르【P.R.←public relation】명하타 ピーアール. ¶～ 활동 ピーアール活動.

‖── 영화 명 ピーアール映画.

피안【彼岸】명〔佛〕彼岸.

피-안다미조개 명 あかがい(赤貝). = 피조개.

피압박 민족【被壓迫民族】명 被圧迫民族.

피앙세 명 ①〔프 fiancé〕フィアンセ《男性》. ②〔프 fiancée〕フィアンセ《女性》.

피어-나다 자 ①(消えかけた火が)再びおこ(熾)りかける. ¶숯불이 ～ 炭火がおこる. ②(苦しい暮らしなどが)よくなりかける. ¶살림이 ～ 暮らし向きがよくなる. ③(気絶した人が)よみがえ(蘇·甦)る; 生きかえる. ④咲き始める. ¶꽃이 ～ 花が咲く〔咲き始める〕.

피에로〔프 pierrot〕명 ピエロ.

피-에이치【pH, PH】명〔化〕ピーエッチ; ペーハー; 水素指数.

피에조 전기【─電氣】〔piezo〕명〔物〕ピエゾ電気; 圧電気.

피-엑스【P.X.←Post Exchange】명 ピーエックス.

피-엘-오【P.L.O.←Palestine Liberation Organization】명 ピーエルオー.

피용-자【被傭者】명 被傭者; 傭人.

피우다 타 ①(花などを)咲かせる; 開かせる. ¶꽃을 ～ 花を咲かせる / 이야기 꽃을 ～ 話に花を咲かす. ②(火を)おこ(熾)す; た(焚)く. ¶난로를〔향을〕～ ストーブ〔香〕をたく / 화로에 불을 ～ 火鉢に火をおこす. ③(タバコを)吸う; 吹かす; 飲む; くゆ(燻)らす. ¶여송연을 ～ 葉巻をくゆらす / 뻐끔뻐끔 담배를 ～ すぱすぱ(と)タバコを吸う〔吹かす〕/ 담배를 너무 ～ タバコを吸い過ぎる. ④にお(匂)わす; 漂わす. ¶술냄새를 ～ 酒のにおいをにおわす. ⑤(ほこり(埃)などを)立てる. ¶먼지를 ～ ほこりを立てる. ⑥(よくない意で)…をする; …立てる. ¶게으름 ～ 怠ける / 꾀(를) ～ ずるける / 난봉을 ～ 浮気をする / 소란(을) ～ 騒ぎ立てる; 人騒がせをする / 수단을 ～ 手段をろう(弄)する / 재주를 ～ 才能を働かせる. 준 피다.

피육【皮肉】명 皮と肉.

피의【被疑】명 疑われること; 嫌疑を受けること.

‖──-자 명 被疑者; 容疑者.

피임【被任】명하자 任命されること. ¶교장에 ～되다 校長に任命される.

피임【避姙】명하자 避妊. ¶먹는 ～약 経口避妊薬 / ～ 수술 避妊手術. ‖──-제 명 避妊剤.

피자〔이 pizza〕명 ピザ; ピッツァ.

피자 식물【被子植物】명〔植〕被子植物. =속씨 식물.

피장-파장 명 あいこ(相子); お互い様; 相身互い. ¶나쁘기는 ～이다 悪いのはお互い様だ / 이것으로 ～이 되겠지 これであいこになるだろう. * 피차일반.

피-제수【被除數】명 被除数.

피-죽【─粥】명 ひえ(稗)のおかゆ(粥). ¶～도 못 먹었나《俚》ひえのかゆすらありつけなかったのか《飢えた人のように元気のない様を皮肉る語》.

피지【皮脂】명 皮脂.

‖──-루 명〔醫〕皮脂漏. ──-선 명〔生〕皮脂腺.

피지컬〔physical〕명 フィジカル. ¶～ 트레이닝 フィジカルトレーニング.

피질【皮質】명〔生〕皮質. ¶부신 ～ 副腎皮質.

피차【彼此】명부 ①あれ(と)これ. ②お互い. ¶～ 매일반 お互いさま / ～ 통하다 お互いに相通ずる / ～의 이익 お互いの利益 / 곤란한 것은 ～ 마찬가지다 困るのはお互いさまである.

‖──-간(間) 명 双方(の間); 双方とも. ── 일반 명 お互い様; 相身互い. ¶소식 못 드린 것은 ～입니다 ごぶさたはお互い様であります / 가난한 처지는 ～이지오 貧乏は相身互いであります.

피처〔feature〕명 フィーチュア.

피처〔pitcher〕명〔野〕ピッチャー; ピー《준말》. ¶～ 앞 땅볼 ピーゴロ / ～를 하다 ピッチャーをやる.

피천 명 わずかな金銭; びたせん(鐚銭). ¶～ 한 닢 없다 びた一文もない / ～한 푼 안 낸다 びた一文出さない.

피천【被薦】명 推薦を受けること.

피체【被逮】명하자 捕らえられること.

피층【皮層】명 皮層.

피치〔pitch〕명 ピッチ. ¶～를 올리다 ピッチをあげる / 급～로 노를 젓다 急ピッチでこ(漕)ぐ.

‖──-블렌드 명〔鑛〕ピッチブレンド. ── 코크스 명 ピッチコークス.

피치-자【被治者】명 被治者. ¶치자와 ～ 治者と被治者 / ～의 입장 被治者の立場.

피침【被侵】명하자 侵されること.

피침-형【披針形】명 披針形. ¶～의 대나무 잎 披針形の竹の葉.

피칭〔pitching〕명하자〔野〕ピッチング; ピッチ《준말》.

피케〔프 piqué〕명 ピケ; ピッケ.

피케팅〔picketing〕명하자 ピケッティング.

피켈〔pickel〕명 ピッケル.

피켓〔picket〕명 ピケット; ピケ《준말》. ¶～을 치다 ピケを張る.

‖── 라인 명 ピケットライン.

피코〔프 picot〕명 ピコット; ピコ.

피콜로〔piccolo〕명〔樂〕ピッコロ.

‖──-플루트 명〔樂〕ピッコロフリュート.

피크〔peak〕명 ピーク. ①山のいただき. ②絶頂.

피크닉〔picnic〕명 ピクニック.

피타【被打】명하자 打たれること.

피타고라스의 정리【─定理】〔Pythago-

ㅍ

ras〕 명〔數〕ピタゴラスの定理.

피탈【被奪】명하자 奪われること.

피탈【避脫】명하자타 避けて脫すること.

피-톨 명〔生〕血球. =혈구.

피-투성이 명 血みどろ; 血まみれ; 血だらけ; 血だるま. ¶~가 되다 血にまみれる; 血まみれになる; 朱に染まる / ~가 된 샤쓰 血まみれのシャツ / ~의 싸움 血みどろの苦鬪 / ~가 되어 구원을 청하다 血だるまになって救いを求める.

피트〔feet〕의명 フィート《30.48cm》.

피폐【疲弊】명하자 疲弊. ¶재정〔농촌〕의 ~ 財政〔農村〕の疲弊.

피폭【被爆】명하자 被爆. ¶~ 지대 被爆地帯 / ~자 被爆者.

피-피-엠【p.p.m.←parts per million】의명 ピーピーエム.

피하【皮下】명〔生〕皮下.
‖── 조직 명〔生〕皮下組織. ── 주사 명 皮下注射. ── 지방 명〔生〕皮下脂肪. ── 출혈 명 皮下出血. =내출혈.

피-하다【避─】자타 避ける. ①(人目につかないように)かくれる; 逃れる. ¶추격자를 피해 숨다 追っ手を避けてかくれる / 추적의 손을 ~ 追跡の手を逃れる / 신문 기자를 피해서 두문불출하다 新聞記者を避けて家にこも(籠)る. ②(触れないように)よける; 近寄らない. ¶비를 ~ 雨をよける / 암초를 ~ 暗礁を避ける / 남의 눈을 ~ 人目を避ける / 자동차를 ~ 自動車をよける / 요즘 그는 나를 피하고 있다 この頃彼はわたしをよけている. ③遠慮する; はばかる. ¶분쟁(紛爭)을 ~ いざこざを避ける / 난폭한 언동을 ~ 乱暴な言動を避ける. ④関係しないようにする; 免れる; 逃れる. ¶피하기 힘든 책임 避け難い責任 / 법망을 ~ 法網を逃れる / 피할 수 없는 입장 のっぴきならぬ立場. ⑤(日取り·方位などで)不吉な日または方角を忌む.

피한【避寒】명하자 避寒.
‖──-지 명 避寒地.

피해【被害】명하자 被害. ¶~자 被害者 / 우박 ~ ひょうがい(雹害) / ~가 많다〔적다〕 被害が多い〔少ない〕/ ~를 입다 被害をこうむる / ~자에게 사과의 뜻을 표하다 被害者に謝意を表明する.
‖── 망상(妄想) 명〔醫〕被害妄想.

피해【避害】명하자 害を避けること.

피험-자【被驗者】명 被験者.

피혁【皮革】명 皮革; 皮〔革〕; レザー. ¶~상(商) 皮屋 / ~ 제품 皮革製品.

피화【避禍】명하자 災いを避けること.

픽 부하자 ①力尽きて倒れるさま: ぱたり; ばったり. >팩. ②ふいに笑いをもらすさま: ぷっと; ぴ; へ. ¶~하고 냉소하였다 ぷっと冷笑した. ③ゴムまりなどから空気がもれる音: しゅうっ. ④腐りかけた縄などがたやすく切れるさま: ぷ(っ)つり. >팩.

픽션〔fiction〕명 フィクション.

픽스〔fix〕명 フィクス.

픽-업〔pickup〕명하타 ピックアップ.
‖── 트럭 명 ピックアップトラック.

픽-픽 부하자 ①多くの物が力尽きて続けざまに倒れるさま: ばたばた; ばったりばったり. ②しきりにぷっと(せせら)笑うさま. ③腐りかけた縄などが続けざまに切れる音: ぷつりぷつり. >팩팩.

핀〔pin〕명 ピン. ¶안전 ~ 安全ピン / 곤충 표본에 꽂는 ~ 虫ピン / ~을 꽂다 ピンで留める.

핀둥-거리다 자 ぶらぶらする; のらくらする; ごろつく. >팬둥거리다. ㅅ빈둥거리다. ㅆ삔둥거리다. 핀둥-핀둥 부하자 ぶらぶら; のらくら.

핀들-거리다 자 ぶらぶら〔のらくら〕する; ずるける. >팬들거리다. ㅅ빈들거리다. ㅆ삔들거리다. 핀들-핀들 부하자 ぶらぶら; のらくら.

핀셋 명〔프 pincette〕ピンセット.

핀-업〔pin-up〕명 ピンアップ.
‖── 걸 명 ピンアップガール.

핀잔 명하타 面責; けんつく〈俗〉. ──-먹다 자 面責される; けんつくを食らわされる. ──-주다 타 面責する; けんつくを食わす.

핀치〔pinch〕명 ピンチ. ¶~를 벗어나다 ピンチを切り抜ける.
‖── 러너 명 ピンチランナー. ── 히터 명 ピンチヒッター.

핀트 명〔네 brandpunt〕ピント. ¶~를 맞추다 ピントを合わす / ~가 맞지 않다 ピントが合わない / ~가 벗어나다 ピントがはずれている / ~가 맞지 않아 부옇게 된 사진 ピンぼけの写真.
‖──-글라스 명 ピントガラス.

핀-홀〔pinhole〕명 ピンホール.
‖── 카메라 명 ピンホールカメラ; 針穴写真機.

필【匹】의명 匹; 頭; 牛·馬を数える単位. ¶소 세 ~ 牛三頭.

필【疋】의명 ①反物を数える単位; 匹〔疋〕; 反. ¶포목 두 ~ 反物二匹. ②☞ 필(匹). ③漁具の網を数える単位.

필【筆】의명 筆; 田畑·林野·宅地などの一区画. =필지(筆地).

필가【筆架】명 筆かけ.

필경【筆耕】명하자 筆耕. ¶~료 筆耕料.

필경【畢竟】부 ひっきょう(畢竟); 結局; さしづめ; つまり; しょせん(所詮). ¶~ 당신이 아니면 さしづめあなたでなければ / ~ …임이 밝혀졌다 結局…であることが明らかになった.

필기【筆記】명하타 筆記. ¶구술을 ~하다 口述を筆記する / 노트에 ~하다 ノートを取る.
‖── 시험 명 筆記試験. ──-장 명 筆記帳; 帳面; ノートブック.

필납【必納】명하타 必ず納付すべきこと.

필담【筆談】명하자타 筆談. ¶농아자와 ~하다 ろうあしゃ(聾啞者)と筆談する.

필답【筆答】명 하자 筆答. ‖── 시험 명 ☞ 필기 시험.
필더 〔fielder〕 명 〖野〗 フィールダー. ¶ 라이트〔레프트〕 ~ ライト〔レフト〕フィールダー.
필독【必讀】명 하타 必読. ¶ ~의 책 必読の本.
필두【筆頭】명 筆頭. ¶ ~에 이름을 올리다 筆頭に名を掲げる.
필드 〔field〕 명 フィールド. ¶ ~ 워크 フィールドワーク / 레프트〔라이트〕 ~ レフト〔ライト〕フィールド.
‖── 경기 명 フィールド競技. ── 글라스 명 フィールドグラス. ── 하키 명 フィールドホッケー.
필득【必得】명 必ず得ること.
필라리아 〔filaria〕 명 〖動〗 フィラリア. ¶ ~병 フィラリア病.
필라멘트 〔filament〕 명 〖物〗 フィラメント；繊条. ¶ 텅스텐 ~ タングステンフィラメント.
필래프 〔프 pilaf〕 명 ピラフ. ¶ 새우 ~ えびピラフ.
필력【筆力】명 筆力. ¶ 줄지 않는 ~ 衰えない筆力.
필로【筆勞】명 筆労；文字を書きしるす労力. また, その骨折り.
필름 〔film〕 명 フィルム. ¶ ~팩 フィルムパック / ~의 편집 フィルムの編集 / 컬러 ~ カラーフィルム / ~을 넣다 フィルムをそうてん(装塡)する.
‖── 라이브러리 명 フィルムライブラリー.
필링 〔feeling〕 명 フィーリング.
필마【匹馬】명 匹馬；一匹の馬.
필멸【必滅】명 하자 〖佛〗 必滅. ¶ 생자 ~ 生者必滅 / ~의 운명 必滅の運命.
필명【筆名】명 筆名；ペンネーム.
필목【疋木】명 反〔匹〕をなしている木綿の総称.
필-묵【筆墨】명 筆墨.
‖──-지-연(紙硯) 명 筆と墨と紙そしてすずり(硯).
필문 필답【筆問筆答】명 하자 筆問筆答
필방【筆房】명 筆屋.
필벌【必罰】명 하타 必罰. ¶ 신상 ~ 信賞必罰.
필법【筆法】명 筆法；筆遣い. ¶ ~을 배우다 筆法を習う / 춘추의 ~ 春秋の筆法.
필봉【筆鋒】명 筆鋒. ¶ ~도 날카롭게 공격하다 筆鋒鋭く攻撃する / 날카로운 ~으로 반론하다 鋭い筆鋒で反論する.
필부【匹夫】명 匹夫.
‖──지-용(之勇) 명 匹夫の勇.
필부【匹婦】명 匹婦.
필사【必死】명 하자 必死；命がけ；捨て身. ¶ ~적인 必死の；必死的な；捨て身の；死に物狂いの / ~적인 노력 懸命の努力 / ~적으로 싸우다 必死になって戦う.
필사【筆寫】명 하타 筆写. ¶ ~체 筆写体.
필산【筆算】명 하타 筆算.
필살【必殺】명 하타 必殺. ¶ ~의 일격 必殺の一撃.
필상【筆商】명 筆屋. =필방(筆房).
필생【畢生】명 ひっせい(畢生)；終生；一生. ¶ ~의 대업 畢生の大業 / ~의 일 畢生の仕事 / ~의 사업 終生〔生涯〕の事業.
필생【筆生】명 筆生.
필설【筆舌】명 筆舌. ¶ ~로 다 표현할 수 없다 筆舌に尽くし難い.
필세【筆勢】명 筆勢；筆遣い；筆意. ¶ 약동하는 ~ 躍るような筆勢.
필수【必修】명 必修.
필수【必須】명 ひっす(必須)；しゅよう(須要). ¶ 등산 ~의 도구 登山に必須の道具 / ~ 조건 必須条件 / ~의 지식 必須の知識.
‖── 과목 명 必須科目. ── 아미노산 명 必須アミノ酸. ── 지방산 명 必須脂肪酸.
필수【必需】명 必需.
‖──-품 명 必需品.
필순【筆順】명 筆順.
필승【必勝】명 必勝. ──-하다 자 必ず勝つ. ¶ ~의 신념 必勝の信念 / ~을 기하다 必勝を期する.
필시【必是】부 恐らく；多分；必ず；さだめし；さぞかし；きっと. ¶ ~ 추웠었겠지 さだめし寒かったことだろう / ~ 그럴 것이다 必ら ず(や)そうであろう.
필연【必然】必然. ㊀명 하형 必ずそうなること. ¶ ~적 판단 必然的判断 / ~의 귀결 必然の帰結 / ~적 추세 必然の勢い / 죽음은 ~이다 死は必然だ. ㊁부 必ず；きっと. ──-코 부 "필연"의 強勢語.
‖──-론 명 必然論. =결정론. ¶ ~자 必然論者. ──-성 명 必然性.
필연【筆硯】명 ひっけん(筆硯)；筆とすずり(硯).
필요【必要】명 必要；入り用；入用；要. ──-하다 형 必要だ；いる. ¶ ~한 도구〔물건〕 必要な道具〔物〕/ ~ 없는 간섭 不要な干渉 / 말할 ~도 없는 일 言うもおろかな事 / 부득이 ~해서 必要に迫られて / …을 ~로 하다 …を必要とする；…を要する / 장황하게 설명할 ~가 없다 くどくどと説明する必要がない〔するに及ばない〕/ 무엇보다도 ~하다 何より必要である / 그것은 이젠 ~ 없습니다 それはもう不要であります / 여권은 영사의 검인을 ~로 한다 旅券は領事の検印を要する / 사과할 ~가 없다 わ(詫)びるには及ばない / 지금 ~한 건 돈뿐이다 今入用なのは金だけである / 일부러〔새삼스레〕 갈 ~는 없다 わざわざ〔今更〕行くまでもない / ~ 불가결하다 必要欠くべからずである / ~한 만큼 가져가요 要るだけ持って行きなさい / 돈 따위는 ~ 없다 金などは要らない / 아니, 나는 ~ 없습니다 いえ, 僕は要りません / ~는 발명의 어머니 必要は発明の母.
‖── 경비 명 必要経費. ──-악 명 必要悪. ──적 공범 명 必要的共犯. ── 조건 명 必要条件.
필용【必用】명 必用. ¶ ~품 必用品.

필자【筆者】명 筆者；書き手. ¶ ～ 미상 筆者未詳.
필적【匹敵】명 匹敵；比肩. ——하다 타 匹敵する；(立ち)並ぶ；比肩する. ¶…에 ～할 것이 없다 …に匹敵するものがない／명인에 ～할만한 실력 名人に匹敵する実力.
필적【筆跡】명 筆跡；書跡；手跡；書き振り；筆の跡；手. ¶같은 ～ 同筆／～ 감정 筆跡鑑定／～을 달리하여 쓰다 手を変えて書く／이것은 분명 그의 ～이다 これは間違いなく彼の手である.
필전【筆戰】명하자 筆戦. ＊설전(舌戦).
필주【筆誅】명하타 ひっちゅう(筆誅). ¶～를 가하다 筆誅を加える.
필지【必至】명하자 必至.
필지【必知】명 必ず知らねばならないこと；心得.
필지【筆紙】명 筆紙；筆と紙.
필지【筆地】의명 ☞ 필(筆). ¶한 ～ 一筆.
필진【筆陣】명 筆陣. ① 論陣. ¶당당한 ～을 펴다 堂堂たる筆陣を張る. ② 筆者の陣容〔顔触れ〕.
필착【必着】명하자 必着.
필첩【筆帖】명 ① 古人の筆跡を集めた本. ② 手帳. ＝수첩.
필체【筆體】명 書体. ＝글씨체.
필촉【筆觸】명 筆触；筆ざわり；タッチ.
필치【筆致】명 筆致. ① 筆遣い. ¶경묘한 ～ 軽妙な筆致／～가 거칠어지다 筆が荒れる. ② 文または字の書きぶり.
필터〔filter〕명 フィルター. ¶카메라에 ～를 달다 カメラにフィルターを付ける／～ 담배 フィルター付きタバコ.
‖—— 페이퍼 명 フィルターペーパー.
필통【筆筒】명 筆立て；筆箱；筆入れ.
필-하다【畢—】타 済ます. ¶검사를 ～ 検査を済ます／등기를 ～ 登記を済ます.
필하모니〔philharmony〕명 フィルハーモニー.
필화【筆禍】명 筆禍. ¶～사건 筆禍事件／예기치 않은 ～를 초래하였다 予期せぬ筆禍を招いた.
필획【筆畫】명 筆画；字画.
필휴【必携】명 必携. ¶～의 서 必携の書／화학 ～ 化学必携.
필-히【必—】부 必ず；きっと. ¶～ 기일 안에 등록할 것 必ず期日内に登録すること.
핍박【逼迫】명하자타 ひっぱく(逼迫). ¶재정이 ～해지다 財政が逼迫する.
핏기【—氣】명 血の気. ¶얼굴에 ～가 돌다 顔に血の気が差す／～가 가시다 血の気が引く.
핏-대 명 (太い)血管；血筋；青筋. ¶이마에 ～를 세우다 額に青筋を立てる. ——-올리다 자 青筋を立てる；かんかん怒る. ¶핏대를 올리고 화를 내다 青筋を立てて怒る.
‖——-줄 명〖生〗血管；血筋.
핏-덩어리, 핏-덩이 명 ① 血塊. ② 生まれたばかりの赤子.
핏-발 명 生理的異常により充血するさま. ——-삭다 자 充血が散る. ——-서다 자 血走る；充血する. ¶핏발이 선 눈 血走った目.
핏-빛 명 血のように真っ赤な色.
핏-속 명 ① 血の中. ② 血統；血筋.
핏-자국 명 けっこん(血痕)；血のついたあと. ¶셔츠에 ～이 있다 シャツに血痕がある.
핏-줄 명 血筋. ① 血管. ② 血統；筋；血のつながり. ¶～은 어쩔 수 없다 血筋は争われないものである／～을 이어받다 血筋を引く. ——쓰이다 자 血縁的な親密感を覚える.
핏-줄기 명 ① ほとばし(迸)る血潮. ② 血統；血筋.
핑 부 ① くるっとまわるさま：くるり；くるっと. ② にわか(俄)に目まいがしてくらっとするさま：くらっと. ¶정신이 ～ 돌며 어지럽다 頭がくらっとして目まいがする. ㅅ빙. ㅆ삥. ③ にわかに涙ぐむようす. ＞팽.
핑거〔finger〕명 フィンガー；指.
‖—— 프린트 명 フィンガープリント；指紋.
핑계 명 口実；言い訳；かこつ(託)け；言い草；逃げ口上. ——-하다 타 言い訳をする；かこつける；事寄せる. ¶그럴듯한 ～ もっともらしい口実／～를 만들다 口実を作る〔設ける〕／병을 ～로 결근하다 病気に事寄せて〔かこつけて〕欠勤する／병을 ～로 게으름피우다 病気を言い草になまける／～를 대다 逃げ口上を言う〔使う〕／～ 없는 무덤이 없다《俚》盗人にも三分の理. ——-삼다 타 事寄せる；かこつける；しゃこう(藉口)する. ¶병을 ～ 病気にかこつける／…을 핑계삼아 …にかこつけて〔事寄せて〕.
핑구 명 軸の突き出たこま(独楽).
핑그르르 부 くるっと勢いよく一回り回るさま：ぐるっ(と). ＞팽그르르. ㅆ삥그르르.
핑글-핑글 부하자 続けざまにぐるぐる回るさま：ぐるぐる. ＞팽글팽글. ㅆ삥글삥글.
핑크〔pink〕명 ピンク. ①〖植〗せきちく(石竹)；なでしこ(撫子). ② 桃色；石竹色. ¶～무드 ピンクムード.
핑킹〔pinking〕명 ピンキング.
핑-퐁〔ping-pong〕명 ピンポン ；卓球.
핑-핑 부 ① 勢いよく続けざまに回るさま：ぐるぐる. ② 目がくるめ(眩)くさま：くらくら. ¶눈이 ～ 돌다 目がくらくらする／눈이 ～ 돌 정도의 속력 目がくるめくばかりのスピード. ③ 弾丸などが風を切って飛ぶ音：ぴゅんぴゅん. ＞팽팽. ㅆ삥삥.
핑핑-하다 형 ①(綱などが)ぴんと張っている；張り切っている. ②(双方)どっこいどっこいだ；似たりよったりだ；伯仲する. ③(物が)張り裂けんばかりだ. ＞팽팽하다.
핑핑-히 부 ぴいんと；張り裂けんばかりに.

ㅎ

ㅎ ハングル字母の第十四番目の字.

하【下】 명 ①下(“しも·か·げ·もと”라고도 읽음). ¶～반신 下半身／묵인 ～에 黙認の下に／～수도 下水道. ②下位の品質や等級. ¶～치 下級品.

하¹ 부 ①たくさん；多く；大きく. ②とても；はなはだ. ¶～ 추워서 とても寒いので／～ 시끄러워서 ひどく騒騒しいので.

하² 부하자 息をたくさん吐き出す声：はあ；ほお. <허.

하³ 감 詠嘆の声：ほう！；まあ！；ああ！. <허. ¶～ 참 잘 되었다 ほう！とてもよくできた；ああうまくいった.

하가【何暇】 명 いつの間；何の〔どんな〕暇《否定語に使われる》. ——-에 부 どんな暇があって；暇がないのに. ¶어느 ～ 그 책을 다 읽나 どんな暇があってその本を読み終える事が出来よう.

하강【下降】 명하자 下降；下におりること. ＝강하(降下).
‖—— 기류 명〔氣〕下降気流.

하객【賀客】 명 お祝いの客.

하게-하다 자 同輩または目下につかう中間の言葉づかいをする《“하오하다”と“해라하다”の中間の言葉》.

하견【夏繭】 명 夏のまゆ.

하경【夏耕】 명하자 夏に田畑を耕すこと.

하계【下計】 명 下策；最もまずいはかりごと(謀).

하계【下界】 명 下界. ¶～를 내려다보다 下界を見下ろす.

하계【夏季】 명 夏季. ＝하기(夏期).

하고 조 …と；…や. ¶너～ 같이 가자 君といっしょに行こう.

하고-많다 형 とても多い；多い上にまたも多い. ¶하고많은 사람들 중에서 とても多い人人のうちで.

하곡【夏穀】 명 (麦など)夏にとり入れる穀物.

하관【下棺】 명하자 棺を墓穴に下ろすこと.

하관【下顴】 명 下あご. ¶～이 빨다 あごが尖っている.

하교【下校】 명하자 下校.

하교【下教】 명하타 目上が目下に教え示すこと.

하구【河口】 명 河口·河口；川じり. ＝강어귀. ¶배가 ～에 도착하다 船が河口に着く.

하권【下巻】 명 下巻.

하-극상【下剋上】 명하자 下克上.

하급【下級】 명 下級；下っ端. ¶～ 관리 下級官吏；属僚.
‖—— 관청 명 下級役所. —— 법원(法院) 명 下級裁判所. ——-생 명 下級生. ——-심 명 下級審.

하기【下記】 명하타 下記；本文の下に記すこと. また，その記録. ¶내역은 ～와 같음 内訳は下記の通り.

하기【夏期】 명 夏期. ¶～ 강습 夏期講習.
‖—— 방학(放學) 명 夏休み. —— 휴가 명 暑中休暇.

하기는 부 そういえば；実のところ；もっとも. ¶～ 그렇기도 하다 そういえばそれもそうだ. 준 하긴.

하기야 부 “実のところを言えば”の意味：そりゃ(そうなんだが)；そうはいうものの；もっとも. ¶～ 열심히 하면 될 수 있지 そりゃ熱心にやればできないことでもない.

하긴 부 ↗하기는.

하나¹ 一수 一つ；一. ¶꽃잎 ～ 一ひらの花びら／무엇 ～ 何一つ／～ 더 もう一つ／～를 보고 열을 안다 一を見て十〔全体〕を知る〔推し量る〕／～부터 열까지 一から十まで. 二명 一つ. ¶마음을 ～로 해서 心を一つに合わせて. ——-같이 부 一様に. ¶모두가 ～ 우수하다 皆が一様に優秀である. ——-둘 부 一つ二つ；一二. ¶벚꽃이 ～ 피기 시작했다 桜がちらほら咲き始めた. ———— 부 ①一つずつ；いちいち；一つ一つ；逐次. ¶물건을 ～ 세다 品物を一つ一つ数える／～ 검토하다 逐一検討する. ②漏れ無く；みんな. ¶～ 열거하다 もれなく列挙する.

하나² 부 そうだが；しかし；だが. ＝하지만. ¶～ 나는 싫다 しかし私は嫌だ.

하나-님 명〔基〕新教で“하느님”の「称」.

하느-님 명 ①〔宗〕(キリスト教の)神；天主；ゴッド. ＝하나님. ②神；上帝.

하느작-거리다 자 (柔らかくて長いものが)軽くゆらゆらとゆれる；ゆらぐ. <흐느적거리다. 하느작-하느작 부하자 ゆらゆらと；しゃなりしゃなり.

하늘 명 天. ①空. ¶맑게 갠 푸른 ～ 晴上がった青い空／나는 그와 비교하면 ～과 땅이야 僕なんかあの人に比べると月とスッポンさ／～을 찌르는 듯한 天をつくような／～을 날다 空を飛ぶ／～에서 내려오다 天から下る／～로 떠오르다 空に舞い上がる／～을 쳐다보다 空を見上げる／～을 우러르다 天を仰ぐ／～의 별따기《俚》空の星取り《とても不可能なことのたとえ》／～에 침뱉기《俚》天を仰いでつばき(唾)する／～이 무너져도 솟아날 구멍이 있다《俚》天が崩れても這い出る穴はある《窮す

れば通ず》. ② 神様. ¶ ～의 도움 天の助け / ～같이 믿다 固く信じて疑わない / ～에 맹세하다 天に誓う / ～을 두려워하다〔원망하다〕 天を恐れる〔恨む〕/ ～무서운 말《俚》罰当たりな言葉. ③〔宗〕 神·天使が住んでいる清浄無垢な世界. ¶ ～의 신(神) 天の神.

‖——가 명 天の果て. —— 나라 명〔基〕 天国. ——땅 명 天と地. ——빛 명 空色; 薄い青色.

하늘-거리다 자 ひらひら〔ゆらゆら〕する; ゆらゆらと揺らめく. ＜흐늘거리다. 하늘-하늘 부하자 ひらひら; ゆらゆら.

하늘-다람쥐 명〔動〕ももんが.

하늘-소 명〔蟲〕かみきりむし.

하늘하늘-하다 형 (触れれば崩れんばかりに)もろ(脆)い; ぐにゃぐにゃする. ＜흐늘흐늘하다.

하니 부 "그러하니(＝そうだから)", "그리하니(＝そうしたら, そうするから)"の意味の接続副詞.

하니까 부 "그러하니(＝そうだから)", "그리하니까(＝そうするから, そうしたら)", "그리 말하니까(＝そう言うから, そう言ったから)"の意味の接続副詞.

하다¹ 一타 する. ① ㉠ (ある目的で)動く; やる; 為す; 試みる. ¶ 그가 하는 일 彼のする事 / 산책을 ～ 散歩をする / 의논을 ～ 相談をする / 독서를 ～ 読書をする / 할 수 있는 데까지 해보자 やれるだけやって見よう / 할 일이 없다 する事がない / 하면 된다 なせば成る / 하던 지랄도 멍석 펴놓으면 안 한다《俚》鬼も頼めば人食わず. ㉡ …を勤める; 従事する; 営む. ¶ 서점을 ～ 本屋をする. ㉢ …にする. ¶ 사람을 행복하게 ～ 人を幸福にする. ② 他の動詞に代わる代動詞. ¶ 점심을 ～ 昼飯を食べる / 한잔 ～ 一杯やる〔飲む〕/ 영어를 ～ 英語を話す / 도박을 ～ ばくちをうつ / 거짓말을 ～ うそ(嘘)をつく.

二자 する. ① ある事を成す; 行なう. ¶ 이제 어떻게 할 작정인가 ではどうするつもりかね. ② 語尾"-고"に付いてそのような状態であるの意を表わす語. ¶ 기력도 빠지고 해서 그만두었다 力も尽きたのでやめてしまった. ③ 時間がたつ〔経過する〕の意を表わす語. ¶ 주말 쯤 해서 가기로 합시다 週末ごろになってから行きましょう. ④ 価する. ¶ 10만 원이나 하는 구두 十万ウォンもする靴. ⑤ 引用語に付いて"言う"の意を表わす語. ¶ 가난이라고 하는 것은 죄가 아니다 貧乏と言うのは罪にならない / 좋다고 ～ よいと言う. ⑥ 前の言葉を受けて"思う"の意を表わす語. ¶ 아직 자나 해서 깨우러 왔다 まだ寝ているのかと思って起こしに来た. ⑦ 前後の文をつなぐ語. ¶ 누가 이것을 갖느냐 하는 문제 だれがこれを持つかと言う問題.

하다² 보동 ① 動詞や形容詞の語尾"-기도"の下に付いて"しばしば; とても多く"等の意味や"時たま; ときおり"の動作を強める言葉. ¶ 많이 먹기도 한다 よくも食べるね; 多く食べるときもある / 약으로 쓰기도 ～ 薬に使うこともある. ② 動詞や形容詞の語尾"-려, -으려, -고자"等の下に付いて動作を実現させる願望を表わす: …しようとする. ¶ 극장에 가려〔가고자〕～ 劇場に行こうとする. ③ 用言の語尾"-게"に付いて使役を表わす: …させる. ¶ 가게 ～ 行かせる / 공부하게 ～ 勉強させる.

하다³ 보형 同じ形容詞が繰り返されるとき, その形容詞の代わりに用いられ"非常に; とても"等の意味を表わす. ¶ 물이 맑기도 ～ 水がとてもきれいだなあ; 水が何と清いことか.

-하다 미 ① 名詞の下に付いて動詞を作る語. ¶ 운동～ 運動をする / 씨름～ 相撲をとる. ② 形容詞の語根に付いて状態を表わす語. ¶ 얌전～ おとなしい; しとやかだ / 훌륭～ 立派である. ③ 副詞に付いて動詞·形容詞を作る語. ¶ 번쩍번쩍～ ぴかぴかする / 매끈매끈～ すべすべする. ④ 副詞形語尾"와·워·아·어"に付いて動詞を作る語. ¶ 귀여워～ かわいがる / 기뻐～ うれしがる.

하다가 부 たまには; ときには; まれには. ¶ ～는 재미있는 일도 있다 たまには面白いこともある.

하다 못 해 구 ① どうにもしようがなくて; (致)しかたなく. ¶ ～ 도망쳤다 しかたなく逃げた. ② どうにもならなければ; せめて. ¶ ～ 날품팔이라도 해서 どうにもならなければ日雇い労働でもして / ～ 엽서라도 주면 안심할텐데 せめて葉書でもくれれば安心するのに.

하단【下段】 명 下段. ¶ 책장의 ～ 本棚の下段.

하단【下端】 명 下端; 下の端.

하단【下壇】 명하자 降壇.

하달【下達】 명하자타 下達. ¶ 상의 ～ 上意下達.

하대【下待】 명하자타 ① 粗末にあしらう〔もてなす〕こと. ② 目下に対する言葉遣いをすること.

하더라도 부 …ではあるが; …としても; …からとて. ¶ 아름답다 ～ 美しくはあるが; 美しいとしても / 열이 내렸다 ～ 熱が下がったからとて.

하도 부 とても《"하"の強調語》. ¶ ～ 사랑스럽기에 とても愛らしいので.

하-도급【下都給】 명〔法〕☞ 하청(下請).

하도롱-지【一紙】 명 [←도 Patronenpapier] ハトロン紙.

하드-보드〔hardboard〕 명 ハードボード.

하드 트레이닝〔hard training〕 명 ハードトレーニング; 猛練習; 猛訓練.

하등【下等】 명 下等. ¶ ～품 下等な品; 下等品.

‖—— 감각 명〔心〕 下等感覚. —— 동물 명 下等動物. —— 식물 명 下等植物.

하 등【何等】관 부 何等; 少しも. ¶～ 관계가 없다 なんら関係がない.
하 락【下落】명 하자 下落. ¶～세(勢) 下押し気味; 下向き〔しり下がり〕の傾向 / 점차 ～해가는 주가(株價) じり安の株価 / 인기가 ～되다 人気が落ちる.
하략【下略】명 하타 下略·げりゃく.
하례【賀禮】명 하자 祝賀の礼式. ＝하의(賀儀).
하롱-거리다 자 へらへらしゃべる; 軽薄にふざける. ＜허룽거리다. 하롱-하롱 부 하자 へらへら.
하료【下僚】명 下僚; 下役.
하루 명 ① 一日·一日. ¶～ 종일 一日中; ひもすがら / 십년을 ～같이 十年一日の如く. ② 昼間. ③ ある日. ④ [↗하룻날] (月の)初めの日; 一日. ── 건너, ── 걸러 부 一日おきに; 隔日に. ──-바삐 부 一日でも早く. ──── 부 一日一日; その日その日. ¶～ 달라지다 日に日に〔日増しに〕変わる.
‖──-갈이 명 耕すのに一日かかる程の田畑の面積. ──-거리 명〘醫〙一日おきに発熱するマラリア熱. ──-살이 명 ①〘蟲〙かげろう(蜉蝣). ② 命がきわめて短いことのたとえ. ¶～ 인생 かげろうみたいに短い人生 / ～의 생활 その日暮らしの生活. ──-아침 명 ① 突然; にわか; 一朝(一夕). ¶～에 없어지다 突然消えてなくなる / ～에 이루어지다 一朝にして成る. ② ある日の朝; 一朝. ──-치 명 一日分. 하룻-강아지 명 ① 生まれて間もない小犬. ② あっちこっちとびまわる小犬. ③ 青二才; 初歩者. ¶～ 범 무서운 줄 모른다《俚》盲蛇に怖じず. 하룻-날 명 はじめの日; ついたち. 준 하루. 하룻-밤 명 ① 一晩; 一夜·一夜; 一宵. ¶～ 유숙하다 一晩泊まる / ～을 자도 만리 장성을 쌓는다《俚》一夜を共に寝ても万里の長城を築く《つきあいは短くても情は深い》. ② ある日の晩. ¶～은 그가 찾아 왔다 ある日の夜彼が訪ねて来た. ＝하룻 저녁.
하류【下流】명 下流. ① 川下; 川のすそ(裾); 下手. ② 下層階級.
하류【河流】명 河流; 河の流れ.
하륙【下陸】명 하자타 陸揚げ; 荷卸し; 荷下ろし.
하르르 부 하형 布地などが薄くやわらかなさま. ＜흐르르.
하리 【下吏】 명 下司; 下役人. ＝이서(吏胥).
하리-놀다 타 (目上に)他人をそし(謗·誹)る.
하리다[1] 자 思う存分にぜいたく(贅沢)する.
하리다[2] 형 (記憶などが)ぼうっとしている; はっきりしない; ぼけている. ＜흐리다.
하리-들다 자 魔がさす; 邪魔が入る.
하리망당-하다 형 ☞ 흐리멍덩하다.
하리-쟁이 명 ふだん中傷や告げ口をよくする者.

하리타분-하다 형 ☞ 흐리터분하다. 하리타분-히 부 ☞ 흐리터분히.
하릴-없다 형 ① どうにも仕方がない. ② 間違いない; そっくりだ. ＝틀림없다. 하릴-없이 부 ① 仕方なく. ② 間違いなく.
하마【下馬】명 하자 下馬; 下乗; 馬から下りること.
‖──-비(碑) 명〘史〙この地点ではだれもが下馬せよと記した石ぶみ《"大小人員皆下馬"または"下馬碑"と書かれている》. ──-평 명 下馬評.
하마【河馬】명〘動〙河馬.
하마터면 부 すんでの事に〔所で〕; 危うく; まかり間違えば. ¶～ 죽을 뻔했다 すんでの事に死ぬ所だった. ＝자칫 잘못하였더라면.
하마-하마 부 機会がどんどん近づくさま; 今にも.
하면【下面】명 下面.
하면【夏眠】명 하자〘動〙夏眠.
하명【下命】명 하자타 下命; 用命. ¶～하신 물건 ご用命の品.
하모【夏毛】명〘動〙夏毛.
하모늄〔harmonium〕명〘樂〙ハーモニウム.
하모니〔harmony〕명〘樂〙ハーモニー.
하모니카〔harmonica〕명〘樂〙ハーモニカ.
하문【下門】명 陰門.
하문【下問】명 하타 下問. ¶～하시다 ご下問になる.
하물【荷物】명 荷物; 貨物.
하물며 부 まして; なおさら; いわんや. ¶개도 은혜를 안다. ～ 인간에 있어서랴 犬も恩を知る. いわんや人間においてをや.
하민【下民】명 末末; しもじも; 庶民. ＝범민(凡民). ¶～에게도 은혜를 베풀다 末末にも恩恵を施す.
하바네라〔habanera〕명〘樂〙ハバネラ.
하-바리【下―】명 最も下等の人.
하박【下膊】명〘生〙かはく(下膊). ＝팔뚝.
‖──-골 명〘生〙下膊骨.
하박【下薄】명 하형 下位の人人に薄情なこと. ¶상후(上厚) ～ 上位の部類の人を優遇し下位の部類の人に薄情なこと.
하반【下半】명 下半; 下の半分.
하반【河畔】명 河畔; 川端; 川辺. ＝강가.
하-반기【下半期】명 下半期; 下期. ¶～ 결산 下半期の決算.
하-반부【下半部】명 下半部·しもはんぶ.
하-반신 【下半身】 명 下半身·しもはんしん.
하방 【下方】 명 下方; 下(の方). ＝아래쪽. ¶～에 下方に.
하복【下腹】명 下腹·下腹. ＝아랫배.
‖──-부 명〘生〙下腹部.
하 복【夏服】명 夏服; 夏物. ¶～지(地) 夏服地.
하부【下部】명 下部; 下の部分.
‖── 구조 명 下部構造.
하뿔싸 감 しまった.
하사【下士】명〘軍〙下士.
‖──-관 명 下士官. ¶주번 ～ 週

하

番下士官.

하사【下賜】명 下賜. ——-하다 타 下賜する; 下げ渡す; 授ける. ¶～금 下賜金/～품 下賜品.

하산【下山】명하자 下山·.

하선【下船】명하자 下船.

하소연 명하타 哀訴.

하수【下水】명 下水.

‖——-관 명 下水管. ——-구(溝) 명 下水の流れる溝〔どぶ(溝)〕. ¶～가 막히다 下水〔どぶ〕が支える. ——-도 명 下水道. ¶～ 공사 下水道工事.

하수-인【下手人】명 下手人. ¶살인 사건의 ～ 殺人事件の下手人.

하수【下垂】명 下垂. ¶위～ 환자 胃下垂患者.

하수【河水】명 川の水.

하숙【下宿】명하자 下宿. ¶～을 구하다 下宿を捜す.

‖——-방(房) 명 下宿部屋. ——-비(費) 명 下宿代. ——-생 명 下宿生. ——-인 명 下宿人. ——-집 명 下宿屋.

하순【下旬】명 下旬. ¶내달 ～경 来月の下旬頃.

하시【下視】명하타 ① 見下げること; 蔑視すること. ¶사람을 ～하다 人を見下げる. ② 下を見ること; 見下ろすこと.

하시【何時】명 いつ; どの時. ¶～라도 달려 간다 いつでもかけつける.

하아【夏芽】명〔植〕夏芽.

하악【下顎】명 下あご. ＝아래턱.

‖——-골 명〔生〕かがく(下顎)骨.

하안【河岸】명 河岸·; かし. ＝강안(江岸).

하야【下野】명 下野. ——-하다 자 下野する; 野に下る. ¶～ 성명 下野声明/책임을 지고 ～하다 責任を負って下野する.

하양 명 ① 白色; 白色の染料〔絵の具〕. ② 白いもの.

하얗다 형 とても白い. <허옇다.

하얘-지다 자 白く〔蒼白に〕なる. <허예지다.

하여-간【何如間】, **하여간-에**【何如間—】부 とにかく; ともかく; いずれにせよ; とにもかくにも. ¶～ 해보자 とにかくやってみよう.

하여금 부 (…)をして. ¶나로 ～ 말하게 한다면 私をして言わしめれば.

하여-튼【何如—】, **하여-튼지**【何如—】부 ☞ 하여간(에).

하역【荷役】명 荷役; 荷物のあげおろし. ¶～업 荷役業.

하염-없다 형 ① 心がうつろである. ② とめど(も)ない. 하염-없이 부 心うつろに; とめどもなく. ¶～ 눈물이 흐르다 とめどもなく涙が流れる.

하염직-하다 형 やれそうだ; 遣りがいがある; する価値がある.

하오【下午】명 午後.

하오-하다 자 相手に普通の言葉遣いをする(“합쇼하다”より低く, “하게하다”より上の言葉).

하옥【下獄】명 下獄; 入獄; 罪人を牢屋に入れること. ——-하다 타 入獄させる.

하와〔ユ Hawwāh〕명〔基〕イブ.

하와이안 기타〔Hawaiian guitar〕명〔樂〕ハワイアンギター.

하우스〔house〕명 ハウス; 家; 住宅. ¶모델 ～ モデルハウス/비닐 ～ ビニールハウス.

‖——-드레스 명 ハウスドレス. ——-키퍼 명 ハウスキーパー.

하원【下院】명 下院; 衆議院.

하위 명하자《俗》和解; 仲なおり.

하위【下位】명 下位. ¶～ 관리 下役; 下僚; 属官; 属僚/성적은 ～이다 成績は下位である.

하의【下衣】명 (ズボンなど)腰下にはく衣服.

「上達」.

하의【下意】명 下意. ¶～ 상달 下意

하의【夏衣】명 夏服; 夏物.

하이〔high〕명 ハイ; 高級. ¶～ 다이빙 ハイダイビング/～ 패션 ハイファッション.

‖——-라이트 명 ハイライト. —— 미스 명 ハイミス. ——-볼 명 ハイボール. —— 스쿨 명 ハイスクール. ——-웨이 명 ハイウェー. —— 칼라 명 ハイカラ. ——-클래스 명 ハイクラス. ——-틴 명 ハイティーン. —— 힐 명 ハイヒール.

하이드라지드〔hydrazid〕명〔藥〕ヒドラジッド.

하이브리드〔hybrid〕명 ハイブリッド.

하이에나〔hyena〕명〔動〕ハイエナ.

하이커〔hiker〕명 ハイカー.

하이킹〔hiking〕명하자 ハイキング. ¶～ 코스 ハイキングコース.

하이-테크〔high-tech〕명 ハイテク. ¶～ 산업 ハイテク産業.

하이 파이〔Hi-Fi〕명 ハイファイ.

하이-픈〔hyphen〕명 ハイフン.

하인【下人】명〔史〕下人; しもべ; 召し使い.

하인【何人】명 何人·; 誰; どんな人. ＝누구.

하일【夏日】명 夏の日. ＝여름날.

하자【瑕疵】명 かし(瑕疵).

하잘것-없다 형 つまらない; 取るに足りない. 하잘것-없이 부 つまらなく; ばからしく.

하잠【夏蠶】명 夏ご; 二番ご.

하저【河底】명 河底·.

하전【荷電】명〔物〕荷電; 電荷.

하절【夏節】명 夏の季節.

하정【賀正】명 賀正·.

하제【下劑】명〔藥〕下剤; 下し薬. ¶변비에 ～를 쓰다 便秘に下剤をつかう.

「(下限價).

하-종가【下終價】명〔經〕☞ 하한가

하주【荷主】명 荷主.

하중【荷重】명〔物〕荷重. ¶～ 시험 荷重試験/～을 지탱하다 荷重にたえる.

하지【下肢】명〔生〕下肢.

하지【夏至】명 夏至.

하지만 부 しかし; だが; だけれども; だって. ¶～ 졸리는 걸요 だって眠いんですもの.

하지-하【下之下】명 下の下.

하직【下直】명하자타 いとまご(暇乞)い; 別れのあいさつ. ¶마지막 ～ 永のいとま/70세로 세상을 ～했다 七十にして世を去った.

하차【下車】명 하자 下車. ¶도중 ~ 途中下車.
하찮다 형 [↗하치않다] つまらない；取るにたりない. ¶하찮은 선물 つまらない贈り物 / 하찮은 것에 구애하다 つまらないことに拘泥する / 하찮은 몸 数ならぬ身 / 하찮은 물건 ちゃちな品〈俗〉/ 하찮게 보다 高をくくる.
하천【下賤】명 [↗하천인] 下賤(の身).
하천【河川】명 河川；川；小川. ¶~ 부지 河川敷.
하청【下請】명 下請け. ¶~ 공장 下請け工場 / ~을 주다 下請けをさせる. ‖——-인 명 下請人.
하체【下體】명 からだの下半身.
하층【下層】명 下層；階下；下の層.
‖—— 계급 명 下層階級. —— 사회 명 下層社会. ——-운 명 下層雲.
하-치【下—】명 下等品.
하켄〔도 Haken〕명 ハーケン；ピトン.
하키〔hockey〕명 ホッケー. ¶아이스 ~ アイスホッケー.
하토【下土】명 地味がやせて作物の生育が悪い地.
하퇴【下腿】명〔生〕かたい(下腿).
‖——-골 명 かたい骨. 「形.
하트〔heart〕명 ハート. ¶~형 ハート
하편【下篇】명 下編；下の巻.
하폭【河幅】명 川幅. 「する.
하품 명 あくび. ——-하다 자 あくびを
하품【下品】명 下等品. ＝하치.
하프〔half〕명 ハーフ.
‖——-백 명 ハーフバック；中衛. —— 센터 명 (サッカーなどで)中衛の中央の位置. また, その位置にある人. —— 타임 명 ハーフタイム.
하프〔harp〕명〔樂〕ハープ；たて琴.
하필【何必】부 何で；ことさら；とりわけ；何の必要があって；どうして；よりによって. ＝해필(奚必). ¶~이면 일요일에 비가 오다니 (日もあろうに)とりわけ日曜日に雨が降るとは.
하하 부 감 하자 ①口を大きく開けて笑う声：はは. ②嘆息の声：ああ. ¶~, 이거 큰일났군 ああ, これは大変だ. ③何かを悟ったときに出す声：はあ. ¶~, 그렇구나 はあ, そうだったか. ＜허허. ——-거리다 자 しきりにはあはあという.
하학【下學】명 하자 ①放課. ¶~ 시간 放課時間. ②初歩の学問.
하한【下限】명 下限；下の方の限界. ¶~ 선 下限線.
‖——-가(價) 명〔經〕ストップ安. ＝하종가.
하항【河港】명 河港；河口または河岸にある港. ¶~으로 번영하다 河港として繁栄する.
하해【河海】명 河海；川と海.
하행【下行】명 하자 下行. ①下りて行くこと. ②下り；都から地方へ行くこと. ③↗하행 열차.
‖—— 열차 명 下り列車.
하향【下向】명 하자 下向き. ①下方に向くこと. ②衰え始めること. ③物価が下落する気味.
하향【下鄕】명 하자 ①下向；都落ち. ¶관직을 그만두고 ~하다 官職を辞めて田舎に下る. ②故郷に帰ること.
하혈【下血】명 하자 下血；肛門または陰門からの出血.
하협【河峽】명 河峡.
하회【下回】명 ①次の順番；次回. ②目上からの回答.
하회-하다【下廻—】타 下回る. ¶평년작을 ~ 平年作を下回る.
하후 상박【下厚上薄】명 하형 下位の人人の待遇は比較的に厚く, 上位の人達の待遇は薄いこと.
학【學】一 명 学；学問. 二 미 学. ¶사회~ 社会学.
학【鶴】명〔鳥〕つる(鶴)；たず〈雅〉.
학 부 하자 口からものを吐き出す声：げっ.
학계【學界】명 学界. ¶~의 동정 学界の動静〔動き〕/ ~ 소식 学界消息〔たより〕.
학과【學科】명 学科.
‖—— 과정 명 学科課程. ＝커리큘럼. ——-목 명 学科目.
학과【學課】명 学課；学業の課程.
학관【學館】명 学館. ①学校の異称. ②学校としての条件を備えていない私立の教育機関；じゅく(塾).
학교【學校】명 学校. ¶~ 보건 学校保健 / ~ 급식 学校給食.
‖—— 교육 명 学校教育. —— 도서관 명 学校図書館. —— 신문 명 学校新聞. ——-원 명 学校園. 준 학원(學園). ——-장 명 学校長. 준 교장(校長).
학구【學究】명 学究. ¶~적인 사람 学究肌の人.
학구【學區】명 学区.
학군【學群】명 学群；入学試験制度の改正により地域別に設定した中学校・高等学校のグループ.
학군-단【學軍團】명 [↗학생 군사 교육단] ROTC. 「校則.
학규【學規】명 ①学課の規則. ②
학급【學級】명 学級；クラス. ＝클라스·반. ¶~을 편성하다 学級を編成する.
‖—— 담임 명 学級担任.
학기【學期】명 学期. ¶신~ 新学期.
‖——말 고사(考査), ——말 시험 명 学期末試験.
학년【學年】명 学年. ¶일 ~ 一学年 / ~별 学年別.
‖——말 고사, ——말 시험 명 学年末試験. ——-제 명 学年制.
학당【學堂】명 学堂. ①寺子屋. ＝글방. ②学校.
학대【虐待】명 虐待. ——-하다 타 虐待する；虐げる. ¶포로를 ~하다 捕虜を虐待する.
학덕【學德】명 学徳. ¶~ 겸비한 사람 学徳兼備の士.
학도【學徒】명 学徒. ①学生；生徒. ②学問を修める人.

‖——-병 명 学徒兵. ㊈ 학병(學兵).

학도【學都】명 学問の中心となる都市.

학려【學侶】명 学侶. ①〔佛〕学問を専修する僧侶. ②〔佛〕学寮の僧侶. ③学友.

학력【學力】명 学力. ¶～ 검사 学力検査; アチーブメントテスト / 기초 ～ 基礎学力.

학력【學歷】명 学歴. ¶～이 훌륭하다 学歴が立派である.

학령【學齡】명 学齢. ¶～전의 어린이 学齢に達していない子.

학리【學理】명 学理. ¶～상의 문제 学理上の問題 / ～적으로 분석하다 学理的に分析する.

학명【學名】명 ①学名. ¶곤충의 ～을 조사하였다 昆虫の学名を調査した. ②学者としての名声・評判. ¶～을 크게 떨치다 学問上の名声を高く挙げる.

학무【學務】명 学務. ¶～ 과장 学務課長.

학문【學文】명 詩書六芸を習うこと.

학문【學問】명하자 学問. ¶～의 세계 学問の世界 / ～이 있는 사람 学のある人 / ～에 뜻을 두다 学に志す / ～에 힘쓰다 手習いに励む.

‖——-의 자유 명 学問の自由.

학벌【學閥】명 学閥; 同じ学校の出身者や同じ学派によって作られた派閥《"学歴が立派である"の意に"学閥が立派である"と言うのは誤り》. ¶～의 폐해를 제거하다 学閥の弊害を取り除く.

학병【學兵】명 ↗학도병.

학보【學報】명 学報. ①学術の報告. ②大学の雑誌や新聞.

학부【學府】명 学府; 学校《大学を指す》. ¶최고 ～ 最高学府.

학부【學部】명 ①学部《旧制大学の本科》. ②大学で専攻別に分けたそれぞれの部.

학-부형【學父兄】명 父兄; 児童または生徒の保護者.

‖——-회 명 父兄会.

학비【學費】명 学費; 学資. ¶아르바이트로 ～를 벌다 アルバイトで学費を稼ぐ.

학사【學士】명 学士. ①大学学部の卒業者の称号. ¶법～ 法学士. ②学術研究に専念する人.

학사【學舍】명 学舎; 学問を修める所. また, その建物.

학사【學事】명 学事. ①学問に関する事柄. ②学校の教育・経営に関する事柄. ¶～ 보고 学事報告.

학살【虐殺】명하타 虐殺. ¶양민을 ～하였다 良民を虐殺した.

학생【學生】명 ①(小学校から大学までの)学生; 生徒. ¶～과 学生課. ②官職につかずに亡くなった人の銘旗・位牌などに記す尊称. ③学芸を習う人.

‖——-란 명 学生欄. ——-모 명 学生帽. =학모(學帽). —— 문예 명 学生文芸. ——-복 명 学生服. —— 연극 명 学生演劇. —— 운동 명 学生運動. ——-증(證) 명 学生身分証明書.

학설【學說】명 学説.

학수 고대【鶴首苦待】명하타 首をのばして待ちわびること. ¶편지 오기를 ～하다 手紙を待ち焦れる.

학술【學術】명 学術. ¶～ 강연회 学術講演会.

‖—— 단체 명 学術団体. ——-어 명 学術語. ——-원 명 学術院. ——-지(誌) 명 学術雑誌. —— 회의 명 学術会議.

학습【學習】명하타 学習.

‖—— 발표회 명 学習発表会. ——-서 명 学習書; 学習参考書. ——-장 명 学習帳. ①ワークブック. ②学習に必要な事項を書き付けるノート. —— 지도 명 学習指導. ¶～ 요령 学習指導要領. —— 활동 명 学習活動.

학식【學識】명 学識. ¶～이 풍부한 인물 学識の豊かな人物.

학업【學業】명 学業. ¶～ 성적 学業成績 / ～에 열중하다 学業に熱中する.

학연【學緣】명 出身学校による縁故.

학예【學藝】명 学芸.

‖——-란 명 (新聞などの)学芸欄. ——-품 명 学芸品. ——-회 명 学芸会. =학습 발표회.

학용-품【學用品】명 学用品.

학우【學友】명 学友. ¶친한 ～ 親しい学友.

‖——-회 명 学友会.

학원【學院】명 ①学院. ②講習所; 予備校.

학원【學園】명 ①学園. ②↗학교원(學校園).

학위【學位】명 学位《学士・修士・博士など》. ¶～ 수여식 学位授与式 / 박사 ～를 따다 博士の学位を取る.

‖—— 논문 명 学位論文.

학자【學者】명 学者. ¶～적 学者的 / ～풍 学者風 / ～로서의 지조를 지키다 学者としての志操を守る.

학자【學資】명 学資. =학비.

‖——-금 명 学資金. —— 보험 명 学資保険.

학장【學長】명 学長.

학적【學籍】명 学籍.

‖——-부 명 学籍簿.

학점【學點】명 (大学での学科履修計算の)単位. ¶～을 따다 単位をとる / 졸업하려면 8～이 부족하다 卒業するには八単位が足りない.

학정【虐政】명 虐政; 苛政. ¶～에 시달리다 虐政にさいな(苛)まれる.

학제【學制】명 学制. ¶～ 개편 学制改編.

학질【瘧疾】명〔醫〕マラリア; おこり. ——-떼다 자 ①マラリアを直す. ②やっと苦しいことやうるさいことを免れる.

‖——-모기 명〔蟲〕はまだらか(羽斑蚊); アノフェレス.

학창【學窓】명 学窓. ¶～ 생활 学窓生活.

ㅎ

학칙【學則】명 学則. =교칙. ¶~ 개정 学則改正.
학통【學統】명 学統.
학파【學派】명 学派.
학풍【學風】명 学風. ¶아카데믹한 ~ アカデミックな学風/전통적인 ~ 伝統的な学風.
학해【學海】명 学海.
학행【學行】명 学行.
학형【學兄】명 学兄; 学友相互の敬称.
학회【學會】명 ① 学会. ¶물리 ~ 物理学会. ②〖佛〗仏学を修める人達の集まり.
한【干·汗·翰·韓】명〖史〗古朝鮮の君主.
한【汗】명 ☞ 칸(khan).
한【限】一명하타 ① 限り; 限度(内). ¶~없이 많다 限りなく多い/욕심에는 ~이 없다 欲にはきりがない/~없이 계속되는 길 限りなく続く道/눈물이 ~없이 흐르다 涙が止めどもなく流れる/술을 ~없이 마시다 酒を底なしに飲む. ② 限界; (土地の)境界. ③ 期限. ¶7월~ 七月限り. ④ 制限. ¶입장자는 여성에 ~한다 入場者は女性に限る. 二의명 …まで; 限り《"-ㄴ; -는"と活用する用言の下に付いて範囲·限度の意を表わす語》. ¶목숨이 있는 ~ 命の続く限り/될 수 있는 ~ 出来る限り〔だけ〕/죽는 ~이 있어도 死に至るとも; 命を賭けても/사과하지 않는 ~ 용서하지 않는다 あやまらない限り許さない/이에 관한 ~, 자네 말도 옳다 これに関する限り君の言い分もまた正しい.
한【恨】명하타 恨み. ① おんねん(怨念). =원한(怨恨). ② 恨み嘆くこと. =한탄(恨歎). ¶천추의 ~ 千秋の恨み.
한【漢】명 漢. ①〖史〗中国の王朝名. ② 韓国将棋の"궁(宮)"の一つ.
한【韓】명 ① ↗대한 민국(大韓民國)·한국(韓國)·대한 제국(大韓帝國). ②〖史〗韓《中国の王朝名》.
한 관 ① 一つ; いち. ¶~ 사람 一人/~ 개 一個/~ 마디 一言·一言/~ 다리가 천 리; ~ 치 걸러 두 치《俚》負うた子よりは抱いた子/~ 일을 보면 열 일을 안다《俚》一事が万事; 一斑を見てぜんぴょう(全豹)を知る. ② おおむ(概)ね; だいたい; あらまし; おおよそ(大凡); 大方; 大略. ¶~ 천 명 だいたい千人/~ 백만원 およそ百万ウォン.
한- 두 ① "大きい"の意. ¶~길 大通り. ② "正しい·真"の意. ¶~낮 真昼/~복판〔가운데〕真中; 中央; 中心. ③ "満ちている·いっぱい"の意. ¶~사발 おわん(碗)いっぱい/~껏 精いっぱい. ④ "同じ"の意. ¶~학교 同じ学校/~패 同じなかま; 一味.
-한【限】미 "まで; 限り"の意. ¶5일 정오~ 五日正午まで.

-한【漢】미 漢; 男. ¶열혈~ 熱血漢/취~ 酔漢.
한-가운데 명 真ん中. ¶방 ~ 部屋の真ん中/바다 ~ 海の真っただ中.
한-가위, 한가윗-날 명 中秋; 旧暦の八月十五日. =추석.
한-가을 명 盛秋; 取り入れの忙しい秋半ば. ¶추수(秋收)에 바쁜 ~ 収穫に忙しい秋半ば.
한-가지 명 同じ; 同一; 一緒; 同種類. ¶표현은 다르나 내용은 ~다 表現は違うが内容は同じだ.
한갓 부 単に; ただ; それだけで.
한갓-지다 형 もの静かで奥まっている; 閑静だ.
한-강【漢江】명 ①〖地〗漢江《韓国中部のソウルを通じて, 黄海に注ぐ川の名》. ¶~에 돌 던지기《俚》棒で川を打つ. ② 水が多くた(溜)まって大きな川のようになったもの. ¶수도관이 터져 거리는 ~을 이루었다 水道管が破れて街は(まるで)大きな川だった.
한-걱정 명하타 ひと心配; 大心配.
한-걸음 명 一歩; ひとあし; ひとあゆみ. ¶~ 늦다 一足遅い. ──-에 부 一走りで; 一息に歩いて. ¶~에 달려가다 一走りに駆けつける.
한-겨울 명 真冬. =엄동(嚴冬). ¶~의 추위 真冬の寒さ.
한결 부 ひとしお; いっそう; 一段; きわめて. ¶이쪽 것이 ~ 낫다 こっちの方がはるかに良い.
한결-같다 형 始終同じぐあいだ. ¶마음이 ~ 心が始終変わらない/늘 한결같은 성적 コンスタントな成績. 한결-같이 부 等しく; 一様に. ¶만인이 ~ 우러러보다 万人が等しく敬い崇める/~ 반대하다 皆等しく反対する.
한계【限界】명 限界; リミット. ¶~선 限界線/~외 らち外/~를 분명히 하다 限界を明らかにする.
한-고비 명 山場; 境目の局面; 最高潮に達した場面〔時期〕; 峠. ¶그의 병은 ~를 지났다 彼の病はひと峠を越した.
한-구석 명 かたすみ; 一方のすみ; 一隅.
한국【韓國】명 韓国. ①〖地〗↗대한 민국. ②〖史〗↗대한 제국.
‖── 공업 규격 명 韓国工業規格《合格品にはKSマークを付ける》. ──-어 명 韓国語. ── 요리 명 韓国料理. ──-인 명 韓国人. 준 한인.
한-군데 명 ① ある一定の場所. ② 「一箇所」.
한-그루 명 一毛作.
한-근심 명 大心配. ¶~ 놓았다 一安心した.
한글 명 ハングル; 韓国の文字.
‖──-날 명 "한글"の頒布記念日《十月九日》. ── 문단(文壇) 명 "한글"で表現する韓国の文壇.
한기【旱氣】명 ☞ 가뭄.
한기【寒氣】명 ① 寒気; 寒さ. ¶~가 누그러지다 寒気がゆるむ. ② 寒さ

ㅎ

け; 悪寒. ¶ ~가 들다 寒けを感ずる; 寒け立つ.

한-길 명 大通り; 表通り.

한꺼번-에 부 (全部)一度に; いっぺんに; ひとまとめに. ¶ 일을 ~ 하였다 仕事をいっぺんにまとめてした / 수당을 ~ 받다 手当をひとまとめにもらう.

한-껏 부 出来る限り; なるたけ; なるべく; 力の限り; 精一杯. ¶ ~ 멋부렸다 思い切りめかしこんだ / ~ 값을 깎았다 ぎりぎりまで値切った / ~ 노력하다 精一杯努力する.

한-끝 명 片はし; 一方のはし; 一端. =맨끝. ¶ 밧줄의 ~을 잡다 綱の片はしを持つ.

한-끼 명 (日に三度の食事の)一度の食事. ¶ ~의 식사를 대접하다 一度の食事をもてなす.

한-나절 명 半日; 昼の半分. =반일(半日). ¶ ~을 허비하다 半日をつぶす.

한-낮 명 真昼; ひるひなか; 白昼. =정오(正午). ¶ ~의 햇볕이 내리쬐다 真昼の日差しが照り付ける.

한낱 부 ① 単に; 単なる; 一介の; 取るに足りない. ¶ 조약은 ~ 종이쪽에 불과하였다 条約は単に一片の紙切れに過ぎなかった. ② ひとえに; ただただ; ひたすら; 全く.

한-눈 명 一目. ① 一度(だけ)見ること; ちょっと見ること. ¶ ~에 반하다 一目でほ(惚)れる / ~으로 알아차리다 一目で見抜く. ② 一度に見えること. ¶ ~에 보이다 一目で見渡せる.

한눈 명 よそみ; よそめ; わきみ; わきめ(脇目). ¶ ~ 팔다가 넘어졌다 よそみをしていて倒れた / ~팔지 않고 공부하다 脇目を振らず勉強する.

한다고 하는 관 ☞ 한다한.

한다-한 관 いわれのある; 由緒ある; れっきとした; 門閥・振る舞いなどの立派な. ¶ ~ 집안 사람 れっきとした家柄の人.

한닥-이다 자타 (ねじなどが)ゆるんで動く. また, 動かす. <흔덕이다.

한닥-거리다 자타 締まりがなくてしきりに動く. 한닥-한닥 부하자타 締まりがなくてしきりに動くさま.

한달음-에 부 一足飛びに; 一息に走って. ¶ ~ 달려오다 一息に駆けつけて来る.

한대【寒帶】 명〖地〗寒帯.
‖── 기후 명〖氣〗寒帯気候. ──-림 명 寒帯林. ── 식물 명 寒帯植物. ──-호 명〖地〗寒帯湖.

한댕-거리다 자타 (垂れ下がったものが)軽くしきりにゆれる〔ゆりうごかす〕; ゆらめく〔ゆらめかす〕. <흔뎅거리다. 한댕-한댕 부하자타 軽くゆれるさま: ゆらゆら.

한-더위 명 盛りの暑さ; 酷暑. ¶ ~에 털감투《俚》冬扇夏炉.

한-덩어리 명 一塊; 一丸. ¶ ~가 되어 一丸となって.

한-데 명 一所; 一箇所; 同じ所. ¶ ~ 모여 있다 一箇所に集まっている / ~ 합치다 一所になる; 一つに合わせる / 사표를 ~ 모아 제출하다 辞表を取りまとめて提出する.

한-데 명 屋外; 露天; 露地. ¶ ~서 잠을 자다 露地で寝る / 기계가 ~에 내놓여 있다 機械が吹きさら(曝)しになっている.
‖── 아궁이 명 屋外のたき口. ──우물 명 垣根の外にある井戸. 한뎃-뒷간(間) 명 垣根の外にあるかわや(厠)〔便所〕. 한뎃-부엌 명 屋外に離してかま(釜)をかけた台所. 한뎃-잠 명 露宿.

한도【限度】 명 限度. ¶ ~를 넘다 限度を越える / ~에 이르다 限度に達する; 頭打ちになる《上限》; 底をつく《下限》.

한-독【韓獨】 명 韓独. ① 韓国と独逸. ② 韓国語と独逸語.

한-돌 명 一周年.

한-돌림 명 ① 順番にまわる一めぐり. ② 一まわり; 一周.

한-동기【一同氣】 명 同じ親の兄弟姉妹. ¶ ~간(間) 同じ親の兄弟姉妹の間柄.

한-동안 명 しばらくの間; 一時・ひととき; いっとき. ¶ ~ 안 보이더니 다시 나타났다 しばらく見えなかったが再び現われた.

한-되다【恨一】 자 恨みとして残る; 残念〔遺憾〕だ.

한-두 관 一二; 一つまたは二つくらい. ¶ ~해 一両年 / ~ 사람 一両人 / 충고도 ~ 번이 아니었다 忠告も一再にとどまらなかった / ~ 번 그녀를 만났다 一二度彼女に会っている.

한-둘 명 一二; 一つか二つ.

한드랑-거리다 자타 ぶら下がっている物が軽く揺れる. また, ゆり動かす. <흔드렁거리다. 한드랑-한드랑 부하자타 軽くゆれるさま: ゆらゆら.

한들-거리다 자타 軽くつづけてゆれる. また, ゆり動かす. <흔들거리다. 한들-한들 부하자타 ゆらゆら; ゆらりゆらりと.

한-때 명 一時・一時; しばらくの間. ¶ ~의 잘못 一時の誤り / ~의 번창 一頃の繁盛 / ~ 유행한 노래 一時はやった歌 / 휴식의 ~ いこいの一時 / ~는 어떻게 될까 하고 걱정하였다 一時はどうなるものかと心配した.

한란【寒暖】 명 [←한난] 寒暖.
‖──-계 명 寒暖計; 温度計.

한랭【寒冷】 명하형 寒冷.
‖──-대 명 寒冷帯. ① 寒冷な地帯. ② 寒冷前線の付近. ── 전선 명〖氣〗寒冷前線.

한량【限量】 명 限られている分量. ──-없다 형 きりがない; はかり知れない. ¶ 부모의 은혜는 ~ 親の恩ははかり知れない. ──-없이 부 限りなく.

한량【閑良】 명 ①〖史〗武官任用試験に通らなかった武人. ② お金をよく使う遊び人; 遊興をよくする人.

한련【旱蓮】 명〖植〗のうぜんはれん.

한류【寒流】 명 寒流.

한림 【翰林】 명 〖史〗 翰林《朝鮮朝"예문관(藝文館)"の"검열(檢閱)"の別称》.
한-마음 명 ①〖佛〗 あらゆる事物は心が集積された塊であるとの意. ②一つに合わせた心. ¶～ 한뜻으로 心を一つに合わせて；一致団結して.
한-만 【韓滿】 명 韓満；韓国と満州.
한말 【韓末】 명 旧韓国の末期.
한-목 부 いっしょに；一度にみな；まとめて. ¶～에 넘겨 주다 一度にみな〔まとめて〕渡す／～에 통틀어서 十把一からげに.
한-몫 명 分け前；割り前；取り前；一口；一役. ¶～ 끼다 分け前にあず(与)かる；一口乗る；一役買う／～ 주다 割り前をやる.
한문 【漢文】 명 漢文.
‖——-체 명 漢文体. ——-학 명 漢文学. ①中国古来の文学. ②漢文を研究する学問.
한물 명 (野菜·果物·魚類などの)さかんな出回り(時期)；一盛り. ¶수박은 이제 ～ 지났다 すいか(西瓜)はもう一盛りを過ぎている／유행이 ～ 가다 流行〔はやり〕が下火になる. ——-지다 자 盛りになって豊富に出回る.
한미 【寒微】 명하형 貧しくて身分が低いこと.
한-미 【韓美】 명 韓米. ①韓国と米国. ¶～ 행정 협정 韓米行政協定／～합동 군사 훈련 韓米合同軍事演習. ②韓国語と米国語.
한-민족 【漢民族】 명 漢民族. ＝한족(漢族).
한-민족 【韓民族】 명 韓民族. ＝한족(韓族).
한-밑천 명 まとまった相当な資金；一財産. ¶～잡다 一もうけする.
한-바닥 명 にぎ(賑)やかな場所の中央. ¶종로 ～ 鐘路のちまた(巷).
한-바퀴 명 一回り；一巡り；一周. ¶～ 돌다 一回り回る；一回りする；一周する.
한-바탕 명부 一幕；ひとしきり；一度大きく. ¶논쟁을 ～ 벌이다 ひと論争を繰り広げる／～ 연설하다 一席ぶつ〔演説をする〕／비가 ～ 내리다 雨が一しきり降る.
한발 【旱魃】 명 かんばつ(旱魃)；日照り.
한-밤, 한-밤중 【一中】 명 真夜中；夜夜中；夜ふけ；深夜；深更；三更. ¶～의 침입자 真夜中の侵入者／고요한 ～ 静まり返った真夜中／～부터 비가 내리다 深夜から雨が降る.
한-방 【一放】 명 一発. ¶～ 쏘다 一発撃つ／～ 놓다 一発ぶっぱなす.
한-방 【一房】 명 ①同じ部屋；同室. ¶～의 친구 同室の友／～을 쓰다 同室する／～에서 살다 同室を使って暮らす. ②部屋中；部屋いっぱい. ¶사람이 ～ 가득하다 人が部屋中いっぱいである.

한방 【韓方】 명 韓方.
‖——-약 명 韓方薬. ——-의 명 韓方医.
한-배 명 ①同じ腹から生まれた，または同時にふか(孵化)された動物の子. ②《俗》同腹；一腹. ¶～ 형제 一腹兄弟.
한-백미 【韓白米】 명 ①砂や雑物を取りのけていない普通の米. ②韓国産の白米.
한-번 【一番】 명 一回；一度；一ぺん. ¶한 달에 ～ 月に一度／～ 마셔 보자 ひとつ飲んでみよう／～ 해보다 一度やってみる／～만 읽다 一回だけ読む／～ 결심하면 ひとたび決心をすれば／～ 실수는 병가의 상사《俚》一度の失敗は兵家の常／～ 엎지른 물은 다시 주워 담지 못한다《俚》覆水盆に返らず.
한복 【韓服】 명 韓国固有の衣服；韓服. ＝조선옷. ¶～ 차림 韓服の身なり.
한-복판 명 真ん中；ただ中；真っただ中. ¶바다 ～ 海の真っただ中／길 ～ 往来の真ん中.
한-불 【韓佛】 명 韓仏. ①韓国とフランス. ¶～ 협회 韓仏協会. ②韓国語とフランス語.
한사 【限死】 명하타 必死；決死；命がけ；死に物狂い. ——-코 부 命がけで；是が非でも；どうしても. ¶～ 떠나다 是が非でも出発する.
한-사군 【漢四郡】 명 〖史〗 漢四郡.
한-사리 명 大潮. 준 사리.
한산 【閑散·閒散】 명하형 閑散；ひっそりしていること. ¶～한 거리 閑散な街／거래가 ～해지다 取り引きが閑散になる.
한-살이 명 ①人の一生. ＝일생. ②(昆虫など)卵·幼虫·さなぎ·成虫に変わる一つの過程としての生涯.
한삼 【汗衫】 명 ①手をかくすためにりょうそで(両袖)に付け足した白い布の長いそで. ②《宮》汗取り肌着；かざみ(汗衫).
한색 【寒色】 명 寒色.
한서 【寒暑】 명 寒暑. ¶～의 차가 심하다 寒暑の差が甚だしい.
한서 【漢書】 명 ①漢書；漢籍. ②〖史〗漢書《二十四史の一つ》.
한선 【汗腺】 명 〖生〗 汗腺. ＝땀샘.
한설 【寒雪】 명 冷たい雪.
한성 【漢城】 명 〖史〗 漢城《朝鮮朝のソウル》.
한-세상 【一世上】 명 ①一生涯. ②ゆたかな一時. ¶언제나 ～ 만날까 何時になったら豊かに暮らせる日が来ようか.
한-세월 【閑歲月·閒歲月】 명 のんびりと暮らす年月；暇なとしつき.
한센-병 【一病】 〔Hansen〕 명 〖醫〗 ハンセン病；レプラ. ＝문둥병.
한-소끔 부 一度煮え立つさま.
한-속 명 ①同じ心. ②同じ意図.
한손-놓다 자 仕事が一段落つく.
한손-접다 타 (競技などで)すぐれた人が弱い人のためにハンディ

キャップを負担してやる.
한솥-밥 명 同じかま(釜)の飯《暮らしを共にすることのたとえ》. ¶ ～ 먹고 송사하다《俚》同じ釜の飯を食べて訴えをする《親しい間柄の人同志で相争うことのたとえ》.
한수【漢水】명 ① 大きな川. ②〖地〗漢江.
한-순【一巡】명 順番に五本の矢を射ること.
한-술 명 ひとさじ(一匙); わずかな食物. ¶ ～ 밥에 배부르랴《俚》一匙の飯で腹がふくれはしない / ～ 더 뜨다 一際いきり立つ《㉠ 止めるともっと激しく出る. ㉡ やり方が当の相手よりもっと甚だしい》.
한-숨 명 ① 一息; 一呼吸. ¶ ～ 돌리다 ほっと一息つく. ② ひとやすみ; 一眠り. ③ ため息; 嘆息. ¶ ～을 쉬다 ためいきをつく / 크게 ～짓다 大きくためいきをつく. ——에 부 一息に; 一気に.
한시【漢詩】명 漢詩.
한-시름 명 一つの心配事. ¶ ～ 놓다 (心配事が過ぎ去って)一安心する.
한식【寒食】명 寒食《冬至後百五日目の日》.
한식【韓式】명 韓国式; 韓国の様式. ¶ ～집 韓国様式の家 / ～ 요리 韓国式料理.
한식【韓食】명 韓国式の食べ物. =한국 요리. ¶ ～집 韓国式飲食店.
한-식경【一食頃】명 食事をとるのに要する程の短い時間. =일식경.
한심-스럽다【寒心—】형 情けない気がする. ¶ 한심스러운 남자 情けない男.
한심-하다【寒心—】형 情けない; 嘆かわしい; みじめな有様だ. ¶ 한심하기 짝이 없다 とても情けない.
한약【韓藥】명 韓薬; 韓方薬.
‖——국(局), ——방(房) 명 韓方薬局. ——재(材) 명 韓薬の材料.
한어【漢語】명 漢語. ① 漢字から成る語; 漢字の熟語. ② 漢民族の言語; 中国語.
한어【韓語】명 ↗한국어.
한얼 명〖宗〗"대종교(大倧敎)"でいう宇宙.
‖——님 명 ("대종교"の神である)檀君.
한-없다【限—】형 限りない; 果てしない. 한-없이 부 限りなく. ¶ 눈물이 ～ 흐르다 涙が止めどもなく流れる / ～ 좋은 사람 底抜けのお人よし.
「하(盛夏).
한-여름 명 真夏; 夏の盛り. =성
한역【漢譯】명하타 漢訳. ¶ ～ 불전 漢訳仏典.
한역【韓譯】명하타 韓訳. =국역(國譯). ¶ 영문 ～ 英文韓訳.
한-영【韓英】명 韓英. ① 韓国とイギリス. ② 韓国語と英語.
한-옆 명 片方の角; 片側; 片隅; 一隅; 静かな所. ¶ ～으로 비켜 서다 片隅の方へ避けて立つ.
한옥【韓屋】명 韓国の在来式家屋.
한외【限外】명 限外; 限界の外. ¶ ～ 발행 限外〔制限外〕発行.
한우【寒雨】명 寒雨. ① つめたい雨. ② 冬の雨.
한우【韓牛】명 韓国在来の牛.
한울 명 (天道教で)宇宙の本体または天.
‖——님 명 (天道教でいう)神.
한음【漢音】명 漢音; 漢字音.
한-음식【一飮食】명 食事以外のときに出す食物.
한의【韓醫】명 韓医. ① 韓方医術. ② ☞ 한의사.
한-의사【韓醫師】명 韓方医師. =한방의(韓方醫).
한-의원【韓醫院】명 韓方医院.
한인【閑人】명 閑人. ① 暇人. ② 用のない人.
‖——물입(勿入) 명하자 無用の者入るべからず.
한인【漢人】명 漢人.
한인【韓人】명 [↗한국인] 韓人.
한일【閑日】명 閑日; ひまな日; 余日.
한-일【韓日】명 韓日. ① 韓国と日本. ¶ ～ 회담 韓日会談. ② 韓国語と日本語.
한-입 명 ① 一口; 一つの口. ¶ ～에 먹다 一口に食べる. ② 一人.
한자【漢字】명 漢字.
‖——어(語) 명 漢字の語; 漢語.
한-자리 명하자 ① 同じ場所. ¶ ～에 모인 사람들 同じ場所に集まった人人. ② ある地位〔役職〕. ¶ ～ 얻다 ある官職を得る.
한-잔【一盞】명 一献; いっさん(一盞). ① (酒·お茶などの)一杯. ② 少し飲む酒; 酒のふるまい. ¶～ 대접하고 싶다 一席ふるまいたい / ～ 기울이다 一盞を傾ける. ——하다 자 一杯飲む. ——내다 자 一杯おごる.
한-잠 명 ① 深いねむり; 熟睡. ② 一睡; 一眠り; 一寝入り. ¶ ～도 자지 않고 一睡もせずに.
한재【旱災】명 旱災.
한적【閑寂】명하형 閑寂; ものしずか; ひっそりとしてさびしいこと. ——히 부 ひっそりと.
한적【漢籍】명 漢籍; 漢書.
한절【寒節】명 冬の季節.
한정【限定】명 限定. ——하다 타 限定する; 限る. ¶ 인원 수를 ～하다 人員を限定する / 날짜를 ～해서 접수하다 日を限って受け付ける.
‖——판 명 限定版.
한제【韓製】명 韓国製; 韓国産.
한족【漢族】명 漢族; 漢民族.
한족【韓族】명 韓国の民族. =배달 민족.
한-줄기 명 ① ひとつの系統; ひとつの土台. ② 一筋; 一条; 一抹. ¶ ～ 강 一筋の川 / ～의 광선 一条の光線 / 가냘프게 자란 ～ 풀 ひょろりと伸びた一本の草.
한-줌 명 一握; 一握り; ひとつか(一摑)み. ¶ ～의 모래 一握りの砂.

ㅎ

한중【閑中】명 閑中.

‖――-망 명 閑中忙；ひまなうちにも忙しいこと.

한중【寒中】명 寒中. ¶～ 수영 寒中水泳.

한-중【韓中】명 韓中. ①韓国と中国. ②韓国語と中国語.

한-중간【―中間】명 真ん中；最中；胴中. ¶경기하는 ～에 試合の最中に／무를 ～에서 자르다 大根を胴中から切る.

한즉 부 ↗그러한즉·그리한즉.

한증【汗蒸】명 蒸し風呂. ¶～같은 더위 蒸し風呂のような暑さ.

‖――-막(幕) 명 蒸し風呂場.

한지【寒地】명 寒地；寒い地方.

한지【閑地】명 閑地；しずかで気楽な地方.

한지【韓紙】명 こうぞ(楮)の繊維を原料として韓国古来の製造法です(漉)いた紙《障子紙など》.

한직【閑職】명 閑職. ¶～으로 좌천되다 閑職に左遷される.

한-집안 명 ①同じ家の内；一家内；一家. ¶～ 식구 一家族／～이 뿔뿔이 흩어지다 一家がばらばらになる. ②親類；親戚. 준 한집.

-한-째 미 十·二十·百·千などの数詞と共に十番目·二十番目·百番目·千番目などの次の初序数を表わす語：…一番目.

한-쪽 명 一方；片方；片側. ¶～ 날 片刃／무대의 ～ 舞台の片手／～ 눈이 난시다 片方の目が乱視だ／～ 말만 듣고서는 잘 모른다 一方の言い分だけではよくわからない／～으로 치우치다 一方に偏する.

한-차례 명 一しきり；一わたり；いちど；ひととおり；一応. ¶비가 ～ 내리다 雨が一頻り降る／～ 훑어보다 一わたり目を通す／～ 돌다 一回りする／비가 ～ 올 때마다 따뜻해진다 一雨ごとに暖かくなる.

한-참 ㊀명 ①両えきたん(駅站)間の路程. ②一仕事；一休み. ㊁부 しばらくの間. ＝한동안. ¶아아, 자네 ～ 만일에 やあ, 君しばらくだね.

한창 ㊀명 絶頂；まっさかり；たけなわ(酣)；真最中；盛り；最中. ¶전투가 ～일 때 戦闘のたけなわのとき／꽃이 ～인 무렵 花盛りの頃／연회가 ～일 때 宴たけなわの時／～ 일할 때 働きざかり／～ 먹기 좋을 때 食い頃／여름이 ～인 때 夏のさなか／가을빛이 ～이다 秋色たけなわなり／～ 공부하는 중에 정전됐다 勉強の最中に停電した／비가 ～일 때 돌아왔다 雨のさなかに帰って来た. ㊂부 盛んに；大変活気をおびて. ¶장미가 지금 ～ 화려하게 피어 있다 ばらが今を盛りと咲き誇っている.

‖――-나이 명 盛りの年頃；若盛り. ¶남자의 ～ 男ざかり／～의 여자 若盛りの女／～에 죽다니 盛りの年頃に亡くなるとは. ――-때 명 元気旺盛の時；働きざかり(の年齢)；血気ざかりの時；青春のとき；一盛り；出花. ¶～의 젊은이 働きざかりの若者／그녀는 지금이 ～이다 彼女は今が花盛りだ.

한천【旱天】명 旱天；ひでりの夏の空. ¶～의 감우 旱天の慈雨.

한천【寒天】명 ①寒天；ところてん. ＝우무. ②寒空；冬の空. ＝한절(寒節).

한-철 명 ①春夏秋冬の一つの季節；一季. ¶이 해안은 여름 ～뿐입니다 この海岸は夏場だけです. ②一時. ¶유행도 ～이다 流行も一時である.

한촌【寒村】명 寒村；さびれた村「貧村.

한-추위 명 きびしい寒さ；厳寒.

한-층【―層】㊀명 一階；一階段. ㊁부 一層；もっと；更に；なお(猶·尚)；ひとしお；一段；一際；目立って. ¶～ 더워지다 一層暑くなる／～ 돋뵈다 ぐっと引き立つ／저 옷을 입으면 ～ 돋보인다 あの衣服を着ると一層見栄えがする／더 ～ 노력을 하여라 いまひとしおの努力をしなさい／빗 속의 단풍은 ～ 더 아름답다 雨の中の紅葉はひとしお美しい.

한-칼 명 ①一刀. ¶～에 베어 쓰러뜨리다 一刀のもとに切り伏せる. ②一刀で切り出した肉の一塊.

한탄【恨歎】명 恨み嘆くこと；嘆き. ――-하다 타 嘆く；嘆ずる. ¶～할 만한 嘆かわしい／학력 저하를 ～하다 学力の低下を嘆く／불운한 신세를 ～하다 不運を嘆ずる.

한-탕 명《俗》(物事を)一発〔一往復·一件〕やってのけること. ¶우리 ～ 쳐서 돈을 벌어보자 おい, 一発主義でしこたま稼ごうや.

한-턱 명하자 おご(奢)り；人にごちそう(御馳走)すること. ――-내다 자 おごる；張り込む. ¶오늘 ～ 내라 今日はおごれよ／술을 ～ 낼까 酒をおごろうか. ――-먹다 자 (人に)おごってもらう；ごちそうになる.

한테 조 "…에게"の通俗的な語：…の所に；…に；…から. ¶언니～ 보낼 물건 姉に送る品物／너～ 주마 お前にくれてやろう／선생님～ 꾸중 듣다 先生に叱られる／너～ 갔었다 君の所に行ったんだ. ――-로 조 "…에게로"の意：…の所に；…に. ¶나는 형～ 갔다 わたしは兄の所に行った. ――-서 조 "…에게서"の意：…から. ¶아내～ 온 편지다 家内からの手紙だ.

한토【韓土】명 ①韓国とトルコ. ②韓国の土地.

한-통속 명 同じ仲間；相通じる仲間；ぐる〈俗〉；一つ穴；一つ穴のむじな(狢)；さくら. ＝한패. ¶그들은 어차피 ～이다 彼らはどうせ一つ穴のむじなである.

한통-치다 타 一つにまとめる；統合する. ¶한통치어 셈하다 まとめて計算する.

한-판 명 一勝負；一回のかけ(賭)；一局；一丁；一番. ¶장기 ～ 두세 将棋を一丁指そう

か / ~ 승부 一番勝負 / 오목을 ~ 두다 五目並べを一番やる.

한팔-접이 [명] (片手を使わずに充分勝てるという意味で)力や技の足りない人を指す語.

한-패 [명] 一味; 相; 身内; 同類; 連中; ぐる〈俗〉; 党類; 棒組〈俗〉; 仲間; 連れ合い; ひとつ穴のむじな(狢). ¶ ~가 되어 ぐるになって / ~가 되다 仲間になる; 腹を合わす / 깡패와 ~가 되다 不良の党類に加わる / ~가 짜고 속이다 一味が組んで欺く.

한-편【一便】 [一][명] ① 一方; 一辺; 片方. ¶ ~에 서다 一方に立つ / ~ 말만 듣다 一方の言い分だけを聞く. ② 同じ組; 同じ仲間; 味方; 仲間同士. [二][부] 一方では; 一つには; と同時に; 且つは; 傍ら. ¶ ~ 이렇게도 생각된다 他面こうも考えられる / ~으로는 이러한 견해도 성립된다 一つにはこういう見解も成り立つ / ~ 놀라고 ~ 기뻐하다 且つは驚き且つは喜ぶ / 일하는 ~ 공부한다 仕事の傍らに勉強する.

한-평생【一平生】 [명] 一生涯; 一生. =일평생.

한-평생【限平生】 [부] 生きている限り; 一生涯.

한-푼 [명] 一文. ¶ ~도 없다 一文も無い / ~을 아끼다 一文を惜しむ / 돈 ~ 안 낸다 びた(鐚)一文出さない.

한-풀 [명] 元気·根気·意気(込み)·覇気などの一端. ——-꺾이다, ——-죽다 [자] 覇気がなくなる; 意気がくじける; しおたれる; へこたれる.

한-풀다【恨—】 [자] ① 思い込んだことを成し遂げる. ② 恨みを晴らす.

한-풀이【恨—】 [명][하자] 恨み晴らし.

한풍【寒風】 [명] 寒風.

한-하다【限—】 [타] 限る. ¶ 백 명에 한해 입학을 허가한다 百人に限り入学を許可す / 입장자는 여성에 한한다 入場者は女性に限る / 그이에 한해서 그런 일은 없다 彼に限ってそんなことは無い.

한학【漢學】 [명] 漢学. ¶ ~자 漢学者.

한해【旱害】 [명] 干害. ¶ ~를 입다 干害を被る.

한해【寒害】 [명] 寒害.

한해-살이 [명]〖植〗一年生. =일년생. ¶ ~풀 一年草 / ~ 식물 一年生植物.

한-허리 [명] ある長さの中央. ¶ ~를 꺾다 中央を折る.

한화【寒花】 [명] 寒花; 晩秋または冬に咲く花. 「和辞典.

한-화【漢和】 [명] 漢和. ¶ ~ 사전 漢

한화【閑話】 [명][하자] 閑話; むだ話. =한담(閑談).

‖—— 휴제 [명] 閑話休題.

한화【韓貨】 [명] 韓国の貨幣.

할【割】 [의명] 割; 掛け. ¶ 삼 ~ 三割 / 오~ 할인 五割の割引 / 정가의 팔~로 팔다 定価の八掛けで売る.

할거【割據】 [명][하자] 割拠. ¶ 군웅 ~ 群雄割拠.

할근-거리다 [자] あえぐ; ぜいぜい言う; 息を切らす. <헐근거리다. 할근-할근 [부][하자] ぜいぜい.

할금-거리다 [타] 横目で人の気配をうかがう; ちらちら見る. <흘금거리다. 할금-할금 [부][하타] ちらちら; きょろきょろ.

할긋 [부] ☞ 흘긋. ——-거리다 [타] ☞ 흘긋거리다. ———— [부][하타] ☞ 흘긋흘긋.

할기시 [부] ① 目をいからして見るさま: じろりと. ② 目を動かさないでにらむさま: じっと.

할기-족족 [부][하형] 非難やうらめしい目つきで見つめるさま. <흘기죽죽.

할깃-거리다 [타] ☞ 흘깃거리다. 할깃-할깃 [부][하타] ☞ 흘깃흘깃.

할끔-거리다 [타] ☞ 흘끔거리다. 할끔-할끔 [부][하타] ☞ 흘끔흘끔.

할끔-하다 [형] くたびれて目がどろんとしている. <흘끔하다.

할끗 [부][하자타] ☞ 흘끗. ——-거리다 [자타] ☞ 흘끗거리다. ———— [부][하자타] ☞ 흘끗흘끗.

할낏-거리다 [자타] ☞ 흘낏거리다. 할낏-할낏 [부][하자타] ☞ 흘낏흘낏.

할-날 [명] 一日.

할당【割當】 [명] 割り当て; 分け前; 取り前; 割り前. ——-하다 [타] 割り当てる; あてがう; 当てる; 振り当てる; 賦する. ¶ ~금 割り金 / 기부금의 ~ 寄付金の割り当て / 원면 ~ 原綿の割り当て / ~된 시간내에 끝마치다 与えられた時間内に済ませる / 일을 ~하다 仕事をあてがう / 비용을 인원수대로 ~하다 費用を頭割りに割り当てる.

할듯-할듯 [부][하타] しきりに何かしそうなさま: しようしようと; …しそうで. ¶ 말을 ~하면서 しきりに話をしようとしながら / ~하고 하지 않는다 しそうでなかなかしない.

할딱-거리다 [자] ☞ 헐떡거리다. 할딱-할딱 [부][하자] ☞ 헐떡헐떡.

할딱-이다 [자] ☞ 헐떡이다.

할딱-하다 [형] (ひどい苦労や病気で顔が)やせ細り血の気がない.

할똥-말똥 [부][하타] 気乗りがせずにためらうさま: ためらって; ぐずぐずと.

할랑-거리다 [자] ① ☞ 헐렁거리다. 할랑-할랑 [부][하자형] ☞ 헐렁헐렁.

할랑-하다 [형] ☞ 헐렁하다.

할래-발딱 [부][하자] ☞ 헐레벌떡. ——-거리다 [자] ☞ 헐레벌떡거리다. ———— [부][하자] ☞ 헐레벌떡헐레벌떡.

할레루야 〔히 Hallelujah〕 [명]〖基〗ハレルヤ.

할로겐 〔halogen〕 [명]〖化〗 [↗할로겐족 원소] ハロゲン; ハロゲン族元素.

할-말 [명] 言うべきこと; 言いたい話; 申し分; 言い分. ¶ ~이 있으면 거리낌없이 말하시오 言い分があれば遠慮なく言いなさい / ~이 있으면 걱정 말고 말하시오 言いたい話があれば構わず言ってごらんなさい. ——-없다 [형] 面目がない; 弁明の余地がない. ——-없이 [부] 面目なく; 言い訳なく.

ㅎ

할망구 명《卑》 年老いた女性のべっしょう(蔑称).

할머니 명 ① 祖母; おばあ(祖母)さん. ② おばあ(婆)さん; おばあちゃん; 年老いた女性の尊称. ¶ ~ 뱃가죽 같다《俚》 お婆さんの腹みたいだ《萎びてしわくちゃになったもののたとえ》.

할머-님 명 おばあ(祖母)さま《"할머니"の敬称》.

할멈 명 ばば. ① 身分の低い人の祖母. ② 自分の祖母の謙称. ③ 身分の低い老婦.

할미 명 "할머니"·"할멈"の卑称: 老女; おうな(媼)〈雅〉.

‖——꽃 명〔植〕 おきなぐさ(翁草). ——새 명〔鳥〕 いしたた(石敲)き; せきれい(鶺鴒).

할복【割腹】 명하자 割腹; 切腹; 腹切り; とふく(屠腹).

할부【割賦】 명하타 割賦; 賦払い.

‖——금 명 賦金. —— 상환(償還) 명〔經〕 負債の元利を賦金で清算すること. —— 판매 명〔經〕 割賦販売.

할 수 없다 형 仕方がない; (どうすることも)できない. 할 수 없이 부 仕方なく; せん(詮)かたなく.

할쑥-하다 형 (顔に血の気がなく) やつれて青くなっている. <헐쑥하다.

할아버-님 명 おじい(祖父)さま《"할아버지"の敬称》.

할아버지 명 ① おじい(祖父)さん; 祖父. ¶ ~는 작년에 돌아가셨습니다 おじいさんは昨年亡くなりました. ② 年老いた男性の敬称: おじい(爺)さん.

할아범 명 じじ(爺). ① 身分の低い人の祖父. ② 身分の低い年老いた男性; じじい(爺). ③ 自分の祖父の謙称.

할아비 명 "할아버지"·"할아범"の卑語: じい(爺)さん; じじ; じじい.

할애【割愛】 명하타 割愛. ¶ 설명을 ~하다 説明を割愛する / 용돈을 ~하여 책을 사다 小づかいを裂いて本を買う / 영토를 ~하다 領土を裂く / 바쁜 시간을 ~하다 忙しい時間を割愛する.

할양【割讓】 명하타 割譲. ¶ 영토를 ~하다 領土を割譲する.

할인【割引】 명 割引; 勉強〈俗〉. ——하다 타 割引をする; 割り引く; 割る. ¶ 어음 ~ 手形割引 / 조조 ~ 早朝割引 / ~ 판매 割引販売 / 1할 ~ 一割引 / 어음을 ~하다 手形を割る.

‖——권 명 割引券; 割札. ——료 명 割引料. —— 시장 명 割引市場. —— 어음 명 割引手形. ——율 명 割引率.

할인【割印】 명하자 割り印; 契印; 合印.

할증【割增】 명하타 割り増し.

‖——금 명 割り増し金; プレミアム.

할짝-거리다 타 (舌先で)軽くなめる; ちびりちびりとなめる; ぺろりとなめる. <할쭉거리다. 할짝-할짝 부하타 ぺろぺろ; ちびりちびり. ¶ ~ 접시를 핥다 ぺろぺろと皿をなめる / 고양이가 우유를 ~ 핥다 猫が牛乳をぴちゃぴちゃなめる.

할쭉-거리다 타 舌先でしきりに軽くなめる; ぺろりとなめる. 할쭉-할쭉 부하타 ぺろりぺろり.

할쭉-하다 형 やせこけている; しょうすい(憔悴)している. <헐쭉하다.

할퀴다 타 引っか(掻)く; か(掻)いて傷をつける. ¶ 손톱으로 ~ つめ(爪)で引っかく / 원숭이가 사람을 ~ 猿が人を引っかく.

핥다 타 な(嘗)める; ねぶ(舐)る. ① 舌先をあてて味を見る. ¶ (혀로) 입술을 ~ なめずる / 엿을 ~ あめ(飴)をなめる. ② 舌先で物をしゃぶる. ¶ 할짝할짝 접시를 ~ ぺろぺろと皿をなめる / 전부 ~ なめ尽くす / 술잔을 핥듯이 마시다 杯をなめる / 고양이가 접시의 밥을 ~ 猫が皿の飯をなめる.

핥아-먹다 타 ① なめて食べる; しゃぶる. ② まきあげる.

핥아-세다 타 詐取する; だまし取る; とりたてる.

핥이다 一 피동 なめられる; まきあげられる. 二 사동 なめさせる.

함【緘】 명 かん(緘); 封じた所に書く字. ¶ ~표 締め(〆).

-함【函】 미 箱. ¶ 투표~ 投票箱.

함교【艦橋】 명 艦橋; ブリッジ.

함구【緘口】 명하자 かんこう(緘口); かんもく(緘黙); 口固め.

‖——령 명 箝口令. ¶ 사건의 성질상 신문에 ~을 내리다 事件の性質上新聞に箝口令をくだす. —— 무언(無言) 명하형 口を閉じて言葉のないこと.

함께 부 一緒に; 共に; なべに〈雅〉; 共共; 相共; もろとも(諸共); 相携えて. ¶ 그도 ~ 갔다 彼も一緒に行った / 생사를 ~ 하다 生死を共にする / ~ 쓰러지다 共倒れする / 모두 ~ 사진을 찍다 みんな一緒に写真をとる / 그와는 중학을 ~ 다녔습니다 彼とは中学が一緒でした / 괜찮으시다면 ~ 가겠습니다 よかったらご一緒に参りましょう / 부자가 ~ 검거되다 父子もろとも(に)検挙される / ~ 가자꾸나 一緒に行こうよ / 재주와 글이 ~ 뛰어나다 才学共に優れている / 그들이 ~ 걸어가고 있는 것을 보았다 彼らが連れ立って歩いているのを見た.

함대【艦隊】 명 艦隊. ¶ ~ 사령관 艦隊司令官 / 태평양에 ~를 배치하다 太平洋に艦隊を配置する.

함락【陷落】 명하자타 陥落. ¶ 지반의 ~ 地盤の陥落 / 성이 ~되다 城が落ちる / 성을 ~시키다 城を陥れる〔攻め落とす〕.

함량【含量】 명 [↗함유량(含有量)] 含量. ¶ 비타민의 ~ ビタミンの含量.

함몰【陷沒】 명하자 陥没. ① いっせいにがかい(瓦解)してなくなること; みな落ちこむこと. ¶ 도로의 ~ 道路の陥没. ② 災難を被って滅亡

ㅎ

すること. ¶ ～되다 陥る.

함미【艦尾】명 艦尾.

‖——-포 명 艦尾砲.

함박-눈 명 ぼたん(牡丹)雪; ぼたゆき; 綿雪.

함부로 부 むやみに; やたらに; みだ(濫·妄·猥)りに; むちゃに; めったに. ¶ ～ 산의 나무를 베다 むやみに山の木をきる / ～ 약속하지 마라 みだりに約束をするな / ～ 덤비다 やたらにかかって来る / ～ 행동하다 みだりに振る舞う / ～ 들어오지 말 것 みだりに入るべからず / ～ 말하다 出任せを言う / ～ 말하는게 아니다 めったなことを言うものではない / ～ 다른 사람에게 말하지 마라 みだりに他言するな / ～ 지껄이지 말라 無遠慮に物を言うな / 불온한 언사를 ～ 쓰다 不穏なことばを弄する. ——-덤부로 부 むやみやたらに《"함부로"の強勢語》.

함빡 부 ① 不足がなく, とても豊富なさま: たっぷり; 満ち余るほど充分に; うんと. ② 十分に; 残る所がなくびっしょり; ぐっしょり. ¶ 소나기를 ～ 맞다 にわかあめ(俄雨)にびっしょりぬれる / 옷이 ～ 젖어 있다 服がぐっしょりぬ(濡)れている. <흠뻑.

함상【艦上】명 艦上. ¶ ～ 회담 艦上〔洋上〕会談.

‖——-기 명 艦上機.

함석 명 トタン. ¶ ～으로 지붕을 덮다 トタンで屋根をふ(葺)く.

‖—— 지붕 명 トタンぶき. ——-집 명 トタンぶきの家. ——-판(板) 명 トタン板.

함선【艦船】명 艦船.

함성【喊聲】명 かんせい(喊声); とっかんの声; とき(鬨)の声; 鯨波. ¶ 때아닌 ～을 지르다 時ならぬ喊声をあげる / 승리의 ～을 올리다 かちどき(勝鬨)を上げる.

함수【函數】명〔數〕関数.

‖—— 방정식 명〔數〕関数方程式. ——-표 명 関数表.

함수【鹹水】명 かんすい(鹹水).

‖——-어 명 鹹水魚. ——-호 명〔地〕鹹水湖.

함수-초【含羞草】명〔植〕おじぎそう(含羞草); ねむりぐさ; ミモザ.

함실 명 火気がじかに当たるようにできている温突部屋のた(焚)き口.

‖—— 구들 명 かまど(竈)を据えつけていない温突の焚き口. ——-코 명 へこんだ鼻; ひらぺちゃな鼻; ぺちゃばな.

함실-함실 부하형 煮すぎて柔らかくなるさま: ぐなぐな; ぐにゃぐにゃ.

함씬 부 あり余るくらい豊富に; たっぷり. <흠씬.

함양【涵養】명하타 かんよう(涵養). ¶ 도덕심을 ～하다 道徳心をかんようする / 인내와 절제 따위의 덕은 어린 시절부터 ～하여야 한다 忍耐と節制などの徳は幼い時からかんようすべきである.

함원【含怨】명하자 恨みを抱くこと.

함유【含有】명 含有. ——-하다 타 含有する; 含む. ¶ 철분을 ～한 물 鉄分を含有している水 / 포도주에 ～되어 있는 알코올량 ぶどう酒に含まれているアルコールの量 / 바닷물에는 많은 염류가 ～되어 있다 海水には多くの塩類が含まれている.

‖——-량 명 含有量. 준 함량.

함유-층【含油層】명 含油層.

함입【陥入】명하자 陥入; おちこむこと.

함자【銜字】명 他人の名の敬語. ¶ ～를 말씀해 주십시오 お名前をおっしゃって下さい.

함재【艦載】명하타 艦載.

‖——-기 명 艦載機.

함정【陷穽】명 落とし穴; わな(罠). ¶ ～에 빠지다 わなに落ちる / ～에 걸리다 わなに掛かる / ～에 든 범《俚》かま(釜)の中の魚.

함정【艦艇】명 艦艇.

함지 명 ① 木をくり抜いて作った大きな容器; くりばち. ②〔鑛〕金のまじった土砂を水でよなぐ容器《"함지박"に似ている》.

‖——-박 명 丸木をくり抜いて作った縁のない丸い容器.

함진-아비【函—】명 結婚前夜に結納をかついで行く人.

함초롬-하다 형 きちんとしていてきれいである; 整っていてきれいである. ¶ 털이 함초롬한 말 毛並みの美しい馬. 함초롬-히 부 きちんと; しっとり. ¶ 꽃이 ～ 이슬을 머금다 花がしっとりと露を含む.

함축【含蓄】명하타 含蓄; ふくみ. ¶ 어떤 뜻을 ～하고 있다 ある意味を含んでいる.

‖——-미 명 深く蔵していて表われてない美しさ. ——-성 명 言葉·文の中にある意味を含蓄していること. ¶ 그는 제법 ～ 있는 말을 한다 彼はなかなか含蓄のある話をする / ～있는 문장이다 陰影に富む文である.

함치르르 부하형 きれいでつやがあるさま: つやつや. <흠치르르.

함함-하다 형 毛が柔らかでつやつやしている.

함흥 차사【咸興差使】명 鉄砲玉の使い; なし(梨)のつぶて.

합【合】㊀ 명하자타 ①〔數〕和; 合計. ②〔天〕合; 惑星と太陽とが黄経を等しくする時《外合·内合など》. ㊁ 의명 → 홉.

합【盒】명 ふた付きの鉢; 丸くて平たい食器.

합격【合格】명하자 合格. ¶ ～권내 合格圏内 / ～자 合格者 / ～자의 비율이 높다 合格者の比率が高い / ～될 것으로 믿고 있다 受かるものと決め込んでいる / 심사에 ～하다 審査に合格する / 노력한 탓으로 ～했다 努力したせいで合格した.

합계【合計】명하타 合計; 締高. ¶ ～하여 締めて / ～를 내다 締高を出す / ～해서 얼마요 締めていくらですか / 오늘까지의 ～는 얼마나 되나 今日までの締めはいくらになるの.

합궁【合宮】명하자 夫婦の性交.

합금【合金】명〔化〕合金；アロイ．¶ 알미늄 ～ アルミニウムアロイ／구리와 주석의 ～을 만들다 銅と錫の合金をつくる．
‖──-강 명 合金鋼；特殊鋼．
합기-도【合氣道】명 合気道．
합당【合當】명 適当．＝적당．──-하다 형 適当だ；当を得る．¶～한 값 ほどよい値段；値頃／(그에)～한 조처 しかるべき処置／(그에)～한 사람 しかるべき人．
합동【合同】명하자타 合同；コンビネーション．¶～ 결혼식을 올리다 合同結婚式を挙げる．
‖── 리사이틀 명 ジョイントリサイタル．── 삼각형 명〔數〕合同三角形．── 콘서트 명 ジョイントコンサート．
합-뜨리다【合──】타 併合する；ひとつに合わせる．
합력【合力】명하자 合力．
합례【合禮】명하자 ① 花婿·花嫁が初夜を過ごすこと．＝정례(正禮)．② 礼節に合うこと．
합류【合流】명하자 合流；落ち合い．¶～점 合流点／두 계류의 ～점 二つの渓流の出会い／두 강줄기가 ～하다 二つの川が落ち合う／본대에 ～하다 本隊に合流する．
합리【合理】명하형 合理．
‖──-적 명관 合理的．¶～인 생각 合理的な考え．──-주의 명 合理主義．──-화 명하자타 合理化．
합명【合名】명하자타 合名．
‖── 회사 명 合名会社．
합-목적【合目的】명 合目的．¶～성 合目的性．
‖──-적 명관 合目的的．
합반【合班】명하자 学級を合わせて一つにすること．
합방【合邦】명하자타 合邦．¶양국을 ～하다 両国を合邦する．
합법【合法】명 合法．
‖──-성 명 合法性．──-적 명관 合法的．──-주의 명 合法主義．
합병【合倂】명하자타 合併；併合．¶읍면 ～ 町村合併／회사를 ～하다 会社を合併する．
‖──-증 명 合併症；余病．
합본【合本】명하자 ① 合本．② ☞ 합자(合資)．
합사【合祀】명하타 ごうし(合祀)；合祭．¶전몰자를 정중히 ～하다 戦没者をねんごろに合祀する．
합사【合絲】명하타 糸をより合わせること．また，その糸；組み糸；合わせ糸．
합-사발【盒沙鉢】명 ふた(蓋)のあるどんぶり．
합산【合算】명하타 合算．
합석【合席】명하자 合席〔相席〕．¶～을 부탁합니다 合席でお願いします．
합선【合線】명하자〔電〕短絡；ショート．
합섬【合纖】명［↗합성 섬유］合繊．
합성【合成】명하자타 合成．
‖── 고무 명 合成ゴム．── 명사 명 合成名詞．＝복합 명사．── 세제 명 合成洗剤．── 수지 명 合成樹脂；プラスチック．──-어 명 合成語．＝복합어．── 화법 명 合成画法；モンタージュ．
합세【合勢】명하자 勢力を一所に集めること；力を合わせること．
합솔【合率】명하자 分散していた家族が一つの家に同居すること．
합쇼-하다 자 "합쇼(＝…(し)てください)"体の言葉を使う；ていねいな言葉を使う；敬語を使う．¶합쇼할 때 말을 들어라 諭すうちに言うことをきけ．
합수【合水】명하자 合流．¶～점 合流点；二つの流れが合うところ．──-치다 자 いくすじかの流れが一所に合する．
‖──-머리 명 合流する地点．
합숙【合宿】명하자 合宿．¶～소 合宿所；トレーニングキャンプ／～연습 合宿練習．
합승【合乘】명하타 ① 相乗り；乗り合い．¶택시 ～ タクシーの相乗り．② ↗합승 택시．
‖── 마차 명 乗り合い馬車；乗り合い《준말》．── 자동차 명 乗り合い自動車．── 택시 명 相乗りのタクシー．
합심【合心】명하자 心を合わせること．¶상하 ～하여 上下心を合わせて／～ 협동하여 和衷協同して／～하여 일하다 心を合わせて働く．
합연【合演】명하타 合同演出〔演奏〕．
합의【合意】명하자 合意．¶～ 사항 合意事項／쌍방의 ～에 의하여 双方の合意に基づいて．
합의【合議】명 合議；申し合わせ．──-하다 타 申し合わせる．¶～ 사항 申し合わせ事項／～해서 결정하다 合議の上で決める．
‖── 기관 명 合議機関．── 재판 명 合議裁判．──-제 명 合議制．──제 법원 명 合議裁判所．
합일【合一】명하자타 合一．¶지행 ～ 知行合一／～ 문자 モノグラム．
합자【合資】명하타 合資．
‖── 회사 명 合資会社．
합작【合作】명하타 合作．¶양당 ～ 両党合作．
‖── 영화 명 合作映画．
합장【合掌】명하자 合掌．¶～ 예배 合掌礼拝．
합장【合葬】명하타 夫婦のしがい(死骸)を一つの墓に葬ること．
합-재떨이【盒──】명 ふた(蓋)付きの灰皿．
합주【合奏】명하자타 合奏；アンサンブル．＝협주(協奏)．¶현악 ～ 弦楽合奏／거문고와 피리로 ～하다 琴と笛を合わせる．
‖──-곡 명 合奏曲．──-단 명 合奏団；アンサンブル．
합주【合酒】명 もちごめ(糯米)でかもした夏向きの濁り酒．
합죽【合竹】명하자 薄い竹切れを接ぎ合わせること．
‖──-선(扇) 명 薄い竹切れを接ぎ合わせて骨をつくった扇子．

합죽-거리다 타 (歯の抜けた老人などが)唇のへこ(凹)んだ口をもぐもぐする；もぐもぐか(噛)む. **합죽-합죽** 부하타 もぐもぐ.

합죽-이 명 歯が抜けて口とほお(頰)のくぼ(凹)んだ人；すぼ(窄)んだ口.

합죽-하다 형 歯が抜けて口やほお(頰)がくぼ(凹)んでいる.

합죽-할미 명 歯が抜けてほお(頰)と唇が落ちくぼんだばあ(婆)さん；歯抜けばあさん.

합중-국【合衆國】명 合衆国.

합창【合唱】명하타 合唱；アンサンブル；コーラス. ¶이부 ～ 二部合唱 / 여성 ～ 女声合唱 / 선생의 반주로 ～하다 先生の伴奏で合唱する.
‖──-곡 명 合唱曲. ──-단 명 合唱団. ＝코러스.

합책【合册】명하자 合冊. ＝합본(合本).

합체【合體】명하자 合体. ¶회사가 ～하다 会社が合体する.

합치【合致】명하자 合致. ¶～점 合致点 / 목적에 ～하다 目的に合致する / 사실과 ～하다 事実と合致する.

합-치다【合—】자타 合する；合わせる；取り混ぜる；まと(纏)める. ¶천분과 노력이 합쳐 天分と努力とが両両相まって / 각종 견본을 한데 합쳐 보내다 各種の見本を取り混ぜて送る / 하나로 ～ ひとまと(一纏)めにする / 입학금을 합쳐서 100만원 든다 入学金をくるめて百万ウォン要る / 집을 토지까지 합쳐서 9억원에 팔다 家を土地ぐるみ九億ウォンで売る / 두 강물이 ～ 二つの流れが合する / 전부를 ～ 全部を合する / 부국을 합쳐 하나로 하다 部局を併合して一つにする.

합판【合板】명 合板；ベニヤ板. ¶베니어 ～ 積層合板；ベニヤ板.

합필【合筆】명하타 合筆；幾筆かの土地を合わせて一筆地にすること.

합-하다【合—】자타 合する；合わせる；混ぜる；混ざる. ¶마음을 ～ 心を合わせる；腹を合わす / 포장까지 합해서 3백 그램이다 風袋共三百グラムである.

합환【合歡】명하자 合歓.
‖──-주(酒) 명 結婚式で花婿・花嫁が互いに交わし飲む酒；三三九度の酒.

핫- 두 ① 衣服・ふとんなどの語の前につけて"綿入れ"の意を表わす語. ¶～바지 綿入れのバジ / ～이불 綿入れのふとん. ② 配偶者があることを表わす語. ¶～어미 有夫の女.

핫-것 명 綿入れの衣服やふとんの総称.

핫-길【下—】명 下等の品質. また, そのもの.

핫 뉴스〔hot news〕명 ホットニュース.

핫 도그〔hot dog〕명 ホットドッグ.

핫-두루마기 명 綿入れの周衣.

핫 라인〔hot line〕명 ホットライン.

핫 머니〔hot money〕명〖經〗ホットマネー.

핫-바지 명 ① 綿入れのバジ. ②《俗》田舎っぺい；学のない愚かな人.

핫-아비 명 有婦の男.

핫-어머니 명 有夫の女《"핫어미"の丁寧語》.

핫-어미 명 有夫の女.

핫-옷 명 綿入れの服；綿入れ；布子.

핫 워〔hot war〕명 ホットウォー；熱戦.

핫-이불 명 綿入れのふとん.

핫-저고리 명 綿入れのチョゴリ.

핫 케이크〔hot cake〕명 ホットケーキ.

핫 팬티〔hot panty〕명 ホットパンツ.

항【項】명 項. ¶～별 項別 / ～목 項目 / 다～식 多項式.

항-【抗】두 抗. ¶～히스타민제 抗ヒスタミン剤.

-항【港】미 港. ¶제주～ 済州港.

항간【巷間】명 [↗여항간(閭巷間)] 巷間；ちまた；世間. ¶～에 떠도는 소문 巷のうわさ.

항거【抗拒】명 抗拒. ──-하다 자 抗拒する；あらが(抗)う；抗する. ¶～죄 抗拒罪 / 적의 압박에 ～하다 敵の圧迫に抗する / 권세에 ～하다 権勢にあらがう.

항고【抗告】명하타〖法〗抗告. ¶가처분 결정에 ～하다 仮処分の決定に抗告する.
‖──-심 명 抗告審.

항공【航空】명 航空.
‖── 관제 명 [↗항공 교통 관제] 航空管制. ── 관제탑 명 航空管制塔. ＝컨트롤 타워. ── 교통 관제 명 航空交通管制. ──-기 명 航空機. ¶～를 타다 飛行機に乗る. ──-로 명 航空路. ── 모함 명 航空母艦；母艦《준말》；空母《준말》. ── 법규 명 航空法規. ──-사 명 航空士；ナビゲーター. ── 사진 명 航空写真. ── 우편 명 航空郵便；エアメール. 준 항공편. ──-편 명 航空便. ──-학 명 航空学.

항구【恒久】명하형 恒久.
‖──-적 명관 恒久的. ¶～인 설비 恒久的な設備.

항구【港口】명 港口；津；港. ¶～제 港祭り / ～의 등대 港の灯台. ‖── 도시 명 港町. 준 항도(港都).

항균-성【抗菌性】명 抗菌性. ¶～물질 抗菌性物質.

항내【港內】명 港内.

항-다반【恒茶飯】명부 日常茶飯. 준 다반.
‖──-사 명 日常茶飯事. 준 다반사.

항도【港都】명 ↗항구 도시.

항-등식【恒等式】명〖數〗恒等式.

항렬【行列】명 血族間の世数関係を表わす語《兄弟関係は同じ"항렬"である》.
‖──-자(字) 명 "항렬(＝世数関係)"を表わすために名前の字の中に織り込む文字. ＝돌림자.

항례【恒例】명 恒例；常例.

항로【航路】명 航路；船路；潮路〈雅〉；ライン. ¶홍콩 ～ ホンコンライン / 하와이 ～ ハワイ航路 / 위험한

~ 危険な船路 / 기나긴 ~ 八重の潮路 / 신조선이 이 달초 뉴욕 ~에 취항했다 新造船が今月の初めニューヨーク航路に就航した.
‖── 신호 명 航路信号. ── 표지 명 航路標識.
항만【港灣】명 港湾. ¶~ 시설 港湾施設 / ~ 노동자 港湾労働者.
항명【抗命】명하자 抗命.
‖──-죄 명 抗命罪.
항모【航母】명〖軍〗[↗항공 모함] 空母.
항목【項目】명 項目. =조목(條目). ¶10~의 요구를 하다 十項目の要求を出す.
항문【肛門】명〖生〗こうもん(肛門).
‖── 괄약근 명〖生〗肛門括約筋. ── 열상 명 肛門裂傷; 切れじ(痔).
항법【航法】명 航法. ¶계기 ~ 計器航法.
항변【抗辯】명하타 抗弁. ¶상대방의 주장에 ~하다 相手の主張に抗弁する.
항복【降伏·降服】명 降伏〔降服〕; 降参; 〖佛〗降伏. ──-하다 자 降伏する; 下〔降〕る; かぶと(兜)を脱ぐ; シャッポを脱ぐ; 旗を巻く; 白旗をふる. ¶무조건 ~ 無条件降伏 / 어이 없이 ~하다 手もなく降参する / 적을 ~시키다 敵を下す / 완고한 그도 아이들의 열성에는 ~한 모양이다 頑固な彼も子供らの熱心さには閉口したらしい / 적에게 ~하다 敵に下る / 너에겐 도저히 못 당하겠다, ~한다 君にはとてもかなわない, 脱帽するよ / 악마를 ~시키다〖佛〗悪魔を降伏さす.
‖──-기 명 降伏の旗; 白旗.
항상【恒常】부 常に; いつも; 日ごろ; 常時; 不断; 常常; 毎毎〈老〉; 毎度. ¶~ 너의 생각뿐이다 寝ても覚めても〔明け暮れ〕君のことばかり思っている / ~ 바쁘다 年中忙しい / ~ 말했듯이 毎毎言ったように / ~ 폐를 끼쳐서 미안합니다 毎度ご面倒をかけて済みません / ~ 같은 양복을 입고 오다 いつも同じ洋服を着て来る / 너의 언동은 ~ 올바르다 君の言動は常に正しい / 저 학교는 ~ 분쟁이 끊이지 않는다 あの学校は始終〔しょっちゅう〕もめている / ~ 한마디 이유를 붙이다 いつも一理屈ひねる.
항생 물질【抗生物質】명〖生〗抗生物質.
항생-제【抗生劑】명 抗生剤; 抗生物質でできた薬剤.
항성【恒星】명〖天〗恒星.
항소【抗訴】명하자〖法〗控訴. ¶검사의 ~ 検事の控訴.
‖──-권 명 控訴権. ── 법원 명 控訴裁判所. ──-심 명 控訴審. ──-인 명 控訴人. ──-장 명 控訴状.
항속【航續】명하자 航続. ¶~ 거리 航続距離 / ~력 航続力.
항시【恒時】㊀명 常時; 普通の時. ㊁부 常に; いつも. =늘. ¶~ 술에 취해 있다 いつも酒浸りだ.
항시【港市】명 港町. =항도(港都).
항아리【缸─】명 かめ(甕); つぼ(壺).
‖── 손님 명〖韓醫〗耳下腺炎; お多福風〈俗〉.
항온【恒溫】명 恒温; 常温.
‖──-기 명 恒温器; 定温器. ── 동물 명 恒温動物; 定温動物. =정온(定溫)동물. ── 장치 명 恒温装置.
항외【港外】명 港外. ¶배가 ~에서 정선했다 船が港外で停船した.
항용【恒用】㊀명 普通; 通常. ㊁부 常に; いつも. ¶~ 있는 일 常にあること.
항원【抗元·抗原】명 抗原.
항의【抗議】명 抗議; プロテスト. ──-하다 타 抗議〔プロテスト〕する; 物申す. ¶당당히 ~할 수 없는 약점 正面切って抗議できない弱み / ~를 제기하다 抗議を申し込む / 증거를 들이대고 ~하다 証拠を差し付けて抗議する / ~를 받아들이다 抗議を受け付ける / ~를 일축하다 抗議を一蹴する / ~문을 수교하다〔내밀다〕抗議文を手交する〔突き付ける〕/ ~ 소동을 일으키다 抗議騒動を起こす.
항일【抗日】명하자 抗日. ¶~ 전쟁〔투사〕抗日戦争〔闘士〕.
항장-력【抗張力】명 抗張力.
항쟁【抗爭】명하자 抗争. ¶필사적으로 ~하다 必死に抗争する.
항적【航跡】명 航跡. ¶배가 ~을 남기다 みお(澪)を引く.
‖──-운(雲) 명 飛行機雲.
항전【抗戰】명하자 抗戦. ¶소수 병력으로 ~하다 少数の兵力で抗戦する.
항정【航程】명 航程. ¶~ 10만 km 航程十万キロ.
항해【航海】명하자 航海; 渡海. ¶처녀 ~ 処女航海 / 무사히 ~를 계속하다 無事に航海を続ける.
‖──-도 명 航海図. ──-등(燈) 명 航海灯. ── 보험 명 航海保険. ──-사 명 航海士. ──-술 명 航海術. ── 일지 명 航海日誌; ログ. ──-장 명 航海長.
항행【航行】명하자 航行. ¶~도 航行図 / ~중인 선박 航行中の船.
‖── 구역 명 航行区域.
해[1] 명 ① 太陽; 日; サン; ソレイユ. ¶저녁 ~ 夕日; 斜日 / 지는 ~ 入り日; 斜照 / ~가 뜨다 日が出る〔昇る〕/ ~가 높다 日が高い / ~가 지다 日が沈む / ~가 서산에 지다 日が西に没する. ② 年; とせ(年·歳)〈雅〉. ¶새~ 新年 / 몇~ いく年 / 그~ その年; 当年 / 다사 다난한 ~ 多事多難の年 / 다음 다음 ~ 翌翌年 / ~가 바뀌다 年が改まる / ~를 맞이하다〔보내다〕年を迎える〔送る〕/ ~를 넘기다 年を越す / 여러 ~ 동안의 노력이 열매를 맺다 長年の努力が実る. ③ 昼の長短を指す語: 日; 昼. ¶겨울 ~는 짧다 冬の日は短い / ~가 길어지다 日足が延びる / ~가

길다 昼が長ない.

해【害】 명하타 害. ①利がないこと；弊害；害毒. ¶음주의 ~ 飲酒の害/…의 ~가 되다 …の害になる. ②損傷；損なうこと. ¶~를 입다 害を被る. ③危害；殺すこと.

해² 의명 人を表わす名詞·代名詞の下に付いて"…の所有物"の意を表わす語：…もの. ¶내 ~ 私の物/뉘 ~냐 誰の物かね/네 ~다 お前の物だよ.

해³ 부하자 照れ臭くて口を開けるさま. また, そのとき発する声：へえ；はん；はあん. <헤.

해⁴ 부감하자 口を半分ほどあけてにやにや笑うさま. また, その声：へえへえ；へえ. <헤.

해⁵ 준 "하여"の略語.

해- 두 "その年に新しく取り入れた"の意を表わす語. ¶~콩 初物の豆.

해-【該】 부 該；該当する"その"の意《漢語の上につく》. ¶~지역 該地域/~사건 該事件.

-해【海】 미 "海"の意；海. ¶아랄~ アラル海/지중~ 地中海.

해갈【解渴】 명하자 ①渇をいやすこと. ②雨が降って日照りを免れること.

해감 명 水のおり(澱)；水のあか.

해-거름 명 日が西に沈むころ(頃)；日暮れ. 준 해름.

해-거리 명 隔年.

해결【解決】 명하타 解決. ¶~짓다 解決をつける；折り合う/사건의 ~을 도모하다 事件の解決を図る/사건이 ~나다 事件が片付く/중간에 서서 원만하게 ~하다 仲に立って丸くおさめる/돈이 아니면 ~되지 않는다 金でなければまとまらない/~이 잘 안 된다 解決がもたつく.

해경【海警】 명 ↗해양 경찰대.

해고【解雇】 명 解雇；かくしゅ(馘首)；くび；お払い箱. ——-하다 타 解雇する；首切る；くびにする；暇を出す. ¶종업원을 ~하다 従業員を解雇する/불황으로 ~당했다 不況で解雇された〔くびになった〕.

해골【骸骨】 명 がいこつ(骸骨). ①体の骨；骨格. ②どくろ(髑髏)；されこうべ；野ざらし；しゃれこうべ. ¶~같이 여위다 骸骨のようにやせる.
‖—— 바가지, ——-박 명《俗》☞ 해골②. ——-산(山) 명 キリストが死んだゴルゴタ.

해괴【駭怪】 명하형히부 非常に奇怪なこと；け(怪)しからぬこと.
‖——-망측(罔測) 명하형 非常に奇怪でけしからぬこと. ¶~한 이야기 非常に奇怪でいやらしい話.

해군【海軍】 명 海軍. ¶~ 장교 海軍将校/~ 대장 海軍大将；アドミラル.
‖——-기 명 海軍機. —— 기지 명 海軍基地. —— 사관 명 海軍士官. —— 사관 학교 명 海軍士官学校.

해귀-당신 명 顔が平べったくてふくよかでない人のあだな.

해금【解禁】 명하타 解禁. ¶기사를 ~하다 記事を解禁する.

해기【海技】 명 海技；海員として必要な技術. ¶~ 면장 海技免状.

해-길다 형 日〔昼〕が長い.

해-깍두기 명 春に新しく漬けた"깍두기".

해-껏 부 日暮れまで.

해끄무레-하다 형 ととのっていて(色が)やや白い. <희끄무레하다.

해끔-하다 형 色がきれいでやや白い. <희끔하다. 해끔-해끔 부하형 色白できれいなさま.

해끗-해끗 부하형 白色がまばらなさま；てんてんと白いさま. <희끗희끗.

해낙낙-하다 형 満足を感じる

해난【海難】 명 海難. ¶~ 사고 海難事故/~을 당하다 海難に会う.
‖—— 구조 명 海難救助；サルベージ.

해-내다 타 ①(相手を)やっつける；や(遣)り込める. ②成し遂げる；やり抜く；やってのける；し済ます. ¶훌륭히 ~ 立派にやってのける〔やりこなす〕/즉석에서 ~ 即座にやってのける/끝까지 ~ やり抜く；しまいまでやり通す.

해-넘이 명 日没；日暮れ.

해녀【海女】 명 あま(海女).

해-님 명《兒》お日様；日；今日様〈老〉；おてんとさま.

해단【解團】 명하타 解団. ¶청년단 ~식 青年団の解団式.

해답【解答】 명하자타 解答；答え. ¶대수 문제의 ~을 가르쳐 주다 代数問題の解答を教えてやる/~의 자릿수가 틀리다 答えのけた(桁)が違う. 준 답.
‖——-집 명 解答集.

해당【害黨】 명하자 党に害を与えること.

해당【解糖】 명하자〖化〗解糖.

해당【解黨】 명하자타 解党.

해당【該當】 명하자타 該当；相当. ¶~자는 없다 該当者はいない/그것에 ~하는 영어는 없다 それに相当する英語はない/그 말은 여기에는 ~되지 않는다 その語はここには当たらない.

해당-화【海棠花】 명〖植〗はまなし. =때찔레.

해-대다 타 くってかかる；(腹いせに)やりこめる；やっつける. ¶홧김에 ~ 腹立ちまぎれにやっつける/욕을 마구 ~ 悪口を言い散らす.

해도【海圖】 명 海図；航海図. ¶~를 의지하여 항해하다 海図を頼りに航海する.

해독【害毒】 명 害毒. ¶~을 세상에 끼치다 害毒を世に流す.

해독【解毒】 명하자 解毒；毒消し. ¶~제 解毒剤/~ 작용 解毒作用/~이 되다 毒が散る.
‖——-약 명 毒消し；解毒薬.

해독【解讀】 명 解読. ——-하다 타 解読する；読み解く. ¶암호를 ~하다 暗号を解読〔判読〕する.

해-돋이 명 日出；日の出；有り

ㅎ

明け；御来光. ¶ 설날의 ～ 初日の出 / 산꼭대기에서 ～를 맞다 山頂に立って御来光を拝む.

해동【海東】 명 ぼっかい(渤海)の東にある国の意で，韓国の別称.

해동【解凍】 명하자 凍ったものが解けること；解凍；解氷.

해-동갑【—同甲】 명하타 日が暮れるまでの間；仕事や道を急ぐとき日が沈むまで続けること.

해득【解得】 명하타 心得のあること；会得. ¶ 영문 ～자 英文の心得のある人.

해-뜨리다 타 ↗해어뜨리다.

해뜩-발긋 부하형 白味がかって明るいさま.

해뜩-해뜩 부하형 白い色がまばらに見えるさま：てんてんと白く；ちらほら白く.

해라-하다 자 "行け·来い"など目下に対する言葉遣いをする.

해령【海嶺】 명〖地〗かいれい(海嶺).

해로【海路】 명 海路；航路；潮路〈雅〉；ふなじ. ¶ ～로 마닐라에 가다 海路マニラにおもむく.

해로【偕老】 명하자 かいろう(偕老)；共白髪. ¶ 백년 ～하다 共白髪まで添い遂げる / 백년 ～의 약속을 맺다 偕老同穴の契りを結ぶ.

해-롭다【害—】 형 有害だ；害になる. ¶ 몸에 ～ からだに障る / 담배는 몸에 ～ 煙草は体に悪い / 담배가 해로운 것은 누구나가 알고 있다 タバコの有害なことは誰もが知っている. 해-로이 부 有害に.

해롱-거리다 자 へらへらふざける；じゃらつく. ＜희롱거리다. 해롱-해롱 부하자 しきりにじゃらつくさま.

해류【海流】 명 海流. ¶ ～를 타다 海流に乗る.
‖——-도 명 海流図. —— 발전 명 海流発電.

해-륙【海陸】 명 海陸.
‖——-군 명 海軍と陸軍. ——-풍 명〖地〗海陸風.

해리【海里】 의명 海里.

해-마다 부 毎年；年ごと；歳歳；年年；としどし；毎歳. ¶ ～ 줄어 간다 年年へっていく / ～ 있는 사건이다 年年ある事件である / ～ 백만 원의 배당이 있다 毎年百万ウォンの配当がある / ～ 흰 머리가 불어나다 毎年しらががふえる.

해만【海灣】 명 海湾. ① 海と湾. ②〖地〗湾.

해-말갛다 형 顔色が白く明るい. ＜희멀겋다.

해말쑥-하다 형 顔が白くてさっぱり澄んでいる. ＜희멀쑥하다.

해-맑다 형 白くて清い〔明るい〕；色白ですがすがしい. 「かだ.

해망-쩍다 형 愚鈍だ；にぶくて愚

해매 명 邪悪であやしげな気配.

해머 〔hammer〕 명 ハンマー.
‖——-던지기 명 ハンマー投げ. ＝투(投)해머.

해먹 〔hammock〕 명 ハンモック.

해-먹다 타 ① こしらえて食べる. ¶ 떡을 ～ もち(餅)をつくって食べる. ②《俗》横領する；着服する；せしめる. ③ (ある事を)して暮らす.

해면【海面】 명 海面. ¶ ～에 떠오르다 海面に浮かび上がる.

해면【海綿】 명 海綿；スポンジ.
‖—— 동물 명 海綿動物. ——-질 명 海綿質. ——-체 명〖生〗海綿体.

해면【解免】 명하타 ① 免職；解雇. ② 解除；免除.

해명【解明】 명 解明；釈明. ——-하다 타 解明する；解き明かす. ¶ 의문점을 ～하다 疑問の点を解明する / ～할 여지가 없었다 釈明の余地がなかった.

해명【海鳴】 명 海鳴り.

해몽【解夢】 명 夢の吉凶を解くこと；夢合わせ；夢うら. ——-하다 자타 夢を判ずる. ¶ 꿈보다 ～이 좋다 夢より夢うらが良い.

해무【海霧】 명 海霧.

해-묵다 자 ① (品物が)年を越す；古くなる. ② (仕事が)次の年に繰りこしになる.

해-묵히다 타 年を越させる；(仕事を)次の年に繰り越す.

해물【海物】 명 ↗해산물.

해미 명 海上の濃い霧. ＝해매(海霾)·분기(氛氣).

해미【海味】 명 海産物でこしらえたうまいおかず〔総菜〕.

해-바라기 명〖植〗ひまわり(向日葵)；日輪草. ＝규화(葵花).

해-바라지다 형 ぶかっこうに広がっている. ＜헤벌어지다.

해박【該博】 명 該博. ——-하다 형 該博だ；広い. ¶ ～한 지식 該博な知識.

해반닥-거리다 타 ① 白目をぎょろぎょろさせる；目を白黒させる. ② ぎらぎらする. 해반닥-해반닥 부하타 ぎょろぎょろ；ぎらぎら.

해반드르르-하다 형 ① (顔色が)色白でつやつやしている. ② もっともらしく装っている. ＜희번드르르하다. 준 해반들하다.

해반주그레-하다 형 (顔色が)白くこぎれいだ. ＜희번주그레하다.

해번지르르-하다 형 (顔色が)白くてつやつやしている.

해발【海拔】 명 海抜；標高.
‖—— 고도 명〖地〗海抜高度.

해발쭉-하다 형 ① (物の口·穴などが)平べったくてややあいている. ② 口を半分ぐらいあけてにこやかに笑うさま. ＜헤벌쭉하다.

해방【海防】 명하자타 海防.
‖——-함 명 海防艦.

해방【解放】 명하타 解放. ¶ 노예 ～ 奴隷解放 / 여성 ～ 운동의 투사 女性解放運動の闘士.

해법【海法】 명 ↗해상법(海上法).

해벽【海壁】 명 海壁；岸壁.

해변【海邊】 명 海辺；浜辺；ビーチ；海浜. ¶ ～가 浜；いそ(磯) / ～바람 浜風 / 파도치는 ～ 波うつ浜辺 / ～길을 걷다 浜路を歩く / ～쪽으로 가다 浜手に行く.
‖—— 식물 명 海浜植物. —— 학교 명 臨海学校.

해병【海兵】명 海兵.
‖——대 명 海兵隊; 陸戦隊.
해-보다 타 [↗하여 보다] やってみる; 試みる; ためしてみる. ¶시험삼아 ~ 試しにやってみる.
해-보다【害—】타 害を受ける; 損を被る.
해부【解剖】명하타 解剖; ふ(腑)分け. ¶생체 ~ 生体解剖/시체를 ~하다 死体を解剖する.
‖——학 명 解剖学.
해빙【海氷】명 海氷.
해빙【解氷】명하자 解氷; 雪解け. =결빙(結氷).
해사【海士】명 ↗해군 사관 학교.
해사【海事】명 海事. ¶~ 사상 海事思想. ‖—— 공법 명 海事公法.
해사-하다 형 顔が色白ですっきりしている.
해산【海山】명〔地〕海山.
해산【海産】명 [↗해산물] 海産.
‖——물 명 海産物; 海の幸. ——비료 명 海産肥料.
해산【解産】명하자 ぶんべん(分娩); お産. ¶~할 기미 産気の催し/~할 기미가 있다 産気づく/~방 産所; うぶや/~은 난산이었다 お産は難産であった.
‖—— 구완 명하자 分娩のお世話. ——미역 명 産婦用のわかめ(若布). ¶~ 같다《俚》産婦用の若布のようだ《腰が曲がった人を指す語》. —— 바라지 명하자 分娩の世話. —— 어미 명 産婦; 産褥の婦人.
해산【解散】명하자타 解散. ¶각자 ~하였다 各自解散した/~을 명하다 解散を命じる/군중을 ~시키다 群衆を解散させる/국회 ~을 선포하다 国会の解散を宣布する.
해삼【海蔘】명〔動〕なまこ(海鼠·生子). ¶~ 창자 젓 このわた(海鼠腸).
해상【海上】명 海上; 洋上. ¶~ 작전 洋上作戦/~에서 일어난 사건 海上で起こった事件.
‖——권 명 海上権. ——법 명 海上法. —— 보험 명 海上保険. —— 봉쇄 명 海上封鎖. —— 운송 명 海上運送.
해상【海床】명〔地〕海床; 海底.
해상【海商】명 海商.
‖——법 명 海商法. =해사 상법.
해상-력【解像力】명 解像力.
해서【楷書】명 かいしょ(楷書); 真書. ¶~체 楷体/~로 쓰다 楷書で書く.
해석【解析】명하타 解析. ¶데이터를 ~하다 データを解析する/통계 ~ 統計解析.
‖—— 기하학 명 解析幾何学. ——학 명 解析学.
해석【解釋】명하타 解釈; 解義. ——하다 타 解釈する; 釈する; 取る; 解する. ¶두 가지의 ~ 二様の解釈/나 나름의 ~ わたしなりの解釈/~ 여하에 따라 여러 가지로 생각할 수 있다 解釈のしようでどうにでも取れる/색다른 ~이다 変わった解釈である/그것은 ~의 차이다 それは解釈の相違である/그렇게도 ~할 수 있다 そうも取れる/늘 선의로 ~하다 いつも善意に解する/나쁘게 ~하다 悪く取る/글자 그대로 ~하다 文字通りに取る.
해설【解說】명하타 解説. ¶뉴스 ~ ニュース解説/뉴스 ~자 ニュースキャスター.
해소【咳嗽】명〔醫〕←해수.
해소【解消】명하타 解消. ¶발전적 ~ 発展的解消/고민이 ~됐다 なやみが解消した.
해수【咳嗽】명 [←해소] せき(咳).
‖——병 명〔韓醫〕せきの出る病気. =기침병.
해수【海水】명 海水.
‖——욕 명하자 海水浴. ¶~복 海水着; 水着/~장 海水浴場/~을 하다 海水浴をする.
해-시계【—時計】명 日時計.
해시 라이스 명 [←hashed rice] ハヤシライス.
해식【海蝕】명〔地〕海食. ¶~ 해안 海食海岸.
‖—— 단구(段丘) 명〔地〕海食棚; 波食台. ——대(臺) 명〔地〕海食台地. ——동 명〔地〕海食洞.
해식【解式】명〔數〕解式.
해신【海神】명 海神; わたつみ(海神·綿津見)〈雅〉; 海の神.
해심【害心】명 害心; 害意.
해심【海深】명 海の深さ.
해쓱-하다 형 そうはく(蒼白)だ; あおざめている; 青い; 青白い. ¶야위고 해쓱한 사람 青びょうたん(瓢簞).
해악【害惡】명 害悪. ¶~을 끼치다 害悪を及ぼす.
해안【海岸】명 海岸; ビーチ. =바닷가. ¶~선 海岸線/~이 후미져 있다 海岸が入り江になっている/~을 따라서 가다 海岸伝いに行く/파도가 ~을 치다 波が岸を打つ.
‖—— 기후 명〔地〕海岸気候. ——도 명 海岸島; 大陸の一部分が離れ落ちてつくられた島. —— 도서족 명〔地〕海岸島嶼族. —— 방풍림 명 海岸防風林. —— 사구 명〔地〕海岸砂丘. —— 평야 명〔地〕海岸平野.
해약【解約】명하타 解約. ①約束を解くこと; キャンセル. =파약(破約). ②〔法〕契約を解除すること. ¶보험을 ~하다 保険を解約する/~ 절차를 밟다 解約の手続きを取る.
해양【海洋】명 海洋.
‖—— 경찰대 명 海洋警察隊. ㊜해경. —— 기상대 명 海洋気象台. —— 대학 명 海洋大学. —— 봉쇄 명하자〔法〕海洋封鎖. ——성 명 海洋性. ——학 명 海洋学.
해어【解語】명하자 解語; 言葉がわかること.
해어-뜨리다 타 すり減らしてしまう; ぼろぼろにする; ほころばす. ㊜해뜨리다.
해어-지다 자 すり減る; ほころぶ. ㊜해지다. ¶해어진 옷을 입은 거지 弊衣をまとった乞食.
해역【海域】명 海域.
해연【海淵】명〔地〕かいえん(海淵).

해열【解熱】 명하자 解熱.
‖——제 명 解熱剤; 熱冷まし.
해오【解悟】 명하자〔佛〕解悟.
해외【海外】 명 海外. ① 海の外. ② 外国. =외국. ¶~ 동포 海外同胞 / ~ 여행 海外旅行 / ~ 문학의 소개 海外文学の紹介 / ~에 전해지다 海外に伝わる.
‖—— 방송 명 海外放送.
해용【海容】 명하타 海容; 寛大に許すこと.
해운【海運】 명 海運; 海送. ¶~ 회사 海運会社 / ~왕 海運王.
‖—— 시장 명 海運市場. ——-업 명 海運業. —— 협정 명 海運に関する国家間の協定.
해웃-값 명 花代; はな; 揚げ代; 玉代; 玉. =화채(花債).
해원【海員】 명〔法〕海員.
해원【解冤】 명하자 恨みをはらすこと; うらみばらし.
해위【解圍】 명하자 かこみを解くこと.
해읍스름-하다 형 白ばんでいる; あまりきれいでなく白っぽい. <희읍스름하다.
해의【害意】 명 害意; 害心. ¶~를 품다 害意を抱く.
해의【解義】 명하타 解義; 意を解いて明らかにすること.
해이【解弛】 명 しかん(弛緩); 緩み; たる(弛)み. ——-하다 자 弛緩する; 弛む; たゆむ. ¶~해지다 だらける / 마음(의 긴장)이 ~해지다 気が緩む.
해-인【該人】 명 その人.
해일【海溢】 명하자〔地〕津波; かいしょう(海嘯); 高潮. ¶~이 일어나다 津波が起こる / ~이 덮치다 津波に襲われる.
해임【解任】 명하타 解任; 解職; 免職. ¶~을 통고하다 解任を通告する / 반대자를 역원에서 ~하다 反対者を役員から退ける.
‖——-장 명〔法〕解任状.
해자【解—】 명하자 ① ただで一杯飲んだり食べること; おごられること. ②〔史〕ソウルの各役所に新しく赴任して来た下役が先任者におごること.
해자【解字】 명 ☞ 파자(破字).
해자【楷字】 명 かいしょたい(楷書体)の字.
해작-거리다 타 (食べ物などを)しきりにほじくる. <헤적거리다. 해작-해작 부하타 食欲がそそらずしきりに食べ物をほじくるさま.
해작-이다 타 (食べ物などを)ほじくる.
해장 명하자 [←해정(解酲)] 迎え酒を飲むこと.
‖——-국 명 迎え酒を飲むときの汁物. ——-술 명 迎え酒.
해장【海葬】 명하타 海にしがい(死骸)を葬ること.
해저【海底】 명 海底. ¶~ 터널 海底トンネル.
‖——-곡 명 海底谷. —— 산맥 명 海底山脈. —— 전선 명 海底電線. —— 화산 명 海底火山.
해적【海賊】 명 海賊. ¶~들이 출몰하다 海賊たちが出没する / ~선 海賊船 / ~판 海賊版.
해적【害敵】 명하자 害敵; 敵に害を与えること. ¶~ 수단 害敵手段.
해-전【—前】 명 日没前; 日暮れ前.
해전【海戰】 명하자 海戦; 船戦.
해정【海程】 명 海程; 海上の航程.
해제【解除】 명하타 解除. ¶경보 ~ 警報解除 / ~ 조건 解除条件 / 계약을 ~하다 契約を解除する.
해제【解題】 명하타 解題. ¶명저 ~ 名著解題 / 작품의 ~를 쓰다 作品の解題を書く.
해조【害鳥】 명 害鳥.
해조【海鳥】 명 海鳥.
해조【海潮】 명 海潮; うしお(潮). =조수(潮水).
‖——-음 명 海潮音; 潮さい.
해조【海藻】 명 海藻〔海草〕.
해죄【解罪】 명하자〔天主教〕ざんげ(懺悔)によって罪を許してもらうこと.
해-주다 타 [하여 주다] してやる. ¶자네도 해줄 테지 君もやってくれるだろうな / 그것을 좀 어떻게 해주지 않겠느냐 それを何とかしてくれないか / 수고 좀 해주겠나 一苦労願おうか.
해죽 부 愛想よく笑うさま: にこにこ; にこっと; にっと. <히죽. ㅆ해쭉. ¶~ 웃다 にっと笑う. ——-거리다[1] 자 にこにこする. ————[1] 부하자 にこにこ.
해죽-거리다[2] 자 両手を振りながらさっさと歩く. <헤죽거리다. 해죽-해죽[2] 부하자 さっさと.
해중【海中】 명 海中. ¶~ 공원 海中公園 / ~ 촬영 海中撮影.
‖—— 화산 명 海中火山. =해저 화산.
해-지【該地】 명 その土地〔所〕.
해-지다 자 ↗해어지다. ¶양말이 닳아~ くつ下が切れる / 옷자락이 닳아~ 服のすそがほころぶ / 다 낡아서 해진 옷을 입고 있다 よれよれの服を着ている.
해직【解職】 명하타 解職; 免職. ¶사원을 ~ 처분하다 社員を解職処分する.
해질-녘 명 日の暮れ; 夕暮れ; 夕方; 暮れ方; たそがれ; 日ぐれ. ¶~이 되다 暮れ方になる.
해쭉 부 かわいらしく笑うさま. <히쭉. ㅅ해죽. ——-거리다 자 にこにこする. ———— 부하자 にこにこ.
해찰 명하타 物をあれこれいじくりまわして損なうこと. ——-궂다 형 あれこれいじくってそこねるくせがある; (意地悪くて)物を大切にする心構えが足りない.
해찰-하다 자 仕事には身を入れずくだらない事をする.
해체【解體】 명 ① 解体. ——-하다 자타 解体する; ばらす; 取りはずす. ¶~ 수리 解体修理 / 기계를 ~하다 機械を解体する / 조직이 ~되었다 組織が解体した / ~하여

운반하다 取り外して運搬する. ②〖生〗☞ 해부(解剖).
해초【海草】명 ①忠清南道の海辺で産するタバコ. ②〖植〗海草. =해조(海藻)·바다풀.
해충【害蟲】명〖動〗害虫. ¶사회의 ～ 社会の害虫/～을 근절시키다 害虫を絶滅する/～을 태워 죽이다 害虫を焼殺する/～을 구제하다 害虫を駆除する.
해-치다【害—】타 害する; 損ずる; 損ねる. ¶건강을 ～ 健康を損なう/동심을 ～ 童心をむしばむ/사람을 ～ 人を傷つける〔殺す〕/나라를 ～ 国を害する〔賊する〕/해칠 마음을 갖다 害心を持つ.
해-치우다 타 やってのける; ひね(捻)る〈俗〉. ¶별로 힘들이지 않고 ～ 何の苦労もなくやってのける/수월하게〔어렵지 않게〕 ～ たやすくやってのける/간단히 ～ 軽く捻る/일을 빈틈 없이 ～ 仕事をきちんとすます/일을 차례차례로 ～ 仕事を順順にかたづける/간단히 해치워버리겠다 一捻りにするぞ.
해탈【解脫】명하자타 解脱.
해태 명 [←해치(獬豸)] 是非·善悪を判断するという伝説上の動物《しし(獅子)に似ているが頭の真ん中に一本の角が生えているという》. =해타(海駝).
해태【海苔】명〖植〗のり(海苔). =김¹.
해태【懈怠】명하형 げたい(懈怠); なまけ; 怠ること. =해타(懈惰).
해토【解土】명하자 凍土が溶けること.
‖——-머리 명 凍土が溶け始める頃.
해-포 명 約一年間; 一年程. *달포.
해풍【海風】명 海風. ¶～에 탄 살결 潮焼けの肌.
해프닝〔happening〕명 ハプニング.
해피 엔드 명〔←happy ending〕ハッピーエンド.
해학【諧謔】명 かいぎゃく(諧謔); おどけ; しゃれ; こっけい(滑稽). =유머. ¶～을 즐기다 諧謔をもてあそぶ.
‖—— 문학 명 諧謔文学. —— 소설 명 諧謔小説. =유머 소설.
해항【海港】명 海港. ¶～ 검역 海港検疫.
해해 부하자 下品に笑う声: へへ; へらへら. <히히. ——-거리다 자 しきりにへらへら笑う.
해협【海峽】명〖地〗海峡. ¶대한 ～ 大韓海峡/헤엄쳐서 ～을 건너다 泳いで海峡を渡る.
해후【邂逅】명 かいこう(邂逅); 思いがけない巡り会い; 出会〔出合〕い. ——-하다 자 邂逅する; めぐり合う; 出会〔出合〕う. ¶옛 친우와 ～하다 旧友に邂逅する.
핵【核】명 核. ¶～ 문제 核問題/원자～ 原子核/세포～ 細胞核/～가족 核家族/～탄두 核弾頭/～전략 核戦略/～무장 금지 核武装禁止/～개발 의혹 核開発疑惑/～전쟁에는 승자가 없다 核戦争に勝者はない.

ㅎ

핵-무기【核武器】명 核兵器.
핵-물리학【核物理學】명〖物〗核物理学.
핵-반응【核反應】명 核反応.
핵-병기【核兵器】명 核兵器.
핵-분열【核分裂】명 核分裂. ¶～ 생성물 核分裂生成物.
핵-사찰【核査察】명 核査察.
핵-실험 명 核実験. ¶～ 탐지 核実験探知/지하 ～ 地下核実験.
핵심【核心】명 核心; せいこく(正鵠)《관용음은 "せいこう"》; 中核. ¶당의 ～ 인물 党の核心人物/～ 교육 과정 コアカリキュラム/～을 건드리다 核心にふれる/～을 찌르다 図星をさす; 核心を突く/～을 파악하다 正鵠を得る.
‖——-체 명 核心体. ①核心となる部分. ②〖物〗原子核が分裂してエネルギーを放出する原子炉の中心部.
핵-에너지【核—】〔energy〕명 核エネルギー.
핵-연료【核燃料】명 核燃料. ¶～봉 核燃料棒/～ 재처리 공장 核燃料再処理工場.
핵-융합【核融合】명 核融合. ¶～ 반응 核融合反応.
핵-이성질체【核異性質體】명〖物〗核異性体; 異性核.
핵자【核子】명〖物〗核子; 陽子と中性子.
핵-자기【核磁氣】명〖物〗核磁気. ¶～ 모멘트 核磁気モーメント/～ 유도 核磁気誘導.
핵질【核質】명〖生〗核質.
핵-폐기물【核廢棄物】명 核廃棄物. ¶～ 처리 核廃棄物処理/～ 저장 시설 核廃棄物貯蔵施設.
핵-폭발【核爆發】명 核爆発.
핵-화학【核化學】명 核化学.
핵확산 방지 조약【核擴散防止條約】명 核拡散防止条約; 核不拡散条約; NPT.
핸드〔hand〕명 ハンド. ¶～ 브레이크 ハンドブレーキ/～ 사인 ハンドサイン/매직 ～ マジックハンド.
‖—— 드릴 명 ハンドドリル. —— 머니 명〖經〗ハンドマネー. ①保証金. ②小額のポケットマネー. ——-백 명 ハンドバッグ. ——-볼 명 ハンドボール. ——-북 명 ハンドブック.
핸들〔handle〕명 ハンドル. ¶～을 잡다 ハンドルをとる/～을 돌리다 ハンドルを回す.
핸들링〔handling〕명〖蹴球〗ハンドリング.
핸디〔hady〕명 [↗핸디캡] ハンディー.
핸디캡〔handicap〕명 ハンディキャップ. ¶～이 붙다 ハンディキャップがつく.
핸섬〔handsome〕명하형 ハンサム; 男前. ¶～ 보이 ハンサムボーイ.
핼끔 부 軽軽しく横見をするさま; 横目をつかうさま. <힐끔. ——-거리다 자 しきりに横目をつかってちらと見る. ———— 부하자 横目をつかってしきりにちらと見るさま.
핼로〔hallo〕감 ハロー; もしもし.
핼쑥-하다 형 やつれている; 顔色が青ざめている. ¶핼쑥한 얼굴 青白

あおじろい顔 / 핼쑥해지다 青ざめる.

햄〔ham〕¹ 명 ハム. ¶~ 샌드위치 ハムサンドイッチ；ハムサンド《준말》.

햄〔ham〕² 명 ハム；アマチュア無線家.

햄릿-형【—型】〔Hamlet〕 명《心》ハムレット型.

햄버거〔hamburger〕 명 ハンバーガー.

햄버그〔hamburg〕 명 ハンバーグ(ステーキ). =햄버그 스테이크.

햄-샐러드〔ham salad〕 명 ハムサラダ.

햄-에그 명〔ham and eggs〕ハムエッグス.

햄-족【—族】〔Ham〕 명 ハム族.

햅-쌀 명 新米；新穀. ¶~로 밥을 짓다 新米で飯を炊く.

‖——-밥 명 新米で炊いた飯.

햇- 두 "その年に新しく産した"の意. ¶~송이 はしり(走)りのまつたけ.

햇-것 명 その年に初めて産したもの；はしり(走)り；初物.

햇-곡식【—穀食】 명 新穀. ¶신전에 ~을 바치다 神に初穂を捧げる. ㊟ 햇곡.

햇-귀 명 ① 日の出の光線. ② ☞ 햇발.

햇-닭 명 その年にふか(孵化)した鶏.

햇-무리 명 ひかさ(日暈). ¶~ 구름 巻層雲；うす雲.

햇-발 명 太陽の光線；日足；ひざし；日影〈雅〉. =햇귀. ¶~이 옮아가다 日足が移る.

햇-병아리 명 ① その年にふか(孵化)したひよこ(雛). ② 新前；駆け出し；ぺいぺい〈俗〉；ぴいぴい〈俗〉. =풋내기. ¶~ 기자 駆け出しの記者.

햇-별 명 日；照り；天日；陽光. ¶~을 흠뻑 쬐다 日光をたっぷり浴びる / 이불을 ~에 말리다 ふとんを日干しにする / ~이 들다〔비치다〕日がさす / ~이 쨍쨍 내리쬐다 太陽がじりじり(と)照りつける / ~에 탄 얼굴이 건강하게 보인다 日焼けした顔が健康に見える / ~에 말리다 天日に干す / 뜰에서 ~을 쬐다 庭でひなた(日向)ぼっこをする. ㊟ 볕.

햇-보리 명 (その年の)初麦.

햇-빛 명 日の光；日光；陽光；天日. ¶~이 구름에 비치다 日の光が雲に映える / ~을 보다 陽光を見る / 창을 열자 눈부신 ~이 (쏟아져) 들어왔다 窓をあけるやまばゆい日の光が差し込んできた / ~을 보지 못하다 日の目を見ない.

햇-살 명 日ざし. ¶~이 세다 日ざしが強い.

햇-수【—數】 명 年数. ¶금년이면 ~로 3년이다 今年で足かけ三年である.

햇-실과【—實果】 명 初物.

행【行】 명 行. ¶다음 ~ 次の行；次行.

행【幸】 명 幸；幸い. ¶~ 불행을 막론하고 幸不幸を問わず.

-행【行】 미 行・ゆき. ¶서울~ 특급열차 ソウル行きの特急列車.

행각【行脚】 명하자 ① 行脚；僧が諸国をめぐり歩いて修行すること. ② ある目的をもって方方を歩き回ること. ¶사기 ~ 詐欺を働くための立ち回り.

‖——-승 명 行脚僧；雲水僧；旅僧.

행간【行間】 명 行間. ¶~에 써 넣은 글 行間の書き込み.

행객【行客】 명 行客；旅人.

행구【行具】 명 旅装；旅支度.

행군【行軍】 명하자 行軍. ¶강~ 強行軍.

행궁【行宮】 명 行宮；仮宮；行在所.

행-글라이더〔hang glider〕 명 ハンググライダー；ハンググライダー.

행낭【行囊】 명 こうのう(行嚢)；郵袋.

행년【行年】 명 行年；生年；当年の年齢.

행동【行動】 명 行動；行ない；振る舞い；挙動；しわざ. ——-하다 자 行動する；振る舞う. ¶~파 行動派 / 경박한 ~ 軽浮な行動 / 제멋대로 ~하다 勝手に振る舞う / ~이 수상하다 挙動が怪しい / ~이 비열하다 しわざがいやしい.

‖—— 거지(擧止) 명 立ち居振る舞い；身ごなし；物腰；行儀. ¶~가 점잖다 立ち居振る舞いが上品である / 부드러운 ~ 柔らかい身ごなし. —— 반경 명 行動半径. ——-주의 명 行動主義. ——-형 명《心》行動型.

행락【行樂】 명 行楽. ¶~의 계절 行楽のシーズン.

행려【行旅】 명하자 行旅；旅をすること. また, 旅人.

‖—— 병사자(病死者) 명 旅で病死した人. —— 병자 명 行旅〔行路〕病者.

행렬【行列】 명하자 行列. ¶가장 ~ 仮装行列 / 시위 ~ 示威〔デモ〕行列 / ~과 조합 行列と組合.

행로【行路】 명 行路. ① みちすぢ；道路. ② 世渡り. ¶인생 ~ 人生行路.

행망-쩍다 형 間抜けている；うかつ(迂闊)である.

행방【行方】 명 行方；方向. ¶~을 감추다 行方をくらます.

‖—— 불명 명 行方不明. ¶~이 된 금괴 行方不明になった金塊.

행보【行步】 명 ① 行歩；歩行；あゆみ. ② 行商に出ること.

행복【幸福】 명하형 幸福；幸せ；幸い；幸〈雅〉. ¶~감 幸福感 / ~을 빌다 幸せを祈る / ~할지어다 幸あれかし. ——-스럽다 형 幸福だ.

행-불행【幸不幸】 명 幸不幸. ¶인생의 ~ 人生の幸不幸.

행사【行使】 명하타 行使. ¶권리〔실력〕 ~ 権利〔実力〕行使 / 묵비권을 ~하다 黙秘権を行使する.

행사【行事】 명하자 行事；催し. ¶연중 ~ 年中行事 / 다채로운 ~ 多彩な催し / ~가 있다 催しがある.

행상【行商】 명하자 行商；旅商い；旅あきんど；物売り. ¶~ 나가다 旅商いに出る.

행상【行賞】 명하타 行賞. ¶논공 ~ 論功行賞.

행색【行色】 명 ① 行動する態度. ② 旅立ちのいでたち〔身なり〕. ¶~이 초라하다 旅立ちの身なりがみすぼらしい.

ㅎ

행선【行先】명 行く先. ¶ ~을 모르다 行く先がわからない.
‖——-지(地) 명 行く先; 旅先; 目的地. ¶ ~는 서울이다 行く先はソウルである.

행성【行星】명〖天〗惑星; 遊星.

행세【行世】명 世渡り. また, その態度. ——-하다 자 世渡りする; …に成り済ます. ¶ 남편 ~를 하다 夫に成り済ます; 主人顔をする.
‖——-꾼 명 処世の道をわきまえた人.

행세【行勢】명하자 [↗행세도] 羽振りをきかせること; 勢力をふるうこと. ¶ ~하는 집안 羽振りがきく家柄.

행수【行首】명 親方; 頭領.

행수【行數】명 行数. また, その順序.

행실【行實】명 行ない; 品行; たしな(嗜)み; 身持ち. ¶ ~을 삼가다 行ないを慎む / ~이 좋은 사람 たしなみのよい人 / 나쁜 ~을 고치다 不身持ちを直す.

행악【行惡】명하자 悪事を行うこと.

행여【幸—】부 幸いに; も(若)しや; もしかしたら; ひょっとすると; かりそめ(仮初)にも. ¶ ~ 잘못되면 어쩌나 もしやだめだったらどうしよう. ——-나 부 "행여"を強調する語.

행운【幸運】명 幸運; 幸い; 幸せ. ¶ ~을 빌다 幸運を祈る.
‖——-아 명 幸運児; 果報者.

행원【行員】명 [↗은행원] 行員.

행위【行爲】명 行為; 行ない; しぐさ. ¶ 불법〔부정〕 ~ 不法〔不正〕行為 / 파렴치한 ~ 破廉恥な行ない / 생각을 ~로 나타내다 考えを行為に表わす.
‖—— 능력 명 行為能力.

행인【行人】명 ① 行人; 道を行く人. ¶ ~이 드문 고갯길 行人まれな峠道. ②〖佛〗行人; 仏法を修行する人; じゅもん(呪文)を唱える人.

행장【行狀】명 行状. ① 人の一生の履歴を記した文. ② 刑務所の収監者の品行記録.
‖——-기 명 行状記.

행장【行長】명 [↗은행장] 銀行の頭取.

행장【行裝】명 行装; 旅支度; 旅装. ¶ ~을 챙기다 旅支度を整える.

행적【行績·行蹟】명 行跡; 行状.

행정【行政】명 行政. ¶ ~력 行政力 / ~ 구역 行政区域 / ~ 수완 行政手腕.
‖—— 각부 명 行政各部. —— 감사 명 行政監査. ——-관 명 行政官. —— 관청 명 行政官庁. —— 구획 명 行政区画. —— 규칙 명 行政規則. —— 기관 명 行政機関. —— 명령 명 行政命令. ——-법 명 行政法. —— 법원 명 行政裁判所. ——-부 명 行政府. —— 사무 명 行政事務. —— 소송 명 行政訴訟. (준) 행소. —— 처분 명 行政処分. ——-학 명 行政学. —— 협정 명 行政協定.

행정【行程】명 行程. ① 道のり. ¶ 하루의 ~ 一日の道のり. ②〖機〗ストローク.

행주 명 ふきん(布巾). ——-치다 타 ふきん掛けをする; ふきんでふ(拭)く.
‖——-질 명하타 ふきん掛け; ふきんで食器などを拭くこと. ——-치마 명 前掛け; エプロン.

행진【行進】명 行進. ——-하다 자 行進する; 練り歩く. ¶ 시위 ~ 示威〔デモ〕行進 / 질서 정연히 ~하다 秩序整然と行進する.
‖——-곡 명〖樂〗行進曲; マーチ.

행짜 명 意地悪をして人を害すること; ろうぜき(狼藉). ¶ 저 사람은 ~가 심하다 あの人はとても意地悪だ.

행차【行次】명하자 (目上の)お出かけ; お出まし; いでまし(出御·出座)〈雅〉; お出まし. ¶ ~하시기를 기다리고 있습니다 お越しをお待ちしております / 어떤 분의 ~인가 何様のお通りかね / ~ 뒤의 나팔《俚》喧嘩過ぎての棒ちぎり木; 後の祭り.

행커치프〔handkerchief〕명 ハンカチーフ; ハンカチ《준말》; ハンケチ《준말》.

행-티 명 性悪なくせ; 横暴なしぐさ; 人を困らせる悪いくせ.

행패【行悖】명하자 道理にもとる行ない; ふらち(不埒)な行ない. ¶ ~를 부리다 ろうぜき(狼藉)を働く.

행하【行下】명 ① 祝儀; 心づけ. ② チップ; 手当. ¶ ~를 주다 手当をする. ③ 酒手. ¶ ~를 후하게 주다 酒手をはずむ.
‖——-조 명 口止めにする行ない.

행-하다【行—】타 決めた通りにする; 行なう; 行動する; 実行する; なす; 行ずる; やる. ¶ 중의에 따라서 ~ 衆意に基づいて行なう / 관례에 따라 ~ 通例によって〔したがって〕行なう / 나쁜 짓을 ~ 悪事を働く / 수술을 ~ 手術を施す / 불교 의식을〔법사(法事)를〕 ~ 仏事を修する.

행형【行刑】명하자 行刑. ¶ ~관 行刑官. ‖——-학 명 行刑学.

향【向】명 向き; 墓地·敷地などの位置する方角. ¶ 남~의 방 南向きの部屋.

향【香】명 香. ① 香り; よいにお(匂)い. ② 祭祀にたいて香りを出すもの; たき(薫)物; 線香. ¶ ~을 피우다 香をたく; たき物をする / ~을 피워 초혼하다 香をたいて招魂する.

향교【鄕校】명〖史〗郷校·ヒャンギョ; 村里のぶんびょう(文廟)及びそれに属した学校.

향군【鄕軍】명 ① ↗재향 군인(在鄕軍人). ② ↗향토 예비군.

향긋-하다 형 かんばしい. ¶ 국화의 향긋한 냄새 菊のかんばしいにお(匂)い.

향기【香氣】명 香気; にお(匂)い; 香〔薫〕り. ¶ ~가 나다 にお(匂)う; 聞こゆ〈雅〉; 香る / ~ 높은 꽃 香気の強い〔香り高い〕花. ——-롭다 형 かんばしい; にお(匂)やかだ; 香ばしい; かぐわ(馨)しい. ——-로이 부 かんばしく; 香ばしく; におやかに.

향남【向南】 명 하자 南に向かうこと.

향-내【香—】, 향-냄새【香—】 명 にお(匂)い；香り. ＝향기. ¶~가 나다 香が匂う.

향년【享年】 명 享年；行年. ¶~ 90세 享年九十歳.

향도【嚮導】 명 하타 きょうどう(嚮導)；道を案内すること. また，その人. ¶~기 嚮導機.

향락【享樂】 명 하타 享楽. ¶인생을 ~하다 人生を享楽する.
‖——주의 명 享楽主義. ¶~자 エピキュリアン.

향로【向路】 명 行く先；前途.

향로【香爐】 명 香炉.

향론【鄕論】 명 田舎の世論.

향리【鄕里】 명 郷里；田舎；ふるさと；御国. ¶~로 돌아가다 郷里に帰る.

향미-료【香味料】 명 香味料.

향민【鄕民】 명 郷民. ＝촌맹(村氓).

향발【向發】 명 하자 発向；出発.

향방【向方】 명 行く先.
‖—— 부지(不知) 명 하자 どこであるかを知らないこと；東西をわきまえ得ないこと.

향배【向背】 명 向背；去就. ¶~를 분명히 하다 向背を明らかにする.

향상【向上】 명 向上；(水準などの)底上げ. ＝진보. ——하다 자 向上する；進歩する. ¶~성 向上性 / 눈부신 ~ めざましい向上 / 체위의 ~ 体位の向上 / 문화를 ~시키다 文化を進める / 영어 실력이 ~되다 英語が上達する / 수학 실력이 ~하다 数学の力が伸びる.

향서【向暑】 명 하자 向暑；だんだん暑くなること. ¶~지제(之際)에 向暑の折.

향서【鄕書】 명 故郷からの便り. ＝향신(鄕信).

향-선생【鄕先生】 명 ①その地方の名望ある儒生. ②田舎の儒生をあざけ(嘲)る語.

향성【向性】 명〘生·心〙向性.
‖—— 검사 명〘心〙向性検査.

향속【鄕俗】 명 郷俗；田舎の風俗. ＝향풍(鄕風).

향수【享受】 명 하타 享受. ¶이익을 ~하다 利益を享受する.

향수【享壽】 명 하자 長生きの福を享受すること.

향수【香水】 명 ①香水. ¶~를 바르다 香水をつける / ~를 뿌리다 香水をふりかける / 관능을 자극하는 ~ 냄새 悩ましい香水のかおり. ②〘佛〙香水.

향수【鄕愁】 명 郷愁；ノスタルジア；里心；ホームシック；懐郷. ¶~에 젖다 郷愁にひたる.

향신-료【香辛料】 명 香辛料.

향약【鄕約】 명〘史〙朝鮮朝で勧善懲悪を内容とする村の自治的な規約.

향연【香煙】 명 香煙. ①香火のけむり. ②芳しいたばこ.

향연【饗宴】 명 きょうえん(饗宴). ¶~를 베풀다 饗宴を張る.

향유【享有】 명 하타 享有. ¶살 권리를 ~하고 있다 生きる権利を享有している.

향읍【鄕邑】 명 郷邑.

향응【饗應】 명 하타 供応；きょうえん(饗宴)のもてなし.

향의【向意】 명 하자 心を傾けること；気のむくこと.

향익【享益】 명 하자 享益；利益を受けること.

향일【向日】 명 하자 ①過日；先般. ②太陽に向かうこと.
‖——성 명〘植〙向日性.

향자【向者】 명 先ごろ；先般. ＝향일(向日).

향전【香奠】 명 香典；香料；線香代. ＝부의(賻儀).

향족【鄕族】 명 村の役人になる資格のある家門.

향지-성【向地性】 명〘植〙向地性.

향진【向進】 명 하자 その方に向かって進むこと.

향초【香草】 명 ①香草；香り高い草. ②香りのよいたばこ.

향촉【香燭】 명 香とろうそく(蠟燭).

향촌【鄕村】 명 郷村；村里.

향토【鄕土】 명 郷土；ふるさと(故里)；故郷；郷里. ¶~ 자랑 お国自慢.
‖—— 무용 명 郷土舞踊. ＝민속(民俗)무용. —— 문학 명 郷土文学. ——색 명 郷土色；ローカルカラー. ——애 명 郷土愛. —— 예비군 명 郷土予備軍《郷土防衛のために予備役の人で編成された非正規軍》. —— 예술 명 郷土芸術.

향하【向下】 명 하자 下を向くこと.

향-하다【向—】 자 타 向かう；向く；向ける. ①(顔を)向かせる. ¶얼굴을 아래로 ~ 顔を下に向ける / 뒤를 ~ 後ろを向く / 벽을 향해 서다 壁の方を向いて立つ. ②向かい合う；対する. ¶마주 ~ 向き合う；相對する / 마주 향해 앉다 向かい合って座る. ③面する. ¶바다를 향한 집 海に向いた家 / 북을 ~ 北に向く / 집이 숲속을 향해 있다 家は森に向いている. ④(意を)傾ける. ¶임 향한 일편 단심 主君に対する赤心. ⑤向かって行く；目ざして行く；赴く. ¶전선으로 ~ 前線に向かう / 서쪽을 향해서 가다 西を指して行く / 남쪽을 향해 항해하다 南に向かって航海する / 서울로 ~ ソウルに行く / 골을 향해 달리다 ゴールに向かって走る.

향학【向學】 명 하자 向学.
‖——심 명 向学心. ——열 명 向学熱.

향후【向後】 명 부 向後；今後；この後；以後. ¶~의 문제 向後の問題 / ~ 1주일 向後一週間.

허【虛】 명 虚. ¶~와 실 虚と実 / ~를 찌르다 虚を衝く；裏をかく / ~를 틈타다 虚に乗ずる / 적의 ~를 찌르다 敵の不意を突く / ~를 찔려서 크게 당황하다 不意を食って大い

にあわてる.

허¹ 부 息を大きく吐き出す音: ほう; はあ. >하. ——-하다 자 息をはあと大きく吐き出す.

허² 감 驚いた〔あきれた·感心した〕ときに発する声: ほう; はあ. >하. ¶～ 자네가 국회 의원이 된다는 건가 ほう, 君が代議士になるというのかい / ～ 대단한데 へえ, たいしたものだね / ～ 그런 일이 있을까요 へえ, そんなことがありますかね / ～ 그것이 사실인가 ほう, それが本当かい.

-허【許】 의 距離のある程度をあらわす語: 程; ばかり. ¶십리～의 거리 一里位の距離.

허가【許可】 명 許可; 許し. ——-하다 타 許可する; 許す. ¶무～ 無許可 / ～제 許可制 / ～ 없이 許しなく / ～를 얻다 許可をとる / 입학을 ～하다 入学を許す / 아랫사람에게 ～하다 目下に差し許す.
‖——-장 명 許可状. ——-증 명 許可証. ——-품 명 許可品.

허겁-지겁 부하자 ひどくあわてふためくさま: あたふたと; いそいそ. ¶당황하여 ～ 도망쳤다 泡を食ってあたふたと逃げた / 사고 소식을 듣고 ～ 달려오다 事故の知らせを受けてあたふたとかけつける / ～ 뛰어들다〔계단을 내려가다〕 あたふたとかけ込む〔階段を降りる〕.

허공【虛空】 명 虚空. ¶～에 매달림 宙釣り / 발이 ～에 뜨다 足が宙に浮く / ～으로 사라지다 空に消える / ～을 짚으며 보기 좋게 나가 떨어지다 空を切ってもんどりうつ.

허교【許交】 명하자타 ①心を許し合って交わること. ②君·僕呼ばわりで交わること.

허구【許久】 명하형 久しいこと; 長い月日のた(経)つこと.

허구【虛構】 명하타 虚構. ①偽り; 作りごと. ¶～성 虚構性 / 상상이 낳은 ～ 想像の生んだ虚構. ②フィクション.

허-구렁【虛—】 명 空のくぼち(窪地).

허구리 명 わき腹; 腰のくび(括)れ.

허기【虛氣】 명 虚気. ①気をしずめること. ②うつ(虚)ろな気.

허기【虛飢】 명 飢え; ひもじさ. ——-지다 자 ①ひもじくなって元気がなくなる. ¶허기진 강아지 물찌똥에 덤빈다《俚》 かつえた坊主が斎にあう. ②(…に)飢える; 渇望する.

허깨비 명 ①幻; 幻影. ②案外に重みのない物.

허다【許多】 명하형 許多; 数多いこと; あまた(数多). ¶～한 전례가 있다 あまたの先例がある / ～한 곤란을 겪다 かずかずの困難を経る. ——-히 부 数多く.

허덕-거리다 자 ①苦闘する; あくせくする. ¶아침부터 밤까지 일에 ～ 朝から晩まで仕事できりきり舞う. ②あえ(喘)ぐ; あっぷあっぷする. ③(子供が)手足をばたつかせる. 허덕-허덕 부하자 ①苦しむさま. ②あえぐさま: あえぎあえぎ; ふうふう; あっぷあっぷ. ¶경영이 ～하는 상태다 経営があっぷあっぷの状態である. ③手足をばたばたするさま: ばたばた.

허덕-이다 자 ①あえ(喘)ぐ; 苦しむ. ¶잔열에 ～ 余熱に喘ぐ / 악정에 ～ 悪政にあえぐ / 가난에 ～ 窮乏に喘ぐ. ②(幼い子が)手足をばたつかす.

허덕-지덕 부 あえぎあえぎ; あくせく; じたばた. ——-하다 자 疲れ果ててあえぐ; あくせくする.

허두【虛頭】 명 冒頭; 語頭.

허둥-거리다 자 あわてふためく; じたばたする; うろたえる. ¶다급해지면 허둥거리기 마련이다 火急の際にはあわてふためくものだ / 허둥거리며 도망가다 倉皇として逃げる / 먼저 가려고 ～ 先を競ってあがく. 허둥-허둥 부하자 あわてふためくさま: じたばた; あたふた; うろうろ; 倉皇と.

허둥-지둥 부 あわてふためくさま: そそくさと; あたふた. ——-하다 자 そそくさする. ¶꾸중을 듣고 ～하다 どなられておろおろする / 갑자기 대답이 나오지 않아 ～했다 急に答えられずどぎまぎした / ～ 도망치다 すたこら(と)逃げ出す; 風を食らう / ～ 집으로 뛰어들었다 あたふたと家にかけこんだ / ～ 달아나다 ほうほうの体で逃げる / ～ 옷을 갈아 입고 나가다 そそくさと着替えて出かける.

허드레 명 さして大切でない物《たやすく使えるもの》; がらくた. ¶허드렛고치 くずまゆ(屑繭).
‖——-꾼 명 下回り; 下働き; 雑役夫. 허드렛-물 명 (飲用以外の)雑用の水; 使い水. 허드렛-일 명 雑役; 重要でない仕事.

허드재비 명 重要でない物事.

허든-거리다 자 よろける; ふらつく. ¶허든거리는 걸음걸이 よろめく足取り / 돌부리에 채어 ～ 石につまずいてよろける. 허든-허든 부하자 よろよろ; ふらふら.

허들 〔hurdle〕 명 ハードル.
‖—— 레이스 명 ハードルレース.

허락【許諾】 명하타 承諾; 許し. ¶시간이 ～하는 한 時間の許す限り / 사정이 ～하면 事情が許せば / 남자에게 몸을 ～하다 男に肌を許す / 복직이 ～되다 帰参がかなう / ～ 여부를 확인하다 許否を確かめる.

허랑【虛浪】 명하형 (言動が)浮ついて不実なこと.
‖—— 방탕(放蕩) 명하형스형 言動の不実でほうとう(放蕩)なこと. 준 허탕(虛蕩).

허례【虛禮】 명 虚礼. ¶～ 허식 虚礼虚飾.

허론【虛論】 명하자 虚論. =공론(空論).

허룩-하다 형 大分〔いくぶん(幾分)か〕減っている.

허룽-거리다 자 そそっかしく〔ちょこまかと〕振る舞う. >하룽거리다. 허룽-허룽 부하자 軽軽しく振る舞うさま.

허름-하다 형 ①安そうだ. ②粗末っ